Pendleton

BERTELSMANN

TASCHENWÖRTERBUCH

ENGLISCH

ENGLISCH/DEUTSCH · DEUTSCH/ENGLISCH

BERTELSMANN LEXIKON VERLAG

Herausgegeben vom Lexikon-Institut Bertelsmann

Unter Mitarbeit von: Sabine Dähn-Sigel, Oliver Fry, Martina Hemrich, Petra Krügel, Deborah Snowberger

Abbildungen: Dieter Stadler
Einbandgestaltung: Martina Eisele

Warenzeichen, Gebrauchs- und Geschmacksmuster sowie Patente sind in diesem Werk, wie in allgemeinen Nachschlagewerken üblich, nicht als solche gekennzeichnet. Es wird empfohlen, vor Benutzung von bestimmten Zeichen für Waren oder von besonders gestalteten Arbeitsgerätschaften bzw. Gebrauchsgegenständen sowie von Erfindungen beim Deutschen Patentamt in München anzufragen, ob ein Schutz besteht.

Druck: Biblia Druck GmbH, Stuttgart
Printed in Germany
ISBN 3-570-01891-1

Inhalt

Hinweise für das Nachschlagen

Im Hinblick auf den umfangreichen Wortschatz einer Sprache kann ein Wörterbuch dieser Größenordnung lediglich einen Ausschnitt anbieten. Dieses Wörterbuch bietet jedoch nicht nur eine Wortliste mit deren Übersetzungen, sondern auch eine Vielzahl an Informationen zu unregelmäßigen Formen, zur Konstruktion eines Satzes und zur Bedeutung eines Wortes (viele typische Wortverbindungen).

Darüber hinaus ist das Buch nicht nur Wörterbuch, sondern es ist durch den Anhang in hohem Maße auch anwendungsbezogen. Dies ist einerseits durch das „Kurz-Reisewörterbuch" und die „Musterbriefe" gewährleistet, die die wichtigsten Anwendungs-Situationen berücksichtigen, andererseits durch die „Abbildungen", die optisch auf ein gesuchtes Wort schließen lassen. Eine Kurz-Grammatik führt in den korrekten Umgang mit der Sprache ein.

Der Wörterbuchteil allein enthält rund 200000 Informationseinheiten zu unterschiedlichsten Phänomenen. Die nachfolgenden Angaben helfen Ihnen, sich alle diese Informationen zu erschließen.

1. Die Ordnung der Stichwörter

Die Wörter sind rein alphabetisch angeordnet. Im deutsch-englischen Teil sind die deutschen Umlaute wie die nichtumgelauteten behandelt; das 'ß' wird wie 'ss' behandelt. Sind Wortteile in Klammern, so können diese wahlweise verwendet werden: z.B. wäss[e]rig = wässerig oder wässrig.

Eigennamen und Abkürzungen finden Sie ebenfalls in der entsprechenden alphabetischen Reihe.

Ableitungen und zusammengesetzte Wörter sind, wenn dies alphabetisch möglich war, unter dem Hauptstichwort zusammengefaßt.

„Phrasal Verbs" im englisch-deutschen Teil sind unter dem Hauptstichwort eingereiht und erscheinen ebenfalls in rein alphabetischer Reihenfolge, da sie von der Grundbedeutung des Hauptstichwortes meist vollkommen abweichen.

Homographe sind mit einem Exponenten gekennzeichnet.

Die Stichwörter sind fett ausgezeichnet. Kurzformen von diesen Stichwörtern sind in runden Klammern, kursiv und mit Tilde z.B. Bahn → (*Eisen~*).

2. Die Struktur des Eintrags

Die notwendigen Informationen, die eine umfangreiche Auskunft über Formen zur Deklination/Konjugation, zur Satzkonstruktion, zur Bedeutung eines Stichwortes usw. geben, sind von Stichworteinheit zu Stichworteinheit unterschiedlich. Trotzdem finden Sie eine durchgehende Systematik beim Aufbau eines Stichwortartikels:

Da ist einmal das Stichwort mit seinen Varianten (z.B. unterschiedliche Schreibweise im Amerikanischen u. Englischen), dann folgen die Angaben zur Morphologie (z.B. Angaben zur Konjugation, die grammatikalische Einordnung), dann die Angaben zur Bedeutung (z.B. typische Subjekte, Objekte), dann die Übersetzung[en] und schließlich Ergänzungen zur Satzkonstruktion (d.h. Angaben zum unterschiedlichen Kasus, zur Rektion); nachfolgend ein Beispiel zur Grob-Struktur:

- Stichwort
- Angaben zur Grammatik
- Angaben zur Bedeutung (typisches Objekt etc.)
- Übertragung
- Ergänzungen zur Satzkonstruktion

abstract [1] ['æbstrækt] **I.** *adj* ▷*art etc.* abstrakt; ▷*argument* theoretisch **II.** *n* ↑ *outline* Abriß *m;* ↑ *title, summary* Zusammenfassung *f,* Übersicht *f* **abstract** [2] [æb'strækt] *vt* (1) → *metals* trennen (2) → *s.th. from an article* entnehmen (*from* aus)

2.1 Angaben zur Form u. Syntax

Je nach Wortart sind dem Stichwort unterschiedliche grammatische Informationen beigegeben.

Die Informationen lassen sich dabei in zwei größere Einheiten unterteilen. Auf der einen Seite ist dies die grammatische Kategorisierung, d.h. die Zuordnung zu einer Wortklasse, auf der anderen Seite sind dies unregelmäßige Formen zur Deklination und zur Konjugation, zur Steigerung bei den Adjektiven usw.
Beispiel: Die Zuordnung zu einer grammatikalischen Kategorie erfolgt mit römischen Ziffern.

abort [ə'bɔːt] **I.** *vt* (1) → *space mission* abbrechen (2) (→ *unborn child, with intention*) abtreiben **II.** *vi* ↑ *miscarry* fehlgebären, eine Fehlgeburt haben; **abortion** [ə'bɔːʃən] *n* (1) (*of foetus*) Abtrei-

Ferner finden sich z.B. Ergänzungen, die auf die Satzkonstruktion abzielen:

access ['ækses] **I.** *n* (1) Zugang *m;* ▷ ~ **only** Anlieger frei; (PC *data* ~) Zugriff *m* (2) (JUR *to chidren*) Zugang *m,* Besuchsrecht *s* **II.** *vt* PC → *data from a computer* zugreifen auf *acc;* **acces-**

Im Englischen wird das Wort 'transitivisch' mit direktem Objekt, die deutsche Übersetzung wird jedoch mit einem präpositionalen Anschluß verwendet (Präposition + bestimmter Kasus).

2.2 Angaben zur Bedeutung und Übersetzung

Das Wort, das Sie in der Fremdsprache nicht verstehen oder das Sie in die Fremdsprache übersetzen möchten, steht nicht für sich allein; es ist stets eingebunden in sein Sprachsystem und in den jeweiligen Kontext. Sehen wir uns hierzu folgenden Beispielsatz an:

Er drehte | ihn/es | ab.

Dieser Satz wird erst durch seinen Kontext klar. Vergleichen Sie hierzu folgende Sätze:

			Synonyme hierzu:
Er drehte	den Film/das Video	ab.	- zu Ende drehen
	den Hahn		- zudrehen
	das Wasser		- zudrehen
	die Schraube		- herunterdrehen
	usw.		

Die Bedeutung des Wortes 'abdrehen' ist, wie das Beispiel u. die Synonyme zeigen, von dem Wort abhängig, das als typisches Objekt zum Tätigkeitswort hinzutritt und mit diesem eine enge Bedeutungsbeziehung eingeht.

Beim Übersetzungsprozeß muß gerade auf diese Kollokatoren bzw. Wortverbindungen geachtet werden. Je nach Kollokator muß das gesuchte Wort unterschiedlich übersetzt werden.

Dieses Wörterbuch ist reich an solchen Kollokatoren und wird Ihnen nicht nur beim Verstehen des fremdsprachlichen Wortes eine nützliche Hilfe sein, sondern gerade bei der Bildung u. Konstruktion eines fremdsprachlichen Textes, da Sie z.B. typische Objekte oder typische Subjekte erkennen und diese direkt in Ihre Satzkonstruktion übernehmen können.

Der Schlüssel zur richtigen Übersetzung ist also vielfach der Kollokator, der zu einem Wort hinzutreten kann. Dieser bestimmt den Bedeutungsgehalt eines Stichworts mit, der in einem Synonym zusammengefaßt werden kann (vgl. abdrehen).

Größere Bedeutungseinheiten sind mit arabischen Ziffern zusammengefaßt.

Um die Wichtigkeit der Bedeutungsdifferenzierung hervorzuheben, wurden die einzelnen Bedeutungsdifferenzierungen auch vom Schriftbild her gekennzeichnet. Kollokatoren (typische Wortverbindungen), die zu einem Substantiv, Adjektiv, Adverb treten, werden mit '▷ ' gekennzeichnet. Typische Kollokatoren zu einem Verb werden mit Pfeilen gekennzeichnet: typisches Subjekt mit '← ', typisches Objekt mit '→ '. Synonyme werden mit einem Pfeil nach oben ↑ gekennzeichnet. Handelt es sich nicht um diese Elemente, so steht die Bedeutungsdifferenzierung in runden Klammern und ist von der Schriftart her 'kursiv'.

> **abdrehen** **I.** *vt* [1] ↑ *zudrehen* → *Wasserhahn, Schalter* turn off [2] ↑ *abbrechen* → *Schraube* twist [off] [3] ↑ *zu Ende drehen* → *Film* shoot **II.** *vi* ← *Wind, Flugzeug* to change direction; ◇ **nach links** ~ to veer to the left

Weitere Angaben, die wie ein Zeiger den Rahmen einer Bedeutung wiedergeben, sind rhetorische und stilistische Angaben zur Verwendung, sowie regionale Angaben und Angaben zum Gebrauch in einem Sachbereich.

Synonyme Übersetzungen sind mit einem Komma abgetrennt und sind untereinander austauschbar. Nicht austauschbare Übersetzungen eines Stichworts sind mit einem Semikolon abgetrennt.

Nach der Übersetzung folgen die Angaben zur regionalen Verwendungsweise oder aber Angaben zur Satzkonstruktion (d.h. Kasusangaben, präpositionale Anschlüsse).

2.3 Anwendungssätze und Wendungen

Anwendungssätze und Wendungen sind vor allem auch dann ausgewählt worden, um komplexe Einträge z.B. 'about' etc. verständlicher zu machen. Diese sind, wenn möglich, den jeweiligen Bedeutungseinheiten zugeordnet.

> **about** [əˈbaʊt] **I.** *adv* [1] ↑ *approximately* ungefähr [2] ↑ *nearby* in der Nähe; ↑ *around* [rings-]umher, herum; ▷ **are my spectacles -?** liegt meine Brille irgendwo herum? [3] ▷ **I was - to go out** ich war gerade im Begriff [*o.* dabei] auszugehen **II.** *prep* [1] (*topic*) über *acc* [2] (*location*) um, um ... herum [3] ↑ *involving* bei, an; ▷ **s.th. - his face reminded me ...** irgendwas an seinem Gesicht erinnerte mich an ... [4] ▷ **how - doing your homework?** wie wär's mit Schulaufgaben?; **about-turn** *n* Kehrtwendung *f*

3. Abkürzungen u. Symbole

3.1 Symbole

Tilde ersetzt das Stichwort		~
Synonym		↑
Kollokatoren	zu Substantiv/Adjektiv/Adverb	▷
	typische Subjekte	←
	typische Objekte	→
	Wendungen	◊
Römische Ziffern (Grammatische Kategorien)		I, II, etc.
Arabische Ziffern (größere Bedeutungseinheiten)		①② etc.

3.2 Verwendete Abkürzungen

ADMIN	Verwaltung	administration
AERO	Luftfahrt	aviation
AGR	Landwirtschaft	agriculture
AM	Amerikanisch	American English
ANAT	Anatomie	anatomy
ARCHIT	Architektur	architecture
ASTROL	Astrologie	astrology
ASTRON	Astronomie	astronomy
AUTO	Automobil-Verkehr	automobiles
BAHN / RAIL	Bahn	railways
BIO	Biologie	biology
CH	Schweizerisch	
CHEM	Chemie	chemistry
COMM	Handel	commerce
ELECTR	Elektrotechnik	electrical engineering
FAM / COL	umgangssprachlich	familiar
FIG	übertragen	figuratively
FILM	Film, Kino	film, cinema
FIN	Finanzen	finances
FOTO / PHOTO	Fotografie	photografy
GASTRON	Gastronomie	gastronomy
GEO	Geografie, Geologie	geografy, geology
GRAM	Grammatik	grammar
HIST	Geschichte	history
HYG	Hygiene	hygiene
IRON	ironisch	ironically
JURA / LAW	Rechtsordnung	Law
MATH	Mathematik	mathematics
MED	Medizin	medicine
MEDIA	Neue Medien	Radio media
METEO	Meteorologie	meteorology
MIL	Militär	military
MIN	Bergbau	mining

MUS	Musik	music
NAUT	Seefahrt	shipping
ÖST	Österreich	Austrian
PC	Computer	computing
PEJ	abwertend	pejorative
PHILOS	Philosophie	philosophy
PHYS	Physik	physics
POL	Politik	politics
PRINT	Buchdruck	printing
PSYCH	Psychologie	psychology
REL	Religion	religion
SPRACHW/LING	Sprachwissenschaft	linguistics
TECHNOL	Technik	technology
TELEC	Fernmeldewesen	telecommunications
THEAT	Theater	theatre
BRIT	Britisches Englisch	British English
VULG / FAM!	derb	vulgar
a.	auch	also
Abk. v. / abbr. of	Abkürzung	abbreviation
adj	Adjektiv	adjective
adv	Adverb	adverb
akk / acc	Akkusativ	accusativ case
allg.	allgemein	commonly
art	Artikel	article
attr	attributiv	attributive
bes. / esp.	besonders	especially
cj	Konjunktion	conjunction
compd	Zusammensetzung	compound
dat	Dativ	dative case
e-e	eine	
e-r	einer	
e-s	eines	
e-m	einem	
e-n	einen	
etc.	et cetera	et cetera
etw	etwas	something
f	feminin	feminine
fm	deutsche Substantive, die wie Adjektive dekliniert werden, z.B.: **Fremde(r)** *fm* der Fremde, ein Fremder die Fremde, eine Fremde	
geh	gehoben	elevated
gen	Genitiv	genitive case
ger	Gerundium	gerund
Hilfsverb/aux	Hilfsverb	auxiliary verb
inf	Infinitiv	infinitive

intj	Interjektion	interjection
inv	unveränderlich	invariable
jd	jemand	someone
jd-m	jemandem	to someone
jd-n	jemanden	someone
jd-s	jemandes	someone's
konj / subj	Konjunktiv	subjunctive
m	maskulin	masculin
meist. / usu.	meistens	usually
s	Neutrum	neuter
n	Substantiv	noun
nr	Numerale	numeral
nom	Nominativ	nominative
o	oder	or
pass	Passiv	passive voice
pers	persönlich	personal
pl	Plural	plural
poss	besitzanzeigend	possessive
pp	Partizip Perfekt	past participle
präd / pred	prädikativ	predicative
präp / prep	Präposition	preposition
präs / pres	Präsens	present
pron	Pronomen	pronoun
refl	reflexiv	reflexive
rel	Relativ	relativ
s.	siehe	see
s.o.	jemand[en]	someone
s.th.	etwas	something
sg	Singular	singular
superl	Superlativ	superlative
u.	und	and
unpers / impers	unpersönlich	impersonal
unreg / irr	unregelmäßig	irregular
vb	Verb	verb
vgl.	vergleiche	compare
vi	intransitives Verb	intransitive verb
vr	reflexives Verb	reflexive verb
vt	transitives Verb	transitive verb
o.s.	sich	oneself
y.s.	sich	yourself

4. Aussprache

Vokale

[ɑː]	**a**rm, Bah**a**mas	[iː]	m**e**
[ai]	w**i**fe	[iə]	n**ea**r
[aʊ]	s**ou**nd	[ou]	l**ow**, n**o**
[æ]	b**a**bble	[ɒ]	bar**o**meter, n**o**t
[ʌ]	b**u**t	[ɔ]	l**o**ng
[e]	b**e**d	[ɔː]	**a**ll, l**aw**
[ei]	g**a**me	[ɔɪ]	b**oi**l, **oi**l
[ə]	**a**go / b**a**boon	[ʊ]	l**oo**k, p**u**t
[ɜː]	b**e**rth	[uː]	y**ou**
[ɛə]	bew**a**re, th**e**re	[uə]	p**oo**r, s**u**re
[ɪ]	bab**y**, **i**t		

Konsonanten

[b]	**b**ecome	[r]	**r**ing
[d]	**d**o	[s]	**s**till
[f]	**f**amous	[ʃ]	**sh**opping
[g]	**g**uest	[t]	**t**ake
[h]	**h**ome	[tʃ]	**ch**urch
[j]	**y**ear, Indi**a**n	[θ]	**th**anks, brea**th**
[k]	**c**an, qui**t**	[ð]	**th**is, fa**th**er
[l]	**l**ong	v	**v**ery
[m]	**m**an, ha**m**	w	**w**e, **wh**at
[n]	**n**o, **n**ew	z	the**se**, **z**ig**s**ag
[ŋ]	lo**ng**, stro**ng**	[ʒ]	plea**s**ure
[p]	**p**erson	[dʒ]	**j**im

[ː] Kennzeichnung des Längenzeichens
['] Kennzeichnung des Haupttones
[*] Kennzeichnung des Bindungs-R

WÖRTERBUCH

ENGLISCH - DEUTSCH

A

A, a [eɪ] *n* (1) (*Buchstabe*) A *s*, a *s* (2) MUS A, a *s* (3) (*AM Note*) sehr gut, eins
a [eɪ, ə] (*before vowel*) **an** [æn, ən] *art* (1) (*unbestimmt*) ein[e]; ◇ **she didn't want a car** sie wollte kein Auto (2) (*per*) ◇ **£11 a head** £11 - pro/die Person; ◇ **twice a year** zweimal im Jahr (3) (*with identity*) ◇ **he is a doctor** er ist Arzt; ◇ **he is an Englishman** er ist Engländer
AA *abbr. of* (1) (*Automobile Association*) *Britischer Automobilclub*, ≈ADAC (2) (*Alcoholics Anonymous*) *Anonyme Alkoholiker*
aback [əˈbæk] *adv:* ◇ **to be taken** - ↑ *surprised* erstaunt sein; ↑ *saddened* betroffen sein
abandon [əˈbændən] **I.** *vt* → *place* verlassen; (*person*) verlassen, sitzenlassen; (*activity without finishing*) aufgeben, abbrechen **II.** *n* Hingabe *f;* ◇ **they danced with joyous** - sie tanzten voller Hingabe; **abandoned** *adj* (1) ↑ *dissolute* verkommen (2) (*deserted*) verlassen (3) (*unrestrained*) hemmungslos; **abandonment** *n* (1) ↑ *desertion* Verlassen *s* (2) (*no restraint*) Hingabe *f*
abase [əˈbeɪs] *vt* ↑ *degrade* erniedrigen
abashed [əˈbæʃt] *adj* verlegen, beschämt
abate [əˈbeɪt] **I.** *vi* (*storm, feeling*) nachlassen, abflauen **II.** *vt* (*noise*) dämpfen; (*pain*) lindern; **abatement** *n* (*of storm, of feeling*) Nachlassen *s*, Abflauen *s;* (*of noise*) Dämpfen *s;* (*of pain*) Linderung *f;* ◇ **the Noise A~ Society** ≈die Gesellschaft zur Lärmbekämpfung
abattoir [ˈæbətwɑ:*] *n* Schlachthof *m*
abbess [ˈæbɪs] *n* Äbtissin *f*
abbey [ˈæbɪ] *n* Abtei *f*
abbot [ˈæbət] *n* Abt *m*
abbr. *abbr. of* **abbreviation**
abbreviate [əˈbri:vɪeɪt] *vt* [ab]kürzen; **abbreviation** [əbri:vɪˈeɪʃən] *n* Abkürzung *f*
ABC [ˈeɪbi:ˈsi:] *n* Abc *s;* ◇ **it's as easy as** - es ist spielend leicht
abdicate [ˈæbdɪkeɪt] **I.** *vt* (*responsiblity*) aufgeben, verzichten auf *acc* **II.** *vi* ← *king* abdanken; **abdication** [æbdɪˈkeɪʃən] *n* (*of person in high office*) Amtsniederlegung *f;* (*of king, queen etc.*) Abdankung *f*
abdomen [ˈæbdəmən] *n* Unterleib *m;* **abdominal** [æbˈdɒmɪnl] *adj* Unterleibs-
abduct [æbˈdʌkt] *vt* entführen; **abduction** [æbˈdʌkʃən] *n* Entführung *f*
aberrant [əˈberənt] <inv> *adj* ↑ *unusual* anomal; **aberration** [æbəˈreɪʃən] *n* (1) ↑ *abnormal occurrence* Anomalie *f* (2) ↑ *mental confusion* Verwirrung *f* (3) ↑ *mistake* Irrtum *m*
abet [əˈbet] *vt* (1) ↑ *urge on* anstiften, aufhetzen (2) → *crime* begünstigen
abeyance [əˈbeɪəns] *n* (1) ◇ **to be in** - (JUR *uncertain*) in der Schwebe sein (2) ◇ **to be in** - (*temporarily ineffective*) ruhen, außer Kraft sein
abhor [əbˈhɔ:*] *vt* verabscheuen; **abhorrence** [əbˈhɒrəns] *n* Abscheu *f;* **abhorrent** *adj* abscheulich
abide [əˈbaɪd] *vt* ausstehen; ◇ **he can't - her cooking** er kann ihr Kochen nicht leiden; **abide by** *vt* ↑ *remain faithful to* → *rules* sich halten an *acc*
ability [əˈbɪlɪtɪ] *n* (1) ↑ *capacity* Fähigkeit *f;* ◇ **to the best of my abilities** so gut ich kann (2) ↑ *skill* Geschicklichkeit *f* (3) ↑ *talent* Begabung *f*
abject [ˈæbdʒekt] *adj* (1) ▷*poverty* erbärmlich, bitter (2) ▷*behaviour* übel (3) ▷*submission* demütig, unterwürfig; **abjectness** [ˈæbdʒektnɪs] *n* Erbärmlichkeit *f;* Demut *f*
ablaze [əˈbleɪz] *adj* (1) (↑ *on fire*) in Flammen (2) (*FIG eyes*) glänzend, funkelnd (3) ◇ **the centre is - with lights** das Zentrum ist hell erleuchtet
able [ˈeɪbl] *adj* (1) ▷*capable* fähig; ◇ **to be - to do s.th.** imstande sein, etw zu tun, etw tun können (2) ↑ *skilful* geschickt (3) ↑ *talented* begabt; **able-bodied** *adj* [gesund u.] kräftig; MIL tauglich
ably *adv* (1) (*capable*) gekonnt, fähig (2) ◇ **to be - supported** genügend/ausreichend unterstützt werden
abnegate [æbˈnɪgeɪt] *vt* entsagen *dat*
abnormal [æbˈnɔ:məl] *adj* nicht normal; MED ↑ *deviant* abnorm; **abnormality** [æbnɔ:ˈmælɪtɪ] *n* (1) MED Anomalie (2) ↑ *peculiarity* Abnormale(s) *s*
aboard [əˈbɔ:d] *prep, adv* (*on ship, on plane*) an Bord *gen;* ◇ **the plane crashed, killing the passengers** - das Flugzeug stürzte ab u. riß die Passagiere an Bord in den Tod; ◇ **all aboard!** alles einsteigen!
abode [əˈbəʊd] **I.** *n:* ◇ **right of** - Aufenthaltsrecht; ◇ **of no fixed** - ohne festen Wohnsitz **II.** *pt, pp of* **abide**
abolish [əˈbɒlɪʃ] *vt* abschaffen, aufheben; **abolition** [æbəˈlɪʃən] *n* Abschaffung *f*, Aufhebung *f*
A-bomb [eɪˈbɒm] *n* Atombombe *f*
abominable [əˈbɒmɪnəbl] *adj* (1) ↑ *shocking* entsetzlich (2) ↑ *disgusting* gräßlich, eklig (3) ↑ *grizzly* ◇ **the A~ Snowman** der Schneemensch; **abomination** [əbɒmɪˈnaɪʃn] *n* Entsetzen *s;* Gräßlichkeit *f;* ◇ **to be held in** - verabscheut werden
aboriginal [æbəˈrɪdʒənl] **I.** *n* Aboriginal *m*, Ur-

einwohner (in *f*) *m* [Australiens] **II.** *adj* die Aboriginals betreffend; (*people*) eingeboren, Ur-; **Aborigine** [æbə'rɪdʒɪniː] *n* Ureinwohner (in *f*) *m* Australiens

abort [ə'bɔːt] **I.** *vt* (1) → *space mission* abbrechen (2) (→ *unborn child, with intention*) abtreiben **II.** *vi* ↑ *miscarry* fehlgebären, eine Fehlgeburt haben; **abortion** [ə'bɔːʃən] *n* (1) (*of foetus*) Abtreibung *f;* ◇ **to have an ~** eine Schwangerschaft unterbrechen (2) (*of plans*) Fehlschlagen *s;* (*with intention*) Abbrechen *f;* **abortive** [ə'bɔːtɪv] *adj* erfolglos, mißlungen

abound [ə'baʊnd] *vi* zahlreich sein; ◇ **the lake ~s with fish** der See ist reich an Fischen

about [ə'baʊt] **I.** *adv* (1) ↑ *approximately* ungefähr (2) ↑ *nearby* in der Nähe; ↑ *around* [rings-]umher, herum; ◇ **are my spectacles ~?** liegt meine Brille irgendwo herum? (3) ◇ **I was ~ to go out** ich war gerade im Begriff [*o.* dabei] auszugehen **II.** *prep* (1) (*topic*) über *acc* (2) (*location*) um, um … herum (3) ↑ *involving* bei, an; ◇ **s.th. ~ his face reminded me …** irgendwas an seinem Gesicht erinnerte mich an … (4) ◇ **how ~ doing your homework?** wie wär's mit Schulaufgaben?; **about-turn** *n* Kehrtwendung *f*

above [ə'bʌv] **I.** *adv* oben; ↑ *in a higher position* darüber; (*in a text*) oben **II.** *prep* (1) (*location*) über; GEO oberhalb (2) (*amount*) über; ◇ **students ~ the age of 26 …** Studenten über 26 … (3) (*rank*) über; ◇ **they are ~ me** sie sind über mir; (*moral superiority*) ◇ **she thinks she's ~ us** sie denkt, sie ist zu gut für uns (4) ◇ **~ all** vor allem **III.** *adj* (*text*) obig, obenerwähnt; ◇ **the ~-mentioned person** die obengenannte Person; **above-board I.** *adj* ▷*business* korrekt, legal; ◇ **open and ~** offen und ehrlich **II.** *n* PC Speichererweiterungskarte *f;* **above-mentioned** *adj* obenerwähnt

abrasion [ə'breɪʒən] *n* (*of skin*) Abschürfung *f;* **abrasive** [ə'breɪzɪv] **I.** *n* (*grinder, sandpaper etc.*) Schleifmittel *s* **II.** *adj* (1) (*sandpaper*) rauh; (*cleanser*) scharf (2) ▷*personality* aufreibend, aggressiv; ▷*remark* bissig; ▷*paper* Schleifpapier *s,* Schmirgelpapier *s;* **abrasiveness** [ə'breɪzɪvnɪs] *n* (1) Schärfe *f,* Rauheit *f* (2) Agressivität *f,* Bissigkeit *f*

abreast [ə'brest] *adv* (1) ↑ *together* nebeneinander, Seite an Seite (2) ◇ **to keep/be ~ of events** Schritt halten mit den Ereignissen

abridge [ə'brɪdʒ] *vt* → *text* kürzen

abroad [ə'brɔːd] *adv* (1) ↑ *overseas* ◇ **to be ~** im Ausland sein; ◇ **to go ~** ins Ausland gehen/fahren (2) ◇ **there is a rumour ~ …** ein Gerücht geht um …

abrogation [æbrəʊgeɪʃn] *n* (*of law*) Ungültigkeitserklärung *f,* Annulierung *f*

abrupt [ə'brʌpt] *adj* ↑ *sudden* abrupt; ▷*drop* jäh; ▷*manner* schroff; **abruptness** [ə'brʌptnɪs] *n* (*of style*) Abgerissenheit *f;* (*of reply*) Schroffheit *f*

abscess ['æbsɪs] *n* MED Abszeß *m*

abscond [əb'skɒnd] *vi* (*with funds*) sich davonmachen

abseil ['æpseɪl] *vi* (*down a cliff*) sich abseilen

absence ['æbsəns] *n* Abwesenheit *f;* **absent** ['æbsənt] *adj* (1) ↑ *not present* abwesend, nicht da; ◇ **to be ~ from school** in der Schule fehlen (2) ↑ *unconcentrated* zerstreut; ◇ **~-minded** geistesabwesend; **absentee** [æbsən'tiː] *n* Abwesende(r) *fm;* **absenteeism** [æbsən'tiːɪzəm] *n* Nichterscheinen *s* [am Arbeitsplatz/in der Schule]; **absent-minded** *adj* zerstreut, geistesabwesend

absolute ['æbsəluːt] *adj* absolut; ▷*command* uneingeschränkt; **absolutely** *adv* absolut; ◇ **to prove absolutely** eindeutig beweisen; ◇ **you are ~ beautiful** du bist wirklich schön; ◇ **~ forbidden** streng verboten

absolve [əb'zɒlv] *vt* ↑ *release* entbinden; (*from blame*) freisprechen; (REL *from sin*) lossprechen

absorb [əb'zɔːb] *vt* (1) → *water* aufsaugen; → *facts* absorbieren (2) → *time* ganz in Anspruch nehmen; ◇ **to be ~ed in a newspaper** in e-r Zeitung vertieft sein; **absorbency** [əb'zɔːbənsɪ] *n* (*capacity for ~*) Saugfähigkeit *f;* **absorbent** *adj* absorbierend, saugfähig; **absorbing** *adj* ▷*thriller* packend, fesselnd; **absorption** [əb'zɔːpʃən] *n* (1) (*act of absorbing*) Aufsaugen *s* (2) ◇ **to work with ~** gefesselt/vertieft arbeiten

abstain [əb'steɪn] *vi* sich enthalten (*from gen*); **abstemious** [əb'stiːmɪəs] *adj* enthaltsam; (*at table*) bescheiden, mäßig; **abstention** [əb'stenʃən] *n* (*from voting*) Stimmenthaltung *f*

abstinence ['æbstɪnəns] *n* ↑ *self-control* Enthaltsamkeit *f;* (*from alcohol etc.*) Abstinenz *f*

abstract [1] ['æbstrækt] **I.** *adj* ▷*art etc.* abstrakt; ▷*argument* theoretisch **II.** *n* ↑ *outline* Abriß *m;* ↑ *title, summary* Zusammenfassung *f,* Übersicht *f*

abstract [2] [æb'strækt] *vt* (1) → *metals* trennen (2) → *s.th. from an article* entnehmen (*from* aus)

abstraction *n* (1) ↑ *notion, idea* Abstraktion *f* (2) ↑ *extraction* Gewinnung *f*

abstruse [æb'struːs] *adj* abstrus, unklar

absurd [əb'sɜːd] *adj* (1) ↑ *crazy* absurd; ◇ **what is ~ about that is …** das Absurde daran ist … (2) ◇ **don't be absurd!** sei nicht albern!; **absurdity** *n* ↑ *peculiarity* Absurdität *f;* **absurdly** *adv* absurd; ↑ *ludicrously* grotesk; ◇ **that is ~ expensive** das ist irrsinnig teuer

abundance [əˈbʌndəns] *n* Fülle *f;* ◇ **in ~!** in Hülle und Fülle!; **abundant** *adj* reichlich; **abundantly** *adv* reichlich; ◇ **it was made ~ clear to him ...** es wurde ihm sehr deutlich gesagt ...

abuse [əˈbju:s] **I.** *n* [1] ▷*verbal* Beschimpfung *f* [2] (*of women*) Mißbrauch *m;* (*of power*) Amtsmißbrauch *m* **II.** [əˈbju:z] *vt* [1] ↑ *swear* beschimpfen [2] ↑ *misuse* mißbrauchen; **abusive** [əˈbju:sɪv] *adj* ▷*language, manner* beleidigend, ausfallend

abysmal [əˈbɪzməl] *adj* ▷*holiday* schrecklich; ▷*piece of work* miserabel

abyss [əˈbɪs] *n* Abgrund *m*

A/C *n abbr. of* **account**

AC *n abbr. of* ELECTR **alternating current;** *Wechselstrom m*

acacia [æˈkaɪʃə] *n* BIO Akazie *f*

academic [ækəˈdemɪk] **I.** *adj* [1] ▷*system* akademisch; ▷*article* wissenschaftlich [2] ▷*orientation* geistig [3] ↑ *theoretical* theoretisch **II.** *n* ▷*lecturer* Dozent(in *f*) *m,* Hochschullehrer(in *f*) *m;* **academically** *adv* wissenschaftlich;

academy [əˈkædəmɪ] *n* [1] (*of music*) Hochschule *f;* (*of dance, of art etc.*) Fachakademie *f,* Fachschule *f* [2] MIL Akademie *f*

accede [ækˈsi:d] *vi:* ◇ **to ~ to** [1] (*the premiership*) antreten (als); (*the throne*) besteigen [2] (*a request*) zustimmen *dat* [3] (*a treaty*) beitreten

accelerate [ækˈseləreɪt] **I.** *vt* beschleunigen **II.** *vi* [1] ◇ **the process was ~ed by ...** der Prozeß beschleunigte sich durch ...; ◇ **~!** gib Gas! [2] → *growth rate* zunehmen; **acceleration** [ækseləˈreɪʃən] *n* Beschleunigung *f;* **accelerator** [əkˈseləreɪtə*] *n* [1] ▷*pedal* Gas[pedal] *s* [2] PHYS [Teilchen-]Beschleuniger *m;* CHEM Katalysator *m*

accent [ˈæksent] **I.** *n* [1] LING ▷*Irish, German etc.* Akzent *m;* (*stressed and unstressed*) Betonung *f;* (*umlaut, circumflex etc.*) Akzentzeichen *s* [2] (*on safety, on health etc.*) Akzent *m,* Schwerpunkt *m* **II.** [ækˈsent] *vt* → *word, note* betonen; **accentuate** [ækˈsentjʊeɪt] *vt* ↑ *heighten* betonen; **accented** *adj* ▷*language* akzentuiert

accept [əkˈsept] *vt* → *delivery* annehmen; → *responsibility* übernehmen; → *invalidity* hinnehmen; → *point of view* akzeptieren; → *invitation* zusagen; → *application* annehmen, zulassen; **acceptability** [əkseptəˈbɪlətɪ] *n* Akzeptanz *f;* **acceptable** [əkˈseptəbl] *adj* annehmbar, akzeptabel; ▷*gift* willkommen; **acceptance** *n* [1] *s.* **accept,** Annahme *f;* Übernahme *f;* Hinnahme *f;* Akzeptanz *f;* Zusage *f;* Annahme *f,* Zulassung *f* [2] (↑ *recognition*) Anerkennung *f*

access [ˈækses] **I.** *n* [1] Zugang *m;* ◇ **~ only** Anlieger frei; (PC *data* ~) Zugriff *m* [2] (JUR *to children*) Zugang *m,* Besuchsrecht *s* **II.** *vt* PC → *data from a computer* zugreifen auf *acc;* **accessible** [ækˈsesɪbl] *adj* [1] ▷*book, person* zugänglich [2] ▷*place* zugänglich, leicht erreichbar

access road *n* Zufahrt[sstraße] *f;* **access time** *n* PC Zugriffszeit *f*

accessory [ækˈsesərɪ] *n* [1] Extra *s;* (*of fashion*) Accessoire *s;* ◇ **toilet accessories** *pl* Toilettenartikel *pl;* ◇ **car accessories** *pl* das Autozubehör [2] JUR ↑ *accomplice* Mitschuldige(r) *fm,* Komplize *m,* Komplizin *f;* ◇ **to be an ~ to the crime** an dem Verbrechen mitschuldig sein

accident [ˈæksɪdənt] *n* [1] (*on motorway*) Unfall *m;* ↑ *mishap* Mißgeschick *s* [2] ◇ **by ~** (*by chance*) durch Zufall, zufällig; **accidental** [æksɪˈdentl] *adj* [1] ▷*delay* unbeabsichtigt, ungewollt [2] ▷*meeting* zufällig; **accidentally** *adv* ↑ *unintentionally* versehentlich, aus Versehen

accident-prone *adj:* ◇ **to be ~** vom Pech verfolgt sein; ◇ **an ~ individual** ein Pechvogel

acclaim [əˈkleɪm] **I.** *vt* feiern (*as* als) **II.** *n* Beifall *m*

acclimatize [əˈklaɪmətaɪz] **I.** *vt* → *room* temperieren **II.** *vi:* ◇ **I need to ~ to the heat** ich muß mich an die Hitze akklimatisieren/gewöhnen

accolade [ˈækəʊleɪd] *n* [1] ↑ *prize* Auszeichnung *f* [2] ↑ *praise* Lob *s*

accommodate [əˈkɒmədeɪt] *vt* [1] → *guests* unterbringen [2] ↑ *have room for* Platz haben für [3] → *s.b.'s needs* entgegenkommen *dat;* **accommodating** *adj* entgegenkommend; **accommodation** [əkɒməˈdeɪʃən] *n* [1] ↑ *place to stay* Unterkunft *f;* (*for tourists*) Fremdenzimmer *s,* Quartier *s;* ◇ **hotel ~ is plentiful** Hotelzimmer gibt's jede Menge [2] FIN ↑ *bridging loan* Übergangsfinanzierung *f;* **accommodation address** *n* Briefkastenadresse *f;* **accommodation bureau** *n* Wohnungsvermittlung *f*

accompaniment [əˈkʌmpənɪmənt] *n* Begleitung *f;* **accompanist** [əˈkʌmpənɪst] *n* Begleiter(in *f*) *m;* **accompany** [əˈkʌmpənɪ] *vt* begleiten

accomplice [əˈkʌmplɪs] *n* Komplize *m,* Komplizin *f*

accomplish [əˈkʌmplɪʃ] *vt* [1] → *aim* erreichen [2] → *the construction, a bridge* zustandebringen, vollenden; → *a great deal* schaffen, leisten; **accomplished** *adj* ▷*poem* vollendet; ▷*poet* fähig; ▷*driver, cook* ausgezeichnet, erfahren; **accomplishment** *n* [1] ↑ *skill* Fähigkeit *f,* Fertigkeit *f* [2] ↑ *completion* Bewältigung *f* [3] ↑ *achievement* Leistung *f*

accord [ə'kɔːd] **I.** *n* [1] ↑ *agreement* Übereinstimmung *f* [2] ↑ *settlement* Übereinkunft *f;* ◇ **of my own** ~ (*willingly*) freiwillig; (*of its own* ~) [von] selbst **II.** *vt* ↑ *grant* gewähren; ↑ *praise* erteilen **III.** *vi* (*with s.th. else*) übereinstimmen mit; **accordance** *n:* ◇ **in** ~ **with** in Übereinstimmung mit, gemäß, entsprechend *dat;* **accordingly** *adv* [1] ↑ *correspondingly* dementsprechend [2] ↑ *so* folglich; **according to** *prep* laut *gen,* entsprechend *dat;* ◇ ~ ~ **the law** laut Gesetz

accordion [ə'kɔːdɪən] *n* Akkordeon *s,* Ziehharmonika *f;* **accordionist** *n* Akkordeonspieler(in *f*) *m*

accost [ə'kɒst] *vt* ansprechen, konfrontieren

account [ə'kaʊnt] *n* [1] ↑ *report* Darstellung *f,* Bericht *m;* ◇ **from/by all** ~ ... nach allem ... [2] COMM Rechenschaftsbericht *m;* COMM ◇ ~**s** *pl* Geschäftsbücher *pl;* ◇ ~**s department** Buchhaltung [2] ↑ *invoice* Rechnung *f;* ◇ **to put s.th. on** ~ etw in Rechnung stellen; ◇ **to buy s.th. on** ~ etw auf [Kunden-]Kredit kaufen [3] (*bank* ~) Konto *s;* ◇ **to open an** ~ **with s.o.** bei jd-m ein Konto eröffnen; ◇ ~ **number** Kontonummer *f* [4] ↑ *importance* Geltung *f;* ◇ **a man of little/no** ~ ein Mann geringer/ohne Bedeutung; ◇ **to be of some** ~ von Bedeutung sein [5] ◇ **on** ~ **of** wegen; ◇ **on no** ~ auf keinen Fall; ◇ **to take s.th. into** ~, **to take** ~ **of s.th.** etw in Betracht ziehen; **account for** *vt* (*actions*) Rechenschaft ablegen über; ◇ **how do you** ~ ~ **that accident?** wie erklären Sie sich diesen Unfall?; **accountable** *adj* verantwortlich (*to s.b.* jd-m gegenüber); **accountancy** *n* Buchhaltung *f;* ↑ *tax* ~ Steuerberatung *f;* **accountant** *n* ↑ *book-keeper* Buchhalter(in *f*) *m;* ↑ *auditor* Rechnungsprüfer(in *f*) *m,* Wirtschaftsprüfer(in *f*) *m;* ↑ *tax* ~ Steuerberater(in *f*) *m*

accounting *n* Berechnung *f*

account number *n* Kontonummer *f*

accredit [ə'kredɪt] *vt* ▷*officially* zulassen; → *diplomats to a country* akkreditieren

accrual [ə'kruːəl] *n* FIN ↑ *interest* Auflaufen *s*

accrue *vi* FIN ← *interest* auflaufen

accumulate [ə'kjuːmjʊleɪt] **I.** *vt* → *stamps* ansammeln **II.** *vi* ← *sand dunes* sich anhäufen; **accumulation** [əkjuːmjʊ'leɪʃən] *n* (*by the wind*) Anhäufung *f;* (*of stamps*) Ansammlung *f*

accuracy ['ækjʊrəsɪ] *n* Genauigkeit *f;* **accurate** ['ækjʊrɪt] *adj* genau, akkurat

accusation [ækjʊ'zeɪʃən] *n* Beschuldigung *f;* ↑ *charge, indictment* Anklage *f*

accusative [ə'kjuːzətɪv] *n* Akkusativ *m,* 4. Fall *m*

accuse [ə'kjuːz] *vt* beschuldigen, bezichtigen; JUR anklagen; **accused** *n* Angeklagte(r) *fm;* **accusing** *adj* ▷*look* anklagend

accustom [ə'kʌstəm] *vt* gewöhnen (*to* an *acc*); ◇ **to become** ~**ed to doing s.th.** sich daran gewöhnen, etw zu tun; **accustomed** *adj* gewohnt

ace [eɪs] *n* [1] (*playing card, serve in tennis*) As *s* [2] ↑ *high flyer* As *s;* ◇ ~! Spitze! [3] ◇ **he was within an** ~ **of being killed** um ein Haar wäre er tot

acetone ['æsɪtəʊn] *n* Aceton *s*

acetylene [ə'setɪliːn] *n* Acetylen *s*

ache [eɪk] **I.** *n* Schmerz *m;* ◇ **I have a head** ~ ich habe Kopfschmerzen **II.** *vi* [1] ↑ *be sore* schmerzen, weh tun; ◇ **I** ~ **all over** mir tut alles weh [2] ◇ **to** ~ **to do s.th.** darauf brennen, etw zu tun

achievable *adj* ▷*technical project* ausführbar; ▷*sales target* erreichbar; **achieve** [ə'tʃiːv] *vt* → *success* erreichen; → *promotion* erlangen; ↑ *cope, manage* schaffen; ↑ *get it together* zustande bringen; ◇ **he** ~**ed a great deal** er hat eine Menge geleistet; **achievement** *n* (*of goal itself*) Erreichen *s;* (*of performing the necessary task*) Leistung *f;* (*of technology*) Errungenschaft *f*

acid ['æsɪd] **I.** *n* CHEM Säure *f; FAM* ↑ *LSD* Acid *s* **II.** *adj* sauer, scharf, herb; ◇ ~ **rain** saurer Regen; **acidity** [ə'sɪdɪtɪ] *n* Säuregehalt *m;* (*of stomach*) Magensäure *f;* **acid test** *n* (*FIG one off*) Feuerprobe *f;* (*more meaningful*) Bewährungsprobe *f*

acknowledge [ək'nɒlɪdʒ] *vt* ↑ *recognise* (an)erkennen; → *an individual* zur Kenntnis nehmen; → *own guilt, mistake* zugeben, eingestehen; ◇ **to** ~ **receipt of a letter** den Empfang e-s Briefes bestätigen; **acknowledgement** *n* Anerkennung *f;* (*of letter*) Bestätigung *f*

acme *n* Spitze *f;* (*of style, of elegance, of cool*) Inbegriff *m*

acne ['æknɪ] *n* Akne *f*

acorn ['eɪkɔːn] *n* Eichel *f*

acoustic [ə'kuːstɪk] *adj* akustisch; **acoustics** *n pl* (*of hall*) Akustik *f;* (*subject*) Akustik *f,* Schalllehre *f*

acquaint [ə'kweɪnt] *vt* **to be** ~**ed with a subject** vertraut sein (mit); ↑ *get* ~*ed with facts* erfahren; ↑ *be* ~*ed with a person* kennen; (*get* ~*ed with each other*) sich (gegenseitig) kennenlernen; **acquaintance** *n* (*person*) Bekannte(r) *fm;* (*with subject*) Kenntnis *f*

acquiesce [ækwɪ'es] *vi* sich fügen (*in* in *dat*); **aquiescence** *n* Einwilligung *f* (*in* in *acc*)

acquire [ə'kwaɪə*] *vt* erwerben; **acquisition** [ækwɪ'zɪʃən] *n* [1] (*of the object*) Erwerb *m;* (*of a skill*) Erlernen *s* [2] (*object itself*) Erworbene *s,*

Errungenschaft *f;* (*skill itself*) Fertigkeit *f;* **acquisitive** [ə'kwɪzɪtɪv] *adj* gewinnsüchtig

acquit [ə'kwɪt] **I.** *vt* (*of the crime*) freisprechen; ◇ **he has been ~ted of the matter** er ist von der Sache freigesprochen worden **II.** *vr:* ◇ **she ~ed herself well** sie hat ihre Sache gut gemacht; **acquittal** *n* Freispruch *m*

acre ['eɪkə*] *n* Morgen *m;* **acreage** *n* Fläche *f*

acrid *adj* ▷*smoke, smell* scharf, ätzend

acrimonious [ækrɪ'məʊnɪəs] *adj* ▷*quarrel* bitter, verletzend

acrobat ['ækrəbæt] *n* Akrobat(in *f*) *m;* (*on tightrope*) Seiltänzer(in *f*) *m;* **acrobatics** [ækrə'bætɪks] *n pl* Akrobatik *f*

acronym ['ækrəʊnɪm] *n* Akronym *s*

across [ə'krɒs] **I.** *prep* (*reaching ~*) über *acc;* (*straight ~*) quer durch; (*~ from, opposite*) gegenüber; ◇ **it flashed ~ his mind** es fiel ihm plötzlich ein; ◇ **he came ~ his brother at the zoo** im Tierpark ist er zufällig seinem Bruder begegnet **II.** *adv* hinüber, herüber; ◇ **three metres ~** drei Meter breit; **across-the-board** *adj* pauschal

act [ækt] **I.** *n* (*kind ~*) Tat *f;* ↑ *~ of parliament* Gesetz *s;* (*one ~ play*) Akt *m;* (*all an ~*) Theater *s;* COMM ◇ **an ~ of God** höhere Gewalt; ◇ **to be in the ~ of doing s.th.** im Begriff sein, etw zu tun; ◇ **to get in on the ~** sich einmischen **II.** *vi* ↑ *take action* handeln, funktionieren; ↑ *behave* sich verhalten; ↑ *pretend* vorgeben, markieren; THEAT spielen, Schauspieler sein; (CHEM *~ on the nervous system*) wirken auf; (*~ as mayor*) fungieren als **III.** *vt* → *the part of Hamlet* spielen; **act for** *vt* ↑ *represent* vertreten; **act on** *vt* ↑ *follow* sich richten nach; **act out** *vi* ↑ *happen* sich abspielen; **acting I.** *adj* ↑ *deputy-* stellvertretend **II.** *n* ↑ *art of ~* Schauspielkunst *f;* ↑ *performance* Aufführung *f;* **action** ['ækʃən] *n* ↑ *activity* Handeln *s;* ↑ *deed* Tat *f;* CHEM ↑ *effect* Wirkung *f;* (*of a device*) Funktionieren *s;* ◇ **to take ~** etw unternehmen; ◇ **died in ~** gefallen; JUR ◇ **to bring an ~ against s.o.** eine Klage gegen jd-n erheben, jd-n verklagen; ◇ **out of action** außer Betrieb; MIL ◇ **~ stations!** klar zum Gefecht!, Stellung!; **action replay** *n of spectacular goal,* TELEC Wiederholung *f;* **actionable** *adj* JUR klagbar; **activate** ['æktɪveɪt] *vt* → *switch* schalten; → *mechanism* betätigen; → *fire alarm* auslösen; → *bomb* zünden; **active** ['æktɪv] *adj* (*not passive*) aktiv, rege; MIL ◇ **on ~ service** im Einsatz; **actively** *adv* aktiv; **activist** ['æktɪvɪst] *n* Aktivist(in *f*) *m;* **activity** [æk'tɪvɪtɪ] *n* Aktivität *f;* ↑ *job, function* Tätigkeit *f;* (*church dos*) Veranstaltung *f;* **actor** ['æktə*] *n* Schauspieler *m;* **actress** ['æktrɪs] *n* Schauspielerin *f*

actual ['æktjʊəl] *adj* wirklich, eigentlich; **actualize** *vt* verwirklichen; **actually** *adv* tatsächlich, genau; ↑ *by the way* übrigens; ◇ **~ no** eigentlich nicht

actuary *n* Aktuar *m*

actuate *vt* → *bomb* auslösen; → *plan* in Gang bringen

acumen ['ækjʊmen] *n* Scharfsinn *m*

acupuncture ['ækjʊpʌŋktʃə*] **I.** *n* Akupunktur *f* **II.** *vt* durch Akupunktur behandeln

acute [ə'kjuːt] *adj* ▷*pain* akut; ▷*person* scharfsinnig; ▷*angle* spitz; **acutely** *adv* akut; ▷*feel* intensiv; **acuteness** *n* Intensität *f;* (*person*) Aufgewecktheit *f*

ad [æd] *n abbr. of* **advertisement**

AD *abbr. of* **Anno Domini** n. Chr.

adage *n* Sprichwort *s*

Adam ['ædəm] *n* Adam *m;* ◇ **~'s apple** Adamsapfel *m*

adamant ['ædəmənt] *adj* ↑ *uncompromising* eisern, hart; ↑ *persistent, stubborn* hartnäckig

adapt [ə'dæpt] **I.** *vt* anpassen; → *building, machine* umbauen, umstellen; → *text* bearbeiten **II.** *vi* sich anpassen (*to* an *acc*); **adaptability** *n* Vielseitigkeit *f;* **adaptable** *adj* ▷*chameleon* anpassungsfähig; ▷*odd-job man* vielseitig; **adaptation** [ædæp'teɪʃən] *n* (*of text*) Bearbeitung *f;* (*to environment*) Anpassung *f* (*to* an *acc*); **adapter** *n* ELECTR ↑ *plug* Zwischenstecker *m;* (*for machine*) Adapter *m*

add [æd] *vt* (*in speech*) hinzufügen, dazusagen; ← *numbers* addieren; **add on** *vt* → *number* dazurechnen; → *building* anbauen; **add up** *vi* (*number*) zusammenrechnen; ◇ **the evidence does not ~ ~ to anything** die Beweise reichen nicht aus

addendum [ə'dendəm] *n* <addenda> Nachtrag *m*

adder ['ædə*] *n* Kreuzotter *f,* Natter *f*

addict ['ædɪkt] *n* Süchtige(r) *fm;* **addicted** [ə'dɪktɪd] *adj* süchtig; (*~ to heroin*) (heroin)süchtig; (*~ to alcohol*) (trunk)süchtig; **addiction** [ə'dɪkʃən] *n* Sucht *f;* **addictive** *adj:* ◇ **jogging is ~** Joggen kann zur Sucht werden; ◇ **~ drugs** Suchtdrogen; **adding machine** ['ædɪŋməʃiːn] *n* Addiermaschine *f;* **addition** [ə'dɪʃən] *n* (*of person, of substance*) Zusatz *m;* (*to text*) Ergänzung *f;* (*to bill*) Zuschlag *m;* MATH Addition *f,* Zusammenzählen *s;* ◇ **in ~** zusätzlich, außerdem; **additional** *adj* zusätzlich, weiter; **additionally** *adv* außerdem, noch; **additive** ['ædɪtɪv] *n* Zusatz *m*

addled ['ædld] *adj* ▷*fruit* faul, schlecht; ▷*mind* verwirrt

add-on ['ædɒn] *n* (*AM*) Zusatzgerät *s*

address [ə'dres] **I.** *n a.* PC Adresse *f,* Anschrift *f;*

↑ *speech* Ansprache *f;* ↑ *manner, style* Gewandtheit *f* **II.** *vt* → *letter* adressieren; ↑ *speak to* ansprechen; ↑ *make speech to* eine Ansprache halten an *acc;* ◇ **form of** ~ Anredeform *f;* ◇ **to** ~ **o.s. to s.th.** sich e-r Sache widmen; **addressee** [ædre'si:] *n* Empfänger(in *f*) *m*, Adressat(in *f*) *m*

adduce *vt* → *proof* erbringen

adenoids ['ædənɔɪdz] *n pl* Polypen *pl*

adept ['ædept] *adj* geschickt (*at, in* in *dat*)

adequacy ['ædɪkwəsɪ] *n* Angemessenheit *f;* ↑ *suitability* Eignung *f;* **adequate** ['ædɪkwɪt] *adj* angemessen; **adequately** *adv* hinreichend

adhere [əd'hɪə*] *vi* (*to surface*): ◇ **to** ~ **to** haften an *dat;* (*more firmly*) kleben; (*to principles*) festhalten an *dat;* **adhesion** [əd'hi:ʒən] *n* Festhaften *s;* PHYS Adhäsion *f;* **adhesive** [əd'hi:zɪv] **I.** *n* Klebstoff *m* **II.** *adj* haftend; (*firmer*) klebend; **adhesive tape** *n* Klebeband *s;* **adhesive plaster** *n* Heftpflaster *s*

adjacent [ə'dʒeɪsənt] *adj* angrenzend, benachbart

adjective ['ædʒəktɪv] *n* Adjektiv *s*, Eigenschaftswort *s*

adjoining [ə'dʒɔɪnɪŋ] *adj* Neben-; ▷*objects* nebeneinanderliegend

adjourn [ə'dʒɜ:n] **I.** *vt* vertagen **II.** *vi* abbrechen; (*to other location*) sich begeben

adjudicate *vt* JUR entscheiden, Schiedsrichter sein bei

adjunct *n* Anhängsel *s*

adjust [ə'dʒʌst] *vt* → *television* einstellen; → *precision instrument* justieren; → *accounts* begleichen; → *clothes* herrichten; → *human affairs* schlichten; ◇ **to** ~ **o.s. to s.th.** sich e-r Sache anpassen; **adjustable** *adj* verstellbar; **adjustment** *n* (*of machine*) Einstellung *f;* (*of claim*) Regulierung *f;* (*of weights and measures*) Eichung *f;* (*to environment*) Anpassung *f; s.* **adjust**

ad-lib [æd'lɪb] **I.** *vi* improvisieren **II.** *n* Improvisation *f* **III.** *adj, adv* improvisiert, aus der Hand

adman *n* Werbemensch *m*

administer [æd'mɪnɪstə*] *vt* → *business* führen; → *institution* verwalten; → *charity* gewähren; → *drugs* geben; JUR → *execution* vollstrecken; → *ruling* Recht sprechen; ↑ *manipulate, work, manage* handhaben; ◇ **to** ~ **an oath (for)** jd-m e-n Eid abnehmen; **administration** [ədmɪnɪs'treɪʃən] *n* Verwaltung *f;* POL Regierung *f;* **administrative** [əd'mɪnɪstrətɪv] *adj* Verwaltungs-; **administrator** [əd'mɪnɪstreɪtə*] *n* Verwalter *m;*

admirable ['ædmərəbl] *adj* bewundernswert

admiral ['ædmərəl] *n* Admiral *m*

admiration [ædmɪ'reɪʃən] *n* Bewunderung *f;* **admire** [əd'maɪə*] *vt* ↑ *respect* bewundern; ↑ *love* verehren; ↑ *idolize* anbeten; **admirer** *n* Bewunderer *m*, Bewunderin *f*

admissible *adj* annehmbar; **admissibility** *n* Zulässigkeit *f;* **admission** [əd'mɪʃən] *n* ↑ *access* Zugang *m;* ↑ *confession* Eingeständnis *s;* (*to university*) Zulassung *f;* (*to cinema*) ↑ ~ *price* Eintrittspreis *m;* ◇ **admission free** Eintritt [*o.* Zutritt] frei; ◇ **admission ticket** Eintrittskarte *f*

admit [əd'mɪt] *vt* → *children from school* hereinlassen; → *offence* gestehen, einräumen; → *father's wisdom* anerkennen; ← *aeroplane* Platz haben für; **admit to** *vi* eingestehen; ◇ **he ~s to being stupid** er gibt zu, daß er blöd ist; **admittance** *n* (*to building*) Zutritt *m;* **admittedly** *adv* zugegebenermaßen

admixture *n* (*material*) Zusatz *m;* (*result*) Beimischung *f*

admonish *vt* ermahnen

ado [ə'du:] *n:* ◇ **without further** ~ ohne weitere Umstände

adolescence [ædə'lesns] *n* Jugendzeit *f;* **adolescent** [ædə'lesnt] **I.** *adj* heranwachsend, jugendlich **II.** *n* Jugendliche(r) *fm*

adopt [ə'dɒpt] *vt* → *child* adoptieren; → *idea* übernehmen; ◇ **to** ~ **an attitude** eine Haltung annehmen; **adoption** [ə'dɒpʃən] *n* (*of child*) Adoption *f;* (*of idea*) Übernahme *f*

adorable [ə'dɔ:rəbl] *adj* ↑ *sweet* entzückend; ↑ *terrific* hinreißend; **adoration** [ædə'reɪʃən] *n* (*of God*) Anbetung *f;* (*of person*) Verehrung *f;* **adore** [ə'dɔ:*] *vt* → *God* anbeten; → *person* verehren; → *children* lieben; **adoring** *adj* bewundernd; **adorn** [ə'dɔ:n] *vt* schmücken; **adornment** *n* ↑ *decoration* Verzierung *f*

adrenalin [ə'drenəlɪn] *n* Adrenalin *s*

Adriatic *n* Adria *f*

adrift [ə'drɪft] *adj:* ◇ **to be** ~ treiben; ◇ **his plans have come** ~ seine Pläne sind fehlgeschlagen

adroit [ə'drɔɪt] *adj* gewandt, geschickt

adulation [ædjʊ'leɪʃən] *n* Lobhudelei *f*

adult ['ædʌlt] **I.** *adj* erwachsen **II.** *n* Erwachsene(r) *fm;* **adult education** *n* Erwachsenenbildung *f*

adulterate [ə'dʌltəreɪt] *vt* verfälschen; → *food* abwandeln

adultery [ə'dʌltərɪ] *n* Ehebruch *m;* ◇ **to commit** ~ Ehebruch begehen

advance [əd'vɑ:ns] **I.** *n* ↑ *progress* Fortschritt *m;* ↑ *money* Vorschuß *m;* MIL Vorrücken *s;* ◇ **in** ~ im voraus; ◇ **to be in** ~ **of s.o.** jd-m voraus sein **II.** *vt* → *step or two* vorrücken; → *money* vorschießen; → *child's development* fördern; → *opinion* äußern; → *proposition* vorbringen; → *date, time* verlegen **III.** *vi* vorwärtsgehen, vorankommen;

A

advance booking *n* Reservierung *f;* **advance copy** *n* Vorabdruck *m;* **advanced** *adj* ▷*ideas* fortschrittlich; ▷*machine* anspruchsvoll; ▷*student* fortgeschritten; (*progress of work*) vorangekommen; **advancement** *n* ↑ *furtherance* Förderung *f;* ↑ *promotion* Beförderung *f;* **advance notice** *n* frühzeitiger Bescheid *m*

advantage [əd'vɑːntɪdʒ] *n* ↑ *profit* Vorteil *m;* ↑ *attribute* Vorzug *m;* ◇ **to have an ~ (over sb)** (jd-m gegenüber) im Vorteil sein; ◇ **to take ~ of s.o.** jd-n ausnutzen; ◇ **to turn s.th. to ~** Nutzen aus etw ziehen; **advantageous** [ædvən'teɪdʒəs] *adj* vorteilhaft

advent ['ædvent] *n* Beginn *s;* ◇ **A~** Advent *m*

adventure [əd'ventʃə*] *n* Abenteuer *s;* **adventurous** [əd'ventʃərəs] *adj* abenteuerlich

adverb ['ædvɜːb] *n* Adverb *s,* Umstandswort *s*

adversary ['ædvəsərɪ] *n* Gegner(in *f*) *m;* **adverse** ['ædvɜːs] *adj* ▷*conditions* ungünstig; ▷*wind* widrig; ▷*criticism* negativ; **adversity** [əd'vɜːsɪtɪ] *n* Not *f*

advert ['ædvɜːt] *n* Anzeige *f*

advertise ['ædvətaɪz] **I.** *vt* → *motor cars* werben für, Reklame machen für; (*in small ads*) inserieren; → *job vacancy* ausschreiben; → *one's stupidity* offen zeigen **II.** *vi* werben; (*in newspaper*) annoncieren; **advertisement** [əd'vɜːtɪsmənt] *n* Reklame *f;* (*in newspaper*) Anzeige *f,* Annonce *f,* Inserat *s;* **advertising** *n* Werbung *f;* ◇ **~ campaign** Werbekampagne *f*

advice [əd'vaɪs] *n* <uncount> Rat *m;* ↑ *tip* Ratschlag *m;* COMM Bescheid *m;* ◇ **a piece of ~** ein guter Rat; ◇ **on her ~ …** auf ihren Rat [hin] …; ◇ **to take legal ~** e-n Rechtsanwalt zu Rate ziehen; **advisable** [əd'vaɪzəbl] *adj* ratsam; **advise** [əd'vaɪz] *vt* raten *dat;* ▷*professionally* beraten; COMM verständigen; ◇ **to ~ s.o. against s.th.** jd-m von etw abraten; **adviser** *n* Berater(in *f*) *m;* **advisory** [əd'vaɪzərɪ] *adj* beratend, Beratungs-

advocate ['ædvəkeɪt] **I.** *vt* eintreten für; (*in public*) befürworten **II.** *n* Befürworter *m;* JUR Rechtsanwalt(-anwältin *f*) *m*

aegis ['iːdʒɪs] *n:* ◇ **under the ~ of** unter der Schirmherrschaft von

aerial ['ɛərɪəl] **I.** *n* Antenne *f* **II.** *adj* Luft-; **aerial photograph** *n* Luftbild *s*

aero- ['ɛərəʊ] *pref* Luft-

aerobics [ɛə'rɒbɪks] *n sg* Aerobic *s*

aerodynamics *n* (1) (*sg, science*) Aerodynamik *f* (2) (*pl, of a machine*) Aerodynamik *f*

aeroplane ['ɛərəpleɪn] *n* Flugzeug *s*

aerosol ['ɛərəsɒl] *n* Sprühdose *f*

aerospace industry *n* Luft- u. Raumfahrtindustrie *f*

aesthetic [ɪs'θetɪk] *adj* ästhetisch; **aesthetics** *n sg* Ästhetik *f*

afar [ə'fɑː*] *adv:* ◇ **from ~** aus der Ferne, von weit her

affable ['æfəbl] *adj* umgänglich

affair [ə'fɛə*] *n* ↑ *concern, business, situation* Angelegenheit *f,* Sache *f;* ↑ *sexual relationship* Verhältnis *s;* ◇ **-s of state** Staatsangelegenheiten *f pl;* ◇ **that's my ~!** das ist meine Sache!

affect [ə'fekt] *vt* ↑ *cause change in* sich auswirken auf *acc;* ↑ *move deeply* bewegen; → *pose, attitude* vorgeben, heucheln; → *(negatively) eyes, health* schaden; ◇ **this law doesn't ~ us** dieses Gesetz betrifft uns nicht

affectation [æfek'teɪʃən] *n* Affektiertheit *f*

affected *adj* ▷*clothes* affektiert; ▷*accent, behaviour* gekünstelt

affection [ə'fekʃən] *n* Zuneigung *f;* **affectionate** [ə'fekʃənɪt] *adj* liebevoll, lieb; **affectionately** *adv* liebevoll; ◇ **~ yours** herzlichst Dein/Deine

affidavit *n* eidliche Erklärung *f*

affiliated [ə'fɪlɪeɪtɪd] *adj* angeschlossen (*to acc*); **affiliation** *n* Angliederung *f* (*to, with* an *acc*); ◇ **political -s** politische Zugehörigkeit

affinity [ə'fɪnɪtɪ] *n* (*for sport*) Neigung (zu) *f;* (*for each other*) gegenseitige Anziehung *f;* ↑ *resemblance* Verwandtschaft *f*

affirmation [æfə'meɪʃən] *n* Beteuerung *f;* **affirmative** [ə'fɜːmətɪv] **I.** *adj* bestätigend **II.** *n* LING Bejahung *f;* ◇ **to answer in the ~** mit Ja antworten

affix [ə'fɪks] *vt* aufkleben, anheften

afflict [ə'flɪkt] *vt* quälen, heimsuchen; **affliction** [ə'flɪkʃən] *n* Kummer *m,* Bedrängnis *f;* ↑ *illness* Leiden *s*

affluence ['æfluəns] *n* ↑ *wealth* Wohlstand *m;* **affluent** *adj* wohlhabend, Wohlstands-; ◇ **~ society** Wohlstandsgesellschaft *f*

afford [ə'fɔːd] *vt* → *new car* sich *dat* leisten; → *view* bieten

affray *n* Schlägerei *f,* Krawall *m*

affront [ə'frʌnt] *n* Affront *m* (*to* gegen); **affronted** *adj* beleidigt

Afghanistan [æf'gænɪstæn] *n* Afghanistan *s*

afield *adj:* ◇ **far ~** weit entfernt

afloat [ə'fləʊt] *adj* COMM ohne Schulden; ◇ **to be ~** schwimmen, nicht untergehen

afoot [ə'fʊt] *adj* im Gang

aforesaid [ə'fɔːsed] *adj* obengenannt

afraid [ə'freɪd] *adj* ängstlich; ◇ **to be ~ of dogs** vor Hunden Angst haben; ◇ **to be ~ to** sich scheuen zu; ◇ **don't be ~!** keine Angst!; (*lesser anxiety, polite form*) ◇ **I am ~ I have …** ich habe leider …; ◇ **I'm ~ so/not** leider/leider nicht

Africa [ˈæfrɪkə] *n* Afrika *s;* **African I.** *adj* afrikanisch **II.** *n* Afrikaner(in *f*) *m*
afresh [əˈfreʃ] *adv* von neuem
aft [ɑːft] *adv* achtern
after [ˈɑːftə*] **I.** *prep* nach; (*chasing*) hinter *dat* … her; ↑ *in imitation of* nach, im Stil von; ◇ **day ~ day** Tag für Tag; ◇ **day ~ tomorrow** übermorgen; ◇ **what are you ~?** was willst du eigentlich? **II.** *cj* nachdem; (*conditional*) wenn **III.** *adv:* ◇ **soon ~** bald danach; ◇ **~ all** letzten Endes, schließlich; **afterbirth** *n* Nachgeburt *f;* **after-care** *n* (*of patient*) Nachbehandlung *f;* (*of prisoner*) Resozialisierungshilfe *f;* **after-effect** *n* Nachwirkung *f;* **afterlife** *n* Leben *s* nach dem Tode; **aftermath** *n* Auswirkungen *f pl;* **afternoon** *n* Nachmittag *m;* ◇ **on Monday ~** Montag nachmittag; ◇ **on Monday ~s** Montag nachmittags; ◇ **good ~!** guten Tag!; **afters** *n* Nachtisch *m;* **after-sales service** *n* Kundendienst *m;* **aftershave** *n* Rasierwasser *s;* **afterthought** *n* nachträglicher Einfall; **afterwards** *adv* danach, nachher
again [əˈgen] *adv* wieder, noch einmal; ↑ *besides, moreover* außerdem, ferner; ↑ *on the other hand* wiederum; ◇ **~ and ~** immer wieder; ◇ **all over ~** noch mal ganz von vorn; ◇ **now and ~** ab und zu
against [əˈgenst] *prep* gegen; ◇ **~ the law** gesetz[es]widrig; ◇ **~ one's will** gegen seinen Willen; ◇ **~ the grain** gegen den Strich
age [eɪdʒ] **I.** *n* ⓵ (*of person, of rock*) Alter *s* ⓶ ↑ *period, epoch* Zeitalter *s;* ◇ **old ~** das [hohe] Alter; ◇ **under ~** minderjährig; ◇ **come of ~** mündig werden; ◇ **he is 12 years of ~** er ist 12 Jahre alt; ◇ **the Ice Age** die Eiszeit **II.** *vi* altern, alt werden **III.** *vt* ← *beard, glasses* alt machen; **aged I.** *adj* … Jahre alt, -jährig; ◇ **a six year old girl** ein sechsjähriges Mädchen **II.** [ˈeɪdʒɪd] *adj* ↑ *elderly* betagt; ◇ **the ~** *pl* die Alten *pl;* **age group** *n* Altersgruppe *f;* **ageism** *n* Altendiskriminierung *f;* **ageless** *adj* zeitlos; **age limit** *n* Altersgrenze *f*
agency [ˈeɪdʒənsɪ] *n* (*advertising ~*) Agentur *f;* (*tourist ~*) Reisebüro *s;* (*employment ~*) Vermittlung *f;* (*representative branch*) Vertretung *f,* Geschäftsstelle *f;* CHEM Wirkung *f*
agenda [əˈdʒendə] *n* Tagesordnung *f*
agent [ˈeɪdʒənt] *n* ⓵ (*person acting*) Handelnde *fm;* (*press ~*) Agent(in *f*) *m;* COMM Vertreter(in *f*) *m* ⓶ (*of change*) Mittel *s,* wirkende Kraft *f;* ◇ **cleaning ~** Reinigungsmittel *s*
aggravate [ˈægrəveɪt] *vt* ↑ *worsen* verschlechtern; *FAM* ↑ *irritate* reizen, nerven; **aggravating** *adj* ärgerlich; **aggravation** [ægrəˈveɪʃən] *n* Verschlechterung *f; FAM* ↑ *bother* Ärger *m*
aggregate [ˈægrɪgɪt] **I.** *n* ↑ *total* Gesamtmenge *f;* ARCHIT Zuschlagstoffe *pl* **II.** *adj* gesamt, Gesamt-
aggression [əˈgreʃən] *n* Aggression *f;* ↑ *act of ~* Angriff *m;* **aggressive** [əˈgresɪv] *adj* aggressiv; **aggressively** [əˈgresɪvlɪ] *adv* aggressiv; **aggressiveness** *n* Aggressivität *f;* (*of hothead*) Ungestüm *s*
aghast [əˈgɑːst] *adj* entsetzt
agile [ˈædʒaɪl] *adj* ▷*weasel* flink; ▷*mentality* wendig; ▷*dancer* gelenkig; **agility** *n* Flinkheit *f,* Wendigkeit *f*
agitate [ˈædʒɪteɪt] **I.** *vt* rütteln; → *surface* aufwühlen; → *equanimity* beunruhigen **II.** *vi* agitieren; ◇ **~ for something** sich für etw stark machen; **agitation** *n* ↑ *anxiety* Erregung *f;* **agitated** *adj* aufgeregt; **agitator** [ˈædʒɪteɪtə*] *n* Agitator(in *f*) *m; PEJ* Hetzer(in *f*) *m*
agnostic [ægˈnɒstɪk] *n* Agnostiker(in *f*) *m*
ago [əˈgəʊ] *adv* vor, her; ◇ **three days ~** vor drei Tagen, drei Tage her; ◇ **not long ~** vor kurzem, nicht lange her; ◇ **it's so long ~** es ist schon so lange her; ◇ **he was just here five minutes ~** er war erst vor fünf Minuten da
agonise *vt* martern; ◇ **to ~ about a decision** sich wegen e-r Entscheidung quälen; **agonized** [ˈægənaɪzɪŋ] *adj* gequält; **agony** [ˈægənɪ] *n* Qual *f*
agree [əˈgriː] **I.** *vt* → *date* vereinbaren, abmachen **II.** *vi* ↑ *be concordant* übereinstimmen (*with* mit); ↑ *consent* zustimmen; ↑ *get on* miteinander auskommen; ◇ **I ~!** einverstanden!; ◇ **to ~ with s.th.** ↑ *approve* mit etw einverstanden sein; ◇ **garlic doesn't ~ with me** Knoblauch vertrage ich nicht; **agree on** *vt:* ◇ **to ~ on s.th.** sich auf etw *acc* einigen; **agree to** *vt* annehmen, akzeptieren; ◇ **to ~ to do s.th.** sich bereit erklären, etw zu tun; **agreeable** *adj* ▷*feeling* angenehm; ↑ *willing to consent* einverstanden; **agreeably** *adv* angenehm; **agreed** *adj* ↑ *of one mind* einig; ↑ *arranged* vereinbart; ◇ **~!** einverstanden!; **agreement** *n* ↑ *arrangement* Abmachung *f;* ↑ *concurrence* Übereinstimmung *f;* ↑ *contract* Vertrag *m;* ↑ *consent* Zustimmung *f*
agricultural [ægrɪˈkʌltʃərəl] *adj* landwirtschaftlich, Landwirtschafts-; **agriculture** [ˈægrɪkʌltʃə*] *n* Landwirtschaft *f*
aground [əˈgraʊnd] *adj* auf Grund gelaufen
ah *intj* (*mental registration*) ach, ah; (*pain*) au
ahead [əˈhed] *adv* vorwärts; ◇ **to be ~** voraus sein
ahem *intj* hm
AI *abbr. of* **artificial intelligence** künstliche Intelligenz

aid [eɪd] **I.** *n* ↑ *help* Hilfe *f;* ↑ *means* Hilfsmittel *s* **II.** *vt* unterstützen, helfen *dat;* ◇ **- and abet s.o.** JUR jd-m Beihilfe leisten
aide *n* ↑ *adviser* Berater(-in *f*) *m*
aiding and abetting *n* (*of offence*) Beihilfe *f;* (*after offence*) Begünstigung *f*
aids [eɪdz] *acronym of* **acquired immune deficiency syndrom** AIDS *s,* Immunschwächekrankheit *f;* **aids-infected** *adj* AIDS-krank
ailing ['eɪlɪŋ] *adj* kränkelnd; **ailment** ['eɪlmənt] *n* Leiden *s*
aim [eɪm] **I.** *vt* → *gun* richten auf *acc* **II.** *vi* (*with gun*) zielen (*at* auf); (*with plans*) vorhaben; ◇ **she -s for perfection** sie strebt nach Perfektion; ◇ **that was -ed at you** das war auf dich gemünzt **III.** *n* ↑ *goal* Absicht *f,* Ziel *s;* ↑ *targeting* Zielen *s;* ◇ **to take -** zielen; **aimless** *adj* planlos; **aimlessly** *adv* ziellos
ain't = *abbr. of* (*FAM have not, am not, has not, is not*) habe nicht etc
air [ɛə*] **I.** *n* Luft *f;* ↑ *demeanour* Auftreten *s;* MUS Melodie *f;* TELEC ◇ **to be on the -** gesendet werden **II.** *vt* → *clothes* lüften; → *point of view* an die Öffentlichkeit bringen; **airbag** *n* AUTO Airbag *m;* **airbed** *n* Luftmatratze *f;* **air-conditioned** *adj* mit Klimaanlage; **air-conditioning** *n* Klimaanlage *f;* **air-cooled** *n* ▷*engine* luftgekühlt; **aircraft** *n* Flugzeug *s,* Maschine *f;* ◇ **- carrier** Flugzeugträger *m;* **airduct** *n* Luftkanal *m;* **air force** *n* Luftwaffe *f;* **air-freight** *n* Luftfracht *f;* **airgun** *n* Luftgewehr *s;* **air hostess** *n* Stewardeß *f*
airily *adv* leichthin, lässig
air letter *n* Luftpostbrief *m*
airline *n* Fluggesellschaft *f;* **airliner** *n* Verkehrsflugzeug *s;* **airlock** *n* (*in central heating*) Luftsack *m;* **airmail** *n:* ◇ **by -** mit Luftpost; **air pollution** *n* Luftverschmutzung *f;* **airport** *n* Flughafen *m,* Flugplatz *m;* **air raid** *n* Luftangriff *m;* **air route** *n* Flugroute *f;* **airsick** *adj* luftkrank, reisekrank; **airstream** *n* (*of truck*) Luftsog *m;* METEOR Luftstrom *m;* **airstrip** *n* Landestreifen *m;* **air terminal** *n* Terminal *m o s;* **airtight** *adj* luftdicht; **air-traffic controller** *n* Fluglotse *m;* **airworthy** *adj* flugtüchtig; **airy** *adj* ▷*room* luftig; ▷*manner* leichtfertig; **airy-fairy** *adj* versponnen
aisle [aɪl] *n* Gang *m;* (*in church*) Seitenschiff *s*
ajar [ə'dʒɑː*] *adv* angelehnt, halb offen
akin *adj* verwandt (*to* mit)
alabaster ['æləbɑːstə*] *n* Alabaster *m*
alacrity *n* Bereitwilligkeit *f*
alarm [ə'lɑːm] **I.** *n* ↑ *warning* Alarm *m;* ↑ *- system* Alarmanlage *f;* ◇ **false -** blinder Alarm; ◇ **give the -** Lärm schlagen **II.** *vt* beunruhigen; **alarm call** *n* TELEC Weckruf *m;* **alarm clock** *n* Wecker *m;* **alarming** *adj* beängstigend, beunruhigend; **alarmist** *n* Bangemacher(in *f*) *m*
alas [ə'læs] *intj* ach, leider
Albania [æl'beɪnjə] *n* Albanien *s*
albeit *cj* (*- that*) obgleich, obwohl
album [ælbəm] *n* Album *s*
alchemy *n* Alchemie *f*
alcohol ['ælkəhɒl] *n* Alkohol *m;* **alcoholic** [ælkə'hɒlɪk] **I.** *adj* (*gin, whiskey etc.*) alkoholisch **II.** *n* ↑ *problem drinker* Alkoholiker(in *f*) *m;* **alcoholism** *n* Alkoholismus *m*
alcove ['ælkəʊv] *n* Alkoven *m;* (*in wall*) Nische *f*
alderman ['ɔːldəmən] *n* <-men> Stadtrat *m*
ale [eɪl] *n* Ale *s (dunkles englisches Bier);* **ale house** *n* Schenke *f*
alert [ə'lɜːt] **I.** *adj* wachsam **II.** *n* Alarmbereitschaft *f;* ◇ **on the -** auf der Hut; **alertness** *n* Wachsamkeit *f*
A level *n* Abiturfach *s*
alfresco *adj* im Freien
algebra ['ældʒɪbrə] *n* Algebra *f*
Algeria [æl'dʒɪərɪə] *n* Algerien *s*
ALGOL ['ælgɒl] *acronym of* **algorithmic oriented language** ALGOL *s*
algorithm ['ælgərɪðm] *n* Algorithmus *m;* **algorithmic** [ælgə'rɪðmɪk] *adj* algorithmisch
alias ['eɪlɪəs] **I.** *adv* alias, anders … genannt **II.** *n* Deckname *m*
alibi ['ælɪbaɪ] *n* Alibi *s;* ◇ **to prove an -** sein Alibi beibringen
alien ['eɪlɪən] **I.** *n* Ausländer(in *f*) *m* **II.** *adj* ↑ *foreign* ausländisch; ↑ *bizarre* fremd; **alienate** *vt* entfremden; **alienation** [eɪlɪə'neɪʃən] *n* Entfremdung *f*
alight [ə'laɪt] **I.** *adj, adv* brennend; (*of building*) in Flammen **II.** *vi* ← *person from bus* aussteigen; ← *bird on twig* sich setzen
align [ə'laɪn] *vt* AUTO ausrichten; **alignment** *n* Ausrichtung *f*
alike [ə'laɪk] **I.** *adj* gleich, ähnlich **II.** *adv* gleich, ebenso
alimony ['ælɪmənɪ] *n* Unterhalt *m,* Alimente *pl*
alive [ə'laɪv] *adj* ↑ *living* lebend, am Leben; ↑ *lively* lebhaft, munter; ◇ **to be - to s.th.** sich etw bewußt sein; ◇ **the air is - with birds** die Luft wimmelt von Vögeln
alkali ['ælkəlaɪ] *n* <-[e]s> Alkali *s*
all [ɔːl] **I.** *adj, adv* ↑ *every one of* alle(r,s), sämtliche; ↑ *the entirety of, complete(ly)* ganz(er,es), vollkommen; ◇ **- my life** mein ganzes Leben; ◇ **- (of the) trees** alle Bäume; ◇ **- over town** in der

ganzen Stadt; ◇ **with ~ possible speed** so schnell wie möglich; ◇ **~in price** Gesamtpreis; ◇ **to make an ~out effort** sich mit allen Kräften anstrengen **II.** *pron* alle(s); ◇ **it's ~ down the pan** alles ist hin; ◇ **not at ~** ↑ *don't mention it* bitte, bitte; ◇ **it's ~ mine** das gehört alles mir; ◇ **~ at once** plötzlich

Allah *n* REL Allah *m*

allegation [ælɪ'geɪʃən] *n* Behauptung *f;* **allege** [ə'ledʒ] *vt* ↑ *declare* behaupten; (*falsely*) vorgeben; **allegedly** [ə'ledʒɪdlɪ] *adv* angeblich; **allegiance** [ə'li:dʒəns] *n* Treue *f;* ◇ **oath of ~** Fahneneid *m*

allegory ['ælɪgərɪ] *n* Allegorie *f*

all-embracing ['ɔ:lɪm'breɪsɪŋ] *adj* (all)umfassend

allergic [ə'lɜ:dʒɪk] *adj* allergisch (*to* gegen); **allergy** ['ælədʒɪ] *n* Allergie *f*

alleviate [ə'li:vɪeɪt] *vt* lindern

alley ['ælɪ] *n* Gasse *f*, Durchgang *m;* **alley cat** *n* streunende Katze *f*

alliance [ə'laɪəns] *n* (*between states*) Bündnis *f;* ▷*historical* Allianz *f;* **allied** ['ælaɪd] *adj* ↑ *as one* vereinigt; ↑ *related* verwandt (*to* mit); ▷*military powers* alliiert

alligator ['ælɪgeɪtə*] *n* Alligator *m*

all-in ['ɔ:lɪn] *adj, adv* (1) ▷*price* alles inbegriffen, Gesamt- (2) *FAM* ↑ *tired out* erledigt, kaputt (3) *FAM* ↑ *everything goes* alles ist erlaubt

alliteration [əlɪtə'reɪʃən] *n* Stabreim *m*, Alliteration *f*

all-night ['ɔ:l'naɪt] *adj* ▷*bar* Nacht-, nachts durchgehend geöffnet

allocate ['æləkeɪt] *vt* ↑ *allot* → *money* zuweisen, zuteilen; → *employment* vergeben; → *sanctions* verhängen; **allocation** [ælə'keɪʃən] *n* Zuteilung, Zuweisung *f;* Vergeben *s;* Verhängen *s*

allot [ə'lɒt] *vt* zuteilen, zuweisen; **allotment** *n* (1) (↑ *portion, stocks*) Anteil *m* (2) ↑ *garden* Schrebergarten *m*

all-out *adj* ▷*strike* total; ↑ *without limit* uneingeschränkt; *FAM* ▷*person* super, toll, affengeil; **all-over** *adj* ▷*tan* ganzflächig

allow [ə'laʊ] *vt* (1) ↑ *permit* erlauben, gestatten (*s.o.* jd-m) (2) → *claim, rules* anerkennen (3) → *discount* geben, gewähren; **allow for** *vt* → *inflation* → *delays* berücksichtigen, einkalkulieren; **allowable** *adj* (1) ▷*speed* zulässig (2) FIN ▷*expenses* absetzbar; **allowance** *n* (1) (*paid by state*) Beihilfe *f;* (*paid by father*) Unterhaltsgeld *s;* ↑ *pocket money* Taschengeld *s;* COMM ↑ *business expenses* Spesen *pl* (2) FIN ↑ *tax* ~ Freibetrag *m;* ↑ *tax allowances* Werbungskosten *pl* (3) COMM ↑ *discount* Rabatt; ◇ **we have to make ~s for the East Germans** wir müssen Rücksicht nehmen auf die Bürger der Neuen Bundesländer

alloy ['ælɔɪ] *n* Metallegierung *f*

all-purpose *adj* Allzweck-

all right ['ɔ:l'raɪt] **I.** *adj* in Ordnung, okay; ◇ **it's ~ ~** alles klar [*o.* in Butter]; (*not perfect*) es geht **II.** *adv* (1) ↑ *okay* ganz gut (2) (*absolutely for sure*) gewiß, schon; ◇ **we will go out ~ ~** wir werden schon weggehen **III.** *intj* okay, alles klar; **all-round** *adj* ▷*athlete* vielseitig; ▷*salesman* Allround-; **all-rounder** *n* (*BRIT*) Allroundmann *m;* SPORT Allroundsportler(in *f*) *m;* **all-time** *adj:* ◇ **the water level was at an ~ low** der Wasserstand war der niedrigste aller Zeiten

allude [ə'lu:d] *vi* anspielen (*to* auf *acc*)

alluring [ə'ljʊərɪŋ] *adj* verlockend

allusion [ə'lu:ʒən] *n* Anspielung *f;* **allusive** *adj* voller Anspielungen; **allusively** *adv* indirekt

all-weather ['ɔ:lweθə*] *adj* ▷*wear* Allwetter-;

all-wheel drive ['ɔ:lwi:l'draɪv] *n* ↑ *four-wheel drive* Allradantrieb *m*, Vierradantrieb *m*

ally ['ælaɪ] *n* **1.** ↑ *associate* Verbündete(r) *fm;* POL Alliierte(r) *fm* **2.** *vr:* ◇ **to ~ o.s. with s.o. against ...** sich mit jd-m verbünden gegen ...

almanac ['ɔ:lmənæk] *n* Kalender *m*, Almanach *m*

almighty [ɔ:l'maɪtɪ] **I.** *adj* ▷*emperor* allmächtig; *FAM* ↑ *enormous* Mords- **II.** *n:* ◇ **the A~** der Allmächtige

almond ['ɑ:mənd] *n* Mandel *f*

almost ['ɔ:lməʊst] *adv* beinahe, fast

alms [ɑ:mz] *n pl* Almosen *s*

aloft [ə'lɒft] *adv* (1) ↑ *soaring* empor (2) ↑ *up there* hoch oben, droben

alone [ə'ləʊn] *adj, adv* allein

along [ə'lɒŋ] **I.** *prep* (1) ▷*positioned* entlang *dat;* ◇ **there are trees ~ the road** entlang der Straße sind Bäume (2) ▷*moving* entlang *acc;* ◇ **he walks ~ the road** er geht die Straße entlang (3) ◇ **somewhere ~ the way** irgendwo unterwegs; ◇ **I knew all ~ that ...** die ganze Zeit wußte ich, daß ... **II.** *adv* (1) ↑ *onwards* vorwärts, weiter; ◇ **move ~!** vorwärts [rücken]!; ◇ **work is moving ~ without problems** die Arbeit läuft weiter ohne Probleme (2) (*together*) ◇ **bring your boots ~** bring deine Stiefel mit; **alongside** [ə'lɒŋ'saɪd] **I.** *prep* (1) ↑ *next to and in line* an, neben *dat* (2) ↑ *together with s.th. or s.b.* mit, neben *dat* **II.** *adv* daneben; NAUT längsseits *gen*

aloof [ə'lu:f] **I.** *adj* ↑ *distant* unnahbar; ◇ **to stay ~** sich fernhalten **II.** *adv* fern, abseits; **aloofness** *n* Zurückhaltung *f*, Reserviertheit *f*

aloud [ə'laʊd] *adv* laut

alpenstock ['ælpɪnstɒk] *n* Bergstock *m*

alphabet ['ælfəbet] *n* Alphabet *s*
alphabetical [ælfə'betıkl] *adj* alphabetisch; **alphanumeric** [ælfənjʊ:mərık] *adj* ▷*keyboard* alphanumerisch
alpine ['ælpaın] *adj* alpin, Alpen-; **Alps** [ælps] *n pl* Alpen *pl*
already [ɔ:l'redı] *adv* bereits, schon
alright = **all right**
Alsatian [æl'seıʃıən] **I.** *n* (*person*) Elsässer(in *f*) *m* **II.** *adj* elsässisch; **alsatian** *n* (*BRIT dog*) Schäferhund *m*
also ['ɔ:lsəʊ] *adv* ↑ *as well* auch; ◇ **not only ... but** ~ nicht nur ... sondern auch; ↑ *moreover* ferner, außerdem
altar ['ɔ:ltə*] *n* Altar *m;* ◇ **to take s.o. to the** ~ jd-n heiraten; **altar boy** *n* Ministrant *m;* **altarpiece** *n* Altargemälde *s*
alter ['ɔ:ltə*] **I.** *vt* ↑ *change* [ver]ändern; → *trousers* umändern, abändern **II.** *vi* sich [ver]ändern; **alterable** ['ɔ:ltərəbl] *adj* veränderlich, wandelbar; **alteration** [ɔltə'reıʃən] *n* (*of timetable*) Änderung *f;* (*of trousers*) Umänderung *f;* (*of building*) Umbau *m;* ◇ **to make an** ~ **to s.th.** e-e Änderung an etw machen
altercation [ɔltə'keıʃən] *n* ↑ *heated discussion* Wortwechsel *m*
alternate [ɔ:l'tɜ:nət] **I.** *adj* [1] abwechselnd; ◇ **on** ~ **days** jeden zweiten Tag [2] → *plan* Alternativ- **II.** ['ɔ:ltəneıt] *vt* → *cogs* wechselweise richten **III.** *vi* ← *guards* sich abwechseln; ← *mood* wechseln, umschlagen; **alternately** ['ɔ:ltɜ'nıtlı] *adv* abwechselnd, wechselweise; **alternating** ['ɔ:ltɜ'nətıŋ] *adj* abwechselnd; ◇ ~ **current** Wechselstrom *m;* **alternative** [ɔ:l'tɜ:nətıv] **I.** *adj* andere(r, s) *f* **II.** *n* Möglichkeit *f,* [Aus-]wahl *f;* ▷*course* Ausweichmöglichkeit *f;* ◇ **to have no** ~ keine Wahl haben; ◇ ~ **medicine** Naturheilkunde; **alternatively** *adv* im anderen Falle, oder aber; **alternator** [ɔ:l'tɜ:neıtə*] *n* AUTO Lichtmaschine *f*
although [ɔ:l'ðəʊ] *cj* obwohl, wenn [...] auch
altimeter ['æltımi:tə*] *n* Höhenmesser *m;* **altitude** ['æltıtju:d] *n* Höhe *f*
alto ['æltəʊ] *n* <-s> Alt *m*
altogether [ɔ:ltə'geðə*] *adv* [1] (*bearing everything in mind*) im ganzen, insgesamt [2] ↑ *entirely* ganz und gar, völlig
alto saxophone *n* Altsaxophon *s*
altruistic [æltrʊ'ıstık] *adj* selbstlos, uneigennützig
aluminium [æljʊ'mınıəm], **aluminum** (*AM*) [ə'lu:mınəm] Aluminium *s;* ◇ **aluminium foil, aluminum foil** (*AM*) Aluminiumfolie *f*
alumna [ə'lʌmnə], **alumne** [ə'lʌmni:] *n* (*AM of university*) alte Schülerin *f,* Alte Dame *f;* **alumnus** [ə'lʌmnəs], **alumni** [ə'lʌmnaı] *n* (*AM of university*) Alter Herr *m*
always ['ɔ:lweız] *adv* [1] ↑ *ever* immer [2] ↑ *all the time* fortlaufend, ständig; ↑ *repeatedly* immer wieder [3] ↑ *forever* auf immer, immer [4] (*with suggestion*) mal, immer; (*you could* ~ *ring*) du könntest mal anrufen
am *abbr. of* **ante meridiem** vormittags
amalgam [ə'mælgəm] *n* [1] (*metal*) Amalgam *s* [2] (*FIG of doctrines*) Gemisch *s,* Mischung *f*
amalgamate [ə'mælgəmeıt] **I.** *vi* ← *companies* fusionieren; ← *classes* verschmelzen **II.** *vt* → *metals* mit Quecksilber legieren, amalgamieren; **amalgamation** [əmælgə'meıʃən] *n* [1] (*of companies*) Verschmelzung *f,* Fusion *f* [2] (*of metals*) Amalgamierung *f,* Legieren *s* mit Quecksilber
amass [ə'mæs] *vt* → *leaves, money* anhäufen
amateur ['æmətɜ:*] **I.** *n* (*Olympic athlete*) Amateur(in *f*) *m;* (*incompetent builder*) Dilettant(in *f*) *m,* Stümper(in *f*) *m* **II.** *adj* Amateur-, Hobby-; **amateurish** ['æmətərıʃ] *adj* ↑ *not professional* stümperhaft, dilettantisch
amatory ['æmətərı] *adj* ▷*letter* Liebes-; ↑ *sensual* sinnlich
amaze [ə'meız] *vt* ↑ *astonish* erstaunen; **amazement** *n* [größtes] Erstaunen *s;* **amazing** *adj* erstaunlich, unglaublich
Amazon ['æməzən] *n* [1] ◇ ~ **river** Amazonas *m* [2] ◇ ~ **woman** Amazone *f*
ambassador [æm'bæsədə*] *n* Botschafter *m;* **ambassadorial** [æm'bæsə'dɔ:rıəl] *adj* Botschafter-; **ambassadress** [æm'bæsıdrıs] *n* Botschafterin *f*
amber ['æmbə*] **I.** *n* [1] (*substance*) Bernstein *m* [2] (*BRIT caution phase of traffic lights*) Gelb *s* **II.** *adj* bernsteinfarben; ◇ ~**gold** bernsteingolden; **ambergris** ['æmbəgri:s] *n* Ambra *f,* grauer Amber *m*
ambidextrous [æmbı'dekstrəs] *adj* beidhändig
ambience ['æmbıəns] *n* Atmosphäre *f;* **ambient** ['æmbıənt] *adj* ↑ *surrounding* umgebend
ambiguity [æmbı'gju:ıtı] *n* ↑ *double meaning* Zweideutigkeit *f;* (*obscurity*) Unklarheit *f;* **ambiguous** [æm'bıgjʊəs] *adj* ▷*statement* zweideutig; ↑ *vague, obscure* unklar
ambit ['æmbıt] *n* (*scope*) Umfang *m*
ambition [æm'bıʃən] *n* Ehrgeiz *m;* **ambitious** [æm'bıʃəs] *adj* ehrgeizig
ambivalent [æm'bıvələnt] *n* [1] ↑ *undecided* zwiespältig, ambivalent [2] ◇ **it is** ~ **to me** es ist mir gleichgültig/egal
amble ['æmbl] *vi* (*stroll*) schlendern

ambulance ['æmbjʊləns] *n* Krankenwagen *m,* Ambulanz *f;* **ambulanceman, ambulance driver** *(AM) n* [Rettungs-]Sanitäter(in *f*) *m*
ambush ['æmbʊʃ] **I.** *n* ↑ *attack* Überfall *m;* ◇ **to lie/wait in** ~ im Hinterhalt liegen **II.** *vt* aus dem Hinterhalt angreifen/überfallen
ameliorate [ə'mi:lıəreıt] *vt* verbessern; **amelioration** [əmi:lıə'reıʃən] *n* Verbesserung *f*
amenable [ə'mi:nəbl] *adj* (1) ↑ *compliant* gefügig; ↑ *responsive, willing* interessiert, zugänglich (*to dat*); ↑ *suggestible* empfänglich (*to* für) (2) (JURA ~ *to law*) ↑ *answerable* verantwortlich
amend [ə'mend] **I.** *vt* (1) ↑ *correct* berichtigen; ↑ *change* ändern (2) ↑ *correct* ↑ *supplement* ergänzen; **amendment** *n* Änderung *f;* POL Zusatzantrag *m;* **amends** [ə'mendz] *n:* ◇ **to make** ~ wiedergutmachen
amenity [ə'mi:nıtı] *n* (1) ↑ *public facility* öffentliche Einrichtung *f* (2) ↑ *comfort and convenience* Annehmlichkeit *f*
America [ə'merıkə] *n* Amerika *s;* ◇ **God bless ~!** Gott segne Amerika!; **American I.** *adj* amerikanisch **II.** *n* Amerikaner(in *f*) *m;* **americanize** [ə'merıkənaız] *vt* amerikanisieren
amethyst ['æmıθıst] *n* (*precious stone, violet*) Amethyst *m*
amiable ['eımıəbl] *adj* freundlich, liebenswürdig; **amiability** ['eımıə'bılıtı] *n* Freundlichkeit *f,* Liebenswürdigkeit *f;* **amicable** ['æmıkəbl] *adj* ▷*relationship* freundschaftlich; JUR gütlich; **amicability** ['æmıkəbılətı] *n* Freundschaftlichkeit; JUR Gütlichkeit
amid [ə'mıd], **amidst** [ə'mıdst] *prep* mitten in, mitten unter *dat,* inmitten *gen;* **amid-ships** [ə-'mıdʃıps] *adv* NAUT Mitschiffs-
amiss [ə'mıs] **1.** *adj* verkehrt, falsch; ◇ **there's s.th.** ~ da stimmt doch was nicht **2.** *adv:* ◇ **Don't take it ~ if ...** Nimm es nicht übel, wenn ...
amity ['æmıtı] *n* gutes Einvernehmen *s,* Freundschaft *f*
ammeter ['æmıtə*] *n* ELECTR Amperemeter *s*
ammonia [ə'məʊnıə] *n* Ammoniak *s*
ammunition [æmjʊ'nıʃən] *n* Munition *f;* ◇ ~ **dump** Munitionslager *s*
amnesia [æm'ni:zıə] *n* Gedächtnisschwund *m,* Gedächtnisverlust *m,* Amnesie *f*
amnesty ['æmnıstı] *n* Amnestie *f*
amok [ə'mɒk] *adv:* ◇ **to run** ~ Amok laufen
amoeba [ə'mi:bə] *n* Amöbe *f*
among [ə'mʌŋ], **amongst** [ə'mʌŋst] *prep* unter
amoral [æ'mɒrəl] *adj* unmoralisch
amorous ['æmərəs] *adj* verliebt, amourös
amorphous [ə'mɔ:fəs] *adj* formlos; ▷*department* strukturlos
amortize [ə'mɔ:taız] FIN tilgen, amortisieren
amount [ə'maʊnt] **I.** *n* (1) ↑ *quantity* Menge *f;* (*of ability, of luck*) Maß *s* (*of* an *dat*); (*of expended effort*) Aufwand *m* (*of* an *dat*); ◇ **any ~ of ...** jede Menge ... (2) (*specific quantity of money*) Betrag *m* **II.** *vi* (1) ◇ **to ~ to** ↑ *total* sich belaufen (*to* auf *acc*) (2) ◇ **to ~ to** ↑ *be equivalent to* gleichkommen, hinauslaufen (*to* auf *acc*); ◇ **her words ~ed to a refusal** ihre Worte liefen auf Ablehnung hinaus; ◇ **she won't ~ to much** aus ihr wird nie was
amp [æmp] *abbr. of* **ampere**
amp, ampere [æmp, 'æmpɛə*] *n* PHYS Ampere *s*
amphetamine [æm'fetəmi:n] *n* MED Amphetamin *s*
amphibious [æm'fıbıəs] *adj* amphibisch; ◇ ~ **vehicles** Amphibien-Fahrzeuge
amphitheatre ['æmfıθıətə*] *n* Amphitheater *s*
ample ['æmpl] *adj* (1) ▷*food* reichlich; ◇ ~ **time** ausreichend Zeit (2) ▷*land* weitläufig; ▷*woman* üppig; **amplification** ['æmplıfı'keıʃən] *n* (1) (*of sound*) Verstärkung *f* (2) (*of text*) Erläuterung *f;* **amplifier** ['æmplıfaıə*] *n* Verstärker *m;* **amplify** ['æmplıfaı] *vt* (1) → *speech, sound* verstärken (2) → *statement* näher erläutern, genauer ausführen
amply ['æmplı] *adv* reichlich
amputate ['æmpjʊteıt] *vt* → *leg, arm* amputieren, abnehmen; **amputation** ['æmpjʊ'teıʃən] *n* Amputation *f*
amuck [ə'mʌk] *adv:* ◇ **to run** ~ Amok laufen; *s.* **amok**
amulet ['æmjʊlıt] *n* Amulett *s*
amuse [ə'mju:z] *vt* (1) ↑ *cause mirth* belustigen, zum Lachen bringen (2) ↑ *hold interest* unterhalten; ◇ **let the children ~ themselves** laß' doch die Kinder sich selbst beschäftigen; ◇ **the game ~d them** sie hatten Spaß am Spiel; **amusement** *n* (1) ↑ *fun* Vergnügen *s;* ↑ *mirth* Heiterkeit *f;* (*being entertained*) Amüsement *s;* (*high jinks*) Spaß *m* (2) (*entertainment of guests*) Unterhaltung *f;* **amusement arcade** *n* Spielhalle *f;* **amusement park** *n* Vergnügungspark *m;* **amusing** *adj* unterhaltend, amüsant
an [æn, ən] *art* ein(e)
anabolic steroid [ænə'bɒlık'sterɔıd] *n* Anabolikum *s*
anachronism [ə'nækrənızəm] *n* Anachronismus *m*
anaemia, anemia *(AM)* [ə'ni:mıə] *n* Anämie *f;* **anaemic, anemic** *(AM)* [ə'ni:mık] *adj* blutarm
anaesthesia ['ænıs'θi:zıə], **anesthesia** *(AM)* *n* Betäubung *f;* **anaesthetic, anesthetic**

(*AM*) [ænɪs'θetɪk] *n* Betäubungsmittel *s;* ◇ **under an** ~ unter Narkose *f;* ◇ **general** ~ Vollnarkose *f;* ◇ **local** ~ örtliche Betäubung *f;* **anaesthetist, anesthetist** [æ'niːsθɪtɪst] (*AM*) *n* Narkosefacharzt *m,* Narkosefachärztin *f,* Anästhesist(in *f*) *m;* **anaesthetize** [æ'niːsθɪtaɪz], **anesthetize** (*AM*) betäuben

anal ['enəl] *adj* Anal-

analgesic [ænæl'dʒiːsɪk] *n* schmerzmilderndes/schmerzlinderndes Mittel

analog ['ænəlɒg] *adj* Analog-; ◇ ~ **computer** Analogrechner *m;* **analogous** [ə'næləgəs] *adj* analog; **analogue** ['ænəlɒg] *n* Gegenstück *s;* **analogy** [ə'nælədʒɪ] *n* Analogie *f;* ◇ **to draw an** ~ e-e Analogie herstellen

analyse ['ænəlaɪz] *vt* analysieren; **analysis** [ə'nælɪsɪs] *n* Analyse *f;* **analyst** ['ænəlɪst] *n* ⊳*scientific* Analytiker(in *f*) *m;* **analytic** [ænə'lɪtɪk] *adj* ⊳*logic* analytisch; **analytical** [ænə'lɪtɪkəl] *adj* ⊳*article, turn of mind* analytisch

anarchic [æ'naːkɪk] *adj* anarchistisch; **anarchist** ['ænəkɪst] *n* Anarchist(in *f*) *m;* **anarchy** ['ænəkɪ] *n* Anarchie *f*

anathema [ə'næθɪmə] *n* [1] REL Kirchenbann *m* [2] (*racism*) Greuel *s*

anatomical [ænə'tɒmɪkəl] *adj* anatomisch; **anatomy** [ə'nætəmɪ] *n* [1] (*of structure*) anatomischer Aufbau *m,* Körperbau *m* [2] (MED *study*) Anatomie *f*

ancestor ['ænsestə*] *n* Vorfahr *m,* Ahne *m;* **ancestral** [æn'sestrəl] *adj* angestammt, Ahnen-; **ancestry** ['ænsɪstrɪ] *n* [1] ↑ *provenance* Abstammung *f* [2] ↑ *ancestors* Vorfahren *m pl,* Ahnen *mpl*

anchor ['æŋkə*] **I.** *n* NAUT Anker *m;* ◇ **to drop/cast the** ~ vor Anker gehen; ◇ **to weigh** ~ den Anker lichten **II.** *vi* NAUT vor Anker liegen, ankern **III.** *vt FIG* verankern; **anchorage** ['æŋkərɪdʒ] *n* NAUT Ankerplatz *m;* **anchor buoy** *n* NAUT Ankerboje *f*

anchorite ['æŋkəraɪt] *n* Einsiedler *m*

anchorman ['æŋkə*mæn] *n* MEDIA Koordinator(in *f*) *m*

anchovy ['æntʃəvɪ] *n* Sardelle *f*

ancient ['eɪnʃənt] *adj* uralt, aus alter Zeit

ancillary [æn'sɪlərɪ] *adj* (*academic subject*) Neben-; ⊳*service* Hilfs-

and [ænd, ənd, ən] *cj* [1] (*joining entities*) und; ◇ **two hundred** ~ **twenty** zweihundertzwanzig; ◇ **two** ~ **a half** zweieinhalb; ◇ **A, B, C and D** A, B, C, D [2] (*indicating simultaneity*) als, und [3] (*enforcing narrative order*) und (dann)

androgynous [æn'drɒdʒɪnəs] *adj* zweigeschlechtlich, Zwitter-

anecdotal ['ænɪkdəʊtəl] anekdotenhaft; **anecdote** ['ænɪkdəʊt] *n* Anekdote *f*

anemia [ə'niːmɪə] *n* (*AM*) *s.* **anaemia**

anemometer ['ænɪmɒiːtə] *n* Windmesser *m*

anemone [ə'nemənɪ] *n* Anemone *f*

anesthetic *n* (*AM*) *s.* **anaesthetic**

anew [ə'njuː] *adv* aufs neue, von neuem

angel ['eɪndʒəl] *n* Engel *m;* **angel fish** *n* [1] (*shark*) Engelhai *m* [2] (*tropical fish*) Großer Segelflosser *m;* **angelic** [æn'dʒelɪk] *adj* engelhaft

anger ['æŋgə*] **I.** *n* Ärger *m;* (*stronger*) Zorn *m* **II.** *vt* ärgern; (*stronger*) wütend machen

angina [æn'dʒaɪnə] *n* Halsentzündung *f,* Angina *f*

angle ['æŋgl] *n* [1] (*of thing*) Winkel *m* [2] (*on things*) Standpunkt *m;* ◇ **at an** ~ schief; **angle for** *vi* (*salmon*) angeln; (*compliments*) heischen nach; ◇ **to** ~ ~ **s.th.** auf etw *acc* aus sein; **angle bracket** *n* Winkelkonsole *f*

angler ['æŋglə*] *n* Angler(in *f*) *m*

Anglican ['æŋglɪkən] **1.** *n* Anglikaner(in *f*) *m* **2.** *adj* anglikanisch; **anglicize** ['æŋglɪsaɪz] *vt* anglisieren; **anglicism** ['æŋglɪsɪzəm] *n* Anglizismus

angling ['æŋglɪŋ] *n* Angeln *s*

Anglo- ['æŋgləʊ] *pref* Anglo-

anglophile ['æŋgləʊfaɪl] *n* Englandfreund *m;* **anglophobe** ['æŋgləʊfəʊb] *n* Englandhasser *m;* **Anglo-Saxon** ['æŋgləʊ'sæksən] **I.** *n* [1] (*person*) Angelsachse *m,* Angelsächsin *f* [2] (*language*) Angelsächsisch *s* **II.** *adj* angelsächsisch

angostura [æŋgə'stjʊərə] *n* ⊳*bark* Angosturarinde *f;* ◇ ~ **bitters** Angosturabitter *m*

angrily ['æŋgrɪlɪ] *adv* verärgert, böse; **angry** ['æŋgrɪ] *adj* [1] ⊳*person* böse, zornig, aufgebracht; ◇ **to be** ~ **with/at s.b.** auf jd-n wütend sein; ◇ **don't get** ~**!** reg' Dich nicht auf! [2] *FIG* ⊳*wound* entzündet; ⊳*sea* aufgewühlt; ⊳*clouds* drohend

anguish ['æŋgwɪʃ] *n* Qual *f;* **anguished** ['æŋgwɪʃt] *adj* qualvoll

angular ['æŋgjʊlə*] *adj* ⊳*corner* eckig, winkelförmig; ⊳*face, style* kantig; **angularity** ['æŋgjʊ'lærɪtɪ] *n* (*of shape*) Eckigkeit *f;* (*of bony figure*) Knochigkeit *f*

animal ['ænɪməl] **I.** *n* [1] (*not human*) Tier *s* [2] (*living being*) Lebewesen *s* [3] *FIG* ↑ *monster* Bestie *f* **II.** *adj* ⊳*instinct* tierisch; ⊳*story* Tier-; **animal kingdom** *n* Tierreich *s;* **animal husbandry** *n* Viehwirtschaft *f;* **animal magnetism** *n* [körperliche] Anziehungskraft *f;* **animality** [ænɪ'mælɪtɪ] *n* Tierhaftigkeit *f;* (*base*) Tierische *s*

animate ['ænɪmeɪt] **I.** ['ænɪmət] *adj* ① lebhaft; ▷*discussion* angeregt ② ↑ *living* lebendig **II.** *vt* beleben; → *s.o. to efforts* aufmuntern; **animated** *adj* lebendig; ◇ ~ **cartoon** Zeichentrickfilm *m;* **animation** [ænɪ'meɪʃən] *n* Lebhaftigkeit *f;* **animator** ['ænɪmeɪtə*] *n* Trickfilmzeichner(in *f*) *m*

animosity [ænɪ'mɒsɪtɪ] *n* Feindseligkeit *f*

aniseed ['ænɪsi:d] *n* Anis *m*

ankle ['æŋkl] *n* Knöchel *m;* **anklebone** *n* Sprungbein *s;* **ankle-deep** *adj* knöcheltief; **anklet** ['æŋklɪt] *n* Fußkette *f;* **ankle socks** *n* Socken *f pl,* Söckchen *fpl*

annals ['ænəlz] *n* <npl> (*of history*) Annalen *pl*

anneal [ə'ni:l] *vt* → *glass* kühlen; → *metal* ausglühen; → *earthenware* brennen

annex [1] ['æneks] *n* ① (*to a building*) Anbau *m* ② (*to a paperwork*) Beilage *f*

annex [2] [ə'neks] *vt* beifügen, anhängen; POL → *country* angliedern, annektieren; **annexation** [ænek'seɪʃən] *n* Annexion *f*

annihilate [ə'naɪəleɪt] *vt* vernichten; zerschlagen; fertigmachen; **annihilation** [ənaɪə'leɪʃən] *n* (*of enemy camp*) Vernichtung *f;* (*of opposition*) Zerschlagung *f;* (*of person, of cricket team*) Fertigmachen *s*

anniversary [ænɪ'vɜ:sərɪ] *n* Jahrestag *m;* (*of death*) Todestag *m;* ↑ *wedding* ~ Hochzeitstag *m*

annotate ['ænəteɪt] *vt* mit Anmerkungen versehen, kommentieren

announce [ə'naʊns] *vt* → *person* bekanntgeben, ankündigen; → *arrival time* durchsagen; MEDIA ansagen; → *the marriage* bekanntmachen; **announcement** *n* Bekanntgabe *f,* Ankündigung *f;* Durchsage *f;* Ansage *f;* Bekanntmachung *f;* **announcer** *n* Ansager(in *f*) *m,* Sprecher(in *f*) *m*

annoy [ə'nɔɪ] *vt* aufregen; (↑ *pester*) belästigen; ◇ **to be ~ed with s.b./at s.b./about s.th.** sich über jd-n/etw ärgern; **annoyance** [ə'nɔɪəns] *n* ① Ärgernis *s* ② (*interruption*) Störung *f,* Belästigung *f;* **annoying** [ə'nɔɪɪŋ] *adj* ▷*malfunction* ärgerlich; ▷*relative* lästig

annual ['ænjʊəl] **I.** *adj* ↑ *once a year* jährlich; ▷*tax, salary etc.* Jahres- **II.** *n* ① ▷*magazine, book* Jahrbuch *s* ① BIO einjährige Pflanze *f;* **annually** *adv* jährlich; **annuity** [ə'nju:ɪtɪ] *n* [feste] Rente *f*

annul [ə'nʌl] *vt* → *statute, law* annulieren, aufheben; → *contract* für ungültig erklären, auflösen; **annulment** *n* Aufhebung *f,* Annullierung *f,* Ungültigkeitserklärung *f,* Auflösung *f*

Annunciation [ənʌnsɪ'eɪʃən] *n* REL Maria Verkündigung *f*

anode ['ænəʊd] *n* Anode *f*

anodyne ['ænəʊdaɪn] *n* schmerzstillendes Mittel *s*

anoint [ə'nɔɪnt] *vt* salben

anomalous [ə'nɒmələs] *adj* anormal, unregelmäßig; **anomaly** [ə'nɒməlɪ] *n* Besonderheit *f,* Anomalie *f*

anon [ə'nɒn] *adv:* ◇ **see you** ~ bis demnächst

Anon. *abbr. of s.* **anonymous**

anonymity [ænə'nɪmɪtɪ] *n* Anonymität *f;* **anonymous** [ə'nɒnɪməs] *adj* anonym

anorak ['ænəræk] *n* Anorak *m*

anorexia (nervosa) [ænə'reksɪə] *n* Magersucht *f;* **anorexic** [ænə'reksɪk] *adj* magersüchtig

another [ə'nʌðə*] *adj, pron* ① (*additional*) noch eine(r, s); ◇ **I don't want ~ cup of tea** ich möchte keine (weitere) Tasse Tee mehr ② (*different*) ein(e) andere(r, s); ◇ **it happened in ~ country** es passierte in e-m anderen Land

answer ['ɑ:nsə*] **I.** *n* Antwort *f* (*to s.th.* auf e-e Sache) **II.** *vi* antworten **III.** *vt* ① → *person* antworten *dat;* → *need* befriedigen; → *phone* gehen an *acc;* → *door* (die Tür) aufmachen ② → *description* entsprechen; → *need* nachkommen, befriedigen; **answer back** *vi* frech sein; **answer for** *vi* ① (*a crime*) verantwortlich sein für ② ◇ **I can ~ ~ his loyalty** ich kann mich für seine Loyalität verbürgen; **answer to** *vi* ↑ *be accountable:* ◇ **to ~ ~ for s.th.** jd-m für etw Rechenschaft schuldig sein; ◇ **to ~ ~ a description** e-r Beschreibung entsprechen; ◇ **to ~ ~ the name of …** auf den Namen … hören; **answerable** *adj* ↑ *responsible* verantwortlich, haftbar; **answering machine** *n,* **answerphone** *n* [automatischer] Anrufbeantworter *m*

ant [ænt] *n* Ameise *f*

antacid ['ænt'æsɪd] *n* säurebindendes Mittel *s*

antagonism [æn'tægənɪzəm] *n* Feindseligkeit *f,* Antagonismus *m;* **antagonist** [æn'tægənɪst] *n* Gegner(in *f*) *m,* Antagonist(in *f*) *m;* **antagonistic** [æntægə'nɪstɪk] *adj:* ◇ **to be ~ towards s.b./s.th.** jd-m/etw gegenüber feindselig gesinnt sein; **antagonize** [æn'tægənaɪz] *vt* reizen, sich […] zum Feind machen

antarctic [æntɑ:ktɪk] **I.** *adj* antarktisch; ◇ **the A~ Circle** südlicher Polarkreis **II.** *n:* ◇ **the A~** die Antarktis

ante ['æntɪ] *n* **I.** (*cards*) Einsatz *m* **II.** *vt* (~ *up*) einsetzen

anteater ['ænti:tə*] *n* Ameisenbär *m*

antecedent [æntɪ'si:dənt] **I.** *n:* ◇ **~s** *pl* (*of person*) Vorleben *s;* (*to event*) Vorgeschichte *f* **II.** *adj* früher, vorhergehend

antediluvian vorsintflutlich

antelope ['æntɪləʊp] *n* Antilope *f*
antenatal [æntɪ'neɪtl] *adj* vor der Geburt, pränatal; ◇ ~ **care** Schwangerschaftsvorsorge *f*
antenna [æn'tenə] *n* [1] TECH Antenne *f* [2] (*of insects*) Fühler *m*
anterior [æn'tɪərɪə] *adj* [1] (*time*) früher (*to* als) [2] ANAT vordere(r,s)
anteroom ['æntɪrʊm] *n* Vorzimmer *s;* (*in hospital*) Wartezimmer *s*
anthem ['ænθəm] *n* (*national* ~) Hymne *f;* (MUS *formal song*) Chorgesang *m*
anthology [æn'θɒlədʒɪ] *n* Gedichtsammlung *f*
anthropologist [ænθrə'pɒlədʒɪst] *n* Anthropologe(Anthropologin *f*) *m;* **anthropology** *n* Anthropologie *f*
anthropomorphic [ænθrəʊpə'mɔːfɪk] *adj* anthropomorphisch
anti- ['æntɪ] *pref* Gegen-, Anti-; ◇ ~ **clerical** gegen die Kirche [*o.* antiklerikal] eingestellt; **anti-aircraft** *adj* Flugabwehr-; **anti-ballistic missile** *n* Anti-Raketen-Rakete *f;* **antibiotic** ['æntɪbaɪ'ɒtɪk] *n* Antibiotikum *s;* **antibody** *n* MED Antikörper *m*
anticipate [æn'tɪsɪpeɪt] *vt* [1] → *trouble* rechnen mit; → *birthday party* sich freuen auf *acc* [2] ↑ *foresee* ahnen, voraussehen; → *punch* vorwegnehmen; **anticipation** [æntɪsɪ'peɪʃən] *n* Erwartung *f;* **anticipatory** [æn'tɪsɪpeɪtərɪ] *adj* vorwegnehmend; **anticlimax** [æntɪ'klaɪmæks] *n* Enttäuschung *f;* **anticlockwise** [æntɪ'klɒkwaɪz] *adj* dem Uhrzeigersinn entgegen, nach links
antics ['æntɪks] *n pl* Fratzen *pl;* (*negative*) Mätzchen *pl*
anticyclone [æntɪ'saɪkləʊn] *n* Hoch[druckgebiet] *s;* **anti-dazzle** *adj* Blendschutz-; **antidote** ['æntɪdəʊt] *n* Gegenmittel *s;* **antifreeze** *n* Frostschutzmittel *s;* **antihero** *n* Antiheld *m;* **antihistamine** [æntɪ'hɪstəmɪn] *n* Antihistamin *s;* **anti-lock braking system** [æntɪ'lɒk] *n* Antiblockiersystem *s;* **antinuclear activist** *n* Kernkraftgegner(in *f*) *m;* **antipathy** [æn'tɪpəθɪ] *n* Abneigung *f,* Antipathie *f;* **antiperspirant** *n* Antitranspirant *s;* **antipodes** [æn'tɪpədiːz] *n pl* Antipoden *pl;* (*often humorously*) ◇ **the A~** Australien mit Neuseeland
antiquarian [æntɪ'kweərɪən] **I.** *adj* antiquarisch **II.** *n:* ◇ ~ **bookshop** Antiquariat *s*
antiquated ['æntɪkweɪtɪd] *adj* überholt, antiquiert; **antique** [æn'tiːk] **I.** *n* Antiquität *f* **II.** *adj* antik; **antique dealer** *n* Antiquitätenhändler(in *f*) *m;* **antiquity** [æn'tɪkwɪtɪ] *n* Altertum *s,* Antike *f*
anti-Semitic *adj* antisemitisch; **antiseptic** [æntɪ'septɪk] **I.** *n* Antiseptikum *s* **II.** *adj* ↑ *sterile* antiseptisch; **antisocial** [æntɪ'səʊʃl] *adj* ↑ *unsociable* ungesellig; ▷*behaviour* unsozial; **anti-tank** *n* (*weapon*) Panzerabwehrrakete *f;* **antithesis** [æn'tɪθɪsɪs] *n* Gegensatz *m,* Antithese *f;* **antithetical** [æntɪ'θetɪkəl] *adj* ↑ *contrasting* gegensätzlich; ▷*ideas* antithetisch
antler ['æntlə] *n:* ◇ **antlers** *pl* Geweih *s*
antonym ['ntənɪm] *n* Antonym *s*
anus ['eɪnəs] *n* MED After *m*
anvil ['ænvɪl] *n* Amboß *m*
anxiety [æŋ'zaɪətɪ] *n* ↑ *worry, concern* Sorge *f;* PSYCH Angstneurose *f;* **anxious** ['æŋkʃəs] *adj* [1] ↑ *fearful* ängstlich; ▷*minutes* bang [2] ↑ *concerned* besorgt [3] ◇ **to be ~ to do s.th.** bestrebt sein, etw zu tun, unbedingt etw wollen; ◇ **I am ~ for him that ...** es liegt mir viel daran, daß er ...;
anxiously *adv* [1] besorgt [2] ↑ *keenly* eifrig, begierig
any ['enɪ] **I.** *pron* (*no matter which one*) irgendein(e); (*in question and negative*) ◇ **have you ~?** hast du welche?; ◇ **not ~** keine **II.** *adv* (*at all*) (überhaupt); ◇ **I cannot go ~ faster** ich kann (überhaupt) nicht schneller fahren; **anybody** *pron* irgend jemand; ↑ *everyone* jeder; **anyhow** *adv* (*in slapdash fashion*) einfach so **s. anyway; any one** *pron* (*thing*) irgendein(e); **anyone** *pron* (*person*) irgend jemand; **anything** *pron* irgend etw; **anytime** *adv* jederzeit; **anyway** *adv* (*supporting what you' ve just said*) ohnehin; (*true in spite of s.th. else*) trotzdem, jedenfalls; (*in a succession of events*) sowieso; **anywhere** *adv* [1] irgendwo; (*direction*) irgendwohin [2] ↑ *everywhere* überall; (*direction*) überallhin
apace [ə'peɪs] *adv* geschwind
apart [ə'pɑːt] *adv* [1] ↑ *parted, seperated* auseinander [2] (*to/on one side*) beiseite, abseits [3] ◇ ~ **from** abgesehen davon; ◇ **these things ~ we have to talk about ...** abgesehen davon müssen wir über ... reden
apartheid [ə'pɑːteɪt] *n* Apartheid *f*
apartment [ə'pɑːtmənt] *n AM* ↑ *flat* Wohnung *f*
apathetic [æpə'θetɪk] *adj* gleichgültig, teilnahmslos, apathisch; **apathy** ['æpəθɪ] *n* Gleichgültigkeit *f,* Teilnahmslosigkeit *f,* Apathie *f*
ape [eɪp] **I.** *n* [Menschen-]Affe *m* **II.** *vt* nachahmen, nachmachen; *PEJ* nachäffen
aperitif [ə'perɪtɪv] *n* Aperitif *m*
aperture ['æpətjʊə*] *n* Öffnung *f;* FOT Blende *f*
apex ['eɪpeks] *n* <apices, apexes> (*of an organization*) Spitze *f;* MATH Scheitelpunkt *m*
APEX ['eɪpeks] *n* (*ticket*) *Sonderflugkarte zu verbilligtem Preis*

aphasia [ə'feɪzɪə] *n* Aphasie *f*
aphid ['eɪfɪd] *n* Blattlaus *f*
aphorism ['æfərɪzəm] *n* Aphorismus *m*
apiarist ['eɪpɪərɪst] *n* Imker(in *f*) *m,* Bienenzüchter(in *f*) *m;* **apiary** ['eɪpɪərɪ] *n* Bienenhaus *s*
apices *n* <pl> *s.* **apex**
apiculture ['eɪpɪkʌltʃə*] *n* Bienenhaus *s*
apiece [ə'pi:s] *adv* pro Stück, pro Kopf, je
aplomb [ə'plɒm] *n* Gelassenheit *f*
apocalyptic [əpɒkəlɪptɪk] *adj* apokalyptisch
apocryphal [ə'pɒkrɪfəl] *adj* (*of unknown authorship*) anonym
apogee ['æpəʊdʒɪ:] *n* ↑ *apex* Höhepunkt *m*
apologetic [əpɒlə'dʒetɪk] *adj* ▷*expression* entschuldigend; ▷*regret* bedauernd; **apologize** [ə'pɒlədʒaɪz] *vi* sich entschuldigen; ◇ **I must ~ to you** ich muß mich bei dir entschuldigen; ◇ **I ~ for ...** ich muß mich entschuldigen für ...; **apology** [ə'pɒlədʒɪ] *n* Entschuldigung *f;* ◇ **Mr X sends his apologies** Herr X läßt sich entschuldigen
apoplexy ['æpəpleksɪ] *n* Schlaganfall *m*
apostate [ə'pɒstɪt] *n* ↑ *renegade* Abtrünnige(r) *fm*
apostle [ə'pɒsl] *n* Apostel *m*
apostrophe [ə'pɒstrəfɪ] *n* Apostroph *m*
appal, **appall** (*AM*) [ə'pɔ:l] *vt* entsetzen; **appalled** *adj* entsetzt (*at/by s.th.* über); **appalling** *adj* schrecklich, entsetzlich
apparatus [æpə'reɪtəs] *n* Gerät *s,* Apparat *m;* ↑ *equipment* Ausrüstung *f,* Ausstattung *f*
apparel [ə'pærəl] *n* ↑ *attire* Gewand *s,* Aufzug *m*
apparent [ə'pærənt] *adj* offensichtlich; **apparently** *adv* anscheinend; ↑ *seemingly* scheinbar; **apparition** [æpə'rɪʃən] *n* (1) (*hobgoblin*) Erscheinung *f* (2) (*shining*) Erscheinen *s*
appeal [ə'pi:l] **I.** *vi* (1) dringend bitten (*for* um); (*for support*) appellieren (2) (*to planning authority*) Einspruch erheben (*to* bei); JUR Berufung einlegen (*to* bei) (3) ↑ *be attractive to* reizen **II.** *n* (1) (*for help*) Aufruf *m;* (*for mercy*) Gesuch *s* (2) (*of film*) Reiz *m* (3) (*against decision*) Einspruch *m;* JUR Berufung *f;* **appealing** *adj* ↑ *engaging* ansprechend; **appealingly** *adv* (1) (*for s.th.*) bittend (2) ↑ *attractively* reizvoll
appear [ə'pɪə*] *vi* ↑ *come into sight* erscheinen; ↑ *pop up* auftauchen; ↑ *seem* scheinen; **appearance** *n* (1) ↑ *coming into view* Erscheinen *s* (2) (*outward ~*) Äußere(s) *s,* Erscheinungsbild *s;* ◇ **in** ~ dem Anschein nach
appease [ə'pi:z] *vt* → *person* beschwichtigen; → *hunger, guilt* stillen; **appeasement** *n* Beschwichtigung *f*
appellant [ə'pelənt] *n* Berufungskläger(in *f*) *m;* **appellation** [æpe'leɪʒən] *n* Anrede *f*
append [ə'pend] *vt* hinzufügen, anhängen; **appendage** [ə'pendɪdʒ] *n* Anhang *m; FIG* Anhängsel *s*
appendices *n pl von* **appendix**
appendicitis [əpendɪ'saɪtɪs] *n* Blinddarmentzündung *f*
appendix [ə'pendɪks] *n* <appendices, appendixes> (1) (*to a book*) Anhang *m* (2) ANAT Blinddarm *m*
appertain [æpə'teɪn] *vi* ↑ *belong* gehören (*to* zu); ↑ *relate* betreffen (*to* acc)
appetite ['æpɪtaɪt] *n* for food, Appetit *m;* (*for sex*) Lust *f,* Begierde *f*
appetizer ['æpɪtaɪzə*] *n* Appetitanreger *m;* **appetizing** ['æpɪtaɪzɪŋ] *adj* appetitlich
applaud [ə'plɔ:d] *vt, vi* (Beifall) klatschen *dat,* applaudieren; → *changes* begrüßen; **applause** [ə'plɔ:z] *n* Beifall *m,* Applaus *m*
apple ['æpl] *n* Apfel *m;* **apple-pie** *n* gedeckter Apfelkuchen *m;* **apple sauce** *n* Apfelmus *s;* **apple tree** *n* Apfelbaum *m*
appliance [ə'plaɪəns] *n* Gerät *s;* (*gas ~s*) Gasvorrichtung *f*
applicability [æplɪkə'bɪlɪtɪ] *n* Anwendbarkeit *f;* **applicable** [ə'plɪkəbl] *adj* ↑ *usable* anwendbar (*to* auf *acc*); ↑ *relevant* zutreffend; ◇ **not** ~ entfällt; **applicant** ['æplɪkənt] *n* Bewerber(in *f*) *m*
application [æplɪ'keɪʃən] *n* (1) (*for post*) Bewerbung *f;* ↑ *request* Antrag *m,* Gesuch *s* (2) (*of theory*) Anwendung *f* (3) ↑ *hard work* Fleiß *m;* ◇ ~ **form** Bewerbungsformular *s;* **applicator** ['æplɪkeɪtə*] *n* Aufträger *m*
applied [ə'plaɪd] *adj* angewandt; **apply** [ə'plaɪ] **I.** *vi* (1) (*for a job*) sich bewerben (*for* für/um *acc*); ◇ **to ~ for a credit** e-n Kredit beantragen (2) ↑ *be relevant to, be applicable to* gelten für; (*of regulation, of description*) zutreffen auf (3) ↑ *turn to, for assistance* sich wenden (*to* an + acc) **II.** *vt* (1) → *dressing* auflegen; → *ointment* auftragen (2) → *skills, theory* anwenden; → *brakes* betätigen; → *sanctions* verhängen **III.** *vr:* ◇ **to ~ o.s.** sich widmen (*to* dat)
appoint [ə'pɔɪnt] *vt* (1) (*to a task*) einstellen; (*to a post*) ernennen; ◇ **they ~ed him Secretary of State** sie ernannten ihn zum Außenminister (2) ↑ *fix, allot* festsetzen, bestimmen (3) ◇ **her ~ed task** die ihr übertragene Aufgabe; **appointment** *n* (1) (*to managing director*) Ernennung *f;* (*appointee*) Berufung *f;* ↑ *post* Stelle *f* (2) ↑ *date* Verabredung *f;* (*at dentist*) Termin *m;* ◇ **by** ~ nach Vereinbarung; ◇ **~s** Stellenangebote *pl*
apportion [ə'pɔ:ʃən] *vt* zuteilen
apposite ['æpəzɪt] *adj* ▷*critique* treffend, passend; ▷*question* angebracht; **apposition** [æpə'zɪʃən] *n* Beifügung *f,* Apposition *f*

A

appraisal [ə'preɪzəl] *n* (*of value*) Abschätzung *f;* (*of character*) Einschätzung *f*
appreciable [ə'pri:ʃəbl] *adj* ↑ *perceptible* merklich; ↑ *considerable* beträchtlich
appreciate [ə'pri:ʃɪeɪt] **I.** *vt* → *prize* zu schätzen wissen; ↑ *understand* einsehen **II.** *vi* ← *house* im Wert steigen; **appreciation** [əpri:ʃɪ'eɪʃən] *n* ↑ *awareness of issues* Erkennen *s;* ↑ *respect for achievement* Anerkennung *f;* ↑ *understanding* Verständnis *s;* (*of value*) Wertschätzung *f;* COMM Wertzuwachs *m;* **appreciative** [ə'pri:ʃɪətɪv] *adj* (*showing thanks*) dankbar; (*showing approval*) anerkennend
apprehend [æprɪ'hend] *vt* (1) ↑ *arrest* festnehmen (2) ↑ *grasp* erfassen, vollständig begreifen; **apprehension** [æprɪ'henʃən] *n* (1) (*of a criminal*) Festnahme *f* (2) ↑ *misgiving* Befürchtung *f,* Angst *f* (3) ↑ *full understanding* Erfassen *s;* **apprehensive** [æprɪ'hensɪv] *adj* ängstlich, beklommen; ◇ **to be ~ that …** befürchten, daß …
apprentice [ə'prentɪs] *n* Azubi *fm,* Auszubildende(r) *fm,* Lehrling *m;* **apprenticeship** [ə'prentɪʃɪp] *n* Lehrzeit *f,* Lehre *f*
approach [ə'prəʊtʃ] **I.** *vi* ← *body* sich nähern; ← *season* nahen **II.** *vt* ↑ *come closer* sich nähern *dat;* → *building, planet* zukommen auf *acc;* → *12 o'clock, 75° C degrees* zugehen auf *acc;* → *authority* herantreten an *acc;* → *problem* anpakken, [heran]angehen an *acc* **III.** *n* Annäherung *f;* (*to problem*) Ansatz *m;* ↑ *~ path* Zugang *m,* Zufahrt *f;* **approachable** *adj* zugänglich, ansprechbar; **approaching** *adj* (*date*) bevorstehend; **approach road** *n* (*to town*) Zufahrtsstraße *f;* (*to motorway*) Zubringer *m;* (*slip-road*) Ein-/Ausfahrt *f*
approbation [æprə'beɪʃən] *n* Billigung *f*
appropriate [ə'prəʊprɪeɪt] *vt* ↑ *purloin, pinch* sich *dat* aneignen; ↑ *seize, take legally* beschlagnahmen
appropriate [ə'prəʊprɪət] *adj* (1) ▷*behaviour* passend, angebracht; ▷*remark* angebracht, treffend (2) ▷*authorities* zuständig; **appropriately** *adv* (*purpose oriented*) zweckmäßig; ▷*dressed* passend
approval [ə'pru:vəl] *n* ↑ *applause* Beifall *m,* Zustimmung *f;* ↑ *permission* Billigung *f;* (*more officially*) Genehmigung *f;* (COMM *purchase*) ◇ **on ~** zur Ansicht, zur Probe; **approve** [ə'pru:v] **I.** *vt* billigen (*of acc*); → *plan, arrangement* zustimmen; → *product* genehmigen **II.** *vi:* ◇ **do you ~** findest du das richtig?; ◇ **she doesn't ~ of him** [*o.* **the book**] sie hält nichts von ihm [*o.* von dem Buch]; **approved school** *n* (*BRIT*) Erziehungsheim *s*
approx. *abbr. of* **approximately**
approximate [ə'prɒksɪmɪt] **I.** *adj* ungefähr, annähernd; ▷*idea* grob **II.** [ə'prɒksɪmeɪt] *vt* entsprechen, nahekommen *dat;* **approximately** *adv* etwa, ungefähr; **approximation** [əprɒksɪ'meɪʃən] *n* Annäherung *f* (*of, to* an *acc*); (*amount*) Annäherungswert *m,* Schätzung *f*
apricot ['eɪprɪkɒt] *n* Aprikose *f*
April ['eɪprəl] *n* April *m;* **April Fool** *n* Aprilnarr *m;* ◇ **April Fool!** April! April!
a priori [eɪpraɪ'ɔ:raɪ] *adj* von aller Erfahrung unabhängig, a priori
apron ['eɪprən] *n* Schürze *f;* THEAT Vorbühne *f;* AVIAT Vorfeld *s*
apropos [æprə'pəʊ] **I.** *adv* nebenbei, beiläufig **II.** *prep:* ◇ **~ of** hinsichtlich *gen*
apt [æpt] *adj* (1) ↑ *fitting* passend, treffend (2) ↑ *capable* begabt (3) ◇ **he is ~ to forget** er vergißt leicht; **aptitude** [æptɪtju:d] *n* ↑ *ability* Fähigkeit *f,* Tauglichkeit *f;* (*innate leaning*) Neigung *f,* Hang *m;* **aptitude test** *n* Eignungstest *m*
aqualung ['ækwəlʌŋ] *n* Tauchgerät *s;* **aquaplane** ['ækwəpleɪn] *vi* SPORT Wasserski laufen; (*car over water*) ins Rutschen geraten; **aquarium** [ə'kwɛərɪəm] *n* Aquarium *s;* **Aquarius** [ə'kwɛərɪəs] *n* ASTRON Wassermann *m;* **aquatic** [ə'kwætɪk] *adj* Wasser-; **aqueduct** ['ækwɪdʌkt] *n* Aquädukt *s*
aquiline ['ækwɪlaɪn] *adj* ▷*profile* mit Adlernase
Arab ['ærəb] *n* Araber(in *f*) *m;* **Arabian** [ə'reɪbɪən] *adj* arabisch; ◇ **the A~ peninsula** die Arabische Halbinsel; **Arabic** ['ærəbɪk] **1.** *n* Arabisch *s* **2.** *adj* arabisch
arable ['ærəbl] *adj* ▷*land* landwirtschaftlich nutzbar, bebaubar; (*farm, farmer*) Acker-
arbiter ['ɑ:bɪtə*] *n* (1) (*of fate*) Herr *m;* (*of fashion*) Modeschöpfer(in *f*) *m* (2) ↑ *arbitrator* Vermittler(in *f*) *m,* Schiichter(in *f*) *m;* **arbitrary** ['ɑ:bɪtrərɪ] *adj* willkürlich; **arbitrate** ['ɑ:bɪtreɪt] *vt* → *dispute, quarrel* [durch Schiedsspruch] schlichten; **arbitration** [ɑ:bɪ'treɪʃən] *n* Schlichtung *s,* schiedsrichterliches Verfahren *s;* **arbitrator** ['ɑ:bɪtreɪtə*] *n* JURA Schlichter(in *f*) *m,* Vermittler(in *f*) *m*
arboreal [ɑ:bɔ:rɪəl] *adj* Baum-
arbour ['ɑ:bə] *n* Laube *f*
arc [ɑ:k] **I.** *n* Bogen *m* **II.** *vi* ELECTR ← *electric current* überspringen; **arcade** [ɑ:'keɪd] *n* Passage *f;* **arcane** [ɑ:'keɪn] *adj* obskur
arch [ɑ:tʃ] **I.** *n* Bogen *m;* ANAT Spann *m* **II.** *adj* ▷*look, expression* verschmitzt, schelmisch **II.** *vi* sich wölben **III.** *vt* (*~ over*) überwölben; → *back* krümmen, krumm machen, einen Buckel machen; → *eyebrows* hochziehen

archaeologist, **archeologist** [ɑːkɪ'ɒlədʒɪst] *n* Archäologe *m*, Archäologin *f;* **archaeology**, **archeology** *(AM) n* Archäologie *f*
archaic [ɑː'keɪɪk] *adj* altertümlich; *FAM* ↑ *outmoded* vorsintflutlich; ▷*language* veraltet, antiquiert
archangel [ɑːkeɪndʒəl] *n* Erzengel *m;* **archbishop** *n* Erzbischof *m;* **archduke** *n* Erzherzog(in *f*) *m*
arched *adj* gewölbt, mit einem Bogen
archenemy *n* Erzfeind(in *f*) *m*
archer ['ɑːtʃə*] *n* Bogenschütze *m*, Bogenschützin *f*, **archery** *n* Bogenschießen *s*
archetype [ɑːkɪtaɪpəl] *n* Urtyp *m*
archipelago [ɑːkɪ'pelɪgəʊ] *n* Archipel *m*
architect ['ɑːkɪtekt] *n* Architekt(in *f*) *m;* **architectural** [ɑːkɪ'tektʃərəl] *adj* architektonisch; **architecture** *n* Architektur *f; (of molecules)* Aufbau *m*
archives ['ɑːkaɪvz] *n pl* Archiv *s*
arch support ['ɑtʃsəpɔːt] *n* Senkfußeinlage *f*
archway ['ɑːtʃweɪ] *n* [Tor-]Bogen *m*
arctic ['ɑktɪk] **I.** *n:* ◇ **the A-** die Arktis *f* **II.** *adj* arktisch
Arctic Circle *n* nördlicher Polarkreis *m*
arc welding *n* Lichtbogenschweißen *f*, Schutzgasschweißen *s*
ardent ['ɑːdənt] *adj* ↑ *earnest* inständig; ↑ *spirited* begeistert; ↑ *passionate* leidenschaftlich; ↑ *red-hot* glühend
ardour ['ɑːdə*] *n* ↑ *fervour* Leidenschaft *f;* ▷*feeling* Leidenschaftlichkeit *f*
arduous ['ɑːdjʊəs] *adj* mühsam; ▷*task* anstrengend
are [ɑː*] *s.* **be**
area ['ɛərɪə] *n* (1) ↑ *region* Gebiet *s;* ↑ *neighbourhood* Gegend *f; (fenced ~)* Areal *s*, Gelände *s; (on map)* Bereich *m;* ◇ **no-go** ~ Sperrgebiet *s* (2) (MATH *mesurement*) Fläche *f;* ◇ **to be about 55 sqare kilometres in** ~ ungefähr 55 Quadratkilometer groß sein (3) *(~ of responsibility, ~ of knowledge)* Bereich *m*, Gebiet *s;* **area code** *n* TELECOM *AM* Vorwahl[-nummer] *f*
arena [ə'riːnə] *n* Arena *f*
aren't [ɑːnt] = **are not**
Argentina [ɑːdʒən'tiːnə] *n* Argentinien *s*
arguable ['ɑːgjʊəbl] *adj* (1) ↑ *presentable* vertretbar; ◇ **it's ~ that ...** man könnte argumentieren, daß ... (2) ↑ *worth considering* diskutabel; ↑ *contentious* bestreitbar; **arguably** *adv* wohl; **argue** ['ɑːgjʊː] **I.** *vt (point of view)* erörtern; JURA → *case* vertreten, darlegen **II.** *vi* ↑ *disagree* streiten; ↑ *quarrel* sich streiten; ↑ *maintain* behaupten; ◇ **don't ~!** keine Widerrede!; **argue away** *vi* diskutieren; **argue out** *vt* ausdiskutieren, durchreden; **argument** *n* ↑ *proposition* These *f;* ↑ *reason* Argument *s;* ↑ *reasoning* Argumentation *f;* ↑ *proof* Beweis *m;* ↑ *row* Auseinandersetzung *f*, Streit *m;* ◇ **to have an ~** sich streiten; **argumentative** [ɑːgjʊ'mentətɪv] *adj* streitlustig
aria ['ɑːrɪə] *n* Arie *f*
arid ['ærɪd] *adj* ▷*ground* dürr; ▷*climate, subject* trocken; ▷*feeling* öd-; **aridity** [ə'rɪdɪtɪ] *n* Dürre *f;* Trockenheit *f;* Öde *f*
Aries ['ɛəriːz] *n* (ASTROL) Widder *m*
aright [ə'raɪt] *adj* richtig
arise [ə'raɪz] <arose, arisen> *vi* (1) *(get out of bed)* aufstehen (2) ← *protest* ↑ *rise up* sich erheben (3) ← *difficulties, storm clouds* entstehen; ← *incidents* vorkommen; ◇ **to ~ out of a situation** sich aus einer Situation ergeben
aristocracy [ærɪs'tɒkrəsɪ] *n* Adel *m*, Aristokratie *f;* **aristocrat** ['ærɪstəkræt] *n* Adlige(r) *fm*, Aristokrat(in *f*) *m;* **aristocratic** [ærɪstə'krætɪk] *adj* adlig, aristokratisch
arithmetic [ə'rɪθmətɪk] *n* Rechnen *s;* **arithmetical** [ə'rɪθmətɪk] *adj* rechnerisch
ark [ɑːk] *n* Arche *f;* ◇ **Noah's A-** die Arche Noah
arm [1] [ɑːm] **I.** *n* (1) *(of person)* Arm *m;* ◇ ~ **in** ~ eingehakt, Arm in Arm; ◇ **to put one's ~s around s.b.** jd-n umarmen; ◇ **within ~'s reach** in Reichweite (2) *(of jacket)* Ärmel *m; (of balance)* Balken *m; (of armchair)* Armlehne *f; (of company)* Zweig *m*
arm [2] [ɑːm] **I.** *vt* → *detective* bewaffnen; ◇ **~ed with excuses** Ausreden parat haben **II.** *vi* aufrüsten
armadillo [ɑːmə'dɪləʊ] *n* <-s> Gürteltier *s*
armaments ['ɑːməmənts] *n pl* Waffen *pl*, Rüstung *f*
armature ['ɑːmətjʊə*] *n* ELECTR Anker *m*
armband ['ɑːmbænd] *n* Armbinde *f;* **armchair** *n* Sessel *m*, Lehnstuhl *m*
armed *adj (military)* bewaffnet; *(with an information)* ausgestattet; **armed forces** *n pl* Streitkräfte *pl;* **armed robbery** *n* bewaffneter Raubüberfall *m;* **armistice** ['ɑːmɪstɪs] *n* Waffenstillstand *m;* **armour** ['ɑːmə*], **armor** *(AM) n (knight's regalia)* Rüstung *f; (of animals)* Panzer *m;* Panzerplatte *f;* **armoured car** *n* Geldtransporter *m;* **armour-plated** *adj* gepanzert; **armoury** *n* (1) *storeroom)* Waffenkammer *f;* [Waffen-]Lager *s*, [Waffen-]Arsenal *s* (2) *(factory)* Munitionsfabrik *f*, Waffenfabrik *f*
armpit ['ɑːmpɪt] *n* Achselhöhle *f;* **armrest** *n* Armlehne *f*

arms [ɑːmz] *n pl* ① ↑ *weapons* Waffen *pl;* ◇ **to be up in ~ about the neighbours** über die Nachbarn empört sein ② *(the lion and the unicorn)* Wappen *s;* **arms control** *n* Rüstungskontrolle *f;* **arms race** *n* Rüstungswettlauf *m;* **army** ['ɑːmɪ] *n* Armee *f,* Heer *s;* ◇ **to be in the ~** beim Militär sein

aroma [ə'rəʊmə] *n* Aroma *s,* Duft *m;* **aromatic** [ærə'mætɪk] *adj* aromatisch, würzig

arose [ə'rəʊz] *pt of* **arise**

around [ə'raʊnd] **I.** *adv* *(laze ~)* herum, rum; *(roughly (time or place))* ungefähr; ◇ **a church with cherry trees all ~** eine Kirche mit Kirschbäumen ringsherum **II.** *prep* ① *(local)* um … herum; ◇ **Mr Fry danced ~ the maypole** Herr Fry tanzte um den Maibaum herum; ◇ **to travel ~ Bavaria** durch Bayern reisen ② *(~ 2 o'clock)* gegen; *(~ DM 5)* etwa

arousal [ə'raʊsl] *n* *(sexual ~)* [körperliche] Erregung, f; **arouse** [ə'raʊz] *vt* wecken

arr. *abbr. of* **arrives** Ankunft, Ank.

arraign [ə'reɪn] rügen; JUR Anklage erheben *(on* gegen)

arrange [ə'reɪndʒ] *vt* ① → *room* einrichten; → *flowers in avase* anordnen; → *papers* ordnen; → *party* organisieren, arrangieren ② → *music* arrangieren ③ → *holidays* festlegen, vereinbaren; → *affairs* regeln; ◇ **she ~d to meet him** sie hat sich mit ihm verabredet; **arrangement** *n* ① *(of flowers)* Anordnung *f* ② MUS Arrangement *s* ③ ↑ *agreement* Vereinbarung *f* ④ ↑ *plans* Pläne *pl;* ◇ **to make ~s for …** Vorbereitungen treffen für …

arrant ['ærənt] *adj* Erz-; ◇ **~ nonsense** barer Unsinn

array [ə'reɪ] *n* Aufstellung *f;* ↑ *assortment* Aufgebot *s;* PC Feld *s*

arrears [ə'rɪəz] *n pl* ↑ *payments* Rückstände *pl,* Schulden *pl*

arrest [ə'rest] **I.** *vt* → *criminal* verhaften; → *traffic* aufhalten; ◇ **to ~ s.b.'s attention** jd-s Aufmerksamkeit fesseln **II.** *n* Verhaftung *f*

arrival [ə'raɪvəl] *n* Ankunft *f;* **arrive** [ə'raɪv] *vi* ankommen, eintreffen *(at* bei, in *dat);* ← *baby* kommen; ↑ *appear* erscheinen; ◇ **now he has ~d** nun hat er's geschafft; **arrive at** *vi:* ◇ **to ~ ~ a conclusion** zu einem Schluß kommen/gelangen

arrogance ['ærəgəns] *n* Überheblichkeit *f,* Anmaßung *f,* Arroganz *f;* **arrogant** *adj* überheblich, anmaßend, arrogant

arrow ['ærəʊ] *n* Pfeil *m;* **arrow bracket** *n* TYP spitze Klammer *f;* **arrow head** *n* Pfeilspitze *f*

arse [ɑːs] *n FAM!* Arsch *m;* **arse about** *vi* herumtollen, herumblödeln; *(at work)* nicht zur Sache kommen; **arsehole** *n FAM!* Arschloch *s*

arsenal ['ɑːsənl] *n* ① [Waffen-]Lager *s,* [Waffen-]Arsenal *s* ② *(factory)* Munitionsfabrik *f,* Waffenfabrik *f*

arsenic ['ɑːsnɪk] *n* CHEM Arsen *s*

arson ['ɑːsn] *n* Brandstiftung *f*

art [ɑːt] *n* Kunst *f;* ◇ **~s and crafts** Kunstgewerbe *s;* ◇ **there is an ~ to bricklaying** zum Mauern gehört ein gewisses Geschick; ◇ **Arts** [*o.* **arts**] *pl* Geisteswissenschaften *pl;* *(AM department)* Philosophische Fakultät *f*

arterial [ɑːtɪərɪəl] *adj* ANAT arteriell; ◇ **~ road** Fernverkehrsstraße *f;* **artery** ['ɑːtərɪ] *n* Schlagader *f,* Arterie *f*

artifact ['ɑːtɪfækt] *n* Artefakt *m*

artful [ɑːtfʊl] *adj* raffiniert; **art gallery** *n* Kunstgalerie *f*

arthritis [ɑː'θraɪtɪs] *n* Arthritis *f*

artichoke ['ɑːtɪtʃəʊk] *n* Artischocke *f*

article ['ɑːtɪkl] **I.** *n* ① ↑ *object* Gegenstand *m;* COMM Artikel *m,* Ware *f* ② *(in journal)* Beitrag *m,* Artikel *m;* *(in contract)* Paragraph *m* ③ LING Artikel *m;* ◇ **definite/indefinite ~** bestimmter/unbestimmter Artikel; **articled** *adj:* ◇ **to be ~ to s.b.** in die Lehre gehen bei jd-m; ◇ **~ clerk** Rechtsreferendar(in *f*) *m*

articulate [ɑː'tɪkjʊlɪt] **I.** *adj* ▷*person* redegewandt; ▷*text* klar; ↑ *speaking clearly* deutlich, verständlich; ◇ **to be ~** sich gut ausdrücken/artikulieren können **II.** [ɑː'tɪkjʊleɪt] *vt* ① → *ideas, feelings* ausdrücken; → *words, sounds* artikulieren ② → *space* gestalten; → *objects in space* zusammenfügen, gliedern

articulated *adj:* ◇ **~ vehicle, lorry** Sattelschlepper *m*

artifice ['ɑːtɪfɪs] *n* ① ↑ *guile* List *f* ② ↑ *skill* Kunstgriff *m;* **artificial** [ɑːtɪ'fɪʃəl] *adj* künstlich, Kunst-; ◇ **~ heart** Kunstherz *s;* ◇ **~ intelligence** künstliche Intelligenz *f;* ◇ **~ insemination** künstliche Besamung/Befruchtung *f;* ◇ **~ light** künstliches Licht *s;* ◇ **~ respiration** künstliche Atmung *f*

artillery [ɑː'tɪlərɪ] *n* Artillerie *f*

artisan ['ɑːtɪsæn] *n* Handwerker *m;* **artist** ['ɑːtɪst] *n* Künstler(in *f*) *m;* **artiste** ['ɑːtɪst] *n* *(of variety)* Artist(in *f*) *m;* **artistic** [ɑː'tɪstɪk] *adj* künstlerisch, Kunst-; **artistry** ['ɑːtɪstrɪ] *n* Kunst *f;* **artless** ['ɑːtlɪs] *adj* *(behaviour)* ungekünstelt, natürlich; *(personality)* arglos; **Art Nouveau** ['ɑːnuːvəʊ] *n* Jugendstil *m;* **artwork** *n* Bildmaterial *s;* **arty** ['ɑːtɪ] *adj FAM* ▷*behaviour* künstlerisch

as [æz, əz] **I.** *cj* ① ↑ *since* da, weil; ◇ **as you are**

not well we won't go dancing da es dir nicht gut geht, gehen wir nicht tanzen ② ↑ *while, when* als; ◇ **he came as she was saying goodbye** er kam, als sie sich verabschiedete; ◇ ~ **soon** ~ **...** sobald er ... **II.** *adv* ① ↑ *like* (eben)so ... wie; ◇ **he's as big as an elephant** er ist so groß wie ein Elefant ② als; ◇ **tonight we present Joe as Hamlet** heute abend führen wir Joe als Hamlet vor; ◇ ~ **well** ebenfalls, auch; ◇ ~ **for/to me** was mich betrifft; ◇ ~ **if/though** als ob; ◇ ~ **it were** sozusagen; ◇ ~ **from/of ...** von/vom (Zeitpunkt) ... an

asbestos [æz'bestəs] *n* Asbest *m*

ascend [ə'send] **I.** *vi* aufsteigen, emporsteigen, hinaufsteigen **II.** *vt* → *throne, hill* besteigen; → *stairs* hinaufsteigen; → *river* hinauffahren; **ascendancy** [ə'sendənsı] *n* Vorherrschaft *f*, Oberhand *f;* **ascendant** *n* aufsteigend; POL ◇ **to be in** ~ im Aufstieg/Aufwind sein; **ascending** *n* aufsteigend; ◇ **in** ~ **order** (*alphabet*) in aufsteigender Reihenfolge; **ascension** [ə'senʃən] *n* REL Himmelfahrt *f;* ◇ **A~ Day** [Christi] Himmelfahrt; **ascent** [ə'sent] *n* ① (*act of climbing*) Besteigung *f* ② ↑ *climb* Aufstieg *m;* ↑ *upward slope* Steigung *f*

ascertain [æsə'teın] *vt* feststellen, ermitteln

ascetic [ə'setık] *adj* asketisch, puritanisch; **ascetism** [ə'setısəm] *n* strenge Enthaltsamkeit *f*, Askese *f*

ascribe [əs'kraıb] *vt* zuschreiben (*to dat*)

ash [1] [æʃ] *n* (*dust*) Asche *f;* (*of dead person*) ◇ **~es** Asche *f;* ◇ **to rise from the ~es** von den Toten wieder auferstehen; ◇ **~es to ~es** Asche zu Asche

ash [2] [æʃ] *n* (SUBST *tree*) Esche *f*

ashamed [ə'ʃeımd] *adj* beschämt; ◇ **to be ~ of s.th.** sich für etw [*o.* einer Sache] schämen

ashen [æʃən] *adj* ↑ *pale* kreidebleich, aschfahl

ashcan *n* (*AM*) Mülleimer *m*

ashore [ə'ʃɔ:*] *adv* an Land, ans Ufer

ashtray ['æʃtreı] *n* Aschenbecher *m;* **Ash Wednesday** *n* Aschermittwoch *m*

Asia ['eıʃə] *n* Asien *s;* **Asian** ['eıʃn], **Asiatic** ['eıʃı'ætık] **I.** *n* Asiat(in *f*) *m* **II.** *adj* asiatisch

aside [ə'saıd] *adv* beiseite, zur Seite; ◇ ~ **from** außer; ◇ ~ **from** (*AM*) abgesehen von

asinine ['æsınaın] *adj FAM* idiotisch

ask [ɑ:sk] *vt, vi* ① ↑ *inquire* fragen; → *questions* Fragen stellen; ◇ ~ **him his name** frage ihn nach seinem Namen ② ↑ *request* bitten um; ◇ **to ~ the time** nach der Uhrzeit fragen; ◇ **that's ~ing for trouble** das kann ja nicht gutgehen; ◇ **you ~ed for that!** da bist du selbst schuld ③ ↑ *invite* einladen ④ ↑ *demand* verlangen; → *price* ◇ **~ing price** Verkaufspreis *m;* **ask after** *vi* sich erkundigen nach; **ask out** *vt* einladen; ◇ **~ing price** Verkaufspreis *m*

askance [əs'kɑ:ns] *adv:* ◇ **to look ~ at s.b.** jd-n schief/von der Seite ansehen; (*in a suspicious way*) jd-n mißtrauisch ansehen

askew [əs'kju:] *adv* schief

aslant [əslɑ:nt] *adj* quer, schräg

asleep [ə'sli:p] *adj* (*part of the body*) eingeschlafen; ◇ **to be** ~ schlafen; ◇ **to be fast/sound** ~ tief schlafen; ◇ **to fall** ~ einschlafen

asocial [eısəʊʃəl] *adj* ungesellig

asparagus [əs'pærəgəs] *n* Spargel *m*

aspect ['æspekt] *n* ① (*of subject, of question*) Aspekt *m* ② (*of face*) Antlitz *s;* (*of thing, of person*) Aussehen *s*

aspersion [əs'pɜ:ʃən] *n:* ◇ **to cast ~s on s.b.** abfällige Bemerkungen über jd-n machen

asphalt ['æsfælt] *n* Asphalt *m*

asphyxia [əsfıksı'ə] *n* Erstickung *f;* **asphyxiate** [əs'fıksıeıt] *vt* ersticken; **asphyxiation** [əsfıksı'eıʃən] *n* Erstickung *f*

aspic ['æspık] *n* Sülze *f*, Gelee *s*, Aspik *m*

aspiration [æspə'reıʃən] *n* ① LING Behauchung *f*, Aspiration *f* ② ↑ *ambition, ideal* hohes Ziel; **aspire** [əs'paıə*] *vi* streben, trachten (*to* nach)

aspirin ® ['æsprın] *n* Aspirin *s*

ass [æs] *n* ① Esel *m* ② *AM FAM* Arsch *m*

assailant [ə'seılənt] *n* Angreifer(in *f*) *m*

assassin [ə'sæsın] *n* Attentäter(in *f*) *m;* **assassinate** [ə'sæsıneıt] *vt* ermorden; ◇ **to be ~d** einem Attentat zum Opfer fallen; **assassination** [əsæsı'neıʃən] *n* Ermordung *f;* Mordanschlag *m*, Attentat *s*

assault [ə'sɔ:lt] **I.** *n* Angriff *m;* (JURA) Körperverletzung *f* **II.** *vt* überfallen; (*sexual* ~) herfallen über *acc;* ↑ *rape* sich vergehen an *dat;* **assault course** *n* Übungsgelände *s*

assemble [ə'sembl] **I.** *vt* → *parts* zusammenbauen; → *car, printing machine* montieren; → *football team* zusammenstellen; → *institutional group* versammeln **II.** *vi* sich versammeln

assembler *n* PC ▷*language* Assembler *m*

assembly *n* ① ↑ *gathering* Versammlung *f* ② ↑ *construction* Zusammensetzen *f*, Zusammenbau *m*, Montage *f* ③ (*of information*) Zusammentragen *s;* **assembly line** *n* Fließband *s;* **assembly plant** *n* Montagewerk *s*

assent [ə'sent] **I.** *n* Zustimmung *f* **II.** *vi* zustimmen (*to dat*), billigen (*to acc*)

assert [ə'sɜ:t] *vt* ↑ *maintain* behaupten; → *innocence* beteuern; **assertion** [ə'sɜ:ʃən] *n* Behauptung *f*, Beteuerung *f;* **assertive** *adj* selbstsicher, bestimmt

assess [ə'ses] *vt* [1] (*gauge individuals and situations*) einschätzen; (*with value judgement*) beurteilen; (*weighing pros and cons*) erwägen [2] → *real estate* schätzen, taxieren; → *a person for tax purposes* veranlagen; **assessment** *n* Bewertung *f*, Einschätzung *f;* COMM ▷*tax* Veranlagung *f;* **asset** ['æset] *n* Vorteil *m;* FIN Posten *m* auf der Aktivseite; *FAM* Wert *m;* ◇ -*s pl* Vermögen *s;* (*after death*) Nachlaß *m*

assiduous [ə'sɪdjʊəs] *adj* fleißig, gewissenhaft

assign [ə'saɪn] *vt* zuweisen; ↑ *appoint* berufen; **assignation** [æsɪg'neɪʃən] *n* Rendezvous *s;* **assignment** [ə'saɪnmənt] *n* [1] (*of task*) Aufgabe *f;* (*of commission*) Auftrag *m* [2] (*of a person*) Berufung *f*

assimilate [ə'sɪmɪleɪt] *vt* → *property, quality* sich *dat* aneignen; → *knowledge, food* aufnehmen; (*socially* ~) integrieren; **assimilation** [əsɪmɪ'leɪʃən] *n* Aufnahme *f*, Assimilierung *f*

assist [ə'sɪst] *vt* beistehen, helfen *dat;* → *development* fördern, begünstigen; **assistance** *n* Hilfe *f;* **assistant** *n* **I.** Assistent(in *f*) *m*, Mitarbeiter(in *f*) *m;* (*BRIT shop* ~) Verkäufer(in *f*) *m* **II.** *adj* stellvertretend; ◇ ~ **director** stellvertretender Direktor *m*

assizes [ə'saɪzɪz] *n pl* Landgericht *s*

associate [ə'səʊʃɪɪt] **I.** *n* [1] ↑ *colleague* Kollege *m*, Kollegin *f* [2] COMM ↑ *partner* Teilhaber(in *f*) *m* **II.** [ə'səʊʃɪeɪt] *vt* verbinden; COMM, PSYCH assoziieren (*with* mit) **III.** *vi* verkehren (*with* mit) **IV.** *adj* verbunden; **Associated** *adj* (COMM *in the name of a company*) Vereinigte …; **associate member** *n* außerordentliches Mitglied *s;* **associate professor** *n* (*AM*) außerordentlicher Professor *m;* **association** [əsəʊsɪ'eɪʃən] *n* [1] (*social*) Umgang *m* [2] ▷*professional* Verband *m;* ▷*football* Verein *m* [3] LING Assoziation *f;* ↑ *link* Verbindung *f;* **association football** *n* (*BRIT*) Fußball *m;* **associative** *adj* assoziativ

assorted [ə'sɔːtɪd] *adj* gemischt, verschieden, bunt; **assortment** *n* (*of stamps, of notions*) Sammlung *f;* COMM ↑ *range of goods* Sortiment *s* (*of* von); ↑ *choice of goods* Auswahl *f* (*of* an *dat*)

assuage [ə'sweɪdʒ] → *physical need* stillen; → *emotional imbalance* beschwichtigen; → *pain* lindern

assume [ə'sjuːm] *vt* ↑ *take for granted* annehmen; ↑ *presuppose* voraussetzen; → *pose, title* annehmen, sich zulegen; POL übernehmen; **assumed** *adj* ▷*name* angenommen; (*as disguise*) Deck-; ▷*phoney manner* vorgetäuscht; **assumption** [ə'sʌmpʃən] *n* Annahme *f*

assurance [ə'ʃʊərəns] *n* ↑ *firm statement* Versicherung *f;* ↑ *self-confidence* Selbstsicherheit *f;* ↑ *insurance* Lebensversicherung *f;* ↑ *confidence* Zuversicht *f;* **assure** *vt* ↑ *make sure* sicherstellen, sichern; ↑ *reassure* versichern *dat;* ↑ *promise* zusichern *dat;* → *life* versichern; **assured** *adj* ▷*income* sicher, gesichert; ◇ **I rest ~ that he will come** ich bin sicher, daß er kommen wird; **assuredly** *adv* sicherlich

asterisk ['æstərɪsk] *n* Sternchen *s*

astern [əs'tɜːn] *adv* [nach]achtern

asthma ['æsmə] *n* MED Asthma *s;* **asthmatic** [æs'mætɪk] **I.** *n* Asthmatiker(in *f*) *m* **II.** *adj* asthmatisch

astonish [əs'tɒnɪʃ] *vt* ↑ *amaze* erstaunen, in Erstaunen setzen; ↑ *surprise* überraschen; ◇ **to be ~ed at** erstaunt sein über; **astonishing** *adj* erstaunlich; **astonishment** *n* Erstaunen *s*, Verwunderung *f*

astound [əs'taʊnd] *vt* verblüffen; **astounding** *adj* verblüffend, erstaunlich

astral ['æstrəl] *adj* Sternen-

astray [əs'treɪ] *adv:* ◇ **to lead s.o. ~** irreführen, auf Abwege bringen; ◇ **to go ~** vom Weg abkommen; (*in argument*) irregehen, fehlgehen; (*keys, glasses*) verlorengehen

astride [əs'traɪd] **I.** *adv* rittlings **II.** *prep:* ◇ **to sit ~ a white horse** auf einem weißen Pferd sitzen

astringent [əs'trɪndʒənt] *adj* (*aftershave*) adstringierend, zusammenziehend wirkend; ▷*comment* ätzend

astrologer [əs'trɒlədʒə*] *n* Astrologe *m*, Astrologin *f*, **astrology** [əs'trɒlədʒɪ] *n* Astrologie *f;* **astronaut** ['æstrənɔːt] *n* Astronaut(in *f*) *m*, Weltraumfahrer(in *f*) *m;* **astronomer** [əs'trɒnəmə*] *n* Astronom(in *f*) *m;* **astronomical** [æstrə'nɒmɪkəl] *adj* astronomisch; ▷*success* riesig; **astronomy** [əs'trɒnəmɪ] *n* Astronomie *f*

astute [əs'tjuːt] *adj* ↑ *incisive* scharfsinnig; ↑ *foxy* schlau, gerissen; ↑ *smart* clever; **astuteness** [əs'tjuːtnɪs] *n* Scharfsinn *m;* Gerissenheit *f;* Cleverneß *f*

asunder [ə'sʌndə*] *adv* entzwei

asylum [ə'saɪləm] *n* [1] (↑ *protection*) Asyl *s;* (*lunatic* ~) Anstalt *f* [2] Asyl *s;* ◇ **to ask for political** ~ um politisches Asyl bitten

at [æt] *prep* [1] (*location, up close*) an *dat;* (*more generally*) in *dat;* ◇ **~ home** zu Hause; ◇ **~ Oliver's** bei Oliver; ◇ **~ school** auf der Schule; (*direction*) ◇ **to aim ~ s.b.** auf jd-n zielen [2] (*time and number, clock time*) um; ◇ **~ Christmas** an Weihnachten; ◇ **~ 6 o'clock** um 6 Uhr [3] (*level*) zu, mit; ◇ **~ 18 …** mit 18 …; ◇ **~ 7 % interest** zu 7 % Zinsen; ◇ **~ ten mph** mit zehn Meilen pro Stunde;

◇ **five ~ a time** fünf auf einmal [4] (*simultaneity and cause*) bei, auf *acc;* ◇ **at cards ...** beim Kartenspielen ...; ◇ **~ that he dropped the book** darauf ließ er das Buch fallen; ◇ **I will leave it ~ that** ich werde es dabei belassen

ate [et, eɪt] *pt of* **eat**

atheism ['eɪθɪɪzəm] *n* Atheismus *m;* **atheist** ['eɪθɪɪst] *n* Atheist(in *f*) *m*

athlete ['æθliːt] *n* Athlet(in *f*) *m*, Sportler(in *f*) *m;* ◇ **~'s foot** Fußpilz *m;* **athletic** [æθ'letɪk] *adj* sportlich, athletisch; **athletics** *n pl* Sport *m*, Leichtathletik *f*

Atlantic [ət'læntɪk] *n* Atlantik *m;* ◇ **~ Ocean** Atlantischer Ozean

atlas ['ætləs] *n* Atlas *m*

atmosphere ['ætməsfɪə*] *n* [1] [Erd-]Atmosphäre *f* [2] (*FIG friendly ~*) Atmosphäre *f;* (*of a party*) Stimmung *f;* **atmospheric pollution** *n* Luftverschmutzung *f;* **atmospheric pressure** *n* Luftdruck *m*

atoll ['ætɒl] *n* Atoll *s*

atom ['ætəm] *n* [1] Atom *s* [2] *FIG* ◇ **there was not one ~ of romance ...** da war kein bißchen Romantik ...; **atomic** [ə'tɒmɪk] *adj* atomar, Atom-; **atom bomb**, **atomic bomb** *n* Atombombe *f;* **atomic energy** *n* Atomenergie *f;* **atomic fission** *n* PHYS Atomspaltung *f;* **atomic fusion** *n* PHYS Atomkernfusion *f;* **atomic power** *n* Atomkraft *f*, Kernkraft *f;* **atomic weapons** *n* Atomwaffen *pl*, Kernwaffen *pl;* **atomizer** ['ætəmaɪzə*], **atomiser** *n* Zerstäuber *m*

atone [ə'təʊn] *vi* sühnen, wiedergutmachen (*for acc*); **atonement** *n* Buße *f*, Sühne *f*

atrium *n* Vorhalle *f;* (ANAT *heart*) Vorkammer *f*

atrocious [ə'trəʊʃəs] *adj* grauenhaft; ▷*accent* gräßlich; **atrocity** [ə'trɒsɪtɪ] *n* ↑ *cruelty* Grausamkeit *f;* (*deed*) Greueltat *f*

atrophy ['ætrəfɪ] **I.** *n* Schwund *m* **II.** *vi* schwinden, verkümmern

attach [ə'tætʃ] *vt* [1] → *skis* befestigen (*to* an *dat*); (*be ~ed to a group*) angehören; → *appendix* beiheften; ◇ **please find ~ed ...** beiliegend finden Sie ... [2] ↑ *assign* → *significance* beimessen (*to s.th.* dat)

attaché [ə'tæʃeɪ] *n* Attaché *m;* **attaché case** *n* Aktenkoffer *m*

attachment *n* [1] (*act*) Befestigen *s* [2] (*emotion*) Zuneigung *f* [3] (*component*) Zubehör *s;* ◇ **he is here on ~** er ist hierher versetzt worden

attack [ə'tæk] **I.** *vt, vi* angreifen; → *the press* attackieren **II.** *n* Angriff *m;* MED Anfall *m;* (*heart ~*) Attacke *f;* **attacker** *n* Angreifer *m*

attain [ə'teɪn] *vt* → *a condition* erreichen; → *knowledge* erlangen; **attainment** *n* [1] (*of happiness*) Erlangen *s* [2] (*of proficiency*) ◇ **~s** Fertigkeiten *pl*

attempt [ə'tempt] **I.** *n* (*to achieve*) Versuch *m;* (*to murder*) Anschlag *m* **II.** *vt, vi* versuchen

attend [ə'tend] **I.** *vt* → *seminars* teilnehmen an *dat;* → *church, school* besuchen **II.** *vi* ↑ *pay attention to* aufmerksam sein; **attend to** *vt* → *a problem* nachkommen *dat;* → *dependent relative* sich kümmern um; ◇ **are you being-ed to?** werden Sie schon bedient?; **attendance** *n* ↑ *presence* Anwesenheit *f;* ↑ *number* Besucherzahl *f;* **attendant I.** *n* [1] ↑ *companion* Begleiter(in *f*) *m* [2] (*car park ~*) Wächter(in *f*) *m;* (*swimming pool ~*) Bademeister(in *f*) *m;* (*museum ~*) Aufseher(in *f*) *m* **II.** *adj* ▷*expectations* damit verbunden

attention [ə'tenʃən] *n* [1] Aufmerksamkeit *f;* (*for person*) Fürsorge *f;* (*for car*) Pflege *f;* ◇ **your ~, please** ich bitte um Ihre Aufmerksamkeit; ◇ **to pay ~ to the speaker** dem Sprecher zuhören [2] COMM ◇ **for the ~ of ...** zu Händen von... [3] MIL ◇ **~!** stillgestanden!; **attentive** [ə'tentɪv] *adj* aufmerksam

attenuate [ətenjʊeɪt] *vt* abschwächen; ◇ **attenuating circumstances** mildernde Umstände

attest [ə'test] *vt* → *innocence* bestätigen; → *text* beglaubigen; **attest to** *vt* bezeugen, sich verbürgen für

attic ['ætɪk] *n* (*not lived-in*) Dachboden *m;* (*inhabitable*) Dachstube *f*, Mansarde *f;* ◇ **in the ~** auf dem Dachboden

attire [ə'taɪə*] *n* Kleidung *f*, Gewand *s*

attitude ['ætɪtjuːd] *n* ↑ *manner* Haltung *f;* (*of thinking*) Einstellung *f;* AVIAT Lage *f*

attn. *abbr. of* zu Hd. von

attorney [ə'tɜːnɪ] *n* Bevollmächtigte(r) *fm; AM* ↑ *lawyer* Anwalt *m*, Anwältin *f*, Rechtsanwalt *m*, Rechtsanwältin *f*, ◇ **A~ General** ≈Justizminister(in *f*) *m*

attract [ə'trækt] *vt* → *fancy, magnet* anziehen; → *attention* erregen, auf sich ziehen; → *employees* anlocken; ← *poem* ansprechen; **attraction** [ə'trækʃən] *n* [1] Anziehungskraft *f;* ↑ *appeal* Reiz *m* [2] (*object of ~*) Attraktion *f;* **attractive** *adj* ▷*girl* attraktiv; ▷*poem* ansprechend; ▷*notion* verlockend; ▷*view* reizvoll; **attractiveness** *n* Reiz, m, Attraktivität, f

attribute ['ætrɪbjuːt] **I.** *n* (*of person*) Eigenschaft *f;* (*of object*) Merkmal *s;* ↑ *symbol* Attribut *s* **II.** [ə'trɪbjuːt] *vt* → *play, painting* zuschreiben (*to dat*); → *intelligence, humour* beimessen (*to dat*)

attrition [ə'trɪʃən] *n* MIL Zermürbung *f*

attuned [ətjʊnd] *adj:* ◇ **to be ~ to** eingestellt sein auf

A

aubergine ['əʊbəʒi:n] *n* Aubergine *f*
auburn ['ɔ:bən] *adj* kastanienbraun
auction ['ɔ:kʃən] **I.** *n* Versteigerung *f*, Auktion *f*; ◇ **the house was sold by** ~ das Haus wurde durch eine Versteigerung verkauft **II.** *vt* versteigern; **auction off** *vt* versteigern; **auctioneer** [ɔ:kʃə'nɪə*] *n* Auktionator(in *f*) *m*
audacious [ɔ:'deɪʃəs] *adj* ① ↑ *daring* kühn, verwegen, waghalsig ② ↑ *impudent* dreist, unverfroren; **audacity** [ɔ:'dæsɪtɪ] *n* ① ↑ *daring* Waghalsigkeit *f*, Kühnheit *f* ② ↑ *impudence* Dreistigkeit *f*, Unverfrorenheit *f*
audible ['ɔ:dɪbl] *adj* hörbar; **audience** ['ɔ:dɪəns] *n* ① Publikum *s*, Zuhörer *pl*, Zuschauer *pl* ② (*formal meeting*) Audienz *f*; **audio-** ['ɔ:dɪəʊ] *adj* Audio-; **audio typist** *n* Phonotypist(in *f*) *m*; **audio-visual** *adj* audiovisuell
audit ['ɔ:dɪt] **I.** *n* Bücherrevision *f*, Bücherprüfung *f* **II.** *vt* (Rechnungen) prüfen; **audition** [ɔ:'dɪʃən] **1.** *vt* (*actor, actress*) vorsprechen; (*musician*) vorsingen, vorspielen **2.** *n* Vorsprechprobe *f*; Vorsagen *s*; Probespiel *s*; **auditor** *n* (FIN) Rechnungsprüfer(in *f*) *m*; **auditorium** [ɔ:dɪ'tɔ:rɪəm] *n* Zuschauerraum *m*, [Konzert]saal *m*
au fait [əʊ'feɪ] *adj* vertraut
augment [ɔ:g'ment] **I.** *vt* vermehren **II.** *vi* zunehmen
augur ['ɔ:gə*] *vt, vi* verheißen; ◇ **this ~s ill/well** dies verheißt etwas Schlechtes/Gutes; **augury** ['ɔ:gjʊrɪ] *n* Omen *s*
August ['ɔ:gəst] *n* August *m*
august [ɔ:'gʌst] *adj* erhaben
aunt [ɑ:nt] *n* Tante *f*; **auntie** ['ɒ:tɪ], **aunty** *n* Tantchen *s*
au pair [əʊ'pɛə*] *n*: ◇ **~ ~ girl** Au-pair-Mädchen *s*
aura ['ɔ:rə] *n* Ausstrahlung *f*; **aural** *adj* Gehör-
auspices ['ɔ:spɪsɪz] *n pl*: ◇ **under the ~ of** unter der Schirmherrschaft von; **auspicious** [ɔ:s'pɪʃəs] *adj* ▷*moment* günstig; ▷*start* verheißungsvoll
austere [ɔ:s'tɪə*] *adj* ▷*teacher* streng; ▷*room* kahl, nüchtern, schmucklos; ▷*way of life* asketisch, entsagend; **austerity** [ɒs'terɪtɪ] *n* ① Strenge *f* ② Entsagung *f*; POL Sparpolitik *f*; ◇ **~ mesurements** Sparmaßnahmen *f pl*
Australia [ɒ'streɪljə] *n* Australien *s*; **Australian I.** *n* Australier(in *f*) *m* **II.** *adj* australisch
Austria ['ɒstrɪə] *n* Österreich *s*; **Austrian I.** *n* Österreicher(in *f*) *m* **II.** *adj* österreichisch
authentic [ɔ:'θentɪk] *adj* ① echt, authentisch ② ▷*information, data* zuverlässig; **authenticate** *vt* → *document* beglaubigen; → *antique* für echt erklären; **authenticity** [ɔ:θen'tɪsɪtɪ] *n* Echtheit *f*, Authentizität *f*
author ['ɔ:θə*], **authoress** ['ɔ:θərɪs] *n* (*writer by profession*) Autor(in *f*) *m*, Schriftsteller(in *f*) *m*; (*writer of article*) Verfasser(in *f*) *m*; ↑ *originator* Urheber(in *f*) *m*, Schöpfer(in *f*) *m*
authoritarian [ɔ:θɒrɪ'tɛərɪən] *adj* autoritär; **authoritative** [ɔ:'θɒrɪtətɪv] *adj* ① ▷*manner* gebieterisch, bestimmt ② ↑ *definitive* maßgeblich;
authority [ɔ:'θɒrɪtɪ] *n* ① ↑ *power* Autorität *f*; ↑ *right* Befugnis *f* ② ↑ *expert* Fachmann *m*, Autorität *f*; ◇ **on good ~** aus zuverlässiger Quelle *f* ③ (*local ~*) Behörde *f*; (*~ vested*) [Staats-]Gewalt *f*; ↑ *office* Amt *s*; (*administrative ~*) Verwaltung *f*;
authorize ['ɔ:θəraɪz] *vt* ① → *person* ermächtigen, bevollmächtigen ② ↑ *give official permission* genehmigen; → *loan* bewilligen
autism ['ɔ:tɪzm] *n* Autismus *m Kontaktunfähigkeit*; **autistic** [ɔ:'tɪstɪk] *adj* autistisch
auto ['ɔ:təʊ] *n* <-s> *FAM AM* Auto *s*, Wagen *m*, PKW *m*; **autobahn** *n* Autobahn *f*; **autobiographical** [ɔ:təbaɪə'græfɪkəl] *adj* autobiographisch; **autobiography** [ɔ:təʊbaɪ'ɒgrəfɪ] *n* Autobiographie *f*; **autocrat** [ɔ:təʊ'kræt] *n* Alleinherrscher(in *f*) *m*, Autokrat(in *f*) *m*; **autocratique** *n* umumschränkt, autokratisch; ↑ *despotic* selbstherrlich; **autocue** ['ɔ:təʊkjʊ:] *n* *BRIT* MEDIA Neger(in *f*) *m*; **autograph** ['ɔ:təgrɑ:f] **I.** *n* ↑ *signature* Autogramm *s* **II.** *vt* → *book* signieren, mit einem Autogramm versehen; **automat** ['ɔ:təmeɪt] *n AM* ↑ *vending maschine* Essensautomat *m*; ▷*restaurant* Automatenrestaurant *s*;
automate ['ɔ:təmeɪt] *vt* → *factory* auf Automation umstellen, automatisieren, mechanisieren;
automatic [ɔ:tə'mætɪk] **I.** *adj* automatisch **II.** *n* (*Kalashnikov*) automatische Waffe *f*; (*Rolls Royce*) Automatikauto *s*; **automatic choke** *n* Startautomatik *f*; **automatically** *adv* automatisch, mechanisch; **automatic pilot** *n* AVIAT Autopilot, m; ◇ **to be on ~** wie ein Roboter handeln; **automation** [ɔ:tə'meɪʃən] *n* Automatisierung *f*, Automation *f*; **automaton** [ɔ:'tɒmətən] *n* <-ta, -tons> Automat *m*, Roboter *m*; **automobile** ['ɔ:təməbi:l] *n* (*AM*) Automobil *s*, Auto *s*; **autonomous** [ɔ:'tɒnəməs] *adj* autonom; **autonomy** [':'ɒnəmɪ] *n* Selbstbestimmung *f*, Autonomie *f*; **autopilot** *n* AVIAT Autopilot, m
autopsy ['ɔ:təpsɪ] *n* Leichenöffnung *f*, Autopsie *f*
autotrain ['ɔ:təʊtreɪn] *n* (*AM*) Autoreisezug *m*
autotransfusion [ɔ:təʊtræns'fju:ʒən] *n* MED Eigenbluttransfusion *f*
autumn ['ɔ:təm] *n* Herbst *m*; ◇ **in (the) ~** im Herbst; **autumnal** [ɔ:'tʌmnəl] *adj* herbstlich, Herbst-
auxiliary [ɔ:g'zɪlɪərɪ] **I.** *adj* Hilfs-; ↑ *emergency*

Not- **II.** *n* (1) Helfer(in *f*) *m*, Hilfskraft *f* (2) LING ↑ ~ *verb* Hilfsverb *s*

avail [əˈveɪl] **I.** *vr:* ◇ **to ~ o.s. of s.th.** sich einer Sache bedienen, eine Sache nutzen, Gebrauch machen von etw; ◇ **to ~ o.s. of the opportunity of …** die Gelegenheit wahrnehmen um/zu … **II.** *n:* ◇ **of/to no ~** nutzlos, vergeblich; **availability** [əveɪləˈbɪlɪtɪ] *n* ↑ *presence* Vorhandensein *s*, Verfügbarkeit *f;* COMM ↑ *obtainability* Lieferbarkeit; ◇ **by ~** nach dem Angebot; **available** *adj* verfügbar, erhältlich; COMM lieferbar; ▷*person* erreichbar; ◇ **to be ~** zur Verfügung stehen

avalanche [ˈævəlɑːnʃ] *n* Lawine *f;* **avalanche photodiode** *n* Lawinenphotodiode *f*

avarice [ˈævərɪs] *n* Habgier *f;* **avaricious** [ævəˈrɪʃəs] *adj* habgierig, geizig

Ave *abbr. of* avenue Str.

avenge [əˈvendʒ] *vt* rächen

avenue [ˈævənjuː] *n* (*lined by trees*) Allee *f;* (*broad street*) Boulevard *m;* ◇ **to consider every possible ~ of approach** sich alle Verfahrensmöglichkeiten überlegen

average [ˈævərɪdʒ] **I.** *n* Durchschnitt *m* **II.** *adj* durchschnittlich, Durchschnitts-; (*not good/bad*) mittelmäßig **III.** *vt* im Durchschnitt [*o.* durchschnittlich] betragen/ausmachen/leisten/produzieren; ◇ **on (an) ~** durchschnittlich, im Durchschnitt; ◇ **to ~ 86 km/h** 86 km/h im Schnitt fahren; **average out** *vt* sich ausgleichen; ◇ **to ~ ~ company profits over X years** den Durchschnittsgewinn der Firma in X Jahren ermitteln

averse [əˈvɜːs] *adj:* ◇ **to be ~ to** eine Abneigung haben gegen; ◇ **to be not ~ to …** nicht abgeneigt sein, zu …; **aversion** [əˈvɜːʃən] *n* Abneigung *f*, Widerwille *m;* **avert** [əˈvɜːt] *vt* (1) → *punch, war* abwehren; → *suspicion* abwenden (2) → *gaze, eyes* abkehren

aviary [ˈeɪvɪərɪ] *n* Vogelhaus *s*

aviation [eɪvɪˈeɪʃən] *n* Luftfahrt *f;* **aviator** [ˈeɪvɪeɪtə*] *n* Flieger(in *f*) *m*, Pilot(in *f*) *m*

avid [ˈævɪd] *adj* (1) ↑ *desirous* gierig (*for* nach) (2) ↑ *enthusiastic* leidenschaftlich, begeistert; **avidly** *adv* gierig; ↑ *with enthusiasm* leidenschaftlich gern

avocado [ævəˈkɑːdəʊ] *n* <-s> Avocado *f*

avoid [əˈvɔɪd] *vt* vermeiden; → *difficulty* umgehen, aus dem Weg gehen; → *obstacle* ausweichen *dat;* **avoidable** *adj* vermeidbar; **avoidance** *n* Vermeidung *f*

avowal [əˈvaʊəl] *n* Erklärung *f;* (REL *of belief*) Bekenntnis *s;* **avowed** *adj* erklärt

AWACS [ˈeɪwæks] *acronym of* **airborne warning and control system** Frühwarnsystem *s*, AWACS *s*

await [əˈweɪt] *vt* erwarten; → *decision* entgegensehen *dat*

awake [əˈweɪk] <awoke, awoken *o.* awaked> **I.** *vt* wecken; → *interest* erwecken **II.** *vi* erwachen, aufwachen; ◇ **to ~ to s.th.** sich einer Sache bewußt werden **III.** *adj* wach; ◇ **wide ~** hellwach; **awakening** *n* Erwachen *s*

award [əˈwɔːd] **I.** *vt* zuerkennen; → *medal* verleihen (*to s.o.* dat) **II.** *n* (1) JURA Zuspruch *m* (2) → *grant* Stipendium *s* (3) → *prize* Preis *m*

aware [əˈwɛə*] *adj* bewußt; ▷*child* aufgeweckt; ◇ **to be ~ of s.th.** sich *dat* einer Sache bewußt sein; ◇ **to become ~ of s.th.** eine Sache bemerken, einer Sache gewahr werden; ◇ **to become ~ (of the presence) of s.b.** jd-n bemerkt haben; **awareness** *n* Bewußtsein *s*

awash [əˈwɑʃ] *adj* überspült, überschwemmt

away [əˈweɪ] **1.** *adv* weg, fort **2.** *adj* SPORT Auswärts-; ◇ **to play ~** auswärts spielen; ◇ **to work ~** schuften

awe [ɔː] **I.** *n* Ehrfurcht *f* **II.** *vt* Ehrfurcht einflößen *dat;* **awe-struck** *adj* vor Ehrfurcht ergriffen; **awful** [ˈɔːfʊl] *adj FAM* furchtbar, schrecklich

awhile *adv* eine Weile

awkward [ˈɔːkwəd] *adj* (1) ↑ *clumsy* ungeschickt, unbeholfen (2) ▷*job* schwierig, knifflig (3) ↑ *embarrassing* peinlich; **awkwardness** *n* Ungeschicklichkeit *f*, Unbeholfenheit *f*

awning [ˈɔːnɪŋ] *n* (*of a shop*) Markise *f*, Sonnenblende *f*

awoke [əˈwəʊk] *pt of* **awake**

awoken [əˈwəʊkən] *pp of* **awake**

AWOL *abbr. of* **absent without leave** *AM* MIL ◇ **to be ~** abwesend sein ohne Erlaubnisschein

awry [əˈraɪ] *adj, adv* ↑ *askew* schief; ◇ **to go ~** ← *plans* schiefgehen, fehlschlagen

axe, **ax** (*AM*) [æks] **I.** *n* Axt *f*, Beil *s;* (*FIG not interested*) ◇ **we have no ~ to grind …** wir haben kein (persönliches) Interesse daran, daß … **II.** *vt* → *project* streichen; → *employee* entlassen

axiom [ˈæksɪəm] *n* [als richtig anerkannter] Grundsatz *m*, Axiom *s;* **axiomatic** [æksɪəˈmætɪk] *adj* axiomatisch; ◇ **that's axiomatic** das ist grundsätzlich so

axis [ˈæksɪs] *n* <axes> Achse *f*

axle [ˈæksl] *n* TECHNOL Achse *f*

aye [aɪ] *intj* ↑ *yes* ja, freilich; POL ◇ **to vote ~** mit ja stimmen; ◇ **the ~s have it** der Antrag ist angenommen

azure [ˈeɪʒə*] **I.** *adj* himmelblau, azurblau **II.** *n* Azur *s*

B

B, b [biː] *n* (1) *(Alphabet)* B *s* (2) MUS h *s; (b flat)* b *s*

baa [baː] **I.** *n (of sheep)* Blöken *s* **II.** *vi* blöken

B.A. *abbr. of* **bachelor**

babble ['bæbl] **I.** *vi* (1) ← *infant* schwatzen, plappern (2) ↑ *indiscreet chatter* schwätzen (3) ← *brook* plätschern **II.** *n* <no pl> Geschwätz *s*

babe ['beɪbɪ] *n AM FAM* Kind *s,* Baby *s*

babel ['beɪbl] *n (of voices)* Sprachengewirr *s;* ↑ *confusion* Durcheinander *s*

baby ['beɪbɪ] *n* (1) Baby *s,* Säugling *m* (2) *AM FAM* Liebling *m;* **baby-battering** *n* Kindsmißhandlung *f;* **baby carriage** *n (AM)* Kinderwagen *m*

baby grand *n (piano)* Stützflügel *m*

babyhood ['beɪbɪhʊd] *n* Säuglingsalter *s;* **babyish** ['beɪbɪɪʃ] *adj* kindisch; **baby-minder** *n* ↑ *childminder* Tagesmutter *f;* **baby-sit** <baby-sat, baby-sat> *vi* babysitten

bachelor ['bætʃələ*] *n* (1) Junggeselle *m* (2) ◇ **B- of Arts (B.A.)** *erster Uniabschluß der Geisteswissenschaften;* ◇ **B- of Science (B.Sc.)** *erster Uniabschluß der Naturwissenschaften*

back [bæk] **I.** *adv* zurück **II.** *n* (1) *(of person, animal)* Rücken *m* (2) *(opposed to front)* Rückseite *f,* Hinterseite *f;* ◇ **at the - of beyond** am Ende der Welt (3) *(of chair)* Rückenlehne *f* (4) *(of book)* Schlußseiten *f pl* (5) SPORT Verteidiger(in *f*) *m* **III.** <inv> *adj (- room)* hinter(e, s), Hinter-; *(- copies of a newspaper)* früher(e, s) **IV.** *vt* (1) ↑ *support* unterstützen; → *dog* wetten auf *acc* (2) → *car* rückwärts fahren; **back away** *vi* sich zurückziehen; **back down** *vi* nachgeben; **back up** *vt* unterstützen; **backbiting** *adj* verleumderisch; **backbreaking** *adj* sehr anstrengend; **backbone** *n* (1) *(body)* Rückgrat *s; (of an organisation)* Hauptstütze *f* (2) *(of character)* Durchhaltevermögen *s;* **backcomb** *vt* → *hair* toupieren

backer ['bækə*] *n* Förderer *m,* Förderin *f*

backdate *vt* → *cheque* rückdatieren; **backfire** *vi* ← *project* fehlschlagen; AUTO fehlzünden; **background** ['bækgraʊnd] *n* (1) *(of thing)* Hintergrund *m* (2) *(of person)* Hintergrundwissen *s,* Vorbildung *f* (3) ↑ *circumstances* Umstände *pl;* **backhand** *n* SPORT Rückhand *f;* **backhanded** *adj* ▷*compliment* zweifelhaft; **backhander** *n FAM* Schmiergeld *s;* **backing** ['bækɪŋ] *n* (1) ↑ *support* Unterstützung *f* (2) ↑ *musical support* Begleitmusik *f;* **backlash** *n* POL Gegenreaktion *f;* **backlog** *n (of paperwork)* Rückstand *m;* **backpack** *n* Rucksack *m;* **back pay** *n* Nachzahlung *f;* **backpedal** *vi* (1) *(on bicycle)* leerlaufen (2) *FIG* abmildern; **backseat driver** *n* nörgelnder Beifahrer *m;* **backside** *n FAM* Hinterteil *s,* Hintern *m;* **backslider** *n* Rückfällige(r) *fm;* **backspace** *n* Rücktaste *f;* **backstreet** <inv> *adj* ▷*activities* zwielichtig; ◇ **- abortion** illegale Abtreibung; **backstroke** *n* Rückenschwimmen *s;* **backup** *n* (1) Unterstützung *f* (2) PC ◇ **- (copy)** Sicherungskopie *f;* **backward** ['bækwəd] *adj* (1) ▷*movement* Zurück- (2) ▷*country* unterentwickelt, rückständig; ▷*child* zurückgeblieben; **backwards** *adv* rückwärts; ◇ **he knows it -** er kann es rückwärts aufsagen; **backwater** *n FIG* Kaff *s;* ◇ **cultural -** tiefste Provinz; **backyard** *n* Hinterhof *m*

bacon ['beɪkən] *n* durchwachsener (Schinken-) Speck *m*

bacteria [bæk'tɪərɪə] *n pl* Bakterien *pl*

bad [bæd] <worse, worst> (1) ↑ *malevolent* böse; *(not competent)* schlecht; *(seriously negative)* schlimm; ▷*food* faul (2) ▷*stomach* krank; ▷*back* schlimm (3) *AM FAM* ◇ **that jacket is really -** ↑ *really good* die Jacke ist echt geil; ◇ **- cheque** fauler Scheck; **baddie** ['bædɪ] *n (in a story)* Schurke *m,* Bösewicht *m*

badge [bædʒ] *n* Abzeichen *s; (with pin)* Button *m*

badger ['bædʒə*] **I.** *n* Dachs *m* **II.** *vt* → *s.o. with questions* plagen

badly ['bædlɪ] *adv* (1) schlecht, schlimm (2) ↑ *very much* sehr; **badly off** *adj:* ◇ **to be - - for s.th. ...** schlecht dran sein wegen ...; **bad-mannered** [bæd'mænəd] *adj* ▷*man, person* unhöflich; ▷*boy, girl* ungezogen, schlecht erzogen

badminton ['bædmɪntən] *n* Federballspiel *s;* SPORT Badminton *s*

bad-tempered ['bæd'tempəd] *adj* ↑ *irritable* gereizt, schlecht gelaunt

baffle ['bæfl] *vt* (1) ↑ *puzzle, mystify* verblüffen (2) *(against noise)* abschotten; **baffling** ['bæflɪŋ] *adj* ▷*case* rätselhaft

bag [bæg] **I.** *n* (1) ↑ *paper-, plastic -* Tüte *f;* ↑ *school -, travel -* Tasche *f;* ◇ **he's got -s of money** er ist stinkreich (2) *FAM* [alte] Schachtel (3) ◇ **-s** *pl (under eyes)* Tränensäcke *pl* **II.** *vt FAM* → *an animal, a person* kriegen

bagatelle [bægə'tel] *n* ↑ *petty thing* Kleinigkeit *f,* Bagatelle *f*

baggage ['bægɪdʒ] *n* (1) *AM* ↑ *luggage* [Reise-]Gepäck *s* (2) ▷*girl* frech, schlampig; **baggage checkroom** *n (AM)* Gepäckaufbewahrung *f;* **baggage claim** *n* Gepäckrückgabe *f*

baggy ['bægɪ] *adj* ▷*suit* sackartig, wie ein Sack; ▷*trousers* ausgebeult

baglady ['bægleɪdɪ] *n* Wohnsitzlose *f*

bagpipes ['bægpaɪps] *n pl* Dudelsack *m*

bag-snatcher ['bægsnætʃə*] *n* Handtaschendieb(in *f*) *m*

bail [beɪl] **I.** *n* ↑ *surety* Kaution *f;* **bail out** *vt* ① → *prisoner* gegen Kaution freibekommen ② → *boat* ausschöpfen ③ (*of trouble*) aus einer Notlage helfen; (*of the aeroplane*) abspringen; *s. a.* bale

bailiff ['beɪlɪf] *n* (*BRIT*) Gerichtsvollzieher(in *f*) *m*

bait [beɪt] **I.** *n* Köder *m* **II.** *vt* ① → *hook* mit einem Köder versehen ② → *helpless person* quälen, plagen, piesacken; → *animal* [mit Hund] hetzen

bake [beɪk] *vt, vi* backen; → *bricks* brennen; **baked beans** *n* <pl> [gekochte] Bohnen *pl* in Tomatensauce; **baker** ['beɪkə*] *n* Bäcker(in *f*) *m;* **bakery** ['beɪkərɪ] *n* Bäckerei *f;* **baking powder** *n* Backpulver *s*

balance ['bæləns] **I.** *vt* ① → *an idea* erwägen ② ↑ *make equal* ausgleichen; FIN begleichen **II.** *n* ① ↑ *equilibrium* Gleichgewicht *s* ② ↑ *scales* Waage *f* ③ (FIN *of bank account*) Kontostand *m,* Saldo *m;* (*of company*) Bilanz, f; ◇ **~ of power** Kräftegleichgewicht *s;* ◇ **~ of trade** Außenhandelsbilanz *f;* **balance out** *vt* ausbalancieren; **balance sheet** *n* (*of company*) Rechnungsabschluß *m,* Bilanz *f*

balcony ['bælkənɪ] *n* Balkon *m*

bald [bɔːld] *adj* ① ▷*hair* kahl; ◇ **to go ~** eine Glatze bekommen ② ▷*words* knapp, wortkarg; **bald eagle** *n m* Weißkopfadler *m;* **bald patch** *n* unbehaarte Stelle *f*

bale [beɪl] **I.** *n* (*of paper, hay*) Ballen *m* **II.** *vt* → *straw* ballen

baleful ['beɪlfʊl] *adj* ① ▷*eye* böse, bösartig ② ↑ *miserable* unglückselig; **bale out** *vti* ① (*of plane*) abspringen, aussteigen ② → *a boat* ausschöpfen

balk [bɔːk] *vi* zurückschrecken; ← *horse* scheuen (*at* vor *dat*)

Balkan ['bɔlkən] *adj* Balkan-; **Balkans** *n:* ◇ **the** Balkans der Balkan

ball [bɔːl] *n* Ball *m;* ◇ **he is on the ~** er ist auf Zack/Draht

ball [bɔːl] *n* ↑ *dance* ~ Ball *m;* ◇ **to have a ~** sich prächtig amüsieren

ballad ['bæləd] *n* Ballade *f*

ballast ['bæləst] *n* ① (*stones*) Schotter *m* ② (*of ship, balloon*) Ballast *m*

ball bearing [bɔːl'beərɪŋ] *n* Kugellager *s*

ballerina [bælə'riːnə] *n* Ballerina *f*

ballet ['bæleɪ] *n* Ballett *s*

ballgame ['bɔːlgeɪm] *n* ① *AM* SPORT Baseballmatch *s* ② *FIG* ◇ **marriage is an entirely different ~** Heiraten ist eine völlig neue Erfahrung

ballistic [bə'lɪstɪk] *adj* ballistisch; ◇ **~ missile** Raketengeschoß *s;* **ballistics** [bə'lɪstɪks] *n sg* Ballistik *f*

balloon [bə'luːn] **I.** *n* ① Ballon *m,* Luftballon *m* ② (*in a cartoon*) Sprechblase *f* **II.** *vi* sich blähen

ballot ['bælət] **I.** *n* ① (*secret voting*) Geheimabstimmung *f;* ◇ **let's have a ~ on it** laßt uns darüber abstimmen ② (*number of votes*) Stimmen *f pl* **II.** *vt* → *a group* befragen; **ballot-box** *n* Wahlurne *f;* **ballot-paper** *n* Stimmzettel *m*

ball-point ['bɔːlpɔɪnt], **ball-point pen** ['bɔːlpɔɪnt'pen] *n* Kugelschreiber *m*

ballroom ['bɔːlruːm] *n* Tanzsaal *m*

balm [bɑːm] *n* Balsam *s;* **balmy** ['bɑːmɪ] *adj* ▷*weather* sanft, mild

Baltic ['bɔːltɪk] *adj:* ◇ **~ Sea** Ostsee *f;* ◇ **~ States** die Baltischen Staaten, Baltikum

balustrade [bæləs'treɪd] *n* Brüstung *f*

bamboo [bæm'buː] *n* Bambus *m*

ban [bæn] **I.** *n* Verbot *s;* ◇ **a ~ on smoking** ein Rauchverbot *s* **II.** *vt* ↑ *forbid* verbieten; ◇ **to be ~ned from driving** keine Fahrerlaubnis haben

banal [bə'nɑːl] *adj* banal

banana [bə'nɑːnə] *n* Banane *f; FAM* ◇ **it's driving me ~s** ich dreh' noch durch dabei; **banana skin** *n* Bananenschale *f;* **banana split** *n* Bananesplit *s*

band [1] [bænd] *n* ① (*of ribbon*) Band *s* ② ↑ *stripe* Streifen *m*

band [2] ① (*of people, animals*) Gruppe *f;* (*of delinquents*) Bande *f* ② (*of old-style musicians*) Kapelle *f;* (*of modern musicians*) Band *f;* **band together** *vi* ← *people* sich zusammentun, sich zusammenschließen

bandage ['bændɪdʒ] **I.** *n* Verband *m;* (*strip*) Binde *f* **II.** *vt* verbinden; → *broken arm* bandagieren; **bandage up** *vt* verbinden; → *broken arm* bandagieren

Band-Aid ® ['bændeɪd] *n* Hansaplast ® *s,* [Verbands-]Pflaster *s*

B & B *abbr. of* **bed and breakfast** *Zimmer mit Frühstück*

bane [beɪn] *n* Fluch *m*

bandit ['bændɪt] *n* Bandit(in *f*) *m*

bandy ['bændɪ] *vt* → *ideas, arguments* lebhaft diskutieren; → *words* wechseln; ◇ **the neighbours bandied words** die Nachbarn stritten sich; **bandy about** *vt* → *terminology* um sich werfen; → *a name* immer wieder nennen; **bandy-legged** *adj* mit O-Beinen

bang [bæŋ] **I.** *n* ① ↑ *explosion* Knall *m* ② ↑

blow Hieb *m;* ▷*on the head* Schlag *m; FAM* ◇ ~ **went a £5 note!** Zack! Schon wieder war eine 5-Pfund-Note futsch! **II.** *vt, vi* ① → *fist* knallen ② → *door* zuknallen ③ → *part of the body* anschlagen **III.** *adj FAM*: ◇ ~ **on** absolut korrekt;

banger ['bæŋə*] *n* ① (*FAM sausage*) Bratwurst *f* ② (*FAM small firework*) Knaller *m*

bangle ['bæŋgl] *n* ↑ *bracelet* Armspange *f*

banish ['bænɪʃ] *vt* verbannen; **banishment** *n* ① (*act*) Verbannen *s* ② (*state*) Verbannung *f*

banister ['bænɪstə*], **banisters** *n* Treppengeländer *s*

banjo ['bændʒəʊ] *n* <-s *o.* -es> Banjo *s*

bank[1] [bæŋk] **I.** *n* ① (*of earth*) Erdwall *m* ② (*of cloud*) [Wolken-]Bank *f*, [Wolken-]Wand *f* ③ (*of river*) Ufer *s* **II.** *vt* AVIAT in die Kurve bringen

bank[2] [bæŋk] **I.** *n* FIN Bank *f* **II.** *vt* FIN einzahlen; **bank on** *vi:* ◇ **he ~s ~ the result** er rechnet mit dem Resultat; **bank up** *vi:* ◇ **the wind has ~ed the sand ~ against the wall** der Wind hat den Sand gegen die Mauer angehäuft; **bank account** *n* Bankkonto *s;* **bank balance** *n* Kontostand *m,* Saldo *s;* **bank book** *n* Sparbuch *s;* **bank charges** *n pl* Bankgebühren *pl;* **bank clerk** *n* Bankangestellte(r) *fm,* Bankbeamte(r) *m,* Bankbeamtin *f;* **bank code number** *n* Bankleitzahl *f;* **banker's card** *n* Scheckkarte *f;* **bank holiday** *n* [gesetzlicher] Feiertag; **banking** *n* Bankwesen *s;* **bankloan** *n* Bankdarlehen *s;* **bank manager** *n* Filialleiter(in *f*) *m;* **banknote** *n* Schein *m,* Note *f;* **bank rate** *n* Diskontsatz *m*

bankrupt ['bænkrʌpt] **I.** *adj* bankrott; ◇ **the shop went ~** der Laden machte Pleite **II.** *vt* → *person* ruinieren; → *firm* in den Konkurs treiben **III.** *n* ▷*person* Zahlungsunfähige(r) *fm;* **bankruptcy** ['bænkrʌptsɪ] *n* Konkurs *m,* Bankrott *m*

bank statement *n* Kontoauszug *m*

banner ['bænə*] *n* ① ↑ *flag* Banner *s* ② (*in a demonstration*) Spruchband *s;* **banner headline** *n* (*of newspaper*) Schlagzeile *f*

bannister *s.* **banister**

banns [bænz] *n pl* Aufgebot *s*

banquet ['bæŋkwɪt] *n* Festessen *s*

banter ['bæntə*] **I.** *n* ↑ *repartee* Geplänkel *s* **II.** *vt* schäkern

baptism ['bæptɪzəm] *n* Taufe *f;* **baptize** [bæp'taɪz] *vt* taufen

bar [bɑː*] **I.** *n* ① Balken *m;* (*of metal, wood*) Stange *f;* (*of chocolate*) Tafel *f;* (*of soap*) Stück *s* ② [Gitter-]Stab *m;* ◇ **behind ~s** im Gefängnis ③ ↑ *alcohol, counter* Tresen *m;* (*alcohol, establishment*) Wirtschaft *f,* Kneipe *f;* (*snack ~*) Stehcafé *s* ④ MUS Taktstrich *m* ⑤ (*obstruction*) Hindernis *f* ⑥ ◇ **to be called to the ~** als Anwalt zugelassen werden **II.** *vt* ① ↑ *lock* verriegeln ② ↑ *block* versperren ③ ↑ *exclude* ausschließen **III.** *prep* außer *dat;* ◇ **the best ~ none** der Beste ohne Ausnahme

barbarian [bɑː'bɛərɪən] *n* Barbar(in *f*) *m;* **barbaric** [bɑː'bærɪk], **barbarous** ['bɑːbərəs] *adj* barbarisch, sehr grausam

barbecue ['bɑːbɪkjuː] **I.** *n* ① (*device*) Grill *m* ② (*party*) Barbecue *s* **II.** *vt* → *meat* grillen

barbed ['bɑːbd] *adj* ① ▷*arrow, hook* mit Widerhaken ② ▷*remark* bissig; **barbed wire** ['bɑːbd'waɪə*] *n* Stacheldraht *m*

barber ['bɑːbə*] **I.** *n* Herrenfriseur *m* **II.** *vt* ↑ *cut s.th. neatly* sauber schneiden

barbiturate [bɑː'bɪtjʊrɪt] *n* Barbiturat *s*

bar code ['bɑːkəʊd] *n* Strichcode *m*

bare [bɛə*] **I.** *adj* ① ▷*body* nackt, bloß; ▷*table* unbedeckt; ▷*tree, room* kahl, leer; ▷*facts* rein ② ▷*majority* knapp **II.** *vt* ↑ *uncover* entblößen; (*at the doctor's*) freimachen; → *wire* freilegen; ◇ **to ~ one's soul** sein Herz ausschütten; **bareback** *adv* ungesattelt; **barefaced** *adj* unverschämt, unverfroren; **barefoot** *adj* barfuß; **bareheaded** *adj* unbedeckt; **barely** *adv* kaum

bargain ['bɑːgɪn] **I.** *n* ① ↑ *agreement* Vereinbarung *f,* Geschäft *s* ② ◇ **he drives a hard ~** er fährt einen harten Kurs ③ ↑ *inexpensive offer* Sonderangebot, Schnäppchen **II.** *vi* ↑ *negociate* verhandeln, handeln (*for* um); ◇ **into the ~** obendrein; **bargain for** *vt* rechnen mit; ◇ **we hadn't ~ed ~ that** damit hatten wir nicht gerechnet

barge [bɑːdʒ] **I.** *n* Frachtkahn *m* **II.** *vt* ↑ *shove* schubsen; ↑ *jostle* anrempeln (*into s.o.* jd-n); ◇ **he ~d his way through …** er bahnte sich schubsend seinen Weg durch …; **barge in** *vi* (*room*) hereinplatzen; (*into a conversation*) dazwischenplatzen

baritone ['bærɪtəʊn] *n* Bariton *m*

bark [bɑːk] **I.** *n* ① (*of tree*) Rinde *f* ② (*of dog*) Bellen *s;* ◇ **his ~ is worse than his bite** Hunde, die bellen, beißen nicht **II.** *vi* bellen; (*at a person*) anbellen, anfahren

barley ['bɑːlɪ] *n* Gerste *f;* **barley sugar** *n* (*sweet*) Malzbonbon *s;* **barley wine** *n* ≈ dunkles Bier *s*

barmaid ['bɑːmeɪd] *n* Bardame *f;* **barman** ['bɑːmən] *n* Barkeeper *m*

barmy ['bɑːmɪ] *adj* bekloppt, bescheuert

barn [bɑːn] *n* Scheune *f;* **barn dance** *n* Squaredance *m;* **barnstorm** *vi AM* POL auf Stimmenfang gehen; **barnyard** *n* [Bauern]Hof *m*

barometer [bə'rɒmɪtə*] *n* ① Barometer *s* ② (*FIG of a situation*) Maß *s*

baron ['bærən] *n* ① Baron *m* ② (*powerful busi-*

B

nessman) Mogul *m,* Baron *m;* **baroness** ['bærənɪs] *n* (1) *(unmarried)* Baronesse *f* (2) *(married)* Baronin *f*

baroque [bə'rɒk] *adj* barock

barque [bɑːk] *n (sailing ship)* Dreimaster *m*

barrack ['bærək] *vt* ↑ *heckle* verhöhnen

barracks ['bærəks] *n pl (for soldiers)* Kaserne *f; (for poor people)* Mietskaserne *f*

barrage ['bærɑːʒ] *n* (1) *(of criticism)* Sturm *m* (2) *(for water)* Staudamm *m;* (MIL *of gunfire)* Sperrfeuer *s;* **barrage balloon** *n* Fesselballon *m*

barrel ['bærəl] **I.** *n* (1) *(beer ~)* Faß *s; FAM* ◇ **to have s.o. over a ~** jd-n in der Zange haben (2) *(unit of measurement)* ≈ 159 Liter (3) *(of a gun)* Lauf *m* (4) *(of a lock)* Loch *s* **II. barrel along** *vt* entlangbrausen; **barrel organ** *n* Drehorgel *f;* **barrel-shaped** *adj* tonnenförmig

barren ['bærən] *adj* ▷*woman, animal* unfruchtbar; ▷*land* unfruchtbar, karg; ▷*tree* keine Frucht tragend; ▷*time* unproduktiv

barricade [bærɪ'keɪd] **I.** *n* Barrikade *f* **II.** *vt* → *a door* verbarrikadieren

barrier ['bærɪə*] *n* ↑ *obstruction* Hindernis *s; (natural)* Barriere *f; (man-made)* Sperre *f; (level-crossing)* Schranke *f*

barring ['bɑːrɪŋ] *prep* (1) ↑ *except for* außer *dat;* ◇ **everybody came, ~ Peter** jeder kam, außer Peter (2) *(negative condition)* wenn … nicht …; ◇ **~ rain the match will be played** solange es nicht regnet, wird das Spiel ausgetragen

barrister ['bærɪstə*] *n (BRIT)* Rechtsanwalt(Rechtsanwältin *f*) *m bei höherem Gericht*

barrow ['bærəʊ] *n* (1) ↑ *wheel ~* Schubkarre *f* (2) *(with fresh food)* Karren *m*

bartender ['bɑːtendə*] *n AM* ↑ *barman* Barkeeper *m*

barter ['bɑːtə*] **I.** *vi* Tauschhandel treiben, Waren tauschen **II.** *n* Tauschhandel *m;* ◇ **to be offered for ~** zum Tausch angeboten werden

base [beɪs] **I.** *n* (1) ↑ *bottom* Boden *m;* ◇ **at the ~ of the tree** unten am Baum (2) *(in constructions)* Träger *m* (3) MIL Stützpunkt *m,* Basis *f* (4) ↑ *main ingredient* Basis *f* (5) CHEM Lauge *f* **II.** *adj* (1) ▷*motive* nieder; ↑ *ignoble* gemein, unehrenhaft (2) *(~ price)* Basis- **III.** *vi* (1) basieren *(on* auf *acc)* (2) ◇ **the EEC is ~d in Brussels** die EG hat ihren Sitz in Brüssel; **base on** *vt* stellen; ◇ **he ~s his beliefs ~ reason** er gründet seinen Glauben auf Vernunft; ◇ **physics is ~d ~ mathematics** Physik basiert auf der Mathematik; **baseball** ['beɪsbɔːl] *n* Baseball *m;* **base camp** *n* Basislager *s;* **baseless** *adj* grundlos; **baseline** *n* (1) *(of an argument)* Ausgangspunkt *m* (2) SPORT Grundlinie *f;* **basement** *n* Keller *m,* Kellergeschoß *s*

bash [bæʃ] **I.** *vt FAM* [heftig] schlagen **II.** *n* Schlag *m;* ◇ **I'll have a ~ at it** Ich werde es mal versuchen; **bash in** *vt* → *door, head* einschlagen

bashful ['bæʃfʊl] *adj* schüchtern

basic ['beɪsɪk] **I.** *adj* grundlegend **II.** *n pl:* ◇ **the ~s** das Wesentliche, der Kernpunkt; **basically** *adv* im Grunde, grundsätzlich

BASIC ['beɪsɪk] *n abbr. of* (PC *language)* **Beginner's All-purpose Symbolic Instruction Code,** BASIC *s*

basil ['bæzl] *n* Basilikum *s*

basin ['beɪsn] *n* (1) *(for mixing food)* Schüssel *f* (2) ↑ *wash-~* Becken *s* (3) *(river drains)* Becken *s;* ◇ **the Amazon B~** das Amazonasbecken

basis ['beɪsɪs] *n* Grundlage *f,* Basis *f;* ◇ **on the basis of this evidence** auf Grund dieses Beweises

bask [bɑːsk] *vi also FIG* sich sonnen

basket ['bɑːskɪt] *n* (1) Korb *m* (2) *(in basketball)* Netz *s;* **basketball** *n* Basketball *m;* **basket weaving** *n* Korbflechterei *f;* **basket work chair** *n* Korbstuhl *m*

basking shark *n* Riesenhai *m*

bass [beɪs] **I.** *n (instrument)* Baß *m; (voice)* Baß *m,* Baßstimme *f* **II.** *adj* Baß-; **bass clef** *n* Baßschlüssel *m*

bassoon [bə'suːn] *n* (MUS *instrument)* Fagott *s*

bastard ['bɑːstəd] *n* (1) Bastard *m,* uneheliches Kind *s* (2) *FAM* Scheißkerl *m;* **bastardize** *vt* → *text, artwork* verfälschen

baste [beɪst] *vt* GASTRON → *meat* mit Fett übergießen

bastion ['bæstɪən] *n* Bollwerk *s;* ↑ *stronghold* Hochburg *f,* Bastion *f*

bat [bæt] **I.** *n* (1) *(cricket, baseball)* Schlagholz *s; (table tennis)* Schläger *m;* ◇ **off one's own ~** auf eigene Faust (2) ZOOL Fledermaus *f;* ◇ **he ran like a ~ out of hell** er rannte wie der Teufel **II.** *vt (in cricket, baseball)* schlagen **III.** *adj FAM* ↑ *foolish* bekloppt

batch [bætʃ] *n (of letters)* Stoß *m; (of cakes)* Menge *f; (of instruments)* Satz *m; (of things delivered)* Ladung *f*

bated ['beɪtɪd] *adj:* ◇ **they wait with ~ breath** sie warten mit angehaltenem Atem

bath [bɑːθ] **I.** *n* (1) Bad *s;* ↑ *-tub* Badewanne *f;* ◇ **to have/take a ~** sich baden; ◇ **to give a baby a ~** ein Kind baden (2) ↑ *-s* Schwimmbad *s* (3) CHEM Bad *s* **II.** *vt* (1) → *baby* baden, waschen (2) → *a room in light* tauchen

bathe [beɪð] *vi (in the sea)* baden; *AM* sich waschen; **bathing cap** *n* Badekappe *f;* **bathing costume**, **bathing suit** *n* Badeanzug *m;* **bathing trunks** *n (BRIT shorts)* Badehose *f*

bathmat ['bɑːθmæt] *n* Badvorleger *m;* **bath oil** *n* Pflegebad *s*
bathos ['beɪθɒs] *n* <uncount> ① ↑ *sentimentality* Trivialität *f* ② ↑ *anticlimax* Abfall *m* ins Lächerliche
bathroom *n* Badezimmer *s; AM* Toilette *f;* **baths** [bɑːðz] *n pl* ↑ *swimming* ~ Schwimmbad *s,* Bad *s;* ↑ *public* ~ öffentliche Badeanstalt *f;* **bath salts** *n pl* Badesalz *s;* **bath towel** *n* Badetuch *s;* **bathtub** *n* Badewanne *f*
batman ['bætmən] *n* <-men> (*BRIT*) Offiziersbursche *m*
baton ['bætən] *n* MUS Taktstock *m;* (*of police*) Schlagstock *m,* Gummiknüppel *m;* SPORT Stab *m*
batsman ['bætsmən] *n* Schlagmann *m*
battalion [bə'tæljən] *n* Bataillon *s*
batter ['bætə*] **I.** *n* GASTRON Teig *m;* (*for cake*) Biskuitteig *m* **II.** *vt* ① → *a person* verprügeln ② → *a car* verbeulen ③ → *a ship* hin- u. herwerfen; ◇ **~ed by the wind** vom Wind hin- u. hergerüttelt **III.** *vi* (*on the wall/at the door*) hämmern; **batter down** *vt* → *door* einschlagen; **battered** *adj* ① ▷*hat* abgetragen ② (*repeatedly beaten*) verprügelt; ▷*child* mißhandelt; **battering ram** *n* Rammbock *m*
battery ['bætərɪ] *n* ① (*fixed guns*) Batterie *f* ② ELECTR Batterie *f* ③ (*of things*) Reihe *f;* **battery charger** *n* Ladesatz *m;* **battery farming** *n* (*of chickens*) Hühnerbatterien *pl*
battle ['bætl] **I.** *n* (*of Waterloo, major*) Schlacht *f;* (*minor*) Gefecht *s;* ↑ *struggle* Kampf *m;* ◇ **killed in ~** [im Kampf] gefallen; ◇ **he doesn't need you to fight his ~** er kann sich alleine durchsetzen **II.** *vi* kämpfen; **battle-axe** *n* ① (*weapon*) Streitaxt *f* ② (*woman*) Xanthippe *f;* **battlefield** *n* Schlachtfeld *s;* **battleground** *n* (*area of struggle*) Schlachtfeld *s;* **battlements** *n pl* Zinnen *pl;* **battleship** *n* Schlachtschiff *s,* Kriegsschiff *s*
batty ['bætɪ] *adj FAM* bekloppt, plemplem
baulk *s.* **balk**
Bavaria [bə'veərɪə] *n* Bayern *s*
bawdy ['bɔːdɪ] *adj* ▷*woman* robust, derb; ▷*joke* derb
bawl [bɔːl] **I.** *vi* ↑ *shout, cry* brüllen **II. bawl out** *vt:* ◇ **the teacher ~ed him ~** der Lehrer schimpfte ihn aus; *FAM* der Lehrer machte ihn zur Schnecke
bay [1] [beɪ] *n* (*of sea*) Bucht *f*
bay [2] *n* ① (ARCHIT *of a building*) Erker *m* ② (*parking ~ etc.*) [Park-]Bucht *f*
bay [3] *vi* ← *wolf* heulen; ◇ **to keep/hold s.th. at ~** etw in Schach [*o.* unter Kontrolle] halten
bayleaf ['beɪliːf] *n* Lorbeerblatt *s*
bayonet ['beɪənet] *n* ① Bajonett *s* ② (TECH *light fitting*) Bajonettverschluß *m*
bay window [beɪ'wɪndəʊ] *n* Erkerfenster *s*
bazaar [bə'zɑː*] *n* Basar *m*
bazooka [bə'zuːkə] *n* Panzerfaust *f*
BBC *abbr. of* **British Broadcasting Corporation** BBC *staatliches britisches Radio- und Fernsehen*
BC *abbr. of* **before Christ** v. Chr. *vor Christi [Geburt]*
be [biː] <was, were, been> *vi* sein; ◇ **there is** es gibt; (*continuous activity*) ◇ **Susan is dancing** Susan tanzt; ◇ **the ticket is 99p** die Karte kostet 99p; ◇ **he wants to ~ a bricklayer** er will Maurer werden; ◇ **his house is in the country** sein Haus steht auf dem Lande
beach [biːtʃ] **I.** *n* Strand *m;* ◇ **on the ~** am Strand **II.** *vt* → *ship* auf den Strand setzen **III.** *vi* ← *whale* stranden; **beachball** *n* SPORT Wasserball *m;* **beachbuggy** *n* AUTO Strandbuggy *m;* **beachcomber** ['biːtʃkəʊmə*] *n* Strandguträuber *m;* **beachhead** *n* MIL Brückenkopf *m*
beacon ['biːkən] *n* ↑ *warning signal* Signalfeuer *s;* (*building*) Leuchtturm *m;* (*traffic ~*) Verkehrswarnzeichen *s;* (*one of series*) Bake *f;* (*example or guide*) Leitstern *m;* **beacon-buoy** *n* Bakenboje *f*
bead [biːd] *n* ① (*of glass*) Perle *f* ② (*of moisture*) Tropfen *m;* **beading** *n* (*woodwork*) Verzierung *f,* schmale Leiste *f;* **beads** *n* <npl> *s.* **bead** (*string of ~s*) Perlenkette *f;* REL Rosenkranz *m;* ◇ **to say one's ~** den Rosenkranz beten; **beady** *adj* ▷*object* perlenartig; ▷*eye* kleinäugig; ◇ **I have got my ~ eye on you** Ich beobachte dich ganz genau
beak [biːk] *n* ① (*of bird*) Schnabel *m;* (*FAM of person*) Adlernase *f* ② (*legal authority*) Amtsrichter *m; FAM* Kadi *m;* **beaker** ['biːkə*] *n* Becher *m*
be-all and end-all *n:* ◇ **the ~** das A und O
beam [biːm] **I.** *n* ① (*of wood*) Balken *m;* (*cantilever ~*) Kraftträger *m* ② (*of light*) [Licht-]Strahl *m;* (AUTO *main ~*) Fernlicht *s;* (*dipped ~*) Abblendlicht *s* ③ (*of ship*) Breite *f* ④ ↑ *smile* Strahlen *s;* ◇ **to be broad in the ~** breite Hüften haben; ◇ **to be off ~** irgendwo falsch sein, sich täuschen **II.** *vi* strahlen; **beaming** *adj* ▷*sun* strahlend; ▷*person* freudestrahlend
bean [biːn] *n* Bohne *f;* (*broad ~*) Saubohne *f; FAM* ◇ **to be full of ~s** vor Leben sprudeln, putzmunter sein; ◇ **to spill the ~s** ein Geheimnis erzählen; **bean pole** *n* (*FIG skinny woman*) Bohnenstange *f;* **bean sprout** *n* Sojabohnenkeim *m,* Soja-

bohnensprosse *f;* **beanstalk** *n* Bohnenstengel *m*

bear [1] [bɛə*] *n* Bär *m*

bear [2] <bore, borne> **I.** *vt* ① (*sustain weight*) tragen, stützen ② → *pain* ertragen; ◇ **it doesn't ~ thinking about** man darf gar nicht daran denken ③ → *ill will* hegen ④ → *children* gebären; ◇ **~ false witness** falsches Zeugnis ablegen; ◇ **to ~ the brunt** der Wucht ausgesetzt sein; ◇ **to ~ closer examination** näherer Prüfung standhalten **II.** *vi* ① ← *tree* tragen ② (*~ to the left/to the right*) sich (links/rechts) halten; **bear down** *vi:* ◇ **to ~ ~ on s.b./s.th.** auf jd-n/etw zuhalten; ↑ *lean* ◇ **to ~ on s.th.** auf etw drücken; **bear on/upon** *vi* Bezug haben zu, relevant sein für; **bear out** *vt* bestätigen; **bear with** *vi* Geduld haben, tolerieren; ◇ **I hope you will ~ ~ me as ...** ich hoffe du geduldest dich während ...; **bearable** *adj* ▷*heat, life* erträglich

beard [bɪəd] *n* Bart *m;* **bearded** *adj* bartig; **beardless** *adj* bartlos

bearer ['bɛərə*] *n* ① (*of weight*) Träger(in *f*) *m* ② (*of passport, of name, of title*) Inhaber(in *f*) *m* ③ (*of letter, news*) Überbringer(in *f*) *m;* **bear hug** *n* kräftige Umarmung *f;* **bearing** ['bɛərɪŋ] *n* ① (*of weight*) Tragen *s* ② ↑ *posture* Haltung *f;* ↑ *behaviour* Auftreten *s* ③ ↑ *relevance* Relevanz *f*, Bedeutung *f* ④ (*~s*) Orientierung (nach Kompaßrichtung) *f;* ◇ **to get/take one's ~s** sich orientieren; ◇ **to lose one's ~s** die Orientierung verlieren, sich verlaufen ⑤ TECHNOL Lager *s*

bear market *n* (FIN *stock exchange*) heruntergetriebene Kurse *pl; s.* **bull market**

bear skin *n* MIL Pelzmütze *f*

beast [bi:st] *n* ① ↑ *animal* Tier *s;* ▷*dangerous, wild* Biest *s;* ↑ *cattle, livestock* Vieh *s* ② (*FAM contemptible person*) Biest *s;* (*in a person*) Bestie *f;* **beast of burden** *n* Lasttier *s;* **beast of prey** *n* Raubtier *s;* **beastliness** *n* Gemeinheit *f*, Bestialität *f;* **beastly** *adj* scheußlich; ◇ **~ weather** Sauwetter *s*

beat [bi:t] <beat, beaten> **I.** *n* ① ↑ *stroke, of heart* Schlag *m;* (*of wings*) Schlagen *s* ② MUS Takt *m* ③ ↑ *district* Revier *s* **II.** *adj:* ◇ **to be dead ~** todmüde sein **III.** *vi* ← *heart* schlagen **IV.** *vt* → *opposition* schlagen, erobern; → *door, metal* einschlagen, hauen; ◇ **~ the rap** e-e verdiente Strafe umgehen; ◇ **~ it!** hau ab!; **beat about** *vi* nicht zur Sache kommen; **beat down** *vt* ① → *prices* herunterhandeln ② ← *rain* herunterprasseln; **beat up** *vt* zusammenschlagen; **beaten I.** *adj* ▷*metal* gehämmert; ◇ **~ track** gebahnter Weg; ◇ **off the ~ track** abgelegen **II.** *pp of* **beat beating** *n* ① (*of child*) Prügel, Schläge *pl* ② (*of drums, of heart*) Schlagen *s;* **beater** *n* (*for eggs, cream*) Schneebesen *m;* (*for carpets*) Klopfer *m*

beatitudes [bɪ'ætɪtju:ds] *n npl* (*bible*) Seligpreisungen *pl*

beat up *adj FAM* ▷*car* ramponiert

beatify ['bju:tɪfaɪ] *vt* schöner machen, verschönern; **beautician** [bju:'tɪʃən] *n* Schönheitsspezialist(in *f*) *m;* **beautiful** ['bju:tɪfʊl] *adj* schön; **beautiful people** *n pl* (*hippy posers*) *Modemenschen der Freiheitsbewegung;* (*rich posers*) *reiche, internationale Modemenschen;* **beautifully** *adv* schön, ausgezeichnet; **beautify** ['bju:tɪfaɪ] *vt* verschönern; **beauty** ['bju:tɪ] *n* Schönheit *f;* ◇ **the ~ of it is we ...** das Schöne dabei ist, daß wir ...; **beauty spot** *n* (*on person*) Schönheitsfleck *m;* (*of landscape*) schöne Gegend *f*

beaver ['bi:və*] *n* Biber *m;* **beaver away** *vi* schwer [*o.* hartnäckig] arbeiten, schuften

becalm [bɪ'kɑ:m] *vt:* ◇ **the sailing ship is ~ed** das Segelschiff ist in eine Flaute geraten

became [bɪ'keɪm] *pt of* **become**

because [bɪ'kɒz] **I.** *cj* weil **II.** *prep:* ◇ **because of** wegen *gen;* ◇ **~ of you** deinetwegen

beck [bɛk] *n* Bach; ◇ **to be at one's ~ and call** auf Abruf zur Verfügung stehen; **beckon** ['bekən] *vt, vi* heranwinken

become [bɪ'kʌm] <became, become> **I.** *vi* werden; ◇ **what has ~ of him?** was ist aus ihm geworden?; ◇ **what is to ~ of her?** was soll aus ihr werden? **II.** *vt* ← *blouse* stehen *dat;* ← *behaviour* sich schicken für; **becoming** [bɪ'kʌmɪŋ] *adj* ▷*clothes* kleidsam, passend; ↑ *fitting* schicklich

bed [bed] **I.** *n* ① (*for people, of river*) Bett *s;* ◇ **to go to ~** zu Bett gehen; ◇ **to go to ~ with s.b.** mit jd-m ins Bett gehen, mit jd-m schlafen ② (*of river*) [Fluß-]Bett; (*of ocean*) Meeresgrund *m* ③ GEO Schicht *f;* TECHNOL Unterlage *f* ④ (*of garden*) Beet *s* **II.** *vt* ① → *flower* pflanzen, einbetten ② → *person* ins Bett kriegen; **bed down** *vr* sich betten; **bed in** *vt* ARCHIT betten, einlassen; → *brakes* einfahren; **bed and breakfast** *n* Zimmer *s* mit Frühstück; **bed-bug** *n* Wanze *f;* **bedclothes** *n pl* Bettwäsche *f*, Bettbezug *m;* **bedding** ['bɛdɪŋ] *n* Bettzeug *s;* (*of horses*) Streu *f*, Stroh *s*

bedevil [bɪ'dɛvl] *vt* behexen, quälen

bedlam ['bɛdləm] *n* Chaos *s;* ◇ **it's ~ in here!** das ist ja ein Tollhaus/tolles Durcheinander hier!

bed linen *n* Bettwäsche *f*

bedraggled [bɪ'drægld] *adj* ▷*clothes* ramponiert

bedridden ['bedrɪdn] *adj* bettlägerig; **bedroom** ['bedrʊm] *n* Schlafzimmer *s;* **bedside** *n* Bettseite *f;* ◇ **Florence had a good ~ manner** Florence wußte gut mit den Patienten umzugehen; **bed-sit[ting room]** *n* möbliertes Zimmer *s;* **bedspread** *n* Bettdecke *f,* Tagesdecke *f;* **bedtime** *n* Schlafenszeit *f;* **bedtime story** *n* Gutenachtgeschichte *f;* **bed-wetting** *n* Bettnässen *s*

bee [bi:] *n* Biene *f;* ◇ **my boss has a ~ in his bonnet about punctuality** mein Chef hat einen Pünktlichkeitstick

beech [bi:tʃ] *n* ① (*tree*) Buche *f* ② (*~ wood*) Buchenholz *s* ③ (*~ forest*) Buchenwald *m*

beef [bi:f] **I.** *n* Rindfleisch *s* **II.** *vi FAM* ↑ *grumble* meckern (*about* über *acc*); **beefburger** *n* Hamburger *m;* **beefy** *adj FAM* ↑ *brawny* kräftig

beehive ['bi:haıv] *n* Bienenstock *m;* **beekeeper** ['bi:ki:pə*] *n* Imker(in *f*) *m,* Bienenzüchter(in *f*) *m*

beeline ['bi:laın] *n FAM* gerade(r) Weg *m;* ◇ **he made a ~ for the food** er ging schnurstracks auf das Essen zu, er stürzte sich auf das Essen

been [bi:n] *pp of* **be**

beep [bı:p] **I.** *n* PC Beepton *m* **II.** *vt* beepen; ← *car* hupen

beeper *n* Piepser *m,* Alarmmeldeempfänger *m*

beer [bıə*] *n* Bier *s;* ▷*lager* helles Bier; ▷*stout* dunkles Bier; **beer belly**, **beer gut** *n* Bierbauch *m;* **beer mat** *n* Bierdeckel *m*

bee sting *n* Bienenstich *m*

beet [bı:t] *n* Rübe *f;* (*sugar ~*) Zuckerrübe *f*

beetle ['bı:tl] **I.** *n* Käfer *m* **II.** *vi* ↑ *scuttle* flitzen, sausen

beetroot ['bı:tru:t] *n* Rote Bete

befall [bı'fɔ:l] <befell, befallen> **I.** *vi* sich ereignen **II.** *vt* zustoßen *dat*

befit [bı'fıt] *vt* sich schicken/ziemen für

before [bı'fɔ:*] **I.** *adv* (*of time*) vorher, früher; (*of place*) vor, voran; ◇ **he has done it ~** das hat er schon früher einmal getan **II.** *cj* bevor **III.** *prep* vor; ◇ **the day ~ yesterday** vorgestern; **beforehand** *adv* im voraus

befriend [bıfrɛnd] *vt:* ◇ **to ~ a person** sich einer Person annehmen

befuddled [bı'fʌdld] *adj* durcheinander

beg [beg] **I.** *vt* ↑ *implore* dringend bitten um; ◇ **I ~ your pardon** [ich bitte um] Entschuldigung; ↑ *request* wie bitte?; ◇ **to ~ the question** die eigentliche Frage vermeiden **II.** *vi* (*for alms*) betteln; ◇ **to ~ for mercy** um Gnade flehen

began [bı'gæn] *pt of* **begin**

beggar ['begə*] **I.** *n* ① Bettler(in *f*) *m* ② Kerl *m* **II.** *vt* → *country* arm machen; **begging** *n* Betteln *s;* ◇ **a ~ letter** ein Bittschreiben *s*

begin [bı'gın] <began, begun> *vt* anfangen, beginnen; ◇ **to ~ with** zunächst, erstens; **beginner** *n* Anfänger(in *f*) *m;* **beginning** *n* ↑ *start* Anfang *m;* ◇ **from the ~** von Anfang an; ◇ **at the ~** am Anfang

begrudge [bı'grʌdʒ] *vt* ① → *a success* neiden, mißgönnen ② ◇ **to ~ doing s.th.** etw ungern/widerwillig tun

beguile [bı'gaıl] *vt* ↑ *charm* bezaubern, verhexen; ◇ **to ~ s.b. into doing s.th.** jd-n dazu verleiten, etwas zu tun

begun [bı'gʌn] *pp of* **begin**

behalf [bı'hɑ:f] *n:* ◇ **on ~ of** im Namen von; ◇ **my brother spoke on my ~** mein Bruder sprach für mich

behave [bı'heıv] *vi* ← *person* sich benehmen; ← *things* sich verhalten, fungieren; **behaviour**, **behavior** (*AM*) [bı'heıvjə*] *n* Benehmen *s,* Verhalten *s;* ◇ **she was on her best ~** sie zeigte sich von ihrer besten Seite

behead [bı'hed] *vt* köpfen, enthaupten

behind [bı'haınd] **I.** *prep* hinter; ◇ **there is s.th. ~ it all** etwas steckt dahinter **II.** *adv* ① (*time*) im Rückstand ② (*place*) hinten; dahinter; ◇ **to fall ~** zurückbleiben; ◇ **to walk ~** hinterhergehen **III.** *n* (*FAM*) Hinterteil *s,* Hintern *m;* **behindhand** *adj* (*with work*) im Rückstand

behold [bı'həʊld] <beheld, beheld> *vt* ansehen, erblicken; **beholder** *n* Beobachter(in *f*) *m,* Betrachter(in *f*) *m*

beige [beıʒ] *adj* beige

being ['bi:ıŋ] *n* ① [Da-]Sein *s;* ↑ *existence* Existenz *f;* ◇ **to come into ~** entstehen ② (*essence of a being*) Wesen *s* ③ ↑ *person* Geschöpf *s*

belated [bı'leıtıd] *adj* verspätet

belch [beltʃ] **I.** *n* (*of person*) Rülpsen *s,* Aufstoßen *s* **II.** *vi* rülpsen; ← *lava* ausspeien **III.** *vt* ← *fire, clouds* ausstoßen

beleaguer [bı'li:gə*] *vt* belagern

belfry ['belfrı] *n* Glockenturm *m*

Belgium ['beldʒəm] *n* Belgien *s*

belie [bı'laı] *vt* ↑ *prove false* widerlegen; ↑ *misrepresent* falsch darstellen; → *hopes* täuschen

belief [bı'li:f] *n* Überzeugung *f,* Glaube *m* (*in* an *acc*); **believable** [bı'li:vəbl] *adj* glaubhaft

believe [bı'li:v] **I.** *vt* glauben; ↑ *think* ◇ **I ~ him to be honest** ich halte ihn für ehrlich; ◇ **I ~ so** ich glaube ja; **believe in** *vt* glauben an *acc;* **believer** *n* REL Gläubige(r) *fm*

belittle [bı'lıtl] *vt FIG* → *significance* herabsetzen

bell [bel] *n* Glocke *f;* **bellboy**, **bellhop** (*AM*) *n* Hotelpage *m*

bellicose ['belıkəʊs] *adj* ▷*nation* kriegerisch; **belligerent** [bı'lıdʒərənt] **I.** *adj* ① ▷*person* streitsüchtig; ▷*nation* kriegerisch ② ▷*country* kriegführend, im Krieg befindlich **II.** *n* Streitende(r) *fm*

bellow ['beləʊ] **I.** *vt, vi* brüllen, grölen; ◇ **the teacher -ed at the children** der Lehrer brüllte die Kinder an **II.** *n* Gebrüll *s;* ◇ **-s** *pl* TECH Gebläse *s;* (*for fire*) Blasebalg *m*

belly ['belɪ] **I.** *n* Bauch *m* **II.** *vi* ← *sail* bauschen; **belly-ache I.** *n* Bauchweh *s,* Bauchschmerzen *m pl* **II.** *vi FAM* ↑ *grumble* meckern; **belly button** *n* Bauchnabel *m*

belong [bɪ'lɒŋ] *vi* (1) ↑ *be property of* gehören (*to s.b.* jd-m); ↑ *be part of* zugehören, angehören *dat* (2) ↑ *be in the right place* gehören; **belongings** *n pl* Habseligkeiten *f pl;* ◇ **personal** - persönliches Eigentum

beloved [bɪ'lʌvɪd] **I.** *n* Geliebte(r) *fm;* ◇ **dearly** - liebe Gemeinde **II.** *adj* geliebt (*of, by* von)

below [bɪ'ləʊ] **I.** *prep* unter; (*only spatial*) unterhalb **II.** *adv* unten; (*with spatial emphasis*) darunter, drunten; ◇ **see** - (*in documents*) siehe unten

belt [belt] **I.** *n* (1) (*of trousers*) Gürtel *m;* (*seat* -) Gurt *m;* ◇ **his remark was below the** - seine Bemerkung zielte unter die Gürtellinie (2) TECHNOL Riemen *m* (3) (GEO *land*) Gürtel *m,* Gebiet *s* **II.** *vt* → *trousers* den Gürtel zumachen; *FAM* ◇ **to - s.b.** jd-m eins knallen; **belt along** *vi* ← *car* rasen; **belt up I.** *vt* → *seat belt* zuschnallen **II.** *vi FAM* die Klappe halten; *FAM* ◇ **belt up!** halt's Maul

bench [bentʃ] *n* (1) [Sitz]Bank *f* (2) ↑ *worktop* Werkbank *f;* Labortisch *m* (3) (*in law court*) Richterstand *m;* ◇ **to be on the** - Richter sein; **benchmark** *n* (*measurement*) Fixpunkt *m;* ↑ *standard* Maßgebende *s*

bend [bend] <bent, bent> **I.** *n* (*of pipe*) Biegung *f;* (*of road*) Kurve *f* **II.** *vt* → *arm* biegen; → *head* beugen **III.** *vi* (1) ← *road* eine Kurve machen (2) ← *person* sich beugen; ↑ *defer to* sich beugen zu; **bend down** *vi* ← *person* sich bücken

beneath [bɪ'ni:θ] *s.* **below**

benediction [benɪ'dɪkʃən] *n* (1) ↑ *blessing* Segen *m* (2) (*act of blessing*) Segnung *f*

benefactor ['benɪfæktə*] *n* Wohltäter(in *f*) *m;* **benefice** ['benɪfɪs] *n* Pfründe *fpl;* **beneficial** [benɪ'fɪʃl] *adj* ▷*influence* vorteilhaft; (*to health*) heilsam; **beneficiary** [benɪ'fɪʃərɪ] *n* (*of charity*) Nutznießer(in *f*) *m;* (*of will*) Erbberechtigte(r) *fm;* **benefit** ['benɪfɪt] **I.** *n* ↑ *advantage* Nutzen, Vorteil *m;* ◇ **unemployment** - Arbeitslosengeld *s* **II.** *vt* fördern, begünstigen **III.** *vi* Nutzen ziehen (*by/from* aus)

Benelux ['benɪlʌks] *n* Beneluxländer *pl*

benevolence [bɪ'nevələns] *n* Wohlwollen *s;* (*of mood*) Gutmütigkeit *f;* **benevolent** [bɪ'nevələnt] *adj* wohlwollend; ▷*organization* mildtätig

benign [bɪ'naɪn] *adj* (1) ▷*person* gütig, freundlich; ▷*climate* mild, gemäßigt (2) MED ▷*tumour* gutartig

bent [bent] **I.** *adj* (1) ▷*metal object* gebogen; ▷*old man* bucklig (2) *FAM* ↑ *criminal* korrupt **II.** *n* ↑ *aptitude* Neigung *f* (*for* zu, für) **III.** *pt, pp of* **bend**

benzene [ben'zi:n] *n* Benzol *s*

benzine ['benzi:n] *n* Leichtbenzin *s*

bequeath [bɪ'kwi:ð] **I.** *vt* vermachen **II.** *n* ↑ *legacy* Nachlaß *m;* **bequest** [bɪ'kwest] *n* Vermächtnis *s*

berate [bɪ'reɪt] *vt* schelten

bereaved [bɪ'ri:vd] **I.** *n* ▷*person* Hinterbliebene(r) *fm* **II.** *adj* leidtragend; **bereavement** [bɪ'ri:vmənt] *n* schmerzlicher Verlust

beret ['berɪ] *n* Baskenmütze *f*

Bering Straits ['berɪŋstreɪts] *n npl* Beringstraße *f*

Berlin [bɜ:lɪn] *n* Berlin *s;* ◇ **the - wall** die [Berliner] Mauer

berry ['berɪ] *n* Beere *f;* ◇ **as brown as a** - ganz braungebrannt

berserk [bə'sɜ:k] *adj* wild; ◇ **to go** - ← *audience* aus dem Häuschen geraten; ↑ *crack up* überschnappen

berth [bɜ:θ] **I.** *n* (*of ship*) Liegeplatz *m;* (*in ship*) Koje *f;* (*in train*) Bett *s* **II.** *vt* → *ship* am Kai festmachen

beseech [bɪ'si:tʃ] <besought, besought> *vt* anflehen; → *mercy* flehen um

beset [bɪ'set] <beset, beset> *vt* umringen, bedrängen; ◇ **he was - by problems** er hatte einen Haufen Probleme

beside [bɪ'saɪd] *prep* neben; ◇ **Erika was - herself with fury** Erika war außer sich vor Wut; ◇ - **the point** belanglos, damit nichts zu tun habend; **besides** [bɪ'saɪdz] **I.** *prep* ↑ *other than, in addition to* abgesehen von, außer **II.** *adv* ↑ *in addition* außerdem, ferner

besiege [bɪ'si:dʒ] *vt* MIL → *town* belagern; → *person* bedrängen; (*with offers*) überschütten

besotted [bɪ'sɒtɪd] *adj* (*with person*) verknallt (*with* in *acc*); (*with idea*) berauscht (*with* von)

bespoke [bɪ'spəʊk] <inv> *adj* nach Maß; ◇ - **tailor** Maßschneider(in *f*) *m*

best [best] <*superlative of* **good**>; **I.** *adj* beste(r, s) **II.** *adv* <*superlative of* **well**> am besten; ◇ **I like eating - of all** am liebsten esse ich; ◇ **I did it as - I could** ich tat es, so gut ich es konnte **III.** *n* der/die/das beste; ◇ **it's all for the** - es ist nur zum Besten; ◇ **to make the - of it** das Beste daraus machen; ◇ **to the - of my recollection** soviel ich mich errinnere; ◇ **all the** - alles Gute; ◇ **at** - höchstens, bestenfalls

bestial ['bestɪəl] *adj* tierisch, bestialisch
best man *n* <men> Trauzeuge (des Mannes) *m*
bestow [bɪ'stəʊ] *vt* → *medal* verleihen; → *favour, kiss* gewähren; → *honour* erweisen (*on/upon s.b.* jd-m); **bestowal** [bɪ'stəʊəl] *n* Verleihung *f*
bestseller ['bestselə*] *n* Bestseller *m*
bet [bet] <bet, bet> **I.** *vt* wetten (*on* auf, *against* gegen *acc*); ◇ **I ~ him a gold coin** ich hab mit ihm (um) eine Goldmünze gewettet; ◇ **to ~ four to one** eins zu/gegen vier wetten; *FAM* ◇ **you can ~ your bottom dollar that** du kannst Gift darauf nehmen, daß ...; ◇ **you bet!** und ob! **II.** *n* Wette *f*
betray [bɪ'treɪ] *vt* ↑ *double-cross* verraten; → *confidence* enttäuschen; (*sexually*) untreu werden *dat;* **betrayal** *n* Verrat *m;* (*of trust*) Vertrauensbruch *m,* Enttäuschung *f;* **betrayer** *n* Verräter *m*
better ['betə*] <*comparative of* **good, well**>; **I.** *adj* besser; ◇ **the old man is ~** dem alten Mann geht es besser **II.** *adv* <*comparative of* **well**> besser; ◇ **you had ~ go** es wäre besser, du gingest; ◇ **so much the ~** um so besser; ◇ **the sooner the ~** je früher um so besser; ◇ **for ~ or worse** so oder so; (*when marrying*) in Freud oder Leid **II.** *n* der/die/das Bessere; ◇ **my curiosity got the ~ of me** meine Neugier hat mich überwunden **III.** *vt* verbessern; **better off** *adj* ↑ *richer* wohlhabender; ◇ **she would be ~ ~ in hospital** im Krankenhaus wäre sie besser aufgehoben
betters *n:* ◇ **my ~** Respektspersonen *f pl*
betting shop *n* Wettbüro *s*
between [bɪ'twi:n] **I.** *prep* zwischen, unter; ◇ **~ the devil and the deep blue sea** zwischen Feuer und Flamme; ◇ **~ you and me** unter uns gesagt **II.** *adv* dazwischen
bevel ['bevəl] *n* Abschrägung *f;* ◇ **~ edge** abgeschrägte Kante
beverage ['bevərɪdʒ] *n* Getränk *s*
beware [bɪ'wεə*] *vt* sich hüten vor *dat;* ◇ **~ of the dog!** Vorsicht, bissiger Hund!, Warnung vor dem Hunde!
bewilder [bɪ'wɪldədə*] verwirren; **bewildered** [bɪ'wɪldəd] *adj* verwirrt; **bewildering** [bɪ'wɪldərɪŋ] *adj* verwirrend
bewitch [bɪ'wɪtʃ] verzaubern, verhexen; *FIG* bezaubern; **bewitching** [bɪ'wɪtʃɪŋ] *adj* bezaubernd, verhexend
beyond [bɪ'jɒnd] **I.** *prep* (*on the other side of*) jenseits *gen;* (*across and way past*) über...hinaus *acc;* ◇ **~ doubt** zweifellos; ◇ **she is ~ help** ihr ist nicht mehr zu helfen **II.** *adv* (*on the other side of it*) jenseits davon; (*and furthermore*) darüberhinaus; ◇ **it's ~ me** das ist mir unbegreiflich **III.** *n:* ◇ **the ~** die unendliche Weite
bias ['baɪəs] **I.** *n* ① ↑ *slant* schräge Ebene *f;* ◇ **the cloth is cut on the ~** der Stoff ist schräg zum Fadenlauf geschnitten ② Voreingenommenheit *f;* (*of judgement*) Vorurteil *s;* ◇ **he shows a ~ in favour of children** er zeigt eine Vorliebe für Kinder **II.** *vt* beeinflussen, manipulieren; **biased, biassed** *adj* voreingenommen, befangen; ↑ *weighted* konzentriert
bib [bɪb] *n* Latz *m*
Bible ['baɪbl] *n* Bibel *f;* **biblical** ['bɪblɪkəl] *adj* biblisch, Bibel-
bibliographer [bɪblɪ'ɒgrəfə*] *n* Bibliograph(in *f*) *m;* **bibliographic** *adj* bibliographisch; **bibliophile** ['bɪblɪəfaɪl] *n* Büchernarr(in *f*) *m*
bicarbonate [baɪ'kɑ:bənɪt] *n* GASTRON: ◇ **~ of soda** ↑ *bicarb* Natron *s*
bi-centenary [baɪsen'ti:nərɪ], **bi-centennial** (*AM*) *n* zweihundertjähriges Jubiläum *s*
biceps ['baɪseps] *n sg* ANAT Bizeps *m*
bicker ['bɪkə*] *vi* [sich] zanken
bicycle ['baɪsɪkl] *n* Fahrrad *s;* ◇ **to ride a ~** Fahrrad fahren
bid [bɪd] <bid, bid[**den**]> **I.** *vt* (an)bieten; (*at auction*) bieten (*for* auf *acc*); ◇ **I ~ you good morning** einen wunderschönen guten Morgen; ◇ **to ~ farewell to s.b.** jd-m Lebewohl sagen **II.** *n* ① COMM ↑ *offer* [An-]Gebot *s* ② ↑ *attempt* Versuch *m;* ◇ **Bush made a ~ for the presidency** Bush griff nach der Präsidentschaft; **bidder** *n* (*at auction*) Bietende(r) *m*
bide [baɪd] ◇ **to ~ one's time** [den günstigsten Zeitpunkt] abwarten
bidet ['bi:deɪ] *n* Bidet *s*
biennial [baɪ'enɪəl] *adj* alle zwei Jahre, zweijährig
biff [bɪf] *n* Stoß *m*
bier [bɪə*] *n* Bahre *f*
bifocals [baɪ'fəʊkəl] *n npl* Bifokalbrille *f*
big [bɪg] *adj* groß; ◇ **what's the ~ idea?** was soll denn das?; ◇ **~ deal!** na und?; *FAM* ◇ **to have a ~ mouth** eine große Klappe haben
bigamous ['bɪgəməs] *adj* bigamistisch; **bigamy** ['bɪgəmɪ] *n* Bigamie *f*
big head *n* Großkopf *m;* **bigheaded** [bɪg'hedɪd] *adj* eingebildet
bight [baɪt] *n* GEO Bucht *f*
bigot ['bɪgət] *n* intolerante Person *f;* **bigoted** *n* engstirnig; **bigotry** *n* eifernde Borniertheit *f*
big-time *n:* ◇ **to hit the ~** das große Geld verdienen, groß einsteigen; **big top** *n* Zirkus *m;* (*tent*) Zirkuszelt *s;* **bigwig** ['bɪgwɪg] *n FAM* hohes Tier
bike [baɪk] *n* [Fahr-]Rad *s; s.* **bicycle**
bilateral [baɪ'lætərəl] *adj* ▷*agreement* beiderseitig, bilateral
bilberry ['bɪlbərɪ] *n* Heidelbeere *f*

bile [baɪl] *n* MED Galle *f*, Gallenflüssigkeit *f*
bilge [bɪldʒ] *n*: ◇ **to talk utter** ~ absoluten Quatsch reden
bilingual [baɪ'lɪŋgwəl] *adj* zweisprachig
bill [bɪl] *n* [1] (*bird*) Schnabel *m*; GEO Landzunge *f* [2] ↑ *document* Schriftstück *s*; ◇ **Anna fits the** ~ Anna ist genau die Richtige [3] ↑ *account* Rechnung *f*; ◇ **could we have the** ~ **please?** wir möchten bitte bezahlen; ◇ **to be top of the** ~ die Hauptattraktion sein [4] (*AM money*) Geldschein *m* [5] POL Gesetzentwurf *m* [6] Plakat *s*; ◇ **stick no** ~**s!** Plakate ankleben verboten!; ◇ ~ **of credit** Kreditbrief *m*; ◇ ~ **of exchange** Tratte *f*; ◇ ~ **of fare** Speisekarte *f*; ◇ ~ **of lading** Frachtbrief *m*; ◇ ~ **of rights** Freiheitsurkunde *f*
billboard ['bɪlbɔːd] *n* (*AM*) Reklametafel *f*
billiard(s) ['bɪlɪədz] *n sg* Billard *s*; (~ *cue*) Billardstock *m*; (*a game of* ~) Partie Billard *f*
billion ['bɪlɪən] *n* Billion *f*; *AM* Milliarde *f*
billow ['bɪləʊ] I. *vi* ← *sail* sich blähen; ← *skirt* plustern II. *n* (*of smoke*) Schwaden *m*; **billowy** *adj* schwellend, wogend
billy goat ['bɪlɪgəʊt] *n* Ziegenbock *m*
bin [bɪn] *n* Behälter *m*; (*rubbish*~) Mülltonne *f*; (*dust*~) Mülltonne *f*
binary ['baɪnərɪ] *adj* zweiteilig, binär
bind [baɪnd] I. *n* *FAM* lästige Tätigkeit II. <bound, bound> *vt* [1] ↑ *tie* binden, befestigen [2] (*of duties*) verpflichten; ◇ **he was bound over for ....** er erhielt eine Bewährungsfrist von ....; ◇ **our interests are bound up** unsere Interessen sind eng verknüpft; **binding** I. *n* [Buch]einband *m* II. *adj* verbindlich; ◇ **the** ~ **agent** das Bindemittel
binge [bɪndʒ] *n* *FAM* Saufgelage *s*; ◇ **to go on a** ~ einen heben gehen
bin liner *n* Mülltüte *f*
binoculars [bɪ'nɒkjʊləz] *n pl* Fernglas *s*
biochemistry [baɪəʊ'kemɪstrɪ] *n* Biochemie *f*; **biodegradable** ['baɪəʊdɪ'greɪdəbl] *adj* biologisch abbaubar
biography [baɪ'ɒgrəfɪ] *n* Biographie *f*
biologist [baɪ'ɒlədʒɪst] *n* Biologe *m*, Biologin *f*; **biology** [baɪ'ɒlədʒɪ] *n* Biologie *f*; **biotechnology** [baɪəʊ'tek'nɒlədʒɪ] *n* Biotechnik *f*; **biotope** *n* Biotop *s*
biped ['baɪped] *n* BIOL Zweifüßler *m*
biplane ['baɪpleɪn] *n* AVIAT Doppeldecker *m*
birch [bɜːtʃ] *n* Birke *f*
bird [bɜːd] *n* Vogel *m*; ◇ **to talk about** ~**s and bees** darüber sprechen, wo die kleinen Kinder herkommen; **bird of prey** *n* Raubvogel *m*; **bird-seed** *n* Vogelfutter *s*; **bird's-eye view** *n* [1] Vogelperspektive *f* [2] Luftbild *s*; ↑ *general impression* Überblick *m*
biro ® ['baɪərəʊ] *n* (*ball point*) Kugelschreiber *m*
birth [bɜːθ] *n* [1] Geburt *f*; ◇ **by** ~ von Geburt [2] Herkunft *f*; ◇ **of good** ~ aus gutem Hause; ◇ **to give** ~ **to** zur Welt bringen; **birth certificate** *n* Geburtsurkunde *f*; **birth control** *n* Geburtenkontrolle *f*; **birthday** *n* Geburtstag *m*; ◇ **happy** ~! herzlichen Glückwunsch zum Geburtstag!; **birthmark** *n* Muttermal *s*; **birthplace** *n* Geburtsort *m*; **birthrate** *n* Geburtenziffer *f*, Geburtenrate *f*
biscuit ['bɪskɪt] *n* ↑ *cookie* Keks *m*, Plätzchen *s*
bisect [baɪ'sekt] I. *vt* halbieren II. *vi* sich teilen
bisexual [baɪ'seksjʊəl] *n* bisexuell; **bisexuality** *n* Bisexualität *f*
bishop ['bɪʃəp] *n* [1] (*clergyman*) Bischof *m* [2] (*chess piece*) Läufer *m*; **bishopric** ['bɪʃəprɪk] *n* ↑ *diocese* Bistum *s*, Diözese *f*
bit [1] [bɪt] I. *n* [1] Stückchen *s*, Bißchen *s*; ◇ **a** ~ **tired** etwas müde; ◇ ~ **by** ~ nach und nach; ◇ **to smash s.th. to** ~**s** alles kurz und klein schlagen [2] PC Bit *s* *binary digit* II. *pt of* **bite**
bit [2] *n* [1] (*of a bridle*) Gebiß *s* [2] TECH Bohreisen *s*, Schneide *f*
bitch [bɪtʃ] I. *n* [1] (*dog*) Hündin *f* [2] (*FAM woman*) Miststück *s*; *AM* ◇ **son of a** ~ (*positive*) toller Kerl; (*negative*) gemeiner Kerl; ◇ **a** ~ **of a job** eine schwierige Arbeit II. *vi* *FAM* mosern, meckern
bite [baɪt] <bit, bitten> I. *vt* [1] beißen; (*of insects*) stechen [2] → *metals* beizen, ätzen [3] → *fingernails* kauen II. *n* [1] (*act*) Beißen *s* [2] Biß *m* [3] ↑ *mouthful* Bissen *m*; (*of food*) Happen *m*; **biting** *adj* ▷*comment* schneidend, sarkastisch; (*cold wind*) scharf, schneidend kalt
bitten ['bɪtn] *pp of* **bite**
bitter ['bɪtə*] I. *adj* [1] ▷*taste* bitter; ▷*experience* schmerzlich; *FIG* ▷*person* verbittert II. *n* [1] ▷*beer* halbdunkles Bier *s*, Alt[bier] *s* [2] ◇ ~**s** *pl* Magenbitter *m*
bivouac ['bɪvʊæk] *n* Biwak *s*
biz = *FAM* **business**
bizarre [bɪ'zɑː*] *adj* bizarr
blab [blæb] *vi* *FAM* ausplaudern, klatschen
black [blæk] I. *adj* (*colour*) schwarz; ↑ *dark* finster; (*angry looks*) böse; ◇ ~ **sheep** schwarzes Schaf; ◇ ~ **and blue** grün und blau II. *vt* → *army boots* schwärzen; → *industry* boykottieren; **black out** *vi* ↑ *become unconscious* ohnmächtig werden; **blackberry** *n* [1] (*fruit*) Brombeere *f* [2] ▷*bush* Brombeerstrauch *f*; **blackbird** *n* Amsel *f*; **blackboard** *n* [Schul-]Tafel *f*; **black box** *n* AVIAT Flugschreiber *m*; **blackcurrant** *n* schwarze Johannisbeere *f*; **black economy** *n* COMM Schattenwirtschaft *f*; **blacken** *vt* [1] →

face schwarz malen, schwärzen [2] → *reputation* anschwärzen; **black eye** *n* blaues Auge *s;* **Black Forest** *n* Schwarzwald *m;* **black guard** *n* Lump *m,* Schuft *m;* **black head** *n* MED Mitesser *m;* **black hole** *n* PHYS Schwarzes Loch *s;* **black ice** *n* Glatteis *s;* **blackleg** *n* Streikbrecher(in *f*) *m;* **blacklist** I. *n* schwarze Liste *f* II. *vt* → *company, person* auf die schwarze Liste setzen; **blackly** *adv* ↑ *gloomily* düster; **blackmail** I. *n* Erpressung *f* II. *vt* erpressen; **blackmailer** *n* Erpresser(in *f*) *m;* **black market** *n* Schwarzmarkt *m;* **blackout** *n* [1] MED Ohnmachtsanfall *m* [2] ↑ *power failure* Stromausfall *m;* **black pudding** *n* Blutwurst *f;* **B- Sea** *n* das Schwarze Meer; **blacksmith** *n* Schmied *m;* **black spot** *n* unfallträchtige Verkehrsstelle *f*

bladder ['blædə*] *n* Blase *f*

blade [bleɪd] *n* (*of knife*) Klinge *f;* (*of oar*) Ruderblatt *s;* (*of grass*) Halm *m*

blame [bleɪm] I. *n* [1] ↑ *censure* Tadel *m* [2] ↑ *responsibilty* Schuld *f;* ◇ **to take the -** die Schuld auf sich nehmen II. *vt* [1] ↑ *censure* tadeln, Vorwürfe machen *dat* [2] ↑ *hold responsible* beschuldigen, Schuld geben *dat;* ◇ **the weather is to -** das Wetter ist dran schuld; **blameworthy** ['bleɪmwɜːðɪ] *adj* tadelnswert

blanch ['blɑːntʃ] I. *vt* → *vegetables* blanchieren II. *vi* blaß werden (*with* vor *dat*)

bland [blænd] *adj* [1] ▷*weather* mild [2] ▷*personality* nichtssagend [3] ▷*food* geschmacklos

blank [blæŋk] I. *adj* [1] ↑ *empty* leer; ▷*paper* unbeschrieben; ◇ **please leave -** bitte nicht ausfüllen [2] ▷*face* verblüfft [3] ▷*verse* reimlos II. *n* [1] ↑ *void* Leere; ↑ *gap* Lücke; ↑ *on a printed form* Freiraum *m;* TYP Leeranschlag *m,* Leerzeichen *s* [2] ◇ **my mind went -** ich hatte plötzlich totale Mattscheibe [3] ↑ *dummy* Platzpatrone; ◇ **to draw a -** kein Glück haben; **blank cheque** *n* Blankoscheck *m;* **blank form** *n* Vordruck *m,* leeres Formular *s*

blanket ['blæŋkɪt] I. *n* (*on bed*) Decke *f* II. *adj* (*~ statement*) umfassend, pauschal III. *vt* ← *snow* zudecken; ← *mist* einhüllen

blare [blɛə*] I. *vt, vi* [1] ← *noisy baby* plärren [2] ← *car horn* laut hupen [3] ← *trumpet* schmettern II. *n* Geplärr *s;* Getute *s;* Schmettern *s*

blarney *n* Schmeichelei *f*

blasé ['blɑseɪ] *adj* überheblich

blaspheme [blæs'fiːm] *vi* über Gott lästern; **blasphemous** ['blæsfɪməs] *adj* lästernd, frevelhaft; **blasphemy** ['blæsfəmɪ] *n* Gotteslästerung, Blasphemie *f*

blast [blɑːst] I. *n* [1] (↑ *explosion*) Explosion *f;* ↑ *shockwave* Druckwelle *f* [2] (*of wind*) Windstoß *m;* (*of hot air*) Schwall *m* II. *vt* [1] → *rocket* schießen [2] → *town to pieces* vernichten III. *intj* FAM verdammt; **blast-off** *n* (*of rocket*) Raketenabschuß *m*

blasted *adj FAM* ▷*machine* verdammt

blatant ['bleɪtənt] *adj* ↑ *in the open* offenkundig; (*excessively so*) überdeutlich; (*and impertinent*) unverschämt

blaze [bleɪz] I. *n* ↑ *bright fire* loderndes Feuer; (*of sun*) Glut II. *vi* ← *fire, love, anger* lodern

blazer ['bleɪzə*] *n* Blazer *m*

bleach [bliːtʃ] I. *n* Bleichmittel *s* II. *vt* bleichen

bleak [bliːk] *adj* [1] ▷*landscape* kahl, rauh [2] ▷*future* trostlos

bleary-eyed ['blɪərɪaɪd] *adj* (*after sleep*) verschlafen; (*after work*) schweräugig

bleat [bliːt] I. *n* (*of sheep*) Blöken *s;* (*of goat*) Meckern *s* II. *vi* blöken, meckern

bled [bled] *pt, pp of* **bleed**

bleed [bliːd] <bled, bled> I. *vi* ← *human* bluten; (*to death*) verbluten; ← *colour* ausbluten II. *vt* [1] → *human* zur Ader lassen; → *plant* abzapfen; ◇ **he bled her white** er hat sie um ihr Letztes gebracht [2] AUTO → *brakes* entlüften; **bleeder** ['bliːdə] *n* MED Bluter *m;* **bleeding** I. *n* [1] ↑ *blood loss* Blutung *f* [2] (*brakes, radiators*) Entlüftung *f* II. *adj* ▷*injury* blutend

bleep [bliːp] I. *n* Piepston *m* II. *vi* ← *bleeper* piepsen III. *vt* → *nurse* anpiepsen; **bleeper** ['bliːpə*] *n* Piepser *m*

blemish ['blemɪʃ] *n* ↑ *imperfection* Makel *m*

blend [blend] I. *n* (*of juices*) Mischung *f* II. *vi* ↑ *go well together* sich mischen lassen; ◇ **village and landscape - really well** Dorf und Landschaft scheinen ineinander überzugehen; **blender** ['blɛndə*] *n* Mixer *m*

bless [bles] *vt* (*- s.th./s.b.*) segnen; ↑ *give thanks* preisen; ◇ **- you!** Gesundheit!; **blessing** *n* Segen *m;* (*at table*) Tischgebet *s;* ◇ **it was a - in disguise** es war Glück im Unglück

blew [bluː] *pt of* **blow**

blight [blaɪt] I. *n* [1] BIO Mehltau *m* [2] *on our lives* Bürde *f* II. *vt* [1] BIO am Gedeihen hindern [2] → *our lives* verderben; **blighter** ['blaɪtə*] *n* (*little -*) frecher Bengel *m;* (*lucky -*) Glückspilz *m*

blind [blaɪnd] I. *adj* [1] (*eyes*) blind; ◇ **the teacher turned a - eye** der Lehrer drückte ein Auge zu [2] ▷*corner* unübersichtlich [3] (*without prior thought*) unbesonnen; ◇ **- with fury** blind vor Wut II. *n* (*window -*) Rollo *f;* (*Venetian -*) Jalousie *f* III. *vt* ← *dazzling light* blenden; **blind** *n:* ◇ **the poor and the -** die Armen und die Blinden;

blind alley *n* Sackgasse *f;* **blind flying** *n* AVIAT Blindflug *m;* **blindfold I.** *n* Augenbinde *f* **II.** *vt* die Augen verbinden (*sb* jd-m); **blindly** *adv* blind; ↑ *slapdash* blindlings; **blindness** *n* Blindheit *f;* **blind spot** *n* AUTO toter Winkel; *ANAT* blinder Fleck

blink [blɪŋk] *vt, vi* blinzeln; **blinkered** ['blɪŋkəd] *adj* (*of person's judgement*) borniert, mit Scheuklappen, engstirnig; **blinkers** *n npl* Scheuklappen *pl*

blip [blɪp] *n* leuchtender Punkt (auf dem Radarschirm) *m*

bliss [blɪs] *n* (*perfect happiness*) [Glück-]Seligkeit *f;* **blissful** ['blɪsfəl] *adj* glückselig, wonnig; **blissfully** *adv* herrlich, paradiesisch; ◇ **to be ~ ignorant** völlig ahnungslos sein

blister ['blɪstə*] **I.** *n* Blase *f* **II.** *vi* Blasen werfen; **blistering** *adj* ① ▷*sun* glühend ② (*runner's speed*) mörderisch

blithe [blaɪθ] **I.** *adj* munter, fröhlich **II.** *adv:* ◇ **he -ly disobeyed his orders** er setzte sich ungeniert über seine Anweisungen hinweg

blitz [blɪts] **I.** *n* ① Blitzkrieg *m* ② AVIAT Luftkrieg *m* **II.** *vt* bombardieren

blizzard ['blɪzəd] *n* Schneesturm *m*

bloated ['bləʊtɪd] *adj* (*grossly swollen*) aufgedunsen; (*with pride*) aufgeblasen (*with* vor *dat*); (*stuffed with food*) vollgestopft

blob [blɒb] *n* (*of ink*) Klecks *m*

bloc [blɒk] *n* POL Block *m*

block [blɒk] **I.** *n* ① (*of building material*) Block *m,* Klotz *m* ② ↑ *obstruction* Hindernis *s,* Sperre *f;* ↑ *mental* ~ Mattscheibe *f* ③ (*of houses*) Häuserblock *m;* (*of quantity*) Einheit *f* ④ TYP Farbstein *m* **II.** *vt* hemmen; ◇ **the boy is a chip of the old ~** der Junge ist ganz der Vater; **block off** *vt* → *street* absperren; **block up** *vt* → *overflow pipe, nose* verstopfen; → *exit* blockieren

blockade [blɒ'keɪd] **I.** *n* Blockade *f* **II.** *vt* blokkieren, sperren

blockage ['blɒkɪdʒ] *n* Verstopfung *f*

blockbuster ['blɒkbʌstə*] *n* Knüller *m,* Renner *m;* **blockhead** *n* (*stupid and obstinate person*) Dummkopf *m*

bloke [bləʊk] *n FAM* Kerl *m,* Typ *m*

blonde [blɒnd] **I.** *adj* (*of hair*) blond **II.** *n* ▷*woman* Blondine *f*

blood [blʌd] *n* Blut *s;* **blood bank** *n* Blutbank *f;* **blood count** *n* Blutbild *s;* **blood donor** *n* Blutspender(in *f*) *m;* **blood group** *n* Blutgruppe *f;* **bloodhound** *n* (*dog*) Bluthund *m;* ↑ *detective* Schnüffler *m;* **bloodless** *adj* ▷*coup* ohne Gewalt, unblutig; **blood poisoning** *n* Blutvergiftung *f;* **blood pressure** *n* Blutdruck *m;* **blood relative** *n* (*kinship*) Blutsverwandte(r) *fm;* **bloodshed** *n* Blutvergießen *s;* **bloodshot** *adj* blutunterlaufen; **bloodstream** *n* Blut *s,* Blutkreislauf *m;* **blood test** *n* Blutuntersuchung *f,* Blutprobe *f;* **bloodthirsty** *adj* blutrünstig; **blood transfusion** *n* Blutübertragung *f;* **blood vessel** *n* (*vein or artery*) Blutgefäß *s;* **bloody** *adj BRIT FAM* verdammt; ◇ **not ~ likely** keineswegs, verdammt noch mal; **bloody-minded** *adj* (*BRIT*) stur

bloom [blu:m] **I.** *n* (*flower*) Blüte *f;* ↑ *freshness* Glanz *m;* ◇ **she was in the ~ of youth** sie war in der Blüte ihrer Jugend **II.** *vi* blühen

bloomers ['blu:məz] *n pl* Pumphose *f*

blossom ['blɒsəm] **I.** *n* (*flower of bush or tree*) Blüte *f;* ◇ **the cherry tree is in ~** der Kirschbaum blüht **II.** *vi* blühen

blot [blɒt] **I.** *n* (*messy*) Klecks *m;* ◇ **a ~ on the landscape** ein Schandfleck in der Landschaft **II.** *vt* abtupfen **III. blot out** *vt* → *words* unleserlich machen; → *memories* auslöschen

blotch [blɒtʃ] *n* (*on skin*) Hautfleck *m;* (*of ink*) Kleks *m;* **blotchy** ['blɒtʃɪ] *adj* ▷*skin* fleckig; ▷*writing or artwork* verschmiert; **blotting paper** ['blɒtɪŋpeɪpə*] *n* Löschpapier *s*

blouse [blaʊz] *n* Bluse *f*

blow [bləʊ] <blew, blown> **I.** *vt* ① → *air* blasen ② → *nose* sich die Nase putzen ③ → *bubbles* machen ④ *FAM* → *money* verpulvern; ◇ **to ~ one's horn** angeben; ◇ **to ~ one's top** vor Wut explodieren **II.** *vi* ① (*hot soup*) blasen auf *acc* ② ← *wind* wehen, blasen ③ ← *whale* blasen ④ ← *lightbulb* durchbrennen ⑤ *FAM* ↑ *leave* abhauen ⑥ ◇ **the window blew open** das Fenster flog auf **III.** *n* Schlag *m;* ◇ **a ~ by ~ account** ein umfassender Bericht; ◇ **to come to -s** handgreiflich werden; **blow over** *vi* vorübergehen; **blow up** *vt* ① → *enemy fort* zersprengen ② → *tyre* aufblasen ③ FOTO vergrößern; **blow-dry** *vt* fönen; **blower** *n* ① TECH Gebläse *s* ② *BRIT FAM* Telefon *s;* **blowlamp** *n* Lötlampe *f;* **blown** *pp of* **blow blow-out** *n* AUTO geplatzter Reifen *m;* **blow-up** *n* FOT Vergrößerung *f*

blubber ['blʌbə*] *n* Walfischspeck *m*

bludgeon ['blʌdʒən] **I.** *n* Knüppel *m* **II.** *vt* niederknüppeln; *FIG* bearbeiten

blue [blu:] **I.** *adj* ① (*colour*) blau; ◇ **once in a ~ moon** selten einmal ② *FAM* ↑ *unhappy* niedergeschlagen ③ ▷*film* Porno- ④ ▷*language* derb **II.** *n:* ◇ **the news came out of the ~** die Nachricht kam aus heiterem Himmel; **blue baby** *n* Baby *s* mit Herzfehler; **bluebell** *n* Glockenblume *f;* **blueberry** *n* Heidelbeere *f;* **bluebottle** *n* Schmeißfliege *f;* **blue cheese** *n* Blauschimmelkäse *m;* **blue-collar** *adj:* ◇ ~ **jobs** Industriearbeitsplätze *pl;* **blueprint** *n* Entwurf *m;* **blues** *n npl* MUS Blues *m;* ◇ **he had the** ~ er war deprimiert

bluff [blʌf] **I.** *vt* bluffen, täuschen; ◇ **to** ~ **one's way out of s.th.** sich aus etw herausstehlen **II.** *n* ↑ *trick* Bluff *m;* ◇ **he called his** ~ er ließ es darauf ankommen, er zwang ihn, Farbe zu bekennen

blunder ['blʌndə*] **I.** *n* grober Fehler, Schnitzer *m* **II.** *vi* Mist bauen; **blundering** *adj* (*making mistakes*) schusselig; ↑ *clumsy* tolpatschig

blunt [blʌnt] **I.** *adj* ▷*blade* stumpf; ▷*talk* direkt **II.** *vt* abstumpfen

bluntly ['blʌntlı] *adj* (*speech*) geradeheraus, unverblümt; **bluntness** *n* [1] (*of blade*) Stumpfheit *f* [2] ↑ *outspokenness* Unverblümtheit *f*

blur [blɜ:*] **I.** *n* Verschwommenheit *f* **II.** *vi* verschwimmen **III.** *vt* verschwommen machen

blurb [blɜ:b] *n* Waschzettel *m;* (*on book jacket*) Klappentext *m*

blurt out [blɜ:t] *vt* unbesonnen heraussagen

blush [blʌʃ] **I.** *vi* rot werden, erröten; ↑ *be ashamed* sich schämen **II.** *n* Erröten *s*

bluster ['blʌstə*] *vi* [1] ← *wind* toben [2] ← *person* schwadronieren; **blustery** *adj* ↑ *windy* stürmisch

BO *n abbr. of* **body odour**

boa *n* ↑ ~ *constrictor* Boa constrictor *f*

boar [bɔ:*] *n* (*uncastrated male pig*) Eber *m;* ↑ *wild pig* Keiler *m*

board [bɔ:d] **I.** *n* [1] (*of wood*) Brett *s* [2] ↑ *committee* Ausschuß *m;* (*of government*) Kammer *f;* (*of firm*) Aufsichtsrat *m,* Vorstand *m;* ◇ **everything went by the** ~ alles war hin; ◇ ~ **and lodging** Unterkunft und Verpflegung; ◇ **half** ~ Halbpension **II.** *vt* → *train* einsteigen in *akk;* → *ship, aeroplane* an Bord *gen* gehen; **board up** *vt* mit Brettern vernageln; **boarder** *n* [1] Pensionsgast *m* [2] SCHOOL Internatsschüler(in *f*) *m;* **boarding card** *n* Bordkarte *f,* Einstiegskarte *f;* **boarding-house** *n* Pension *f;* **boarding-school** *n* Internat *s;* **boardroom** *n* Sitzungssaal *s;* **boardwalk** *n AM* ↑ *promenade* Holzsteg *m*

boast [bəʊst] **I.** *vi* ↑ *show off* prahlen **II.** *vt* (*possess*) sich rühmen *gen* **III.** *n* [1] ↑ *showing off* Prahlerei *f* [2] (*possession*) Stolz *m;* **boastfulness** *n* Überheblichkeit *f*

boat [bəʊt] *n* Boot *s*

boater *n* [1] (*hat*) steifer Strohhut *m* [2] Kreissäge *f*

boating *n* (*leisure*) Bootfahren *s;* **boat race** *n* Regatta *f;* **boatswain** ['bəʊsn] *n s.* **bosun**; **boat-train** *n* Zug *m* mit Schiffsanschluß

bob [1] [bɒb] **I.** *vi* (*on water*) sich auf und ab bewegen **II.** *n* (*haircut*) Bubikopf *m*

Bob [2] *abbr. of* **Robert** ◇ ~**'s your uncle** fertig ist der Lack

bobbin ['bɒbın] *n* Spule *f*

bobble *n* Bommel *m*

bobsleigh ['bɒbsleı] *n* Bob *m*

bode [bəʊd] *vt* bedeuten; ◇ **it** ~**s well** die Zukunft sieht gut aus

bodice ['bɒdıs] *n* ↑ *corset* Mieder *s*

bodily ['bɒdılı] *adj, adv* [1] körperlich; ↑ *in person* leibhaftig [2] ↑ *forcibly* gewaltsam; ◇ ~ **harm** Körperverletzung *f*

body ['bɒdı] *n* [1] Körper *m;* ↑ *corpse* Leiche *f* [2] (*government* ~) Organ *s;* (*advisory* ~) Gremium *s;* (*of men*) Gruppe *f* [3] AUTO Karosserie *f* [4] (*of the argument*) Wesentliche *s;* (*of a material*) Substanz *f;* ◇ **the main** ~ **of the work** der Hauptanteil der Arbeit; **body blow** *n* Körperschlag *m;* **bodyguard** *n* Leibwache *f;* **bodywork** *n* AUTO Karosserie *f*

boffin [bɒfın] *n* Eierkopf *m*

bog [bɒg] **I.** *n* ↑ *moorland* Sumpf *m; FAM* ↑ *lavatory* Klo *s* **II. bog down** *vi:* ◇ **to get** ~**ged down** sich festfahren, steckenbleiben; ◇ ~**ed** ~ **in detail** sich verzettelt haben

bogey [bəʊgı] *n* [1] ↑ *goblin* Kobold *m;* (~ *man, benign*) Butzemann *m;* ↑ *malign* Poltergeist *m* [2] (*of nose*) Popel *m*

bogus ['bəʊgəs] *adj* unecht

Bohemia [bəʊ'hi:ıə] *n* Böhmen *s;* **Bohemian I.** *n* [1] Böhme *m,* Böhmin *f* [2] ◇ **b**~ Künstler(in *f*) *m* **II.** *adj* [1] ◇ **b**~ böhmisch [2] *FIG* ◇ **a b**~ **way of life** ein unkonventioneller Lebensstil

boil [bɔıl] **I.** *vt, vi* kochen; ◇ **it began to** ~ es fing an zu kochen **II.** *n* MED Geschwür *s;* **boil down** *vi FIG:* ◇ **what it all** ~**s** ~ **to ...** das läuft darauf hinaus, daß ...; **boil over** *vi* ← *soup* überkochen; **boiler** *n* Boiler *m;* **boiling point** *n* Siedepunkt *m*

boisterous ['bɔıstərəs] *adj* ▷*person* ausgelassen; ▷*party* wild

bold [bəʊld] *adj* [1] ↑ *fearless* unerschrocken [2] ↑ *impudent* unverfroren [3] (*of style*) kraftvoll; **boldly** *adv* keck

bollard ['bɒləd] *n* [1] NAUT Poller *m* [2] (*on road*) Pfosten *m*

bollocks ['bɒləks] *n npl* [1] *FAM!* ↑ *testicles* Eier *pl* [2] *FAM* ↑ *nonsense* Quatsch mit Soße

bolster ['bəʊlstə*] *n* Polster *s*

bolt [bəʊlt] **I.** *n* [1] Bolzen *m* [2] ↑ *lock* Riegel *m* [3] (*of lightning*) Blitzstrahl *m* **II.** *vt* [1] ↑ *lock* verriegeln [2] ↑ *swallow* verschlingen **III.** *vi* ← *horse* durchgehen; **bolthole** *n* Schlupfloch *s*

bomb [bɒm] **I.** *n* Bombe *f;* ◇ **it cost a ~** es hat ein Heidengeld gekostet **II.** *vt* bombardieren; **bombard** *vt* bombardieren; **bombardment** *n* Bombardierung *f,* Beschuß *m*
bombastic *adj* schwülstig, bombastisch
bomb disposal *n* Bombenräumung *f;* **bomber** *n* [1] ↑ *terrorist* Bombenattentäter(in *f*) *m* [2] (AVIAT *personnel*) Bombenschütze *m* [3] (*aircraft*) Bomber *m;* **bomb site** *n* zerbombtes Gelände *s*
bona fide ['bəʊnə'faɪdɪ] *adj* ▷*negociations* bona fide, ernsthaft
bond [bɒnd] **I.** *n* [1] ↑ *link* Verbindung *f* [2] FIN Schuldverschreibung *f* **II.** *vt* [1] → *people* binden; COMM unter Zollverschluß *m* nehmen [2] → *things* kleben; **bondage** *n* (*in cottonfields*) Sklaverei *f;* (*controlled condition*) Unterjochung *f;* **bonded** *adj* (*by customs*) unter Zollverschluß *m*
bone [bəʊn] **I.** *n* Knochen *m;* (*of fish*) Gräte *f;* (*piece of ~*) Knochensplitter *m;* ◇ **~ of contention** Zankapfel *m* **II.** *vt* → *fish* entgräten; **bone up** (**on**) *vt* pauken; **boned** *adj* ▷*meat* ohne Knochen; ▷*fish* entgrätet; **bone-dry** *adj* knochentrokken
bonfire ['bɒnfaɪə*] *n* Feuer *s* im Freien
bonhomie ['bɒnɔmɪ] *n* Jovialität *f*
bonkers ['bɒŋkɔz] *adj:* ◇ **she is ~** *FAM* sie hat nicht alle Tassen im Schrank
bonnet ['bɒnɪt] *n* Haube *f;* (*for baby*) Häubchen *s;* (*for car*) Motorhaube *f*
bonus ['bəʊnəs] *n* Bonus *m;* (*annual ~*) Prämie *f*
bony ['bəʊnɪ] *adj* knochig, knochendürr
boo [bu:] *vt* auspfeifen
booby *n* ↑ *fool* Trottel *m;* **booby trap** *n* Falle *f*
book [bʊk] **I.** *n* Buch *s;* ◇ **he did the work by the ~** er machte die Arbeit vorschriftsgemäß **II.** *vt* [1] → *ticket* vorbestellen [2] → *person* verwarnen **III. book in** *vi* (*at a hotel*) sich eintragen lassen; **bookable** *adj* im Vorverkauf erhältlich; **bookcase** *n* Bücherregal *s;* (*closing*) Bücherschrank *m;* **bookie** *n* ↑ *bookmaker* Buchmacher *m;* **booking** *n* (*of flight*) Buchung *f;* (*of table*) Reservierung *f;* ◇ **to make a ~** buchen; ◇ **to cancel a ~** (*table*) abbestellen; (*flight*) stornieren; **book jacket** *n* Schutzumschlag *m;* **book-keeping** *n* Buchhaltung *f;* **booking office** *n* RAIL Fahrkartenschalter *m;* THEAT Vorverkaufsstelle *f;* **bookmaker** *n* Buchmacher(in *f*) *m;* **book shelf** *n* Bücherbrett *s;* **bookshop** *n* Buchhandlung *f;* **bookstall** *n* Bücherstand *m;* **book token** *n* Büchergutschein *m*
boom [1] [bu:m] **I.** *n* (*noise*) Dröhnen *s* **II.** *vi* ← *voice* dröhnen; ← *guns* donnern
boom [2] *n* (*busy period*) Hochkonjunktur *f*
booming [1] *adj* ▷*sound* dröhnend; ▷*sea* brausend
booming [2] *adj* (*Geschäft*) florierend
boon [bu:n] *n* Segen *m*
boondocks *n* (*AM*) Wildnis *f*
boor [bʊər*] *n* Rüpel *m;* **boorish** ['bʊərɪʃ] *adj* grob
boost [bu:st] **I.** *n* Auftrieb *m* **II.** *vt* Auftrieb geben *dat;* **booster** *n* [1] (MED ~ *shot*) Wiederholungsimpfung *f* [2] (~ *rocket*) Trägerrakete *f*
boot [bu:t] **I.** *n* [1] (*feet*) Stiefel *m;* ◇ **she gave him the ~** sie schmiß ihn raus; ◇ **and his clothes to ~** und seine Kleider obendrein [2] AUTO Kofferraum *m* **II.** *vt* ↑ *kick* kräftig treten *dat;* PC starten, booten **III. boot out** *vt* rausschmeißen
booth [bu:θ] *n* (*telephone ~*) Telefonzelle *f;* (*polling ~*) Kabine *f*
bootlace *n* Schnürsenkel *m*
boot legger *n* Schwarzbrenner *m*
booty ['bu:tɪ] *n* Beute *f*
booze [bu:z] **I.** *n FAM* Alkohol *m* **II.** *vi* saufen; **boozer** *n* [1] (*FAM place*) Kneipe *f* [2] (*person*) Säufer(in *f*) *m*
bop [bɔp] *n* **I.** MUS Bebop *m;* (*dance*) Schwof *m;* **bop around** *vi* herumtanzen, schwofen
border ['bɔ:də*] **I.** *n* [1] (*of countries*) Grenze *f* [2] (*of things*) Kante *f* **II. border on** *vt* grenzen an *akk;* **border guard** *n* Grenzsoldat *m;* **border incident** *n* Grenzzwischenfall *m;* **bordering** *adj* angrenzend; **borderland** *n* Grenzgebiet *s;* **borderline** *n* Grenze *f*
bore [1] *pt of* bear
bore [2] [bɔ:*] **I.** *vt* ↑ *drill* bohren **II.** *n* [1] → *hole* Bohrloch *s* [2] (*of gun*) Kaliber *s*
bore [3] [bɔ:*] **I.** *vt* (*tedious lecture*) langweilen **II.** *n* (*repetitive person*) langweiliger Mensch *m;* (*repetitive subject*) langweilige Sache *f;* **bored** *adj* gelangweilt; **boredom** *n* Langeweile *f*
bore-hole *n* Bohrloch *s;* **borer** *n* TECHNOL Bohrer *m*
boring *adj* langweilig
born [bɔ:n] *adj:* ◇ **to be ~** geboren werden
born, **borne** [bɔ:n] *pp of* **bear**
borough ['bʌrə] *n* (*entity*) Stadtgemeinde *f;* (*area*) Stadtbezirk *m*
borrow ['bɒrəʊ] *vt* (sich) leihen, borgen; **borrower** *n* Entleiher(in *f*) *m;* (FIN *of loan*) Kreditnehmer(in *f*) *m*
borstal [bɔ:stəl] *n* Strafanstalt *f* für Jugendliche
bosom ['bʊzəm] *n* Busen *m*
boss [bɒs] *n* Chef(in *f*) *m;* **boss around** *vt* herumkommandieren; **bossy** ['bɒsɪ] *adj* herrisch

bosun ['bəʊsn] *n* Bootsmann *m*
botanical [bə'tænɪkəl] *adj* botanisch; ◇ **- gardens** botanischer Garten; **botany** ['bɒtənɪ] *n* Botanik *f*
botch [bɒʃ] **I.** *n* Murks *m;* ◇ **he made a - of the job** die Arbeit hat er verpfuscht **II.** *vt* → *work* verpfuschen, vermurksen; → *arrangements* vermasseln; **botch up** *vt* verpfuschen
both [bəʊθ] **I.** *adj* beide; ◇ **- (the) apples were rotten** beide Äpfel waren faul; ◇ **you can't have it - ways** du mußt dich für eine Sache entscheiden **II.** *pron* beide[s]; ◇ **- (of them) were rotten** [alle] beide waren faul **III.** *adv:* ◇ **- apples and pears rot** sowohl Äpfel als auch Birnen verfaulen; ◇ **- in word and deed** in Wort und Tat
bother ['bɒðə*] **I.** *vt* ↑ *burden* belästigen; ↑ *irritate* ärgern; ↑ *worry* beunruhigen; ◇ **don't - your head about it** zerbrech' dir nicht den Kopf darüber **II.** *vi* ↑ *make effort* sich bemühen; ◇ **he -ed about his grandparents** er kümmerte sich um seine Großeltern **III.** *n* Belästigung *f;* ◇ **he had some - with the children** er hatte etwas Ärger mit den Kindern **IV.** *intj FAM* Mist!, zum Kuckuck!
bothersome *adj* ⊳*work* lästig; ⊳*child* leidlich
bottle ['bɒtl] **I.** *n* Flasche *f;* ◇ **he's got -** *BRIT FAM* er ist kühn **II.** *vt* → *wine* abfüllen; ◇ **he -es up his feelings** er verdrängt seine Gefühle; **bottle bank** *n* Altglascontainer *m;* **bottle-fed** *adj:* ◇ **a - baby** ein Flaschenkind; **bottleneck** *n* [1] *(production)* Engpaß *m* [2] *(traffic)* Stau *m;* **bottle opener** *n* Flaschenöffner *m*
bottom ['bɒtəm] **I.** *n* [1] ↑ *top* Boden *m;* ◇ **the - fell out of the market** der Markt ist zusammengebrochen [2] *(of mountain)* Fuß *m* [3] *(of road)* Ende *s* [4] *of person, FAM* Po *m,* Hintern *m* **II.** <inv> *adj* unterste(r, s); ⊳*price* niedrigste(r, s); **bottom gear** *n* AUTO erster Gang *m;* **bottomless** <inv> *adj* bodenlos, grenzenlos; **bottom line** *n* [1] *(price)* niedrigstes Angebot *s* [2] *(argument)* A und O *s*
bouffant ['bu:ə:ŋ] *adj* ⊳*hair* aufgetürmt
bough [baʊ] *n* Ast *m*
bought [bɔ:t] *pt, pp of* **buy**
bouillon ['bu:jɔn] *n* Bouillon *f*
boulder ['bəʊldə*] *n* Felsbrocken *m*
bounce [baʊns] **I.** *vi* [1] ← *ball* springen; ← *child* hüpfen [2] ← *cheque* platzen **II.** *vt* aufprallen lassen; ◇ **he -d the ball against the tree** er warf den Ball gegen den Baum **III.** *n* ↑ *rebound* Aufprall *m*
bound [baʊnd] **I.** *n* [1] ↑ *jump* Sprung *m* [2] ↑ *boundary* Grenze *f;* ◇ **out of -** Zutritt verboten **II.** *vi* springen **III.** *adj* ← *person with duty* verpflichtet; ◇ **she is - for London** sie ist auf dem Weg nach London; ◇ **it's - to rain** es wird bestimmt regnen **IV.** *pt, pp of* **bind**
boundary ['baʊndərɪ] *n* *(land)* Grenze *f;* **boundary line** *n* Grenzlinie *f;* **boundless** *adj* grenzenlos
bountiful ['baʊntɪfʊl] *adj* ⊳*god* gütig; ⊳*harvest* reich; **bounty** *n* [1] Freigiebigkeit *f* [2] Kopfgeld *s;* ◇ **- hunter** Kopfgeldjäger *m*
bourbon ['bɜ:bən] *n* ↑ *whiskey* Bourbon *m*
bouquet [bʊ'keɪ] *n* [1] *(of flowers)* Strauß *m* [2] *(of perfume)* Blume *f*
bourgeois ['bʊəʒwɑ:] *adj* ↑ *small-minded* kleinbürgerlich, spießig; **bourgeoisie** ['bʊəʒwɑ:zi] *n* *(social class)* Bürgertum *s*
bout [baʊt] *n* [1] *(of fight)* Kampf *m* [2] *(of illness)* Anfall *m*
boutique [bu:tik] *n* Boutique *f*
bow [1] [bəʊ] *n* [1] *(of material)* Schleife *f* [2] *(- and arrow)* Bogen *m* [3] *(of violin)* Bogen, m
bow [2] [baʊ] **I.** *n* [1] *(of respect)* Verbeugung *f* [2] *(of ship)* Bug *m* **II.** *vi* *(to king)* sich verbeugen; *FIG* ↑ *defer to* sich beugen *(to* vor *dat)* **III.** *vt* → *head* senken
bowels ['baʊəlz] *n pl* Darm *m*
bowl [bəʊl] **I.** *n* [1] ↑ *basin* Schüssel *f* [2] *AM* ↑ *stadium* Stadion *s* **II.** *vt* *(skittles)* kegeln; *(cricket)* werfen (mit ausgestrecktem Arm)
bowl over *vt* umwerfen, umhauen; ◇ **to be -ed -** *(FAM by news)* umgehauen werden
bowler ['bəʊlə*] *n* [1] *(cricket)* Werfer *m* [2] ↑ *hat* Melone *f*
bow-legged ['bəʊlegɪd] *adj* o-beinig
bowling alley *n* Kegelbahn *f*
bowls [bəʊlz] *n sg (game)* Boccia-Spiel *s*
bow tie [bəʊ'taɪ] *n* Fliege *f*
bow-wow ['baʊwaʊ] *n* ↑ *dog* Wauwau *m*
box [bɒks] **I.** *n* [1] *(of matches)* Schachtel *f* [2] *(of tools)* Kasten *m* [3] *(of money)* Sparbüchse *f* [4] THEAT Loge *f* [5] *FAM* ↑ *television* Glotze *f* **II.** *vt* einpacken; ◇ **she -ed his ears** sie gab ihm eine Ohrfeige; **box in** *vt* SPORT in die Zange treiben; ◇ **he felt -ed in** er fühlte sich eingeengt; **box off** *vt* abteilen; **box camera** *n* Box *f*
Boxer ['bɒksə] *n* [1] *(sportsman)* Boxer *m* [2] *(dog)* Boxer *m;* **boxing** *n* SPORT Boxen *s;* **Boxing Day** *n* zweiter Weihnachtsfeiertag *m;* **boxing ring** *n* Boxring *m*
box number *n* *(post)* Chiffrenummer *f;* **box office** *n* [Theater]kasse *f;* ◇ **the singer is a - - attraction** der Sänger ist äußerst beliebt; **box room** *n* Abstellraum *m*
boxwood ['bɒkswʊd] *n* Buchsbaum *m*
boy [bɔɪ] *n* Junge *m; FAM* ◇ **the old - is in charge**

der Alte regiert; ◇ -s **will be** -s Jungen sind halt so

boycott ['bɔɪkɒt] **I.** *n* Boykott *m* **II.** *vt* boykottieren

boyfriend ['bɔɪfrend] *n* Freund *m;* **boyhood** ['bɔɪhʊd] *n* Kindheit *f;* **boyish** ['bɔɪɪʃ] <inv> *adj* knabenhaft; **boy scout** *n* Pfadfinder *m*

bra [brɑː] *n* BH, Büstenhalter *m*

brace [breɪs] **I.** *n* ① (*teeth*) Spange *f* ② (*machinery*) Stütze *f* ③ (*construction*) Strebe *f* ④ ↑ *vice* Klammer *f;* ◇ - **and bit** Handbohrer und Einsatz **II.** *vt* ↑ *support* stützen; ◇ **he is -d for action** er steht zum Einsatz bereit; **braces** ['breɪsɪz] *n pl* Hosenträger *pl*

bracelet ['breɪslɪt] *n* Armband *s*

bracing ['breɪsɪŋ] *adj* ▷*weather* erfrischend, anregend

bracken ['brækən] *n* Adlerfarn *s*

bracket ['brækɪt] **I.** *n* ① ↑ *angle* Winkelträger *m* ② (*punctuation*) Klammer *f* ③ ↑ *plumbing* Anschluß *m* ④ ↑ *group* Klasse *f* **II.** *vt* einklammern; *FIG* zusammenfassen

brackish *adj* ▷*water* brackig, salzig

brag [bræg] *vi* angeben; **braggart** ['brægət] *n* Angeber(in *f*) *m,* Prahler(in *f*) *m*

braid [breɪd] *n* ① ▷*hair* Flechte *f,* Zopf *m* ② (*decoration*) Borte *f*

Braille [breɪl] *n* Blindenschrift *f*

brain [breɪn] *n* ① ANAT Gehirn *s* ② ↑ *understanding* Verstand *m;* ◇ **he has got** -s er ist intelligent; ◇ **he's got girls on the** - er hat nur Mädchen im Kopf; **brainchild** ['breɪntʃaɪld] *n* Erfindung *f;* **brainless** *adj* blöd; **brainstorm** **I.** *n* (*BRIT*) verrückte Idee *f* **II.** *vt* (*AM*) Brainstorming machen (über); **brain teaser** *n* Denksportaufgabe *f;* **brain tumor** *n* Gehirntumor *m;* **brainwash** ['breɪnwɔʃ]*vt* einer Gehirnwäsche unterziehen;**brainwave** *n* Geistesblitz *m,* geistreicher Einfall *m;* **brainy** *adj* gescheit, geistreich

braise [breɪz] *vt* schmoren

brake [breɪk] **I.** *n* Bremse *f* **II.** *vt, vi* bremsen; **brake fluid** *n* Bremsflüssigkeit *f;* **brake lining** *n* Bremsbelag *m;* **brake shoe** *n* Bremsbakke *f*

bramble ['br æ mbl] *n* Brombeerstrauch *m*

bran [bræn] *n* Kleie *f*

branch [brɑːntʃ] **I.** *n* ① (*tree*) Ast *m* ② (*part of a subject*) Zweig *m* ③ (*business*) Niederlassung *f;* ◇ - **manager** Filialleiter *m* **II.** *vi* ← *path* sich verzweigen; **branch off** *vt* abzweigen; **branch out** *vi* ← *company* Geschäft erweitern, sich selbständig machen

brand [brænd] **I.** *n* ① COMM Marke *f,* Sorte *f* ② (*on animals*) Brandmal *s* **II.** *vt* ① brandmarken ② COMM mit seinem Warenzeichen versehen

brandish ['brændɪʃ] *vt* schwingen

brand name *n* (*of products*) Markenbezeichnung *f*

brand-new ['brænd'njuː] *adj* funkelnagelneu

brandy ['brændɪ] *n* Weinbrand *m,* Kognak *m*

brash [br æ ʃ] *adj* keck, dreist

brass [brɑːs] *n* Messing *s;* ◇ **let's get down to** - **tacks** laßt uns zur Sache kommen; *FAM* ◇ - **monkey weather** arschkalt; **brass band** *n* Blaskapelle *f*

brassière ['bræsɪə*] *n* Büstenhalter *m*

brat [bræt] *n* Fratz *m,* unartiges Kind *s*

bravado [brəɑdəʊ] *n* Wagemut *m* [*o.* vorgemachte Tapferkeit]

brave [breɪv] **I.** *adj* tapfer, mutig **II.** *n* indianischer Krieger **III.** *vt* standhalten; ◇ **she -d it out** sie hat sich trotz allem durchgesetzt; **bravely** *adv* tapfer; **bravery** ['breɪvərɪ] *n* Tapferkeit *f*

brawl [brɔːl] **I.** *n* Rauferei *f* **II.** *vi* Krawall/Randale machen, randalieren

brawn [brɔːn] *n* Muskelkraft *f,* Stärke *f;* **brawny** *adj* muskulös, stämmig

bray [breɪ] **I.** *n* (*of donkey*) [Esels-]Schrei *m* **II.** *vi* schreien; (*of person's laughter*) wiehern

brazen ['breɪzn] **I.** *adj* ↑ *shameless* unverschämt **II.** *vt* Messing polieren; ◇ **he -ed it out** er leugnete hartnäckig

Brazil [brə'zɪl] *n* Brasilien *s*

breach [briːtʃ] **I.** *n* ① (*of defences*) Durchbruch *m* ② (*of law*) Verstoß *m* (*of* gegen); ◇ **he negotiated in** - **of contract** er verhandelte vertragswidrig; ◇ **a** - **of the peace** öffentliche Ruhestörung *f;* ◇ - **of confidence** Vertrauensbruch *m* **II.** *vt* durchbrechen

bread [bred] *n* Brot *s;* ◇ **he was on** - **and water** er saß bei Trockenbrot und Wasser; ◇ **he knows which side his** - **is buttered on** er weiß, wo es was zu holen gibt; **breadcrumbs** *n pl* Brotkrümel *pl;* **breadknife** *n* Brotmesser *s;* **breadline** *n:* ◇ **the family was living on the** - die Familie hatte gerade noch genug zu essen;

breadwinner *n* Ernährer(in *f*) *m*

breadth [bredθ] *n* Breite *f;* **breadth-wise** *adv* in der Breite

break [breɪk] <broke, broken> **I.** *n* ① (*in bone*) Bruch *m* ② ↑ *gap* Lücke *f* ③ (*in continuity*) Unterbrechung *f;* ◇ - **in the weather** Witterungsumschwung *m* ④ ↑ *opportunity* Gelegenheit *f* ⑤ ↑ *rest* Pause *f* **II.** *vt* ① kaputtmachen ② ↑ *destroy* zerbrechen ③ → *promise* brechen, nicht einhalten ④ ← *weather* umschlagen; ◇ **to** - **a habit** sich etwas abgewöhnen **III.** *vi* ① ↑ *collapse* auseinanderbrechen; ◇ **his nerve broke** sein Mut verließ ihn [2] ← *day* anbrechen; **break down** *vi* [1] ← *car* eine Panne haben [2] ← *person* nervlich zusammenbrechen; **break in** *vt* ← *horse* zureiten; **break into** *vt* ← *burglar* einbrechen; **break up** *vi* [1] zusammenbrechen [2] SCHOOL in die Ferien gehen [3] ← *marriage* sich auflösen, in die Brüche gehen; **breakable** [brəɪkəbl] *adj* zerbrechlich; **breakage** [brəɪkɪdʒ] *n* Beschädigung *f;* **breakdown** *n* [1] (*car*) Panne *f* [2] (*of nerves*) Zusammenbruch *m;* **breaker** *n* (*sea*) Brecher *m;* **breakfast** ['brekfəst] *n* Frühstück *s;* **break neck** *adj:* ◇ **at - - speed** mit halsbrecherischer Geschwindigkeit *f;* **breakthrough** *n* Durchbruch *m;* **breakwater** *n* Wellenbrecher *m*

breast [brest] *n* Brust *f;* **breast-feed** <-fed, -fed> *vt* → *baby* stillen; **breast stroke** *n* Brustschwimmen *s*

breath [breθ] *n* Atem *m;* ◇ **the runner was out of -** der Läufer war außer Atem; ◇ **bad -** Mundgeruch *m;* **breathalyze** ['breθəlaɪz] *vt* ← *police* blasen lassen, einen Alkotest machen; **breathe** [bri:ð] **I.** *vi* atmen **II.** *vt* hauchen, flüstern; **breathe in** *vi* einatmen; **breathe out** *vi* ausatmen; **breather** [brɪθ] *n* kleine Pause *f;* **breathing** [brɪθŋ] *n* <sing> Atmung *f;* **breathless** ['breθlɪs] *adj* atemlos; **breathtaking** *adj* atemberaubend

breeches ['brɪʃɪz] *n pl* Kniehose *f*

breed [bri:d] <bred, bred> **I.** *vi* ↑ *multiply* sich vermehren, sich fortpflanzen **II.** *vt* → *horses* züchten, ziehen; ◇ **the boy was well-bred** er war ein wohlerzogener Junge **III.** *n* ↑ *race* Rasse *f;* → *animals* Zucht *f;* ◇ **they are a - apart** sie sind eine besondere Gattung; **breeding** ['bri:dɪŋ] *n* (*animals*) Züchtung *f;* ↑ *education* Bildung *f*

breeze [bri:z] *n* Brise *f;* ◇ **for you it's all a -** für dich ist alles spielend leicht; **breezy** [brɪ:zɪ] *adj* [1] ▷*weather* windig [2] ▷*behaviour* munter, flott

brevity ['brevɪtɪ] *n* Kürze *f*

brew [bru:] **I.** *vt* [1] → *beer* brauen [2] → *mischief* anzetteln **II.** *vi* ← *bad weather* heranziehen; **brewery** [' bruw] *n* Brauerei *f*

bribe ['braɪb] **I.** *n* Bestechungsgeld *s,* Bestechungsgeschenk *s;* ◇ **he took a -** er ließ sich bestechen **II.** *vt* bestechen; **bribery** ['braɪbərɪ] *n* Bestechung *f*

brick [brɪk] *n* Ziegelstein *m* [*o.* Backstein]; ◇ **he came down on him like a ton of -s** er hat ihn fix und fertig gemacht; **bricklayer** *n* Maurer(in *f*) *m;* **brickwork** *n* Mauerwerk *s*

bridal ['braɪdl] *adj* Braut-; ▷*feast* Hochzeits-; **bride** [braɪd] *n* Braut *f;* **bridegroom** *n* Bräutigam *m;* **bridesmaid** *n* Brautjungfer *f*

bridge [1] [brɪdʒ] **I.** *n* [1] (*across river*) Brücke *f* [2] NAUT Kommandobrücke *f* [3] (*of nose*) Sattel *m* **II.** *vt* → *river* eine Brücke schlagen über *akk; FIG* überbrücken

bridge [2] *n* CARDS Bridge *s;* **bridging loan** *n* Überbrückungskredit *m*

bridle ['braɪdl] **I.** *n* Zaum *m* **II.** *vt* → *horse* aufzäumen; ◇ **he -ed his tongue** er hielt seine Zunge im Zaum; **bridlepath** *n* Reitweg *m*

brief [bri:f] **I.** *adj* kurz; ◇ **in -** kurz gefaßt **II.** *n* [1] ▷*instructions* Auftrag *m* [2] JUR Akten *pl* **III.** *vt* beauftragen, instruieren

briefcase *n* Aktentasche *f;* **briefing** *n* Anweisungen *f pl;* (*session*) Einsatzbesprechung *f;* **briefly** *adv* kurz; **briefs** *n pl* Slip *m*

brigadier [brɪgə'dɪə*] *n* Brigadegeneral *m*

bright [braɪt] *adj* [1] ▷*light* hell; ▷*colour* leuchtend; ▷*sun* strahlend; ▷*weather* heiter [2] ↑ *cheerful* heiter, fröhlich [3] ↑ *intelligent* klug [4] ◇ **we got up - and early** wir standen in aller Frühe auf; **brighten up I.** *vt* [1] (*light*) aufhellen [2] → *person* aufheitern; → *discussion* beleben **II.** *vi* [1] ← *person* fröhlicher werden [2] ← *weather* sich aufklären; ◇ **things are -ing up** die Lage verbessert sich; **brightly** *adv* hell, heiter

brilliance ['brɪljəns] *n* [1] ↑ *shine* Glanz *m;* (*of light*) Klarheit *f;* (*of diamonds*) Brillianz *f* [2] (*of person*) Scharfsinn *m,* Brillianz *f;* **brilliant** ['brɪljənt] *adj* glänzend; (*- child*) sehr begabt

brim [brɪm] *n* (*of hat, of glass*) Rand *m;* **brim over** *vt* → *edge of container* überfließen (*with* vor *dat*); **brimful** *adj* übervoll

brine [braɪn] *n* Salzwasser *s*

bring [brɪŋ] <brought, brought> *vt* bringen; **bring about** *vt* [1] zustande bringen [2] ↑ *cause* verursachen; **bring off** *vt* [1] ↑ *take away* davontragen [2] (*realize plans*) zustande bringen; **bring round** *vt* [1] ↑ *take to* vorbeibringen [2] ↑ *change mind* herumkriegen [3] ↑ *make conscious* zu Bewußtsein bringen; **bring to** *vt* wieder zu sich bringen; **bring up** *vt* [1] aufziehen [2] → *question* zur Sprache bringen

brink [brɪŋk] *n* [1] ↑ *edge* Rand *m* [2] (*FIG point of transformation*) Umwandlungspunkt *m,* Wendepunkt *m;* **brinkmanship** *n FAM* das Spiel mit dem Feuer

briny [braɪnɪ] **I.** *adj* ↑ *very salty* salzig, salzhaltig **II.** *FAM* ▷*sea* ◇ **the - deep** See *f*

brisk [brɪsk] *adj* ↑ *quick and active* lebhaft

brisket [brɪskɪt] *n* (*beef from the breast*) Bruststück *s,* Brustfleisch *s*

bristle ['brɪsl] **I.** *n* Borste *f* **II.** *vi* [1] ← *hair or fur*

B

sich sträuben [2] zornig werden; *(with fear or anger)* schnauben *(with* vor)
Britain ['brɪtn] *n* Großbritannien *s;* **British** ['brɪtɪʃ] **I.** *adj* britisch **II.** *n:* ◇ **the ~** *pl* die Briten *pl;* ◇ **the ~ Isles** *pl* die Britischen Inseln *pl;* **Britisher** *n (AM) see* **Briton**; **Briton** ['brɪtn] *n* Brite *m,* Britin *f*
brittle ['brɪtl] *adj* spröde
broach [brəʊtʃ] *vt* → *subject* anschneiden
broad [brɔːd] *adj* [1] ▷*object* breit [2] ↑ *obvious* deutlich [3] ↑ *widely applicable* allgemein [4] ▷*accent* stark
broad bean *n* Saubohne, dicke Bohne *f*
broadcast ['brɔːdkɑːst] **I.** *n* Rundfunkübertragung *f* **II.** *irr vt* [1] *(over airwaves)* übertragen, senden [2] *(throw over a wide area)* → *seeds* zerstreuen; → *news* verbreiten; **broadcasting** *n* Rundfunk *m*
broaden ['brɔːdn] **I.** *vt* erweitern; ◇ **to ~ one's mind/horizons** seinen Horizont erweitern **II.** *vi* sich erweitern
broadly *adv:* ◇ **~ speaking** im großen und ganzen, allgemein gesagt
broad-minded *adj* ↑ *having a liberal mind* tolerant
broadside *n* [1] *(from ship)* Breitseite *f* [2] ↑ *strong criticism* Attacke *f* [3] *(sheet of printed paper)* Flugblatt *s*
brocade [brəʊ'keɪd] *n* Brokat *m*
broccoli ['brɒkəlɪ] *n* Brokkoli *m*
brochure ['brəʊʃʊə*] *n* Broschüre *f*
brogue [brəʊg] *n* [1] *altmodischer Schuh mit schwarzdurchlöchertem Muster m* [2] *(Irish dialectal pronounciation)* irischer Akzent
broil [brɔɪl] *vt, vi* grillen
broke [brəʊk] **I.** *adj FAM* pleite **II.** *pt of* **break**
broken *pp of* **break**; **broken-down** *adj* ▷*car* zusammengebrochen, kaputt; **broken-hearted** *adj* untröstlich
broker ['brəʊkə*] *n* Makler(in *f*) *m*
brolly ['brɒlɪ] *n FAM* Regenschirm *m*
bronchitis [brɒŋ'kaɪtɪs] *n* Bronchitis *f*
bronze [brɒnz] *n* Bronze *f;* **Bronze Age** *n* Bronzezeit *f*
brooch [brəʊtʃ] *n* Brosche *f*
brood [bruːd] **I.** *n* → *family of chicks* Brut *f* **II.** *vi* [1] ← *hen on eggs* brüten [2] ↑ *think* brüten; ◇ **he is ~ing about the past** er grübelt über seine Vergangenheit nach; **broody** ['bruːdɪ] *adj* ▷*hen* brütend
brook [brʊk] *n* Bach *m*
broom [bruːm] *n* Besen *m;* **broomstick** *n* Besenstiel *m*
Bros. [brɒs] *abbr. of* **Brothers** Gebr.
broth [brɒθ] *n* ↑ *clear soup* Fleischbrühe *f,* klare Suppe *f;* ↑ *thick soup* Suppe *f*
brothel ['brɒθl] *n* Bordell *s;* **brothel keeper** *n (owner)* Bordellbesitzer(in *f*) *m*
brother ['brʌðə*] *n* [1] *(with same parents)* Bruder *m* [2] *(of religious brotherhood)* Bruder *m* [3] *(in company)* Kollege *m;* ◇ **~s in arms** Waffenbrüder; **brotherhood** *n* Bruderschaft *f;* **brother-in-law** *n* <brothers-in-law> Schwager *m;* **brotherly** ['brʌðəlɪ] *adj* brüderlich; **Brothers** *n pl* COMM Gebrüder *pl*
brought [brɔːt] *pt, pp of* **bring**
brow [braʊ] *n* [1] ↑ *eyebrow* Braue *f* [2] ↑ *forehead* Stirn *f* [3] *(of hill)* Bergkuppe *f;* **browbeat** ['braʊbiːt] *irr vt* ↑ *force obedience* einschüchtern
brown [braʊn] **I.** *adj* braun **II.** *vt* bräunen; **brown off** *vi:* ◇ **he is ~ed ~ with the work** er hat die Arbeit satt; **brown ale** *n (dark strong beer)* Altbier *s,* Alt *s;* **brown bread** *n* ↑ *wholemeal bread* Vollkornbrot *s; (bread not white)* Schwarzbrot *s;* **brownie** ['braʊnɪ] *n* [1] ↑ *junior girl guide* Wichtel *m* [2] ↑ *biscuit* Schokoladenplätzchen *s;* **browning** *n* [1] *(meat)* Anbraten *s* [2] ↑ *gravy* Soßenpulver *f;* **brown paper** *n* Packpapier *s;* **brown rice** *n* ungeschälter Reis
browse [braʊz] *vi* [1] *(in book)* blättern; *(in shop)* schmökern [2] ← *cattle* weiden
bruise [bruːz] **I.** *n (on human)* blauer Fleck, Prellung *f; (on fruit)* Druckstelle *f; (FIG to ego)* Verletzung *f* **II.** *vt* → *human* blau schlagen; → *fruit* beschädigen; *FIG* → *ego, pride* verletzen
brunch ['brʌntʃ] *n (breakfast and lunch in one)* Brunch *m*
brunette [brʊ'net] *n* Brünette *f*
brunt [brʌnt] *n* volle Wucht
brush [brʌʃ] **I.** *n* [1] Bürste *f; (for sweeping)* Handbesen *m; (for painting)* Pinsel *m* [2] ↑ *quarrel* kurze Auseinandersetzung; ◇ **they had a ~ with the law** sie hatten etwas Ärger mit der Polizei **II.** *vt* [1] ↑ *clean* bürsten [2] ↑ *sweep* fegen [3] ↑ *touch* streifen; **brush against** *vi* streifen; **brush aside** *vt* abtun; **brush up** *vt* → *dust* aufkehren; ◇ **he ~ed ~ (on) his French** er besserte sein Französisch auf; **brush off** *n:* ◇ **she gave him the ~ ~** *FAM* sie erteilte ihm eine Abfuhr; **brushwood** *n* Gestrüpp *s*
brusque [brʊsk] *adj (quick and impolite)* schroff
brussels sprouts [brʌsl'spraʊts] *n pl* Rosenkohl *m*
brutal ['bruːtl] *adj (rough and cruel)* brutal; **brutality** [brʊ'tælɪtɪ] *n* Brutalität *f;* **brutalize** ['bruːtəlaɪz] *vt* brutalisieren

brute [bru:t] **I.** *n* (*animal*) Tier *s;* (*person*) Scheusal *s* **II.** *adj* ▷*force* roh

B.Sc. *abbr. of see* **bachelor**

bubble ['bʌbl] **I.** *n* [Luft]blase, [Gas]blase, [Seifen]blase *f;* ◇ **the children are blowing ~s** die Kinder machen Seifenblasen **II.** *vi* ← *lava* Blasen bilden, blubben; ← *kettle* sprudeln; *FIG* ◇ **he is bubbling over with joy** er sprudelt über vor Freude

bubble and squeak *n* <uncount> GASTRON *zusammen gebratene Reste*

bubble bath *n* Schaumbad *s;* **bubble gum** *n* Kaugummi *m;* **bubbly** ['bʌblı] **I.** *n FAM* ↑ *champagne* Schampus *m* **II.** *adj* ↑ *full of bubbles* sprudelnd; ↑ *full of life* temperamentvoll

buck [bʌk] **I.** *n* ① ↑ *male deer* Bock *m* ② *money, AM* Dollar *m;* ◇ **he passed the ~** er gab den schwarzen Peter weiter **II.** *vt* ← *horse* bocken; **buck up** *vi* ① (*get yourself together*) sich zusammenreißen ② ↑ *cheer up* aufkleben

bucket ['bʌkıt] *n* Eimer *m*

buckle ['bʌkl] **I.** *n* ↑ *metal fastener* Schnalle *f* **II.** *vt* ↑ *fasten* zusammenschnallen **III.** *vi* ↑ *bend* sich verziehen **IV. buckle up** *vi* ↑ *fasten safety belts* sich anschnallen; **buckle down** *vi* ↑ *to work* sich dranmachen

buckwheat *n* Buchweizen *m*

bud [bʌd] **I.** *n* Knospe *f* **II.** *vi* knospen, keimen

Buddhism ['bʊdızəm] *n* Buddhismus *m;* **Buddhist I.** *n* Buddhist(in *f*) *m* **II.** *adj* buddhistisch

budding ['bʌdıŋ] ◇ **~ genius** angehendes Genie

buddy ['bʌdı] *n FAM* Kumpel *m*

budge [bʌdʒ] *vt* ↑ *move very little* rühren; ◇ **~ up** mach Platz

budgerigar ['bʌdʒərıgɑ:*] *n* (*bird*) Wellensittich *m*

budget ['bʌdʒıt] **I.** *n* POL Haushaltsplan *m* **II.** *vi* haushalten

budgie ['bʌdʒı] *n s.* **budgerigar**

buff [bʌf] **I.** *adj* (*colour*) gelbbraun **II.** *n* (*of movie*) Fan *m*

buffalo ['bʌfələʊ] *n* <-es> Büffel *m*

buffer ['bʌfə*] *n* ① PC Puffer *m* ② (*railway*) Prellblock *m;* **buffer state** *n* POL Pufferstaat *m*

buffet [1] ['bʌfıt] *n* Büfett *s;* ↑ *food bar* Stehimbiß *m;* (*train*) Speisewagen *m;* ↑ *party food* [kaltes] Büffet *s*

buffet [2] ['bʌfıt] **I.** *vt* [herum]stoßen **II.** *n* ↑ *blow* Schlag *m*

buffoon [bə'fu:n] *n* ① ↑ *clown* Clown *m; PEJ* Kasper *m* ② ↑ *fool* Blödmann *m*

bug [bʌg] **I.** *n* ① (*insect*) Käfer *m* ② (*listen*) Wanze *f* ③ ↑ *germ* Bazillus *f;* ◇ **there is a ~ going about** es geht ein Virus um; ◇ **there is a ~ in the program** es gibt einen Fehler im Programm **II.** *vt* ① ↑ *listen* abhören ② ↑ *annoy* nerven; **bugbear** ['bʌgbεə*] *n* Schreckgespenst *s*

bugger ['bʌgə] **I.** *n* (*FAM! person*) Arschloch *m,* Scheißkerl *m;* (*thing*) Scheißding *s; FAM* ◇ **to play silly ~s** Scheiß machen **II.** *vt FAM!* scheißen auf *akk;* **bugger about** *vi FAM!* blöd rummachen; **bugger off** *vi FAM!* abhauen; **bugger up** *vt BRIT FAM* versauen

buggy ['bʌgı] *n* ① (*baby ~*) leichter Kinderwagen *m* ② (*horse*) leichter Einspanner *m*

bugle ['bju:gl] *n* Jagdhorn *s*

build [bıld] <built, built> **I.** *vt* bauen **II.** *n* Körperbau *m;* **build in** *vt* → *cupboard* einbauen; **build up** *vt* ① ↑ *increase* stärken ② → *area* bebauen; **builder** ['bıldə*] *n* Bauunternehmer(in *f*) *m;* **building** *n* Gebäude *s,* Objekt *s;* **building contractor** *n* Bauunternehmer(in *f*) *m;* **building society** *n* (*BRIT*) Bausparkasse *f;* **building trade** *n* Baugewerbe *s;* **build-up** *n* ① ↑ *component structure* Aufbau *m* ② ↑ *publicity* Werbung *f;* **built** [bılt] **I.** *adj:* ◇ **well-~** ▷*person* gut gebaut **II.** *pt, pp of* **build**; **built-in** *adj* ▷*cupboard* eingebaut; **built-up area** *n* Wohngebiet *s*

bulb [bʌlb] *n* ① (*flower*) Zwiebel *f* ② ELECTR Glühlampe *f* ③ (*machinery*) Kolben *m;* **bulbous** ['bʌlbəs] *adj* knollig

bulge [bʌldʒ] **I.** *n* ① (*numbers*) Zunahme *f* ② (*surface*) Wölbung *f* **II.** *vi* uneben sein; ← *sail* sich ausbauchen

bulk [bʌlk] *n* ① ↑ *size* Ausmaß *s* ② ↑ *greater part* Großteil *m* ③ ◇ **in bulk** COMM en gros; **bulk buying** ['bʌlkbaııŋ] *n* Mengenkauf *m;* **bulkhead** *n* Schott *s;* **bulky** *adj* ▷*system* umständlich; ▷*goods* sperrig

bull [bʊl] **I.** *n* ① (*animal*) Stier, Bulle *m;* ◇ **like a ~ in a china shop** wie ein Elefant im Porzellanladen ② ▷*papal* Bulle *f* **II.** *vt* → *stock* hochtreiben; **bulldog** ['bʊldɒg] *n* Bulldogge *f;* **bulldoze** ['bʊldəʊz] *vt* ① ↑ *flatten* planieren ② ↑ *get through* durchboxen; **bulldozer** *n* Planierraupe *f,* Bulldozer *m*

bullet ['bʊlıt] *n* Kugel *f*

bulletin ['bʊlıtın] *n* Bulletin *s,* Bekanntmachung *f*

bulletproof ['bʊlıtpru:f] *adj* kugelsicher

bullfight ['bʊlfaıt] *n* Stierkampf *m;* **bullfighter** *n* Stierkämpfer *m*

bullion ['bʊlıən] *n* <no pl> Barren *m*

bull market *n* (*stock market*) hochgetriebene Kurse *pl; s.* **bear market**

bullock ['bʊlək] *n* Ochse *m*

bullring ['bʊlrɪŋ] *n* Stierkampfarena *f;* **bull's eye** *n* ① (*of target*) Scheibenzentrum *s* ② ▷*hit* Schuß *m* ins Schwarze; **bullshit** *n* (*cattle*) Kuhmist *m; FAM!* ↑ *complete nonsense* Scheiße, Mist

bully ['bʊlɪ] **I.** *n* Tyrann *m;* (*school*) Rabauke *m* **II.** *vt* schikanieren, einschüchtern

bum [1] [bʌm] *n FAM* ↑ *backside* Hintern *m*

bum [2] *n* ① ↑ *tramp* Penner *m,* Rumtreiber *m* ② (*nasty person*) Saukerl *m;* **bum around** *vi* herumtreiben, herumgammeln

bumble-bee ['bʌmblbi:] *n* Hummel *f*

bumf [bʌmf] *n FAM* Papierkram *m*

bummer ['bʌmmə] *n:* ◇ **what a ~** das ist zum Heulen

bump [bʌmp] **I.** *n* ① (*sound, jolt*) Bums *m;* (*car, person*) Stoß *m* ② ↑ *dent, swelling* Beule *f* **II.** *vt* stoßen, prallen; **bump about** *vi* herumpoltern; **bump up** *vt* → *prices* erhöhen; → *salary* aufbessern; **bumper** ['bʌmpə] **I.** *n* AUTO Stoßstange *f* **II.** *adj* ▷*harvest* Rekord-; **bumper edition** *n* (*book*) Sonderausgabe *f;* **bumper sticker** *n* Autoaufkleber *m*

bumph *s.* **bumf**

bumpkin ['bʌmpkɪn] *n* (*country ~*) Bauerntölpel *m*

bumpy ['bʌmpɪ] *adj* holprig

bun [bʌn] *n* süßes Brötchen *s;* ◇ **she's got a ~ in the oven** bei ihr ist was Kleines unterwegs

bunch [bʌntʃ] **I.** *n* ① (*of flowers*) Strauß *m;* (*of keys*) Bund *m* ② (*of people*) Haufen *m;* **bunch together** *vt* → *ideas* zusammenfassen; (*at random*) zusammenwürfeln

bundle ['bʌndl] **I.** *n* Bündel *s* **II.** *vt* bündeln; **bundle off** *vt* fortschicken; **bundle up** *vt* ↑ *collect in haste* zusammenraffen

bung [bʌŋ] **I.** *n* Spund *m* **II.** *vt FAM* ↑ *throw* schmeißen

bungalow ['bʌŋgələʊ] *n* Bungalow *s*

bungle ['bʌŋgl] *vt* verpfuschen

bunion ['bʌnjən] *n* (*foot*) Ballen *m*

bunk [1] [bʌŋk] *n* Schlafkoje *f*

bunk [2] *n FAM:* ◇ **to do a ~** türmen

bunk bed *n* Etagenbett *s,* Stockbett *s*

bunker ['bʌŋkə*] *n* ① MIL Bunker *m* ② (SPORT *golf*) Sandloch *s*

bunny ['bʌnɪ] *n FAM* Häschen *s*

Bunsen burner ['bʌnsn'bɜ:nə*] *n* Bunsenbrenner *m*

buoy [bɔɪ] **I.** *n* Boje *f;* ↑ *lifebuoy* Rettungsboje *f* **II.** *vt* → *lake* mit Bojen markieren; **buoy up** *vt* Auftrieb geben *dat*

buoyancy ['bɔɪənsɪ] *n* ① Schwimmfähigkeit *f* ② ↑ *resilience* Erholungskraft *f* ③ (*of markets*) Festigkeit *f;* **buoyant** *adj* ① ▷*object* schwimmend ② ▷*water* tragend ③ *mood* heiter

bur [bɜ:], **burr** *n* Klette *f*

burden ['bɜ:dn] **I.** *n* ① (*song*) Refrain *m,* Last *f* ② (*argument*) Grundgedanke *m* **II.** *vt* belasten; **burdensome** *adj* lästig, mühsam

bureau ['bjuːrəʊ] *n* ① ↑ *desk* Sekretär *m* ② ↑ *office* Büro *s;* **bureaucracy** [bjʊ'rɒkrəsɪ] *n* Bürokratie *f;* **bureaucrat** ['bjuːrəkræt] *n* Bürokrat(in *f*) *m;* **bureaucratic** [bjuːrə'krætɪk] *adj* bürokratisch

burgeon ['bɜdʒən] *vi* sprießen

burglar ['bɜ:glə*] *n* Einbrecher(in *f*) *m;* **burglar alarm** *n* Alarmanlage *f;* **burglary** *n* Einbruch *m;* (*offence*) Einbruchsdiebstahl *m;* **burgle** ['bɜ:gl] *vt* einbrechen in *akk*

Burgundy ['bɜ:gəndɪ] *n* ① GEO Burgund *s* ② ▷*wine* Burgunder *m*

burial ['berɪəl] *n* Beerdigung, Bestattung, Beisetzung *f;* ▷*ceremony* Begräbnis *s;* ◇ **~ at sea** Seebestattung *f,* Seemannsbegräbnis *s;* **burial ground** *n* Friedhof *m,* Begräbnisstätte *f*

burlesque [bɜ'lesk] *n* **I.** ▷*theatre* Burleske *f;* ↑ *parody* Parodie *f* **II.** *adj* parodistisch, burlesk

burly ['bɜ:lɪ] *adj* stämmig

burn [bɜ:n] <burnt *o.* burned, burnt *o.* burned> **I.** *vt* ① → *wood* verbrennen; → *village* niederbrennen; ◇ **to ~ one's fingers** sich *dat* die Finger verbrennen ② → *food* anbrennen **II.** *vi* ← *acid* ätzen; ← *fire* brennen **III.** *n* Brandstelle *f;* (*of skin*) Brandwunde *f;* (*of material*) Brandfleck *m*

burnish ['bɜ:nɪʃ] *vt* polieren

burnt [bɜ:nt] **I.** *pt, pp of* **burn burnt II.** *n* REL ↑ *offering n* Brandopfer *s;* **burnt-out** *adj* ▷*person* völlig kaputt, ausgebrannt

burp [bɜ:p] *vi* rülpsen; ← *baby* aufstoßen

burr [bɜ:] *n* (*metal*) rauhe Kante *f; s. a.* **bur**

burrow ['bʌrəʊ] **I.** *n* (*of fox*) Bau *m;* (*of rabbit*) Höhle *f* **II.** *vt* → *hole* buddeln, graben

bursar ['bɜ:sə*] *n* Kassenverwalter, Schatzmeister(in *f*) *m;* (*of university*) Kanzler(in *f*) *m;* **bursary** *n* ↑ *grant* Stipendium *s*

burst [bɜ:st] <burst, burst> **I.** *vt* zerbrechen **II.** *vi* platzen, bersten (*with* vor); ◇ **to ~ into tears** in Tränen ausbrechen **III.** *n* ① Platzen *s* ② ↑ *outbreak* Ausbruch *m;* (*of speed*) Spurt *m* ③ (*in pipe*) Bruch *m,* Bruchstelle *f*

bury ['berɪ] *vt* vergraben; (*in grave*) beerdigen; ◇ **to ~ the hatchet** das Kriegsbeil begraben

bus [bʌs] **I.** *n* [Omni-]Bus *m;* ◇ **to go by ~** mit dem Bus fahren **II.** *vt* mit dem Bus befördern; **bus conductor** *n* Busschaffner *m;* **bus conductress** *n* Busschaffnerin *f;* **bus driver** *n* Busfahrer(in *f*) *m*

bush [bʊʃ] *n* ① ↑ *shrub* Busch *m;* (*bigger*) Gebüsch *s* ② (*machinery*) Büchse *f*
bushel ['bʊʃl] *n* Scheffel *m*
bushy ['bʊʃɪ] *adj* buschig
busily ['bɪzɪlɪ] *adv* geschäftig, eifrig
business ['bɪznɪs] *n* ① ↑ *commercial activity* Geschäft *s;* ◇ **to do ~** Geschäfte machen ② ↑ *matter, subject* Angelegenheit *f,* Sache *f;* ◇ **to get down to ~** zur Sache kommen; ◇ **mind your own ~** das geht dich nichts an; ◇ **to mean ~** es ernst meinen; ◇ **he has no ~ being here** er hat kein Recht, hier zu sein; **business card** *n* Visitenkarte *f;* **business expenses** *n pl* Spesen *pl;* **business hours** *n* Geschäftszeiten *f pl;* **businesslike** *adj* ① ↑ *efficient* sachlich, nüchtern ② ↑ *commercially competent* geschäftstüchtig; **businessman** *n* Geschäftsmann *m;* **business studies** *n* <pl> Wirtschaftslehre *f;* **business trip** *n* Geschäftsreise *f;* **business woman** *n* Geschäftsfrau *f*
busker ['bʌskə*] *n* Straßenmusikant(in *f*) *m*
bus-stop ['bʌsstɒp] *n* Bushaltestelle *f*
bust [1] [bʌst] *n* Büste *f*
bust [2] **I.** *adj* ① ↑ *broken* kaputt ② (*business*) pleite; ◇ **to go ~** pleite machen **II.** *vt* ① → *vase* kaputtmachen ② → *drug dealer* hochgehen lassen; **bust up** *vt* → *gathering* auffliegen lassen
bustle ['bʌsl] **I.** *n* Getriebe *s* **II.** *vi* hasten; **bustling** *adj* ⊳*man* geschäftig; ⊳*place* belebt, lebendig
bust-up ['bʌstʌp] *n FAM* Krach *m*
busy ['bɪzɪ] **I.** *adj* ① ⊳*person* beschäftigt ② ⊳*place* belebt; ⊳*pattern* unruhig ③ ⊳*telephone line* besetzt **II.** *vr:* ◇ **~ o.s.** sich beschäftigen; **busybody** *n* Übereifrige(r) *fm;* ◇ **to be a ~** sich überall einmischen
but [bʌt, bət] *cj* ① aber ② ↑ *only* nur ③ ↑ *except* außer; ◇ **not A ~ B** nicht A, sondern B; ◇ **anything ~ that** nur das nicht
butane ['bju:teɪn] *n* Butan *s*
butch [bʊtʃ] *adj FAM* maskulin
butcher ['bʊtʃə*] **I.** *n* Metzger(in *f*) *m,* Schlächter(in *f*) *m* **II.** *vt* ① → *animals* schlachten; → *people* abschlachten ② → *language* herausschneiden, abschneiden; **butcher's** *n* ⊳*shop* Metzgerei *f;* **butchery** *n* ↑ *slaughter* Gemetzel *s*
butler ['bʌtlə*] *n* Butler *m*
butt [1] [bʌt] *n* ↑ *cask* großes Faß
butt [2] *n* ① ↑ *thick end* dickes Ende ② (*of gun*) Kolben *m*
butt [3] *n* (*FAM of cigarette*) Kippe *f*
butt [4] *n* (*of joke*) Zielscheibe *f*
butt [5] *vt* mit dem Kopf stoßen; **butt in** *vi* (*conversation*) unterbrechen; (*affair*) sich einmischen
butter ['bʌtə*] **I.** *n* Butter *f* **II.** *vt* buttern; **butter up** *vt* schöntun *dat;* **butter bean** *n* Mondbohne *f;* **buttercup** *n* Butterblume *f;* **butter dish** *n* Butterdose *f;* **butter-fingers** *n* <sing> *FAM* Schussel *m;* **butterfly** *n* ① (*insect*) Schmetterling *m* ② (*swimming*) Butterfly *m;* **butter mountain** *n* Butterberg *m*
buttocks ['bʌtəks] *n pl* Gesäß *s*
button ['bʌtn] **I.** *n* Knopf *m;* ↑ *badge* Button *m;* ◇ **he arrived right on the ~** er kam auf die Sekunde pünktlich **II.** *vt* zuknöpfen; **button up** *vt* zuknöpfen; *FAM* ↑ *shut up, FAM* ◇ **button up!** halt' die Schnauze!; **buttonhole I.** *n* ① ↑ *hole* Knopfloch *s* ② (*flower*) Blume *f* im Knopfloch **II.** *vt* rankriegen; **button mushroom** *n* junger Champignon *m*
buttress ['bʌtrɪs] *n* Strebepfeiler *m,* Stützbogen *m*
buxom ['bʌksəm] *adj* drall
buy [baɪ] <bought, bought> *vt* ① → *bread* kaufen ② → *excuse* akzeptieren, abnehmen; **buy up** *vt* aufkaufen; **buyer** *n* Käufer(in *f*) *m;* **buyer's market** *n* Käufermarkt *m*
buzz [bʌz] **I.** *n* ① (*of mosquito*) Summen *s;* (*of bumble-bee*) Brummen *s;* (*of conversation*) Sprachengewirr *s* ② ◇ **give him a ~** ruf ihn an **II.** *vi* summen, brummen; ← *ears* surren; ◇ **the party is ~ing** die Party geht ab; ◇ **buzz off!** Zisch ab!
buzzard ['bʌzəd] *n* Bussard *m*
buzzer ['bʌzə*] *n* Summer *m*
buzz-word ['bʌzwɜ:d] *n* Insiderfloskel *f*
by [baɪ] *prep* ① (*place*) bei; ↑ *close* an, nahebei; ↑ *next to* neben ② (*time*) bei; ↑ *during* während; (*not later than*) bis zu; ◇ **~ day/night** tags/nachts ③ (*direction, via*) über ④ (*creative agency*) von; (*method, means*) durch, per; ↑ *according to* nach, gemäß; ◇ **~ train/bus** mit dem Zug/Bus; ◇ **done ~ s.b./s.th.** von jd-m/durch etw gemacht; ◇ **~ o.s.** allein ⑤ (*measurement*) carpet, mal; ◇ **~ and large** im großen und ganzen; ◇ **by the dozen/pound** dutzend-/pfundweise
bye [baɪ] *intj* tschüß; **bye-bye** *n* Wiedersehen *s;* **by(e)-election** *n* Nachwahl *f;* **bygone** *adj* vergangen; ◇ **let ~s be ~s** die Vergangenheit ruhen lassen; **by(e)-law** *n* Verordnung *f;* **bypass I.** *n* Umgehungsstraße *f* **II.** *vt* → *problems* umgehen; **by-product** *n* Nebenprodukt *s;* **byroad** *n* Nebenstraße *f;* **bystander** *n* Zuschauer(in *f*) *m*
byte [baɪt] *n* (PC *eight bits*) Byte *s*
byword ['baɪwɜ:d] *n* Inbegriff *m*
Byzantine [bɪ'zæntaɪn] *adj* byzantinisch;
Byzantium [bɪ'zæntɪəm] *n* Byzanz *s*

C

C, c [siː] *n* C *s*, c *s*

cab [kæb] *n* 1 (*with horse*) Droschke *f*; (*with engine*) Taxi *s*; ◇ **to hail a ~** ein Taxi rufen; ◇ **mini~** Minicar, Minitaxi 2 (*of truck*) Führerhaus *s*

cabaret [ˈkæbəreɪ] *n* Kabarett *s*; **cabaret artist** Kabarettist(in *f*) *m*

cabbage [ˈkæbɪdʒ] *n* Kohlkopf, Krautkopf *m*; **cabbage lettuce** *n* Kopfsalat *m*

cabby [ˈcæbɪ] *n FAM* Taxifahrer(-in *f*) *m*

cabin [ˈkæbɪn] *n* 1 (*wooden hut*) Hütte *f* 2 NAUT Kajüte *f*, Kabine *f* 3 (AERO *for passengers*) Kabine *f*; (*for pilot*) Cockpit *s*; **cabin boy** Schiffsjunge *m*; **cabin class** *n* (*transport*) zweite Klasse *f*; **cabin cruiser** *n* Kabinenkreuzer *m*

cabinet [ˈkæbɪnɪt] *n* 1 (*kitchen ~, medicine ~*) Schrank *m*; (*display ~*) Vitrine *f*; (*loudspeaker ~*) Gehäuse *s* 2 POL Kabinett *s*; **cabinetmaker** *n* Möbeltischler, Schreiner(in *f*) *m*

cabinet minister *n* POL [Staats-]Minister(-in *f*) *m*; **cabinet meeting** *n* POL Kabinettssitzung *f*; **cabinet reshuffle** *n* POL Kabinettsumbildung *f*

cable [ˈkeɪbl] **I.** *n* 1 Seil *s*; (*of steel*) Drahtseil *s*; NAUT Tau *s*, Trosse *f* 2 ELECTR [Leitungs-]Kabel *s* 3 (*telegram*) Telegramm *s* **II.** *vt* telegrafieren; **cable car** *n* (*system as a whole*) Seilbahn *f*; (*carriage*) Gondel *f*; **cable television** *n* Kabelfernsehen *s*; **cabling** [ˈkeɪblɪŋ] *n* Verkabelung *f*

caboodle [kəˈbuːdl] ◇ **the whole kit and ~** das ganze Zeug

cab rank *n* Taxistand *m*

cabriolet [ˌkæbrɪəʊˈleɪ] *n* AUTO Kabriolett, Cabriolet *s*

cabstand *n* Taxistand *m*

cache [kæʃ] **I.** *n* 1 (*of food, of guns*) geheimer Vorrat *s* 2 (*hiding place*) Versteck *s* 3 (*secure place*) sicherer Ort *m*; PC Cache *s* **II.** ↑ *hide, store* verstecken

cachet [kæʃeɪ] *n* (*mark, seal*) Qualitätszeichen *s*

cack-handed *adj* tolpatschig

cackle [ˈkækl] **I.** *n* 1 (*of hens*) Gegacker, Gakkern *s* 2 (*of person*) Gegacker *s*; ◇ **cut the ~!** Ruhe bitte!, Schluß mit dem Gerede! **II.** *vi* gakkern

cacophonous [kæˈkɒfənəs] *adj* (*noise*) mißtönend, schlecht klingend

cactus [ˈkæktəs] *n* <cacti, cactuses> Kaktus *m*

cadaver [kəˈdeɪvə*] *n* MED Leichnam *m*

caddie [ˈkædɪ] *n* Golfjunge *m*

caddy *n* Teebüchse *f*

cadence [ˈkeɪdəns] *n* (*voice*) Tonfall *m*; MUS Kadenz *f*

cadet [kəˈdet] *n* Kadett *m*

cadge [kædʒ] *vt* (*money, cigarettes*) schnorren, abstauben (*from, off* bei, von)

cadmium [ˈkædmɪəm] *n* CHEM Kadmium *s*

cadre [ˈkæːdə] *n* MIL Kader *m*

Caesarean [siːˈzɛərɪən] *adj* MED: ◇ **~ section** Kaiserschnitt *m*

caesium [ˈsiːzjəm] *n* Cäsium *s*

café [ˈkæfɪ] *n* Café *s*; *BRIT Restaurant ohne Alkoholausschank*; **cafeteria** [kæfɪˈtɪərɪə] *n* Cafeteria *f*; (*at university*) Mensa *f*

caffeine [ˈkæfiːn] *n* Koffein *s*

cage [keɪdʒ] **I.** *n* 1 (*of lion*) Käfig *m*; (*of canary*) [Vogel-]Käfig, [Vogel-]Bauer *m* 2 (*of miners*) Förderkorb *m* **II.** *vt* ↑ *lock in* einsperren

cagey [ˈkeɪdʒɪ] *adj* ▷*person* zurückhaltend, vorsichtig; ◇ **to be ~ about s.th.** ein großes Geheimnis aus etw machen

cahoots [kəˈhuːts] *n*: ◇ **to be in ~ with s.b.** mit jd-m unter e-r Decke stecken

cairn [kɛən] *n* (*mark*) Steinhaufen *m*; (*memorial*) Gedenkstätte *f*

cajole [kəˈdʒəʊl] *vt* (*person*) beschwatzen, schönreden; ◇ **to ~ s.o. out of doing s.th.** jd-m etw ausreden; ◇ **to ~ s.o. into doing s.th.** jd-m einreden etw zu tun

cake [keɪk] **I.** *n* 1 (*shortbread*) Gebäck *m*; (*regular ~*) Kuchen *m*; (*gateau*) Torte *f*; ◇ **you can't have your ~ and eat it** entweder oder! 2 (*of soap*) Stück *s* 3 ◇ **to be a piece of ~** kinderleicht sein **II.** *vt* ↑ *coat thoroughly* einhüllen, dick einschmieren; **caked** *adj* verkrustet; ◇ **the boots are ~ed with mud** die Stiefel sind völlig schlammverschmiert; **cake mix** *n* Backmischung *f*; **cake shop** *n* Konditorei *f*; **cake tin** *n* (*for baking*) Kuchenblech *n*; (*box*) Gebäckdose *f*

calamine [ˈkæləmaɪn] *n* Galmei *m*

calamitous [kəˈlæmɪtəs] *adj* ▷*event* katastrophal, verheerend; **calamity** [kəˈlæmɪtɪ] *n* (*tragedy*) Unglück *s*, Tragödie *f*

calcium [ˈkælsɪəm] *n* Kalzium *s*; **calcify** [ˈkælsɪfaɪ] *vi* verkalken

calculable [ˈkælkjʊləbl] *adj* 1 ↑ *quantifiable* berechenbar 2 (*dependable*) verläßlich; **calculate** [ˈkælkjʊleɪt] **I.** *vt* 1 MATH berechnen 2 (*prices*) kalkulieren 3 (*chances*) abwägen **II.** **calculate on** *vt* 1 (*arrival time*) rechnen (mit); ◇ **he ~d on finishing** er rechnete damit, fertig zu werden ② ↑ *rely on* sich verlassen (auf *acc*); **calculated** *adj* ▷*move* wohlüberlegt; ▷*risk* kalkuliert; **calculating** *adj* ① (*thoughtful*) umsichtig ② (*scheming*) berechnend, listig; **calculation** [kælkjʊ'leɪʃən] *n* ① (MATH *mental effort*) Berechnung *f;* (*whole process*) Rechnung *f* ② (*judgement*) Schätzung *f;* **calculator** ['kælkjʊleɪtə*] *n* (*machine*) Rechenmaschine *f;* ◇ **pocket** ~ Taschenrechner *m*

calculus ['kælkjʊləs] *n* MATH Infinitesimalrechnung *f*

calendar ['kælɪndə*] *n* (*of year*) Kalender *m*

calf [kɑːf] *n* <calves> ① (*young cow/elephant*) Kalb *s* ② ANAT Wade *f;* **calfskin** *n* (*leather*) Kalbsleder *s*

caliber *s.* **calibre**

calibrate ['kælɪbreɪt] TECH kalibrieren, eichen; **calibrated** *adj* ① ↑ *adjusted precisely* geeicht, kalibriert ② (*bearing marks for measurement*) mit Gradeinteilung, graduiert

calibre ['kælɪbə*], **caliber** (*AM*) *n* ① (*of gun*) Kaliber *s* ② (*FIG quality of person*) Kaliber, Format *s*

calico ['kælɪkəʊ] *n* (*material*) Kattun *m*

caliper *s.* **calliper**

call [kɔːl] **I.** *n* ① (*of bird, of person*) Ruf *m* ② ◇ **to pay s.b. a** ~ jd-n [kurz] besuchen ③ AERO Aufruf *m* ④ (*reason*) Grund *m;* ◇ **there is no** ~ **for anxiety** es gibt keinen Grund zur Unruhe ⑤ TELEC Anruf *m;* ◇ **the doctor is on** ~ der Arzt hat Notdienst **II.** *vt* ① (*summon*) [herbei-]rufen ② TELEC anrufen ③ (*name*) nennen, bezeichnen; ◇ **he is ~ed Peter** er heißt Werner; ◇ **a girl ~ed Jennifer** ein Mädchen namens Jennifer ④ COMM POL → *meeting* einberufen; **call for** *vt* (*ask for*) erfordern; **call in** *vt* → *doctor* rufen, bestellen; **call off** *vt* ① → *appointment* absagen ② → *dog* zurückrufen; **call on** *vt* → *friends* besuchen; **call out** *vt* → *departure time* aufrufen; **call up** *vt* ① MIL einberufen ② ↑ *phone* anrufen; **call box** *n* ↑ *telephone box* Telefonzelle *f;* **call girl** *n* Callgirl *s;* **calling** *n* ↑ *vocation* Berufung *f;* **calling card** *n* ↑ *visiting card* Visitenkarte *f*

calliper ['kælɪpə*], **caliper brake** (**US**) *n* Felgenbremse *f;* **callipers**, **calipers** (**US**) *n npl* (*measuring device*) Greifzirkel *m*

callous ['kæləs] *adj* ↑ *cruel* herzlos

callus ['kæləs] *n* MED Schwiele *f*

call-up *n* MIL Einberufung *f*

calm [kɑːm] **I.** *n* ① (*peace and quiet*) Ruhe, Stille *f* ② NAUT Flaute *f;* (*absence of wind*) Windstille *f* ③ (*of personality*) Gelassenheit *f* **II.** *adj* ① (*weather*) windstill, ruhig ② (*person*) gelassen, ruhig **III.** *vt* → *situation, person* beruhigen **IV.** **calm (o.s.) down** *vr* sich beruhigen; **calming** [kɑːmɪŋ] *n* (*of nerves*) Beruhigung *f;* **calmly** *adv* ruhig; **calmness** *n* ① Stille *f,* Ruhe *f* ② (*of attitude*) Gelassenheit *f*

Calor gas® ['kæ lə gæs] *n* Butangas *s*

calorie ['kælərɪ] *n* (*energy value*) Kalorie *f*

calumny [kælə'mnɪ] *n* (*slander*) Verleumdung *f*

calves *pl* **calf**

camber ['kæmbə*] *n* ① (*of road*) Wölbung *f* ② (*of wheel*) Radsturz *m*

came [keɪm] *pt of* **come**

camel ['kæməl] *n* Kamel *s*

cameo ['kæmɪəʊ] *n* <-s> ↑ *brooch* Kamee *f*

camera ['kæmərə] *n* ① Fotoapparat *m,* Kamera *f;* (*film* ~) [Film-]Kamera, f ② JUR ◇ **in** ~ unter Ausschluß der Öffentlichkeit; **camerawork** *n* Kameraführung *f;* **cameraman** *n* <-men> Kameramann *m*

camomile ['kæməmaɪl] *n* Kamille *f;* ◇ ~ **tea** Kamillentee *m*

camouflage ['kæməflɑːʒ] **I.** *n* MIL Tarnung *f* **II.** *vt* ① → *tank* tarnen ② → *truth* verschleiern; **camouflage paint** *n* Tarnfarbe *f*

camp [kæmp] **I.** *n* ① (*on trek*) Lager *s* ② (*tourist* ~) Zeltplatz, Campingplatz *m* ③ MIL [Feld-]Lager *s;* ↑ *barracks* Kaserne *f* **II.** *vi* (*tourists*) zelten; ◇ **to go ~ing** zelten **III.** *adj* ① ▷*dress* aufgetakelt ② ↑ *effeminate, FAM* tuntenhaft **VI.** **camp up** *vt FAM* aufmotzen; ◇ **to** ~ **it up** sich tuntenhaft benehmen

campaign [kæm'peɪn] **I.** *n* ① MIL Feldzug *m* ② ◇ **advertising** ~ Werbekampagne *f* ③ ◇ **election** ~ Wahlkampf *m* **II.** *vi* ① MIL Krieg führen ② (*advertise*) werben ③ POL e-n Wahlkampf führen ④ ◇ **to** ~ **for s.th.** sich für etw einsetzen; **campaigner** *n* ① ↑ *supporter* Befürworter(in *f*) *m* ② POL Wahlwerber(-in *f*) *m* ③ MIL Krieger(-in *f*) *m*

campbed ['kæmpbed] *n* Campingbett *s;* **camper** ['kæmpə*] *n* ① (*tourist*) Camper(in *f*) *m* ② AUTO Campingbus *m,* Wohnmobil *s*

camphor ['kæmfə*] *n* Kampfer *m*

campsite ['kæmpsaɪt] *n* Campingplatz *m*

campus ['kæmpəs] *n* (*of university*) Universitätsgelände *s,* Campus *m*

camshaft ['kæmʒɑːft] *n* TECH Nockenwelle *f*

can [kæn] <could, been able, negative: cannot (can't), could not (couldn't), not been able> **I.** (*modal auxiliary*) ① ↑ *be able* können; ◇ **I can't dance** ich kann nicht tanzen; ◇ ~ **you do it now?** kannst du das jetzt tun? ② können; ◇ **you can't say that!** das kannst du nicht sagen! ③ (*be allowed*) dürfen; ◇ **you can't play here** hier darfst du nicht spielen **II.** *n* 1 (*tin*) Büchse *f*, Dose *f* 2 (*for water*) (Gieß-)Kanne *f* 3 (*FAM prison*) Knast *m* **III.** *vt* 1 → *food* in Dosen einmachen 2 in Dosen abfüllen

Canada ['kænədə] *n* Kanada *s;* **Canadian** [kə'neɪdjən] **I.** *adj* kanadisch **II.** *n* Kanadier(in *f*) *m*

canal [kə'næl] *n* 1 (*waterway, irrigation* ~) Kanal *m* 2 ANAT Kanal, Gang *m*

canary [kə'nɛərɪ] *n* ZOOL Kanarienvogel *m*

Canary Isles *n* Kanarische Inseln *pl*

cancel ['kænsəl] *vt* 1 ↑ *delete* durchstreichen; PC ↑ *interrupt* abbrechen 2 → *plans* aufgeben; → *appointment* absagen 3 COMM → *debt* streichen; JUR → *statute* aufheben; **cancellation** [kænsə'leɪʃən] *n* 1 (*of regulations*) Aufhebung *f* 2 (*of appointment*) Absage *f;* (*of flight*) Streichung *f*

cancer ['kænsə*] *n* 1 MED Krebs *m* 2 ◇ C- ASTROL Krebs *m*

candelabra [,kændɪ'lɑːbrə] *n* (*lamp*) Leuchter, Kandelaber *m*

candid ['kændɪd, -lɪ] *adj* ↑ *open, frank* offen, ehrlich

candidacy ['kændɪdəsɪ] *n* POL Kandidatur *f;* **candidate** ['kændɪdeɪt] *n* 1 (*for employment*) Bewerber(in *f*) *m* 2 (*for election, exam*) Kandidat(in *f*) *m*

candied ['kændɪd] *adj* (*food*) kandiert, gezukkert; ◇ ~ **orange peel** Orangeat *s;* ◇ **apple** Liebesapfel *m*

candle ['kændl] *n* Kerze *f;* **candlelight** *n* Kerzenlicht *s;* ◇ **by** ~ bei Kerzenschein; **candlestick** *n* Kerzenhalter *m*

candour ['kændə*] *n* ↑ *frankness* Offenheit *f*

candy ['kændɪ] *n* 1 Kandis[zucker] *m;* ◇ ~-**coated** mit Zuckerguß 2 *AM* Bonbon *s*, Süßigkeiten *f pl;* **candy-floss** *n* Zuckerwatte *f*

cane [keɪn] **I.** *n* 1 BIO Rohr *s;* ◇ ~ **sugar** Rohrzucker *s* 2 (*for walking*) Stock *m* **II.** *vt* (mit dem Stock) schlagen

canine ['keɪnaɪn] *n* **I.** (*dog*) Hund *m* **II.** *adj* Hunde-, Hunds-

canine tooth *n* ANAT Eckzahn *m*

canister ['kænɪstə*] *n* Behälter *m*

canker ['kænkə*] *n* 1 MED Lippengeschwür *s* 2 *FIG* ◇ **the** ~ **of fascism** das Krebsgeschwür des Faschismus

cannabis ['kænəbɪs] *n* BIO 1 Cannabis *s*, Hanfpflanze *f* 2 Marihuana *s*

canned [kænd] *adj* 1 (*fruit*) Dosen-, eingemacht 2 (*FAM drunk*) blau

cannibal ['kænɪbəl] *n* 1 (*human*) Menschenfresser(in *f*) *m*, Kannibale *m* 2 (*animal*) Kannibale *m*

cannon ['kænən] *n* 1 MIL Kanone *f* 2 (SPORT *billiards*) Karambolage *f*

cannot ['kænɒt] = **can + not**

canny ['kænɪ] *adj* 1 (*clever*) gerissen 2 (*cautious*) vorsichtig

canoe [kə'nuː] *n* Kanu *s;* **canoeing** *n* Kanufahren *s;* **canoeist** *n* Kanufahrer(in *f*) *m*

canon ['kæ nən] *n* 1 (*of behaviour*) Moralkodex *m* 2 (*of literature*) Gesamtwerk *s* 3 REL Kanoniker *m;* **canon law** *n* REL kanonisches Recht *s;* **canonize** ['kænənaɪz] *vt* → *martyr* heiligsprechen

canoodle [kə'nuːdl] *vi* ← *lovers* schmusen, knuddeln

can opener ['kænəʊpnə*] *n* Dosenöffner *m*

canopy ['kænəpɪ] *n* 1 (*awning*) Markise *f* 2 (*over entrance*) Vordach *s*, Pergola *f* 3 (*of throne*) Baldachin *m*

can't [kɑːnt] = **can + not**

cant *n* 1 (*hypocrisy*) Heuchelei *f* 2 ↑ *jargon* Jargon *m;* (*of thieves also*) Rotwelsch *s*

cantankerous [kæn'tæŋkərəs] *adj* ▷ *old man* zänkisch, mürrisch

canteen [kæn'tiːn] *n* (*in factory*) Kantine *f*

canter ['kæntə*] **I.** *n* (*of horse*) Kanter *m*, Handgalopp *m* **II.** *vi* ← *horse* langsam galoppieren

cantilever ['kæntɪliːvə*] *n* TECH Träger *m*, Ausleger *m*

canvas ['kænvəs] *n* 1 (*surface for painting*) Leinwand *f* 2 ↑ *painting* Gemälde *f* 3 (*sail, tent*) Segeltuch *s*

canvass ['kænvəs] *vt* 1 POL → *electors* Wähler gewinnen, auf Stimmenfang gehen (*for* für) 2 ↑ *investigate* Meinungsforschung betreiben; **canvasser** *n* 1 POL Wahlwerber(in *f*) *m* 2 (*of information*) Meinungsforscher *m*

canyon ['kænjən] *n* GEO Felsenschlucht *f*

cap [kæp] **I.** *n* 1 (*for head*) Kappe *f*, Mütze *f* 2 (*for petrol tank*) Verschluß *m;* (*for bottle*) Deckel *m* 3 (*of mushroom*) Hut *m* **II.** *vt* 1 → *bottle* verschließen 2 ↑ *surpass* übertreffen

cap *abbr. of* **capital letter** ◇ **in** ~**s** in Großbuchstaben

capability [keɪpə'bɪlɪtɪ] *n* Fähigkeit *f;* **capable** ['keɪpəbl] *adj* 1 fähig; ◇ **he was** ~ **of doing it** er war fähig [o. imstande], es zu tun 2 kompetent

capacious *adj* geräumig; **capacity** [kə'pæsɪtɪ] *n* 1 (*volume*) Fassungsvermögen *s*, (Raum-)Inhalt *m* 2 ↑ *ability* Fähigkeit *f*, Vermögen *s* 3 ◇ **in my** ~ **as President** in meiner Eigenschaft als Präsident

cape [keɪp] *n* 1 (*clothing*) Umhang *m*, Cape *s* 2 GEO Kap *s;* **caper** ['keɪpə*] **I.** *n* 1 (*in cooking*) Kaper *f* 2 (*as joke*) Kapriole *f* **II.** *vi* ← *students* (herum)tollen

capital ['kæpɪtl] *n* [1] COMM Kapital *s* [2] (~ *letter*) Großbuchstabe *m* [3] ◇ ~ **city** Hauptstadt *f;* **capital gains** *n* (*profit*) Kapitalgewinn *m;* **capitalism** ['kæpɪtəlɪsm] *n* Kapitalismus *m;* **capitalist I.** *adj* kapitalistisch **II.** *n* Kapitalist(in *f*) *m;* **capital punishment** *n* Todesstrafe *f*
capitulate [kə'pɪtjʊleɪt] *vi* kapitulieren; **capitulation** [kəpɪtjʊ'leɪʃən] *n* Kapitulation *f*
capon ['keɪpən] *n* Kapaun *m*
capricious [kə'prɪʃəs] *adj* launisch, kapriziös
Capricorn ['kæprɪkɔ:n] *n* ASTROL Steinbock *m*
capsize [kæp'saɪz] **I.** *vi* ← *boat* kentern **II.** *vt* → *boat* zum Kentern bringen
capstan ['kæpstən] *n* Ankerwinde *f,* Poller *m*
capsule ['kæpsju:l] *n* [1] MED Kapsel *f* [2] (*space* ~) Weltraumkapsel *f*
captain ['kæptɪn] **I.** *n* NAUT Kapitän *m;* SPORT Mannschaftskapitän *m;* MIL Hauptmann *m* **II.** *vt* → *team* anführen; → *ship* befehligen, Kapitän sein *gen*
caption ['kæpʃən] *n* [1] (*over article*) Überschrift *f* [2] (*under picture*) Unterschrift *f,* Bildkommentar *m* [3] (*subtitles of film*) Untertitel *m;* **captivate** ['kæptɪveɪt] *vt* faszinieren
captive ['kæptɪv] *n* Gefangene(r) *fm;* **captivity** [kæp'tɪvɪtɪ] *n* Gefangenschaft *f;* **capture** ['kæptʃə*] **I.** *vt* [1] → *town* erobern, besetzen; → *person* gefangennehmen; → *prize* gewinnen [2] → *mood, in work of art* einfangen [3] PC erfassen **II.** *n* [1] (*act of seizing*) Gefangennahme *f* [2] PC Erfassung *f*
car [kɑ:*] *n* [1] Auto *s,* Wagen *m* [2] (*of train*) ◇ **dining** ~ Speisewagen *m;* ◇ **sleeping** ~ Schlafwagen *m*
caramel ['kærəməl] *n* [1] (*burnt sugar*) Karamel *s* [2] (*candy*) Karamelbonbon *s,* Karamelle *f*
carat ['kærət] *n* Karat *s*
caravan ['kærəvæn] *n* [1] AUTO Wohnwagen *m* [2] (*in desert*) Karawane *f*
caraway seed ['kærəweɪ] *n* Kümmel *m*
carbohydrate [kɑ:bəʊ'haɪdreɪt] *n* Kohle[n]hydrat *s*
carbon ['kɑ:bən] *n* [1] Kohlenstoff *m* [2] (~ *paper*) Kohlepapier *s;* **carbon copy** *n* Durchschlag *m;* **carbon dioxide** *n* Kohlendioxid *s;* (*FAM mineral water*) Kohlensäure *f;* **carbon monoxide** *n* Kohlenmonoxid *s*
carbuncle ['kɑ:bʌŋkl] *n* MED Karbunkel *m*
carburettor ['kɑ:bjʊretə*] *n* AUTO/TECH Vergaser *m*
carcass ['kɑ:kəs] *n* (*of animal*) Kadaver *m*
carcinogenic [kɑ:sɪnə'dʒenɪk] *adj* MED krebserzeugend, karzinogen; **carcinoma** [kɑ:sɪ'nəʊmə] *n* MED Karzinom *s,* Krebsgeschwulst *f*

card [kɑ:d] **I.** *n* [1] (*post* ~) Karte *f* [2] (*stiff paper*) Karton *m* [3] (*playing* ~) Spielkarte *f;* ◇ **to have a** ~ **up your sleeve** noch e-n Trumpf in Reserve haben; ◇ **on the** ~**s** zu erwarten **II.** *vt* → *wool* kämmen, krempeln; **cardboard** *n* (*material*) Pappe *f;* ◇ ~ **box** Pappschachtel *f,* Karton *m;* **card game** *n* Kartenspiel *s*
cardiac ['kɑ:dɪæk] *adj* Herz-
cardigan ['kɑ:dɪgən] *n* Strickjacke *f*
cardinal ['kɑ:dɪnl] **I.** *adj* [1] ▷*issue, reason* Haupt-, hauptsächlich; ◇ ~ **sin** Todsünde *f* [2] MATH ◇ ~ **number** Grundzahl, Kardinalzahl *f* **II.** *n* REL Kardinal *m*
card index *n* (*in office*) Kartei *f;* (*in library*) Katalog *m*
care [kɛə*] **I.** *n* [1] ↑ *worry* Sorge *f;* ◇ **not a** ~ **in the world** völlig sorglos, ohne jede Sorge [2] (*effort*) Mühe *f,* Sorgfalt *f;* ◇ **driving without due** ~ **and attention** fahrlässiges Verhalten im Straßenverkehr; ◇ **Handle with** ~ Vorsicht, zerbrechlich! [3] (*official responsiblity*) Obhut *m,* Fürsorge *f;* ◇ **she has been awarded the** ~ **of the children** die Kinder wurden ihr zugesprochen; ◇ **children in care** Pflegekinder [4] (*maintenance*) Pflege *f;* ◇ **take care (of yourself)!** paß auf dich auf!, tschüß! **II.** *vi* ↑ *bother* sich kümmern (*about* um); ◇ **I don't** ~ es ist mir egal; ◇ **he** ~**s about it** es ist ihm wichtig, es bedeutet ihm etw; **care for** *vt* [1] ↑ *look after, provide for* sorgen (für) [2] (*look after, keep an eye on*) achten (auf *acc*), sich kümmern um *acc* [3] (*like, love*) mögen, lieben; ◇ **a caring mother** eine liebevolle Mutter
career [kə'rɪə*] **I.** *n* [1] (*profession*) Beruf *m* [2] (*work history*) Laufbahn *f,* Werdegang *m* [3] ▷*successful* Karriere *f;* ◇ **she made a** ~ **for herself** sie machte Karriere **II.** *vi* ← *car* rasen
carefree ['kɛəfri:] *adj* ▷*person* unbekümmert; ▷*feeling* heiter; **careful** ['kɛəfʊl] *adj* vorsichtig, sorgfältig; ◇ **be** ~! paß auf!, gib acht!; **carefully** *adv* vorsichtig, sorgfältig; **careless** *adj* ↑ *reckless* rücksichtslos; ▷*work* nachlässig, unsorgfältig; ▷*words* gedankenlos
caress [kə'res] **I.** *n* (*gentle* ~) Zärtlichkeit *f;* (*of lovers*) Liebkosung *f* **II.** *vt* streicheln
caretaker ['kɛəteɪkə*] *n* (*of school*) Hausmeister(in *f*) *m*
car-ferry ['kɑ:ferɪ] *n* Autofähre *f*
cargo ['kɑ:gəʊ] *n* <-[e]s> Fracht *f*
caricature ['kærɪkətjʊə*] **I.** *n* Karikatur *f* **II.** *vt* karikieren
car insurance ['kɑ:ɪnʃʊərəns] *n* Kraftfahrzeugversicherung, Autoversicherung *f*
carnage ['kɑ:nɪdʒ] *n* <UNCOUNT> Blutbad *s*

carnal ['kɑ:nl] *adj* → *desires* sinnlich, fleischlich
carnation [kɑ:'neɪʃən] *n* BIO Nelke *f*
carnival ['kɑ:nɪvəl] *n* Karneval *m*, Fasching *m*
carnivore ['cɑ:nɪvɔ:*] *n* Raubtier *s*; **carnivorous** [cɑ:'nɪvərəs] *adj* fleischfressend
carol ['kærl] *n* (*Christmas* ~) Weihnachtslied *s*
carp [kɑ:p] **I.** *n* (*fish*) Karpfen *m* **II.** *vi* herumnörgeln (*about* an *dat*)
car park ['kɑ:pɑ:k] *n* Parkplatz *m*; (*multi-storey* ~) Parkhaus *s*
carpenter ['kɑ:pəntə*] *n* Zimmermann *m*; (*fine* ~) Tischler *m*; **carpentry** ['kɑ:pəntrɪ] *n* Zimmerhandwerk *s*; (*joinery*) Bautischlerei *f*
carpet ['kɑ:pɪt] **I.** *n* Teppich *m* **II.** *vt* [1] ▷*floor* mit e-m Teppich auslegen [2] *FAM* ↑ *scold* zur Minna machen
carping ['kɑ:pɪŋ] *adj*: ◇ ~ **criticism** kleinliche Kritik *f*
carriage ['kærɪdʒ] *n* [1] (*horsedrawn* ~) Kutsche *f*; (*of train*) Wagen *m* [2] (*of person (deportment)*) Haltung *f* [3] (*dispatch*) Beförderung *f*; ◇ ~ **paid** Gebühr bezahlt; **carriage return** *n* (*of typewriter*) Wagenrücklauf *m*; **carriageway** *n* Fahrbahn *f*; ◇ **dual** ~ zweispurige Fahrbahn *f*
carrier ['kærɪə*] *n* [1] (*load bearer*) Träger(in *f*) *m*; COMM Spediteur(in *f*) *m* [2] (*of disease*) Überträger *m*; **carrier bag** *n* (*for groceries*) Tragetasche *f*; **carrier pigeon** *n* Brieftaube *f*
carrion ['kærɪən] *n* Aas *s*
carrot ['kærət] *n* [1] (*vegetable*) Möhre *f*, Mohrrübe *f*, Karotte *f* [2] (*FIG bait, inducement*) Köder *m*; ◇ ~ **and the stick** Zuckerbrot und Peitsche
carry ['kærɪ] **I.** *vt* [1] → *load* tragen; ◇ **to ~ the day** erfolgreich sein [2] (*transportation*) befördern [3] TECH → *roof* stützen [5] (COMM *goods, stock*) führen; **carry on** *vt* weitermachen; **carry out** *vt* (*orders*) ausführen; **carry over** *vt* (COMM *accounts*) vortragen
carrycot ['kærɪkɒt] *n* Babytragetasche *f*
cart [kɑ:t] **I.** *n* [1] (*fourwheeled* ~) Wagen *m*, Karren *m* [2] (*AM trolley*) Einkaufswagen *m* **II.** *vt* → *bulky goods* mit sich schleppen
cartilage ['kɑ:tɪlɪdʒ] *n* ANAT Knorpel *m*
cartographer [kɑ:'tɒgrəfə*] *n* Kartograph(in *f*) *m*
carton ['kɑ:tən] *n* [1] (*material*) Karton *m*, Pappe *f* [2] (*of cigarettes*) Stange *f*
cartoon [kɑ:'tu:n] *n* [1] (*satirical drawing*) Karikatur *f* [2] (*in newspaper, funnies*) Comics *nt pl* [3] FILM [Zeichen-]Trickfilm *m* [4] (*sketch for painting*) Karton *m*
cartridge ['kɑ:trɪdʒ] *n* (*of gun, of pen*) Patrone *f*; (*of film*) Kassette *f*
cartwheel *n* [1] Wagenrad *m* [2] ◇ **the children are doing ~s** die Kinder schlagen Rad
carve [kɑ:v] *vt* [1] → *wood* schnitzen; → *stone* behauen [2] → *meat* schneiden, tranchieren; **carving** *n* [1] (*act of* ~) Schnitzen *s* [2] (*art of* ~) Schnitzerei *f*, Schnitzhandwerk *s* [2] (*object*) Holzfigur *f*, Schnitzerei *f*; **carving knife** *n* (*for meat*) Tranchiermesser *s*
car wash ['kɑ:wɒʃ] *n* [1] Autowäsche *f* [2] Autowaschanlage *f*
cascade [kæs'keɪd] **I.** *n* (*of water*) Wasserfall *m* **II.** *vi* ← *tears* kullern; ← *hair* fallen
case [keɪs] *n* [1] (*situation, instance*) Fall *m*; ◇ **as the ~ may be** je nachdem; ◇ **just in ~** auf alle Fälle, vorsichtshalber; ◇ **in any ~** sowieso, so oder so; ◇ **in ~ of emergency** im Notfall [2] JUR Fall *m*; ◇ **the ~ for the defence** die Verteidigung; ◇ **a good ~ for the defence** gute Argumente für die Verteidigung [3] ↑ *box* Kasten *m*; ↑ *chest* Kiste *f*; (*suit*~) Koffer *m*
cash [kæʃ] **I.** *n* Bargeld *s*; ◇ **in ~** [in] bar; ◇ ~ **on delivery** per Nachnahme **II.** *vt* → *chips, cheque* einlösen; **cash in** ◇ **to cash in on s.th.** aus etw Kapital schlagen; **cash and carry** *n* (*shopping*) Verbrauchermarkt *m*; **cash desk** *n* Kasse *f*; **cash dispenser** *n* Geldautomat *m*; **cashier** [kæ'ʃɪə*] *n* Kassierer(in *f*) *m*
cashmere ['kæʃmɪə*] *n* Kaschmirwolle *f*
casing ['keɪsɪŋ] *n* (*outer* ~) Gehäuse *s*
casino [kə'si:nəʊ] *n* <-s> (*gambling hall*) Kasino *s*, Spielhalle *f*
cask [kɑ:sk] *n* (*barrel*) Faß *s*
casket ['kɑ:skɪt] *n* [1] (*for jewels*) Kästchen *s*, Schatulle *f* [2] (*coffin*) Sarg *m*
casserole ['kæsərəʊl] *n* [1] (*container*) Schmortopf *m* [2] (*meal*) Eintopf *m*
cassette [kæ'set] **I.** *n* (*audio-*~) [Musik-]Kassette *f* **II.** *vt* (*AM*) [auf Kassette] aufnehmen
cast [kɑ:st] <cast, cast> **I.** *vt* [1] ↑ *throw* werfen; → *fishing line* auswerfen [2] → *metal* gießen [3] (THEAT *roles*) verteilen [4] ◇ ~ **a spell on s.o.** jd-n verhexen **II.** *vi* THEAT die Rollen verteilen **III.** *n* [1] (THEAT *of actors*) Besetzung *f* [2] (*of dice*) Wurf *m* [3] (*mould*) Gußform *f*; (*moulded object*) Abdruck *m*; (*of metal*) Abguß *m* [4] MED Gips *m*; ◇ ~ **of mind** Gesinnung *f*; **cast around** *vi* sich umsehen (*for* nach); **cast back** ◇ **to cast one's mind back to s.th.** sich auf etw (acc) zurückbesinnen; **cast off** *vi* [1] NAUT losmachen [2] (*clothes*) ablegen
castanets [kæstə'nets] *n pl* Kastagnetten *f pl*
castaway ['kɑ:stəweɪ] *n* Schiffbrüchige(r) *mf*
caste [kɑ:st] *n* Kaste *f*
casting ['kɑ:stɪŋ] *adj* POL: ◇ ~ **vote** entscheidende Stimme
castiron ['kɑ:st'aɪən] **I.** *n* TECH Gußeisen *s* **II.**

adj ① TECH gußeisern ② JUR → *alibi* hieb- und stichfest

castle ['kɑːsl] *n* ① *(fortified)* Burg *f*, Festung *f*; *(place of residence)* Schloß *s* ② *(CHESS)* ↑ *rook* Turm *m*

castor ['kɑːstə*] *n (on furniture)* Laufrolle *f*; **castor oil** *n* Rizinusöl *s*; **castor sugar** *n* Streuzucker *m*

castrate [kæs'treɪt] *vt* kastrieren

casual ['kæʒjʊəl] *adj* ① ▷*arrangement* locker, unverbindlich ② ▷*remark* beiläufig ③ ▷*attitude* nachlässig ④ *(dress)* leger, Freizeit- ⑤ *(encounter)* zufällig; **casually** *adv* ① *(dress)* zwanglos, leger ② *(behave)* gleichgültig ③ *(remark)* beiläufig; **casualty** ['kæʒjʊəltɪ] *n* ① *(injured)* Verletzte(r) *mf* ② *(killed)* Todesopfer *s* ③ *(~ department)* Unfallstation *f*; **casualties** *n pl (in disaster)* Opfer *s pl*; *(in war also)* Verluste *m pl*

cat [kæt] *n* ① *(pet)* Katze *f*; *(lion, tiger etc.)* Raubkatze *f* ② ◇ **to let the ~ out of the bag** die Katze aus dem Sack lassen

CAT [kæt] *abbr. of* **computerized axial tomography** CT *s*, Computertomographie *f*

cataclysm ['kætəklɪzm] *n* ↑ *catastrophe* [verheerende] Katastrophe *f*; **cataclysmic** ['kætəklɪzmɪk] *adj* ① *(change)* umwälzend ② *(explosion)* verheerend

catalog, **catalogue** ['kætəlɒg] **I.** *n* ① *(of goods)* Katalog *m* ② *(of complaints)* Liste *f*, Sammlung *f* **II.** *vt (library)* katalogisieren

catalytic converter [kætə'lɪtɪkkən'vɜːtə*] *n* AUT Katalysator, Kat *m*

catalyst ['kætəlɪst] *n* ① *(agent of change)* Ursache *f*, entscheidender Faktor *m* ② ◇ **poverty serves as a ~ for political extremism** durch Armut entsteht leicht Extremismus ③ CHEM Katalysator *m*

catapult ['kætəpʌlt] **I.** *n* MIL Katapult *s*; *(handheld)* Schleuder *f* **II.** *vt* katapultieren; ◇ **he was ~ed to fame** er wurde sehr schnell berühmt

cataract ['kætərækt] *n* ① *(of water)* Katarakt *m* ② MED grauer Star *m*

catarrh [kə'tɑː*] *n* MED Katarrh *m*

catastrophe [kə'tæstrəfɪ] *n* Katastrophe *f*; **catastrophic** [kætə'strɒfɪk] *adj* katastrophal

catch [kætʃ] **I.** *n* ① *(of door)* Schloß *s*; ↑ *trick* Haken *m* ② *(of fish)* Fang *m*; *(children's game)* Fangen *s* **II.** <caught, caught> *vt* ① → *ball* fangen; → *thief* fassen; → *bus* erreichen, kriegen ② *(illness)* sich holen; ◇ **to ~ a cold** sich erkälten; ◇ **to ~ fire** Feuer fangen ③ → *meaning* begreifen, verstehen ④ *(surprise)* ertappen, erwischen ⑤ → *fingers in door* einklemmen; ◇ **her hair got caught in the branches** ihre Haare haben sich in den Zweigen verfangen **III. catch on** *vi* ① ← *fashion* sich verbreiten, ankommen ② *(understand)* mitbekommen, verstehen; **catch out** *vt (with trick)* hereinlegen, austricksen; **catch up** *vt (person in front)* einholen; ◇ **to get caught up in a matter** in eine Sache verwickelt werden; **catching** *adj* MED ansteckend; **catchment** ['kætʃmənt] *n*: ◇ **~ area** Einzugsgebiet *s*; **catch phrase** *n (popular phrase) Schlagwort, das eine Zeitlang in aller Munde ist*; **catchy** ['kætʃɪ] *adj* ▷*tune* eingängig

catechism ['kætɪkɪzəm] *n* Katechismus *m*

categorical [kætɪ'gɒrɪkl, -kəlɪ] *adj* ▷*statement* kategorisch; **categorize** ['kætɪgəraɪz] *vt* kategorisieren; **category** ['kætɪgərɪ] *n* Kategorie *f*

cater ['keɪtə*] **I.** *vi (at party)* für das leibliche Wohl sorgen **II. cater for** *vt (different needs)* gerecht werden *dat*; **cater to** *vt (demands)* es jd-m recht machen; **caterer** ['keɪtərə*] *n* ① *(at wedding etc.)* Partyservice *m* ② *(supplier)* Lieferant *m*; **catering** *n* ① *(profession)* Gastronomie *Gastronomie* ② *(service)* Bewirtung, Versorgung mit Speisen und Getränken *f*

caterpillar ['kætəpɪlə*] *n* ① ZOOL Raupe *f* ② TECH Raupe *f*, Bulldozer *m*

caterwaul ['kætəwɔːl] *vi* jaulen

catgut ['kætgʌt] *n* MED Katgut *s*

catharsis [kə'θɑːsɪs] *n* ① *(in text)* Läuterung *f* ② REL, PHIL Reinigung, Katharsis *f* ③ MED Darmreinigung *f*

cathedral [kə'θiːdrəl] *n* Kathedrale *f*, Dom *m*

catherine wheel *n* Feuerrad *s*

catheter ['kæ θɪtə*] *n* **I.** MED Katheter *m* **II.** *vt* → *patient* katheterisieren, e-n Katheter einführen

Catholic ['kæθəlɪk] **I.** *adj* ① REL katholisch ② ◇ **c~** vielseitig, umfassend **II.** *n* Katholik(in *f*) *m*

cathouse *n FAM!* Puff *m*

cat litter *n* Katzenstreu *f*

catnap *n* Nickerchen *s*

cat's cradle *n (game)* Fadenspiel *s*; *(resulting pattern)* ≈Himmelsleiter *f*

catsuit *n* einteiliger Hosenanzug *m*

cattle ['kætl] *n pl* [Rind-]Vieh *s*; **cattle breeding** *n* Rinderzucht *f*

catty ['kætɪ] *adj* ▷*remark* gehässig

cat walk *n (in fashion show)* Laufsteg *m*

caught [kɔːt] *pt, pp of* **catch**

cauliflower ['kɒlɪflaʊə*] *n* Blumenkohl *m*

causation [kɔː'zeɪʃən] *n* Kausalität *f*; **cause** [kɔːz] **I.** *n* ① *(~ of death)* Ursache *f* *(of* für *acc)*; ◇ **the ~ of the shortage** die Ursache der [*o.* für die]

C

Knappheit ② (*occasion*) Anlaß *m*, Grund *m* (*for* zu); ◇ **no ~ for tears** kein Grund zum Weinen ③ (*of disarmament etc., issue*) [gute] Sache *f*; ◇ **a lost ~** ein aussichtsloses Unterfangen **II.** *vt* → *accident* verursachen; ◇ **to ~ s.o. trouble** jd-m Schwierigkeiten bereiten

causeway ['kɔːzweɪ] *n* Damm *m*

caustic ['kɔːstɪk] *adj* (*acid*) ätzend; ▷*remark* bissig

cauterize ['kɔːtəraɪz] *vt* MED kauterisieren

caution ['kɔːʃən] **I.** *n* ① ↑ *care* Vorsicht, Umsicht *f*; ◇ **to exercise ~** vorsichtig sein; ◇ **to proceed with ~** vorsichtig vorgehen ② (*official warning*) Verwarnung *f* **II.** *vt* ① ↑ *warn* warnen (*against* vor *dat*) ② (*officially warn*) verwarnen ③ (JUR *inform*) belehren (*as to* über *acc*); **cautionary** ['kɔːʃənərɪ] *adj* (*tale*) warnend, Warn-

caution money *n* COMM Kaution *f*

cautious ['kɔːʃəs] *adj* vorsichtig, behutsam; **cautiousness** ['kɔːʃəsnɪs] *n* Vorsicht *f*

cavalier [kævə'lɪə*] *adj* (*attitude*) unbekümmert

cavalry ['kævəlrɪ] *n* Kavallerie *f*

cave [keɪv] *n* Höhle *f*

caveat ['kævɪæt] *n* Vorbehalt *m*

cave in *vi* ← *hole* einstürzen

caveman *n* <-men> Urmensch, Steinzeitmensch *m*

cavern ['kævən] *n* (*big cave*) Höhle *f*; **cavernous** *adj* ① ▷*pit, hole* gähnend; (*cellar*) tief ② ▷*cheeks* eingefallen

caviar *n* Kaviar *m*

cavil ['kævɪl] *vi* kritteln (*at* an *dat*)

cavity ['kævɪtɪ] *n* (*in solid mass*) Hohlraum *m*; (*in tooth*) Loch *s*

cavort [kə'vɔrt] *vi* herumtollen

CB radio *n abbr. of* **citizens' band radio** CB-Funk *m*

CD *n abbr. of* **compact disc** CD *f*

CD player *n* CD-Spieler *m*

cease [siːs] *vti* ← *noise* aufhören; ← *person* einstellen, aufhören (mit); ◇ **hostilities ~ed** die Feindseligkeiten wurden eingestellt, die Kämpfe hörten auf; ◇ **to ~ existing** aufhören zu existieren; ◇ **to ~ to be a party member** nicht mehr Parteimitglied sein; **ceasefire** *n* Waffenruhe *f*; **ceaseless** *adj* unaufhörlich, endlos

cedar ['siːdə*] *n* ① (*tree*) Zeder *f* ② (*wood*) Zedernholz *s*

cede [siːd] *vt* → *land* abtreten (*to* an *acc*)

Ceefax ® ['siːfæks] *n* ≈Videotext *m*

ceiling ['siːlɪŋ] *n* ① (*of room*) Decke *f* ② (*upper limit*) Höchstgrenze, Obergrenze *f*; ◇ **to put a ~ on s.th.** etw nach oben begrenzen

celebrate ['selɪbreɪt] *vti* feiern; **celebrated** *adj* berühmt; **celebration** [selɪ'breɪʃən] *n* (*of event*) Feier *f*; REL *a.* Zelebration *f*

celebrity [sɪ'lebrɪtɪ] *n* Berühmtheit, prominente Persönlichkeit *f*

celeriac [sə'lerɪæk] *n* [Knollen-]Sellerie *m o f*

celery ['selərɪ] *n* [Stangen-]Sellerie *m o f*

celestial [sɪ'lestɪəl] *adj* himmlisch, Himmels-

celibacy ['selɪbəsɪ] *n* (*sexual abstinence*) Enthaltsamkeit *f*

celebate ['selɪbɪt] **I.** *adj* REL keusch **II.** *n*: ◇ **to be a ~** das Zölibat befolgen

cell [sel] *n* ① (*prison ~*) Zelle *f* ② (*blood ~*) Zelle *f*; (POL *group of activists*) Zelle *f*

cellar ['selə*] *n* Keller *m*

cellist ['tʃelɪst] *n* Cellist(in *f*) *m*; **cello** ['tʃeləʊ] *n* <-s> Cello *s*

cellophane® ['seləfeɪn] *n* Cellophan ®*s*

cellular ['seljʊlə*] *adj* BIO zellenförmig, Zell-; **cellular telephone** *n* Funktelefon *s*

celluloid ['seljʊlɔɪd] *n* Zelluloid *s*

cellulose ['seljʊləʊs] *n* Zellulose *f*

Celt [kelt] *n* Kelte *m*, Keltin *f*; **Celtic** ['keltɪk] **I.** *adj* keltisch **II.** *n* (*language*) keltisch *s*

cement [sɪ'ment] **I.** *n* ① ↑ *mortar* Zement *m* ② (*adhesive*) Leim, Klebstoff *m* **II.** *vt* ① ▷*relationship* festigen ② → *floor* den Estrich auftragen

cemetery ['semɪtrɪ] *n* Friedhof *m*

censer ['sensə*] *n* REL Rauchfaß *s*

censor ['sensə*] **I.** *n* (*of publications*) Zensor(in *f*) *m* **II.** *vt* → *play, article* zensieren; **censorious** [sen'sɔːrɪəs] *adj* (*attitude*) strafend; **censorship** *n* (*of the press*) Zensur *f*

censure ['senʃə*] **I.** *vt* tadeln **II.** *n* Tadel *m*;

census ['sensəs] *n* (*of people*) Volkszählung *f*; (*of traffic*) Verkehrszählung *f*

cent [sent] *n* Cent *s*

centenary, **centennial** [sen'tiːnərɪ, sen'tenjəl] *n* hundertster Jahrestag *m*, hundertjähriges Jubiläum *s*; (*celebration*) Hundertjahrfeier *f*

center (*AM*) *s.* **centre**

centigrade ['sentɪgreɪd] *adj*: ◇ **7 degrees ~** 7 Grad Celsius; **centilitre**, **centiliter** (*AM*) ['sentɪliːtə*] *n* Zentiliter *s o m*; **centimetre**, **centimeter** (*AM*) ['sentɪmiːtə*] *n* Zentimeter *m o s*

centipede ['sentɪpiːd] *n* Tausendfüßler *m*

central ['sentrəl] *adj* ① (*in space*) zentral ② (*in argument*) wesentlich; (*in order of importance*) Haupt-; **Central Europe** *n* Mitteleuropa *s*; **central heating** *n* Zentralheizung *f*; **central locking** *n* AUT Zentralverriegelung *f*; **centralize** ['sentrəlaɪz] *vt* POL, MED zentralisieren; **centrally** *adv* zentral *f*; **centre** ['sentə*] **I.** *n* ① (*of circle*) Mittelpunkt *m* [2] (*of town*) Mitte *f* [3] (*shopping* ~) Zentrum *s* [4] POL Mitte *f* [5] (*of interest*) Mittelpunkt *m* **II.** *vt* [1] TYP zentrieren [2] PSYCH konzentrieren **III. centre on** *vt* (*thoughts*) kreisen um; **centre-forward** *n* SPORT Mittelstürmer *m;* **centre-half** *n* SPORT Stopper *m;* **centre of gravity** *n* PHYS Schwerpunkt *m;* **centre-piece** *n* [1] (*of exhibition*) Hauptgegenstand *m* [2] (*of formally laid table*) Tafelaufsatz *m*

century ['sentjʊrı] *n* [1] Jahrhundert *s;* ◇ **an 18th ~ vase** eine Vase aus dem 18. Jahrhundert [2] (*in cricket*) ◇ **to score a ~** ein Hundert erzielen

ceramic [sı'ræmık] *adj* keramisch

cereal ['sıərıəl] *n* [1] (*grain*) Getreide *s* [2] (*breakfast* ~) *Getreideflocken, z.B. Cornflakes*

cerebellum [,serı'beləm] *n* Kleinhirn *s;* **cerebral** ['serıbrəl] *adj* [1] ANAT zerebral [2] ▷*activity* geistig; **cerebrum** ['serıbrʊm] *n* ANAT Großhirn *s*

ceremonial [serı'məʊnıəl] *adj* zeremoniell; **ceremonious** [serı'məʊnıəs] *adj* förmlich; **ceremony** ['serımənı] *n* [1] (*wedding* ~) Zeremonie *f,* Feierlichkeiten *f pl* [2] (*FAM without* ~) ohne großes Aufheben [o. Tamtam]

certain ['sɜ:tən] *adj* [1] (*sure*) sicher; ◇ **for ~** ganz bestimmt; ◇ **to be ~ about s.th.** sich e-r Sache sicher sein; ◇ **make ~ to lock the door** schließe unbedingt die Tür ab [2] (*particular*) gewiß, bestimmt; ◇ **~ people are to blame** daran sind ganz bestimmte Leute schuld; (*alluding to s.o.*) ◇ **~ people are always late** gewisse Leute kommen immer zu spät; **certainly** *adv* sicherlich, bestimmt, selbstverständlich; **certainty** ['sɜ:təntı] *n* [1] (*quality of being sure*) Gewißheit *f;* ◇ **to believe with ~** fest daran glauben, daß [2] (*absolute fact*) Gewißheit *f;* ◇ **death is a ~** der Tod ist unausweichlich

certifiable [sɜ:tıfaıəbl] *adj* [1] ↑ *provable* nachweisbar [2] ↑ *insane* unzurechnungsfähig; **certificate** [sə'tıfıkıt] *n* (*official documentation*) Bescheinigung *f;* ◇ **~ of authenticity** Echtheitszertifikat *s;* ◇ **birth ~** Geburtsurkunde *f;* SCH [Abschluß-]Zeugnis *s;* **certify** ['sɜ:tıfaı] *vt* [1] (*by official document*) bescheinigen [2] (JUR *officially endorse*) beglaubigen [3] ↑ *confirm* bestätigen

cervical ['sɜ:vıkəl] *adj* ANAT [1] zervikal, Hals-, Nacken-; ◇ **~ headache** Spannungskopfschmerz *m,* Zervikalmigräne *f* [2] Gebärmutterhals-; **cervical smear** *n* MED Abstrich *m*

cervix ['sɜ:vıks] *n* ANAT [1] Hals, Nacken *m* [2] Gebärmutterhals *m*

cesium ['si:zjəm] *n* (*AM*) *s.* **caesium**

cessation [se'seıʃən] *n* ↑ *stopping* Einstellung *f*

cesspit ['sespıt] *n* [1] (*for effluent*) Senkgrube *f* [2] (*FIG of iniquity*) [Sünden-]Pfuhl *m*

cf. *abbr. of* confer (in text) vgl.

Chad [tʃæd] *n* Tschad *m*

chafe [tʃeıf] *vti* [1] → *skin* wundreiben [2] ◇ **to ~ at the delay** sich über die Verspätung aufregen

chaff [tʃæf] *n* (*of grain*) Spreu *f*

chaffinch ['tʃæfıntʃ] *n* Buchfink *m*

chain [tʃeın] **I.** *n* [1] (*of prisoner etc.*) Kette *f* [2] (*of events*) Kette, Aufeinanderfolge *f* [3] (*mountain* ~) Kette *f* **II.** *vt* festketten **III. chain up** *vt* → *animal* anketten; **chain gang** *n* Sträflingskolonne *f;* **chain reaction** *n* Kettenreaktion *f;* **chainsaw** *n* Kettensäge *f;* **chain-smoker** *n* Kettenraucher(in *f*) *m;* **chain store** *n* Kettenladen *m*

chair [tʃɛə*] **I.** *n* [1] Stuhl *m;* (*arm-*) Sessel *m* [2] (*professorship*) Lehrstuhl *m* [3] (*at meetings*) Vorsitz *m* **II.** *vt:* ◇ **to ~ a meeting** bei e-r Versammlung den Vorsitz führen; **chairlift** *n* Sessellift *m;* **chairman**, **chairperson**, **chairwoman** *n* <-men> (*committee* ~) Vorsitzende(r) *mf;* (*of company*) Präsident(in *f*) *m*

chalet ['ʃæleı] *n* Chalet *s*

chalice ['tʃælıs] *n* Kelch *m*

chalk ['tʃɔ:k] **I.** *n* GEO SCH Kreide *f* **II.** *vt* mit Kreide kennzeichnen **III. chalk up** *vt* → *success* verbuchen

challenge ['tʃælındʒ] **I.** *n* [1] (*sporting invitation*) Herausforderung *f* [2] (*problem to be dealt with*) Herausforderung, Anforderung *f* **II.** *vt* [1] (*s.o. to a fight*) herausfordern, auffordern [2] (*statement, right*) bestreiten [3] (JUR *evidence*) anfechten; **challenger** *n* ↑ *opponent* Herausforderer *m;* **challenging** *adj* ▷*work* anspruchsvoll, schwierig

chamber ['tʃeımbə*] *n* [1] ARCHIT Kammer *f* [2] (TECH *gun-*) Kammer *f;* **chambermaid** *n* Zimmermädchen *s;* **chamber music** *n* Kammermusik *f;* **chamber of commerce** *n* Handelskammer *f;* **chamberpot** *n* Nachttopf *m;* **chambers** *n npl* (*BRIT*) Anwaltbüro *s,* Kanzlei *f*

chameleon [kə'mi:lıən] *n* Chamäleon *s*

chamfer ['ʃæmfə*] *vt* → *edge* abschrägen

chamois ['ʃæmwɑ:] *n* Gemse *f;* **chamois leather** ['ʃæmı'leðə*] *n* Sämischleder *s;* TECH Polierleder *s*

champ [ʃæmp] *n* **I.** *vi* heftig kauen; ◇ **to ~ at the bit** ← *horse* am Gebiß kauen; ← *person* ungeduldig sein **II.** *n s.* **champion**

champagne [ʃæm'peın] *n* (*sparkling wine*) Sekt *m;* (*French, expensive*) Champagner *m*

champion ['tʃæmpıən] *n* [1] SPORT Sieger(in *f*) *m*, Meister(in *f*) *m* [2] (*representative*) Verfechter, Vertreter(in *f*) *m*; **championship** *n* [1] (*competition, football* ~) Meisterschaften *f pl* [2] (*title*) Meisterschaftstitel *m*

chance [tʃɑ:ns] **I.** *n* [1] ↑ *accident* Zufall *m*; ◊ **by** ~ zufällig [2] ↑ *possibility* Möglichkeit *f*; ◊ **no** ~ sicher nicht, keine Chance [3] ↑ *opportunity* Gelegenheit *f*; ◊ **to take a** ~ ein Risiko eingehen *s* **II.** *adv*: ◊ **by** ~ zufällig **III.** *vt* ↑ *risk* riskieren; ◊ **I may get caught, but I'll** ~ **it** ich werde vielleicht erwischt, aber ich riskiere es **IV.:** ◊ **I** ~**d to meet him yesterday** ich habe ihn gestern zufällig getroffen

chancel ['tʃɑ:nsəl] *n* ARCHIT Altarraum *m*, hoher Chor *m*; **chancellor** ['tʃɑ:nsələ*] *n* [1] Kanzler(in *f*) *m* [2] POL *BRIT* ◊ **C~ of the Exchequer** Finanzminister(in *f*) *m*

chancy ['tʃɑ:nsı] *adj FAM* riskant

chandelier [ʃændı'lıə*] *n* Kronleuchter *m*

change [tʃeındʒ] **I.** *n* [1] ↑ *alteration* Veränderung *f* [2] (*money upon purchase*) Wechselgeld *s* [3] (*coins*) Kleingeld *s* **II.** *vti* [1] ↑ *alter* ändern, verändern; ◊ **she has** ~**d a lot** sie hat sich sehr verändert [2] (*substitute*) [aus-]wechseln; ◊ ~ **clothes** sich umziehen; ◊ **to** ~ **places** die Plätze tauschen [3] AUTO → *gears* umschalten; → *trains* umsteigen [4] ↑ *transform* verwandeln (*into* in *acc*) **III. change over** *vi* (*to new software*) sich umstellen (*to* auf *acc*); **changeable** ['tʃeındʒəbl] *adj* ▷*weather* veränderlich; **changeling** ['tʃeındʒlıŋ] *n* MYTH Wechselbalg *m*; **changing I.** *adj* verändernd **II.** *n*: ◊ **the** ~ **of the guard** die Wachablösung; **changing room** *n* Umkleideraum *m*

channel ['tʃænl] **I.** *n* [1] MEDIA Kanal *m* [2] NAUT Wasserstraße *f*; ◊ **the C~** der Ärmelkanal [3] ↑ *gutter* Rinnstein *m* [4] ◊ **through official** ~**s** durch die behördlichen Instanzen **II.** *vt* hindurchleiten, lenken; **Channel Islands** *n pl* Kanalinseln *f pl*

chant [tʃɑ:nt] **I.** *n* [1] REL liturgischer Gesang *m*; (*in monotone*) Sprechgesang *m* [2] (*football* ~*s*) Anfeuerungsgesänge *m pl* **II.** *vt* anstimmen

chanterelle ['ʃæntərel] *n* Pfifferling *m*

chaos ['keıɒs] *n* [1] PHYS Chaos *s* [2] ↑ *mess* Durcheinander, Chaos *s*; **chaotic** [keı'ɒtık] *adj* ▷*organisation* chaotisch, ungeordnet

chap [tʃæp] **I.** *n FAM* Typ *m*, Kerl *m* **II.** *vt* spröde machen; ◊ ~**ped lips** aufgesprungene Lippen **III.** *vi* ← *skin* rauh werden, aufspringen

chapel ['tʃæpəl] *n* Kapelle *f*

chaperon ['ʃæpərəʊn] **I.** *n* Anstandsdame *f* **II.** *vt* begleiten

chaplain ['tʃæplın] *n* Kaplan *m*

chapter ['tʃæptə*] *n* Kapitel *s*

char [tʃɑ:*] **I.** *vt* ↑ *burn black* verkohlen **II.** *n* Putzfrau *f*

character ['kærəktə*] *n* [1] (*good, bad, indifferent*) Charakter *m*; (*inner being*) Wesen *s*; (*manner*) Art *f*; ◊ **quite a** ~ ein Orginal *s*; ◊ **person of** ~ eine ausgeprägte Persönlichkeit [2] (*in literature*) Figur *f*, Gestalt *f*; THEAT Rolle *f*; ◊ **to act out of** ~ sich anders benehmen als sonst [3] (*Japanese etc.*) Schriftzeichen *s* [4] PC Zeichen *s* [5] ↑ *feature* Merkmal *s*; **character assasination** *n* Rufmord *m*; **character defect** *n* Charakterfehler *m*; **characteristic** [kærəktə'rıstık] **I.** *adj* charakteristisch, typisch (*of* für *acc*) **II.** *n* (*of landscape*) charakteristisches Merkmal *s*; (*of personality*) Eigenschaft *f*; **characterize** ['kærəktəraız] *vt* [1] ↑ *be typical* charakterisieren, kennzeichnen [2] ↑ *describe* beschreiben, charakterisieren; **characterless** *adj* nichtssagend, langweilig; **character reference** *n* Referenz *f*; **character witness** *n* Leumundszeuge *m*

charade [ʃə'rɑ:d] *n* Scharade *f*

charcoal ['tʃɑ:kəʊl] *n* [1] Holzkohle *f* [2] (*drawing*) Kohlezeichnung *f*

charge [tʃɑ:dʒ] **I.** *n* [1] ↑ *cost* Preis *m*; (*fee also*) Gebühr *f*; ◊ **free of** ~ kostenlos, gebührenfrei [2] (*sudden attack*) Angriff *m* [3] (*in gun*) Ladung *f*; (*of energy, of emotion*) Dynamik *f* [4] ◊ **to be in** ~ **of s.th.** für etw verantwortlich sein; ◊ **to have** ~ **of children** Kinder betreuen; ◊ **to take** ~ die Leitung übernehmen **II.** *vti* [1] (MIL *run*) angreifen, losstürmen; (*rush*) stürmen; ◊ **to** ~ **at s.o.** auf jd-n losgehen [2] ◊ **how much do you** ~ **for it?** wieviel verlangen Sie dafür?; ◊ **to** ~ **a sum to s.o.'s account** jd-s Konto mit e-m Betrag belasten [3] (*gun*) laden; → *battery* aufladen [4] JUR beschuldigen, anklagen (*with* dat); **charge account** *n* Kundenkonto, Kreditkonto *s*; **charge card** *n* Kundenkarte, Kreditkarte *f*; **charged** *adj* (*with emotion*) emotionsgeladen; **charger** *n* [1] (*for batteries*) Ladegerät *s* [2] (*horse, of knight*) Roß *s*

chariot ['tʃærıət] *n* Streitwagen *m*

charitable ['tʃærıtəbl] *adj* [1] → *person* wohltätig, gütig [2] (*organization*) Wohltätigkeits-, Hilfs-; **charity** ['tʃærıtı] *n* [1] (*organization*) Wohltätigkeitsorganisation *f*, Stiftung *f* [2] (*virtue*) Nächstenliebe *f*, Barmherzigkeit *f* [3] ↑ *donation* milde Gabe *f*, Almosen *s*

charlatan ['ʃɑ:lətən] *n* Scharlatan *m*

charm [tʃɑ:m] **I.** *n* [1] (*quality*) Charme *m* [2] (*appeal*) Reiz *m* [3] (*amulet, talisman*) Amulett *s*, Talisman *m* [4] (*spell*) Zauber *m*; ◊ **snake** ~**r**

Schlangenbeschwörer *m* **II.** *vt* → *audience* bezaubern, entzücken; **charming** *adj* reizend, charmant
chart [tʃɑːt] *n* **I.** [1] ↑ *table* Tabelle *f;* (*cake*) [Kuchen-]Diagramm *s* [2] (*colour* ~) Farbskala *f;* (*sea* ~) Seekarte *f* [3] (*pop music* ~) ◇ **the ~s** Hitliste *f* **II.** *vt* → *record, figures* graphisch darstellen, als Diagramm darstellen; **charter** ['tʃɑːtə*] **I.** *vt* ↑ *hire* mieten, chartern **II.** *n* (*set of principles*) Satzung *f;* ◇ **United Nations ~** Charta der Vereinten Nationen *f;* **chartered accountant** *n* COMM konzessionierter Steuerberater *m;* **charter flight** *n* Charterflug *m;* **charter plane** *n* Charterflugzeug *s*
charwoman ['tʃɑːwʊmən] *n* <-women> Reinemachefrau *f,* Putzfrau *f*
chary ['tʃɛərɪ] *adj* (*careful*) vorsichtig, zurückhaltend (*of s.th.* mit etw)
chase [tʃeɪs] **I.** *n* Jagd *f* **II.** *vt* [1] (*deer etc.*) jagen; (*opposite sex*) hinterherlaufen *dat;* ◇ **to give ~ to s.th.** etw verfolgen [2] → *copper* ziselieren **III. chase away** *vt* → *pigeons* vertreiben; **chase up** *vt* (*information*) [he]ranschaffen; **chaser** *n* [1] (*drink on top*) ◇ **have a beer as a ~** trink' doch ein Bier zum Nachspülen [2] (*skirt* ~) Schürzenjäger *m*
chasm ['kæzəm] *n* Kluft *f*
chassis ['ʃæsɪ] *n* <chassis> (*framework of vehicle*) Fahrgestell *s*
chaste [tʃeɪst] *adj* [1] ▷*person* keusch, rein [2] ▷*dress* schlicht, bescheiden; **chastise** ['tʃæstaɪz] *vt* ↑ *scold* scharf tadeln, schelten; **chastity** ['tʃæstɪtɪ] *n* Keuschheit *f*
chat [tʃæt] **I.** *n* Plauderei *f* **II.** *vi* plaudern, sich unterhalten **III. chat up** *vt* (*amorously*) sich heranmachen an *acc;* **chatter** ['tʃætə*] **I.** *vi* [1] ← *old women* schwätzen [2] ← *teeth* klappern [3] ← *guns* knattern **II.** *n* [1] (*of old women*) Geschwätz *s* [2] (*of birds*) Schwatzen *s;* **chatterbox** *n* Quasselstrippe *f;* **chatty** *adj* geschwätzig
chauffeur ['ʃəʊfə*] *n* Chauffeur(in *f*) *m,* Fahrer(in *f*) *m*
chauvinist ['ʃəʊvɪnɪst] **I.** *adj* chauvinistisch **II.** *n* Chauvinist(in *f*) *m;* (*male* ~) Chauvi *m*
cheap [tʃiːp] **I.** *adj* [1] ↑ *inexpensive* billig; ◇ **~ at the price** spottbillig [2] (*of poor quality*) minderwertig [3] (*requiring little effort*) ◇ **~ trick** billiger Trick [4] ▷*behaviour* ordinär **II.** *n* (*AM FAM miserly person*) Geizhals *m;* **cheapen** *vt* [1] (*reduce price*) verbilligen [2] (*person, relationship*) schlecht machen, herabsetzen; **cheaply** *adv* billig; **cheapness** *n* [1] (*of worth*) Minderwertigkeit *f* [2] (*of behaviour*) ordinäre Art *f*
cheat [tʃiːt] **I.** *vt* ↑ *deceive* betrügen; (*at school, card game*) mogeln; ◇ **to ~ s.o. out of s.th.** jd-n um etw betrügen; ◇ **he ~s on his wife** er betrügt seine Frau **II.** *n* (*child*) Schummler(in *f*) *m;* (*of con-man*) Betrüger(in *f*) *m;* **cheating** *n* [1] (*act of* ~) Betrügen *s;* (*in game etc.*) Schummeln *s* [2] (*event*) Betrug *m*
check [tʃek] **I.** *n* [1] (*police* ~) Kontrolle *f* [2] (*in shop*) Kassenbon *m* [3] *AM for cheque* ↑ *paycheck* Scheck *m* [4] (*pattern*) Karomuster *s* [5] *AM s.* **cheque;** ◇ **king is in ~** König steht im Schach **II.** *vt* [1] ↑ *examine* prüfen, kontrollieren [2] → *text* überprüfen [3] ↑ *restrain* zügeln; **check in** *vti* [1] AERO einchecken [2] (*at hotel*) anmelden; **check out** *vti* [1] (*from hotel*) abreisen [2] → *information* sich informieren über *acc;* **check-counter** *n* (*supermarket*) Kasse *f*
checkered ['tʃekəd] *adj* (*AM*) *s.* **chequered**
checkers ['tʃekəz] *n sg* (*AM*) Damespiel *s;* ◇ **they're playing ~** sie spielen Dame
check-in desk ['tʃekɪn'desk] *n* Abfertigungsschalter *m;* **checklist** *n* Kontrollliste *f*
checkmate *n* Schachmatt *s*
checkpoint *n* POL Kontrollpunkt *m;* **checkroom** *n* [1] *AM* Gepäckaufbewahrung *f* [2] (*for coats*) Garderobe *f;* **checkup** *n* MED Untersuchung *f*
cheek [tʃiːk] *n* [1] ANAT Backe *f,* Wange *f* [2] ↑ *impertinence* Frechheit *f,* Unverschämtheit *f;* **cheekbone** *n* Backenknochen *m;* **cheeky** *adj* frech
cheep *vi* piepsen
cheer [tʃɪə*] **I.** *n* [1] Hurraruf *m;* (*continuous*) Jubel *m,* Jubeln *s;* ◇ **to give three ~s for s.o.** jd-n dreimal hochleben lassen; ◇ **~s!** prost! ; *FAM* tschüs! ; *FAM* danke! [2] ◇ **of good ~** guten Mutes **II.** *vti* [1] jubeln, zujubeln *dat* [2] ↑ *encourage* ermuntern **III. cheer on** *vt* anfeuern; **cheer up** *vti* aufheitern, glücklicher werden; ◇ **~ ~!** Kopf hoch! ; **cheerful** ['tʃɪəfʊl] *adj* [1] ▷*person* fröhlich [2] ▷*news* erfreulich; **cheerfulness** *n* Fröhlichkeit *f,* Heiterkeit *f;* **cheering** ['tʃɪərɪŋ] **I.** *n* Jubeln *s* **II.** *adj* aufheiternd
cheerio [tʃɪərɪ'əʊ] *intj BRIT FAM* tschüß
cheerless ['tʃɪəlɪs] *adj* [1] ▷*prospect* düster [2] ▷*person* trübselig
cheese [tʃiːz] *n* Käse *m;* ◇ **say ~!** bitte recht freundlich!; **cheeseboard** *n* Käseplatte *f;* **cheesecake** *n* Käsekuchen *m;* **cheesecloth** *n* Gaze *f,* indische Baumwolle *f*
cheetah ['tʃiːtə] *n* Gepard *m*
chef [ʃef] *n* Koch *m,* Köchin *f,* Küchenchef(in *f*) *m*
chemical ['kemɪkəl] **I.** *adj* chemisch **II.** (*substance*) Chemikalie *f;* **chemical engineering** *n* Chemotechnik *f;* **chemical warfare** *n* che-

mische Kriegsführung *f;* **chemist** ['kemɪst] *n* (1) *(dispensing ~)* Apotheker(in *f*) *m* (2) *(industrial ~)* Chemiker(in *f*) *m;* **chemist's** *n (shop)* Apotheke *f;* **chemistry** ['kemɪstrɪ] *n* (1) *(science)* Chemie *f* (2) *(of substance)* chemischer Aufbau *m* (3) *(FIG between people)* Verträglichkeit *f*

chemotherapy [keməʊ'θerəpɪ] *n* Chemotherapie *f*

cheque *(BRIT)*, **check** [tʃek] *n* Scheck *m;* ◇ **to pay by ~** mit e-m Scheck bezahlen; **chequebook** *n* Scheckbuch *s;* **cheque card** *n* Scheckkarte *f*

chequered ['tʃekəd] *adj (design)* kariert; ◇ **a ~ past** eine bewegte Vergangenheit

cherish ['tʃerɪʃ] *vt* (1) → *person* lieben, ehren (2) → *feeling* sich hingeben *dat* (3) → *hope* hegen; → *memory* bewahren

cheroot [ʃə'ru:t] *n* Stumpen *m*

cherry ['tʃerɪ] *n* (1) *(fruit)* Kirsche *f* (2) *(colour)* Kirschrot *s*

cherub *n* REL Cherub *m;* ↑ *angel, FIG* Engelchen *s; (in art)* Putte *f*, Putto *m*

chervil ['tʃɜ:vɪl] *n* Kerbel *m*

chess [tʃes] *n* Schach *s;* **chessboard** *n* Schachbrett *s;* **chesspiece** *n* Schachfigur *f;* **chessplayer** *n* Schachspieler(in *f*) *m*

chest [tʃest] *n* (1) Brust *f*, Brustkorb *m;* ◇ **to get s.th. off one's ~** sich etw von der Seele reden (2) *(tea ~)* Kiste *f; (tool ~)* Kasten *s* (3) ◇ **~ of drawers** Kommode *f*

chestnut ['tʃesnʌt] *n* (1) *(tree, fruit)* Kastanie *f* (2) *(colour)* Kastanienbraun *s*

chew [tʃu:] *vti* kauen; **chew over** *vt* → *problem* grübeln (über *acc*); **chew up** *vt* zerkauen; **chewing gum** *n* Kaugummi *m;* **chewy** ['tʃu:wɪ] *adj* (1) ▷*sweets* weich (2) ▷*meat* zäh

chic [ʃi:k] *adj* schick, elegant

chicane [ʃi'keɪn] *n (motor racing)* Schikane *f;* **chicanery** [ʃi'keɪnərɪ] *n (trickery)* Machenschaften *f pl*

Chicano [tʃɪ'keɪnəʊ] *n* <-s> *(AM)* Chicano *mf Amerikaner(in) mexikanischer Abstammung*

chick [tʃɪk] *n* (1) *(of chicken)* Küken *s* (2) *girl, FAM!* Puppe *f;* **chicken** *n* **I.** Huhn *s; (for roasting)* Hähnchen *s* **II.** *adj FAM* feige **III. chicken out** *FAM* ◇ **he ~ed ~ of the fight** er hat sich um den Kampf gedrückt; **chickenfeed** *n* (1) Hühnerfutter *s* (2) *petty thing, FAM* Kleinigkeit *f*

chickenpox *n* Windpocken *f pl*

chickpea *n* Kichererbse *f*

chicory ['tʃɪkərɪ] *n* (1) *(in coffee)* Zichorie *f* (2) *(plant)* Chicorée *m o f*

chief [tʃi:f] **I.** *n (of state)* Oberhaupt *s; (Indian ~)* Häuptling *m; (of gang)* Anführer(in *f*) *m;* COMM Chef(in *f*) *m*, Leiter(in *f*) *m* **II.** *adj* ↑ *main* Haupt-, bedeutendeste(r,s); **chief clerk** *n* Bürochef *m;* **chiefly** *adv* hauptsächlich; **chieftain** ['tʃi:ftən] *n (of tribe)* Häuptling *m*

chilblain ['tʃɪlbleɪn] *n* Frostbeule *f*

child [tʃaɪld] *n* <children> Kind *s;* **child abuse** *n* Kindesmißhandlung *f;* **child-bearing** *adj:* ◇ **of ~ age** im gebärfähigen Alter; **child benefit** *n* Kindergeld *s;* **childbirth** *n* Entbindung *f;* **child guidance** *n* Erziehungsberatung *f;* **childhood** *n* Kindheit *f;* **childish** *adj* ▷*behaviour* kindisch; **childlike** *adj* ▷*voice* kindlich; **child-lock** *n* AUTO Kindersicherung *f;* **child minder** *n* Tagesmutter *f;* **child-proof** *adj* kindersicher; **children** ['tʃɪldrən] *pl of* **child**; **child's play** *n (easy thing)* Kinderspiel *s*

Chile ['tʃɪlɪ] *n* Chile *s*

chill [tʃɪl] **I.** *n* (1) *(of temperature)* Kühle *f;* ◇ **there's a ~ in the air** es ist ziemlich frisch (2) *(in relationship)* Abkühlung *f* (3) MED Erkältung *f* **II.** *vt* (1) → *drink* kühlen; ◇ **~ before serving** gut gekühlt servieren (2) erschaudern lassen *acc;* ◇ **his brutal face ~ed me** sein brutales Gesicht ließ mich erschaudern

chilli ['tʃɪlɪ] *n* Pepperoni *f pl*

chilliness *n* Kühle, Frische *f;* **chilly** ['tʃɪlɪ] *adj* kühl

chime [tʃaɪm] **I.** *n* (1) *(of bell)* Glockenschlag *m* (2) *(sound)* Glockenklang *m* **II.** *vi* (1) ← *bells* läuten, klingen (2) ← *opinions* übereinstimmen

chimes *n pl* (1) *(instrument)* Glockenspiel *s* (2) *(harmonious sound)* harmonisches Geläute *s*

chimney ['tʃɪmnɪ] *n* Schornstein *m;* **chimney-pot** *n* Schornsteinkopf *m;* **chimneysweep** *n* Schornsteinfeger(in *f*) *m*

chimp, **chimpanzee** [tʃɪmpæn'zi:] *n* Schimpanse *m*

chin [tʃɪn] *n* Kinn *s;* ◇ **to stick one's ~ out** viel riskieren; ◇ **keep your ~ up!** Kopf hoch!

china ['tʃaɪnə] *n (ceramic)* Porzellan *s*

China ['tʃaɪnə] *n* China *s;* **Chinaman** *n* <-men> Chinese *m;* **Chinatown** *n* Chinesenviertel *s;* **Chinese** [tʃaɪ'ni:z] **I.** *adj* chinesisch **II.** *n* Chinese *m*, Chinesin *f;* ◇ **the ~** *pl* die Chinesen *pl*

chink [tʃɪŋk] *n* (1) ↑ *gap* Ritze *f* (2) *(of light)* dünner Strahl *m* (3) *(of cutlery)* Klirren *s*

Chinky ['tʃɪŋkɪ] *n* (1) *(PEJ of person)* Schlitzauge *s* (2) *(PEJ of food)* chinesisches Essen *s*

chintz [tʃɪnts] *n* Kattun *m*

chip [tʃɪp] **I.** *n* (1) *(of wood)* Splitter *m; (of glass)* Scherbe *f* (2) ◇ **~s** *(AM)* Kartoffelchips *m pl; BRIT* Pommes frites *nt pl* (3) PC Chip *m* (4) *(in game)* Spielmarke *f* (5) ◇ **the new plate has got a ~ in it** der neue Teller hat eine Macke (6) ◇ **to have a ~**

on one's shoulder sich ständig angegriffen fühlen [7] ◇ he's a ~ off the old block er ist ganz der Vater **II.** *vt* anschlagen **III. chip in** *vi* (*FAM interrupt*) sich einmischen

chipboard *n* [1] (*of wood*) Spanholz *s* [2] (*sheet of* ~) Spanplatte *f*

chipmunk *n* ZOOL Backenhörnchen, Streifenhörnchen *s*

chipped *adj* angeschlagen

chippings *n pl* [1] (*wood* ~) Splitter *m pl* [2] (*gravel*) Schotter *m*

chiropodist [kɪ'rɒpədɪst] *n* Fußpfleger(in *f*) *m*

chirp [tʃɜːp] **I.** *vi* [1] ← *birds* zwitschern, piepsen [2] ← *crickets* zirpen **II.** *n* [1] Piepsen *s* [2] Zirpen *s*; **chirpy** *adj* ▷*person* munter

chisel ['tʃɪzl] **I.** *n* (*for stone*) Meißel *m*; (*for wood*) [Stech-]Beitel *m* **II.** *vt* [1] → *stone* meißeln; → *wood* stemmen [2] ↑ *cheat, FAM* betrügen; ◇ **to chisel s.o. out of s.th.** jd-n um etw betrügen; **chiselled** *adj* [1] ▷*wood* geformt, geschnitzt [2] ▷*face* feingeschnitten

chit [tʃɪt] *n* [1] (*of paper*) Notizzettel *m* [2] *of girl, FAM* junges Ding *s*

chitchat ['tʃɪttʃæt] *n* Plauderei *f*

chivalrous ['ʃɪvəlrəs] *adj* [1] ↑ *generous* großzügig [2] ↑ *polite* höflich; **chivalry** ['ʃɪvəlrɪ] *n* Ritterlichkeit *f*; (*age of* ~) Rittertum *s*

chives [tʃaɪvzs] *n pl* Schnittlauch *m*

chivvy, chivy *vt* antreiben

chloral ['klɔːrəl] *n* MED Chloral[-hydrat] *s*; **chloride** ['klɔːraɪd] *n* Chlorid *s*; **chlorination** ['klɔːriːn] *n* (*of water*) Chloren *s*

chock [tʃɒk] *n* Bremsklotz *m*

chock-a-block *adj FAM* vollgestopft

chocolate ['tʃɒklɪt] *n* [1] (*milk*~) Schokolade *f* [2] (*a* ~) Praline *f*

choice [tʃɔɪs] **I.** *n* [1] (*of one thing or another*) Wahl *f*; ◇ **he has no** ~ er hat keine andere Wahl [2] (*of goods*) Auswahl *f*; ◇ **a wide** ~ eine große Auswahl **II.** *adj* ▷*product* Qualitäts-, erlesen; ▷*words* gewählt

choir ['kwaɪə*] *n* Chor *m*; **choirboy** *n* Chorknabe *m*

choke [tʃəʊk] **I.** *vi* (*on smoke*) ersticken an *dat*; (*on food*) würgen an *dat* **II.** *vt* [1] ↑ *strangle* erwürgen [2] TECH drosseln **III.** *n* AUT Choke *m*, Starterzug *m* **IV. choke back** *vt* → *tears, anger* unterdrücken; **choke off** *vt* [1] → *supplies* drosseln [2] → *discussion* abwürgen

cholera ['kɒlərə] *n* Cholera *f*

cholesterol [kə'lestərɒl] *n* Cholesterin *s*

chomp at *vt* → *food* mampfen

choo-choo [tʃuːtʃuː] *n* (*baby-talk*) ↑ *train* Puff-Puff *f*

choose [tʃuːz] <chose, chosen> *vti* [1] ↑ *select* [aus]wählen, sich aussuchen; (*make a choice*) eine Wahl treffen [2] ↑ *decide on* sich entscheiden für *acc* [3] ↑ *prefer* vorziehen [4] ◇ **do as you** ~ tu was du willst; **choosy** *adj* wählerisch

chop [tʃɒp] **I.** *n* [1] (*sharp blow*) Schlag *m* [2] GASTRON Kotelett *s* **II.** *vti* [1] → *wood* hacken [2] → *vegetables* kleinschneiden [3] ◇ **to** ~ **and change, to keep** ~**ping about** ständig hin und her schwanken; **chop down** *vt* → *tree* fällen; **chop up** *vt* → *food* zerhacken

chop-chop *intj FAM* hopp hopp! , na mach schon!

chopper *n* [1] *FAM* ↑ *helicopter* Hubschrauber *m* [2] (*customized motorbike*) Chopper *m* [3] (*for meat*) Hackmesser *s*; (*for wood*) Beil *s*

choppy *adj* ▷*sea* bewegt, kabbelig; ▷*wind* böig

chopsticks *n npl* Eßstäbchen *nt pl*

choral ['kɔːrəl] *adj* Chor-

chord [kɔːd] *n* [1] (*string*) Saite *f* [2] ANAT ◇ **vocal** ~**s** Stimmbänder *s* [3] ↑ *harmony* Akkord *m*

chore [tʃɔː*] *n* (*tedious task*) lästige Aufgabe *f*; (*washing-up etc.*) Hausarbeit *f*; ◇ **to do the** ~**s** die Hausarbeit machen

choreographer [kɒrɪ'ɒgrəfə*] *n* Choreograph(in *f*) *m*

chorister ['kɒrɪstə*] *n* Chorsänger(in *f*) *m*

chortle ['tʃɔːtl] *vi* glucksen, in sich hineinlachen

chorus ['kɔːrəs] *n* [1] (*singers*) Chor *m* [2] ↑ *refrain* Refrain *m*

chose [tʃəʊz] *pt of* **choose**; **chosen** ['tʃəʊzn] *pp of* **choose** ◇ **the** ~ **few** die Auserwählten

chow [tʃaʊ] *n* (*dog*) Chow-Chow *m*

Christ [kraɪst] **I.** *n* Christus *m* **II.** *intj FAM!* Herrgott!; **christen** ['krɪsn] *vt* [1] → *child, ship* taufen [2] ↑ *name* nennen, taufen; **christening I.** *n* Taufe *f* **II.** *adj* Tauf-; **Christian** ['krɪstɪən] **I.** *adj* christlich **II.** *n* Christ(in *f*) *m*; **Christian name** *n* Vorname *m*; **Christianity** [krɪstɪ'ænɪtɪ] *n* [1] (*faith*) christlicher Glaube *m* [2] (*religion*) Christentum *s*; **Christmas** ['krɪsməs] *n* Weihnachten *f sg*; **Christmas card** *n* Weihnachtskarte *f*; **Christmas Day** *n* Erster Weihnachtstag; **Christmas Eve** *n* Heiliger Abend, Heiligabend *m*; **Christmas tree** *n* Weihnachtsbaum *m*

chromatic [krə'mætɪk] *adj* (*art*) chromatisch, Farb-; MUS chromatisch

chrome [krəʊm] *n* [1] (~-*plating*) Verchromung *f* [2] (~ *yellow*) Chromgelb *s*; **chromium** ['krəʊmɪəm] *n* Chrom *s*

chronic ['krɒnɪk] *adj* [1] MED chronisch, Dauer- [2] ◇ **a** ~ **liar** ein chronischer [o. unverbesserlicher] Lügner [3] ▷*problem* schwerwiegend

C

chronicle ['krɒnɪkl] **I.** *n* Chronik *f* **II.** *vt* aufzeichnen
chronological [krɒnə'lɒdʒɪkəl] *adj* chronologisch; **chronology** [krə'nɒlədʒɪ] *n* zeitliche Reihenfolge *f*
chrysalid ['krɪsəlɪd] *adj* puppenartig
chrysalis ['krɪsəlɪs] *n* (*of butterfly*) Schmetterlingspuppe *f*
chrysanthemum [krɪ'sænθɪməm] *n*
chubby ['tʃʌbɪ] *adj* ▷*child* pummelig; → *adult* rund, untersetzt
chuck [tʃʌk] **I.** *n* [1] (TECH *of drill*) Bohrfutter *s* [2] *AM FAM* Essen *s* **II.** *vt* → *ball* werfen **III. chuck out** *vt* → *old clothes* rausschmeißen
chuckle ['tʃʌkl] **I.** *vi* kichern, in sich hineinlachen **II.** *n* Kichern *st*
chug [tʃʌg] *vi* → *old motor* tuckern
chum [tʃʌm] *n* (*FAM of infant*) Spielkamerad(in *f*) *m; of adult, FAM* Kumpel *m*
chump [tʃʌmp] *n FAM* Trottel *m*
chunk [tʃʌŋk] *n* (*of bread*) Brocken *m;* **chunky** *adj* [1] ▷*pullover* dick [2] ▷*man* stämmig
church [tʃɜ:tʃ] *n* [1] (REL *building*) Kirche *f* [2] (*body*) ◇ **the C~** die Kirche *f* [3] ◇ **when does ~ begin?** wann fängt der Gottesdienst an?; ◇ **do you go to ~ regularly?** gehst du regelmäßig in die Kirche?; **church-goer** *n* Kirchgänger(in *f*) *m;* **church service** *n* Gottesdienst *m;* **churchyard** *n* ↑ *cemetery* Friedhof *m*
churlish ['tʃɜ:lɪʃ] *adj* grob
churn [tʃɜ:n] **I.** *n* [1] (*for butter*) Butterfaß *s;* (*BRIT for milk*) Milchkanne *f* **II.** *vt* [1] → *butter* buttern, zu Butter schlagen [2] → *water* aufwühlen **III. churn out** *vt* am laufenden Band produzieren
chute [ʃu:t] *n* [1] (*water ~*) Stromschnelle *f* [2] (*rubbish ~*) Müllschlucker *m* [3] (*safety ~*) Notrutsche *f* [4] (AERO *FAM parachute*) [Fall-]Schirm *m*
chutney *n* Chutney *m*
CIA *n* (*AM*) *abbr. of* **Central Intelligence Agency** CIA *m o f*
cicada [sɪ'kɑ:də] *n* Zikade *f*
CID *n* (*BRIT*) *abbr. of* **Criminal Investigation Department** Kripo *f*
cider ['saɪdə*] *n* Apfelwein *m*
cigar [sɪ'gɑ:*] *n* Zigarre *f*
cigarette [sɪgə'ret] *n* Zigarette *f;* **cigarette end** *n* Zigarettenstummel *m; FAM* Kippe *f;* **cigarette holder** *n* Zigarettenspitze *f*
cinch [sɪnʒ] *n* (*easy thing*) Kinderspiel *s,* Klacks *m;* ◇ **learning French is a ~** französisch lernen ist ein Kinderspiel
Cinderella [sɪndə'relə] *n* Aschenbrödel *s*
cine-camera ['sɪnɪ'kæmərə] *n* Filmkamera *f;* **cine film** *n* Schmalfilm *m;* **cinema** ['sɪnəmə] *n* [1] (*building*) Kino *s* [2] (*art of film*) Kino *s* [3] ◇ **do you often go to the ~?** gehst du oft ins Kino?
cinnamon ['sɪnəmən] *n* Zimt *m*
cipher ['saɪfə*] *n* [1] ↑ *code* Chiffre *f* [2] ↑ *numeral* Ziffer *f* [3] (*unimportant person*) Null *f,* Niemand *m;* ◇ **in ~** chiffriert
circa *prep* zirka
circle ['sɜ:kl] **I.** *n* [1] MATH Kreis *m* [2] (*of hills*) Ring *m* [3] (*of people*) Kreis *m;* ◇ **in political ~s** in politischen Kreisen [4] (*THEAT*) Rang *m* **II.** *vi* ← *aeroplane* kreisen **III.** *vt* [1] → *airport* umkreisen [2] → *enemy* umringen
circuit ['sɜ:kɪt] *n* [1] SPORT ↑ *track* Rennbahn *f* [2] (*turn*) Umkreisung *f;* ◇ **to do a ~** e-e Runde drehen; ◇ **to make a ~ of s.th.** um etw herumgehen [3] ELECTR Stromkreis *m* [4] (*tennis ~*) Turnierrunde *f;* **circuit diagram** *n* ELECTR Schaltplan *m;* **circuitous** [sɜ:'kju:ɪtəs] *adj* ▷*route* umständlich; **circuit training** *n* Circuittraining *s*
circular ['sɜ:kjʊlə*] **I.** *adj* kreisförmig **II.** *n* COMM Rundschreiben *s*
circularize ['sɜ:kjʊləraɪz] *vt* (*AM*) [1] (*inform*) benachrichtigen [2] → *letter* weiterreichen; **circulate** ['sɜ:kjʊleɪt] **I.** *vi* [1] ← *blood, money* zirkulieren; (*forged money*) im Umlauf sein [2] ← *partygoer* e-e Runde machen **II.** *vt* ← *memo, rumour* zirkulieren, die Runde machen; **circulation** [sɜ:kjʊ'leɪʃən] *n* [1] (*of blood*) Kreislauf *m;* (FIN *of currency*) Umlauf *m* [2] (*of magazine*) Auflage *f*
circumcise ['sɜ:kəmsaɪz] *vt* MED beschneiden; **circumcision** *n* MED Beschneidung *f*
circumference [sə'kʌmfərəns] *n* MATH Umfang *m;* ◇ **the ~ of his head is 45 cm** sein Kopf hat e-n Umfang von 45 cm
circumspect ['sɜ:kəmspekt] *adj* umsichtig
circumscibe ['sɜ:kəmskraɪb] *vt* [1] MATH e-n Kreis ziehen um *akk* [2] → *behaviour* einengen *akk,* Grenzen setzen *dat*
circumstance ['sɜ:kəmstəns] *n* [1] (*related condition*) Umstand *m;* ◇ **he died under suspicious ~s** [*o.* **in**] er starb unter ungeklärten Umständen; ◇ **in certain ~s** eventuell, unter Umständen [2] ◇ **what are your ~s?** was sind Ihre Verhältnisse? [3] ◇ **a victim of ~** (*a victim of conditions he/she could not control*) ein Opfer des Schicksals; **circumstantial** ['sɜ:kəm'stænʃəl] *adj* ↑ *not important* nebensächlich; JUR ◇ **~ evidence** Indiz *s*
circumvent [sɜ:kəm'vent] *vt* → *law, regulation* umgehen

circus ['sɜːkəs] *n* 1 (*entertainers and equipment*) Zirkus *m* 2 (*performance*) Zirkus *m* 3 (*traffic intersection*) Kreisverkehr *m;* ◇ **Picadilly C~** Picadilly Circus, *Platz mit Kreisverkehr in London*

CIS *n abbr. of* **Confederation of Independent States** GUS *f*

cissy ['sɪsɪ] *n* Weichling *m;* (*man or woman*) Memme *f*

cistern ['sɪstən] *n* Zisterne *f;* (*of toilet*) Spülkasten *m*

citation [saɪ'teɪʃən] *n* 1 Zitat *s* 2 MIL lobende Erwähnung *f;* **cite** [saɪt] *vt* 1 → *quotation, author* zitieren 2 (JUR *name*) ◇ **he was ~d in the divorce action** sein Name wurde in dem Scheidungsverfahren genannt; (*make appear*) vorladen

citizen ['sɪtɪzn] *n* 1 (*of town*) Bürger(in *f*) *m* 2 (*of country*) Staatsangehörige(r) *mf*

citizenship *n* (*of state*) Staatsangehörigkeit *f*

citrus ['sɪtrəs] *adj:* ◇ **~ fruit** Zitrusfrucht *f*

city ['sɪtɪ] *n* 1 (*large town*) Großstadt *f* 2 (*of London*) ◇ **the C~** die City, *Londoner Banken- und Börsenviertel;* **city desk** *n* (*BRIT of newspaper*) Finanz- und Wirtschaftsredaktion *f;* **city hall** *n* (*AM*) Rathaus *s*

civic ['sɪvɪk] *adj* 1 ◇ **~ centre** (*BRIT*) Verwaltungszentrum e-r Stadt *s* 2 ◇ **~ duty** Bürgerpflicht *f;* **civics** *n sing* Staatsbürgerkunde *f*

civil ['sɪvɪl] *adj* 1 ↑ *non-military* ▷*society* zivil 2 ▷*behaviour* höflich, korrekt; **civil disobedience** *n* (*passive resistance*) ziviler Ungehorsam *m;* **civil engineer** *n* Bauingenieur(in *f*) *m;* **civil engineering** *n* Hoch- und Tiefbau *m;* **civilian** [sɪ'vɪlɪən] **I.** *n* (*not a soldier*) Zivilist *m*, Zivilperson *f* **II.** *adj* zivil, Zivil-; ◇ **~ casualties** Opfer unter der Zivilbevölkerung

civilization [sɪvɪlaɪ'zeɪʃən] *n* 1 (*act of civilizing*) Zivilisierung *f* 2 (*high level of social organisation*) Zivilisation *f* 3 (*Inca, Greek etc.*) Kultur *f;* **civilize** → *savages* zivilisieren; **civilized** ['sɪvɪlaɪzd] *adj* 1 ▷*behaviour* zivilisiert; ↑ *sophisticated, tasteful* kultiviert 2 ▷*society* zivilisiert

civil law *n* bürgerliches Recht, Zivilrecht *s;* **civil marriage** *n* standesamtliche Trauung *f;* **civil rights** *n pl* Bürgerrechte *pl;* **civil servant** *n* (*worker in Civil Service*) Staatsbeamte(r) *m*, Staatsbeamtin *f;* **Civil Service** *n* (*all government departments*) Staatsdienst *m;* **civil war** *n* Bürgerkrieg *m*

clad [klæd] *adj* ▷*building* verkleidet (*in* mit); ▷*person* bekleidet (*in* mit *dat*)

claim [kleɪm] **I.** *vt* 1 ↑ *assert* behaupten; ◇ **he ~ed that she was mad** er behauptete sie sei verrückt; ◇ **he ~s to be innocent** er beteuert seine Unschuld; ◇ **he's guilty, they ~ed** sie befanden ihn für schuldig 2 (*maintain one's right*) → *inheritance* Anspruch erheben (auf *acc*); ◇ **to ~ damages** Schadensersatz verlangen 3 (*take as of right*) → *travelling expenses* beanspruchen 4 ◇ **the accident ~ed 11 lives** der Unfall forderte 11 Menschenleben **II.** *n* 1 ↑ *demand* Forderung *f* 2 ↑ *right* Anspruch *m;* ◇ **to lay ~ to the inheritance** Anspruch auf das Erbe erheben; ◇ **his one ~ to fame** seine einzige Ruhmestat 3 ↑ *assertion* Behauptung *f* 4 (*at airport*) ◇ **baggage ~** Gepäkkausgabe *f* **III. claim back** *vt* → *money* zurückfordern; **claimant** *n* Antragsteller(in *f*) *m*

clairvoyant [klɛə'vɔɪənt] **I.** *n* Hellseher(in *f*) *m* **II.** *adj* hellseherisch

clam [klæm] *n* Muschel *f;* **clam up** *vi* ← *witness* es sich gerade noch verkneifen, etw zu sagen

clamber ['klæmbə*] *vi* klettern, kraxeln; ◇ **to ~ up a hill** auf e-n Berg klettern

clammy ['klæmɪ] *adj* ▷*hands* feucht; ▷*weather* schwül

clamor, **clamour I.** *n* 1 (*of children*) Lärm *m*, Lärmen *s* 2 (*of angry people*) lautstarke Empörung *f* 3 (*of people demanding justice*) Aufschrei *m* (*against* gegen *akk*), Ruf *m* (*for* nach *dat*) **II.** *vt* ← *protesters* schreien (*for* nach *akk*); **clamorous** ['klæmərəs] *adj* laut, lautstark

clamp [klæmp] **I.** *n* (TECH *in carpentry*) Schraubzwinge *f;* (*fastening device*) Klammer *f;* MED Klemme *f;* AUTO ◇ **parking ~** Parkkralle *f* **II.** *vt* TECH einspannen; MED abklemmen; **clamp down on** *vt* → *public spending* gewaltig bremsen; → *news* unterdrücken

clan [klæn] *n* (*SCOT*) Clan *m;* ↑ *tribe* Sippe *f*, Klan *m*

clandestine [klæn'destaɪne] *adj* ▷*activity* heimlich, geheim

clang [klæŋ] **I.** *n* (*of chains*) Rasseln *s;* (*of swords*) Klirren *s* **II.** *vi* ← *hammer* hallen; ← *metal* scheppern

clanger *n* Schnitzer *m;* ◇ **to drop a ~** ins Fettnäpfchen treten

clap [klæp] **I.** *vi* ← *audience* klatschen **II.** *vt* 1 → *hands* klatschen 2 ◇ **I have not ~ped eyes on him in years** ich habe ihn schon seit Jahren nicht mehr gesehen 3 ◇ **to ~ s.o. in prison** jd-n ins Gefängnis stecken **III.** *n* 1 ◇ **to give s.o. a ~** jd-m Beifall klatschen 2 ◇ **a ~ on the back** ein Klaps auf die Schulter 3 (*of thunder*) Donnerschlag *m* 4 ↑ *gonorrhea, FAM!* Tripper *m*

clapper *n* (*of bell*) Klöppel *m;* ◇ **to go like the ~s** e-n Affenzahn draufhaben

clapping *n* Beifallklatschen *s*
clap-trap *n:* ◇ **what a load of -!** so ein Blödsinn!, so ein Quatsch!
claret ['klærıt] *n* [1] roter Bordeauxwein *BRIT* [2] *BRIT FAM* ↑ *blood* Blut *s*
clarification [klærıfı'keı∫ən] *n* (*of bye-laws*) Erläuterung *f;* **clarify** ['klærıfaı] *vt* ← *situation* klären
clarinet [klærı'net] *n* MUS Klarinette *f;* **clarity** ['klærıtı] *n* (*of thought*) Klarheit *f*
clash [klæ∫] **I.** *n* [1] (*of metal objects*) Aufeinanderprallen *s* [2] (*of armies*) Zusammenstoß *m* [3] (*of personalities*) Unvereinbarkeit *f* [4] (*of pink and purple*) Disharmonie *f* **II.** *vi* [1] ← *gongs* Aneinanderschlagen *s* [2] ← *police* zusammenstoßen (*with* mit *dat*) [3] ← *ideas* kollidieren [4] (*relatives*) sich streiten (*over* über, um *akk*) [5] (*appointment*) sich überschneiden (*with* mit *dat*) [6] (*colours*) nicht zusammenpassen, sich beißen
clasp [klɑːsp] **I.** *n* [1] (*on belt*) Schnalle *f;* (*of necklace*) Verschluß *m* [2] (*with hand*) Griff *m* **II.** *vt* → *precious object* festhalten
class [klɑːs] **I.** *n* [1] (*of pupils*) [Schul-]Klasse *f* [2] (*period of instruction*) Unterricht *m,* Unterrichtsstunde *f* [3] ◇ **working** - Arbeiterklasse *f* [4] (*word* -) Wortart, Wortklasse *f;* (*of travel*) ◇ **we travelled 1st** - wir reisten erster Klasse; ◇ **to be in a - of your own** einsame Spitze sein [5] (*degree of quality, 1st -, 2nd - etc.*) erst-, zweitklassig etc; ◇ **to have** - kultiviert sein **II.** *vt* ↑ *grade* einordnen, einstufen; **class-conscious** *adj* klassenbewußt
classic ['klæsık] **I.** *n* (*book, film etc.*) Klassiker *m* **II.** *adj* [1] ▷*product* klassisch; (2) ▷*performance* Meister-, Klasse- [3] ▷*symptoms* typisch, klassisch; ◇ **this is a - example of hypocrisy** dies ist ein Musterbeispiel für Heuchelei; **classical** ['klæsıkəl] *adj* [1] ▷*sculpture* klassizistisch [2] ▷*music* klassische Musik, Klassik *f* [3] ▷*thinking* althergebracht; **classics** *n sing* (*at university*) Altphilologie *f*
classification [klæsıfı'keı∫ən] *n* [1] (*act of classifying*) Einordnung *s,* Einteilung *f* [2] (*name of group*) Klasse *f;* **classified** ['klæsıfaıd] *adj* ▷*information* geheim; **classified ad** *n* (*in newspaper*) Kleinanzeige *f;* **classify** ['klæsıfaı] *vt* (*arrange in groups*) klassifizieren, einteilen
classroom ['klɑːsrʊm] *n* Klassenzimmer *s*
classy ['klɑːsı] *adj FAM* todschick
clatter ['klætə*] **I.** *n* (*of cutlery*) Klappern *s;* (*of horseshoes*) Getrappel *s* **II.** *vi* ← *cutlery* klappern
clause [klɔːz] *n* [1] JUR Klausel *f* [2] LING Satz *m;* ◇ **main** - Hauptsatz *m;* ◇ **subordinate** - Nebensatz *m*
claustrophobia [klɒstrə'fəʊbıə] *n* PSYCH Klaustrophobie *f; FAM* Platzangst *f*
claw [klɔː] **I.** *n* (*of cat*) Kralle *f;* (*of lobster*) Schere *f;* (*of bird, hammer*) Klaue *f* **II.** *vt* kratzen; **claw back** *vt* → *lost time* gutmachen, aufholen; → *money* wieder reinholen
claw hammer *n* Zimmermannshammer *m*
clay [kleı] *n* Lehm *m;* (*of potter*) Ton *m*
clean [kliːn] **I.** *adj* [1] ▷*fingernails* sauber; ▷*sheets* frisch [2] ▷*lines, design* klar, abgestimmt; MED ▷*cut, incision* sauber; ◇ **to make a - break with the past** e-n Schlußstrich unter die Vergangenheit ziehen [3] ▷*jokes* harmlos, nicht unanständig [4] JUR ◇ **we searched him, he's -** (*has nothing illegal on him*) wir haben ihn durchsucht, er ist sauber [5] *no longer addicted, FAM* clean [6] ▷*secondhand car* einwandfrei **II.** *vt* → *apartment* putzen; (*- with soap and water*) reinigen, waschen; (*- with chemicals*) reinigen; (*- with duster*) abstauben; (*- with disinfectant*) säubern, reinigen; ◇ **to - one's hands** sich die Hände waschen [*o.* dat]; **clean out** *vt* [1] (*office*) gründlich saubermachen, ausmisten [2] (*till, account*) ausräumen, plündern; **clean up** *vt* [1] (*mess*) aufräumen [2] (*inner city*) säubern
clean record *n* JUR tadellose Vergangenheit *f*
clean sweep *n:* ◇ **the Russians made a - - of the tournament** die Russen haben bei dem Turnier kräftig abgeräumt
cleaner *n* [1] ↑ *charlady* Putzfrau *f;* (*window -*) Fensterputzer(in *f*) *m* [2] (*for bath*) Putzmittel *s;* **cleaner's** *n* (*dry -*) chemische Reinigung *f;* ◇ **to take s.o. to the cleaner's** *FAM* jd-n ausnehmen, jd-n über's Ohr hauen; **cleaning** *n* Reinigen *s,* Säubern *s;* **cleanliness** ['klenlınıs] *n* Sauberkeit *f,* Reinlichkeit *f;* **cleanse** [klenz] *vt* → *wound* desinfizieren, säubern; **cleanser** [klenzə*] *n* (*for skin*) Reinigungscreme *f*
clean-shaven *adj* glattrasiert
clear ['klıə*] **I.** *adj* [1] (*without obscurity*) klar [2] ↑ *transparent* durchsichtig [3] ↑ *distinct* deutlich [4] ↑ *understandable* verständlich [5] ◇ **the road is - to go** die Straße ist frei **II.** *adv:* ◇ **to stand - of s.th.** von etw Abstand haben **III.** *vt* [1] → *space* räumen; ◇ **to - the way for s.th.** den Weg für etw freimachen [2] ◇ **to - the air** ↑ *to resolve tensions* die Gemüter beruhigen; ◇ **to - one's conscience** sein Gewissen erleichtern [3] → *table* abräumen [4] PC → *screen* löschen [5] JUR ◇ **to - s.o. of a charge** jd-n von e-r Anklage freisprechen [6] ◇ **we were -ed through customs** wir wurden vom Zoll abgefertigt [7] ◇ **to - s.th. by 5 cm** bei etw 5 cm Spielraum lassen **III.** *vi* ← *weather* schön werden, aufklaren; **clear away** *vt* [1] → *toys*

wegräumen [2] → *obstacle* beseitigen; **clear off** *vi* abhauen; **clear up I.** *vi* ← *weather* aufklaren **II.** *vti* → *study* aufräumen

clearance ['klıərns] *n* [1] (*act of clearing*) Räumung *f* [2] (*between movable objects*) Spielraum *m; (between fixed objects)* [lichter] Abstand *m;* ↑ *headroom* lichte Höhe *f* [3] ↑ *permission* Freigabe *f*

clear-cut *adj* [1] ▹*image* scharfgeschnitten [2] ▹*case* klar

clearing *n* (*in forest*) Lichtung *f*

clearly *adv* [1] ↑ *distinctly* klar, deutlich [2] ↑ *obviously* zweifellos, offensichtlich

clearway *n* (*BRIT*) ≈Kraftfahrstraße *f*

cleavage ['kli:vıʒ] *n* (*of breasts*) Dekolleté *s*

cleaver ['kli:və*] *n* (*of meat*) Hackbeil *s*

clef [klef] *n* Notenschlüssel *m*

clemency ['klemənsı] *n* Milde *f*, Nachsichtigkeit *f* (*towards* gegenüber *dat*)

clench [klentʃ] *vt* → *teeth* zusammenbeißen; → *fist* ballen

clergy ['klɜ:dʒı] *n pl* Geistlichkeit *f*, Klerus *m;* **clergyman** *n* <-men> Geistliche(r) *mf*

clerical ['klerıkəl] *adj* [1] (*office*) Schreib-, Büro- [2] REL geistlich, klerikal, Pfarr-

clerk [klɑ:k, *SUBST klɜ:k*] [1] (*in office*) Büroangestellte(r) *mf* [2] (*of court*) Protokollführer(in *f*) *m;* **clerk of works** *n* Bauleiter(in *f*) *m*

clever ['klevə*] *adj* [1] ↑ *intelligent* klug, gescheit [2] ↑ *subtle* raffiniert, schlau [3] ↑ *cunning* gerissen [3] ↑ *skilful* geschickt

cleverly *adv* klug, gescheit; ◇ **a ~ laid trap** e-e raffiniert aufgebaute Falle

cliché ['kli:ʃeı] *n* Klischee *s*

click [klık] **I.** *vti* [1] (*make short sound*) klicken; ◇ **to ~ one's fingers** mit den Fingern schnippen [2] (*spark understanding*) plötzlich verstehen [3] ◇ **they ~ed immediately** zwischen ihnen hat es gleich gefunkt **II.** *n* (*of switch*) Klicken *s; (of door)* Zuklinken *s*

client ['klaıənt] *n* [1] ↑ *customer* Kunde *m*, Kundin *f* [2] (JUR *of lawyer*) Klient(in *f*) *m; (before court also)* Mandant(in *f*) *m;* **clientele** [kli:ãn'tel] *n* Kundschaft *f*

cliff [klıf] *n* Klippe *f*

climactic [klaı'mætık] *adj* sich zuspitzend

climate ['klaımıt] *n* Klima *s;* **climatic** [klaı'mætık] *adj* klimatisch

climax ['klaımæks] *n* Höhepunkt *m; (sexual also)* Orgasmus *m*

climb [klaım] **I.** *vti* steigen, klettern; ◇ **to ~ a mountain** e-n Berg besteigen, auf e-n Berg klettern; ◇ **to ~ up a ladder** auf e-e Leiter steigen **II.** *vi* ← *sun* steigen; ← *road* ansteigen **II.** *n* Aufstieg *m;* **climb down** *vi* [1] (*from wall*) runterklettern von *dat* [2] (*admit mistake*) e-n Rückzieher machen; **climber** *n* [1] (*of mountain*) Bergsteiger(in *f*) *m* [2] (*social ~*) Streber(in *f*) *m;* **climbing** *n* Bergsteigen *s*

clinch [klıntʃ] **I.** *vt* [1] → *deal* festmachen, perfekt machen [2] ◇ **that ~ed it!** damit ist der Fall erledigt **II.** *n* (*boxing*) Clinch *m*

cling [klıŋ] <clung, clung> *vi* [1] ← *wet T shirt* anhaften (*to* an *dat*) [2] ← *whining child* sich klammern (*to* an *acc*) [3] (*to conviction*) festhalten (*to* an *dat*); **cling film** *n* Frischhaltefolie *f*

clinic ['klınık] *n* Klinik *f;* **clinical** *adj* MED klinisch; ▹*atmosphere* kalt, steril; ▹*person* nüchtern, klinisch

clink [klıŋk] **I.** *n* (*of coins*) Klimpern *s; (of glasses)* Klirren *s* **II.** *vi* klimpern **III.** *vt* → *glasses* anstoßen (mit *dat*)

clip [klıp] **I.** *n* [1] (*paper ~*) [Büro-]Klammer *f; (hair ~)* [Haar-]Spange *f* [2] (*film ~*) [Film-]Ausschnitt *m* [3] ◇ **he gave the boy a ~ round the ears** er gab dem Jungen e-e Ohrfeige **II.** *vt* [1] → *papers* zusammenheften [2] → *hair* schneiden; → *hedge* stutzen; **clippers** ['klıpəz] *n pl* (*for hedge*) Heckenschere *f; (for fingernails)* Nagelknipser *m;* **clipping** *n* (*from newspaper*) Ausschnitt *m*

clique [kli:k] *n* Clique *f*, Gruppe *f*

clitoris *n* Klitoris *f*, Kitzler *m*

cloak [kləʊk] **I.** *n* (*coat*) Umhang *m; (FIG of deceit)* Schleier *m* **II.** *vt FIG* verhüllen

cloakroom *n* [1] (*for coats*) Garderobe *f* [2] ↑ *lavatory* Toilette *f*

clobber ['klɒbə*] **I.** *n FAM* Klamotten *pl* **II.** *vt* [1] ↑ *beat* schlagen [2] (*taxman*) schröpfen

clock [klɒk] **I.** *n* [1] Uhr *f* [2] AUTO ↑ *speedometer* Tacho[-meter] *m* **II.** *vt* (*speed of runner*) stoppen; **clock face** *n* Zifferblatt *s;* **clockwise** *adv* im Uhrzeigersinn; **clockwork** *n:* ◇ **~ toy** Aufziehspielzeug *s;* ◇ **like ~** wie am Schnürchen

clog [klɒg] **I.** *n* Holzschuh *m* **II.** *vt* verstopfen

cloister ['klɔıstə*] *n* Kreuzgang *m;* **cloistered** *adj* ▹*thinking* weltfremd

clone ['kləʊnıŋ] **I.** *n* [1] BIO Klon *m* [2] PC ◇ **no name ~** No-Name-Computer *m* **II.** *vt* (BIO *reproduce artificially*) klonen

close [kləʊs] **I.** *adj* [1] (*not before noun, near*) nah, nahe (*to* bei *dat*); (*very near*) in unmittelbarer Nähe; (*describing proximity to s.th.*) in der Nähe (*to gen, to* von *dat*); ◇ **~ at hand** ganz in der Nähe [2] (*before noun, precise*) genau; ◇ **under ~ examination** bei genauer Betrachtung; ◇ **to keep a ~ watch on s.th.** etw genau beobachten [3] ▹*weather* schwül, drückend [4] ▹*result* knapp; ◇

C

to win by a ~ **majority** mit knapper Mehrheit gewinnen; ◇ **to have a ~ shave** nur knapp davonkommen; (*of airplanes*) ◇ ~ **miss** Beinahezusammenstoß *m* ⑤ ▷*handwriting* eng ⑥ ◇ **he's a ~ relative of mine** er is ein naher Verwandter von mir; ◇ **they are ~ friends** sie sind eng miteinander befreundet **II.** *adv* ① (*~ on 11 o'clock*) kurz (*to* vor) ② ◇ **to stand ~ together** eng aneinander stehen, dicht auf dicht stehen **III.** *n* ① (*small enclosed street*) Weg *m* ② (*yard between buildings*) Hof *m*

close ['kləʊz] **I.** *vt* ① → *door* schließen ② → *conversation* abschließen, zu Ende führen **II.** *vi* ← *shop* schließen **III.** *n* ▷*end* Ende *s;* ◇ **the decade drew to a ~** das Jahrzehnt ging zu Ende; ◇ **at the ~ of the day** wenn der Tag zu Ende geht; **close down** *vi* ← *factory* stillgelegt werden; **close in** *vi* ① ← *enemies* vorrücken (*on* auf *acc*) ② ← *winter* anbrechen; **closed** *adj* ① ▷*road* gesperrt ② ▷*shop* geschlossen ③ ▷*membership* exklusiv; ◇ ~ **circuit television** (*for security*) Videoüberwachungsanlage *f;* **closely** *adv* dicht; ◇ ~ **situated** nahegelegen; **closeness** *n* ① ↑ *nearness* Nähe *f* ② (*of friendship*) Innigkeit *f* ③ (*of supervision*) Strenge *f*

closet ['klɒzɪt] *n* (*for storing things*) Abstellraum *m*

close-up ['kləʊsʌp] *n* Nahaufnahme *f*

closing *adj* Schluß-; ◇ ~ **time** Geschäftsschluß, Ladenschluß *m;* **closure** ['kləʊʒə*] *n* ① (*act of closing*) Schließung *f* ② (*of factory*) Stillegung *f*

clot [klɒt] **I.** *n* ① (*of blood*) Blutgerinnsel *s* ② ↑ *fool, FAM* Blödmann *m* **II.** *vi* ← *blood* gerinnen

cloth [klɒθ] *n* ① ↑ *fabric* Stoff *m*, Tuch *s* ② (*dish ~*) Lappen *m*, Tuch *s*

clothe [kləʊð] *vt* kleiden, bekleiden; **clothes** [kləʊðz] *n pl* Kleider *nt pl;* **clothes brush** *n* Kleiderbürste *f;* **clothes line** *n* Wäscheleine *f;* **clothes peg** *n* Wäscheklammer *f;* **clothing** ['kləʊðɪŋ] *n* Kleidung *f*

cloud [klaʊd] **I.** *n* ① (*in the sky*) Wolke *f* ② (*of dust*) Staubwolke *f* ③ ◇ **on ~ nine** im siebten Himmel ④ *FIG* ◇ **to be under a ~** unter Verdacht stehen **II.** *vt* ① → *meaning* unnötig kompliziert machen, verkomplizieren ② → *happiness* überschatten; **cloud over** *vi* ← *sky* sich bewölken; ← *mirror* anlaufen; **cloud bank** *n* Wolkenwand *f;* **cloudy** *adj* wolkig, bewölkt

clout [klaʊt] **I.** *n* ① ↑ *blow* Schlag *m* ② *FIG* ↑ *power* Schlagkraft *f* **II.** *vt* hauen

clove [kləʊv] *n* Gewürznelke *f;* ◇ ~ **of garlic** Knoblauchzehe *f*

clover ['kləʊvə*] *n* Klee *m;* **cloverleaf** *n* <-leaves> Kleeblatt *s*

clown [klaʊn] **I.** *n* Clown *m* **II.** *vi* herumkaspern, herumalbern

cloying [klɔɪ] *adj* ▷*taste* widerlich

club [klʌb] **I.** *n* ① ↑ *cosh* Knüppel *m* ② (*football ~*) Klub, Verein *m* ③ (*cards*) Kreuz *s* ④ (*golf ~*) Schläger *m* **II.** *vt* prügeln; **club together** *vti* → *resources* zusammenlegen; **clubhouse** *n* Klubhaus *s*

cluck [klʌk] *vi* glucken

clue [klu:] *n* ① (*indication*) Anhaltspunkt *m;* ↑ *hint* Hinweis *m* ② (*for detectives*) Spur *f* ③ ◇ **he hasn't a ~** er hat keine Ahnung

clump [klʌmp] *n* (*of earth*) Klumpen *m*

clumsy ['klʌmzɪ] *adj* ① ▷*person* ungeschickt ② ▷*design* unförmig

clung [klʌŋ] *pt, pp of* **cling**

cluster ['klʌstə*] **I.** *n* (*of bees*) Traube *f;* (*of islands*) Gruppe *f;* (*of stars*) Haufen *m* **II.** *vi* ← *people* sich scharen

clutch [klʌtʃ] **I.** *n* ① (*of hand*) fester Griff ② AUT Kupplung *f* **II.** *vti* → *boy's collar* packen; → *book* umklammert halten; **clutch at** ◇ **to ~ ~ straws** sich an Strohhalmen festhalten

clutter ['klʌtə*] **I.** *vt* → *mind* vollpropfen; → *desk* übersäen **II.** *n* Unordnung *f*

cm *abbr. of* **centimetre[s]** cm

CND *abbr. of* **Campaign for Nuclear Disarmament** ≈Kampagne für atomare Abrüstung

c/o *abbr. of* **care of** bei

coach [kəʊtʃ] **I.** *n* ① (*with engine*) Omnibus *m;* (*with horses*) Kutsche *f;* (*of train*) Wagen *m* ② (*sport teacher*) Trainer(in *f*) *m* **II.** *vt* SCH Nachhilfeunterricht geben *dat;* SPORT trainieren *akk*

coagulate [kəʊ'ægjʊleɪt] *vi* gerinnen

coal [kəʊl] *n* Kohle *f;* ◇ **to carry ~s to Newcastle** Eulen nach Athen tragen

coalesce [kəʊə'les] *vi* sich verbinden

coal face ['kəʊlfeɪs] *n* Streb *m; FIG* ◇ **at the ~ ~** vor Ort; **coalfield** *n* Kohlengebiet *s;* **coal fire** *n* offener Kamin *m*

coalition [kəʊə'lɪʃən] *n* POL Koalition *f*

coalmine ['kəʊlmaɪn] *n* Zeche *f*, Kohlebergwerk *s;* **coalminer** *n* Bergarbeiter *m*

coarse [kɔ:s] *adj* ① ▷*sandpaper* grob ② ▷*joke* ordinär

coast [kəʊst] **I.** *n* Küste *f* **II.** *vi* ← *car* im Leerlauf fahren; **coastal** *adj* Küsten-; **coastguard** *n* Küstenwache *f;* **coastline** *n* Küste *f*

coat [kəʊt] **I.** *n* ① (*garment*) Mantel *m* ② (*of animal*) Fell *s*, Pelz *m* ③ (*of paint*) Schicht *f* **II.** *vt* (*with paint*) streichen

coat of arms *n* Wappen *nt*

coathanger *n* Kleiderbügel *m*

coating *n* (*of filth*) Schicht *f;* (*of paint*) Anstrich *m*

coax [kəʊks] *vt* beschwatzen
cobble ['kɒbl] *vt* → *shoes* flicken; **cobble together** *vt* (*ideas*) zusammenschustern; **cobbler** *n* (*of shoes*) Schuster *m*
cobblestone ['kɒblstəʊnz] *n* Kopfstein *m*
COBOL ['kəʊbɒl] *n acronym of* **common business oriented language** PC COBOL *s*
cobra ['kɒbrə] *n* Kobra *f*
cobweb ['kɒbweb] *n* Spinnennetz *s*
cocaine [kə'keın] *n* Kokain *s*
cock [kɒk] **I.** *n* 1 (*of farmyard*) Hahn *m* 2 (*male bird*) Männchen *s* 3 *FAM!* ↑ *penis* Schwanz *m* **II.** *vt* 1 → *ears* spitzen 2 ◇ **to ~ a gun** den Hahn spannen
cockerel *n* junger Hahn
cock-eyed *adj* 1 ▷*surface* schief 2 ▷*idea* widersinnig
cockle ['kɒkl] *n* Herzmuschel *f*
cockney ['kɒknı] *n* (*dialect*) Cockney *s*
cockpit ['kɒkpıt] *n* AERO Cockpit *s*
cockroach ['kɒkrəʊtʃ] *n* Kakerlak *m*, Küchenschabe *f*
cocktail ['kɒkteıl] *n* Cocktail *m*
cock-up *n FAM!*: ◇ **to make a ~ of s.th.** bei etw Scheiße bauen
cocoa ['kəʊkəʊ] *n* Kakao *m*
coconut ['kəʊkənʌt] *n* Kokosnuß *f*
cocoon [kə'ku:n] *n* Kokon *m*
cod [kɒd] *n* (*full-grown*) Kabeljau *m;* (*young*) Dorsch *m*
COD *abbr. of* **cash on delivery** Zahlung per Nachnahme
code [kəʊd] *n* 1 Kode *m;* ◇ **to put into ~** chiffrieren, kodieren 2 JUR Gesetzbuch *s*
codeine ['kəʊdi:n] *n* Kodein *s*
codify ['kəʊdıfaı] *vt* JUR kodifizieren
coed [kəʊ'ed] *n* (*BRIT*) gemischte Schule; *AM Schülerin e-r gemischten Schule;* **coeducational** [kəʊedjʊ'keıʃənl] *adj* ▷*teaching* koedukativ
coerce [kəʊ'ɜ:s] *vt* zwingen; **coercion** [kəʊ'ɜ:ʃən] *n* Zwang *m*
coexistence [kəʊıg'zıstəns] *n* Koexistenz *f*
coffee ['kɒfı] *n* Kaffee *m;* **coffee bar** *n* Café *s;* **coffee machine** *n* Kaffeemaschine *f*
coffin ['kɒfın] *n* Sarg *m*
cog [kɒg] *n* Radzahn *m*
cogent ['kəʊdʒənt] *adj* ▷*argument* zutreffend, überzeugend
cognac ['kɒnjæk] *n* Kognak *m*
coherent [kəʊ'hıərnt] *adj* 1 ▷*theory* in sich geschlossen, stimmig 2 LING kohärent
coil [kɔıl] **I.** *n* 1 (*of rope*) Windung *f* 2 ↑ *spring* Feder *f* 3 ELECTR Spule *f* 4 (MED *contraceptive*) Spirale *f* **II.** *vt* aufrollen
coin [kɔın] **I.** *n* Münze *f* **II.** *vt* (*put stamp on*) prägen; ◇ **to ~ a phrase** um es mal so auszudrükken; **coinage** ['kɔınıdʒ] *n* (*of word*) Prägung *f*
coincide [kəʊın'saıd] *vi* 1 ← *events* zusammenfallen 2 ← *opinions* übereinstimmen; **coincidence** [kəʊ'ınsıdəns] *n* Zufall *m;* ◇ **by a strange ~** merkwürdigerweise; **coincidental** [kəʊınsı'dentl] *adj* zufällig
coke [kəʊk] *n* 1 (*coal*) Koks *m* 2 ↑ *cocaine, FAM* Koks *m o nt*
Coke® [kəʊk] *n* (*drink*) [Coca-]Cola *f o nt*
colander ['kʌləndə*] *n* Seiher *m*
cold [kəʊld] **I.** *adj* 1 (*temperature*) kalt; ◇ **I'm ~** mir ist kalt, ich friere 2 (*manner*) kalt; ◇ **in ~ blood** kaltblütig **II.** *n* 1 Kälte *f* 2 MED Erkältung *f;* ◇ **to catch a ~** sich erkälten 3 *FIG* ◇ **to be out in the ~** links liegengelassen werden; ◇ **to come in from the ~** wieder angenommen werden; **cold box** *n* Kühlbox *f;* **coldly** *adv* kalt; **cold sore** *n* Bläschenausschlag *m;* **cold start** *n* PC Kaltstart *m;* **cold turkey** *n FAM körperl. Symptome bei radikalem Drogenentzug;* **coleslaw** ['kəʊlslɔ:] *n* Krautsalat *m*
colic ['kɒlık] *n* Kolik *f*
collaborate [kə'læbəreıt] *vi* zusammenarbeiten; **collaboration** [kəlæbə'reıʃən] *n* 1 (*working together*) Zusammenarbeit *f* 2 (*assisting the enemy*) Kollaboration *f;* **collaborator** [kə'læbəreıtə*] *n* 1 Mitarbeiter(in *f*) *m* 2 Kollaborateur(in *f*) *m*
collapse [kə'læps] **I.** *vi* 1 ← *person* zusammenbrechen 2 ← *building* einstürzen **II.** *n* 1 (*of alliance*) Zusammenbruch *m* 2 (*of building*) Einsturz *m;* **collapsible** [kə'læpsəbl] *adj* zusammenklappbar, Klapp-
collar ['kɒlə*] *n* (*of person*) Kragen *m;* (*of dog*) Halsband *s;* **collarbone** *n* Schlüsselbein *s*
collate [kɒ'leıt] *vt* → *pages of text* zusammentragen
collateral ['kɒlætərəl] *n* FIN zusätzliche Sicherheit *f*
colleague ['kɒli:g] *n* Kollege *m*, Kollegin *f*
collect [kə'lekt] **I.** *vti* 1 → *stamps* sammeln 2 → *groceries* abholen (*from* bei) 3 (*for charity*) sammeln **II.** *vi* ← *dust* sich ansammeln; **collect call** *n* (*AM*) R-Gespräch *s;* **collected** *adj* ↑ *calm* gefaßt, ruhig; **collection** [kə'lekʃən] *n* 1 Sammlung *f* 2 REL Kollekte *f;* **collective** *adj* 1 ▷*interest* gemeinsam, kollektiv 2 ▷*wisdom* gesamt; **collector** *n* 1 (*of matchboxes*) Sammler(in *f*) *m* 2 (*of taxes*) Eintreiber(in *f*) *m*
college ['kɒlıdʒ] *n* 1 (*part of university*) Institut *s* 2 (*of music, engineering etc.*) ≈Fachhochschule *f*

collide [kəˈlaɪd] *vi* [1] ← *ice skaters* zusammenprallen [2] ← *demands* kollidieren
collie [ˈkɒlɪ] *n* Collie *m*
colliery [ˈkɒlɪərɪ] *n* Zeche *f*
collision [kəˈlɪʒən] *n* [1] Zusammenstoß *m* [2] (*of opinions*) Konflikt *m*
colloquial [kəˈləʊkwɪəl] *adj* umgangssprachlich
collusion [kəˈluːʒən] ◇ **you were acting in ~** ihr habt euch abgesprochen
Cologne [kəˈləʊn] *n* Köln *s*
colon [ˈkəʊlɒn] *n* [1] LING Doppelpunkt *m* [2] ANAT Dickdarm *m*
colonel [ˈkɜːnl] *n* Oberst *m*
colonial [kəˈləʊnɪəl] *adj* kolonial, Kolonial-; **colonize** [ˈkɒlənaɪz] *vt* kolonisieren
colonnade [kɒləˈneɪd] *n* Säulengang *m*
colony [ˈkɒlənɪ] *n* Kolonie *f*
color [ˈkʌlə*] (*AM*) *s.* **colour**
Colorado beetle [kɒləˈrɑːdəʊˈbiːtl] *n* Kartoffelkäfer *m*
colossal [kəˈlɒsl] *adj* kolossal, riesig
colour [ˈkʌlə*] **I.** *n* [1] Farbe *f;* ◇ **what ~ is it?** welche Farbe hat es? [2] (*race*) Hautfarbe *f* [3] ◇ **all the ~ of the marketplace** das bunte Treiben auf dem Marktplatz **II.** *vt* [1] → *one's face* anmalen [2] → *artwork* kolorieren [3] → *cloth* färben [4] (*FIG put in a bias*) färben **III.** *vi* ← *leaves* sich verfärben; **colours** *n pl* MIL Fahne *f;* **colour-bar** *n FIG* Rassenschranke *f;* **colour-blind** *adj* farbenblind; **coloured** *adj* [1] farbig, bunt [2] ◇ **~ person** Farbige(r) *mf;* **colour film** *n* Farbfilm *m;* **colourful** *adj* ▷*story* anschaulich, interessant; ▷*personality* schillernd; **colour scheme** *n* Farbzusammenstellung *f;* **colour television** *n* Farbfernsehen *s*
colt [kəʊlt] *n* Fohlen *s*
column [ˈkɒləm] *n* [1] ARCHIT Säule *f* [2] MIL Kolonne *f* [3] (*division of text*) Spalte *f;* **columnist** [ˈkɒləmnɪst] *n* Kolumnist(in *f*) *m*
coma [ˈkəʊmə] *n* Koma *s*
comb [kəʊm] **I.** *n* [1] (*for hair*) Kamm *m* [2] (*of cock*) Kamm *m* [3] (*honey-*) Wabe *f* **II.** *vt* [1] → *hair* kämmen [2] → *archives* durchkämmen, durchforsten
combat [ˈkɒmbæt] **I.** *n* Kampf *m* **II.** *vt* bekämpfen
combination [kɒmbɪˈneɪʃən] *n* (*association*) Verbindung *f,* Kombination *f;* (*of events*) Verkettung *f;* **combination lock** *n* Kombinationsschloß *s;* **combine** [kəmˈbaɪn] **I.** *vt* verbinden **II.** *vi* sich vereinigen **III.** [ˈkɒmbaɪn] *n* [1] COMM Konzern *m,* Verband *m* [2] AGR ◇ **~ harvester** Mähdrescher *m;* **combined** *adj* ↑ *joined*: ◇ **our ~ efforts** unsere gemeinsamen Anstrengungen
combustible [kəmˈbʌstɪbl] *adj* ▷*fuel* brennbar; **combustion** [kəmˈbʌstʃən] *n* Verbrennung *f;* ◇ **internal ~ engine** Verbrennungsmotor, Otto-Motor *m*
come [kʌm] <came, come> *vi* [1] (*move from there to here*) kommen; ◇ **~ in!** herein! [2] ↑ *arrive* ankommen, gelangen; ◇ **it has ~ to me** es ist mir eingefallen [3] ↑ *become* werden; ◇ **my shoelaces have ~ undone** meine Schnürsenkel sind aufgegangen [4] ↑ *be available* erhältlich sein; ◇ **the shirt ~s in three sizes** das Hemd gibt es in drei Größen [5] ◇ **in time to ~** zukünftig; (*FAM why?*) ◇ **how ~?** warum?; **come about** *vi* geschehen; **come across** *vt* (*find*) stoßen (auf *akk*); **come away** *vi* [1] ← *person* weggehen [2] ← *door handle* abgehen; **come by I.** *vt* ↑ *obtain* kriegen **II.** *vi* vorbeikommen; **come down** *vi* [1] ← *price* sinken [2] ← *tradition* überliefert werden; **come forward** *vi* ↑ *volunteer* sich melden; **come from** *vt:* ◇ **where do you ~ ~?** wo kommen Sie her?; ◇ **I ~ ~ Würzburg** ich komme aus Würzburg; **come in for** *vt* abkriegen; **come into** *vt* ↑ *inherit* erben; ◇ **to ~ ~ your own** richtig loslegen; **come of** *vi:* ◇ **what came ~ it?** was ist daraus geworden?; **come off** *vi* [1] ← *door handle* abgehen [2] ← *plan* klappen; **come on** *vi* ← *progress* vorankommen; ◇ **how's the book coming ~?** was macht das Buch?; ◇ **~ ~!** auf geht's! , komm schon! ; **come out** *vi* [1] ← *stars* auftauchen [2] ← *book* erscheinen [3] ◇ **to ~ ~ in favour of s.th.** etw befürworten; **come out with** *vt* herausrücken (mit *dat*); **come round** *vi* [1] ↑ *visit* vorbeikommen [2] MED ↑ *regain consciousness* wieder zu sich kommen; **come to** *vi* [1] MED ↑ *regain consciousness* wieder zu sich kommen [2] ← *bill* betragen; ◇ **how much does it ~ ~?** was macht das?; **come up** *vi* [1] ← *sun* aufgehen [2] ← *problem* auftauchen [3] ◇ **to ~ ~ with s.th.** sich *dat* etw einfallen lassen; **come upon** *vt* stoßen (auf *akk*); **come up to** *vi* [1] ↑ *approach* ◇ **he's coming up to fifty** er geht auf die fünfzig zu (auf *akk*) [2] (*certain height*) reichen (bis) [3] → *expectation* entsprechen *dat;* **comeback** *n* [1] (*of famous person*) Comeback *s* [2] JUR ↑ *redress* Schadensersatzanspruch *m*
comedian [kəˈmiːdɪən] *n* Komiker(in *f*) *m;* **comedienne** [kəˈmiːdɪen] *n* Komikerin *f*
comedown [ˈkʌmdaʊn] *n* ▷*social, professional* Abstieg *m*
comedy [ˈkɒmədɪ] *n* Komödie *f*
come-on [ˈkʌmɒn] *n:* ◇ **to give sb the ~** (*FAM sexually*) jd-n anmachen
comet [ˈkɒmɪt] *n* Komet *m*
comfort [ˈkʌmfət] **I.** *n* [1] ↑ *ease* Bequemlichkeit

f; (*cosiness*) Behaglichkeit f [2] ↑ *consolation* Trost m; ↑ *relief* Erleichterung f [3] (*agreeable conveniences*) ◇ **the -s of modern civilization** die Annehmlichkeiten des modernen Lebens **II.** *vt* trösten; **comfortable** ['kʌmfətəbl] *adj* bequem; **comfort station** *n* (*AM*) öffentliche Toilette *f*

comic ['kɒmɪk] **I.** *n* [1] (*magazine*) Comic[heft] *s* [2] (*comedian*) Komiker(in *f*) *m* **II.** *adj* ↑ *amusing* komisch

coming ['kʌmɪŋ] **I.** *n*: ◇ **the second - of Christ** die Wiederkunft des Herrn; ◇ **- of age** Erreichung der Volljährigkeit **II.** *adj* ▷*week* kommend, nächste

comma ['kɒmə] *n* Komma *s*

command [kə'mɑːnd] **I.** *n* [1] ↑ *direction* Befehl *m* [2] (*of 7th Army*) Oberbefehl *m* (*of, over* über *acc*) [3] (*of language*) Beherrschung *f* [4] ◇ **the room -s a fine view** das Zimmer bietet e-e schöne Aussicht **II.** *vt* [1] befehlen *dat* [2] ◇ **to - respect** Achtung gebieten [3] → *resources* verfügen über *acc* [4] → *army* kommandieren

commander *n* Befehlshaber(in *f*) *m*, Kommandant(in *f*) *m*

commanding officer *n* befehlshabender Offizier *m*

commandment [kə'mɑndment] *n* REL Gebot *s*

commando unit *n* <-s> Kommandoeinheit *f*, Kommandotrupp *m*

commemorate [kə'meməreɪt] *vt* gedenken *gen*; **commemoration** [kəmemə'reɪʃən] *n*: ◇ **in - of** zum Gedenken an *akk*; **commemorative** [kə'memərətɪv] *adj* Gedenk-; ◇ **- service** Gedenkgottesdienst *m*

commence [kə'mens] *vt, vi* beginnen; **commencement** *n* Beginn *m*

commend [kə'mend] *vt* ↑ *recommend* empfehlen; ↑ *praise* loben; **commendable** *adj* lobenswert; **commendation** [kɒmen'deɪʃən] *n* ↑ *award* Auszeichnung *f*

comment ['kɒment] **I.** *n* ↑ *remark* Bemerkung *f*; (*by official*) Stellungnahme *f*; (*note on text*) Anmerkung *f* **II.** *vi* bemerken, sich äußern (*on* zu); → *soccer match* kommentieren (*on akk*); **commentary** ['kɒməntrɪ] *n* [1] (*on sports event*) Kommentar *m* (*on* zu) [2] ↑ *explanations* Erläuterungen *pl*; **commentator** ['kɒmənteɪtə*] *n* Kommentator(in *f*) *m*

commerce ['kɒmɜːs] *n* Handel *m*; **commercial** [kə'mɜːʃəl] **I.** *adj* ▷*transaction* Handels-, geschäftlich; ▷*training* kaufmännisch **II.** *n*: ◇ **TV -** Werbespot *m*; ◇ **- TV** Werbefernsehen *s*;

commercialize *vt* kommerzialisieren

commiserate [kə'mɪzəreɪt] *vi* ↑ *sympathize* mitfühlen (*with* mit)

commission [kə'mɪʃən] **I.** *n* [1] (*of sin*) Begehen *s* [2] (*for project*) Auftrag *m* [3] (*payment*) Provision *f* [4] (*inquiring body*) Kommission *f* **II.** *vt* → *architect* beauftragen; ◇ **out of -** außer Betrieb

commissionaire [kəmɪʃə'nɛə*] *n* Portier *m*

commissioner [kə'mɪʃənə*] *n* [1] POL Mitglied *s* e-r Kommission; (*police -*) Polizeipräsident(in *f*) *m* [2] ◇ **- of oaths** Notar *m*

commissioning *n* (*of power station*) Inbetriebnahme *f*

commit [kə'mɪt] **I.** *vt* [1] → *crime* begehen [2] → *resources* einsetzen [3] ◇ **to - s.o. to a home** jd-n in ein Heim einweisen **II.** *vr* ↑ *bind*: ◇ **- o.s.** sich verpflichten; ◇ **I don't want to - myself** ich will mich nicht festlegen; **commitment** *n* [1] ▷*family* Verpflichtung *f* [2] (▷*political, involvement*) Engagement *s*; **committal** *n* (*for trial*) Überstellung [*o.* f] ans Gericht; **committed** *adj* engagiert

committee [kə'mɪtɪ] *n* Ausschuß *m*, Kommittee *s*

commodity [kə'mɒdɪtɪ] *n* (*product*) Ware *f*; AGR Erzeugnis *s*

common ['kɒmən] **I.** *adj* [1] ◇ **it is - knowledge that he lies** es ist allgemein bekannt, daß er lügt [2] ◇ **it is - to shake hands in Germany** in Deutschland ist es üblich, sich die Hand zu geben [3] (*identical*) ◇ **they speak a - language** sie sprechen dieselbe Sprache; ◇ **what do they have in -?** was haben sie gemeinsam? [4] (*well-known*) ◇ **they speak a - language** sie sprechen e-e geläufige [*o.* weitverbreitete] Spache [5] ◇ **the - salt is good enough for salad** das gewöhnliche Salz ist für Salat gut genug **II.** *n* (*open parkland*) Grünfläche *f*; **common-law** *adj* JUR gewohnheitsrechtlich *m*; ◇ **- marriage** eheähnliches Verhältnis *s*; **commonly** *adv* gewöhnlich, im allgemeinen; **Common Market** *n* ↑ *E.C.* Gemeinsamer Markt, EG; **commonplace** *adj* alltäglich, gewöhnlich

Commons *n sing* ↑ *House of Commons*: ◇ **the C-** das Unterhaus

common sense *n* gesunder Menschenverstand *m*; **Commonwealth** *n* Commonwealth *s*

commotion [kə'məʊʃən] *n* Aufregung *f*;

communal ['kɒmjʊnl] *adj* ▷*bathroom* Gemeinschafts-; **commune** ['kɒmjuːn] **I.** *n* Kommune *f* **II.** *vi* (*contact spiritually*): ◇ **to - with God** Zwiesprache mit Gott halten

communicate [kə'mjuːnɪkeɪt] **I.** *vt* [1] ↑ *pass on* → *news* übermitteln [2] ↑ *convey* (*information, ideas*) vermitteln **II.** *vi* [1] (*exchange informa-*

tion) kommunizieren, sich verständigen ② *(be in touch)* in Verbindung stehen ③ *(get along well)* sich gut verstehen; **communication** [kəmju:nı'keıʃən] *n* ① ↑ *message* Mitteilung *f* ② *(information, ideas)* Übermittlung, Vermittlung *f* ③ *(between beings)* Kommunikation, Verständigung *f;* **communication cord** *n* Notbremse *f;* **communication satellite** *n* Nachrichtensatellit *m*

communion [kə'mju:nıən] *n:* ◇ **C-** *(Protestant)* Abendmahl *s; (Catholic)* Kommunion *f*

communism ['kɒmjʊnızəm] *n* Kommunismus *m;* **communist** ['kɒmjʊnıst] **I.** *n* Kommunist(in *f*) *m* **II.** *adj* kommunistisch

community [kə'mju:nıtı] *n* ① *(of parish)* Gemeinde *f* ② ↑ *public* Allgemeinheit *f;* **community centre** *n* Gemeindezentrum *s*

commute [kə'mju:t] *vi (be commuter)* pendeln; **commuter** *n* Pendler(in *f*) *m*

compact [kəm'pækt] **I.** *adj* kompakt; ▷*snow* fest **II.** ['kɒmpækt] *n* ① Pakt *m* ② *(for make-up)* Puderdose *f;* **compact camera** *n* Kompaktkamera *f;* **compact disc** *n* Compact Disc *f*, CD *f*

companion [kəm'pænıən] *n* ① ↑ *escort* Begleiter(in *f*) *m* ② ↑ *friend* Freund(in *f*) *m,* Kompagnon *m; (of child)* Spielkamerad(in *f*) *m* ③ *(living-in ~)* Lebensgefährte(Lebensgefährtin *f*) *m;* **companionship** *n* ↑ *company* Gesellschaft *f*

company ['kʌmpənı] *n* ① Gesellschaft *f;* ◇ **to keep s.o. ~** jd-m Gesellschaft leisten; ◇ **to behave well in ~** sich in Gesellschaft gut benehmen ② ↑ *firm,* COMM Firma *f,* Gesellschaft *f* ③ THEAT Schauspieltruppe *f* ④ *(visitor(s))* ◇ **are you expecting ~ tonight?** erwartest du heute abend Besuch?

comparable ['kɒmpərəbl] *adj* vergleichbar; **comparative** [kəm'pærətıv] **I.** *adj* ① ▷*studies* vergleichend ② ▷*poverty* relativ **II.** *n* LING Komparativ *m;* **comparatively** *adv* verhältnismäßig; **compare** [kəm'pεə*] **I.** *vt* ① *(contrast)* vergleichen *(with/to* mit *dat);* ◇ **you shouldn't ~ apples with pears** man sollte Äpfel nicht mit Birnen vergleichen; ◇ **you really ought to ~ prices** du solltest wirklich die Preise vergleichen ② *(find similarities)* vergleichen *(with/to* mit *dat);* ◇ **he ~d her to a summer's day** er verglich sie mit e-m Sommertag ③ *(as opposed to)* ◇ **~d to me you are a genius** im Vergleich zu mir bist du ein Genie **II.** *vi* sich vergleichen lassen; **comparison** [kəm'pærısn] *n (of two objects)* Vergleich *m;* ◇ **it's good in ~ to his last article** verglichen mit seinem letzten Artikel ist es gut

compartment [kəm'pɑ:tmənt] *n* ① RAIL Abteil *s* ② *(in desk)* Fach *s*

compass ['kʌmpəs] *n* ① Kompaß *m* ② ◇ **~es** *pl* Zirkel *m*

compassion [kəm'pæʃən] *n* Mitleid *s;* **compassionate** *adj* mitfühlend

compatible [kəm'pætıbl] *adj* ① *(points of view)* vereinbar; ◇ **we're not ~** wir vertragen uns nicht ② (PC *similarly built)* kompatibel

compel [kəm'pel] *vt* → *person* zwingen; → *obedience* erzwingen

compelling *adj* ▷*argument* zwingend; ▷*performance* bezwingend

compendium [kəm'pendıəm] *n* Kompendium *s*

compensate ['kɒmpenseıt] *vt* ① entschädigen; ◇ **to ~ for damage** Schadensersatz bezahlen ② ↑ *make up* ausgleichen; ◇ **her skill ~s for her slowness** ihre Geschicklichkeit gleicht ihre Langsamkeit aus; **compensation** [kɒmpen'seıʃən] *n (for damage)* Entschädigung *f;* PSYCH Kompensation *f*

compère ['kɒmpεə*] *n* Conférencier *m*

compete [kəm'pi:t] *vi* COMM konkurrieren; ◇ **to ~ with one another** sich [gegenseitig] Konkurrenz machen; SPORT kämpfen, wettstreiten *(for* um), teilnehmen

competence ['kɒmpıtəns] *n* Fähigkeit *f;* JUR Zuständigkeit *f;* **competent** *adj* kompetent, fähig; JUR zuständig

competition [kɒmpı'tıʃən] *n* ① ↑ *contest* Wettbewerb *m* ② COMM Konkurrenz *f*

competitive [kəm'petıtıv] *adj* ▷*person* auf Wettbewerb eingestellt ▷*price* konkurrenzfähig; **competitor** [kəm'petıtə*] *n* COMM Konkurrent(in *f*) *m;* SPORT Teilnehmer(in *f*) *m*

compile [kəm'paıl] *vt* zusammenstellen; PC kompilieren

complacency [kəm'pleısnsı] *n* Selbstzufriedenheit *f;* **complacent** [kəm'pleısnt] *adj* selbstzufrieden

complain [kəm'pleın] *vi* sich beklagen, sich beschweren *(about* über *akk);* **complaint** *n* Beschwerde *f (to* bei); MED Beschwerden *f pl*

complement ['kɒmplımənt] **I.** *vt (enhance)* ergänzen **II.** *n* ① *(enhancement)* Ergänzung *f (to* gen) ② *(ship's ~)* vollzählige Besatzung *f*

complementary [kɒmplı'mentərı] *adj* ▷*colour* Komplementär-; ◇ **man and woman are ~** Mann und Frau ergänzen einander

complete [kəm'pli:t] **I.** *adj* ① ▷*information* ganz, vollständig ② ◇ **when will the work be ~?** wann wird die Arbeit fertig sein? ③ ◇ **it comes ~ with an instruction manual** es wird samt *[o.* komplett mit] Handbuch geliefert ④ ◇ **it came as a ~ surprise** es kam völlig überraschend **II.** *vt* ① → *set* vervollständigen ② → *work* fertigstellen;

completely *adv* vollständig, ganz; **completion** [kəm'pliːʃən] *n* *(of collection)* Vervollständigung *f; (of building)* Fertigstellung *f*
complex ['kɒmpleks] **I.** *adj* ▷*situation* kompliziert, verwickelt **II.** *n industrial* ~, PSYCH Komplex *m;* **complexion** [kəm'plekʃən] *n* [1] *(florid* ~) Gesichtsfarbe *f,* Teint *m* [2] ◇ **to put a fresh ~ on things** e-r Sache e-n neuen Anstrich geben; **complexity** [kəm'pleksɪtɪ] *n* Kompliziertheit, Differenziertheit *f*
compliance [kəm'plaɪəns] *n* [1] *(with rules)* Einhalten *s (with* gen) [2] ↑ *obedience* Fügsamkeit *f*
complicate ['kɒmplɪkeɪt] *vt* komplizieren; **complicated** *adj* kompliziert; **complication** [kɒmplɪ'keɪʃən] *adj* Komplikation *f*
compliment ['kɒmplɪment] **I.** *n* [1] Kompliment *s;* ◇ **to pay s.o. a** ~ jd-m ein Kompliment machen [2] ◇ **my ~s to your wife** grüßen Sie Ihre Frau von mir **II.** *vt:* ◇ **to ~ a lady on her lovely dress** e-r Dame für ihr schönes Kleid ein Kompliment machen; **complimentary** [kɒmplɪ'mentərɪ] *adj* [1] *(praising)* schmeichelhaft [2] ↑ *free* Frei-, Gratis-
comply [kəm'plaɪ] *vi* ↑ *agree* einwilligen; ◇ **to ~ with the terms of a contract** die Bedingungen e-s Vertrages erfüllen; ◇ **to ~ with a request** e-r Bitte nachkommen
component [kəm'pəʊnənt] **I.** *adj* Teil- **II.** *n* Bestandteil *m*
compose [kəm'pəʊz] **I.** *vti* → *music* komponieren; → *letter* schreiben **II.** *vr:* ◇ ~ **o.s.** sich fassen, sich beherrschen; **composed** *adj* [1] gefaßt [2] ◇ **to be ~ of** bestehen aus; **composer** *n* Komponist(in *f*) *m*
composite ['kɒmpəzɪt] *adj* zusammengesetzt; **composition** [kɒmpə'zɪʃən] *n* [1] *(of substance)* Zusammensetzung *f* [2] ↑ *structure* Aufbau *m* [3] MUS Komposition *f;* SCH Aufsatz *m;* **compositor** [kəm'pɒzɪtə*] *n* Schriftsetzer(in *f*) *m*
compost ['kɒmpɒst] *n* Dünger *m;* **compost heap** *n* Komposthaufen *m*
composure [kəm'pəʊʒə*] *n (of person)* Gelassenheit *f,* Fassung *f*
compound [1] ['kɒmpaʊnd] *vt* → *problem* vergrößern, verschlimmern
compound [2] ['kɒmpaʊnd] **I.** *n* [1] ↑ *mixture* Gemisch *s;* CHEM Verbindung *f* [2] *(enclosed area)* eingezäuntes Gelände [3] LING zusammengesetztes Wort, Kompositum **II.** *adj* zusammengesetzt; **compound fracture** *n* MED offene Fraktur *f;* **compound interest** *n* FIN Zinseszinsen *m pl*
comprehend [kɒmprɪ'hend] *vt* begreifen, verstehen; **comprehension** [kɒmprɪ'henʃən] *n* [1] ↑ *understanding* Verständnis *s* [2] SCH ◇ ~ **test** Fragen *pl* zum Text; **comprehensive** [kɒmprɪ'hensɪv] *adj* umfassend; **comprehensive school** *n* Gesamtschule *f*
compress [kəm'pres] **I.** *vt* [1] → *text* kürzen; ◇ **to ~ a report to 5 pages** e-n Bericht auf 5 Seiten zusammenkürzen [2] → *gas, fluid* komprimieren **II.** ['kɒmpres] *n* MED Kompresse *f,* Umschlag *m;* **compressed air** *n* Druckluft *f;* **compressor** [kəm'presə*] *n* TECH Kompressor *m*
comprise [kəm'praɪz] *vt* umfassen
compromise ['kɒmprəmaɪz] **I.** *n* Kompromiß *m* **II.** *vt* → *reputation* kompromittieren, schaden **III.** *vi* e-n Kompromiß schließen
compulsion [kəm'pʌlʃən] *n* [1] PSYCH innerer Zwang *m* [2] ◇ **to do s.th. under ~** etw unter Druck [*o.* Zwang] tun; **compulsive** [kəm'pʌlsɪv] *adj* ▷*behaviour* zwanghaft; **compulsory** [kəm'pʌlsərɪ] *adj* ↑ *obligatory* obligatorisch; **compulsory service** *n* Wehrpflicht *f*
computer [kəm'pjuːtə*] *n* Computer *m,* Rechner *m;* **computer centre** *n* Rechenzentrum *s;* **computer-controlled** *adj* computergesteuert; **computer game** *n* Computerspiel *s;* **computerize** [kəm'pjuːtəraɪz] *vt* computerisieren; **computerized axial tomography** *n* MED Computertomographie *f,* CT *s;* **computer program** *n* Programm *s;* **computer scientist** *n* Informatiker(in *f*) *m*
comrade ['kɒmrɪd] *n* [1] Kamerad(in *f*) *m* [2] *(in union, in left-wing group)* Genosse *m,* Genossin *f;* **comradeship** *n* Kameradschaft *f*
concave [kɒn'keɪv] *adj* konkav
conceal [kən'siːl] **I.** *vt* [1] → *information* verheimlichen; ◇ **to ~ information from s.o.** jd-m Informationen vorenthalten [2] → *weapon* verstecken **II.** *vr:* ◇ ~ **o.s.** sich verbergen; **concealed** *adj* ▷*wiring* verdeckt; **concealment** *n (of evidence)* Unterschlagung *f*
concede [kən'siːd] **I.** *vt* [1] ↑ *give up* aufgeben; ◇ **to ~ s.th. to s.o.** *(in argument)* jd-m in etw rechtgeben, jd-m etw zugestehen [2] ↑ *grant* → *right* zubilligen **II.** *vi* nachgeben
conceit [kən'siːt] *n* Einbildung *f;* **conceited** *adj* eingebildet
conceivable [kən'siːvəbl] *adj* vorstellbar; **conceive** [kən'siːv] **I.** *vt* [1] → *baby* empfangen [2] → *idea* bekommen [3] ◇ **to ~ a dislike for s.o.** e-e Abneigung gegen jd-n entwickeln **II.** *vi* ← *woman* empfangen; **conceive of** *vt* ↑ *imagine* sich *akk* vorstellen; ◇ **he couldn't ~ of the war ending** er konnte sich ein Ende des Krieges nicht vorstellen

concentrate ['kɒnsəntreɪt] **I.** *vi* sich konzentrieren (*on* auf *akk*) **II.** *vt* → *efforts* konzentrieren (*on* auf *akk*); **concentration** [kɒnsən'treɪʃən] *n* Konzentration *f;* **concentration camp** *n* Konzentrationslager *s;* (*of WWII also*) KZ *s*
concentric [kɒn'sentrɪk] *adj* konzentrisch
concept ['kɒnsept] *n* (*principle*) Konzept *s,* Begriff *m;* **conception** [kən'sepʃən] *n* ① ↑ *idea* Vorstellung *f* ② (*of baby*) Empfängnis *f;* **conceptual** [kənseptju:əl] *adj* ▹*thought* begrifflich
concern [kən'sɜ:n] **I.** *n* ① (*matter, affair*) Angelegenheit *f* ② ↑ *worry* Sorge *f* (*for* um) ③ ◇ **of international** ~ von internationalem Interesse ④ COMM Großunternehmen *s,* Konzern *m* **II.** *vt* ① ◇ **this article ~s South Africa** in diesem Bericht geht es um Südafrika ② ◇ **it should not ~ you** es sollte dich nicht beunruhigen ③ ◇ **it does not ~ you** (*nothing to do with*) es betrifft dich nicht; (*none of your business*) es geht dich nichts an ④ ◇ **to whom it may ~** an den betreffenden Sachbearbeiter; **concerned** *adj* ↑ *anxious* besorgt; **concerning** *prep* hinsichtlich *gen,* betreffend; ◇ ~ **your letter** hinsichtlich Ihres Briefes, Ihren Brief betreffend
concert ['kɒnsət] *n* ① Konzert *s* ② ◇ **to act in ~** zusammenarbeiten; **concert hall** Konzerthalle *f;* **concerted** [kən'sɜ:tɪd] *adj* ▹*attempt* gemeinsam; ▹*effort* konzertiert
concertina [kɒnsə'ti:nə] *n* Handharmonika *f*
concerto [kən'tʃɜ:təʊ] *n* <-s> Konzert *s*
concession [kən'seʃən] *n* ① ↑ *admission, compromise* Zugeständnis *s* (*to* an *acc*) ② (*permission*) Genehmigung *f*
conciliation [kənsɪlɪ'eɪʃən] *n* (*appeasement*) Versöhnung *f;* (*official* ~) Schlichtung *f;* ◇ **attempt at ~** Vermittlungsversuch *m*
conciliatory [kən'sɪlɪətrɪ] *adj* vermittelnd
concise [kən'saɪs] *adj* knapp
conclude [kən'klu:d] *vti* ① → *letter* beenden ② → *agreement* abschließen ③ ↑ *infer* folgern; **conclusion** [kən'klu:ʒən] *n* ① (*logical* ~) Schlußfolgerung *f* ② (*of article*) Schluß *m;* ◇ **in ~** zum Schluß, schließlich; **conclusive** [kən'klu:sɪv] *adj* ▹*evidence* überzeugend, stichhaltig; **conclusively** *adv* (*finished*) endgültig
concoct [kən'kɒkt] *vt* zusammenbrauen
concord ['kɒŋkɔ:d] *n* (*friendly relations*) Eintracht *f*
concourse ['kɒŋkɔ:s] *n* ARCHIT Eingangshalle *f*
concrete ['kɒŋkri:t] **I.** *n* Beton *m* **II.** *adj* konkret
concur [kən'kɜ:*] *vi* übereinstimmen; **concurrently** [kən'kʌrəntlɪ] *adv* gleichzeitig

concussion [kɒn'kʌʃən] *n* Gehirnerschütterung *f*
condemn [kən'dem] *vt* ① → *bad habit* verdammen ② ◇ **to ~ s.o. to 5 years in prison** jd-n zu 5 Jahren Gefängnis verurteilen ③ → *building* für abbruchreif erklären; **condemnation** [kɒndem'neɪʃən] *n* Verurteilung *f*
condensation [kɒnden'seɪʃən] *n* Kondensat *s;* TECH Kondenswasser *s,* Schwitzwasser *s;* ◇ **the mirror is covered with ~** der Spiegel ist beschlagen; **condense** [kən'dens] **I.** *vi* CHEM ← *steam* kondensieren **II.** *vt* → *text* kürzen, knapper gestalten; **condensed milk** *n* Kondensmilch *f*
condescend [kɒndɪ'send] *vi* sich herablassen; **condescending** *adj* von oben herab; ◇ **to be ~ towards s.o.** jd-n herablassend behandeln
condition [kən'dɪʃən] **I.** *n* ① (*of piano*) Zustand *m* ② (*of contract*) Bedingung *f;* ↑ *precondition* Voraussetzung *f;* ◇ **on ~ that** unter der Bedingung, daß ③ (*working ~s*) Verhältnisse *nt pl;* ◇ **weather ~s** Wetterlage *f* **II.** *vt* ① → *hair* in Form bringen ② PSYCH gewöhnen, konditionieren; **conditioned** *adj:* ◇ ~ **reflex** bedingter [*o.* konditionierter] Reflex; **conditioner** *n* (*for laundry*) Weichspüler *m;* (*for hair*) Spülung *f;* **conditional** *adj* bedingt; ◇ **to be ~ on s.th.** von etw abhängen; LING ◇ ~ **sentence** Konditionalsatz *m*
condo ['kɒndəʊ] *n s.* **condominium**
condolences [kən'dəʊlənsɪz] *n pl* Beileidsbekundungen *f pl;* ◇ **please accept my ~** mein tiefempfundenes Beileid, meine aufrichtige Anteilnahme
condom ['kɒndəm] *n* Kondom *s*
condominium [kɒndə'mɪnɪəm] *n* (*AM*) Eigentumswohnung *f;* (*block*) Gebäude *s* mit Eigentumswohnungen
condone [kən'dəʊn] *vt* stillschweigend dulden
conducive [kən'dju:sɪv] *adj* dienlich (*to* dat)
conduct ['kɒndʌkt] **I.** *n* ① (*personal* ~) Führung *f,* Verhalten *s* ② (*of a company*) Führung *f* **II.** [kən'dʌkt] *vti* ① → *prisoner* führen ② → *inquiry* durchführen ③ → *orchestra* dirigieren; → *business* führen ④ ELEC leiten; **conducted tour** *n* (*of a building*) Führung *f;* (*of a country*) Gesellschaftsreise *Gesellschaftsreise;* **conductor** [kən'dʌktə*] *n* ① (*of orchestra*) Dirigent(in *f*) *m* ② (*bus* ~) Schaffner *m* ③ ELECTR Leiter *m;* **conductress** [kən'dʌktrɪs] *n* (*bus* ~) Schaffnerin *f*
conduit ['kɒndɪt] *n* (*for water*) Leitungsrohr *n;* ELECTR Rohrkabel *s*
cone [kəʊn] *n* ① MATH Kegel *m* ② (*for ice cream*) Tüte *f* ③ ◇ **pine ~** Tannenzapfen *m*

confectionery [kən'fekʃənərı] *n* (*sweet cakes and ice-cream*) Süßwaren *pl;* (*shop*) Süßwarengeschäft *s*
confederation [kənfedə'reıʃən] *n* Bund *m;* **Confederation of Independent States** *n* Gemeinschaft Unabhängiger Staaten
confer [kən'fɜ:*] **I.** *vt* → *doctorate* verleihen (*on* dat) **II.** *vi* ↑ *discuss* konferieren, verhandeln; **conference** ['kɒnfərəns] *n* Konferenz *f*
confess [kən'fes] *vti* 1 (*acknowledge*) gestehen; ◇ **to - to s.th.** etw gestehen 2 REL beichten; **confession** [kən'feʃən] *n* 1 JUR Geständnis *s* 2 REL Beichte *f;* **confessional** [kən'feʃənl] *n* Beichtstuhl *m;* **confessor** *n* REL Beichtvater *m*
confetti [kən'fetı] *n* Konfetti *s*
confide [kən'faıd] *vt* → *information* anvertrauen; **confide in** ◇ **to - - one's friend** sich seinem Freund anvertrauen; **confidence** ['kɒnfıdəns] *n* 1 ↑ *trust* Vertrauen *s;* ◇ **self-**- Selbstvertrauen *s* 2 ◇ **in strict** - streng vertraulich; *s.* **vote; confidence trick** *n* Schwindel *m*
confident ['kɒnfıdənt] *adj* 1 (*of success*) sicher (*of* gen); ◇ **she is - of winning the race** sie ist zuversichtlich, daß sie gewinnt 2 (*self-assured*) selbstsicher; **confidential** [kɒnfı'denʃəl] *adj* ▷*report* vertraulich
confine [kən'faın] *vt* 1 ↑ *limit* begrenzen 2 ↑ *lock up* einsperren; **confined** *adj* ▷*space* eng; **confinement** *n* 1 (*in prison*) Haft *f* 2 MED Wochenbett *s*
confirm [kən'fɜ:m] *vt* ▷*appointment* bestätigen; ◇ **his behaviour -s my suspicions** sein Verhalten bestätigt meinen Verdacht; **confirmation** [kɒnfə'meıʃən] *n* Bestätigung *f;* REL Konfirmation *f;* **confirmed** *adj* (*- bachelor*) eingefleischt
confiscate ['kɒnfıskeıt] *vt* → *goods* beschlagnahmen, konfiszieren; **confiscation** [kɒnfıs'keıʃən] *n* Beschlagnahme *f*
conflagration [kɒnflə'greıʃən] *n* Feuersbrunst *f*
conflict ['kɒnflıkt] **I.** *n* 1 (*between parties*) Konflikt, Streit *m;* ◇ **we came into - over the inheritance** wir gerieten über das Erbe in Streit; ◇ **military -** militärische Auseinandersetzung *f* 2 (*with o.s.*) Zweifel, Zwiespalt *m* **II.** [kən'flıkt] *vi* im Widerspruch stehen; **conflicting** [kən'flıktıŋ] *adj* ▷*statements* sich widersprechend
conform [kən'fɔ:m] *vi* 1 (*to regulations*) ← *device* entsprechen (*to* dat); ← *person* sich fügen (*to* dat) 2 ↑ *adapt* (*to environment*) sich anpassen (*to* dat); (*to general trends*) sich richten (*to* nach); **conformist** *n* Konformist(in *f*) *m*
confront [kən'frʌnt] *vt* 1 → *enemy* gegenüberstehen *dat* 2 (*have to manage*) ↑ *duty, task* begegnen 3 ↑ *accuse directly* → *s.o.* konfrontieren (*with* mit *dat*); ◇ **she -ed him with the evidence** sie konfrontierte ihn mit den Beweisen 4 ↑ *have to deal with* sich gegenübersehen; ◇ **difficulties -ed him** er sah sich vor Schwierigkeiten gestellt; **confrontation** [kɒnfrən'teıʃən] *n* ↑ *disagreement* ↑ *fight* Konfrontation *f;* ↑ *dispute* Auseinandersetzung *f*
confuse [kən'fju:z] *vt* 1 → *twins* verwechseln; ◇ **he -d me with my brother** er hat mich mit meinem Bruder verwechselt 2 → *situation* verkomplizieren 3 → *person* verwirren, durcheinanderbringen; ◇ **don't - me!** bring' mich nicht durcheinander!; **confused** *adj* 1 (▷*person, without understanding*) verwirrt, wirr 2 (▷*situation, without system*) verworren; **confusing** *adj* ↑ *difficult, destabilizing* verwirrend; **confusion** [kən'fju:ʒən] *n* 1 (*of twins*) Verwechslung *f* 2 (*of mind*) Verwirrung *f* 3 ↑ *disorder* Durcheinander *s,* Wirrwarr *s*
confute *vt* (*argument*) widerlegen
congeal [kən'dʒi:l] **I.** *vi* ← *blood, gravy* gerinnen **II.** *vt* gerinnen lassen; ◇ **fear -s the blood** Angst läßt das Blut in den Adern gerinnen
congenial [kən'dʒi:nıəl] *adj* ↑ *pleasant* angenehm
congenital [kən'dʒenıtəl] *adj* ▷*disease* angeboren
conger eel ['kɒŋgər'i:l] *n* Meeraal, Conger *m*
congested [kən'dʒestıd] *adj* 1 ▷*city centre* verstopft 2 ▷*lungs* ◇ **his lungs are -** in seiner Lunge staut sich Flüssigkeit; **congestion** [kən'dʒestʃən] *n* 1 (*traffic -*) Stau *m* 2 (*nasal -*) Verstopfung *f*
conglomerate [kən'glɒmərıt] *n* COMM ↑ *concern* Großkonzern *m;* **conglomeration** [kənglɒmə'reıʃən] *n* ↑ *mixture, accumulation* Anhäufung *f,* Konglomerat *s*
congratulate [kən'grætjʊleıt] *vt* (*on birthday, on marriage*) beglückwünschen, alles Gute wünschen (*on* zu); ◇ **he -d them for staying** er gratulierte ihnen, daß sie geblieben sind; **congratulations** [kəngrætjʊ'leıʃənz] **I.** *n npl* Glückwunsch *m,* Glückwünsche *pl* **II.** *intj* (*on occasion*) herzlichen Glückwunsch!; (*more general, also ironic*) gratuliere!; **congratulatory** *adj* ▷*telegram, note* Glückwunsch-; ▷*remark, gesture* anerkennend
congregate ['kɒŋgrıgeıt] *vi* (*gather as a group*) sich versammeln; **congregation** [kɒŋgrı'geıʃən] *n* (*of people*) Versammlung *f;* REL Gemeinde *f*
congress ['kɒŋgres] *n* ▷*commercial, academic, political* Kongreß *m;* **congressional** [kən'greʃənl] *adj* Kongreß-; **congressman, con-**

gresswoman *n* <-men> *AM* POL Kongreßabgeordnete(r) *fm*
conical ['kɒnɪkəl] *adj* ▷*shape* kegelförmig, konisch
conifer ['kɒnɪfə*] *n* ↑ *pine, fir* Nadelbaum *m*
coniferous [kə'nɪfərəs] *adj* ▷*forest* Nadel-
conjecture [kən'dʒektʃə*] **I.** *n* ↑ *speculation* Vermutung *f* **II.** *vt, vi* vermuten
conjugal ['kɒndʒʊgəl] *adj* ▷*rights, happiness* ehelich; **conjugate** ['kɒnʒʊgeɪt] *vt* LING konjugieren
conjunction [kən'dʒʌŋkʃən] *n* 1 Verbindung *f*, Zusammentreffen *s*; ◇ **vocabulary is to be studied in ~ with grammar** Vokabeln sollten zusammen mit der Grammatik gelernt werden 2 LING Konjunktion *f*, Bindewort *s*
conjunctivitis [kəndʒʌŋktɪ'vaɪtɪs] *n* Bindehautentzündung *f*
conjure ['kʌndʒə*] *vt, vi* zaubern; **conjure up** *vt* 1 → *spirit* beschwören 2 → *mental image* heraufbeschwören; **conjurer**, **conjuror** *n* Zauberer *m*; (*entertainer*) Zauberkünstler(in *f*) *m*
conjuring trick *n* Zauberkunststück *s*
conk out [kɒŋk aʊt] *vi FAM* ← *machine* stehenbleiben; ← *person* umkippen
con-man *n* <-men> Schwindler *m*
conker *n* ↑ *horse chestnut* Roßkastanie *f*
connect [kə'nekt] *vt* 1 → *pipes, cities* verbinden (*to, with* mit *dat*) 2 ↑ *put through* ◇ **can you ~ me to Mr. Becker?** können Sie mich mit Herrn Becker verbinden? 3 ↑ *link, suggest relationship, FIG* eine Verbindung herstellen; ◇ **there is nothing to ~ me with the crime** nichts kann mich mit diesem Verbrechen in Verbindung bringen; **connect up** *vt* ELECTR → *power, water* anschließen (*with, to* an *acc*); **connecting flight** *n* Anschlußflug *m*; **connection**, **connexion** [kə'nekʃən] *n* 1 (*act of joining*) Verbindung *f* 2 ↑ *joint* ▷*welded, screwed* Verbindungsstück *s*, Verbindung *f*; ▷*bracket, insert* Anschluß *m*; ELECTR, TELECOM Anschluß *m* 3 (*bus ~*) Verbindung *f* 4 ↑ *relation* Zusammenhang *m*; ◇ **there is a ~ between smoking and cancer** zwischen Rauchen und Krebs gibt es einen Zusammenhang; ◇ **in ~ with** ↑ *concerning* in Zusammenhang mit; **connections** *n n pl* 1 (*of social influence*) Beziehungen *pl* 2 (*family ~*) Verwandtschaft *f*
connive [kə'naɪv] **I.** *vi* ↑ *conspire* sich verschwören (*with* mit); **connive at** *vt* → *wrongdoing* stillschweigend dulden
connoisseur [kɒnɪ'sɜ:*] *n* ↑ *expert* Kenner(in *f*) *m*; ◇ **~ of antiques** Antiquitätenliebhaber(in *f*) *m*
connotation [kɒnə'teɪʃən] *n* ↑ *mental association* Konnotation *f*; ◇ **the word 'war' has ~s of fear** mit dem Wort 'Krieg' verbindet man Angst
conquer ['kɒŋkə*] **I.** *vt* 1 MIL → *land, enemy* besiegen, erobern 2 → *illness* besiegen; → *mountain* bezwingen **II.** *vi* (*win by fighting*) siegen; **conqueror** *n* Eroberer *m*
conquest ['kɒŋkwest] *n* 1 (MIL *of enemy*) Bezwingung *f*; (*of land*) Eroberung *f* 2 (*conquered land*) Eroberung *f* 3 (*FIG amorous ~*) Eroberung *f*
conscience ['kɒnʃəns] *n* Gewissen *s*; ◇ **to have a guilty ~** ein schlechtes Gewissen haben; ◇ **to have a clear ~** ein reines Gewissen haben; ◇ **to have s.th. on one's ~** (*feel guilty*) etw auf dem Gewissen haben
conscientious [kɒnʃɪ'enʃəs] *adj* ▷*work, worker* gewissenhaft; ◇ **~ objection** Kriegsdienstverweigerung *f*
conscious ['kɒnʃəs] *adj* 1 ↑ *aware* bewußt; ◇ **he became ~ of his sexism** ihm wurde sein Sexismus bewußt 2 ↑ *intentional* bewußt; ◇ **she made a ~ effort to be polite** sie versuchte bewußt, höflich zu sein 3 MED bei Bewußtsein; **consciousness** *n* 1 MED Bewußtsein *s*; ◇ **to regain ~** wieder zu sich kommen 2 Bewußtheit *f* 2 (*political ~*) Bewußtsein *s*
conscript ['kɒnskrɪpt] **I.** *n* MIL Wehrpflichtige(r) *m* **II.** [kən'skrɪpt] *vt* MIL einziehen, einberufen; ◇ **he was ~ed into the army** er wurde zum Wehrdienst einberufen; **conscription** [kən'skrɪpʃən] *n* 1 ↑ *mandatory military service* Wehrpflicht *f* 2 (*act of conscripting*) Einberufung *f*
consecrate ['kɒnsɪkreɪt] *vt* → *church* weihen
consecutive [kən'sekjʊtɪv] *adj* ↑ *successive* aufeinanderfolgend; → *numbers* fortlaufend; ◇ **on ten ~ days** an zehn Tagen hintereinander; **consecutively** *adv* nacheinander
consensus [kən'sensəs] *n* ↑ *general agreement* Übereinstimmung *f*, Einigkeit *f*; ◇ **the ~ of opinion** die mehrheitliche Meinung
consent [kən'sent] **I.** *n* 1 ↑ *permission* Zustimmung *f* (*to* zu); ◇ **to give one's ~** einwilligen 2 (*agreement between two or more*) Übereinstimmung *f* (*to* in *dat*); ◇ **by general ~** einstimmig **II.** *vi* zustimmen (*to dat*); ◇ **to ~ to s.o. doing s.th.** einwilligen [*o.* damit einverstanden sein], daß jd. etw tut
consequence ['kɒnsɪkwəns] *n* 1 ↑ *effect* Auswirkung, Wirkung *f* 2 ↑ *result* Konsequenz *f*, Folge *f*; ◇ **to face/take the ~s** die Folgen tragen; ◇ **as a ~ of this** als Folge davon 3 ↑ *importance* Bedeutung *f*; ◇ **of no ~** unwichtig

consequent *adj* sich daraus ergebend; **consequently** ['kɒnsɪkwəntlɪ] *adv* folglich; **consequential** *adj* 1 ↑ *vain* überheblich, eingebildet 2 ↑ *consistent* folgerichtig

conservation [kɒnsə'veɪʃən] *n* 1 ↑ *preservation* Erhaltung *f* 2 ↑ *protection* Schutz *m;* ◇ **rural ~ area** Naturschutzgebiet *s;* **conservationist** *n* Umweltschützer(-in *f*) *m;* **conservative** [kə-n'sɜːvətɪv] *adj* 1 ▷*attitude, style* konservativ 2 ▷*guess* vorsichtig 2 POL konservativ; ◇ **the C-Party** (*BRIT*) die Konservative Partei

conservatory [kən'sɜːvətrɪ] *n* 1 Wintergarten *m* 2 MUS Konservatorium *s*

conserve [kən'sɜːv] *vt* erhalten

consider [kən'sɪdə*] *vt* 1 (*think about s.th./s.o. carefully*) nachdenken (*about* über *acc*); ◇ **to ~ marrying** eine Heirat erwägen; (*having a baby*) ◇ **to ~ a child** über ein Kind nachdenken 2 ↑ *assess* halten für; ◇ **I ~ him to be intelligent** ich halte ihn für intelligent 3 ↑ *take into account, bear in mind* in Betracht ziehen; ◇ **if you ~ the cost** wenn man die Kosten bedenkt; ◇ **all things ~ed** alles in allem

considerable [kən'sɪdərəbl] *adj* ▷*contribution, effort* beträchtlich, erheblich; ◇ **to a ~ extent** weitgehend; **considerably** *adv* ↑ *very much* bedeutend, wesentlich; ◇ **jogging is ~ healthier than smoking** Joggen ist wesentlich [*o.* um einiges] gesünder als Rauchen

considerate [kən'sɪdərɪt] *adj* (*thoughtful about others*) rücksichtsvoll, aufmerksam; **consideration** [kənsɪdə'reɪʃən] *n* 1 ↑ *thoughtfulness* Rücksicht *f* (*for* auf *acc*) 2 (*careful thought*) Erwägung *f;* ◇ **the issue is under ~** über die Sache wird noch nachgedacht 3 (*factor in decision-making*) Faktor *m,* Überlegung *f;* ◇ **take s.th. into ~** etw in s-e Überlegungen einbeziehen 4 ↑ *reward, favour* kleine Anerkennung *f;* **considered** *adj* wohlüberlegt; **considering** [kə-n'sɪdərɪŋ] **I.** *prep* angesichts *gen* **II.** *cj* wenn man bedenkt

consign [kən'saɪn] *vt* 1 ↑ *send* verschicken 2 ↑ *commit, entrust* übergeben (*to dat*); **consignment** *n* 1 (*goods*) Lieferung *f* 2 (*act of consigning*) Verschickung *f*

consist [kən'sɪst] *vi* bestehen (*of* aus *dat*); **consistency** [kən'sɪstənsɪ] *n* 1 (*of liquid*) Dicke *f;* (*of solid*) Festigkeit *f* 2 (*of argument*) Folgerichtigkeit *f;* (*of behaviour*) Konsequenz *f* 3 (*of person*) Stetigkeit *f;* ↑ *reliability* Zuverlässigkeit *f;* **consistent** *adj* 1 ▷*quality* beständig; ▷*presentation* einheitlich 2 ▷*behaviour* konsequent; ◇ **that is ~ with my promise** das entspricht meinem Versprechen

consolation [kɒnsə'leɪʃən] *n* (*for sadness, for loss*) Trost *m;* ◇ **~ prize** Trostpreis *m;* **consolatory** *adj* tröstend; **console** [kən'səʊl] **I.** *vt* → *hurt child* trösten **II.** ['kɒnsəʊl] *n* (*for controls*) Kontrollpult *s*

consolidate [kən'sɒlɪdeɪt] *vt* 1 ▷*friendship, skill* festigen; ◇ **to ~ one's position** seine Position festigen 2 ↑ *combine* zusammenlegen

consommé [kən'sɒmeɪ] *n* Fleischbrühe *f*

consonant ['kɒnsənənt] **I.** *n* LING Konsonant *m,* Mitlaut *m* **II.** *adj* MUS konsonant (*with* zu *dat*)

consort [kən'sɔːt] **I.** *vi* ↑ *associate* verkehren (*with* mit) **II.** ['kɒnsɔːt] *n* (*spouse of king or queen*) Gemahl(in *f*) *m*

consortium [kən'sɔːtɪəm] *n* (*business group*) Konsortium *s*

conspicuous [kən'spɪkjʊəs] *adj* ▷*behaviour* auffallend, auffällig; ▷*monument* deutlich sichtbar

conspiracy [kən'spɪrəsɪ] *n* Verschwörung *f,* Komplott *s;* ◇ **criminal ~** JUR Verabredung zu e-r Straftat; **conspiratorial** [kɒnspɪrə'tɔːrɪəl] *adj* verschwörerisch

conspire [kən'spaɪə*] *vi* 1 ← *criminals* sich verschwören 2 ← *events* sich wenden

constable ['kʌnstəbl] *n* (*BRIT*) Polizist(in *f*) *m;* **constabulary** [kən'stæbjʊlərɪ] *n* (*BRIT*) Polizei *f*

Constance ['kɒnstəns] *n:* ◇ **Lake ~** Bodensee *m*

constancy ['kɒnstənsɪ] *n* 1 ↑ *l* Beständigkeit *f,* Konstanz *f* 2 ↑ *faithfulness* Treue *f;* **constant** ['kɒnstənt] *adj* 1 ▷*speed* Dauer- 2 ▷*arguments* ständig 3 ▷*companion* treu; **constantly** *adv* ↑ *continually* andauernd, ständig

constellation [kɒnstə'leɪʃən] *n* 1 (*of ideas*) Konstellation *f* 2 (*of stars*) Sternbild *s*

consternation [kɒnstə'neɪʃən] *n* ↑ *dismay* Bestürzung *f*

constipated ['kɒnstɪpeɪtəd] *adj* verstopft; **constipation** [kɒnstɪ'peɪʃən] *n* Verstopfung *f*

constituency [kən'stɪtjʊənsɪ] *n* Wahlkreis *m;* **constituent** [kən'stɪtjʊənt] **I.** *n* 1 ▷*person* Wähler(in *f*) *m* 2 ▷*element* Bestandteil *m* **II.** *adj* 1 ◇ **~ assembly** konstituierende Versammlung 2 ◇ **~ component** Bauteil *s*

constitute ['kɒnstɪtjuːt] *vt* 1 ↑ *make up* bilden 2 ↑ *amount to* ergeben; ◇ **his behaviour ~s an insult** sein Benehmen kommt einer Beleidigung gleich 3 ↑ *arrange* → *committee* zusammenstellen; **constitution** [kɒnstɪ'tjuːʃən] *n* 1 (*of object*) Aufbau *m* 2 (*set of rules*) Verfassung *f* 3 (*personal*) Konstitution, Verfassung *f;* **consti-**

tutional *adj* JUR Verfassungs-; MED naturgegeben
constrain [kən'streɪn] *vt* 1 ↑ *compel* zwingen 2 (*limit*) beschränken; **constrained** *adj* 1 ↑ *compelled* gezwungen 2 ↑ *awkward* befangen
constraint *n* 1 ↑ *compulsion* Zwang *m;* ◇ **under** ~ unter Zwang 2 ↑ *restriction* Beschränkung *f;* ◇ **work is a ~ on time** Arbeit kostet Zeit
constrict [kən'strɪkt] *vt* → *muscles* zusammenziehen; → *freedom* beschränken, beschneiden; **constriction** [kən'strɪkʃən] *n* 1 (*of one's chest*) Zusammenschnürung *f,* Beklemmung *f* 2 (*of victim's neck*) Zusammenziehen, Würgen *s*
construct [kən'strʌkt] *vt* bauen; **construction** [kən'strʌkʃən] *n* 1 (*~ed object, of bricks and mortar*) Bau *m;* (*of metal*) Konstruktion *f* 2 (*method of* ~) Struktur *f,* Aufbau, m 3 (*act of* ~) Bauen *s;* ◇ **under** ~ im Bau 4 (~ *business*) Bauindustrie *f;* **constructive** *adj* ▷*criticism* konstruktiv
construe [kən'struː] *vt* 1 → *looks, dreams* deuten, auffassen 2 LING → *sentence* zerlegen
consul ['kɒnsl] *n* Konsul(in *f*) *m*
consulate ['kɒnsjʊlət] *n* Konsulat *s*
consult [kən'sʌlt] *vt* → *expert* zu Rate ziehen *acc;* → *dictionary, map* nachschlagen (in *dat*); ◇ **to ~ (with) the family** Familienrat halten; **consultant** *n* MED ↑ *specialist* Facharzt(-ärztin *f*) *m;* (*more senior*) Chefarzt(-ärztin *f*) *m;* TECH Begutachter(in *f*) *m;* FIN Berater(in *f*) *m;* ◇ **~ psychiatrist** Facharzt für Psychiatrie; **consultancy** *n* Beratung *f;* **consultation** [kɒnsəl'teɪʃən] *n* Beratung *f;* MED Konsultation *f;* **consulting room** *n* Sprechzimmer *s*
consume [kən'sjuːm] *vt* → *hamburgers* konsumieren; → *petrol* verbrauchen; ◇ **the church was ~d by fire** die Kirche wurde durch ein Feuer zerstört; ◇ **the husband was ~d by jealousy** der Ehemann war rasend vor Eifersucht; **consumer** *n* Verbraucher(in *f*) *m;* **consumer protection** *n* Verbraucherschutz *m;* **consumer society** *n* Konsumgesellschaft *f;* **consuming** *adj* ▷*passion, love* glühend; ▷*interest* lebhaft, verzehrend; ◇ **fishing is his (all) ~ passion** er ist leidenschaftlicher Angler; **consumerism** *n* Konsumgier *f*
consumption [kən'sʌmpʃən] *n* (*of petrol*) Verbrauch *m;* (*of food*) Konsum *m*
contact ['kɒntækt] **I.** *n* 1 (*physical* ~) Berührung *f* 2 (*communicative* ~) Verbindung *f* 3 → *specific individual* Ansprechspartner(in *f*) *m* 4 ELECTR Kontakt *m* **II.** *vt* ↑ *get in touch with* sich in Verbindung setzen mit; **contact lenses** *n pl* Kontaktlinsen *pl*
contagious [kən'teɪdʒəs] *adj* ▷*disease, laughter* ansteckend
contain [kən'teɪn] **I.** *vt* 1 → *water* enthalten 2 → *anger* beherrschen 3 → *situation* in Grenzen halten **II.** *vr:* ◇ **~ o.s.** sich zügeln; **container** *n* Behälter *m;* (COMM *for transport*) Container *m;* **containment** *n* (*of situation*) Begrenzung, Eindämmung *f*
contaminate [kən'tæmɪneɪt] *vt* → *environment* verunreinigen, verseuchen; → *body* infizieren; → *mind* verderben; **contamination** [kəntæmɪ'neɪʃən] *n* 1 Verseuchung, Verschmutzung *f;* (*of radiation*) Verstrahlung *f* 2 (*substance*) Giftstoff *m*
contemplate ['kɒntəmpleɪt] *vt* 1 → *scenery* betrachten 2 → *plan* sich überlegen; ◇ **to ~ going to Spain** eine Reise nach Spanien in Betracht ziehen; **contemplation** [kɒntem'pleɪʃən] *n* 1 (*of scenery*) Betrachtung *f* 2 REL, PSYCH Meditation *f;* ◇ **to be lost in** ~ ganz versunken sein; **contemplative** *adj* ▷*personality* nachdenklich
contemporary [kən'tempərərɪ] **I.** *adj* 1 (*of same time in which we live*) ▷*art, morality* modern, zeitgenössisch 2 (*of same time as s.th. else referred to*) ▷*account of Norman invasion* zeitgenössisch **II.** *n* Zeitgenosse(-genossin *f*) *m*
contempt [kən'tempt] *n* 1 Verachtung *f;* ◇ **to have ~ for stupidity** Dummheit nicht ausstehen können 2 JUR Mißachtung *f;* ◇ **to be in ~ of court** das Gericht mißachten
contemptible *adj* ▷*trick* verachtenswert; **contemptuous** *adj* ▷*look* verächtlich
contend [kən'tend] **I.** *vi* 1 ↑ *compete* kämpfen; ◇ **to ~ with s.o. for s.th.** mit jd-m um etw wetteifern 2 ↑ *deal with* fertigwerden mit; ◇ **to ~ with high prices** mit hohen Preisen fertigwerden **II.** *vt* → *proposition* behaupten; **contender** *n* POL Kandidat(in *f*) *m;* SPORT Wettkämpfer(in *f*) *m*
content [kən'tent] **I.** *adj* zufrieden; ◇ **to be ~ with what you've got** zufrieden sein mit dem was man hat **II.** *vt* ▷*children* zufriedenstellen **III.** ['kɒntent] *n* 1 (*of vitamin B in malt*) ↑ *amount* Inhalt *m* 2 (*of text, subject matter*) Inhalt *m;* **contents** *n npl* (*of cupboard, various objects*) Inhalt *m*
contented *adj* zufrieden; ◇ **a ~ person** ein zufriedener Mensch
contention [kən'tenʃən] *n* 1 (*dispute*) Streit *m;* ◇ **to be in** ~ im Wettstreit liegen 2 ↑ *proposition* Behauptung *f*
contentment [kən'tentmənt] *n* Zufriedenheit *f*
contest ['kɒntest] **I.** *n* (*fight*) [Wett-]kampf *m* (*for* um); (*beauty* ~) Wettbewerb *m* (*for* um) **II.** [kən'test] *vt* 1 → *rival* kämpfen (*for* um) 2 → *point of view* bestreiten; ◇ **to ~ s.o.'s right** jd-m

ein Recht streitig machen ③ POL → *election* teilnehmen an *dat;* **contestant** [kən'testənt] *n* Bewerber(in *f*) *m*

context ['kɒntekst] *n* (*of quotation, of event*) Zusammenhang *m;* ◇ **to be seen in ~** im Zusammenhang gesehen werden

continent ['kɒntɪnənt] **I.** *n* ① GEO Kontinent *m,* Erdteil *m* ② *BRIT* euopäisches Festland *s;* ◇ **on the C~** in Europa **II.** *adj* MED kontinent; **continental** [kɒntɪ'nentl] **I.** *adj* ① GEO kontinental ② *BRIT* europäisch **II.** *n* (*BRIT*) Festlandeuropäer(in *f*) *m;* **continental breakfast** *n* kleines Frühstück *s*

contingency [kən'tɪndʒənsɪ] *n* eventuelle Schwierigkeit *f;* **contingency plan** *n* ↑ *Ausweichplan* m; **contingent** [kən'tɪndʒənt] **I.** *n* MIL Trupp *m* **II.** *adj* abhängig (*on* von)

continual [kən'tɪnjʊəl] *adj* (*repeated and frequent*) ständig; **continually** *adv* immer wieder; **continuation** [kəntɪnjʊ'eɪʃən] *n* ① ↑ *extension* Verlängerung *f* ② ↑ *resumption* Fortsetzung *f* ③ ↑ *retention* Beibehaltung *f;* **continue** [kən'tɪnju:] **I.** *vt* ① (~ *doing*) weitermachen ② ↑ *resume* fortsetzen; ◇ **to be ~d** Fortsetzung folgt ③ ↑ *prolong* verlängern **II.** *vi* ← *weather* anhalten; ← *road* weitergehen; **continuity** [kɒntɪ'njʊɪtɪ] *n* (*of design*) Beständigkeit *f;* (*of government*) Kontinuität *f;* FILM Anschluß *m;* **continuous** [kən'tɪnjʊəs] *adj* ununterbrochen; ◇ **~ stationary** Endlospapier *s;* **continuously** *adv* ↑ *without stopping* ununterbrochen

contort [kən'tɔ:t] *vt* ← *limbs* verdrehen; ← *face* verzerren; **contortion** [kən'tɔ:ʃən] *n* Verdrehung *f;* **contortionist** *n* Schlangenmensch *m*

contour ['kɒntʊə*] *n* ↑ *outline* Umriß *m;* **contour line** *n* GEO Höhenlinie *f*

contraband ['kɒntrəbænd] *n* Schmuggelware *f*

contraception [kɒntrə'sepʃən] *n* Empfängnisverhütung *f;* **contraceptive** [kɒntrə'septɪv] **I.** *n* empfängnisverhütendes Mittel **II.** *adj* empfängnisverhütend

contract ['kɒntrækt] **I.** *n* JUR ↑ *agreement* Vertrag *m;* COMM ↑ *order* Auftrag *m* **II.** [kən'trækt] *vi* ① (*to do s.th.*) sich vertraglich verpflichten (*with* mit) ② ← *snail* sich zusammenziehen ③ → *influence* schrumpfen **III.** *vt* ① → *illness* erkranken (an *dat*) ② → *person* beauftragen; **contraction** [kən'trækʃən] *n* ① MED Wehe *f* ② (*of muscle*) Zusammenziehen *s* ③ (LING *shortened form*) Kontraktion *f;* **contractor** [kən'træktə*] *n* ▷*individual* Auftragnehmer *m;* (*building* ~) Bauunternehmer(in *f*) *m;* ↑ *supplier* Lieferant(in *f*) *m;* ◇ **outside ~** Außendienstmitarbeiter(in *f*) *m*

contradict [kɒntrə'dɪkt] *vt* widersprechen *dat;* **contradiction** [kɒtrə'dɪkʃən] *n* ① (*act of opposition*) Widersprechen *s* ② ↑ *conflict, inconsistence* Widerspruch *m;* ◇ **~ in terms** Widerspruch in sich; **contradictory** *adj* ① ▷*person* widersprüchlich ② ▷*statements* widersprüchlich, sich widersprechend

contralto [kən'træltəʊ] *n* <-s> Altstimme *f*

contraption [kən'træpʃən] *n* *FAM* merkwürtiger Apparat *m*

contrary ['kɒntrərɪ] **I.** *n* Gegenteil *s;* ◇ **on the ~** im Gegenteil; ◇ **nothing to the ~** nichts Gegenteiliges **II.** *adj* ▷*opinions* entgegengesetzt; ▷*wind* ungünstig, Gegen- **III.** [kən'treərɪ] *adj* ↑ *obstinate* widerspenstig, eigensinnig

contrast ['kɒntrɑ:st] **I.** *n* ① ↑ *disparity* Gegensatz *m;* ◇ **the ~ between them was striking** ihre Gegensätzlichkeit war sehr auffällig; ◇ **what a ~!** was für ein Unterschied! ② (*revealing comparison*) Vergleich *m;* ◇ **by** [*o.* **in**] im Gegensatz dazu; ◇ **a ~ of the two showed that …** eine Gegenüberstellung der beiden zeigte … ③ FOTO Kontrast *m* **II.** [kən'trɑ:st] *vt* ↑ *compare* vergleichen; ◇ **to ~ s.th. with s.th. else** eine Sache mit e-r anderen vergleichen **III.** *vi* ↑ *conflict* kontrastieren; ◇ **his manner ~ed with his dress** sein Benehmen stand im Widerspruch zu s-r Kleidung; **contrast control** *n* Kontrastregler *m;* **contrasting** [kən'trɑ:stɪŋ] *adj* ▷*personalities* gegensätzlich; ▷*colours* Kontrast-

contravene [kɒntrə'vi:n] *vt* → *law* verstoßen gegen

contribute [kən'trɪbju:t] **I.** *vt* → *money, goods* beisteuern (*to dat*); → *charitable donation* spenden (*to* für) **II.** *vi* → *influence* beitragen (*to* zu); **contribution** [kɒntrɪ'bju:ʃən] *n* (*to newspaper*) Beitrag *m;* (*to charity*) Spende *f;* **contributor** [kən'trɪbjʊtə*] *n* (*to newspaper*) Mitarbeiter(in *f*) *m;* **contributory** *adj* zusätzlich; ◇ **a ~ factor** ein Zusatzfaktor; JUR ◇ **~ negligence** Mitverschulden *s*

con trick *n* Schwindel *m*

contrite ['kɒntraɪt] *adj* (*guilty and apologetic*) zerknirscht

contrivance [kən'traɪvəns] *n* ① ↑ *strange device* Apparat *m* ② ↑ *dishonest scheme* List *f;* **contrive** [kən'traɪv] *vt* → *situation* zustande bringen; ◇ **to ~ to do s.th.** es schaffen, etw zu tun; **contrived** *adj* ▷*manner* gekünstelt; ▷*situation* arrangiert

control [kən'trəʊl] **I.** *vt* ① → *football crowd* kontrollieren; → *temperature* regulieren ② → *satellite* steuern ③ → *situation* beherrschen ④ → *business* führen, leiten **II.** *n* ① (*of crowd*) Aufsicht *f;* ◇ **out of ~** außer Kontrolle; ◇ **under ~**

unter Kontrolle [2] (*of power station*) Steuerung *f* [3] (*of language*) Beherrschung *f* [4] (*of others*) Macht *f* [5] (*switch*) Regler *m;* **controls** *n npl* (AUTO *brake pedal, clutch, steering wheel*) Bedienungselemente *s pl;* ◇ **at the ~** am Kontrollpult; **control centre** *n* (*space mission*) Kontrollzentrum *s;* **control group** *n* MATH Kontrollgruppe *f;* **controllable** *adj* kontrollierbar; **controlled** *adj* ▷*feeling* gezügelt; ▷*rent* kontrolliert; **controlling** *adj* ▷*personality* beherrschend; ▷*authority* Aufsichts-; ▷*interest* Mehrheits-; **control tower** *n* AERO Kontrollturm *m;* **control unit** *n* PC Steuerwerk *s*

controversial [kɒntrə'vɜːʃəl] *adj* ▷*decision* umstritten, kontrovers; **controversy** ['kɒntrəvɜːsɪ] *n* ↑ *argument* Meinungsstreit *m,* Kontroverse *f*

conundrum [kə'nʌndrəm] *n* ↑ *riddle* Rätsel *s*

conurbation *n* (*L.A.*) Ballungsraum *m*

convalesce [kɒnvə'les] *vi* ← *patient* gesund werden, genesen; **convalescence** *n* ▷*post-operative* Genesung *f;* **convalescent I.** *adj* auf dem Wege der Besserung **II.** *n* Genesende(r) *fm;* **convalescent home** *n* ↑ *sanatorium* Sanatorium, Genesungsheim *s*

convection oven [kən'vekʃən'ʌvn] *n* Heißluftofen *m*

convector [kən'vektə*] *n* Heizlüfter *m*

convene [kən'viːn] **I.** *vt* ← *chairman* zusammenrufen **II.** *vi* ← *individuals* sich versammeln

convenience [kən'viːnɪəns] *n* [1] ↑ *ease* Annehmlichkeit *f* [2] (*of arrangement*) nützliche Übereinkunft *f* [3] (*of tool*) Nützlichkeit *f;* ◇ **out of ~** aus Eigennutz; ◇ **at your ~** wie es Ihnen paßt; **convenient** [kən'viːnɪənt] *adj* ▷*bus* günstig; ▷*tin opener* handlich

convent ['kɒnvənt] *n* Kloster *s*

convention [kən'venʃən] *n* [1] (*shaking hands*) Brauch *m* [2] POL Übereinkunft *f,* Abkommen *s;* ◇ **European C~ on Human Rights** Europäische Menschenrechtskonvention [3] ↑ *conference* Tagung *f*

conventional *adj* ▷*dress* gewöhnlich, konventionell; ▷*weapons* konventionell

converge [kən'vɜːdʒ] *vi* ← *rivers* zusammenfließen; ← *opinions* sich nähern; ◇ **to ~ on s.o./s.th.** auf etw/j-d zufließen

conversant [kən'vɜːsənt] *adj* vertraut; ◇ **he is ~ with the matter** er ist mit der Sache vertraut

conversation [kɒnvə'seɪʃən] *n* Unterhaltung *f;* ◇ **to have a ~** sich unterhalten; ◇ **to make ~** Konversation machen; ◇ **in ~ with s.o.** im Gespräch mit jd-m; **conversational** *adj* Unterhaltungs-; ◇ **~ English** gesprochenes Englisch

converse [kən'vɜːs] **I.** *vi* ↑ *chat* sich unterhalten **II.** ['kɒnvɜːs] *adj* ▷*opinion* entgegengesetzt, umgekehrt **III.** *n* Gegenteil *s;* **conversely** [kɒn'vɜːslɪ] *adv* umgekehrt

conversion [kən'vɜːʃən] *n* [1] (*of unit measurement*) Umrechnung *f* (*into* auf *acc*) [2] (REL *of individual*) Bekehrung *f* (*to* zu) [3] (*of building*) Umbau *m;* (*act*) Umbauen *s;* **conversion table** *n* Umrechnungstabelle *f*

convert [kən'vɜːt] **I.** *vt* [1] → *building* umbauen [2] REL bekehren (*to* zu) **II.** *vi* REL konvertieren **III.** ['kɒnvɜːt] *n* Bekehrte(r) *fm;* **convertible** [kən'vɜːtəbl] **I.** *n* AUTO Kabriolett *s* **II.** *adj* FIN wechselbar; ◇ **an easily ~ bed** ein leicht umstellbares Bett *s*

convex [kɒn'veks] *adj* konvex

convey [kən'veɪ] *vt* [1] → *luggage* befördern; → *message* übermitteln [2] → *opinion* vermitteln; (*decisive clarification*) klarmachen; **conveyancing** *n* JUR Eigentumsübertragung *f;* **conveyor belt** *n* Fließband *s*

convict [kən'vɪkt] **I.** *vt* ↑ *find guilty* für schuldig befinden (*of gen*), verurteilen (*of* wegen) **II.** ['kɒnvɪkt] *n* (*prisoner serving time*) Häftling *m;* **conviction** [kən'vɪkʃən] *n* [1] (*of guilt*) Verurteilung *f;* (*previous ~*) Vorstrafe *f* [2] ↑ *strong belief* Überzeugung *f*

convince [kən'vɪns] *vt* überzeugen; ◇ **to ~ s.o. of s.th.** jd-n von etw überzeugen; **convincing** *adj* überzeugend

convivial [kən'vɪvɪəl] *adj* (*friendly and happy*) gesellig

convoluted ['kɒnvəluːtɪd] *adj* ↑ *round-about, elaborate* → *argument* verschlungen

convoy ['kɒnvɔɪ] *n* (*of trucks*) Kolonne *f;* ◇ **trucks sometimes travel in ~** LKW fahren manchmal im Konvoi

convulse [kən'vʌls] *vt* ← *body* krampfhaft zusammenzucken; ◇ **to be ~d with laughter** sich vor Lachen krümmen; **convulsion** [kən'vʌlʃən] *n* MED Konvulsion *f*

coo [kuː] *vi* ← *dove* gurren; ◇ **they ~ed over the baby** sie bestaunten das Baby

cook [kʊk] **I.** *n* Koch *m,* Köchin *f* **I.** *vt* → *dinner* kochen, zubereiten; **cook up** *vt* → *scheme, excuse* zusammenbasteln; **cookbook** *n* Kochbuch *s;* **cooker** *n* (*BRIT*) Herd *m;* **cookery** *n* Kochkunst *f;* ◇ **~ book** Kochbuch *s*

cookie ['kʊkɪ] *n* (*AM*) Plätzchen *s;* ◇ **smart ~** Schlauberger *m*

cooking *n* Kochen *s*

cool [kuːl] **I.** *adj* [1] ▷*drink* kühl [2] ▷*behaviour* cool, lässig **II.** *vt* kühlen; *FAM* ◇ **cool it!** reg' dich ab! **III.** *vi* → *champagne* kühlen; **cool down** *vt,*

vi fam [sich] beruhigen; **cool off** *vi* ← *relationship* abkühlen
coolant ['ku:lənt] *n* Kühlmittel *s*
cooling-tower *n* Kühlturm *m*
coolness *n* Kühle *f*
coop [ku:p] *n* Hühnerstall *m*
coop up *vt* einpferchen
co-op ['kəʊɒp] *n abbr. of* (*of consumers*) Co-op *f*
cooperative [kəʊ'ɒpərətɪv] (*AM building*) Wohnblock *m* mit Eigentumswohnungen; (*apartment*) Eigentumswohnung *f;* ◇ **to go ~** in Eigentumswohnungen umgewandelt werden; **cooperate** [kəʊ'ɒpəreɪt] *vi* zusammenarbeiten; **cooperation** [kəʊɒpə'reɪʃən] *n* Zusammenarbeit *f;* **cooperative** [kəʊ'ɒpərətɪv] **I.** *adj* hilfsbereit; COMM genossenschaftlich **II.** *n* (*of consumers*) Einkaufsgenossenschaft *f;* (*~ store*) Konsumladen *m*
co-opt [kəʊ'ɒpt] *vt* hinzuwählen; ◇ **to be ~ onto the committee** er wurde vom Komittee dazugewählt
coordinate [kəʊ'ɔ:dɪneɪt] *vt* koordinieren; **coordination** [kəʊɔ:dɪ'neɪʃən] *n* Koordination *f*
coot [ku:t] *n* Wasserhuhn *s*
cop [kɒp] *n FAM* ↑ *policeman* Bulle *m;* **cop on** *vi FAM* ↑ *understand* kapieren, schnallen; ◇ **to ~ to what is happening** dem Geschehen folgen können; **cop out** *vi FAM* ↑ *avoid doing* sich drücken; ◇ **to ~ of doing s.th.** sich aus e-r Sache ausklinken
cope [kəʊp] *vi* fertigwerden (*with* mit *dat*)
copier ['kɒpɪə*] *n* Kopierer *m,* Kopiergerät *s*
co-pilot ['kəʊ'paɪlət] *n* Kopilot(in *f*) *m*
copious ['kəʊpɪəs] *adj* ▷*notes* reichlich
copper ['kɒpə*] *n* [1] Kupfer *s* [2] *coin, BRIT* Pfennig *m* [3] *FAM* ↑ *policeman* Bulle *m;* **copper beech** *n* Rotbuche *f;* **copperplate** *n* ▷*engraving* Kupferstich *m*
coppice, **copse** ['kɒpɪs, kɒps] *n* Wäldchen *s*
cop-shop *n FAM* Revier *s*
copulate ['kɒpjʊleɪt] *vi* kopulieren
copy ['kɒpɪ] **I.** *n* [1] (*of document*) Kopie *f;* (*of type-written work*) Durchschlag *m* [2] (*of book*) Exemplar *s* [3] (*material to be printed*) Artikel *m* **II.** *vt* [1] → *text* kopieren, abschreiben; PC kopieren [2] → *manner* nachahmen; **copycat** *n* Nachahmer(in *f*) *m;* SCH Abschreiber(in *f*) *m;* **copyright I.** *n* Copyright *s,* Urheberrecht *s;* ◇ **~ reserved** alle Rechte vorbehalten **II.** *vt* (*text*) urheberrechtlich schützen
coral ['kɒrəl] **I.** *n* (*marine growth*) Koralle *f* **II.** *adj* Korallen-; **coral reef** *n* Korallenriff *s*
cord [kɔ:d] *n* [1] ↑ *thick string* Schnur *f* [2] (*electrical ~*) Stromkabel *s* [3] (MED *spinal ~*) Rückenmark *s;* (*vocal ~*) Stimmband *s* [4] (*cloth*) Kord *s;* ◇ **a pair of ~s** Kordhose *f*
cordial ['kɔ:dɪəl] **I.** *adj* freundlich, höflich **II.** *n* Fruchtsaftkonzentrat *s;* **cordially** *adv* freundlich; ◇ **~ yours** mit freundlichen Grüßen
cordon ['kɔ:dn] *n* (*of policemen*) Absperrkette *f;* **cordon off** *vt* absperren; **cordon bleu** *adj* (*cooking, cook*) vorzüglich
corduroy ['kɔ:dərɔɪ] *n* Kordsamt *m*
core [kɔ:*] **I.** *n* [1] (*of apple*) Kern *m;* (*of nuclear reactor*) Reaktorkern *m* [2] (*of earth*) Erdinnere *s;* PC Zentralspeicher *m;* ◇ **to be fed up to the ~** die Nase gründlich voll haben **II.** *vt* entkernen; **core course** *n* (*of studies*) Hauptfächer *s pl;* **core memory** *n* COMM Kernspeicher *m*
cork [kɔ:k] **I.** *n* [1] (*of bottle*) Korken *m* [2] (*of tree*) Korkrinde *f* **II.** *vt* (*uncork*) verkorken; **cork floor** *n* Korkboden *m;* **corkscrew** ['kɔ:kskru:] *n* Korkenzieher *m;* **corky** *adj* ▷*taste* korkig
cormorant ['kɔ:mərənt] *n* Kormoran *m*
corn [kɔ:n] *n* [1] Getreide *s,* Korn *s* [2] *AM* ↑ *maize* Mais *m* [3] (*on foot*) Hühnerauge *s;* **corncob** *n* Maiskolben *m*
cornea ['kɔ:nɪə] *n* Hornhaut *f*
corned beef ['kɔ:nd'bi:f] *n* Corned beef *s*
corner ['kɔ:nə*] **I.** *n* [1] (*of angled lines*) Ecke *f,* Winkel *m;* ◇ **forced into a tight ~** in die Enge getrieben [2] (*of room, of boxing ring*) Ecke *f* [3] (*of bend in road*) Kurve *f;* ◇ **they came from all ~s of the earth** sie kamen aus aller Herren Länder **II.** *vt* [1] → *person* in die Enge treiben [2] (COMM *market*) monopolisieren; **corner kick** *n* Eckball *m;* **cornerstone** *n* [1] (*of building*) Eckstein *m* [2] (*of democracy*) Eckpfeiler *m*
cornet ['kɔ:nɪt] *n* [1] MUS Kornett *s* [2] (*of ice cream*) Eistüte *f*
cornflakes *n npl* Cornflakes *s pl;* **cornflour** ['kɔ:nflaʊə*] *n* Maismehl *s*
cornice ['kɔ:nɪs] *n* ARCHIT Gesims *s*
cornstarch ['kɔ:nstɑ:tʃ] *n* (*AM*) Maismehl *s*
cornucopia [kɔ:njʊ'kəʊpɪə] *n* Füllhorn *s*
Cornwall ['kɔ:nwəl] *n* Cornwall *s*
corny ['kɔ:nɪ] *adj* ▷*joke* blöd; ▷*film* kitschig
corollary ['kɒrɒlərɪ] *n* (*of action, of statement*) logische Folge *f*
coronary ['kɒrənərɪ] **I.** *adj* MED Koronar- **II.** *n* Herzinfarkt *m*
coronation [kɒrə'neɪʃən] *n* Krönung *f*
coroner ['kɒrənə*] *n Untersuchungsrichter und Leichenbeschauer*
coronet *n* Krönchen *s*
corporal ['kɔ:pərəl] *adj* körperlich; **corporal punishment** *n* Prügelstrafe *f*

corporate ['kɔːpərɪt] *adj* ▷*undertaking* gemeinsam, geschlossen; ▷*architecture* Geschäfts-; **corporation** [kɔːpə'reɪʃən] *n* ① *BRIT* Behörde *f*, Gemeinde *f* ② COMM *BRIT* Handelsgesellschaft *f; AM* Gesellschaft *f* mit beschränkter Haftung

corporeal [kɔːr'pɔːrɪəl] *adj* körperlich

corps [kɔː*] *n* <corps> MIL Korps *s*

corpse [kɔːps] *n* Leiche *f*

corpulent ['kɔːpjʊlənt] *adj* korpulent

Corpus Christi ['kɔːpəs'krɪstɪ] *n* Fronleichnam[stag] *m*

corpuscle ['kɔːpʌsl] *n* (*red or white blood cell*) Blutkörperchen *s*

corral [kə'rɑːl] *n* Pferch *m*, Korral *m*

correct [kə'rekt] **I.** *adj* ① ▷*spelling* richtig; ▷*time* genau ② ▷*behaviour* korrekt **II.** *vt* korrigieren, berichtigen; **correction** [kə'rekʃən] *n* ① ↑ *change* Korrektur *f*, Berichtigung *f* ② (*activity*) Korrigieren *s*, Berichtigung *f*; **correction key** *n* Korrekturtaste *f*; **correction tape** *n* Korrekturband *s*; **correctly** *adv* richtig; ▷*behave* korrekt

correlate ['kɒrɪleɪt] **I.** *vt* ← *scientist* aufeinander beziehen, in Beziehung setzen **II.** *vi* ← *two statements* sich entsprechen; ◇ **to ~ with s.th.** mit etw in Beziehung stehen; **correlation** [kɒrɪ'leɪʃən] *n* enger Zusammenhang *m*

correspond [kɒrɪ'spɒnd] *vi* ① ↑ *fit, tally* übereinstimmen (*with* mit) ② ↑ *be equivalent* sich entsprechen (*to dat*) ③ ↑ *exchange letters* korrespondieren; **correspondence** *n* ① (*of letters*) Briefwechsel *m* ② (*letters*) Briefe *pl* ③ (*equivalence*) Entsprechung *f*; **correspondence course** *n* Fernkurs *m*; **correspondent** *n* MEDIA Korrespondent(in *f*) *m*; **corresponding** *adj* entsprechend, gemäß (*to dat*); **correspondingly** *adv* dementsprechend

corridor ['kɒrɪdɔː*] *n* (*of building, of train*) Gang *m*

corroborate [kə'rɒbəreɪt] *vt* ▷*statement* bestätigen; ▷*theory* bekräftigen, untermauern; **corrobaration** [kərɒbə'reɪʃən] *n* Bestätigung *f*

corrode [kə'rəʊd] **I.** *vt* ← *acid* zerfressen **II.** *vi* ← *metal* rosten

corrosion [kə'rəʊʒən] *n* Korrosion *f*; **corrosive** *adj* ① ▷*substance* korrosiv ② ▷*influence* zerstörend

corrugated ['kɒrəgeɪtɪd] *adj* gewellt; ◇ **~ cardboard** Wellpappe *f*; ◇ **~ iron** Wellblech *s*

corrupt [kə'rʌpt] **I.** *adj* korrupt **II.** *vt* ① (*deprave and ~*) verderben ② ↑ *bribe* bestechen; **corruption** [kə'rʌpʃən] *n* ① (*act*) Korruption *f* ② (*condition*) Bestechlichkeit *f*, Verdorbenheit *f*

corset ['kɔːsɪt] *n* Korsett *s*

cortège [kɔː'teːʒ] *n* (*of funeral*) Leichenzug *m*

cortex ['kɔːrteks] *n* <cortices> (MED *cerebral ~*) Hirnrinde *f*

cortisone ['kɔːtɪzəʊn] *n* Kortison *s*

cosh [kɒʃ] **I.** *n* Totschläger *m* **II.** *vt* über den Schädel hauen

cosine ['kəʊsaɪn] *n* Kosinus *m*

cosiness ['kəʊzɪnɪs] *n* Gemütlichkeit *f*

cosmetic [kɒz'metɪk] **I.** *n* (*lipstick*) Kosmetikum *s* **II.** *adj* ① (*enhancing*) verschönernd ② ↑ *superficial* kosmetisch

cosmic ['kɒzmɪk] *adj* kosmisch

cosmonaut ['kɒzmənɔːt] *n* Kosmonaut(in *f*) *m*

cosmopolitan [kɒzmə'pɒlɪtən] *adj* ▷*city* Welt-; ▷*outlook* weltoffen

cosmos ['kɒzmɒs] *n* Weltall *s*, Kosmos *m*

cosset ['kɒsət] *vt* verwöhnen

cost [kɒst] <cost, cost> **I.** *vt* ① ▷*10 DM* kosten ② (*calculate a price for, building work*) durchkalkulieren ③ (*result in the loss of, marriage, peace of mind*) kosten; ◇ **that'll ~!** das wird teuer!; ◇ **to ~ s.o. s.th.** jd-n etw kosten **II.** *n* ① (*of production*) Kosten *pl*, Aufwand *m*; ◇ **~ of living** Lebenshaltungskosten *pl* ② *of war, FIG* Preis *m* ③ (*of a tin of beans*) Preis *m*; ◇ **at all ~s** um jeden Preis

co-star ['kəʊstɑː*] *n* eine(r) der Hauptdarsteller(innen) *mf*

cost effective *adj* (*most advantageous at lowest price*) rentabel; **costing** ['kɒstɪŋ] *n* Kostenberechnung *f*; **costly** ['kɒstlɪ] *adj* kostspielig, teuer; **cost price** *n* Selbstkostenpreis *m*

costume ['kɒstjuːm] *n* (*of period, of profession*) Kostüm *s*, Kittel *m*; (*swimming ~*) Badeanzug *m*; (*national ~*) Tracht *f*; **costume jewellery** *n* Modeschmuck *m*

cosy, **cozy** ['kəʊzɪ] *adj* behaglich, gemütlich

cot [kɒt] *n* ① *BRIT* Kinderbett *s* ② *AM* Feldbett *s*; **cot death** *n* Krippentod, plötzlicher Kindstod *m*

cottage ['kɒtɪdʒ] *n* Häuschen *s* auf dem Land; **cottage cheese** *n* Hüttenkäse *m*; **cottage industry** *n* Heimindustrie *f*

cotton ['kɒtn] **I.** *n* ① (*material*) Baumwolle *f* ② (*fabric*) Baumwollstoff *m* ③ (*plant*) Baumwollpflanze *f* **II.** *adj* (*dress etc.*) Baumwoll-; **cotton-picking** *adj AM FAM!* verflucht; ◇ **get your ~ hands off me!** nimm deine dreckigen Pfoten von mir!; **cotton wool** *n* Watte *f*

couch [kaʊtʃ] **I.** *n* Sofa *s*; (*convertible ~, studio ~*) Couch *f* **II.** *vt* ▷*reply, request, insult* formulieren

couchette [kuː'ʃet] *n* Liegewagen[-platz] *m*

cougar ['kuːgə*] *n* Puma *m*
cough [kɒf] **I.** *n* Husten *m* **II.** *vi* husten; **cough up** *vt* → *blood* husten, abhusten; *FAM* → *money* herausrücken; **cough drop** *n* Hustenbonbon *s*
could [kʊd] *pt of* **can**; **couldn't** = **could not**; **could've** = **could have**
council ['kaʊnsl] *n* (*of representatives*) Rat; (*city* ~) Stadtrat *m;* **council estate** *n* Siedlung *f* des sozialen Wohnungsbaus; **council house** *n* Sozialwohnung *f;* **councillor** ['kaʊnsɪlə*] *n* Stadtrat(-rätin *f*) *m*
counsel ['kaʊnsl] *n* [1] JUR Rechtsanwalt *m;* ◇ **defence** ~ Verteidiger *m;* ◇ **prosecuting** Staatsanwalt *m* [2] ↑ *advice* Rat *m;* **counsellor**, **counselor** *n* [1] Berater(-in *f*) *m* [2] *AM* Rechtsanwalt(-anwältin *f*) *m*
count [kaʊnt] **I.** *vt* [1] → *numbers* zählen [2] → *objects in a box* zählen [3] → *cost, blessings* betrachten **II.** *vi* [1] ↑ *be important* zählen [2] ↑ *be valid* gelten **III.** *n* [1] (*of votes*) Zählung *f;* ◇ **out for the** ~ ausgezählt werden [2] JUR Anklagepunkt *m* [3] (*nobleman*) Graf *m;* **count in** *vt* *FAM* ↑ *include* einbeziehen; ◇ ~ **me** ~! ich bin dabei!; **count on** *vt* zählen auf *acc;* **count out** *vt* [1] → *banknotes* abzählen; ◇ ~ ~ **a roll of tens** eine Rolle Zehner abzählen [2] → *boxer* auszählen; ◇ ~ **s.o.** ~ nicht mit jd-m rechnen [3] ↑ *exclude* ausschließen; ◇ ~ **me** ~! ohne mich!; **count up** *vt* zusammenzählen; **countdown** *n* Countdown *m;* **counter** ['kaʊntə*] **I.** *n* [1] (*in shop*) Ladentisch *m;* (*in pub*) Theke *f;* (*in bank*) Schalter *m* [2] (*in casino*) Spielmarke *f* **II.** *vt* entgegnen *dat* **III.** *adv* entgegen
counteract [kaʊntə'rækt] *vt* entgegenwirken *dat*
counter-attack *n* Gegenangriff *m*
counterbalance *vt* ausgleichen
counter-clockwise *adv* linksherum, entgegen dem Uhrzeigersinn
counterfeit ['kaʊntəfɪt] **I.** *n* Fälschung *f* **II.** *vt* fälschen **III.** *adj* gefälscht, unecht
counterfoil ['kaʊntəfɔɪl] *n* Kontrollabschnitt *m*
counterpart *n* ↑ *complementary object* Gegenstück *s;* ◇ **her French** ~**s are better paid** ihre Kollegen in Frankreich werden besser bezahlt
counter-productive *adj* → *argument* destruktiv
countersign *vt* → *cheque, receipt* gegenzeichnen
countersink *vt* (*drill hole*) versenken
counterweight *n* Gegengewicht *s*
countess ['kaʊntɪs] *n* Gräfin *f*
countless ['kaʊntlɪs] *adj* unzählig
country ['kʌntrɪ] *n* [1] ↑ *nation, state* Land *s* [2] (*town and* ~) Stadt und Land; ◇ **in the** ~ auf dem Land; **country and western** (**music**) *n* Country- und Westernmusik *f;* **country house** *n* Landhaus *s;* **countryman** *n* <-men> [1] ↑ *fellow citizen* Landsmann *m* [2] ↑ *country dweller* Landmann *m;* ↑ *farmer* Bauer *m;* **countryside** *n* (*landscape*) Landschaft *f;* (*area*) Gegend *f*
county ['kaʊntɪ] *n* Landkreis *m,* Verwaltungsbezirk *m; BRIT* Grafschaft *f;* **county town** *n* Kreisstadt *f*
coup [kuː] *n* Coup *m;* **coup d'état** [kuːdeɪ'tɑː] *n* Staatsstreich *m,* Putsch *m*
coupé [kuː'peɪ] *n* AUTO Coupé *s*
couple ['kʌpl] **I.** *n* [1] (*two belonging together, silver candlesticks*) Paar *s;* ◇ **one of a** ~ Einzelstück *s;* (*people*) Paar *s;* ◇ **a married** ~ ein Ehepaar *s* [2] (*FAM two or more*) ◇ **a** ~ **of minutes** ein paar Minuten **II.** *vt* → *trains* zusammenkuppeln; → *ideas* verbinden; → *animals for mating* paaren; **couple** (**together**) **with** *vt* (*be in combination with*) zusammengehören
couplet ['kʌplɪt] *n* Reimpaar *s*
coupling ['kʌplɪŋ] *n* [1] (*of animals*) Paarung *f* [2] TECH Kupplung *f*
coupon ['kuːpɒn] *n* [1] ↑ *credit note, voucher* Gutschein *m* [2] ↑ *application form* Teilnahmekarte *f*
courage ['kʌrɪdʒ] *n* Mut *m;* ◇ **to have the** ~ **of one's convictions** zu seinen Ansichten stehen;
courageous [kə'reɪdʒəs] *adj* mutig
courgettes [kʊə'ʒets] *n pl* Zucchini *m pl*
courier ['kʊrɪə*] *n* [1] (*for holiday*) Reiseleiter(in *f*) *m* [2] ↑ *messenger* Kurier *m,* Eilbote *m*
course [kɔːs] **I.** *n* [1] ↑ *flow* (*of river*) Lauf *m;* ◇ **in the** ~ **of time** im Laufe der Zeit; ◇ **of** ~ natürlich [2] ↑ *route,* NAUT Kurs *m;* (*of action*) Vorgehen *s* [3] ↑ *track* Bahn *f,* Strecke *f;* ◇ **race** ~ Rennbahn *f* [4] (*set, of study*) Studiengang *m;* (*of lectures*) Vortragsreihe *f;* (*of medical treatment*) Therapieverlauf *m* [5] (*of dinner*) Gang *m;* ◇ **in due** ~ zu gegebener Zeit **II.** *vi* (*flow rapidly*) strömen
court [kɔːt] **I.** *n* [1] (JUR *room*) Gerichtssaal *m* [2] (JUR *institution*) Gericht *s;* (*judges' bench*) Gerichtshof *m;* ◇ **to take s.o. to** ~ jd-n verklagen [3] (*elaborate residence, of kings*) Hof *m* [5] (*tennis* ~) Tennisplatz *m* **II.** *vt* [1] → *attention* werben (um) [2] → *disaster* herausfordern
courteous ['kɜːtɪəs] *adj* höflich
courtesan ['kɔːrtɪsən] *n* Kurtisane *f*
courtesy ['kɜːtəsɪ] *n* Höflichkeit *f*
courthouse ['kɔːthaʊs] *n* (*AM*) Gerichtsgebäude *s*
courtier ['kɔrtɪə*] *n* ↑ *nobleman* Höfling *m*
court-martial [kɔːt'mɑːʃəl] **I.** *n* Kriegsgericht *s*

II. *vt* vor ein Kriegsgericht stellen (*for* wegen); **courtroom** ['kɔːtrʊm] *n* Gerichtssaal *m;* **courtship** *n* (*of a traditional couple*) Umwerbung *f;* **courtyard** ['kɔːtjɑːd] *n* Hof *m*

cousin ['kʌzn] *n* (*male*) Vetter *m,* Cousin *m;* (*female*) Kusine *f*

cove [kəʊv] *n* kleine Bucht *f*

coven *n* (*of witches*) Hexenzirkel *m*

covenant ['kʌvənənt] *n* [1] ↑ *solemn agreement* Schwur *m* [2] (JUR *charitable*) Verpflichtung *f* zu regelmäßiger Zahlung [3] REL Bund *m*

cover ['kʌvə*] **I.** *n* [1] (*of pot, jar, can*) Deckel *m;* (*of bed*) Decke *f;* (*of book, of magazine*) Umschlag *m;* ◇ **on the front** ~ auf der Vorderseite [2] (*clouds*) Decke *f;* (*false identity*) Tarnung *f;* (*insurance* ~) Abdeckung *f* (*against* gegen); ◇ **under** ~ **of darkness** im Schutz der Dunkelheit; ◇ **take** ~ **from the rain!** stell' dich unter! **II.** *vt* [1] ↑ *lie over, spread over* bedecken; ◇ **his hands are ~ed in blood** seine Hände sind voller Blut; ◇ **snow ~s the land** Schnee bedeckt das Land [2] ↑ *protect, shield* decken; ◇ **to ~ one's eyes from the sun** die Augen vor der Sonne schützen; ◇ ~ **my back!** halte mir den Rücken frei! [3] ↑ *deal with, include* ◇ **the lawyer ~ed every aspect of the case** der Anwalt behandelte jeden Aspekt des Falles [4] ↑ *report on (for the media)* ◇ **to ~ the famine** über die Hungersnot berichten [5] → *distance* zurücklegen; ◇ **to ~ 33 miles a day** täglich 33 Meilen zurücklegen; **cover up** → *crime* vertuschen; **coverage** ['kʌvrɪdʒ] *n* (*of story*) Berichterstattung *f;* **cover charge** ['kʌvətʃɑːdʒ] *n* ↑ *compulsory service charge* Bedienungsgeld *s;* **covering** ['kʌvərɪŋ] *n* [1] (*of hole*) Abdeckung *f* [2] (*floor* ~) Belag *m;* **covering letter** *n* Begleitbrief *m;* **cover note** ['kʌvənəʊt] *n* (*insurance*) Deckungszusage *f*

covert ['kʌvət] *adj* ↑ *secret, undercover* verdeckt

cover-up *n* (*of crime*) Vertuschung *f*

covet ['kʌvɪt] *vt* begehren

cow [kaʊ] *n* **I.** Kuh *f* **II.** *vt* (*control by threats*) einschüchtern; ◇ **she was ~ed into submission** sie wurde kleingehalten

coward ['kaʊəd] *n* Feigling *m;* **cowardice** ['kaʊədɪs] *n* Feigheit *f;* **cowardly** *adj* feige

cowboy ['kaʊbɔɪ] *n* Cowboy *m*

cower ['kaʊə*] *vi* kauern; (*movement*) sich ducken

co-worker ['kəʊ'wɜːkə*] *n* Mitarbeiter(in *f*) *m*

cowshed ['kaʊʃed] *n* Kuhstall *m*

cox, coxswain [kɒks, 'kɒksn] *n* Steuermann *m*

coy [kɔɪ] *adj* ▷*girl* spröde

coyote [kɒɪ'əʊtɪ] *n* Kojote *m*

CPU *n abbr. of* PC **central processing unit,** CPU *f,* Zentraleinheit *f*

crab [kræb] *n* [1] (*sea animal*) Krebs *m* [2] (*prepared food*) Krabbe *f* [3] SPORT Brücke *f*

crabapple *n* Holzapfel *m*

crack [kræk] **I.** *n* [1] (*narrow split, in glass*) Riß *m,* Sprung *m;* ◇ **at the ~ of dawn** in aller Frühe [2] (*explosive sound, of thunder*) Knall *m* [3] ↑ *blow* (*on the head*) Schlag *m;* ◇ **to have a ~ at s.th.** sich an e-r Sache versuchen [4] (*refined cocaine*) Crack *s* **II.** *vt* [1] (*glass*) springen [2] (*whip*) knallen [3] → *head* anschlagen [4] → *joke* reißen, machen [5] → *problem* lösen **III.** *vi* (*noise*) krachen, knallen **IV.** *adj* erstklassig; (*troops*) Elite-; **crack down** *vi FIG* ← *authority* hart durchgreifen (*on* bei); **crackdown** *n* (*oppressive action*) hartes Durchgreifen *s;* **crack up** *vi FIG* ← *person under pressure* zusammenbrechen

cracker ['krækə*] *n* [1] (*firework*) Knallkörper *m* [2] ↑ *water biscuit* Keks *m;* ◇ **Christmas** ~ Weihnachtsplätzchen *s* [3] Knallbonbon *s*

crackle ['krækl] *vi* ← *fire* prasseln, knistern;

crackling *n* [1] (*of fire*) Knistern *n* [2] (*of pork*) Kruste *f* [des Schweinebratens]

cradle ['kreɪdl] **I.** *n* (*of baby*) Wiege *f,* Gestell *s;* (*of window-cleaner*) Hängegerüst *s* **II.** *vt* → *baby* wiegen

craft [krɑːft] *n* [1] (*carpentry, plumbing*) Handwerk *s;* (*pottery, weaving*) Kunsthandwerk *s* [2] ↑ *skill* Kunst *f* [3] NAUT Schiff *s;* **craftsman** *n* <-men> gelernter Handwerker; **craftsmanship** *n* [1] (*quality*) handwerkliche Ausführung *f* [2] (*ability*) handwerkliches Können *s*

crafty ['krɑːftɪ] *adj* schlau, gerissen, clever

crag [kræg] *n* Klippe *f;* **craggy** *adj* ▷*mountains* felsig, zerklüftet; ▷*facial features* kantig

cram [kræm] **I.** *vt* [1] (*cupboard, box, bag*) vollstopfen [2] (*people*) hineinquetschen (*in* in *acc*) **II.** *vi* ↑ *study hard* pauken, büffeln

cramp [kræmp] **I.** *n* MED Krampf *m* **II.** *vt* → *style, freedom* einengen, hemmen; **cramped** *adj* (*living conditions*) beengt

crampon ['kræmpən] *n* Steigeisen *s*

cranberry ['krænbərɪ] *n* Preiselbeere *f*

crane [kreɪn] **I.** *n* [1] (*machine*) Kran *m* [2] (*bird*) Kranich *m* **II.** *vt* (*neck*) recken; **crane fly** *n* Schnake *f*

cranium ['kreɪnɪəm] *n* MED Schädel *m*

crank [kræŋk] **I.** *n* [1] TECH Kurbel *f* [2] (*eccentric person*) Spinner(in *f*) *m* **II.** *vt* ankurbeln; **crankshaft** *n* Kurbelwelle *f*

cranky ['kræŋkɪ] *adj* ▷*person* verschroben, griesgrämig

cranny ['krænɪ] *n* Ritze *f;* ◇ **to look in every nook and ~** in jedem Winkel nachschauen

crap [kræp] *n FAM!* Mist *m,* Scheiße *f;* **crappy** *adj FAM!* beschissen

craps [kræps] *n sg* (*AM*) Würfelspiel *s;* ◇ **to shoot ~** Würfel spielen

crash [kræʃ] **I.** *n* ① (*of gongs, of thunder*) Krachen *s* ② AUTO Zusammenstoß *m;* AVIAT Flugzeugunglück *s* ③ PC Absturz *m* ④ FIN Zusammenbruch *m* **II.** *vi* ① (*have accident*) verunglücken; AVIAT abstürzen ② (*fall noisily*) ← *plates* krachen, knallen; **crash barrier** *n* Leitplanke *f;* **crash course** *n* Intensivkurs *m;* **crash helmet** *n* Sturzhelm *m;* **crash landing** *n* Bruchlandung *f*

crass [kræs] *adj* kraß

crate [kreɪt] *n* Kiste *f;* ◇ **a ~ of milk** eine Kiste Milch

crater [ˈkreɪtə*] *n* (*of volcano*) Krater *m*

cravat [krəˈvæt] *n* Halstuch *s*

crave (**for**) [kreɪv] *vt* ① (*attention*) sich sehnen nach ② (*mercy*) erflehen; **craving** *n* Verlangen *s;* ◇ **to have a ~ for s.th.** ein Verlangen nach etw haben

crawl [krɔːl] **I.** *vi* ① ← *miner, soldier* kriechen; ← *baby, insect* krabbeln; ◇ **to ~ to authority** kriechen ② ← *room, town* wimmeln (*with* von); ◇ **spiders make my skin ~** von Spinnen bekomme ich eine Gänsehaut **II.** *n* ① (*slow progress*) Kriechen *s* ② (*swimming style*) Kraulen *s*

crayon [ˈkreɪən] *n* (*coloured pencil*) Buntstift *m*

craze [kreɪz] *n* ↑ *obsession* Fimmel *m;* (*short-lasting fashion*) große Mode *f;* **crazed** *adj* ① ▹*behaviour* durchgedreht ② ▹*surface* rissig; **crazy** [ˈkreɪzɪ] *adj* verrückt; ◇ **to drive s.o. ~** jd-n zum Wahnsinn treiben; ◇ **to go ~** verrückt werden; ◇ **to be ~ about s.th./s.o.** verrückt nach etw/jd-m sein; **crazy paving** *n* Mosaikpflaster *s*

creak [kriːk] **I.** *n* (*of springs*) Quietschen *s* **II.** *vi* ← *mast, stairs, hinge* quietschen, knarren

cream [kriːm] **I.** *n* ① (*of milk*) Rahm *m,* Sahne *f* ② (*of society*) Elite *f* ③ (*cosmetic ~*) Creme *f* **II.** *adj* (*colour*) cremefarben; **cream cake** *n* (*small*) Sahnetörtchen *s;* (*big*) Sahnetorte *f;* **cream cheese** *n* Doppelrahmfrischkäse *m*

creamery *n* Molkerei *f*

creamy *adj* sahnig

crease [kriːs] **I.** *n* (*in trousers*) Falte *f;* (*in paper*) Kniff *m* **II.** *vt* ① (*with intention*) eine Falte [*o.* einen Kniff] machen (in *acc*) ② (*without intention*) zerknittern; ◇ **he ~d his face in pain** er verzog vor Schmerz das Gesicht **III.** *vi* ← *silk* knittern

create [krɪˈeɪt] *vt* ① → *product* erschaffen ② → *problems* verursachen; **creation** [krɪˈeɪʃən] *n* ① (*act*) Schaffung *f* ② (*product*) Kreation *f* ③ (*God's ~*) die Schöpfung; **creative** [krɪˈeɪtɪv] *adj* kreativ; **creator** [krɪˈeɪtə*] *n* Schöpfer(in *f*) *m*

creature [ˈkriːtʃə*] *n* ① (*living being*) [Lebe-]Wesen *s,* Kreatur *f;* ◇ **we are all God's creatures** wir sind alle Geschöpfe Gottes ② (*dumb animal*) Kreatur *f* ③ (*FAM odd person*) Gestalt *f*

crèche [kreɪʃ] *n* Krippe *f*

credentials *n npl* ① (*proof of identity*) Ausweispapiere *s pl* ② (*proof of competence*) Referenzen *f pl*

credibility [kredɪˈbɪlɪtɪ] *n* Glaubwürdigkeit *f;* **credible** [ˈkredɪbl] *adj* ① ▹*person* glaubwürdig ② ▹*narrative* glaubhaft

credit [ˈkredɪt] **I.** *n* ① (*money one can owe*) Kredit *m;* ◇ **to buy on ~** auf Kredit kaufen ② (*money one possesses*) Guthaben *s;* ◇ **debit and ~** Soll und Haben ③ (*ability to repay*) Solvenz *f;* ◇ **his ~ is good** er ist kreditwürdig ④ (*good reputation*) Ansehen *s;* ◇ **the boy is a ~ to his family** der Junge macht s-r Familie Ehre **II.** *vt* ① ↑ *believe* glauben; 2, FIN gutschreiben; ◇ **to ~ one hundred marks to s.o.'s account** jds Konto hundert Mark gutschreiben ③ (*attribute*) zuschreiben; ◇ **to ~ him with good sense** ihm Gescheitheit zuschreiben; **creditable** *adj* lobenswert; **credit card** *n* Kreditkarte *f;* **creditor** *n* Gläubiger(in *f*) *m;* **credit rating** *n* Kreditwürdigkeit *f;* **credits**, **credit titles** *n npl* FILM MEDIA Vorspann, Nachspann *m*

credulity [krɪˈdjuːlɪtɪ] *n* Leichtgläubigkeit *f*

creed [kriːd] *n* Glaubensbekenntnis *s*

creek [kriːk] *n* ① ↑ *inlet* kleine Bucht ② *AM* Bach *m*

creep [kriːp] <crept, crept> *vi* ① (*snail*) kriechen, schleichen ② (*burglar*) schleichen ③ (*dog*) kriechen ④ (*flesh*) Gänsehaut *f;* ◇ **that gives me the ~s** davon bekomme ich eine Gänsehaut; **creep in** *vi* (*slowly appear*) hereinschleichen; **creep up on** *vi* (*get close without being noticed*) sich anschleichen

creeper *n* BIO Kletterpflanze *f*

creepy [ˈkriːpɪ] *adj* (*dark ruins*) unheimlich, gruselig

cremate [krɪˈmeɪt] *vt* einäschern; **cremation** [krɪˈmeɪʃən] *n* Einäscherung *f;* **crematorium** [kreməˈtɔːrɪəm] *n* Krematorium *s*

creole [ˈkriːəʊl] *n* LING Kreolisch *s*

crepe [kreɪp] *n* (*material*) Krepp *m;* **crepe bandage** *n* Elastikbinde *f*

crept [krept] *pt, pp of* **creep**

crescent [ˈkresnt] **I.** *n* ① (*shape*) Halbmond *m* ② (*of moon*) Mondsichel, f ③ (REL *symbol of*

Islam) Halbmond *m* [4] *street, BRIT* halbmondförmiger Straßenzug *m,* Weg *m* **II.** *adj* zunehmend; **crescent-shaped** *adj* sichelförmig, halbmondförmig

cress [kres] *n* Kresse *f*

crest [krest] **I.** *n* [1] (*of cock*) Kamm *m* [2] (*of wave*) Wellenkamm *m;* ◇ **to ride the ~ of a wave** im Augenblick ganz oben schwimmen **II.** *vt* ↑ *hill* erklimmen; **crestfallen** *adj* niedergeschlagen

cretin [ˈkretɪn] *n FAM* Schwachkopf, Kretin *m*

crevasse [krɪˈvæs] *n* Gletscherspalte *f*

crevice [ˈkrevɪs] *n* (*in rock*) Felsspalte *f*

crew [kruː] *n* (*of ship*) Besatzung *f;* (*building ~, television ~*) Mannschaft *f; FAM* Bande *f;* **crew-cut** *n* (*hairstyle*) Bürstenschnitt *m;* **crew-neck** *n* (*of pullover*) runder Halsausschnitt

crib [krɪb] *n* [1] (*bed*) Krippe *f* [2] SCH Spickzettel *m* [3] AGR Holzgerüst, s

crick [krɪk] *n* (*cramp*) Krampf *m;* ◇ **to have a ~ in the neck** einen steifen Hals haben

cricket [ˈkrɪkɪt] *n* [1] (*insect*) Grille *f* [2] (*game*) Kricket *s;* ◇ **that isn't ~** das ist nicht fair; **cricketer** *n* Kricketspieler(in *f*) *m*

crime [kraɪm] *n* [1] (*specific illegal action, Straftat*) f, Verbrechen *s* [2] (*illegal action in general*) Verbrechen *s* [3] ↑ *pity, shame* Schande *f*

criminal [ˈkrɪmɪnl] **I.** *n* Verbrecher(in *f*) *m* **II.** *adj* [1] (*wrong*) unmoralisch [2] (*illegal*) strafbar; **criminal law** *n* Strafrecht *s*

crimson [ˈkrɪmzn] *adj* purpurrot

cringe [krɪndʒ] *vi* [1] (*move back in fear*) sich ducken, zurückzucken (*at* vor *dat*) [2] (*humble o.s.*) katzbuckeln (*to* vor *dat*)

crinkle [ˈkrɪŋkl] **I.** *vt* → *clothes* zerknittern **II.** *vi* ← *dry leaves* knittern **III.** *n* (*on face*) Fältchen *s;* **crinkly** *adj* (*hair*) krauselig; (*chocolate paper*) zerknittert

cripple [ˈkrɪpl] **I.** *n* ↑ *disabled person* Krüppel *m* **II.** *vt* [1] (*chances of success*) lahmlegen [2] MED lähmen, verkrüppeln

crisis [ˈkraɪsɪs] *n* Krise *f*

crisp [krɪsp] **I.** *adj* ▷*apple* knackig; ▷*cracker* knusprig; ▷*manner* knapp; ▷*weather* frisch **II.** *n* (*BRIT*) Chip *m;* **crispbread** *n* Knäckebrot *s*

criss-cross [ˈkrɪskrɒs] *adj* (*design*) kreuzweise

criterion [kraɪˈtɪərɪən] *n* Kriterium *s*

critic [ˈkrɪtɪk] *n* (*art ~*) Kritiker(in *f*) *m;* **critical** *adj* [1] ↑ *fault-finding* kritisch; ◇ **to be ~ of s.th.** jd-n kritisieren [2] ▷*illness* gefährlich [3] ▷*action, event* entscheidend; **critically** *adv* kritisch; **criticism** [ˈkrɪtɪsɪzəm] *n* [1] ↑ *disapproval* Kritik *f,* Tadel *m* [2] (*literary ~*) Kritik *f;* **criticize** [ˈkrɪtɪsaɪz] *vt* kritisieren

croak [krəʊk] **I.** *vi* [1] ← *person with sore throat* krächzen; ← *frog* quaken [2] *FAM!* sterben **II.** *n* Krächzen *s,* Quaken *s*

crochet [ˈkrəʊʃeɪ] *n* (*sewing*) Häkeln *s*

crockery [ˈkrɒkərɪ] *n* Geschirr *s*

crocodile [ˈkrɒkədaɪl] *n* Krokodil *s*

crocus [ˈkrəʊkəs] *n* Krokus *m*

croft [krɒft] *n* (*SCOT land*) kleines Pachtgut; (*cottage, hut*) Kate *f*

crony [ˈkrəʊnɪ] *n* ↑ *pal* Kumpan *m; FAM* Spezi *m*

cronyism *n* Vetternwirtschaft *f*

crook [krʊk] *n* [1] (*dishonest person*) Gauner(in *f*) *m* [2] (ANAT *of arm*) Beuge *f* [3] (*stick*) Hirtenstab *m*

crooked [ˈkrʊkɪd] *adj* krumm

croon [kruːn] *vt* (*slow, emotional song*) [Liebes-]Schnulze *f*

crooner *n* (*Frank Sinatra*) [Schnulzen-]Sänger(in *f*) *m*

crop [krɒp] **I.** *n* [1] (AGR *commercially grown product*) Feldfrucht *f* [2] ↑ *harvest* Ernte *f* **II.** *vt* → *hair* stutzen; → *grass* schneiden; **crop up** *vi* → *problem* auftauchen

croquet [ˈkrəʊkeɪ] *n* (*game*) Krocket *s*

croquette [krəˈket] *n* GASTRON Krokette *f*

cross [krɒs] **I.** *n* [1] (*shape*) Kreuz *s* [2] (*mark in text*) Kreuz *s* [3] (REL *symbol of Christianity*) Kreuz *s* [4] BIO Kreuzung *f* **II.** *vt* [1] → *street, desert, sea* überqueren [2] → *text* ankreuzen, markieren [3] BIO kreuzen [4] → *legs* übereinander legen **III.** *vi* ← *paths* sich kreuzen **IV.** *vr* ◇ **to ~ o.s.** REL sich bekreuzigen **V.** *adj* ↑ *annoyed* verägert, böse; ◇ **to be at ~ purposes** von verschiedenen Dingen reden; **cross out** *vt* → *lines in text* durchstreichen; **crossbar** *n* Querstange *f;* **crossbow** *n* (*weapon*) Armbrust *f;* **crossbreed** *n* Kreuzung *f;* **cross-check** *vt* → *calculations* die Probe machen; **crossed cheque** *n* Verrechnungsscheck *m;* **cross-country** *adj* Gelände- *m;* **cross-country skiing** *n* Langlauf *m;* **cross-examination** *n* Kreuzverhör *s;* **cross-examine** *vt* ins Kreuzverhör nehmen; **cross-eyed** *adj:* ◇ **to be ~** schielen; **crossing** *n* [1] (*road intersection*) Straßenkreuzung *f* [2] (*sea ~*) Überfahrt *f* [3] (*safety ~*) Übergang *m;* **cross-reference** *n* Verweis *m* (*to* auf *acc*); **crossroads** *n sg o pl* [1] Straßenkreuzung *f* [2] (*FIG in life*) Scheideweg *m;* **cross section** *n* Querschnitt *m;* **crosswalk** *n* (*AM*) Fußgängerüberweg *m;* **crosswind** *n* Seitenwind *m;* **crossword [puzzle]** *n* Kreuzworträtsel *s*

crotch [krɒtʃ] *n* ANAT Unterleib *m;* (*of trousers*) Schritt *m*

crotchet [ˈkrɒtʃɪt] *n* MUS Viertelnote *f*

crotchety *adj* (*old man*) grillenhaft, mürrisch **crouch** [kraʊtʃ] *vi* hocken **crouton** ['kru:tɒn] *n* GASTRON Crouton *s* **crow** [krəʊ] **I.** *vi* 1 ← *farmyard cock* krähen 2 ← *boastful person* prahlen **II.** *n* (*black bird*) Krähe *f;* ◇ **as the ~ flies** schnurgerade, in der Luftlinie **crowbar** ['krəʊbɑ:*] *n* Stemmeisen *s* **crowd** [kraʊd] **I.** *n* 1 (*mass of people*) Menschenmenge *f* 2 (*rush-hour ~*) Gedränge *s* 3 (*set of people*) Clique *f* **II.** *vt* 1 (*streets*) bevölkern 2 (*person*) einengen, quetschen **III.** *vi* 1 (*form a ~*) eine Menge bilden 2 (*squeeze (into small space)*) sich zusammendrängen (*into* in *acc*); **crowded** *adj* überfüllt **crown** [kraʊn] **I.** *n* 1 (*of gold*) Krone *f;* (*of laurel*) Kranz *m* 2 (*of head*) Schädel *m;* (*of hill*) Kuppe *f* 3 (*C~*) Staat *m,* Fiskus *m* **II.** *vt* 1 (*king*) krönen; ◇ **to ~ s.o. king** jd-n zum König krönen 2 (*events*) krönen (*with* von); ◇ **and to ~ it all ~ the wheels fell off** zu allem Unglück lösten sich auch noch die Räder; **crown jewels** *n pl* Kronjuwelen *pl;* **crown prince** *n* Kronprinz *m;* **crown property** *n* fiskalisches Eigentum *s;* **crow's-nest** ['krəʊznest] *n* NAUT Mastkorb *m* **crucial** ['kru:ʃəl] *adj* entscheidend; **crucially** *adv* ausschlaggebend **crucible** *n* Schmelztiegel *m* **crucifix** ['kru:sɪfɪks] *n* Kruzifix *s;* **crucifixion** [kru:sɪ'fɪkʃən] *n* Kreuzigung *f;* **crucify** ['kru:sɪfaɪ] *vt* (*martyr*) kreuzigen **crude** [kru:d] *adj* 1 ↑ *unprocessed* roh 2 ↑ *vulgar* ordinär; **crudely** *adv* 1 ↑ *roughly* grob 2 ↑ *simply* primitiv; **crudeness, crudity** *n* Grobheit *f* **cruel** ['krʊəl] *adj* 1 ▷*pirate* grausam (*to* zu) 2 (*life*) hart; **cruelly** *adv* auf grausame Art; **cruelty** *n* 1 (*of sadist*) Unbarmherzigkeit *f,* Grausamkeit *f* (*to* gegenüber) 2 (*to animals*) [Tier-]quälerei *f* **cruet** ['kru:ɪt] *n* Gewürzständer *m,* Menage *f* **cruise** [kru:z] **I.** *n* (*sea ~*) Kreuzfahrt *f* 1 (*for pleasure*) kreuzen 2 (AUTO AERO *at steady speed*) mit gleichbleibender Geschwindigkeit fahren **III.** *vt* (*streets*) fahren (auf *dat*); **cruise missile** *n* MIL Marschflugkörper *m;* **cruiser** *n* MIL Kreuzer *m;* **cruising-speed** *n* Reisegeschwindigkeit *f* **crumb** [krʌm] *n* 1 (*of bread*) Krume *f* 2 (*FIG of comfort*) Bröckchen *s* **crumble** ['krʌmbl] **I.** *vt, vi* (*cake*) zerbröckeln **II.** *vi* ← *sandcastle* zerbröckeln; **crumbly** *adj* krümelig **crumpet** ['krʌmpɪt] *n* (*unsweetened cake, usally toasted*) *kleiner, dicker Pfannkuchen* **crumple** ['krʌmpl] *vt* zerknittern; **crumple zone** *n* AUTO Knautschzone *f* **crunch** [krʌntʃ] **I.** *n* (*of gravel*) Knirschen *s;* ◇ **to come to the ~** zum entscheidenden Punkt [*o.* Knackpunkt] kommen **II.** *vt* (*apple*) mampfen **III.** *vi* ← *snow, gravel* Knirschen *s;* **crunchy** *adj* knusprig **crusade** [kru:'seɪd] *n* (*HIST*) Kreuzzug *m; fig* ↑ *struggle* ◇ **the ~ against the misuse of drugs** der Kampf gegen Drogenmißbrauch; ◇ **the ~ for better treatment** der Kampf für eine bessere Behandlung; **crusader** *n* Kreuzritter *m* **crush** [krʌʃ] **I.** *n* 1 (*of people*) Gedränge *s* 2 (*orange ~*) Orangenlimonade *f* 3 ↑ *infatuation* Schwärmerei *f;* ◇ **she had a ~ on her teacher** sie schwärmte für ihren Lehrer **II.** *vt* → *fingers* zerquetschen; → *rebellion* unterdrücken, niederwerfen **III.** *vi* (*material*) knittern; **crushing** *adj* überwältigend **crust** [krʌst] *n* 1 (*of bread*) Kruste *f* 2 (*surface*) Schicht *f* **crutch** [krʌtʃ] *n* ↑ *stick* Krücke *f;* ◇ **to walk on ~es** an Krücken gehen **crux** [krʌks] *n* (*of argument*) Kern *m* **cry** [kraɪ] **I.** *vi* 1 ← *sad child* weinen 2 (*"Johnny!"*) ausrufen; (*in anger*) schreien 3 (*doves*) rufen **II.** *n* 1 (*of birds*) Ruf *m* 2 (*of tears*) Weinen *s* 3 (*public demand*) Ruf *m;* ◇ **the ~ for more pay** der Ruf nach besserer Bezahlung; **cry off** *vi* plötzlich absagen; **cry out** *vi* 1 ↑ *yell* ausschreien; ◇ **... he cried out in anguish ...** schrie er in seiner Qual 2 ↑ *demand* nachschreien; ◇ **the people are ~ing ~ for peace** die Menschen flehen um Frieden **crying** *adj* (*FIG outrageous*) schreiend; ◇ **it's a ~ shame** es ist ein Jammer **crypt** [krɪpt] *n* (*of church*) Krypta *f;* **cryptic** ['krɪptɪk] *adj* ▷*remark* rätselhaft **crystal** ['krɪstl] *n* 1 (*mineral*) Bergkristall *m* 2 (*quality glass*) Kristall[-glas] *s* 3 (*salt ~, of mineral*) Kristall *m;* **crystal-clear** *adj* kristallklar; **crystallize** **I.** *vt* 1 (*sugar*) auskristallisieren 2 (*FIG ideas*) klären **II.** *vi* auskristallisieren **cub** [kʌb] *n* (*young bear, young lion*) Junge(s) *s;* (*young boy scout*) Wölfling *m* **Cuba** ['kju:bə] *n* Kuba *s* **cubbyhole** ['kʌbɪhəʊl] *n* ↑ *compartment* Fach *s* **cube** [kju:b] *n* (*shape*) Würfel *m;* MATH Kubikzahl *f;* **cubic** ['kju:bɪk] *adj* (*measurement, capacity*) Kubik- **cubicle** ['kju:bɪkl] *n* (*changing ~*) Kabine *f* **cuckoo** ['kʊku:] *n* Kuckuck *m;* **cuckoo clock** *n* Kuckucksuhr *f*

C

cucumber ['kju:kʌmbə*] *n* [Salat-]Gurke *f*
cud *n* (*of cow*) wiedergekautes Futter *s;* ◇ **to chew the ~** wiederkäuen; *FIG* sinnieren
cuddle ['kʌdl] **I.** *vi* schmusen **II.** *vt* schmusen mit; **cuddle up** *vi* sich kuscheln (*to* an *acc*); **cuddly** ['kʌdlı] *adj* ↑ *compliant, supple* anschmiegsam; ▷*teddy bear* knuddelig
cudgel ['kʌdʒəl] *n* Knüppel *m*
cue [kju:] *n* ① (THEAT *verbal* ~) Stichwort *s;* (*visual* ~) Wink *m;* ◇ **right on** ~ wie gerufen ② SPORT Billardstock *m*
cuff [kʌf] **I.** *n* (*of shirt*) Manschette *f;* ◇ **off the ~** aus dem Stegreif **II.** *vt* ↑ *smack* einen Klaps geben; **cufflink** *n* Manschettenknopf *m*
cuisine [kwı'zi:n] *n* Küche *f*
cul-de-sac ['kʌldəsæk] *n* (*BRIT*) Sackgasse *f*
culinary ['kʌlınərı] *adj* Koch-
cull I. *vt* ① → *seals* Robbenschlag betreiben ② → *ideas, information* sammeln (*from* aus *dat*) **II.** *n* (*seal* ~) Robbenschlag *m*
culminate ['kʌlmıneıt] *vi* ↑ *end with* enden (*in* mit); **culmination** [kʌlmı'neıʃən] *n* (*of development, climax*) Höhepunkt *m;* ↑ *end* Ende *s*
culpable ['kʌlpəbl] *adj* ↑ *blameworthy* schuldhaft; JUR ◇ ~ **homicide** fahrlässige Tötung
culprit ['kʌlprıt] *n* ↑ *criminal* Schuldige(r) *fm;* (*FIG cause of trouble*) Übeltäter(in *f*) *m*
cult [kʌlt] *n* Kult *m*
cultivate ['kʌltıveıt] *vt* ① AGR bebauen, kultivieren ② (*mind*) bilden; **cultivated** *adj* ① AGR bebaut ② ↑ *cultured* kultiviert; **cultivation** [kʌltı'veıʃən] *n* ① AGR Bebauung *f* ② (*of person*) Bildung *f*
cultural ['kʌltʃərəl] *adj* kulturell, Kultur-; **culture** ['kʌltʃə*] *n* ① BIO AGR Kultur *f* ② (*music, literature, art*) Kultur *f* ③ (*of society*) Kultur *f;* ◇ **Roman ~ was masculine** die römische Kultur war männlich geprägt; **cultured** *adj* ① ▷*person* gebildet, kultiviert ② BIO gezüchtet
cumbersome ['kʌmbəsəm] *adj* ① ▷*equipment* unhandlich ② ▷*task* beschwerlich, mühselig
cumulative ['kju:mjʊlətıv] *adj* (*effect*) gehäuft; FIN ◇ ~ **interest** Zins [*o.* m] und Zinseszins
cunning ['kʌnıŋ] **I.** *n* ↑ *cleverness* Gerissenheit *f* **II.** *adj* ▷*fox* schlau
cup [kʌp] **I.** *n* ① Tasse *f;* ◇ **a tea ~** (*object*) eine Teetasse; ◇ **a ~ of tea** (*contents*) eine Tasse Tee; ◇ **that's not my ~ of tea** das ist nicht mein Fall ② (SPORT *prize*) Pokal *m* ③ (BIO *of flower*) Kelch *m* **II.** *vt* (*hands*) hohl machen
cupboard ['kʌbəd] *n* Schrank *m*
cup final *n* SPORT Pokalendspiel *s*
cupid *n* ① (*decorative figure*) Amorette *f* ② (*C*~) Amor *m*
cupidity *n* Gier *f*, Begierde *f*
cupola ['kju:pələ] *n* ARCHIT Kuppel *f*
curable ['kjʊrəbəl] *adj* heilbar
curb [kɜ:b] **I.** *vt* (*extravagance*) zügeln **II.** *n* (*tight control*) Beschränkung *f;* ◇ **to put a ~ on s.th.** etw im Zaum halten
cure [kjʊə*] **I.** *n* ① ↑ *medicine* Heilmittel *s* (*for* gegen) ② ↑ *treatment* Heilverfahren *s* (*for* (*s.th.*) gegen) ② (*recovery*) Heilung *f* **II.** *vt* ① → *illness, person* heilen ② (*substance, with smoke*) räuchern; (*with salt*) pökeln **III.** *vi:* ◇ **salmon is left to ~** der Lachs wird zum Räuchern aufgehängt
curfew ['kɜ:fju:] *n* Ausgehverbot *s;* ◇ **to impose a ~ from sunset to sunrise** ein nächtliches Ausgehverbot verhängen
curiosity [kjʊərı'ɒsıtı] *n* ① (*of cat*) Neugier *f;* (*of student*) Wißbegierde *f* ② (*object*) Kuriosität *f;* **curious** ['kjʊərıəs] *adj* ① ↑ *inquisitive* neugierig; ◇ **she was ~ about his death** sie wollte etw über s-n Tod in Erfahrung bringen ② ↑ *strange* seltsam, eigenartig; ◇ **she had ~ habits** sie hatte seltsame Angewohnheiten; **curiously** *adv:* ◇ **~ enough, they were related** merkwürdigerweise waren sie miteinander verwandt
curl [kɜ:l] **I.** *n* (*of hair*) Locke *f;* (*of smoke*) Kringel *m* **II.** *vt* (*hair*) locken; ◇ **he ~ed the scarf round his neck** er wand sich den Schal um den Hals; **curl up I.** *vi* ← *smoke* Kringel bilden; ◇ **to ~ ~ in bed** sich ins Bett kuscheln; ◇ **pages ~ ~ at the edge** Seiten bekommen leicht Eselsohren **II.** *vt* (*lip*) spitzen
curler *n* Lockenwickler *m*
curlew ['kɜ:lju:] *n* Brachvogel *m*
curly ['kɜ:lı] *adj* lockig
currant ['kʌrənt] *n* ① (*dried grape*) Korinthe *f*, Rosine *f* ② (*red ~, black ~*) Johannisbeere *f*
currency ['kʌrənsı] *n* ① FIN Währung *f* ② (*of ideas*) Geläufigkeit *f*
current ['kʌrənt] **I.** *n* ① (*of water*) Strömung *f;* (*of air*) Strom *m;* (*of electricity*) Strom *m* ② (*FIG of public opinion*) Tendenz *f* **II.** *adj* ① (*of today*) aktuell ② ↑ *in general use* gängig; **current account** *n* Girokonto *s;* **current affairs** *n npl* Tagesthemen *s pl*, Nachrichten *f pl;* **currently** *adv* zur Zeit
curriculum [kə'rıkjʊləm] *n* Lehrplan *m;* **curriculum vitae** [kə'rıkjʊləm'vi:taı] *n* Lebenslauf *m*
curry ['kʌrı] *n* Currygericht *s;* **curry powder** *n* Curry[-pulver] *s*
curse [kɜ:s] **I.** *vi* (*use bad language, swear*) fluchen (*at* auf *acc*) **II.** *vt* ↑ *damn* verwünschen; ◇ **he was ~d with bad luck** er war vom Pech verfolgt **III.** *n* ① (*expression using bad lan-*

guage) Fluch *m* [2] (*cause of trouble*) Fluch *m* [3] (*solemn damnation of s.th./s.o.*) Verfluchung *f;* ◇ **to put a ~ on s.th./s.o.** etw verfluchen, etw mit e-m Fluch belegen
cursor ['kɜːsə*] *n* PC Cursor *m,* Eingabemarkierung *f;* **cursory** ['kɜːsərɪ] *adj* ▷*glance* flüchtig
curt [kɜːt] *adj* schroff
curtail [kɜː'teɪl] *vt* (*conference*) abkürzen; (*freedom*) einschränken
curtain ['kɜːtn] **I.** *n* [1] (*on window*) Vorhang *m* [2] THEAT Vorhang *m;* ◇ **It's ~s for us now!** Jetzt sind wir erledigt! **II.** *vt* → *bedroom* Vorhänge aufhängen; **curtain off** *vt* → *play area* abteilen
curtain-call *n* (THEAT *line-up of performers*) Vorhang *m*
curtsy ['kɜːtsɪ] **I.** *n* Knicks *m* **II.** *vi* knicksen
curvature *n* (*degree of curve*) Krümmung *f*
curve I. *n* (*shape*) Bogen *m* **II.** *vi* ← *road* einen Bogen machen; **curved** *adj* ▷*arch* gewölbt
cushion ['kʊʃən] **I.** *n* (*for head*) Kissen *s* **II.** *vt* (*blow*) dämpfen; ◇ **to be ~ed against reality** von der Wirklichkeit abgeschirmt sein
cushy *adj FAM* ↑ *easy* leicht; ◇ **a ~ number** ein lockerer Job
custard ['kʌstəd] *n* Vanillesoße *f*
custodian [kʌs'təʊdɪən] *n* (*official guardian*) Wächter(in *f*) *m,* Wärter(in *f*) *m;* **custody** ['kʌstədɪ] *n* [1] ↑ *guardianship* Aufsicht *f* (*of* über *acc*) [2] (JUR *of child*) Vormundschaft *f;* ◇ **to be in police ~** inhaftiert sein
custom ['kʌstəm] *n* [1] (*social convention*) Sitte *f,* Brauch *m* [2] (*personal habit*) Angewohnheit *f* [3] COMM Kundschaft *f*
customary ['kʌstəmrɪ] *adj* üblich
customer ['kʌstəmə*] *n* Kunde *m,* Kundin *f*
customized ['kʌstəmaɪzd] *adj* (*car*) individuell hergerichtet
custom-made *adj* speziell angefertigt
customs ['kʌstəmz] *n pl* (*taxes (duty), institution*) Zoll *m;* ◇ **Customs and Excise Department** britisches Zollamt; **customs clearance** *n* Zollabfertigung *f;* **customs officer** *n* Zollbeamte(r) *m,* -beamtin *f*
cut [kʌt] <cut, cut> **I.** *vt* [1] → *flesh, cake* schneiden; → *playing cards* abheben [2] → *fingernails* schneiden; → *arms spending* reduzieren [3] FILM streichen, kürzen [4] → *price of s.th.* heruntersetzen, senken; ◇ **to ~ o.'s losses** aus e-m Projekt aussteigen, bevor der Verlust zu hoch wird; ◇ **to ~ corners** das Verfahren abkürzen **II.** *vi* ← *saw, chisel, knife* schneiden **III.** *n* [1] ↑ *incision* Schnitt *m;* (*wound*) Schnittwunde *f* [2] (*of meat*) Stück *s* [3] (*in income*) Kürzung *f* [4] (*share in s.th.*) Anteil *m;* **cut across** *vt* [1] → *field* abkürzen [2] → *all age groups* betreffen; **cut back** *vt* [1] → *pear tree* zurückschneiden [2] → *bus services* verringern; ◇ **to ~ ~ on expenditure** kürzen; **cut down** *vt* [1] → *trees* abholzen [2] → *eating* reduzieren; **cut off** *vt* [1] → *branch* abschneiden [2] → *person* abschneiden, trennen; ◇ **to feel ~ ~ (from humanity)** sich von der Menschheit verlassen fühlen; **cut out I.** *vt* → *tumor* herausschneiden; ◇ **~ it ~!** hör' auf damit! **II.** *vi* ← *engine* ausgehen; **cut up** *vt* → *meat* zerkleinern; ◇ **to be ~ ~** schwer getroffen sein
cut-and-dried *adj* ↑ *fixed, decided upon* abgemacht, abgesprochen
cute [kjuːt] *adj* ▷*baby* reizend, niedlich
cuticle ['kjuːtɪkl] *n* (*on fingernail*) Nagelhaut *f*
cutlery ['kʌtlərɪ] *n* Besteck *s*
cutlet ['kʌtlɪt] *n* (*pork*) Kotelett *s;* (*veal*) Schnitzel *s*
cutout ['kʌtaʊt] *n* ELECTR Sperre *f*
cut-price ['kʌtpraɪs] *adj* sehr billig, zu e-m Schleuderpreis
cutting ['kʌtɪŋ] **I.** *adj* [1] (*wind*) schneidend [2] (*remark*) verletzend, bissig **II.** *n* [1] (*of newspaper*) Ausschnitt *m* [2] BIO Ableger *m*
CV *n abbr. of* **curriculum vitae**
cwt *abbr. of* **hundredweight** Zentner, Ztr.
cyanide ['saɪənaɪd] *n* Zyanid *s*
cybernetics [saɪbə'netɪks] *n sg* Kybernetik *f*
cyclamen ['sɪkləmən] *n* Alpenveilchen *s*
cycle ['saɪkl] **I.** *n* [1] (*of related events*) Reihe *f,* Gang *m* [2] (*of songs, of poems*) Zyklus *m* [3] ELECTR Periode *f* [4] ↑ *bicycle* Fahrrad *s* **II.** *vi* radfahren; **cycle path** *n* Radweg *m*
cyclic, cyclical *adj* zyklisch
cycling *n* Radfahren *s;* **cyclist** ['saɪklɪst] *n* Radfahrer(in *f*) *m*
cyclone ['saɪkləʊn] *n* Zyklon *m*
cygnet ['sɪgnɪt] *n* junger Schwan
cylinder ['sɪlɪndə*] *n* [1] (*shape*) Zylinder *m* [2] (*of engine*) Zylinder *m,* Walze *f;* **cylinder block** *n* AUTO Zylinderblock *m;* **cylinder capacity** *n* AUTO Hubraum *m;* **cylinder head** *n* AUTO Zylinderkopf *m;* **cylindrical** *adj* zylindrisch
cymbals ['sɪmbəlz] *n pl* Becken *s*
cynic ['sɪnɪk] *n* Zyniker(in *f*) *m;* **cynical** *adj* zynisch; **cynicism** *n* [1] Zynismus *m* [2] ↑ *cynical remark* zynische Bemerkung *m*
cypress ['saɪprɪs] *n* Zypresse *f*
Cyprus ['saɪprəs] *n* Zypern *s*
cyst [sɪst] *n* Zyste *f;* **cystitis** *n* Blasenentzündung *f*
czar [zɑː*] *n* Zar *m;* **czarina** [zɑ'riːnə] *n* Zarin *f*

C

Czech [tʃek] **I.** *adj* tschechisch **II.** *n* Tscheche *m*, Tschechin *f;* **Czechoslovakia** [tʃekəslə'vækıə] *n* HIST Tschechoslowakei *f;* **Czechoslovak[ian]** **I.** *adj* tschechoslowakisch **II.** n Tschechoslowake *n*,

D

D, d [di:] *n* (*letter*) D, d *s*

dab [dæb] **I.** *n* ① ↑ *light touch* Tupfen *s;* ◇ **a couple of ~s is not enough** mit ein paar Tupfern ist es nicht getan ② (*of paint*) Tupfer *m;* (*of butter*) Klecks *m* **II.** *vt* → *wound* betupfen; ◇ **to ~ a surface with a fine cloth** e-e Oberfläche mit e-m weichen Tuch abtupfen; **dab at** *vt* betupfen

dabble ['dæbl] *vi* ① ← *toes in water* plantschen ② *FIG* ◇ **to ~ in s.th.** sich nur Rande mit etw befassen

dab hand *n* ↑ *quasi-expert* Profi *m* (*at* im)

dabs *n pl FAM* ↑ *fingerprints* Fingerabdrücke *m pl*

dachshund ['dækshʊnd] *n* Dackel *m*

dad, **daddy** ['dædı] *n* Vater *m;* (*affectionately*) Papi, Vati *m*

daddy-long-legs *n sg* ① *BRIT* Schnake *f* ② Weberknecht *m*

daffodil ['dæfədıl] *n* Narzisse *f*

daft [dɑ:ft] *adj FAM* doof

dagger ['dægə*] *n* (*weapon*) Dolch *m*

dago *n* <dagos> *PEJ FAM* Kanake *m*

dahlia ['deılıə] *n* Dahlie *f*

daily ['deılı] **I.** *adv* ↑ *every day* täglich **II.** *adj* ① ▹*occurrence* täglich ② ritual; [tag-]täglich **III.** *n* ↑ *newspaper* Tageszeitung *f;* ↑ *cleaner, FAM* Putzfrau *f*

dainty ['deıntı] **I.** *adj* ▹*doll* zierlich; ▹*walk* anmutig **II.** *n* Leckerbissen *m*

dairy ['dɛərı] **I.** *n* ① (*where milk is processed*) Molkerei *f* ② ▹*shop* Milchgeschäft *s* **II.** *adj* ▹*produce* ▹*cattle* Milch-; **dairy butter** *n* Markenbutter *f*

daisy ['deızı] *n* Gänseblümchen *s*

dale [deıl] *n* Tal *s;* ◇ **the Yorkshire Dales** die Yorkshire Dales

dally [dælI] *vi* ↑ *waste time* trödeln

dalmation [dælmeıʃən] *n* (*dog*) Dalmatiner *m*

dam [dæm] **I.** *n* Damm *m* **II.** *vt* aufstauen

damage ['dæmıdʒ] **I.** *n* ↑ *harm* Schaden *m* (*to* an *dat*); ◇ **to do s.o. a lot of damage** jd-m großen Schaden zufügen **II.** *vt* schaden; → *health* schädigen *dat;* → *car* beschädigen; **damages** *n pl* JUR Schadensersatz *m*

damask [dæməsk] *n* (*material*) Damast *m*

dame [deım] *n* ① *AM FAM!* Weib *s* ② *D~ Rutherford, BRIT weiblicher Ehrentitel*

damn [dæm] **I.** *intj* (*FAM anger, disappointment*): ◇ ~! verdammt (noch mal)! **II.** *vt* ① → *soul* verdammen ② → *defendant* verurteilen ③ ← *evidence* überführen **III.** *adj* (*FAM shame*) verdammt **IV.** *adv:* ◇ **I know ~ well, you've done nothing** ich weiß verdammt gut, daß du nichts gemacht hast; **damnation** *n* (*state*) Verdammnis *f;* **damned** *adj* ① (*FAM shame*) verdammt ② ◇ **well I'll be ~!** jetzt bin ich aber platt!;

damning [dæmıŋ] *adj* ▹*evidence* belastend

damp [dæmp] **I.** *adj* feucht **II.** *n* Feuchtigkeit *f* **III.** *vt* ① → *cloth* anfeuchten ② → *enthusiasm* dämpfen; **damp down** *vt* → *fire* ersticken; **damp course** *n* Isolierschicht *f;* **dampness** *n* Feuchtigkeit *f;* **damp-proof** *adj* feuchtigkeitsbeständig

damsel *n* Maid *f*

damson ['dæmzən] *n* Damaszenerpflaume *f*

dance [dɑ:ns] **I.** *n* ① (*act*) Tanzen *s* ② (*waltz, foxtrot*) Tanz *m* ③ (*social meeting*) Tanz *m* **II.** *vi* (*move*) tanzen; ◇ **to ~ to the music** zur Musik tanzen; **dance hall** *n* Tanzsaal *m;* **dancer** *n* Tänzer(in *f*) *m;* **dancing** *n* (*act*) Tanzen *s*

dandelion ['dændılaıən] *n* Löwenzahn *m*

dandruff ['dændrəf] *n* Schuppen *f pl*

Dane [deın] *n* Däne *m*, Dänin *f*

danger ['deındʒə*] *n* ① (*out of ~*) Gefahr *f* ② ◇ **to be in ~ of doing s.th.** Gefahr laufen, etw zu tun ③ (*~ to health*) gesundheitsschädlich; ◇ **~!** Vorsicht!, Achtung!; **danger-list** *n:* ◇ **to be on the ~** in Lebensgefahr schweben; **dangerous** *adj* ▹*drug* gefährlich; **dangerously** *adv* ▹*live* gefährlich, riskant

dangle ['dæŋgl] **I.** *vi* ← *necklace* baumeln **II.** *vt* → *baby* baumeln lassen

Danish ['deınıʃ] *adj* dänisch

dank [dæŋk] *adj* ▹*room* feucht

Danube ['dænju:b] *n* Donau *f*

dapper ['dæpə*] *adj* ▹*man* gepflegt

dappled *adj* ▹*horse* gefleckt, gescheckt

dare [dɛə*] **I.** <daren't (negative contraction)> *vti* ① ◇ **to ~ (to) do s.th.** es wagen, etw zu tun ② ◇ **to ~ s.o. to do s.th.** jd-n zu etw herausfordern ③ ◇ **don't you ~ tell me what to do!** wage es nicht, mir Vorschriften zu machen! **II.** *n* (*dangerous wager*) Mutprobe *f*

daresay ◇ **I ~ you're right** ↑ *suppose* da haben Sie wahrscheinlich recht

daring **I.** *adj* ↑ *brave* mutig; ▹*crime* dreist;

▹*cocktail dress* gewagt **II.** *n* ↑ *adventurous bravery* Tollkühnheit *f*

dark [dɑ:k] **I.** *adj* [1] ▹*winter afternoon* dunkel [2] (*~ blue, ~ hair*) dunkel [3] (*~ thoughts*) düster [4] ◇ **to give s.o. a ~ look** jd-n böse ansehen **II.** *n* [1] (*light*) ◇ **to be afraid of the ~** Angst vor dem Dunkeln haben [2] ◇ **come home before ~!** komm' nach Hause, bevor es dunkel wird! [3] *FIG* ◇ **to keep s.o. in the ~** jd-n im Unklaren lassen; **darken** *vti* → *stage* abdunkeln; ← *sky* verdunkeln; **dark horse** *n* (*secretive person*) tiefes Wasser; **darkness** *n* [1] (*of night*) Dunkelheit *f*, Dunkel *s* [2] (*of Dracula's castle*) Finsternis *f*; **darkroom** *n* FOTO Dunkelkammer *f*

darling ['dɑ:lɪŋ] **I.** *n* (*term of affection*) Liebling *m* **II.** *adj:* ◇ **what a ~ thing!** ach wie niedlich!

darn [dɑ:n] *vti* → *socks* stopfen

dart [dɑ:t] **I.** *n* [1] (*sudden leap*) Hervorschnellen *s* [2] (*poisoned ~*) Pfeil *m* [3] (*fold in fabric*) Abnäher *m* **II.** *vi* ↑ *move suddenly* schnellen; ◇ **to ~ across the road** über die Straße huschen; **dartboard** *n* Dartscheibe *f*; **darts** *n sg* (*game*) Dartspiel *s*

dash [dæʃ] **I.** *n* [1] (*short, fast run*) Spurt *m* [2] (*of salt*) Prise *f* [3] (*mark in text*) Gedankenstrich *m* **II.** *vt* → *knee* anschlagen (*on, against* an *dat*) **III.** *vi* flitzen; **dash off I.** *vi* losflitzen, losspurten **II.** *vt* → *letter* schnell aufsetzen

dashboard *n* AUTO Instrumentenkonsole *f*

dashing *adj* ▹*young man* adrett, flott

data ['deɪtə] *n sg* Informationen *pl*, Daten *pl*; **data bank** *n* Datenbank *f*; **database** *n* Datenbasis *f*; **data capture** *n* Datenerfassung *f*; **data carrier** *n* Datenträger *m*; **data preparation** *n* Datenvorbereitung *f*; **data processing** *n* Datenverarbeitung *f*; **data protection** *n* Datenschutz *m*

date [1] [deɪt] **I.** *n* [1] (*on letter*) Datum *s* [2] (*for business meeting*) Termin *m*; (*with girlfriend*) Verabredung *f*, Date *s* [3] ◇ **she's my steady ~** sie ist meine feste Freundin [4] (*day of the month*) Datum *s* **II.** *vt* [1] → *letter* datieren [2] → *girl* ausgehen mit *dat* [3] → *ancient object* datieren

date [2] [deɪt] *n* (*fruit*) Dattel *f*

dated *adj* ▹*behaviour* altmodisch; LING veraltend

date-line *n* (*from North to South*) Datumsgrenze *f*

dative ['deɪtɪv] *n* (*to s.th.*) Dativ *m*; (*word/phrase in ~*) im Dativ, Dativ-

date of birth *n* Geburtsdatum *s*

daub [dɔ:b] *vt* (*with grease*) einschmieren; ↑ *paint coarsely* einstreichen

daughter ['dɔ:tə*] *n* Tochter *f*; **daughter-in-law** *n* <daughters-in-law> Schwiegertochter *f*

daunt [dɔ:nt] *vt* ↑ *intimidate* verängstigen; **dauntless** *adj* ▹*hero* ↑ *fearless* mutig

davenport ['dævnpɔ:t] *n* [1] (*small writing desk*) Sekretär *m* [2] *AM* ↑ *sofa* Sofa *s*

dawdle ['dɔ:dl] *vi* ↑ *waste time* trödeln

dawn [dɔ:n] **I.** *n* [1] ↑ *daybreak* Morgengrauen *s*, Tagesanbruch *m* [2] (*beginning of s.th.*) Beginn *m* **II.** *vi* [1] ◇ **the day is ~ing** der Tag bricht an [2] (*FIG begin to understand*) allmählich verstehen; ◇ **the meaning suddenly ~ed on me** allmählich verstand/begriff ich die Bedeutung

day [deɪ] *n* [1] (*24 hours*) Tag *m* [2] (*from dawn to dusk*) Tag *m* [3] ◇ **to work a 9-hour ~** e-n Neun-Stunden-Tag haben [4] ◇ **Christmas D~** erster Weihnachtsfeiertag [5] ◇ **he has had his ~** seine Glanzzeiten sind vorbei [6] *FAM* ◇ **to call it a ~** Feierabend machen; **daybreak** *n* (*first light*) Tagesanbruch *m*; **daydream I.** *n* [1] (*visionary notion*) Tagtraum *m* [2] (*dreamlike thinking*) Träumen *s* **II.** *irr vi* ↑ *have ~s* träumen; **daylight** *n* [1] ↑ *sunlight* Tageslicht *s* [2] *FIG* ◇ **to see ~** Land sehen; **daylight robbery** *n* (*excessive charges*) Überfall *m* am Tag; **day nursery** *n* Hort *m*; **day release** *n Freistellung für berufl. Fortbildungsmaßnahme;* **day return** *adj* Tagesrückfahrkarte *f*; **daytime** *n* (*period of daylight*): ◇ **we work only at ~** wir arbeiten nur am Tage; **day-to-day** *adj* ↑ *everyday* täglich

daze [deɪz] **I.** *vt* ↑ *bewilder* benommen machen **II.** *n* (*confused condition*) Verwirrung *f*

dazzle ['dæzl] *vt* ↑ *impress* blenden, stark beeindrucken

DC *n abbr. of* ELECTR **direct current,** Gleichstrom *m*

deacon ['di:kən] *n*, **deaconess** ['di:kənes] *n* REL Diakon *m*(Diakonissin *f*) *f*

dead [ded] **I.** *adj* [1] ▹*tree* abgestorben, tot; ▹*body* tot; ◇ **the phone is ~** die Leitung ist tot [2] ▹*language* tot; ◇ **the pub is absolutely ~** *FAM* die Kneipe ist absolut tot [3] ↑ *complete, absolute* ▹*stop* völlig; ▹*silence* völlig, absolut; ▹*centre* genau [4] ◇ **I wouldn't be seen ~ with him** mit dem will ich nun wirklich nichts zu tun haben [5] ◇ **to be ~ from the neck up** gehirnamputiert sein **II.** *adv* [1] ▹*tired* todmüde [2] ◇ **to stop ~** plötzlich zum Stehen kommen **III.** *n:* ◇ **in the ~ of night** mitten in der Nacht; ◇ **don't speak ill of the ~!** rede nicht schlecht über Tote!; **dead-beat** *adj* (*FAM very exhausted*) total fertig; **deaden** *vt* [1] → *pain* nehmen, abtöten [2] ← *noise* abklingen; **dead end** *n* [1] ↑ *closed street* Sackgasse *f* [2] *FIG* ↑ *impasse* Sackgasse *f*; **deadline** *n* Termin *m*; **deadlock** *n:* ◇ **the talks ended in ~** die Gespräche führten zu keinem Ergebnis; **deadly**

adj [1] ▷*weapon* tödlich [2] ▷*job* todlangweilig [3] ▷*sense of humour* schwarz; **deadness** *n* (*of limbs*) Taubheit *f;* **deadpan** *adj* [1] (*straight face*) unbewegt, regungslos [2] ▷*humour* trokken; **Dead Sea scrolls** *n pl* Schriftrollen *pl* vom Toten Meer; **dead weight** *n* TECH Totgewicht *s*

deaf [def] *adj* taub; **deaf-aid** *n* ↑ *hearing aid* Hörgerät *s;* **deaf-and-dumb** *adj* ↑ *deaf-mute* taubstumm, Taubstummen-; **deafen** *vt* ← *jet engines* die Ohren betäuben; **deafening** *adj* ▷*roar* ohrenbetäubend; **deaf-mute** *n* (*person who can neither hear nor speak*) Taubstumme(r) *fm;* **deafness** *n* Taubheit *f*

deal [1] [di:l] **I.** *n* [1] (*hand of cards*) Blatt *s* [2] (*business* ~) Geschäft *s* [3] ↑ *bargain* Handel *m* **II.** <dealt, dealt> *vti* ↑ *distribute* verteilen; → *drugs* dealen; → *playing cards* austeilen; **deal in** *vi* + *prep obj:* ◇ **to ~ in currency** im Geldgeschäft sein; **deal with** *vi* +*prep obj* [1] ◇ **the book ~s ~ economics** das Buch handelt von Wirtschaft [2] ◇ **to ~ with naughty children** mit ungezogenen Kindern fertig werden

deal [2] *n:* ◇ **a great/good ~ of money** e-e Menge Geld; ◇ **to go to a ~ of trouble** einiges auf sich nehmen

deal [3] *n* Kiefernholz *s*

dealer *n* [1] (*currency* ~) Händler(in *f*) *m;* (*drug* ~) Dealer(in *f*) *m* [2] (*at cards*) Geber(in *f*) *m;* **dealing** *n* [1] (*distribution*) Handel *m* [2] (*interrelation*) Umgang *m* [3] (*commercial ~s*) ↑ *relations* Beziehungen *f pl;* **dealt** [delt] *pt, pp of deal*

dean [di:n] *n* (*presiding official, of St.Pauls*) Dekan *m;* (*of New College, Oxford*) Dekan *m*

dear [dɪə*] **I.** *adj* [1] ▷*friend* lieb [2] ↑ *expensive* teuer [3] (*in letters*) ◇ **Dear Oliver,** Lieber Oliver!; ◇ **Dear Sir,** Sehr geehrter Herr! **II.** *n:* ◇ **he's such a dear** er ist so ein lieber Kerl; ◇ **come along, dear!** komm' mit! **III.** *intj:* ◇ **~ me!, dear-oh-dear!** ach du meine Güte!; **dearly** *adv* [1] ◇ **to love s.o. ~** jd-n sehr gerne haben [2] ◇ **to pay ~ for your mistakes** teuer für seine Fehler bezahlen

dearth *n* (*of talent*) Mangel *m*

death [deθ] *n* [1] (*birth and* ~) Tod *m;* ◇ **to think about ~** über den Tod nachdenken [2] (*of human being*) Tod *m;* ◇ **her ~ affected me** ihr Tod ging mir nahe [3] (*of communism*) Untergang, Tod *m;* ◇ **to be in at the ~ of s.th.** das Ende e-r Sache miterleben [4] ◇ **~ by drowning** Tod durch Ertrinken; ◇ **~ by misadventure** Unfalltod *m;* ◇ **road ~s** Verkehrsopfer *nt pl* [5] ◇ **to be sentenced to ~** zum Tode verurteilt werden; ◇ **to drink o.s. to ~** sich zu Tode trinken; *FIG* ◇ **to be frightened to ~** sich zu Tode ängstigen [6] ◇ **~ rides a pale horse** der Tod kommt auf e-m Schimmel geritten; **deathblow** *n blow that kills, also FIG* Todesstoß *m;* **death certificate** *n* Sterbeurkunde *f;* **death duties** *n pl* (*BRIT*) Erbschaftssteuern *pl;* **deathly** *adj:* ◇ **a ~ silence** ein eisiges Schweigen; **death penalty** *n* Todesstrafe *f;* **death rate** *n* Sterbeziffer *f;* **death trap** *n* [1] (*blind intersection*) Todesfalle *f* [2] (*old car*) Todesfalle *f*

debacle [deɪbæ'kl] *n* [1] (*total defeat*) Debakel *s* [2] (*absurd failure*) Debakel *s*, Reinfall *m*

debase [dɪbeɪs] *vt* [1] → *person* erniedrigen [2] → *gold* verschlechtern

debatable [dɪ'beɪtəbl] *adj* ▷*claim* umstritten; **debate** [dɪ'beɪt] **I.** *n* [1] (*parliamentary* ~) Debatte *f* [2] (*hither and thither*) Herumdebattieren, Hin und Her *s* **II.** *vt* [1] (*formally*) debattieren [2] ↑ *consider* hin und her überlegen

debauched [dɪ'bɔ:tʃt] *adj* ▷*behaviour* ausschweifend, zügellos

debilitating [dɪbɪlɪteɪtɪŋ] *adj* ▷*disease* schwächend

debit ['debɪt] **I.** *n* (*minus account*) Soll *s*, Schuld *f* **II.** *vt* → *account* belasten

debonair ['debənɛə*] *adj* ▷*young man* adrett

debrief [di:'bri:f] *vt* ← *astronaut* Bericht erstatten

debris ['debri:] *n* (*shattered remains*) Trümmer *pl*

debt [det] *n* [1] (FIN *what is owed*) Schuld *f;* ◇ **to be in ~** verschuldet sein, Schulden haben [2] *FIG* ◇ **I am in your ~** ich stehe in Ihrer Schuld; **debtor** *n* (*s.o. owing money*) Schuldner(in *f*) *m*

debunk *vt* (*ridiculous idea*) den Nimbus nehmen, entlarven

decade ['dekeɪd] *n* Jahrzehnt *s*

decadence ['dekədəns] *n* (*of Rome*) Dekadenz *f;* **decadent** *adj* ▷*music, society* dekadent

decaffeinated [di:'kæfɪneɪtɪd] *adj* entkoffeiniert

decant [dɪ'kænt] *vt* → *wine* umschütten; **decanter** *n* (*cut-glass serving bottle*) Karaffe *f*

decay [dɪ'keɪ] **I.** *n* [1] (*of tooth*) Schlechtwerden *s* [2] (*of building*) Verfall *m* **II.** *vti* ← *sugar* schlecht werden lassen; ← *meat* verfaulen **III.** *vi* ← *civilizations* untergehen

deceased **I.** *adj* ↑ *died* verstorben **II.** *n* (*the* ~) die Verstorbenen

deceit [dɪ'si:t] *n* (*speech or action*) Täuschung *f;* **deceitful** *adj* ▷*person* falsch; **deceive** [dɪ'si:v] *vt* [1] → *spouse* betrügen [2] → *public* täuschen [3] ◇ **to ~ o.s. into thinking s.th.** sich etw einbilden

decelerate [di:'seləreɪt] **I.** *vi* ↑ *become slower* langsamer werden **II.** *vt* → *car* verlangsamen

December [dɪ'sembə*] *n* Dezember *m*

decency ['di:sənsɪ] *n* ① (*socially acceptable behaviour*) Anstand *m* ② ◇ **have the ~ to clean the toilet after you!** sei so gut und mach' hinterher die Toilette sauber!; **decent** ['di:sənt] *adj* ① ▷*person* anständig ② ▷*meal* anständig

decentralization [di:sentrəlaɪ'zeɪʃən] *n* (*of administration*) Dezentralisierung *f;* **decentralized** [di:'sentrəlaɪzd] *adj* ▷*authority* dezentralisiert

deception [dɪ'sepʃən] *n* (*action, behaviour or words*) Täuschung *f;* JUR ◇ **criminal ~** Betrug *m*

deceptive [dɪ'septɪv] *adj* ▷*light* täuschend; ◇ **appearances can be ~** das Äußere kann auch täuschen

decibel ['desɪbel] *n* TECH Dezibel *s*

decide [dɪ'saɪd] **I.** *vti* beschließen, entscheiden; ◇ **to ~ that nobody should leave** entscheiden, daß niemand gehen soll; ◇ **to ~ which dress to wear** sich entscheiden, welches Kleid man anziehen soll; ◇ **to ~ on the matter** über die Sache beschließen, sich in der Sache entscheiden; ◇ **the court ~d in my favour** das Gericht entschied zu meinen Gunsten **II.** *vt:* ◇ **his service ~d the match** sein Aufschlag entschied das Spiel; **decided** *adj:* ◇ **to be ~ about s.th.** zu etw entschlossen sein; **decidedly** *adv* ▷*odd* entschieden

deciduous [dɪ'sɪdjʊəs] *adj* ▷*tree* Laub-

decimal ['desɪməl] **I.** *adj* (*currency*) Dezimal- **II.** *n* (*7.05*) Dezimalstelle *f;* **decimal point** *n* (*dot in 7.5*) Komma *s*

decimate *vt* (*almost utterly destroy*) dezimieren

decipher [dɪ'saɪfə*] *vt* → *handwriting* entziffern

decision [dɪ'sɪʒən] *n* ① (*ability to decide*) Entscheidungsfähigkeit *f;* ◇ **a man of ~** ein entschlußfreudiger Mann ② (*choice of action, between alternatives*) Entscheidung *f;* ◇ **to reach a ~** zu e-r Entscheidung gelangen; **decisive** [dɪ'saɪsɪv] *adj* ① ▷*victory* entscheidend ② ▷*person* entschlußfreudig

deck [dek] **I.** *n* ① NAUT Deck *s;* ◇ **to go on ~** an Deck gehen ② *FAM* ◇ **to hit the ~** sich hinschmeißen ③ ↑ *pack of cards* Stapel *m* **II.** *vt* → *grave* schmücken; **deck out** *vt sep* → *street for carnival* schmücken, dekorieren; **deckchair** *n* Liegestuhl *m;* **deckhand** *n* Deckgehilfe *m*

declaim [dɪ'kleɪm] *vti* (*speak like actor*) deklamieren

declaration [deklə'reɪʃən] *n* ① (*of love*) Erklärung *f* ② (*customs ~*) Erklärung, Anmeldung *f;*

declare [dɪ'kleə*] *vt* ① ↑ *assert* erklären; ◇ **I'm innocent' he ~d** "ich bin unschuldig" verkündete er; ◇ **he ~d that he was someone else** er gab an, ein Anderer zu sein ② ↑ *state officially* erklären; ◇ **to ~ war** den Krieg erklären; ◇ **to ~ s.o. the winner of an election** jd-n zum Gewinner e-r Wahl ernennen ③ → *goods at customs* anmelden; ◇ **to have nothing to ~** nichts anzumelden haben; **declared** *adj* ▷*intention* erklärt

declension *n* LING Deklination *f*

decline [dɪ'klaɪn] **I.** *n* ① (*of empire*) Verfall *m;* ◇ **religious conviction is on the ~** es gibt immer weniger Frömmigkeit; ◇ **industry in Eastern Germany is falling into ~** mit der Industrie in Ostdeutschland geht es bergab ② (*in prices*) Rückgang (*in* gen); ◇ **the birthrate in Europe is in ~** die Geburtenrate in Europa fällt **II.** *vt* ① → *offer* ablehnen; ◇ **to ~ to act** es ablehnen zu handeln ② LING deklinieren **III.** *vi* ① ← *health* abbauen; ← *influence* sinken; ← *house prices* sinken, runtergehen ② ← *sun* sinken; ← *slope* abfallen

declutch ['di:'klʌtʃ] *vi* auskuppeln

decode [di:'kəʊd] *vt* dekodieren, dechiffrieren

décolleté [deɪkalteɪ] *adj* (*blouse*) [tief] ausgeschnitten

decompose [di:kəm'pəʊz] *vi* ← *leaves* sich zersetzen; **decomposition** [di:kɒmpə'zɪʃən] *n* (*process*) Zersetzung *f,* Zerfall *m*

decontaminate [di:kən'tæmɪneɪt] *vt* → *ship* dekontaminieren

decor ['deɪkɔ:*] *n* (*modern ~*) Innenausstattung *f*

decorate ['dekəreɪt] **I.** *vti* ① → *room* tapezieren ② → *Christmas tree* schmücken **II.** *vt* → *s.o. for bravery* auszeichnen, dekorieren; **decoration** [dekə'reɪʃən] *n* ① (*act*) Dekoration *f,* Schmücken *s* ② (*tinsel and glass balls*) Schmuck *m,* Verzierung *f;* (*architectural ~*) Innenausstattung *f* ③ (*medal*) Auszeichnung *f,* Orden *m;* **decorative** ['dekərətɪv] *adj* (*enhancingly attractive*) dekorativ; **decorator** ['dekəreɪtə*] *n* (*tradesman*) Maler(in *f*) *m;* **decorous** ['dekərəs] *adj* ▷*behaviour* schicklich

decoy *n* (*person*) Lockvogel *m;* (*thing*) Köder *m*

decrease [di:'kri:s] **I.** *n* ↑ *reduction* Abnahme *f,* Rückgang *m* **II.** *vt* → *stock* verkleinern; → *workforce* verringern; → *No. of hours worked* verringern **III.** *vi* ↑ *become less* (*in number*) abnehmen, weniger werden; (*in size*) kleiner werden; (*in quality*) abnehmen

decree [dɪ'kri:] *n* ↑ *official order* Anordnung *f,* Verfügung *f*

decrepit [dɪˈkrepɪt] *adj* ▷*housing stock* verfallen
decry [dɪˈkraɪ] *vt* → *European Union* schlechtmachen
dedicate [ˈdedɪkeɪt] **I.** *vt* ① → *church* weihen ② ◇ **this record is ~d to all lovers of soul music** diese Platte ist allen Soul-Liebhabern gewidmet ③ ◇ **the monument is ~d to Vietnam victims** dieses Denkmal ist Opfern des Vietnamkrieges gewidmet **II.** *vr* ◇ **dedicate o.s.:** ◇ **he ~d himself to the fight against racism** er verschrieb sich dem Kampf gegen Rassismus; **dedicated** *adj* ① ▷*worker* gewissenhaft; ▷*attitude* hingebungsvoll ② PC dediziert; **dedication** [dedɪˈkeɪʃən] *n* ① (*care and commitment*) Hingabe *f* ② ◇ **to scribble a ~** schnell e-e Widmung verfassen
deduce [dɪˈdjuːs] *vt* ↑ *infer* folgern; ↑ *conclude* schließen; ◇ **to ~ from observation that the world is round** aus Beobachtung schließen, daß die Erde rund ist
deduct [dɪˈdʌkt] *vt* → *expenditure* absetzen; ◇ **tax is ~ed from income** die Steuer wird vom Einkommen abgezogen; **deduction** [dɪˈdʌkʃən] *n* ① (*amount deducted*) Abzug *m* ② (*reasoned inference*) Folgerung *f*
deed [diːd] *n* ① ↑ *action* Handlung, Tat *f* ② (JUR *official document*) [Eigentums-]Urkunde *f*
deem [diːm] *vt* ↑ *consider* für etw halten
deep [diːp] *adj* ① ▷*ocean* tief; ▷*wound* tief ② ◇ **to have a ~ sense of s.th.** etw tief empfinden; ◇ **to be in ~ trouble** (*in trouble*) in großen Schwierigkeiten stecken ③ (*measurement*) tief; ◇ **the lake is 25 m ~** der See ist 25 m tief ④ (*~ blue, ~ green*) dunkel-, tief-; **deepen** *vi* ① ← *seabed* tiefer werden ② ← *interest* zunehmen; **deep-freeze** *n* Kühltruhe *f;* (*upright*) Tiefkühlschrank *m;* **deeply** *adv* ▷*think* gründlich; ▷*sleep* tief; ▷*breathe* tief; ◇ **to be ~ grateful for s.th.** zutiefst dankbar sein für etw; ◇ **to be ~ in love with s.o.** jd-n innig lieben; **deep-seated** *adj* ▷*prejudice* tiefsitzend; **deep-set** *adj* ▷*eyes* tiefliegend
deer [dɪə*] *n* <deer> Hirsch *m;* (*roe ~*) Reh *s*
deface [dɪˈfeɪs] *vt* (*with grafitti*) verunstalten
defamation [defəˈmeɪʃən] *n* Diffamierung *f;* ◇ **~ of character** Rufmord *m*
default [dɪˈfɔːlt] **I.** *n* ① JUR Nichteinhaltung *f;* ◇ **to win by ~** kampflos gewinnen ② PC Standardeinstellung *f* **II.** *vi* (*not to comply with court order*) nicht einhalten; ◇ **he ~ed on maintenance payments** er hat seine Unterhaltszahlungen nicht geleistet
defeat [dɪˈfiːt] **I.** *vt* ① → *enemy* → *football team* besiegen ② ◇ **the government was ~ed on a no-confidence vote** die Regierung stürzte über ein Mißtrauensvotum; ◇ **Bush was ~ed by Clinton** Bush unterlag Clinton ③ (*render s.th. meaningless*) ◇ **that ~s the purpose of the exercise** so verliert die Übung ihren Sinn ④ (*~ understanding of*) ◇ **her behaviour ~s me** ich kann ihr Benehmen einfach nicht verstehen **II.** *n* ① (*of opponent*) Sieg *m* (*of* über *acc*) ② ◇ **never admit ~!** gib nie e-e Niederlage zu!; **defeatist** *adj* Defätist *m*
defect [ˈdiːfekt] **I.** *n* ① (*mechanical ~*) Defekt *m,* Störung *f* ② (*personality ~*) Charakterfehler *m* **II.** [dɪˈfekt] *vi* abtrünnig werden; ◇ **to ~ to the enemy** zum Feind überlaufen; **defective** [dɪˈfektɪv] *adj* ▷*brakes* defekt
defence [dɪˈfens] *n* ① (*protective action*) Verteidigung *f* (*against* gegen *acc*) ② (*national military provision*) Verteidigung *f* ③ (*~s, dykes, city walls*) Verteidigungsanlage *f* ④ ↑ *justification* Rechtfertigung *f;* ◇ **her only ~ was …** ihre einzige Rechtfertigung war … ⑤ JUR ◇ **the case for the ~** die Argumentation der Verteidigung ⑥ (*~ lawyer*) Rechtsanwalt *m,* Rechtsanwältin *f* ⑦ (SPORT *strategic position*) Verteidigung *f;* **defence counsel** *n* Verteidiger(in *f*) *m;* **defenceless** *adj* ▷*child* schutzlos
defend [dɪˈfend] **I.** *vti* ① → *position* verteidigen (*against* gegen) ② JUR verteidigen **II.** *vr* ◇ **defend o.s.** sich verteidigen/wehren; **defendant** *n* (*in criminal law*) Angeklagte(r) *fm;* (*in civil law*) Beklagte(r) *fm;* **defense** *n* (*AM*) *s.* **defence**
defender *n* (*of sports title*) Titelverteidiger(in *f*) *m;* **defensive** [dɪˈfensɪv] *adj* ① ▷*position* Abwehr-, Verteidigungs- ② ◇ **to be ~ when asked s.th.** auf Fragen hin in die Defensive gehen
defer [dɪˈfɜː*] *vt* ① → *action* verschieben ② ◇ **to defer to s.o.** sich jd-m fügen; **deference** *n* ↑ *respect* Respekt *m,* Achtung *f*
defiant [dɪˈfaɪənt] *adj* aufsässig; ▷*child* trotzig
deficiency [dɪˈfɪʃənsɪ] *n* (*vitamin ~*) Mangel *m;* **deficient** *adj* unzulänglich; ◇ **he is ~ in intelligence** es fehlt ihm an Intelligenz
deficit [ˈdefɪsɪt] *n* FIN Defizit *s*
defile *vt* ① → *grave* schänden ② → *water* verschmutzen
define [dɪˈfaɪn] *vt* ① → *word* definieren ② → *issue* erklären ③ ← *light* betonen; → *object* abzeichnen
definite [ˈdefɪnɪt] *adj* ① ▷*answer* ↑ *unambiguous* eindeutig ② ▷*plan* ↑ *explicit* definitiv ② ▷*date* ↑ *fixed* bestimmt; **definitely** *adv* bestimmt
definition [defɪˈnɪʃən] *n* ① (*of word*) Definition *f* ② (*of responsibilities*) Festlegung *f* ③ FOTO Bildschärfe *f*

definitive [dɪ'fɪnɪtɪv] *adj* [1] ▷*reply* entschieden [2] (*reference work*) maßgebend (*on* für)
deflate [diː'fleɪt] *vt* → *balloon* die Luft ablassen aus; → *currency* e-e Deflation herbeiführen
deflect [dɪ'flekt] *vt* → *ball* abfälschen; → *criticism* von sich abprallen lassen
deformed [dɪ'fɔːmd] *adj* ▷*limb* verformt; **deformity** *n* (*of limbs*) Verformung *f*
defraud [dɪ'frɔːd] *vt* (*s.o. or institution*) betrügen
defrost [diː'frɒst] *vt, vi* → *chicken* auftauen; → *fridge* abtauen
deft [deft] *adj* ▷*movement* geschickt, gelenkig
defuse [diː'fuːz] *vt* [1] → *bomb* entschärfen [2] → *situation* entschärfen
defy [dɪ'faɪ] *vt* [1] → *law* mißachten [2] ◇ **I ~ you to say my work is bad** unterstehe dich, meine Arbeit als schlecht zu bezeichnen; ◇ **the state of the British economy defies description** der Zustand der britischen Wirtschaft spottet jd-r Beschreibung
degenerate [dɪ'dʒenəreɪt] **I.** *vi* entarten, degenerieren; ◇ **to ~ into a street-corner drunk** zu e-m trunksüchtigen Gammler degenerieren **II.** [dɪ'dʒenərɪt] *adj* ← *behaviour* entartet
degrading [dɪ'greɪdɪŋ] *adj* ▷*experience* erniedrigend
degree [dɪ'griː] *n* [1] (*BA, PhD*) Grad *m;* ◇ **to take o.'s ~** seinen [Universitäts-]Abschluß machen [2] (*~ Celsius*) Grad *s* [3] ◇ **to improve by ~s** allmählich besser werden
dehydrate [diːhaɪ'dreɪt] *vi* MED ← *person* dehydrieren
de-ice [diː'aɪs] *vt* enteisen
deign [deɪn] *vi:* ◇ **he did not ~ to reply** er ließ sich nicht zu e-r Antwort herab
deity ['diːɪtɪ] *n* (*Apollo*) Gottheit *f*
dejected [dɪ'dʒektɪd] *adj* ▷*look* niedergeschlagen; **dejection** [dɪ'dʒekʃən] *n* Niedergeschlagenheit *f*
delay [dɪ'leɪ] **I.** *vti* ↑ *hold back* aufschieben, hinauszögern; ◇ **to ~ going to the dentist** e-n Zahnarztbesuch hinausschieben; ◇ **I'm late for work so don't ~ me** ich komme zu spät zur Arbeit, darum halte mich nicht auf; ◇ **to ~ o.'s holidays until September** sich s-n Urlaub für September aufheben **II.** *n* (*flight ~*) Verspätung *f;* ◇ **without ~** unverzüglich
delectable [dɪ'lektəbl] *adj* ▷*food* köstlich
delegate ['delɪgɪt] **I.** *n* POL ↑ *representative* Abgeordnete(r) *fm* **II.** ['delɪgeɪt] *vt* → *o.'s authority* delegieren; **delegation** [delɪ'geɪʃən] *n* [1] (*act*) Delegierung *f* [2] (*group of repesentatives*) Delegation *f*
delete [dɪ'liːt] *vt* streichen; PC löschen
deli ['delɪ] *n* (*AM*) Feinkostladen *m*
deliberate [dɪ'lɪbərɪt] **I.** *adj* [1] ▷*cruelty* vorsätzlich, absichtlich [2] ▷*walk* bedächtig **II.** [dɪ'lɪbəreɪt] *vi* [1] (*by o.s.*) nachdenken [2] (*with others*) beraten; **deliberately** *adv* ↑ *intentionally* absichtlich
delicacy ['delɪkəsɪ] *n* [1] ↑ *gentleness* Zartheit *f* [2] ↑ *weakness* Anfälligkeit *f* [3] (*food*) Delikatesse *f;* **delicate** ['delɪkɪt] *adj* [1] ▷*lace* fein [2] ▷*situation* heikel [3] ▷*bones* ▷*porcelain* zerbrechlich [4] ▷*health* anfällig [5] ▷*nurse* behutsam
delicatessen [delɪkə'tesn] *n sg* Feinkost *f*
delicious [dɪ'lɪʃəs] *adj* ▷*food* köstlich
delight [dɪ'laɪt] **I.** *n* Freude *f* **II.** *vti* erfreuen; ◇ **a gift that is certain to ~** ein Geschenk, das bestimmt viel Freude bereiten wird; **delight in** *vi +prep obj:* ◇ **he ~s ~ shocking his guests** es macht ihm Spaß, seine Gäste zu erschrecken; **delighted** *adj* ▷*parents* erfreut, entzückt; ◇ **to be ~ to do s.th.** mit der größten Freude etw tun; ◇ **to be ~ at s.o.'s success** über jd-s Erfolg hocherfreut sein; **delightful** *adj* ▷*baby* entzückend
delinquency [dɪ'lɪŋkwənsɪ] *n* (*juvenile ~*) Kriminalität *f;* **delinquent I.** *n* (*young person*) Delinquent *m* **II.** *adj* ▷*behaviour* straffällig
delirious [dɪ'lɪrɪəs] *adj* [1] (*with happiness*) überglücklich [2] (*when semi-conscious*) benommen
delirium [dɪ'lɪrɪəm] *n* (*~ tremens*) Delirium *s*
deliver [dɪ'lɪvə*] *vt* [1] → *parcel* [ab-]liefern [2] → *baby* zur Welt bringen [3] (*what is promised*) erfüllen [4] → *speech* halten; **deliverance** *n* (*being saved*) Erlösung *f* (*from* von); **delivery** *n* [1] (*parcel ~*) Lieferung *f* [2] (*of speech*) Vortragsweise *f;* **delivery van** *n* Lieferwagen *m*
delouse [diː'laʊs] *vt* entlausen
delta *n* ↑ *river ~* Mündungsdelta *s*
delude [dɪ'luːd] *vr* ◇ **delude o.s.:** ◇ **to ~ into thinking everything is all right** sich etw vormachen
deluge ['deljuːdʒ] **I.** *n* [1] (*heavy rain*) Guß *m,* Wolkenbruch *m* [2] (*of requests*) Flut *f* **II.** *vt:* ◇ **to ~ s.o. with questions** jd-n mit Fragen überhäufen
delusion [dɪ'luːʒən] *n* (*false belief*) Irrglaube *m*
de luxe [dɪ'lʌks] *adj* Luxus-
delve [delv] *vi* [1] (*into o.'s pocket*) tief greifen (*into* in *acc*) [2] (*into the past*) sich vertiefen (*into* in *acc*), sich eingehend befassen (*into* mit)
demand [dɪ'mɑːnd] **I.** *vti* (*ask very firmly*) verlangen; ◇ **'where's my dinner?' he ~ed** 'wo bleibt mein Abendessen?' fragte er; ◇ **to ~ to be paid** seinen Lohn verlangen; ◇ **to ~ better working**

conditions bessere Arbeitsbedingungen fordern **II.** *n* [1] (*of workforce*) Forderung *f;* (*of terrorists*) Forderung *f* [2] (*tax* ~) Steuerforderung *f;* ◇ **to pay on** ~ auf Verlangen bezahlen [3] (*in marketplace*) Nachfrage *f;* ◇ **to be in** ~ gefragt sein; **demanding** *adj* ▷*job* anspruchsvoll

demeaning [dɪ'mɪnɪŋ] *adj* ▷*job* erniedrigend

demeanour *n* ↑ *manner* Auftreten *s*

demented [dɪ'mentɪd] *adj* wahnsinnig

demise [de'maɪz] *n* [1] (*of a business*) Ende *s* [2] (JUR *of s.o.*) Tod *m*

demo ['deməʊ] *n* <-s> *FAM* Demo *f*

democracy [dɪ'mɒkrəsɪ] *n* Demokratie *f;* **democrat** ['deməkræt] *n* Demokrat(in *f*) *m;* **democratic** [demə'krætɪk] *adj* ▷*government* demokratisch; **democratically** [demə'krætɪk-əlɪ] *adv* ▷*elected* demokratisch

demolish [dɪ'mɒlɪʃ] *vt* [1] → *building* abreißen [2] → *argument* abschmettern; **demolition** [demə'lɪʃən] *n* (*act*) Abriß *m*

demon ['diːmən] *n* (*evil* ~) Dämon *m*

demonstrate ['demənstreɪt] **I.** *vt* [1] ◇ **to ~ that the earth goes round the sun** beweisen, daß die Erde sich um die Sonne dreht [2] ◇ **to ~ how the computer functions** die Funktionsweise des Computers erklären; ◇ **to ~ the right way of doing s.th.** das richtige Vorgehen demonstrieren [*o.* vorführen] [3] ◇ **to ~ o's intelligence** seine Intelligenz unter Beweis stellen **II.** *vi* (*against racism*) demonstrieren (*against* gegen, *for* acc); **demonstration** [demən'streɪʃən] *n* [1] (*street* ~) Demonstration *f* [2] (*act of proving*) Beweis *m* [3] (*act of showing*) Demonstration, Vorführung *f;* **demonstrative** [dɪ'mɒnstrətɪv] *adj* ▷*person* demonstrativ; **demonstrator** ['demənstreɪtə*] *n* POL Demonstrant(in *f*) *m*

demoralize [dɪ'mɒrəlaɪz] *vt* demoralisieren, entmutigen

demur *n:* ◇ **without** ~ widerspruchlos

demure *adj* (*young lady*) spröde

den [den] *n* [1] (*lion's* ~) Höhle *f* [2] ◇ ~ **of thieves** Räuberhöhle

denial [dɪ'naɪəl] *n* [1] (*of accusation*) Leugnen *s;* (*official* ~) Dementi *s* [2] (~ *of justice*) Verweigerung *f*

denigrate ['denɪgreɪt] *vt* → *s.o.'s work* verunglimpfen, schlechtmachen

denim ['denɪm] *adj* Jeansstoff *m;* **denims** *n pl* Jeans *f pl*

Denmark ['denmɑːk] *n* Dänemark *s*

denomination [dɪnɒmɪ'neɪʃən] *n* [1] REL Konfession *f* [2] FIN Nennbetrag *m;* **denominator** [dɪ'nɒmɪneɪtə*] *n:* ◇ **common** ~ gemeinsamer Nenner

denote [dɪ'nəʊt] *vt* bezeichnen

denounce [dɪ'naʊns] *vt* ↑ *condemn* denunzieren

dense [dens] *adj* [1] ▷*undergrowth* dicht [2] ↑ *stupid* blöd

densely *adv* ▷*wooded* dicht; **density** ['densɪtɪ] *n* [1] (*population* ~) Dichte *f* [2] PHYS Dichte *f,* spezifisches Gewicht [3] ◇ **single/double ~ disk** COMM Diskette *f* mit einfacher/doppelter Zeichendichte

dent [dent] **I.** *n* [1] (*in metal*) Delle, Beule *f* [2] (*in savings*) Loch *s* **II.** *vt* [1] → *car* eindellen *f* [2] → *s.o.'s confidence* anschlagen

dental ['dentl] *adj* ▷*treatment* Zahn-, zahnärztlich; **dental floss** *n* Zahnseide *f*

dentist ['dentɪst] *n* Zahnarzt(Zahnärztin *f*) *m;* **dentistry** *n* Zahnmedizin *f*

dentures ['dentʃəz] *n pl* [künstliches] Gebiß *s,* Zahnersatz *m*

denude [dɪ'nʊːd] *vt* (*of trees*) entblößen (*of gen*)

denunciation *n* (*public ~ of s.o.*) Anprangerung *f*

deny [dɪ'naɪ] *vt* → *accusation* abstreiten, ableugnen; ◇ **he denied that he ever said any such thing** er bestritt [*o.* stritt ab], so etw jemals gesagt zu haben; ◇ **to ~ knowing s.o.** es abstreiten jd zu kennen

deodorant [diː'əʊdərənt] *n* ↑ ~ *spray* Deo *s*

depart [dɪ'pɑːt] *vi* [1] (*from platform 5*) abfahren [2] (*from theme*) vom Thema abweichen; **department** [dɪ'pɑːtmənt] *n* [1] (*toy* ~) Abteilung *f* [2] (*English D*~) Seminar *m* [3] (*casualty* ~) Station *f;* **departmental** [diːpɑːt'mentl] *adj* ▷*reorganization* Abteilungs-; **department store** *n* Kaufhaus *s*

departure [dɪ'pɑːtʃə*] *n* [1] (~ *and arrival*) Abfahrt *f* [2] ◇ **new** ~ neue Richtung; **departure gate** *n* Gate *s,* Flugsteig *m;* **departure lounge** *n* Wartehalle *f*

depend [dɪ'pend] *vi:* ◇ **it ~s** es kommt darauf an; **depend on** *vt* [1] ↑ *rely on* → *s.o./s.th.* sich auf jd-n/etw verlassen; (*family support*) auf etw *acc* angewiesen sein [2] ◇ **the result ~s on the weather** das Ergebnis hängt vom Wetter ab; ◇ **it ~s on whether it rains or not** es kommt darauf an, ob es regnet oder nicht; **dependable** *adj* ↑ *reliable* verläßlich; **dependence** *n* Abhängigkeit *f* (*on* von *dat*); **dependent** **I.** *n* (~ *relative*) Angehörige(r) *fm* **II.** *adj* abhängig (*on* von *dat*)

depict [dɪ'pɪkt] *vt* darstellen; (*in words*) beschreiben

deplorable [dɪ'plɔːrəbl] *adj* beklagenswert

deplete [dɪ'pliːt] *vt* → *resources* erschöpfen; ↑ *lessen* verringern

deplore [dɪ'plɔː*] *vt* ↑ *disapprove of s.th.* mißbilligen; ◇ **his performance is to be ~ed** seine Leistung ist bedauerlich

deploy [dɪ'plɔɪ] *vt* MIL einsetzen

deport [dɪ'pɔːt] *vt* → *undesirable alien* abschieben; **deportation** [diːpɔː'teɪʃən] *n* Deportation *f*

depose [dɪ'pəʊz] *vt* → *head of state* absetzen

deposit [dɪ'pɒzɪt] **I.** *vt* 1 → *money at bank* deponieren 2 → *papers with lawyer* hinterlegen 3 (*pay in part*) anzahlen 4 (*pay security against possible damage*) als Kaution hinterlegen 5 → *books on desk* ablegen **II.** *n* 1 → *money paid into account* Guthaben *s;* ◇ **to have one thousand dollars on ~** ein Guthaben von ein Tausend Dollar haben 2 (*part-payment to secure purchase*) Anzahlung *f* 3 (*landlord's guarantee*) Kaution *f* 4 (CHEM *in pipette*) Ablagerung *f;* (GEO *oil underground*) Lagerstätte *f;* **deposit account** *n* Sparkonto *s;* **depositor** *n* Einzahler(in *f*) *m*

depot ['depəʊ] *n* (*storage area*) Lager, Depot *s; AM* ↑ *bus station* Omnibusbahnhof *m;* ↑ *railway station* Bahnhof *m*

depraved [dɪ'preɪvd] *adj* ↑ *evil* verkommen

depravity [dɪ'prævɪtɪ] *n* (*evil condition*) Verderbtheit *f*

depreciate [dɪ'priːʃɪeɪt] *vi* an Wert verlieren; **depreciation** [dɪpriːʃɪ'eɪʃən] *n* Wertminderung *f*

depress [dɪ'pres] *vt* 1 → *market* bremsen 2 ← *bad news* deprimieren; **depressed** [dɪ'prest] *adj* 1 ▹*person* niedergeschlagen, deprimiert 2 ◇ **~ area** Notstandsgebiet *s;* **depressing** *adj* deprimierend; **depression** [dɪ'preʃən] *n* 1 PSYCH Depression *f* 2 FIN Depression *f* 3 (*of surface*) Vertiefung *f* 4 METEO Tief[-druckgebiet] *s*

deprivation [deprɪ'veɪʃən] *n* 1 (*condition*) Entbehrung *f*, Mangel *m* 2 (*of rights*) Beraubung *f;* **deprive** [dɪ'praɪv] *vt* berauben (*of gen*); **deprived** *adj* 1 ▹*child* benachteiligt, unterprivilegiert 2 ▹*area* strukturschwach

dept *abbr. of* **department** Abt.

depth [depθ] *n* 1 (*of sea*) Tiefe *f;* ◇ **to dive to a ~ of 12 m** bis zu e-r Tiefe von 12 m hinabtauchen; ◇ **to be out of o.'s ~** (*in water*) nicht mehr stehen können; *FIG* nichts mehr verstehen 2 (*of shelf*) Tiefe *f;* ◇ **to have a ~ of 15 cm** 15 cm tief sein 3 (*of feeling*) Tiefe *f;* (*of understanding*) Tiefe *f;* ◇ **to deal with s.th. in ~** sich gründlich mit etw befassen 4 (*~s, deepest parts*) Tiefe *f;* ◇ **in the ~s of despair** in tiefster Verzweiflung; **depth charge** *n* Wasserbombe *f*

deputation [depjʊ'teɪʃən] *n* (*group of representatives*) Delegation *f*

deputy ['depjʊtɪ] **I.** *adj* stellvertretend **II.** *n* (*2nd to head*) Stellvertreter(in *f*) *m*

derail [dɪ'reɪl] *vt* entgleisen lassen; ◇ **to be ~ed** entgleisen; ← *social policy* aus den Fugen geraten

deranged [dɪ'reɪndʒd] *adj* ▹*mind* gestört

derby ['dɑːbɪ] *n* ↑ *bowler hat, AM* Melone *f*

derelict ['derɪlɪkt] *adj* (*old house*) verfallen

derision [dɪ'rɪʒən] *n* (*unkind laughter*) Hohn, Spott *m*

derisory *adj* ▹*offer* lächerlich

derivation [derɪ'veɪʃən] *n* (*of word*) Ableitung *f;* **derivative** *adj* ▹*text* nachgeahmt; **derive** [dɪ'raɪv] **I.** *vt* 1 → *idea* ableiten (*from* von) 2 → *pleasure* gewinnen (*from* aus) **II.** *vi:* ◇ **the word ~s from Gaelic** das Wort kommt aus dem Gälischen

dermatitis [dɜːmə'taɪtɪs] *n* MED Dermatitis *f*

derogatory [dɪ'rɒgətərɪ] *adj* ▹*comment* abschätzig, abfällig

derrick ['derɪk] *n* ↑ *crane* Derrickkran *m;* (*on oil platform*) Bohrturm *m*

derv [dɜrv] *n* (*BRIT*) Diesel *m*

desalination [diːsælɪ'neɪʃən] *n* Entsalzung *f*

descend [dɪ'send] *vti* 1 ← *sun* untergehen; → *stairs* hinabführen 2 ◇ **to ~ from the Normans** von den Normannen abstammen 3 ◇ **the relatives ~ed on us** die Verwandten kamen hereingeschneit

descendant *n* (*relation*) Nachkomme *m*

descent [dɪ'sent] *n* 1 (*of mountain*) Abstieg *m* 2 (*line of ~*) Abstammungslinie *f*

describe [dɪs'kraɪb] *vt* schildern; ◇ **to ~ s.o. as a genius** jd-n als Genie beschreiben; ◇ **~ in detail what happened** beschreiben Sie genau, was passiert ist; **description** [dɪ'skrɪpʃən] *n* 1 (*of suspect*) Beschreibung *f;* ◇ **to give a ~** e-e Beschreibung abgeben 2 ◇ **people of every ~** die verschiedensten Leute; **descriptive** [dɪ'skrɪptɪv] *adj* ▹*passage* bechreibend

desecrate ['desɪkreɪt] *vt* → *cemetery* schänden, entweihen

desegregation [diːsegrə'geɪʃən] *n* Desegregation *f*

desert ['dezət] **I.** *n* (*Sahara D~*) Wüste *f* **II.** [dɪ'zɜːt] *vt* 1 → *shopping centre* verlassen 2 → *friend in need* im Stich lassen **III.** [dɪ'zɜːt] *vti* MIL desertieren; **deserter** *n* MIL Deserteur(in *f*) *m;* **desertion** [dɪ'zɜːʃən] *n* 1 (*of spouse*) Verlassen *s* 2 MIL Desertierung *f*

desert island ['dezət 'aɪlənd] *n* einsame Insel

deserve [dɪ'zɜːv] *vt* → *reward* verdienen; ◇ **to ~ to have a rest** e-e Pause verdient haben; **deserving** *adj* ▹*charity* bedürftig; ◇ **he is ~ of love**

and attention er hat Liebe und Zuwendung verdient

design [dı'zaın] **I.** *n* [1] (*drawing, outline*) Entwurf *m* [2] (*school of industrial* ~) Design *s* [3] ↑ *motif* (*a floral* ~) Muster *s* [4] ↑ *general layout* Auslegung *f;* ◇ **the ~ of the exhibition made it easy to ...** die Ausstellung war so ausgelegt, daß man leicht ... [5] ↑ *intention* ◇ **to hurt s.o. by ~** jd-n absichtlich verletzen [6] (*scheme to acquire*) ◇ **to have ~s on s.o.'s fortune** es auf jd-s Vermögen abgesehen haben; (*seduction plan*) ◇ **to have ~s on s.o.** es auf jd-n abgesehen haben **II.** *vti* [1] (*make plans and models of s.th.*) → *industrial complex* entwerfen; → *car* konstruieren [2] ↑ *devise* → *work schedule* ausarbeiten [3] ◇ **~ed for ease of use** bedienungsfreundlich konstruiert

designate ['dezıgneıt] **I.** *vt* [1] ↑ *set out* → *boundaries* festlegen [2] ↑ *assign function* ◇ **I am designating you as deputy** hiermit ernenne ich dich zum Stellvertreter; ◇ **to be ~d as a development area** als Neubaugebiet vorgesehen sein **II.** ['dezıgnıt] *adj* (*President* ~) designiert; **designation** [dezıg'neı∫ən] *n* [1] (*act of appointing*) Ernennung *f* [2] (*name or function*) Bezeichnung *f*

designer [dı'zaınə*] *n* [1] (*industrial* ~) [Kommunikations-]Designer *f* [2] (*Karl Lagerfeld*) Modeschöpfer *m* [3] (*interior* ~) Innenarchitekt(in *f*) *m*

desirability [dızaıərə'bılıtı] *n* (*of course of action*) Wünschbarkeit *f;* **desirable** [dı'zaıərəbl] *n* ▷*woman* begehrenswert; **desire** [dı'zaıə*] **I.** *n* [1] ↑ *strong wish* Verlangen *s* (*for* nach *dat*) [2] (*sexual* ~) Verlangen *s;* (*stronger*) Begierde *f* **II.** *vt* [1] → *happiness* wünschen, verlangen nach [2] ◇ **his work leaves a lot to be ~d** s-e Arbeit läßt viel zu wünschen übrig

desk [desk] *n* Schreibtisch *m;* **desktop calculator** *n* PC Tischrechner *m;* **desktop publishing** *n* Desktop Publishing, DTP *s*

desolate ['desəlıt] *adj* ▷*place* verwüstet; **desolation** [desə'leı∫ən] *n* (*sense of* ~) Trostlosigkeit *f*

despair [dıs'pɛə*] **I.** *n* Verzweiflung *f* **II.** *vi* die Hoffnung aufgeben (*of* auf *acc*)

despatch [dı'spæt∫] *s.* **dispatch**

desperate ['despərıt] *adj* [1] ▷*situation* verzweifelt, ausweglos [2] ▷*appeal* verzweifelt [3] ▷*measure* verzweifelt [4] ▷*criminal* zum Äußersten entschlossen [5] ◇ **to be ~ for a drink** unbedingt etw zu trinken brauchen; ◇ **to be ~ to do s.th.** entschlossen sein, etw zu tun; **desperately** *adv* unbedingt, dringend; ◇ **he ~ wants to see you** er will dich unbedingt sehen; **desperation** [despə'reı∫ən] *n* (*of starving people*) Verzweiflung, Hoffnungslosigkeit *f;* ◇ **to be driven to ~** zur Verzweiflung getrieben werden

despicable [dı'spıkəbl] *adj* ▷*gesture* verabscheuenswert

despise [dı'spaız] *vt* ↑ *hate* verachten

despite [dı'spaıt] *prep* ↑ *in spite of* trotz *gen*

despondent [dı'spɒndənt] *adj* bedrückt, niedergeschlagen

dessert [dı'zɜːt] *n* Nachtisch *m;* **dessertspoon** *n* Dessertlöffel *m*

destination [destı'neı∫ən] *n* (*of person*) Bestimmung *f;* (*of goods*) Bestimmungsort *m*

destined *adj* [1] ◇ **to be ~ for stardom** dazu bestimmt sein, ein Star zu werden [2] ◇ **a ship ~ for Hong Kong** ein Schiff mit Ziel Hong Kong

destiny ['destını] *n* [1] (*o.'s course of life*) Schicksal *s* [2] (*D~, controlling force*) Vorsehung *f*, Schicksal *s*

destitute ['destıtjuːt] *adj* ▷*immigrant* mittellos; **destitution** [destı'tjuː∫ən] *n* Mittellosigkeit *f*

destroy [dı'strɔı] *vt* [1] ↑ *ruin* zerstören [2] ↑ *kill* töten; **destroyer** *n* [1] (*person*) Zerstörer *m* [2] (*battleship*) Zerstörer *m*

destruction [dı'strʌk∫ən] *n* [1] (*of rainforest*) Zerstörung *f* [2] (*of hope*) Vernichtung *f;* **destructive** [dı'strʌktıv] *adj* ▷*person* destruktiv; ▷*storm* zerstörerisch

desulphurization [diːsʌlfjʊraı'zeı∫ən] *n* Entschwefelung *f;* ◇ **~ plant** Entschwefelungsanlage *f*

desultory *adj* ▷*effort* halbherzig

detach [dı'tæt∫] *vt* ↑ *separate* abnehmen, abtrennen; **detachable** *adj* ▷*roof-rack* abnehmbar; **detached** *adj* [1] ▷*attitude* distanziert [2] ▷*house* einzeln, Einzel-; **detachment** *n* [1] (*of observer*) Abstand *m* [2] MIL Sonderkommando *s*

detail ['diːteıl, *AM* diː'teıl] **I.** *n* [1] (*small point or fact or feature*) Detail *s*, Einzelheit *f;* ◇ **the painter's eye for ~ is phenomenal** der Maler hat e-n einmaligen Blick für das Detail; ◇ **their reports matched down to the last ~** ihre Berichte stimmten haargenau überein; ◇ **give me the main argument not stupid ~s!** kommen Sie zur Sache und lassen Sie das Drumherum weg! [2] ◇ **to report in ~** genau Bericht erstatten [3] ◇ **~s on application** Näheres auf Anfrage **II.** *vt* [1] → *o.'s movements* ausführlich beschreiben; MIL ◇ **to ~ s.o. to do s.th.** jd-n zu etw abkommandieren; **detailed** *adj* ▷*account* ausführlich, detailliert

detain [dı'teın] *vt* [1] ◇ **I won't ~ you any longer** ich werde Sie nicht länger aufhalten [2] ◇ **to ~ s.o. in custody** jd-n in Haft nehmen; **detainee** [dıteı'niː] *n* ↑ *political prisoner* politischer Gefangener *m*

detect [dɪ'tekt] *vt* → *gas leak* entdecken; **detection** [dɪ'tekʃən] *n* 1 (*of missiles*) Entdeckung *f*, Aufspüren *s* 2 (*Sherlock Holmes' art*) Nachforschung *f*

detective *n* (*police* -) Kriminalbeamter(-beamtin *f*) *m;* (*private* -) Detektiv(in *f*) *m;* **detective story** *n FAM* Krimi[-nalroman] *m*

detective inspector *n* Kriminalinspektor(in *f*) *m;* **detector** [dɪ'tektə*] *n* (TECH *metal* -) Spürgerät *s*

détente ['deɪtã:nt] *n* POL Entspannung *f*

detention [dɪ'tenʃən] *n* 1 (*at school*) Nachsitzen *s;* ◇ **to be in** - nachsitzen 2 (*political* -) Haft *f;* ◇ **to be in - without trial** ohne Verfahren eingesperrt werden

deter [dɪ'tɜ:*] *vt* ↑ *discourage* abhalten (*from* von *dat*)

detergent [dɪ'tɜ:dʒənt] *n* Waschpulver *s*, Reinigungsmittel *s*

deteriorate [dɪ'tɪərɪəreɪt] *vi* ← *health, economic situation* sich verschlechtern; **deterioration** [dɪtɪərɪə'reɪʃən] *n* 1 (*in relations between countries*) Verschlechterung *f* 2 (*of fabric*) Verschleiß *m*

determination [dɪtɜ:mɪ'neɪʃən] *n* 1 (*of Olympic athlete*) Entschlossenheit *f;* ◇ **the - to win** Siegessicherheit *f* 2 (*of meaning*) Festlegung *f;* **determine** [dɪ'tɜ:mɪn] *vt* 1 → *reasons* ermitteln 2 (*be decisive factor*) bestimmen; ◇ **one event can - o.'s whole life** ein einziges Ereignis kann über das ganze Leben entscheiden 3 ↑ *decide* beschließen

determined *adj* ▷*person* ▷*attitude* entschlossen; ◇ **to be - about the work** entschlossen an die Arbeit gehen; ◇ **to be - to win** siegessicher sein

determiner *n* (LING *a, all, every, this, some etc., words before nouns that focus meaning*) Bestimmungswort *s*

deterrent [dɪ'terənt] **I.** *n* (*death penalty*) Abschreckungsmittel *s;* ◇ **a severe punishment might be a - to others** e-e harte Strafe wird andere vielleicht abschrecken **II.** *adj* (*measure*) abschreckend, Abschreckungs-

detest [dɪ'test] *vt* → *washing-up* verabscheuen; **detestable** *adj* ▷*child* unausstehlich

detonate ['detəneɪt] *vt* ← *bomb* detonieren; **detonator** ['detəneɪtə*] *n* ↑ *activator* Zünder *m*

detour ['di:tʊə*] *n* 1 (*traffic* -) Umleitung *f* 2 ◇ **to make a - to see friends** e-n Umweg machen, um Freunde zu besuchen

detract [dɪ'trækt] *vi:* ◇ **smoking -s from his obvious merit** er ist zwar sehr qualifiziert, doch leider raucht er

detriment *n* Nachteil, m; ◇ **to do st to the - of o.'s health** etw zum Schaden seiner Gesundheit tun; ◇ **I know nothing to her** - ich weiß nicht Nachteiliges über sie

detrimental [detrɪ'mentl] *adj* ▷*effect* nachteilig; ◇ **smoking is - to your health** Rauchen schadet der Gesundheit

detritus [dɪ'traɪtəs] *n* ↑ *debris* Abfall, Müll *m*

deuce [dju:s] *n* (SPORT *Tennis*) Einstand *m*

devaluation [dɪvæljʊ'eɪʃən] *n* (*of sterling*) Abwertung *f;* **devalue** [di:'vælju:] *vt* 1 → *currency* abwerten 2 → *s.o.'s achievement* abwerten

devastate ['devəsteɪt] *vt* ← *hurricane* verwüsten; **devastated** *adj:* ◇ **to be - by the death of a friend** vom Tod e-s Freundes tief erschüttert sein; **devastating** *adj* ▷*news* vernichtend; **devastatingly** *adv* ▷*beautiful* überwältigend; ▷*witty* umwerfend

develop [dɪ'veləp] **I.** *vti* 1 (*(cause s.th. to) transform to higher state*) [fort-]entwickeln; ◇ **dislike can - into hatred** aus e-r Abneigung kann Haß werden; ◇ **a foetus -s very quickly** ein Fötus entwickelt sich sehr schnell; ◇ **to - the abilities of a child** ein Kind in seiner Entwicklung fördern 2 (*(cause s.th. to) become active or visible*) sich zeigen, sich entwickeln; ◇ **he -ed all the signs of AIDS** bei ihm entwickelten sich alle Symptome e-r AIDS-Erkrankung; ◇ **a rift -ed early in the negotiations** schon früh tat sich in den Verhandlungen e-e Kluft auf **II.** *vt* 1 → *land* entwickeln 2 FOTO → *film* entwickeln; **developer** *n* 1 (FOTO *substance*) Entwickler *m* 2 (*of land*) Entwicklungshelfer(in *f*) *m;* **developing** *adj* ▷*country* Entwicklungs-; **development** *n* 1 (*transformation to higher state, of foetus*) Entwicklung *f;* (*of idea*) [Weiter-]Entwicklung *f* 2 ↑ *new event* ◇ **the latest -s in the Gulf** die jüngsten Entwicklungen am Golf 3 (*new version of product*) ↑ *updating* Weiterentwicklung *f* 4 (*land* -) Nutzbarmachung *f;* **development area** *n* (*BRIT*) *strukturschwaches und daher besonders gefördertes Gebiet*

deviant ['di:vɪənt] **I.** *adj* ▷*social behaviour* abweichend **II.** *n* (*sexual* -) von der Norm abweichender Mensch *m*

deviate ['di:vɪeɪt] *vi:* ◇ **to - from s.th.** von etw abweichen; **deviation** [di:vɪ'eɪʃən] *n* (*noticeable difference*) Abweichung *f;* ◇ **- from accepted norms** Abweichung von der allgemeinen Norm

device [dɪ'vaɪs] *n* 1 (*object designed for specific purpose*) Gerät *s*, Vorrichtung *f;* ◇ **a - for accelerating a computer** ein Zusatzgerät zur Beschleunigung e-s Computers 2 ↑ *play, scheme* Trick *m*, Manöver *s;* ◇ **a - to avoid parliamenta-**

D

ry debate ein Manöver zur Vermeidung e-r Parlamentsdebatte [3] (*stylistic* ~) Kunstgriff, Kniff *m* [4] ◇ **to leave s.o. to his/her own ~s** jd-n sich selbst überlassen

devil ['devl] **I.** *n* [1] ↑ *the D~* ↑ *Satan* Teufel *m* [2] (*evil spirit*) Teufel *m;* ◇ **Beelzebub is the prince of ~s** Beelzebub ist der oberste Teufel [3] ◇ **that child is a little ~** dieses Kind ist ein kleiner Teufel [4] ◇ **those poor ~s!** diese armen Teufel!; ◇ **you lucky ~!** du Glückspilz! [5] ◇ **the ~ take the hindmost** den Letzten beißen die Hunde; ◇ **to be caught between the ~ and the deep blue sea** sich in e-r Zwickmühle befinden; ◇ **to play the ~'s advocate** des Teufels Advokat spielen **II.** *vi* (*work as barrister's assistant*) als Anwaltsgehilfe/-gehilfin arbeiten **III.** *vt* ↑ *season highly* → *eggs* → *sausages* scharf würzen; **devilish** *adj* ▷*plan* teuflisch; **devilry** ['devlrı] *n* ↑ *mischief* Teufelei *f*

devious ['di:vıəs] *adj* [1] ▷*route* umwegsam [2] ▷*plan* hinterhältig [3] ▷*person* hinterhältig, verschlagen

devise [dı'vaız] *vt* → *plan* sich ausdenken

devoid [dı'vɔıd] *adj* bar *gen;* ◇ **~ of reason** bar jeder Vernunft

devolution [di:'vəlu:ʃən] *n* (*of power*) Dezentralisierung *f*

devote [dı'vəʊt] *vt* → *time* widmen (*to dat*); ◇ **Petra has ~ed her life to lexicography** Petra hat ihr Leben der Lexikographie verschrieben; **devoted** *adj* ▷*father* treu, fürsorglich; ◇ **he is ~ to his daughter** er widmet sich ganz s-r Tochter; **devotee** [devəʊ'ti:] *n* (*of Zen*) Anhänger(in *f*) *m;* (*of Ernest Hemingway*) Verehrer(in *f*) *m;* **devotion** [dı'vəʊʃən] *n* [1] (*to o.'s husband*) Ergebenheit *f* (*to* gegenüber *dat*) [2] (*to work*) Hingabe *f* (*to* an *acc*) [3] (REL *~s*) Andacht *f*

devour [dı'vaʊə*] *vt* [1] ← *lion* auffressen [2] → *hamburgers* verschlingen

devout [dı'vaʊt] *adj* ▷*person* fromm

dew [dju:] *n* Tau *m*

dewy *adj* ▷*grass* taubedeckt

dexterity [deks'terıtı] *n* (*manual* ~) Geschicklichkeit *f*

diabetes [daıə'bi:ti:z] *n* Diabetes *m,* Zuckerkrankheit *f*

diabetic [daıə'betık] **I.** *adj* ▷*food* Diabetiker- **II.** *n* Diabetiker(in *f*) *m*

diabolic *adj* ▷*invention* diabolisch

diagnose ['daıəgnəʊz] *vt* MED → *problem* dignostizieren; ◇ **to ~ a tumour as malignant** e-n Tumor als bösartig diagnostizieren; **diagnosis** [daıəg'nəʊsıs] *n* <diagnosises> [1] (*act*) Diagnose *f;* ◇ **to make a ~** e-e Diagnose stellen; ◇ **the accurate ~ of hardware malfunction** die sichere Diagnose e-s Hardwarefehlers [2] (*result*) Befund *m,* Ergebnis *s*

diagonal [daı'ægənl] **I.** *adj* ▷*pattern* diagonal, schräg **II.** *n* (MATH *line between opposite corners*) ↑ *slanting line* Diagonale *f*

diagram ['daıəgræm] *n* (*of machine*) Schaubild *s,* Diagramm *s*

dial ['daıəl] **I.** *n* [1] (*phone* ~) Wählscheibe *f* [2] ↑ *clock-face* Zifferblatt *s* [3] ↑ *tuning* ~ Einstellknopf *m,* Regler *m* **II.** *vti* → *operator* → *phone number* wählen; **dial code** *n* (*AM*) Vorwahl [-nummer] *f;* **dial tone** *n* (*AM*) Wählton *m*

dialect ['daıəlekt] *n* (*Scottish* ~) Dialekt *m*

dialling code *n* (*BRIT*) Vorwahl[-nummer] *f;* **dialling tone** *n* (*BRIT*) Wählton *m*

dialog ['daıəlɒg] *n* PC Dialog *m*

dialogue ['daıəlɒg] *n* Dialog *m*

dialysis [daı'æləsıs] *n* MED Dialyse *f*

diameter [daı'æmıtə*] *n* Durchmesser *m;* **diametrically** [daıə'metrıkəlı] *adv:* ◇ **~ opposed (to)** genau entgegengesetzt *dat*

diamond ['daıəmənd] *n* [1] (*precious stone*) Diamant *m* [2] (*~s, at cards*) Karo *s*

diaper ['daıəpə*] *n AM* ↑ *nappy* Windel *f*

diaphragm ['daıəfræm] *n* [1] ANAT Zwerchfell *s* [2] (*type of contraceptive*) Pessar *s*

diarrhoea [daıə'ri:ə] *n* MED Durchfall *m*

diary ['daıərı] *n* [1] (*daily account*) Tagebuch *s* [2] (*appointment* ~) Terminkalender *m*

dice [daıs] **I.** *n* <dice> Würfel *m;* ◇ **no ~!** vergiß es! nichts zu machen! **II.** *vi* würfeln; ◇ **to ~ with death** mit dem Tod spielen **III.** *vt* GASTRON würfeln, in Würfel schneiden

dicey ['daısı] *adj FAM* kitzlig, riskant

dichotomy [dı'kɒtəmı] *n* Trennung *f*

dick [dık] *n* [1] *FAM* ↑ *detective* Schnüffler *m* [2] *FAM!* ↑ *penis* Schwanz

dictate I. ['dıkteıt] *n* (*of common sense*) diktieren **II.** [dık'teıt] *vt* [1] → *letter to secretary* diktieren [2] → *terms and conditions* diktieren, vorschreiben; **dictate to** *vi* + *prep obj* ↑ *order about* Vorschriften machen; ◇ **I refuse to be ~d to like that** so lasse ich nicht mit mir umspringen; **dictation** [dık'teıʃən] *n* [1] (*act*) Diktieren *s* [2] (SCH *written exercise*) Diktat *s;* **dictator** [dık'teıtə*] *n* POL Diktator(in *f*) *m;* **dictatorial** *adj* ▷*behaviour* diktatorisch; **dictatorship** *n* [1] (*government by dictator*) Diktatur *f* [2] (*country ruled by* ~) Diktatur *f*

diction ['dıkʃən] *n* (*way one speaks*) Diktion *f*

dictionary ['dıkʃənrı] *n* Wörterbuch *s*

did [dıd] *pt of* **do**

diddle ['dıdl] *vt FAM* ↑ *cheat* beschummeln; ◇ **he**

D

~d me out of my change er hat mich beim Rausgeben über's Ohr gehauen [*o.* beschissen]

didn't ['dɪdnt] = **did not**

die [daɪ] <died, died *o.* (pres p) dying> *vi* [1] (*stop living*) sterben; ◇ **he ~ed of lung cancer** er starb an Lungenkrebs; ◇ **she ~ed a natural death** sie starb e-s natürlichen Todes [2] ◇ **the flowers are dying** die Blumen sind am Eingehen [3] (*cease or diminish*) ← *motor* ausgehen; ← *planet* untergehen; ← *love* verschwinden [4] ↑ *want very much* ◇ **I am dying for a drink** ich brauche jetzt unbedingt etw zu trinken; **die away** *vi* ← *sound* leiser werden; **die down** *vi* ← *storm* nachlassen; **die out** *vi* ← *customs* aussterben

diesel ['di:zəl] *n* [1] ↑ *derv* (*fuel*) Diesel[-öl] *s* [2] (*car*) Diesel *m* [3] RAIL Diesellok *f*

diet ['daɪət] **I.** *n* [1] (*whatever you eat and drink*) Kost, Ernährung *f;* ◇ **exercise and ~ are important** Bewegung und Ernährung sind wichtig [2] (*vegetarian ~, low-calorie ~*) Diät *f;* ◇ **to live on a ~ of milk and alcohol** sich von Milch und Alkohol ernähren; ◇ **you should go on a ~!** du solltest mal e-e Diät machen! **II.** *vi* (*restrict intake*) Diät halten, e-e Diät machen

differ ['dɪfə*] *vi* [1] ◇ **the products ~ in quality and price** die Produkte unterscheiden sich in der Qualität und im Preis; ◇ **to ~ from s.o. in political outlook** eine andere politische Einstellung haben [2] ◇ **to ~ with s.o.** verschiedener Meinung sein

difference ['dɪfrəns] *n* [1] (*between A and B*) Unterschied *m* (*between* zwischen) [2] ◇ **to make no ~** keinen Unterschied machen; ◇ **to make all the ~** ausschlaggebend [*o.* entscheidend] sein [3] ◇ **we've had our ~s but it's okay now** zwischen uns hat es kleinere Meinungsverschiedenheiten gegeben, aber jetzt geht es wieder; **different** *adj* ▷*country* anders, verschieden; ◇ **he is ~ from all the rest** er ist anders als die anderen; **differential** [dɪfə'renʃəl] *n* [1] AUTO Differential[-getriebe] *s* [2] (*wage ~s*) Einkommensunterschiede *m pl;* **differentiate** [dɪfə'renʃɪeɪt] *vti* (*make difference*) differenzieren, unterscheiden; (*perceive difference*) unterscheiden; **differentiation** *n* Differenzierung *f;* **differently** ['dɪfrəntlɪ] *adv* anders (*from* als); ◇ **to see things ~** die Dinge unterschiedlich sehen

difficult ['dɪfɪkəlt] *adj* [1] ▷*work* schwierig, anstrengend [2] ▷*person* schwierig; **difficulty** *n* [1] (*s.th. problematic*) Schwierigkeit *f;* ◇ **to be in ~ with o.'s work** Schwierigkeiten bei s-r Arbeit haben; ◇ **to have no ~ in understanding the argument** das Argument ohne Schwierigkeit verstehen [2] ◇ **to do s.th. with ~** sich mit etw schwertun, etw unter Schwierigkeiten tun

diffident ['dɪfɪdənt] *adj* ▷*person* zurückhaltend

diffuse [dɪ'fju:s] **I.** *adj* ▷*population* weitverteilt; ▷*gas* diffus **II.** [dɪ'fju:z] *vt* → *light* ausbreiten **III.** *vi* ← *fluid* sich ausbreiten; **diffused** *adj* ▷*lighting* indirekt

dig [dɪg] <dug, dug> **I.** *vti* [1] → *hole* graben [2] → *garden* umgraben **II.** *vt:* ◇ **the cat dug its claws into her** die Katze vergrub ihre Krallen in sie **III.** *n* [1] ↑ *little punch* Stoß, m; ◇ **he's falling asleep, give him a ~!** er schläft gleich ein, stups ihn mal an! [2] ↑ *sarcastic comment* Spitze *f,* Seitenhieb *m;* ◇ **to make** [*o.* **have**] **a ~ at s.o.** jd-n kritisieren [3] (*archaeological ~*) Ausgrabungsstätte *f;* **dig in** *vi +prep obj* [1] MIL eingraben [2] (*FAM eat*) ◇ **to ~ ~ to the potato salad** sich den Kartoffelsalat reinhauen; ◇ **~ ~!** hau rein!; **dig out** *vt sep* ausgraben; **dig up** *vt sep* [1] → *lawn* umgraben [2] → *evidence* auftun, finden [3] → *road* aufreißen

digest [daɪ'dʒest] **I.** *vt also FIG* verdauen **II.** ['daɪdʒest] *n* ↑ *summary* Sammlung *f;* **digestible** [daɪ'dʒestəbl] *adj* verdaulich; **digestion** *n* Verdauung *f*

digit ['dɪdʒɪt] *n* [1] (*0-9*) Ziffer *f;* ◇ **a phone no. with 8 ~s** eine achtstellige Telefonnummer [2] ▷*finger* Zeigefinger *m;* **digital** ['dɪdʒɪtəl] *adj* digital; ◇ **~ display** Digitalanzeige *f;* ◇ **~ watch/clock** Digitaluhr *f;* **digitization** [dɪdʒɪtaɪ'zeɪʃən] *n* Digitalisierung *f*

dignified ['dɪgnɪfaɪd] *adj* ▷*old lady* fein

dignitary ['dɪgnɪtərɪ] *n* (*foreign ~*) Würdenträger(in *f*) *m*

dignity ['dɪgnɪtɪ] *n* (*of prisoner*) Würde *f;* (*of state opening of parliament*) Würde *f*

digress [daɪ'gres] *vi* ↑ *change subject* abschweifen

digs [dɪgz] *n pl BRIT FAM* ↑ *lodgings* Buden *f pl*

dilapidated [dɪ'læpɪdeɪtɪd] *adj* ▷*old car* ramponiert; ▷*clothes* schäbig

dilate [daɪ'leɪt] *vi* ← *eyes* sich weiten

dilatory *adj* [1] ▷*behaviour* Hinhalte- [2] ▷*reply* verspätet

dildo ['dɪldəʊ] *n* <dildos> Godemiché *m,* Dildo *s*

dilemma [daɪ'lemə] *n* (*difficult choice*) Dilemma *s;* ◇ **to be on the horns of a ~** in einer Zwickmühle stecken

diligence ['dɪlɪdʒəns] *n* Fleiß *m;* **diligent** *adj* ▷*worker* fleißig

dill [dɪl] *n* Dill *m*

dilly-dally ['dɪlɪdælɪ] *vi* (*FAM at work*) trödeln

dilute [daɪ'lu:t] *vt* verdünnen

dim [dɪm] **I.** *adj* [1] ▷*corridor* halbdunkel; ◇ **to take a ~ view of s.th.** nicht viel von etw halten [2] ▷*memory* schwach [3] ▷*schoolboy* begriffsstutzig **II.** *vt* → *headlights* abblenden **III.** *vi* ← *eyesight* schwächer werden, nachlassen

dime [daɪm] *n* (*AM*) 10-Cent-Stück *s*

dimension [dɪ'menʃən] *n* 1 (*measurement, of 5 metres*) Abmessung *f;* ◇ **what are the room's -s?** wie sind die Abmessungen des Zimmers? 2 ↑ *extent* ↑ *importance* ◇ **a problem of enormous -s** ein Problem von ungeahnten Ausmaßen 3 (*conditioning factor*) ◇ **there's another - to this crisis** es gibt noch e-n anderen Aspekt zu dieser Krise

diminish [dɪ'mɪnɪʃ] **I.** *vt* → *value* herabsetzen; → *reputation* schmälern **II.** *vi* ← *potency* nachlassen; ← *brain cells* weniger werden

diminished responsibility *n* JUR verminderte Zurechnungsfähigkeit *f*

diminutive [dɪ'mɪnjʊtɪv] **I.** *adj* ▷*figure* klein **II.** *n* LING Verkleinerungsform *f*

dimly ['dɪmlɪ] *adv* ▷*aware* undeutlich

dimmer switch *n* ELECTR Dimmer *m*

dimple ['dɪmpl] *n* (*on chin*) Grübchen *s*

dim-witted ['dɪm'wɪtɪd] *adj FAM* dämlich

din [dɪn] *n* (*continuous noise*) Getöse *s*, Lärm *m*

dine [daɪn] *vi* speisen; ◇ **to - on Italian food at the Savoy** im Savoy italienisch essen; **dine out** *vi* zum Essen ausgehen, essen gehen

diner *n* 1 (*person*) Gast *m* 2 RAIL Speisewagen *m* 3 *AM* [Schnell-]Restaurant *s*

dinghy ['dɪŋgɪ] *n* (*small sailing boat*) Ding[h]i *s;* (*tender*) Schlauchboot *s*

dingy ['dɪndʒɪ] *adj* ▷*room* schmuddelig

dining car ['daɪnɪŋkɑ:*] *n* Speisewagen *m;* **dining room** *n* (*at home*) Eßzimmer *s;* (*in hotel*) Speisesaal *m*

dinner ['dɪnə*] *n* 1 (*main meal*) Essen *s;* ↑ *lunch* Mittagessen *s;* Abendessen *s* 2 (*formal occasion*) Essen *s;* **dinner jacket** *n* Smokingjacke *f;* **dinner party** *n* Abendgesellschaft *f;* ◇ **to give a - -** ein Essen geben; **dinner time** *n* Essenszeit *f*

dinkies ['dɪŋkɪz] *n pl acronym of FAM* **double income no kids,** Dinks *pl kinderlose Doppelverdiener*

dinosaur ['daɪnəsɔ:*] *n* Dinosaurier *m*

diocese ['daɪəsɪs] *n* Diözese *f*, Bistum *s*

diode ['daɪəʊd] *n* Diode *f;* ◇ **light-emitting -** Leuchtdiode *f*

dioxane [daɪ'ɒkseɪn] *n* Dioxin *s*

dioxide [daɪ'ɒksaɪd] *n* Dioxid *s*

dip [dɪp] **I.** *n* 1 (*in ground*) Bodensenke *f* 2 ◇ **to take** [*o.* **go for**] **a -** schwimmen gehen **II.** *vt* 1 → *s.th. into liquid* tauchen (*into* in *acc*) 2 → *headlights* abblenden **III.** *vi* ← *ground* sich senken; **dip into** *vi +prep obj* 1 → *savings* angreifen 2 → *text* kurz anschauen

diphtheria [dɪf'θɪərɪə] *n* Diptherie *f*

diphthong ['dɪfθɒŋ] *n* Diphthong *m*, Doppelvokal *m*

diploma [dɪ'pləʊmə] *n* Diplom *s* (*in* in *dat*)

diplomacy [dɪ'pləʊməsɪ] *n* Diplomatie *f;* **diplomat** ['dɪpləmæt] *n* Diplomat(in *f*) *m;* **diplomatic** [dɪplə'mætɪk] *adj* diplomatisch; **diplomatic corps** *n* diplomatisches Korps *s;* **diplomatic immunity** *n* Immunität *f*

dipstick ['dɪpstɪk] *n* Ölmeßstab *m*

dire [daɪə*] *adj* schrecklich; ▷*necessity* dringend

direct [daɪ'rekt] **I.** *adj* 1 (*without deviation*) direkt; ◇ **to take a - flight** Non-Stop fliegen; ◇ **to score a - hit** e-n Volltreffer landen 2 (*unqualified by s.o. or s.th.*) direkt, unmittelbar; ◇ **to be a - result of s.th.** unmittelbar aus etw hervorgehen 3 (*open and honest*) ▷*person* offen, direkt; ◇ **to give a - answer** freiheraus antworten 4 ↑ *exact* genau; ◇ **to be the - opposite of s.th.** das genaue Gegenteil e-r Sache sein **II.** *vt* 1 (*aim or transmit*) richten auf *acc;* ◇ **to - o.'s energies in a specific way** seine Kräfte auf e-e bestimmte Weise einsetzen; ◇ **aid will be -ed to those most in need** den Bedürftigsten soll Hilfe zuteil werden 2 ↑ *tell the way* den Weg erklären; ◇ **could you - me to Times Square?** können Sie mir sagen, wie ich zum Times Square komme? 3 ↑ *control or instruct* leiten; → *film* Regie führen; → *jury* e-e Rechtsbelehrung erteilen 4 ↑ *aim* → *gun* richten auf *acc* 5 → *order* richten an *acc;* ◇ **to - the demonstrators to disperse** die Demonstranten dazu auffordern, sich aufzulösen; **direct current** *n* ELECTR Gleichstrom *m;* **direction** [dɪ'rekʃən] *n* 1 (*due North, wind -*) Richtung *f;* ◇ **to scatter in all -s** sich in alle Richtungen verteilen 2 *FIG* ◇ **what - is your work taking?** wie kommst du mit deiner Arbeit voran?; ◇ **to lose all sense of -** völlig die Orientierung verlieren 3 (*information and instruction*) Unterweisung *f;* ◇ **just read the -s on the packet!** lies doch einfach die Anleitung auf der Schachtel!; ◇ **to give s.o. -s as to how to get somewhere** jd-m den Weg beschreiben 4 ↑ *management* (*of a project*) Leitung *f;* **directional** *adj* ▷*aerial* direktional

directive [dɪ'rektɪv] *n* (*government -*) Direktive *f*, Erlaß *m*

directly [dɪ'rektlɪ] **I.** *adv* 1 (*in straight line*) direkt, geradewegs; ◇ **it's - opposite** es liegt genau gegenüber; ◇ **to be - responsible for s.th.** unmittelbar für etw verantwortlich sein 2 ↑ *at once* sofort; ◇ **to attend to s.th. -** sich sofort um etw kümmern 3 ↑ *frankly* ohne Umschweife **II.** *cj* ↑ *as soon as* sobald, sowie; ◇ **he set to work -**

he had got your instructions gleich nachdem er Ihre Anweisungen erhalten hatte, machte er sich an die Arbeit; **directness** *n* Direktheit *f*

director [dɪ'rektə*] *n* 1 *(company ~)* Direktor(in *f*) *m*, Geschäftsführer(in *f*) *m* 2 *(film ~)* Filmregisseur(in *f*) *m*

directory [dɪ'rektərɪ] *n* *(telephone ~)* Telefonbuch *s*; **directory enquiries** *n* TELECOM Telefonauskunft *f*

dirge [dɜ:ʒ] *n* Klagegesang *m*

dirt [dɜ:t] *n* 1 ↑ *filth* Schmutz *m*, Dreck *m* 2 *(loose earth)* Erde *f*; **dirt cheap** *adj* spottbillig; **dirt road** *n* unbefestigte Straße *f*; **dirty** **I.** *adj* 1 schmutzig 2 ▷*trick* gemein **II.** *vt* schmutzig machen

disability [dɪsə'bɪlɪtɪ] *n* 1 ↑ *handicap* Behinderung *f* 2 ↑ *inability* Unfähigkeit *f*; **disability allowance** *n* Invalidenrente *f*

disabled [dɪs'eɪbld] *adj* behindert

disadvantage [dɪsəd'vɑ:ntɪdʒ] *n* Nachteil *m*; **disadvantaged** *adj* benachteiligt

disagree [dɪsə'gri:] *vi* 1 ← *two people* sich nicht einig sein 2 ← *statements* nicht übereinstimmen 3 *(with s.o.)* nicht übereinstimmen *(with* mit *dat)* 4 ← *food* bekommen *dat*; **disagreeable** *adj* ▷*person* unsympathisch; ▷*experience* unangenehm; **disagreement** *n* 1 *(between people)* Meinungsverschiedenheit *f* 2 *(between reports)* Diskrepanz *f*

disallow [dɪsə'laʊ] *vt* nicht anerkennen

disappear [dɪsə'pɪə*] *vi* 1 ↑ *vanish* ← *aeroplane in fog* verschwinden 2 ↑ *be lost* ← *car keys* verlorengehen, verschwinden 3 ↑ *cease to exist* ← *dinosaurs* verschwinden; **disappearance** *n* *(of child)* Verschwinden *s*

disappoint [dɪsə'pɔɪnt] *vt* enttäuschen; **disappointment** *n* Enttäuschung *f*

disapproval [dɪsə'pru:vəl] *n* Mißbilligung *f* *(of* über *acc)*; **disapprove** *vi* dagegen sein; ◇ **to ~ of s.th.** etw mißbilligen, gegen etw sein

disarm [dɪs'ɑ:m] *vt* entwaffnen; MIL abrüsten; **disarmament** *n* Abrüstung *f*; **disarming** *adj* ▷*smile* entwaffnend

disarray [dɪsə'aeɪ] *n* Unordnung *f*; ◇ **to be in ~** ← *organization* durcheinander sein

disassociate [dɪsə'səʊʃɪeɪt] *s.* **dissociate**

disaster [dɪ'zɑ:stə*] *n* Katastrophe *f*; **disastrous** [dɪ'zɑ:strəs] *adj* verheerend

disband [dɪs'bænd] *vt* auflösen

disbelief [dɪsbə'li:f] *n* Zweifel *m* *(in* an *dat)*; **disbelieve** [dɪsbə'li:v] *vt* bezweifeln, nicht glauben

disc [dɪsk] *n* 1 *(round object)* Scheibe *f* 2 ANAT Bandscheibe *f* 3 ↑ *record* Platte *f*

discard [dɪ'skɑ:d] *vt* 1 → *what is not needed* ausrangieren 2 → *old habits* ablegen

disc brake *n* Scheibenbremse *f*

discern [dɪ'sɜ:n] *vt* wahrnehmen; **discerning** *adj* ▷*shopper* anspruchsvoll

discharge [dɪs'tʃɑ:dʒ] **I.** *vt* 1 ◇ **to be ~d from hospital** aus dem Krankenhaus entlassen werden 2 → *pus* eitern; → *smoke* abgeben 3 → *duties* erledigen; → *debt* begleichen 4 → *gun* abfeuern 5 → *cargo* löschen **II.** ['dɪstʃɑ:dʒ] *n* 1 MED Ausscheidung *f* 2 ↑ *dismissal* Freispruch *m*; *(from army)* Entlassung *f* 3 *(of cargo)* Löschen *s* 4 *(of debt)* Begleichung *f*

disciple [dɪ'saɪpl] *n* Jünger *m*

disciplinarian ['dɪsɪplɪnɛrɪən] *n* Zuchtmeister(in *f*) *m*; **disciplinary** ['dɪsɪplɪnərɪ] *adj* ▷*measures* Disziplinar-; **discipline** ['dɪsɪplɪn] **I.** *n* 1 *(academic subject)* Disziplin *f* 2 *(order)* Disziplin *f* 3 *(self-~)* Selbstdisziplin *f*; ◇ **to maintain ~** die Disziplin aufrechterhalten **II.** *vt* 1 *(physically punish)* züchtigen 2 → *emotions* unter Kontrolle halten

disc jockey ['dɪskdʒɒkɪ] *n* Discjockey *m*

disclaim [dɪs'kleɪm] → *responsibility* von sich weisen

disclose [dɪs'kləʊz] *vt* 1 → *secret* verraten 2 → *plans* aufdecken 3 ↑ *announce* bekanntgeben

disclosure [dɪs'kləʊʒə*] *n* *(of information)* Enthüllung *f*

disco ['dɪskəʊ] *n* <-s> Disko *f*

discoloured [dɪs'kʌləd] *adj* verfärbt

discomfort [dɪs'kʌmfət] *n* ▷*emotional* Unbehagen *s*; ▷*physical* Beschwerde *f*

disconcert [dɪskən'sɜ:t] *vt* beunruhigen

disconnect ['dɪskə'nekt] *vt* → *power supply* abstellen; → *phone conversation* unterbrechen; **disconnected** *adj* ▷*argument* unzusammenhängend

discontent ['dɪskən'tent] *n* Unzufriedenheit *f*; **discontented** *adj* unzufrieden

discontinue ['dɪskən'tɪnju:] **I.** *vt* einstellen **II.** *vi* aufhören

discord ['dɪskɔ:d] *n* 1 ↑ *disagreement* Nichtübereinstimmung *f*; ↑ *quarrel* Streit *m* 2 ↑ *noise* Lärm *m*

discotheque ['dɪskəʊtek] *n* Diskothek *f*

discount ['dɪskaʊnt] **I.** *n* COMM Preisnachlaß *m*, Rabatt *m* **II.** [dɪs'kaʊnt] *vt* → *theory* als nicht zutreffend abtun; → *opinion* unberücksichtigt lassen

discourage [dɪs'kʌrɪdʒ] *vt* 1 ↑ *dishearten* entmutigen 2 ↑ *prevent* abhalten *(from* von) 3 ◇ **to ~ s.o. from doing s.th.** jd-m abraten, etwas zu tun; **discouraging** *adj* entmutigend

D

discourteous [dɪs'kɜ:tɪəs] *adj* unhöflich
discover [dɪs'kʌvə*] *vt* ① → *new land* entdecken ② ◇ **to ~ that one has made a mistake** feststellen, daß man sich geirrt hat; ◇ **to ~ who is lying** herausfinden, wer lügt; **discovery** *n* Entdeckung *f*
discredit [dɪs'kredɪt] **I.** *vt* → *government* diskreditieren **II.** *n* Mißkredit *m;* **discreditable** *adj* ▷*behaviour* schändlich
discreet [dɪskri:t] *adj* ↑ *cautious* besonnen; **discreetly** *adv* diskret
discrepancy [dɪs'krepənsɪ] *n* Diskrepanz *f,* Widerspruch *m* (*between* zwischen *dat*)
discretion [dɪs'kreʃən] *n* ① ↑ *caution* Besonnenheit *f,* Vorsicht *f* ② (*ability to decide*) Ermessen *s;* ◇ **to leave s.th. to s.o.'s ~** etwas in jd-s Ermessen stellen; **discretionary powers** *n* Handlungsfreiheit *f*
discriminate [dɪs'krɪmɪneɪt] *vi* ① ↑ *differentiate* unterscheiden; ◇ **to ~ between right and wrong** zwischen Recht und Unrecht unterscheiden ② ↑ *treat worse* diskriminieren; ◇ **to ~ against women** Frauen diskriminieren; ◇ **to ~ in favour of men** Männer bevorzugen; **discriminating** *adj* ▷*person* kritisch; **discrimination** [dɪskrɪmɪ'neɪʃən] *n* ① (*ability to differentiate*) Urteilsvermögen *s* ② (*racial ~*) Diskriminierung *f* (*against* von *dat*)
discus ['dɪskəs] *n* Diskus *m*
discuss [dɪs'kʌs] *vt* diskutieren, besprechen; **discussion** [dɪs'kʌʃən] *n* Diskussion *f;* (*formal ~*) Besprechung *f;* ◇ **to be under ~** (*being discussed*) in der Diskussion stehen
disdain [dɪs'deɪn] **I.** *vt* verachten **II.** *n* Verachtung *f;* **disdainful** *adj* verächtlich; ◇ **to be ~ of s.th.** etwas verachten
disease [dɪ'zi:z] *n* Krankheit *f;* **diseased** *adj* ① ▷*tissue* befallen, krank ② ▷*imagination* krankhaft
disembark [dɪsɪm'bɑ:k] **I.** *vt* → *passengers* ausschiffen **II.** *vi* von Bord gehen
disembodied [dɪsɪm'bɒdɪd] *adj* ▷*voice* geisterhaft
disenchant ['dɪsɪn'tʃɑ:ntɪd] *vt* ernüchtern; ◇ **to be ~ed with s.th.** keine Illusionen mehr über etw *acc* haben
disengage [dɪsɪn'geɪdʒ] **I.** *vt* TECH entkuppeln; → *clutch* auskuppeln **II.** *vi* ← *opponents* sich trennen
disentangle ['dɪsɪn'tæŋgl] *vt* ① → *rope* entwirren ② ◇ **to ~ o.s. from s.th.** *FIG* sich von etwas lösen
disfavour [dɪs'feɪvə*] *n* ① ↑ *dislike* Mißfallen *s* ② ◇ **to be in ~ with s.o.** bei jd-m in Ungnade stehen
disfigure [dɪs'fɪgə*] *vt* → *appearance* entstellen
disgrace [dɪs'greɪs] **I.** *n* (*cause of shame*) Schande *f* (*to* für) **II.** *vt* blamieren; (*more severely*) ◇ **to ~ s.o.** jd-m Schande bereiten; ◇ **to ~ s.th.** über etw *acc* Schande bringen; **disgraceful** *adj* ↑ *pathetic* erbärmlich; (*utterly unacceptable*) skandalös
disgruntled [dɪs'grʌntld] *adj* verstimmt
disguise [dɪs'gaɪz] **I.** *vt* ① → *s.o., o.s.* verkleiden; → *voice* verstellen ② → *facts, feelings* verschleiern **II.** *n* Verkleidung *f;* ◇ **in ~** verkleidet
disgust [dɪs'gʌst] **I.** *n* ① (*at food*) Ekel *m* (*at* über *acc*) ② (*at behaviour*) Empörung *f* (*at, with* über *acc*) **II.** *vt* ① ← *smell* anekeln ② ← *behaviour* empören; **disgusted** *adj:* ◇ **I am ~ with you** ich bin über dich empört; **disgusting** *adj* ▷*manners* ekelhaft
dish [dɪʃ] **I.** *n* ① (*big plate*) Schale *f* ② ↑ *meal* Gericht *s* ③ ◇ **to do the ~es** das Geschirr abwaschen **II.** *vt* servieren; **dish out** *vt sep* austeilen; **dish up** *vt sep* anrichten, auftischen; **dish cloth** *n* (*for drying*) Geschirrtuch *s;* (*for washing*) Spüllappen *m*
dishearten [dɪs'hɑ:tn] *vt* entmutigen
dishevelled [dɪ'ʃevəld] *adj* ▷*appearance* schlampig, unordentlich
dishonest [dɪs'ɒnɪst] *adj* unehrlich; **dishonesty** *n* Unredlichkeit *f*
dishonour [dɪs'ɒnə*] **I.** *n* Ehrlosigkeit, Unehrenhaftigkeit *f* **II.** *vt* → *cheque* nicht honorieren; **dishonourable** *adj* unehrenhaft
dish rack *n* Geschirrständer *m;* **dishwasher** ['dɪʃwɒʃə*] *n* ▷*machine* Geschirrspülmaschine *f*
dishy *adj FAM* ▷*person* dufte, toll
disillusion [dɪsɪ'lu:ʒən] *vt* desillusionieren; **disillusioned** *adj* desilliusioniert
disinclined [dɪsɪn'klaɪnd] *adj* abgeneigt
disinfect [dɪsɪn'fekt] *vt* desinfizieren; **disinfectant** *n* Desinfektionsmittel *s*
disingenuous [dɪsɪn'ʒənjʊəs] *adj* unaufrichtig
disinherit ['dɪsɪn'herɪt] *vt* enterben
disintegrate [dɪs'ɪntɪgreɪt] *vi* ① ← *object* ← *empire* zerfallen ② ← *surface* bröckeln ③ ← *formal relationship* sich auflösen
disinterested [dɪs'ɪntrɪstɪd] *adj* ① ↑ *fed-up* desinteressiert ② ↑ *objective* unvoreingenommen
disjointed [dɪs'dʒɔɪntɪd] *adj* unzusammenhängend
disk [dɪsk] *n* PC Diskette *f;* (*hard ~*) Festplatte *f;* ◇ **~ drive** Diskettenlaufwerk *s*
diskette [dɪ'sket] *n* PC Diskette *f*
dislike [dɪs'laɪk] **I.** *n* Abneigung *f* (*of* gegen) **II.** *vt* nicht mögen; ◇ **to ~ doing s.th.** etwas ungern tun

dislocate ['dɪsləʊkeɪt] *vt* → *o.'s shoulder* verrenken, auskugeln
dislodge ['dɪs'lɒʒ] *vt* [1] → *heavy stone* herausstochern, aufstöbern [2] → *company director* verdrängen
disloyal ['dɪs'lɔɪəl] *adj* untreu
dismal ['dɪzməl] *adj* trübe
dismantle [dɪs'mæntl] *vt* demontieren, abbauen
dismay [dɪs'meɪ] **I.** *n* Bestürzung *f* (*at* über *acc*); ◇ **to my** ~ zu meinem Entsetzen **II.** *vt* entsetzen
dismember [dɪs'membə*] *vt* → *corpse* zerstükkeln
dismiss [dɪs'mɪs] *vt* [1] (*from job*) entlassen [2] → *notion* abtun [3] JUR → *case* abweisen
dismissal *n* (*of employee*) Entlassung *f;* **dismissive** *adj* ▷*comment* wegwerfend; ◇ **to be** ~ **about s.th.** etwas abtun
dismount [dɪs'maʊnt] **I.** *vi* (*from horse*) absteigen **II.** *vt* → *rider* abwerfen
disobedience [dɪsə'bi:dɪəns] *n* Ungehorsam *m* (*to* gegenüber); ◇ **civil** ~ ziviler Ungehorsam; **disobedient** *adj* ungehorsam; **disobey** ['dɪsə'beɪ] *vt* ← *child* nicht gehorchen *dat;* → *law* übertreten
disorder [dɪs'ɔ:də*] *n* [1] ↑ *confusion* Durcheinander *s* [2] (*civil* ~) Unruhen *pl* [3] MED Beschwerden *pl*
disorderly [dɪs'ɔ:dəlɪ] *adj* [1] ▷*desk* unordentlich [2] ▷*behaviour* ungehörig; **disorderly conduct** *n* JUR ungebührliches Benehmen *s*
disorganized [dɪs'ɔ:gənaɪzd] *adj* konzeptlos
disorientate [dɪs'ɔ:rɪənteɪt] *vt* verwirren
disown [dɪs'əʊn] *vt* → *work* verleugnen; → *child* verstoßen
disparaging [dɪ'spærɪdʒɪŋ] *adj* ▷*remark* abschätzig
disparate [dɪ'spərɪt] *adj* ungleich; **disparity** [dɪ'spærɪtɪ] *n* Ungleichheit *f*
dispassionate [dɪ'spæʃnɪt] *adj* objektiv
dispatch [dɪ'spætʃ] **I.** *vt* [1] ↑ *send* abschicken; COMM → *goods* abfertigen [2] ↑ *kill* töten **II.** *n* [1] Schicken *s*, Abfertigung *f* [2] ↑ *urgency* Eile *f* [3] (*news* ~) Bericht *m;* **dispatch goods** *n pl* Eilgut *s*
dispel [dɪ'spel] *vt* [1] → *fog* vertreiben [2] → *fears* zerstreuen
dispensable [dɪ'spensəbl] *adj* entbehrlich
dispensary [dɪ'spensərɪ] *n* Apotheke *f*
dispensation [dɪspen'seɪʃən] *n* [1] ↑ *exemption* Ausnahmebewilligung *f*, Befreiung *f* [2] (*divine* ~) Fügung *f* [3] ◇ **the** ~ **of justice** Rechtsprechung *f*
dispense [dɪ'spens] *vt* [1] ↑ *distribute* verteilen [2] → *justice* Recht sprechen [3] → *medicine* abgeben; **dispense with** *vi +prep obj* verzichten (auf *acc*); **dispenser** [dɪ'spensə*] *n* ▷*automatic* Spender *m;* **dispensing** [dɪ'spensɪŋ] *adj:* ◇ ~ **chemist** Apotheker(in *f*) *m*
disperse [dɪ'spɜ:s] **I.** *vt* → *crowd* zerstreuen **II.** *vi* ← *clouds* sich auflösen
dispirited [dɪ'spɪrɪtɪd] *adj* entmutigt
displace [dɪs'pleɪs] *vt* → *water* verdrängen; **displaced** *adj:* ◇ ~ **person** Zwangsvertriebene(r) *fm*
display [dɪ'spleɪ] **I.** *n* [1] ↑ *exhibition* Ausstellung *f;* (*of goods*) Auslage *f;* ◇ **to be on** ~ ausgestellt sein [2] (*of emotion*) Zurschaustellung *f* [3] (TECH *visual* ~) Anzeige *f* **II.** *vt* [1] ↑ *show* zeigen [2] COMM ↑ *present* vorführen
displease [dɪs'pli:z] *vt* mißfallen *dat*
disposable [dɪ'spəʊzəbl] *adj* [1] ▷*lighter etc.* Einweg-, Wegwerf- [2] ▷*income* verfügbar
disposal [dɪ'spəʊzəl] *n* [1] (*of rubbish*) Beseitigung *f* [2] ◇ **to be at s.o's** ~ jd-m zur Verfügung stehen; **dispose** [dɪ'spəʊz] *vt:* ◇ **to** ~ **s.o. to s.th.** jd-n für etwas gewinnen; **dispose of** *vi +prep obj* [1] → *possessions* loswerden [2] → *arguments* erledigen; **disposed** [dɪ'spəʊzd] *adj* ↑ *inclined* geneigt; ◇ **to be** ~ **to do s.th.** etwas tun wollen; ◇ **to be well** ~ **to s.th.** etwas mit Wohlwollen betrachten
disposition [dɪspə'zɪʃən] *n* (*emotional* ~) Veranlagung *f;* ◇ **a cheerful** ~ e-e fröhliche Art
dispossess ['dɪspə'zes] *vt* enteignen
disproportionate [dɪsprə'pɔ:ʃnɪt] *adj* in keinem Verhältnis stehend, unangemessen
disprove [dɪs'pru:v] *vt* widerlegen
dispute [dɪ'spju:t] **I.** *n* Streit *m* **II.** *vt* [1] → *thesis* sich streiten (über *acc*) [2] JUR → *claim* anfechten **III.** *vi* ↑ *argue* streiten
disqualification [dɪskwɒlɪfɪ'keɪʃən] *n* Disqualifizierung *f;* (*from driving*) Führerscheinentzug *m;* **disqualify** [dɪs'kwɒlɪfaɪ] *vt* ausschließen, disqualifizieren; ◇ **to** ~ **s.o. from doing s.th.** jd-m das Recht [*o.* die Fähigkeit] entziehen, etw zu tun
disquiet [dɪs'kwaɪət] *n* Unruhe *f*
disregard [dɪsrɪ'gɑ:d] *vt* Mißachtung *f* (*for gen*)
disrepair [dɪs'rɪ'pɛə*] *n* Baufälligkeit *f;* ◇ **to be in a state of** ~ baufällig sein
disreputable [dɪs'repjʊtəbl] *adj* übel; **disrepute** [dɪs'repjʊ:t] *n* schlechter Ruf *f;* ◇ **to be in** ~ verrufen sein
disrespectful [dɪsrɪ'spektfʊl] *adj* respektlos (*to* gegenüber)
disrupt [dɪs'rʌpt] *vt* → *class* stören; → *programme* unterbrechen; **disruption** [dɪs'rʌpʃən] *n* Störung *f*, Unterbrechung *f*

dissatisfaction ['dɪssætɪs'fækʃən] *n* Unzufriedenheit *f;* **dissatisfied** ['dɪs'sætɪsfaɪd] *adj* unzufrieden
dissect [dɪ'sekt] *vt* → *animal* sezieren
diseminate [dɪ'semɪneɪt] *vt* → *information* verbreiten
dissension [dɪ'senʃən] *n* (*among people*) Differenz *f,* Meinungsverschiedenheiten *pl;* **dissent** [dɪ'sent] **I.** *n* Meinungsverschiedenheit *f* **II.** *vi* nicht übereinstimmen (*from* mit)
dissertation [dɪsə'teɪʃən] *n* Dissertation *f*
disservice [dɪs'sɜːvɪs] *n:* ◇ **to do s.o. a ~** jd-m e-n schlechten Dienst erweisen
dissident ['dɪsɪdənt] **I.** *adj* abweichend **II.** *n* POL Dissident(in *f*) *m*
dissimilar ['dɪ'sɪmɪlə*] *adj* verschieden (*to* von)
dissipate ['dɪsɪpeɪt] **I.** *vt* [1] → *energy* verschwenden [2] → *legacy* vergeuden **II.** *vi* ← *fog* sich auflösen
dissipated *adj* ▷*person* zügellos; **dissipation** [dɪsɪ'peɪʃən] *n* [1] ↑ *waste* Verschwendung *f* [2] (*of lifestyle*) Ausschweifung *f*
dissociate [dɪ'səʊʃɪeɪt] *vt* trennen
dissolute ['dɪsəluːt] *adj* zügellos; **dissolution** ['dɪsəluːʃən] *n* (*of relationship*) Auflösung *f*
dissolve [dɪ'zɒlv] **I.** *vt* auflösen **II.** *vi* (*in water*) sich lösen
dissuade [dɪ'sweɪd] *vt* abraten *dat*
distance ['dɪstəns] *n* Entfernung *f;* ↑ *gap* Abstand *m;* ◇ **in the ~** in der Ferne; **distant** *adj* [1] (*spatially*) entfernt [2] (*in time*) fern [3] ▷*manner* distanziert
distaste ['dɪs'teɪst] *n* Abneigung *f;* **distasteful** *adj* widerlich; ◇ **to be ~ to s.o.** jd-m zuwider sein
distend [dɪ'stend] *vi* sich blähen
distil [dɪ'stɪl] *vt* destillieren; **distillery** [dɪ'stɪlərɪ] *n* (*of whiskey*) Brennerei *f*
distinct [dɪ'stɪŋkt] *adj* [1] ↑ *clear* deutlich [2] ↑ *separate* getrennt; **distinction** [dɪ'stɪŋkʃən] *n* [1] (*between things*) Unterschied *m* [2] (*act of distinguishing*) Unterscheidung *f* [3] (*eminence*) (hoher) Rang *m* [4] (*in exam*) Auszeichnung *f*
distinctive *adj* ▷*style* unverkennbar; **distinctly** *adv* ▷*absurd* ausgesprochen
distinguish [dɪ'stɪŋgwɪʃ] *vt* unterscheiden; **distinguishable** *adj* ↑ *discernable* zu erkennen; **distinguished** *adj* [1] ↑ *eminent* von hohem Rang [2] ▷*manner* gepflegt
distort [dɪ'stɔːt] *vt* [1] ↑ *twist* verzerren [2] ↑ *misrepresent* verdrehen; **distortion** [dɪ'stɔːʃən] *n* Verzerrung *f,* Verdrehung *f*
distract [dɪ'strækt] *vt* ablenken; **distracted** *adj* ↑ *distraught* außer sich (*with, by* vor *dat*); **distracting** *adj* ▷*noise* störend; **distraction** [dɪ'strækʃən] *n* [1] (*state*) Zerstreutheit *f* [2] (*what distracts*) Ablenkung *f*
distraught [dɪ'strɔːt] *adj* verzweifelt
distress [dɪ'stres] **I.** *n* Verzweiflung *f;* ↑ *grief* Kummer *m;* (*state of emergency*) Not *f* **II.** *vt* Kummer machen *dat;* **distressing** *adj* erschütternd; **distress signal** *n* Notsignal *s*
distribute [dɪ'strɪbjuːt] *vt* verteilen; **distribution** [dɪstrɪ'bjuːʃən] *n* Verteilung *f;* COMM Vertrieb *m;* **distributor** [dɪ'strɪbjʊtə*] *n* [1] AUTO Verteiler *m* [2] COMM Händler(in *f*) *m*
district ['dɪstrɪkt] *n* [1] (*around town*) Landkreis *m* [2] (*administrative ~*) Bezirk *m;* **district attorney** *n* (*AM*) Staatsanwalt(Staatsanwältin *f*) *m*
distrust [dɪs'trʌst] **I.** *n* Mißtrauen *s* **II.** *vt* mißtrauen *dat*
disturb [dɪ'stɜːb] *vt* stören; **disturbance** *n* Störung *f;* POL Unruhe *f;* **disturbed** *adj* [1] beunruhigt (*at* über *acc*) [2] PSYCH geistig gestört; **disturbing** *adj* ▷*news* beunruhigend
disused ['dɪs'juːzd] *adj* ▷*warehouse* leerstehend; ▷*machinery* stillgelegt
ditch [dɪtʃ] **I.** *n* Graben *m* **II.** *vt* → *person* abservieren; → *plan* verwerfen
dither ['dɪðə*] *vi* schwanken
ditto ['dɪtəʊ] *n* ebenfalls
divan [dɪ'van] *n* Bettcouch *f*
dive [daɪv] **I.** *n* [1] (*into water*) Sprung *m* [2] COMM ◇ **to take a ~** absacken [3] AERO Sturzflug *m* [4] (*dubious place*) Spelunke *f* **II.** *vi* springen; (*under water*) tauchen; **diver** *n* Taucher(in *f*) *m*
diverge [daɪ'vɜːdʒ] *vi* auseinandergehen
diverse [daɪ'vɜːs] *adj* verschieden, unterschiedlich
diversification [daɪvɜːsɪfɪ'keɪʃən] *n* COMM Diversifikation *f;* **diversify** [daɪ'vɜːsɪfaɪ] *vti* diversifizieren
diversion [daɪ'vɜːʃən] *n* [1] (*of traffic*) Umleitung *f* [2] ↑ *recreation* Unterhaltung *f*
diversity [daɪ'vɜːsɪtɪ] *n* Vielfalt *f*
divert [daɪ'vɜːt] *vt* [1] → *traffic* umleiten [2] ↑ *amuse* unterhalten
divest [daɪ'vest] *vt:* ◇ **to ~ s.o. of s.th.** jd-m etwas entziehen
divide [dɪ'vaɪd] **I.** *vt* [1] (*separate into parts*) zerteilen, auseinanderteilen; ◇ **to ~ a country into regions** ein Land in Regionen einteilen; ◇ **to ~ o.'s time between Paris and Rome** sich s-e Zeit zwischen Paris und Rom aufteilen [2] ↑ *separate* trennen; ◇ **to ~ the girls from the boys** die

Mädchen von den Jungen getrennt halten [3] ◇ **to ~ 67 by 8** 67 durch 8 teilen; ◇ **3 into 10 won't go** 10 läßt sich nicht durch 3 teilen [4] (*cause a split of opinion in*) aufspalten; ◇ **the issue of Europe has ~d the party** das Thema Europa hat die Partei in zwei Lager gespalten [5] ↑ *distribute* verteilen; ◇ **to ~ the earth's resources equally among nations** die Rohstoffe der Erde unter allen Nationen gleich verteilen **II.** *vi* [1] ← *river* sich teilen [2] ← *book* sich gliedern (*into* in *acc*) **III.** *n:* ◇ **the Great Divide** die nordamerikanische Wasserscheide; ◇ **the North/South ~** das Nord-Süd-Gefälle; **divide out** *vt sep* aufteilen (*among* unter *acc or dat*); **divide up** *vt sep* teilen (*into* in *acc*)

dividend ['dɪvɪdend] *n* [1] FIN Dividende *f* [2] *FIG* ◇ **to pay ~s** sich auszahlen

dividers [dɪ'vaɪdəz] *n pl* Stechzirkel *m*

dividing wall *n* Trennwand *f*

divine [dɪ'vaɪn] **I.** *adj* [1] REL göttlich [2] *FAM* ◇ **darling, you were simply ~!** Schatz, du warst einfach göttlich! **II.** *vt* [1] → *future* weissagen [2] → *water* aufspüren

diving *n* [1] (*into water*) Wasserspringen *s* [2] (*under water*) Tauchen *s;* **diving board** ['daɪvɪŋbɔːd] *n* Sprungbrett *s;* **diving-suit** *n* Taucheranzug *m*

divinity [dɪ'vɪnɪtɪ] *n* [1] ↑ *god* Gottheit *f* [2] (*quality*) Göttlichkeit *f* [3] (*study*) Theologie *f*

divisible [dɪ'vɪzəbl] *adj* teilbar (*by* durch)

division [dɪ'vɪʒən] *n* [1] (*act*) Teilung *f* [2] (*dividing entity, in society*) Schranke *f;* (*as line*) Trennungslinie *f* [3] MATH Division *f* [4] MIL Division *f* [5] (*of large company*) Division *f,* Zweig *m* [6] (*social rift*) Uneinigkeit *f;* ◇ **to heal the ~s in society** gesellschaftliche Schranken abbauen [7] (*in football, first ~ etc.*) Liga *f*

divisive [dɪ'vaɪsɪv] *adj* ▹*action* zerstörerisch

divorce [dɪ'vɔːs] **I.** *n* Scheidung *f* **II.** *vt* sich scheiden lassen (von); **divorced** *adj* [1] ▹*couple* geschieden [2] ◇ **to be ~ from s.th.** von etw entfremdet sein, in keinerlei Beziehung mehr zu etw stehen; **divorcee** [dɪvɔː'siː] *n* Geschiedene(r) *fm*

divulge [daɪ'vʌldʒ] *vt* preisgeben

DIY *n abbr. of* **do-it-yourself**

dizziness ['dɪzɪnəs] *n* Schwindel *m;* **dizzy** *adj* ▹*person* schwindelig

DJ [1] *n abbr. of* **dinner jacket**

DJ [2] *n abbr. of* **disc jockey**

DNA *n abbr. of* **desoxyribonucleic acid** DNA, DNS *f*

do [duː] <did, done> **I.** *auxilliary verb* [1] (*in negatives*) ◇ **don't you dare!** wage es ja nicht!; ◇ **he didn't go to school** er ist nicht in die Schule gegangen [2] (*in questions, and replacing the verb in answers*) ◇ **did you pinch the chocolate? No, I didn't** hast du von der Schokolade genascht? Nein, hab' ich nicht; ◇ **~ you love me? Yes, I do** liebst du mich? Ja, das tue ich **II.** *vt* ↑ *perform* (*be engaged with*) tun, machen; ↑ *be imprisoned* ◇ **to ~ time** sitzen; ◇ **Goethe ~es nothing for me** Goethe sagt mir nichts; ◇ **that ~es it!** aber jetzt reicht es!; ◇ **to do o.'s hair** sich frisieren; ◇ **to ~ the dishes** spülen; ◇ **to ~ the talking** das Reden übernehmen; ◇ **all done!** erledigt!; ◇ **to ~ the sights** die Sehenswürdigkeiten abhaken; ◇ **to ~ the driving** fahren; ◇ **I've been done!** ich bin reingelegt worden!; ◇ **what ~ you do?** was machen Sie beruflich?; ◇ **swimming ~es you good** Schwimmen ist gesund **II.** *vi* [1] ↑ *get on* vorangehen; ◇ **to ~ well** erfolgreich sein; ◇ **how are you ~ing?** wie geht's; ◇ **~ as you are told** tu', was dir gesagt wird; ◇ **how do you do?** guten Tag; ◇ **have you ~ne?** bist du fertig? [2] ↑ *be suitable* passen, gehen; ◇ **that won't ~!** das geht nicht! [3] ↑ *be enough* genügen; ◇ **that will ~!** jetzt reicht's aber!, jetzt ist aber Schluß! **III.** *n* <-s> (*formal event*) Veranstaltung *f;* **do away with** *vi +prep obj* ↑ *get rid of* abschaffen; **do down** *vt sep* heruntermachen; **do in** *vt sep* ↑ *kill* töten; **do out** *vt sep:* ◇ **to ~ s.o. ~ of s.th.** jd-n um etwas bringen; **do up** *vt sep* → *laces* zusammenschnüren; → *zip* zumachen; → *packet* zusammenbinden, einpacken; **do with** *vi +prep obj* [1] ↑ *need* brauchen [2] ↑ *be concerned with* zu tun haben (mit)

docile ['dəʊsaɪl] *adj* gefügig, fügsam; ▹*dog* gutmütig

dock [dɒk] **I.** *n* [1] NAUT Pier *m;* (*~s*) Hafen *m* [2] JUR Anklagebank *f* **II.** *vi* NAUT anlegen; **docker** *n* Hafenarbeiter *m*

docket ['dɒkɪt] *n* Inhaltsvermerk *m*

docking *n* (*of spaceships*) Andocken *s*

docklands *n pl* Hafenviertel *s;* **dockyard** ['dɒkjɑːd] *n* Werft *f*

doctor ['dɒktə*] **I.** *n* [1] Arzt *m,* Ärztin *f;* ◇ **no, ~!** nein, Herr Doktor! [2] (*academic degree*) Doktor *m* **II.** *vt* [1] → *accounts* frisieren [2] → *wine* verfälschen

doctorate *n* Doktorwürde *f;* ◇ **to do o.'s ~** den [*o.* seinen] Doktor machen

doctrinaire *adj* doktrinär

doctrine ['dɒktrɪn] *n* Lehre *f*

document ['dɒkjʊmənt] **I.** *n* Dokument *s,* Urkunde *f* **II.** *vt* → *case* belegen; PC dokumentieren

documentary [dɒkjʊ'mentərɪ] **I.** *n* MEDIA Do-

kumentarfilm *m* **II.** *adj* ① Dokumentar- ② ▷*evidence* urkundlich
documentation [dɒkjʊmenˈteɪʃən] *n* Dokumentation *f*
doddering, **doddery** [ˈdɒdərɪŋ, ˈdɒdərɪ] *adj* ▷*old man* tatterig
doddle [ˈdɒdl] *n* (*of job*) Kinderspiel *s*
dodge [dɒdʒ] **I.** *n* Kniff *m* **II.** *vt* ausweichen dat
dodgy [dɒdʒɪ] *adj* ▷*situation* verzwickt; ▷*object* nicht einwandfrei
dodgem [ˈdɒdʒəm] *n* Skooter *m*
dodo [ˈdəʊdəʊ] *n* <-[e]s> Dodo *m;* ◇ **as dead as the ~** schon lange tot
doe [dəʊ] *n* ↑ *deer* Reh *s*
does [dʌz] *3 pers sing of* **do**; **doesn't** = **does not**
dog [dɒg] **I.** *n* Hund *m* **II.** *vt* verfolgen; **dog biscuit** *n* Hundekuchen *m;* **dog collar** *n* Hundehalsband *s;* (*of vicar*) steifer Kragen *m;* **dog-eared** *adj* mit Eselsohren; **dogfish** *n* Hundshai *m;* **dog-fancier** *n* Hundefreund(in *f*) *m;* **dog food** *n* Hundefutter *s*
dogged [ˈdɒgɪd] *adj* (*determination*) hartnäckig
doggerel [ˈdɒgərəl] *n* Knittelvers *m*
doghouse *n* ① Hundehütte *f* ② *FIG* ◇ **to be in the ~ with s.o.** bei jd-m in Ungnade stehen
dogma [ˈdɒgmə] *n* Dogma *s;* **dogmatic** [dɒgˈmætɪk] *adj* dogmatisch
do-gooder *n* Weltverbesserer *m*
dogsbody [ˈdɒgzbɒdɪ] *n* Mädchen [*o.* nt] für alles
doings [ˈduːɪŋz] *n* Dingsbums *s*
do-it-yourself [ˈduːɪtjəˈself] **I.** *n* Heimwerken *s* **II.** *adj* Heimwerker-
doldrums [ˈdɒldrəmz] *n* ① GEO Kalmenzone *f* ② ◇ **to be in the ~** (*of business*) in e-r Flaute stecken; (*of person*) niedergeschlagen sein
dole [dəʊl] *n* (*BRIT*) Arbeitslosengeld *s;* ◇ **to be on the ~** Arbeitslosengeld bekommen; **dole out** *vt* austeilen
doleful [ˈdəʊlfʊl] *adj* trübselig
doll [dɒl] **I.** *n* Puppe *f;* **doll up** *vt* herausputzen; ◇ **to get ~ed ~, to ~ o.s. ~** sich feinmachen
dollar [ˈdɒlə*] *n* Dollar *m*
dollop [ˈdɒləp] *n* Schlag *m*
dolmen [ˈdɒlmən] *n* Steingrabmal *s*
dolphin [ˈdɒlfɪn] *n* Delphin *m*
dolly *n* (*wheeled frame*) niedriger Transportwagen *m*
domain [dəʊˈmeɪn] *n* ① Domäne *f* ② (*area of competence*) Gebiet *s*
dome [dəʊm] *n* ① ARCHIT Kuppel *f* ② (*of head*) Gewölbe *s;* **domed** *adj* gewölbt
domestic [dəˈmestɪk] **I.** *adj* ① ▷*happiness* häuslich ② ▷*economy* Binnen-; ▷*news* Inlands- ③ ▷*animal* Haus- **II.** *n* ↑ *servant* Hausangestellte(r) *fm;* **domesticated** *adj* ① ▷*person* domestiziert ② ▷*dog* ▷*cat* stubenrein; **domesticity** [dəʊmesˈtɪsɪtɪ] *n* häusliches Leben *s*
domicile [ˈdɒmɪsaɪl] *n* Wohnsitz *m*
dominance [ˈdɑmɪnəns] *n* ① POL Vorherrschaft *f* ② BIO Dominanz *f;* **dominant** [ˈdɒmɪnənt] *adj* ① ▷*person* dominierend ② ▷*gene* dominant; **dominate** [ˈdɒmɪneɪt] *vt* beherrschen
domineering [dɒmɪˈnɪərɪŋ] *adj* ↑ *overbearing* überheblich
dominion [dəˈmɪnɪən] *n* ① ↑ *power* Macht *f* (*over* über *acc*) ② ↑ *territory* Herrschaftsgebiet *s* ③ (*of Canada*) Dominion *s*
dominoes [ˈdɒmɪnəʊz] *n sg* (*game*) Domino *s*
don [1] [dɒn] *n* (*at Oxford or Cambridge*) Universitätslehrer *m*
don [2] *vt* → *hat* aufsetzen
donate [dəʊˈneɪt] *vt* → *money, blood* spenden; **donation** [dəʊˈneɪʃən] *n* Spende *f*
done [dʌn] *pp of* **do**
donkey [ˈdɒŋkɪ] *n* Esel *m;* **donkeywork** *n* Drecksarbeit *f*
donor [ˈdəʊnə*] *n* ① (*blood ~*) Spender(in *f*) *m* ② ↑ *patron* Stifter(in *f*) *m*
don't [dəʊnt] = **do not**
doodle [ˈduːdl] *vt* kritzeln
doom [duːm] *n* ↑ *fate* Schicksal *s;* ↑ *downfall* Verhängnis *s;* **doomed** *adj* ① verloren; ◇ **the ~ ship** das Unglücksschiff ② ◇ **~ to failure** zum Scheitern verurteilt
doomsday *n* Jüngstes Gericht *s*
door [dɔː*] *n* ① (*on hinges*) Tür *f;* ◇ **to show s.o. to the ~** jd-n zur Tür begleiten; ◇ **to show s.o. the ~** jd-n zum Gehen auffordern; ◇ **was that s.o. at the ~?** war da gerade jemand an der Tür? ② ↑ *entrance* Eingang *m;* ◇ **tickets are available at the ~** Karten sind an der Abendkasse erhältlich ③ (*~ opening*) Türspalt *m;* ◇ **it's too big to fit through the ~** es paßt nicht durch die Tür ④ ◇ **it's 55 miles ~ to ~** es sind insgesamt 55 Meilen; ◇ **to sell s.th. ~ to ~** hausieren gehen; ◇ **to live next ~ to s.o.** bei jd-m gleich nebenan wohnen; ◇ **to live 3 ~s along from s.o.** nur drei Häuser von jd-m weg wohnen ⑤ ◇ **to be out of ~s** im Freien sein; **doorbell** *n* Türklingel *f;* **door-handle** *n* Türklinke *f,* Türgriff *m;* **door knob** *n* Türknauf *m;* **doorman** *n* <-men> (*of apartment block*) Portier *m;* **doormat** *n* Fußmatte *f;* **door-plate** *n* Türschild *s;* **doorstep** *n* Eingangsstufe *f*
doorstop *n* Anschlag *m;* **doorway** *n* Türeingang *m*

dope [dəʊp] **I.** *n* ① ↑ *drugs* Drogen *pl; FAM* Stoff, Dope *m* ② ↑ *information* Informationen *pl;* ◇ **to give s.o. the ~ on s.th.** jd-n über etw *acc* informieren ③ Idiot *m* **II.** *vt* SPORT dopen
doping *n* SPORT Doping *s*
dopey [ˈdəʊpɪ] *adj* ① blöd ② *(from drugs)* benommen
dormant [ˈdɔːmənt] *adj* ▷*volcano* untätig
dormitory [ˈdɔːmɪtrɪ] *n* Schlafsaal *m;* ◇ **~ town** Schlafstadt *f*
dormobile® [ˈdɔːməbiːl] *n* Wohnwagen *m*
dormouse [ˈdɔːmaʊs] *n* <dormice> Haselmaus *f*
DOS [dɒs] *n acronym of* **disk operating system** Betriebssystem, DOS *s*
dorsal [ˈdɒːsl] *adj* ▷*fin* Rücken-, Dorsal-
dosage [ˈdəʊsɪdʒ] *n* Dosierung *f*
dose [dəʊs] *n* ① MED Dosis *f* ② *FIG* ◇ **in small ~** in kleinen Mengen ③ *(FAM venereal disease)* Tripper *m*
doss [dɒs] *n FAM* Bleibe *f;* **doss down** *vi* pennen
dossier [ˈdɒsɪeɪ] *n* Dossier *s or m* (*on* über *acc*)
dot [dɒt] *n* Punkt *m;* ◇ **on the ~** auf die Minute
dotage *n* Altersschwäche *f*
dote on [dəʊt ɒn] *vi +prep obj* schwärmen (für); **doting** *adj* ▷*father* abgöttisch liebend
dot-matrix printer [ˈdɒtmeɪtrɪksˈprɪntə*] *n* Nadeldrucker *m*
dotty *adj* verrückt (*about* nach)
double [ˈdʌbl] **I.** *adj* ① *(x 2 in quantity)* doppelt; ◇ **his weight is ~ what it was** er wiegt zweimal soviel wie früher; ◇ **a ~ whisky** ein doppelter Whisky ② *(x 2 = pair of)* Doppel-; ◇ **'rabbit' is spelt with a ~ 'b'** 'rabbit' schreibt man mit Doppel-b ③ ◇ **to have a ~ meaning** zweideutig sein **II.** *adv* doppelt; ◇ **to see ~** doppelt sehen; ◇ **to fold s.th. double** etwas einmal falten; ◇ **to cost ~** doppelt soviel kosten **III.** *n* ① *(amount x 2)* Doppelte *s,* Zweifache *s* ② *(in appearance)* Doppelgänger(-in *f*) *m;* FILM Double *s* ③ ◇ **~s** *pl or sg (at tennis)* Doppel *s* ④ ◇ **to do s.th. at** [*o.* **on**] **the ~** *(immediately)* etwas auf der Stelle tun **IV.** *vt (increase (s.th.) x 2)* verdoppeln **V.** *vi (increase x 2)* sich verdoppeln; **double back** *vi* ← *person* kehrtmachen; **double up** *vi* ← *person* sich krümmen; **double-barrelled** *adj* ▷*name* Doppel-; ▷*gun* doppelläufig; **double bass** *n* Kontrabaß *m;* **double bed** *n (bed for two)* Doppelbett *s;* **double-breasted** *adj* zweireihig; **double-check** *vti* genau nachprüfen; **double-cross** *vt* betrügen, verraten; **double-dealing** *n* Betrug *m;* **doubledecker** *n* Doppeldecker *m;* **double-dutch** *n* Kauderwelsch *nt;* **double-edged** *adj also FIG* zweischneidig; **double glazing** *n* doppelt verglaste Fenster *pl;* **double-jointed** *adj* sehr gelenkig; **double negative** *n* doppelte Verneinung *f;* **double park** *vti* in zweiter Reihe parken; **double-quick** *adv* sehr schnell; **double room** *n* Doppelzimmer *s;* **double spacing** *n* doppelter Zeilenabstand *m*
doubly [ˈdʊblɪ] *adv:* ◇ **to be ~ careful** doppelt vorsichtig sein
doubt [daʊt] **I.** *n* ① *(uncertainty of opinion)* Zweifel *s;* ◇ **to have o.'s ~s about s.th.** seine Zweifel an etw haben; ◇ **I have my ~s as to whether he is honest** ich habe meine Zweifel an seiner Aufrichtigkeit ② *(uncertainty of situation)* Unsicherheit *f;* ◇ **everything is now in ~** alles ist jetzt sehr unsicher ③ ◇ **to cast ~ on s.th.** etw in Zweifel ziehen ④ ◇ **no ~, he will explain later** bestimmt wird er später alles erklären ⑤ ◇ **without/beyond ~** ohne jeden Zweifel **II.** *vti* ① ↑ *feel uncertain* zweifeln ② ◇ **to ~ s.o.'s ability** jd-s Können anzweifeln ③ ◇ **to ~ that s.o. will come** bezweifeln, daß jd kommen wird; **doubtful** *adj* ① ◇ **to be ~ about s.th.** an e-r Sache Zweifel hegen; ◇ **to be ~ about doing s.th.** Bedenken haben, ob man etw tun soll ② ▷*safety* zweifelhaft ③ ↑ *unlikely* unwahrscheinlich; ◇ **it is very ~ that she will turn up** es ist sehr unwahrscheinlich, daß sie kommt ④ ↑ *shady* zwielichtig; ◇ **to be a ~ character** e-n zweifelhaften Ruf genießen; **doubting Thomas** *n* ungläubiger Thomas; **doubtless** *adv* ↑ *very probably* sehr wahrscheinlich, zweifelsohne
dough [dəʊ] *n* ① Teig *m* ② *FAM* ↑ *money* Knete *f,* Kohle *f*
doughnut *n* Krapfen *m,* Berliner Pfannkuchen *m*
dour [ˈdʊə*] *adj (SCOT)* ernst, streng
douse [daʊs] *vt* Wasser schütten (über *acc*)
dove [dʌv] *n* Taube *f*
dovetail I. *n* TECH Schwalbenschwanz *m* **II.** *vt* ① → *wood* verzinken, verschwalben ② → *projects* koordinieren, abstimmen (*to* auf *acc*)
dowdy [ˈdaʊdɪ] *adj* unelegant, schäbig
dowel [ˈdaʊəl] *n* Dübel *m*
down [1] [daʊn] **I.** *prep* ① *(movement to lower place)* abwärts, hinunter; ◇ **to go ~ the river** flußab fahren; ◇ **he ran his fingers ~ her back** er fuhr ihr mit seinen Fingern den Rücken hinunter ② ↑ *along* entlang; ◇ **to walk ~ the road** die Straße entlanggehen ③ *(at lower place)* unten; ◇ **to be further ~ the hill** weiter unten am Hügel sein ④ *(at place further along)* ein Stück weiter; ◇ **he lives ~ the street** er wohnt ein Stück weiter in derselben Straße ⑤ *(in time)* über *acc* hindurch; ◇ **~ the ages nothing's changed** es hat

sich über Jahrhunderte hindurch nichts geändert [6] ▷*to, FAM* ◇ **he's going ~ the pub** er geht 'rüber in die Kneipe **II.** *adv* [1] (*movement to lower position*) hinab, abwärts; ◇ **he bent ~ to kiss the ground** er beugte sich hinab und küßte die Erde; ◇ **to put s.th. ~ on the table** etw auf den Tisch legen; *FIG* ◇ **to put s.o. ~** jd-n bloßstellen [2] (*at lower position*) unten; ◇ **he lives ~ in Southern Italy** er lebt unten in Süditalien [3] (*before o.s.*) ◇ **to have s.th. ~ in writing** etw schriftlich vor sich haben [4] (*showing decrease*) herunter; ◇ **production has gone ~ since April** die Produktion ist seit April heruntergegangen [5] ◇ **to come ~ with s.th.** sich etw holen [6] ◇ **it's not ~ to you** das ist nicht deine Angelegenheit [7] ◇ **~ with racism!** nieder mit Rassismus! **III.** *vt* [1] → *pint of beer* hinunterschütten, abkippen [2] *FAM* ◇ **to ~ tools** die Arbeit niederlegen **IV.** *adj* [1] (*mood*) niedergeschlagen; ◇ **he's a bit ~ today** er ist heute etw niedergeschlagen [2] ◇ **profits are ~ by 6%** die Gewinne sind auf 6% zurückgegangen

down[2] [daʊn] *n* (*of soft feathers*) Daunen *pl*

down-and-out I. *adj* heruntergekommen **II.** *n* ↑ *tramp* Penner *m;* **down-at-heel** *adj* ▷*appearance* abgerissen; **down-beat** *adj FIG* ▷*presentation* undramatisch; **downcast** *adj* [1] ▷*person* entmutigt [2] ▷*eyes* niedergeschlagen; **downfall** *n* [1] (*of person*) Sturz *m* [2] (*of empire*) Untergang *m;* **downgrade** *vt* → *job* herunterstufen; → *person* degradieren; **down-hearted** *adj* niedergeschlagen; **downhill** *adv:* ◇ **to go ~** bergab gehen; ← *person* hinuntergehen; ← *health* sich verschlechtern; **download** *vt* PC → *programs* herunterladen; **down-market** *adj* (*residential area*) weniger anspruchsvoll; ▷*product* Massen-; **down payment** *n* FIN Anzahlung *f* (*on* auf); **downpour** *n* Platzregen *m;* **downright I.** *adj* ▷*lie* glatt **II.** *adv* ▷*rude* ausgesprochen

downs *n* GEO Hügelland *s;* ◇ **the South D~** die South Downs

Down's syndrome *n* MED Down-Syndrom *s*

downstairs I. *adv* [1] (*be*) unten [2] (*go*) nach unten **II.** *adj* ▷*toilet* Parterre-; ◇ **the ~ neighbours** die Nachbarn von unten **III.** *n* Parterre *s*

downstream *adv* stromab(wärts) (*from, of* von *dat*); **down-the-line** *adj* ↑ *all the way* vorbehaltlos; **down time** *n* TECH PC Ausfalldauer *f;* **down-to-earth** *adj* ▷*matter-of-fact* realistisch, nüchtern; **downtown I.** *adv* ▷*work* in der Innenstadt **II.** *adj* (*AM*): ◇ **~ area** Innenstadt *f;* **downtrodden** *adj* ↑ *oppressed* unterdrückt; **downturn** *n* (*in national economy*) Rückgang *m;* **down under** *n FAM* Australien *s;* **downward** *adj* ▷*slope* abfallend; ▷*tug* nach unten; *FIG* ◇ **to be on a ~ path** bergab gehen; **downward(s)** *adv* ▷*look* ▷*move* nach unten; ◇ **to lie on the floor face ~** mit dem Gesicht nach unten auf dem Boden liegen; **downwind** *adj* in Windrichtung, dem Wind abgekehrt

downy [ˈdaʊnɪ] *adj* ▷*skin* flaumig; (*soft and ~*) daunenweich

dowry [ˈdaʊrɪ] *n* Mitgift *f*

dowse [daʊz] *s.* **douse**

doze [dəʊz] **I.** *vi* dösen **II.** *n* Nickerchen *s;* **doze off** einnicken

dozen [ˈdʌzn] *n* Dutzend *s*

dozy [dəʊzɪ] *adj* [1] verschlafen [2] *FAM* ↑ *thick* dösig, schwer von Begriff

DP *n abbr. of* **data processing** DV

drab [dræb] *adj* trist, düster

draft [drɑːft] **I.** *n* [1] (*preliminary version*) Entwurf *m,* Konzept *s* [2] FIN ↑ *money order* schriftliche Zahlungsanweisung *f* [3] MIL Einziehung *f,* Einberufung *f* **II.** *vt* [1] → *rough plan* entwerfen; → *text* abfassen [2] MIL einberufen (*into* zu) [3] → *people for special purpose* auswählen

draft animal *n* Zugtier *s*

draftsman, draftswoman *n* <-men> (*in drawing office*) technischer Zeichner, technische Zeichnerin *fm*

drafty *adj s.* **draughty**

drag [dræg] **I.** *vt* [1] → *heavy object* schleppen; ◇ **to ~ s.o. to their feet** jd-n hochziehen [2] → *coat in dirt* schleifen; ◇ **to ~ o.'s feet** schlurfen [3] → *river* absuchen **II.** *vi* [1] ← *coat* schleifen [2] ← *person* hinterherhinken [3] ← *work* sich hinziehen **III.** *n* [1] ◇ **to be a ~** ↑ *bore* langweilig sein [2] ↑ *hinderance* Hemmnis *s,* Belastung *f* (*on* für) [3] ◇ **(man) in ~** in Frauenkleidung [4] AERO Luftwiderstand *m;* **drag on** *vi* ← *speech* sich hinziehen; **drag out** *vt* [1] → *meeting* in die Länge ziehen [2] ◇ **to ~ s.th. ~ of s.o.** aus jd-m etwas herausholen; **drag up** *vt sep* → *old gossip* ausgraben

dragon [ˈdrægən] *n* Drache *m;* **dragonfly** *n* Libelle *f*

drag queen *n* Tunte *f*

drain [dreɪn] **I.** *n* [1] ↑ *pipe* Abflußrohr *s;* ↑ *gutter* Rinne *f;* (*main ~*) Kanalisationsrohr *s* [2] *FIG* ↑ *burden* Belastung *f* (*on gen*) **II.** *vt* [1] → *water* ableiten [2] → *land* entwässern; → *vegetables* abgießen; → *cup* leeren [3] *FIG* → *resources* erschöpfen **III.** *vi* ← *water* abfließen; **drain away** *vi* ← *water* ablaufen; ↑ *empty* leerlaufen

drainage [ˈdreɪnɪdʒ] *n* ▷*system* Kanalisation *f*

draining board *n* Ablauf *m*

drainpipe *n* Abflußrohr *s*

drake [dreɪk] *n* (*male duck*) Enterich *m*
dram [dræm] *n* (*of spirits*) Schluck *m*
drama ['drɑːmə] *n also FIG* Drama *s;* **dramatic** [drə'mætɪk] *adj* dramatisch; **dramatics I.** *n sg* (*subject*) Dramaturgie *f* **II.** *n pl* (*exaggerated behaviour*) Getue *s,* Theatralik *f;* **dramatist** ['dræmətɪst] *n* Dramatiker(in *f*) *m;* **dramatize** ['dræmətaɪz] **I.** *vt* → *novel* dramatisieren **II.** *vti* ↑ *exaggerate* übertreiben
drank [dræŋk] *pt of drink*
drape [dreɪp] *vt* ↑ *decorate* behängen; ◇ **to ~ s.th. over s.th.** etwas über etwas *acc* drapieren
drapes *n pl* (*AM*) Gardinen *pl*
drastic ['dræstɪk] *adj* drastisch
draught [drɑːft] *n* ① (*of air*) Zug *m* ② NAUT Tiefgang *m* ③ ◇ **on ~** (*beer*) vom Faß
draughts *n sg* (*game*) Damespiel *s*
draughtsman *n* <-men> *s.* **draftsman**
draughty *adj* zugig; ◇ **it's ~** es zieht
draw [drɔː] <drew, drawn> **I.** *vti* ① (*with pen or pencil*) zeichnen; ◇ **lines had been ~n all over the book** das Buch war mit lauter Strichen vollgekritzelt; ◇ **to ~ a plan of a building** e-n Gebäudeplan zeichnen ② (*game*) ein Unentschieden erreichen; ◇ **we drew (the match) five all** wir trennten uns fünf beide ③ ◇ **to be ~n into s.th.** in etw hineingezogen werden **II.** *vt* ① → *heavy cart* ziehen ② ◇ **to ~ the curtains** (*morning*) die Vorhänge aufziehen; (*night*) die Vorhänge zuziehen ③ → *wallet* → *gun* herausziehen ④ → *money* abheben ⑤ → *water* schöpfen ⑥ → *crowd* anziehen ⑦ ◇ **to ~ o.'s own conclusions from what one sees** seine eigenen Schlüsse aus dem Gesehenen ziehen ⑧ ◇ **to ~ the line at s.th./doing s.th.** sich selbst e-e Grenze setzen ⑧ ◇ **to ~ breath** Luft holen **III.** *vi* ↑ *come slowly:* ◇ **the train is ~ing into the station** der Zug fährt langsam in den Bahnhof ein; ◇ **night is ~ing near** es wird bald Nacht sein; ◇ **to ~ to a close** allmählich zum Ende kommen **IV.** *n* ① (*lottery*) Ziehung *f* ② (*result*) Ergebnis *s* der Ziehung; **draw back I.** *vi* zurückweichen **II.** *vt sep* zurückziehen; **draw in I.** *vi* ① ← *train* einfahren ② ← *days* kürzer werden **II.** *vt sep* ① → *customers* anziehen ② → *breath* einziehen; **draw on** *vi +prep obj:* ◇ **to ~ ~ o.'s powers of invention** seinen ganzen Erfindungsgeist aufbringen; **draw out I.** *vi* ← *car* herausfahren (*aus* of) **II.** *vt sep* ① → *money* abheben; ◇ **I need to ~ ~ some money** ich muß etwas Geld abheben ② → *speech* ↑ *prolong* in die Länge ziehen; **draw up I.** *vi* ← *car* anhalten **II.** *vt sep* ① JUR → *contract* aufsetzen ② ◇ **to ~ o.s. up** sich aufrichten; **draw upon** *vi +prep obj* → *resources* verwenden; **drawback** *n* ↑ *disadvantage* (*problem*) Nachteil *m;* **drawbridge** *n* Zugbrücke *f*
drawer ['drɔː*] *n* ↑ *sliding ~* Schublade *f*
drawers *n pl* (*for men*) Unterhosen *pl*
drawing ['drɔːɪŋ] *n* ① (*object*) Zeichnung *f* ② (*act*) Zeichnen *s;* ◇ **to take classes in ~** Zeichenunterricht nehmen; **drawing-board** *n* ① Reißbrett *s* ② *FIG* ◇ **to go back to the ~** noch einmal ganz neu überdenken; **drawing-pin** *n* Reißzwecke *f;* **drawing-room** *n* Wohnzimmer *s*
drawl [drɔːl] **I.** *n* (*Southern ~*) schleppende Sprache *f* **II.** *vti* (*speak with lengthened vowel sounds*) schleppend sprechen
drawn [drɔːn] **I.** *pp of* **draw**; **II.** *adj* ① ▷*match* unentschieden ② ▷*face* abgespannt; ◇ **to look ~** abgespannt aussehen ③ ▷ *curtains* zugezogen
dread [dred] **I.** *n* ↑ *fear* Angst *f* **II.** *vt* ① sich fürchten (vor *dat*) ② ◇ **to ~ to think of s.th.** mit Grauen sich etwas vorstellen; **dreadful** *adj* furchtbar; **dreadfully** *adv* schrecklich
dream [driːm] <dreamed *o.* dreamt, dreamed *o.* dreamt> **I.** *vi* träumen (*about* von) **II.** *vt* ① (*in sleep*) träumen; ◇ **to ~ that ...** träumen, daß ... ② ↑ *fantasize* träumen; ◇ **to ~ of being rich** davon träumen, reich zu sein **III.** *n* Traum *m* **IV.** *adj* (*house etc.*) Traum-; **dream up** *vt sep* → *scheme* sich *dat* einfallen lassen; **dreamer** *n* Träumer(in *f*) *m;* **dreamt** [dremt] *pt, pp of* **dream**
dreamy *adj* ▷*child* verträumt
dreary ['drɪərɪ] *adj* ① ▷*weather* trüb ② ▷*work* mühselig ③ ▷*landscape* eintönig
dredge [dredʒ] *vt* → *harbour* ausbaggern; **dredge up** *vt sep* ① ausbaggern ② → *old story* auftun; **dredger** *n* ① Bagger *m* ② (GASTRON *for flour*) Zerstäuber *m*
dregs [dregz] *n pl* ① (*of coffee*) Bodensatz *m* ② (*FIG of society*) Bodensatz *m*
drench [drentʃ] *vt* durchnässen
dress [dres] **I.** *vi* ① (*wash and ~, get ~ed*) sich anziehen ② (*~ in a particular way*) sich kleiden; ◇ **to ~ to kill** sich in Schale werfen; ◇ **to ~ well** sich ordentlich kleiden; ◇ **we ~ for dinner** wir ziehen uns zum Essen um ③ ◇ **to be ~ed in black leather** schwarze Ledersachen anhaben; ◇ **he's not ~ed yet** er ist noch nicht angezogen **II.** *vt* ① → *baby* anziehen ② → *wound* verbinden ③ → *salad* anmachen ④ → *meat* brat-/kochfertig machen ⑤ → *shop window* dekorieren; **dress up I.** *vi* (*as cowboy*) sich verkleiden; (*for dinner*) sich zurechtmachen **II.** *vt sep* (*disguise or embroider*) verkleiden; ◇ **to ~ ~ a poor report with statistics and diagrams** e-n schlechten Bericht mit Statistiken und Diagrammen schönen

D

dressage [dresɑ:ʒ] *n* (*training, performance*) Dressur *f*
dress circle *n* THEAT erster Rang
dresser *n* [1] (*person*) ◇ **he's a smart ~** er kleidet sich schick [2] (*kitchen ~*) Küchenschrank *m* [3] *AM* [Frisier-]Kommode *f*
dressing *n* [1] MED Verband *m* [2] GASTRON Dressing *s* [3] ARCHIT Verschönerung *f;* **dressing down** *n* (*verbal criticism*) Standpauke *f;* ◇ **to give the kids a good ~ ~** den Kindern e-e Standpauke halten; **dressing gown** *n* Bademantel *m;* **dressing room** *n* THEAT Garderobe *f;* SPORT Umkleideraum *m;* **dressing table** *n* Frisierkommode *f*
dressmaker *n* Schneider(in *f*) *m;* **dressmaking** *n* (*profession*) Schneidern *s;* **dress rehearsal** *n* THEAT Generalprobe *f;* **dress suit** *n* Abendanzug *m*
dressy *adj* fein angezogen
drew [dru:] *pt of*……..: *draw*
dribble ['drɪbl] **I.** *vi* ← *baby* sabbern **II.** *vti* → *football* dribbeln
dribs and drabs *n:* ◇ **to do s.th. in ~** etwas nur kleckerweise tun
drift [drɪft] **I.** *n* [1] (*of current*) Strömung *f* [2] (*of snow*) Verwehung *f;* ◇ **snow~** Schneewehe *f* [3] (*of people*) Drang *m* [4] (*meaning*) Tendenz *f;* ◇ **do you get my ~?** verstehst du, was ich meine? **II.** *vi* [1] ← *boat* [vor sich hin-]treiben; (*with wind*) treiben [2] ← *snow* wehen [3] ← *aimless person* sich treiben lassen; ◇ **to ~ into s.th.** in etwas *acc* geraten; **drift off** *vi* (*to sleep*) einschlafen; **drifter** *n* (*person*) Gammler *m*
driftwood *n* Treibholz *s*
drill [drɪl] **I.** *n* [1] Bohrer *m* [2] MIL Drill *m* [3] (*fire ~*) Probealarm *m* **II.** *vti* bohren (*for* nach *dat*) **III.** *vt* → *soldiers* drillen
drily *adv s.* **dryly**
drink [drɪŋk] <drank, drunk> **I.** *vti* trinken; ◇ **to ~ to s.o./s.th.** auf jdn/etwas trinken **II.** *n* [1] (*food and ~*) Getränk *s;* ◇ **to have a ~** etwas trinken [2] (*alcohol*) Drink *m;* (*glass of alcohol*) Glas *s;* **drink in** *vt sep* → *sights and sounds* in sich aufnehmen; **drink up** *vti* austrinken; **drinkable** *adj* ▷*water* trinkbar; **drinker** *n* (*heavy ~*) Trinker(in *f*) *m;* **drinking-water** *n* Trinkwasser *s*
drip [drɪp] **I.** *n* [1] (*of liquid*) Tropfen *m* [2] (*of tap*) Tropfen *s* [3] MED Tropf *m* **II.** *vi* tropfen; ◇ **to ~ with blood** vor Blut triefen
drip-dry *adj* (*on label*) bügelfrei
dripping *n* GASTRON Bratenfett *s;* **dripping wet** *adj* klatschnaß
drive [draɪv] <drove, driven> **I.** *vt* [1] → *car* fahren; ◇ **he ~s an Audi** er fährt e-n Audi [2] → *kids to school* fahren [3] → *cattle* treiben; ◇ **he was driven out of his job** er wurde von s-m Arbeitsplatz vertrieben [4] → *nail into wood* hauen; → *ball over fence* schlagen; ◇ **to ~ a bill through parliament** ein Gesetz im Parlament durchbringen; ◇ **to ~ s.th. home to s.o.** jd-m etw einhämmern [5] ◇ **to ~ s.o. insane** [*o.* **round the bend**] jd-n zum Wahnsinn treiben; ◇ **don't ~ the children so hard!** treibe die Kinder nicht so sehr an! [6] ◇ **what are you driving at?** worauf willst du hinaus? [7] ◇ **to ~ a hard bargain** ein zäher Verhandlungspartner sein **II.** *vi* [1] ◇ **don't talk, just ~!** rede nicht soviel, konzentriere dich lieber auf's Fahren!; ◇ **to ~ to work** mit dem Auto zur Arbeit fahren [2] ◇ **the old Chevy ~s like a dream** der alte Chevy fährt sich traumhaft gut **III.** *n* [1] ◇ **a long night's ~ is ahead of us** uns steht e-e durchfahrene Nacht bevor; ◇ **to go for a ~** e-e Fahrt unternehmen [2] (*4-wheel ~*) Antrieb *m* [3] (*at golf*) Treibschlag *m* [4] ↑ *driveway* Einfahrt *f* [5] PC Laufwerk *s* [6] (*mental quality*) Elan *m;* ◇ **he has the ~ to succeed** mit s-m Elan wird es ihm gelingen; **drive off I.** *vt sep* → *attackers* vertreiben **II.** *vi* (*from traffic lights*) losfahren; **drive-in** *adj:* ◇ **~ movie** (*AM*) Autokino *s;* ◇ **~ restaurant** Autorestaurant *s*
drivel ['drɪvl] *n FAM:* ◇ **to talk ~** Blödsinn reden; **drivel on** *vi* ↑ *talk nonsense* faseln (*about* über *acc*)
driven ['drɪvn] *pp of* **drive**
driver ['draɪvə*] *n* [1] (*of car, bus ~*) Fahrer(in *f*) *m;* ◇ **to be a back-seat ~** sich als Beifahrer ständig einmischen [2] (*cattle ~*) Viehtreiber *m;* **driver's license** (*AM*) Führerschein *m*
driving ['draɪvɪŋ] **I.** *adj* [1] ▷*rain* peitschend [2] ▷*ambition* treibend [3] ◇ **to be in the ~ seat** die Zügel in der Hand haben **II.** *n* (*act*) Fahren *s;* ◇ **you do the ~!** fahr' Du mal!; **driving instructor** *n* Fahrlehrer(in *f*) *m;* **driving lesson** *n* Fahrstunde *f;* **driving licence** *n* (*BRIT*) Führerschein *s;* **driving school** *n* Fahrschule *f;* **driving test** *n* Führerscheinprüfung *f*
drizzle ['drɪzl] **I.** *n* Nieselregen *m* **II.** *vi* nieseln
droll [drəʊl] *adj* komisch
dromedary ['drɒmɪdərɪ] *n* Dromedar *s*
drone [drəʊn] **I.** *n* (*of engine*) Brummen *s;* (*of bees*) Summen *s* **II.** *vi* [1] brummen, summen [2] ← *person* eintönig reden
drool [dru:l] *vi* sabbern
droop [dru:p] *vi* herunterhängen
drop [drɒp] **I.** *n* [1] (*ball of liquid, small amount*) Tropfen *m* [2] (*lemon ~*) Drops *m* [3] (*of 11 metres*) Höhenunterschied *m;* ↑ *fall* Fall *m* [4] (*in tem-*

perature, in prices) Rückgang *m* **II.** *vt* [1] → *object* fallen lassen [2] *FIG* → *person or thing* fallenlassen [3] → *s.o. from car* absetzen [4] ◇ **to ~ a hint** e-e Andeutung machen [5] ↑ *give birth* werfen **III.** *vi* [1] (*to ground*) fallen [2] ← *temperature* sinken [3] ← *conversation* aufhören; **drop in** *vi* ↑ *visit* vorbeikommen; **drop off I.** *vi* [1] (*for short sleep*) einnicken [2] ← *business* zürückgehen **II.** *vt* (*delivery*) absetzen; **drop out** *vi* ausscheiden; **dropout** *n* Aussteiger(in *f*) *m*

dropper *n* MED Tropfer *m*

droppings *n* Kot *m*

dross [drɒs] *n FIG* ↑ *waste* Tand *m*

drought [draʊt] *n* Dürre *f*

drove [drəʊv] **I.** *pt of* **drive**; **II.** *n* (*-s of people*) Schar *f*

drown [draʊn] **I.** *vt* [1] → *kittens* ertränken [2] ← *noise* übertönen **II.** *vi* ertrinken

drowse *vi* dämmern, dösen; **drowsy** ['draʊzɪ] *adj* schläfrig

drudgery ['drʌdʒərɪ] *n* stumpfsinnige Arbeit *f*

drug [drʌg] **I.** *n* [1] MED Medikament *s*, Arzneimittel *s* [2] ↑ *narcotic* Droge *f*, Rauschgift *s* **II.** *vt* (*with bad intention*) betäuben; **drug addict** *n* Drogensüchtige(r) *fm;* **druggist** *n* (*AM*) Drogist(in *f*) *m;* **drug trafficking** *n* Drogenhandel *m;* **drugstore** *n* (*AM*) Drugstore *m*

druid *n* Druide *m*

drum [drʌm] **I.** *n* Trommel *f;* (*-s in band*) Schlagzeug *s* **II.** *vi* trommeln; **drum up** *vt sep* → *support* auftreiben; **drummer** *n* (*in band*) Schlagzeuger(in *f*) *m;* **drumstick** *n* [1] MUS Trommelstock *m* [2] (*of chicken*) Keule *f*

drunk [drʌŋk] **I.** *pp of* **drink**; **II.** *adj* betrunken **III.** *n* Betrunkene(r) *fm;* (*habitual* ~) Säufer(in *f*) *m*

drunkard *n* Trinker *m*

drunken *adj* betrunken; JUR ◇ **~ driving** Trunkenheit *f* am Steuer; **drunkenness** *n* Betrunkenheit *f*

dry [draɪ] **I.** *adj* trocken **II.** *vt* → *clothes* trocknen; ◇ **to ~ o.'s hands** sich die Hände abtrocknen **III.** *vi* ← *clothes* trocknen; ← *paint* trocknen; **dry out I.** *vt sep* → *clothes* trocknen **II.** *vi:* ◇ **to go to hospital to ~ ~** im Krankenhaus e-e Entziehungskur machen; **dry up I.** *vi* [1] ← *river* austrocknen [2] ← *supply of money* ausgehen [3] *FAM* ◇ **do ~ ~!** do shut your mouth!, sei jetzt endlich still! **II.** *vt sep* → *dishes* abtrocknen; **dry cattle** *n* Zuchtvieh *s;* **dry-clean** *vt* chemish reinigen; **dry-cleaner's** *n* (*shop*) chemische Reinigung *f;* **dry-cleaning** *n* chemische Reinigung; **dryer** *n* ↑ *clothes* ~ Wäschetrockner *m;* ↑ *spin* ~ Wäscheschleuder *f;* ↑ *hair* ~ Fön *m;* **dry goods** *n pl* COMM Kurzwaren *pl*, Textilien *pl;* **dry land** *n* fester Boden; ◇ **to step onto ~ ~** wieder festen Boden unter die Füße bekommen; **dryly** *adv* (*comment*) trocken; **dryness** *n* [1] (*of weather*) Trockenheit *f* [2] (*of text*) Sachlichkeit *f;* **dry rot** *n* Holzschwamm *m;* **dry run** *n* ▷*experiment* Probe *f;* **dry shampoo** *n* Trockenschampoo *s*

dual ['djʊəl] *adj* Doppel-, zweierlei; ◇ **~ carriageway** Schnellstraße *f;* ◇ **~ nationality** doppelte Staatsangehörigkeit *f;* **duality** *n* Dualität *f;*

dual-purpose *adj* zweifach verwendbar

dub *vt* [1] ↑ *nickname* taufen [2] → *film* synchronisieren

dubious ['dju:bɪəs] *adj* zweifelhaft, fragwürdig

duchess ['dʌtʃɪs] *n* Herzogin *f*

duck [dʌk] **I.** *n* (*bird*) Ente *f* **II.** *vi* sich ducken **III.** *vt* [1] ◇ **to ~ o.'s head** den Kopf einziehen [2] → *question* ausweichen

duckling *n* [1] (*chick*) Entenküken *s* [2] GASTRON junge Ente *f*

duct [dʌkt] *n* [1] (*air* ~) Rohrleitung *f* [2] ANAT Röhre *f*

dud [dʌd] **I.** *n* [1] (*missile*) Blindgänger *m* [2] (*person*) Versager *m* **II.** *adj* ▷*cheque* ungedeckt; ▷*device* nutzlos

dude [dju:d] *n* Kerl *m*

due [dju:] **I.** *adj* [1] ↑ *scheduled* ◇ **the train is ~ at 5 o'clock** der Zug kommt laut Fahrplan um 5 Uhr an; ◇ **the work is ~ to be finished soon** die Arbeit wird demnächst fertiggestellt sein; ◇ **when is the baby ~?** wann wird das Baby kommen? [2] ↑ *proper* gehörig; ◇ **with all ~ respect ...** bei allem gehörigen Respekt ...; ◇ **the ~ process of the law** das ordentliche Verfahren [3] ↑ *payable* fällig; ◇ **the bill is/falls ~ today** die Zahlung wird heute fällig [4] ◇ **to be ~ to do s.th.** etw tun sollen; ◇ **to be ~ for s.th.** den Erhalt e-r Sache erwarten [5] ◇ **~ to** ↑ *because of* aufgrund *gen;* ◇ **what's it ~ to?** woran liegt es?; ◇ **his success is partly ~ to luck** seinen Erfolg verdankt er teilweise auch Glück [6] ◇ **we will inform you in ~ course** wir werden Sie in Kürze informieren **II.** *adv* direkt, genau; ◇ **it's ~ south** es liegt genau im Süden **III.** *n* (*what is owing*) Gebühr *f;* ◇ **membership ~s** Mitgliedsbeiträge; ◇ **to pay your ~s** *auch FIG* seinen Beitrag leisten; ◇ **give the man his ~, it was a hard task for him** man muß ganz ehrlich zugeben, daß das e-e schwierige Aufgabe für ihn war

duel ['djʊəl] **I.** *n* Duell *s* **II.** *vi* sich duellieren

duet [dju:'et] *n* (*for singers*) Duett *s*

duffel-coat *n* Dufflecoat *m*

dug [dʌg] *pt, pp of dig*

dugout *n* MIL Schützengraben *m*

duke [dju:k] *n* Herzog *m*
dulcet *adj* ▷*tone* wohlklingend
dull [dʌl] **I.** *adj* 1 ▷*weather* trübe 2 ▷*paintwork* matt 3 ▷*speaker* lahm 4 ▷*sound* dumpf **II.** *vt* → *mind* abstumpfen
duly ['dju:lɪ] *adv* ↑ *accordingly* entsprechen; ↑ *correctly* ordnungsgemäß
dumb [dʌm] *adj* 1 (*deaf and* ~) stumm 2 ◇ ~ **animals** die Tiere 3 *FAM* ↑ *stupid* dumm
dumbbell *n* Hantel *f;* **dumbfounded** ['dʌmfaʊndəd] *adj* verblüfft; **dumb waiter** *n* ↑ *lift* Speiseaufzug *m*
dummy ['dʌmɪ] **I.** *n* 1 ↑ *substitute* Attrappe *f* 2 ↑ *shop-window doll* Kleiderpuppe *f* 3 (*baby's* ~) Schnuller *m* 4 *FAM* ↑ *fool* Dummkopf *m* **II.** *adj* ▷*object* unecht; **dummy run** *n* ↑ *check* Probe *f*
dump [dʌmp] **I.** *n* 1 (*refuse* ~) Deponie *f,* Müllkippe *f* 2 (*FAM awful place*) Saustall *m* **II.** *vt* 1 abladen 2 COMM zu Dumpingpreisen verkaufen
dumping *n* 1 COMM Dumping *s* 2 (*of rubbish*) Abladen *s*
dumpling ['dʌmplɪŋ] *n* GASTRON Kloß *m*
dumpy *adj* ▷*figure* pummelig
dune [dju:n] *n* Düne *f*
dung [dʌŋ] *n* Dung *m*
dungarees [dʌŋgə'ri:z] *n pl* Latzhosen *pl*
dungeon ['dʌndʒən] *n* Kerker *m*
dunk → *s.th. in liquid* tunken
dupe [dju:p] **I.** *n* Betrogene(r) *fm* **II.** *vt* betrügen
duplicate ['dju:plɪkɪt] **I.** *adj* 1 ▷*receipt* in doppelter Ausfertigung 2 ◇ **a ~ key** ein zweiter Schlüssel **II.** *n* Kopie *f* **III.** ['dju:plɪkeɪt] *vt* 1 → *action* wiederholen 2 → *text with machine* kopieren, vervielfältigen
duplicity [dju:'plɪsɪtɪ] *n* Doppelspiel *s*
durability [djʊərə'bɪlɪtɪ] *n* (*of material*) Widerstandsfähigkeit *f,* Haltbarkeit *f;* **durable** ['djʊərəbl] *adj* ▷*relationship* dauerhaft
duration [djʊə'reɪʃən] *n* Dauer *f*
duress [djʊə'res] *n* Zwang *m;* ◇ **under ~** unter Zwang
durex® ['djʊəreks] *n FAM* Gummi *m*
during ['djʊərɪŋ] *prep* während gen
dusk [dʌsk] *n* Dämmerung *f*
dusky *adj* dunkel
dust [dʌst] **I.** *n* Staub *m* **II.** *vt* 1 abstauben 2 (*with flour*) bestäuben; **dustbin** *n* (*BRIT*) Mülltonne *f;* **dustcart** *n* (*BRIT*) Müllwagen *m*
duster *n* Staubtuch *s;* **dustjacket** *n* (*of book*) Umschlag *m;* **dustman** *n* <-men> (*BRIT*) Müllmann *m;* **dustpan** *n* Kehrschaufel *f;* **dust-up** *n* Streit *m;* **dusty** *adj* staubig
Dutch [dʌtʃ] **I.** *adj* holländisch, niederländisch **II.** *n:* ◇ **the ~** *pl* die Holländer/Niederländer *pl;*
Dutch courage *n* angetrunkener Mut *m*
Dutchman *n* <-men> Holländer *m*
Dutchwoman *n* <-women> Holländerin *f*
dutiful ['dju:tɪfʊl] *adj* ▷*worker* pflichtbewußt; ▷*child* gehorsam
duty ['dju:tɪ] *n* 1 (*moral or legal obligation*) Pflicht *f;* ◇ **to do s.th. out of a sense of ~** etw aus Pflichtgefühl tun; ◇ **it is my ~ to inform you that …** es ist meine Pflicht, Ihnen mitzuteilen, daß … 2 ↑ *customs duties* Zoll (*on* auf) 3 ◇ **to be off ~** (*policemen, doctors etc.*) nicht im Dienst sein; ◇ **to be on ~** (*policemen, doctors etc.*) im Dienst sein; ◇ **to come off duty** s-n Dienst beenden; ◇ **emergency ~** Notdienst *m;* **duty-bound** *adj* ↑ *obliged*: ◇**we are all ~ to help accident victims** jeder von uns ist verpflichtet, Unfallopfern zu helfen; **duty-free** **I.** *adj* ▷*goods* zollfrei; ◇ **~ shop** Duty-Free-Shop *m* **II.** *adv* ▷*import* zollfrei
duvet ['du:veɪ] *n* Federbett *s*
dwarf [dwɔ:f] **I.** [dwɔ:f] *n* <dwarfs, dwarves> (*person*) Zwerg(in *f*) *m* **II.** *adj* (*person*) zwergenhaft; (*plant, animal*) zwergwüchsig **III.** *vt* ← *skyscraper* überragen; ◇ **his achievements are ~ed by hers** seine Leistungen muten winzig an, verglichen mit ihren
dwell [dwel] <dwelt, dwelt> *vi* leben, wohnen; **dwell on** *vt fig* länger nachdenken (*s.th.* über *acc*)
dwelling *n* Wohnung *f*
dwelt [dwelt] *pt, pp of* **dwell**
dwindle ['dwɪndl] *vi* ← *interest* abnehmen; ← *customers* zurückgehen
dye [daɪ] **I.** *n* Farbstoff *m* **II.** *vt* färben
dying ['daɪɪŋ] *adj* (*person*) sterbend; ◇ **~ wish** letzter Wunsch
dyke *n* 1 ↑ *sea barrier* Deich *m* 2 *FAM* ↑ *lesbian* Lesbe *f*
dynamic [daɪ'næmɪk] *adj* dynamisch; **dynamics** *n pl sg* Dynamik *f;* **dynamism** *n* (*of person*) Dynamik *f*
dynamite ['daɪnəmaɪt] **I.** *n* Dynamit *s* **II.** sprengen
dynamo ['daɪnəməʊ] *n* <-s> Dynamo *m;* ↑ *alternator* Lichtmaschine *f*
dynasty ['dɪnəstɪ] *n* Dynastie *f*
dysentery ['dɪsntrɪ] *n* MED Dysenterie *f*
dysfunction [dis'fʌnkʃən] *n* Funktionsstörung *f*
dyslexia [dis'leksɪə] *n* Legasthenie *f;* **dyslexic** **I.** *adj* legasthenisch **II.** *n* Legastheniker(in *f*) *m*

E

E, e [iː] *n* E, e *s;* MUS ◇ **E flat/sharp** Es/Eis *s*

each [iːtʃ] **I.** *adj* jeder; ◇ **each one of them** jeder einzelne von ihnen **II.** *pron* jeder; ◇ **~ child drew a picture** jedes der Kinder hat ein Bild gemalt; ◇ **they helped ~ other** sie haben einander geholfen **III.** *adv* je; ◇ **I gave them one book ~** ich habe ihnen je ein Buch gegeben

eager [ˈiːgə*] *adj* [1] ↑ *enthusiastic* eifrig; ◇ **he had an ~ look on his face** er hatte e-n erwartungsvollen Gesichtsausdruck [2] ↑ *expectant, impatient* ungeduldig; ◇ **I am ~ to go** ich will unbedingt gehen [3] ↑ *keen* begierig (*for, about* nach); ◇ **the students were ~ to learn** die Studenten waren wißbegierig; **eagerly** *adv* [1] eifrig; ◇ **he looked ~ at his food** er schaute gierig auf sein Essen [2] ◇ **we agreed ~** wir stimmten bereitwillig zu; **eagerness** *n* [1] Eifer *m;* ◇ **~ to help** die Bereitwilligkeit, zu helfen [2] Ungeduld *f*

eagle [ˈiːgl] *n* Adler *m*

ear [ɪə*] *n* [1] Ohr *s;* (*FIG*) ◇ **he is all ~s** er ist ganz Ohr; ◇ **keep your ~s open** halt' die Ohren offen [2] (*sense of hearing*) ◇ **Anne has a good ~ for music** Anne hat ein feines Gehör für Musik; ◇ **to play by ~** nach Gehör spielen [3] (*of corn*) Kolben *m;* **earache** *n* Ohrenschmerzen *m pl,* Ohrenweh *s;* **eardrum** *n* Trommelfell *s*

earl [ɜːl] *n* Graf *m*

early [ˈɜːlɪ] *adj, adv* früh [1] (*time*) ◇ **it is ~ in the evening** es ist früh am Abend; ◇ **the ~ bird catches the worm** Morgenstund' hat Gold im Mund [2] (*beginning of a period*) ◇ **in ~ spring** im zeitigen Frühjahr; ◇ **in the ~ part of the day** früh am Tag; ◇ **~ retirement** vorzeitige Pensionierung, Frührente *f* [3] ↑ *soon* zu früh; ◇ **you're ~** du bist früh dran

earmark [ˈɪəmɑːk] **I.** *n* [1] (*trait*) Kennzeichen *s* [2] (*characteristic*) Merkmal *s* **II.** *vt* ↑ *mark, set aside* bestimmen, vorsehen; ◇ **to ~ s.th. for a particular purpose** etw für einen bestimmten Zweck zurücklegen

earn [ɜːn] *vt* [1] → *income* verdienen [2] → *interest* einbringen [3] → *merit* verdienen

earnest [ˈɜːnɪst] **I.** *adj* [1] ↑ *serious* ernst [2] ▷*hope* aufrichtig **II.** *n* Ernst; ◇ **in ~** im Ernst

earnings [ˈɜːnɪŋz] *n pl* ▷*private* Verdienst *m;* ◇ **a monthly ~** ein Monatslohn; ▷*business* Ertrag *m*

earphones [ˈɪəfəʊnz] *n pl* Kopfhörer *pl;* **earplug** *n* Oropax ® *s,* Ohrwatte *f;* **earring** *n* Ohrring *m;* **earshot** [ˈɪəʃɒt] *n* Hörweite *f;* ◇ **within/out of ~** in/außer Hörweite

earth [ɜːθ] **I.** *n* Erde *f;* ELECTR Erde; ↑ *soil* Erde **II.** *vt:* ◇ **to ~ up** ausgraben

earthenware *n* Ton *m,* Steingut *s*

earthquake *n* Erdbeben *s*

earthy [ˈɜːθɪ] *adj* [1] ↑ *earthlike* erdig [2] ↑ *natural* erdverbunden [3] ▷*humour* derb

earwig [ˈɪəwɪg] *n* Ohrwurm *m*

ease [iːz] **I.** *n* [1] ↑ *simplicity* Leichtigkeit; ◇ **we did it with ~** wir haben es mühelos geschafft [2] ↑ *comfort* Sorglosigkeit *f;* ◇ **she lives a life of ~** sie führt ein sorgenfreies Leben; MIL ◇ **at ~!** rührt euch! [3] ▷*mental* Ruhe, Ausgeglichenheit *f* ◇ **she is not at ~** sie ist nicht ausgeglichen; ◇ **I am not at ~ in this mini-skirt** ich fühle mich in diesem Minirock nicht wohl **II.** *vt* [1] → *pain* lindern; → *burden* erleichtern; ◇ **the news ~d my mind** die Nachricht beruhigte mich [2] ↑ *loosen* lockern **III.** *vi* [1] Erleichterung/Entspannung schaffen [2] (*move slowly, carefully*) ◇ **the thief ~d into the room** der Dieb schlich sich ins Zimmer; **ease off, ease up** *vi* [1] ↑ *decrease* langsamer werden; ◇ **things have ~d ~ at the office** im Büro ist es etw ruhiger geworden; ◇ **the situation has ~d ~** die Situation hat sich entspannt [2] ↑ *slow down* ◇ **the rain has ~d ~** der Regen hat nachgelassen

easel [ˈiːzl] *n* Staffelei *f*

easily [ˈiːzɪlɪ] *adv* [1] ↑ *with ease* ◇ **the car started ~** das Auto ist problemlos angesprungen; ◇ **she passed the exam ~** sie hat die Prüfung mühelos bestanden [2] ↑ *likely* ◇ **it may happen very ~** das kann leicht passieren [3] ↑ *for sure* ◇ **we will ~ arrive on time** wir werden auch ohne uns abzuhetzen pünktlich ankommen

east [iːst] **I.** *n* Osten *m;* ◇ **the E~** POL, GEO der Osten **II.** *adj* östlich **III.** *adv* ostwärts

Easter [ˈiːstə*] *n* Ostern *s;* **Easter egg** *n* Osterei *s*

easterly [ˈiːstəlɪ] *adj* österlich; **eastern** [ˈiːstən] *adj* Ost-, östlich; **East Germany** *n* Ostdeutschland *nt;* HIST DDR *f;* **East Indies** *n pl* Malaiischer Archipel *m;* **eastwards** [ˈiːstwədází] *adv* ostwärts

easy [ˈiːzɪ] **I.** *adj* [1] ▷*task* leicht, einfach; ◇ **~ money** leicht verdientes Geld; ◇ **that was ~ as pie** das war ein Kinderspiel [2] ↑ *comfortable* mühelos; ◇ **the hotel has ~ access to the beach** der Strand ist vom Hotel aus leicht erreichbar [3] ▷*life* bequem, leicht [4] ▷*manner* ungezwungen; ◇ **free and ~** ganz zwanglos **II.** *adv:* ◇ **~ does it!** ruhig! langsam!; ◇ **go ~ on him** mach es ihm nicht zu schwer!; *FAM* ◇ **take it ~** mach's gut

eat [iːt] **I.** <ate, eaten> *vt* ← *humans* essen; ← *animals* fressen; ◇ **we are ~ing breakfast** wir frühstücken; ◇ **to ~ o.'s words** das Gesagte zurücknehmen; ◇ **he ~s like a horse** er frißt; ◇ **s.th.**

E

is -ing at me mir ist etw über die Leber gelaufen **II.** *vi:* ◇ **to - out** zum Essen ausgehen, essen gehen; ◇ **to - well** gut essen; **eat away** *vt* ↑ *corrode* zerfressen; ← *water* ◇ **the ocean is -ing the rock -** das Meer wäscht den Fels aus; **eatable** [ˈi:təbl] *adj* eßbar; **eat-by date** *n* Haltbarkeitsdatum *s;* **eaten** [ˈi:tn] *pp of*

eaves [i:vz] *n pl* Dachvorsprung *m*

eavesdrop [ˈi:vzdr p] *vi* lauschen; ◇ **to - on s.o.** jd-n belauschen

ebb [eb] *n* (1) (*retreat*) Ebbe *f;* ◇ **- and flow** Ebbe und Flut *f; FIG* ◇ **the - and flow of a marriage** das Auf und Ab in einer Ehe (2) (*early/late*) zurückgehen

ebony [ˈebənɪ] **I.** *n* Ebenholz *s* **II.** *adj* schwarz wie Ebenholz

eccentric [ɪkˈsentrɪk] **I.** *adj* exzentrisch **II.** *n* Exzentriker(in *f*) *m*

ecclesiastical [ɪkli:zɪˈæstɪkəl] *adj* kirchlich, klerikal

echo [ˈekəʊ] **I.** *n* <-es> Echo *s,* Widerhall *m* **II.** *vt* zurückwerfen; *FIG* wiedergeben; ◇ **to - s.o.'s opinion** jd-s Meinung wiedergeben **III.** *vi* widerhallen

eclipse [ɪˈklɪps] **I.** *n* ASTRON Eklipse *f,* Finsternis *f* **II.** *vt* verfinstern

ecology [ɪˈkɒlədʒɪ] *n* Ökologie *f*

economic [i:kəˈnɒmɪk] *adj* wirtschaftlich, ökonomisch; **economical** *adj* (1) ▷*system* wirtschaftlich, Wirtschafts- (2) ↑ *thrifty* sparsam (3) ↑ *knapp* ◇ **the language used in advertising is very -** in der Werbung verwendet man eine sehr knappe Sprache; **economics** *n pl o sg* (1) (*study, science*) Volkswirtschaft *f,* Betriebswirtschaft *f,* Wirtschaftswissenschaften *f pl* (2) (*system*) Wirtschaft, Ökonomie *f;* **economist** [ɪˈkɒnəmɪst] *n* Wirtschaftswissenschaftler(in *f*) *m;* **economize** [ɪˈkɒnəmaɪz] *vi* sparen; ◇ **we have to - on gas** wir müssen Benzin sparen; **economy** [ɪˈkɒnəmɪ] *n* (1) ↑ *thrift* Sparsamkeit *f;* ◇ **a marathon must be run with good -** beim Marathonlaufen muß man seine Kräfte gut einteilen (2) (*of country*) Wirtschaft *f;* ◇ **the - stagnated** die Wirtschaft stagnierte

ecosystem [ˈi:kəʊsɪstəm] *n* Ökosystem *s*

ecstasy [ˈekstəsɪ] *n* (1) ↑ *bliss* Ekstase *f,* Verzückung *f* (2) (*drug*) Ecstasy *s;* **ecstatic** [ekˈstætɪk] *adj* ekstatisch, verzückt

ecumenical [i:kjʊˈmenɪkəl] *adj* ökumenisch

eczema [ˈeksɪmə] *n* Hautausschlag *m*

Eden [ˈi:dn] *n:* ◇ **the Garden of -** der Garten Eden

edge [edʒ] *n* **I.** ↑ *border, rim* Rand *m;* (*of knife*) Schneide *f;* (*of water*) Ufer *s;* (*of table*) Kante *f;* (*FIG nerves*) ◇ **to be on -** nervös sein; ◇ **to have an - on s.o.** jd-m gegenüber einen Vorteil haben; ◇ **to take the - off of a situation** eine Situation entspannen **II.** *vi* sich allmählich fortbewegen; ◇ **to - out of a house** sich aus einem Haus stehlen; ◇ **to - towards s.th.** sich vorsichtig auf etw zubewegen **III.** *vt* besetzen; ◇ **we -d the walkway with flowers** wir bepflanzten den Gehsteigrand mit Blumen; ◇ **she -d the walkway** sie hat den Rasen am Gehsteigrand gemäht

edging *n* Borte *f;* ◇ **- shears** Rasenschere *f*

edgy [ˈedʒɪ] *adj* nervös

edible [ˈedɪbl] *adj* eßbar

edict [ˈi:dɪkt] *n* Erlaß *m*

edifice [ˈedɪfɪs] *n* Gebäude *s; FIG* ↑ *structure* Gefüge *s,* Struktur *f*

edit [ˈedɪt] *vt* herausgeben; ◇ **they are -ing a book together** sie geben gemeinsam ein Buch heraus; PC zum Druck aufbereiten

edition [ɪˈdɪʃən] *n* Ausgabe *f*

editor [ˈedɪtə*] *n* Herausgeber(in *f*) *m;* ◇ **the - of this text was an amateur** der Verfasser dieses Textes war ein Amateur; ◇ **sports -** Sportredakteur *m;* PC Editor *m;* **editorial** [edɪˈtɔ:rɪəl] **I.** *adj* redaktionell; ◇ **- staff** Redaktionsangestellte *pl* **II.** *n* Leitartikel *m*

EDP *n abbr. of* **electronic data processing** EDV *f*

educate [ˈedjʊkeɪt] *vt* (1) ↑ *teach* erziehen; ◇ **she was -d at a private school** sie war auf einer Privatschule (2) ↑ *inform* aufklären, informieren; ◇ **the public must be -d about Aids** die Öffentlichkeit muß über Aids aufgeklärt werden; **educated** *adj* gebildet; ◇ **he was - at the University** er wurde an der Universität ausgebildet; ◇ **to make an - guess** eine wohlbegründete Vermutung anstellen; **education** [edjʊˈkeɪʃən] *n* (1) ↑ *teaching* Pädagogik *f,* Erziehungswissenschaften *pl;* (*system*) Ausbildung *f;* ↑ *schooling* Schulung *f* (2) (*knowledge*) Bildung *f;* ◇ **obtaining a good - is important** es ist wichtig, eine gute Ausbildung zu bekommen (3) (*common sense*) ◇ **the - received at home is what counts** die Erziehung allein zählt; **educational** *adj* pädagogisch; ◇ **bad experiences can be very -** schlechte Erfahrungen können sehr lehrreich sein

eel [i:l] *n* Aal *m*

eerie [ˈɪərɪ] *adj* unheimlich; ◇ **the wind made an - sound** der Wind machte ein schauriges [*o.* unheimliches] Geräusch

efface [ɪˈfeɪs] **I.** *vt* löschen **II.** *vr* sich zurückhalten

effect [ɪˈfekt] **I.** *n* (1) ↑ *consequence* Wirkung *f;* ◇ **this aspirin has started to take -** das Aspirin hat angefangen zu wirken; MED ◇ **side-**~ Nebenwirkung *f* [2] (*in film*) ◇ **-s** *pl* ▷*sound, visual* Effekte *pl* [3] (*valid*) in Kraft sein; ◇ **to come into** ~ in Kraft treten; ◇ **the law was put into** ~ das Gesetz wurde in Kraft gesetzt; ◇ **the contract takes** ~ **in two days** der Vertrag wird in zwei Tagen wirksam **II.** *vt* bewirken; ◇ **she -ed her dream** sie setzte ihren Traum in die Tat um; → *insurance* abschließen; → *agreement* erzielen; **effective** [ɪ'fektiv] *adj* wirksam; ◇ **the contract has not yet become** ~ der Vertrag ist noch nicht in Kraft getreten

effeminate [ɪ'femɪnɪt] *adj* weibisch, effeminiert

effervescent [efə'vesnt] *adj* sprudelnd; *FIG* überschäumend

efficiency [ɪ'fɪʃənsɪ] *n* (*of person*) Fähigkeit *f*, Tüchtigkeit *f;* (*of thing*) Leistungsfähigkeit *f;* **efficient** *adj* fähig, leistungsfähig; **efficiently** *adv* gut, effizient; ◇ **the new cars are made very** ~ die neuen Autos werden sehr gut gebaut

effort ['efət] *n* Bemühung *f;* ◇ **to make an** ~, **to put forth an** ~ Anstrengungen unternehmen; ◇ **he made no** ~ **to be nice** er machte sich nicht die Mühe, nett zu sein; ◇ **she made an** ~ **to give up smoking** sie hat sich bemüht, das Rauchen aufzugeben; ▷*physical* Anstrengung *f*, Leistung *f* [2] ▷*endeavor* Unternehmen; ◇ **it is my first** ~ **at knitting** es ist mein erster Strickversuch; **effortless** *adj* mühelos, leicht

effrontery [ɪ'frʌntərɪ] *n* Unverschämtheit *f;* ◇ **she has the** ~ **to turn me down** sie besitzt die Frechheit, mich abzuweisen

e.g. *abbr. of* **for example** z.B.

egg [eg] *n* Ei *s;* (*proverb*) ◇ **to put all o.'s -s in one basket** alles auf eine Karte setzen; **egg on** *vt* anstacheln; **egg-beater** *n* Schneebesen *m;* **eggcup** *n* Eierbecher *m;* **eggplant** *n* Aubergine *f;* **eggshell** *n* Eierschale *f*

ego ['i:gəʊ] *n* <-s> Ego *s*, Ich *s;* ◇ **success will boost your** ~ Erfolg wird dein Selbstbewußtsein stärken; ◇ **her** ~ **won't let her admit her mistakes** ihr Stolz läßt sie ihre Schwächen nicht zugeben; *FAM* ◇ **he is on an** ~ **trip** er ist auf dem Egotrip; **egoist** ['i:gəʊɪst] *n* Egoist(in *f*) *m;* **egotism** ['egəʊtɪzəm] *n* Ichbezogenheit *f;* **egotist** ['egəʊtɪst] *n* Egotist(in *f*) *m*

Egypt ['i:dʒɪpt] Ägypten *s*

eiderdown ['aɪdədaʊn] *n* Federbett *s*

eight [eɪt] **I.** *nr* acht **II.** *n* Acht *f*

eighteen ['eɪti:n] **I.** *nr* achtzehn **II.** *n* Achtzehn *f*

eighth [eɪtθ] **I.** *nr* (*ordinal*) acht-; ◇ **he lives on the** ~ **floor** er wohnt im achten Stock **II.** *n* Achtel *s*

eighty ['eɪtɪ] **I.** *nr* achtzig **II.** *n* Achtzig *f*

Eire ['ɛərə] *n* [Republik] Irland *s*

either ['aɪðə*] **I.** *cj:* ◇ **the party is** ~ **today or tomorrow** die Party findet entweder heute oder morgen statt **II.** *pron* [1] ◇ ~ **of the two** eine(r, s) von beiden; ◇ **I don't want** ~ ich möchte keines von beiden [2] ↑ *both* ◇ ~ **dress will suit me** beide Kleider gefallen mir **III.** *adj:* ◇ **on** ~ **side** auf beiden Seiten **IV.** *adv:* ◇ **I don't like her** ~ ich mag sie auch nicht

ejaculate ['ɪʒækjʊ'leɪt] *vi* aufschreien; ANAT ejakulieren

eject [ɪ'dʒekt] *vt* [1] → *person* hinauswerfen [2] → *smoke* ausstoßen; → *pilot* hinausschleudern; ◇ **-or seat** Schleudersitz *m*

elaborate [ɪ'læbərɪt] **I.** *adj* [1] ↑ *ornate* kunstvoll; ◇ **she had a very** ~ **hairstyle** ihre Frisur war aufwendig zurechtgemacht; ◇ **I could put on something more** ~ ich könnte etw Anspruchsvolleres anziehen [2] ↑ *complicated* ▷*plans, methods* ausgefeilt, ausgeklügelt **II.** [ɪ'læbəreɪt] *vt* ↑ *expand* ausarbeiten **III.** *vi:* ◇ **allow me to** ~ **on this subject** lassen Sie mich dieses Thema näher ausführen; ◇ **there is no need to** ~ Sie brauchen nichts weiter zu sagen; **elaborately** *adv* kunstvoll; kompliziert, detailliert; ausführlich

elapse [ɪ'læps] *vi* (← *time*) vergehen

elastic [ɪ'læstɪk] **I.** *n* Gummi *m* **II.** *adj* elastisch; ◇ ~ **band** (*BRIT*) Gummiband *s*

elbow ['elbəʊ] **I.** *n* Ellbogen *m* **II.** *vt:* ◇ **to** ~ **o.'s way through a crowd** sich durch e-e Menge kämpfen/drängen; ◇ **she -ed me in my side** sie stieß mir den Ellbogen in die Seite; **elbow-grease** *n* Muskelschmalz *s*

elder ['eldə*] **I.** *adj* (*compar. of old, person*) ältere (r, s) **II.** *n:* ◇ **respect your -s and betters** man muß Respekt vor Älteren haben; **elderly** *adj* ältlich; ◇ **the** ~ *pl* die älteren Menschen *pl*

elect [ɪ'lekt] **I.** *vt* [1] ↑ *appoint* wählen; ↑ *choose* auswählen, sich entscheiden für [2] ↑ *decide* ◇ **to** ~ **to do s.th** sich dafür entscheiden, etw zu tun (*to* dafür + inf) **II.** *adj* designierte(r, s), künftige(r,s); **election** [ɪ'lekʃən] *n* Wahl *f;* **electioneering** [ɪlekʃə'nɪərɪŋ] **I.** *n* Wahlkampf *m* **II.** *adj* Wahlkampf-; **elective** [ɪ'lektɪv] *n* (*AM*) Wahlfach *s;* **elector** *n* Wähler(in *f*) *m; AM* POL Wahlmann *m;* **electoral** *adj* Wahl-; **electorate** [ɪ'lektərɪt] *n* Wähler *pl*, Wählerschaft *f*

electric [ɪ'lektrɪk] *adj* elektrisch; ◇ ~ **blanket** Heizdecke *f;* ◇ ~ **chair** elektrischer Stuhl; ◇ ~ **cooker** Elektroherd *m;* **electrical** *adj* elektrisch; ◇ **he is studying** ~ **engineering** er studiert Elektrotechnik; **electrician** [ɪlek'trɪʃən] *n* Elektriker(in *f*) *m;* **electricity** [ɪlek'trɪsɪtɪ] *n* Elektrizität *f;* ◇ **they cut off the** ~ sie haben den

Strom abgestellt; **electrify** [ɪ'lektrɪfaɪ] *vt* [1] → *railway* elektrifizieren [2] ↑ *charge* unter Strom setzen [3] ↑ *supply* versorgen; ◇ **only one half of the city is electrified** nur die Hälfte der Stadt ist mit Strom versorgt; *FIG* ↑ *excite* elektrisieren

electro- [ɪ'lektrəʊ] *pref* Elektro-

electrocute [ɪ'lektrəʊkju:t] **I.** *vt* ↑ *kill* durch einen Stromschlag töten; ◇ **the man was -d** der Mann wurde durch einen Stromschlag getötet; ↑ *excute* auf dem elektrischen Stuhl hinrichten **II.** *vr* einen tödlichen Stromschlag bekommen

electrode [ɪ'lektrəʊd] *n* Elektrode *f*

electron [ɪ'lektrɒn] *n* Elektron *s;* ◇ **- microscope** Elektronenmikroskop *s*

electronic [ɪlek'trɒnɪk] *adj* elektronisch; ◇ **- data processing** elektronische Datenverarbeitung; ◇ **- data processing equipment** EDV-Anlage *f;* **electronics** *n pl o sg* [1] (*science*) Elektronik *f* [2] (*equipment*) Elektronik *f*

elegance ['elɪgəns] *n* Eleganz *f;* **elegant** *adj* elegant

element ['elɪmənt] *n* Element *s;* CHEM Grundstoff *m*

elementary [elɪ'mentərɪ] *adj* [1] ↑ *primary* einfach, elementar [2] ↑ *basic, begining* elementar, Grund-; ◇ **the child is in the -** das Kind ist in der Grundschule; ◇ **the embryo is in the - stages** der Embryo ist in den Anfängen seiner Entwicklung

elevation [elɪ'veɪʃən] *n* [1] (*hill*) Bodenerhebung *f* [2] ↑ *altitude* Meereshöhe *f* [3] ↑ *promotion* Erhebung *f* (*to* in *acc*) [4] ARCHIT Aufriß *m*

elevator ['elɪveɪtə*] *n* (*AM*) [1] (*for people*) Lift *m*, Aufzug *m* [2] (*for objects*) Aufzug *m;* ↑ *hoist* Winde *f*

eleven [ɪ'levn] **I.** *nr* elf **II.** *n* (SPORT *number, soccer team*) Elf *f;* ◇ **the second -** die zweite Mannschaft

elf [elf] *n* <elves> Elf(e *f*) *m*, Kobold *m*

elicit [ɪ'lɪsɪt] *vt* entlocken (*from s.o.* jd-m); ◇ **to - the truth from s.o.** jd-m die Wahrheit entlokken

eligible ['elɪdʒəbl] *adj* [1] ↑ *suitable, qualified* berechtigt; ◇ **he's not - to participate** er ist nicht teilnahmeberechtigt; ◇ **she is not - for the job** für die Stelle kommt sie nicht in Frage [2] ↑ *single* ◇ **an - bachelor** ein begehrter Junggeselle

eliminate [ɪ'lɪmɪneɪt] *vt* [1] ↑ *rule out* ausschließen; → *choice* ausscheiden; MATH eliminieren [2] ↑ *knock out* (*in competition*) ausschalten; ◇ **the runner was -d** die Läuferin schied aus [3] ↑ *assassinate* ausschalten, eliminieren; **elimination** [ɪlɪmɪ'neɪʃən] *n* Ausscheidung *f;* Ausschluß *m;* ◇ **to prove by process of -** durch negative Auslese beweisen

elite [eɪ'li:t] *n* Elite *f*

elm [elm] *n* Ulme *f*

elocution [elə'kju:ʃən] *n* Sprechtechnik *f;* ◇ **she teaches -** sie ist Sprecherzieherin, sie lehrt Sprecherziehung

elongate ['i:lɒŋgeɪt] *vt* langziehen, strecken; **elongated** *adj* verlängert; (▷*form, shape*) länglich

elope [ɪ'ləʊp] *vi* ↑ *leave secretly with lover* durchbrennen

eloquence ['eləkwəns] *n* Wortgewandtheit *f;* ◇ **she spoke with such -** sie sprach mit einer solchen Eloquenz; **eloquent** *adj* wortgewandt; ▷*speech* eloquent; ◇ **this is - proof of ...** das spricht wohl deutlich dafür, daß ...; *FIG* ◇ **she gave him an - look** sie warf ihm einen vielsagenden Blick zu; **eloquently** *adv* wortgewandt

else [els] *adv* [1] ↑ *different* andere (r, s); ◇ **s.o. -** jemand anderes; ◇ **somewhere -** anderswo [2] (*additional*) sonst; ◇ **who - is here?** wer ist sonst noch da?; ◇ **don't say anything -!** sag' nichts mehr! [3] ↑ *besides* ◇ **who - but you could it have been?** wer noch außer dir hätte es sein können?; ◇ **what - do we need?** was brauchen wir sonst noch? [4] ↑ *otherwise* ◇ **do it or - face the consequences!** mach' das oder trag' die Konsequenzen!; **elsewhere** *adv* woanders

ELT *n abbr. of* **English Language Teaching** *Englisch als Lehrfach*

elucidate [ɪ'lu:sɪdeɪt] *vt* erklären, aufklären; ◇ **the Mystery was -d** das Geheimnis wurde aufgeklärt

elude [ɪ'lu:d] *vt* [1] ↑ *evade* entwischen *dat;* ◇ **the idea -s me** das ist mir entfallen [2] sich entziehen; ◇ **the robber -d the police** der Dieb ist der Polizei entkommen; ◇ **I -d his question** ich bin seiner Frage ausgewichen

emancipate [ɪ'mænsɪpeɪt] *vt* emanzipieren; → *slave* freilassen; **emancipation** [ɪmænsɪ'peɪʃən] *n* Emanzipation *f;* (*of slave*) Freilassung *f*

embalm [ɪm'bɑ:m] *vt* einbalsamieren

embankment [ɪm'bæŋkmənt] *n* (*of river*) Uferböschung *f;* (*of road*) Böschung *f;* (*of railway*) Bahndamm *m;* ↑ *dam* Uferdamm *m*

embargo [ɪm'bɑ:gəʊ] *n* <-es> **I.** Embargo *s;* ◇ **the US put an - on oil shipments** die USA haben die Öllieferungen mit einem Embargo belegt; ◇ **the government enforced a trade -** die Regierung hat ein Handelsembargo verhängt **II.** *vt* sperren; ◇ **they -ed the ships** sie hinderten die Schiffe an der Weiterfahrt

embark [ɪm'bɑ:k] **I.** *vi* ← *people* sich einschiffen **II.** *vt* → *cargo* verladen; **embark on** *vt* etw anfangen, etw in Angriff nehmen; **embarkation** [embɑːˈkeɪʃən] *n* [1] (*of people*) Einschiffung *f;* ◇ **- papers** Bordpapiere *pl* [2] (*of goods*) Verladung *f,* Übernahme *f*

embarrass [ɪmˈbærəs] *vt* in Verlegenheit bringen, verlegen machen; ◇ **he -ed me in front of the entire class** er brachte mich vor der ganzen Klasse in Verlegenheit; ◇ **I was so -ed that I cried** es war mir so peinlich, daß ich weinte; **embarrassed** *adj* verlegen; ◇ **I was too - to ask** es war mir zu peinlich zu fragen; **embarrassing** *adj* peinlich; ◇ **the most - thing just happened to me** mir ist gerade etw furchtbar Peinliches passiert; **embarrassment** *n* Verlegenheit *f;* ◇ **I was red with -** ich war rot vor Verlegenheit; ◇ **my teacher caused me a great deal of -** mein Lehrer hat mich häufig in Verlegenheit gebracht; ◇ **she was an - to all of us** sie blamierte uns alle

embassy [ˈembəsɪ] *n* Botschaft *f*

embed [ɪmˈbed] *vt* einlassen; ◇ **the rocks were -ded in the earth** die Steine waren fest in der Erde; *FIG* verwurzelt sein *dat;* ◇ **my thoughts are deeply -ded with this idea** ich bin ganz mit dieser Idee beschäftigt

embellish [ɪmˈbelɪʃ] *vt* [1] ↑ *decorate, adorn* verschönern, schmücken [2] → *story* ausschmükken; → *truth* beschönigen

embers [ˈembəz] *n pl* Glut *f*

embezzle [ɪmˈbezl] *vt* unterschlagen, veruntreuen; **embezzlement** *n* Unterschlagung *f,* Veruntreuung *f*

embitter [ɪmˈbɪtə*] *vt* verbittern

emblem [ˈembləm] *n* Emblem *s* [1] ↑ *insignia* Wahrzeichen *s* [2] ↑ *mark, symbol* Kennzeichen *s*

embody [ɪmˈbɒdɪ] *vt* [1] ↑ *manifest* ausdrücken; ◇ **the book embodies the author's ideas** das Buch verkörpert die Ideen des Autors [2] ↑ *include* enthalten

emboss [ɪmˈbɒs] *vt* → *leather, metal* prägen; → *cloth, material* gaufrieren; ◇ **an -ed charm** ein Anhänger mit Gravur; ◇ **-ed stationary** Schreibpapier mit geprägtem Kopf

embrace [ɪmˈbreɪs] **I.** *vt* [1] ↑ *hug* umarmen, in die Arme schließen [2] ↑ *include* umfassen, erfassen; ◇ **physics -s elements of chemistry** die Physik umfaßt auch Teile der Chemie [3] ↑ *renounce* annehmen; ◇ **he -d the socialistic cause** er verschrieb sich der Sache des Sozialismus **II.** *n* Umarmung *f*

embroider [ɪmˈbrɔɪdə*] *vt* besticken; *FIG* → *story* ausschmücken; **embroidery** *n* [1] (*action*) Sticken *s* [2] (*cloth*) Stickarbeit *f,* Stickerei *f*

embryo [ˈembrɪəʊ] *n* <-s> [1] ↑ *foetus* Embryo *m,* Keim *m* [2] (*FIG early stage*) neu, im Anfangsstadium; ◇ **an - organisation** eine neugeschaffene Organisation; (*FIG rudimentary*) im Keim; ◇ **the camera, at least in -, is an old invention** die Kamera ist zumindest vom Prinzip her eine alte Erfindung

emerald [ˈemərəld] *n* [1] (*stone*) Smaragd *m* [2] (*colour*) Smaragdgrün *s*

emerge [ɪˈmɜːdʒ] *vi* [1] ↑ *come out of* auftauchen; ◇ **Jane -d from the crowd** Jane trat aus der Menge heraus [2] (*from state*) herauskommen; ◇ **as he -d from his sleep** als er aus seinem Schlaf erwachte [3] ↑ *transpire* sich herausstellen (*from* bei); ◇ **the results which -d from the research are …** die bei der Forschung erzielten Ergebnisse sind …; ◇ **it -s that…** es stellt sich heraus, daß… [4] ↑ *appear* entstammen

emergency [ɪˈmɜːdʒənsɪ] **I.** *n* Notfall *m;* ◇ **in case of an -** im Notfall; ◇ **the doctor has been called out on an -** der Arzt ist zu einem Notfall gerufen worden **II.** *adj* ▷*action* Not-; ◇ **- doctor** Notarzt *m;* ◇ **- exit** Notausgang *m;* ◇ **- stop** Vollbremsung *f;* ◇ **- services** Notdienst *m;* ◇ **- ward** Notaufnahme *f,* Unfallstation *f*

emery [ˈemərɪ] *n:* ◇ **- paper** Schmirgelpapier *s;* **emery board** *n* Papiernagelfeile *f*

emigrant [ˈemɪgrənt] **I.** *n* Auswanderer *m;* (*for political reasons*) Emigrant(in *f*) *m* **II.** *adj* Auswanderer-; ◇ **he is an - worker** er ist ein ausländischer Arbeitnehmer *pl*

emigrate [ˈemɪgreɪt] *vi* auswandern; emigrieren; **emigration** [emɪˈgreɪʃən] *n* Auswanderung *f;* Emigration *f*

eminence [ˈemɪnəns] *n* [1] (↑ *prominence*) hohes Ansehen; ◇ **s.o. of -** ein angesehene Persönlichkeit [2] REL ◇ **his/your E-** Seine/Eure Eminenz

eminent *adj* angesehen, berühmt

emission [ɪˈmɪʃən] *n* (*of light*) Emission *f;* (*of radiation*) Ausstrahlung *f;* (*of gas*) Ausströmen *s;* (*of heat*) Abgabe *f;* ◇ **- of semen** Samenerguß *m*

emit [ɪˈmɪt] *vt* ↑ *release* → *sound* abgeben; ↑ *produce* ausstrahlen; → *radiation* freisetzen, emittieren; → *gas* ausströmen; ↑ *discharge* ausstoßen

emotion [ɪˈməʊʃən] *n* [1] (*character trait*) Gefühl *s,* Gefühlsregung *f;* ◇ **the struggle between reason and -** der Kampf zwischen Verstand und Gefühl [2] (*count*) Gemütsbewegung *f;* ◇ **he showed no -s** er blieb unbewegt; ◇ **music arouses my -s** Musik bewegt mich; **emotional** *adj* ▷*person* gefühlsbetont; ◇ **I'm in such an - state** ich bin zur Zeit so emotional; ◇ **the child**

has an ~ **disturbance** das Gefühlsleben des Kindes ist gestört; ◇ **don't get so ~ about it** reg' dich nicht so darüber auf; ◇ **sex without emotional involement** Sex ohne Gefühl; **emotionally** *adv* gefühlsmäßig; ↑ *with emotion* gefühlvoll; ◇ **to be ~ disturbed** seelisch gestört sein; ◇ **I had an ~ deprived childhood** ich hatte eine Kindheit ohne Nestwärme; ◇ **to get ~ involved with s.o.** eine [Liebes-]Beziehung zu jd-m suchen

emperor ['empərə*] *n* Kaiser *m*

emphasis ['emfəsıs] *n* [1] LING Betonung *f;* ◇ **the ~ is on the last syllable** die Betonung/der Ton liegt auf der letzten Silbe [2] ↑ *stress* Betonung *f;* ◇ **our society puts too much ~ on wealth** unsere Gesellschaft legt zu viel Wert auf Wohlstand; **emphasize** ['emfəsaız] *vt* betonen; → *point* hervorheben

emphatic [ım'fætık] *adj* [1] ↑ *forceful* nachdrücklich, entschieden [2] (*person*) bestimmt; ◇ **the orator is ~ about his message** der Redner formuliert seine Mitteilung mit allem Nachdruck; **emphatically** *adv* mit Nachdruck, ausdrücklich; ◇ **he agrees most ~** er stimmt mit allem Nachdruck zu; ◇ **most ~ not** auf gar keinen Fall

empire ['empaıə*] *n* Reich *s;* ◇ **the Holy Roman E~** das Heilige Römische Reich; **empirical** [em'pırıkəl] *adj* empirisch, Erfahrungs-

employ [ım'plɔı] *vt* [1] ↑ *hire* anstellen; ◇ **the company ~ed a new secretary** die Firma hat eine neue Sekretärin eingestellt; ◇ **to be in s.o.'s ~** bei jd-m beschäftigt sein [2] ↑ *use* einsetzen, anwenden; **employee** [emplɔı'i:] *n* Angestellte(r) *fm;* ◇ **~s and employers** Arbeitnehmer und Arbeitgeber; ◇ **the company's ~s** die Mitarbeiter, die Beschäftigen *pl;* **employer** *n* Arbeitgeber(in *f*) *m;* **employment** *n* Arbeit *f;* ◇ **she is out of ~** sie ist ohne Arbeit; ◇ **to seek ~** eine Stelle suchen; ◇ **he took up ~ with IBM** er nahm eine Stelle bei IBM an; ◇ **~ agency** Stellenvermittlung *f;* ◇ **~ office** Arbeitsamt *s*

empress ['emprıs] *n* Kaiserin *f*

emptiness ['emptınıs] *n* Leere *f*

empty **I.** *adj* leer; ◇ **an ~ house** ein leerstehendes Haus; ◇ **to feel ~** sich leer fühlen; (*proverb*) ◇ **~ vessels make most noise** die am wenigsten zu sagen haben, reden am meisten **II.** *vt* → *contents* leeren; → *container* entleeren; ↑ *clear* → *liquid* ausgießen **III.** *vi* auslaufen, abfließen; ◇ **the river empties into the ocean** der Fluß mündet ins Meer; ← *streets, hall* sich leeren; **empty out** *vt* ausleeren; **empty-handed** *adj* ↑ *unsuccessful*: ◇ **to come back ~** mit leeren Händen zurückkehren

emulate ['emjʊleıt] *vt* nacheifern *dat;* PC emulieren; **emulation** *n* Nacheiferung *f;* ◇ **in ~ of a movie star** in dem Bestreben, es einem Star gleichzutun; PC Emulation *f*

enable [ı'neıbl] *vt* [1] ↑ *make possible* ermöglichen; ◇ **it ~s us to take action** es ermöglicht uns, etw zu unternehmen; ◇ **What ~s you to stay up so late?** Wie schaffst du es, so lange aufzubleiben? [2] ↑ *give right, allow* ◇ **to ~ s.o. to do s.th.** jd-n ermächtigen, etw zu tun

enact *vt* [1] → *law* erlassen [2] (*acting*) aufführen, darstellen

enamel [ı'næməl] **I.** *n* [1] Email *s,* Emaille *f;* (*of teeth*) Zahnschmelz *m* [2] ▷*paint* Emaillelack *m;* ↑ *nail polish* Nagellack *m* **II.** *vt* emaillieren; **enamelled** *adj* emailliert

encase [ın'keıs] *vt* verkleiden; TECH umhüllen, umgeben

enchain *vt* ← *prisoner* in Ketten legen

enchant [ın'tʃɑ:nt] *vt* bezaubern, entzücken; ◇ **to be ~ed with s.th** von [*o.* über] etw entzückt sein; **enchanting** *adj* bezaubernd, entzückend

enclose [ın'kləʊz] *vt* [1] ↑ *contain* einschließen; → *an area* einzäunen; ◇ **the swimming pool is ~d** das Schwimmbad ist völlig abgeschlossen [2] ↑ *insert* beilegen, beifügen; ◇ **to ~ s.th. in a letter** e-m Brief etw beilegen; ◇ **please see the ~d bill** als Anlage übersenden wir Ihnen die Rechnung; ◇ **the ~d cheque** der beiliegende Scheck; **enclosure** [ın'kləʊʒə*] *n* [1] (*area*) eingezäuntes Grundstück *s;* ↑ *pen* Gehege *s* [2] (*in letter*) Anlage *f* [3] GEO, TECH Einschluß *m*

encore ['ɒŋkɔ:*] **I.** *n* Zugabe *f* **II.** *vt:* ◇ **the audience ~d the band** die Zuschauer verlangten von der Band eine Zugabe **III.** *intj* ~!, Zugabe!

encounter [ın'kaʊntə*] **I.** *n* Begegnung *f;* MIL Zusammenstoß *m* **II.** *vt* [1] → *person* begegnen (*s.o. dat*); ◇ **I just ~ed a nice woman** ich bin gerade einer netten Frau begegnet [2] → *resistance* stoßen auf *acc;* → *danger* geraten in *acc* [3] ↑ *experience s.th.* ◇ **I have never ~ed anything like this before** ich habe so etw noch nie erlebt, ich habe derartiges noch nicht erlebt

encourage [ın'kʌrıdʒ] *vt* [1] ↑ *support* ermutigen, ermuntern (*to* zu); ↑ *prompt, persuade* jd-m Mut machen; SPORT anfeuern [2] ↑ *approve* fördern; ◇ **our boss ~s teamwork** unser Chef fördert die Zusammenarbeit; **encouragement** *n* Ermutigung *f,* Ermunterung *f;* ↑ *support* Unterstützung *f;* ↑ *motivation* Anregung *f;* ◇ **he didn't give her any ~** er hat sie überhaupt nicht ermuntert; **encouraging** *adj* ermutigend; ◇ **he wasn't very ~** er machte uns nicht gerade Mut

encumber [ın'kʌmbə*] *vt* beladen; → *burdens, responsibility* belasten (*with* dat); **encum-**

brance [ın'kʌmbrəns] *n* Belastung *f;* ↑ *burdens* Last *f;* ◇ **to be an ~ to s.o.** (*object*) jd-n behindern; (*person*) eine Last für jd-n sein
encyclopaedia [ensaıkləʊ'pi:dıə] *n* Lexikon *s,* Enzyklopädie *f*
end [end] **I.** *n* Ende *s* [1] ↑ *close, conclusion* ◇ **at the ~ of the vacation** am Schluß/Ende des Urlaubs; ◇ **at the ~ of the year** zum Jahresende; ◇ **to put an ~ to s.th.** mit etw Schluß machen [2] ↑ *remains, remnant* Rest *m* [3] ↑ *tip* Spitze *f;* (*table*) Ende *s* [4] ↑ *part* Teil *m;* ◇ **I've held up to my ~ of the agreement** ich habe meinen Teil der Abmachung erfüllt; ◇ **we chatted for hours on ~** wir plauderten stundenlang/ununterbrochen; ◇ **he is being supported from all ~s** er wird von allen Seiten unterstützt [5] ↑ *purpose* Ziel *s;* ◇ **an ~ in itself** Selbstzweck; (*proverb*) ◇ **the ~s justify the means** der Zweck heiligt die Mittel [6] ↑ *death* ◇ **to meet o.'s ~** den Tod finden **II.** *adj* letzte(r, s) **III.** *vt* beenden; ◇ **he ~ed the relationship** er machte Schluß **IV.** *vi* enden; ◇ **the letter ~s with "love, Jane"** der Brief schließt mit "alles Liebe, Jane"; **end up** *vi* landen, enden; ◇ **you'll ~ ~ right back were you started** du wirst wieder ganz am Anfang landen; ◇ **we ~ed ~ staying home** wir sind schließlich zu Hause geblieben; ◇ **he'll ~ ~ in trouble** er wird noch Ärger bekommen
endanger [ın'deındʒə*] *vt* gefährden
endear [ın'dıə*] *vt* beliebt machen (*to* bei); ◇ **her cooking ~s her to him** ihre Kochkunst macht sie bei ihm beliebt
endeavour [ın'devə*] **I.** *n* Anstrengung *f,* Bemühung *f;* ◇ **to make an ~ to do s.th.** sich anstrengen/bemühen, etw zu tun **II.** *vi* sich anstrengen/bemühen
ending ['endıŋ] *n* Ausgang *m;* ◇ **the ~ was the best part of the movie** das Ende des Films war das Beste daran; ◇ **a happy ~** ein glückliches Ende, ein Happy End; LING Endung *f*
endless *adj* endlos [1] ↑ *unlimited* unzählig [2] ↑ *plain* grenzenlos
endorse [ın'dɔ:s] *vt* [1] ↑ *sign* unterschreiben; ◇ **please ~ this cheque** bitte unterzeichnen Sie auf der Rückseite des Schecks [2] ↑ *approve* unterschreiben, billigen [3] → *driving licence, BRIT* eine Strafe vermerken auf; ◇ **I had my licence ~d** ich bekam einen Strafvermerk auf meinen Führerschein; **endorsement** *n* Zusatz, Nachtrag *m;* ↑ *approval* Billigung *f;* COMM Indossament *s;* JUR Strafvermerk *m*
endow [ın'daʊ] *vt* [1] ↑ *give, support* eine Stiftung machen; ◇ **to ~ s.o. with s.th.** jd-m etw geben/schenken; → *institution* etw stiften, etw spenden [2] ↑ *bless* ◇ **to be ~ed with a natural talent** ein natürliches Talent haben, ein Naturtalent sein
end product ['endprɒdʌkt] *n* Endprodukt *s*
endurable [ın'djʊərəbl] *adj* erträglich
endurance [ın'djʊərəns] *n* Durchhaltevermögen *s;* ◇ **to have a great ~ against illness** sehr widerstandsfähig gegen Krankheiten sein; ◇ **this is beyond ~** das ist nicht auszuhalten; SPORT Ausdauer *f;* **endure** [ın'djʊə*] **I.** *vt* erleiden; ◇ **it is more than I can ~** ich kann das nicht ertragen **II.** *vi* ↑ *last* bestehen
enemy ['enımı] **I.** *n* Feind *m* **II.** *adj* feindlich
energetic [enə'dʒetık] *adj* voller Energie, energiegeladen
energy ['enədʒı] *n* Energie *f;* ◇ **I applied all my energies to this task** ich setzte meine ganze Kraft für diese Aufgabe ein
enervate ['enɜ:veıt] *vt* entkräften, schwächen; ▷*mentally* entnerven; **enervating** ['enɜ:veıtıŋ] *adj* strapazierend
enforce [ın'fɔ:s] *vt* durchführen; → *obedience* erzwingen *dat;* ◇ **to ~ the law** für die Einhaltung der Gesetze sorgen; ◇ **the teacher ~d silence** der Lehrer sorgte für Ruhe
engage [ın'geıdʒ] **I.** *vt* [1] ↑ *employ* anstellen, einstellen [2] (*in conversation*) teilnehmen; ◇ **to ~ o.s. to do s.th.** sich verpflichten, etw zu tun; ◇ **I am sorry but I am ~d somewhere else** es tut mir leid, aber ich bin anderswo verabredet [3] MIL angreifen; ◇ **to ~ in a war** Krieg führen [4] TECH ineinandergreifen lassen; ◇ **to ~ a gear** einen Gang einlegen **II.** *vi* [1] ↑ *commit* sich verpflichten; TECH ineinandergreifen; ← *clutch* fassen [3] ↑ *involve* sich beteiligen an *dat;* ◇ **to ~ in politics** sich politisch betätigen [4] MIL angreifen; **engaged** *adj* [1] ▷*couple* verlobt; ◇ **to get ~** sich verloben [2] TELECOM besetzt [3] ↑ *occupied, toilet* besetzt; **engagement** *n* ↑ *appointment* Verabredung *f;* (*promise to marry*) Verlobung *f;* ↑ *fight* Kampf *m;* ↑ *interlocking* Ineinandergreifen *s;* **engaging** [ın'geıdʒıŋ] *adj* einnehmend
engine ['endʒı'n] *n* (*of car*) Motor *m;* TECH Maschine *f* [2] RAIL *BRIT* Lokomotive *f*
engineer [endʒı'nıə*] **I.** *n* [1] (*worker*) Techniker(in *f*) *m;* (*with college degree*) Ingenieur(in *f*) *m* [2] (*of a plan*) Arrangeur *m* [3] RAIL *AM* Lokführer(.: in *f*) *m* **II.** *vt* konstruieren; **engineering** [endʒı'nıərıŋ] *n* Technik *f;* (*mechanical ~*) Maschinenbau *m;* ◇ **~ profession** Ingenieurberuf *m*
England ['ıŋglənd] *n* England *s*
English ['ıŋglıʃ] **I.** *adj* englisch; ◇ **she is ~** sie ist Engländerin, ◇ **she speaks ~** sie spricht Englisch **II.** *n* [1] ▷*language* Englisch *s* [2] ▷*people* ◇ **the ~** *pl* die Engländer *pl;* ◇ **the ~ Channel** Ärmelkanal *m*

E

Englishman *n* <-men> Engländer *m*
Englishwoman *n* <-women> Engländerin *f*
engrave [ɪn'greɪv] *vt* eingravieren; (*on rock*) einmeißeln; *FIG* einprägen; ◇ **that scene is -d on my mind** diese Szene hat sich in mein Gedächtnis eingeprägt; **engraving** *n* [1] (*skill, art*) Gravieren *s*, Einmeißeln *s;* (*on cutlery etc.*) Gravur *f* [2] ↑ *picture* Stich *m;* (*wood* -) Holzschnitt, m
engrossed [ɪn'grəʊst] *adj:* ◇ **I have become so - in my book** ich habe mich so in mein Buch vertieft
enhance [ɪn'hɑːns] *vt* verbessern
enigma [ɪ'nɪgmə] *n* Rätsel *s;* **enigmatic** [enɪg'mætɪk] *adj* rätselhaft
enjoy [ɪn'dʒɔɪ] **I.** *vt* genießen; ◇ **I've -ed talking with you** es war mir eine Freude, mich mit Ihnen zu unterhalten; ◇ **he -s being outside** er ist gern draußen **II.** *vr* sich amüsieren; ◇ **- yourself!** viel Vergnügen!, viel Spaß!; **enjoyable** *adj* unterhaltsam, amüsant; **enjoyment** *n* Vergnügen *s*, Spaß *m;* ◇ **I get a lot of - out of jogging** Laufen macht mir viel Spaß
enlarge [ɪn'lɑːdʒ] *vt* [1] ↑ *expand* vergrößern, erweitern [2] FOTO vergrößern [3] (*expand on*) ◇ **to - on s.th.** sich über etw genauer äußern; **enlargement** *n* Vergrößerung *f*, Erweiterung *f*
enlighten [ɪn'laɪtn] *vt* aufklären; ◇ **the lecturer -ed us on the misuse of drugs** der Dozent klärte uns über Drogenmißbrauch auf; ◇ **the paper will - on these points** die Arbeit wird diese Punkte näher erläutern; **enlightenment** *n* Aufklärung *f*
enlist [ɪn'lɪst] **I.** *vt* einziehen **II.** *vi* (MIL) sich melden
enmity ['enmɪtɪ] *n* Feindschaft *f*
enormity [ɪ'nɔːmɪtɪ] *n* [1] (*size*) ungeheures Ausmaß *s* [2] (*crime*) Ungeheuerlichkeit *f*
enormous [ɪ'nɔːməs] *adj* gewaltig, enorm; **enormously** *adv* enorm, ungeheuer
enough [ɪ'nʌf] **I.** *adj* genug; ◇ **I have had - of this weather** ich habe dieses Wetter satt, ich habe genug von diesem Wetter; ◇ **I don't have - money** ich habe nicht genug Geld; ◇ **that's -!** das reicht! **II.** *adv* [1] ↑ *sufficient* genug; ◇ **she is old - to know better** sie ist alt genug, um es besser zu wissen; ◇ **- is -** genug ist genug [2] (*fairly*) ◇ **he is nice -** er ist ziemlich nett [3] (*intensifier*) ◇ **sure -** und tatsächlich; ◇ **strangely -** komischerweise
enquire [ɪn'kwaɪə*] *s.* **inquire**
enrich [ɪn'rɪtʃ] *vt* bereichern; → *soil* anreichern; **enrichment** Bereicherung *f;* (*of uranium*) Anreicherung *f*
enrol [ɪn'rəʊl] *vt* sich einschreiben; (*university*) immatrikulieren; (*activity*) sich anmelden; MIL sich melden; **enrolment** *n* [1] ↑ *registration* Einschreibung *f;* Anmeldung *f;* Immatrikulation *f* [2] (↑ *attendance, membership*) Teilnehmerzahl *f;* ◇ **we have a high - this term** dieses Semester haben wir viele Erststudierende
en route [ãːn'ruːt] *adv:* ◇ **- - to Austria** auf dem Weg nach Österreich, unterwegs
ensue [ɪn'sjuː] *vi* folgen; **ensuing** *adj* folgend; ◇ **the - events** die nachfolgenden Ereignisse
ensure [ɪn'ʃʊə*] *vt* sicherstellen; ◇ **the police are to - law and order** die Polizei soll Ruhe und Ordnung sicherstellen
enter ['entə*] **I.** *vt* [1] ↑ *come in* hereinkommen; → *country* einreisen; ◇ **she -ed the country** sie reiste in das Land ein *acc* [2] ↑ *join* → *club* beitreten *dat;* ◇ **I -ed a fitness center** ich bin einem Fitnessklub beigetreten; MIL zum Militär gehen [3] → *record, in book* eintragen; PC → *data* eingeben [4] ↑ *sign up* melden **II.** *vi* [1] ↑ *walk in* eintreten [2] → *new time period* ◇ **we are -ing the 21st century** wir sind an der Schwelle zum 21. Jahrhundert; **enter into** *vt* [1] → *affairs* aufnehmen; ◇ **to - - an agreement** eine Vereinbarung mit jd-m schließen [*o.* treffen]; → *argument* eingehen *acc;* ◇ **to - - a conversation with s.o.** ein Gespräch mit jd-m anknüpfen [2] (*influence*) eine Rolle spielen bei; ◇ **his absence wasn't -ed - our plan** seine Abwesenheit war nicht einkalkuliert/eingeplant; **enter upon** *vt* antreten; → *subject* eingehen auf *acc;* **enter key** *n* PC Eingabetaste *f*
enterprise ['entəpraɪz] *n* [1] COMM Unternehmen *s;* ◇ **he owns a private -** er besitzt ein eigenes Unternehmen [2] (*in person*) Initiative *f*, Unternehmungsgeist *m;* **enterprising** *adj* ↑ *inventive* einfallsreich, erfindungsreich; (*adventurous*) unternehmungslustig, kühn
entertain [entə'teɪn] *vt* [1] ↑ *invite* einladen; ◇ **she doesn't like -ing at home** sie lädt nicht gerne Leute zu sich ein; ↑ *amuse* unterhalten; ← *comedian* belustigen [2] → *a thought, idea* sich tragen mit; ◇ **I don't know what makes me - such doubts** ich weiß nicht, weshalb ich solche Zweifel hege; **entertainer** *n* Unterhalter(in *f*) *m*, Entertainer(in *f*) *m;* **entertaining I.** *adj* amüsant; ◇ **that is an - thought** das ist ein interessanter Gedanke **II.** *n:* ◇ **we do a lot of -** wir haben oft Gäste; **entertainment** *n* [1] ↑ *amusement* Unterhaltung *f;* ◇ **television is the main means of - in America** Fernsehen ist die wichtigste Form von Unterhaltung in Amerika [2] ↑ *show* Darbietung *f*
enthusiasm [ɪn'θuːzɪæzəm] *n* [1] Begeisterung *f;* **enthusiastic** [ɪnθuːzɪ'æstɪk] *adj* begeistert; ◇ I

have yet to get ~ about the idea für diese Idee muß ich mich erst noch begeistern
entice [ɪn'taɪs] *vt* locken, verführen; ◇ **she ~d him to her room** sie lockte ihn in ihr Zimmer; ◇ **to ~ s.o. to do s.th.** jd-n zu etw verführen
entire [ɪn'taɪə*] *adj* ganz; ◇ **Do you have an ~ set of china?** Ist Ihr Porzellanservice vollständig?; **entirely** *adv* [1] ↑ *exclusively* ganz; ◇ **the work was done ~ by him** die Arbeit wurde ausschließlich von ihm gemacht [2] ↑ *totally* ◇ **it's ~ different** es ist ganz anders; **entirety** [ɪn'taɪərətɪ] *n* Gesamtheit *f;* ◇ **in its ~** in seiner Gesamtheit
entitle [ɪn'taɪtl] *vt* [1] ↑ *allow:* ◇ **to ~ s.o. to s.th.** jd zu etw berechtigen; ◇ **you are ~d to a raise** sie haben Anspruch auf eine Lohnerhöhung; ◇ **I am ~d to a weeks' vacation** mir steht eine Woche Urlaub zu [2] ↑ *name* betiteln; **entitlement** *n* Berechtigung *f,* Anspruch *m* (*to* auf *acc*); ◇ **the mother received ~ to the children** die Mutter bekam die Kinder zugesprochen
entity ['entɪtɪ] *n* Wesen *s*
entrance ['entrəns] **I.** *n* [1] ↑ *doorway* Eingang *m;* ↑ *driveway* Einfahrt *f* [2] ↑ *entry* Eintritt *m;* (*on stage*) Auftritt *m;* ◇ **he made a grand ~** er ist groß aufgetreten [3] (*to profession*) Zutritt *m;* (*to university*) Aufnahme *f;* ◇ **to receive ~ to a university** die Zulassung zu einer Universität erhalten; **entrance examination** *n* Aufnahmeprüfung *f;* **entrance fee** *n* ↑ *entry fee* Eintritt *m,* Eintrittsgeld *s*
entrap [ɪn'træp] *vt* austricksen
entrant ['entrənt] *n* [1] ↑ *new member* [Berufs-/Studien-]Anfänger(in *f*) *m;* MIL Rekrut *m* [2] ↑ *participant* Teilnehmer(in *f*) *m;* (*for an examination*) Kandidat(in *f*) *m*
entreat [ɪn'tri:t] *vt* dringend bitten (*for* um); ◇ **I ~ you not to do it** ich flehe dich an, es nicht zu tun
entrée ['ɒntreɪ] *n* [1] (*to a place*) Zutritt *m* [2] (*of a dinner*) Hauptgericht *s*
entrust [ɪn'trʌst] *vt* anvertrauen (*with* jd-m); ◇ **she ~ed him with her jewellery** sie vertraute ihm ihren Schmuck an
entry ['entrɪ] *n* [1] (*to a place*) Eintritt *m* [2] (*in account*) Eintrag *m;* (*in dictionary*) Stichwort *s;* (*in computer*) Eintrag *m* [3] (*number of participats*) Meldungen *f pl* [4] ↑ *access* (*into country*) Einreise *f* [5] (*joining*) Aufnahme *f;* **entry fee** *n* Eintrittsgebühr *f;* **entry form** *n* Anmeldeformular *s*
entwine *vt* ineinanderschlingen
envelope ['envələʊp] *n* Briefumschlag *m*
enviable ['envɪəbl] *adj* beneidenswert
envious ['envɪəs] *adj* neidisch (*of* auf *acc*)
environment [ɪn'vaɪərənmənt] *n* [1] ↑ *habitat* Umgebung *f* [2] ↑ *surroundings* Milieu *f* [3] ↑ *ecology* Umwelt *f;* **environmental** [ɪnvaɪərə-n'mentl] *adj* Umwelt-; Milieu-; **environmentalist** *n* Umweltschützer(in *f*) *m*
envisage [ɪn'vɪzɪdʒ] *vt* sich vorstellen
envision *vt* (*AM*) *s.* **envisage**
envoy ['envɔɪ] *n* [1] (↑ *messenger*) Bote *m* [2] ↑ *diplomat* Gesandte(r) *fm*
envy ['envɪ] **I.** *n* (*feeling*) Neid *m* **II.** *vt* beneiden (*s.o./ s.th.* jd um *acc*)
enzyme ['enzaɪm] *n* Enzym *s*
ephemeral [ɪ'femərəl] *adj* ephemer, kurzlebig
epic ['epɪk] **I.** *n* Heldengedicht *s,* Epos *s;* ▷*film* Monumentalfilm *m* **II.** *adj* episch; (*film*) monumental
epidemic [epɪ'demɪk] *n* (*disease*) Epidemie *f;* (*fashion, trends*) Seuche *f*
epilepsy ['epɪlepsɪ] *n* Epilepsie *f;* **epileptic** [epɪ'leptɪk] **I.** *adj* epileptischer; ◇ **~ fit** epileptischer Anfall **II.** *n* Epileptiker(in *f*) *m*
epilogue ['epɪlɒg] *n* (*of drama*) Epilog *m;* (*of book*) Nachwort *s*
episode ['epɪsəʊd] *n* [1] ↑ *incident* Vorfall *m,* Begebenheit *f* [2] ↑ *instalment* Episode *f;* (*of story, on television*) Fortsetzung *f;* **episodic** *adj* episodenhaft; episodisch; in Episoden
epistle [ɪ'pɪsl] *n* (RELIG) Epistel *f*
epitaph ['epɪtɑ:f] *n* Epitaph *s;* (*on gravestone*) Grabinschrift *f*
epitome [ɪ'pɪtəmɪ] *n* Inbegriff *m* (*of* gen); **epitomize** [ɪ'pɪtəmaɪz] *vt* verkörpern
epoch ['i:pɒk] *n* Zeitalter *s,* Epoche *f*
equal ['i:kwl] **I.** *adj* (*two things*) gleich; ◇ **~ opportunities** Chancengleichheit; ◇ **to be on ~ terms with s.o.** jd-m ebenbürtig sein; ◇ **two halves are ~ to one whole** zwei Halbe ergeben ein Ganzes **II.** *vt* gleichen *dat;* ↑ *match* gleichkommen; (*equivalent*) ◇ **two times two ~s four** zwei mal zwei ist gleich vier **III.** *n* Gleichgestellte(r) *fm;* ◇ **he has no ~** er sucht seinesgleichen; **equality** [ɪ'kwɒlɪtɪ] *n* Gleichheit *f;* **equalize** [i:'kwɒlaɪz] **I.** *vt* → *situation* ausgleichen; → *incomes* angleichen **II.** *vi* SPORT ausgleichen; **equalizer** *n* SPORT Ausgleichstreffer *m;* **equally** *adv* [1] (*same size, evenly*) gleichmäßig; (*same degree, extent*) gleichermaßen [2] ↑ *just as* genauso; **equals sign** *n* Gleichheitszeichen *s*
equanimity [ekwə'nɪmɪtɪ] *n* Gleichmut *m;* ◇ **to lose o.'s ~** aus der Fassung geraten
equate [ɪ'kweɪt] *vt* gleichsetzen (*with* mit); **equation** [ɪ'kweɪʒən] *n* MATH Gleichung *f;* (*situation, problem*) Ausgleich *m*
equator [ɪ'kweɪtə*] *n* Äquator *m*

equatorial [ekwəˈtɔːrɪəl] *adj* äquatorial
equilibrium [iːkwɪˈlɪbrɪəm] *n* Gleichgewicht *s*
equinox [ˈiːkwɪnɒks] *n* Tagundnachtgleiche *f*
equip [ɪˈkwɪp] *vt* ① (*obtain*) ausrüsten; ◇ **the car is -ped with a radio** das Auto ist mit einem Radio ausgestattet ② ▷*mentally* ◇ **to be -ped for a task** einer Aufgabe gewachsen sein; ◇ **he is -ped for life** er hat das Rüstzeug fürs Leben
equipment *n* Ausrüstung *f;* ◇ **stereo ~** Stereoanlagen und Zubehör; ◇ **a piece of ~** ein Gerät, ein Ausrüstungsgegenstand
equitable [ˈekwɪtəbl] *adj* gerecht und billig
equity [ˈekwɪtɪ] *n* ① ↑ *fairness* Fairneß *f,* Billigkeit *f;* JUR Billigkeitsrecht ② ▷*financial* Anteil *m*
equivalent [ɪˈkwɪvələnt] **I.** *adj* gleich (*to* etw/jdm *dat*), gleichwertig; ◇ **stealing is ~ to lying** Stehlen ist genauso schlimm wie Lügen **II.** *n* Äquivalent *s,* Gegenstück *s;* ◇ **or the ~ in cash** oder den Gegenwert in bar; ◇ **the English ~ of the German word is...** die englische Entsprechung des deutschen Wortes ist...
equivocal [ɪˈkwɪvəkəl] *adj* unklar, unbestimmt; ▷*speech, words* doppeldeutig; ▷*behaviour* zweideutig
era [ˈɪərə] *n* Ära *f,* Epoche *f*
eradicate [ɪˈrædɪkeɪt] *vt* ausrotten
erase [ɪˈreɪz] *vt* → *thought, feeling* löschen, streichen (*from* aus); → *tape, disk* löschen; → *writing* ausradieren; **eraser** *n* Radiergummi *m;* (*for blackboard*) Schwamm *m*
erect [ɪˈrekt] **I.** *vt* → *building, wall* bauen; → *institution* gründen **II.** *adj* gerade, aufrecht; ◇ **to hold o.s. ~** sich gerade halten; ▷*penis* erigiert
erection *n* Errichten *s;* Erektion *f*
ergonomics [ɜːgəʊˈnɒmɪks] *n sg* Arbeitswissenschaft *f,* Ergonomik *f*
ermine [ˈɜːmɪn] *n* Hermelin *s*
erode [ɪˈrəʊd] *vt* (← *water*) auswaschen; ← *acid* ätzen; ← *rust* wegfressen; → *power, beliefs* untergraben; **erosion** [ɪˈrəʊʒən] *n* Erosion *f,* Abtragung *f;* Ätzung *f;* Schwinden *s*
erotic [ɪˈrɒtɪk] *adj* (▷*feelings, desires*) aufreizend; ▷*paintings, films* erotisch; **eroticism** [ɪˈrɒtɪsɪzəm] *n* Erotik *f*
err [ɜː*] *vi* sich irren; ◇ **to ~ is human** Irren ist menschlich
errand [ˈerənd] *n* Besorgung *f;* ◇ **I have a dozen -s to run** ich muß noch tausend Sachen erledigen; ◇ **to run -s for s.o.** für jd-n Besorgungen machen; ◇ **~ boy** Laufbursche *m*
erratic [ɪˈrætɪk] *adj* ▷*attempts* unberechenbar; ▷*person* sprunghaft; ▷*results* stark schwankend; ▷*performance* unregelmäßig, ungleichmäßig
erroneous [ɪˈrəʊnɪəs] *adj* falsch; ▷*belief* irrig
error [ˈerə*] *n* Fehler *m;* ◇ **to do s.th. in ~** etw aus Versehen/etw irrtümlicherweise machen
erudite [ˈerʊdaɪt] *adj* ▷*book* gelehrt; ▷*person* gebildet, belesen; **erudition** [erʊˈdɪʃən] *n* Gelehrsamkeit *f*
erupt [ɪˈrʌpt] *vi* ↑ *explode* ausbrechen; ◇ **the demonstration -ed into chaos** die Demonstration verwandelte sich in ein Chaos; ← *sore, rash* zum Vorschein kommen; **eruption** [ɪˈrʌpʃən] *n* Ausbruch *m;* Auftreten *s;* Hautausschlag *m*
escalate [ˈeskəleɪt] **I.** *vi* ↑ *worsen, increase* ← *situation* sich verschlimmern, eskalieren; ← *prices* sprunghaft ansteigen **II.** *vt* → *war* ausweiten, eskalieren; → *prices* in die Höhe treiben;
escalator [ˈeskəleɪtə*] *n* Rolltreppe *f*
escapade [ˈeskəpeɪd] *n* Eskapade *f*
escape [ɪˈskeɪp] **I.** *vi* flüchten ① (*from a place*) ausbrechen (*from* aus *dat*); ← *gas* ausströmen; ← *water* auslaufen; ← *criminal* entkommen ② ↑ *survive* davonkommen, überleben; ◇ **the driver was killed, but his friend -d** der Fahrer wurde getötet, sein Freund jedoch kam mit dem Leben davon **II.** *vt* ← *mistake* entgehen; ↑ *avoid* entgehen *dat;* ◇ **to ~ death/danger** dem Tod/der Gefahr entrinnen; → *hit, blow* ausweichen; ◇ **to ~ notice** unbemerkt bleiben; ◇ **the word -s me** das Wort ist mir gerade entfallen **III.** *n* ↑ *getaway* Flucht *f;* ↑ *refuge* ◇ **an ~ from reality** eine Flucht vor der Realität; (*of gas*) Ausströmen *s;* **escapism** [ɪˈskeɪpɪzəm] *n* Eskapismus *m*
escort [ˈeskɔːt] **I.** *n* ↑ *guard* Geleitschutz *m;* → *vehicle* Eskorte *f;* ↑ *companion* Begleiter(in *f*) *m* **II.** [ɪˈskɔːt] *vt* ↑ *accompany* begleiten; MIL eskortieren, Geleitschutz geben *dat*
Eskimo [ˈeskɪməʊ] *n* ① Eskimo *m,* Eskimofrau *f* ② (*language*) Eskimosprache *f,* Inuit *s*
especially [ɪˈspeʃəlɪ] *adv* ① ↑ *particularly* besonders ② ↑ *more than usually* ◇ **he was ~ nice** er war außergewöhnlich nett
espionage [ˈespɪənɑːʒ] *n* Spionage *f*
esplanade [ˈespləneɪd] *n* Promenade *f*
Esquire [ɪˈskwaɪə*] *n:* ◇ **J. Brown, Esq** (*in address*) Herrn J. Brown
essay [ˈeseɪ] *n* (*by novelist*) Essay *s;* (*by student*) Aufsatz *m*
essence [ˈesəns] *n* ① (*quality*) Wesen *s,* Kern *m;* ◇ **in ~** im Wesentlichen; ◇ **good quality is of the ~** gute Qualität ist von entscheidender Bedeutung ② ↑ *extract* Essenz *f*
essential [ɪˈsenʃəl] **I.** *adj* ① ↑ *necessary* erforderlich; ◇ **her hospitalization was ~** ihre Einweisung ins Krankenhaus war unumgänglich; ◇ **it is**

~ **that babies receive milk** es ist sehr wichtig, daß Babys Milch bekommen [2] ↑ *basic, fundamental* wesentlich; ◇ **the most ~ thing is...** das wichtigste von allem ist...; ◇ **the ~ point** der entscheidende Punkt [3] CHEM rein; ◇ **~ oil** ätherisches Öl **II.** *n* Wesentliche *s;* ◇ **the bare ~** Allernotwendigste *s;* Grundvoraussetzung *f;* ◇ **an ~ to success** eine Grundvoraussetzung des Erfolgs; ◇ **one must know the ~s before starting** man muß die Grundlagen kennen, bevor man anfangen kann; **essentially** *adv* im Grunde genommen; ◇ **man is ~ good** der Mensch ist im Grunde gut; ◇ **he is ~ a post modern author** er ist im Prinzip ein postmoderner Schriftsteller

establish [ɪ'stæblɪʃ] *vt* [1] ↑ *set up* → *family, business* gründen; → *an account* eröffnen; → *government* bilden; → *religion* stiften; → *law, order* schaffen; → *relations* herstellen [2] ↑ *prove* beweisen; ◇ **the candidate ~ed a reputation as a radical** der Kandidat machte sich einen Namen als Radikaler [3] ↑ *become independent* selbständig machen; ◇ **to ~ o.s.** sich niederlassen; **establishment** *n* [1] Gründung *f,* Bildung *f;* Stiftung *f;* Herstellung *f;* Einführung *f;* Einrichtung *f* [2] (↑ *organization*) ◇ **the military ~** das Militär; ◇ **civil ~** Beamtenschaft *f*

estate [ɪ'steɪt] *n* [1] (*land*) Gut *s;* ◇ **the president retired to his ~** der Präsident zog sich auf sein Landgut zurück [2] (*possessions*) Eigentum *s;* ◇ **family ~** Familienbesitz *m;* ↑ *inheritance* Nachlaß *m* [3] ↑ *housing ~, BRIT* Siedlung *f;* **estate agent** *n* Immobilienmakler(in *f*) *m;* **estate car** *n* (*BRIT*) Kombiwagen *m*

esteem [ɪ'sti:m] *n* ↑ *admiration* Wertschätzung *f;* ◇ **to hold s.o./s.th. in high ~** jdn/etw hochschätzen; ◇ **I have a low/high self ~** ich habe wenig/viel Selbstbewußtwein

estimate ['estɪmət] **I.** *n* Schätzung *f* **II.** ['estɪmeɪt] *vt* schätzen; **estimation** [estɪ'meɪʃən] *n* Schätzung, Einschätzung *f;* ↑ *esteem* Achtung *f*

estrange [ɪ'streɪnʒ] *vt* entfremden; ◇ **sie has become ~d from her husband** sie und ihr Mann haben sich auseinandergelebt

estuary ['estjʊərɪ] *n* Mündung *f*

etching ['etʃɪŋ] *n* Radierung *f*

eternal [ɪ'tɜ:nl] *adj* ↑ *everlasting* ewig; **eternally** *adv* immer, ewig; **eternity** [ɪ'tɜ:nɪtɪ] *n* Ewigkeit *f*

ether ['i:θə*] *n* MED Äther *m*

ethical ['eθɪkəl] *adj* ethisch; **ethics** ['eθɪk] *n pl* [1] (*study*) Ethik *f* [2] ↑ *morality* Moral *f;* ◇ **the ~ of the death sentence** die ethischen Aspekte der Todesstrafe

Ethiopia [i:θɪ'əʊpɪə] *n* Äthiopien *s*

ethnic ['eθnɪk] *adj* ethnisch; *AM* ▷ *restaurant etc.* fremdländisch, Ethno-

etiquette ['etɪket] *n* ↑ *good manners* Etikette *f*

Eucharist ['ju:kərɪst] *n* Abendmahlsgottesdienst *m,* Eucharistiefeier *f*

eulogy ['ju:lədʒɪ] *n* Lobesrede *f*

eunuch ['ju:nək] *n* Eunuch *m*

euphemism ['ju:fɪmɪzəm] *n* Euphemismus *m*

euphoria [ju:'fɔ:rɪə] *n* Euphorie *f*

Eurocheque ['jʊərəʊtʃek] *n* Euroscheck *m*

Europe ['jʊərəp] *n* Europa *s;* **European** [jʊərə'pi:ən] **I.** *adj* europäisch; ◇ **~ community** Europäische Gemeinschaft **II.** *n* Europäer(in *f*) *m*

euthanasia [ju:θə'neɪzɪə] *n* Euthanasie *f;* ◇ **active ~** aktive Sterbehilfe *f*

evacuate [ɪ'vækjʊeɪt] *vt* → *place* räumen; → *people* evakuieren; MED entleeren; **evacuation** [ɪvækjʊ'eɪʃən] *n* Räumung *f;* Evakuierung *f*

evade [ɪ'veɪd] *vt* [1] (↑ *dodge, avoid*) ausweichen *dat;* → *duty, obligation* sich entziehen *dat;* → *person* meiden [2] ↑ *elude* umgehen

evaluate [ɪ'væljʊeɪt] *vt* → *possessions* schätzen (*at* auf); → *performances* beurteilen; → *pros and cons* abwägen; → *results* abwerten

evangelical [i:væn'dʒelɪkəl] *adj* evangelisch; **evangelist** [ɪ'vændʒəlɪst] *n* Evangelist *m;* ↑ *preacher* Prediger(in *f*) *m*

evaporate [ɪ'væpəreɪt] *vi* ← *liquid* verdampfen, verdunsten; ◇ **~d milk** Dosenmilch *f;* ← *feelings, hopes* sich zerschlagen, schwinden; **evaporation** [ɪvæpə'reɪʃən] *n* Verdampfen *s;* Schwinden *s*

evasion [ɪ'veɪʒən] *n* (*responsibilities*) Ausweichen *s;* ◇ **an ~ of one's privacy** ein Rückzug in die Privatsphäre; (*bad topic, situation*) Flucht *f*

evasive [ɪ'veɪzɪv] *adj* ausweichend; ◇ **to take ~ action** ein Ausweichmanöver durchführen

even ['i:vən] **I.** *adj* [1] ↑ *flat* eben [2] ↑ *equal* gleich; ↑ *score* unentschieden; ▷ *chances* fifty-fifty stehen; ◇ **to be ~ with s.o.** jd-m nichts schuldig sein; ◇ **to get ~ with s.o.** es jd-m heimzahlen [3] ▷ *number* gerade **II.** *adv* [1] (*unexpected, surprised*) sogar, selbst; ◇ **we travelled everywhere, ~ to Paris** wir sind überall hingereist, sogar nach Paris [2] (*comparative*) sogar noch; ◇ **he is ~ older** er ist sogar noch älter [3] (*as conjuction*) ◇ **~ if...** selbst wenn...; ◇ **~ so** ↑ *nevertheless* aber trotzdem; **even out I.** *vi* eben werden, sich ebnen **II.** *vt* [1] → *ground* ebnen, glätten [2] → *burdens, wealth* gerecht/gleichmäßig verteilen; ◇ **that should ~ things ~ between us** damit sind wir wohl wieder quitt; **even up** *vt* → *amounts* aufrunden; → *balance* ausgleichen

evening ['i:vnɪŋ] *n* Abend *m;* ◇ **in the ~** am

Abend; **evening class** *n* Abendkurs *m;* **evening dress** *n* (*for men*) Abendanzug, Smoking *m;* (*for women*) Abendkleid *s*
evenly ['i:vənlɪ] *adv* gleichmäßig
evensong ['i:vənsɒŋ] *n* (*BRIT*) Abendgottesdienst *m*
event [ɪ'vent] *n* (1) (*s.th. happening*) Ereignis *s* (2) (*planned*) Veranstaltung *f;* SPORT Wettkampf; (*in case of*) ◇ **in the ~ of** im Fall… *gen;* **eventful** *adj* ereignisreich
eventual [ɪ'ventʃʊəl] *adj* ↑ *final* schließlich; **eventuality** [ɪventʃʊ'ælɪtɪ] *n* Fall *m,* Eventualität *f;* **eventually** [ɪ'ventʃʊəlɪ] *adv* ↑ *at last* endlich; ↑ *given time* schließlich
ever ['evə*] *adv* (1) (*always*) immer; ◇ **it seemed to go on for ~** es schien ewig zu dauern, ständig; ◇ **~ since** seit jeher, schon immer; ◇ **~ since I was born** seit meiner Geburt (2) (*at any time*) jemals; ◇ **she hardly ~ smiles** sie lächelt selten; ◇ **seldom, if ~** selten, wenn überhaupt; (*never*) ◇ **not ~** nie, niemals (3) (*to emphasize*) ◇ **How did you ~ manage?** Wie hast du das nur geschafft?; ◇ **the best book ~** das beste Buch je; **evergreen I.** *adj* immergrün **II.** *n* Nadelbaum *m;* **ever-lasting** *adj* ewig
every ['evrɪ] *adj* (1) (*each of a group*) ◇ **~ day of the week** an jedem Tag in der Woche (2) (*whole*) ◇ **~ bit as much** ganz genau soviel; ◇ **~ man for himself** jeder für sich; ◇ **that happens to me ~ single time** das passiert mir jedes Mal (3) (*frequency*) ◇ **~ now and then** ab und zu; ◇ **~ once in a while** hin und wieder, gelegentlich (4) (*to emphasize feeling*) ◇ **I have ~ reason to ask** ich habe allen Grund zu fragen; ◇ **she has ~ confidence in me** sie hat uneingeschränktes Vertrauen zu mir; **everybody** *pron* jeder, alle *pl;* **everyday** *adj* ↑ *daily* jeden Tag; ↑ *commonplace* alltäglich, Alltags-; **everyone** *s.* **everybody**; **everything** *pron* alles; **everywhere** *adv* überall
evidence ['evɪdəns] **I.** *n* (1) (*sign*) Beweis *m;* ◇ **he showed no ~ of his anger** er zeigte seine Wut nicht; JUR Beweismaterial *s;* (*testimony*) Aussage *f;* ◇ **for lack of ~** aus Mangel an Beweisen; ◇ **piece of ~** Beweismittel *s* (2) ▷*obvious* ◇ **in ~** sichtbar; ◇ **new trends have come in ~** es sind neue Trends zutage getreten **II.** *vt* zeugen von; **evident** *adj* offensichtlich
evil ['i:vl] **I.** *adj* böse; ▷*person* schlecht, böse **II.** *n* Böse *s;* ▷*situation* Übel *s;* ◇ **the struggle between good and ~** der Kampf zwischen Gut und Böse; ◇ **~s of society** soziale Mißstände *mpl*
evocative [ɪ'vɒkətɪv] *adj* evokativ
evoke [ɪ'vəʊk] *vt* evozieren, heraufbeschwören; → *memory* wachrufen
evolution [i:və'lu:ʃən] *n* (1) ▷*biological* Evolution *f,* Entwicklung *f* (2) (*of situations*) Bewegung *f,* [Fort-]Entwicklung *f*
evolve [ɪ'vɒlv] **I.** *vt* → *policy, system* entwickeln **II.** *vi* ← *plants, animals* sich entwickeln
ewe [ju:] *n* Mutterschaf *s*
ex- [eks] *pref* ehemalig, Ex-; ◇ **-president** Ex-Präsident *m*
ex *n* frühere Ehefrau, früherer Ehemann
exact [ɪg'zækt] **I.** *adj* genau **II.** *vt* ↑ *demand* fordern, payment, eintreiben; → *promise* abverlangen (*from* jd-m); **exacting** *adj* (*job*) anspruchsvoll; **exactitude** [ɪg'zæktɪtjʊ:d] *n* Genauigkeit *f;* **exactly** *adv* genau; **exactness** *n* Genauigkeit *f*
exaggerate [ɪg'zædʒəreɪt] *vt, vi* (1) ↑ *overstate* übertreiben (2) → *situation* verstärken; → *feature* hervorheben; **exaggerated** *adj* übertrieben; **exaggeration** [ɪgzædʒə'reɪʃən] *n* Übertreibung *f*
exalt [ɪg'zɔ:lt] *vt* (1) ↑ *praise* preisen (2) (*rank, position*) erheben
exam [ɪg'zæm] *n* Prüfung *f*
examination [ɪgzæmɪ'neɪʃən] *n* Examen *s;* ▷*school* Prüfung *f;* ↑ *inspection* Untersuchung *f;*
examine [ɪg'zæmɪn] *vt* (1) ↑ *go over, inspect* untersuchen (*for* auf *acc*); → *papers, information* prüfen; → *passports* kontrollieren; ← *doctor* untersuchen (2) → *student, candidate* prüfen; **examiner** *n* Prüfer(in *f*) *m*
example [ɪg'zɑ:mpl] *n* Beispiel *s;* ◇ **for ~** zum Beispiel
exasperate [ɪg'zɑ:spəreɪt] *vt* zur Verzweiflung bringen; ◇ **I was becoming more and more ~d** ich wurde immer mehr verzweifelt; ◇ **he ~d me** ich habe mich über ihn aufgeregt; **exasperating** *adj* ärgerlich; **exasperation** [ɪgzɑ:spə'reɪʃən] *n* Verzweiflung *f*
excavate ['ekskəveɪt] *vt* ↑ *dig* ausgraben; (*for remains*) Ausgrabungen machen/durchführen; ↑ *unearth* ausschachten; **excavation** [ekskə'veɪʃən] *n* Ausgrabung *f;* **excavator** *n* Bagger *m*
exceed [ɪk'si:d] *vt* → *amounts* übersteigen, überschreiten; ↑ *go beyond* hinausgehen über; → *hopes* übertreffen; **exceedingly** *adv* äußerst
excel [ɪk'sel] *vi* sich auszeichnen
excellence ['eksələns] *n* hervorragende Qualität *f,* Vorzüglichkeit *f*
Excellency ['eksələnsɪ] *n:* ◇ **His ~** Seine Exzellenz
excellent ['eksələnt] *adj* ausgezeichnet, hervorragend
except [ɪk'sept] **I.** *prep* außer; ↑ *besides* ◇ **what**

can I do ~ wait? was könnte ich anderes tun als warten?; ↑ *apart from* ◇ ~ **for** abgesehen von *dat;* ◇ **we are all here ~ for Tom** wir sind alle hier bis auf Tom; ◇ ~ **for the fact that ...** abgesehen davon, daß ... **II.** *vt* ausnehmen; ◇ **to ~ s.o. from s.th.** jd-n von etw ausnehmen; **excepting** *prep* außer; **exception** [ɪk'sepʃən] *n* [1] Ausnahme *f* [2] ◇ **to take ~ to s.th.** Anstoß an etw *dat* nehmen; **exceptional** [ɪk'sepʃənl] *adj* außergewöhnlich; **exceptionally** *adv* ↑ *extraordinary* ausnahmsweise; ↑ *unusual* außergewöhnlich

excerpt ['eksɜːpt] *n* Auszug *m,* Exzerpt *s*

excess [ek'ses] **I.** *n* [1] ↑ *surfeit* Übermaß *s* (*of* an *dat*); ◇ **to carry s.th. to ~** etw übertreiben [2] ↑ *surplus* Überschuß *m* **II.** *adj* Über-; ◇ ~ **baggage** Übergepäck *s;* **excessive** *adj* übermäßig; **excessively** *adv* [1] ↑ *too much* allzuviel, übermäßig [2] ↑ *extremely* äußerst

exchange [ɪks'tʃeɪndʒ] **I.** *n* ↑ *trade* Tausch *m;* ↑ *trade for* Umtausch, Eintausch *m;* ↑ *replace* Austausch *m;* FIN Geldwechsel *m;* (*stock* ~) Börse *f* **II.** *vt* → *goods* tauschen; → *greetings* wechseln, austauschen; → *money* umtauschen; ◇ **in ~ for s.th.** im Tausch gegen etw; **exchange rate** *n* Wechselkurs *m*

exchequer [ɪks'tʃekə*] *n* (*BRIT*) Finanzministerium *s*

excisable [ek'saɪzɪbl] *adj* steuerpflichtig; **excise** ['eksaɪz] *n* Verbrauchssteuer *f*

excitable [ɪk'saɪtəbl] *adj* erregbar; **excite** [ɪk'saɪt] *vt* aufregen, in Aufregung versetzen; **excited** *adj* aufgeregt; ▷*sexually* erregt; ◇ **to get ~ about s.th.** ↑ *irritated* sich über etw aufregen; ↑ *delighted* sich über etw freuen; **excitement** *n* Aufregung *f,* Spannung *f;* **exciting** *adj* aufregend; ▷*book, film* spannend

exclamation [ekskləˈmeɪʃən] *n* Ausruf *m;* **exclamation mark** *n* Ausrufezeichen *s*

exclude [ɪks'kluːd] *vt* → *information, s.th.* ausnehmen; → *person* ausschließen (*from* aus/von); **exclusion** [ɪks'kluːʒən] *n* Ausschluß *m*

exclusive [ɪks'kluːsɪv] *adj* [1] ↑ *high class* vornehm, exklusiv [2] ▷*story* Exklusiv- [3] (*two things*) ausschließlich, einzig; ◇ **these two ideas are mutually ~** die beiden Ideen schließen einander aus [4] ↑ *excluding* ◇ ~ **of** ausschließlich *gen;* **exclusively** *adv* ausschließlich

excommunicate [ekskəˈmjuːnɪkeɪt] *vt* exkommunizieren

excrement ['ekskrɪmənt] *n* Exkremente *pl*

excruciating [ɪks'kruːʃɪeɪtɪŋ] *adj* gräßlich, fürchterlich

excursion [ɪks'kɜːʃən] *n* Ausflug *m;* ◇ **to go on an ~** einen Ausflug machen

excusable [ɪks'kjuːzəbl] *adj* verzeihlich, entschuldbar; **excuse** [ɪks'kjuːs] **I.** *n* [1] ↑ *alibi* Ausrede *f,* Entschuldigung *f* [2] ↑ *apology* Entschuldigung *f* **II.** [ɪks'kjuːz] *vt* [1] ↑ *justify* sich entschuldigen; ◇ ~ **me** entschuldigen Sie mich [2] ↑ *forgive* jd-m verzeihen; ◇ **to ~ s.o.'s behaviour** jd-s Benehmen entschuldigen, jd-m sein Benehmen verzeihen [3] ↑ *exempt* ◇ **he is ~d from work** er ist von der Arbeit befreit; ◇ **may I be ~d please?** darf ich bitte gehen?

ex-directory [eksdaɪ'rektərɪ] *adj:* ◇ **to be ~** *BRIT* TELECOM nicht im Telefonbuch stehen

execute ['eksɪkjuːt] *vt* [1] ↑ *carry out* durchführen, ausführen; → *difficult action* ausführen; → *duties* wahrnehmen, erfüllen [2] → *talent, music* ausführen [3] → *legal document* unterzeichnen; → *will* vollstrecken [4] → *criminal* hinrichten; **execution** [eksɪ'kjuːʃən] *n* Durchführung *f;* Ausführung *f;* Erfüllung *f;* Wahrnehmung *f;* Hinrichtung *f;* **executioner** *n* Henker *m,* Scharfrichter *m*

executive [ɪg'zekjʊtɪv] **I.** *n* (COMM) leitende(r) Angestellte(r) *fm;* POL Exekutive *f* **II.** *adj* COMM geschäftsführend; ◇ ~ **position** leitende Position; POL exekutiv, Exekutiv-

executor [ɪg'zekjʊtə*] *n* Testamentsvollstrecker(in *f*) *m*

exemplary [ɪg'zemplərɪ] *adj* [1] ▷*person, conduct* vorbildlich, beispielhaft [2] ▷*punishment* exemplarisch

exemplify [ɪg'zemplɪfaɪ] *vt* erläutern, veranschaulichen

exempt [ɪg'zempt] **I.** *adj* befreit **II.** *vt* befreien (*from* von *dat*); **exemption** [ɪg'zempʃən] *n* Befreiung *f;* (*from taxes*) Steuerbefreiung *f*

exercise ['eksəsaɪz] **I.** *n* ▷*physcial* Sport *m;* (*of authority, rights*) Wahrnehmung *f;* MIL Übung *f* **II.** *vt* → *power* ausüben; → *right* geltend machen; → *body, mind* üben, trainieren; MIL ← *troops* exerzieren **III.** *vi* Sport treiben/machen; ◇ **I have to do more ~** ich muß mich mehr bewegen; **exercise book** *n* [Schul-]Heft *s*

exert [ɪg'zɜːt] **I.** *vt* → *influence* aufbieten; → *pressure* ausüben (*on* auf *acc*) **II.** *vr:* ◇ ~ **oneself** sich anstrengen; **exertion** *n* [1] Anstrengung *f* [2] Anwendung *f,* Einsatz *m*

exhaust [ɪg'zɔːst] **I.** *n* (↑ ~ *fumes*) Abgase *pl;* ↑ ~ *pipe* Auspuff *m* **II.** *vt* [1] ↑ *weary* erschöpfen; ◇ **this job is ~ing me** diese Arbeit ist eine Strapaze für mich [2] ↑ *use up* verbrauchen; **exhausted** *adj* erschöpft; **exhausting** *adj* anstrengend, strapaziös; **exhaustion** *n* Erschöpfung *f*

exhibit [ɪg'zɪbɪt] **I.** *n* Ausstellungsstück *s;* JUR Beweisstück *s* **II.** *vt* ausstellen; → *documents* vorweisen; **exhibition** [eksɪ'bɪʃən] *n* [1] Ausstellung *f;* ↑ *fair* Messe *f* [2] ↑ *showing* Vorführung *f;* (*behaviour*) ◇ **to make an ~ of oneself** ein Theater machen [3] ↑ *grant, BRIT* Stipendium *s;* **exhibitionist** [eksɪ'bɪʃənɪst] *n* Exhibitionist(in *f*) *m;* **exhibitor** *n* Aussteller(in *f*) *m*

exhilarating [ɪg'zɪləreɪtɪŋ] *adj* erregend, berauschend; ▷*music* anregend; **exhilaration** [ɪgzɪlə'reɪʃən] *n* Hochgefühl *s*

exhort [ɪg'zɔ:t] *vt* ermahnen

exile ['eksaɪl] **I.** *n* Exil *s;* (*person*) Verbannte(r) *fm* **II.** *vt* verbannen

exist [ɪg'zɪst] *vi* [1] ↑ *to be present* existieren, bestehen; ◇ **to cease to ~** aufhören zu bestehen [2] ↑ *live, survive* existieren, leben; ◇ **man can't ~ on bread alone** der Mensch lebt nicht vom Brot allein; **existence** *n* [1] (*state of being*) Existenz *f;* (*of institution*) Bestehen *s* [2] (*way of life*) Dasein *s;* **existing** *adj* bestehend, gegenwärtig

exit ['eksɪt] **I.** *n* [1] (*of a place*) Ausgang *m* [2] ↑ *departure* Abschied *m;* (*from life*) Ableben *s;* (*of actor*) Abgang *m* **II.** *vi* hinausgehen, abgehen; PC verlassen

exonerate [ɪg'zɒnəreɪt] *vt* entlasten

exorbitant [ɪg'zɔ:bɪtənt] *adj* astronomisch; ▷*price* unverschämt; ▷*requests* maßlos

exotic [ɪg'zɒtɪk] *adj* exotisch

expand [ɪks'pænd] **I.** *vt* ↑ *spread* ausdehnen; → *operations* erweitern; → *information* weiter ausführen; ◇ **we want to ~ our family** wir wollen unsere Familie vergrößern **II.** *vi* ← *natural gases* sich ausdehnen, expandieren; ← *production* zunehmen; ← *population* wachsen

expanse [ɪks'pæns] *n* Fläche *f;* ◇ **a wide ~ of forest** ein großes Waldgebiet; **expansion** [ɪks'pænʃən] *n* Vergrößerung *f;* Ausdehnung *f;* Erweiterung *f;* Ausweitung *f*

expatriate [eks'pætrɪət] **I.** *adj* im Ausland lebend; ◇ **there are many ~ students** es gibt viele ausländische Studenten **II.** *n* im Ausland Lebende(r) *fm* **III.** [eks'pætrɪeɪt] *vr* ausbürgen; ◇ **to ~ o.s.** aus einem Land auswandern **IV.** *vi* sich verbreiten (*on, about* über *acc*)

expect [ɪk'spekt] **I.** *vt* [1] ↑ *anticipate, await* → *person, thing* erwarten [2] ↑ *suppose* glauben; ◇ **we are ~ing to leave at three o'clock** wir haben vor, um fünfzehn Uhr zu fahren; ◇ **I ~ you're hungry** ich nehme an, daß du Hunger hast **II.** *vi:* ◇ **to be ~ing** in anderen Umständen sein, ein Kind bekommen

expectant *adj* ↑ *hopeful* erwartungsvoll; ▷*mother* werdend

expectation [ekspek'teɪʃən] *n* [1] ↑ *hope* Erwartung *f,* Hoffnung *f* [2] ↑ *prospects* Aussicht *f;* ◇ **the job doesn't come up to my ~s** die Arbeit entspricht meinen Erwartungen nicht

expedience, **expediency** [ɪks'pi:dɪəns, -ənsɪ] *n* Zweckdenken *s;* **expedient I.** *adj* zweckdienlich **II.** *n* Hilfsmittel *s,* Notbehelf *m*

expedition [ekspɪ'dɪʃən] *n* (*organized journey*) Expedition *f,* Forschungsreise *f;* ↑ *excursion* ◇ **I love going off on shopping ~s** ich liebe es, Einkaufstouren zu machen

expel [ɪk'spel] *vt* [1] (*from school, organization*) ausweisen (*from* aus *dat*), verweisen (*from gen*); (*from group, gang*) ausschließen (*from* von *dat*) [2] → *liquid, gas* ausstoßen

expend [ɪk'spend] *vt* → *money* ausgeben; → *effort* aufwenden (*on* für); ◇ **the effort ~ed in this project** die Kraft, die auf dieses Projekt verwendet wurde; **expendable** *adj* entbehrlich; ▷*employee* überflüssig

expenditure [ɪk'spendɪtʃə*] *n* [1] ↑ *spending* Ausgaben *pl* [2] ↑ *outlay* Ausgabe *f;* (*of time, pains*) Aufwand *m*

expense [ɪk'spens] *n* [1] ↑ *cost* Kosten *pl;* ◇ **at the company's ~** auf Kosten der Firma; ◇ **to go to great ~ to obtain s.th.** sich viel Mühe machen, um etw zu bekommen; (*FIG causing harm to*) ◇ **at the ~ of s.o.** auf jd-s Kosten; ◇ **at nature's ~** auf Kosten der Umwelt [2] COMM ◇ **~s** *pl* Unkosten *pl;* ◇ **the company covered all ~s** die Firma übernahm alle Unkosten; **expense account I.** *n* Spesenkonto *s;* ◇ **dinner will go on my ~ ~** das Essen geht auf Spesen **II.** *adj:* ◇ **~ ~ trip** Reise auf Spesen

expensive [ɪk'spensɪv] *adj* teuer

experience [ɪk'spɪərɪəns] **I.** *n* [1] ↑ *incident* Erlebnis *s* [2] ↑ *practice* Erfahrung *f;* ◇ **to know s.th. from ~** etw aus Erfahrung wissen; ◇ **to gain ~** Erfahrung sammeln **II.** *vt* [1] → *situation* erleben; → *hardship* durchmachen [2] → *emotion* spüren, fühlen; **experienced** *adj* erfahren

experiment [ɪk'sperɪmənt] **I.** *n* ↑ *scientific test* Versuch *m,* Experiment *s;* ↑ *trial* Versuch *m* **II.** [ɪk'sperɪment] *vi* [1] ↑ *test* Versuch machen, experimentieren [2] (*new recipe*) ausprobieren; **experimental** [ɪksperɪ'mentl] *adj* experimentell, Experimental-

expert ['ekspɜ:t] **I.** *n* ↑ *specialist* Fachmann *m,* Experte *m,* Expertin *f;* ◇ **an ~ in this field** ein Experte auf diesem Gebiet; ↑ *practised* geübt, erfahren; ◇ **she is an ~ at cooking** sie ist eine hervorragende Köchin; *HUM* ◇ **he is an ~ at making mistakes** er versteht es meisterhaft, Fehler zu machen **II.** *adj* [1] ▷*advice, opinion* fachmännisch [2] ↑ *practised* erfahren, geschickt; ◇ **~ hand** Meisterhand *f;* ◇ **to study s.th. with an ~ eye** etw fachmännisch begutachten

expertise [ekspə'tiːz] *n* Sachverstand *m,* Sachkenntnis *f*
expire [ɪk'spaɪə*] *vi* ① ↑ *run out* ← *lease, contract* ablaufen, ungültig werden ② ← *person* sterben; **expiry** [ɪk'spaɪərɪ] *n* Ablauf *m;* ◇ **date of** ~ Ablauftermin *m*
explain [ɪk'spleɪn] **I.** *vt* ① ↑ *give reason* erklären; ◇ **she wants to speak with me but didn't ~ why** sie will mit mir sprechen, sagte aber nicht warum; ↑ *give details* erklären **II.** *vr* ↑ *account for* sich rechtfertigen **III.** *vi* ↑ *tell, elaborate* es/alles erklären; **explain away** *vt* wegerklären; ◇ **the child was just -ing ~ it's mischief** das Kind dachte sich eine Ausrede für seinen Unfug aus; **explanation** [eksplə'neɪʃən] *n* Erklärung *f;* Rechtfertigung *f;* ◇ **you had better have a good ~ for this** ich hoffe, daß du eine gute Erklärung dafür hast; **explanatory** [ɪk'splænətərɪ] *adj* erklärend
explicable [ek'splɪkəbl] *adj* erklärbar
explicit [ɪk'splɪsɪt] *adj* ① (↑ *clear*) deutlich; ▷*opinion* klar; ▷*behaviour* explizit ② ↑ *outspoken* deutlich, direkt; ◇ **you don't have to be so ~** Sie müssen nicht so direkt sein; **explicitly** *adv* deutlich, explizit
explode [ɪk'spləʊd] **I.** *vi* ① ← *bomb* explodieren ② ↑ *express rage* explodieren, in die Luft gehen; ◇ **she'll ~ when she finds this out** wenn sie das erfährt, wird sie vor Wut platzen **II.** *vt* → *bomb* zur Explosion bringen
exploit ['eksplɔɪt] **I.** *n* Heldentat *f* **II.** [ɪk'splɔɪt] *vt* ① ↑ *mistreat* ausbeuten ② ↑ *use* ausnutzen; ◇ **to ~ raw materials** Rohstoffe ausbeuten; **exploitation** [eksplɔɪ'teɪʃən] *n* Ausbeutung *f;* Ausnutzung *f;* Nutzung *f*
exploration [eksplɔː'reɪʃən] *n* Erforschung *f;* (*small area*) Erkundung *f;* (*subject matter*) Untersuchung *f;* **exploratory** [ek'splɒrətərɪ] *adj* ① (*preliminary*) Probe-; ◇ **they held long ~ talks on...** sie führten lange Sondierungsgespräche über... ② (*investigate*) Forschungs-; **explore** [ɪk'splɔː*] **I.** *vt* ① → *place* erforschen, erkunden ② → *ideas* untersuchen, sondieren **II.** *vi:* ◇ **to go -ing** auf Entdeckungsreise gehen; **explorer** *n* Forscher(in *f*) *m,* Forschungsreisende(r) *fm*
explosion [ɪk'spləʊʒən] *n* Explosion *f; FIG* Wutausbruch *m;* ◇ **I just heard an ~** ich habe gerade einen Knall gehört; **explosive** [ɪk'spləʊzɪv] **I.** *adj* ① ▷*chemical, issue* explosiv ② ▷*person* explosiv; ◇ **he can be ~ sometimes** er kann leicht aufbrausend sein **II.** *n* Sprengstoff *m*
exponent [ek'spəʊnənt] *n* ① (*of plan, theory*) Vertreter(in *f*) *m* ② MATH Hochzahl *f*
export [ek'spɔːt] **I.** *vt* → *goods, raw materials* exportieren, ausführen; → *ideas, values* verbreiten, ausbreiten **II.** ['ekspɔːt] *n* ① (*action*) Ausfuhr *f,* Export *m* ② (*product*) Ausfuhrware *f,* Exportartikel *m* **III.** *adj* ▷*trade* Ausfuhr-, Export-; **exporter** *n* (*country*) Exportland *s;* ◇ **Germany is a leading ~ of automobiles** Deutschland ist ein führendes Exportland für Autos; (*person*) Exporteur(in *f*) *m*
expose [ɪk'spəʊz] *vt* ① ↑ *uncover* freilegen; → *lie* aufdecken; → *scandal* enthüllen; → *oneself* entblößen ② (*to danger etc.*) aussetzen (*to* dat); ◇ **do not ~ to heat** vor Hitze schützen ③ FOTO belichten
exposé [ek'spəʊzeɪ] *n* (*of scandal*) Aufdeckung *f*
exposed [ɪk'spəʊzd] *adj* ▷*area* ungeschützt; ▷*skin* unbedeckt; ◇ **his skin was ~ to the sunlight** seine Haut war der Sonne ausgesetzt
exposure [ɪk'spəʊʒə*] *n* ① (*unprotected*) Aussetzung *f* ② (*of lie, dishonesty*) Bloßstellung *f,* Aufdeckung *f* ③ MEDIA Publicity *f* ④ (FOTO *amount of light*) Belichtungszeit *f;* ↑ *picture* ◇ **a roll of film with 36 ~s** ein Film mit 36 Aufnahmen; **exposure meter** *n* Belichtungsmesser *m*
expound [ɪk'spaʊnd] *vt* darlegen, erläutern
express [ɪk'spres] **I.** *adj* ↑ *speedy* schnell; ◇ **~ mail** Eilpost *f* **II.** *n* RAIL Schnellzug *m* **III.** *vt* ① ↑ *voice* ausdrücken; ◇ **I couldn't ~ my feelings** ich konnte meine Gefühle nicht zum Ausdruck bringen **IV.** *vr:* ◇ **~ oneself** sich ausdrücken; ◇ **she -es herself through music** sie drückt sich durch Musik aus; **expression** [ɪk'spreʃən] *n* ① ↑ *phrase* Ausdruck *m* ② MATH Ausdruck *m* ③ (*of ideas, feelings*) Ausdruck *m,* Äußerung *f;* ◇ **the flowers were an ~ of gratitude** die Blumen waren Ausdruck der Dankbarkeit ④ (*facial ~*) Gesichtsausdruck *m;* ◇ **I knew it by the ~ on your face** ich habe es an deinem Gesichtsausdruck gemerkt; **expressive** *adj* ausdrucksvoll; **expressly** *adv* ausdrucksvoll
expropriate [ek'sprəʊprɪeɪt] *vt* enteignen
expulsion [ɪk'spʌlʃən] *n* (*from a country*) Ausweisung *f;* (*from school*) Verweisung *f;* (*with force*) Vertreibung *f*
exquisite [ek'skwɪzɪt] *adj* ▷*craftmanship* ausgezeichnet, vorzüglich; ▷*wine* exquisit; ◇ **we had an ~ view from the hotel** vom Hotel aus hatten wir einen einmaligen Blick; ▷*manners* fein; **exquisitely** *adv* ausgezeichnet, vorzüglich
extend [ɪk'stend] **I.** *vt* ① → *visit* verlängern ② → *building* anbauen an; → *research* erweitern ③ → *arms* ausstrecken; ◇ **to ~ one's hands to the poor** den armen Leuten die Hand reichen **II.** *vi* ① ←

road sich erstrecken, sich ausdehnen; ◇ **the road -ed to the horizon** die Straße erstreckte sich bis zum Horizont ② *last* sich ausdehnen, sich hinziehen; **extension** [ɪk'stenʃən] *n* ① *(of time)* Verlängerung *f* ② *(of building)* Anbau *m; (of business)* Erweiterung *f* ③ TELECOM Nebenanschluß *m;* **extensive** [ɪk'stensɪv] *adj* ① ▷*land, area* ausgedehnt, weit ② ↑ *severe* beträchtlich ③ ▷*knowledge* umfassend, umfangreich; ▷*discussions* weitreichend; ▷*use* häufig

extent [ɪk'stent] *n* ① *(dimension)* Ausdehnung *f; (length)* Länge *f* ② *(amount)* Umfang *m; (situation, difficulty)* Ausmaß *s* ③ *(not entirely)* ◇ **to some - you're right...** zu einem gewissen Grade haben Sie Recht; ◇ **to a large -** in hohem Maße

exterior [ek'stɪərɪə*] **I.** *adj* äußere(r, s), Außen- **II.** *n* ① *(of thing)* Außenseite *f* ② *(of person)* Äußere(s) *s;* ◇ **aside from her cold -, she is ...** obwohl sie nach außen hin kühl wirkt, ist sie ...

exterminate [ek'stɜːmɪneɪt] *vt* ausrotten, vernichten; ◇ **this spray is supposed to - mosquitoes** dieses Spray soll Stechmücken vernichten; **extermination** [ekstɜːmɪ'neɪʃən] *n* Ausrottung *f;* Vertilgung *f;* Vernichtung *f*

external [ek'stɜːnl] **I.** *adj* ① (▷*wall*) äußere(r, s) ② *(not belonging)* ◇ **- trade** Außenhandel; ◇ **- world** Außenwelt ③ *(of animal)* Außen-, äußere(r, s); ◇ **the medicine is for - use only** diese Medizin ist nur äußerlich anzuwenden **II.** *n pl* ↑ *superficial* Äußerlichkeiten *pl;* **externally** *adv* äußerlich

extinct [ɪk'stɪŋkt] *adj* ① ▷*species* ausgestorben; ◇ **many types of plantlife are becoming -** viele Pflanzenarten sind am Aussterben ② ▷*lifestyle* austerben ③ ▷*volcano* erloschen; **extinction** [ɪk'stɪŋkʃən] *n* Aussterben *s;* Auslöschung *f; (of fire)* Löschen *s*

extinguish [ɪk'stɪŋgwɪʃ] *vt* ① ↑ *put out* löschen ② ↑ *banish* zerstören; **extinguisher** *n* Feuerlöscher *m*

extort [ɪk'stɔːt] *vt* erpressen; ◇ **the police -ed a confession from the man** die Polizei preßte dem Mann ein Geständnis ab; **extortion** [ɪk'stɔːʃən] *n (crime)* Erpressung *f,* Erzwingung *f; (s.o.'s actions)* ◇ **that is sheer -!** das ist ja Wucher!; **extortionate** [ɪk'stɔːʃənɪt] *adj* ungeheuer; ◇ **we paid an - price** wir bezahlten eine Wucherpreis

extra ['ekstrə] **I.** *adj* ↑ *additional* zusätzlich; ◇ **they needed - workers** sie brauchten zusätzliche Arbeitskräfte; ◇ **you will need an - sweater** du wirst noch einen Pullover brauchen; ◇ **there is an - charge for breakfast** das Frühstück wird extra berechnet ② ↑ *very* ◇ **Do you have this in - large?** Haben Sie das in [*o.* XL] Übergröße? **II.** *adv* ① ↑ *especially* besonders ② ↑ *additional* extra; ◇ **- costs** zusätzliche Kosten **III.** *n* ① ▷*benefit* Zusatzleistung *f; (for car)* Extra *s* ② ▷*charge* zusätzliche Kosten *pl,* Nebenkosten *pl* ③ ↑ *remainder* Rest *m* ④ ◇ **-s** *pl* ▷*food* Beilagen *fpl*

extract [ɪk'strækt] **I.** *vt* ① ↑ *pull out* hersausnehmen; → *raw matrials* gewinnen ② → *information* herausholen, herausziehen ③ → *ideas, meaning* herausarbeiten, herausholen **II.** ['ekstrækt] *n* ① *(from book etc.)* Auszug *m,* Exzerpt *s* ② *(for cooking, flavouring)* ◇ **vanilla -** Vanillearoma *s;* **extraction** [ɪk'strækʃən] *n* ① ↑ *removal* Herausnehmen *s* ② ↑ *origin* Herkunft *f,* Abstammung *f*

extracurricular ['ekstrəkə'rɪkjʊlə*] *adj* außerhalb des Lehrplans

extradite ['ekstrədaɪt] *vt* ausliefern; **extradition** [ekstrə'dɪʃən] *n* Auslieferung *f*

extraneous [ɪk'streɪnɪəs] *adj* ① ↑ *unrelated* ohne Beziehung zu ② ↑ *from outside* von außen; ◇ **we must avoid - influence** wir müssen äußere Einflüsse vermeiden

extraordinary [ɪk'strɔːdnrɪ] *adj* ① ↑ *different* sonderbar, seltsam; ◇ **it's - how much we act alike** es ist erstaunlich, wie ähnlich wir uns verhalten ② ↑ *amazing* außerordentlich; ◇ **there is nothing - about that** daran ist nichts Ungewöhnliches

extravagance [ɪk'strævəgəns] *n* ① *(over spending)* Verschwendung *f* ② *(lack of restraint)* Verschwendungssucht *f;* ◇ **an -** ein Luxus *m;* **extravagant** *adj* ① *(not thrifty)* verschwenderisch; ◇ **they were an - family** Sie gaben das Geld mit vollen Händen aus ② ↑ *costly* teuer, kostspielig; ◇ **that is an - coat** der Mantel ist luxuriös ③ ▷*behaviour* übertrieben; ▷*ideas* ausgefallen; ◇ **it would be - of me to think that...** es wäre eine Anmaßung, wenn ich denken würde, daß...

extreme [ɪk'striːm] **I.** *adj* ① *(great degree)* äußerste(r, s); ▷*poverty* extrem; ◇ **- cold** bittere Kälte; ◇ **with - pleasure** mit größtem Vernügen; ◇ **he is in - danger** er ist in höchster Gefahr ② ▷*behaviour* übertrieben ③ ▷*opinions, beliefs* extrem ④ *(furthest edge)* äußerste(r, s); ◇ **keep to your - right/left** bleiben Sie ganz rechts/links **II.** *n* Extrem *s;* ◇ **to go to -s** es übertreiben; ◇ **to go from one - to the other** von einem Extrem ins andere fallen; **extremely** *adv* äußerst, höchst; **extremist** [ɪk'striːmɪst] **I.** *adj* extremistisch **II.** *n* Extremist(in *f*) *m;* **extremity** [ɪk'stremɪtɪ] *n* ① ↑ *height* ◇ **in the - of despair** in äußerster Verzweiflung ② *(without moderation)* ◇ **to take**

extremities zu äußersten Mitteln greifen; ◇ **he drove me to extremities** er trieb mich zum Äußersten ③ ↑ *end* äußerstes Ende; ◇ **the northern** ~ der nördlichste Zipfel ④ ANAT Extremität *f*

extricate ['ekstrɪkeɪt] *vt* ① *(from relationship)* loskommen ② *(from a place)* befreien

extrovert ['ekstrəʊvɜ:t] **I.** *n* extrovertierter Mensch *m* **II.** *adj* extrovertiert

exuberance [ɪg'zu:bərəns] *n* Überschwenglichkeit *f;* **exuberant** *adj* überschwenglich

exude [ɪg'zju:d] **I.** *vt* → *feeling* ausstrahlen **II.** *vi* austreten

exultation [egzʌl'teɪʃən] *n* Jubel *m*

eye [aɪ] **I.** *n* ① *(organ)* Auge *s* ② *(of needle)* Öhr *s; (of potato)* Auge *s* ③ *(of tornado)* Auge *s* **II.** *vt* anstarren *acc;* ◇ **he ~d her up and down** er hat sie von oben bis unten gemustert; ◇ **will you keep an ~ on my things, please?** würden Sie bitte auf meine Sachen aufpassen?; ◇ **keep your ~s peeled** halt' deine Augen offen; ◇ **to see things ~ to ~** mit jd-m einer Meinung sein; ◇ **I am all ~s** ich bin sehr wachsam; **eyeball** *n* Augapfel *m;* **eyebrow** *n* Augenbraue *f;* **eyecatching** *adj* auffallend; ◇ **your skirt is very ~** dein Rock ist sehr auffällig; **eye contact** *n* Augenkontakt, Blickkontakt *m;* **eyelash** *n* [Augen-]Wimper *f;* **eyelid** *n* Augenlid *s;* **eyeliner** *n* Eyeliner *m;* **eyeopener** *n:* ◇ **that was an ~** das hat mir die Augen geöffnet; **eyeshadow** *n* Lidschatten *m;* **eyesight** *n* Sehkraft *f,* Sehvermögen *s;* ◇ **to have good ~** gute Augen haben; **eyesore** *n* Schandfleck *m;* ◇ **that tie is an ~** diese Krawatte beleidigt das Auge; **eye tooth** *n* Augenzahn *m;* **eye witness** *n* Augenzeuge *m*

F

F, f [ef] *n* ① F, f *n* ② MUS ▷*sharp* Fis, fis *s;* ▷*flat* Fes, fes *s*

fable ['feɪbl] *n* ① Fabel *f,* Sage *f* ② ↑ *fairytale* Märchen *s*

fabric ['fæbrɪk] *n* ① ↑ *cloth* Stoff *m* ② *(of house)* Substanz *f* ③ *FIG* Bau *m,* Gefüge *n;* ◇ **the ~ of society** die Sozialstruktur

fabricate ['fæbrɪkeɪt] *vt* ① → *objects* anfertigen, herstellen ② → *story* erfinden; → *document* fälschen

fabulous ['fæbjʊləs] *adj* ① ↑ *imaginary* sagenhaft ② ↑ *marvellous* fabelhaft; ▷*wealth, beauty* ungeheuer, toll, fabelhaft

façade [fə'sɑ:d] *n* ① *(of building)* Fassade *f* ② *FIG* ↑ *pretence* Fassade *f*

face [feɪs] **I.** *n* ① *(of person)* Gesicht *s* ② ↑ *expression* Miene *f;* ↑ *grimace* Grimasse *f;* ◇ **to make a ~** Grimassen schneiden/ziehen ③ ↑ *surface (of a cliff)* Steilwand *f; (of clock)* Zifferblatt *s; (of card)* Bildseite *f* ④ ↑ *reputation* ◇ **to lose ~** das Gesicht verlieren ⑤ *(of a city, organization)* Aussehen *s* **II.** *vt* ① ↑ *point towards* gegenüber sein; ◇ **I sat facing the teacher** ich saß dem Lehrer zugewandt ② *FIG* → *situation, choice* rechnen mit; ◇ **to be ~d with a problem** einem Problem gegenüberstehen, mit einem Problem konfrontiert sein ③ ↑ *acknowledge* sich damit abfinden; → *the truth, facts* sehen; ◇ **one has to ~ the facts** man muß den Tatsachen ins Auge sehen; ◇ **she was brought ~ to ~ with reality** sie wurde mit der Realität konfrontiert ④ ↑ *cope* ◇ **Sissy could not ~ speaking to him** Sissy brachte es nicht fertig, mit ihm zu reden **III.** *vi* liegen zu *dat;* ◇ **the house ~d the street** das Haus schaute zur Straße hin; **face cloth** *n* (*BRIT*) Waschlappen *m;* **face cream** *n* Gesichtscreme *f;* **face powder** *n* Gesichtspuder *s o m*

facet ['fæsɪt] *n* ① ↑ *feature* Seite *f,* Aspekt *m* ② *(of gem)* Facette *f,* Schliffläche, Kristallfläche *f*

facetious [fə'si:ʃəs] *adj* witzig, spaßig; ◇ **to be ~ about s.th.** über etw Witze machen; **facetiously** *adv* spöttisch, witzelnd

face value ['feɪs 'vælju:] *n* Nennwert *m; FIG* ◇ **to take s.th. at its ~ ~** etw für bare Münze nehmen; ◇ **to take s.o. at ~ ~** jd-m unbesehen glauben

facial ['feɪʃəl] **I.** *adj* Gesichts- **II.** *n* Gesichtsmassage *f,* kosmetische Gesichtsbehandlung *f*

facile ['fæsaɪl] *adj* ① ↑ *obvious, simplistic* leicht ② ↑ *superficial* oberflächlich, ohne Tiefgang ③ ▷*style* gewandt, flink

facilitate [fə'sɪlɪteɪt] *vt* erleichtern, ermöglichen

facility [fə'sɪlɪtɪ] *n* ① ↑ *ease* Leichtigkeit *f* ② ↑ *skill* Geschicklichkeit *f;* ◇ **he has a ~ for mathematics** er hat eine Begabung für Mathematik ③ ◇ **facilities** *pl* Einrichtungen *f pl*

facing ['feɪsɪŋ] *n* ① *(of wall)* Verkleidung, Verblendung *f* ② *(of fabric)* Besatz *m;* ◇ **~ ribbon** Besatzband *s*

facsimile [fæk'sɪmɪlɪ] *n* Faksimile *s,* Reproduktion *f*

fact [fækt] *n* ① *(proven statement)* Tatsache *f,* Faktum *s;* ◇ **Hatty knew for a ~ that she was right** Hatty wußte ganz genau, daß sie recht hatte ② ↑ *non-fiction, truth* Realität *f;* ◇ **the theory is founded on ~s** die Theorie beruht auf Tatsachen ③ ↑ *actually* ◇ **in ~** in der Tat, tatsächlich; ◇ **as a matter of ~…** um die Wahrheit zu sagen; ◇ **the ~ remains** trotzdem; ◇ **the boats are long, 2 feet in ~** die Boote sind lang, 20 Fuß lang, um genau zu sein

faction ['fækʃən] *n* Splittergruppe *f;* POL Parteihader *m*

factor ['fæktə*] *n* Faktor *m;* ◇ **the determining ~** der entscheidende Punkt

factory ['fæktərı] *n* Fabrik *f,* Werk *s*

factual ['fæktjʊəl] *adj* tatsächlich; ◇ **astrology is not ~** die Astrologie ist keine exakte Wissenschaft; ◇ **the employee made a ~ error** der Angestellte hat einen Sachfehler gemacht

faculty ['fækəltı] *n* [1] ↑ *mental power* Vermögen *s,* Fähigkeit *f* [2] *AM* ↑ *teaching staff* Lehrkörper *m;* (*of university*) Fakultät *f*

fade [feıd] **I.** *vi* [1] ← *lose colour* verblassen, verbleichen; ↑ *grow dim* vergehen, verschwinden; ↑ *wither* verblühen; *FIG* ← *feelings* nachlassen; ← *sound* verklingen, verhallen; ← *memory* verblassen **II.** *vt* → *material* ausbleichen; (*cinema*) ◇ **to ~ in/out** ein-/ausblenden; **faded** *adj* verblaßt, verblichen; ◇ **~ jeans** ausgewaschene Jeans; ▷*colour* verschossen

fag [fæg] *n* [1] ↑ *homosexual, AM PEJ* Schwuler *m* [2] ↑ *cigarette, FAM* Kippe *f,* Glimmstengel *m*

fagged [fægd] *adj* ↑ *exhausted* erschöpft, geschafft; ◇ **the woman looks ~ to death** die Frau sieht kaputt aus

Fahrenheit ['færənhaıt] *n:* ◇ **36 degrees ~** 36 Grad Fahrenheit

fail [feıl] **I.** *vt* [1] ↑ *disappoint* entäuschen [2] ↑ *not pass* ◇ **the teacher ~ed the student** der Lehrer ließ den Studenten durchfallen **II.** *vt, vi* [1] ← *memory, courage* im Stich lassen; ◇ **my memory ~s me just now** ich kann mich gerade nicht erinnern; ↑ *malfunction* ← *heart* versagen [2] → *exam* duchfallen, nicht bestehen; ◇ **Alfred ~ed the exam twice** Alfred fiel zweimal durch die Prüfung **III.** *vi* [1] ← *goal, plans* versagen, scheitern; ← *attempt* fehlschlagen; ← *crop* ◇ **the crop ~ed last year** im letzten Jahr gab es eine Mißernte [2] ↑ *weaken* ← *eyesight* nachlassen; ← *health* sich verschlechtern [3] ↑ *neglect* ◇ **to ~ to do sth** versäumen, etw zu tun; ◇ **I'll do it without ~** ich tue es auf jeden Fall; **failing I.** *n* Fehler *m,* Schwäche *f* **II.** *adj:* ◇ **he has ~ eyesight** er hat schlechte Augen; ◇ **never ~** unfehlbar **III.** *adv* ↑ *lacking* in Ermangelung; ◇ **~ that** andernfalls;

failure ['feıljə*] *n* [1] Versagen *s,* Fehlen *s* [2] Mißernte *f,* Fehlschlag *m,* Scheitern *s,* Mißerfolg *m;* ◇ **the party was a ~** die Party war ein Reinfall [3] (↑ *person*) Versager(in *f*) *m,* Niete *f* [4] Durchfallen *s*

faint [feınt] **I.** *adj* [1] (↑ *slight*) ◇ **Betty hadn't the ~est idea** Betty hatte nicht die geringste Ahnung; ▷*hope* schwach; ▷*colour* blaß, matt [2] ↑ *weak, dizzy* schwach, kraftlos; ◇ **I feel ~ at the sight of blood** wenn ich Blut sehe, wird mir ganz schwummerig; ◇ **~-hearted** kleinmütig, zaghaft **II.** *n* Ohnmacht *f* **III.** *vi* in Ohnmacht fallen, das Bewußtsein verlieren; **faintly** *adv* schwach; ◇ **it is ~ possible** es gibt eine sehr geringe Wahrscheinlichkeit

fair [fɛə*] **I.** *adj* [1] ↑ *just, right* gerecht, fair [2] ↑ *permissible* fair, erlaubt [3] ↑ *moderately good* ganz ordentlich; ◇ **I have a ~ idea of what he likes** ich habe eine ungefähre Vorstellung davon, was er mag; ◇ **we have a ~ chance** wir haben eine recht gute Chance [4] ↑ *propitious* ziemlich; ◇ **she runs a ~ pace** sie hat ein ganz schönes Tempo drauf; ◇ **he always carries a ~ amount of money** er trägt immer ziemlich viel Geld bei sich [5] ↑ *lovely* ◇ **the ~ sex** das schöne Geschlecht [6] ↑ *light in colour* ▷*hair* blond; ▷*skin* hell [7] ▷*weather* heiter, mild [8] ↑ *average* ziemlich gut **II.** *adv* [1] ↑ *properly* fair [2] ↑ *directly, squarely* ◇ **tell me ~ and square** sage es mir offen und ehrlich **III.** *n* [1] ↑ *farmer's ~* Jahrmarkt *m* [2] ↑ *fun-* Volksfest *s* [3] ↑ *exhibition* Messe *f;* **fairly** *adv* [1] ↑ *honestly* gerecht [2] ↑ *rather, moderately* ziemlich; **fairness** *n* [1] Gerechtigkeit *f;* ◇ **he acted in all ~** er handelte gerecht [2] Blondheit *f* [3] Schönheit *f*

fair-spoken *adj* freundlich, höflich; **fairway** *n* (NAUT) Fahrwasser *s*

fairy ['fɛərı] *n* [1] (*magical*) Fee *f* [2] *FAM* ↑ *homosexual* Schwuler, m; **fairy tale** *n* Märchen *s*

faith [feıθ] *n* [1] ↑ *confidence, trust* Vertrauen *s;* ◇ **he'll win, I have ~ in him** er wird gewinnen, ich vertraue auf ihn; ▷*in God* Glaube *f* (*in* an); ◇ **~ in God** Gottvertrauen *s* [2] ↑ *religious belief* Glaube *m;* ◇ **she is of the catholic ~** sie ist katholisch [*o.* katholischen Glaubens] [3] ↑ *loyalty* Treue *f;* ◇ **to keep ~** treu bleiben; ◇ **to break ~** untreu werden; **faithful** *adj* treu; **faithfully** *adv* treu; ◇ **yours ~** mit freundlichen Grüßen

fake [feık] **I.** *n* [1] ↑ *not genuine* Fälschung *f,* Imitation *f* [2] ▷*person* Schwindler *m* **II.** *adj* unecht, falsch **III.** *vt* → *feelings* vortäuschen; → *money, papers* fälschen

falcon ['fɔːlkən] *n* Falke *m*

fall [fɔːl] <fell, fallen> **I.** *vi* [1] (*to the ground*) fallen [2] ↑ *topple, collapse* herunter-/hinunterfallen [3] ↑ *be killed in war* fallen [4] ↑ *to hang* fallen [5] ↑ *decline* fallen [6] ↑ *to come* ← *night* hereinbrechen; ← *silence* eintreten; ← *event* fallen auf *akk;* ◇ **Christmas -s on a Tuesday this year** dieses Jahr fällt Weihnachten auf einen Dienstag [7] ↑ *drop* fallen, sinken; ← *attendance* abnehmen [8] ↑ *to divide naturally* zerfallen; ◇ **they - into three categories** sie gliedern sich in drei Kategorien [9] ↑ *become* ▷*asleep* einschlafen; ▷*ill* krank werden; ◇ **she is constantly -ing in and out of love** sie verliebt sich ständig in irgend jemanden **II.** *n* [1] (*act of -ing*) Fall *m,* Sturz *m* [2] ↑ *decline* Untergang, m [3] (*overthrow*) Einnahme *f,* Eroberung *f;* (*of a country*) Zusammenbruch *m;* (*of government*) Sturz *m* [3] (*of rain, snow*) Regen, Schneefall *m;* (*of hail*) Hagelschlag *m* [4] ◇ **night**- Einbruch der Nacht *m* [5] Sinken *s* [6] Verfall *m* [7] (*of water*) ◇ **water**- Wasserfall *m* [8] *AM* ↑ *autumn* Herbst *m;* **fall back on** *vt* zurückgreifen auf *acc;* **fall down** *vi* [1] ← *person* hinfallen; ◇ **she fell down the stairs** sie ist die Treppe hinuntergefallen [2] ← *building* einstürzen; **fall flat** *vi FAM* ← *joke* nicht ankommen; ◇ **the plan fell flat** der Plan ist durchgefallen; **fall for** *vt* [1] *FAM* → *trick* hereinfallen auf *acc* [2] → *person* ◇ **he fell for her right away** sie hat es ihm sofort angetan; **fall off** *vi* [1] ↑ *drop* herunter-/hinunterfallen [2] ↑ *diminish* abnehmen; ◇ **the moral support was -ing - rapidly** die moralische Unterstützung ließ rasch nach; **fall out** *vi* [1] ← *tooth* ausfallen, ausgehen [2] ↑ *to quarrel* sich streiten [3] ↑ *disperse,* MIL wegtreten; **fall through** *vi* ← *plan* fehlschlagen; ◇ **our plans fell through** unsere Pläne sind ins Wasser gefallen

fallacy ['fæləsı] *n* [1] ↑ *misconception* Irrtum *m* [2] (*incorrectness of reasoning*) Fehlschluß *m*

fallen ['fɔ:lən] *pp of* **fall**

fallible ['fæləbl] *adj* fehlbar

fallout ['fɔ:laʊt] *n* ▷*nuclear* radioaktiver Niederschlag *m;* **fallout shelter** *n* Atombunker *m*

fallow ['fæləʊ] *adj* brach; ◇ **to lie -** brachliegen

false [fɔ:ls] *adj* [1] ↑ *not true, wrong* falsch [2] ↑ *artificial* ▷*teeth, fingernails* unecht; ▷*name* falsch [3] ↑ *dishonest, deceitful* treulos, falsch; **falsely** *adv* fälschlicherweise

falter ['fɔ:ltə*] *vi* [1] ↑ *hesitate, waver* (*in speech*) stocken; (*in movement*) zögern

fame [feım] *n* Ruhm *m*

familiar [fə'mılıə*] *adj* [1] ↑ *common* gewohnt, vertraut; ▷*expression, song* geläufig, bekannt; ◇ **- faces** bekannte Gesichter [2] (*having knowledge of*) ◇ **I'm not - with the area** die Umgebung ist mir unbekannt [3] ↑ *intimate* vertraulich; ◇ **the - form of address** die vertrauliche Anredeform; ◇ **to be on - terms with s.o.** ein ungezwungenes Verhältnis zu jd-m haben; **familiarity** [fəmılı'ærıtı] *n* [1] (*acquaintance with s.th.*) Vertrautheit *f* [2] ▷*intimate* Freundschaft[lichkeit] *f;* ◇ **- breeds contempt** allzu große Vertraulichkeit erzeugt Verachtung; **familiarize** *vt* sich vertraut machen (*with s.o./o.s.* mit jd-m/etw *dat*); ◇ **I want to - myself with German** ich möchte mich mit der deutschen Sprache vertraut machen

family ['fæmılı] *n* [1] (*parents, children*) Familie *f;* ↑ *relatives* Verwandschaft *f* [2] ↑ *ancestry* Familie *f,* Geschlecht *s* [3] (BIO *related organisms*) Familie *f;* **family allowance** *n* Kindergeld *s;* **family doctor** *n* Hausarzt(Hausärztin *f*) *m;* **family planning** *n* Familienplanung *f*

famine ['fæmın] *n* Hungersnot *f;* ↑ *shortage* Knappheit *f*

famished ['fæmıʃt] *adj* verhungert, ausgehungert

famous ['feıməs] *adj* berühmt

fan [fæn] **I.** *n* [1] ↑ *admirer* Fan *m;* ◇ **that is one of her many -s** das ist einer von ihren vielen Verehrern [2] ▷*folding* Fächer *m;* ▷*mechanical* Ventilator *m* **II.** *vt* fächeln *dat;* ◇ **to - o.s.** sich Luft zufächeln; **fan out I.** *vi* ausschwärmen **II.** *vt* → *tail feathers* fächerförmig aufstellen

fanatic [fə'nætık] *n* Fanatiker(in *f*) *m;* **fanatical** *adj* fanatisch

fan belt ['fænbelt] *n* Keilriemen *m*

fanciful ['fænsıfʊl] *adj* [1] ↑ *extravagant* phantastisch, reich verziert [2] ↑ *imaginative* phantastisch; ◇ **that idea is somewhat -** diese Idee ist etw weit hergeholt

fancy ['fænsı] **I.** *vt* [1] ↑ *like* gern haben, mögen; ◇ **I could - a beer** ich könnte ein Bier vertragen [2] ↑ *imagine* sich vorstellen; (*exclamation*) ◇ **- seeing you here!** nanu, was machst du hier?; ◇ **- that!** stell dir vor! [3] ↑ *anticipate* meinen; ◇ **I - mom is at the hairdresser's** ich glaube, daß Mama beim Friseur ist [4] (*to - o.s.*) halten für; ◇ **Jane fancies herself** Jane kommt sich sehr wichtig vor **II.** *n* [1] ↑ *liking* Neigung *f* (*for* zu), Vorliebe *f;* ◇ **well, how does that strike your -?** und wie gefällt dir das?; ◇ **to have a - for s.th.** eine Vorliebe für etw haben [2] ↑ *imagination* Einbildung *f,* Phantasie *f* **III.** *adj* [1] ↑ *extravagant* phantastisch [2] ↑ *decorated* verziert, gemustert, kunstvoll; **fancy dress** *n* Maskenkostüm *s;* ◇ **he was the only one in - -** er war der einzige, der verkleidet war

fanfare ['fænfεə*] *n* Fanfare *f*

fang [fæŋ] *n* (*snake's -*) Giftzahn *m;* (*wolf's -*) Reißzahn *m*

fanlight ['fænlaıt] *n* Oberlicht *s*

fantastic [fæn'tæstık] *adj* [1] ↑ *fabulous, wonderful* phantastisch, toll [2] ↑ *unbelievable* unwahrscheinlich

F

fantasy [ˈfæntəzɪ] *n* ① ↑ *imagination* Phantasie *f*, Einbildungskraft *f* ② (*non-reality*) Phantasie *f*, Einbildung *f*

far [fɑː*] **I.** <further *o.* farther, furthest *o.* farthest> ① *extreme* fern, entfernt; ◇ **the ~ East** der Ferne Osten ② (*of two*) weiter, entfernt; ◇ **at the ~ end of the room** am anderen Ende des Raums **II.** *adv* ① ↑ *distant* weit, fern; (*in time*) ◇ **as ~ back as last year** noch voriges Jahr; ◇ **so ~** bisher; ◇ **Christmas isn't very ~ off** Weihnachten ist nicht mehr fern ② ↑ *very much* sehr viel, ganz; ◇ **your idea is ~ better than mine** deine Idee ist viel besser als meine; ▷*degree, extent* you are going too ~, du gehst zu weit; ◇ **he even went so ~ as to say…** er hat sogar behauptet, daß…

faraway *adj* ① (*long distance*) weit weg; ▷*place* abgelegen, entfernt; ▷*sound* aus der Ferne, entfernt ② ▷*thoughts* versonnen, verträumt

farce [fɑːs] *n* Farce *f*

fare [fɛə*] *n* (*travelling charge*) Fahrpreis *m*

farewell [fɛəˈwel] **I.** *n* Abschied *m*; ◇ **to say ~** sich verabschieden; ◇ **to bid s.o. ~** jd-m Lebewohl sagen **II.** *intj*: ◇ **~!** Leben Sie wohl! **III.** *adj* Abschieds-

far-fetched [fɑːˈfetʃt] *adj* weit hergeholt

farm [fɑːm] **I.** *n* Bauernhof *m*, Farm *f* **II.** *vt* → *livestock* halten; → *land* bebauen **III.** *vi* Landwirt sein; **farmer** *n* Landwirt *m*, Bauer *m*; **farmhand** *n* (*unpaid*) Knecht *m*; (*paid*) Landarbeiter(in *f*) *m*; **farmhouse** *n* Bauernhof *m*; **farming** *n* Landwirtschaft *f*; **farmland** *n* Ackerland *s*; **farmyard** *n* Wirtschaftshof *m*

far-reaching [ˈfɑːriːtʃɪŋ] *adj* weitreichend; **far-sighted** *adj* weitsichtig; (*character, trait*) weitblickend

fart [fɑːt] **I.** *n FAM!* Furz *m* **II.** *vi FAM!* furzen

farther [ˈfɑːðə*] *adj, adv* <*comparative of* **far**> entfernter, weiter; **farthest** [ˈfɑːðɪst] *adj, adv* <*superlative of* **far**>

fascinate [ˈfæsɪneɪt] *vt* faszinieren, fesseln; ◇ **old books ~ me** ich finde alte Bücher hochinteressant; **fascinating** *adj* faszinierend, spannend; **fascination** [fæsɪˈneɪʃən] *n* Faszination *f*, Bezauberung *f*

fascism [ˈfæʃɪzəm] *n* Faschismus *m*; **fascist** [ˈfæʃɪst] **I.** *n* Faschist(in *f*) *m* **II.** *adj* faschistisch

fashion [ˈfæʃən] **I.** *n* ① (*of clothes*) Mode *f*; ◇ **jeans will never go out of ~** Jeans werden nie aus der Mode kommen ② ↑ *manner* Art und Weise *f*; ◇ **the child was behaving in a strange ~** das Kind benahm sich sonderbar **II.** *vt* herstellen, gestalten; **fashionable** *adj* ① ▷*clothes* modisch, modern ② ▷*place* vornehm, elegant; **fashion show** *n* Modenschau *f*

fast [fɑːst] **I.** *adj* ① ↑ *quick, swift* schnell ② (*a watch*) vorgehen; ◇ **my watch is three minutes ~** meine Uhr geht drei Minuten vor ③ ↑ *secure* fest; ▷*colour* waschechte Farbe **II.** *adv* ① ↑ *rapidly* schnell; ◇ **she needs a doctor ~** sie braucht sofort einen Arzt ② ↑ *deep, soundly* ◇ **Jane was ~ asleep** Jane hat fest geschlafen **III.** *n* Fasten *s* **IV.** *vi* fasten

fasten [ˈfɑːsn] **I.** *vt* ① ↑ *attach together* festmachen, festbinden, befestigen; ◇ **to ~ s.th. to/onto s.th.** etw befestigen an; ↑ *close* ◇ **~ your seatbelts, please** bitte legen Sie den Sicherheitsgurt an ↑ *secure* zuschnüren, fest zumachen ② *FIG* ↑ *concentrate* ◇ **to ~ on to s.o.** jd-m seine Aufmerksamkeit zuwenden **II.** *vi* ↑ *close*: ◇ **my pants won't ~** meine Hose geht nicht zu; **fastener, fastening** *n* Verschluß *m*

fast food *n* Fastfood *s*; ◇ **~ restaurant** Schnellrestaurant *s*

fastidious [fæˈstɪdɪəs] *adj* pingelig, kleinlich

fat [fæt] **I.** *adj* ① ↑ *overweight* fett, dick ② ↑ *thick, wide* fett, reichlich ③ ↑ *hefty* ▷*profit, sum* üppig, fett **II.** *n* ① (*on person*) Fett *s*, Speck *m* ② (*nutrient*) Fett *s*

fatal [ˈfeɪtl] *adj* ① ↑ *deadly* tödlich ② ↑ *serious* vernichtend, unheilvoll; **fatalism** *n* Fatalismus *m*

fatality [fəˈtælɪtɪ] *n* (*accident*) Todesopfer *s*; **fatally** *adv* tödlich

fate [feɪt] *n* Schicksal *s*; ◇ **the man met his ~** der Mann ist seinem Schicksal begegnet; **fateful** *adj* ↑ *prophetic* schicksalhaft; ↑ *momentous* schicksalsschwer

father [ˈfɑːðə*] **I.** *n* ① ↑ *dad* Vater *m*; ◇ **like ~ like son** der Apfel fällt nicht weit vom Stamm ② REL Gott *m*; ◇ **the Holy F~** der Heilige Vater *m* ③ ↑ *founder* Urheber *m* **II.** *vt* zeugen; **Father Christmas** *n* (*BRIT*) Weihnachtsmann *m*; **father-in-law** *n* <fathers-in-law> Schwiegervater *m*; **fatherly** *adj* väterlich

fathom [ˈfæðəm] **I.** *n* Faden *m* **II.** *vt* ausloten; *FIG* ↑ *comprehend* ermessen, ergründen

fatigue [fəˈtiːg] **I.** *n* Erschöpfung *f*, Ermüdung *f* **II.** *vt* ermüden, erschöpfen

fatten [ˈfætn] **I.** *vt* mästen **II.** *vi* sich mästen

fatty [ˈfætɪ] *adj* ▷*food* fettig, fetthaltig

fatuous [ˈfætjʊəs] *adj* albern

faucet [ˈfɔːsɪt] *n* (*AM*) Hahn *m*

fault [fɔːlt] **I.** *n* ① ↑ *blame* Schuld *f*; ◇ **it is my ~** ich bin schuld, es ist meine Schuld; ◇ **whose ~ is it?** wer ist daran schuld? ② ↑ *flaw, failing* Fehler *m*, Makel *m*; ◇ **she finds ~ with everything** sie nörgelt ständig; ◇ **Sissy couldn't find any ~ with Tom** Sissy hatte nichts an Tom auszusetzen;

TECH Defekt *m* ③ (*in the earth*) Verwerfung *f* ④ (*tennis*) Fehler *m* **II.** *vt:* ◇ **to ~ s.th.** Fehler finden an etw *dat;* **faultless** *adj* tadellos, einwandfrei; **faulty** *adj* fehlerhaft, defekt

fauna ['fɔːnə] *n* Fauna *f*

favour, favor (*AM*) ['feɪvə*] **I.** *n* ① (*pro, for*) Begünstigung *f,* Vorteil *m;* ◇ **to be in ~ of s.th.** für etw sein, etw befürworten; ◇ **all those in ~ raise your hand** alle, die dafür sind, heben die Hand; ◇ **the law was biased in ~ of whites** das Gesetz begünstigte die Weißen ② ↑ *kindness* Gefallen *m;* ◇ **I have a ~ to ask of you** ich habe eine Bitte an dich ③ ↑ *approval* Gunst *f,* Wohlwollen *s;* ◇ **Tom tried to win his boss's ~** Tom versuchte, die Gunst seines Chefs zu erlangen **II.** *vt* ① ↑ *prefer* bevorzugen; ◇ **to ~ s.th.** etw für gut halten ② ↑ *benefit* bevorzugen ③ ↑ *show preference* ◇ **the mother ~ed her son** die Frau mochte ihren Sohn lieber ④ *in appearance, AM* ähneln *dat;* **favourable** *adj* vorteilhaft, günstig; **favourite** ['feɪvərɪt] **I.** *adj* Lieblings- **II.** *n* SPORT Favorit(in *f*) *m*

fawn [fɔːn] **I.** *adj* rehbraun, beige **II.** *n* (*animal*) Rehkalb *s*

fawning ['fɔːnɪŋ] *adj* ▷*person* schmeichlerisch; ▷*dog* schwanzwedelnd

FBI *n* (*AM*) *abbr. of* **Federal Bureau of Investigation** ≈ Bundeskriminalamt *s*

fear [fɪə*] **I.** *n* ① ↑ *dread* Furcht *f,* Angst *f* (*of* vor) ② ↑ *anxiety* Bedenken *s,* Sorge *f* **II.** *vt* ① ↑ *be scared of s.th.* fürchten; ◇ **to ~ s.th.** Angst vor etw haben *dat* ② ↑ *anticipate* befürchten **III.** *vi* ↑ *be worried* besorgt sein (*for* um); **fearful** *adj* ① ängstlich, bange ② ↑ *terrible* furchtbar, schrecklich; **fearless** *adj* furchtlos, unerschrocken; **fearlessness** *n* Furchtlosigkeit *f*

feasibility [fiːzə'bɪlɪtɪ] *n* Durchführbarkeit *f,* Möglichkeit *f;* **feasible** ['fiːzəbl] *adj* durchführbar, möglich

feast [fiːst] **I.** *n* Festmahl *s* **II.** *vt* ① → *guest* festlich bewirten ② ↑ *stare* ergötzen; ◇ **to ~ o.'s eyes on** die Augen weiden an *dat* **III.** *vi* schmausen, sich gütlich tun; **feast day** *n* Festtag *m*

feat [fiːt] *n* Großtat *f*

feather ['feðə*] *n* Feder *f*

feature ['fiːtʃə*] **I.** *n* ① ▷*facial* Gesichtszug *m* ② ↑ *important part* Merkmal *s,* Kennzeichen *s,* Besonderheit *f* ③ MEDIA Sonderbeitrag *m,* Feature *s;* ↑ *film* Spielfilm *m* **II.** *vt* → *advertising etc.* bringen; ↑ *show* in der Hauptrolle zeigen **III.** *vi:* ◇ **to ~ in** vorkommen, mitspielen; **featureless** *adj* nichtssagend, grau

February ['februərɪ] *n* Februar *m*

fed [fed] *pt, pp of* **feed**

federal ['fedərəl] *adj* Bundes-, föderativ; ◇ **the F~ Republic of Germany** die Bundesrepublik Deutschland; **federalism** *n* Föderalismus *m;* **federation** [fedə'reɪʃən] *n* ① ↑ *society* Vereinigung *f* ② (*of states*) Staatenbund *m,* Föderation *f*

fed-up [fed'ʌp] *adj:* ◇ **to be ~ with s.th.** etw satt haben; ◇ **I'm ~** ich habe die Nase voll

fee [fiː] *n* ① ↑ *charge* Gebühr *f,* Mitgliedsbeitrag *m*

feeble ['fiːbl] *adj* ① ▷*person* schwach ② (*not effective*) unwirksam, kläglich; **feeble-minded** *adj* geistesschwach

feed [fiːd] <fed, fed> **I.** *vt* ① → *baby, animal* füttern ② ↑ *support* ernähren, pflegen ③ ↑ *insert* eingeben **II.** *vi* ← *baby* stillen; ← *animal* fressen **III.** *n* (*for animals*) Futter *s;* **feedback** *n* ① ↑ *response* Feedback *s* ② TECH Rückkoppelung *f*

feel [fiːl] <felt, felt> **I.** *vt* ① → *emotion, sensation* fühlen, empfinden ② → *a touch* fühlen, spüren; ◇ **Norman couldn't ~ anything in his foot** Norman hatte kein Gefühl in seinem Fuß ③ ↑ *to touch* ◇ **betasten, fühlen, just ~ my face** fühl' mal mein Gesicht; ◇ **to ~ o.'s way** sich vortasten ④ ↑ *notice, sense* fühlen, verspüren; ◇ **Ira could ~ that I wanted to leave** Ira merkte, daß ich gehen wollte ⑤ (*attitude, opinion*) glauben, halten für; ◇ **how do you ~ about the idea?** was hältst du von dieser Idee? **II.** *vi* ① ↑ *seem* sich fühlen, sich vorkommen wie; ◇ **I ~ sick** Ich fühle mich krank ② ↑ *fancy* ◇ **I ~ like going swimming** ich habe Lust, schwimmen zu gehen ③ (*search*) ◇ **~ for** tasten nach *dat* **III.** *n FIG:* ◇ **to get the ~ of s.th.** ein Gefühl für etw bekommen; **feeler** *n* Fühler *m;* **feeling** *n* ① ↑ *emotion* Gefühl *s* ② Gefühl *s,* Empfindung *f;* ◇ **Brady lost all ~ in his left leg** Brady hat kein Gefühl mehr im linken Bein ③ ↑ *hunch, notion* Vorgefühl *s* ④ ↑ *concern* Mitgefühl *s;* ◇ **to hurt s.o.'s ~s** jd-n verletzen; ◇ **Pam has hard ~s towards to me** Pam nimmt es mir übel

feet [fiːt] *pl of* **foot**

feign [feɪn] *vt* vorgeben, vortäuschen; **feigned** *adj* vorgeblich, falsch

feint [feɪnt] *n* SPORT Finte *f*

feline ['fiːlaɪn] *adj* Katzen-

fell [fel] **I.** *pt of* **fall**; **II.** *vt* ① → *tree* fällen ② → *person* niederstrecken; ◇ **the blow ~ed him at once** der Schlag streckte ihn zu Boden **III.** *n* ↑ *hill, BRIT* Berg *m*

fellow ['feləʊ] **I.** *n* ① ↑ *chap* Kerl *m,* Geselle *m;* ◇ **my dear ~!** lieber Freund! ② ↑ *member* Mitglied *s* ③ ↑ *companion* Kamerad(in *f*) *m,* Kumpel *m* **II.** *adj:* ◇ **~ citizen** Mitbürger(in *f*) *m;* ◇ ~

countryman Landsmann *m;* ◇ ~ **passenger** Mitreisende(r) *fm;* ◇ ~ **workers** Kollegen *pl*
fellowship *n* ① ↑ *group* Gesellschaft *f* ② ↑ *friendship* Kameradschaft *f;* ◇ **we gathered in church** ~ wir trafen uns in kirchlicher Gemeinschaft
felony [ˈfelənɪ] *n* schweres Verbrechen *s*
felt [felt] **I.** *pt, pp of* **feel**; **II.** *n* Filz *m*
felt tip *n* Filzstift *m*
female [ˈfi:meɪl] **I.** *n* ① *(of animals)* Weibchen *s* ② *(of people)* Frau *f; PEJ* Weib, Weibsbild *s* **II.** *adj* weiblich
feminine [ˈfemɪnɪn] *adj* feminin, weiblich; **femininity** [femɪˈnɪnɪtɪ] *n* Weiblichkeit *f;* **feminism** [ˈfemɪnɪzəm] *n* Feminismus *m;* **feminist** [ˈfemɪnɪst] *n* Feminist(in *f*) *m*
fence [fens] **I.** *n* Zaun *m; FIG* ◇ **to sit on the** ~ sich neutral verhalten, sich nicht festlegen wollen **II.** *vt* einen Zaun aufstellen/bauen; **fence in** *vt* einzäunen; *FIG* ◇ **to** ~ **s.o.** ~ jd-s Freiheit beschneiden; **fence off** *vt* abzäunen, absperren; **fencing** *n* ① *(wire, wood)* Zaunmaterial *s* ② SPORT Fechten *s*
fend [fend] *vi:* ◇ **I can** ~ **for myself** ich kann mich ganz alleine durchschlagen; **fend off** abwehren
fender [ˈfendə*] *n* ① *(of bicycle)* Schutzblech *s* ② ↑ *fireguard* Kamingitter *s* ③ *AM* AUTO Kotflügel *m*
ferment [fəˈment] **I.** *vi* CHEM gären **II.** [ˈfɜ:ment] *n* ① ↑ *excitement, commotion* Unruhe *f* ② CHEM Ferment *s;* **fermentation** [fɜ:menˈteɪʃən] *n* Gärung *f*
fern [fɜ:n] *n* Farn *m*
ferocious [fəˈrəʊʃəs] *adj* grausam, grimmig; ▷*animal* wild; **ferociously** *adv* grimmig; **ferocity** [fəˈrɒsɪtɪ] *n* Wildheit *f,* Grimmigkeit *f*
Ferris wheel *n* Riesenrad *s*
ferry [ˈferɪ] **I.** *n* Fähre *f* **II.** *vt* übersetzen; ◇ **we were ferried across the river** wir wurden per Fähre ans andere Ufer gebracht
fertile [ˈfɜ:taɪl] *adj* ① *(woman)* fruchtbar ② ▷*soil* fruchtbar, ertragreich; ◇ **hopefully the news fell on** ~ **ground** hoffentlich sind die Worte auf fruchtbaren Boden gefallen; **fertility** [fəˈtɪlɪtɪ] *n* Fruchtbarkeit *f;* **fertilization** [fɜtɪlaɪˈzeɪʃən] *n* Befruchtung *f;* **fertilize** [ˈfɜ:tɪlaɪz] *vt* AGR → *soil* düngen; BIO → *egg* befruchten; **fertilizer** *n* Dünger *m*
fervent [ˈfɜ:vənt] *adj* ▷*admirer* leidenschaftlich; ▷*hope* inbrünstig
festival [ˈfestɪvəl] *n* ① REL *etc.* Fest *s* ② MUS Festspiele *pl; (of modern music)* Festival *s*
festive [ˈfestɪv] *adj* festlich; **festivity** [feˈstɪvɪtɪ] *n* Feststimmung *f;* ◇ **our calender is crammed with festivities** unser Kalender ist voller Festtage *pl*
fetch [fetʃ] *vt* ① ↑ *bring* holen; ◇ **Albert ~ed his mother from the station** Albert holte seine Mutter vom Bahnhof ab ② ↑ *earn* einbringen, erzielen
fetching *adj* entzückend, reizend
fete [feɪt] *n* Fest *s*
fetish [ˈfi:tɪʃ] *n* Fetisch *m*
fetter [ˈfetəz] **I.** *vt* fesseln **II.** *n also FIG:* ◇ ~**s** Fußfesseln *pl*
fetus [ˈfi:təs] *n (AM) s.* **foetus**
feud [fju:d] **I.** *n* Fehde *f;* ◇ **he had a** ~ **with his wife** er hat sich mit seiner Frau gestritten **II.** *vi* sich befehden; **feudal** [ˈfju:dl] *adj* feudal, Feudal-; **feudalism** *n* Lehnswesen *s,* Feudalismus *m*
fever [ˈfi:və*] *n* ① ↑ *high temperature* Fieber *n;* ◇ **Jane has a** ~ Jane hat Fieber ② ↑ *excitement* Aufregung *f;* ◇ **he withstood the** ~ **of the campaign** er überstand die Aufregung des Wahlkampfs; **feverish** *adj* ① MED fiebernd ② *FIG* fieberhaft, fiebrig; **feverishly** *adv FIG* fieberhaft
few [fju:] **I.** *adj* ① *(not many)* wenige ② ↑ *several* ◇ **a** ~ einige, ein paar; ◇ **a** ~ **days** einige Tage; ◇ **we met a** ~ **times** wir haben uns ein paar mal getroffen **II.** *pron pl (small amount)* wenige *pl;* ◇ **the happy** ~ die wenigen Glücklichen; ◇ **the** ~ **who came** die wenigen, die kamen; ◇ **a good** ~ *pl* eine ganze Menge *pl;* ◇ ~ **and far between** vereinzelt; **fewer** *adj* weniger; *(as many as)* ◇ **no** ~ **than ten participants were allowed** nicht weniger als zehn Teilnehmer waren zugelassen; **fewest** *adj, pron* die wenigsten
fiancé [fɪˈɑ̃:nseɪ] *n* Verlobter *m*
fiancée *n* Verlobte *f*
fiasco [fɪˈæskəʊ] *n* <-s *o.* -áeís> Reinfall *m,* Fiasko *s*
fib [fɪb] **I.** *n* Flunkerei *f,* kleine Lüge *f* **II.** *vi* flunkern, schwindeln
fibre, fiber *(AM)* [ˈfaɪbə*] *n* ① ↑ *tissue* Faser *f* ② ↑ *roughage* Fiber *f,* Ballaststoff *m;* ◇ **one should eat plenty of fruit and** ~ man soll viel Obst und Ballaststoffe zu sich nehmen ③ *(material)* Textur *f;* **fibreglass** *n* Fiberglas *s;* ↑ *insulation* Glaswolle *f*
fickle [ˈfɪkl] *adj* unbeständig, launenhaft; ◇ **you're a** ~ **friend** du bist ein wankelmütiger Freund; **fickleness** *n* Wechselhaftigkeit *f,* Unbeständigkeit *f; (of a person)* Wankelmut *m*
fiction [ˈfɪkʃən] *n* ① ↑ *literature* Erzähl-/Prosaliteratur *f* ② ↑ *invented, imagined* Erfindung *f;* **fictional** *adj* ① erdichtet ② erfunden
fictitious [fɪkˈtɪʃəs] *adj* ① (↑ *imaginary*) erfun-

den, unecht ② ↑ *deceptive* ◇ **a - name** ein falscher Name

fiddle ['fɪdl] **I.** *n* ① (*instrument*) Geige *f*, Fiedel *f*; ◇ **I play second - to her** ich stehe in ihrem Schatten ② ↑ *fraud, swindle* faule Geschäfte *pl* **II.** *vt* ① → *accounts* frisieren; → *votes* manipulieren ② ↑ *fidget* herumspielen (*with* an *dat*) ③ → *a tune* fiedeln, geigen; **fiddle around /about** *vi* an etw herumspielen *dat*

fiddler *n* Geiger(in *f*) *m*

fiddlesticks *intj FAM* Quatsch, Unsinn

fidelity [fɪ'delɪtɪ] *n* ① ↑ *faithfulness* Treue *f*, Ergebenheit *f* (*to* gegenüber, zu) ② ↑ *accuracy* Genauigkeit *f* ③ MEDIA Klangtreue *f*, Wiedergabequalität *f*

fidget ['fɪdʒɪt] **I.** *vi* zappeln; ◇ **Betty is constantly -ing with her hair** Betty fummelt ständig an ihrem Haar herum **II.** *n* Zappelphilipp *m*; **fidgety** ['fɪdʒɪtɪ] *adj* zappelig, nervös

field [fi:ld] *n* ① (*of land*) Feld *s*; ◇ **the farmer is working in the -s** der Bauer arbeitet auf dem Feld ② SPORT Platz *m*; ◇ **soccer -** Fußballplatz *m* ③ ◇ **- of vision** Gesichtsfeld, Sehfeld *s*; ◇ **gravitational -** Schwerefeld *s* ④ (MIL *of battle*) Schlachtfeld *s*; ◇ **the soldier is in the -** der Soldat ist im Manöver ⑤ (*of interest, study*) Gebiet *s*, Bereich *m*; ◇ **What - of study are you in?** Welches Fach studierst du?; **field day** *n FIG*: ◇ **to have a - -** seinen großen Tag haben; **field marshal** *n* MIL Feldmarschall *m*; **field sports** *n pl* Sport *m* im Freien; **field trip** *n* SCH *AM* Ausflug *m*; **field work** *n* ① ↑ *research* Feldforschung *f* ② MIL Schanze *f*

fiend [fi:nd] *n* ① ↑ *devil, monster* Satan *m*, Teufel *m* ② ↑ *fanatic* Fanatiker(in *f*) *m*; ◇ **Tom is a health -** Tom ist ein Gesundheitsnarr; **fiendish** *adj* teuflisch, unmenschlich

fierce [fɪəs] *adj* ① ↑ *aggressive, angry* wild, wütend ② ↑ *intense* fanatisch; ▷*heat* glühend; ▷*storm* heftig; ▷*criticism* scharf, heftig; ▷*sun* grell; ▷*animal* wild, bissig; **fierceness** *n* Wildheit *f*, Ungestüm *s*

fiery ['faɪərɪ] *adj* ① ↑ *blazing* feurig, glühend; ▷*sunset* glutrot ② ↑ *hot-tempered* feurig, hitzig

fifteen [fɪf'ti:n] **I.** *nr* Fünfzehn **II.** *n* Fünfzehn *f*

fifth [fɪfθ] **I.** *adj* fünfte(r, s) **II.** *n* ① (*in series*) Fünfte(r, s) *m* ② ▷*part* Fünftel *s*

fifty ['fɪftɪ] *nr* fünfzig; **fifty-fifty** *adj* halbe-halbe; ◇ **the chances are ---** die Chancen stehen fifty-fifty

fig [fɪg] *n* Feige *f*; *FAM* ◇ **I don't care a -** es ist mir Wurst

fight [faɪt] <fought, fought> **I.** *vt* ① ↑ *prevent, resist* bekämpfen; ◇ **to - against s.th.** gegen etw ankämpfen, etw bekämpfen ② ↑ *scrap* sich schlagen mit, sich prügeln mit **II.** *vi* ① (*in battle, war*) kämpfen ② (*strive*) ◇ **- for s.th.** um etw *acc* kämpfen **III.** *n* ① (*battle*) Kampf *m*; ◇ **to put up a good -** sich tapfer schlagen; ◇ **the - against AIDS** der Kampf gegen AIDS ② ↑ *brawl* Schlägerei *f* ③ ↑ *argument* Streit *m* ④ SPORT ↑ *boxing* - Boxkampf *m*; **fighter** *n* ① ↑ *combatant* Kämpfer *m* ② ▷*aircraft* Kampfflugzeug *s* ③ ↑ *determined person* ◇ **to be a -** eine Kämpfernatur sein

figment ['fɪgmənt] *n*: ◇ **- of imagination** Hirngespinst *s*

figurative ['fɪgərətɪv] *adj* ① (*not literal*) bildlich, übertragen ② ↑ *emblematic* symbolisch

figure ['fɪgə*] **I.** *n* ① (*symbol*) Zahl *f*, Ziffer *f* ② Form, Gestalt *f* ③ ↑ *character, personality* Persönlichkeit *f* ④ (*person's shape*) Figur *f*, Gestalt *f* **II.** *vi FAM* ↑ *reckon, assume* glauben, schätzen; ◇ **that -s** das hätte ich mir denken können; **figure out** *vt* ① ↑ *comprehend, decipher* begreifen; → *problem* lösen; ◇ **Kay -d - how long it would take her** Kay hat ausgerechnet, wie lange sie brauchen würde; **figurehead** *n* NAUT Galionsfigur *f*; **figure skating** *n* Eiskunstlaufen *s*

filament ['fɪləmənt] *n* ↑ *thread* ① BIO Staubfaden *m* ② ELECTR Glühfaden *m*

file [faɪl] **I.** *n* ① (*tool*) Feile *f* ② (*container*) Aktenordner *m* ③ ↑ *dossier* Akte *f*; ◇ **a - on ...** eine Akte über ...; ◇ **the police kept a - on the convict** die Polizei führte eine Akte über den Sträfling ④ ↑ *row* Reihe *f* **II.** *vt* ① → *metal, nails* feilen; ◇ **to - o.'s fingernails** sich die Fingernägel feilen *dat* ② → *papers* abheften, ablegen ③ → *claim* einreichen, erheben **III.** *vi* ↑ *walk in a line*: ◇ **they went single -** sie gingen im Gänsemarsch; ◇ **to - in** hereinmarschieren

filibuster ['fɪlɪbʌstə*] *n AM* ↑ *obstructionist* Dauerredner(in *f*) *m*

filing ['faɪlɪŋ] *n* Ablegen *s*, Abheften *f*; **filing cabinet** Aktenschrank *m*

fill [fɪl] **I.** *vt* ① (*make full*) füllen; ◇ **to - s.o.'s glass** jd-m einschenken ② ↑ *occupy* erfüllen; ◇ **the people -ed the streets** die Leute füllten die Straßen ③ ↑ *to plug* vollfüllen, beladen; → *hole* stopfen; → *cavity* plombieren, füllen ④ ↑ *engulf* erfüllen; ◇ **-ed with anger** voller Zorn ⑤ → *position* besetzen; ◇ **the position has already been -ed** die Stelle ist schon besetzt ⑥ (*AM supply*) ◇ **to - an order** eine Bestellung zusammenstellen **II.** *n*: ◇ **to eat o.'s -** sich satt essen; ◇ **I've had my - of this nonsense** ich habe die Nase voll von diesem Unsinn; **fill in** *vt* ① → *hole* auffüllen ② ↑ *inform* ◇

Rose **-ed me in on the latest news** Rose hat mich über das Neueste ins Bild gesetzt ③ ↑ *substitute* ◇ **Jack is -ing - for Jill** Jack ist für Jill eingesprungen ④ (*kill time*) ◇ **I'm doing this just to - - time** ich mache das nur, um die Zeit zu überbrücken ⑤ → *form* eintragen; **fill out** *vt* → *form* ausfüllen; **fill up** *vt* → *container* vollfüllen; → *gas tank* volltanken; ◇ **I need something to - me -** ich brauche etw Sättigendes

fillet [ˈfɪlɪt] **I.** *n* Filet *s* **II.** *vt* filetieren

filling [ˈfɪlɪŋ] **I.** *n* ① (*pie, cream*) Füllung *f* ② (*for tooth*) Füllung *f*, Plombe *f* **II.** *adj* sättigend; **filling station** *n* Tankstelle *f*

film [fɪlm] **I.** *n* ① ↑ *motion picture* Film *m* ② ↑ *membrane* Häutchen *s* ③ ↑ *coating* Schicht *f* ④ (*for camera*) ◇ **a roll of -** Film *m* **II.** *vt* → *scene* filmen; **filmstrip** *n* Filmstreifen *m*

filter [ˈfɪltə*] **I.** *n* ① (*device*) Filter *m* ② *for traffic, BRIT* grüner Pfeil *m* **II.** *vt* filtern **III.** *vi* ① ↑ *seep* durchsickern ② ← *news* langsam eindringen ③ ← *traffic, BRIT* sich einordnen; **filter-tipped cigarette** *n* Filterzigarette *f*

filth [fɪlθ] *n* ① ↑ *dirt* Schmutz *m; FIG* Dreck *m* ② (*obscene material*) Schund *m; FAM* Schweinerei *f;* **filthy** *adj* ① schmutzig ② unflätig

fin [fɪn] *n* Flosse *f*

final [ˈfaɪnl] **I.** *adj* ① (↑ *last*) letzte(r, s), Schluß-; ↑ *ultimate* letztendlich, End- ② ↑ *conclusive, unalterable* endgültig **II.** *n* ① SPORT Finale *s*, Endspiel *s* ② ▷*examinations* ◇ **-s** *pl* Abschlußprüfung *f;* ◇ **Veronica is taking her -s** Veronica macht gerade ihre Abschlußprüfungen

finale [fɪˈnɑːlɪ] *n* THEAT Schlußszene *f;* MUS Finale *s*

finalist *n* SPORT Endrundenteilnehmer(in *f*) *m*

finalize *vt* → *arrangements* endgültig festlegen, abschließen, zum Abschluß bringen

finally *adv* ① ↑ *lastly* schließlich, zum Schluß ② ↑ *eventually* endlich, schließlich ③ ↑ *irrevocably* endgültig, definitiv

finance [faɪˈnæns] **I.** *n* ① ↑ *supply, capital* Finanzen *pl*, Einkünfte *pl* ② (*study of*) Finanzwissenschaft *f*, Finanzwesen *s;* ◇ **-s** *pl* Finanzen *pl*, Einkommenslage *f* **II.** *vt* finanzieren; **financial** [faɪˈnænʃəl] *adj* finanziell; **financially** *adv* finanziell

find [faɪnd] <found, found> **I.** *vt* ① ↑ *locate* finden; ◇ **I found Kate at home** ich traf Kate zu Hause an ② ↑ *obtain* besorgen, finden ③ ↑ *consider, regard* finden ④ ↑ *ascertain* feststellen; ◇ **I found that my watch was missing** ich stellte fest, daß meine Uhr fehlte ⑤ ↑ *judge* ◇ **Henry was found guilty** Henry wurde für schuldig befunden ⑥ (*exist*) ◇ **fast-food restaurants can be found almost everywhere** Schnellrestaurants findet man fast überall **II.** *vi* ↑ *discover*: ◇ **to - o.s. in a particular situation** sich in einer bestimmten Situation befinden **III.** *n* Fund *m;* **find out** *vt* ① → *a fact, information* herausfinden ② → *a person* erwischen; ◇ **his mother has found him out** seine Mutter ist dahintergekommen

findings *n pl* Ergebnis *s*, Ergebnisse *pl*

fine [faɪn] **I.** *adj* ① ↑ *excellent* großartig, fein ② ↑ *acceptable* in Ordnung, gut; ◇ **don't worry, everything will be just -** mach dir keine Sorgen, es wird alles gut ③ ↑ *quite well* gut; ◇ **how's Jack? he's -** wie geht es Jack? ihm geht es gut ④ ↑ *thin, narrow* fein, dünn ⑤ ↑ *delicate, small, exact* fein ⑥ ↑ *pleasant* ▷*weather* schön **II.** *adv* ↑ *small* fein; ◇ **to cut up s.th. -** etw fein zerhakken **III.** *n* Geldstrafe *f;* (*traffic ticket*) Geldbuße *f* **IV.** *vt:* ◇ **he was -d one thousand dollars** er muß eintausend Dollar Strafe bezahlen; **fine arts** *n pl* schöne Künste *pl*

finesse [fɪˈnes] *n* Gewandtheit *f*, Geschick *s*

finger [ˈfɪŋgə*] **I.** *n* Finger *m;* ◇ **Jill has Jack wrapped around her -** Jill hat Jack um den kleinen Finger gewickelt; ◇ **if you lay a - on her I'll beat you up** wenn du sie nur anrührst, verprügle ich dich; ◇ **I can't put my - on it, but…** ich kann es nicht genau ausmachen, aber…; ◇ **not to lift a -** keinen Finger rühren **II.** *vt* anfassen, herumfingern an *dat;* **fingernail** *n* Fingernagel *m;* **fingerprint** *n* Fingerabdruck *m;* **fingertip** *n* Fingerspitze *f;* ◇ **to have s.th. at o.'s -** etw aus dem Effeff kennen

finicky [ˈfɪnɪkɪ] *adj* pingelig, wählerisch

finish [ˈfɪnɪʃ] **I.** *n* ① ↑ *conclusion* Ende *s*, Schluß *m;* SPORT Ziel *s* ② (*of object*) ◇ **to put on the -ing touches** den letzten Schliff verpassen [*o.* anlegen], Verarbeitung *f*, Ausfertigung *f* ③ (*of paint*) Finish *s*, Deckanstrich *m;* (*of photographs*) ◇ **gloss/matt -** Hochglanz-/Matt- **II.** *vt* ① ↑ *conclude, end* beenden, abschließen; → *task* erledigen; ◇ **I've -ed reading the book** ich habe das Buch fertiggelesen; ◇ **let me - speaking** laß mich ausreden ② → *food, drink* aufessen, austrinken **III.** *vi* ① ← *semester, meeting* zu Ende sein, aus sein; ◇ **I'll be -ed around one o'clock** ich werde gegen dreizehn Uhr fertig sein ② SPORT das Ziel erreichen; ◇ **she -ed first** sie belegte den ersten Platz; **finishing line** *n* Ziellinie *f*

finite [ˈfaɪnaɪt] *adj* ① ↑ *limited* begrenzt; ◇ **a - number** eine endliche Zahl ② LING ◇ **- verb** Verbum finitum *s*

Finland [ˈfɪnlənd] *n* Finnland *s*

Finn *n* Finne *m*,

Finnish *adj* finnisch
fiord [fjɔːd] *n* Fjord *m*
fir [fɜː*] *n* Tanne *f*
fire [faɪə*] **I.** *n* (1) Feuer *s;* ◇ **to be on ~** brennen; ◇ **to set ~ to a house** ein Haus anstecken (2) (*uncontrolled*) Brand *m* (3) (*gun shots*) Feuer *s* **II.** *vt* (1) → *gun* abschießen (2) → *words, questions* Fragen auf jd-n abfeuern (3) ↑ *dismiss* feuern; **fire alarm** *n* Feueralarm *m;* **firearm** *n* Feuer-/Schußwaffe *f;* **fire brigade** *n* Feuerwehr *f;* **fire engine** *n* Löschfahrzeug *s;* **fire escape** *n* (*ladder*) Rettungs-/Feuerleiter *f;* (*exit*) Notausgang *m;* **fire extinguisher** *n* Feuerlöscher *m;* **fireman** *n* <-men> Feuerwehrmann *m;* **fireplace** *n* Kamin *m;* **fireproof** *adj* feuerfest; **firestation** *n* Feuerwache *f;* **firewood** *n* Brennholz *s;* **fireworks** *n pl* Feuerwerk *s;* **firing line** [ˈfaɪərɪŋ] *n* Schußlinie *f;* **firing squad** *n* Exekutionskommando *s*
firm [fɜːm] **I.** *adj* (1) ↑ *stiff* ▷*mattress* fest, hart (2) ↑ *steadfast* ▷*decision, opinion* fest, beständig (3) ↑ *determined* sicher, entschlossen, bestimmt (4) ↑ *final* fest, stabil **II.** *n* ↑ *company* Firma *f* **III.** *adv:* ◇ **to stand ~** fest bei etw bleiben; **firmness** *n* Festigkeit *f;* Entschlossenheit *f;* Beständigkeit *f;* **firmly** *adv:* ◇ **to speak ~** mit fester Stimme sprechen
first [fɜːst] **I.** *adj* (1) (*located ~*) erst; ◇ **we should have done that in the ~ place** das hätten wir gleich zu Beginn tun sollen; ◇ **I don't know the ~ thing about it** ich habe nicht die geringste Ahnung davon (2) (*foremost in importance*) erste(r, s), bedeutendste(r, s); ◇ **~ quality** höchste Qualität **II.** *adv* (1) (*before in time*) zuerst; ◇ **Fanny asked ~** Fanny fragte zuerst; ◇ **he has to finish his work ~** er muß erst seine Arbeit fertig machen; (*in rank*) ◇ **she puts her family ~** die Familie geht bei ihr vor (2) (*never before*) zum ersten Mal (3) ↑ *firstly* als erstes; (*in a series*) erstens; ◇ **~ of all let's …** laß' uns zuerst einmal … (4) ◇ **at ~** anfangs, am Anfang **III.** *n* (1) (*new occurrence*) ◇ **if he apologizes it'll be a ~** das wäre das erste Mal, daß er sich entschuldigt (2) *mark, grade, BRIT* Eins *f;* ◇ **I got a ~** ich habe eine Eins bekommen (3) AUTO erster Gang *m;* **first aid** *n* Erste Hilfe *f;* **first-aid kit** *n* Verbandskasten *m;* **first-class** *adj* erstklassig; ▷*travel* erster Klasse; ▷*postage, AM* Briefpost *f;* **first-hand I.** *adv* aus erster Hand; ◇ **to buy ~** aus erster Hand kaufen **II.** *adj* aus erster Hand, unmittelbar; **first lady** *n* (*AM*) First Lady *f Frau des Präsidenten;* **firstly** *adv* erstens, zuerst, zum ersten; **first name** *n* Vorname *m;* **first night** *n* Premiere *f;* **first-rate** *adj* erstklassig, vorzüglich
fiscal [ˈfɪskəl] *adj* Finanz-; ◇ **~ year** Geschäftsjahr, s
fish [fɪʃ] **I.** *n* Fisch *m;* ◇ **he drinks like a ~** er säuft wie ein Loch; ◇ **he is like a ~ out of water** er ist nicht in seinem Element **II.** *vt* → *river* befischen *acc* **III.** *vi* (1) ↑ *catch fish* fischen (2) ↑ *seek* fischen (*for* nach) (3) ↑ *remove, extract* ◇ **~ out** herausfischen; ◇ **he ~ed out some old pictures** er fischte [*o.* kramte] alte Bilder heraus; **fisherman** *n* <-men> Fischer *m,* Angler *m;* **fish finger** *n* Fischstäbchen *s;* **fish hook** *n* Angelhaken *m;* **fishing boat** *n* Fischerboot *s;* **fishing line** *n* Angelschnur *f;* **fishing rod** *n* Angelrute *f;* **fishing tackle** *n* Angelgeräte *pl,* Fischereigeräte *pl;* **fish market** *n* Fischmarkt *m;* **fishmonger** *n* Fischhändler(in *f*) *m;* **fish slice** *n* Fischkelle *f;* **fish story** *n AM* ↑ *far-fetched story* Seemansgarn *s;* **fishy** *adj* (1) ↑ *fishlike* Fisch-, fischähnlich; *FAM* ↑ *suspicious* verdächtig, zweifelhaft; ◇ **that sounds pretty ~ to me** das hört sich ziemlich verdächtig an [*o.* zweifelhaft]
fission [ˈfɪʃən] *n* (1) (*act of splitting*) Teilung *f* (2) ▷*nuclear* Kernspaltung *f* (3) BIO Zellteilung *f;* PHYS Spaltung *f*
fissure [ˈfɪʃə*] *n* Spalt *m,* Riß *m*
fist [fɪst] *n* Faust *f*
fit [fɪt] **I.** *adj* (1) ↑ *physically sound* fit, gut in Form; ◇ **I jog to keep ~** ich laufe, um mich gesund zu halten [*o.* um fit zu bleiben]; *FAM* ◇ **to be ~ as a fiddle** topfit [*o.* kerngesund] sein (1) ↑ *suitable* geeignet, passend; ◇ **to be ~ for a position** für eine Stelle geeignet sein **II.** *vt* (1) (*have right size or shape*) passen, sitzen (2) ← *key* passen (3) ↑ *provide* ausstatten, einrichten (4) ↑ *correspond to* passen; ◇ **the description ~s him exactly** die Beschreibung trifft genau auf ihn zu **III.** *vi* (1) ↑ *go* ◇ **to ~ into s.th.** hineinpassen **IV.** *n* (1) (*right size*) Passen *s;* ◇ **the jeans are a perfect ~** die Jeans passen genau [*o.* sitzen tadellos] (2) MED Anfall *m* (3) *go mad, FAM* ◇ **she is going to have a ~** sie wird ausflippen [*o.* verrückt werden]; ▷*of laughter* Anfall *m;* ◇ **to see ~ to do s.th.** es für richtig halten, etw zu tun; ◇ **do as you think ~** tu' was du für richtig hältst; **fit in I.** *vt* (1) ↑ *squeeze in* (*find space*) unterbringen; ↑ *find time* einschieben; ◇ **I can't fit you into my schedule** ich kann dir keinen Termin geben **II.** *vi* (*in society, group*) passen; ◇ **she tried to ~ ~ with her peers** she versuchte sich, ihresgleichen anzupassen
fitment *n* Einrichtungsgegenstand *m*
fitted *adj* (1) ↑ *suited* geeignet (*for* für) (2) ▷*clothing* tailliert; ◇ **~ carpet** Teppichboden *m;* ◇ **~ kitchen** Einbauküche *f;* ◇ **~ sheet** Spannbettuch *s;* **fitter** *n* TECH Montagearbeiter *m,* Instal-

F

lateur *m;* **fitting** **I.** *adj* passend, angemessen **II.** *n* ① (*of dress*) Anprobe *f* ② (*piece of equipment*) Zubehörteil *s;* ◇ **-s** *pl* Ausstattung *f;* **fitting room** *n* Anprobekabine *f*

five [faɪv] **I.** *nr* Fünf **II.** *n* Fünf *f;* **fiver** *n* (*BRIT*) Fünfpfundnote *f*

fix [fɪks] **I.** *vt* ① ↑ *secure* befestigen, fest machen ② → *eyes, attention* richten, heften; → *hopes* setzen (*on* auf) ③ → *date* festsetzen; ◇ **we haven't -ed a time yet** wir haben noch keine Zeit ausgemacht ④ ↑ *repair* reparieren, herrichten; → *problem, matter* in Ordnung bringen ⑤ ↑ *organize, prepare* machen, vorbereiten; ◇ **I have to - breakfast** ich muß das Frühstück richten ⑥ ↑ *rig* manipulieren; ◇ **the race was -ed** das Rennen war ein abgekartetes Spiel **II.** *n* ① ↑ *drug injection, FAM* Schuß *m* ② ↑ *predicament* ◇ **to be in a -** in der Klemme sitzen

fixed *adj* ① fest, unveränderlich

fixture [ˈfɪkstʃə*] *n* ① (*furniture*) fester Gegenstand *m;* ◇ **a light -** Beleuchtungskörper *m* ② (*feature, part*) Inventarstück *s; FIG* ◇ **she is a -** sie gehört zum Inventar ③ SPORT *BRIT* Veranstaltung *f*

fizz [fɪz] *vi* sprudeln; **fizzle** [ˈfɪzl] *vi* zischen; **fizzle out** *vi* verpuffen; ← *plan* durchfallen, im Sande verlaufen; **fizzy** [ˈfɪzɪ] *adj* sprudelnd; ◇ **- drink** Brause, Limonade

fjord [fjɔːd] *n s.* **fiord** Fjord *m*

flabbergasted [ˈflæbəgɑːstɪd] *adj FAM* sprachlos; ◇ **I was - when I found out the price** ich war völlig platt, als ich den Preis erfuhr

flabby [ˈflæbɪ] *adj* ① ▷*flesh* schwammig, wabbelig ② ▷*argument* schwammig

flag [flæg] **I.** *n* Fahne *f* **II.** *vi* ← *strength* erlahmen; ← *spirit* nachlassen; ← *person* ermüden **III.** *vt* beflaggen; **flag down** *vt* anhalten; **flagpole** *n* Fahnenstange *f*

flagrant [ˈfleɪgrənt] *adj* eklatant, kraß; ▷*offence* himmelschreiend; ▷*violation* flagrant; ▷*affair* offenkundig

flagstone [ˈflægstəʊn] *n* Steinplatte *f,* Fliese *f*

flair [flɛə*] *n* ↑ *talent* Talent *s;* ↑ *style* Flair *s*

flake [fleɪk] **I.** *n* (*of snow*) Flocke *f;* (*of rust*) Splitter *m;* (*of skin*) Schuppe *f* **II.** *vi* abbröckeln; ← *paint* abblättern; **flake off** *vi* abbröckeln; ← *paint* abblättern, absplittern

flaky *adj* ① ▷*paint* brüchig; ▷*crust* blättrig; ◇ **- pastry** Blätterteig *m;* ▷*skin* schuppig ② ▷*behaviour, AM FAM* oberflächlich

flamboyant [flæmˈbɔɪənt] *adj* extravagant; ▷*colours* prächtig; ▷*gesture* großartig; ▷*life-style* aufwendig, üppig

flame [fleɪm] **I.** *n* Flamme *f* **II.** *vi* ← *fire* lodern, flammen; ← *colour* leuchten; **flaming** [ˈfleɪmɪŋ] *adj* ① brennend, lodernd; leuchtend ② *used as emphasis, BRIT FAM* verdammt; ◇ **he is a - idiot** er ist ein verdammter Idiot

flamingo [fləˈmɪŋgəʊ] *n* <-áeís> Flamingo *m*

flan [flæn] *n* (*BRIT*) Kuchen *m;* ◇ **-case** Tortenboden *m*

flank [flæŋk] **I.** *n* (*of person, animal*) Flanke, Seite *f;* MIL Flanke *f* **II.** *vt* ↑ *place beside* flankieren

flannel [ˈflænl] **I.** *n* ▷*clothes* Flanell *m;* (*rag*) ↑ *face -, BRIT* Waschlappen *m* **II.** *vi FAM* schwafeln

flap [flæp] **I.** *n* ① (*piece of s.th.*) Klappe *f* ② (*sound*) Flattern *s;* (*of wings*) Schlagen *s* ③ (*FAM crisis*) helle Aufregung *f* **II.** *vt* → *wings* mit den Flügeln schlagen **III.** *vi* ① ← *wings* schlagen; ← *sails* flattern; ← *shutters* klappern ② (*FAM panic*) in heller Aufregung sein; ◇ **there's no need to -** es gibt keinen Grund zur Aufregung

flare [flɛə*] *n* ① ↑ *signal* Leuchtsignal *s* ② ↑ *light* Auflodern *s* ③ ↑ *bellbottoms* ausgestellter Schnitt *m;* **flare up** *vi* aufflackern, auflodern; *FIG* aufflackern, auflodern; ← *person* aufbrausen, auffahren; (*of revolt, violence*) ausbrechen; ◇ **he -d - at the policeman** er fuhr den Polizisten an; **flared** *adj* ▷*trousers* ausgestellt

flash [flæʃ] **I.** *n* ① (*quick light*) Aufblinken *s,* Aufblitzen *s;* ◇ **- of lightning** Blitz *m* ② FOTO Blitzlicht *s* ③ ↑ *news* - Kurzmeldung *f* ④ (MIL *on uniform*) Abzeichen *s* **II.** *vt* aufblitzen, ausleuchten lassen; ◇ **to - o.'s headlights at s.o.** jd-m mit der Lichthupe anblinken **III.** *vi* ① ↑ *blink, flare* aufblinken, aufblitzen ② (*quick movement*) flitzen; ◇ **in a -** blitzartig; ◇ **to - in and out** rein und raus sausen; ← *vehicle* ◇ **to - by** [*o.* **past**] vorbei sausen; **flashback** *n* ① (*in film*) Rückblende *f* ② (*drug experience*) Flashback, Echorausch *m;* **flash bulb** *n* FOTO Blitzbirne *f;* **flash cube** *n* FOTO Blitzlichtwürfel *m;* **flash light** *n* (*AM*) Taschenlampe *f; BRIT* Blitzlicht *s*

flashy [ˈflæʃɪ] *adj PEJ* auffällig

flask [flɑːsk] *n* Flakon *m;* (*of whisky*) Flachmann *m;* CHEM Glaskolben *m;* (*vacuum -*) Thermosflasche *f*

flat [flæt] **I.** *adj* ① ↑ *smooth, level* flach, eben; ▷*tyre* platt; ◇ **- as a pancake** total platt; ◇ **to fall - on o.'s face** auf die Nase fallen ② ↑ *dull, lifeless* öde, lau, lahm; ▷*colour* matt, stumpf, glanzlos; ▷*drink* schal, abgestanden ③ ▷*denial, refusal* glatt, deutlich ④ (*- fee/rate*) Pauschal- ⑤ MUS zu tief **II.** *adv* MUS tief; ◇ **you're singing -** du singst zu tief ② ↑ *exactly, FAM* ◇ **in three minutes -** in genau drei Minuten ③ ↑ *completely*

◇ - **broke** total pleite **III.** *n* [1] ↑ *apartment, BRIT* Wohnung *f* [2] MUS Erniedrigungszeichen *s* [3] AUTO *AM* Reifenpanne *f;* ◇ **they had a -** sie hatten einen Platten [4] ↑ *plain* Ebene *f* [5] (- *side of*) flache Seite, Fläche *f;* **flatfooted** *adj* plattfüßig; ◇ **he is -** er hat Plattfüße

flatly *adv* klipp und klar

flatness *n* Flachheit *f,* Ebenheit *f;* Plattheit *f;* Deutlichkeit *f;* **flatten I.** *vt* ebnen **II.** *vr* sich platt gegen/an etw drücken; **flatten out** *vi* (AERO) ausschweben

flatter [ˈflætə*] **I.** *vt* [1] ↑ *compliment* schmeicheln *dat;* ◇ **he -ed her on her cooking** er schmeichelte ihr wegen ihrer Kochkunst [2] (*be pleased*) ◇ **I am -ed to be invited** ich fühle mich geehrt, daß Sie mich eingeladen haben [3] ↑ *enhance* ◇ **the skirt -s your figure** der Rock ist sehr vorteilhaft **II.** *vr* sich etw einbilden; **flatterer** *n* Schmeichler(in *f*) *m;* **flattering** *adj* schmeichelhaft; ↑ *enhancing* vorteilhaft; **flattery** *n* Schmeicheleien *pl;* ◇ - **will get you nowhere** mit Schmeicheleien kommst du nicht weiter

flatulence [ˈflætjʊləns] *n* Blähungen *pl*

flaunt [flɔːnt] *vt* herzeigen; → *wealth* zur Schau stellen, protzen mit; → *o.s.* sich groß in Szene setzen

flavour, flavor (*AM*) [ˈfleɪvə*] **I.** *n* ↑ *taste* Geschmack *m,* Aroma *s;* ◇ **thirty-one -s** einunddreißig Geschmackssorten [*o.* Geschmacksrichtungen]; ◇ **mint--ed toothpaste** Zahnpaste mit Pfefferminzgeschmack **II.** *vt* Geschmack geben/verleihen *dat;* **flavouring** *n* Aroma *s*

flavourless *adj* geschmacklos, fad(e)

flaw [flɔː] **I.** *n* Fehler *m;* ↑ *weakness* Schwäche *f;* (*character*) Mangel *m,* Defekt *m* **II.** *vt* einen Fehler aufzeigen/finden in; **flawless** *adj* fehlerlos; ▷*complexion* makellos; ▷*diamond* lupenrein

flax [flæks] *n* Flachs *m*

flea [fliː] *n* Floh *m;* **fleabag** *n* ↑ *hotel, AM FAM* Absteige *f*

fled [fled] *pt, pp of* **flee**

flee [fliː] <fled, fled> *vti* fliehen (*from* vor, aus *dat*); (*from country*) flüchten/fliehen aus

fleece [fliːs] **I.** *n* Vlies *s,* Schaffell *s* **II.** *vt FAM* jd-n. schröpfen

fleet [fliːt] *n* [1] (*of the navy*) Flotte *f* [2] (*of road vehicles*) Fuhrpark *m*

fleeting [ˈfliːtɪŋ] *adj* flüchtig; ◇ **a - glimpse** ein kurzer Blick

flesh [fleʃ] *n* (*of a person*) Fleisch *s;* (*of fruit*) Fruchtfleisch *s; FIG* ◇ **in the -** in Person; ◇ **pleasures of the -** fleischliche Vergnügungen; **flesh wound** *n* Fleischwunde *f*

flew [fluː] *pt of* **fly**

flex [fleks] **I.** *n* (*BRIT*) Schnur *f,* Kabel *s* **II.** *vt* → *muscles* beugen; ◇ **he -ed his biceps** er ließ seine Bizeps spielen

flexibility [fleksɪˈbɪlɪtɪ] *n* Biegsamkeit *f; FIG* Flexibilität *f;* **flexible** *adj* [1] (*easily changed*) ▷*plans, person* flexibel; ◇ - **working hours** *pl* gleitende Arbeitszeit *f* [2] (*easily bent*) biegsam; ↑ *plastic* elastisch

flexitime *n* Gleitzeit *f*

flick [flɪk] **I.** *n* Schnipsen *s;* (*with a whip*) Schnalzen *s;* ◇ **he managed with just a - of the wrist** er hat es mühelos geschafft **II.** *vt* (*with whip*) schnalzen/knallen mit; (*with finger*) schnalzen mit; ◇ **to - s.th. off** etw wegschnippen; ◇ **the horse -ed flies away with its tail** das Pferd schlug mit seinem Schwanz nach den Fliegen

flicker [ˈflɪkə*] **I.** *n* [1] (*light, movement*) Flackern *s,* Flimmern *s,* Zittern *s* [2] ↑ *feeling* ◇ **a - of excitement** ein Anzeichen von Aufregung; ◇ **a - of hope** ein Hoffnungsschimmer **II.** *vi* ← *candle* flackern; ← *shadows, light* flimmern

flier [ˈflaɪə*] *n* [1] (*a pilot*) Flieger(in *f*) *m* [2] ↑ *leaflet, AM* Flugblatt *s* [3] ↑ *flying start,* SPORT glänzender Start *m*

flight [flaɪt] *n* [1] (*act of flying*) Flug *m* [2] (*journey*) Flugreise *f* [3] ↑ *staircase* Treppe *f;* ◇ **four -s of stairs** vier Treppen; **flight attendant** *n* Flugbegleiter(in *f*) *m,* Steward(eß *f*) *m;* **flight deck** *n* NAUT Flugdeck *s;* AERO Cockpit *s*

flimsy [ˈflɪmzɪ] *adj* [1] ▷*object* wackelig [2] ▷*material* dünn; ▷*dress* leicht, duftig [3] ▷*excuse* fadenscheinig, schwach

flinch [flɪntʃ] *vi* zurückzucken; ◇ **he stood the pain without -ing** er ertrug den Schmerz, ohne mit der Wimper zu zucken

fling [flɪŋ] **I.** <flung, flung> *vt* schleudern; ◇ **he flung himself onto the couch** er warf sich auf die Couch **II.** *n* [1] (*act of throwing*) Werfen *s,* Schleudern *s;* ↑ *throw* Wurf *m* [2] (*an occasion*) Anlauf *m;* ◇ **to have a - with s.o.** etw Verrücktes mit jd-m unternehmen

flint [flɪnt] *n* (*in lighter*) Feuerstein *m*

flip [flɪp] **I.** *n* [1] (*movement of fingers*) Schnipser *m,* Schnippen *s* [2] ↑ *somersault* Salto *m* **II.** *vt* [1] → *object* schnippen; → *cassette* herumdrehen [2] ↑ *get mad, FAM* ausflippen; ◇ **he -ped his lid** er ist ausgerastet [*o.* ausgeflippt]

flip-flop *n* Gummilatsche *f*

flippancy [ˈflɪpənsɪ] *n* Frivolität *f,* Leichtfertigkeit *f;* **flippant** [ˈflɪpənt] *adj* leichtfertig; ◇ **to be - about s.th.** etw nicht ernst nehmen

flipper [ˈflɪpə] *n* (*for swimming*) Schwimmflosse *f*

F

flirt [flɜːt] **I.** *vi* flirten; ◇ **to ~ with an idea** mit einem Gedanken spielen; ◇ **to ~ with danger** die Gefahr herausfordern **II.** *n:* ◇ **he/she is a ~** er/sie flirtet gern; **flirtation** [flɜː'teɪʃən] *n* Flirt *m*

flit [flɪt] *vi* flattern, huschen

float [fləʊt] **I.** *n* ① (*for fishing*) Schwimmer *m;* (*drink with ice cream*) *Milchshake mit Eiskugel* ② (*decorated vehicle*) Festwagen *m* ③ ↑ *money* Wechselgeld *s* **II.** *vi* schwimmen, treiben; ◇ **the logs ~ed downstream** die Baumstämme trieben flußabwärts; (*in air*) schweben **III.** *vt* COMM gründen; → *currency* freigeben, floaten lassen; **floating** *adj* ① (*not fixed*) treibend; ◇ **~ dock** Schwimmdock *s* ② *not settled, FIG* wandernd; ◇ **~ voter** Wechselwähler *m;* MATH ◇ **~ decimal point** Gleitkomma *s;* FIN ▷*currency* freigegeben; ◇ **~ capital** Umlaufkapital *s*

flock [flɒk] **I.** *n* ① *of sheep,* REL Herde *f;* (*of birds*) Schwarm *m* ② (*of people*) Schar *f,* Haufen *m;* ◇ **the people came in ~s** die Menschen kamen in hellen Scharen **II.** *vi* in Scharen kommen

flog [flɒg] *vt* prügeln, schlagen; (*with whip*) auspeitschen; *FAM* ↑ *sell, BRIT* verscherbeln

flood [flʌd] **I.** *n* Flut *f,* Hochwasser *s; FIG* Schwall *m;* ◇ **she was in ~s of tears** sie war in Tränen gebadet **II.** *vt* ① → *street, field* überschwemmen ② COMM ◇ **grain ~ed the market** der Markt wurde mit Getreide überschwemmt **III.** *vi* ① ← *river* über die Ufer treten; ← *sink, bath* überlaufen; ◇ **we were ~ed out of our house** wir wurden durch das Hochwasser obdachlos ② ← *people* strömen; **flooding** *n* Überschwemmung *f;* **floodlight I.** *n* Flutlicht *s* **II.** *vt* anstrahlen; **floodlighting** *n* Beleuchtung *f*

floor [flɔː*] **I.** *n* ① ↑ *ground* Boden *m;* (*of room*) Fußboden *m;* ◇ **dance ~** Tanzfläche *f* ② ↑ *storey* Stockwerk *s; AM* ◇ **we live on the first ~** wir wohnen im Erdgeschoß ③ (*of chamber*) Sitzungssaal *m;* ◇ **the democrats have the ~** die Demokraten haben Redezeit; ◇ **a question for the ~ of the House** eine Frage an die Zuhörerschaft **II.** *vt* ① ↑ *knock down* zu Boden schlagen; *FIG* ◇ **the news ~ed me** die Nachricht hat mich umgehauen ② → *a house, building* mit einem Fußboden versehen; **floorboard** *n* Diele *f;* **floor manager** *n* (*AM*) Abteilungsleiter(in *f*) *m;* **floor show** *n* Vorstellung *f;* **floorwalker** *n* COMM Ladenaufsicht *f*

flop [flɒp] **I.** *n* ① (*movement, sound*) Plumps *m* ② ↑ *failure* Reinfall *m;* (*person*) Versager *m* **II.** *vi* ① plumpsen; ◇ **she ~ped down into the chair** sie ließ sich in den Sessel hineinplumpsen ② (↑ *fail*) durchfallen; ◇ **the project ~ped** das Projekt war ein Reinfall [*o.* Flop]

floppy ['flɒpɪ] *adj* schlaff, schlapp; **floppy disk** *n* PC Diskette, Floppy Disk *f*

floral ['flɔːrəl] *adj* Blüten-; ◇ **she was wearing a ~ dress** sie trug ein geblümtes Kleid

florid ['flɒrɪd] *adj* ▷*style* schwülstig, überladen

florist ['flɒrɪst] *n* Blumenhändler(in *f*) *m;* ◇ **~'s shop** Blumengeschäft *s*

flotsam ['flɒtsəm] *n* Treibgut *s;* ◇ **~ and jetsam** Treibgut *s*

flounce [flaʊns] **I.** *n* (*on dress*) Volant *m,* Rüsche *f* **II.** *vi* stolzieren; ◇ **she ~d out of the room** sie stolzierte aus dem Zimmer hinaus

flounder ['flaʊndə*] **I.** *n* (*fish*) Flunder *f* **II.** *vi* ① (*movement*) sich abstrampeln; ◇ **they ~ed along in the snow** sie quälten sich mühselig durch den Schnee ② ↑ *dither* sich abzappeln; ◇ **while being interviewed I started to ~** während des Vorstellungsgesprächs kam ich ins Schwimmen

flour ['flaʊə*] *n* Mehl *s*

flourish ['flʌrɪʃ] **I.** *vi* ① ↑ *thrive* blühen; ← *era, the arts* seine Blütezeit haben ② ↑ *grow* gedeihen; ↑ *boom* boomen **II.** *vt* ↑ *wave* herumwedeln; ◇ **he was ~ing the flag** er schwenkte die Fahne **III.** *n* ① (*decorative curve*) Schnörkel *m* ② (*waving*) schwungvolle Bewegung; **flourishing** *adj* blühend

flow [fləʊ] **I.** *n* Fluß *m;* ◇ **the ~ of blood** der Blutstrom **II.** *vi* ← *river* fließen; ← *sea* sich bewegen; **flow chart**, **flow diagram** *n* Flußdiagramm *s*

flower ['flaʊə*] **I.** *n* (*plant*) Blume *f;* ↑ *blossom* Blüte *f* **II.** *vi* blühen; **flower bed** *n* Blumenbeet *s;* **flowerpot** *n* Blumentopf *m;* **flowery** *adj* ① ▷*pattern* geblümt, mit Blumen gemustert; ▷*smell* blumig ② ▷*style* blumig

flowing ['fləʊɪŋ] *adj* fließend; ▷*hair* wallend; ▷*words* flüssig

flown [fləʊn] *pp of* **fly**

flu [fluː] *n* Grippe *f*

fluctuate ['flʌktjʊeɪt] *vi* schwanken; **fluctuation** [flʌktjʊ'eɪʃən] *n* Schwankung *f*

fluency ['fluːənsɪ] *n* Flüssigkeit *f;* ◇ **his ~ in English** seine Gewandtheit in der englischen Sprache; **fluent** *adj* flüssig; ◇ **she is ~ in French** sie spricht fließend französich; **fluently** *adv* (*speech*) fließend; ◇ **he speaks German ~** er spricht fließend deutsch

fluff [flʌf] **I.** *n* ↑ *down, fur* Flaum *m* **II.** *vt* ① → *pillow* aufschütteln; ← *bird* aufplustern ② ↑ *fail* vermasseln; **fluffy** *adj* flaumig

fluid ['fluːɪd] **I.** *n* ↑ *liquid* Flüssigkeit *f* **II.** *adj* ① ↑ *liquid* flüssig ② *FIG* ↑ *unsettled* ▷*plans* ungewiß

fluke [fluːk] *n* ① (*of whale*) Fluke *f* ② *FAM* ↑

luck ◇ **he passed the exam by a ~** er hat bei der Prüfung Schwein [*o.* Dusel] gehabt

flung [flʌŋ] *pt, pp of* **fling**

fluorescent [flʊəˈresnt] *adj* Leucht-; (*light*) Neon-

fluoride [ˈflʊəraɪd] **I.** *n* Fluor *s* **II.** *vt* mit Fluor versetzen, fluorisieren

flurry [ˈflʌrɪ] *n* ① (*of snow*) Gestöber *s;* (*of wind*) Stoß *m* ② (*of activity*) Aufregung *f;* ◇ **to be all in a ~ about s.th.** ganz aufgescheucht über etw sein

flush [flʌʃ] **I.** *n* ① → *toilet* Wasserspülung *f* ② ↑ *blush* Röte *f* ③ (*poker*) Flush *m* **II.** *vt* ① ↑ *clean* spülen; ◇ **don't forget to ~ (the toilet)** vergiß nicht zu spülen ② ↑ *force out* → *birds, game* aufstöbern, aufscheuchen **III.** *vi* ↑ *blush* rot werden, rot anlaufen (*with* vor) **IV.** *adj* (*level*) in gleicher Ebene; ◇ **shelves ~ing with the wall** Regale, die mit der Wand abschließen; **flushed** *adj* ① ▷*cheeks* rot ② ↑ *filled* ◇ **to be ~ed with happiness** vor Glück strahlen ③ *FAM* ↑ *rich* jede Menge Geld haben

fluster [ˈflʌstə*] **I.** *n* ↑ *nervous* durcheinander sein; ◇ **to get into a ~** nervös werden **II.** *vt* nervös machen; **flustered** *adj* durcheinander, aufgeregt; ◇ **I was so ~ I forgot everything** ich war so aufgeregt, daß ich alles vergessen habe

flute [flu:t] **I.** *n* (*instrument*) Querflöte *f* **II.** *vt* → *pillar* kannelieren

fluted [ˈflu:tɪd] *adj* ▷*architecture* kanneliert; ▷*border, trim* Bogen-, bogenförmig

flutter [ˈflʌtə*] **I.** *n* ① (*of wings*) Flattern *s* ② (*of excitement*) Aufregung *f;* ◇ **the news put me in a ~** die Nachricht versetzte mich in helle Aufregung ③ ↑ *bet, BRIT* ◇ **to have a ~** Glück beim Wetten haben ④ *of heart,* MED Kammerflattern *s* **II.** *vi* ① ← *wings* flattern ② ← *heart* flattern **III.** *vt* → *flag* wedeln; → *eyelashes* klimpern mit

flux [flʌks] *n* ① ↑ *change* Fluß *m;* ◇ **in a state of ~** in ständigem Wandel begriffen ② (*substance*) Flußmittel *s*

fly [flaɪ] <flew, flown> **I.** *vi* ① ← *bird* fliegen; ← *arrows, ball* fliegen; ← *time* vergehen ② (*travel*) fliegen **II.** *vt* ← *pilot* fliegen; → *kite* steigen lassen **III.** *n* ① (*insect*) Fliege *f* ② (*on trousers*) Hosenschlitz *m;* ◇ **your ~ is open** dein Hosenladen steht offen; **flying** *n* Fliegen *s;* **flying colours** *n:* ◇ **to win with ~ ~** glänzend abschneiden; **flying saucer** *n* fliegende Untertasse *f;* **flying start** *n* SPORT fliegender Start *m; FIG* ◇ **to have a ~ ~** einen glänzenden Start haben [*o.* glänzend wegkommen]; **flying visit** *n* (*BRIT*) Blitzbesuch *m;* **flyover** *n* (*BRIT*) Überführung *f;* **flypaper** *n* Fliegenfänger *m;* **flywheel** *n* TECH Schwungrad *s*

foam [fəʊm] **I.** *n* ① (*of beer*) Schaum *m;* (*of beach*) Gischt *f;* ↑ *shaving cream* Rasierschaum *m;* (*plastic etc.*) Schaumgummi *m* **II.** *vi* schäumen; ◇ **the dog was ~ing at the mouth** der Hund hatte Schaum vorm Maul

fob off [fɒb ɒf] *vt:* ◇ **to ~ s.o. ~ with s.th.** jd etw andrehen; ◇ **he fobbed her off with promises** er hat sie mit leeren Versprechungen abgespeist

focal [ˈfəʊkəl] *adj* fokal; ◇ **~ news** Nachricht, die im Mittelpunkt steht

focus [ˈfəʊkəs] **I.** *n* ① PHYS Brennpunkt *m* ② ↑ *centre of attention* Mittelpunkt *m* ③ FOTO ◇ **in/out of ~** scharf/unscharf eingestellt **II.** *vt* ① → *attention* konzentrieren (*on* auf *acc*) ② → *camera* einstellen **III.** *vi* ← *light, heat* sich bündeln

fodder [ˈfɒdə*] *n* Futter *s*

foe *n* Feind *m*

foetus [ˈfi:təs] *n* Fötus *m*

fog [fɒg] **I.** *n* Nebel *m;* (*FIG uninformed*) ◇ **she was in the ~ to what his intentions were** er ließ sie über seine Absichten im dunkeln **II.** *vi* ① ← *window, glasses* ◇ **~ up** beschlagen; ◇ **my glasses are ~ging up** meine Brille läuft an ② ← *issue* vernebeln; **foggy** *adj* ① ▷*weather* nebelig ② *FIG* ▷*understanding* unklar; ◇ **I haven't the foggiest idea** ich habe nicht die geringste Ahnung, ich habe keinen blassen Dunst; **fog lamp, foglight** *n* Nebellampe *f*

foil [fɔɪl] **I.** *n* Folie *f*

fold [fəʊld] **I.** *vt* ① → *paper* zusammenfalten; ↑ *~ up* ◇ **please ~ your clothes** bitte lege deine Kleider zusammen ② → *o.'s arms* verschränken **II.** *vi* ① ← *chair, table* sich zusammenklappen lassen ② ↑ *fail, close* eingehen **III.** *n* ① ↑ *crease* Falte *f* ② (*in the earth*) Bodenfalte *f;* **fold in** *vt* ↑ *add* eingeben

fold-away *adj* zusammenklappbar; ◇ **a ~ bed** ein Klappbett *s*

folder *n* ↑ *pamphlet* Heft *s;* ↑ *portfolio* Aktenmappe *f*

folding *adj* ▷*chair etc.* Klappstuhl *m;* ▷*door* Falttür *f*

foliage [ˈfəʊlɪɪdʒ] *n* Blätter *pl,* Laubwerk *s*

folk [fəʊk] **I.** *n* ① ↑ *people* Leute *pl;* ◇ **we are country ~(s)** wir leben auf dem Land ② ↑ *~ music* Volksmusik *f* **II.** *adj* Volk-; **folklore** [ˈfəʊklɔ:*] *n* (*study*) Volkskunde *f;* (*tradition*) Folklore *f;* **folksong** *n* Volkslied *s;* (*modern*) Folksong *m*

follow [ˈfɒləʊ] **I.** *vt* ① ↑ *tail* hinterhergehen, folgen *dat;* ◇ **to ~ s.o.'s footsteps** in jd-s Fußstapfen *acc* treten ② ↑ *listen carefully* folgen *dat;* ◇ **do you ~ me?** können Sie mir folgen? ③ ↑ *watch regularly* → *soap operas* verfolgen; → *sports* sich interessieren für ④ ↑ *obey* befolgen, folgen ⑤ ↑

carry on → *profession* ausüben, nachgehen; → *field of study* verfolgen **II.** *vi* ① ↑ *accompany* folgen ② (*not preceding*) danach kommen; ◇ **May ~s April** Mai kommt nach April ③ ← *result* folgen, sich ergeben; ◇ **proverty often ~s war** auf einen Krieg folgt häufig Armut; **follow up** *vt* ① ↑ *investigate* sich näher damit beschäftigen ② ↑ *take further action* nachgehen; ◇ **I ~ed ~ his suggestion** ich griff seinen Vorschlag auf; **following** *adj* ① ↑ *next* folgend; ◇ **on the ~ day** am nächsten Tag ② (*next mentioned*) ◇ **he said the ~...** er sagte folgendes... ③ (*same direction*) ◇ **a ~ wind** Rückenwind *m*

folly ['fɒlı] *n* ① ↑ *stupidity* Torheit *f;* ◇ **it would be ~ to continue** es wäre Blödsinn weiterzumachen ② (*building*) exzentrischer Prachtbau

fond [fɒnd] *adj:* ◇ **to be ~ of s.th./s.o.** jd-n/etw gern haben; **fondness** *n* Zuneigung *f,* Vorliebe *f* (*for* für)

font [1] [fɒnt] *n* REL Taufstein *m*

font [2] [fɒnt] *n* PC Schriftart *f,* Font *m*

food [fu:d] *n* Essen *s,* Nahrungsmittel *s;* (*for animals*) Futter *s;* ↑ *groceries* Lebensmittel *pl;* **food poisoning** *n* Lebensmittelvergiftung *f*

fool [fu:l] **I.** *n* Narr *m,* Dummkopf *m;* ◇ **she made a ~ of herself** sie machte sich lächerlich **II.** *vt* ↑ *deceive* austricksen **III.** *vi:* ◇ **to behave like a ~** Blödsinn machen; **fool around** *vi* ① ↑ *waste time* Zeit verschwenden ② ↑ *act silly* Blödsinn machen (*with* mit *dat*); ◇ **stop ~ing ~ with that** hör auf, damit herumzuspielen ③ ↑ *cheat* ◇ **he is ~ing ~ with her** er hat etw mit ihr; **foolhardy** *adj* tollkühn; **foolish** *adj* dumm; **foolproof** *adj* narrensicher

foot [fʊt] **I.** *n* <feet> ① (*body part*) Fuß *m;* ◇ **I have been on my feet all day** ich war den ganzen Tag auf den Beinen; ◇ **I'll go on ~** ich werde zu Fuß gehen ② (*measure*) Fuß, m ③ ↑ *bottom end* ◇ **at the ~ of the bed** am unteren Ende des Bettes ④ (*poetry*) Versfuß *m* **II.** *vt* ↑ *pay* begleichen; ◇ **I'll ~ the bill** ich bezahle die Rechnung; *FIG* ◇ **to put o.'s ~ in it** (*BRIT*) ins Fettnäpfchen treten; ◇ **to put o.'s ~ down** ein Machtwort sprechen; **football** *n* amerikanischer Football *m;* ◇ **do you play ~ or soccer?** spielst du amerikanischen Football oder Fußball?; **foothills** *n pl* Ausläufer *pl;* **foothold** *n* Halt *m;* **footing** *n* ① ↑ *balance* Halt *m* ② ↑ *level, FIG* Basis *f;* ◇ **I'd like to keep this relationship on business ~** ich möchte die Beziehung geschäftlich halten; **footlight** *n* Rampenlicht *s;* **footnote** *n* Fußnote *f;* **footpath** *n* Fußweg *m;* **footrest** *n* Fußstütze *f;* **footwear** *n* Schuhe *m pl*

for [fɔ:*] **I.** *prep* für ① (*intention*) ◇ **I got a present ~ my birthday** ich bekam ein Geschenk zum Geburtstag ② (*appropriate*) ◇ **it isn't ~ one to decide but you** die Entscheidung steht keinem außer dir zu ③ ↑ *due to* aus; ◇ **~ this reason** aus diesem Grund; ◇ **if it weren't ~ you** wenn es dich nicht gäbe; ◇ **he did it ~ the money** er hat es wegen des Geldes getan ④ ↑ *with regard to* ◇ **I'm happy ~ you** ich freue mich für dich; ◇ **as ~ you...** was dich betrifft... ⑤ (*in exchange*) ◇ **two ~ the price of one** zwei für das Geld von einem ⑥ (*aptitude ~*) ◇ **he has a talent ~ languages** er hat eine Begabung für Sprachen, er ist sprachbegabt; ◇ **to have a weakness ~ s.th.** eine Schwäche für etw haben ⑦ (*during*) ◇ **the movie will last ~ two hours** der Film dauert zwei Stunden; ◇ **I haven't seen you ~ days** ich habe dich seit Tagen nicht gesehen ⑧ (*phrasal verbs*) ↑ *in favour of* ◇ **to be ~ s.th.** für etw sein; ◇ **to look ~ s.th.** suchen nach etw; ◇ **to hope ~ s.th.** auf etw hoffen; ◇ **ask ~ s.th.** fragen nach etw **II.** *cj* denn; ◇ **what ~?** wozu?; ↑ *since, as* ◇ **I was happy, ~ it was Friday** ich war froh, denn es war Freitag

forage ['fɒrıdʒ] **I.** *n* ① (*for cattle*) Futter *s* ② (*searching*) Futtersuche *f* **II.** *vi* ① ← *animal* nach Futter suchen ② ↑ *search for* herumwühlen

forbade [fə'bæd] *pt of* **forbid**

forbearing [fə'bɛərıŋ] *adj* verbotene(s, r)

forbid [fə'bıd] <forbade, forbidden> *vt* ① (*not allow*) verbieten; ◇ **to ~ s.o. s.th.** jd-m etw verbieten; ◇ **my mother ~s me to go** meine Mutter verbietet mir zu gehen ② ↑ *prevent* verhindern; **forbidding** *adj* bedrohlich, furchterregend

force [fɔ:s] **I.** *n* ① ▷*physical* Kraft *f;* ◇ **the ~ of the wind was so strong** der Wind war so stark ② ↑ *violence* Gewalt *m* ③ ↑ *influence* Macht *f* ④ *group of men,* MIL Streitkräfte *pl;* (*work-*) Arbeitskräfte *pl* **II.** *vt* ① (*against free will*) zwingen; ◇ **he ~d me to talk** er zwang mich zu reden ② (*physical strength*) Gewalt anwenden; ◇ **to ~ o.'s way into s.th.** sich gewaltsam Zugang zu etw verschaffen *dat* ③ → *laughter, a mood* zwingen ④ (*obtain by ~*) erzwingen; ◇ **to ~ s.th. out of s.o.** etw von jd-m erzwingen; **forced** *adj* ① ↑ *unwillingly* ▷*smile* gezwungen, gequält ② (*out of necessity*) Not-; ▷*landing* Notlandung *f;* **forceful** *adj* ▷*speech* eindrucksvoll; ▷*personality* stark; ▷*ideas* wirkungsvoll

forceps ['fɔ:seps] *n pl* Zange *f;* MED ◇ **~ delivery** Zangengeburt *f*

forcible ['fɔ:səbl] *adj* ① ↑ *convincing* eindrucksvoll; ▷*reason* überzeugend ② ↑ *violent* gewaltsam; **forcibly** *adv* mit Gewalt

ford [fɔ:d] **I.** *n* Furt *f* **II.** *vt* durchqueren

fore [fɔ:*] *adj* vordere(r, s)

forearm ['fɔːrɑːm] *n* Unterarm *m*
foreboding [fɔː'bəʊdɪŋ] *n* Vorgefühl *s;* ◇ **I had a terrible ~ about flying** wenn ich ans Fliegen denke, habe ich ein ungutes Gefühl
forecast ['fɔːkɑːst] **I.** *n* Voraussage *f,* Prognose *f;* ◇ **the weather ~** Wettervorhersage *f* **II.** *irr vt* voraussagen, vorhersehen
foreclose ['fɔːkləʊz] **I.** *vi* ← *bank* kündigen (*on s.o.* jd-m *dat*) **II.** *vt* jd-s Kredit kündigen
forecourt ['fɔːkɔːt] *n* (*of garage*) Vorhof *m*
forefinger ['fɔːfɪŋgə*] *n* Zeigefinger *m*
forego [fɔː'gəʊ] *irr vt* verzichten auf *acc;* **foregoing** *adj* vorhergehend; **foregone** [fɔː'gɒn] *adj:* ◇ **it was a ~ conclusion** es stand von vornherein fest
foreground ['fɔːgraʊnd] *n* Vordergrund *m*
forehead ['fɒrɪd] *n* Stirn *f*
foreign ['fɒrɪn] *adj* [1] ↑ *overseas* ausländisch [2] ↑ *alien* fremd; **foreigner** *n* Ausländer(in *f*) *m;* **foreign exchange** *n* Devisen *pl;* **Foreign Office** *n* (*BRIT*) *britisches Außenministerium*
foreman ['fɔːmən] *n* <-men> [1] (*factory*) Vorarbeiter *m;* (*construction site*) Polier *m* [2] (*in court*) Obmann *m*
foremost ['fɔːməʊst] *adj* erste(r, s), vorderste(r, s); ◇ **the ~ politician** der führende Politiker
forerunner ['fɔːrʌnə*] *n* [1] ↑ *warning* Vorbote *m* [2] (*person*) Vorläufer *m*
foresee [fɔː'siː] *irr vt* voraussehen; ◇ **he foresaw the difficulties** er hat die Schwierigkeiten vorhergesehen; **foreseeable** *adj* voraussehbar; ◇ **in the ~ future** in absehbarer Zeit
foresight ['fɔːsaɪt] *n* Weitblick *m*
forest ['fɒrɪst] *n* Wald *m*
forestall [fɔː'stɔːl] *vt* → *someone* zuvorkommen *dat;* → *plan* vorwegnehmen *dat;* ◇ **he was about to speak but I ~ed him** er wollte gerade darüber reden, doch ich bin ihm zuvorgekommen
forestry ['fɒrɪstrɪ] *n* Fortwirtschaft *f;* ◇ **F~ Commission** (*BRIT*) Forstverwaltung *f*
foretaste ['fɔːteɪst] *n* Vorgeschmack *m*
foretell [fɔː'tel] *irr vt* vorhersagen; ◇ **who can ~ the future?** wer can die Zukunft voraussagen?
forever [fə'revə*] *adv* [1] ↑ *constantly* immer, ständig [2] ↑ *eternally* ewig [3] ↑ *a long time* ◇ **the train took ~** der Zug hat ewig gebraucht
foreword ['fɔːwɜːd] *n* Vorwort *s*
forfeit ['fɔːfɪt] **I.** *n* [1] JUR Strafe *f,* Buße *f* [2] ↑ *voluntarily* Einbuße *f;* (*in game*) Pfand *s* **II.** *vt* [1] (*forced*) verlustig gehen *gen;* ◇ **he ~ed his right to rule** er hat sein Recht zu regieren verwirkt; JUR verwirken [2] (*surrender, voluntarily*) einbüßen **III.** *adj* ↑ *surrendered:* ◇ **to be ~** verfallen sein; → *life, health* verwirkt sein
forge [fɔːdʒ] **I.** *n* [1] ↑ *factory* Schmiede *f* [2] ↑ *furnace* Esse *f* **II.** *vt* [1] → *iron* schmieden [2] ↑ *copy, counterfeit* fälschen **III.** *vi* vorwärts gehen; SPORT vorstoßen; **forge ahead** *vi* Fortschritte machen; **forger** *n* Fälscher(in *f*) *m;* **forgery** *n* Fälschen *s*
forget [fə'get] **I.** <forgot, forgotten> *vt, vi* [1] (*lose memory of*) → *dates, places* vergessen; → *name* entfallen sein [2] ↑ *neglect* → *birthday* vergessen [3] (*put out of mind*) ◇ **she tried to ~ him** sie versuchte, ihn aus ihren Gedanken zu vertreiben **II.** *vt* (*not regard*): ◇ **please ~ what I just said** bitte vergessen Sie, was ich gerade eben gesagt habe; ◇ **just ~ it!** schon gut!; ◇ **~ about s.th** etw vergessen; **forgetful** *adj* vergeßlich; ◇ **sometimes he is ~ of others** manchmal ist er anderen gegenüber achtlos; **forgetfulness** *n* Vergeßlichkeit *f;* **forget-me-not** *n* BIO Vergißmeinnicht *s*
forgive [fə'gɪv] *irr vt* [1] ↑ *pardon* → *person* verzeihen (*s.o. for s.th.* jd-m etw verzeihen); → *mistake* vergeben [2] (*excuse*) ◇ **~ me, but...** Entschuldigung, aber...; **forgiveness** [fə'gɪvnəs] *n:* ◇ **to ask for ~** um Verzeihung bitten
forgo *s.* **forego**
forgot [fə'gɒt] *pt of* **forget**; **forgotten** *pp of* **forget**
fork [fɔːk] **I.** *n* [1] (*cutlery*) Gabel *f* [2] ↑ *junction* Gabelung *f;* ◇ **take the right ~** nehmen Sie die rechte Abzweigung **II.** *vi* ← *road* sich gabeln **III.** *vt* [1] → *food* gabeln [2] → *earth* mit einer Gabel umgraben; → *hay* aufgabeln; **fork out** *vt, vi* FAM ↑ *pay* blechen; **forked** *adj* gegabelt
forlorn [fə'lɔːn] *adj* [1] ↑ *left alone* einsam und verlassen [2] ↑ *left empty* verlassen; ▷*hope, attempt* verzweifelt
form [fɔːm] **I.** *n* [1] ↑ *type, kind* Form *f;* ◇ **he never takes drugs in any ~** er nimmt keinerlei Drogen [2] ↑ *figure* Form *f;* ◇ **a ~ appeared in the doorway** eine Gestalt erschien im Eingang; ◇ **to take ~** Form/Gestalt annehmen [3] ↑ *way, guise* Form *f,* Gestalt *f;* ◇ **coal in the ~ of graphite** Kohle in Form von Graphit [4] ↑ *paper* Formular *s* [5] *bench, BRIT* Bank *f* [6] SPORT Form *f;* ◇ **the athlete is in top ~** der Sportler ist gut in Form [7] (*of a word*) Form *f* **II.** *vt* [1] ↑ *make* formen, gestalten [2] ↑ *constitute* bilden; → *an organization, meeting* gründen, bilden [3] ↑ *develop, create* entwickeln **III.** *vi* [1] ↑ *develop* ← *egg, fossils* Gestalt annehmen [2] ↑ *queue* sich aufstellen; ◇ **the people ~ed a line** die Leute haben eine Schlange gebildet
formal ['fɔːməl] *adj* [1] ↑ *fancy, proper* formell; ▷*speech, behaviour* förmlich; ▷*occasion* feier-

lich [2] ↑ *official* offiziell; ◇ **usually ~ qualifications are necessary** normalerweise ist eine offizielle Ausbildung erforderlich; **formality** [fɔː'mælɪtɪ] *n* [1] (*behaviour*) Förmlichkeit *f* [2] (*accordance with law*) Formalität *f;* ◇ **it's a mere ~** es ist eine reine Formsache; ◇ **formalities** *pl* Formalitäten *pl;* **formally** *adv* [1] ↑ *ceremoniously* formell; ◇ **we were dressed very ~** wir waren sehr förmlich angezogen [2] ↑ *officially* ◇ **they are ~ taught** sie haben eine offizielle [*o.* staatlich anerkannte] Ausbildung

format ['fɔːmæt] **I.** *n* Format *s* **II.** *vt* [1] PC formatieren

formation [fɔː'meɪʃən] *n* [1] ↑ *establishment* Gründung *f,* Entwicklung *f* [2] ↑ *arrangment* Formation *f;* (MIL *troops*) Aufstellung *f* [3] ↑ *group of rocks, clouds* Formation *f*

formative ['fɔːmətɪv] *adj* (*period of time*) formend, bildend; ▷*influence* entscheidend

former ['fɔːmə*] *adj* früher, ehemalig; ◇ **the ~ president** der ehemalige Präsident; **formerly** *adv* früher

formidable ['fɔːmɪdəbl] *adj* furchterregend

formula ['fɔːmjʊlə] *n* [1] MATH Formel *f* [2] ↑ *solution* Patentrezept *s* [3] ↑ *recipe* Rezeptur *f*

formulate ['fɔːmjʊleɪt] *vt* formulieren

forsake [fə'seɪk] <forsook, forsaken> *vt* → *person, place* verlassen; → *habit* aufgeben; **forsaken** *pp of* **forsake**; **forsook** [fə'sʊk] *pt of* **forsake**

forth [fɔːθ] *adv* [1] (*leave*) ◇ **she was sent ~** sie wurde weggeschickt [2] (*in time*) ◇ **from this time ~** ab jetzt; **forthright** ['fɔːθraɪt] *adj* offen, direkt

fortification [fɔːtɪfɪ'keɪʃən] *n* Festungsanlagen *pl;* **fortify** ['fɔːtɪfaɪ] *vt* [1] → *place* befestigen [2] ↑ *strengthen* stärken

fortitude ['fɔːtɪtjuːd] *n* innere Kraft *f,* Stärke *f*

fortnight ['fɔːtnaɪt] *n* (*BRIT*) zwei Wochen *pl;* ◇ **a ~'s holiday** vierzehn Tage Urlaub; **fortnightly I.** *adj* zweiwöchentlich **II.** *adv* alle zwei Wochen

fortress ['fɔːtrɪs] *n* Festung *f*

fortuitous [fɔː'tjuːɪtəs] *adj* Zufall *m*

fortunate ['fɔːtʃənɪt] *adj* glücklich; ◇ **to be ~** Glück haben; **fortunately** *adv* glücklicherweise

fortune ['fɔːtʃən] *n* [1] ↑ *fate* Schicksal *s;* ◇ **I envy him for his good ~** ich beneide ihn um sein Glück [2] ↑ *riches* Reichtum *m,* Vermögen *s;* ◇ **that is going to cost us a ~** das wird uns ein Vermögen kosten; **fortuneteller** *n* Wahrsager(in *f*) *m*

forty ['fɔːtɪ] *nr* vierzig

forward ['fɔːwəd] **I.** *adj* [1] (*not backwards*) vorwärts [2] ▷*person* dreist [3] ▷*position* vorn **II.** *adv* [1] (*in space*) vorwärts; (*in time*) ◇ **from this point ~** ab jetzt [2] (*volunteer, offer*) ◇ **she came ~** sie hat sich gemeldet; ◇ **to put s.th. ~** etw. vorlegen **III.** → *letter* nachsenden; ◇ **please ~** bitte nachsenden; ↑ *dispatch* befördern **IV.** *n* SPORT Stürmer *m;* **forwarding address** *n* Nachsendeadresse *f*

fossil ['fɒsl] *n* Fossil *s*

foster ['fɒstə*] *vt* [1] → *child* in Pflege nehmen [2] → *idea* fördern; **foster child** *n* <children> Pflegekind *s;* **foster mother** *n* Pflegemutter *f*

fought [fɔːt] *pt, pp of* **fight**

foul [faʊl] **I.** *adj* [1] ↑ *filthy* schlecht, stinkig; ▷*smell* übel; ↑ *rotten* verdorben [2] ▷*language* unflätig, unanständig [3] ▷*weather* ekelhaft, mies [4] SPORT ▷*serve, pitch, ball* ungültig **II.** *n* SPORT Foul *s*

found [faʊnd] **I.** *pt, pp of* **find**; **II.** *vt* [1] ↑ *establish* gründen [2] ↑ *base* stützen, gründen; ◇ **the theory is ~ed on facts** die Theorie basiert auf Tatsachen; **foundation** [faʊn'deɪʃən] *n* [1] ↑ *basis* Grundlage *f;* (*FIG of argument, story*) Basis *f* [2] (*of building*) Fundament *s* [3] ↑ *founding* Gründung *f* [4] (*institution*) Stiftung *f* [5] (*make-up*) Grundierungscreme *f*

founder ['faʊndə*] *n* (*of organization*) Gründer(in *f*) *m;* (*of charity, institution*) Stifter(in *f*) *m*

foundry ['faʊndrɪ] *n* Gießerei *f*

fountain ['faʊntɪn] *n* [1] (*structure*) Brunnen *m* [2] (*shower*) Fontäne *f;* **fountain pen** *n* Füller *m*

four [fɔː*] *nr* vier; ◇ **on all ~s** auf allen Vieren; **four-letter word** *n* Vulgärausdruck *m;* **foursome** *n* SPORT Viererspiel *s*

fourteen ['fɔːtiːn] **I.** *nr* vierzehn **II.** *n* Vierzehn *f*

fourth [fɔːθ] **I.** *adj* vierte(r, s) **II.** *n* (*of series*) Vierte(r, s); ▷*part* Viertel *s*

fowl [faʊl] *n* Gefügel *s;* (*birds*) Huhn *s*

fox [fɒks] *n* Fuchs *m;* **fox-hunting** *n* Fuchsjagd *f;* ◇ **to go ~** auf Fuchsjagd gehen

foyer ['fɔɪeɪ] *n* (*AM*) Foyer *s,* Diele *f*

fracas ['frækɑː] *n* Tumult *m*

fraction ['frækʃən] *n* [1] MATH Bruch *m* [2] ↑ *part, bit* Bruchteil *m;* ◇ **a ~ more** (um) eine Spur mehr; ◇ **for a ~ of a second** für den Bruchteil einer Sekunde, einen Augenblick lang

fracture ['fræktʃə*] **I.** *n* MED Fraktur *f* **II.** *vt* brechen

fragile ['frædʒaɪl] *adj* zerbrechlich; ◇ **~, handle with care** Vorsicht, zerbrechlich

fragment ['frægmənt] **I.** *n* [1] ↑ *piece, part* Bruchstück *s;* (*of paper*) Schnipsel *m;* ◇ **I only**

saw a ~ of the news ich habe bloß einen Teil der Nachrichten gesehen; (*of conversation*) Gesprächsfetzen *pl* ② (*of poetry, literature*) Fragment *s* **II.** *vi* zerbrechen **III.** *vt* in Stücke brechen; **fragmentary** [fræg'mentərı] *adj* bruchstückhaft, fragmentarisch

fragrance ['freıgrəns] *n* Duft *m;* **fragrant** *adj* duftend

frail [freıl] *adj* ① ↑ *weak, delicate* zart; ▷*health* anfällig ② ↑ *fragile* zerbrechlich

frame [freım] **I.** *n* ① (*hollow structure*) Rahmen *m;* (*of glasses*) Gestell *s;* (*of building*) Grundgerippe *s* ② ↑ *body* Gestalt *f* ③ ↑ *state, background* ◇ **~ of mind** Verfassung *f;* ◇ **she wasn't in the right ~ of mind for studying** sie war nicht in der richtigen Laune zu lernen **II.** *vt* ① → *picture* rahmen ② → *rules, plan* entwerfen ③ ↑ *phrase* formulieren; ◇ **the examiner ~d his questions clearly** der Prüfer formulierte seine Fragen klar ④ ↑ *set up* ◇ **to ~ s.o.** jd-m eine Sache anhängen; **framework** *n* ① ↑ *structure* Grundgerüst *s* ② ↑ *set of rules, ideas* grundlegende Struktur *f;* ◇ **within the ~ of traditional ideas** im Rahmen der traditionellen Ideen

France [frɑ:ns] *n* Frankreich *s*

franchise ['fræntʃaız] *n* ① POL Wahlrecht *s* ② COMM Konzession *f*

frank [fræŋk] *adj* ① ↑ *straightforward* offen, direkt ② (*cancel a letter*) abstempeln

frankfurter ['fræŋkfɜ:tə*] *n* Wiener Würstchen *s*

frankly ['fræŋklı] *adv* offen; ◇ **~, I don't care** ehrlich gesagt, ist es mir egal; **frankness** *n* Offenheit *f,* Unverhohlenheit *f*

frantic ['fræntık] *adj* ① ↑ *distraught* verzweifelt; ◇ **~ with worry** außer sich vor Sorgen ② ↑ *hectic* fiebrig, rasend; ◇ **I have had a ~ day** ich habe einen hektischen Tag gehabt; **frantically** *adv* ① furchtbar, rasend ② verzweifelt

fraternal [frə'tɜ:nl] *adj* brüderlich; ◇ **~ twins** zweieiige Zwillinge *pl;* **fraternity** [frə'tɜ:nıtı] *n* ① *at university, AM* Verbindung *f* ② ↑ *brotherhood* Brüderlichkeit *f;* **fraternize** ['frætənaız] *vi* freundschaftlichen Umgang haben; MIL fraternisieren

fraud [frɔ:d] *n* ① ↑ *crime* Betrug; ◇ **to obtain s.th. by ~** sich etw erschwindeln; ↑ *trick* Schwindel *m* ② ↑ *impostor* Betrüger(in *f*) *m,* Schwindler(in *f*) *m;* **fraudulent** ['frɔ:djʊlənt] *adj* betrügerisch

freak [fri:k] *n* ① ↑ *monster* Mißgeburt *f* ② (*FAM punk, hippie*) Freak *m* ③ (*event*) außergewöhnlicher Zufall *m* ④ (*fan, nut*) Fan *m;* **freak out** *vi FAM* ausflippen

freckle ['frekl] *n* Sommersprosse *f;* **freckled** *adj* sommersprossig

free [fri:] **I.** *adj* ① (*not restricted*) frei; ◇ **you're ~ to ...** es steht Ihnen frei zu ...; ◇ **feel ~ to use the telephone** Sie können gerne das Telefon benutzen; ▷*press, election* frei ② (*without*) frei ③ ↑ *available* ◇ **are you ~ for lunch?** hättest du Zeit, Mittagessen zu gehen? ④ ↑ *vacant* frei ⑤ ↑ *exempt* ◇ **~ of tax** steuerfrei; (*no fees*) kostenlos, frei; ◇ **he got in for ~** er ist umsonst hereingekommen ⑥ ↑ *generous* großzügig, freigiebig ⑦ ↑ *approximate* ◇ **a ~ translation** eine freie Übersetzung **II.** *vt* ① ↑ *liberate* befreien ② ↑ *set free, release* freilassen ③ ↑ *unblock* freimachen; ◇ **to get s.th. ~** etw freibekommen, etw losbekommen ④ ↑ *remove, loosen* losbinden; **freedom** *n* ① ↑ *liberty* Freiheit *f* ② (*permission to use*) ◇ **to give s.o. ~ to s.th.** jd-m etw zur freien Verfügung stellen; **free-for-all** *n* Gerangel *s;* ↑ *fight* Schlägerei *f;* **free kick** *n* SPORT Freistoß *m*

freelance ['fri:lɑns] **I.** *adj* freiberuflich; ◇ **he's a ~ translator** er ist freiberuflicher Übersetzer **II.** *n* Freiberufler(in *f*) *m*

freely ['fri:lı] *adv* ① ↑ *liberally* reichlich, großzügig ② (*not restricted*) ungehindert; ↑ *frankly* frei, offen ③ ↑ *generously, willingly* großzügig, gern; **freemason** *n* Freimaurer *m;* **free trade** *n* Freihandel *m;* **freeway** *n* (*AM*) ≈Autobahn *f;* **freewheel** *vi* im Freilauf fahren

freeze [fri:z] <froze, frozen> **I.** *vi* ① ↑ *solidify* frieren; ← *food, pipes* einfrieren; ← *river, lake* zufrieren ② ↑ *feel cold* frieren ③ ↑ *to halt* in der Bewegung erstarren; ◇ **I froze in my tracks** ich blieb wie angewurzelt stehen; ◇ **~!** keine Bewegung! **II.** *vt* → *film* anhalten; → *prices, wages* einfrieren, stoppen **III.** *n* ① (*weather*) Frost *m;* ◇ **a big ~ has been forecasted** es wurde strenger Frost vorhergesagt; ② FIN Stopp *m;* **freezer** *n* Gefriertruhe, Tiefkühltruhe *f;* (*upright*) Gefrierschrank *m;* (*in fridge*) Eisfach *s;* **freezing** *adj* eiskalt; ◇ **I'm ~** ich friere; **freezing point** *n* Gefrierpunkt *m*

freight [freıt] **I.** *n* (*goods*) Fracht *f* **II.** *adv* als Frachtgut **III.** *vt* verfrachten; **freight car** *n* (*AM*) Güterwaggon *m;* **freighter** *n* NAUT Frachtschiff *s;* AVIAT Frachtflugzeug *s*

French [frentʃ] **I.** *adj* französisch **II.** *n* ① (*language*) Französisch *s* ② ◇ **the ~** *pl* die Franzosen *pl*

French bean *n* grüne Bohne *f*

French fries *n* Pommes frites *pl;* **Frenchman** *n* <-men> Franzose *m;* **Frenchwoman** *n* <-women> Französin *f*

frenzy ['frenzı] *n* Raserei *f;* ◇ **to be in a ~** in wilder

Aufregung sein; ◇ **I worked myself up into a ~** ich habe mich in Raserei hineingesteigert

frequency [ˈfriːkwənsɪ] *n* Häufigkeit *f;* PHYS Frequenz *f;* **frequent** [ˈfriːkwənt] **I.** *adj* häufig **II.** [friːˈkwent] *vt* häufig besuchen

fresco [ˈfreskəʊ] *n* Freskenmalerei *f*

fresh [freʃ] *adj* ① ▷*start, sheet of paper* neu ② ↑ *recent* ◇ **I'm ~ out of bed** ich bin gerade eben aufgestanden; ▷*memory, bread, eggs* frisch ③ ↑ *original* neu ④ ↑ *clean, cool* frisch ⑤ ▷*colour* frisch ⑥ ↑ *pure* ◇ **~ water** Süßwasser *s* ⑦ ↑ *forward* frech, mopsig; **freshen** *vt* ↑ *improve, clear* auffrischen; **freshen up I.** *vr* sich frisch machen **II.** *vt* frisch machen; **freshly** *adv* frisch; **freshness** *n* ① Frische *f; (original)* Neuheit *f* ② Frechheit *f;* **freshwater** *adj* Süßwasser-

fret [fret] *vi, vt* sich Sorgen machen *(about* um *acc)*; (↑ *to complain)* jammern; **fret-saw** *n* Laubsäge *f*

FRG *n abbr. of* **Federal Republic of Germany** BRD *f*

friction [ˈfrɪkʃən] *n* Reibung *f; (tension)* Spannung *f*

Friday [ˈfraɪdeɪ] *n* Freitag *m*

fridge [frɪdʒ] *n* Kühlschrank *m*

fried [fraɪd] *adj* Brat-; ◇ **~ eggs** Spiegeleier *pl*

friend [frend] *n* Bekannte(r) *m; (boy~)* Freund *m;* ◇ **girl~** Freundin *f;* ◇ **to make ~s with s.o.** mit jd-m Freundschaft schließen

friendliness [ˈfrendlɪnɪs] *n* Freundlichkeit *f;* **friendly** *adj* freundlich

friendship [ˈfrendʃɪp] *n* Freundschaft *f*

fright [fraɪt] *n* Schreck *m;* ◇ **I got the ~ of my life** ich habe den Schock meines Lebens bekommen; ◇ **you look a ~** *FAM* du schaust schrecklich aus; **frighten** *vt* erschrecken; ◇ **you ~ed me** du hast mich erschreckt; ◇ **the thought of death ~s me** Gedanken über den Tod machen mir Angst; ◇ **to be ~ed of s.th.** Angst vor etw haben; ◇ **I was ~ed by the lightning** ich bin vor dem Blitz erschrokken; **frightening** *adj* furchterregend, schrekkerregend; **frightful** *adj* schrecklich, furchtbar; **frightfully** *adv FAM* ↑ *awfully* schrecklich, furchtbar

frigid [ˈfrɪdʒɪd] *adj* ① ▷*woman* frigide ② ▷*place* frostig ③ ▷*atmosphere* kühl

frill [frɪl] *n* ① ↑ *trimming* Rüsche *f* ② ◇ **~s** ↑ *extras* Kinkerlitzchen *pl;* ◇ **a car with all the ~s** ein Auto mit allem Drum und Dran

fringe [frɪndʒ] *n* ① *(decoration)* Fransen *pl; (on shawl)* Fransenkante *f* ② *hair, BRIT* Ponyfransen *pl* ③ ↑ *edge, FIG* Rand *m;* **fringe benefit** *n* *(car, bonus)* zusätzliche Leistungen *pl*

frisky [ˈfrɪskɪ] *adj* verspielt

fritter *n* Beignet *m,* Schmalzgebackenes *s* mit Füllung

fritter away [ˈfrɪtə* əweɪ] *vt:* ◇ **~ ~ time** Zeit verplempern/vergeuden

frivolity [frɪˈvɒlɪtɪ] *n* Frivoltität *f;* **frivolous** [ˈfrɪvələs] *adj* ① ↑ *flippant* leichtsinnig, leichtfertig ② *(items)* frivol, unwichtig

frizzy [ˈfrɪzɪ] *adj* kraus

frock [frɒk] *n* Kleid *s*

frog [frɒg] *n* Frosch *m; FIG* ◇ **to have a ~ in o.'s throat** einen Frosch im Hals haben; **frogman** *n* <-men> Froschmann *m*

frolic [ˈfrɒlɪk] **I.** *n* Herumtoben *s* **II.** *vi* herumtollen, herumtoben

from [frɒm] *prep* ① *(origin)* aus *dat;* ◇ **where are you ~?** wo kommst du her?; ◇ **smoke ~ a cigarette** Rauch von einer Zigarette ② *(place)* aus; ◇ **the train ~ Munich** der Zug aus München; ◇ **he is away ~ home** er ist weg von zu Hause ③ *(indicating time)* ◇ **~ June to July** von Juni bis Juli ④ *(indicating removal)* von; *(suitcase, pocket, purse)* aus *dat* ⑤ *(sender, giver)* von *dat* ⑥ *(indicating escape)* ◇ **he escaped ~ jail** er entkam aus dem Gefängnis ⑦ ↑ *because of* ◇ **my eyes are burning ~ the smoke** meine Augen brennen vom Rauch ⑧ *(indicating reasons or basis)* ◇ **~ experience** aus Erfahrung; ◇ **~ what I gather...** von dem, was ich mitbekommen habe...

front [frʌnt] **I.** *n* ① Vorderseite *f; (of house)* Vorderfront *f; (not behind)* ◇ **in ~** vorne; ◇ **the car is parked in ~ of the house** das Auto steht vor dem Haus ② MIL Front *f* **II.** *adj* vordere(r, s); ▷*page, row* erste(r, s)

frontage [ˈfrʌntɪdʒ] *n* Vorderseite *f*

frontal [ˈfrʌntəl] *adj* ① MIL Frontal- ② ↑ *forehead* Stirn

frontier [ˈfrʌntɪə*] *n* Grenze *f;* **front-wheel drive** *n* Vorderradantrieb *m*

frost [frɒst] **I.** *n* Frost *m* **II.** *vt AM* → *cake* mit Zuckerguß überziehen; **frostbite** *n* Frostbeulen *pl; (more serious)* Erfrierungen *pl;* **frosted** *adj* ① ▷*glass* Milchglas- ② ↑ *iced* glasiert; **frosty** *adj* frostig

froth [frɒθ] **I.** *n (of beer)* Schaum *m* **II.** *vi* ← *beer* schäumen; ← *animal* ◇ **the dog was ~ing at the mouth** der Hund hatte Schaum vor dem Mund; **frothy** *adj* schaumig

frown [fraʊn] **I.** *n* Stirnrunzeln *s;* ◇ **he gave a ~** er runzelte die Stirn **II.** *vi:* ◇ **to ~ at s.th.** die Stirn über etw *acc* runzeln; **frown upon** *vt* mißbilligen

froze [frəʊz] *pt of* **freeze**; **frozen I.** *pp of* freeze; **II.** *adj* ① ▷*river, lake* zugefroren, vereist; ▷*pipes* eingefroren ② ▷*food* gefroren, tiefgekühlt ③ ▷*person* eiskalt

frugal ['fru:gəl] *adj* [1] ▷*person* sparsam, genügsam [2] ▷*meal* einfach, klein

fruit [fru:t] **I.** *n* [1] (*food*) Obst *s;* ◇ **a piece of ~** ein Stück Obst [2] (*seed*) Frucht *f* [3] *FIG* ↑ *results* Frucht *f* **II.** *vi:* ◇ **to bear ~** Früchte tragen; **fruiterer** *n* (*BRIT*) Obsthändler *m,* Obstfrau *f;* **fruitful** *adj* [1] ↑ *fertile* ertragreich, fruchtbar [2] *FIG* ↑ *profitable* fruchtbar, erfolgreich

fruition [fru:'ɪʃən] *n* Erfüllung *f;* ◇ **to come to ~** sich verwirklichen; ◇ **I finally brought my dreams to ~** ich habe endlich meine Träume verwirklicht

fruit machine ['fru:tməʃi:n] *n* (*BRIT*) Spielautomat *m*

frustrate [frʌ'streit] *vt* [1] ↑ *irk, annoy* frustrieren [2] ↑ *prevent* zunichte machen; → *plans* durchkreuzen; **frustrated** *adj* frustriert; **frustration** [frʌ'streɪʃən] *n* [1] (*feeling*) Frustration *f* [2] ↑ *disappointment* Zerschlagung *f*

fry [fraɪ] *vt* braten; → *eggs* Spiegeleier machen; **frying pan** *n* Bratpfanne *f;* ◇ **to jump out of the ~ into the fire** vom Regen in die Traufe kommen

fuchsia ['fju:ʃə] *n* Fuchsie *f*

fuck I. *vt FAM!* ficken **II.** *n* Fick *m* **III.** *intj* verdammte Scheiße; *FAM!* ◇ **F~ off!** Verpiß'dich!; **fuck up** *FAM!* versauen; ◇ **you've ~ed ~ your life** du hast dir dein ganzes Leben versaut; ◇ **he's ~ed ~** er ist abgefuckt

fudge *n* (*dessert*) Fondant *m*

fuel [fjʊəl] *n* Brennstoff *m;* ↑ *oil* Heizöl *s;* ↑ *gas* Gas *s,* Brennmaterial *s;* AERO Treibstoff *m;* **fuel gauge** *n* Tankuhr *f,* Benzinuhr *f;* **fuel-injection** *n* Benzineinspritzung *f;* **fuel oil** *n* ↑ *diesel fuel* Diesel[öl], Gasöl *s*

fugitive ['fju:dʒɪtɪv] *n* Flüchtling *m*

fulfil, fulfill (*AM*) [fʊl'fɪl] *vt* [1] ↑ *carry out* erfüllen [2] ↑ *satisfy* zufrieden stellen; ◇ **to be fulfilled** Erfüllung finden; **fulfilment** *n* Erfüllung *f;* Zufriedenheit *f*

full [fʊl] *adj* [1] (▷*box, bottle, price*) voll; ◇ **she leads a ~ life** sie ist sehr aktiv [2] (*of confidence, news, ideas*) voller *gen;* ◇ **he was ~ of hate** er war voller Haß; ◇ **the woman has a ~ heart** die Frau ist sehr großzügig [3] (*no space left*) voll [4] ↑ *satiated* satt sein [5] ↑ *complete, maximum* voll; ↑ *entire* ganz; ◇ **we drove ~ speed** wir sind mit Höchstgeschwindigkeit gefahren; ▷*employment, moon* Voll- [6] ↑ *plump* voll; ▷*clothing* füllig [7] ↑ *direct* ◇ **the ball hit me ~ in the face** der Ball traf mich mitten im Gesicht; ◇ **in ~** ↑ *completely* ganz, vollständig; ◇ **he paid in ~** er bezahlte den vollen Betrag; **fullback** *n* SPORT Verteidiger *m;* **fullness** *n* [1] ↑ *completeness* Vollständigkeit *f;* ◇ **it will happen in the ~ of time** es wird zu gegebener Zeit passieren [2] (*of hips, chest*) Fülle *s,* üppige Figur *f;* **full stop** *n* Stillstand *m;* **full-time I.** *adj* ▷*job* ganztätig, Ganztags-; ◇ **my husband has a ~ job** mein Mann arbeitet den ganzen Tag **II.** *adv* ▷*work* ganztags; **fully** *adv* [1] (*to great degree*) völlig [2] ↑ *completely* ◇ **the waitress isn't ~ trained yet** die Bedienung ist noch nicht ganz eingearbeitet [3] (*emphasize amounts*) ◇ **~ one half of the members are women** eine gute Hälfte der Mitglieder sind Frauen; **fully-fledged** *adj* ▷*teacher* mit Herz und Seele; ▷*runner* eingefleischt

fumble ['fʌmbl] *vi* [1] (*using hands*) umhertasten; ◇ **John ~ed in his pockets** John wühlte in seinen Taschen; ◇ **to ~ with s.th.** an etw herumfummeln *dat* [2] (*words*) nach Worten suchen

fume [fju:m] *vi* [1] (*cooking*) dampfen; ↑ *smoke* rauchen [2] ← *person, FIG* wütend sein; ◇ **He just stood there fuming at me** er stand vor mir und hat gekocht; **fumes** *n pl* Dämpfe *pl;* ↑ *car ~* Abgase *pl*

fumigate ['fju:mɪgeɪt] *vt* ausräuchern

fun [fʌn] **I.** *n* Spaß *m;* ◇ **he does it just for ~** er macht es nur aus Spaß; ◇ **jogging is ~** Laufen macht Spaß; ◇ **to make ~ of s.th./s.o.** sich über etw/jd-n lustig machen; ◇ **stop making ~!** hör auf zu lästern! **II.** *adj* lustig, spaßig; ◇ **she is ~ to be around** sie ist sehr umgänglich

function ['fʌŋkʃən] **I.** *n* [1] ↑ *role* Funktion *f* [2] ↑ *occasion* Veranstaltung *f,* Empfang *m;* ◇ **as a politician he attended many public ~s** als Politiker besuchte er viele öffentliche Feiern [3] MATH Funktion *f* **II.** *vi* funktionieren; ◇ **the machine is out of ~** die Maschine geht nicht

functional ['fʌŋkʃənəl] *adj* [1] ↑ *operational* funktionsfähig [2] ↑ *practical* zweckmäßig

fund [fʌnd] **I.** *n* [1] (*money available*) Gelder *pl,* Mittel *pl* [2] (*money saved*) Fonds *m;* ◇ **they set up a ~ to restore the buildings** sie haben einen Fonds zur Restaurierung der Häuser gegründet [3] ↑ *reserve, supply* Vorrat *m;* (*of knowledge, humour*) Schatz *m* **II.** *vt* finanziell unterstützen; ◇ **the project is being ~ed by the state** das Projekt wird vom Staat finanziert

fundamental [fʌndə'mentl] **I.** *adj* grundlegend; ↑ *elementary* Grund- **II.** *n* Grundlage *f;* **fundamentally** *adv* [1] ↑ *basically* grundlegend, in Grunde [2] ↑ *radically* ◇ **to ~ alter s.th.** etw grundlegend ändern; ◇ **to ~ disagree** in grundsätzlichen Dingen nicht übereinstimmen

funeral ['fju:nərəl] *n* Begräbnis *s,* Bestattung *f,* Beerdigung *f*

funfair ['fʌnfeə*] *n* (*BRIT*) Kirmes *f*

F

fungus ['fʌŋgəs] *n* <fungi *o.* funguses> Pilz *m*
funicular railway [fjuːˈnɪkjʊlə*] *n* (*BRIT*) Seilbahn, Bergbahn *f*
funnel ['fʌnl] **I.** *n* ① (*utensil*) Trichter *m* ② NAUT Schornstein *m* **II.** *vi* kanalisieren
funnily ['fʌnɪlɪ] *adv* ① ↑ *strangely* komisch; ◇ **the dog was walking ~** der Hund ging komisch ② ↑ *oddly, strangely* ◇ **~ enough** komischerweise, lustigerweise
funny ['fʌnɪ] *adj* ① ↑ *hilarious, humourful* lustig; ◇ **he was just trying to be ~** er wollte bloß witzig sein; ◇ **we told ~ jokes** wir haben uns lustige Witze erzählt ② ↑ *bizarre, odd* komisch, seltsam; ◇ **the ~ thing is...** das Komische daran ist...; ↑ *suspicious* ◇ **he noticed something ~ about the house** ihm ist etw Merkwürdiges an dem Haus aufgefallen ③ ↑ *slightly mad* ◇ **my landlady is a bit ~** meine Vermieterin ist etw seltsam ④ ↑ *ill* ◇ **to feel ~** sich nicht ganz in Ordnung fühlen; ◇ **I feel ~** mir ist komisch; **funny bone** *n* Musikantenknochen *m*
fur [fɜː*] *n* ① (*on animals*) Fell *s*, Pelz *m* ② ▷*coat* Pelz *m*
furious ['fjʊərɪəs] *adj* ① ↑ *angry* wütend ② ↑ *vigorous* wild, rasend
furlong ['fɜːlɒŋ] *n* Achtelmeile *f*
furnace ['fɜːnɪs] *n* Hochofen *m*
furnish ['fɜːnɪʃ] *vt* ① → *room, apartment* einrichten ② ↑ *supply, provide* liefern, geben; **furnishings** *n pl* Einrichtung *f*
furniture ['fɜːnɪtʃə*] *n sg* Möbel *pl*; ◇ **a piece of ~** ein Möbelstück
furrow ['fʌrəʊ] **I.** *n* ① (*in the earth*) Furche *f* ② ↑ *wrinkle* Runzel *f* **II.** *vt* pflügen, runzeln
furry ['fɜːrɪ] *adj* Pelz-; ▷*tongue* pelzig; ▷*animal* weich und kuschelig
further ['fɜːðə*] <*comparative of* **far**>; **I.** *adj* weiter; ◇ **I don't have anything ~ to say** ich habe nichts weiter zu sagen; ◇ **postponed until ~ notice** bis auf weiteres verschoben; ◇ **a ~ education** Fortbildung *f* **II.** *adv* ① (*more than before*) weiter; ◇ **what could be ~ from the truth?** was könnte weiter von der Wahrheit entfernt sein? ② ↑ *more, extra* ◇ **I didn't question him any ~** ich habe ihn nicht weiter gefragt; ◇ **he ~ commented that...** ferner bemerkte er, daß... ③ (*greater distance*) weiter **III.** *vt* fördern; ◇ **Jack wanted to ~ his education** Jack wollte seine Ausbildung erweitern; **furthermore** *adv* außerdem, überdies
furthest ['fɜːðɪst] <*superlative of* **far**>
furtive ['fɜːtɪv] *adj* verdächtig
furtively *adv* verdächtig
fury ['fjʊərɪ] *n* Wut *f*; ◇ **to be in a ~** wütend sein
fuse [fjuːz] **I.** *n* ELECTR Sicherung *f*; ◇ **the ~ is blown** die Sicherung ist durchgebrannt ② (*of bomb*) Zündschnur *f* **II.** *vi* ① (*unite*) sich verbinden; (*combine*) verschmelzen ② (*FIG ideas, subjects, beliefs*) sich vereinigen, verschmelzen; **fuse box** *n* Sicherungskasten *m*
fusion ['fjuːʒən] *n* ① ↑ *synthesis* Verschmelzung *f*, Fusion *f* ② ▷*nuclear* Kernfusion *f*
fuss [fʌs] *n* ① ↑ *commotion* Getue *s*; ◇ **what's all the ~ about?** was soll die ganze Aufregung? ② ↑ *to-do* Theater *s*; ◇ **there will be a big ~ when Dad finds out** wenn Vater das erfährt, wird es ein großes Theater geben; **fussy** *adj* ① ↑ *picky, finicky* kleinlich, pingelig; ◇ **I'll take either, I'm not ~** ich nehme irgendeines, mir ist das ganz egal ② ↑ *fancy* aufgemacht
futile ['fjuːtaɪl] *adj* ↑ *pointless* nutzlos, sinnlos; (*in vain*) vergeblich; **futility** [fjuːˈtɪlɪtɪ] *n* Sinnlosigkeit *f*, Vergeblichkeit *f*
future ['fjuːtʃə*] **I.** *adj* zukünftig; GRAMM ◇ **the ~ tense** das Futur **II.** *n* Zukunft *f*; ◇ **I hope to a ~ in teaching** ich wünsche mir eine Zukunft als Lehrer; **futuristic** [fjuːtʃəˈrɪstɪk] *adj* futuristisch
fuzzy ['fʌzɪ] *adj* ① ↑ *indistinct* verschwommen ② ▷*hair* kraus

G, g [dʒiː] *n* G *s*, g *s*
g *n abbr. of* ① **gravity,** g *s Einheit der Schwerkraft* ② **gram(s),** g, Gramm *s* ③ *FAM* **grand,** tausend Dollar/Pfund
gab, gab away **I.** *vi* (*on phone*) quatschen **II.** *n*: ◇ **to have the gift of the ~** ein flottes Mundwerk haben
gabble ['gæbl] *vti* ← *person* nuscheln, brabbeln
gable ['geɪbl] *n* Giebel *m*
gadget ['gædʒɪt] *n* (*TV remote control*) Gerät *s*; *pej* technische Spielerei *f*
Gaelic ['geɪlɪk] **I.** *adj* gälisch **II.** *n* (*language*) Gälisch *s*
gaff *n* ① ↑ *fish hook* Landungshaken *m*, Gaff *s* ② *BRIT* ↑ *pub or home*, *FAM* Bude *f*; ◇ **to blow the ~** alles verraten
gaffe [gæf] *n* ↑ *social* ~ Fauxpas *m*
gag [gæg] **I.** *n* ① (*tape or scarf*) Knebel *m* ② (*comic turn*) Gag *m* **II.** *vt* ① → *hostage* knebeln ② → *free press* mundtot machen ③ ◇ **to ~ at changing nappies** beim Windelwechseln würgen

gaga *adj* meschugge; (*PEJ elderly person*) verkalkt
gain [geın] **I.** *vti* [1] → *more points* gewinnen; → *weight* zunehmen; → *speed* schneller werden; ◇ **to ~ in efficiency** leistungsfähiger werden; ◇ **my clock ~s by 3 minutes in a day** in einem Tag geht meine Uhr 3 Minuten vor; (*FIG become stronger*) ◇ **to ~ ground** immer stärker werden [2] (*get s.th. from s.o.*) ◇ **who stands to ~ in this affair?** wer profitiert bei dieser Angelegenheit?, wer verspricht sich was bei dieser Angelegenheit?; ◇ **to ~ from experience** aus der Erfahrung lernen; ◇ **he ~ed the impression that ...** er gewann den Eindruck, daß ... [3] ◇ **to ~ admission to university** für die Universität zugelassen werden; ◇ **the police ~ed admission** die Polizei hat sich Zutritt verschafft **II.** *n* [1] ↑ *profit* Gewinn *m;* ↑ *advantage* Vorteil, m; ◇ **your ~ is my loss** dein Vorteil ist mein Verlust; ◇ **to do s.th. for ~** etw aus finanziellen Gründen tun [2] ↑ *increase* Zunahme *f;* (*in knowlege*) Erweiterung *f;* **gain on** *vt* einholen
gainful *adj* rentabel; **gainful employment** *n* Erwerbstätigkeit *f*
gait *n* ↑ *way of walking* Gangart *f*
gala ['gɑ:lə] *adj* festlich, Gala-
galaxy ['gæləksı] *n* [1] (*star cluster*) Milchstraße *f,* Galaxie *f* [2] (*of stars*) Schar *f*
gale [geıl] *n* Sturmwind *m*
gall [gɔ:l] **I.** *n* [1] ANAT Galle *f* [2] (*FIG sour feeling*) Erbitterung *f* [3] ◇ **she had the ~ to ask for more** sie besaß die Frechheit, mehr zu verlangen **II.** *vt:* ◇ **it ~s me to think of it** es ärgert mich, wenn ich dran denke
gallant ['gælənt] *adj* [1] ↑ *courageous* mutig, tapfer [2] ↑ *charming* zuvorkommend, galant; **gallantry** ['gæləntrı] *n* [1] ↑ *bravery* Tapferkeit *f* [2] ↑ *flirtation* Liebelei *f*
gall-bladder ['gɔ:lblædə*] *n* Gallenblase *f*
galleon ['gælıən] *n* Galeone *f*
gallery ['gælərı] *n* [1] (*art ~*) Kunstgalerie, f [2] ARCHIT Galerie *f* [3] THEAT Balkon *m;* ◇ **to play to the ~** nach Effekt haschen [4] (*in coalmine*) Stollen *m*
galley ['gælı] *n* [1] (*ship's kitchen*) Kombüse *f* [2] (*ship*) Galeere *f*
gallon ['gælən] *n* (*BRIT 4.55 litres, AM 3.79 litres*) Gallone *f*
gallop ['gæləp] **I.** *n* Galopp *m;* ◇ **at a ~** im Galopp **II.** *vi* ← *horse* galoppieren; **galloping** *adj* ▷*inflation* galoppierend
gallows ['gæləʊz] *n pl* Galgen *m*
Gallup poll *n* [Gallup-]Meinungsumfrage *f*
galore [gə'lɔ:*] *adv* in jeder Menge; ◇ **money ~** Geld wie Heu
galoshes [gə'lɒʃəZ] *n pl* Gummiüberschuhe *pl*
galvanize ['gælvənaız] *vt* [1] → *iron* verzinken [2] → *public* elektrisieren; ◇ **to ~ s.o. into action** jd-n schlagartig aktiv werden lassen
Gambia ['gæbıə] *n* Gambia *s*
gambit ['gæmbıt] *n* [1] (*in chess*) Gambit *s* [2] (*fig ploy*) Manöver *s;* ◇ **his ~ with girls is to play helpless** es ist seine Masche, bei Frauen den Hilflosen zu spielen
gamble ['gæmbl] **I.** *vti* [1] um Geld spielen; ◇ **to ~ on horses** auf Pferde wetten; ◇ **to ~ at cards** Karten spielen um Geld [2] ◇ **to ~ on s.th.** etw aufs Spiel setzen; ◇ **to ~ everything** alles riskieren [3] ◇ **to ~ on s.o. doing s.th.** sich darauf verlassen, daß jd etw tut **II.** *n* [1] (*game*) Hasardspiel *s* [2] (*risk*) Risiko; **gambler** *n* Spieler(in *f*) *m;* **gambling** *n* Spielen *s*
game [geım] **I.** *n* [1] (*football, cricket*) Spiel *s* [2] (*one ~ of s.th.*) Runde *f;* ◇ **a ~ of chess** eine Partie Schach [3] (*deer, hare, grouse*) Wild *s;* (*big ~*) Großwild *s* **II.** *adj* [1] ↑ *willing* bereit (*for* zu *dat*) [2] ↑ *brave* mutig; **gamekeeper** *n* Wildhüter(in *f*) *m;* **game reserve** *n* Wildschutzgebiet *s*
gammon ['gæmən] *n* gekochter Schinken *m*
gamut ['gæmət] *n* ↑ *range* Skala *f;* ◇ **to run the ~ of doubts** alle möglichen Bedenken durchgehen
gander ['gændə*] *n* [1] (*bird*) Gänserich *m* [2] *fam* ◇ **let's have a ~** gucken wir mal (*at* auf *acc*)
gang [gæŋ] *n* (*of boys*) Bande *f;* (*of workmen*) Trupp *m,* Kolonne *f*
ganger *n* Polier *m,* Vorarbeiter *m*
gangling *adj*
gangrene ['gæŋgri:n] *n* MED Brand *m*
gangster ['gæŋstə*] *n* Verbrecher(in *f*) *m*
gangway ['gæŋweı] **I.** *n* NAUT Gangway, Landungsbrücke *f* **II.** *intj* platz da!
gaol [dʒeıl] *n* ↑ *prison* Gefängnis *s*
gap [gæp] *n* (*in traffic*) Lücke *f;* (*between door and floor*) Spalt *m*
gape [geıp] *vi* ← *person* den Mund aufreißen; (*in surprise*) gaffen; ◇ **to ~ at s.o.** jd-n begaffen; **gaping** ['geıpıŋ] *adj* ▷*wound* klaffend; ▷*hole* gähnend
garage ['gærɑ:ʒ] **I.** *n* [1] (*for parking*) Garage *f* [2] (*for service*) Autowerkstatt *f* [3] (*for fuel*) Tankstelle *f* **II.** *vt* → *car* in die Garage fahren
garb [gɑ:b] *n* Gewand *s*
garbage ['gɑ:bıdʒ] *n* ↑ *refuse* Müll, Abfall *m;* ↑ *nonsense* Quatsch *m;* **garbage can** *n* (*AM*) Mülltonne *f,* Mülleimer *m*
garbled ['gɑ:bld] *adj* ▷*lecture* schwer verständlich; ◇ **to garble one's words** sich beim Sprechen überschlagen
garden ['gɑ:dn] **I.** *n* (*house and ~*) Garten *m;*

(*vegetable* ~) [Schreber-]Garten *m;* (*public* ~*s*) Park *m;* ◇ **23 Cranley Gardens** Cranley Gardens 23 **II.** *vi* (*work in the* ~) Gartenarbeit machen; **gardener** *n* Gärtner(in *f*) *m;* **gardening** *n* Gartenarbeit *f;* ◇ **to love** ~ gerne Gartenarbeit machen; **gardening centre** *n* (*shop*) Gartencenter *m*

gargle ['gɑ:gl] **I.** *vi* gurgeln **II.** *n* (*substance*) Gurgelmittel, Mundwasser *s*

gargoyle ['gɑ:gɔɪl] *n* ARCHIT Wasserspeicher *m*

garish ['geərɪʃ] *adj* ▹*colours* schreiend

garland ['gɑ:lənd] *n* (*Caesar's* ~) Kranz *m;* (*Christmas* ~) Girlande *f*

garlic ['gɑ:lɪk] *n* Knoblauch *m*

garment ['gɑ:mənt] *n* Bekleidungsartikel *m*

garnet ['gɑ:nɪT] *adj* granatrot

garnish ['gɑ:nɪʃ] **I.** *vt* → *food* garnieren **II.** *n* ↑ *decoration* Garnierung *f*

garret ['gærɪt] *n* (*room in loft*) Mansarde *f*

garrison ['gærɪsən] **I.** *n* Garnison *f* **II.** *vt* → *soldiers* einquartieren

garrulous ['gærʊləs] *adj* ▹*person* geschwätzig

garter ['gɑ:tə*] *n* Strumpfband *s*

gas [gæs] **I.** *n* ① (*carbon dioxide*) Gas *s* ② (*for home and industry*) [Erd-]Gas *s* ③ ▹*leaded, unleaded* Benzin *s* ④ ↑ *accelerator* Gaspedal *s;* ◇ **it's a** ~ das ist Wahnsinn **II.** *vt* (*execute*) vergasen; **gasbag** *n FAM* Quatschkopf, Laberer *m;* **gasbomb** *n* MIL Kampfstoffbombe *f;* **gas cooker** *n* Gasherd *m;* **gas cylinder** *n* Gasflasche *f;* **gas-fired** *adj* gasbeheizt

gash [gæʃ] **I.** *n* MED klaffende Wunde *f* **II.** *vt* → *skin* aufreißen

gasket ['gæskɪt] *n* TECH Dichtung, Dichtungsmanschette *f*

gasmask ['gæsmɑ:sk] *n* Gasmaske *f;* **gas meter** *n* Gaszähler *m*

gasoline ['gæsəli:n] *n* (*AM*) Benzin *s*

gasp [gɑ:sp] **I.** *vi* ① ◇ **the swimmer** ~**ed for air** der Schwimmer schnappt nach Luft ② ◇ **the audience** ~**ed in amazement** den Zuschauern verschlug es vor Staunen den Atem **II.** *n* tiefer Atemzug *m*

gas pump ['gæspʌmp] *n* (*AM*) Kraftstoffpumpe *f;* **gas station** *n* (*AM*) Tankstelle *f*

gassy ['gæsɪ] *adj* ▹*drink* sprudelnd

gastric ['gæstrɪk] *adj* Magen-; ◇ ~ **ulcer** Magengeschwür *s*

gastronomy [gæ'strɒnəmɪ] *n* (*art and science*) Gastronomie *f*

gate [geɪt] *n* ① (*farm* ~) Gatter *s* ② (*in airport*) Tor *s*

gateau ['gætəʊ] *n* (*big cream cake*) Torte *f*

gatecrasher *n* ↑ *uninvited guest* Partycrasher(in *f*) *m,* ungeladener Gast *m;* **gateway** *n* ① ↑ *gate opening* [Tor-]Einfahrt *f* ② *fig* ◇ **Hong Kong is the** ~ **to the East** Hong Kong ist das Tor zum Osten

gather ['gæðə*] *vti* ① ← *crowd* zusammenkommen, sich versammeln ② → *flowers* pflükken, sammeln ③ → *information* zusammentragen, sammeln ④ ◇ **I** ~ **from that that you will now leave** daraus schließe ich, daß du jetzt gehen wirst ⑤ ◇ **the truck** ~**ed speed** der Lastwagen nahm Fahrt auf; **gathering** *n* Versammlung *f*

gauche [gəʊʃ] *adj* ▹*behaviour* linkisch, ungeschickt

gaudy ['gɔ:dɪ] *adj* ▹*colours* knallig

gauge [geɪdʒ] **I.** *n* ① → *instrument* Meßgerät *s;* (*petrol* ~) Benzinuhr *f* ② (*of track*) Spurweite *f;* (*of metal*) Stärke *f* **II.** *vt* TECH messen; → *situation* schätzen, abwägen

gaunt [gɔ:nt] *adj* ▹*person* hager; ▹*landscape* öde

gauntlet ['gɔ:ntlɪt] *n* ① (*of motorcyclist*) [Schutz-]Handschuh *m* ② ↑ *challenge* ◇ **to throw down the** ~ **to s.o.** jd-m den Fehdehandschuh zuwerfen ③ ◇ **to run the** ~ **of s.th.** etw durchstehen müssen

gauze [gɔ:z] *n* (*of curtains*) Gaze *f;* (~ *bandage*) Mullbinde *f*

gawky ['gɔ:kɪ] *adj* ▹*person, PEJ* bäurisch, linkisch; ▹*animal* unbeholfen

gave [geɪv] *pt of* **give**

gay [geɪ] *adj* ① (*homosexual*) homosexuell; *fam* schwul ② ▹*colours* bunt, fröhlich; (*mood*) fröhlich

gaze [geɪz] **I.** *n* (*of wonder*) Blick *m* **II.** *vi* starren (*at* auf *acc*)

gazelle [gə'zel] *n* Gazelle *f*

gazette [gæzɪ'tɪə*] *n* (*Islington G*~) Anzeiger *m*

GB *n abbr. of* **Great Britain** GB, Großbritannien *s*

GDR *n abbr. of* **German Democratic Republic** DDR *f;* ◇ **the former** ~ die neuen Bundesländer

gear [gɪə*] **I.** *n* ① TECH Getriebe *s* ② (*football* ~) Ausstattung, Ausrüstung *f* ③ AUTO Gang *m;* ◇ **to leave the car in** ~ einen Gang eingelegt lassen **II.** *vt* ↑ *adapt* anpassen (*to* an *acc*); ◇ **to** ~ **education to society's needs** die Ausbildung den Bedürfnissen der Gesellschaft angleichen; **gear down** *vti* ① AUTO ← *driver* runterschalten ② COMM → *production* drosseln; **gearbox** *n* Getriebe *s;* **gearchange** *n* Gangschaltung *f;* **gearlever**, **gear shift** (*AM*) Schalthebel *m*

geese [gi:s] *pl of* **goose**

gel [dʒel] *n* (*hair* ~) Gel *s*

gelatin(**e**) ['dʒeləti:n] *n* Gelatine *f*

gelignite ['ʒelıgnaıt] *n* Plastiksprengstoff *m*
gem [dʒem] *n* (*diamond*) Edelstein *m;* (*person*) Juwel *s*
Gemini ['dʒemıni:] *n sg* ASTROL Zwillinge *pl;* ◇ **I'm a ~** ich bin Zwilling
gen [dʒen] *n* (*FAM information*) Informationen *pl* (*on* über *acc*)
gender ['dʒendə*] *n* GRAM Geschlecht, Genus *s*
gene [dʒi:n] *n* (*in DNA*) Gen *s*
genealogy [dʒi:nı'ælәʒı] *n* (*discipline*) Genealogie *f;* ↑ *family tree* Abstammung *f*
general ['dʒenərəl] **I.** *adj* [1] (*by most people*) weitverbreitet; ◇ **inflation is of ~ concern** viele Menschen machen sich wegen der Inflation Sorgen [2] ↑ *non-specific* allgemein; ◇ **his interests were pretty ~** seine Interessen waren von allgemeiner Art; ◇ **our local ~ hospital** unser örtliches Krankenhaus [3] ↑ *overall* Allgemein-, Gesamt-, insgesamt; ◇ **the ~ condition of the car** der Gesamtzustand des Autos; ◇ **the ~ idea behind it is ...** der Grundgedanke dabei ist ... **II.** *n* [1] ◇ **in ~** im allgemeinen [2] MIL General *m;* **general anaesthetic** *n* MED Vollnarkose *f;* **general election** *n* Parlamentswahlen *pl;* **generalization** [dʒenərəlaı'zeıʃən] *n* Verallgemeinerung *f;* **generalize** ['dʒenərəlaız] *vi* verallgemeinern; **general knowledge** *n* Allgemeinwissen *s;* **generally** *adv:* ◇ **a ~ accepted fact** eine allgemein anerkannte Tatsache; **general meeting** *n* (*of shareholders*) Vollversammlung *f;* **general public** *n* (*ordinary people*) Allgemeinheit *f*
generate ['dʒenəreıt] *vt* → *interest* wecken, erzeugen; → *electricity* erzeugen, produzieren
generation [dʒenə'reıʃən] *n* [1] (*of electricity*) Erzeugung *f* [2] (*grandparent's ~*) Generation *f;* (*27 years*) Generation *f* [3] ◇ **the new ~ of computers** die neueste Computergeneration
generator ['dʒenəreıtə*] *n* ↑ *electricity* ~ Generator *m*
generic [dʒ'ənerık] *adj* ▹*name* sortentypisch, artmäßig, Gattungs-
generosity [dʒenə'rɒsıtı] *n* Großzügigkeit *f;* **generous** ['dʒenərəs] *adj* ▹*person* großzügig; ▹*portion* reichlich; **generously** *adv:* ◇ **please give ~** wir appellieren an Ihre Großzügigkeit
genesis ['dʒenısıs] *n* <geneses> [1] ↑ *Book of Genesis* Genesis *f* [2] (*of idea*) Ursprung *m*
genetic engineering *n* (*biology*) Gentechnik *f;* **genetics** [dʒı'netıks] *n sg* Vererbungslehre *f,* Genetik *f*
genial ['dʒi:nıəl] *adj* freundlich
genie ['dʒi:nı] *n* (*Aladdin's ~*) Dschinn *m* (*Flaschengeist*)
genitals ['dʒenıtlz] *n pl* Genitale *pl,* Genitalien *pl*
genitive ['dʒenıtıv] *n* LING Genitiv *m*
genius ['dʒi:nıəs] *n* <-es *o.* genii> [1] (*creative gift*) Gabe *f* [2] (*creative spirit*) Geist *m* [3] (*Shakespeare*) Genie *s*
genocide ['dʒenəʊsaıd] *n* Völkermord *m*
genre ['ʒɑ:nrə] *n* (*of art*) Genre; (*of literature*) Gattung *f*
genteel [dʒen'ti:l] *adj* (*unnaturally polite*) übertrieben höflich
Gentile ['dʒentaıl] *n* Nichtjude(Nichtjüdin *f*) *m*
gentle ['dʒentl] *adj* sanft
gentleman *n* <-men> [1] (*man of character*) Gentleman *m* [2] ◇ **ladies and gentlemen!** meine Damen und Herren!; ◇ **this ~ was before me** dieser Herr kommt vor mir
gentleness *n* (*of breeze*) Milde *f;* (*of lover*) Zärtlichkeit *f;* (*with children*) Behutsamkeit *f*
gently *adv:* ◇ **easy now! put it down ~** sachte! lege es vorsichtig hin
gentrify ['dʒentrıfaı] → *city area die Sozial-/Baustruktur eines Stadtteiles verändern;*
gentry ['dʒentrı] *n* (*BRIT*) niederer Adel *m*
gents [dʒents] *n:* (*public lavatories for men*) Männer-WC
genuine ['dʒenjʊın] *adj* [1] (*Ming vase*) echt [2] ▹*offer* ernsthaft, ernstgemeint-; **genuinely** *adv* wirklich
genus ['dʒenəs] *n* <genera> BIO Gattung *f*
geographer [dʒı'ɒgrəfə*] *n* Geograph(in *f*) *m;* **geographical** [dʒıə'græfıkəl] *adj* geographisch; **geography** [dʒı'ɒgrəfı] *n* Erdkunde *f,* Geographie *f*
geological [dʒıəʊ'lɒdʒıkəl] *adj* geologisch; **geologist** [dʒı'ɒlədʒıst] *n* Geologe(Geologin *f*) *m;* **geology** [dʒı'ɒlədʒı] *n* Geologie *f*
geometric [dʒıə'metrıkáəlí] *adj* geometrisch; **geometry** [dʒı'ɒmıtrı] *n* Geometrie *f*
geranium [dʒı'reınıəm] *n* Geranie *f*
geriatrics [ʒerı'ætrıks] *n sg* MED Geriatrie *f*
germ [dʒ3:m] *n* Keim *m;* MED Bazillus *m*
German ['dʒ3:mən] **I.** *adj* deutsch **II.** *n* (*person*) Deutsche(r) *fm;* (*language*) Deutsch(e) *s;* ◇ **the ~s** *pl* die Deutschen *pl;* ◇ **to speak ~** Deutsch sprechen; ◇ **to learn ~** Deutsch lernen; ◇ **to translate into ~** ins Deutsche übersetzen; **German measles** *n sg* Röteln *f pl*
Germany *n* Deutschland *s;* ◇ **in ~** in Deutschland; ◇ **to go to ~** nach Deutschland reisen
germinate ['dʒ3:mı'neıt] *n* BIO keimen; **germination** [dʒ3:mı'neıʃən] *n* BIO Keimen *s;* (*of idea*) Aufkeimen
gestation [dʒe'steıtʃən] *n* [1] (*of woman*) Schwangerschaft *f* [2] (*of work of art*) Entstehung *f*
gesticulate [dʒe'stıkjʊleıt] *vi* gestikulieren;

gesticulation [dʒestɪkjʊ'leɪʃən] *n* (*general action*) Herumfuchteln *s;* (*one gesture*) Geste *f*

gesture ['dʒestʃə*] *n* Geste *f;* ◇ **a friendly** ~ eine nette Geste

get [get] <got, got *o. AM* gotten> *vt* [1] ↑ *obtain* bekommen, kriegen; ◇ **did you ~ the letter?** hast du den Brief bekommen?; ◇ **where did you ~ that from?** wo hast du das her?; ◇ **they got the thief** sie haben den Dieb gefaßt; ◇ **he got a car** er hat sich ein Auto gekauft; ◇ **I am getting a cold** ich kriege eine Erkältung; ◇ **got you!** hab' dich erwischt!; ◇ **did you ~ the joke?** hast du den Witz kapiert? [2] (*occasion or start*) veranlassen; ◇ **I'm ~ting the computer to work** ich bringe den Computer zum Laufen; ◇ **I am ~ting my hair cut** ich lasse mir die Haare schneiden; ◇ **how did you ~ to know that?** wie hast du das erfahren?; ◇ **to ~ do s.th.** die Möglichkeit bekommen, etw zu tun; ◇ **to ~ s.o. to do s.th.** jd-n veranlassen, etw zu tun; ◇ **to ~ going** sich daran machen; ◇ **I got chatting to him** ich kam mit ihm ins Geprăch [3] ↑ *arrive* erreichen; ◇ **how did you ~ home?** wie bist du nach Hause gekommen?; ◇ **he managed to ~ promoted** er hat es geschafft, daß er befördert wurde; ◇ **I have got as far as chapter 7** ich bin bis Kapitel 7 gekommen; ◇ **I am ~ting nowhere fast** es geht nicht vorwärts; ◇ **it's ~ting to me** es geht mir langsam auf den Wecker [4] (*become*) werden; ◇ **to ~ angry** böse werden; ◇ **the food is ~ting cold** das Essen wird kalt [5] (*have got to, spoken form - gotta, must*) müssen; ◇ **I have got to go** ich muß gehen; ◇ **they have got to work harder** sie müssen mehr arbeiten; **get along** *vi* [1] ◇ **I must ~ ~** ich muß gehen [2] ◇ **I ~ ~ well with my colleagues** ich komme mit meinen Kollegen gut aus [3] ◇ **are you ~ting ~ with the job?** wie kommst du mit der Arbeit voran?; **get at** *vt* [1] ◇ **I can't ~ ~ the glasses** ich komme nicht an die Gläser heran [2] ◇ **to ~ ~ s.o.** an jd-m was auszusetzen haben [3] ◇ **I can't ~ ~ the truth** ich komme nicht an die Wahrheit; **get away with** *vi:* ◇ **you won't ~ ~ ~ it** du wirst nicht ungestraft davonkommen; **get back I.** *vi* [1] ◇ **~ ~ to bed!** geh' wieder ins Bett! [2] ◇ **~ ~!** zurücktreten! **II.** *vt* (*repossess*) zurückkriegen; **get down** [1] ◇ **to ~ ~ the stairs** die Treppe herunterkommen [2] ◇ **the bad weather is ~ting me ~** das schlechte Wetter macht mich fertig [3] ◇ **to ~ ~ to work** die Arbeit anpacken, sich an die Arbeit machen; **get in** *vt* [1] ◇ **to ~ ~ a train** in einen Zug einsteigen [2] ◇ **he did not ~ a word ~ edgeways** er ist überhaupt nicht zur Wort gekommen [3] ◇ **the SPD got in** die SPD ist gewählt worden [4] ◇ **I got in late** ich bin spät nach Hause gekommen; **get off** *vt* [1] ◇ **to ~ ~ the train** aus dem Zug aussteigen; ◇ **to ~ ~ a horse** vom Pferd absteigen [2] ◇ **to ~ ~ work early** früh von der Arbeit wegkommen [3] ◇ **~ ~ lightly** billig davonkommen

get on I. *vi* [1] ↑ *progress* vorankommen [2] ↑ *be friends* auskommen **II.** *vt* → *train, bus* einsteigen (in *acc*); → *horse* aufsteigen auf *acc;* **get out** *vi* aussteigen; ◇ **~ ~!** raus!; **get out of I.** *vi:* ◇ **to ~ ~ ~ the car** aus dem Auto aussteigen; ◇ **to ~ ~ ~ the house** aus dem Haus herauskommen **II.** *vt:* ◇ **to ~ s.th. ~ ~ the car** aus dem Wagen etw herausholen; ◇ **to ~ money ~ ~ the bank** von der Bank Geld abheben; **get over** *vt* [1] ◇ **to ~ ~ a wall** über eine Mauer klettern [2] ◇ **to ~ ~ an illness** von einer Krankheit genesen [3] ◇ **I could not ~ ~ the fact that ...** ich konnte nicht fassen, daß; ◇ **I could not ~ ~ the loss** ich bin über den Verlust nicht hinweggekommen; ◇ **I couldn't ~ ~ her** ich konnte sie nicht vergessen [4] ◇ **to ~ s.th. ~ with** etw erledigen; **get through** *vti* [1] ◇ **to ~ ~ the door** durch die Tür durchkommen [2] (*to ~ ~ money*) Geld verschleudern [3] TELECOM ◇ **I can't ~ ~ to Germany** ich komm' nach Deutschland nicht durch [4] ◇ **I can't ~ ~ to you** ich komme nicht bei dir an; **get up** *vi* aufstehen

getaway *n* ↑ *escape* Flucht *f;* ◇ **to make a ~** schnell abhauen; **getaway car** *n* Fluchtauto *s*

gettogether *n* (*informal meeting*) Versammlung, Zusammenkunft *f*

geyser ['gi:zə*] *n* (*natural spring*) Geysir *m;* (*heater*) Durchlauferhitzer *m*

ghastly ['gɑ:stlɪ] *adj* (*character*) gräßlich; (*murder*) entsetzlich

gherkin ['gɜ:kɪn] *n* Essiggurke *f*

ghetto ['getəʊ] *n* <-s, -es> G[h]etto *s;* **ghetto blaster** *n* Ghettoblaster *m* (*großer, tragbarer Radiokassettenrecorder*)

ghost [gəʊst] *n* [1] (*spirit of dead person*) Geist *m* [2] ◇ **the ~ of a smile** der Anflug eines Lächelns [3] (*FAM person*) ◇ **to give up the ~** den Löffel abgeben; (*old car*) seinen Geist aufgeben; **ghostly** *adj* ▷*castle* unheimlich; **ghost writer** *n* Ghostwriter(in*f*) *m;* **ghost town** *n* Geisterstadt *f*

ghoul [gu:l] *n* ↑ *voyeur Mensch, der sich für grausame Dinge begeistern kann;* (*graveyard horror*) Ghul *m*

giant ['dʒaɪənt] **I.** *n* (*man*) Riese *m*, Riesin *f*; (*organisation*) Gigant *m;* (*any enormous object*) Riese *m* **II.** *adj* Riesen-, riesig, gigantisch; ◇ **a ~ melon** eine riesige Melone, eine Riesenmelone

gibberish ['dʒɪbərɪʃ] *n* Kauderwelsch *m*

gibbon ['gɪbən] *n* (*monkey*) Gibbon *m*

gibe [dʒaɪb] **I.** *vi* spotten (*at* über *acc*) **II.** *n* höhnische Bemerkung *f*

giblets ['dʒɪblɪts] *n pl* Innereien *pl;* (*of chicken*) Hühnerklein *s*
Gibraltar [dʒɪ'brɔ:ltə*] *n* Gibraltar *s*
giddiness ['gɪdɪnəs] *n* Schwindelgefühl *s;* **giddy** ['gɪdɪ] *adj* ▷*feeling* schwindelig; ▷*height* schwindelnd
gift [gɪft] *n* [1] (*birthday* ~) Geschenk *s;* (*charitable* ~) Gabe *f* [2] ↑ *talent* Gabe *f* (*for, of* für) [3] (*exam*) Geschenk *s;* **gifted** *adj* ▷*pianist* begabt; ◇ **my son is very** ~ mein Sohn ist hochintelligent
gift token, **gift voucher** *n* Geschenkgutschein *m*
gig *n* (*performance on tour*) Auftritt *m*
gigantic [dʒaɪ'gæntɪk] *adj* riesig, gigantisch
giggle ['gɪgl] **I.** *vi* kichern **II.** *n* Kichern, Gekicher *s*
gild [gɪld] *vt* → *picture frame* vergolden; ◇ **to** ~ **the lily** des Guten zuviel tun
gill [dʒɪl] **I.** *n* (*1/4 pint*) Gill *s 0,148 l* **II.** [gɪl] *n* (*of fish*) Kieme *f*
gilt [gɪlt] **I.** *n* [1] Vergoldung *f* [2] FIN sichere Wertpapiere *pl* **II.** *adj* vergoldet
gimlet ['gɪmlɪt] *n* Vorbohrer *m*
gimmick ['gɪmɪk] *n* (*sales* ~) Masche *f*, Trick *m;* **gimmicky** *adj:* ◇ **it's so** ~**!** effekthascherisch
gin [dʒɪn] *n* Gin *m*
ginger ['dʒɪndʒə*] **I.** *n* Ingwer *m* **II.** *adj* Ingwer-; **ginger up** *vt* ein wenig Pep geben; **ginger ale**, **ginger beer** *n* Ginger ale *s Limonade mit Ingweranteil;* **gingerbread** *n* Lebkuchen, Pfefferkuchen *m;* **gingerbread group** *n* Aktionsgruppe *f;* **gingerly** ['dʒɪndʒəlɪ] *adv* zaghaft, mit spitzen Fingern
gipsy ['dʒɪpsɪ] *n* Zigeuner(in *f*) *m*
giraffe [dʒɪ'rɑ:f] *n* Giraffe *f*
girder ['gɜ:də*] *n* (*steel* ~) Gürtel *m*
girdle ['gɜ:dl] **I.** *n* (*woman's*) Hüfthalter *m* **II.** *vt* gürten
girl [gɜ:l] *n* (*child*) Mädchen *s;* (*woman*) Frau *f*, Mädchen *s;* ◇ **she's a nice old** ~ sie ist eine nette alte Frau; **girlfriend** *n* (*special friend of boy or man*) Freundin *f;* (*woman's female friend*) Freundin *f;* **girlguide** *n* ↑ *scout* Pfadfinderin *f;* **girlish** *adj* mädchenhaft
giro ['ʒaɪrəʊ] *n system of money transfer, BRIT* Giroverkehr *m;* ↑ ~ *cheque Scheck, den ein Amt ausstellt, z.B. für Arbeitslosengeld;* ◇ **I'm waiting for my** ~ ich warte auf meine Sozialhilfe
girth [gɜ:θ] *n* [1] (*of tree*) Umfang *m* [2] ↑ *saddle strap* Sattelgurt *m*
gist [dʒɪst] *n* (*of argument, of text*) Hauptpunkte *pl*, Kern *m*
give [gɪv] <gave, given> *vti* [1] ↑ *pass* geben; ◇ ~ **me the salt,** ~ **the salt to me** gib mir das Salz; (*at Christmas*) schenken; ◇ **to** ~ **s.o. a present, to** ~ **a present to s.o.** jd-m etw schenken, jd-m ein Geschenk machen [2] ↑ *afford* ◇ ~ **the subject your immediate attention** kümmern Sie sich unverzüglich um die Sache; ◇ ~ **some thought to the matter** denken Sie über die Angelegenheit nach; ◇ ~ **it time and things will be all right** lassen Sie etw Zeit vergehen, und alles wird gut [3] ↑ *cause* verursachen; ◇ **hard work** ~**s him an appetite** von schwerer Arbeit bekommt er Hunger; ◇ **the computer is giving me trouble** der Computer bereitet mir Schwierigkeiten [4] (*perform an action*) geben; ◇ **just** ~ **the computer a kick** jag' den Computer doch einfach zum Teufel; ◇ **to** ~ **a performance** eine Vorstellung geben; ◇ **to** ~ **a smile** lächeln; ◇ **she gave him a lift back to town** sie nahm ihn im Auto mit in die Stadt; ◇ **to** ~ **a party** eine Party geben [5] ↑ *admit* zugeben, eingestehen [6] ↑ *stretch* nachgeben; ◇ **the jeans will** ~ **a bit** die Jeans werden sich noch etw weiten [7] ◇ **the floor gave way beneath my feet** der Boden unter meinen Füßen gab nach; ◇ **dad gave way so we can stay up late** Vater hat nachgegeben und läßt uns doch länger aufbleiben; ◇ **typewriters gave way to computers** Schreibmaschinen wurden durch Computer ersetzt; **give away** *vt* [1] ← *supermarket* verteilen [2] ← *smoke* verraten; **give back** *vt* zurückgeben; **give in I.** *vi* ↑ *yield* nachgeben (*to dat*) **II.** *vt* → *exam papers* abgeben; **give off** *vt* → *bad smell* abgeben; **give out** *vt* ↑ *distribute* austeilen; **give up** *vti* [1] ↑ *stop* aufgeben; ◇ **to** ~ ~ **smoking** das Rauchen aufgeben [2] (*allow transfer of*) abgeben; ◇ ~ ~ **your seat to an older person** überlasse deinen Sitzplatz einem älteren Menschen; ◇ **to** ~ **s.o.** ~ **to the police** jd-n der Polizei ausliefern [3] (*admit no more can be done*) aufgeben; ◇ **he will never** ~ ~ er wird niemals aufgeben; **give-and-take** *n* (*tolerance*) Geben und Nehmen *s;* **given** ['gɪvn] **I.** *pp of* **give II.** *adj* [1] ↑ *specified* vorgegeben; ◇ **it must be completed within the** ~ **time** es muß innerhalb der vorgegebenen Zeit fertiggestellt werden; ◇ **it's impossible in the** ~ **circumstances** es ist unter den gegebenen Umständen unmöglich [2] ↑ *particular* bestimmt; ◇ **any** ~ **patient** jeder beliebige Patient **III.** *prep* ↑ *considering*: ◇ ~ **that the pitch was wet, they played well** wenn man bedenkt, daß der Platz naß war, haben sie gut gespielt; **given name** *n AM* ↑ *Christian name* Vorname *m*
glacial ['glæsɪə*] *n* GEO eiszeitlich; ▷*smile* eisig; **glacier** ['glæsɪə] *n* Gletscher *m*
glad [glæd] *adj* [1] ↑ *pleased* froh, zufrieden; ◇ I

G

was ~ to hear … es freute mich zu hören …; ◇ I was ~ for him ich freute mich für ihn ② ◇ I was ~ of some help ich war für Hilfe dankbar ③ ◇ I would be ~ to help ich helfe Ihnen gerne; **gladden** *vt* erfreuen; ◇ it ~ed me to see his improvement ich war sehr erfreut über seine Fortschritte

gladiator [ˈglædɪeɪtə*] *n* Gladiator *m*

gladioli [glædɪˈəʊlaɪ] *n pl* Gladiolen *pl*

gladly [ˈglædlɪ] *adv* gerne

glamorous [ˈglæmərəs] *adj* glamourös; **glamor, glamour** *n* (*of Marlene Dietrich*) Glamour *m;* (*of foreign travel*) Reiz *m*

glance [glɑːns] **I.** *n* ▷*quick* Blick *m;* ◇ he could tell at a ~ she was sad er sah mit einem Blick, daß sie traurig war **II.** *vi* schauen, blicken (*at* auf *acc*); **glance off** *vti* (*bat*) abprallen

glancing *adj* (*not direct*): ◇ it was only a ~ blow der Schlag hat ihn/sie nur gestreift

gland [glænd] *n* ANAT Drüse *f*

glandular fever *n* Pfeiffersches Drüsenfieber *s*

glare [glεə*] **I.** *n* ① (*of sun*) heller Glanz *m* ② (*of headmaster*) wütender Blick *m;* ◇ in the full ~ of publicity mitten im Rampenlicht **II.** *vi* ① ← *sun* grell sein ② ← *headmaster* wütend anstarren (*at acc*); **glaring** *adj* ▷*injustice* [himmel-]schreiend; ▷*error* kraß

glass [glɑːs] *n* ① (*substance*) Glas *s* ② (*objects made of* ~) Glas *s* ③ (*wine*) Glas *s;* ◇ a ~ of wine ein Glas Wein ④ ◇ ~es *pl* Brille *f;* **glassbead** *n* Glasperle *f;* **glass fibre** *n* Glasfaser *f;* **glasshouse** *n* AGR Treibhaus *s;* (*FIG proverb*) ◇ people in ~s shouldn't throw stones wer im Glashaus sitzt, sollte nicht mit Steinen werfen; **glassware** *n* Glas *pl;* **glassy** *adj* ① ▷*eyes* glasig ② ▷*surface* spiegelglatt

glaze [gleɪz] **I.** *vt* → *window* verglasen; → *pot* glasieren **II.** *n* ↑ *fired surface* Glasur *f;* GASTRON (*on cake*) Glasur *f;* (*on ham, meat*) in Aspik, mit Geleeüberzug

glazier [ˈgleɪzɪə*] *n* Glaser(in *f*) *m*

gleam [gliːm] **I.** *n* (*of faint light*) Schimmer *m;* (*of hope*) Schimmer, Funke *m* **II.** *vi* ← *moonlight* schimmern; ← *child's eyes* strahlen

glean [gliːn] *vt* ① → *field* nachlesen ② → *information* schließen (*from* aus)

glee [gliː] *n* ① (*joy and delight*) Fröhlichkeit *f* ② (*malicious* ~) Schadenfreude *f;* **gleeful** *adj* ausgelassen; ↑ *maliciously* hämisch

glen [glen] *n* Bergschlucht *f,* enges Tal *s*

glib [glɪb] *adj* ▷*salesman* gewandt; ▷*excuse* ◇ Max was always ready with a ~ explanation Max war mit einer Erklärung immer schnell bei der Hand; **glibly** *adv* gewandt, geschickt

glide [glaɪd] **I.** *vi* (*like a bird*) gleiten **II.** *n* (*graceful*) Gleitschritt *m;* **glider** *n* AERO Segelflugzeug *s*

gliding club *n* Segelfliegerklub *m*

glimmer [ˈglɪmə*] *n* (*of candle*) Schimmer *m;* (*of hope*) Schimmer, Funke *m*

glimpse [glɪmps] (*short glance*) kurzer Blick *m;* ◇ he only caught a ~ of the procession er konnte nur einen kurzen Blick von der Prozession erhaschen

glint [glɪnt] *vi* ← *mirror in sun* glitzern; ← *wizard's eyes* funkeln

glisten [ˈglɪsn] *vi* ← *wet road* glänzen; ◇ her face ~ed with tears ihr Gesicht glitzerte vor Tränen

glitch [glɪtʃ] *n FAM* Defekt *m*

glitter [ˈglɪtə*] **I.** *vi* ← *diamond* glitzern, funkeln **II.** *n* (*of light on water*) Glitzern *s;* (*of Hollywood*) Geglitzer *s;* **glittering** *adj* ▷*performance* glanzvoll

glitz [glɪts] *n* (*glamour and* ~) Glamour *m*

gloat [ˈgləʊt əʊvə*] *vi PEJ* diebisch freuen (*over* über *acc*)

global [ˈgləʊbl] *adj* ▷*view* umfassend; ▷*warming* weltweit, global

globe [gləʊb] *n* ↑ *earth* Erdkugel *f;* (*model of Earth*) Globus *m;* (*round object*) Kugel *f;* **globetrotter** *n* (*backpack and Baedeker*) Weltenbummler(in *f*) *m,* Globetrotter(in *f*) *m*

globule [ˈglɒbjuːl] *n* (*of mercury*) Kügelchen *s*

gloom [gluːm] *n:* ◇ one is filled with ~ and despondency at the news man fühlt sich bedrückt und niedergeschlagen, wenn man die Nachrichten hört; ◇ to be unable to see through the ~ nicht durch das Dunkel sehen können; **gloominess** *n* ↑ *sulkiness, lassitude* Düsterheit, Niedergeschlagenheit *f;* **gloomily** *adv* mit mulmigem Gefühl; **gloomy** *adj* ▷*day* düster; ◇ to look ~ trübsinnig schauen

glorification [glɔːrɪfɪˈkeɪʃən] *n* (*of war*) Verherrlichung, Glorifizierung *f;* **glorify** [ˈglɔːrɪfaɪ] *vt* → *war* verherrlichen; → *God* lobpreisen; **glorious** [ˈglɔːrɪəs] *adj* ▷*day* herrlich; ▷*victory* glorreich; **glory** [ˈglɔːrɪ] **I.** *n* (*fame and honour*) Ruhm *m;* (*spectacular appearance*) Herrlichkeit *f;* ◇ the glory of Paris der Stolz von Paris **II.** *vi:* ◇ to ~ in o.'s success sich in seinem Erfolg sonnen

gloss [glɒs] **I.** *n* ① (*polished to a high* ~) Hochglanz *m* ② (*lip* ~, ~ *paint*) Glanz *m* ③ (*of respectability*) Glanz *m* ④ (*explanation of text*) Anmerkung *f* (*on* zu); ◇ to put a different ~ on s.th. etw in einem anderen Licht darstellen **II.** *vt* ① → *doorframes* mit Glanzlack streichen ② → *difficult word* erläutern; **gloss over** *vt* → *awkward facts* vertuschen

glossary ['glɒsərɪ] *n* Glossar *s*
gloss finish *n* FOTO Hochglanzabzug *m;* **gloss paint** *n* Glanzfarbe *f*
glossy ['glɒsɪ] *adj* (*smooth and shiny*) glänzend; **glossy magazines** *n* (*Vogue, Tatler etc.*) Zeitschriften *f* auf Hochglanzpapier
glove [glʌv] *n* Handschuh *m*
glow [gləʊ] **I.** *vi* glühen **II.** *n* (*heat*) Glut *f;* (*colour*) Glühen *s;* (*of emotion*) Glut *f*
glower ['glaʊə* æt] *vi* ein finsteres Gesicht machen
glow-worm *n* Glühwürmchen *s*
glucose ['glu:kəʊs] *n* Traubenzucker *m*
glue [glu:] **I.** *n* Klebstoff *m,* Leim *m* **II.** *vt* kleben (*to* an *acc*); ◇ **he sat -d to the television** er saß wie gebannt vor dem Fernseher; **glue-sniffing** *n* Schnüffeln *s*
glum [glʌm] *adj* bedrückt
glut [glʌt] *n* (*wine* ~) Schwemme *f*
glutinous ['glu:tɪnəs] *adj* ▷*mess* klebrig
glutton ['glʌtn] *n* Vielfraß *m;* ◇ **a ~ for punishment** Masochist(in *f*) *m;* **gluttonous** ['glʌtnəs] *adj* unersättlich
gluttony *n* Völlerei *f*
glycerine ['glɪsəri:n] *n* Glyzerin *f*
gnarled [nɑ:ld] *adj* ▷*wood* knorrig
gnat [næt] *n* [Stech-]Mücke *f*
gnaw [nɔ:] *vt* nagen an, kauen an *dat*
gnome [nəʊm] *n* Gnom *m*
go [gəʊ] <went, gone> **I.** *vi* [1] ↑ *move* bewegen, gehen, fahren; ◇ **would you ~ and fetch the book?** gehst du bitte mal und holst das Buch?; ◇ **I must be going now** ich muß dann gehen; ◇ **he has been gone an hour** er ist schon eine Stunde weg; ◇ **did you ~ to university?** haben Sie studiert?; (*move with purpose*) ◇ **to ~ for a run** einen Dauerlauf machen; ◇ **to ~ on a language course** einen Sprachkurs besuchen; (*move in a particular way*) ◇ **to ~ at 56 km/h** mit 56 km/h fahren; ◇ **to ~ to bed** ins Bett gehen; (*send*) ◇ **will the parcel ~ by post?** wird das Paket per Post weggeschickt?; ◇ **the memo must ~ to all departments** diese Mitteilung muß in alle Abteilungen; (*extend*) ◇ **the road -es to Rome** diese Straße führt nach Rom; ◇ **our property -es beyond the next field** unser Grundstück geht über das nächste Feld hinaus [2] (*is to be placed*) ◇ **the computer -es on the desk** der Computer kommt auf den Schreibtisch; ◇ **my foot won't ~ in that shoe** mein Fuß paßt nicht in diesen Schuh; ◇ **5 into 17 won't ~ evenly** 5 geht nicht in 17 [3] (*happen (in a certain way)*) ◇ **how is the course -ing?** wie läuft's im Kurs so?; ◇ **my computer is -ing well** mein Computer läuft gut; ◇ **the colours do not ~ well together** die Farben passen nicht gut zusammen [4] ↑ *be, become* ◇ **he's gone mad** er ist verrückt geworden; ◇ **in 1846 many Irishmen went hungry** im Jahre 1846 mußten viele Iren hungern; ◇ **this country will never ~ Labour** dieses Land wird niemals Labour wählen; ◇ **his contribution did not ~ unnoticed** sein Beitrag fiel durchaus auf [5] ↑ *sound* ◇ **how did the song ~?** wie ging das Lied?; ◇ **the story -es like this ...** die Geschichte ging so ... [6] ↑ *cease, vanish* ◇ **the backache just won't ~** die Rückenschmerzen gehen einfach nicht weg; ◇ **I went to pick up my car but it was gone** ich ging los, um mein Auto zu holen, aber es war verschwunden; ◇ **he's too slow he will have to ~** er ist zu langsam, wir werden uns von ihm trennen müssen; ◇ **I was on the bike and the breakes went** ich fuhr gerade auf meinem Fahrrad, da versagten die Bremsen; ◇ **she doesn't know where all the money -es** sie weiß nicht, wo das ganze Geld hingeht; ◇ **-ing! -ing! gone!!** zum Ersten, zum Zweiten, und zum ... Dritten!; ◇ **those days are gone** diese Tage sind vorbei [7] ↑ *will* ◇ **she's -ing to have a baby** sie bekommt ein Baby; ◇ **it's -ing to be a lovely day** es wird ein herrlicher Tag **II.** *n* (*-es*) [1] ◇ **the new secretary has get-up and ~** *FAM* die neue Sekretärin hat jede Menge Power [2] ◇ **have another ~!** versuch's noch mal! **ahead** *vi* [1] ◇ **to ~ ahead with o.'s. plans** mit seinen Plänen fortfahren [2] ◇ **I hope the project goes ahead** ich hoffe, das Projekt geht voran; **go along with** *vt:* ◇ **he went along with my suggestion** er war mit meinem Vorschlag einverstanden; **go around** *vt* [1] ◇ **there's a rumour -ing ~ that ...** es geht das Gerücht um, daß ... [2] ◇ **you shouldn't ~ ~ with drug addicts** man sollte sich nicht mit Drogenabhängigen abgeben [3] ◇ **are there enough cakes to ~ ~?** gibt es genug Gebäck für alle?; **go away** *vi* weggehen; ▷*for a holiday* wegfahren; **go back** *vi* [1] ◇ **to ~ ~ to what I was saying ...** um nochmal auf das vorhin Gesagte zurückzukommen ... [2] ◇ **Ireland? Of course I want to ~ ~** Irland? Natürlich möchte ich dorthin zurück gehen; **go back on** *vt* → *decision* rückgängig machen; **go by** *vti* [1] ← *car* vorbeifahren [2] ← *time* verlaufen [3] ◇ **he always ~ the rules** er hält sich immer an die Regeln; **go down** *vi* ← *sun* untergehen; ← *inflation* geringer werden; ◇ **my lecture went down very well** mein Vortrag kam sehr gut an; **go for** *vt* [1] ◇ **to ~ ~ the newspaper** fortgehen, um die Zeitung zu kaufen [2] ◇ **he went for him with an axe** er ging mit einer Axt auf ihn los [3] ◇ **I hate him and that goes for all his friends** ich hasse ihn, und das gilt

auch für seine Freunde [4] ◇ **he does not go for rock and roll** er hält nicht viel von Rock 'n' Roll, er macht sich nichts aus Rock 'n' Roll; **go in** *vi* hineingehen; ◇ **the sun has gone in** die Sonne hat sich versteckt; **go into** *vt* [1] → *study* eintreten [2] → *army* gehen [3] (→ *wall, with car*) fahren (gegen); **go off I.** *vi* ↑ *leave by car* wegfahren; ← *lights* ausgehen; ← *alarm* klingeln; ← *food* schlecht werden **II.** *vt* ↑ *dislike* nicht mehr mögen; **go on** *vi* [1] ↑ *walk on* weitergehen [2] (*talk incessantly*) unaufhörlich reden [3] ◇ **what's going on?** was ist los? **go out** *vi* [1] ↑ *leave* hinausgehen [2] ← *tide* zurückgehen [3] ◇ **to - - of style** unmodern werden, aus der Mode kommen [4] ◇ **my heart went out to her** ich fühlte mit ihr mit; **go over** *vt* [1] ↑ *cross* hinübergehen [2] ↑ *examine, check* durchgehen; **go up** *vi* [1] ← *price* steigen [2] → *stairs* hinaufsteigen [3] ← *lift* hochfahren; **go without** *vt:* ◇ **to - - s.th.** ohne etw auskommen müssen, auf etw verzichten müssen

goad [gəʊd] *vt* → *person* hetzen; ◇ **he was -ed into action** er wurde angespornt, etw zu tun

go-ahead ['gəʊəhed] **I.** *adj* ▷*company* fortschrittlich **II.** *n:* ◇ **to give s.o. the go-ahead** jd-m grünes Licht geben

goal [gəʊl] *n* [1] ↑ *aim* Ziel *s* [2] (*in football*) Tor *s;* ◇ **to be in -** im Tor stehen; ◇ **to score a -** ein Tor schießen; **goalie, goalkeeper** *n* Torwart *m;* **goal-kick** *n* Abstoß *m* vom Tor; **goal mouth** *n* unmittelbarer Torbereich *m;* **goal-post** *n* Torpfosten *m*

goat [gəʊt] *n* Ziege *f;* ◇ **to get s.o.'s -** jd-n auf die Palme bringen

gobble ['gɒbl] *vti* → *food* verschlingen

gobbler *n* Truthahn *m*

gobbledykook *n* (*in official language*) Amtsdeutsch, Amtsenglisch etc *s*

go-between ['gəʊbɪtwiːn] *n* Vermittler(in *f*) *m*

goblet ['gɒblɪt] *n* (*wine -*) Pokal *m*

goblin ['gɒblɪn] *n* (*ugly fairy*) Kobold *m*

god [gɒd] *n* [1] (*G-*) Gott *m;* ◇ **God forbid!** Gott behüte!; ◇ **for God's sake!** um Gotteswillen!, um Himmelswillen!; ◇ **God alone knows where he's gone** das wissen die Götter, wo der hin ist; ◇ **thank God!** Gott sei Dank! [2] (*pagan -*) Gott *m;* **godchild** *n* <-children> Patenkind *s;* **goddess** *n* Göttin *f;* **godfather** *n* Pate *m;* **godforsaken** *adj* gottverlassen; **godlike** *adj* ▷*attitude* gottähnlich; **godmother** *n* Patin *f;* **godsend** *n* Geschenk *s* des Himmels

goer ['gəʊə*] *n* [1] (*complememt*) unternehmungslustiger Mensch *m* [2] (*sexist comment*) Flittchen *s;* ◇ **she's a bit of a -** sie nimmt es mit den Männern nicht so genau

go-getter *n* Macher *m Go-getter m,* Mann/Frau *m/f* der Tat

goggle ['gɒgl] *vi* ↑ *stare* starren; *PEJ* glotzen; ◇ **to - at s.th.** etw anglotzen; **goggle-box** *n FAM* Glotze *f*

goggles *n pl* (*motorbike -*) Schutzbrille *f*

going ['gəʊɪŋ] *n* [1] (*act of leaving*) Gehen, Weggehen *s;* ◇ **we were sad at their -** wir waren traurig, als sie gingen [2] (*of track*) ◇ **the - at Epsom was soft** die Bahn in Epsom war weich; ◇ **when the - gets tough the tough get going** wenn es übel wird, machen sich die Macher daran [3] (*rate of progress*) Vorankommen *s;* ◇ **to finish in 4 hours is not bad -** in vier Stunden fertig zu werden, ist nicht schlecht; **going concern** *n* bestehendes Unternehmen *s;* **going rate** *n* (*of exchange*) derzeit gültiger Umtauschkurs *m;* (*of pay*) derzeit gültiger Tariflohn *m;* **goings-on** *n pl* Ereignis *s sg;* **going-over** *n* [1] (*inspection and repair*) Inspektion *f;* ◇ **give the car a good ---** checken Sie das Auto gründlich durch [2] ↑ *beating* ◇ **they gave him a good -** sie verpaßten ihm eine ordentliche Tracht Prügel

gold [gəʊld] **I.** *n* (*metal*) Gold *s* **II.** *adj* ↑ *made of -* aus Gold, golden, Gold-; ↑ *coloured -* goldfarben; **golden** *adj* [1] ▷*hair* golden [2] ▷*crown* Gold-, golden; **goldfish** *n* Goldfisch *m;* **golden handshake** *n* Abfindungszahlung *f;* **gold mine** *n* Goldmine *f;* **golden rule** *n* oberstes Gebot *s,* goldene Regel *f*

golf [gɒlf] *n* Golf *s;* **golf ball** *n* SPORT Golfball *s;* **golf club** *n* (*society*) Golfklub *m;* (*stick*) Golfschläger *m;* **golf course** *n* Golfplatz *s;* **golfer** *n* Golfspieler(in *f*) *m*

gondola ['gɒndələ] *n* Gondel *f*

gone [gɒn] *pp of* **go**

gong [gɒŋ] *n* Gong *m*

good [gʊd] **I.** *n* [1] (*right behaviour*) Gute *s;* ◇ **to be up to no -** nichts Gutes im Schilde führen; ◇ **there is some - in everybody** in jedem Menschen steckt ein guter Kern [2] ↑ *advantage, benefit* ◇ **it's no - if it does not pay** es taugt nichts, wenn es sich nicht lohnt, what's the˜ in shouting at him?, warum schreist du ihn eigentlich so an?; ◇ **it would do you - to have a break** eine kleine Pause würde dir gut tun [*o.* nicht schaden]; ◇ **I must do it for the - of the family** ich muß es zum Wohle der Familie tun [3] ◇ **for -** für immer **II.** <better, best> [1] (*of a high standard*) gut; ◇ **- language skills** gute Sprachkenntnisse; ◇ **she's - at languages** sie ist sprachbegabt [2] ▷*suitable* gut, günstig; ◇ **it's a - day for fishing** es ist ein guter Tag zum Fischen; ◇ **that's - advice** das ist ein guter Rat [3] ↑ *fortunate* gut, günstig; ◇ **it's a**

~ **thing you are in today** es trifft sich gut, daß du heute da bist; ◇ **it's a ~ job I kept quiet** gut, daß ich meinen Mund gehalten habe [4] ◇ **no ~** wertlos, nicht gut; ◇ **a bank is not much ~ to me, I have no money** eine Bank bringt mir nichts, ich habe kein Geld [5] ↑ *pleasant, okay* schön, angenehm; ◇ **have a ~ time!** viel Spaß!; ◇ **you've finished the work? ~!** du bist mit der Arbeit fertig? Schön!; ◇ **~ for you!** gut gemacht! [6] ↑ *healthy, in order* gut; ◇ **apples are ~ for you** Äpfel sind gesund; ◇ **you're looking ~** du siehst gut aus [7] ↑ *morally correct, benificial* gut, anständig; ◇ **a saint leads a ~ life** ein Heiliger führt ein anständiges Leben; ◇ **the professor was very ~ to me** der Professor hat mich sehr gut behandelt [*o.* war sehr gut zu mir] [6] ↑ *well behaved* brav, lieb; ◇ **be ~ while I'm out** sei brav, solange ich weg bin; ◇ **she's ~ as gold** sie ist richtig lieb [7] (*generous in quantity or size*) gut; ◇ **it's a ~ 5 km to town** bis zur Stadt sind es gut 5 km, es sind gute 5 km bis zur Stadt; ◇ **I used to drink a ~ deal of beer** früher einmal habe ich eine Menge Bier getrunken; ◇ **make sure you arrive in ~ time!** sei unbedingt pünktlich!; **good afternoon** *intj* guten Tag; **goodbye** [gʊd'baɪ] **I.** *n* Abschied *m;* ◇ **they said their ~s** sie verabschiedeten sich **II.** *intj* auf Wiedersehen; **good evening** *intj* guten Abend; **good for nothing I.** *n* Taugenichts *m* **II.** *adj* ▷*person* nichtsnutzig; ◇ **thing** unnütz, nutzlos; **Good Friday** *n* Karfreitag *m;* **good-humoured** *adj* gutmütig; **good-looking** *adj* gutaussehend; **good-natured** *adj* ▷*fun* harmlos; **goodness** *n* [1] (*of person*) Güte *f;* (*of food*) Nährwert *m* [2] ◇ **~ me!** ach du meine Güte!; ◇ **for ~' sake!** um Himmels Willen!; **good night** *intj* gute Nacht

goods [gʊdz] *n pl* [1] (*regular products*) Güter, Produkte *pl;* COMM Waren *pl;* ◇ **all my worldly ~** mein ganzes Hab und Gut; ◇ **the store has a wide variety of ~** das Geschäft hat eine große Auswahl [an Waren] [2] (*BRIT products in bulk*) Güter *pl* [3] (*FIG provide what is expected of you*) ◇ **to deliver the ~, to come up with the ~** eine Leistung erbringen; **goods train** *n* Güterzug *m*

goodwill [gʊd'wɪl] *n* (*in human relations*) Wohlwollen *s*

gooey ['gʊːɪ] *adj* (*sweet*) klebrig

goof [guːf] **I.** *n* [1] (*person*) Dussel *m* [2] ↑ *mistake* Schnitzer *m* **II.** *vi* danebenhauen; **goof up** *vt* → *work* vermasseln

goose [guːs] *n* <geese> (*female*) Gans *f;* (*male*) Gänserich *m*

gooseberry ['gʊzbərɪ] *n* Stachelbeere *f*

gooseflesh, goose pimples *n pl* Gänsehaut *f*

gopher ['gəʊfə*] *n* Taschenratte *f*

gore [gɔː*] **I.** *vt* aufspießen; ◇ **he was ~d by the bull** er wurde von dem Stier aufgespießt **II.** *n* (viel geronnenes) Blut *s*

gorge [gɔːdʒ] **I.** *n* Schlucht *f* **II.** *vr:* ◇ **~ oneself** sich vollstopfen

gorgeous ['gɔːdʒəs] *adj* sagenhaft, hinreißend

gorilla [gə'rɪlə] *n* Gorilla *m*

gorse [gɔːs] *n* Stechginster *m*

gory ['gɔːrɪ] *adj* ▷*scene* blutrünstig, blutig; *FIG* ◇ **tell me all the ~ details** erzähle mir die ganze Geschichte

gosh [gɒʃ] *intj* Mensch!, Mann!

go-slow ['gəʊ'sləʊ] *n* Bummelstreik *m*

gospel ['gɒspəl] *n* [1] (*G~*) Evangelium *s;* ◇ **the G~ according to St John** das Johannesevangelium, das Evangelium nach Johannes [2] ↑ *ideology* Lehre *f* [3] ◇ **that's absolutely ~** das ist die reine Wahrheit

gossamer ['gɒsəmə*] *n* [1] (*of spider*) Spinnfäden *pl* [2] (*man-made material*) feine Gaze *f*

gossip ['gɒsɪp] **I.** *n* [1] (*nosey chat*) Klatsch, Tratsch *m;* ◇ **to have a ~ with s.o.** mit jd-m schwatzen/tratschen [2] (*person*) Klatschbase *f* **II.** *vi* tratschen, klatschen; **gossip column** *n* Klatschspalte *f*

got [gɒt] *pt, pp of* **get**

Gothic ['gɒθθɪk] *adj* gotisch

gotta ['gɒtə] = *pp of* **get** [1] (*never written, have got to*) muß; ◇ **I ~ go** ich muß gehen [2] (*never written, have got a*) habe; ◇ **I ~ new motorbike** ich habe ein neues Motorrad

gotten (*AM*) *pp of* **get**

gouge ['gaʊʒ] *vt* → *hole* bohren; **gouge out** *vt* ausbohren; ◇ **to ~ ~ s.o.'s eyes** jd-m die Augen ausstechen

goulash ['guːlæʃ] *n* Gulasch *s*

gourd ['gʊəd] *n* (*for drinking*) Kürbisflasche *f*

gourmet ['gʊəmeɪ] *n* Feinschmecker(in *f*) *m*

gout [gaʊt] *n* MED Gicht *f*

govern ['gʌvən] *vt* [1] → *country* regieren [2] → *prices* kontrollieren, regeln [3] ◇ **~ed by circumstances** durch die Umstände bestimmt

governess *n* Gouvernante *f*

governing *adj* [1] ▷*party* regierend [2] ▷*passion* beherrschend; ◇ **~ idea** Leitgedanke *m;* **governing body** *n* Vorstand *m*

government I. *n* [1] (*by ruling body*) Regierung *f,* Kontrolle *f* (*of, over* über *acc*) [2] (*system of ~*) Regierungsform *f,* Regierung *f* [3] ◇ **the German G~ announced today …** die deutsche Regierung kündigte heute an …, die Regierung in Bonn

G

kündigte an … **II.** *adj* Regierungs-; **government aid** *n* staatliche Hilfe *f;* **government employee** *n* Angestellte(r) *fm* im öffentlichen Dienst; **governor** ['gʊvənə*] *n* (*of Bank of England*) Gouverneur *m;* (*of Brixton Prison*) Direktor(in *f*) *m*

govt *abbr. of* **government** Regierung *f*

gown [gaʊn] *n* (1) (*ball* ~) Kleid, Abendkleid *s* (2) (*lecturer's* ~) Robe *f*

GP *n abbr. of* **General Practitioner** Allgemeinarzt *m*, Allgemeinärztin *f*

GPO *n abbr. of* **General Post Office** Postamt *s*

grab [græb] **I.** *vt* → *collar* packen an *dat;* → *money* raffen; ◇ **you ought to ~ at the chance of working** du solltest dir die Chance auf Arbeit nicht entgehen lassen; ◇ **how does that ~ you?** wie gefällt dir das? **II.** *n:* ◇ **to make a ~ at s.th.** nach etw greifen; ◇ **the ~ for power** der Griff nach der Macht; ◇ **up for ~s** für jd-n zu haben

grace [greɪs] **I.** *n* (1) (*of dancer, flowing beauty*) Anmut *f*, Eleganz *f* (2) ◇ **the ~ to admit s.th.** (*charm, manners, openness*) soviel Anstand besitzen, etw zuzugeben (3) ◇ **with good/ill ~** (*willingness/unwillingness*) anstandslos/widerwillig (4) ◇ **by the ~ of God** ↑ *mercy* durch die Gnade Gottes (5) ◇ **to fall from ~** ↑ *favour* in Ungnade fallen (6) ↑ *prayer before meal* Tischgebet *s* **II.** *vt* ehren; ◇ **he ~d us with his company** er beehrte uns mit seiner Anwesenheit; **graceful** *adj* ▷*movement* elegant; **gracefully** *adv* ▷*apologize* auf charmante Art; **graceless** *adj* reizlos

gracious ['greɪʃəs] *adj* ▷*person* nobel; ▷*gesture* gefällig

gradation [grə'deɪʃən] *n* Abstufung *f*

grade [greɪd] **I.** *n* (1) (*level of performance*) Niveau *s;* ◇ **to make the ~** es schaffen (2) ↑ *quality*~ Güteklasse *f* (3) ↑ *exam* ~ Note, f (4) *third ~, AM* Klasse *f* **II.** *vt* ↑ *classify* einstufen, klassifizieren; **grade crossing** *n* (*AM*) Bahnübergang *m*

gradient ['greɪdɪənt] *n* (*of 1 in 7, up*) Steigung *f;* (*down*) Gefälle *s*

gradual ['grædjʊəl] *adj* ▷*change* allmählich; ▷*slope* sanft; **gradually** *adv* nach und nach

graduate ['grædjʊɪt] **I.** *n* (*of university*) Akademiker(in *f*) *m,* Hochschulabsolvent(in *f*) *m* **II.** ['grædjʊeɪt] *vi* SCH seinen Abschluß machen (*from* an *dat*); **graduated** *adj* ▷*pay scale* abgestuft; **graduation** [grædjʊ'eɪʃən] *n* (*ceremony*) Abschlußfeier *f*

graffiti [grəfi:'tɪ] *n* Graffiti *s*

graft [grɑ:ft] **I.** *n* (1) (*on plant*) Pfropfstelle *f* (2) (*hard* ~) Schufterei *f* (3) MED verpflanztes Gewebe, Transplantat *s* (4) (*in city hall*) Amtsmißbrauch *m* **II.** *vt* (1) (BIO *cutting*) pfropfen (*on* auf *acc*) (2) → *ideas* übertragen (*on* auf *acc*) **III.** *vi* schuften

grain [greɪn] *n* (1) AGR Getreide *s* (2) (*single* ~) Korn *s* (3) (*of sand*) Körnchen *s;* ◇ **not a ~ of truth** kein Körnchen *s* Wahrheit (4) (*of timber*) Maserung *f;* ◇ **it goes agaist my ~** es geht mir gegen den Strich; **grainy** *adj* FOTO grobkörnig

gram, **gramme** [græm] *n* Gramm *s*

grammar ['græmə*] *n* LING Grammatik *f;* ◇ **that's bad ~** das ist grammatisch falsch, das ist ungrammatisch; **grammar school** *n* (*BRIT*) Gymnasium *s; AM* höhere Grundschule *f*

gramme *s.* **gram**

grammatical [grə'mætɪkəl] *adj* grammatisch

gramophone ['græməfəʊn] *n* Plattenspieler *m*

gran *n FAM* Oma *f*

granary ['grænərɪ] *n* Kornspeicher *m*

grand [grænd] **I.** *adj* großartig; ▷*building* imposant **II.** *n FAM* ↑ *one thousand pounds/dollars* Riese *m;* ◇ **he made 22 ~ on currency speculation** er hat 22 Riesen mit Devisenspekulationen gemacht; **granddad** *n* Opi *m;* **grand child** *n* Enkelkind *s;* **grand daughter** *n* Enkeltochter *f*, Enkelin *f*

grandeur ['grændjə*] *n* (*of Baroque design*) Erhabenheit *f;* (*of coronation*) Glanz *m*

grandfather *n* Großvater *m;* **grandfather clock** *n* Standuhr *f*

grandiose ['grændɪəʊz] *adj* ▷*idea* grandios; ▷*style* bombastisch

grandmother *n* Großmutter *f;* **grandpa** *n FAM* ↑ *grandfather* Opa *m;* **grandparent** *n:* ◇ **my ~s** meine Großeltern; **grand piano** *n* <-s> Flügel *m;* **grandson** *n* Enkel[sohn] *m;* **grandstand** *n* Haupttribüne *f;* **grand total** *n* Gesamtbetrag *m*, Gesamtsumme *f*

grange *n* Bauernhof *m*

granite ['grænɪt] *n* Granit *m*

granny ['grænɪ] *n FAM* Omi *f*

grant [grɑ:nt] **I.** *vt* (1) ↑ *application* gewähren; → *permission* erteilen (2) ↑ *admit* zugestehen; ◇ **I ~ you that I'm silly but I'm rich all the same** ich gebe ja zu, daß ich dumm bin, aber reich bin ich deshalb trotzdem (3) ◇ **do not take her for ~ed** nimm sie nicht als selbstverständlich hin; ◇ **he takes it for ~ed that she will come** für ihn ist es selbstverständlich, daß sie kommen wird **II.** *n* ↑ *government money* for education, Stipendium *s;* (*development* ~) Subvention *f*

granulated sugar ['grænjʊleɪtɪd] *adj* Zuckerraffinade *f*

granule ['grænju:l] *n* Körnchen *s*

grape [greɪp] *n* Traube *f*

grapefruit *n* Grapefruit *f*, Pampelmuse *f*

grape juice *n* Grapefruitsaft *m*
grapevine *n* Weinstock *m;* FIG ◇ **I heard it through the ~** ich habe es auf Umwegen erfahren, ich habe es hinten rum erfahren
graph [grɑ:f] *n* Diagramm *s;* **graph paper** *n* Millimeterpapier *s*
graphic ['græfɪk] *adj* [1] ▷*description* plastisch [2] ▷*design* grafisch; **graphics** *n pl* ↑ *drawings* Zeichnungen *pl*
grapple ['græpl] *vi* [1] ◇ **to ~ with a problem** sich mit einem Problem herumschlagen [2] (*with enemy*) kämpfen
grasp [grɑ:sp] **I.** *vt* [1] → *safety rail* ↑ *hold on to* sich festhalten (an *dat*) [2] ◇ **to ~ s.o. by the arm** jd-n am Arm packen [3] ↑ *understand* begreifen **II.** *n* [1] ↑ *grip* Griff *m* [2] (*of subject*) Verständnis *s;* **grasping** *adj* ↑ *greedy* habgierig
grass [grɑ:s] *n* [1] BIO Gras *s* [2] ↑ *lawn* Rasen *m;* **grasshopper** *n* Grashüpfer *m,* Heuschrecke *f;* **grassland** *n* Grasland *s,* Graslandschaft *f;* **grass roots** *n pl:* ◇ **to tackle a problem at ~ ~** ein Problem an der Wurzel anpacken; **grass snake** *n* Ringelnatter *f;* **grassy** *adj* grasbewachsen
grate [greɪt] **I.** *n* ↑ *fire* ~ Rost *m* **II.** *vi* (*sound*) kratzen; ◇ **to ~ on s.o.'s nerves** *FAM* jd-n nerven, jd-m auf die Nerven gehen **III.** *vt* → *cheese* reiben
grateful ['greɪtfʊl] *adj* dankbar (*to* dat); **gratefully** *adv* dankbar
grater ['greɪtə*] *n* (*cheese ~*) Reibe *f;* (*for vegetables*) Raspel *f*
gratification [grætɪfɪ'keɪʃən] *n* Befriedigung *f;* **gratify** ['grætɪfaɪ] *vt* befriedigen; **gratifying** *adj* befriedigend
grating ['greɪtɪŋ] **I.** *n* Gitter *s* **II.** *adj* ▷*gravel* knirschend; ↑ *enervating* nervend
gratitude ['grætɪtju:d] *n* Dankbarkeit *f*
gratuitous [grə'tju:ɪtəs] *adj* (*insult*) unerwünscht; ▷*excessive* überflüssig; **gratuity** [grə'tju:ɪtɪ] *n* ↑ *tip* Trinkgeld *s*
grave [greɪv] **I.** *n* Grab *s* **II.** *adj* ▷*affair* ernst; ▷*error* gravierend
gravel ['grævəl] *n* (*fine*) Kies *m;* (*coarse*) Schotter *m*
gravely ['greɪvlɪ] *adv* ernst
gravestone ['greɪvstəʊn] *n* Grabstein *m;* **graveyard** *n* Friedhof *m*
gravitate ['grævɪteɪt] *vi* neigen (*towards* zu); **gravitational force**, **gravitational pull** *n* (*of planet*) Anziehungskraft *f,* Schwerkraft *f;* **gravity** ['grævɪtɪ] *n* (*of planet*) Schwere *f;* (*of situation*) Ernst *m,* Bedenklichkeit *f*
gravy ['greɪvɪ] *n* Soße *f*
gray [greɪ] *adj s.* **grey**
graze [greɪz] **I.** *vti* ← *cows* weiden [lassen]; ← *sheep* abgrasen **II.** *vt* → *skin* aufschürfen; → *surface* streifen **III.** *n* MED Abschürfung *f*
grease [gri:s] **I.** *n* (*cooking ~*) Fett *s;* (*lubricating ~*) Schmierfett *s* **II.** *vt* → *skin* einschmieren; → *engine* schmieren; **grease gun** *n* Fettspritze *f;* **greaseproof paper** *n* Pergamentpapier *s;* **greasy** ['gri:sɪ] *adj* fettig; ↑ *messy* schmierig
great [greɪt] *adj* [1] (*large in size*) groß; ◇ **he's a ~ big bear of a man** er ist großer Bär von einem Mann [2] ↑ *very important* groß; ◇ **one of the ~est guitarists of the 60s** einer der größten Gitarristen der 60er Jahre [3] *FAM* ◇ **that's ~!** großartig!; ◇ **he's a ~ one for philosophic chat** man kann herrlich mit ihm herumphilosophieren; **Great Britain** *n* Großbritannien *s;* ◇ **in ~ ~** in Großbritannien; ◇ **to go to ~ ~** nach Großbritannien fahren; **great-grandfather** *n* Urgroßvater *f;* **great-grandmother** *n* Urgroßmutter *f;* **greatly** *adv:* ◇ **the gift was ~ appreciated** das Geschenk wurde dankbar angenommen; ◇ **we were ~ honoured by her presence** wir waren sehr geehrt durch ihre Anwesenheit; **greatness** *n* (*of historical importance*) Bedeutung *f;* (*of character*) Größe *f*
Greece [gri:s] *n* Griechenland *s*
greed [gri:d] *n* Gier *f*
greediness *n* (*for food*) Gier *f* (*for* nach); ◇ **his 5th helping was sheer ~** die fünfte Portion nahm er sich aus reiner Freßsucht; (*for power*) Hunger *m* (*for* nach); (*for money*) Gier (*for* nach); **greedily** *adv:* ◇ **to eat ~** gierig essen; **greedy** *adj* gierig; ◇ **to be ~ for praise** nach Lob gieren
Greek [gri:k] **I.** *adj* griechisch **II.** *n* Grieche *m,* Griechin *f*
green [gri:n] **I.** *adj* grün **II.** *n* [1] (*colour*) Grün *s* [2] (*village ~*) Dorfwiese *f* [3] (*~s*) Grüngemüse *s;* **green belt** *n* (*of city*) Grüngürtel *m;* **greenery** ['gri:nərɪ] *n* ↑ *foliage* grünes Laub *s;* **greengage** ['gri:ngeɪʒ] *n* Reneklode *f;* **greengrocer** *n* Gemüsehändler(in *f*) *m;* **greenhouse** *n* Gewächshaus *s;* **greenhouse effect** *n* Treibhauseffekt *m;* **greenish** *adj* grünlich
Greenland *n* Grönland *s*
green light *n FIG:* ◇ **to give s.o. the ~ ~** jd-m grünes Licht geben
Greenwich Mean Time ['grenɪʃ mi:n taɪm] *n* Greenwicher Zeit *f*
greet [gri:t] *vt* [1] (*person*) grüßen, begrüßen [2] ◇ **his decisions were ~ed with scorn** seine Entscheidungen wurden mit Verachtung aufgenommen
greeting *n* (*act of ~*) Begrüßung *f;* (*message*) Gruß, m; **greetings card** *n* Grußkarte *f*

G

gregarious [grɪ'gɛərɪəs] *adj* ▷*person* gesellig
grenade [grɪ'neɪd] *n* Granate *f*
grew [gruː] *pt of* **grow**
grey [greɪ] *adj* grau; **grey area** *n* (*of understanding*) Grauzone *f;* **grey-haired** *adj* grauhaarig; **greyhound** *n* Windhund *m;* **greyish** *adj* gräulich
grid [grɪd] *n* ① ↑ *grating* Gitter *s* ② ↑ *electricity*~ Verteilernetz *s* ③ ↑ ~ *reference* Gitternetz *s*
gridiron ['grɪdaɪən] *n* GASTRON Bratrost *m; AM* SPORT Spielfeld *s*
grief [griːf] *n* ① (*of bereaved*) Kummer, Schmerz *m* ② ◇ **all their plans came to** ~ alle ihre Pläne wurden zunichte gemacht ③ ◇ **good ~!** ach du heiliger Schreck!; **griefstricken** *adj* untröstlich
grievance ['griːvəns] *n* ↑ *complaint* Klage *f;* ◇ **to air one's ~s** sich beklagen; **grievance procedure** *n* Beschwerdeweg *m;* **grieve** [griːv] **I.** *vi* trauern (*at, about* über *acc*) **II.** *vt* Kummer bereiten *dat;* **grievous** *adj* ▷*injury* schwer; ▷*fault* schwerwiegend
grill [grɪl] **I.** *n* (*on cooker*) Grill *m* **II.** *vt* grillen; *FIG* ↑ *question* ◇ **to ~ s.o. about s.th./s.o.** jd-n über etw/jd-n ausquetschen
grille [grɪl] *n* AUTO Kühlergrill *m*
grim [grɪm] *adj* ↑ *tough* hart; ↑ *unremitting* verbissen
grimace [grɪ'meɪs] **I.** *n* Grimasse *f* **II.** *vi* eine Grimasse schneiden
grime [graɪm] *n* Ruß *m;* **grimly** ['grɪmlɪ] *adv* verbissen, grimmig
grimy ['graɪmɪ] *adj* schmutzig
grin [grɪn] **I.** *n* Strahlen *s* **II.** *vi* (*with pleasure*) strahlen; (*with contempt*) grinsen
grind [graɪnd] <ground, ground> **I.** *vti* ① → *flour* [zer]mahlen; ◇ **to ~ one's teeth** mit den Zähnen knirschen ② → *knife* schleifen ③ ◇ **traffic is ~ing to a halt** der Verkehr kommt zum Erliegen **II.** *n* ↑ *hard work* Schufterei *f;* **grinder** *n* (*coffee* ~) Mühle *f;* **grinding** *adj* ▷*poverty* drückend
grip [grɪp] **I.** *n* ① ↑ *tight hold* Griff *m;* ◇ **in the ~ of fear** von Angst erfaßt/besessen ② ◇ **to take a ~ of yourself** sich beherrschen; *FIG* ◇ **to come to ~s with s.th.** sich ernsthaft mit etw beschäftigen ③ (*of glue*) Haftfähigkeit *f* ④ *AM* ↑ *bag* Tasche *f* **II.** *vt* ergreifen, packen
gripe [graɪp] *vi* (*complain non-stop*) nörgeln, meckern (*about* über)
gripes [graɪps] *n pl* ↑ *bowel pains* Bauchschmerzen *pl,* Bauchweh *s*
gripping ['grɪpɪŋ] *adj* ↑ *exciting* fesselnd
grisly ['grɪzlɪ] *adj* schauerlich
gristle ['grɪsl] *n* Knorpel *m*
grit [grɪt] **I.** *n* ① Streusand *m* ② ↑ *courage* Mut *m; FAM* Mumm *m* **II.** *vt* ① → *road* streuen ② → *teeth, FIG* zusammenbeißen
groan [grəʊn] *vi* stöhnen
grocer ['grəʊsə*] *n* Lebensmittelhändler(in *f*) *m;* **groceries** ['grəʊsərɪz] *n pl* Lebensmittel *pl*
grog [grɒg] *n* Grog *m*
groggy ['grɒgɪ] *adj* ▷*boxer* groggy, kaputt
groin [grɔɪn] *n* ANAT Leiste *f*
groom [gruːm] **I.** *n* ① (*bride and* ~) Bräutigam *m* ② (*horse and* ~) Pferdejunge *m* **II.** *vt* ① → *horse* striegeln ② ◇ **to be ~ed for a career** für eine Karriere aufgebaut werden **III.** *vr:* ◇ **~ oneself** ← *person* sich pflegen
groove [gruːv] **I.** *n* (*narrow track*) Rille *f* **II.** *vt* rillen
grope [grəʊp] *vi* herumtasten (*for* nach)
gross [grəʊs] **I.** *adj* ① (*figure of man*) widerlich ② ▷*language* sehr ordinär; ▷*behaviour* derb ③ ▷*inequalities* grotesk ④ COMM brutto **II.** *n* <gross> MATH Gros *s zwölf Dutzend* **III.** *vt* brutto einnehmen
grossly *adv* ▷*eat* wie ein Schwein
grotesque [grəʊ'tesk] *adj* grotesk
grotto ['grɒtəʊ] *n* <-(e)s> Grotte *f*
grotty ['grɒtɪ] *n* mies
grouch [graʊʃ] *vt* schimpfen (*about* über *acc*); **grouchy** *adj* miesepetrig
ground [graʊnd] **I.** *pt, pp of* **grind II.** *n* ① (*solid earth surface*) [Erd-]Boden *m;* ◇ **to fall on the ~** zu [*o.* auf den] Boden fallen; ◇ **above/below ~** über/unter dem Erdboden ② (*stoney* ~) Erde *f* ③ (*specific territory, disputed* ~) Gebiet *s;* (*football* ~) Platz *m;* (*fishing ~s*) Gründe *m pl;* (*~s of the palace*) Gelände *s* ④ ◇ **the lecture covered a lot of ~** der Vortrag deckte einen weiten Bereich ab ⑤ (*coffee ~s*) Satz *m* ⑥ ↑ *reason* ◇ **to have ~ for divorce** Scheidungsgründe haben; ◇ **you have no ~s for beating him** du hast keinen Grund, ihn zu schlagen; ◇ **to retire on medical ~s** aus gesundheitlichen Gründen in Rente gehen **III.** *vt* ① → *ship* auf Grund setzen ② → *aircraft* ◇ **all the planes were ~ed** alle Flugzeuge mußten am Boden bleiben ③ ◇ **to ~ s.o. in a subject** jd-n gründlich in ein Thema einführen; ◇ **the theory is ~ed on experience** diese Theorie beruht [*o.* gründet] auf Erfahrung **IV.** *vi* ← *ship* auf Grund laufen; **ground floor** *n* (*BRIT*) Erdgeschoß *s,* Parterre *s;* **grounding** *n* ① (*instruction*) Grundwissen *s* ② (*of aircraft*) Startverbot *s;* **groundless** *adj* grundlos, unbegründet; **ground level** *n* Boden *m;* **groundsheet** *n* Zeltbodenplane *f;* **groundsman** *n* <-men> Platzwart *m;* **groundswell** *n:* ◇ **the ~ of opinion is that ...** die Leute

sind immer mehr der Ansicht, daß …; **groundwork** *n* Vorarbeit *f*

group [gru:p] **I.** *n* Gruppe *f;* COMM Gruppe *f,* Konzern *m* **II.** *adj* (*~ discussion*) Gruppen- **III.** *vt* gruppieren; **grouping** *n* Gruppierung *f*

grouse [graʊs] **I.** *n* <-> ① (*bird*) Waldhuhn *s* ② ↑ *complaint* Klage *f* **II.** *vi* schimpfen (*about* über *acc*)

grout [graʊt] *vt* → *tiles* verfugen

grove [grəʊv] *n* Wäldchen *s*

grovel [ˈgrɒvl] *vi* ① (*on floor*) am Boden kriechen ② *fig* kriechen; ◇ **to ~ to the teacher** vor dem Lehrer kriechen

grow [grəʊ] <grew, grown> **I.** *vi* ① ← *baby* wachsen, gedeihen; ← *population* wachsen, anwachsen ② ◇ **rice ~s wild here** der Reis wächst hier wild ③ ◇ **to ~ old** alt werden; ◇ **to ~ dark** dunkel werden **II.** *vt* ① → *corn* anbauen, anpflanzen ② → *beard* wachsen lassen *acc;* **grow away from** *vt* sich entfremden von; **grow into** *vt* ① (*trousers*) hineinwachsen in *acc* ② ◇ **the acorn ~s ~ an oak** aus der Eichel wächst eine Eiche; **grow on** *vt* Einfluß gewinnen (über *acc*); ◇ **it ~s on one** man gewöhnt sich daran; **grow out of** *vt* ① (*trousers*) herauswachsen (aus) ② ◇ **his anger grew out of frustration** sein Zorn entstand aus Frust; **grow up** *vi* aufwachsen; (*mature*) erwachsen werden; **grower** *n* (*vegetable ~*) Züchter(in *f*) *m*

growing **I.** *adj* ① ▷*child* heranwachsend ② ▷*interest* zunehmend **II.** *n* Wachsen *s;* **growing pains** *n pl* (*of child*) Wachstumsschmerzen *pl;* (*of project*) Anfangsschwierigkeiten *pl*

growl [graʊl] *vi* ← *dog* knurren

grown [grəʊn] **I.** *pp of* **grow**; **II.** *adj* gewachsen

grown over *adj* ▷*garden* überwachsen; **grown-up** [grəʊnˈʌp] **I.** *adj* ▷*person* erwachsen **II.** *n* Erwachsene(r) *mf*

growth [grəʊθ] *n* ① (*act of growing, of plant*) Wuchs *s;* (*of person*) Entwicklung *f;* (*of discontent*) Zunahme *f;* FIN Zuwachs *s* ② ↑ *sprout* Triebe *f;* MED Geschwulst *f,* Wucherung *f;* ◇ **7 days ~ of beard** ein sieben Tage alter Bart

grub [grʌb] *n* ① ZOOL Larve *f* ② *food, FAM* Futter *s;* **grub around** *vi* wühlen (*in* nach, *among, in* in *dat*)

grubby [ˈgrʌbɪ] *adj* schmutzig

grudge [grʌdʒ] **I.** *n* Groll *m* (*against* gegen); ◇ **to bear sb a ~** einen Groll auf jd-n haben **II.** *vt:* ◇ **to ~ s.o. success** jd-m den Erfolg mißgönnen; ◇ **to ~ s.o. a present** jd-m ein Geschenk nur ungern geben; ◇ **I don't ~ the money** es geht mir nichts ums Geld; ◇ **to ~ doing s.th.** etw nur ungern tun

grudging *adj* neidisch; **grudgingly** *adv* ungern

gruel [ˈgrʊəl] *n* (*thin porridge*) Brei *m,* Haferschleim *m;* **gruelling** [ˈgrʊəlɪŋ] *adj* ▷*work* strapaziös; ▷*marathon* mörderisch

gruesome [ˈgru:səm] *adj* grauenhaft; **gruesomeness** *n* Grausigkeit *f*

gruff [grʌf] *adj* schroff

grumble [ˈgrʌmbl] **I.** *vi* ↑ *complain* murren (*at, about, over* über *acc*) **II.** *n* ① (*complaining*) Murren *s* ② ← *thunder* Grollen *s*

grumpy [ˈgrʌmpɪ] *adj* mürrisch

grunt [grʌnt] **I.** *vi* ① ← *pig* grunzen ② ← *person* stöhnen **II.** *n* ① Grunzen *s,* Stöhnen *s;* ◇ **to give a ~ of pain** vor Schmerzen stöhnen

G-string [ˈdʒi:strɪŋ] *n* (*clothing*) Tanga *m*

guarantee [gærənˈti:] **I.** *vt* ① (*undertake to pay repair costs*) garantieren, gewährleisten; ◇ **the car is ~d for 15 years against rust** auf das Auto gibt es 15 Jahre Garantie gegen Durchrostung ② (*promise with certainty*) versprechen, zusichern; ◇ **he ~d me prompt delivery** er sicherte mir eine schnelle Lieferung zu; ◇ **he ~d to deliver within a week** er versprach Lieferung binnen einer Woche; ◇ **his contribution will ~ success** durch seinen Beitrag ist der Erfolg garantiert; ◇ **I can't ~ this is any good** ich kann nicht dafür garantieren, daß das etw taugt **II.** *n* ① (*written ~*) Garantie[-bescheinigung] *f;* ◇ **under ~** auf Garantie ② (FIN *security*) Sicherheit, Garantie *f;* ◇ **to offer one's house as a ~** sein Haus als Sicherheit anbieten; **guarantor** [ˈgærənˈtə] *n* Garant, Bürge *m;* ◇ **to act as a ~ for s.o.** für jd-n bürgen

guard [gɑ:d] **I.** *n* ① (*soldier*) Wache *f; the G~s, BRIT* Garderegiment *s;* ↑ *security ~* Wächter(in *f*) *m;* RAIL Schaffner(in *f*) *m;* ◇ **to keep ~** scharf bewachen; ◇ **be on your ~!** sieh' dich vor! ② SPORT Deckung *f;* (*device*) Schutzvorrichtung *f* **II.** *vt* → *crown jewels* bewachen; → *luggage* aufpassen (auf *acc*); → *child* schützen (*from, against* vor *dat*); **guard against** *vt* (*infection*) sich schützen vor *dat,* vorbeugen *dat;* **guard dog** *n* Wachhund *m;* **guarded** *adj* ▷*response* vorsichtig; ▷*machinery* abgesichert

guardian [ˈgɑ:dɪən] *n* JUR Vormund *m;* **guardian angel** *n* Schutzengel *m*

guard of honour *n* Ehrenwache *f*

guard rail *n* Schutzleiste *f*

guava [ˈgwɑvə] *n* (*fruit*) Guave *f*

guerrilla [gəˈrɪlə] *n* Guerilla *m;* **guerrilla warfare** *n* Guerillakrieg *m*

guess [ges] **I.** *vti* ① → *age* raten; ▷*correctly* erraten; ◇ **he ~ed the car to be worth more** er schätzte, daß der Wagen mehr wert war; ◇ **she**

G

hadn't a clue so she ~ed sie hatte keine Ahnung, also hat sie geraten [2] ↑ *presume* vermuten; ↑ *assume* annehmen; ◇ **considering the evidence he ~ed that ...** in Anbetracht der Beweislage schloß er, daß ... **II.** *n* [1] ↑ *estimate* Schätzung *f;* ◇ **to make a ~ at s.th.** raten; ◇ **fifty pigs, at a ~** schätzungsweise fünfzig Schweine [2] ↑ *presumption* Vermutung *f;* **guesswork** *n* reine Vermutung *f;* **guesstimate** ['gɛstɪmət] *n FAM* grobe Schätzung *f*

guest [gest] *n* Gast *m;* ◇ **be my ~!** bitte schön!, nur zu!; **guest-house** *n* Pension *f;* **guest of honour** *n* Ehrengast *m;* **guest room** *n* Gästezimmer *s,* Fremdenzimmer *s;* **guest worker** *n* Gastarbeiter(in *f*) *m*

guffaw [gʌ'fɔ:] **I.** *n* schallendes Gelächter *s* **II.** *vi* schallend lachen

guidance ['gaɪdəns] *n* [1] (*career ~*) Beratung *f* [2] (*missile ~*) Führung, Lenkung *f*

guide [gaɪd] **I.** *vt* [1] → *person* führen, den Weg zeigen; ◇ **to be ~d by s.th.** sich nach etw richten [2] → *machine* lenken, steuern **II.** *n* [1] (*mountain ~*) Führer(in *f*) *m* [2] (*technical ~*) Anleitung *f;* **guidebook** *n* Führer *m* (*to* von, durch); **guided missile** *n* Lenkflugkörper *m;* **guide-dog** *n* Blindenhund *m;* **guideline** *n* Richtlinie *f*

guild [gɪld] *n* Gesellschaft *f;* ↑ *association* Verein *m;* **guildhall** *n* Zunfthaus *s;* ◇ **the G~** das Rathaus der City of London

guile [gaɪl] *n* List *f*

guileless *adj* arglos

guillotine [gɪlə'ti:n] *n* Guillotine *f*

guilt [gɪlt] *n* Schuld *f* (*for, of* an *dat*); **guilty** *adj* schuldig; ◇ **to find s.o. ~ of a crime** jd-n eines Verbrechens für schuldig befinden

guinea pig ['gɪnɪpɪg] *n* Meerschweinchen *s*

guise [gaɪz] *n* (*of friendship*) Vorwand *m;* (*of clown*) Aufmachung *f*

guitar [gɪ'tɑ:*] *n* Gitarre *f;* **guitarist** *n* Gitarrist(in *f*) *m*

gulf [gʌlf] *n* (*G~ of Mexico*) Golf *m;* (*between people*) Kluft *f;* **Gulf States** *n pl* Golfstaaten, Golfanrainer *m pl;* **Gulf War** *n* HIST Golfkrieg *m*

gull [gʌl] *n* ↑ *sea ~* Möwe *f*

gullet ['gʌlɪt] *n* Kehle *f*

gullible ['gʌlɪbl] *adj* naiv

gully ['gʌlɪ] *n* ↑ *waste ~* Gully *m;* (*natural ~*) Wasserlauf *m*

gulp [gʌlp] **I.** *vti* → *food* runterschlingen; ↑ *drink* runterstürzen; (*swallow*) schlucken **II.** *n* Schluck *m*

gum [gʌm] **I.** *n* [1] (ANAT *~s*) Zahnfleisch *s* [2] ↑ *glue* Klebstoff *m* [3] ↑ *chewing ~* Kaugummi *m* **II.** *vt* verkleben

gumboot *n* Gummistiefel *m*

gumption ['gʌmpʃən] *n FAM* Schneid *m*

gun [gʌn] **I.** *n* (*any kind, handheld*) Schußwaffe *f;* ↑ *rifle* Gewehr *s;* ↑ *pistol* Pistole *f* **II.** *vt FAM* → *car engine* hochdrehen, aufheulen lassen; **gun down** *vt* zusammenschießen; **gun dog** *n* Jagdhund *m;* **gun-fight** *n* Schießerei *f;* **gun licence** *n* Waffenschein *m;* **gunman** *n* <-men> Pistolenschütze *m;* **gunning** ◇ **to go ~ for s.o.** auf die Jagd nach jd-m gehen; **gunpoint** *n:* ◇ **at ~** mit vorgehaltener Waffe; **gunshot** *n* Schuß *m;* **gunsmith** *n* Büchsenmacher *m*

gurgle ['gɜ:gl] *vi* ← *baby* glucksen (*with* vor *dat*); → *wine* gluckern

guru ['gʊru:] *n* Guru *m*

gush [gʌʃ] **I.** *n* (*of enthusiasm*) Ausbruch *m;* (*of blood*) Strahl *m* **II.** *vti* ← *volcano* ausstoßen; ← *blood* hervorquellen; **gushing** *adj* ▷*talk* überschwenglich

gusset ['gʌsɪt] *n* Zwickel *m,* Keil *m*

gust [gʌst] **I.** *n* (*of wind*) Stoß *m* **II.** *vi* stürmisch wehen

gusto ['gʌstəʊ] *n* Begeisterung *f*

gusty *n* ▷*weather* böig

gut [gʌt] **I.** *n* [1] ANAT Darm *m* [2] (*fat ~s*) Bauch *m* [3] (*strong thread*) Darmsaite *f* [4] ◇ **to have ~s** Schneid haben **II.** *vt* → *fish* ausweiden, ausnehmen **III.** *adj* (*~ reaction*) instinktiv

gutsy ['gʌtsɪ] *adj* ▷*person* mutig; ▷*style* hart

gutter ['gʌtə*] *n* [1] (*of street*) Gosse *f;* (*roof ~*) Rinne *f* [2] (*low conditions*) Gosse *f*

guttering **I.** *n* Regenrinne *f* **II.** *adj* ▷*candle* flakkernd

gutter press *n* Sensationspresse *f*

guttural ['gʌtərəl] *adj* ▷*voice* rauh, heiser

guy [gaɪ] *n* [1] ↑ *man* Typ, m [2] AGR Vogelscheuche *f*

guzzle ['gʌzl] *vti* → *beer* schlürfen, gluckern; → *hamburgers* futtern, reinstopfen

gym, **gymnasium** [dʒɪmá'neɪzɪəmí] *n* Turnhalle *f*

gymnast ['dʒɪmnæst] *n* Turner(in *f*) *m*

gymnastics [dʒɪm'næstɪks] *n pl* SPORT gymnastische Übungen *pl;* ◇ **mental ~** Gehirnakrobatik *f*

gynaecologist [gaɪnɪ'kɒlədʒɪst] *n* Gynäkologe *m,* Gynäkologin *f,* Frauenarzt *m,* Frauenärztin *f;* **gynaecology** [gaɪnɪ'kɒlədʒɪ] *n* Gynäkologie *f,* Frauenheilkunde *f*

gypsy ['dʒɪpsɪ] *n s.* **gipsy**

gyrate [dʒaɪ'reɪt] *vi* herumwirbeln

gyroscope ['dʒaɪrəskəʊp] *n* (*on ship*) Gyroskop *s*

H

H, h [eɪtʃ] *n* H, h *s*
ha [hɑ] *intj* 1 (*surprise*) ah!, was! 2 (*ha! ha!, in print, laughter*) Ha, ha!
haberdasher [hæbə'dæʃər] *n* (*BRIT*) Kurzwarenhändler *m; AM* Herrenausstatter *m*
habit ['hæbɪt] *n* 1 (*brushing o.'s teeth*) Gewohnheit *f;* ◇ **to be in the ~ of jogging in the morning** die Gewohnheit haben, morgens zu joggen; ◇ **to get into the ~ of working** sich an das Arbeiten gewöhnen; 2 (*drug ~*) Kokainsucht, Kokainabhängigkeit *f;* ◇ **to have a bad ~** eine schlechte Angewohnheit haben 3 (*of monk*) Gewand *s*
habitable ['hæbɪtəbl] *adj* bewohnbar; **habitat** ['hæbɪtæt] *n* BIO, ZOOL ▷*natural* Lebensraum, Habitat *m;* **habitation** [hæbɪ'teɪʃən] *n* 1 (*act of inhabiting*) Bewohnen *s* 2 ↑ *house* Behausung *f*
habitual [hə'bɪtjʊəl] *adj* 1 ▷*liar* notorisch 2 ▷*smoker* gewohnheitsmäßig; **habitually** *adv* ↑ *all the time* ständig
hack [hæk] **I.** *vti* → *s.th.* hacken; ◇ **to ~ at the undergrowth** das Dickicht wegschlagen **II.** *n* 1 (*uninspired journalist*) Schreiberling *m* 2 (*exhausted horse*) Klepper *m;* **hack about** *vt sep* → *text* zerstückeln
hacker *n* PC Hacker(in *f*) *m*
hacking *adj* 1 ▷*cough* trockener Husten 2 ▷*jacket* Reitjacke *f*
hackneyed ['hæknɪd] *adj* ▷*phrase* abgedroschen
hacksaw *n* Metallsäge *f*
had [hæd] *pt, pp of* **have**
haddock ['hædək] *n* Dorsch *m*
hadn't ['hædnt] = **had not**
haemophiliac hemophiliac ['heməʊ'fɪlɪæk] *n* Bluter *m*
haemorrhage hemorrhage ['hemərɪdʒ] *n* Blutung *f*
haemorrhoids, hemorrhoids ['hemərɔɪdz] *n pl* Hämorrhoiden *pl*
hag [hæg] *n* Hexe *f*
haggard ['hægəd] *adj* ▷*face* ↑ *exhausted* abgespannt; ↑ *worried* verhärmt
haggle ['hægl] *vi* ↑ *bargain* feilschen (*about* über *acc, over* über *acc*)
hail [heɪl] **I.** *n* 1 (*frozen rain*) Hagel *m;* ◇ **to die in a ~ of bullets** im Kugelhagel sterben 2 (*of abuse*) Schimpftirade *f* 3 ↑ *call* Ruf *m* **II.** *vt* 1 → *cab* rufen, herbeiwinken 2 → *conquering heroes* bejubeln; ◇ **he was ~ed as a visionary poet** (*praised and exalted*) er wurde als visionärer Dichter gefeiert **III.** *vi* 1 MET hageln 2 ◇ **she ~s from Berlin** sie stammt aus Berlin
hailstorm *n* Hagelsturm *m*
hair [hɛə*] *n* 1 (*single strand*) Haar *s; FAM* Haar *s,* Haare *pl;* ◇ **a thick head of ~** volles Haar 2 ◇ **to let o.'s ~ down** (*FIG be uninhibited*) aus sich herausgehen 3 ◇ **a ~ in my soup** (*FIG the only problem*) ein Haar in der Suppe 4 (*body ~*) Behaarung *f;* **hairbrush** *n* Haarbürste *f;* **haircut** *n* Haarschnitt *m;* ◇ **to get a ~** sich *dat* die Haare schneiden lassen; **hairdo** *n* <-s> Frisur *f;* **hairdresser** *n* Friseur *m,* Friseuse *f;* **hair-dryer** *n* Haartrockner *m;* ↑ *blow dryer* Fön *m;* **haired** *adj:* ◇ **long-haired** langhaarig; ◇ **dark-haired** dunkelhaarig; **hairgrip** *n* Haarklemme *f;* **hairline** *n* 1 (*above forehead*) Haaransatz *m* 2 ↑ *thin line* ◇ **a ~ fracture** ein Haarriß im Knochen; **hairnet** *n* Haarnetz *s;* **hair oil** *n* Haaröl *s;* **hairpiece** *n* (*false hair*) Haarteil, Toupet *s;* **hairpin** *n* Haarnadel *f;* **hairpin bend** *n* (*in mountain road*) Haarnadelkurve *f;* **hair-raising** *adj* ▷*motorbike ride* haarsträubend; **hair's breadth** *n:* ◇ **he was within a ~ ~ of getting run over** um Haaresbreite wäre er überfahren worden; **hairslide** *n* Haarspange *f;* **hair splitting** *n* (*in argument, irrelevant pedantry*) Haarspalterei *f;* **hair style** *n* Frisur *f;* **hair trigger** *n* (*of gun*) Stecher *m;* **hairy** *adj* ▷*chest* behaart, haarig
hake [heɪk] *n* Seehecht *m*
halcyon days ['hælsɪən deɪz] *n* (*of summer*) glückliche Tage *m*
hale [heɪl] *adj:* ◇ **~ and hearty** gesund und munter
half [hɑ:f] **I.** *n* <halves> 1 (*one of two equal units*) Hälfte *f;* ◇ **to cut s.th. in ~** etw in zwei Hälften schneiden [*o.* etw halbieren] 2 ◇ **~ a pint of beer** eine Halbe *f* Bier 3 ◇ **~-price ticket** Fahrschein zum halben Preis 4 ◇ **to go halves** halbe-halbe machen **II.** *pron:* ◇ **of the readers ~ are under 23** die Hälfte der Leser ist unter 23; ◇ **~ the readers are ...** die Leser sind zur Hälfte ...; ◇ **I work ~ a mile from X** ich arbeite eine halbe Meile von X; ◇ **one and a ~ years** eineinhalb Jahre, anderthalb Jahre **III.** *adj* ▷*size* halb **IV.** *adv:* ◇ **he's ~ German** er ist zur Hälfte deutsch; ◇ **the work is only ~ done** die Arbeit ist nur halb fertig; **halfback** *n* (*football position*) Läufer(in *f*) *m;* **half-baked** *adj* ▷*idea* unausgegoren; **half-board** *adj* ▷*accomodation* Halbpension *f;* **half-caste** *n* (*s.o. racially mixed*) Mischling *m f;* **half-hearted** *adj* ▷*attempt* halbherzig; **half-life** *n* <-lives> ▷*nuclear* Halbwert(s)zeit *f;* **halfpenny** ['heɪpnɪ] *n* halber Penny *m;* **half-term (holiday)** *n*

H

Ferien in der Mitte eines Schultrimesters; **half-timbered** *adj ▷house* Fachwerk-; **half-time** *n* (*of match, rest*) Halbzeit[-pause] *f;* **halfway** *adv:* ◇ ~ **between Rome and Paris** auf halber Strecke zwischen Rom und Paris; **halfway house** *n* (*for ex-prisoners and addicts*) Rehabilitationszentrum *s;* **halfwit** *n* ↑ *idiot* Schwachkopf *m*

halibut ['hælıbət] *n* Heilbutt *m*

hall [hɔ:l] *n* [1] (*large building*) Halle *f;* (*large room*) Saal *m;* (*community* ~) Gemeindehaus *s* [2] ↑ *entrance* ~ Diele *f;* (*in school*) Aula *f* [3] ↑ *corridor* Korridor *m,* Flur *m*

hallmark ['hɔ:lmɑ:k] *n* [1] (*silver* ~) Feingehaltstempel *m* [2] *FIG* ↑ *trait* typische Eigenschaft

hallo [hʌ'ləʊ] **I.** *intj* (guten) Tag!; ◇ ~ **there!** hallo **II.** *n* (*grüßen*): ◇ **to say** ~ grüßen

Hallowe'en [hæləʊ'i:n] *n* Abend *m* vor Allerheiligen *"Spuknacht", die karnevalähnlich gefeiert wird*

hallucination [həlu:sı'neıʃən] *n* Halluzination *f*

hallway *n* Flur *m*

halo ['heıləʊ] *n* <-[e]s> (*of saint*) Heiligenschein *m;* ASTR Hof *m*

halogen ['hælədʒən] *n* CHEM Halogen *s;* **halogen lamp** *n* Halogenlampe *f*

halt [hɔ:lt] **I.** *intj* MIL halt! **II.** *n* [1] RAIL Haltepunkt *m* [2] (*in production*) Stopp, Stillstand *m* [3] (*temporary* ~) Rast *f* [4] ◇ **to call a ~ to s.th.** e-er Sache ein Ende machen **III.** *vti* anhalten; **halt sign** *n* Stoppschild *s*

halter *n* (*of horse*) Halfter *s*

halting *adj ▷speech* stockend

halve [hɑ:v] *vt* [1] (*into two*) halbieren [2] (*reduce by one half*) um die Hälfte reduzieren

halves *n pl of* **half**

halyard ['hæljəd] *n* NAUT Fall *s*

ham [hæm] **I.** *n* [1] GASTRON Schinken *m* [2] (ANAT *of animal*) Hinterkeulen *pl* [3] THEAT Stümper *m* **II.** *adj* (*acting*) übertrieben **III. ham up** *vt sep* übertreiben; ◇ **to** ~ **it** ~ zu dick auftragen

hamburger *n* Hamburger *m;* (*without bread*) Frikadelle *f*

ham-fisted *adj* ungeschickt

hamlet ['hæmlıt] *n* Weiler *m,* kleine Ortshaft *f*

hammer ['hæmə*] **I.** *n* [1] (*tool*) Hammer *m;* ◇ **to go at it ~ and tongs** aufeinander losgehen, daß die Fetzen fliegen [2] (*of piano*) Hammer, Klöppel *m* **II.** *vti* hämmern; **hammer away** *vi + prep obj* [1] (*at door*) hämmern (*at* an *acc*) [2] (*at problem*) sich den Kopf zerbrechen (*at* über *acc*); **hammer in** *vt* [1] → *nail* einschlagen [2] ◇ **to ~ s.th. into s.o.** (*FIG emphasize by repetition*) jd-m etw einhämmern; **hammer out** *vt sep* [1] → *nail* ausschlagen [2] → *solution* ausarbeiten

hammock ['hæmək] *n* Hängematte *f*

hamper ['hæmpə*] **I.** *vt* → *progress* behindern **II.** *n* (*Christmas* ~) Geschenkkorb *m;* (*picnic* ~) Picknickkorb *m*

hamster ['hæmstə*] *n* Hamster *m*

hamstring I. <hamstrung, hamstrung> *vt* [1] → *animal* Achillessehne durchschneiden [2] → *project* unterbinden; ◇ **to be hamstrung** lahmgelegt werden **II.** *n* Kniesehne *f,* Achillessehne *f*

hand [hænd] **I.** *n* [1] (*~s and feet*) Hand *f* [2] *FIG* ◇ **to have a ~ in s.th.** seine Hände im Spiel haben; ◇ **to know about s.th. first** ~ etw aus erster Hand erfahren; ◇ **work in** ~ laufende Arbeit; ◇ **to get your ~s on s.th.** etw in die Hände bekommen; ◇ **the end of the world is at** ~ das Ende der Welt steht bevor [3] (*minute* ~) Minutenzeiger *m* [4] (*at poker*) Blatt *s* [5] (*farm* ~) Landarbeiter *m;* ◇ **to be an old ~ at s.th.** ein alter Hase in etw *dat* sein [6] (*helping* ~) Hilfe *f;* ◇ **to give s.o. a hand** jd-m zur Hand gehen [7] ◇ **the singer got a big** ~ der Sänger bekam einen Riesenapplaus **II.** *vt* [1] → *salt and pepper* reichen [2] ◇ **one has to ~ it to him, he did it alone** das eine muß man ihm lassen, er hat es ganz alleine geschafft; **hand in** *vt sep* → *thesis* → *handguns* abgeben; **hand on** *vt sep* → *message* weitergeben; **hand over** *vt sep* → *power* abgeben (*to* an *acc*); → *political prisoners* übergeben; **handbag** *n* (*lady's* ~) Handtasche *f;* **hand baggage** *n* Handgepäck *s;* **handball** *n* Handball *m;* **handbook** *n* (*of machine*) Handbuch *s;* (*of country*) Reiseführer *m;* **handbrake** *n* Handbremse *f;* **hand basin** *n* Waschbecken *s;* **hand cream** *n* Handcreme *f;* **handcuff** *vt* → *prisoner* Handschellen anlegen *dat;* **handcuffs** *n pl* Handschellen *pl;* **hand drill** *n* Handbohrer *m;* **handful** *n* [1] (*of diamonds*) Handvoll *f* [2] ◇ **only a ~ of citizens bothered to vote** nur einige wenige Bürger machten von ihrem Wahlrecht Gebrauch [3] (*difficult to get along with, child*) Satansbraten *m;* (*adult*) schwieriger Mensch; **handicap** ['hændıkæp] **I.** *n* [1] (*physical ~, mental* ~) Behinderung *f* [2] (*specific disadvantage*) Nachteil *m* [3] (*of 10lbs, in horse racing*) Vorgabe *f* **II.** *vt* → *chances of success* beeinträchtigen; → *person* benachteiligen; **handicapped** *adj* (*person*) *▷physically ▷mentally* behindert; **handicraft** ['hændıkrɑ:ft] *n* Kunsthandwerk *s;* **handiness** *n* [1] (*of bus stop*) günstige Lage *f* [2] (*ease of handling*) Handlichkeit *f;* **handiwork** *n* [1] (*result*) Arbeit *f* [2] (*activity*) Werken *s;* **handkerchief** ['hæŋkətʃıf] *n* Taschentuch *s*

handle ['hændl] **I.** *n* [1] (*door* ~) Griff *m* [2] ↑ *crank* Kurbel *f* [3] *FAM* ↑ *name* Titel *m* **II.** *vt* [1] → *object, situation* behandeln; ↑ *touch* anfassen; ◇ ~ **with care!** Vorsicht, zerbrechlich! [2] → *children, horses* umgehen mit; → *accounts* verwalten; ◇ **he just can't ~ it** er wird einfach nicht damit fertig **III.** *vi:* ◇ **the car ~s well** der Wagen fährt sich gut; **handlebars** *n pl* Lenkstange *f*

handler *n* (*dog* ~) Hundeführer *m;* (*baggage* ~) Gepäckpersonal *s*

handling *n* [1] (*of paper-work*) Erledigung *f;* (*of legal case*) Bearbeitung *f* [2] (*of car*) Handling *s*

hand-luggage ['hændlʌgɪdʒ] *n* Handgepäck *s;* **handmade** *adj* handgearbeitet, handgefertigt; **handout** *n* ↑ *charity* Geldzuwendung *f;* ↑ *information sheet* Flugblatt *s;* **handpicked** *adj* (*chosen with care*) handverlesen; **handshake** *n* (*greeting*) Händedruck *m*

handsome ['hænsəm] *adj* ▷*person* schön; ▷*sum of money* großzügig

hand-to-mouth *adj:* ◇ **to live a ~ existence** von der Hand in den Mund leben; **handwriting** ['hændraɪtɪŋ] *n* Handschrift *f;* **handy** ['hændɪ] *adj* [1] ▷*bus stop* ganz in der Nähe [2] ◇ **to be ~ with a gun** mit einer Waffe geschickt umgehen können [3] ◇ **dictionaries always come in ~** Wörterbücher kann man immer gut gebrauchen; **handyman** ['hændɪmən] *n* <-men> (*s.o. good at general repairs*) Heimwerker, Bastler *m;* (*employed as a* ~) Mädchen *s* für alles

hang [hæŋ] **I.** <hung, hung> *vt* [1] → *painting* aufhängen; → *door* einhängen; ◇ **to ~ s.th. on the wall** etw an die Wand hängen [2] ◇ **to ~ a crime on s.o.** jd-m ein Verbrechen anhängen [3] → *head* hängen lassen **II.** <hanged, hanged> *vt* → *murderer* hängen, aufhängen **III.** *vi* ← *monkey* hängen (*on* an *dat, from* von) **IV.** *n* [1] (*of curtains*) Fall *m* [2] ◇ **to get the ~ of s.th.** bei etw auf den Dreh kommen; **hang about** *vi* [1] (*on street corners*) herumlungern [2] ◇ **~ ~, I'm on my way** wart' mal, ich komm gleich; **hang back** *vi* sich zurückhalten; **hang on I.** *vi +prep obj:* ◇ **everything ~s ~ his cooperation** alles hängt von seiner Zusammenarbeit ab **II.** *vi* [1] ◇ **~ ~ just a minute** warte mal kurz, einen Augenblick bitte [2] ◇ **~ ~ tight!** gut festhalten!; **hang onto** *vi +prep obj* → *beliefs* festhalten (an *dat*); **hang up** *vi* TELECOM auflegen

hangar ['hæŋə*] *n* Hangar *m*, Flugzeughalle *f*

hanger ['hæŋə*] *n* ↑ *clothes* ~ Kleiderbügel *m*

hanger-on [hæŋər'ɒn] *n* <hangers-on> ↑ *parasite* (*person*) Schmarotzer(in *f*) *m*

hang-glider ['hæŋglaɪdə*] *n* (*device*) Flugdrachen *m;* **hang-gliding** *n* (*activity*) Drachenfliegen *s*

hanging *n* [1] (*of murderer*) Hängen *s*, Aufknüpfen *s* [2] (*of paintings*) Aufhängen *s*

hangman *n* (*person*) Henker *m;* **hangover** ['hæŋəʊvə*] *n* [1] (*after alchohol*) Kater *m* [2] ◇ **old customs are a ~ from the past** alte Bräuche sind Überbleibsel aus der Vergangenheit; **hang-up** *n* (*about s.th.*) Komplex *m* (*about* wegen); (*cleaning* ~) Fimmel *m*

hanker ['hæŋkə*] *vi* sich sehnen, ein Verlangen haben (*for, after* nach)

hankie, hanky *n* (*paper* ~) [Papier-]Taschentuch *s*, Tempo ® *s*

hanky-panky *n* [1] ↑ *sex games* Gefummel *s* [2] ↑ *underhand dealing* Tricks *pl*

haphazard [hæp'hæzəd] *adj* willkürlich

happen ['hæpən] *vi* [1] ↑ *take place* geschehen; ← *event* sich ereignen; ← *fortuitous event* passieren; ◇ **where is it ~ing tonight?** wo ist heute abend was los? [2] ◇ **to ~ to s.o./s.th.** (*take place and have an effect on s.o./s.th.*) jd-m passieren/widerfahren [3] ◇ **I ~ed to see her in the street** (~ *by chance*) ich habe sie zufällig auf der Straße getroffen; ◇ **that ~s to be my foot you are standing on** (*rhetorical reinforcement using irony*) übrigens, du stehst gerade auf meinem Fuß [4] ◇ **to ~ on s.th.** (*discover s.th. by chance*) zufällig etw entdecken

happening *n* [1] (*organized by artist*) Happening *s* [2] (*bizarre event*) sonderbarer Vorfall *m*

happily ['hæpɪlɪ] *adv* glücklich; (~ *enough*) ↑ *fortunately* glücklicherweise; **happiness** ['hæpɪnɪs] *n* ↑ *contentment* Zufriedenheit *f;* **happy** ['hæpɪ] *adj* [1] ▷*child* glücklich, zufrieden [2] ◇ **I would be ~ to help** ↑ *willing* ich helfe Ihnen dabei gerne [3] ◇ **H~ Birthday** Herzlichen Glückwunsch zum Geburtstag, Alles Gute zum Geburtstag; **happy-go-lucky** *adj* (*young man*) unbekümmert

harangue [həræŋ] *vt* → *crowd* aufwiegeln, anfeuern

harass ['hærəs] *vt* belästigen

harbour, harbor (*AM*) ['hɑ:bə*] **I.** *n* Hafen *m* **II.** *vt* → *runaway* beherbergen

hard [hɑ:d] **I.** *adj* [1] ▷*rock* hart [2] ▷*work* schwer; ↑ *difficult* schwierig; ↑ *strenuous* anstrengend [3] ↑ *unpleasant* ◇ **life is ~ and then you die** das Leben ist hart und danach stirbt man; ◇ **don't give me a ~ time!** mach' es mir nicht so schwer! [4] ▷*teacher* streng; ◇ **a bit of a ~ man** ein knallharter Typ; ◇ **to be ~ on s.o.** jd-m gegenüber streng [*o.* hart] sein [5] ▷*water* hart, kalkhaltig [6] ◇ **~ drugs** harte Drogen **II.** *adv* [1] ▷*push* fest; ◇ **you must try ~er** du mußt dich mehr anstrengen [2] ▷*laugh* laut, herzlich; ▷*rain* kräftig [3] ◇ **he took it ~** er nahm es schwer;

◇ **he felt ~ done by** er fühlte sich ungerecht behandelt; **hard-and-fast** *adj* ▷*rules* bindend; **hardback** *n* ▷*book* gebunden; **hardboard** *n* Spanplatte *f;* **hard-boiled** *adj* ▷*egg* hartgekocht; *FIG* ↑ *unsentimental* abgebrüht; **hard cash** *n* Bargeld *s;* **hard core** *n* (1) *(for road)* Schotter *m;* ◇ **~ ~ pornography** Hardcore [*o.* harter] Porno; **hard disk** *n* PC Festplatte *f;* ◇ **~ drive** Festplattenlaufwerk *s;* **harden** *vti* (1) → *pottery* hart werden lassen (2) ← *attitude* verhärten; **hardened** *adj* ▷*criminal* abgestumpft, abgebrüht; ◇ **to become ~ed to criticism** für Kritik unempfänglich werden; **hard-hearted** *adj* hartherzig; **hardliner** *n* ▷*political* Hardliner *m;* **hard luck** *intj* das ist Pech, tut mir leid; **hardly** *adv* kaum; **hard of hearing** *adj* schwerhörig; **hard-on** *n FAM!* Steifer, Harter *m;* **hard sell** *n* Hardsell *m;* **hardship** *n* ↑ *deprivation* Not *f,* Notlage *f;* **hard shoulder** *n* Seitenstreifen *m,* Standspur *f;* **hard up** *adj* knapp bei Kasse; **hardware** *n* (1) *(tools etc.)* Eisenwaren *pl* (2) PC Hardware *f;* **hardwearing** *adj* ▷*brick* witterungsbeständig; ▷*clothing* strapazierfähig; **hardwood** *n* Hartholz *s*

hardy ['hɑːdɪ] *adj* ▷*person* zäh; ▷*plant* widerstandsfähig

hare [hɛə*] *n* Feldhase *m;* **harelip** *n* Hasenscharte *f*

harem [hɑː'riːm] *n* Harem *m*

hark [hɑːk] *vi* ↑ *listen* horchen; **hark back to** *vi + prep obj (mention what's past)* auf etw *acc* zurückgreifen; ◇ **to ~ ~ to the good old days** von der guten, alten Zeit reden

harm [hɑːm] **I.** *n* ↑ *damage* Schaden *m;* ▷*physical* Verletzung *f;* ◇ **to do ~ to s.o.** jd-m Schaden zufügen; ◇ **to come to no ~** nicht zu Schaden kommen; ◇ **there's no ~ in trying** ein Versuch kann nichts schaden **II.** *vt* → *child* jd-m etw antun; → *chances of success* etw schaden; **harmful** *adj* ▷*chemical* gefährlich; ▷*remark* verletzend; **harmless** *adj* ▷*dog* ungefährlich; ▷*question* harmlos

harmonica [hɑː'mɒnɪkə] *n* Harmonika *f*

harmonious [hɑː'məʊnɪəs] *adj* ▷*atmosphere* harmonisch; **harmonisation** *n (of European tax law)* Harmonisierung *f,* Angleichung *f;* **harmonize** ['hɑːmənaɪz] *vi* (1) ← *voices* harmonieren (2) ◇ **the design ~s with the landscape** das Design und die Landschaft harmonieren miteinander; **harmony** ['hɑːmənɪ] *n* (1) (MUS *of notes*) Harmonie *f* (2) ◇ **they live in perfect ~** *(peaceful accord)* sie leben in Eintracht *f* miteinander

harness ['hɑːnɪs] **I.** *n (of child)* Laufgurt *m; (of horse)* Zaumzeug *s* **II.** *vt* (1) → *horse* aufzäumen (2) → *power of nature* bändigen

harp [hɑːp] *n* Harfe *f;* **harp on** *vi* ↑ *talk incessantly* ständig reden *(about* über)

harpoon [hɑː'puːn] *n* Harpune *f*

harpsichord ['hɑːpsɪkɔːd] *n* Cembalo *s*

harrowing ['hærəʊɪŋ] *adj* ▷*experience* erschütternd

harsh [hɑːʃ] *adj* ▷*weather* rauh; ▷*sound* grell, hart; ▷*treatment of children* streng; **harshly** *adv* ▷*speak* barsch, schroff; **harshness** *n (of manner)* Barschheit *f*

harvest ['hɑːvɪst] **I.** *n (season)* Ernte *f; (yield)* Ertrag *m* **II.** *vt (wheat, fruit)* ernten; **harvester** *n (machine)* Mähmaschine *f;* **harvest festival** *n* Erntedankfest *s*

has *3rd person present of* **have** hat

hash [hæʃ] *n* (1) GASTRON Haschee *s* (2) ↑ *mess* Durcheinander *s;* ◇ **to make a ~ of s.th.** etw vermasseln

hashish ['hæʃɪʃ] *n* ↑ *hash* Hasch, Haschisch *s*

hasn't = has not

hassle ['hæsl] *n* (1) ↑ *argument* Auseinandersetzung *f* (2) *(getting children to tidy up)* Theater *s*

haste [heɪst] *n* ↑ *hurry* Eile *f; (nervous ~)* Hast *f;* **hasten** ['heɪsn] **I.** *vt* → *progress* beschleunigen; ◇ **he ~ed to add that ...** er fügte noch schnell hinzu, daß ... **II.** *vi* sich beeilen; **hasty** *adj:* ◇ **to make a ~ decision** einen voreiligen Entschluß fassen; **hastily** *adv* ▷*put together* hastig

hat [hæt] *n* Hut *m;* ◇ **at the drop of a ~** ohne weiteres

hatch [hætʃ] **I.** *n* (1) NAUT Luke *f* (2) ↑ *serving ~* Durchreiche *f* **II.** *vi* ← *chicks* schlüpfen **III.** *vt* → *evil scheme* aushecken; **hatchback** *n* AUTO Kombi *m,* Hecktürmodell *s*

hatchet ['hætʃɪt] *n* Beil *s; FIG* ◇ **to bury the ~** das Kriegsbeil begraben

hate [heɪt] **I.** *vt* → *jd-n, etw* hassen, verabscheuen; *FAM* → *pudding, neighbour* nicht ausstehen [*o.* leiden] können; ◇ **to ~ to do s.th.** etw sehr ungern tun **II.** *n* ↑ *hatred* Haß *m;* **hateful** *adj* ▷*thing to say* häßlich; **hatred** ['heɪtrɪd] *n (of computers)* Abscheu *m (of* vor *dat); (of enemy)* Haß *m (of* gegen *dat*)

hatter ['hætə*] *n* Hutmacher *m;* ◇ **as mad as a ~** völlig verrückt

hat trick ['hættrɪk] *n* SPORT Hat-Trick *m;* ◇ **to get a ~** einen Hat-Trick erzielen

haughty [hɔːtɪ] *adj* hochmütig

haul [hɔːl] **I.** *n* (1) *(act of pulling along)* Schleppen *s* (2) *(fish catch)* Fang *m* (3) *(journey)* Strecke *f;* ◇ **a long ~** eine weite Strecke **II.** *vti* ↑ *pull hard* kräftig ziehen; ◇ **to ~ away on the ropes** kräftig an den Seilen ziehen

haulage ['hɔːlɪdʒ] *n* (1) (*shipping business*) Spedition *f* (2) (*charge*) Transportkosten *pl*
haulier ['hɔːlɪə*] *n* ↑ *road* ~ Spediteur *m*
haunch [hɔːntʃ] *n* Hinterbacke *f*, Keule *f*
haunt [hɔːnt] **I.** *vt* (1) ← *ghost* spuken (in *dat*) (2) ← *memory* nicht loslassen (3) ← *person* → *gay bars* verkehren in *dat* **II.** *n* (*of persons, pub*) Stammlokal *s*, Treffpunkt *m;* (*Andes, of eagles, mountains*) Lebensraum *m;* **haunted** *adj* ▹*house* verwunschen, Spuk-; **haunting** *adj* ▹*melody* eindringlich
have [hæv] **I.** <had , -> *auxiliary verb* (*to form perfect tense*): ◇ **~ you prepared the meal?** hast du das Essen zubereitet?; ◇ **he had already gone, when I arrived** er war schon fort, als ich kam **II.** <had , had> *vi:* ◇ **~ got to, ~ to** ↑ *must* müssen; ◇ **I have** [*o.* **I've**] **got to go** ich muß gehen; ◇ **we didn't ~ to pay a penny** wir mußten nicht einen Penny bezahlen **III.** <had *o.* 'd, had> *vt* (1) ↑ ~ *got* ↑ *possess* haben; ◇ **I've got three children** ich habe drei Kinder; ◇ **the average family has two children** eine Durchschnittsfamilie hat zwei Kinder (2) ↑ *receive* bekommen; ◇ **I had a parcel from Ireland today** ich habe heute ein Päckchen aus Irland bekommen (3) (*do (s.th.), experience (s.th.)*) ◇ **~ a look at this text!** schau' dir mal diesen Text an!; ◇ **to ~ a holiday** Urlaub machen; ◇ **devaluation will ~ serious consequences** eine Abwertung wird schwerwiegende Folgen nach sich ziehen; ◇ **to ~ a baby** ↑ *give birth to* ein Kind bekommen; ◇ **I'll ~ ham and eggs, please** ich hätte gerne [einmal] Rührei mit Schinken; ◇ **to ~ a bath** ein Bad nehmen (4) ↑ *cause (to be done)* to˜ o.'s car serviced; ◇ **das Auto durchsehen lassen, to ~ o.'s hair cut** sich die Haare schneiden lassen (5) ↑ *allow or accept* ◇ **I will not ~ that behaviour in the classroom** ich werde so ein Benehmen im Klassenzimmer nicht dulden (6) ◇ **to be had** (*to be cheated*) über's Ohr gehauen werden; (*to be victim of joke*) hereingelegt werden (7) ◇ **to ~ to do s.th.** (*to be involved with s.th.*) mit etw zu tun haben; **have in** *vt sep FAM*: ◇ **to ~ it in for s.o.** jd-n auf dem Kieker haben; **have off** *vt sep FAM*: ◇ **to ~ it off with s.o.** es mit jd-m treiben; **have on** *vt sep* (1) → *blazer* tragen, anhaben; ◇ **she had practically nothing on** sie war mehr oder weniger nackt (2) ↑ *have arranged* vorhaben; ◇ **I ~ nothing ~ tonight** ich habe heute abend noch nichts vor; **have out** *vt sep* (1) → *tooth* ziehen lassen (2) ◇ **to ~ it out with s.o.** sich mit jd-m gründlich aussprechen; **have up** *vt sep* (*cause to appear in court*) drankriegen; ◇ **to be had up for drunken driving** wegen Alkohol am Steuer angeklagt sein
haven ['heɪvn] *n* (1) (*of peace and tranquility*) Hafen *m* (2) (*for wildlife*) Refugium *s*
haven't = **have not**
havoc ['hævək] *n* ↑ *devastation* Verwüstung *f*
hawk [hɔːk] *n* ↑ *falcon* Falke *m*
hawthorn ['hɔːθɔːn] *n* Hagendorn *m*
hay [heɪ] *n* Heu *s;* **hay fever** *n* Heuschnupfen *m;* **hayrick**, **haystack** *n* Heumiete *f;* **haywire** ['heɪwaɪə*] *adj FAM*: ◇ **to go ~** ← *person* durchdrehen; ← *dish-washer* verrückt spielen
hazard ['hæzəd] **I.** *n* ↑ *danger* Gefahr *f* **II.** *vt* (1) → *money* riskieren (2) ◇ **to ~ a guess** (*make a guess which may be wrong*) eine Vermutung anstellen; **hazardous** *adj* ▹*expedition* gefahrvoll, gefährlich; **hazard** [**warning**] **lights** *n pl* AUTO Warnblinklicht *s*
haze [heɪz] *n* Dunst *m*
hazel ['heɪzl] *adj* ▹*eyes* hellbraun; **hazelnut** ['heɪzlnʌt] *n* Haselnuß *f*
hazy ['heɪzɪ] *adj* (1) ▹*recollection* verschwommen (2) ▹*day* dunstig, diesig
H-bomb *abbr. of* **hydrogen bomb**
he [hiː] *pron* (~, *she, it*) er; ◇ **who's ~?** wer ist denn das?, wer ist er denn?
head [hed] **I.** *n* (1) ANAT Kopf *m; FIG* ◇ **to laugh o.'s ~ off** sich kugeln vor lachen; ◇ **to keep o.'s ~ above water** *FIG* sich über Wasser halten; ◇ **to bang your ~ against a wall** sich für nichts und wieder nichts abrackern; ◇ **to give s.o. his ~** (*let him take the initiative*) jd-n machen lassen (2) *FIG* ↑ *mind* Verstand *m;* ◇ **use your ~!** gebrauche mal deinen Verstand!; ◇ **where is your ~ at?** woran denkst du?; ◇ **to lose o.'s ~** ↑ *go crazy* durchdrehen (3) (*front or top, of queue*) Anfang *m;* (*of corn*) Kopf *m;* (*of pimple*) Pfropf *m;* ◇ **I cannot make ~ nor tail of it** ich werde daraus nicht schlau; ◇ **to bring matters to a ~** etw auf die Spitze treiben (4) (*of family*) Oberhaupt *s;* (*of firm*) Chef(in *f*) *m;* ◇ **~ of state** Staatsoberhaupt *s* (5) ◇ **to win by a ~** (*at horse racing*) um eine Kopflänge gewinnen; ◇ **38 ~ of cattle** (*38 in number*) 38 Stück Vieh **II.** *adj* Haupt- **III.** *vt* (1) → *procession* anführen; → *opinon poll* anführen; → *corporation* führen, leiten (2) → *text* überschreiben, betiteln (3) → *ball* köpfen **IV.** *vi:* ◇ **where are you ~ing?** wohin gehst du?; **head back** *vi* zurückgehen, zurückfahren; **head for** *vi +prep obj* → *Berlin* fahren in Richtung; ◇ **to ~ ~ the hills** in die Berge aufbrechen; ◇ **he's ~ing ~ trouble** er ist auf dem besten Wege, Ärger zu bekommen; **head off** *vt sep* → *disaster* abwenden; → *person* ablenken; **headache** ['hedeɪk] *n* Kopfschmerzen *pl;* **headfirst** *adv* ▹*dive* [mit dem] Kopf voraus

heading *n* (*of text*) Überschrift *f*

headlamp *n* Scheinwerfer *m;* **headland** *n* Landspitze *f;* **headlight** *n* Scheinwerfer *m;* **headline** *n* Schlagzeile *f;* **headlong** *adv* ▷*fall* Kopf über Fuss; **headmaster** *n* (*of primary school*) Rektor *m;* (*of secondary school*) Direktor *m;* **headmistress** *n* (*of primary school*) Rektorin *f;* (*of secondary school*) Direktorin *f;* **head-on** *adj* ▷*collision* Frontal-, frontal; **headphones** *n pl* Kopfhörer *pl;* **headquarters** *n pl* (*of company*) Hauptstelle *f*, Sitz *m;* MIL Hauptquartier *s;* **headrest** *n* Kopfstütze *f;* **headroom** *n* (*of bridges etc.*) lichte Höhe *f;* **headset** *n* Kopfhörer *m;* **head start** *n:* ◇ **to have a ~ ~ over your competitors** einen Vorsprung vor der Konkurrenz haben; **headstone** *n* Grabstein *m;* **headstrong** *adj* ▷*child* eigensinnig, eigenwillig; **headway** *n:* ◇ **to make ~** vorankommen; **headwind** *n* Gegenwind *m*

heady *adj* ▷*experience* berauschend

heal [hi:l] *vti* heilen; **heal up** *vi* zuheilen

health [helθ] *n* ↑ *well-being* Gesundheit *f;* (*state of ~*) Gesundheitszustand *m;* ◇ **how is your ~?** wie geht es dir gesundheitlich?; ◇ **your ~!** auf Ihre/deine Gesundheit!, auf Sie/dich!; **health centre** *n* Ärztezentrum *s*, Ärztehaus *s;* **health food** *n* Reformkost, Biokost *f;* **health food shop**, **health food store** *n* Bioladen *m*, Reformhaus *s;* **health insurance** *n* Krankenversicherung *f;* **health service** *n* (*national ~ ~*) Gesundheitswesen *s;* **healthy** *adj* gesund

heap [hi:p] **I.** *n* (*of firewood*) Haufen *m;* (*of money*) Haufen *m* **II.** *vt* ↑ *accumulate* anhäufen; ↑ *pile up* aufhäufen

hear [hɪə*] **I.** <heard, heard> *vti* ① (*physically ~*) hören ② (*listen to*) ← *s.o.* zuhören; JUR ◇ **to ~ a case** einen Fall verhandeln ③ *FIG* ◇ **I ~ that you're giving a party** wie ich höre gibst Du eine Party; ◇ **to ~ from s.o.** von jd-m hören **II.** *intj:* ◇ **~, ~!** hört, hört!

heard [hɜ:d] *pt, pp of* **hear**; **hearing** ['hɪərɪŋ] *n* ① (*act*) Hören *s* ② JUR Verhandlung *f;* ↑ *preliminary ~* Voruntersuchung *f;* (*of witnesses*) Zeugenvernehmung *f* ③ ◇ **to give s.o. a ~** jd-n anhören

hearing aid *n* Hörgerät *s;* **hearsay** ['hɪəseɪ] *n* Gerüchte *pl*

hearse [hɜ:s] *n* Leichenwagen *m*

heart [hɑ:t] *n* ① ANAT Herz *s* ② (*as metaphor, for love*) Herz *s;* (*for courage*) Herz *s;* ◇ **a person after o.'s own ~** jemand ganz nach dem eigenen Herzen; ◇ **he's a good boy at ~** er ist ein herzensguter Junge ③ (*of London*) Herz, Zentrum *s* ④ ◇ **to learn s.th. by ~** etw auswendig lernen ⑤ (*cards*) ◇ **-s and diamonds** Herzen und Karos; **heartache** *n* (*of parting*) Liebeskummer *m;* (*soul-searching over existence*) Weltschmerz *m;* **heart attack** *n* Herzanfall *m;* **heartbeat** *n* Herzschlag *m;* **heartbreaking** *adj* herzzerreißend; **heartbroken** *adj* untröstlich; **heartburn** *n* MED Sodbrennen *s;* **hearten** ['hɑ:tən] *vt* ermütigen; **heart failure** *n* Herzversagen *s;* **heartfelt** *adj* ▷*apologies* aufrichtig

hearth [hɑ:θ] *n* ↑ *fireplace* Kamin *m;* ◇ **~ and home** Haus und Herd

heartily ['hɑ:tɪlɪ] *adv* ▷*laugh* herzlich; ▷*eat* herzhaft; **heartless** ['hɑ:tlɪs] *adj* herzlos; **heartrending** *adj* ▷*sob* herzzerreißend; **heartstrings** *n pl:* ◇ **to play on s.o.'s ~** mit jds. Gefühlen spielen; **heart-to-heart** *adj* (*confessional chat*) ganz offen; **hearty** ['hɑ:tɪ] *adj* ▷*meal* herzhaft; ▷*fellow* derb-herzlich

heat [hi:t] **I.** *n* ① (*calorific value*) Wärme *f* ② (*calorific emission*) Hitze *f* ③ *FAM* ↑ *police* Bullerei *f* ④ (*state of arousal*) Erregung *f;* ◇ **in the ~ of the moment** in der Hitze des Gefechts ⑤ ◇ **the dog is on ~** die Hündin ist läufig ⑥ SPORT Vorlauf *m* **II.** *vt* → *house* heizen; **heat up** *vt* → *food* aufwärmen; **heated** *adj* ① ▷*pool* beheizt ② ▷*argument* hitzig; **heater** *n* AUTO Heizung *f;* ↑ *electrical ~* Heizgerät *s;* **heat exhaustion** *n* MED Hitzeerschöpfung *f*

heath [hi:θ] *n* (*wild, open land*) Heide *f*

heathen ['hi:ðən] **I.** *n* (*non-Christian*) Heide(Heidin *f*) *m;* ↑ *barbarian* Barbare(Barbarin *f*) *m* **II.** *adj* ▷*religion* heidnisch

heather ['heðə*] *n* Heide, Erika *f*

heating ['hi:tɪŋ] *n* Heizung *f;* **heat-proof** *adj* hitzebeständig; **heatstroke** *n* Hitzschlag *m;* **heatwave** *n* Hitzewelle *f*

heave [hi:v] **I.** *vti* ① ◇ **to ~ s.o. to their feet** jd-n auf die Füße hochhieven [*o.* hochheben]; ◇ **1! 2! 3! ~!** 1! 2! 3! und … zieht!; ◇ **to ~ a piano out of the window** ein Klavier zum Fenster hinaushieven ② → *chest* sich heben und senken; ◇ **to ~ a sigh of relief** einen Stoßseufzer von sich geben **II.** *n* (*heavy push*) Stemmen *s;* (*pull*) Hieven *s;* (*throw*) Schlendern *s*

heaven ['hevn] *n* ① (*paradise*) Himmel *m;* ◇ **to go to ~** in den Himmel kommen ② ◇ **the -s are full of stars** der Himmel ist voll mit Sternen; Himmel *m* ③ ◇ **for -'s sake!** um Himmels Willen!; ◇ **good heavens!** gütiger Himmel!; **heavenly** *adj* ① ▷*Father* himmlisch ② ◇ **~ body** Himmels- ③ ◇ **what a perfectly ~ ice cream!** was für e-e himmlisch gute Eiscreme!

heavily ['hevɪlɪ] *adv* ▷*fall* ~ schwer; **heavy** ['hevɪ] *adj* ① ▷*luggage* schwer; ◇ **how ~ is it?**

wie schwer ist es? (2) ▷*rain* kräftig; ▷*blow* schwer (3) ▷*conversation* tiefschürfend; ▷*text* hochgeistig (4) ▷*smoker* stark; ▷*drinker* schwer; **heavy-duty** *adj* ▷*tyres* ▷*jeans* strapazierfähig; **heavy-handed** *adj* ▷*behaviour* grob, taktlos; **heavyweight** *n* ▷*boxer* Schwergewicht *s*

Hebrew ['hi:bru:] *n* (*language*) Hebräisch[e] *s*

heckle ['hekl] *vt* (POL *s.o. at meeting*) (den Redner) durch Zwischenrufe unterbrechen; **heckler** ['heklə*] *n* Zwischenrufer *m*

hectare ['hektə] *n* Hektar *m or s*

hectic ['hektɪk] *adj* hektisch

he'd [hi:d] = **he had**

hedge [hedʒ] **I.** *n* (1) BIO Hecke *f* (2) (FIN *against inflation*) Schutz *m* **II.** *vt* (1) → *garden* mit einer Hecke umgeben (2) → *investment* schützen; ◇ **to ~ o.'s bets** auf Nummer Sicher gehen **III.** *vi* kneifen (*at* bei); ◇ **don't ~ and say what you mean!** weich' nicht ständig aus, sag' lieber was du denkst

hedgehog ['hedʒhɒg] *n* Igel *m*

hedgerow *n* Hecke *f*

hedonism ['hi:dənɪzəm] *n* Hedonismus *m*

heed [hi:d] **I.** *n* Beachtung *f* **II.** *vt* → *advice* beachten; **heedless** *adj* rücksichtslos; ◇ **to be ~ of cost** sich um die Kosten nicht kümmern

heel [hi:l] **I.** *n* (*of foot*) Ferse *f;* (*of shoe*) Absatz *m* **II.** *vt* → *shoes* besohlen

hefty ['heftɪ] *adj* ▷*price increase* kräftig; ▷*blow* heftig, schwer

heifer ['hefə*] *n* Färse *f*

height [haɪt] *n* (1) (*top to bottom measurement*) Höhe *f;* ◇ **a person of medium ~** eine mittelgroße Person (2) (*level or position*) Höhe; ◇ **to fly at a ~ of 12 thousand metres** in einer Höhe von 12 tausend Meter fliegen; ◇ **to look down from a great ~** aus großer Höhe hinabschauen; **heighten** *vt* → *tension* verstärken; → *excitement* steigern

heinous ['heɪnəs] *adj* ▷*crime* verabscheuungswürdig

heir [ɛə*] *n* Erbe *m* (*to gen*)

heiress ['ɛərɪs] *n* zukünftige Erbin *f*

heirloom ['ɛəlu:m] *n* Familienerbstück *s*

held [held] *pt, pp of* **hold**

helicopter ['helɪkɒptə*] *n* Hubschrauber, Helikopter *m*

heliport ['helɪpɔ:t] *n* Hubschrauberlandeplatz *m*

hell [hel] **I.** *n* (1) Hölle *f;* ◇ **to go to ~** in die Hölle kommen; ◇ **to give s.o. ~** jd-m die Hölle heiß machen (2) (*intensifier*) ◇ **one ~ of a job** eine höllische Arbeit; ◇ **a ~ of a lot of money** irrsinnig [*o.* verdammt] viel Geld; ◇ **to run like ~** laufen wie verrückt; ◇ **where the ~ is the dictionary?** wo zum Teufel ist das Wörterbuch? **II.** *intj:* ◇ **~! I'm late!** verdammt, ich komme zu spät!

he'll [hi:l] = **he will; he shall**

hellish ['helɪʃ] *adj* höllisch

hello [hʌ'ləʊ] *intj* (1) (*greeting*) hallo (2) (TELECOM *opening of conversation*) ◇ **~! who's speaking?** Hallo? Wer ist da? (3) (*surprise*) ◇ **~! s.o.'s forgotten their tools** na sowas, da hat jemand sein Werkzeug vergessen (4) (*attracting attention*) ◇ **~! Is there anybody home?** Hallo! Ist jemand zu Hause?

helm [helm] *n* NAUT Steuer *s;* ◇ **to be at the ~** *FIG* ↑ *in control* am Ruder sein, das Sagen haben

helmet ['helmɪt] *n* Helm *m*

helmsman ['helmzmən] *n* <-men> Steuermann *m*

help [help] **I.** *n* (1) (*assistance*) Hilfe *f* (2) (*willing assistant*) Gehilfe(in *f*) *m* (3) ◇ **to be of ~** helfen **II.** *vti* (1) (*make s.th. easier or better for s.o.*) helfen *dat;* ◇ **devaluation will not ~** eine Abwertung hilft gar nichts; ◇ **to ~ the child with homework** dem Kind bei den Hausaufgaben helfen; ◇ **physical exercise would ~** etw Bewegung würde gut tun (2) (*assist in producing result*) ◇ **high interest rates ~ to stabilize the economy** hohe Zinsen tragen zur Stabilisierung der Wirtschaft bei; ◇ **we can ~ him improve his English** wir können ihm helfen, sein Englisch aufzubessern (3) (*serve*) ◇ **can I ~ you to some potatoes?** darf ich dir noch ein paar Kartoffeln geben?; ◇ **do, please, ~ y.s.!** bitte, bedienen Sie sich! (4) ↑ *prevent* ◇ **I can't ~ laughing** ich muß einfach lachen; ◇ **I couldn't ~ it** ich konnte es nicht ändern; **help out** *vti sep* (*assist when there is special need*): ◇ **I've no money, can you ~ me ~?** ich habe kein Geld, kannst du mir aushelfen?; ◇ **Peter's ill, can you ~ ~ at the shop?** Peter ist krank, kannst du im Laden aushelfen?; **helpful** *adj* (*willing to help*) hilfsbereit; ▷*device* hilfsreich; (*hint*) nützlich

helping *n* (*third ~*) Nachschlag *m,* weitere Portion *f*

helpless *adj* hilflos

hem [hem] **I.** *n* (*of skirt*) Saum *m* **II.** *vt* säumen; **hem in** *vt sep* ↑ *restrict* einengen

he-man *n* (*muscular hero*) He-man *m*

hemisphere ['hemɪsfɪə*] *n* Hemisphäre *f,* Erdhalbkugel *f*

hemline ['hemlaɪn] *n* Saum *m*

hemlock ['hɛmlɒk] *n* (*poison*) Schierlingssaft *m*

hemophiliac [hɪ:məʊ'fɪlɪæk] *n* MED Bluter *m*

hemo- *s.* **haemo**

hemp [hemp] *n* (1) (*plant*) Hanf *m* (2) (*fibre*) Hanffaser *f*

H

hen [hen] *n* ① (*chicken*) Henne *f* ② (*female bird*) Weibchen *s*

hence [hens] *adv* ① ↑ *from now on* fortan, von nun an ② ↑ *therefore* deswegen; **henceforth** *adv* ↑ *from now on* fortan, von nun an

henchman ['hentʃmən] *n* <-men> (*criminal assistant*) Spießgeselle *m*, Spießgesellin *f*

henna *n* Henna *f*

henpecked ['henpekt] *adj*: ◇ **to be ~** unterm Pantoffel stehen; ◇ **~ husband** Pantoffelheld *m*

hepatitis [hepə'taɪtɪs] *n* MED Gelbsucht *f*, Hepatitis *f*

her [hɜ:*] **I.** *pron* (*possessive: belonging to female*) ihr; ◇ **she took ~ coat off** sie zog ihre Jacke aus; ◇ **Britain must stabilize ~ economy** Großbritannien muß seine Wirtschaft stabilisieren **II.** *pron as object or after prep* **she** (*referring to female*) sie; ◇ **Mary! I love ~** Mary! Ich liebe sie; ◇ **he came in after ~** sie kam nach ihr herein

herald ['herəld] **I.** *n* (*sign of future times*) Vorbote *m*; ↑ *messenger* Bote *m* **II.** *vt* → *post-modern age* ↑ *be early sign of* Vorbote sein von; ↑ *declare beginning of* ankündigen

heraldry ['herəldrɪ] *n* (*science*) Heraldik, Wappenkunde *f*

herb [hɜ:b] *n* (*plant*) Kraut *s*; (*used as spice*) Gewürzkraut *s*; (*used as medicine*) Heilkraut *s*; **herbaceous** [hɜ:b'eɪʃəs] *adj* krautartig; ◇ **~ border** Rabatte *f*; **herbalist** ['hɜ:bəlɪst] *n* ↑ *healer* Naturheilkundige(r) *fm*; **herbivore** ['hɜ:bɪvɔ:] *n* Pflanzenfresser *m*

herd [hɜ:d] **I.** *n* ① (*of cows*) Herde *f* ② (*of people*) Schar *f* **II.** *vt* ↑ *drive* treiben; **herdsman** *n* Hirte *m*

here [hɪə*] *adv* ① (*in this place*) hier; (*to this place*) hierher ② (*at this point, in text*) hier, an dieser Stelle ③ ◇ **~ you are!** (*when giving s.th. that has been requested*) bitteschön!; **hereafter** *adv* (*after this time*) danach; **hereby** *adv* (*by this action or declaration*) hiermit

hereditary [hɪ'redɪtərɪ] *adj* ▷*disease* erblich, vererbt; **heredity** [hɪ'redɪtɪ] *n* Vererbung *f*

herein *adv* (*in this text*) hierin, darin

heresy ['herəsɪ] *n* Ketzerei *f*

heretic ['herətɪk] *n* Ketzer(in *f*) *m*; **heretical** [hɪ'retɪkəl] *adj* häretisch, ketzerisch

herewith ['hɪə'wɪð] *adv* (*with this letter*) hiermit

heritage ['herɪtɪdʒ] *n* Erbe *s*

hermetically [hɜ:'metɪkəlɪ] *adv* ▷*sealed* hermetisch

hermit ['hɜ:mɪt] *n* Einsiedler(in *f*) *m*, Eremit *m*; **hermitage** *n* (*of monk*) Einsiedelei *f*

hernia ['hɜ:nɪə] *n* Eingeweidebruch *m*

hero ['hɪərəʊ] *n* <-es> ① (*main charater in fiction*) Held *m* ② (*admired person*) Idol *s*, Held *m*; **heroic** [hɪ'rəʊɪk] *adj* ↑ *brave* heldenhaft; **heroics** *n* (*grand but hollow gestures*) Theatralik *f*

heroin ['herəʊɪn] *n* Heroin *s*

heroine ['herəʊɪn] *n* Heldin *f*

heroism ['herəʊɪzəm] *n* ↑ *daring* Kühnheit *f*

heron ['herən] *n* Reiher *m*

herpes ['hɜ:pi:z] *n* MED Herpes *m*

herring ['herɪŋ] *n* Hering *m*

hers [hɜ:z] *pron* (*possessive: of or belonging to female referred to*) ihre(r, s); ◇ **the hat is not mine, it is ~** das ist nicht mein Hut, sondern ihrer;

herself [hɜ:'self] *pron* ① (*reflexive*) ◇ **she hurt ~** sie hat sich verletzt ② (*emphasis*) ◇ **she gave me the present ~** sie hat mir das Geschenk selbst gegeben; ◇ **the Queen ~ congratulated me** die Queen persönlich hat mich beglückwünscht ③ ◇ **all by ~** ↑ *all alone* sie ganz alleine

he's [hi:z] = **he is; he has**

hesitant ['hezɪtənt] *adj* unentschlossen, unschlüssig (*about* über); **hesitate** ['hezɪteɪt] *vi* ① (*pause because of anxiety*) zögern; ◇ **he ~d before diving off the cliff** er zögerte, kurz bevor er die Klippen hinuntersprang ② (*feel inhibited*) zaudern, sich genieren; ◇ **I ~ to ask you to lend me more ...** es fällt mir schwer, dich um mehr Geld zu bitten, ...; ◇ **don't ~ to ask!** fragen Sie ruhig drauf los!; **hesitation** [hezɪ'teɪʃən] *n* ① (*between thought and action*) Zögern *s*; ◇ **after some ~ he accepted the offer** nach einigem Zögern nahm er das Angebot an ② ◇ **I have no ~ in recommending this product** ich kann dieses Produkt ohne Vorbehalt empfehlen

heterogeneous [hɛtərəʊ'dʒɪnɪəs] *adj* heterogen

heterosexual [hɛtərəʊsɛksjʊl] *adj* heterosexuell

het up [het'ʌp] *adj FAM* aufgeregt; ◇ **to be ~ ~ about s.th.** sich über etw *acc* aufregen

hew [hju:] <hewed, hewn *o.* hewed> *vt* → *wood* in Klötze hacken; → *stone* in grobe Stücke hauen

hexagon ['heksəgən] *n* Sechseck *s*; **hexagonal** [hek'sægənəl] *adj* sechseckig

hey [heɪ] *intj* ① (*for attention*) ◇ **~, come over here!** he, komm' mal her! ② (*of amazement or interest*) ◇ **~, that's really beautiful!** hui, das ist aber schön!

heyday ['heɪdeɪ] *n* ↑ *highpoint* Blütezeit, Glanzzeit *f*; ◇ **the ~ of the British Empire** die Blütezeit des britischen Empire

hi [haɪ] *intj* hallo! hi!

hiatus [haɪ'eɪtəs] *n* (*in historical account*) Lücke *f*; (*in legal proceedings*) Pause *f*

hibernate ['haɪbəneɪt] *vi* Winterschlaf halten; **hibernation** [haɪbə'neɪʃən] *n* Winterschlaf *m*

hiccough, hiccup ['hɪkʌp] **I.** *vi* hicksen **II.** *n* [1] Schluckauf *m;* ◇ **I've got ~s** *pl* ich habe einen Schluckauf [2] *(slight problem)* my car had a slight ~ *mein Auto spielte ein wenig verrückt*

hid [hɪd] *pt of* **hide**; **hidden** ['hɪdn] *pp of* **hide**

hide [haɪd] <hid, hidden> **I.** *vt* [1] → *treasure* verstecken [2] → *truth* verbergen (*from* vor *dat*) **II.** *vi* sich verstecken **III.** *n* (*buffalo ~*) Büffelfell *s;* **hide-and-seek** *n:* ◇ **to play** ~ Verstecken spielen

hidebound *adj* ▷*attitudes* engstirnig

hideous ['hɪdɪəs] *adj* scheußlich; **hideously** *adv* schrecklich

hiding ['haɪdɪŋ] *n* ↑ *beating* Prügel *f*

hierarchy ['haɪərɑːkɪ] *n* Hierarchie *f*

hieroglyph [haɪerə'glɪf] *n* Hieroglyphe *f;* **hieroglyphics** [haɪerə'glɪfɪks] *n pl* Hieroglyphenschrift *f*

hi-fi ['haɪfaɪ] *n abbr. of* **high-fidelity** Hi-fi *s*

higgledy-piggledy ['hɪgəldɪpɪgəldɪ] *adj* (*in disorder*) kunterbunt

high [haɪ] **I.** *adj* [1] ◇ **the mountain is** ~ der Berg ist hoch; ◇ **a ~ mountain** ein hoher Berg; ◇ **a ~ building** ein hohes Gebäude [2] ◇ **a 125 m ~ skyscraper** ein Wolkenkratzer von 125 m Höhe; ◇ **the wall is 3 m** ~ die Mauer ist 3 m hoch [3] ◇ **at a ~ altitude** in großer Höhe; ◇ **a ~ ceiling** eine hohe Decke; ◇ **the ~est lake in the world** der höchstgelegene See der Welt; ◇ **a ~ dive** (*from high level*) ein Sprung aus großer Höhe [4] ◇ **~ ideals** hohe # Ideale; ◇ **of ~ quality** hochwertig [5] (*above norm*) ◇ **a ~ cost of living** hohe Lebenshaltungskosten *pl;* ◇ **the patient has a ~ temperature** der Patient hat erhöhte Temperatur [6] (*ranking above others*) ◇ **a ~ court** ein hohes Gericht; (*official position*) hochrangig; ◇ **to have friends in ~ places** einflußreiche Freunde haben [7] (*very favourable*) ◇ **~ hopes** große Hoffnungen; ◇ **to have a ~ opinion of s.o.** eine hohe Meinung von jd-m haben; ◇ **to be in ~ spirits** temperamentvoll sein [8] ◇ **~ winds** ein kräftiger Wind; ◇ **at a ~ speed** bei hoher Geschwindigkeit; ◇ **to play for ~ stakes** mit vollem Risiko spielen; ◇ **to live the ~ life** ein Leben in Luxus führen [9] ◇ **a ~ voice** (*shrill*) eine hohe Stimme; MUS ◇ **the ~ notes** die hohen Töne [10] ◇ **~ noon** genau zur Mittagszeit; ◇ **it is ~ time you finished** es ist höchste Zeit, daß du damit fertig wirst [11] ↑ *on drugs* high [12] ▷*meat* angegangen **II.** *adv:* ◇ **to search ~ and low** überall suchen; **high beam** *n* AUTO Fernlicht *s;* **highbrow** *adj* ▷*person* Intellektueller(Intellektuelle *f*) *m;* ▷*culture* schöngeistig; **highchair** *n* Hochstuhl *m;* **high-class** *adj* [1] (*of social position*) aus der Oberschicht [2] ▷*product* hochwertig; **higher** *adj* [1] *comp of* **high** [2] ◇ **~ education** höhere Schulbildung; **high-flown** *adj* ▷*language* geschwollen; **high-handed** *adj* ▷*behaviour* eigenmächtig; **highland** **I.** *adj* Hochland- **II.** ◇ **the H~s (of Scotland)** schottisches Hochland; **high-level** *adj* ▷*round of talks* auf höchster Ebene; **highlight** **I.** *n* [1] FOT Glanzlicht *s* [2] (*in hair*) Strähne *f* [3] MEDIA ◇ **they showed ~s of the match** sie haben die Höhepunkte der Begegnung gezeigt **II.** *vt* ← *problem* hervorheben; **highly** *adv* ▷*skilled* hoch-; ▷*paid* gut-; ◇ **to speak ~ of s.o.** sich lobend über jd-n äußern; **highly-strung** *adj* ▷*person* nervös; **High Mass** *n* Hochamt *s;* **Highness** *n:* ◇ **no, Your H~** nein, Hoheit; **high-performance** *adj* ▷*oil* Hochleistungs-; **high-pressure** *adj* ▷*boiler* Hochdruck-; ▷*sales techniques* aggressiv; **high seas** *n pl* ↑ *open sea* Meere *pl;* ◇ **on the ~ ~** auf offener See; **high school** *n* (*AM*) High School *f Oberschule von der 5. bis 13. Klasse;* **high-speed** *adj* ▷*drill* mit hoher Drehzahl, Kraft-; ◇ **~ train** Hochgeschwindigkeitszug *m;* **high tech** **I.** *adj* High-Tech, hochmodern **II.** *n* High-Tech *s or f;* **high tide** *n* Flut *f;* **highway** *n* [1] (*main road*) Highway *m jede größere Straße, die Ortschaften miteinander verbindet* [2] *BRIT* ◇ **the Highway Code** *Handbuch mit Verkehrsregeln für Führerscheinprüfung;* **hijack** ['haɪjæk] *vt* → *airplane* kapern, entführen

hike [haɪk] **I.** *vi* wandern **II.** *n* Wanderung *f;* **hiker** *n* Wanderer *m,* Wanderin, Wandrerin *f;* **hiking** *n* Wandern *s*

hilarious [hɪ'lɛərɪəs] *adj* ▷*incident* sehr lustig, urkomisch; **hilarity** [hɪ'lærɪtɪ] *n* (*of gathering*) Ausgelassenheit *f*

hill [hɪl] *n* Hügel, Berg *m*

hillock *n* ↑ *small hill* Hügel *s*

hillside *n* Hang *m*

hilly *adj* hügelig

hilt [hɪlt] *n* (*of knife*) Griff *m;* ◇ **to back s.o. to the ~** jd-m jede erdenkliche Unterstützung geben

him [hɪm] *pron as object or after prep* **he** (*referring to male*) er; ◇ **I love ~** ich liebe ihn; ◇ **she came in after ~** sie kam nach ihm herein; ◇ **oh no, it's ~ again!** oh nein, der schon wieder!; **himself** [hɪm'self] *pron* [1] (*reflexive*) ◇ **he hurt ~** er hat sich wehgetan [2] (*emphasis*) ◇ **he gave me the present ~** er hat mir das Geschenk selbst gegeben; ◇ **the President ~ congratulated me** der Präsident persönlich hat mir gratuliert [3] ◇ **all by ~** ↑ *all alone* ganz alleine

hind legs [haɪnd] *n pl* Hinterbeine *pl*

hinder ['hɪndə*] *vt* [1] ↑ *obstruct* behindern [2] ↑ *prevent* ◇ **to - s.o. from doing s.th.** jd-n daran hindern, etw zu tun

hindrance ['hɪndrəns] *n* Behinderung *f*

hindsight ['haɪndsaɪt] *n* nachträgliche Einsicht *f;* ◇ **with - we are all wise** hinterher sind wir alle schlau

Hindu ['hɪndu:] *adj* Hindu-; **Hinduism** *n* Hinduismus *m*

hinge [hɪndʒ] **I.** *n* (*on box*) Scharnier *s;* (*on door*) Angel *f* **II.** *vt* mit Scharnieren versehen; ◇ **to be -d on the inside** ein Innenscharnier haben, innen eingehängt sein; **hinge on** *vi +prep obj* abhängen (von); ◇ **it all -s - whether he comes or not** es hängt alles davon ab, ob er kommt oder nicht

hint [hɪnt] **I.** *n* [1] (*indirect suggestion*) Andeutung *f;* ◇ **to take the -** den Wink verstehen; ◇ **a broad -** ein Wink mit dem Zaunpfahl [2] (*small sign or amount*) ◇ **a - of a smile** ein angedeutetes Lächeln; (*of pepper*) Hauch *m* [3] ↑ *recommendation* ↑ *tip* Tip *m;* ◇ **helpful -s on disk maintenance** nützliche Hinweise zur Pflege von Disketten **II.** *vti:* ◇ **to - s.th. to s.o.** jd-m etw andeuten, jd-m etw zu verstehen geben; ◇ **he -ed that he was dissatisfied with our progress** er deutete an, daß er mit unserem Vorankommen unzufrieden war; ◇ **to - at the truth** auf die Wahrheit anspielen

hinterland ['hɪntəlænd] *n* Hinterland *s*

hip [1] [hɪp] *n* ANAT Hüfte *f*

hip [2] *adj* [1] (*person*) gut drauf, cool, hip [2] ◇ **to be - to it** wissen, was los ist; ◇ **to be - to s.th.** auf dem laufenden sein über etw *acc*

hippopotamus [hɪpə'pɒtəməs] *n* Nilpferd, Flußpferd *s*

hire ['haɪə*] **I.** *vt* → *car* mieten; → *suit* leihen; → *labour* einstellen, anheuern **II.** *n* Miete *f;* ◇ **are the boats for -?** sind die Boote zu (ver)mieten?; **hire purchase** *n* Ratenkauf *m;* ◇ **to buy on - -** etw auf Raten kaufen

his [hɪz] **I.** *pron* (*possessive: belonging to male referred to*) sein; ◇ **he came in and took - coat off** er kam herein und zog seinen Mantel aus **II.** *pron* (*posessive, of or belonging to male referred to*) seine(r, s); ◇ **the hat is not mine, it is -** das ist nicht mein Hut, das ist seiner, der Hut gehört nicht mir, er gehört ihm

hiss [hɪs] *vti* ← *snake* zischen; ◇ **'get out!' he hissed** 'raus!' zischte er

historian [hɪ'stɔ:rɪən] *n* Historiker(in *f*) *m;* Geschichtswissenschaftler(in *f*) *m;* **historic** [hɪ'stɒrɪk] *adj* (▷*building*) historisch; **historical** [hɪ'stɒrɪkəl] *adj* [1] ▷*method* Geschichts- [2] ▷*fact* historisch; **history** ['hɪstərɪ] *n* [1] (*school subject*) Geschichte, Geschichtswissenschaft *f* [2] (*trade union -*) Geschichte *f* [3] (*medical -*) Anamnese *f,* medizinische Vorgeschichte *f;* ◇ **he has a - of petty crime** er ist bereits wegen kleinerer Delikte aufgefallen

histrionic [hɪstrɪɒ'nɪk] *adj* ▷*behaviour* theatralisch

hit [hɪt] **I.** *n* [1] (*blow with hand or implement*) Schlag *m* [2] (*act of achieving aim*) Treffer *m* [3] (*successful product*) Verkaufsschlager *m;* ↑ *-film* Filmhit *m;* ↑ *- record* Hit *m* [4] (*Mafia -*) Mordanschlag *m* **II.** <hit, hit> *vt* [1] (*with hand or implement*) schlagen [2] → *head* ↑ *bump* sich *dat* anschlagen [3] ◇ **the car - the wall** der Wagen fuhr gegen die Mauer [4] → *main road* erreichen; → *target* treffen [5] MIL → *city* angreifen; ◇ **he has been - in the arm** er ist am Arm getroffen worden [6] ◇ **inflation -s the poor hardest** die Inflation trifft die Armen am härtesten; ◇ **her death really - me** ihr Tod hat mich schwer getroffen [7] ◇ **has it ever - you that ... ?** ist es dir jemals aufgefallen, daß ... ? [8] ◇ **to - the roof** an die Decke gehen; **hit back I.** *vi* (*at critics*) Kontra geben (*at dat*) **II.** *vt sep* → *ball* zurückschlagen; **hit off** *vt sep:* ◇ **to - it -** sich sofort gut verstehen; **hit on** *vi +prep obj* stoßen (auf *acc*); **hit out** *vi* attakkieren (*at s.o.* jd-n); **hit-and-miss** *adj* ▷*procedure* ↑ *random* nach dem Zufallsprinzip *s;* **hit-and-run** *adj:* ◇ **- accident** Unfall *m* mit Fahrerflucht

hitch [hɪtʃ] **I.** *vt* ↑ *attach with loop* anhängen; ◇ **to - a horse to a wagon** ein Pferd vor einen Wagen spannen **II.** *vti* → *ride in car* per Anhalter fahren; ◇ **they -ed from Paris to Rome** sie fuhren per Anhalter von Paris nach Rom **III.** *n* ↑ *slight difficulty* Problem *s,* Haken *m;* ◇ **to go off without a -** reibungslos ablaufen; **hitch up** *vt sep* → *trousers* hochziehen; **hitchhike** ['hɪtʃhaɪk] *vi* per Anhalter fahren; **hitchhiker** *n* Anhalter(in *f*) *m*

hither and thither *adv* hierhin und dorthin

hitherto [hɪðə'tu:] *adv* ↑ *until now* bis jetzt

hitlist *n* (*IRA ~, Mafia ~*) Abschußliste *f*

hive [haɪv] *n* ↑ *bee-* Bienenstock *m;* ◇ **the office was a - of activity today** das Büro war heute der reinste Bienenstock; **hive off** *vi* ← *section of organisation* abspalten

HM *abbr. of* **His/Her Majesty**

hoard [hɔ:d] **I.** *n* (*of stolen treasure*) Hort, Schatz *m* **II.** *vt* ← *squirrel* → *acorns* horten; **hoarding** ['hɔ:dɪŋ] *n* [1] (*fence around building site*) Bretterzaun *m* [2] (*for large advertisements*) Plakatwand *f*

hoarfrost [hɔ:'frɒst] *n* Rauhreif *m*

hoarse [hɔːs] *adj* heiser
hoax [həʊks] *n* ↑ *trick* Streich *m*
hob [hɒb] *n* (*of cooker*) Kochplatte *f*
hobble ['hɒbl] **I.** *vi* (*walk with difficulty*) humpeln, hinken **II.** *vt* → *horse* die Fußfesseln anlegen
hobby ['hɒbɪ] *n* Hobby *s*, Freizeitvergnügen *s*
hobbyhorse *n:* ◇ **profit is a capitalist** ~ Gewinn ist ein Lieblingsthema der Kapitalisten
hobnob ['hɒbnɒb] *vi* (*with directors*) auf du und du sein
hobo ['həʊbəʊ] *n* <-[e]s> (*AM homeless traveller*) Stadtstreicher(in *f*) *m*, Penner(in *f*) *m*
hock [1] [hɒk] *n* weißer Rheinwein
hock [2] **I.** *n:* ◇ **to be in** ~ verpfändet sein; ◇ **to get s.th. out of** ~ etw auslösen **II.** *vt* → *family silver* verpfänden
hockey ['hɒkɪ] *n* (*ice* ~) Eishockey *s; (played on field)* Hockey *s*
hod [hɒd] *n* (*of bricklayer*) Tragmulde *f*
hoe [həʊ] **I.** *n* Hacke *f* **II.** *vt* hacken
hog [hɒg] **I.** *n* [1] Schwein *s; BRIT* Mastschwein *s* [2] ◇ **to go the whole** ~ Nägel mit Köpfen machen **II.** *vt* eigensüchtig raffen, sich *dat* aneignen; → *road* für sich brauchen
hoist [hɔɪst] **I.** *n* ↑ *device* Hebezeug *s* **II.** *vt* hochheben
hold [həʊld] <held, held> **I.** *vt* [1] → *shopping bag* halten, festhalten; ◇ **he held her in his arms** er hielt sie in seinen Armen [2] (*restrain or fix*) ◇ **they held the delinquent in custody** sie behielten den Täter in Haft; ◇ **it is held in place by dowels and glue** es wird durch Dübel und Leim zusammengehalten [3] (*keep strategic position*) besetzt halten; ◇ ~ **the fort while I'm out!** halte die Stellung, solange ich fort bin!; ◇ **to** ~ **your own** mithalten; ◇ ~ **the line, please!** bleiben Sie bitte dran! [4] (*have given capacity*) haben; ◇ **the plane ~s 277 people** das Flugzeug bietet 277 Passagieren Platz; ◇ **the tank ~s 45 litres** der Tank faßt 45 Liter [5] → *valid passport* haben [6] ↑ *contend* ◇ **I** ~ **that all men are equal** ich bin der Überzeugung, daß alle Menschen gleich sind; ◇ **to** ~ **s.o. personally responsible** jd-n persönlich verantwortlich machen [7] ↑ *organize* → *election* durchführen; → *rock concert* veranstalten [8] ↑ *keep back* → *breath* anhalten; ◇ ~ **your horses!** bleib' auf dem Teppich! **II.** *vi* ↑ *remain consistent* ← *offer* bestehen bleiben; ← *good weather* sich halten; ← *dam* halten; ◇ ~ **still!** halte still! **III.** *n* [1] (*act of holding*) Halten *s*, Festhalten *s* [2] ↑ *hand* ~ (*rung of ladder*) Handgriff *m* [3] ◇ **to have a** ~ **over s.o.** jd-n in seiner Gewalt haben [4] (*of ship*) Frachtraum *m;* **hold against** *vt sep:* ◇ **to** ~ **s.th.** ~ **s.o.** jd-m etw übelnehmen; **hold back I.** *vi* ↑ *hesitate* sich zurückhalten **II.** *vt sep* → *floods* stauen; → *emotions* verbergen; → *progress* hemmen, behindern **hold down** *vt sep* → *wrestler* niederhalten; → *prices* niedrig halten; **hold on** *vi* (~ ~ *tight*) sich festhalten (*to* an *dat*); TELECOM ◇ ~ ~, **please!** einen Moment, bitte; **hold onto** *vi +prep obj* festhalten; **hold out I.** *vt* → *hand* ausstrecken **II.** *vi* ↑ *endure* aushalten, durchhalten; **hold over** *vt sep* → *hearing* vertagen, verschieben (*until* auf *acc*); **hold to** *vi +prep obj* → *opinion* bleiben bei; **hold up I.** *vt sep* [1] → *picture* hochhalten; ← *foundations* tragen [2] → *proceedings* aufhalten [3] → *bank* überfallen **II.** *vi* ← *structure* stehenbleiben; ← *belief* standhalten
holdall ['həʊldɔːl] *n* Reisetasche *f*
holder *n* [1] ↑ *ticket*-~ Fahrkarteninhaber(in *f*) *m* [2] ↑ *candle* ~ Halter *m*
holding *n* [1] (*company shares*) Anteil *m* [2] (*land one rents or owns*) Land *s*
holdup *n* [1] ↑ *delay* Verzögerung *f;* ↑ *traffic* ~ Stauung *f* [2] ↑ *bank* ~ Überfall *m*
hole [həʊl] **I.** *n* [1] ▷*drill* ▷*golf* Loch *s* [2] (*FIG vile place*) Kaff *s* [3] ▷*rabbit* Bau *m* [4] *FIG* ◇ **I'm in a bit of a** ~ ich sitze in der Klemme **II.** *vt* löchern
holiday ['hɒlɪdɪ] *n* [1] ▷*national* Feiertag *m* [2] (*school* ~*s*) Ferien *pl* [3] ◇ **my dentist is on** ~ **at the moment** mein Zahnarzt macht gerade Urlaub; **holiday-maker** *n* Urlauber(in *f*) *m*
holiness ['həʊlɪnɪs] *n* [1] (*of saints*) Heiligkeit *f* [2] ◇ **His H~ Pope John Paul** Seine Heiligkeit Papst Johannes Paul
holler ['hɒlə*] *vti* brüllen
hollow ['hɒləʊ] **I.** *adj* [1] ▷*tree* hohl [2] ▷*face* hohl[-wangig], eingefallen [3] ▷*sound* hohl [4] ▷*argument* leer, Schein- **II.** *n* Höhlung *f;* (*in ground*) Senke, Mulde *f;* **hollow out** *vt* → *log* aushöhlen
holly ['hɒlɪ] *n* BIO Stechpalme *f*
holocaust ['hɒləkɔːst] *n* [1] ↑ *the H~* (*by Nazis*) Holocaust *m;* ↑ *genocide, mass-destruction* Massenvernichtung *f* [2] ↑ *fire* Inferno *s*
hologram ['hɒləgræm] *n* Hologramm *s*
holster ['həʊlstə*] *n* Pistolenhalfter *s or f*
holy ['həʊlɪ] *adj* [1] ↑ *divine* heilig [2] ▷*person* fromm [3] ▷*ground* geweiht; **Holy Communion** *n* Heilige Kommunion *f;* **Holy Ghost, Holy Spirit** *n* Heiliger Geist *m*
homage ['hɒmɪdʒ] *n* (*sign of respect*) Huldigung *f;* (*silent* ~) Ehrerbietung *f;* ◇ **to pay** ~ **to s.o.** jd-m huldigen
home [həʊm] **I.** *n* [1] (*where one normally lives*)

Heim, Zuhause *s;* (*o.'s place or area of origin*) Heimat *f;* ◇ **be ~ by 7!** sei bis 7 Uhr zu Hause!; ◇ **Munich is his ~** er ist in München zu Hause, München ist sein Zuhause/seine Heimat; ◇ **we stayed at ~ for the weekend** wir sind am Wochenende zu Hause geblieben [2] (*where s.th. normally lives or comes from*) Heimat *f;* ◇ **Britain is the ~ of democracy** Großbritannien ist das Mutterland [*o.* Ursprungsland *s*] der Demokratie [3] ↑ *children's ~* Kinderheim *s;* ↑ *old peoples' ~* Altenheim *s* [4] ◇ **to be/feel at ~ working with computers** mit der Arbeit am Computer vertraut sein [5] ◇ **make y.s. at ~!** fühlen Sie sich wie zu Hause! **II.** *adj* [1] ◇ **~ match** Heimspiel *s* [2] ◇ **London is my ~ town** London ist meine Heimatstadt **III.** *adv* [1] ◇ **why don't you come ~?** warum kommst du nicht nach Hause? [2] ◇ **to hit the nail ~** den Nagel einschlagen [3] ◇ **I can't bring it ~ to him** ich kann es ihm nicht begreiflich [*o.* klar] machen; **home in** *vi* ← *rocket* sich ausrichten (*on* auf *acc*); **home address** *n* Privatanschrift *f;* **home-brewed** *adj* ▷*beer* selbstgebraut; **homecoming** *n* Heimkehr *f;* **home economics** *n sg* Hauswirtschaftslehre *f;* **home help** *n* Haushaltshilfe *f;* **homeland** *n* [1] Heimatland *s* [2] ↑ *H~ (in South Africa)* Homeland *s zugewiesenes Siedlungsgebiet für Schwarze;* **homeless** *adj* (*without shelter*) obdachlos; **homely** *adj* ▷*atmosphere* behaglich, gemütlich; **home-made** *adj* hausgemacht, selbstgemacht; **Home Office** *n* (*BRIT*) Innenministerium *s*

homeopathy [həʊmɪ'ɒpəθɪ] *n s.* **homoeopathy**

homesick *adj:* ◇ **to be ~** Heimweh haben (*for* nach); **homespun** *adj* ▷*philosophy* einfach; **homestead** *n* ↑ *farm* Heimstätte *f;* **home truth** *n* unbequeme Tatsache *f;* **homeward** ['həʊmwəd] *adj* ▷*journey* Heim-

homework *n* Hausaufgaben *pl;* **homicidal** ['hɒmɪsaɪdəl] *adj* ▷*maniac* mörderisch; **homicide** ['hɒmɪsaɪd] *n* Totschlag *m,* Tötung *f;* ◇ **culpable ~** Mord *m*

homoeopathy [həʊmɪ'ɒpəθɪ] *n* MED Homöopathie *f*

homogeneous [hɒmə'dʒiːnɪəs] *adj* homogen; **homogenized** [hɒ'mɒdʒɪnaɪzd] *adj* ▷*milk* homogenisiert

homosexual [hɒməʊ'seksjʊəl] **I.** *adj* homosexuell; *FAM* schwul **II.** *n* Homosexuelle(r) *fm*

hone [həʊn] *vt* → *blade* schleifen, wetzen

honest ['ɒnɪst] *adj* [1] ▷*face* ehrlich; ◇ **to be ~, I don't care** das ist mir ehrlich gesagt egal [2] ▷*cashier* ehrlich, redlich; ◇ **to make an ~ living** sein Geld auf redliche Weise verdienen; **honestly I.** *adv* ehrlich **II.** *intj;* (*expression of irritation*) also ehrlich; **honesty** *n* [1] ↑ *truthfulness* Ehrlichkeit *f* [2] ↑ *decency* Anständigkeit *f*

honey ['hʌnɪ] *n* Honig *m;* **honeycomb** *n* Honigwabe *f;* **honeydew melon** *n* Honigmelone *f;* **honeymoon** *n* Flitterwochen *pl,* Hochzeitsreise *f;* **honeysuckle** *n* Geißblatt *s*

honk [hɒŋk] *vti* ← *goose* schreien; AUTO hupen

honorary ['ɒnərərɪ] *adj* ▷*president* ehrenamtlich

honour, honor (*AM*) ['ɒnə*] **I.** *vt* [1] → *absent friends* ehren; ◇ **to ~ s.o. with s.th.** jd-m etw verleihen [2] → *cheque* einlösen; → *contract* einhalten **II.** *n* [1] (*of France*) Ehre *f* [2] (*personal ~*) ↑ *integrity* Ehrgefühl *s,* Ehre *f* [3] ◇ **it is an ~ for me to work for you** es ist mir eine Ehre, für Sie zu arbeiten; ◇ **he is an ~ to the profession** er macht seinem Berufsstand Ehre [4] ◇ **your Honour, ...** (*way of addressing a judge*) Herr Vorsitzender / Frau Vorsitzende; **honourable** *adj* [1] ↑ *official* ehrenhaft [2] ▷*intention* ehrenvoll [3] (*polite address in parliament*) ◇ **the H~ member** ≈ der/die Herr/Frau Abgeordnete

hood [hʊd] *n* [1] (*of anorak*) Kapuze *f;* (*of cabriolet*) Verdeck *s* [2] *AM* ↑ *car bonnet* Motorhaube *f;* **hooded** *adj* ▷*eyes* mit schweren Lidern

hoodwink *vt* reinlegen

hoof [huːf] *n* <-s *o.* hooves> Huf *m*

hook [hʊk] **I.** *n* [1] ↑ *coat ~* [Kleider-]Haken *m* [2] ↑ *fish ~* [Angel-]Haken *m* [3] ◇ **~ and eye** Haken und Öse [4] ◇ **to deliver a right ~** einen rechten Haken anbringen [5] ◇ **to get off the ~** gerade davonkommen, aus dem Schneider kommen [6] TELECOM ◇ **off the ~** nicht aufgelegt, ausgehängt **II.** *vt* [1] → *trailer* anhängen (*to* an *dat*); → *fish* haken [2] ◇ **to ~ o.'s legs over s.th.** die Beine um etw schlingen; **hook on** *vt sep* → *worm* anhaken, anködern (*to* an *acc*); → *trailer* ankoppeln, anhängen (*to* an *acc*); **hook up** *vt sep:* ◇ **we ~ed the computer ~ with a modem** wir haben ein Modem an den Computer angeschlossen; **hooked** *adj* [1] ▷*nose* Haken- [2] ◇ **to be ~ed on heroin** heroinabhängig sein

hooligan ['huːlɪgən] *n* Hooligan, Rowdy *m*

hoop [huːp] *n* (*of barrel*) Reifen *m*

hooray *intj* (*shout of approval*) Hurra

hoot [huːt] **I.** *vi* [1] ← *owl* schreien, rufen; AUTO hupen [2] ◇ **to ~ with laughter** johlend lachen **II.** *n* [1] (*of owl*) Ruf *m,* Schrei *m;* AUTO Hupen *s* [2] ◇ **he doesn't give two ~s** das ist ihm völlig egal [3] ◇ **what a ~!** das ist ja zum Schreien; **hooter** *n* [1] NAUT Horn *s;* AUTO Hupe *f* [2] *FAM* ↑ *nose* Zinken *m*

hoover ® [huːvə] *n* Staubsauger *m*

hooves [huːvz] *n pl of* **hoof**
hop [hɒp] **I.** *vi* (1) ← *person* auf einem Bein hüpfen (2) ← *bird* hüpfen (3) ◇ **~ in and I'll give you a lift!** steig' ein, ich nehm' dich ein Stück mit; ◇ **to ~ off** aussteigen **II.** *vt* → *train* aufspringen auf *acc;* ◇ **~ it!** verschwinde!, zieh' Leine! **III.** *n* ↑ *jump* Sprung *m;* ↑ *short ~* Katzensprung *m*
hops [hɒps] *n pl* (*in beer*) Hopfen *m*
hope [həʊp] **I.** *vti* hoffen; ◇ **I ~ to finish tomorrow** ich glaube, daß ich morgen fertig werde; ◇ **I ~ (that) they grow well** ich hoffe, daß sie gut wachsen werden; ◇ **they ~ed for good weather** sie hofften auf gutes Wetter; ◇ **is Mary coming? I ~ so** kommt Mary? ich hoffe es **II.** *n* Hoffnung *f;* **hopeful** *adj* (1) ↑ *confident* hoffnungsvoll (2) ↑ *promising* vielversprechend; **hopefully** *adv* (1) (*love*) hoffnungsvoll (2) ◇ **~ it won't rain** hoffentlich wird es nicht regnen; **hopeless** *adj* (1) ↑ *without hope* hoffnungslos (2) ◇ **he is ~ at dancing** als Tänzer ist er ein hoffnungsloser Fall
hopper *n* TECHNOL Trichter *m*
hopscotch ['hɒpskɒʃ] *n* Hopse *f,* Himmel-und-Hölle-Spiel *s*
horde [hɔːd] *n* (*of tourists*) Horde *f*
horizon [hə'raɪzn] *n* Horizont *m*
horizontal [hɒrɪ'zɒntl] *adj* waagerecht, horizontal
hormone ['hɔːməʊn] *n* Hormon *s*
horn [hɔːn] *n* (1) (*of bull, also substance*) Horn *s;* (*~s, of stag*) Geweih *s* (2) (*car ~*) Hupe *f* (3) (*French ~*) Horn *s*
hornet ['hɔːnɪt] *n* Hornisse *f*
horny ['hɔːnɪ] *adj* (1) ▷*hands* schwielig (2) *FAM* ↑ *randy* scharf, geil
horoscope ['hɒrəskəʊp] *n* Horoskop *s*
horrendous [hɒ'rendəs] *adj* ▷*car accident* furchtbar, entsetzlich
horrible ['hɒrɪbl] *adj* ▷*personality* schrecklich, fürchterlich; ▷*food* miserabel; **horribly** ['hɒrɪblɪ] *adv* ▷*sing* fürchterlich
horrid *adj* ▷*little boy* gemein
horrific *adj* ▷*murder* entsetzlich, schrecklich; **horrify** ['hɒrɪfaɪ] *vt* entsetzen
horror ['hɒrə*] *n* (1) (*feeling of ~*) Grauen, Entsetzen *s* (2) ◇ **to have a ~ of heights** Höhenangst *f* haben (3) ◇ **little ~** kleines Biest; **horror film** *n* Horrorfilm *m*
hors d'oeuvre [ɔː'dɜːvr] *n* Vorspeise *f*
horse [hɔːs] *n* Pferd *s;* ↑ *steed* Roß *s;* **horseback** ◇ **on ~** zu Pferde; **horsebox** *n* Pferdetransporter *m;* **horse chestnut** *n* (*nut*) Roßkastanie *f;* **horse-drawn** *adj* ▷*carriage* Pferde-, pferdebespannt; **horseplay** *n* (*of children*) Raufen *s;* **horsepower** *n* AUTO Pferdestärke *f;* **horse-racing** *n* Pferderennsport *m;* **horseradish** *n* Meerrettich *m;* **horse sense** *n* gesunder Menschenverstand *m;* **horseshoe** *n* Hufeisen *s;* **horse-trading** *n FIG* Kuhhandel *m;* **horsey, horsy** ['hɔːsɪ] *adj* ▷*looks* pferdeähnlich
horticulture ['hɔːtɪkʌltʃə*] *n* Gartenbau *m*
hose ['həʊz] **I.** *n* ↑ *~pipe* Schlauch *m* **II.** *vt* → *lawn* bespritzen
hosiery ['həʊzɪərɪ] *n* Strumpfwaren *pl*
hospice ['hɒspɪs] *n* (*for terminally sick*) Hospiz *s*
hospitable [hɒ'spɪtəbl] *adj* gastfreundlich
hospital ['hɒspɪtl] *n* Krankenhaus *s,* Klinik *f*
hospitality [hɒspɪ'tælɪtɪ] *n* Gastfreundschaft *f*
hospitalize *vt* jd-n ins Krankenhaus einweisen
host [1] [həʊst] *n* (1) (*of party*) Gastgeber *m* (2) (*in hotel*) Wirt(in *f*) *m* (3) (MEDIA *on variety show*) Moderator *m*
host [2] [həʊst] *n* (*of difficulties*) Menge *f*
hostage ['hɒstɪdʒ] *n* Geisel *f*
hostel ['hɒstəl] *n* (*for asylum seekers*) Heim *s;* ↑ *Youth H~* Jugendherberge *f*
hostess ['həʊstes] *n* (1) (*of party*) Gastgeberin *f* (2) (*in Playboy Club*) Hosteß, Bardame *f* (3) ↑ *air ~* Stewardeß, Flugbegleiterin *f*
hostile ['hɒstaɪl] *adj* (1) ▷*expression* feindselig (2) ▷*territory* feindlich; **hostilities** *n pl* (*warlike fighting*) Feindseligkeiten *f pl;* **hostility** [hɒ'stɪlɪtɪ] *n* (*strong dislike*) Feindseligkeit *f*
hot [hɒt] *adj* (1) (*high temperature*) heiß; ◇ **a ~ meal** eine warme Mahlzeit (2) ▷*curry* scharf (3) ▷*temper* hitzig (4) ◇ **to be in ~ pursuit of s.th.** wie verrückt hinter einer Sache her sein; **hot up** *vi:* ◇ **the election is ~ting ~** der Wahlkampf tritt in seine heiße Phase; **hot air** *n* (*meaningless talk*) leeres Gerede *s;* **hot and bothered** *adj* aufgedreht; **hotbed** *n of corruption, FIG* Brutstätte *f;* **hot-blooded** *adj* heißblütig; **hotch-potch** ['hɒʃpɒʃ] *adj* Mischmasch *m;* **hot dog** *n* Hot dog *m or s*
hotel [həʊ'tel] *n* Hotel *s;* **hotelier** *n* Hotelbesitzer(in *f*) *m*
hotfoot *adv* ↑ *quickly* eilends; **hotheaded** [hɒt'hedɪd] *adj* ↑ *impetuous* hitzköpfig; **hothouse** ['hɒthaʊs] *n* Treibhaus *s;* **hotline** *n* heißer Draht *m;* **hotly** *adv* ▷*deny* heftig; ◇ **the thief was ~ pursued by a policeman** ein Polizist war dem Dieb dicht auf den Fersen *f;* **hotplate** *n* (*of cooker*) Heizplatte *f;* **hot-water bottle** [hɒt'wɔːtəbɒtl] *n* Wärmflasche *f*
hound [haʊnd] **I.** *n* [Jagd-]Hund *m* **II.** *vt* verfolgen; ◇ **to be ~ed by the press** von der Presse verfolgt werden
hour ['aʊə*] *n* (1) (*60 minutes*) Stunde *f* (2) (*start*

of ~) ◇ **at eighteen hundred** ~**s** um achtzehn Uhr; ◇ **trains leave on the** ~ (*1 o'clock, 2 o'clock, etc.*) die Züge verkehren stündlich; ◇ **22 minutes past the** ~ (*01.22, 02.22, 03.22, etc.*) zweiundzwanzig Minuten nach [der vollen Stunde]; ◇ **at all** ~**s** zu jeder Tages- und Nachtzeit, rund um die Uhr ③ (*set period, lunch* ~) Mittagspause *f;* ↑ *office* ~*s* ↑ *opening* ~*s* Öffnungszeiten *f pl;* ◇ **we do not work out of** ~**s** wir arbeiten nicht nach Geschäftsschluß ④ (*important moment*) ◇ **at the appointed** ~ zur vereinbarten Zeit; ◇ **she came in his** ~ **of need** sie kam zu ihm in der Stunde der Not; **hour hand** *n* Stundenzeiger *m;* **hourly** *adj* ① (*once every hour*) stündlich ② ▷*pay rate* stundenweise

house [haʊs] **I.** *n* ① (*neither flat nor appartment*) Haus *s; FIG* ◇ **we got on like a** ~ **on fire** wir wurden schnell miteinander warm; ◇ **to put your** ~ **in order** seine Angelegenheiten in Ordnung bringen; ◇ **to keep** ~ haushalten ② ◇ **hen**-~ Hühnerstall *m;* ◇ **opera** ~ Opernhaus *s* ③ ◇ **you're going to wake up the entire** ~ du wirst das ganze Haus aufwecken; ◇ **to play to a packed** ~ vor vollem Haus spielen ④ (*publishing* ~, *fashion* ~) -haus *s;* ◇ **drinks are on the** ~ die Getränke gehen auf Kosten des Hauses ⑤ (*H*~ *of Commons, H*~ *of Representatives*) Unter-, Oberhaus *s* ⑥ (*royal dynasty*) Haus *s;* ◇ **the H**~ **of Windsor** das Haus Windsor ⑦ ASTR ◇ **in the 7th** ~ im 7. Haus **II.** [haʊz] *vt* ① → *refugees* unterbringen, beherbergen ② ◇ **this building** ~**s a number of firms** in diesem Gebäude sind einige Firmen untergebracht; **house arrest** *n:* ◇ **to be under** ~ ~ unter Hausarrest stehen; **houseboat** *n* Hausboot *s;* **housebound** *adj* ans Haus gefesselt; **housebreaker** *n* (*criminal*) Einbrecher *m;* **household** ['haʊzhəʊld] *n* Haushalt *m;* **householder** *n* ↑ *owner* Hausinhaber(in *f*) *m;* **household name** *n* (*generally known*): ◇ **to become a** ~ ~ zu einem Begriff *m* werden; **housekeeper** *n* Haushälterin *f;* **housekeeping money** *n* Haushaltsgeld *s;* **houselights** *n* THEAT Saalbeleuchtung *f;* **houseman** *n* (*junior hospital doctor*) Assistenzarzt *m;* **house party** *n* mehrtägige Party *f;* **house-proud** *adj* ▷*housewife* übertrieben ordentlich; **house-trained** *adj* ▷*cat* stubenrein; **housewife** *n* <-wives> Hausfrau *f;* **housework** *n* (*cooking, washing*) Hausarbeit *f*

housing ['haʊzɪŋ] *n* ① (*accommodation considered collectively*) Wohnungsbau *m,* Wohnungsbeschaffung *f* ② (*of machine*) Gehäuse *nt;* **housing association** *n* Wohnungsbaugesellschaft *f;* **housing benefit** *n* Wohngeld *s;* **housing development** (*AM*), **housing estate** (*BRIT*) *n* Wohnsiedlung *f*

hovel ['hɒvəl] *n* ↑ *dirty little house* Bruchbude *f*

hover ['hɒvə*] *vi* ← *falcon* schweben; ◇ **to** ~ **over s.o.** jd-m nicht von der Seite weichen

hovercraft *n* Luftkissenfahrzeug *s*

how [haʊ] **I.** *adv* ① (*in questions*) wie; ◇ ~ **many** wieviele; ◇ ~ **much** wieviel; ◇ ~ **are you?** wie geht es Ihnen? ② (*intensifier*) ◇ ~ **I hate this work!** wie sehr ich diese Arbeit hasse! **II.** *cj:* ◇ **she can't recall** ~ **to spell his name** sie weiß nicht mehr, wie er seinen Namen schreibt

however [haʊ'evə*] **I.** *adv* ① ↑ *in spite of this* jedoch; ◇ **at first it was "no". Later, however, it was "yes".** zuerst hieß es "nein". Später jedoch hieß es "ja". ② ↑ *to whatever degree* wie auch immer; ◇ ~ **stupid the question, he answers it** egal wie dumm die Frage sein mag, er antwortet darauf ③ (*in questions conveying amazement*) ◇ ~ **did you manage it?** wie hast du das nur geschafft? **II.** *cj* ↑ *in any way* beliebig; ◇ **you can express love** ~ **you like** Liebe kann man auf jede beliebige Weise ausdrücken

howl [haʊl] **I.** *vi* ← *wolf* heulen; ← *baby* schreien; ◇ **to** ~ **with laughter** brüllend lachen **II.** *n* Heulen *s;* **howl down** *vt sep* → *speaker* niederschreien

howler ['haʊlə*] *n* ↑ *bad mistake* Schnitzer *m*

hp *abbr. of* **I.** *n* (*BRIT*) **hire purchase** Mietkauf *m* **II.** *n* **horse power** Pferdestärke *f,* PS *s*

HQ *n abbr. of* MIL **headquarters**

hr, hrs *n abbr. of* **hour, hours**

hub [hʌb] *n* (*of wheel*) Nabe *f;* (*of Europe*) Mittelpunkt *m,* Zentrum *s*

hubbub ['hʌbʌb] *n* Radau *m*

hub cap ['hʌbkæp] *n* Radkappe *f*

huddle ['hʌdl] *vi* sich kauern

hue [hju:] *n* (*shade of colour*) Schattierung *f*

huff [hʌf] **I.** *vi* (~ *and puff*) schnaufen und keuchen **II.** *n:* ◇ **to go off in a** ~ beleidigt [*o.* eingeschnappt] fortgehen

hug [hʌg] **I.** *vti* → *each other* umarmen; (*more intensely*) umklammern **II.** *vt* → *coast* dicht entlangfahren (an *dat*) **III.** *n* Umarmung *f*

huge [hju:dʒ] *adj* riesig

huh *intj* ① ↑ *what?* wie? ② (*expression of muffled surprise*) hä?

hulk [hʌlk] *n* ① (*body of ship*) Schiffsrumpf *m* ② (*person*) Klotz *m;* **hulking** *adj:* ◇ **a great** ~ **man** ein grobschlächtiger Kerl

hull [hʌl] **I.** *n* NAUT Schiffsrumpf *m* **II.** *vt* → *grain* enthülsen; → *strawberries* zupfen, entstielen

hullabaloo [hʌləbə'lu:] *n* Spektakel *s*

hullo [hʌ'ləʊ] *s.* **hello**

hum [hʌm] **I.** *n* (*of insects*) Summen *s;* (*of machinery*) Brummen *s* **II.** *vti* → *tune* summen **III.** *vi* ① ← *bee* summen ② ← *engine* brummen, dröhnen ③ ← *office* ◇ **the office was -ming with activity** im Büro ging es sehr geschäftig zu

human ['hju:mən] **I.** *adj* menschlich **II.** *n* Mensch *m;* **human being** *n* Mensch *m*

humane [hju:'meɪn] *adj* (*not brutal*) human

humanism *n* Humanismus *m*

humanitarian [hju:mænɪ'tɛərɪən] *adj* ▷*relief work* humanitär; **humanity** [hju:'mænɪtɪ] *n* ① (*crimes against* ~) Menschheit *f* ② ↑ *compassion* Mitgefühl *s;* ◇ **to show ~ to the defeated** Großmut gegenüber den Besiegten zeigen ③ ↑ *fallibility* menschliche Natur *f;* **humanities** *n* Geisteswissenschaften *pl;* **humanize** humanisieren

humanly *adv:* ◇ **to do as much as is ~ possible** alles Menschenmögliche tun; **human nature** *n* menschliche Natur *f;* **human rights** *n pl* Menschenrechte *pl*

humble ['hʌmbl] **I.** *adj* ① ▷*shopkeeper* einfach ② ▷*attitude* bescheiden **II.** *vt* → *enemy* demütigen, erniedrigen; **humbly** *adv* bescheiden

humbug ['hʌmdrʌm] *n* ① ↑ *mint* ~ Pfefferminzbonbon *m or s* ② ↑ *nonsense* dummes Zeug *s*, Humbug *m*

humdrum ['hʌmdrʌm] *adj* stumpfsinnig, fad

humerus ['hju:mərəs] *n* MED Oberarmknochen *m*

humid ['hju:mɪd] *adj* feucht; **humidify** *vt* befeuchten; **humidity** [hju:'mɪdɪtɪ] *n* (*of air*) Luftfeuchtigkeit *f*

humiliate [hju:'mɪlɪeɪt] *vt* erniedrigen; **humiliation** [hju:mɪlɪ'eɪʃən] *n* Demütigung *f*, Erniedrigung *f;* **humility** [hju:'mɪlɪtɪ] *n* Bescheidenheit *f*

humorist ['hju:mərɪst] *n* Humorist(in *f*) *m;* **humorous** ['hju:mərəs] *adj* ▷*person* humorvoll; ▷*story* lustig; ▷*idea* witzig; **humour**, **humor** (*AM*) ['hju:mə*] **I.** *n* ① Humor *m;* ◇ **a sense of ~** ein Sinn für Humor ② Laune *f;* (*in a good* ~) gutgelaunt **II.** *vt:* ◇ **to humour s.o.** jd-m seinen Willen lassen

hump [hʌmp] *n* (*of camel*) Höcker *m;* (*in landscape*) Buckel, Hügel *m*

humus ['hu:məs] *n* (*rich soil*) Humus *m*

hunch [hʌntʃ] **I.** *n* (*idea based on intuition*) Ahnung *f* **II.** *vt* → *shoulders* hochziehen; **hunchback** *n* (*back*) Buckel *m;* (*person*) Bucklige(r) *fm*

hundred ['hʌndrɪd] **I.** *pron* (*determiner: after quantity or number*) hundert; ◇ **several ~ beggars** einige hundert Bettler; ◇ **a/one ~ pounds** [ein-] hundert Pfund **II.** *n* (*after quantity/number, in sums*) hundert; (*unit of 100*) Hundert *f;* ◇ **how many ~s fit in a million?** wie viele Hundert gehen in eine Million?; ◇ **~s of reasons for leaving** Hunderte von Gründe wegzugehen; **hundredfold** *adj, adv* (*x 100*) hundertfach; **hundredweight** *n* ≈ Zentner *m USA 45,4 kg; GB 50,8 kg*

hung [hʌŋ] *pt, pp of* **hang**

Hungarian [hʌŋ'gɛərɪən] **I.** *adj* ungarisch **II.** *n* Ungar(in *f*) *m*

Hungary ['hʌŋgərɪ] *n* Ungarn *s*

hunger ['hʌŋgə*] **I.** *n* ① (*sensation*) Hunger *m* ② (*lack of food*) Hunger *m;* ◇ **to die of ~** verhungern, an Hunger sterben **II.** *vi:* ◇ **to ~ for s.th., to ~ after s.th.** ↑ *crave* nach etw hungern; **hunger strike** *n* Hungerstreik *m;* ◇ **to go on a ~ ~** in einen Hungerstreik treten; **hungry** ['hʌŋgrɪ] *adj* hungrig; ◇ **to be ~** Hunger haben, hungrig sein

hunk [hʌnk] *n* ① ▷*of bread* Brocken *m* ② (*FAM attractive man*) Traum *m* von einem Mann

hunky-dory [hʌŋkɪ'dɔ:rɪ] *adj:* ◇ **everything's ~** alles ist in Ordnung

hunt [hʌnt] **I.** *vti* → *big game* jagen **II.** *vt* → *escaped convict* jagen, verfolgen **III.** *vi* ↑ *search* jagen (*for* nach *dat*) **IV.** *n* Jagd *f*, Suche *f;* **hunter** *n* (*deer* ~) Jäger *m;* (*bargain* ~) Schnäppchenmacher *m*

hurdle ['hɜ:dl] **I.** *n* ↑ *obstacle* Hürde *f* **II.** *vi* Hürdenlauf machen

hurl [hɜ:l] *vt* schleudern

hurly-burly ['hɜ:rlɪ'bɜ:rlɪ] *n* Getümmel *s*

hurrah, **hurray** [hʊ'rɑ:, hʊ'reɪ] *intj* hurra

hurricane ['hʌrɪkən] *n* Hurrikan, Wirbelsturm *m;* **hurricane lamp** *n* Sturmlampe *f*

hurried ['hʌrɪd] *adj* ↑ *letter;* ▷*procedure* überstürzt; **hurriedly** *adv* eilig

hurry ['hʌrɪ] **I.** *n* Eile *f;* ◇ **to be in a ~** in Eile sein, es eilig haben; ◇ **to do s.th. in a ~** etw eilig [*o.* hastig] tun; ◇ **there's no ~** es hat keine Eile **II.** *vi* sich beeilen **III.** *vt* → *person* jd-n zur Eile anhalten; **hurry up I.** *vt sep* → *work* vorantreiben **II.** *vi:* ◇ **hurry up!** beeil' dich!

hurt [hɜ:t] <hurt, hurt> **I.** *vti* ① ↑ *cause pain* weh tun *dat* ② ↑ *cause injury* verletzen ③ ◇ **work? that won't ~ him!** Arbeit? das wird ihm nicht schaden! **II.** *adj:* ◇ **she was ~ by what they said** sie fühlte sich verletzt von dem, was sie gesagt haben; **hurtful** *adj* ▷*remark* verletzend

hurtle *vi*

husband ['hʌzbənd] **I.** *n* Ehemann *m;* ◇ **my ~ is …** mein Mann ist … **II.** *vt* ↑ *resources* sparsam umgehen mit

husbandry *n* ↑ *farming* Landwirtschaft *f*

hush [hʌʃ] I. *n* ↑ *silence* Stille *f;* ◇ **a ~ fell over the hall** plötzlich wurde es still im Saal II. *intj:* ◇ **~!** sei still/leise! III. *vt* beschwichtigen IV. *vi* ruhig sein; **hush up** *vt sep* → *scandal* vertuschen; **hushed** *adj* ▷*voices* gedämpft; **hush-hush** *adj* streng geheim

husk [hʌsk] *n* (*of rice*) Hülse *f*

husky [1] ['hʌskɪ] *adj* ▷*voice* rauchig; ↑ *hoarse* heiser

husky [2] ['hʌskɪ] *n* (*Eskimo dog*) Schlittenhund, Husky *m*

hustings ['hʌstɪŋz] *n pl* POL ↑ *election campaigning* Wahlkampf *m*

hustle ['hʌsl] I. *vti* drängen II. *n* Hetze *f;* ◇ **~ and bustle** (*of Christmas shopping*) das Drunter und Drüber; **hustler** *n* [1] (*straight*) Arbeitstier *s* [2] ↑ *prostitute* (*male*) Strichjunge, Stricher *m;* (*female*) Strichmädchen, Nutte *f*

hut [hʌt] *n* Hütte *f*

hutch [hʌtʃ] *n* (*rabbit ~*) Stall *m*

hyacinth ['haɪəsɪnθ] *n* Hyazinthe *f*

hybrid ['haɪbrɪd] I. *n* BIO Kreuzung *f* II. *adj* Misch-

hydrant ['haɪdrənt] *n* Hydrant *m*

hydraulic [haɪ'drɒlɪk] *adj* hydraulisch; **hydraulics** *n sg* Hydraulik *f*

hydrocarbon ['haɪdrəʊkɑːbən] *n* Kohlenwasserstoff *m*

hydroelectric ['haɪdrəʊɪ'lektrɪk] *adj* hydroelektrisch; **hydroelectric power station** *n* Wasserkraftwerk *s*

hydrofoil ['haɪdrəʊfɔɪl] *n* Tragflächenboot *s*

hydrogen ['haɪdrɪdʒən] *n* Wasserstoff *m;* **hydrogen bomb** *n* Wasserstoffbombe *f*

hydroponics [haɪdrə'pɒnɪks] *n sg* Hydrokultur *f*

hyena [haɪ'iːnə] *n* Hyäne *f*

hygiene ['haɪdʒiːn] *n* Hygiene *f;* **hygienic** [haɪ'dʒiːnɪk] *adj* hygienisch

hymen ['haɪmən] *n* Hymen *s*

hymn [hɪm] *n* Hymne *f*

hype [haɪp] I. *n* Werbung *f* II. *vt* durch Werbung aufblasen

hyperbole [haɪ'pɜːbəlɪ] *n* MATH Hyperbel *f*

hypermarket ['haɪpəmɑːkɪt] *n* (*AM*) großer Supermarkt *m*

hyper-tension *n* MED erhöhter Blutdruck *m,* Hypertonie *f*

hyphen ['haɪfən] *n* Bindestrich *m*

hypnosis [hɪp'nəʊsɪs] *n* <hypnoses> Hypnose *f;* **hypnotize** ['hɪpnətaɪz] *vt* hypnotisieren

hypochondriac [haɪpəʊ'kɒndrɪæk] *n* Hypochonder *m*

hypocrisy [hɪ'pɒkrɪsɪ] *n* (*secular*) Heuchelei *f;* (*religious*) Scheinheiligkeit *f;* **hypocrite** ['hɪpəkrɪt] *n* Heuchler(in *f*) *m;* **hypocritical** [hɪpə'krɪtɪkəl] *adj* heuchlerisch

hypodermic *n* MED ▷*injection* subkutan

hypothermia [haɪpəʊθɜː'mɪə] *n* MED Unterkühlung, Hypothermie *f*

hypothesis [haɪ'pɒθɪsɪs] *n* <hypotheses> Annahme *f,* Hypothese *f;* **hypothetic[al]** [haɪpəʊ'θetɪkəl] *adj* hypothetisch

hysterectomy [hɪstə'rektəmɪ] *n* MED Gebärmutterentfernung, Hysterektomie *f*

hysteria [hɪ'stɪərɪə] *n* Hysterie *f;* **hysterical** [hɪ'sterɪkəl] *adj* hysterisch; **hysterics** [hɪ'sterɪks] *n pl* Hysterie *f;* ◇ **to go into ~** hysterisch werden; (*laugh*) sich totlachen

I

I, i [aɪ] *n* I,i *s*

I [aɪ] *pron* ich

Iberia [aɪ'biːrɪə] *n* Iberien *s*

ice [aɪs] I. *n* Eis *s* II. *vt* GASTRON ↑ *frost* glasieren III. *vi* (*~ up*) vereisen; *FIG* ◇ **to break the ~** das Eis brechen; *FIG* ◇ **to walk on thin ~** sich auf's Glatteis begeben; ◇ **it's probably best to put it on ~** ↑ *on hold* es ist wahrscheinlich besser, die Sache auf Eis zu legen; **ice-axe** *n* Eispickel *m;* **iceberg** *n* Eisberg *m;* **ice-cap** *n* Eiskappe *f;* **ice-cold** *adj* eiskalt; **ice-cream** *n* Eiscreme *f* Eis *s;* **ice-cube** *n* Eiswürfel *m;* **iced** *adj* ▷*drink* eisgekühlt; ▷*cake* glasiert; **ice hockey** *n* SPORT Eishockey *s*

Iceland ['aɪslənd] *n* Island *s;* **Icelander** *n* Isländer(in *f*) *m;* **Icelandic** [aɪs'lændɪk] *adj* isländisch

ice lolly ['aɪslɒlɪ] *n* (*BRIT*) Eis *s* am Stiel; **ice rink** *n* Eisbahn, Schlittschuhbahn *f*

icicle ['aɪsɪkl] *n* Eiszapfen *m*

icing ['aɪsɪŋ] *n* (GASTRON *on cake*) Glasur *f,* Zuckerguß *m;* ◇ **~ sugar** Puderzucker *m;* (*in ice hockey*) unerlaubter Weitschuß *m*

icon ['aɪkɒn] *n* [1] Ikone *f* [2] PC Icon *s,* Sinnbild *s*

icy ['aɪsɪ] *adj* ▷*path* vereist; ▷*look* eisig

I'd [aɪd] = **I would; I had**

ID *n abbr. of* **identification** Ausweis *m*

idea [aɪ'dɪə] *n* Idee *f,* Vorstellung *f;* ◇ **that's a good ~** das ist eine gute Idee; ◇ **I have absolutely no ~ when they will return** ich habe überhaupt keine Ahnung, wann sie zurückkehren; ◇ **Have**

you any ~? Hast du eine Idee? [*o.* Was meinst du dazu?]; ◇ **don't get any ~s** mach' dir keine falschen Hoffnungen; ◇ **the very ~ makes me sick** bei dem alleinigen Gedanken wird mir schon übel

ideal [aɪ'dɪəl] **I.** *n* Ideal *s* **II.** *adj* ideal; **idealism** *n* Idealismus *m;* **idealist** *n* Idealist(in *f*) *m;* **ideally** *adv* im Idealfall, idealerweise

identical [aɪ'dentɪkəl] *adj* identisch; ◇ **~ twins** eineiige Zwillinge *m pl*

identifiable [aɪ'dentɪfaɪəbəl] *adj* ↑ *apparent, obvious* erkennbar, identifizierbar; **identification** [aɪdentɪfɪ'keɪʃən] *n* [1] (*process of identifying*) Identifizieren *s* [2] ↑ *recognition* Erkennung *f,* Identifizierung *f,* Identifikation *f* [3] ↑ *papers* Ausweis *m* [4] ↑ *empathy* Mitfühlen *s;* **identify** [aɪ'dentɪfaɪ] *vt* [1] (*relate to*) → *ideal, feeling* identifizieren, gleichsetzen (*o.s. with* mit *dat*) [2] ↑ *confirm identity* identifizieren [3] (*determine cause*) bestimmen

identikit picture [aɪ'dentɪkɪt'pɪktʃə*] *n* (*BRIT*) Phantombild *s*

identity [aɪ'dentɪtɪ] *n* Identität *f;* ◇ **mistaken ~** Verwechslung *f;* ◇ **proof of ~** Legitimation *f;* **identity card** *n* [Personal-]Ausweis *m;* **identity papers** *n pl* [Ausweis-]Papiere *pl*

ideology [aɪdɪ'ɒlədʒɪ] *n* Ideologie *f*

idiocy ['ɪdɪəsɪ] *n* [1] MED Idiotie *f* [2] ↑ *nonsense* Blödsinn *m*

idiom ['ɪdɪəm] *n* [1] ↑ *phrase, expression* Redewendung *f* [2] ↑ *style* Idiom *s*

idiosyncrasy [ɪdɪə'sɪŋkrəsɪ] *n* [1] ↑ *peculiarity* Eigenart *f,* Eigenheit *f* [2] MED Idiosynkrasie *f*

idiot ['ɪdɪət] *n* Idiot *m;* **idiotic** [ɪdɪ'ɒtɪk] *adj* idiotisch, blöd

idle ['aɪdl] *adj* ↑ *lazy* faul, träge; (*not active*) untätig; ↑ *useless* sinnlos, nutzlos; ▷*machine* stillstehend, außer Betrieb; ▷*gossip* leer; ▷*threat* leer; ◇ **an ~ life** ein faules Leben *s;* **idle away** *vt* ↑ *waste* → *life, time* verbummeln, vertrödeln; **idler** *n* Faulenzer(in *f*) *m*

idol ['aɪdl] *n* [1] (*movie star*) Idol *s* [2] (*god*) Götze *m;* **idolatry** *n* [1] (*of movie star, pop singer*) Vergötterung *f* [2] Götzendienst *m;* **idolize** ['aɪdəlaɪz] *vt* ↑ *worship* vergöttern

idyllic [ɪ'dɪlɪk] *adj* idyllisch

i.e. *abbr. of* **that means** d.h., das heißt

if [ɪf] *cj* wenn, falls; ◇ **~ it rains** falls es regnet; ◇ **to look as ~** aussehen, als ob; ◇ **~ only I was taller** wenn ich doch nur größer wäre; ◇ **~ I were you I'd take a holiday** wenn ich du wäre, würde ich Urlaub machen; ◇ **What ~ I miss my flight?** Was ist, wenn ich meinen Flug verpasse?; ◇ **~ only I had known ...** wenn ich das nur gewußt hätte ...; ◇ **~ I know him, he'll be late** so wie ich ihn kenne, wird er zu spät kommen; **iffy** *adj* ↑ *doubtful* ▷*situation* fraglich

igloo ['ɪglu:] *n* Iglu *m or s*

igneous [ɪ'gnɪəs] *n* GEOL ▷*rock* Eruptivgestein *s*

ignite [ɪg'naɪt] *vt* anzünden; **ignition** [ɪg'nɪʃən] *n* AUTO Zündung *f;* **ignition key** *n* AUTO Zündschlüssel *m*

ignoble [ɪg'nəʊbl] *adj* ↑ *dishonourable* unwürdig

ignoramus [ɪgnə'reɪməs] *n* Ignorant(in *f*) *m*

ignorance ['ɪgnərəns] *n* Ignoranz *f,* Unwissenheit *f;* **ignorant** *adj* [1] ↑ *not aware of* nichts wissen von; ◇ **to be ~ of the possibilities** die Möglichkeiten nicht kennen [2] ↑ *uninformed* ignorant; **ignore** [ɪg'nɔ:*] *vt* → *warning* ignorieren

iguana [ɪgwa:nə] *n* ZOOL Leguan *m*

ikon ['aɪkɒn] *n s.* **icon**

I'll [aɪl] = **I will; I shall**

ill [ɪl] **I.** *adj* [1] ↑ *sick* krank; ◇ **to feel ~** sich krank fühlen; ◇ **to fall ~** krank werden [*o.* erkranken] [2] ↑ *bad* schlecht, böse; ◇ **~ feelings** böse Gedanken; ◇ **~ will** böses Blut *s;* ◇ **to speak ~ of s.o.** schlecht von jd-m reden **II.** *n* Übel *s;* **ill-advised** *adj* schlecht beraten; **ill-at-ease** *adj* ↑ *awkward* unbehaglich; **ill-considered** *adj* ▷*choice* unbedacht; **ill-disposed** *adj* ↑ *unsympathetic*: ◇ **to be ~ towards s.o.** jd-m übel gesinnt sein

illegal [ɪlɪ:gəl] *adj* illegal, ungesetzlich, verboten

illegibility [ɪledʒɪ'bɪlɪtɪ] *n* Unleserlichkeit *f;* **illegible** [ɪ'ledʒəbl] *adj* unleserlich

illegitimate [ɪlɪ'dʒɪtɪmət] *adj* [1] ↑ *illegal* ▷*business* illegal, unerlaubt; ◇ **~ use of drugs** Drogenmißbrauch *m* [2] ▷*child* unehelich

ill-equipped *adj* ↑ *unable* unfähig; **ill-fated** ['ɪl'feɪtɪd] *adj* ↑ *doomed* ▷*mission* unselig, unglücklich; **ill-founded** *adj* ▷*accusation* unbegründet

illicit [ɪ'lɪsɪt] *adj* ↑ *illegal* unerlaubt, verboten; ◇ **~ sale** Schwarzhandel *m;* **illicitly** *adv* illegalerweise

illiteracy [ɪ'lɪtərəcɪ] *n* Analphabetentum *s;* **illiterate** [ɪ'lɪtərət] **I.** *adj* ungebildet **II.** *n* ▷*person* Analphabet(in *f*) *m;* **ill-mannered** ['ɪl'mænəd] *adj* ▷*child* ungezogen

illness ['ɪlnəs] *n* Krankheit *f*

illogical [ɪ'lɒdʒɪkəl] *adj* ▷*conclusion* unlogisch; **ill-suited** *adj* nicht zusammenpassend; **ill-tempered** *adj* schlecht gelaunt; **ill-timed** *adj* ↑ *inopportune* ungelegen; **ill-treat** ['ɪl'tri:t] *vt* mißhandeln

illuminate [ɪ'lu:mɪneɪt] *vt* [1] ↑ *lighten up* be-

I

leuchten, erhellen, erleuchten; (*for party*) festlich beleuchten ② ↑ *explain* erklären, erhellen, erleuchten; **illumination** [ɪluːmɪˈneɪʃən] *n* Beleuchtung *f*, Illumination *f*

illusion [ɪˈluːʒən] *n* Illusion *f;* ◇ **optical** ~ optische Täuschung *f;* ◇ **to be under an** ~ sich Illusionen machen [*o.* sich täuschen]; **illusive**, **illusory** [ɪˈluːsɪv, ɪˈluːsərɪ] *adj* ↑ *deceptive* illusorisch, trügerisch; **illusory** *adj* (*in vain*) hoffnungslos

illustrate [ˈɪləstreɪt] *vt* ① (*with pictures*) illustrieren ② ↑ *explain* erklären, klar machen; **illustration** [ɪləˈstreɪʃən] *n* ① ↑ *picture* Illustration *f* ② ↑ *explanation* Erklärung *f*, Erläuterung *f;* **illustrative** [ɪˈləstrətɪv] *adj* ↑ *explanatory* ▹*picture, diagram* erläuternd

illustrious [ɪˈlʌstrɪəs] *adj* ↑ *famous* berühmt

I'm [aɪm] = **I am**

image [ˈɪmɪdʒ] *n* ① ↑ *picture* Bild *s* ② (*impression given*) Image *s* ③ ↑ *similarity* Abbild *s;* ◇ **to be the spitting** ~ **of s.o.** jd-s Ebenbild *s* sein; **imagery** *n* Symbolik *f*

imaginable [ɪˈmædʒɪnəbl] *adj* vorstellbar; ◇ **the worst thing** ~ das Schlimmste, was man sich vorstellen kann; ◇ **the best solution** ~ die denkbar beste Lösung *f;* **imaginary** [ɪˈmædʒɪnərɪ] *adj* eingebildet; ◇ **she lives in an** ~ **world** sie lebt in einer Phantasiewelt; **imagination** [ɪmædʒɪˈneɪʃən] *n* ① ↑ *fantasy* Phantasie *f;* ◇ **to have a vivid** ~ eine rege [*o.* lebhafte] Phantasie haben ② Einbildung *f;* **imaginative** [ɪˈmædʒɪnətɪv] *adj* ① (*with fantasy*) phantasiereich ② ↑ *inventive, original* einfallsreich; **imagine** [ɪˈmædʒɪn] *vt* ① ↑ *picture* sich *dat* etw vorstellen ② (*wrongly assume*) sich *dat* etw einbilden ③ ↑ *suppose* annehmen

imbalance [ɪmˈbæləns] *n* Unausgeglichenheit *f*, Unausgewogenheit *f*

imbecile [ˈɪmbəsiːl] *n* Idiot *m*

imbue [ɪmˈbjuː] *vt* → *idea* erfüllen

imitate [ˈɪmɪteɪt] *vt* → *person, product* imitieren, nachahmen, nachmachen; → *signature* fälschen; **imitation** [ɪmɪˈteɪʃən] *n* Imitation *f*, Nachahmung *f;* **imitator** [ˈɪmɪteɪtə*] *n* Imitator(in *f*) *m*, Nachahmer(in *f*) *m*

immaculate [ɪˈmækjʊlɪt] *adj* ① ▹*condition* makellos, tadellos ② REL unbefleckt

immaterial [ɪməˈtɪərɪəl] *adj* ① unkörperlich ② unwesentlich

immature [ɪməˈtjʊə*] *adj* unreif; **immaturity** [ɪməˈtjʊərɪtɪ] *n* Unreife *f*

immeasurable [ɪˈmeʒərəbəl] *adj* unermeßlich, grenzenlos

immediate [ɪˈmiːdɪət] *adj* ① ↑ *instant* sofortig ② ↑ *nearby* unmittelbar ③ ▹*relative* nächste; ◇ **in the** ~ **future** in nächster Zukunft; **immediately** *adv* ↑ *right now* sofort; ↑ *directly* direkt, unmittelbar

immense [ɪˈmens] *adj* ↑ *huge, enormous* ▹*difficulty, problems* immens, riesig; ▹*sum* riesig; ▹*difference* gewaltig; ▹*success* enorm, Riesen-; **immensely** *adv* ↑ *huge* unheimlich; ◇ **I enjoyed myself** ~ ich habe mich köstlich amüsiert; **immensity** *n* ungeheure Größe *f;* ◇ **the** ~ **of the task** das gewaltige Ausmaß der Aufgabe

immerse [ɪˈmɜːs] *vt* eintauchen; ◇ **David was** ~**d in thought** David war in Gedanken versunken; ◇ ~**d in water** unter Wasser sein, untergetaucht sein; ◇ ~**d in work** in die Arbeit vertieft; **immersion heater** [ɪˈmɜːʃənhiːtə*] *n* Tauchsieder *m*

immigrant [ˈɪmɪgrənt] *n* Einwanderer *m*, Einwanderin *f;* **immigration** [ɪmɪˈgreɪʃən] *n* Einwanderung *f*, Immigration *f;* ◇ ~ **office** Einwanderungsbehörde *f*

imminent [ˈɪmɪnənt] *adj* (*about to happen*) bevorstehend; ◇ **to be in** ~ **danger** sich in unmittelbarer Gefahr befinden

immobile [ɪˈməʊbaɪl] *adj* ▹*car* unbeweglich; (*because of injury*) bewegungslos; **immobilize** [ɪˈməʊbɪlaɪz] *vt* → *limb* lähmen, unbeweglich machen; MIL → *troops* außer Gefecht setzen

immoderate [ɪˈmɒdərət] *adj* ↑ *excessive* unmäßig; ▹*demands* übertrieben

immoral [ɪˈmɒrəl] *adj* ▹*conduct* unmoralisch, unsittlich; **immorality** [ɪməˈrælɪtɪ] *n* Verderbtheit *f*

immortal [ɪˈmɔːtl] **I.** *adj* ▹*soul* unsterblich; *FIG* ▹*famous actor* unsterblich, unvergessen **II.** *n* Unsterbliche(r) *fm;* **immortality** [ɪmɔːˈtælɪtɪ] *n* Unsterblichkeit *f;* **immortalize** *vt* unsterblich machen

immovable [ɪˈmuːvəbl] *adj* unbeweglich; (*person's views*) fest, unerschütterlich

immune [ɪˈmjuːn] *adj* ① MED immun (*to, against* gegen *dat*) ② (*not susceptible*) immun; ◇ **they are** ~ **to your criticism** sie sind unempfänglich für deine Kritik; **immune deficiency syndrome** *n* Immunschwächekrankheit *f;* **immune system** *n* Immunsystem *s*

immunity [ɪˈmjuːnɪtɪ] *n* MED Immunität *f;* ◇ **diplomatic** ~ Immunität *f*

immunization [ɪmjʊnaɪˈzeɪʃən] *n* Immunisierung *f;* **immunize** [ˈɪmjʊnaɪz] *vt* immunisieren

immunodeficiency [ɪmjuːnəʊdɪˈfɪʃənsɪ] *n* Immunschwäche *f*

imp [ɪmp] *n* Kobold *m*

impact [ˈɪmpækt] *n* ① ↑ *collision* Aufprall *m*, Zusammenprall *m* ② ↑ *effect* Wirkung *f* ③ ↑ *force* Wucht *f* ④ (*on ground*) Aufschlag *m*

impair [ɪm'pɛə*] *vt* beeinträchtigen; → *sight, hearing* verschlechtern
impale [ɪm'peɪl] *vt* ↑ *skewer* aufspießen
impartial [ɪm'pɑːʃəl] *adj* unparteiisch; **impartiality** [ɪmpɑːʃɪ'ælɪtɪ] *n* Unparteilichkeit *f*
impassable [ɪm'pɑːsəbl] *adj* ▷*road* unpassierbar; ▷*obstacle* unüberwindbar
impasse *n* Sackgasse *f*
impassioned [ɪm'pæʃnd] *adj* ▷*speech* leidenschaftlich
impassive [ɪm'pæsɪv] *adj* ↑ *calm* ▷*expression* gelassen, ruhig
impatience [ɪm'peɪʃəns] *n* Ungeduld *f;* **impatient** *adj* ungeduldig
impeccable [ɪm'pekəbl] *adj* ↑ *excellent* ▷*condition* untadelig, tadellos
impecunious [ɪmpɪkjuːnɪəs] *adj* ↑ *poor* arm, mittellos
impede [ɪm'piːd] *vt* ↑ *hamper, hinder* behindern, erschweren; **impediment** [ɪm'pedɪmənt] *n* (1) MED ↑ *handicap* Behinderung *f;* ◇ **speech** ~ Sprachstörung *f* (2) ↑ *difficulty, obstacle* Hindernis *s*
impel [ɪm'pel] *vt* (1) ↑ *force* zwingen, nötigen (2) ↑ *drive* vorantreiben
impending [ɪm'pendɪŋ] *adj* ↑ *imminent* (nahe) bevorstehend; ▷*death* nahe; ▷*danger* drohend
impenetrable [ɪm'penɪtrəbl] *adj* (1) ▷*jungle* undurchdringlich; ▷*area* umwegsam (2) ▷*mystery* unergründlich
imperative [ɪm'perətɪv] **I.** *adj* ↑ *necessary* unbedingt erforderlich, unumgänglich; ↑ *urgent* dringend **II.** *n* LING Imperativ *m*, Befehlsform *f*
imperceptible [ɪmpə'septəbl] *adj* unmerklich, nicht wahrnehmbar; ▷*noise* unhörbar
imperfect [ɪm'pɜːfɪkt] *adj* (1) ↑ *defective, of bad quality* fehlerhaft, mangelhaft (2) ↑ *incomplete* unvollständig; **imperfection** [ɪmpə'fekʃən] *n* (1) *(defect)* Mangelhaftigkeit *f*, Fehlerhaftigkeit *f* (2) ↑ *incompletion* Unvollständigkeit *f*
imperial [ɪm'pɪərɪəl] *adj* kaiserlich; **imperialism** *n* Imperialismus *m*
imperil [ɪm'perɪl] *vt* ↑ *endanger* gefährden
impersonal [ɪm'pɜːsnl] *adj* unpersönlich; **impersonality** *n* Unpersönlichkeit *f*
impersonate [ɪm'pɜːsəneɪt] *vt* (1) ↑ *imitate* imitieren, nachahmen (2) ↑ *pretend to be s.o. else* sich ausgeben als; **impersonation** [ɪmpɜːsə'neɪʃən] *n* (1) ↑ *imitation* Imitation *f*, Nachahmung *f* (2) ↑ *impression* Verkörperung *f;* **impersonator** *n* Imitator(in *f*) *m*
impertinence [ɪm'pɜːtɪnəns] *n* Unverschämtheit *f*, Frechheit *f;* **impertinent** *adj* unverschämt, impertinent
imperturbable [ɪmpə'tɜːbəbl] *adj* unerschütterlich
impetus *n* (1) ↑ *force, drive* Triebkraft *f* (2) ↑ *momentum* Schwung *m*
impervious [ɪm'pɜːvɪəs] *adj* (1) ▷*membrane* undurchlässig (2) *not receptive, FIG* unempfänglich (*to* für)
impetuous [ɪm'petjʊəs] *adj* ↑ *impulsive* impulsiv; ▷*behaviour* ungestüm
impetus ['ɪmpɪtəs] *n* Triebkraft *f*
impinge on [ɪm'pɪndʒ ɒn] *vt* (1) ↑ *effect, influence* sich auswirken, beeinflussen (2) ↑ *strike, hit* auftreffen auf *acc;* **impingement** *n* (1) ↑ *effect* Auswirkung *f;* ↑ *influence* Einfluß *m* (2) ↑ *striking* Auftreffen *s*
impish ['ɪmpɪʃ] *adj* ▷*remark* frech, schelmisch
implacable [ɪm'plækəbl] *adj* ↑ *relentless* ▷*feeling, opponent* unversöhnlich
implant [ɪm'plɑnt] *n* MED Implantat *s*
implausible [ɪm'plɔːzəbl] *adj* ▷*statement, story* unglaubwürdig, unglaubhaft
implement ['ɪmplɪmənt] **I.** *n* ↑ *tool* Werkzeug *s;* ↑ *appliance, machine* Gerät *s* **II.** ['ɪmplɪment] *vt* durchführen, ausführen
implicate ['ɪmplɪkeɪt] *vt* verwickeln, hineinziehen; **implication** [ɪmplɪ'keɪʃən] *n* ↑ *meaning, significance* Implikation *f*, Bedeutung *f;* ◇ **the ~ of his actions** die Tragweite seiner Handlungen
implicit [ɪm'plɪsɪt] *adj* ↑ *suggested, hinted* unausgesprochen; (*mention*) bedingungslos
implore [ɪm'plɔː*] *vt* anflehen; **imploringly** *adv* ▷*look* flehend
imply [ɪm'plaɪ] *vt* (1) ↑ *hint at* andeuten (2) ↑ *conclude* implizieren
impolite [ɪmpə'laɪt] *adj* unhöflich
imponderable [ɪm'pɒndərəbl] *adj* unberechenbar
import [ɪm'pɔːt] **I.** *vt* importieren **II.** ['ɪmpɔːt] *n* (1) → *goods* Import *m* (2) ↑ *significance* Bedeutung *f*, Tragweite *f*
importance [ɪm'pɔːtəns] *n* Wichtigkeit *f;* ↑ *significance* Bedeutung *f;* ◇ **of no great ~** nicht besonders wichtig; **important** *adj* wichtig; ↑ *influential* ▷*person* bedeutend; ◇ **It isn't that ~!** So wichtig ist es auch wieder nicht!
import duty ['ɪmpɔːtdjuːtɪ] *n* Einfuhrzoll *m;* **importer** [ɪm'pɔːtə*] *n* Importeur(in *f*) *m;* **import licence** ['ɪmpɔːtlaɪsəns] *n* Einfuhrgenehmigung *f*
impose [ɪm'pəʊz] *vt, vi* auferlegen (*on* auf *acc*); → *sanctions* verhängen (*on* gegen *acc*); → *tax* erheben, besteuern; → *work* aufzwingen; ◇ **I wouldn't want to ~ myself on you** ich möchte mich dir nicht aufdrängen; ◇ **to ~ on s.o.'s gener-**

osity jd-s Großzügigkeit ausnutzen; **imposing** [ɪm'pəʊzɪŋ] *adj* ↑ *impressive* imponierend, beeindruckend; (*person's presence*) imposant; **imposition** [ɪmpə'zɪʃən] *n* (*demand, of fine*) Verhängung *f;* (*of tax*) Erhebung *f*

impossibility [ɪmpɒsə'bɪlɪtɪ] *n* Unmöglichkeit *f;* **impossible** *adj* unmöglich

imposter [ɪm'pɒstə*] *n* (*criminal*) Betrüger(in *f*) *m,* Hochstapler(in *f*) *m*

impotence ['ɪmpətəns] (1) MED Impotenz *f* (2) (*lack of capability*) Unfähigkeit *f* (3) ↑ *powerlessness* Machtlosigkeit, Ohnmacht *f;* **impotent** *adj* (1) MED ▷*sexually* impotent (2) ↑ *incapable* unfähig

impound [ɪm'paʊnd] *vt* ↑ *seize* beschlagnahmen; → *car* abschleppen

impoverished [ɪm'pɒvərɪʃt] *adj* (*very poor*) verarmt; **impoverishment** *n* Verarmung *f*

impracticable [ɪm'præktɪkəbl] *adj* ▷*plan* undurchführbar; **impractical** [ɪm'præktɪkəl] *adj* unpraktisch; ▷*plan* undurchführbar

imprecise [ɪmprə'saɪs] *adj* ungenau

impregnate ['ɪmpregneɪt] *vt* (1) (*fertilize*) befruchten; → *woman* schwängern (2) ↑ *soak* tränken; **impregnation** *n* (1) ↑ *saturation* Tränkung *f* (2) ↑ *fertilization* Befruchtung *f,* Schwängerung *f*

impresario [ɪmpre'sɑːrɪəʊ] *n* <-s> Impresario *m*

impress [ɪm'pres] *vt* (1) (*win admiration*) beeindrucken, Eindruck machen (2) ↑ *imprint* aufdrukken, eindrucken; **impression** [ɪm'preʃən] *n* (1) (*of s.o./s.th.*) Eindruck *m* (2) (*on surface*) ↑ *footprint* Abdruck *m;* ◇ **I was under the ~ that it was alright** ich hatte den Eindruck, daß alles in Ordnung war, mir schien alles in Ordnung zu sein; **impressionable** *adj* leicht zu beeindrucken; **impressionist** *n* Impressionist(in *f*) *m;* **impressive** *adj* eindrucksvoll

imprint ['ɪmprɪnt] *n* (*on leather*) Abdruck *m;* → *paper* Aufdruck *m*

imprison [ɪm'prɪzn] *vt* inhaftieren, einsperren, ins Gefängnis schicken; **imprisonment** *n* Inhaftierung *f,* Gefangenschaft *f*

improbable [ɪm'prɒbəbl] *adj* unwahrscheinlich

impromptu [ɪm'prɒmptjuː] *adj, adv* ↑ *spontaneous* aus dem Stegreif

improper [ɪm'prɒpə*] *adj* (1) ↑ *wrong* falsch, ungeeignet (2) ↑ *unsuitable* ▷*behavior* unanständig

improve [ɪm'pruːv] **I.** *vt* → *product* verbessern; → *knowledge* erweitern; → *appearance* verschönern **II.** *vi* sich verbessern, besser werden; **improvement** *n* Verbesserung *f;* Erweiterung *f;* Verschönerung *f*

improvisation [ɪmprəvaɪ'zeɪʃən] *n* Improvisation *f;* **improvise** ['ɪmprəvaɪz] *vt, vi* improvisieren

imprudence [ɪm'pruːdəns] *n* (1) (↑ *carelessness*) Unvorsichtigkeit *f* (2) ↑ *stupidity* Unklugheit *f;* **imprudent** *adj* (1) ↑ *careless* unvorsictig (2) ↑ *unwise* unklug

impudent ['ɪmpjʊdənt] *adj* ↑ *disgraceful* unverschämt

impulse ['ɪmpʌls] *n* (1) PHYS, MED, PSYCH Impuls *m* (2) ↑ *drive* Triebkraft *f;* ◇ **on ~** impulsiv; ◇ **Paddy's first ~ was to run away** Paddys erster Gedanke war, schnell wegzulaufen; **impulsive** [ɪm'pʌlsɪv] *adj* ▷*action, remark* spontan; ▷*decision* unbedacht

impure [ɪm'pjʊə*] *adj* ↑ *not clean* unrein, verunreinigt; ↑ *mixed up* vermischt; ▷*thoughts* schmutzig; **impurity** [ɪm'pjʊərɪtɪ] *n* Unreinheit *f*

in [ɪn] **I.** *prep* (1) (*where*) in; ◇ **~ my bag** in meiner Tasche; ◇ **~ the house** im Haus; ◇ **I live ~ Germany** ich lebe in Deutschland (2) ↑ *made of* aus; ◇ **~ gold** aus Gold (3) (*time*) in; ◇ **~ November** im November; ◇ **~ 1968** im Jahre 1968; ◇ **~ the beginning** am Anfang (4) (*manner, way*) ◇ **to talk ~ English** englisch reden; ◇ **~ this way we can see more** auf diese Weise können wir mehr sehen (5) (*work, occupation*) ◇ **she's ~ the advertising business** sie ist in der Werbebranche, sie macht in Werbung; ◇ **Hugh's ~ the army** Hugh ist beim Militär (6) ◇ **~ that ...** insofern, als ...; ◇ **to be ~ trouble** in Schwierigkeiten stecken; ◇ **to pay ~ pounds** mit Pfund zahlen **II.** *adv* hinein

inability [ɪnə'bɪlɪtɪ] *n* Unfähigkeit *f;* ◇ **~ to pay** Zahlungsunfähigkeit *f*

inaccessible [ɪnæk'sesəbl] *adj* ▷*information* unzugänglich; (▷*place, hard to reach*) unerreichbar; ▷*person* unzugänglich; **inaccesibility** *n* Unzugänglichkeit *f;* (*also of area*) Unerreichbarkeit *f*

inaccuracy [ɪn'ækjʊrəsɪ] *n* Ungenauigkeit *f;* **inaccurate** [ɪn'ækjʊrɪt] *adj* ungenau; ◇ **an ~ sum** ein falscher Betrag *m*

inaction [ɪn'ækʃən] *n* Untätigkeit *f;* **inactive** [ɪn'æktɪv] *adj* ▷*person* untätig; ▷*mind* träge; ▷*volcano* erloschen; **inactivity** [ɪnæk'tɪvɪtɪ] *n* Untätigkeit *f*

inadequacy [ɪn'ædɪkwəsɪ] *n* (1) ↑ *non-sufficience* Unzulänglichkeit *f* (2) (*of sentence*) Unangemessenheit *f;* **inadequate** *adj* (1) unzulänglich, ungenügend (2) unangemessen

inadmissible [ɪnəd'mɪsəbl] *adj* JUR ▷*evidence* unzulässig

inadvertently [ɪnəd'vɜːtəntlɪ] *adv* versehentlich, aus Versehen

inadvisable [ɪnəd'vaɪzəbl] *adj* nicht ratsam, nicht empfehlenswert
inane [ɪ'neɪn] *adj* albern, geistlos, dumm
inanimate [ɪn'ænɪmət] *adj* leblos, langweilig
inapplicable [ɪnə'plɪkəbl] *adj* nicht zutreffend
inappropriate [ɪnə'prəʊprɪət] *adj* (1) ↑ *unsuitable* ▷*subject, discussion, clothes* ungeeignet, unpassend (2) ▷*behaviour* unangebracht
inapt [ɪn'æpt] *adj* ↑ *inappropriate* unpassend; **inaptitude** *n* Unfähigkeit *f*
inarticulate [ɪnɑː'tɪkjʊlət] *adj* ↑ *unintelligible* unverständlich; ◇ **Joe is ~** Joe kann sich nicht klar ausdrücken
inasmuch as [ɪnəz'mʌtʃəz] *adv* da, weil
inattention [ɪnə'tenʃən] *n* Unaufmerksamkeit *f;* **inattentive** [ɪnə'tentɪv] *adj* unaufmerksam
inaudible [ɪn'ɔːdəbl] *adj* unhörbar
inaugural [ɪ'nɔːgjʊrəl] *adj* ↑ *opening* Einweihungs-, Eröffnungs-; (*of president*) ◇ **~ speech** Amtsantrittsrede *f;* **inaugurate** [ɪ'nɔːgjʊreɪt] *vt* (1) ▷*to office* jd-n in sein Amt einsetzen/einführen (2) ↑ *introduce* → *policy* einführen; **inauguration** [ɪnɔːgjʊ'reɪʃən] *n* (1) ▷*to office* Amtseinführung *f* (2) ↑ *introduction* Einführung *f*
inauspicious [ɪnɔː'spɪʃəs] *adj* ▷*circumstances* unheilträchtig
inborn ['ɪn'bɔːn] *adj* ↑ *inbred* angeboren
inbred ['ɪn'bred] *adj* (1) ▷*quality* angeboren (2) ◇ **They look ~, don't they?** Die sehen nach Inzucht aus, oder?
inbreeding ['ɪn'briːdɪŋ] *n* Inzucht *f*
incalculable [ɪn'kælkjʊləbl] *adj* ▷*person* unberechenbar; ▷*consequences* unabsehbar, unermeßlich; ▷*amount* unschätzbar
incantation [ɪnkæn'teɪʃən] *n* ↑ *chant* Zauberformel *f*
incapable [ɪn'keɪpəbl] *adj* (1) ↑ *not able* nicht imstande, unfähig (2) ↑ *helpless* hilflos; **incapability** *n* Unfähigkeit *f*
incapacitate [ɪnkə'pæsɪteɪt] *vt* ↑ *weaken* untauglich machen; **incapacitated** *adj* (*not able to work*) arbeitsunfähig; ▷*machine* nicht gebrauchsfähig; ↑ *handicapped* behindert; **incapacity** *n* Unfähigkeit *f;* ◇ **~ for work** Arbeitsunfähigkeit *f*
incarcerate [ɪn'kɑːsəreɪt] *vt* einkerken
incarnate [ɪn'kɑːnɪt] *adj* (1) *FIG* ↑ *in person* leibhaftig (2) REL fleischgeworden; **incarnation** [ɪnkɑː'neɪʃən] *n* (1) REL Inkarnation *f*, Menschwerdung *f* (2) ↑ *embodiment* Verkörperung *f;* ◇ **the ~ of all evil** die Verkörperung des Bösen
incendiary [ɪn'sendɪərɪ] **I.** *adj* Brand-; *FIG* ▷*actions* aufrührerisch **II.** *n* ▷*bomb*
incense ['ɪnsens] **I.** *n* Weihrauch *m* **II.** [ɪn'sens] *vt* ↑ *anger* wütend machen, erzürnen
incentive [ɪn'sentɪv] *n* Anreiz *m*
inception [ɪn'sepʃən] *n* ↑ *beginning* Anfang *m*
incertitude [ɪn'sɜːtɪtjuːd] *n* ↑ *uncertainty* Unsicherheit *f*
incessant [ɪn'cesənt] *adj* ▷*noise* unaufhörlich; ▷*crying* ständig, andauernd
incest ['ɪnsest] *n* Inzest *m*
inch [ɪntʃ] *n* Zoll *m 2,54 cm*
incidence ['ɪnsɪdəns] *n* (1) PHYS Einfall *m* (2) (*of crime*) Häufigkeit *f* (3) ↑ *disturbance* Vorfall *m;* ◇ **without ~** ohne Zwischenfälle
incident ['ɪnsɪdənt] *n* ↑ *occurence* Vorfall *m;* ↑ *disturbance* Zwischenfall *m*
incidental [ɪnsɪ'dentl] *adj* (1) ↑ *coincidental* ▷*visit* zufällig (2) ↑ *unimportant* nebensächlich (3) ▷*remark* beiläufig (4) (*costs incurred*) ◇ **~ costs** Nebenkosten *pl;* **incidentally** [ɪnsɪ'dentəlɪ] *adv* ↑ *coincidentally* nebenbei bemerkt, übrigens
incinerator [ɪn'sɪnəreɪtə*] *n* Verbrennungsofen *m*
incision [ɪn'sɪʒən] *n* ↑ *cut* Einschnitt *m*
incisive [ɪn'saɪsɪv] *adj* ▷*person* scharfsinnig; ▷*remark, report* prägnant, treffend
incite [ɪn'saɪt] *vt* anstacheln, aufhetzen
inclination [ɪnklɪ'neɪʃən] *n* ↑ *tendency* Neigung *f;* **incline** ['ɪnklaɪn] **I.** *n* ↑ *slope* Abhang *m* **II.** [ɪn'klaɪn] *vt* ↑ *tend to* neigen; ↑ *to cause, FIG* veranlassen **III.** *vi* sich neigen; ◇ **if I feel ~d to do it** wenn ich Lust darauf habe; (*have a tendency*) ◇ **I'm ~d to believe ...** ich neige dazu zu glauben ...
include [ɪn'kluːd] *vt* einschließen, aufnehmen; ◇ **~d in the price** im Preis inbegriffen; ◇ **am I ~d?** gilt das auch für mich?; **including** *prep:* ◇ **~ the food** das Essen inbegriffen; ◇ **12, ~ you** mit dir sind das 12; **inclusion** [ɪn'kluːʒən] *n* Einbeziehung *f*, Aufnahme *f;* **inclusive** [ɪn'kluːsɪv] *adj* einschließlich, inklusive
incognito [ɪnkɒg'niːtəʊ] *adv* inkognito
incoherent [ɪnkəʊ'hɪərənt] *adj* zusammenhangslos, unzusammenhängend
income ['ɪnkʌm] *n* (*of individual*) Einkommen *s;* ↑ *business profits* Einkünfte *pl;* ◇ **the high ~ group** die Besserverdienenden *pl;* **income tax** *n* (*of employee*) Lohnsteuer *f;* (*of self-employed*) Einkommenssteuer *s*
incoming ['ɪnkʌmɪŋ] *adj* ▷*traffic* ankommend; ▷*mail* eingehend; ↑ *successive* nachfolgend
incomparable [ɪn'kɒmpərəbl] *adj* ▷*beauty, intelligence* unvergleichlich
incompatible [ɪnkəm'pætəbl] *adj* ▷*couple* nicht zusammenpassend; ▷*appliance, machine* inkompatibel, nicht zusammenpassend

incompetence [ɪn'kɒmpɪtəns] *n* Inkompetenz *f*, Unfähigkeit *f;* **incompetent** *adj* inkompetent, unfähig
incomplete [ɪnkəm'pli:t] *adj* ▷*work* unvollständig, unfertig; **incompleteness** *n* Unvollständigkeit *f*, Unvollkommenheit *f*
incomprehensible [ɪnkɒmprɪ'hensəbl] *adj* ▷*message, statement* unverständlich
inconceivable [ɪnkən'si:vəbl] *adj* ▷*idea* ↑ *unimaginable* unvorstellbar
inconclusive [ɪnkən'klu:sɪv] *adj* ▷*evidence* nicht schlüssig; ▷*investigation* ergebnislos; ▷*argument* nicht überzeugend
incongruity [ɪnkɒŋ'gru:ɪtɪ] *n* ① ↑ *discord* Unstimmigkeit *f* ② (*of remark*) Unangebrachtheit *f;* **incongruous** [ɪn'kɒŋgrʊəs] *adj* ▷*remark* unpassend; ▷*couple* nicht zusammenpassend
inconsequential [ɪnkɒnsɪ'kwenʃəl] *adj* belanglos, inkonsequent
inconsiderable [ɪnkən'sɪdərəbl] *adj* unbedeutend, unwichtig
inconsiderate [ɪnkən'sidərət] *adj* ↑ *careless* rücksichtslos; ↑ *hasty* unbesonnen
inconsistency [ɪnkən'sɪstənsɪ] *n* Ungereimtheit *f*, Widerspruch *m;* **inconsistent** *adj* ① ▷*behaviour* widersprüchlich ② ↑ *irregular* ungleichmäßig
inconsolable [ɪnkən'səʊləbəl] *adj* untröstlich
inconspicuous [ɪnkən'spɪkjʊəs] *adj* ① ↑ *discreet* unauffällig ② ↑ *unobtrusive* unauffällig
inconstancy [ɪn'kɒnstənsɪ] *n* Unbeständigkeit *f;* **inconstant** *adj* unbeständig
incontestable [ɪnkən'testəbl] *adj* unanfechtbar
incontinence [ɪn'kɒntɪnəns] *n* ① MED Inkontinenz *f* ② (*FIG of desires*) Hemmungslosigkeit *f;* **incontinent** *adj* MED inkontinent; *FIG* hemmungslos
inconvenience [ɪnkən'vi:nɪəns] **I.** *n* (*in hotel room*) Unbequemlickeit *f;* (*trouble to others*) Unannehmlichkeit *f* **II.** *vt:* ◇ **to ~ s.o.** jd-m *dat* Umstände bereiten; **inconvenient** *adj* unbequem; ▷*time* ungelegen
incorporate [ɪn'kɔ:pəreɪt] *vt* ① ↑ *include* aufnehmen ② ↑ *contain, join* enthalten, vereinigen; **incorporated** *adj* ① ↑ *included* inbegriffen ② *AM* ≈ GmbH
incorrect [ɪnkə'rekt] *adj* ↑ *statement* unrichtig, inkorrekt; ▷*behaviour* ungehörig; ◇ **to ~ly assume** fälschlicherweise annehmen
incorrigible [ɪn'kɒrɪdʒəbl] *adj* ↑ *hopeless* unverbesserlich
incorruptible [ɪnkə'rʌptəbl] *adj* ① (*with bribe*) unbestechlich ② ↑ *indestructable* unverderblich
increase ['ɪnkri:s] **I.** *n* ① ↑ *rise* Zunahme *f;* ↑ *pay* ~ Gehaltserhöhung *f* ② ↑ *enlargement* Vergrößerung *f* **II.** [ɪn'kri:s] *vt* ↑ *raise* erhöhen; ◇ **~d demand** erhöhte Nachfrage *f;* → *population* vermehren; ◇ **on the ~** im Wachstum begriffen **III.** *vi* ← *problems* zunehmen; ↑ *get bigger* größer werden; ← *prices* steigen; (*more and more*) ◇ **an increasing number of people want to study** immer mehr Menschen wollen studieren; **increasingly** [ɪn'kri:sɪŋlɪ] *adv* zunehmend, immer mehr
incredible [ɪn'kredɪbl] *adj* unglaublich
incredulity [ɪnkrɪ'dju:lɪtɪ] *n* Ungläubigkeit *f;* **incredulous** [ɪn'kredjʊləs] *adj* ↑ *surprised* ungläubig, überrascht
increment ['ɪnkrɪmənt] *n* ↑ *increase* Zulage *f*, Zunahme *f*
incriminate [ɪn'krɪmɪneɪt] *vt* belasten
incubation [ɪnkjʊ'beɪʃən] *n* Ausbrüten *s;* **incubation period** *n* MED Inkubationszeit *f*
incubator ['ɪnkjʊbeɪtə*] *n* (*for chickens*) Brutapparat *m;* MED Inkubator, Brutkasten *m*
incur [ɪn'kɜ:*] *vt* → *anger* auf sich *akk* ziehen; → *debts* Schulden machen; → *loss* Verluste erleiden
incurable [ɪn'kjʊərəbl] *adj* ▷*disease* unheilbar; *FIG* unverbesserlich
indebted [ɪn'detɪd] *adj* ↑ *obliged* verpflichtet (*to s.o.* jd-m); ↑ *owing* verschuldet
indecency [ɪn'di:snsɪ] *n* ↑ *lewdness* Unanständigkeit *f;* **indecent** [indecent] *adj* ① ↑ *unacceptable* ungebührlich ② ↑ *obscene* obszön, unanständig; JUR ◇ **~ exposure** ≈ Erregung *f* öffentlichen Ärgernisses
indecipherable [ɪndɪ'saɪfərəbl] *adj* ▷*writing* nicht zu entziffern, unleserlich
indecision [ɪndɪ'sɪʒən] *n* Unentschlossenheit *f*
indecisive [ɪndɪ'saɪsɪv] *adj* ▷*person* unentschlossen; ▷*result* ergebnislos
indeed [ɪn'di:d] *adv* ↑ *certainly, in fact* wirklich, in der Tat; ◇ **yes ~!** oh ja!
indefinable [ɪndɪ'faɪnəbl] *adj* undefinierbar; ↑ *vague* unbestimmbar
indefinite [ɪn'defɪnɪt] *adj* ▷*number* unbestimmt; **indefinitely** *adv* ▷*valid* auf unbestimmte Zeit; (*wait*) endlos
indelible [ɪn'deləbl] *adj* ↑ *permanent* unauslöschlich; ◇ **~ pencil** Tintenstift *m*
indelicate [ɪn'delɪkɪt] *adj* ↑ *tactless* ▷*person* taktlos, geschmacklos
indemnify [ɪn'demnɪfaɪ] *vt* entschädigen; ↑ *safeguard* absichern
indentation [ɪnden'teɪʃən] *n* ① (*in car*) Delle *f* ② PRINT Beule *f*
independence [ɪndɪ'pendəns] *n* Unabhängig-

keit *f;* ◇ **I- Day** (*AM*) Unabhängigkeitstag *m;* **independent** *adj* [1] unabhängig (*of* von *dat*) [2] ◇ **these are - studies** diese Untersuchungen haben nichts miteinander zu tun
in depth *adj* ▷*study* eingehend
indescribable [ɪndɪ'skraɪbəbl] *adj* unbeschreiblich; ↑ *horrible* schrecklich
index ['ɪndeks] *n* [1] (*of book*) Verzeichnis *s,* Index *m* [2] REL Index *m;* **index finger** *n* Zeigefinger *m*
India ['ɪndɪə] *n* Indien *s;* **Indian** ['ɪndɪən] **I.** *adj* [1] (*from India*) indisch [2] *AM* ↑ *Red -* indianisch **II.** *n* [1] (*from India*) Inder(in *f*) *m* [2] *AM* ↑ *Red -* Indianer(in *f*) *m;* ◇ **- Ocean** Indischer Ozean *m;* **Indian Summer** *n* (*in North America*) Spätsommer, Indianersommer *m*
indicate ['ɪndɪkeɪt] **I.** *vt* [1] ← *data* ↑ *suggest* hinweisen auf *acc* [2] ↑ *show, register* anzeigen; → *temperature* anzeigen [3] ↑ *hint at* andeuten [4] ↑ *signify* erkennen lassen **II.** *vi* ← *car* blinken; **indication** [ɪndɪ'keɪʃən] *n* [1] Hinweis *m* [2] Anzeichen *s* [3] Andeutung *f*
indicative [ɪn'dɪkətɪv] **I.** *n* (LING) Indikativ *m* **II.** *adj* bezeichnend für
indicator ['ɪndɪkeɪtə*] *n* [1] (*sign*) Anzeichen *s* [2] AUTO Blinker *m*
indict [ɪn'daɪt] *vt* ↑ *accuse* anklagen; **indictable** *adj* ▷*offence* strafbar; **indictment** [ɪn'daɪtmənt] *n* ↑ *accusation* Beschuldigung *f;* JUR Anklage *f*
indifference [ɪn'dɪfrəns] *n* (*lack of concern*) Gleichgültigkeit *f,* Indifferenz *f;* **indifferent** *adj* ↑ *uninterested* gleichgültig; ↑ *mediocre* mittelmäßig
indigence [ɪ'ndɪdʒəns] *n* ↑ *need* Bedürftigkeit *f*
indigenous [ɪn'dɪdʒɪnəs] *adj* ↑ *native* einheimisch; ◇ **- to the area** in diesem Gebiet beheimatet
indigestible [ɪndɪ'dʒestəbl] *adj* unverdaulich
indigestion [ɪndɪ'dʒestʃən] *n* Magenverstimmung *f*
indignant [ɪn'dɪgnənt] *adj* empört, entrüstet; **indignation** [ɪndɪg'neɪʃən] *n* Empörung *f,* Entrüstung *f*
indignity [ɪn'dɪgnɪtɪ] *n* ↑ *humiliation* Demütigung *f*
indigo ['ɪndɪgəʊ] **I.** *n* <-[e]s> Indigo *s* **II.** *adj* indigoblau
indirect [ɪndɪ'rekt] *adj* indirekt
indirectly *adv* ▷*answer* nicht direkt
indiscernable [ɪndɪ'sɜːnəbl] *adj* ▷*changes* unmerklich
indiscreet [ɪndɪ'skriːt] *adj* ↑ *unwise* unbedacht, unbesonnen; (*incautious manner*) indiskret; **indiscretion** [ɪndɪ'skreʃən] *n* Unbesonnenheit *f,* Indiskretion *f*
indiscriminate [ɪndɪ'skrɪmɪnət] *adj* ↑ *general* urteillos, kritiklos
indispensable [ɪndɪ'spensəbl] *adj* ↑ *necessary* unentbehrlich
indisposed [ɪndɪ'spəʊzd] *adj* [1] ↑ *ill* krank [2] ◇ **to be - to s.th.** einer Sache nicht zugeneigt sein; ◇ **I'm - to go there** ich möchte lieber nicht dorthin gehen; **indisposition** [ɪndɪspə'zɪʃən] *n* Unpäßlichkeit *f*
indisputable [ɪndɪ'spjuːtəbl] *adj* ↑ *undeniable* unstreitig; ▷*evidence, facts* unanfechtbar
indistinct [ɪndɪ'stɪŋkt] *adj* ↑ *vague, unclear* undeutlich
indistinguishable [ɪndɪ'stɪŋgwɪʃəbl] *adj* ↑ *similar* nicht zu unterscheiden
individual [ɪndɪ'vɪdjʊəl] **I.** *n* Einzelne(r) *fm,* Person *f* **II.** *adj* individuell, einzeln; ◇ **- case** Einzelfall *m;* ↑ *unique* eigentümlich; **individualist** *n* Individualist(in *f*) *m;* **individuality** [ɪndɪvɪdjʊ'ælɪtɪ] *n* Individualität *f;* **individually** *adv* individuell, einzeln
Indo-China [ɪndəʊ'tʃaɪnə] *n* Indochina *s*
indoctrinate [ɪn'dɒktrɪneɪt] *vt* ↑ *brainwash* indoktrinieren; **indoctrination** [ɪndɒktrɪ'neɪʃən] *n* ↑ *brainwashing* Indoktrination *f*
indolent ['ɪndələnt] *adj* ↑ *lazy* träge
Indonesia [ɪndəʊ'niːzɪə] *n* Indonesien *s*
indoor ['ɪndɔː*] *adj* Haus-, Zimmer-; SPORT Hallen-; ◇ **- tennis** Hallentennis *s;* ◇ **- swimming pool** Hallenbad *s;* ◇ **- plant** Zimmerpflanze *f;* **indoors** *adv* im Haus, drinnen
indubitable *adj* ↑ *undoubted* zweifellos, unzweifelhaft
induce [ɪn'djuːs] *vt* [1] ↑ *cause* veranlassen [2] ↑ *make* aufzwingen [3] ↑ *initiate* → *labour* einleiten; **inducement** *n* [1] ↑ *cause* Veranlassung *f* [2] ↑ *incentive* Anreiz *m*
induct [ɪn'dʌkt] *vt* → *president* in das Amt einführen
indulge [ɪn'dʌldʒ] **I.** *vt* [1] ↑ *enjoy* frönen (*s.th. dat*) [2] (*be weak*) nachgeben (*s.th./s.o. dat*) **II.** *vi* frönen *dat;* **indulgence** *n* Nachsicht *f,* Verwöhnung *f;* **indulgent** *adj* nachsichtig
industrial [ɪn'dʌstrɪəl] *adj* industriell, Industrie-; ▷*dispute* Arbeits-; ◇ **- action** Arbeitskampf *m;* ◇ **- tribunal** Arbeitsgericht *s;* ◇ **- disease** Berufskrankheit *f;* **industrialist** *n* Industrielle(r) *fm;* **industrialize** *vt* industrialisieren
industrious [ɪn'dʌstrɪəs] *adj* ↑ *hard-working* fleißig
industry ['ɪndəstrɪ] *n* [1] (*steel -*) Industrie *f* [2] ↑ *hard work* Fleiß *m*

inebriated [ɪ'ni:brɪeɪtɪd] *adj* ↑ *drunk* betrunken
inedible [ɪn'edɪbl] *adj* ungenießbar
ineffective [ɪnɪ'fektɪv] *adj* ① ▷*measures* unwirksam ② ▷*person* unfähig
inefficiency [ɪnɪ'fɪʃənsɪ] *n* Ineffizienz *f;* **inefficient** *adj* ① ↑ *bad* ▷*method* ineffizient ② ↑ *ineffective* ▷*measure* unwirksam
inelegance [ɪn'elɪgəns] *n* Ungeschliffenheit *f;* **inelegant** [ɪn'elɪgənt] *adj* unelegant, ungeschliffen
ineligibility *n* (*for position, job*) Untauglichkeit *f;* **ineligible** [ɪn'elɪdʒəbl] *adj* (*no right*) nicht berechtigt; ◇ - **for a loan** nicht kreditwürdig
inept [ɪ'nept] *adj* ↑ *clumsy* ▷*person* unbeholfen; ▷*remark* unpassend, ungeschickt; **ineptness** *n* Ungeschicktheit *f*
inequality [ɪnɪ'kwɒlɪtɪ] *n* Ungleichheit *f*
inequity [ɪne'kwɪtɪ] *n* ↑ *injustice* Ungerechtigkeit *f*
ineradicable [ɪnɪ'rædɪkəbl] *adj* ↑ *fixed* ▷*mistake* unausrottbar
inert [ɪ'nɜ:t] *adj* ↑ *immobile* unbeweglich; CHEM ◇ - **gas** Edelgas *s*
inertia [ɪ'nɜ:ʃə] *n* ↑ *apathy* Trägheit *f*
inescapable [ɪnɪ'skeɪpəbl] *adj* ▷*fact* unvermeidbar; ▷*truth* zwangsläufig
inessential [ɪnɪ'senʃəl] *adj* unwesentlich
inestimable [ɪn'estɪməbl] *adj* ▷*value* unschätzbar
inevitability [ɪnevɪtə'bɪlɪtɪ] *n* Unvermeidlichkeit *f;* **inevitable** [ɪn'evɪtəbl] *adj* unvermeidlich; ◇ **Jan inevitably came home late** Jan kam wie immer zu spät nach Hause
inexact [ɪnɪg'zækt] *adj* ungenau
inexcusable [ɪnɪks'kju:zəbl] *adj* unverzeihlich
inexhaustible [ɪnɪg'zɔ:stəbl] *adj* ▷*wealth* unerschöpflich; ▷*person* unermüdlich
inexorable [ɪn'eksərəbl] *adj* ↑ *relentless* unerbittlich; ▷*truth* unumstößlich
inexpensive [ɪnɪks'pensɪv] *adj* nicht teuer, preiswert
inexperience [ɪnɪks'pɪərɪəns] *n* Unerfahrenheit *f;* **inexperienced** *adj* ▷*driver* unerfahren
inexplicable [ɪnɪks'plɪkəbl] *adj* unerklärlich
inexpressible [ɪnɪks'presəbl] *adj* ▷*joy, happiness* unbeschreiblich; ▷*views, thoughts* unausdrückbar
infallible [ɪn'fæləbl] *adj* unfehlbar
infamous ['ɪnfəməs] *adj* ↑ *shameful* niederträchtig; ▷*deed* niederträchtig, schändlich
infamy ['ɪnfəmɪ] *n* Schande *f*
infancy ['ɪnfənsɪ] *n* frühe Kindheit *f*
infant ['ɪnfənt] *n* ↑ *baby* Säugling *m;* ↑ *small child* Kleinkind *s;* ◇ - **mortality** Säugligssterblichkeit *f;* **infantile** ['ɪnfəntaɪl] *adj* infantil, kindlich; **infant school** *n* Vorschule *f*
infantry ['ɪnfəntrɪ] *n* MIL Infanterie *f*
infatuated [ɪn'fætjʊeɪtɪd] *adj* ↑ *in love* vernarrt; *FAM* verknallt; ◇ **to become - with** sich vernarren in *acc;* **infatuation** [ɪnfætjʊ'eɪʃən] *n* Vernarrtheit *f* (*with* in *acc*)
infect [ɪn'fekt] *vt* anstecken, infizieren; **infection** [ɪn'fekʃən] *n* (*transmission of disease*) Infektion *f;* (*of tissue*) Entzündung *f;* **infectious** [ɪn'fekʃəs] *adj* MED ansteckend; ◇ - **disease** Infektionskrankheit *f; FIG* ▷*laughter* ansteckend
infer [ɪn'fɜ:*] *vt* ① ↑ *conclude* schließen, folgern ② ↑ *imply* andeuten; **inferable** *adj* ableitbar; **inference** ['ɪnfərəns] *n* Folgerung *f,* Schluß *m*
inferior [ɪn'fɪərɪə*] **I.** *adj* ▷*position* niedriger; ▷*quality* minderwertig; ◇ **as a writer she is - to him** als Schriftstellerin ist sie ihm unterlegen **II.** *n* ▷*person* Untergebene(r) *fm;* **inferiority** [ɪnfɪərɪ'ɒrɪtɪ] *n* ① ▷*mental, physical* Unterlegenheit *f* ② (*in rank*) niedrigere Stellung *f;* **inferiority complex** *n* Minderwertigkeitskomplex *m*
infernal [ɪn'fɜ:nl] *adj* ▷*fire* höllisch
inferno [ɪn'fɜ:nəʊ] *n* <-s>: ◇ **the -s** die Hölle; *FIG* ◇ **a blazing -** ein flammendes Inferno *s*
infertile [ɪn'fɜ:taɪl] *adj* ▷*land* unfruchtbar
infertility [ɪnfɜ:'tɪlɪtɪ] *n* Unfruchtbarkeit *f*
infest [ɪn'fest] *vt* plagen; ↑ *covered* ◇ **the place was -ed with rats** das Haus war voller Ratten; **infestation** *n* Verseuchung *f*
infidel ['ɪnfɪdəl] *n* ↑ *unbeliever* Ungläubige(r) *fm*
infidelity [ɪnfɪ'delɪtɪ] *n* Untreue *f*
infiltrate ['ɪnfɪltreɪt] **I.** *vt* ↑ *penetrate secretly* infiltrieren; → *secret agent* einschleusen **II.** *vi* MIL einsickern; POL unterwandern (*into s.th. acc*)
infinite ['ɪnfɪnɪt] *adj* ↑ *unlimited* unendlich; ◇ **an - amount of space** ein unbeschränktes Raumangebot; **infinitely** *adv* ↑ *considerably* ▷*better* unendlich viel
infinitive [ɪn'fɪnɪtɪv] *n* LING Infinitiv *m*
infinity [ɪn'fɪnɪtɪ] *n* Unendlichkeit *f;* ◇ **to -** ins Unendliche
infirm [ɪn'fɜ:m] *adj* ↑ *weak* schwach; ↑ *irresolute* willensschwach
infirmary [ɪn'fɜ:mərɪ] *n* ↑ *hospital* Krankenhaus *s*
infirmity [ɪn'fɜ:mɪtɪ] *n* ↑ *weakness* Schwäche *f*
inflame [ɪn'fleɪm] *vt* ① MED ← *wound, skin* sich entzünden ② ↑ *rouse* reizen, erregen, ärgern ③ → *desire* entfachen
inflammable [ɪn'flæməbl] *adj* entzündlich, feuergefährlich; ◇ **a highly - substance** eine leicht entzündliche Substanz

inflammation [ɪnflə'meɪʃən] *n* (*redness or swelling on skin*) Entzündung *f*
inflammatory *adj* ▷*speech* aufrührerisch, aufwiegelnd
inflatable [ɪn'fleɪtəbl] *adj* (*with air*) aufblasbar; ◇ ~ **lifejacket** aufblasbare Rettungsweste/Schwimmweste *f;* **inflate** [ɪn'fleɪt] *vt* ↑ *blow up* aufblasen; → *prices* hochtreiben; → *idea* ↑ *puff up* aufblähen, aufbauschen; **inflated** *adj* ↑ *exaggerated* ▷*opinion* übertrieben
inflation [ɪn'fleɪʃən] *n* FIN Inflation *f*
inflect [ɪn'flekt] *vt* LING flektieren, beugen
inflexible [ɪn'fleksəbl] *adj* ↑ *rigid, strict* ▷*person* unflexibel, starr; ▷*object* unbiegsam, starr
inflict [ɪn'flɪkt] *vt* ↑ *impose* zufügen; → *punishment* auferlegen (*on s.o.* jd-m); → *injury* beibringen (*on s.o.* jd-m)
inflow [ɪn'fləʊ] *n* (*of water, gas*) Einströmen *s,* Zustrom *m; of people, FIG* Andrang, Zustrom *m*
influence ['ɪnflʊəns] **I.** *n* Einfluß *m;* ◇ **to be a bad ~ on s.o.** einen schlechten Einfluß auf jd-n haben/ausüben; ◇ **to be under the ~ of alcohol** unter Alkoholeinfluß *m* stehen **II.** *vt* beeinflussen; **influential** [ɪnflʊ'enʃəl] *adj* ↑ *powerful* ▷*person* einflußreich
influenza [ɪnflʊ'enzə] *n* MED Grippe *f*
influx ['ɪnflʌks] *n* (*movement, of people*) Zustrom *m*
inform [ɪn'fɔːm] *vt* (1) (*give information*) informieren; ◇ **please keep me ~ed** bitte halten Sie mich auf dem laufenden; ◇ **I'm pleased to ~ you that ...** ich freue mich, Ihnen mitteilen zu können, daß... (2) ↑ *tell, spy* ◇ **he ~s against his colleagues** er denunziert seine Kollegen
informal [ɪn'fɔːməl] *adj* (1) ↑ *casual* (*social gathering*) zwanglos (2) ▷*behaviour* lässig; **informality** [ɪnfɔː'mælɪtɪ] *n* Ungezwungenheit *f*
informant [ɪn'fɔːmənt] *n* ↑ *spy* Informant *m*
information [ɪnfə'meɪʃən] *n* Information *f,* Auskunft *f;* ◇ **to ask for ~** um Auskunft bitten; ◇ ~ **desk** Auskunftsschalter *m;* ◇ **she did very well for your ~** zu Ihrer Information: sie hat es sehr gut gemacht; **information scientist** *n* Informatiker(in *f*) *m*
informative [ɪn'fɔːmətɪv] *adj* ▷*TV programme* informativ; ▷*person* mitteilsam
informer [ɪn'fɔːmə*] *n* ↑ *spy* Informant(in *f*) *m,* Spitzel *m*
infra-red ['ɪnfrə'red] *adj* ▷*light* infrarot
infrastructure ['ɪnfrəstrʌktʃə*] *n* Infrastruktur *f*
infrequent [ɪn'friːkwənt] *adj* ↑ *rare* selten
infringe [ɪn'frɪndʒ] *vt* → *law* mißachten; → *rights* verletzen; **infringe upon** *vt* ↑ *trespass, encroach upon* verletzen; **infringement** *n* Verletzung *f,* Verstoß *m*
infuriate [ɪn'fjʊərɪeɪt] *vt* ↑ *anger* wütend machen; **infuriating** *adj* ärgerlich
infused *adj* (*with hope, joy*) erfüllt
infusion [ɪn'fjuːʒən] *n* (1) (MED *therapy*) Infusion *f* (2) (*brew*) Aufguß, Tee *m*
ingenious [ɪn'dʒiːnɪəs] *adj* ▷*idea* toll, genial, glänzend; **ingenuity** [ɪndʒɪ'njuːɪtɪ] *n* ↑ *inventiveness, cleverness* Findigkeit *f*
ingest [ɪn'dʒest] *vt* → *food* zu sich nehmen, aufnehmen
ingoing [ɪn'gəʊɪŋ] *adj* ▷*mail* eingehend
ingot ['ɪŋgət] *n* Barren *m*
ingrained [ɪn'greɪnd] *adj* ▷*belief, memory* unerschütterlich
ingratiate [ɪn'greɪʃɪeɪt] *vr:* ◇ ~ **o.s.** sich einschmeicheln (*with s.o.* bei jd-m)
ingratitude [ɪn'grætɪtjuːd] *n* Undankbarkeit *f*
ingredient [ɪn'griːdɪənt] *n* (1) ↑ *part* Bestandteil *m* (2) (GASTRON *of cake*) Zutat *f*
ingrowing *adj* ▷*nail* einwachsend
inhabit [ɪn'hæbɪt] *vt* ↑ *to live (in)* bewohnen; **inhabitable** *n* ▷*house* bewohnbar; **inhabitant** *n* (*of house*) Bewohner(in *f*) *m;* (*of country, area*) Einwohner(in *f*) *m*
inhale [ɪn'heɪl] *vt* ↑ *breathe in* einatmen; MED inhalieren
inherent [ɪn'hɪərənt] *adj* ↑ *innate* ▷*quality* innewohnend (*to dat*)
inherit [ɪn'herɪt] *vt* erben; **inheritance** *n* Erbe *s,* Erbschaft *f*
inhibit [ɪn'hɪbɪt] *vt* (1) ↑ *discourage* hemmen (2) ↑ *restrain* hindern; **inhibited** *adj* gehemmt; **inhibition** [ɪnhɪ'bɪʃən] *n* ↑ *discouragement* Hemmung *f*
inhospitable [ɪnhɒ'spɪtəbl] *adj* ↑ *unfriendly* ▷*person* unfreundlich, ungastlich
inhuman [ɪn'hjuːmən] *adj* unmenschlich
inhumane *adj* ↑ *cruel* ▷*treatment* inhuman, unmenschlich
inimical [ɪ'nɪmɪkl] *adj* ↑ *hostile* feindselig
inimitable [ɪ'nɪmɪtəbl] *adj* unnachahmlich
iniquity [ɪ'nɪkwɪtɪ] *n* ↑ *injustice* Ungerechtigkeit *f*
initial [ɪ'nɪʃəl] **I.** *adj* ↑ *first* anfänglich, Anfangs- **II.** *n letter* Initiale *f,* Anfangsbuchstabe *m* **III.** *vt* ↑ *sign* abzeichnen; POL paraphieren; **initially** *adv* anfänglich, am Anfang
initiate [ɪ'nɪʃɪeɪt] *vt* (1) ↑ *introduce* einführen (2) ↑ *teach* einarbeiten (3) ↑ *start* → *negotiations* einleiten, aufnehmen
initiative [ɪ'nɪʃətɪv] *n* Initiative *f;* ◇ **to take the ~** die Initiative ergreifen

inject [ɪn'dʒekt] *vt* MED injizieren; TECH einspritzen; **injection** *n* MED Injektion *f*
injunction [ɪndʒʌŋ'kʃən] *n* JUR gerichtliche Verfügung *f*
injure ['ɪndʒə*] *vt* ▷*bodily* verletzen; → *feelings* verletzen, kränken; *FIG* schaden; **injurious** *adj* ↑ *damaging, unhealthy* schädlich; **injury** ['ɪndʒərɪ] *n* Verletzung *f*
injustice [ɪn'dʒʌstɪs] *n* ↑ *wrong* Ungerechtigkeit *f*
ink [ɪŋk] *n* Tinte *f;* ◇ ~ **pot** Tintenfaß *s*
inkling ['ɪŋklɪŋ] *n* ↑ *vague idea* leise Ahnung *f*
inky *adj* ↑ *dark* tintenschwarz
inland ['ɪnlænd] *adj* (*away from coast*) Binnen-; ↑ *domestic* Inlands-; **inland revenue** *n* (*BRIT*) Finanzamt *s*
in-law ['ɪnlɔː] *n* angeheiratete(r) Verwandte(r); ◇ **I do not get along with my ~s** ich verstehe mich nicht so gut mit meinen Schwiegereltern
inlet ['ɪnlet] *n* (1) ↑ *opening* Einlaß *m,* Öffnung *f* (2) (*creek*) kleine Bucht *f,* Meeresarm *m*
inmate ['ɪnmeɪt] *n* (*s.o. in prison*) Insasse *m,* Insassin *f*
inn [ɪn] *n* Gasthaus *s*
innate [ɪ'neɪt] *adj* ↑ *inborn* angeboren
inner ['ɪnə*] *adj* inner, Innen-
innermost *adj* ↑ *deepest* tiefste(r), innerste(r)
inning *n* (SPORT *basketball*) Inning *s*
innkeeper *n* Gastwirt(in *f*) *m*
innocence ['ɪnəsns] *n* (1) ↑ *naivety* Unschuldigkeit *f* (2) ↑ *guiltlessness* Unschuldigkeit *f;* **innocent** *adj* (1) ↑ *naive* unschuldig, arglos (2) ↑ *not guilty* unschuldig
innocuous [ɪ'nɒkjʊəs] *adj* ↑ *harmless* harmlos
inoffensive [ɪnə'fensɪv] *adj* harmlos
inoperable [ɪnɒ'pərəbl] *adj* (1) ▷*plan* undurchführbar (2) MED nicht operierbar, inoperabel
innovation [ɪnəʊ'veɪʃən] *n* ↑ *change* Neuerung *f;* **innovative** [ɪnə'veɪtɪv] *adj* ↑ *progressive* ▷*idea, policy* innovativ
innuendo [ɪnjʊ'endəʊ] *n* <-es> (*reference*) indirekte Andeutung *f*
innumerable [ɪ'njuːmərəbl] *adj* ↑ *countless* unzählig
inoculation [ɪnɒkjʊ'leɪʃən] *n* Impfung *f*
inopportune [ɪn'ɒpətjuːn] *adj* ↑ *inconvenient* ungelegen, unpassend, ungünstig
inordinately [ɪ'nɔːdɪnɪtlɪ] *adv* ↑ *excessively* unmäßig, übermäßig
inorganic [ɪnɔː'gænɪk] *adj* nicht organisch; CHEM anorganisch
in-patient ['ɪnpeɪʃənt] *n* stationärer Patient
input ['ɪnpʊt] *n* (1) (*resources, money, labour*) Einsatz *m* (2) *information,* PC Eingabe *f* (3) ↑ *investment* Investition *f*
inquest ['ɪnkwest] *n* ↑ *investigation* gerichtliche Untersuchung *f*
inquire [ɪn'kwaɪə*] **I.** *vi* ↑ *ask* sich erkundigen **II.** *vt* → *train times* sich erkundigen nach; **inquire into** *vt* ↑ *investigate* untersuchen; **inquiring** *adj* ▷*look* fragend; **inquiry** [ɪn'kwaɪərɪ] *n* (1) ↑ *question* Erkundigung *f* (2) ↑ *investigation* Untersuchung *f;* **inquiry office** *n* Auskunft *f*
inquisitive [ɪn'kwɪzɪtɪv] *adj* ↑ *nosey, curious* neugierig
inrush *n* (*of water*) Zustrom *m*
insane [ɪn'seɪn] *adj* (1) ↑ *mad* ▷*idea* wahnsinnig, verrückt (2) MED geisteskrank
insanitary [ɪn'sænɪtərɪ] *adj* ▷*conditions* unhygienisch
insanity [ɪn'sænɪtɪ] *n* MED Wahnsinn *m*
insatiable [ɪn'seɪʃəbl] *adj* ▷*desire* unersättlich
inscription [ɪn'skrɪpʃən] *n* (1) ↑ *dedication* Widmung *f* (2) ↑ *carving* Inschrift *f*
inscrutable [ɪn'skruːtəbl] *adj* ↑ *mysterious* unergründlich
insect ['ɪnsekt] *n* ZOOL Insekt *s;* ◇ ~ **bite** Insektenstich *m;* **insecticide** [ɪn'sektɪsaɪd] *n* Insektenvernichtungsmittel, Insektizid *s*
insecure [ɪnsɪ'kjʊə*] *adj* (1) ▷*person* unsicher (2) ↑ *unsafe* ungesichert, nicht fest; **insecurity** [ɪnsɪ'kjʊərɪtɪ] *n* ↑ *uncertainty* Unsicherheit *f*
insemination [ɪnsemɪ'neɪʃən] *n* Befruchtung *f;* ◇ **artificial** ~ künstliche Befruchtung *f*
insensible [ɪn'sensɪbl] *adj* (1) ↑ *unconscious* bewußtlos (2) ↑ *unaffected* unempfänglich für
insensitive [ɪn'sensɪtɪv] *adj* (1) ↑ *uncaring* gemein, gefühllos, kalt (2) (*to pain*) unempfindlich (3) ↑ *unaware* nicht bewußt
inseparable [ɪn'sepərəbl] *adj* ↑ *close* ▷*couple* unzertrennlich; LING ▷*word* untrennbar
insert [ɪn'sɜːt] **I.** *vt* ↑ *push in* einstecken; ↑ *slide in* einschieben; ↑ *put inside* einführen; ↑ *put in between* einfügen; → *advert* aufgeben **II.** ['ɪnsɜːt] *n* (*of book*) Einlage *f;* **insertion** *n* (1) ↑ *putting in* Einfügung *f,* Einsetzen *s* (2) (*in newspaper*) Inserat *s*
inshore ['ɪnʃɔː*] *adj* (*land*) an der Küste, Küsten-
inside ['ɪn'saɪd] **I.** *n* (*inner part*) Innenseite *f,* Innere *s;* ◇ **on the** ~ innen **II.** *adj* Innen-, innere(r, s); ◇ ~ **information** Insiderwissen *s;* ◇ ~ **lane** SPORT Innenbahn *f;* AUTO Innenspur *f* **III.** *adv* (*position*) drinnen; (*direction of*) hinein, herein **IV.** *prep* (*place*) in *dat;* (*direction of*) in … hinein/herein; (*time*) innerhalb *gen;* **inside out** *adv* (1) ↑ *wrong way round* ▷*clothes* linksherum (2) (*know thoroughly*) in- und auswendig; **insider** *n* (*opp. of outsider*) Insider(in *f*) *m*

insidious [ɪn'sɪdɪəs] *adj* ↑ *cunning* heimtückisch, schlau, hinterhältig
insight ['ɪnsaɪt] *n* ↑ *understanding* Verständnis *s*, Einblick *m* (*into* in *acc*); ◇ **to gain an -** einen Einblick bekommen
insignificant [ɪnsɪg'nɪfɪkənt] *adj* ↑ *unimportant* unwichtig, unbedeutend
insincere [ɪnsɪn'sɪə*] *adj* ↑ *deceitful* falsch, unaufrichtig; **insincerity** [ɪnsɪn'serɪtɪ] *n* Unaufrichtigkeit *f*
insinuate [ɪn'sɪnjʊeɪt] *vt* (1) ↑ *imply* andeuten; ◇ **what are you trying to -?** was wollen Sie damit sagen? (2) ↑ *install* einschleichen; **insinuation** [ɪnsɪnjʊ'eɪʃən] *n* ↑ *implication* Andeutung *f*
insipid [ɪn'sɪpɪd] *adj* (1) ▷*food* fad (2) ▷*person* langweilig
insist [ɪn'sɪst] *vi* bestehen (*on* auf *dat*); ◇ **but I -!** aber ich bestehe darauf!; ◇ **if you - on going ...** wenn du unbedingt gehen willst ...; **insistent** *adj* (1) ↑ *resolute* hartnäckig, beharrlich (2) ↑ *urgent* dringend
insole ['ɪnsəʊl] *n* (*of shoe*) Einlegesohle *f*, Brandsohle *f*
insolence ['ɪnsələns] *n* ↑ *rudeness* Frechheit *f*, Unverschämtheit *f*; **insolent** ['ɪnsələnt] *adj* ↑ *rude* frech, unhöflich, unverschämt
insoluble [ɪn'sɒljʊbl] *adj* (1) ▷*problem* unlösbar (2) CHEM unlöslich
insolvent [ɪn'sɒlvənt] *adj* ↑ *bankrupt* zahlungsunfähig, insolvent
insomnia [ɪn'sɒmnɪə] *n* Schlaflosigkeit *f*
inspect [ɪn'spekt] *vt* (1) ↑ *examine, check* → *work* untersuchen, prüfen (2) ↑ *investigate* inspizieren; **inspection** [ɪn'spekʃən] *n* (1) ↑ *examination* Untersuchung *f*, Prüfung *f* (2) ↑ *investigation* Inspektion *f*, Besichtigung *f*; **inspector** *n* (1) ↑ *official* Inspektor(in *f*) *m*, Aufsichtsbeamter *m*, Aufsichtbeamtin *f* (2) ↑ *police* -, *BRIT* Polizeikommissar(in *f*) *m* (3) RAIL Kontrolleur(in *f*) *m*
inspiration [ɪnspɪ'reɪʃən] *n* Inspiration *f*; ◇ **he was my - then** damals hat er mich inspiriert; ▷*sudden* Einfall *m*
inspire [ɪn'spaɪə*] *vt* ↑ *enthuse* → *s.o.* inspirieren, anregen; → *hope* wecken; **inspired** *adj* inspiriert; ▷*person* ↑ *brilliant* begabt; **inspiring** *adj* ↑ *experience* begeisternd
instability [ɪnstə'bɪlɪtɪ] *n* (1) (*wobbly*) Unbeständigkeit *f* (2) ↑ *emotional* - Labilität *f*
install [ɪn'stɔ:l] *vt* → *machine* installieren; → *kitchen* einbauen; → *telephone* anschließen; → *person* einsetzen; **installation** [ɪnstə'leɪʃən] *n* (1) (*of machine, act*) Installation *f*; (*of kitchen*) Einbau *m*; (*of telephone*) Anschluß *m*; (*of person*) Einsetzung *f*; ↑ *plant* Anlage *f* (2) ↑ *military* - militärische Anlage *f*
installment (*AM*)
instalment [ɪn'stɔ:lmənt] *n* (1) ↑ *payment* Rate *f*; ◇ **monthly -** Monatsrate *f*; ◇ **to pay in monthly -s** in monatlichen Raten bezahlen (2) (*of story or plan*) Fortsetzung *f*
instance ['ɪnstəns] *n* (1) ↑ *example* Beispiel *s*; ◇ **for -** zum Beispiel (2) ↑ *case* Fall *m*; ◇ **in that -** ↑ *in that case* in dem Fall; ◇ **it's like that in many -s** in vielen Fällen ist es so (3) ↑ *initially* ◇ **in the first -** zuerst, am Anfang
instant ['ɪnstənt] **I.** *n* ↑ *moment* Moment *m*, Augenblick *m*; ◇ **Mother called me the - she heard ...** Mutter rief sofort an als sie davon erfuhr ... **II.** *adj* ↑ *immediate* sofort; (*medicine*) ◇ **- relief from pain** sofortige Schmerzfreiheit
instantaneous *adj* unmittelbar
instantaneously *adv* sofort; **instant coffee** *n* Pulverkaffee *m*; **instantly** *adv* ↑ *immediately* sofort
instead [ɪn'sted] *adv* stattdessen; **instead of** *prep* anstatt *gen*; ◇ **they chose beer - - wine** sie haben sich für Wein anstatt Bier entschieden
instigation [ɪnstɪ'geɪʃən] *n* Veranlassung *f*; (*of trouble, crime*) Anstiftung *f*
instil [ɪn'stɪl] *vt FIG* → *idea, fear* einflößen
instinct ['ɪnstɪŋkt] *n* Instinkt *m*; **instinctive** *adj* instinktiv
institute ['ɪnstɪtju:t] **I.** *n* Institut *s*, Gesellschaft *f* **II.** *vt* ↑ *take up* einführen
institution [ɪnstɪ'tju:ʃən] *n* (1) ↑ *organization* Institution *f* (2) ↑ *home* Anstalt *f* (3) ↑ *establishment* Gründung *f*
institutionalize *vt* institutionalisieren
instruct [ɪn'strʌkt] *vt* (1) ↑ *teach* unterrichten, schulen (2) ↑ *order* anweisen, beauftragen; **instruction** [ɪn'strʌkʃən] *n* (1) ↑ *teaching* Unterricht *m* (2) ↑ *order* ◇ **-s** *pl* Anweisungen *pl*; ◇ **to obey -s** Anweisungen befolgen (3) ▷*for use* Gebrauchsanweisung *f*; **instructive** *adj* ↑ *informative* instruktiv, lehrreich; **instructor** *n* ↑ *teacher* Lehrer(in *f*) *m*
instrument ['ɪnstrʊmənt] *n* (1) ↑ *tool* Instrument *s*, Werkzeug *s*; ◇ **musical -** Musikinstrument *s*; **instrumental** [ɪnstrʊ'mentl] *adj* (1) MUS instrumental, Instrumental- (2) ↑ *significant* behilflich (*in* bei *dat*); **instrumentalist** [ɪnstrʊ'mentəlɪst] *n* Instrumentalist(in *f*) *m*; **instrument panel** *n* ↑ *dashboard* (*car*) Armaturenbrett *s*; (*plane*) Instrumentenbrett *s*
insubordinate [ɪnsə'bɔ:dənɪt] *adj* ↑ *rebellious* aufsässig; **insubordination** [ɪnsəbɔ:dɪ'neɪʃən] *n* MIL Befehlsverweigerung *f*

insufferable [ɪn'sʌfərəbl] *adj* ↑ *unbearable* unerträglich
insufficient [ɪnsəfɪʃənt] *adj* ↑ *inadequate* ungenügend
insular ['ɪnsjələ*] *adj FIG* ↑ *narrow-minded* engstirnig; **insularity** [ɪnsjʊ'lærɪtɪ] *n* Engstirnigkeit *f*
insulate ['ɪnsjʊleɪt] *vt* (1) → *person* ↑ *protect* schützen; *FIG* abschirmen (2) ELECTR isolieren; **insulating tape** *n* Isolierband *s;* **insulation** [ɪnsjʊ'leɪʃən] *n* Isolierung *f*
insulin ['ɪnsjʊlɪn] *n* MED Insulin *s*
insult ['ɪnsʌlt] **I.** *n* Beleidigung *f;* ◇ **to add ~ to injury** das Ganze noch schlimmer machen **II.** [ɪn'sʌlt] *vt* beleidigen; **insulting** [ɪn'sʌltɪŋ] *adj* ▹*conduct, remark* beleidigend
insuperable [ɪn'su:pərəbl] *adj* ↑ *insurmountable* unüberwindlich
insurance [ɪn'ʃʊərəns] *n* Versicherung *f;* **insurance agent** *n* Vericherungsvertreter(in *f*) *m;* **insurance broker** *n* Versicherungsmakler(in *f*) *m;* **insurance policy** *n* Versicherungspolice *f*
insure [ɪn'ʃʊə*] *vt* versichern; **insured** *adj* ▹*goods* versichert
insurgent *adj* aufständisch
insurmountable [ɪnsə'maʊntəbl] *adj* ↑ *insuperable* unüberwindlich
insurrection [ɪnsə'rekʃən] *n* ↑ *revolt* Aufstand *m*
intact [ɪn'tækt] *adj* ↑ *whole* intakt, ganz, vollständig
intake ['ɪnteɪk] *n* (1) (*of food, air*) Aufnahme *f* (2) (*of organization*) aufgenommene Menge *f,* Neuzugänge *pl* (3) TECH Einlaßöffnung *f*
intangible [ɪn'tændʒəbl] *adj* ↑ *not clear* ▹*idea, plan* unbestimmt, unfaßbar, ungreifbar
integer ['ɪntɪdʒə*] *n* MATH ganze Zahl
integral ['ɪntɪgrəl] *adj* (1) ↑ *essential* wesentlich (2) ↑ *complete* ganz, vollständig (3) MATH Integral-
integrate ['ɪntɪgreɪt] *vt* ↑ *incorporate* integrieren; ◇ **~ed schools** Schulen ohne Rassentrennung; **integrated circuit** *n* integrierter Schaltkreis *m;* **integration** [ɪntɪ'greɪʃən] *n* ↑ *incorporation* Integration *f,* Integrierung *f*
integrity [ɪn'tegrɪtɪ] *n* ↑ *honesty* Integrität *f*
intellect ['ɪntɪlekt] *n* Intellekt *m,* Verstand *m;* **intellectual** [ɪntɪ'lektjʊəl] **I.** *adj* intellektuell **II.** *n* Intellektuelle(r) *fm*
intelligence [ɪn'telɪdʒəns] *n* (1) (*ability to understand*) Intelligenz *f;* ◇ **~ test** Intelligenztest *m* (2) MIL Geheimdienst *m* (3) (*information*) Information *f;* **intelligent** *adj* intelligent; ↑ *rational* verstandesbegabt; **intelligently** *adv* ▹*write, speak* verständlich
intelligible [ɪn'telɪdʒəbl] *adj* ↑ *understandable* verständlich; **intelligibly** *adv* ▹*speak* deutlich, klar
intemperance [ɪn'tempərəns] *n* Maßlosigkeit *f*
intemperate [ɪn'tempərət] *adj* ▹*behaviour* unmäßig
intend [ɪn'tend] *vt* vorhaben beabsichtigen; ◇ **I ~ to pass** ich habe vor, zu bestehen; ◇ **that was ~ed for the neighbours** das war für die Nachbarn gedacht; ◇ **his ~ed wife** seine zukünftige Frau; ◇ **we ~ed no harm** wir haben es nicht böse gemeint
intense [ɪn'tens] *adj* intensiv; ▹*person* ernsthaft; *light* grell; ▹*pain* stark; **intensely** *adv* ↑ *extremely* äußerst; **intensify** [ɪn'tensɪfaɪ] *vt* ↑ *increase* verstärken, intensivieren; **intensity** [ɪn'tensɪtɪ] *n* ↑ *strength* Stärke *f,* Intensität *f;* **intensive** *adj* ↑ *concentrated* intensiv; **intensive care unit** *n* (MED *in hospital*) Intensivstation *f;* **intensive course** *n* Intensivkurs *m*
intent [ɪn'tent] **I.** *n* Absicht *f* **II.** *adj:* ◇ **to do s.th. with ~** etw absichtlich machen; ◇ **Harry is ~ on having a party** Harry ist fest entschlossen, eine Party zu geben; **intently** *adv* ↑ *attentive* aufmerksam
intention [ɪn'tenʃən] *n* Absicht *f,* Vorsatz *m;* ◇ **she did it with good ~s** sie tat es mit guten Vorsätzen; ◇ **with the best of ~s** in bester Absicht
intently *adv* ▹*look* konzentriert; **intentional** *adj* ↑ *on purpose* absichtlich
inter- ['ɪntə*] *pref* zwischen-, Zwischen-
interact [ɪntər'ækt] *vi* (*communicate*) aufeinander wirken; **interaction** *n* Wechselwirkung *f;* **interactive** *adj* (1) ▹*communicating* wechselseitig (2) PC interaktiv
intercede [ɪntə'si:d] *vi* ↑ *intervene* sich verwenden; (*in quarrel*) vermitteln
intercept [ɪntə'sept] *vt* → *letter, message* abfangen; **interception** *n* Abfangen *s*
interchange ['ɪntətʃeɪndʒ] **I.** *n* (1) ↑ *exchange* Austausch *m;* (*of ideas*) Gedankenaustausch *m* (2) (*motorways*) Autobahnkreuz *s* **II.** [ɪntə'tʃeɪndʒ] *vt* ↑ *exchange* austauschen; **interchangeable** [ɪntə'tʃeɪndʒəbl] *adj* austauschbar
intercity [ɪntə'sɪtɪ] *n* ▹*train* Intercityzug *m,* IC *m*
intercom ['ɪntəkɒm] *n* [Gegen-]Sprechanlage *f*
interconnect [ɪntəkə'nekt] **I.** *vt* miteinander verbinden **II.** *vi* ← *roads, paths* miteinander verbunden sein
intercontinental ['ɪntəkɒntɪ'nentl] *adj* interkontinental
intercourse ['ɪntəkɔ:s] *n* (1) ↑ *sexual* ~ Ge-

schlechtsverkehr *m* [2] ↑ *exchange* Verkehr *m,* Umgang *m*

interdependence [ɪntədɪ'pendəns] *n* gegenseitige Abhängigkeit *f*

interest ['ɪntrest] **I.** *n* [1] Interesse *s;* ◇ **not in public -s** nicht im Interesse der Öffentlichkeit [2] ↑ *hobby* Interesse *s* [3] FIN Zinsen *pl* [4] COMM ↑ *share* Anteil *m* **II.** *vt* interessieren; ◇ **we found the talk to be of great** - wir fanden das Gespräch sehr interessant; **interested** *adj* [1] ↑ *concerned* interessiert [2] ↑ *involved* beteiligt; ◇ **to be - in art** sich für Kunst interessieren; **interesting** *adj* interessant; **interest rate** *n* Zinssatz *m*

interface ['ɪntəfeɪs] *n* [1] ↑ *overlap* (*clothing*) Nahtstelle *f* [2] PC Schnittstelle *f*

interfere [ɪntə'fɪə*] *vi* [1] ↑ *meddle* sich einmischen (*with* in *acc*) [2] ↑ *bother* stören *acc,* zu schaffen machen *dat;* **interference** *n* [1] Einmischung *f* [2] (*on TV or radio*) Störung *f*

interim ['ɪntərɪm] **I.** *adj* ↑ *provisional* vorläufig **II.** *n* ↑ *meanwhile*: ◇ **in the** - in der Zwischenzeit *f*

interior [ɪn'tɪərɪə*] **I.** *n* [1] ↑ *inside* (*of house, building*) Innere *s* [2] (*of country*) Landesinnere *s;* ◇ **the - of America** im amerikanischen Landesinneren **II.** *adj* innen-, Innen-; ◇ **- decorator** Innenausstatter(in *f*) *m;* ◇ **- decoration** Innenausstattung *f*

interject [ɪntə'dʒekt] *vt* → *question* einwerfen; **interjection** [ɪntə'dʒekʃən] *n* [1] ↑ *interruption* (*of conversation*) Unterbrechung *f* [2] (LING *exclamation*) Interjektion *f*

interlock [ɪntə'lɒk] **I.** *vi* ↑ *connect* sich verbinden lassen, verbunden sein **II.** *vt* miteinander verbinden

interlocutor [ɪntə'lɒkju:tə] *n* Gesprächspartner(in *f*) *m*

interloper ['ɪntələʊpə*] *n* ↑ *intruder* Eindringling *m*

interlude ['ɪntəlu:d] *n* ↑ *pause* Pause *f;* ↑ *musical* - Zwischenspiel *s*

intermarry [ɪntə'mærɪ] *vi* untereinander heiraten, eine Mischehe eingehen

intermediary [ɪntə'mi:dɪərɪ] *n* ↑ *go-between* Vermittler(in *f*) *m*

intermediate [ɪntə'mi:dɪət] *adj* [1] ↑ *in between* Zwischen- [2] ↑ *advanced* ▷*level* forgeschritten

intermezzo *n* Intermezzo *s*

interminable [ɪn'tɜ:mɪnəbl] *adj* (*never-ending*) endlos

intermission [ɪntə'mɪʃən] *n* ↑ *break* Pause *f*

intermittent [ɪntə'mɪtənt] *adj* (*occasional*) ▷*problems* periodisch auftretend

intermix ['ɪntəmɪks] *vt* vermischen

intern [ɪn'tɜ:n] **I.** *vt* ↑ *confine* internieren **II.** ['ɪntɜ:n] *n* (*AM*) Assistenzarzt(-ärztin *f*) *m*

internal [ɪn'tɜ:nl] *adj* [1] ↑ *inside* inner-, Innen-; ◇ **- medicine** innere Medizin [2] ↑ *domestic* Inlands-; ◇ **- affairs** innere Angelegenheiten *pl;* ◇ **- bleeding** innere Blutung *f;* **internally** *adv* [1] ↑ *inside* innen [2] MED innerlich [3] (*of group*) intern; **Internal Revenue Service** *n* (*AM*) Finanzamt *s*

international [ɪntə'næʃnəl] **I.** *adj* international **II.** *n* SPORT ▷*player* Nationalspieler(in *f*) *m;* ◇ **- money order** Auslandsanweisung *f*

internment [ɪn'tɜ:nmənt] *n* ↑ *imprisonment* Internierung *f;* ◇ **- camp** Internierungslager *s*

interplanetary [ɪntə'plænɪtərɪ] *adj* interplanetarisch

interplay ['ɪntəpleɪ] *n* Wechselspiel *s*

Interpol ['ɪntəpɒl] *n* Interpol *f*

interpose [ɪntə'pəʊz] *vt* ↑ *interject* einwerfen

interpret [ɪn'tɜ:prɪt] *vt* [1] ↑ *understand, take* verstehen, interpretieren; *FAM* kapieren; ◇ **how did you - that?** wie haben Sie das verstanden? [2] ↑ *translate orally* dolmetschen [3] ↑ *present, portray* → *play, music* darstellen; **interpretation** [ɪntɜ:prɪ'teɪʃən] *n* [1] Interpretation *f* [2] (*written*) Übersetzung *f;* (*oral*) Verdolmetschung *f* [3] Darstellung *f* [4] (*FAM* ↑ *version*) ◇ **Billy's - of what happened** Billys Version von den Ereignissen; **interpreter** [ɪn'tɜ:prɪtə*] *n* (*translator*) Dolmetscher(in *f*) *m*

interracial [ɪntə'reɪʃəl] *adj* ▷*mixing* zwischen den verschiedenen Rassen

interrelated [ɪntərɪ'leɪtɪd] *adj* ▷*incidents* zusammenhängend

interrogate [ɪn'terəgeɪt] *vt* ↑ *to question* befragen; JUR verhören; **interrogation** [ɪntərə'geɪʃən] *n* Verhör *s;* **interrogative** [ɪntə'rɒgətɪv] *adj* [1] ↑ *questioning* fragend [2] LING interrogativ; **interrogator** [ɪn'terəgeɪtə*] *n* Vernehmungsbeamte(r) *m,* Vernehmungsbeamtin *f*

interrupt [ɪntə'rʌpt] *vt* → *TV show* unterbrechen; **interruption** [ɪntə'rʌpʃən] *n* Unterbrechung *f*

intersect [ɪntə'sekt] **I.** *vt* ↑ *cross* durchkreuzen **II.** *vi* sich kreuzen; **intersection** [ɪntə'sekʃən] *n* [1] ↑ *junction* Kreuzung *f* [2] ↑ *cut* Schnitt *m*

intersperse [ɪntə'spɜ:s] *vt* ↑ *scatter* einstreuen

interstate [ɪntə'steɪt] *n* (*AM road*) ≈Autobahn *f*

intertwine [ɪntə'twaɪn] *vt* ↑ *entwine* verschlingen; → *stories* verweben

interval ['ɪntəvəl] *n* [1] (*period between*) Abstand *m* [2] ↑ *break* Pause *f* [3] MUS Intervall *s*

intervene [ɪntə'vi:n] *vi* ↑ *step in* eingreifen (*in* in *acc*); **intervening** *adj* ↑ *interim* dazwischenliegend; **intervention** [ɪntəˈvenʃən] *n* Eingreifen *s*

interview [ˈɪntəvjuː] **I.** *n* Interview *s; (for job)* Vorstellungsgespräch, Interview *s* **II.** *vt* interviewen; **interviewee** *n* (*in company*) Kandidat(in *f*) *m,* Bewerber(in *f*) *m;* **interviewer** *n* Interviewer(in *f*) *m*

intestate [ɪnˈtesteɪt] *adj* (*without will*) ohne Hinterlassung eines Testaments

intestine [ɪnˈtestɪn] *n* ANAT Darm *m;* ◇ **-s** *pl* Gedärme *pl*

intimacy [ˈɪntɪməsɪ] *n* Intimität *f;* **intimate** [1] [ˈɪntɪmət] *adj* ↑ *inmost* ▷*secret* innerste(r, s); ▷*friend* eng; ↑ *familiar* vertraut; (*sexual relation*) intim

intimate [2] [ˈɪntɪmeɪt] *vt* ↑ *imply* andeuten; **intimation** *n* ↑ *sign, hint* Andeutung *f*

intimidate [ɪnˈtɪmɪdeɪt] *vt* einschüchtern; ◇ **I refuse to be -d** ich lasse mich nicht einschüchtern; **intimidation** [ɪntɪmɪˈdeɪʃən] *n* Einschüchterung *f*

into [ˈɪntʊ] *prep* (*motion*) in *acc;* ◇ **I'm not - the work** ich habe mich noch nicht richtig eingearbeitet; *FAM* ◇ **Barry's not - sports** Barry steht nicht auf Sport; ◇ **translate this - German** übersetzen Sie das ins Deutsche; ◇ **4 - 12** 12 durch 4

intolerable [ɪnˈtɒlərəbl] *adj* ↑ *unbearable* unerträglich

intolerance [ɪnˈtɒlərəns] *n* ↑ *narrowmindedness* Intoleranz *f;* **intolerant** *adj* ↑ *narrowminded* intolerant

intonation [ɪntəˈneɪʃən] *n* LING Intonation *f*

intoxicate [ɪnˈtɒksɪkeɪt] *vt* ← *drug* berauschen; ← *drink* berauschen, betrunken machen; *FIG* berauschen; **intoxicated** *adj* ↑ *drunk* betrunken; ↑ *on drugs* im Rausch, unter Drogeneinfluß; **intoxication** [ɪntɒksɪˈkeɪʃən] *n* Rausch *m*

intractable [ɪnˈtræktəbl] *adj* ▷*metal* unnachgiebig; ▷*problem* hartnäckig

intramural [ɪntrəˈmjʊrəl] *adj* (*university*) ▷*activity* studienspezifisch

intransigent [ɪnˈtrænsɪdʒənt] *adj* ↑ *stubborn* unnachgiebig

intransitive [ɪnˈtrænsɪtɪv] *adj* LING ▷*verb* intransitv

intravenous [ɪntrəˈviːnəs] *adj* MED intravenös

intrepid [ɪnˈtrepɪd] *adj* ↑ *fearless* unerschrocken

intricacy [ˈɪntrɪkəsɪ] *n* ↑ *complexity* Kompliziertheit *f;* **intricate** [ˈɪntrɪkət] *adj* kompliziert, verwickelt

intrigue [ɪnˈtriːg] **I.** *n* ↑ *plot* Intrige *f* **II.** *vt* ↑ *interest* interessieren, faszinieren; **intriguing** *adj* interessant; ▷*person* faszinierend

intrinsic [ɪnˈtrɪnsɪk] *adj* ↑ *inherent* ureigen, innere(r, s); ▷*difference* wesentlich

introduce [ɪntrəˈdjuːs] *vt* ① → *person* vorstellen (*to s.o.* jd-m); ◇ **she -d herself** sie stellte sich vor ② → *new method* einführen ③ → *law* einbringen ④ → *programme* ankündigen ⑤ ↑ *explain, show* bekannt machen; ◇ **it was Jim who -d me to the art business** es war Jim, der mich ins Kunstgewerbe einführte; **introduction** [ɪntrəˈdʌkʃən] *n* ① (*to person, to thing*) Einführung *f* ② (*to book*) Einleitung *f;* **introductory** [ɪntrəˈdʌktərɪ] *adj* ▷*passage, speech* Einführungs-; ◇ **- talk** Einführungsgespräch *s*

introspection [ɪntrəʊˈspekʃən] *n* Selbstbeachtung *f;* **introspective** *adj* ↑ *contemplative* introspektiv

introvert [ˈɪntrəʊvɜːt] *adj* ▷*person* introvertiert

intrude [ɪnˈtruːd] *vi* ↑ *disturb* stören, aufdringen; ◇ **to - on s.o.'s privacy** jd-s Privatsphäre verletzen; **intruder** *n* Eindringling *m;* **intrusion** [ɪnˈtruːʒən] *n* ① ↑ *disturbance* Störung *f* ② ↑ *breaking in* Eindringen *s;* **intrusive** [ɪnˈtruːsɪv] *adj* aufdringlich

intuition [ɪntjuːˈɪʃən] *n* Intuition *f;* **intuitive** *adj* ▷*feeling, guess* intuitiv

inundate [ˈɪnʌndeɪt] *vt* ↑ *swamp, FIG also* überschwemmen; **inundation** *n* ↑ *swamping* Überschwemmung *f*

invade [ɪnˈveɪd] *vt* ① ↑ *overrun* einfallen in *acc;* MIL einmarschieren ② → *s.o.'s privacy* stören; **invader** *n* (*troops, soldiers*) Invasoren *pl*

invalid [ˈɪnvəlɪd] **I.** *n* ↑ *disabled person* Invalide *m,* Invalidin *f,* Kranke(r) *fm* **II.** *adj* ↑ *sick* krank; ↑ *disabled* invalid

invalid [ɪnˈvælɪd] *adj* ▷*ticket, passport* nicht gültig; ▷*argument* nicht stichhaltig; **invalidate** [ɪnˈvælɪdeɪt] *vt* → *ticket, passport* ungültig machen; **invalidation** *n* Ungültigmachung *f;* **invalidity** *n* Ungültigkeit *f*

invaluable [ɪnˈvæljʊəbl] *adj* ▷*thing, experience* unschätzbar; ▷*jewel* von unschätzbarem Wert

invariable [ɪnˈveərɪəbl] **I.** *adj* ↑ *unchanging* unveränderlich **II.** *n* MATH Konstante *f;* **invariably** *adv* ↑ *always, usually* ausnahmslos

invasion [ɪnˈveɪʒən] *n* Eindringen *s;* MIL Invasion *f*

invective [ɪnˈvektɪv] *n* ↑ *abuse* Beschimpfung *f*

invent [ɪnˈvent] *vt* erfinden; **invention** [ɪnˈvenʃən] *n* Erfindung *f;* **inventive** *adj FIG* einfallsreich; ▷*work* schöpferisch; **inventiveness** *n* Erfindungsgabe *f;* **inventor** *n* Erfinder(in *f*) *m*

inventory [ˈɪnvəntrɪ] *n* Inventar *s*

inverse [ɪnˈvɜːs] **I.** *adj* umgekehrt; ◇ **to do s.th.**

in - order etw in umgekehrter Reihenfolge tun **II.** ['ɪnvɜːs] *n* Umkehrung *f*

invert [ɪn'vɜːt] *vt* ↑ *turn around* umkehren; **inverted commas** *n pl* Anführungszeichen *pl*

invertebrate [ɪn'vɜːtɪbrət] *n* ZOOL wirbelloses Tier *s*

invest [ɪn'vest] *vt* FIN investieren, anlegen; → *time, effort* einsetzen, investieren

investigate [ɪn'vestɪgeɪt] *vt* untersuchen; **investigation** [ɪnvestɪ'geɪʃən] *n* ① ↑ *check, process* Untersuchung *f;* ◇ **the minister is under - es** wird gegen den Minister ermittelt ② ↑ *research* Forschung *f;* **investigator** [ɪn'vestɪgeɪtə*] *n* Untersuchungsbeamte *m,* Untersuchungsbeamtin *f*

investment [ɪn'vestmənt] *n* Investition *f,* [Kapital-]Anlage *f;* ◇ **a good** - eine gute Investition; **investor** [ɪn'vestə*] *n* Investor(in *f*) *m*

inveterate [ɪn'vetərət] *adj* (*for a long time*) ▷*liar* hartnäckig, eingefleischt

invigilate [ɪn'vɪdʒɪleɪt] **I.** *vi* ↑ *oversee* die Aufsicht führen **II.** *vt* → *exam* Aufsicht führen bei

invigorate [ɪn'vɪgəreɪt] *vt* ↑ *liven up* beleben

invigorating *adj* ↑ *refreshing* ▷*influence, person* erfrischend; ▷*experience* stimulierend

invincible [ɪn'vɪnsəbl] *adj* ↑ *unbeatable* unbesiegbar

inviolable [ɪn'vaɪələbl] *adj* ▷*law* heilig, unantastbar

invisible [ɪn'vɪzəbl] *adj* unsichtbar

invitation [ɪnvɪ'teɪʃən] *n* Einladung *f;* ◇ **that's an - for trouble** damit handelst du dir sicherlich Ärger ein; **invite** [ɪn'vaɪt] *vt* → *guests* einladen; (*provoke criticism*) herausfordern; **inviting** *adj* ↑ *tempting* ▷*smile* einladend, verlockend

invoice ['ɪnvɔɪs] **I.** *n* Rechnung *f,* Lieferschein *m* **II.** *vt* → *goods* in Rechnung stellen

invoke [ɪn'vəʊk] *vt* ① ↑ *cite* → *law* anrufen ② ↑ *raise* → *feelings* appellieren an ③ ↑ *use* → *principle* sich berufen auf

involuntary *adj* ① ▷*movement* unabsichtlich ② ↑ *unwilling* unfreiwillig

involve [ɪn'vɒlv] *vt* (*participate, concern*) verwickeln; ↑ *entail* mit sich bringen; **involved** *adj* ↑ *concerned* verwickelt; ▷*matter* kompliziert; ↑ *interested* interessiert; ◇ **I do not wish to be -** ich möchte nichts damit zu tun haben; ◇ **to be - with s.o.** eine Beziehung mit jd-m haben; **involvement** *n* Verwicklung *f,* Beteiligung *f;* ◇ **the extent of his - in the affair** das Ausmaß seiner Verstrickung in die Angelegenheit

invulnerable [ɪn'vʌlnərəbl] *adj* unverwundbar

inward ['ɪnwəd] **I.** *adj* ↑ *inner* ▷*thoughts* innerlich, innere(r, s) **II.** *adv* ↑ *-s* nach innen, einwärts; **inwardly** *adv* innerlich

I/O *abbr. of* **input/output** PC Eingabe/Ausgabe *f*

IOU *n abbr. of* **I owe you** Schuldschein *m*

iodine ['aɪədiːn] *n* Jod *s*

iota [aɪ'əʊtə] *n FIG* Jota *s*

IQ *abbr. of* **intelligence quotient** IQ, Intelligenzquotient *m*

Iran [ɪ'rɑːn] *n* Iran *m*

Iraq [ɪ'rɑːk] *n* Iraq *m*

irascible [ɪ'ræsɪbl] *adj* ↑ *short-tempered* reizbar

irate [aɪ'reɪt] *adj* ↑ *angry* zornig

Ireland ['aɪələnd] *n* Irland *s*

iris ['aɪərɪs] *n* ① BIO Iris *f,* Schwertlilie *f* ② (ANAT *eye*) Iris *f*

Irish ['aɪərɪʃ] *adj* **I.** irisch **II.** *n* (*language*) Irisch(e) *s;* ◇ **the - pl** die Iren *pl;* **Irishman** *n* <-men> Ire *m;* **Irishwoman** *n* <-women> Irin *f*

irk [ɜːk] *vt* ↑ *irritate* ärgern; *FAM* nerven; **irksome** ['ɜːksəm] *adj* ↑ *bothersome, irritating* ▷*habit* ärgerlich; *FAM* nervend

iron ['aɪən] **I.** *n* ① (*metal*) Eisen; ◇ **to have too many -s in the fire** zuviel auf einmal machen ② (*for ironing*) Bügeleisen *s* **II.** *adj* eisern; *FIG* ◇ **- will** eiserner Wille *m* **III.** *vt* ↑ *press* bügeln; **iron out** *vt FIG also* ausbügeln; → *differences* ausgleichen

ironic [aɪ'rɒnɪk] *adj* ① ↑ *sardonic* ironisch ② ↑ *strange, odd* komisch, eigenartig ③ *FAM* ↑ *funny* witzig; **ironic[al]ly** *adv* ① ↑ *sarcastic* sarkastisch, ironisch ② ↑ *oddly enough* komischerweise

ironing ['aɪənɪŋ] *n* (*laundry*) Bügelwäsche *f;* ◇ **to do the -** bügeln; **ironing board** *n* Bügelbrett *s*

ironmonger ['aɪənmʌŋgə*] *n* Eisenwarenhändler(in *f*) *m*

iron ore ['aɪənɔː*] *n* Eisenerz *s;* **ironworks** ['aɪənwɜːks] *n sg o pl* Eisenhütte *f*

irony ['aɪərənɪ] *n* Ironie *f*

irrational [ɪ'ræʃənl] *adj* ▷*behaviour* irrational; ▷*belief, worry* unsinnig; **irrationality** *n* Irrationalität *f,* Unsinnigkeit *f*

irreconcilable [ɪrekən'saɪləbl] *adj* ① ▷*differences* unversöhnlich ② ↑ *incompatible* unvereinbar

irrecoverable [ɪrɪkʌvərəbl] *adj* ▷*loss* unersetzlich

irredeemable [ɪrɪ'diːməbl] *adj* ① ↑ *hopeless* nicht wiedergutzumachen ② ▷*money* nicht lösbar ③ ▷*loan, obligation* unkündbar ④ ▷*sinner, FIG* rettungslos

irrefutable [ɪrɪ'fjuːtəbl] *adj* ▷*truth, belief* unwiderlegbar

irregular [ɪ'regjʊlə*] *adj* ① ↑ *unusual* ungewöhnlich ② ↑ *uneven* ungleichmäßig ③ ▷*behaviour* ungehörig ④ ↑ *spasmodic* unregelmäßig

5 ▷*attendance* unregelmäßig 6 LING ▷*verb* unregelmäßig 7 (*against regulations*) vorschriftswidrig; **irregularity** [ɪregjʊˈlærɪtɪ] *n* 1 (*something unusual*) Ungewöhnlichkeit *f* 2 (*against regulations*) Vorschriftswidrigkeit *f*

irrelevance [ɪˈreləvəns] *n* Belanglosigkeit *f;* **irrelevant** *adj* belanglos

irreligious [ɪrɪˈlɪdʒəs] *adj* ↑ *unbelieving* ungläubig

irreparable [ɪˈrepərəbl] *adj* ▷*damage* nicht wieder gutzumachen, irreparabel

irreplaceable [ɪrɪˈpleɪsəbl] *adj* unersetzlich

irrepressible [ɪrɪˈpresəbl] *adj* ▷*happiness, joy* unbändig

irreproachable [ɪrɪˈprəʊtʃəbl] *adj* ↑ *impeccable* ▷*conduct* untadelig, tadellos

irresistible [ɪrɪˈzɪstəbl] *adj* unwiderstehlich

irresolute [ɪˈrezəluːt] *adj* ↑ *indecisive* unentschlossen

irrespective of [ɪrɪˈspektɪv ɒv] *prep* ungeachtet *gen;* ◇ **- of the time** ungeachtet der Zeit; ◇ **- of whether you do it or not** egal, ob du es tust oder nicht

irresponsibility [ˈɪrɪspɒnsəˈbɪlɪtɪ] *n* Verantwortungslosigkeit *f;* **irresponsible** [ɪrɪˈspɒnsəbl] *adj* verantwortungslos; ◇ **you behaved in an - manner** du warst verantwortungslos

irreversible [ɪrɪˈvɜːsəbl] *adj* ▷*process, decision* unwiderruflich, unumkehrbar

irrigate [ˈɪrɪgeɪt] *vt* ↑ *water* → *land* bewässern; **irrigation** [ɪrɪˈgeɪʃən] *n* Bewässerung *f*

irritable [ˈɪrɪtəbl] *adj* ↑ *snappy* reizbar

irritant *n* MED Reizerreger *m;* **irritate** [ˈɪrɪteɪt] *vt* reizen; **irritating** *adj* ▷*noise* aufreizend; **irritation** [ɪrɪˈteɪʃən] *n* 1 ↑ *vexation* Ärger *m* 2 MED Reizung *f*

is [ɪz] *3rd person sing present of* **be**

Islam [ˈɪzlɑːm] *n* Islam *m*

island [ˈaɪlənd] *n* Insel *f;* **islander** *n* Inselbewohner(in *f*) *m*

isle [aɪl] *n* Insel *f;* ◇ **British I-s** die britischen Inseln

isn't [ˈɪznt] = **is not**

isolate [ˈaɪsəʊleɪt] *vt* 1 (*cut off*) isolieren 2 ↑ *separate* trennen 3 ↑ *extract* isolieren, extrahieren 4 → *sick person* isolieren; **isolated** *adj* isoliert; ↑ *remote* ▷*house* ◇ **it's an - case** es ist ein Einzelfall; **isolation** [aɪsəʊˈleɪʃən] *n* Isolierung *f*

isometrics [aɪsəʊmetrɪks] *n sg* Isometrie *f*

isotope [ˈaɪsətəʊp] *n* Isotop *s*

Israel [ˈɪzreɪl] *n* Israel *s;* **Israeli I.** *n* Israeli *fm* **II.** *adj* israelisch

issue [ˈɪʃuː] **I.** *n* 1 ↑ *matter* Frage *f,* Sache *f;* ◇ **you shouldn't have forced the -** du hättest bei der Sache nicht so drängen sollen 2 (*of book, magazine*) Ausgabe *f;* (*of document*) Ausstellung *f;* ◇ **place of -** (*passport*) Ausstellungsort *m;* → *ticket* Ausgabestelle *f;* ◇ **date of -** Ausstellungsdatum *s* 3 (*subject of debate*) Streitfrage *f* **II.** *vt* ↑ *give out* ausgeben; → *orders* erteilen; → *document* ausstellen; → *verdict* erlassen; → *newspaper, literature* herausgeben; → *details* bekanntgeben; → *warning* aussprechen

isthmus [ˈɪsməs] *n* (*narrow area of land*) Landenge *f*

it [ɪt] **I.** *pron* es **II.** *pron direct/indirect object of* it es/ihm 3 ◇ **- was you** du warst es; ◇ **- was really nice** es war wirklich nett; ◇ **who is -?** wer ist es?; ◇ **- seemed interesting to me** mir schien es interessant zu sein **III.** *n* 1 ↑ *neutered* (*cat, dog*) Neutrum *s* 2 (*children's game*) ◇ **you're - now!** jetzt bist du's!

Italian [ɪˈtæljən] **I.** *adj* italienisch **II.** *n* Italiener(in *f*) *m*

italic [ɪˈtælɪk] *adj* kursiv; **italics** *n pl* Kursivschrift *f*

Italy [ˈɪtəlɪ] *n* Italien *s*

itch [ɪtʃ] **I.** *n* 1 (*on skin*) Juckreiz *m* 2 ↑ *urge, FIG* brennendes Verlangen **II.** *vi* jucken; ◇ **my nose -es** mir juckt die Nase; **itchy** *adj* ▷*mosquito bite* juckend; ▷*material* kratzig

it'd [ˈɪtd] = **it would; it had**

item [ˈaɪtəm] *n* 1 (*in catalogue*) Artikel *m* 2 (*news -*) Bericht *m,* Meldung *f* 3 (*on agenda*) Punkt *m;* **itemize** [ˈaɪtəmaɪz] *vt* ↑ *record* einzeln aufführen

itinerant [ɪˈtɪnərənt] *adj* 1 ↑ *travelling* ▷*person* umherreisend 2 ▷*worker* reisend, Reise-, Wander-

itinerary [aɪˈtɪnərərɪ] *n* 1 ↑ *travel programme, route* Reiseplan *m,* Reiseroute *f* 2 ↑ *guide book* Reiseführer *m*

it'll [ˈɪtl] = **it will; it shall**

its [ɪts] **I.** *pron* (*used as an adjective*) sein **II.** *pron* (*used as a noun*) seine(r, s)

it's [ɪts] = **it is; it has**

itself [ɪtˈself] *pron* 1 (*reflexive*) sich 2 (*for emphasis*) ◇ **the table - was cheap** der Tisch selbst war günstig; ◇ **in -** in sich 3 ↑ *alone* sich selbst 4 ◇ **by -** von alleine, von selbst

itsy-bitsy *adj* ↑ *little, tiny, FAM* winzig klein

I've [aɪv] = **I have**

ivory [ˈaɪvərɪ] *n* Elfenbein *s*

Ivory Coast *n* Elfenbeinküste *f;* **ivory tower** *n FIG* Elfenbeinturm *m*

ivy [ˈaɪvɪ] *n* BIO Efeu *m*

J

J, j [dʒeɪ] *n* J, j *s*

jab [dʒæb] **I.** *vt* (*with s.th. flat*) stoßen; (*with s.th. sharp*) stechen **II.** *vi* zustoßen (*at* auf *acc*) **III.** *n* [1] (*forceful push*) Stoß *m* [2] (*FAM cholera ~*) Spritze *f*

jabber [ˈdʒæbə*] *vi* plappern

jack [dʒæk] *n* [1] (*for lifting*) Hebevorrichtung *f;* AUTO Wagenheber *m* [2] (*on playing-cards*) Bube *m;* **jack in** *vt sep* (*activity*) aufhören (mit); *FAM* stecken; **jack up** *vt sep* → *car* aufbocken

jackal *n* Schakal *m*

jackboot *n* Schaftstiefel *m;* **jackdaw** [ˈdʒækdɔ:] *n* Dohle *m*

jacket [ˈdʒækɪt] *n* [1] (*short coat*) Jacke *f* [2] (*of baked potato*) Schale *f* [3] (*of book*) Umschlag *m* [4] (*of boiler*) Mantel *m*

jack-in-the box *n* Springteufel *m;* **jack-knife** [ˈdʒæknaɪf] **I.** *n* großes Taschenmesser *s* **II.** *vi* (*truck + trailer*) sich querstellen; **jack-of-all-trades** *n* Alleskönner *m;* **jack plug** [ˈdʒækplʌg] *n* TECH Bananenstecker *m;* **jackpot** [ˈdʒækpɒt] *n* [1] (*prize*) Pott *m* [2] *FIG* ◇ **to hit the ~** das große Los ziehen

jacuzzi® [dʒəˈku:zɪ] *n* Whirlpool *m*

jade [dʒeɪd] *n* (*stone*) Jade *m o. f*

jaded [ˈdʒeɪdɪd] *adj* (*attitude*) abgestumpft; (*feeling*) ermattet

jagged [ˈdʒægɪd] *adj* [1] (*edge*) zackig [2] (*coastline*) zerklüftet

jaguar [ˈdʒægjʊə*] *n* Jaguar *m*

jail [dʒeɪl] **I.** *n* Gefängnis *s* **II.** *vt* ins Gefängnis werfen; **jailbird** *n FAM* Knacki *m;* **jailbreak** *n* Ausbruch *m* aus dem Gefängnis; **jailer** *n* Gefängniswärter(in *f*) *m;* **jailhouse** *n* (*AM*) Gefängnis *s*

jalopy [dʒəˈlɒpɪ] *n* (*car*) alte Kiste *f*

jam [dʒæm] **I.** *n* [1] (*on bread*) Marmelade *f* [2] (*of people*) Gedränge *s* [3] (*traffic ~*) Stau *m* [4] *FAM* ◇ **to be in a ~** in der Patsche sitzen; ◇ **to get into a ~** ins Gedränge kommen **II.** *vt* [1] (*wedge*) verklemmen [2] (*squeeze*) quetschen [3] (*radio message*) stören [4] (*road*) blockieren **III.** *vi* (*door*) sich verklemmen; **jam in** *vt sep* reinstopfen (*to* in *acc*); **jam on** *vt sep:* ◇ **to ~ the brakes ~** vollbremsen; *FAM* voll auf die Bremse latschen

jamb [dʒæm] *n* (*of door*) Türpfosten *m*

jamboree [dʒæmbəˈri:] *n* (*village ~*) Fest *s*

jangle **I.** [ˈdʒæŋgl] *vt* (*keys*) klimpern **II.** *vi* (*chains*) klirren

janitor [ˈdʒænɪtə*] *n* Hausmeister(in *f*) *m*

January [ˈdʒænjʊərɪ] *n* Januar *m*

Japan [dʒəˈpæn] *n* Japan *s*

Japanese [dʒæpəˈni:z] **I.** *adj* japanisch **II.** *n* Japaner(in *f*) *m*

jar [dʒɑ:*] **I.** *n* [1] (*glass*) Glas *s;* (*earthenware*) Topf *m* [2] ◇ **a ~ of jam** ein Glas Marmelade **II.** *vi* kreischen (*on, with* auf *dat*) **III.** *vt* (*back*) sich [*o. dat*] stauchen

jargon [ˈdʒɑ:gən] *n* Jargon *m;* (*specialist language*) Fachsprache *f*

jarring [ˈdʒɑ:rɪŋ] *adj* (*sound*) kreischend; (*colour*) nicht zusammenpassend, beißend

jasmin[e] [ˈdʒæzmɪn] *n* Jasmin *m*

jaundice [ˈdʒɔ:ndɪs] *n* MED Gelbsucht *f;* **jaundiced** *adj* [1] MED gelbsüchtig [2] (*standpoint*) zynisch

jaunt [dʒɔ:nt] *n* Trip *m,* Ausflug *m*

jaunty *adj* [1] (*walk*) schwungvoll [2] (*hat*) flot

jauntiness *n* Unbeschwertheit *f*

javelin [ˈdʒævlɪn] *n* Speer *m*

jaw [dʒɔ:] **I.** *n* [1] ANAT Kiefer *m* [2] ◇ **~s** *pl of person, FAM* Fresse *f;* (*of lion*) Rachen *m* [3] ◇ **the ~s of hell** Höllenschlund *m* **II.** *vi FAM* reden

jay *n* (*bird*) Eichelhäher *m*

jaywalk [ˈdʒeɪwɔ:k] *vi* sich als Fußgänger verkehrswidrig verhalten; **jaywalker** [ˈdʒeɪwɔ:kə*] *n* Fußgänger, der sich verkehrswidrig verhält *m*

jazz [dʒæz] *n* Jazz *m;* **jazz up** *vt* (*flat*) aufmöbeln; (*party*) in Schwung bringen, aufpeppen; **jazz band** *n* Jazzkapelle *f;* **jazzy** *adj* (*colour*) knallig

jealous [ˈdʒeləs] *adj* [1] (*bitter with envy*) mißgünstig; ◇ **she was ~ of his success** sie mißgönnte ihm seinen Erfolg [2] (*husband*) eifersüchtig (*of* auf *acc*) [3] (*protective*) sehr bedacht (*of* auf *acc*);

jealously *adv* [1] (*stare*) mißgünstig [2] (*protect*) wie e-n Schatz; **jealousy** *n* [1] (*of other's love*) Eifersucht *f* (*of* auf *acc*) [2] (*of possessions*) Neid *m* (*of* auf *acc*)

jeans [dʒi:nz] *n pl* Jeans *pl*

jeep [dʒi:p] *n* Jeep *m*

jeer [dʒɪə*] **I.** *vi* (*laugh nastily*) höhnisch lachen (*at* über *acc*) **II.** *n* [1] hämisches Lachen *s* [2] (*remark*) Spöttelei *f;* **jeering** *adj* (*crowd*) johlend

jejune [dʒɪʒʊ:n] *adj FIG* kindisch

jell [ˈdʒel] *vi* [1] (*liquid*) gelieren [2] (*ideas*) Gestalt annehmen

jelly [ˈdʒelɪ] *n* Gelee *s* [1] (*dessert*) Wackelpudding *m* [2] (*aspic*) Aspik *m,* Sülze *f;* **jelly baby** *n* Gummibärchen *s;* **jellyfish** *n* Qualle *f*

jemmy [ˈdʒemɪ] *n* Stemmeisen *s*

jeopardize [ˈdʒepədaɪz] *vt* gefährden; **jeopardy** *n* Gefahr *f;* ◇ **to put s.th. in ~** etw gefährden

jerk [dʒɜːk] **I.** *n* [1] (*sudden pull*) Ruck *m* [2] (*FAM fool*) Blödmann *m* **II.** *vt* [1] (*rope*) ruckartig ziehen (an *dat*) [2] ◇ **to ~ s.th. out of s.o.'s hand** jd-m etw aus der Hand reißen **III.** *vi* [1] (*muscles*) zucken [2] ◇ **to ~ forward** einen Satz vorrücken; ◇ **to ~ to a halt** ruckartig stehenbleiben; **jerk off** *vi FAM!* sich e-n runter holen

jerkin ['dʒɜːkɪn] *n* Jacke *f*

jerky ['dʒɜːkɪ] *adj* (*movement*) ruckartig; (*style of text*) abgehackt; (*ride*) holprig

jerry-built *adj* (*schlampig gebaut*): ◇ **a ~ house** e-e Bruchbude *f*

jersey ['dʒɜːzɪ] *n* [1] (*material*) Jersey *m* [2] (*pullover*) Pullover *m*

jest [dʒest] **I.** *n* (*joke*) Scherz *m*, Witz *m;* ◇ **in ~** im Spaß **II.** *vi* scherzen

Jesus ['dʒiːzəs] *n* Jesus

jet [dʒet] *n* [1] (*of water*) Strahl *m* [2] (*nozzle*) Düse *f* [3] AERO Jet *m*, Düsenflugzeug *s*

jet-black *adj* rabenschwarz; **jet engine** *n* Düsentriebwerk *s;* **jet hop** *vi FAM* jetten; **jet lag** *n körperliche Mißempfindung durch Zeitverschiebung*, f; **jet-propelled** *adj* Düsen-

jetsam ['dʒetsəm] *n* (*on shore*) Strandgut *s*

jet set *n* Jet-set *m*

jettison ['dʒetɪsn] *vt* [1] NAUT über Bord werfen; AVIAT abwerfen [2] (*project*) fallenlassen

jetty ['dʒetɪ] *n* [1] (*for boats*) Landungsbrücke *f*, Pier *m* [2] (*breakwater*) Mole *f*

Jew [dʒuː] *n* Jude *m*, Jüdin *f*

jewel ['dʒuːəl] *n* (*precious stone*) Edelstein *m; auch FIG* Juwel *s;* **jewelled** *adj* mit Juwelen geschmückt; **jewel[l]er** ['dʒuːələ*] *n* Juwelier(in *f*) *m;* **jewel(l)er's shop** *n* Juwelierladen *m;* **jewel[le]ry** ['dʒuːəɪrɪ] *n* Schmuck *m*

Jewess ['dʒuːɪs] *n* Jüdin *f*

Jewish ['dʒuːɪʃ] *adj* jüdisch

Jewry *n* Judentum *s*

Jew's harp *n* Maultrommel *f*

jib [dʒɪb] *n* [1] NAUT Klüver *m* [2] TECH Ausleger *m*

jibe [ʒaɪb] *s.* **gibe**

jiffy ['dʒɪfɪ] *n FAM* Minütchen *s;* ◇ **in a ~** *FAM* in Nullkommanix

Jiffy bag® *n* (*envelope*) gepolstertes Kuvert *s*

jig [dʒɪg] *n* [1] (*dance*) sprunghafter Tanz *m* [2] TECH Spannvorrichtung *f;* **jig about** *vi* fröhlich herumtanzen

jiggery-pokery *n FAM* fauler Zauber *m*

jiggle [dʒɪgl] *vt* (*key in lock*) wackeln mit

jigsaw ['dʒɪgsɔː] *n* [1] (*~ puzzle*) Puzzle *s* [2] TECH Bandsäge *f*

jihad [dʒɪhæd] *n* (*Islamic*) Heiliger Krieg *m*, Dschihad *m*

jilt [dʒɪlt] *vt* (*lover*) den Laufpaß geben *dat*

jingle ['dʒɪŋgl] **I.** *n* [1] (*soft ringing sound*) Bimmeln *s* [2] (*advertising ~*) Werbesong *m* **II.** *vi* (*bells*) bimmeln **III.** *vt* (*money*) klimpern lassen (mit)

jingoism *n* Nationalismus *s*

jinx [dʒɪŋks] *n* [1] Unheil *s;* ◇ **to put a ~ on s.th.** etw verhexen [2] (*person*) Unglücksbringer(in *f*) *m*

jitters ['dʒɪtəz] *n* Heidenangst *f* (*about* vor *dat*); ◇ **to get the ~** *FAM* sehr nervös werden; **jittery** ['dʒɪtərɪ] *adj FAM* nervös

jive [dʒaɪv] *n* [1] MUS Jive *m* [2] *chat, FAM* Gequatsche *s*

jnr. *abbr. of* **junior**

job [dʒɒb] *n* [1] (*regular work*) Stelle *f*, Job *m;* ◇ **out of a ~** arbeitslos [2] (*piece of work*) Arbeit *f;* ◇ **to have a ~ doing s.th.** etw schwer finden; ◇ **just the ~** genau das Richtige; ◇ **to make a good ~ of s.th.** etw astrein machen [3] (*duty*) Aufgabe *f;* ◇ **to make the best of a bad ~** das beste aus etw machen; ◇ **it's not my ~ to ...** es ist nicht meine Aufgabe...; **jobber** *n* [1] (*freelance*) Gelegenheitsarbeiter(in *f*) *m* [2] FIN Börsenhändler(in *f*) *m;* **jobbing** *adj* [1] (*by freelance*) Gelegenheitsarbeit *f* [2] FIN Effektenhandel *m;* **jobcentre** *n* Arbeitsvermittlung *f;* **job creation scheme** *n* Arbeitsbeschaffungsprogramm *s;* **job description** *n* Tätigkeitsbeschreibung *f;* **job hunter** *n* Arbeitsuchende(r) *fm;* **jobless** *adj* arbeitslos; **job lot** *n* Gesamtposten *m*

jockey ['dʒɒkɪ] **I.** *n* Jockei, Jockey *m* **II.** *vi:* ◇ **to ~ for position** *FIG* rangeln

jock-strap *n* Suspensorium *s*

jocular ['dʒɒkjʊlə*] *adj* witzig

jodhpurs ['dʒɒdpəz] *n pl* Reithose *f*

jog [dʒɒg] **I.** *vt* (*push slightly*) stoßen gegen/an *acc;* ◇ **to ~ s.o.'s memory** jd-s Gedächtnis auf die Sprünge helfen **II.** *vi* joggen; **jog along** *vi* [1] (*on road*) entlangzuckeln [2] (*at work*) seinen Gang gehen; **jogger** *n* Jogger(in *f*) *m;* **jogging** *n* Dauerlaufen *s*, Joggen *s*

john [dʒɒn] *n AM FAM* [1] (*person*) Typ *m* [2] (*toilet*) Klo *s*

join [dʒɔɪn] **I.** *vt* [1] (*fix or connect*) verbinden (*to* mit); (*objects only*) zusammenfügen (*to* mit) [2] (*~ as member of, club*) beitreten *dat;* (*company*) anfangen bei; (*majority*) sich anschließen *dat* [3] (*territory at border*) angrenzen an *acc* [4] (*river*) münden in *acc* [5] ◇ **to ~ hands** sich die Hände reichen; *FIG* sich zusammentun [6] ◇ **May I ~ you?** (*at social gathering*) Darf ich teilnehmen?, Darf ich mich zu euch setzen? **II.** *vi* [1] ↑ *combine* sich verbinden; (*nations*) sich vereinigen; (*indi-*

viduals) sich zusammentun [2] ↑ *meet* (*pipes*) anstoßen; (*territories*) aneinander grenzen **III.** *n* [1] (*where two things connect*) Verbindungsstelle *f,* Fuge *f* [2] (*where two things touch*) Berührungsstelle *f;* **join in** *vi +prep obj* (*activity*) mitmachen (bei); (*debate*) sich beteiligen (an *dat*); **join on**(**to**) *vt sep* (*extension piece*) ansetzen (*to* an *dat*); **join up I.** *vi* MIL Soldat werden **II.** *vt sep* verbinden

joiner ['dʒɔɪnə*] *n* Schreiner(in *f*) *m;* **joinery** *n* (*trade*) Tischlerei *f*

joint [dʒɔɪnt] **I.** *n* [1] ANAT Gelenk *s* [2] (*of pipe*) Verbindung *f* [3] (*of meat*) Braten *m* [4] *FAM place, FAM* Laden *m* [5] (*FAM cannabis cigarette*) Joint *m* **II.** *adj* gemeinsam; (*co-*) Mit-; **joint account** *n* gemeinsames Konto *s;* **jointed** *adj* (*doll*) mit Gelenken versehen; **jointly** *adv* gemeinsam; **joint owner** *n* Miteigentümer(in *f*) *m;* **joint-stock company** *adj* Aktiengesellschaft *f*

joist [dʒɔɪst] *n* Träger *m;* (*wooden*) Balken *m*

joke [dʒəʊk] **I.** *n* [1] (*with wit*) Witz *m;* (*with charm*) Scherz *m;* ◇ **it's beyond a ~** das geht zu weit; ◇ **she can't take a ~** sie versteht keinen Spaß [2] (*prank*) Streich *m;* ◇ **to play a ~ on s.o.** jd-m einen Streich spielen [3] (*s.th. you can't be serious about*) Witz *m* **II.** *vi* (*tell ~s*) Witze machen; (*not be serious*) scherzen (*about* über *acc*); ◇ **you must be joking, you're joking** ich glaube, du machst Witze; **joker** *n* [1] (*person*) Witzbold *m* [2] (*playing card*) Joker *m;* **joking** *adj* (*manner*) scherzhaft; **jokingly** *adv* (*comment*) scherzhaft

jollity ['dʒɒlɪtɪ] *n* (*exuberance*) Ausgelassenheit *f;* (*cheerfulness*) Vergnügtheit *f;* **jolly I.** *adj* lustig, vergnügt **II.** *adv FAM* sehr; ◇ **to be ~ lucky** viel Glück haben; ◇ **~ good** prima; **jolly along** *vt:* ◇ **to ~ sb ~** jd-n ermuntern

jolt [dʒəʊlt] **I.** *n* [1] (*push*) Stoß *m;* ◇ **to get a ~** geschubst werden [2] (*shake*) Rütteln *s* **II.** *vt* [1] (*push*) schubsen, stoßen [2] (*shake*) rütteln [3] *FIG* ◇ **to ~ s.o. out of a bad mood** jd-n aus einer schlechten Laune reißen **III.** *vi* (*bus*) holpern

Jordan ['dʒɔːdən] *n* (*country*) Jordanien *s;* (*river*) Jordan *m*

jostle ['dʒɒsl] *vti* anrempeln; ◇ **to ~ for attention** nach Aufmerksamkeit drängeln

jot [dʒɒt] *n of truth, FAM* Körnchen *s;* **jot down** *vt sep* sich *dat* notieren; **jotter** *n* (*notepad*) Notizblock *m*

joule [dʒuːl] *n* PHYS Joule *s*

journal ['dʒɜːnl] *n* [1] (*diary*) Tagebuch *s* [2] (*trade ~*) Zeitung *f;* **journalese** [dʒɜːnə'liːz] *n* Zeitungsstil *m;* **journalism** *n* [1] (*industry*) Pressewesen *s* [2] (*job*) Journalistentätigkeit *f;* **journalist** *n* Journalist(in *f*) *m*

journey ['dʒɜːnɪ] **I.** *n* [1] (*longish ~*) Reise *f;* ◇ **to go on a ~** verreisen [2] (*to work*) Weg *m* [3] (*in vehicle*) Fahrt *f;* (4) ◇ **life ~** Lebensweg *m* **II.** *vi* (*travel*) reisen; **journeyman** *n* (Handwerks)geselle *m*([Handwerks]Gesellin *f*) *f*

joust [dʒaʊst] *vi* im Turnier kämpfen

jovial ['dʒəʊvɪəl] *adj* (*greeting*) freundlich

jowl ['dʒaʊl] *n* (*lower side of face*) Hängebacke *f*

joy [dʒɔɪ] *n* [1] Freude *f* [2] ◇ **I didn't get any joy out of it** ich hatte damit keinen Erfolg; **joyful** *adj* (*occasion*) freudig; **joyfully** *adv* freudig; **joyless** *adj* freudlos; (*person*) humorlos, griesgrämig; **joyous** *adj* (*occasion*) freudig; **joy ride I.** *n* Spritztour *f* **II.** *vi* [1] (*in stolen car*) im gestohlenen Wagen 'rumfahren [2] (*on public transport*) schwarzfahren; **joystick** *n* AERO Steuerknüppel *m;* PC Joystick *m*

jubilant ['dʒuːbɪlənt] *adj* (*at own success*) überglücklich; (*at s.o. else's failure*) triumphierend; **jubilation** [dʒuːbɪ'leɪʃən] *n* Jubel *m*

jubilee ['dʒuːbɪliː] *n* Jubiläum *s;* ◇ **silver ~** fünfundzwanzigjähriges Jubiläum

Judaism ['dʒuːdeɪɪzəm] *n* (*religion and civilization*) Judaismus *m*

judder ['dʒʌdə*] *vi* (*diesel engine*) ruckeln

judge [dʒʌdʒ] **I.** *vt* [1] (JUR *pass judgement on*) ein Urteil fällen (über *acc*); (*case*) verhandeln [2] (*competition*) Richter sein (bei) [3] (*situation*) bewerten; (*assess*) einschätzen; (*form an opinion*) beurteilen **II.** *vi* [1] Richter sein, ein Urteil fällen [2] Preisrichter sein [3] ◇ **as far as I can ~** soweit ich beurteilen kann; ◇ **judging by s.th.** nach etw zu urteilen **III.** *n* [1] JUR Richter(in *f*) *m* [2] ◇ **to be a good ~ of s.th.** etw gut einschätzen können; (*wines*) ein Kenner sein; **judgement** *n* [1] JUR Urteil *s,* Rechtsspruch *m* [2] (*opinion*) Ansicht *f;* ◇ **according to my ~** meiner Ansicht nach [3] (*discriminating ability*) Urteilsvermögen *s;* ◇ **a person of sound ~** ein urteilsfähiger Mensch; **Judgement Day** *n* das Jüngste Gericht

judicial [dʒuː'dɪʃəl] *adj* [1] JUR gerichtlich [2] (*attitude*) kritisch; **judicial function** *n* Richteramt *s;* **judicial proceedings** *n* Gerichtsverfahren *s;* **judiciary** [dʒuː'dɪʃɪərɪ] *n* (*judges as an entity*) Richterstand *m*

judicious [dʒuː'dɪʃəs] *adj* (*showing good sense*) klug

judo ['dʒuːdəʊ] *n* Judo *s*

jug [dʒʌg] *n* (*milk ~*) Kanne *f;* (*heavier*) Krug *m*

jugged hare *adj* Hasenpfeffer *m*

juggernaut ['dʒʌgənɔːt] *n* [1] (*truck*) Fernlastwagen *m* [2] REL ◇ **J~** (*Vishnu*) Dschagannath

J

juggle ['dʒʌgl] **I.** *vti* (*keep (s.th.) in the air*) jonglieren (mit) **II.** *vt* (*information*) verdrehen; (*figures*) frisieren; **juggler** *n* Jongleur(in *f*) *m*
jugular ['dʒʌgʊlə*] *n FIG*: ◇ **to go for the** ~ etw angreifen, um es endgültig zu erledigen
juice [dʒu:s] Saft *m;* (*FAM petrol*) Sprit *m;* **juiciness** ['dʒu:sɪnɪs] *n* (*of fruit*) Saftigkeit *f;* **juicy** *adj auch FIG* saftig
jujitsu [dʒu:'dʒɪtsu:] *n* Jiu-Jitsu *s*
jukebox ['dʒu:kbɒks] *n* Musikautomat *m*
July [dʒu:'laɪ] *n* Juli *m;* ◇ **in** ~ im Juli
jumble ['dʒʌmbl] **I.** *n* ① (*confusion*) Durcheinander *s* ② (*BRIT old stuff*) Ramsch *m* **II.** *vt* (~ *up/together, clothes*) durcheinanderwerfen; (*information*) durcheinanderbringen; **jumble sale** *n* (*BRIT*) Ramschverkauf *m*, Flohmarkt *m*
jumbo *n* (*s.o./s.th.*) Koloß *m;* **jumbo jet** ['dʒʌmbəʊdʒet] *n* <-s> Jumbo *m*
jumbo-sized *adj* (*pack*) Riesen-
jump [dʒʌmp] **I.** *n* ① Sprung *m* ② (*FIG in prices*) sprunghafter Anstieg *m* ③ (*obstacle*) Hindernis *s* ④ ◇ **to give s.o. a** ~ jd-n erschrecken **II.** *vi* ① (*leap*) springen ② (*with fright*) zusammenzukken ③ (*increase*) sprunghaft ansteigen ④ ◇ **to make s.o.** ~ jd-n erschrecken ⑤ ◇ **to** ~ **to conclusions** voreilige Schlüsse ziehen **III.** *vt* ① (*fence*) hinüberspringen (über *acc*) ② ◇ **to** ~ **the lights** bei Rot über die Kreuzung fahren; ◇ **to** ~ **the queue** sich vordrängeln; ◇ **to** ~ **the gun** voreilig handeln; **jump across**, **jump at** *vi +prep obj* (*opportunity*) sofort ergreifen; **jump on(to)** *vi* ① (*bus*) einsteigen (*to* in *acc*) ② (*criticize s.o.*) anfahren
jumped-up *adj FAM* eingebildet, hochmütig
jumper *n* Pullover *m*
jump leads *n pl BRIT* AUTO Überbrückungskabel *s;* **jump-start** *vt* ① (*car*) anschieben ② (*economy*) Starthilfe leisten
jumpy *adj* nervös
jun. *n abbr. of* **junior**
junction ['dʒʌŋkʃən] *n* (*of roads*) Kreuzung *f;* RAIL Gleisanschluß *m;* **junction box** *n* ELECTR Verteilerkasten *m*
juncture ['dʒʌŋktʃə*] *n:* ◇ **at this** ~ zu diesem wichtigen Zeitpunkt
June [dʒu:n] *n* Juni *m;* ◇ **in** ~ im Juni
jungle ['dʒʌŋgl] *n auch FIG* Dschungel *m*
junior ['dʒu:nɪə*] **I.** *adj* ① (*of lower rank*) untergeordnet; ◇ ~ **partner** Juniorpartner(in *f*) *m* ② (*younger*) jünger; ◇ **she is** ~ **to me** sie ist jünger als ich **II.** *n* ① (*office* ~) Bürogehilfe(-gehilfin *f*) *m* ② ◇ **John J**~ (*the younger of two Johns*) John Junior; **junior rail-pass** *n* Junior-Paß *m;* **junior school** *n* Grundschule *f*
juniper ['dʒu:nɪpə*] *n* Wacholder *m*
junk [1] [dʒʌŋk] *n* (*old stuff*) altes Zeug *s*
junk [2] [dʒʌŋk] *n* (*boat*) Dschunke *f*
junket *n* (*political* ~) *kostenlose Dienstreise, die nur dem persönlichen Vergnügen dient*
junkfood *n FAM* Junkfood *s*
junkie *n FAM* Fixer(in *f*) *m*, Junkie *m*
junk mail *n* Postwurfsendung *f;* **junkshop** *n* Trödelladen *m;* **junkyard** *n* Schrottplatz *m*
junta ['dʒʌntə] *n* Junta *f*
Jupiter [dʒu:pɪtə*] *n* Jupiter *m*
jurisdiction [dʒʊərɪs'dɪkʃən] *n* ① (*right*) Gerichtsbarkeit *f* ② (*range*) Zuständigkeit *f*
jurisprudence [dʒʊərɪs'pru:dəns] *n* Rechtsphilosophie *f*
jurist *n* Jurist(in *f*) *m*
juror ['dʒʊərə*] *n* JUR Geschworene(r) *fm*
jury ['dʒʊərɪ] *n* JUR Geschworenen *pl;* **jury-box** *n* Geschworenenbank *f;* **juryman** *n* <-men>, **jurywoman** *n* <-men> *s.* **juror**
just [dʒʌst] **I.** *adj* gerecht **II.** *adv* ① (*exactly*) genau, gerade; ◇ ~ **where you are standing** genau da, wo du stehst; ◇ **not** ~ **now** nicht im Moment, nicht gerade jetzt; ◇ **that's** ~ **what he wants ...** das ist genau das, was er will ... ② (*very recently*) gerade, soeben; ◇ **I have only** ~ **got up** ich bin gerade erst aufgestanden ③ (*only*) nur, bloß; ◇ **he** ~ **wants peace and quiet** er will bloß seine Ruhe; ◇ ~ **take it easy** immer mit der Ruhe ④ (*barely*) gerade noch; (*hardly*) kaum; ◇ **he can only** ~ **manage the work** er kann die Arbeit gerade so schaffen; ◇ **we can** ~ **about do it** wir können es eben noch schaffen ⑤ ◇ **J**~ **do it!** Mach schon!, Tue es doch einfach! ⑥ ◇ ~ **the same** (*in spite of that*) trotzdem
justice ['dʒʌstɪs] *n* ① (*fairness*) Gerechtigkeit *f;* ◇ **to do s.o.** ~ jd-m gegenüber gerecht sein; ◇ **to do o.s.** ~ zeigen, was man kann ② (JUR *system*) Justizwesen *s*, Recht *s* ③ (*person*) Richter(in *f*) *m* ⑤ ◇ **to bring s.o. to** ~ jd-n vor Gericht bringen; **Justice of the Peace** *n* (*BRIT magistrate*) Amtsrichter(in *f*) *m*
justifiable [dʒʌstɪ'faɪəbl] *adj* (*behavior*) berechtigt; **justifiably** *adv* (*with good reason*) zu Recht; **justification** [dʒʌstɪfɪ'keɪʃən] *n* guter Grund *m*, Rechtfertigung *f;* **justify** ['dʒʌstɪfaɪ] *vt* ① (*account for*) rechtfertigen; ◇ **to** ~ **o.s.** sich verteidigen ② (*warrant*) berechtigen; ◇ **nothing justifies violence** Gewalt wird durch nichts gerechtfertigt ③ TYP justieren; ◇ **justified lines** *pl* Blocksatz *m*
justly ['dʒʌstlɪ] *adv* (*speak*) zu Recht; **justness** ['dʒʌstnəs] *n* Gerechtigkeit *f*
jut [dʒʌt]

jut out *vi* hervorragen

juvenile ['dʒu:vənaɪl] **I.** *adj* ① (*court*) Jugend- ② (*behaviour*) unreif **II.** *n* Jugendliche(r) *fm;* **juvenile delinquency** *n* Jugendkriminalität *f;* **juvenile delinquent** *n* jugendlicher Täter *m,* jugendliche Täterin *f*

juxtapose ['dʒʌkstəpəʊz] *vt* (*arguments*) gegenüberstellen; (*objects*) nebeneinanderstellen; **juxtaposition** [dʒʌkstəpə'zɪʃən] *n* Nebeneinanderstellung *f*

K

K, k [keɪ] *n* K, k *s*

K *n nt abbr. of* **kilobyte** (PC *1024 bytes*) K, Kilobyte *s*

kaddish ['kædɪʃ] *n* (*Jewish prayer*) Kaddisch *s*

kaffir ['kæfə*] *n* (*PEJ black South African*) Kaffer *m*

kale [keɪl] *n* (*curly-leaved cabbage*) Grünkohl *m*

kaleidoscope [kə'laɪdəskəʊp] *n* (*instrument*) Kaleidoskop *s*

kamikaze [kæmɪ'kɑ:zɪ'] **I.** *n* MIL ▷*pilot* Kamikazepilot *m* **II.** *adj FIG* ▷*taxi driver* Kamikaze-

Kampuchea [kæmpʊ'tʃɪə] *n* Kampuchea *s,* Kambodscha *s*

kangaroo [kæŋgə'ru:] *n* Känguruh *s;* **kangaroo court** *n* ↑ *illegal court* Femegericht *s*

kaolin ['keɪəlɪn] *n* ↑ *fine white clay* Kaolin *m or s*

karate [kə'rɑ:tɪ] *n* Karate *s;* **karate kick** *n* Karatetritt *s*

karma [kɑ:mə] *n* ↑ *destiny* Karma *s*

kataydid ['keɪtɪd] *n* Laubheuschrecke *f*

kayak ['kaɪæk] *n* Kajak *m or s*

kebab [kə'bæb] *n* (*meat prepared on skewer*) Kebab *m*

keel [ki:l] *n* ① NAUT Kiel *m* ② ◇ **to keep on an even** ~ *FIG* ↑ *keep going steadily* nicht vom Kurs abkommen; **keel over** *vi* ← *boat* kentern; ← *heart-attack victim* umkippen

keen [ki:n] *adj* ① ↑ *enthusiastic, eager* ▷*opera fan* leidenschaftlich; ▷*worker* eifrig; ◇ **to be** ~ **on languages** sich sehr für Sprachen interessieren, an Sprachen *dat* sehr interessiert sein; *FAM* ◇ **to be** ~ **on s.o.** auf jd-n scharf sein; ◇ **to be** ~ **on doing s.th.** etwas unbedingt tun wollen ② ↑ *acute, sharp* ▷*edge* scharf; ▷*sight* scharf ③ ↑ *strong, emotional* ▷*desire* heftig; ◇ **he had a** ~ **sense of failure** er hatte das deutliche Gefühl, versagt zu haben ④ (COM *price*) günstig

keen *vi* wehklagen

kee *adv* ① ◇ **we were** ~ **aware of his absence** wir bekamen deutlich zu spüren, daß er nicht da war ② ◇ **the championship was** ~ **contested** die Meisterschaft war hart umkämpft

keenness *n* ① ↑ *great interest* Leidenschaft *f* ② (*of mind*) Schärfe *f*

keep [ki:p] <kept, kept> **I.** *vt* ① → *change* behalten; ↑ *hold indefinitely* → *secret* bewahren, für sich behalten; ◇ **I don't need it, you can** ~ **it** ich brauche es nicht, du kannst es behalten; ◇ **don't flip out,** ~ **your head!** bleib' ganz ruhig, verliere jetzt nicht den Kopf; ◇ **Where does she** ~ **the coffee?** Wo bewahrt sie den Kaffee auf?, wo hat sie ihren Kaffee?; ◇ **I** ~ **my passport on me** ich trage meinen Paß bei mir; ◇ **to** ~ **s.th. from s.o.** etw vor jd-m verbergen ② (*hold temporarily*) ◇ ~ **this for me till I'm finished** halte das mal, bis ich fertig bin; ◇ **to** ~ **s.o. company** jd-m Gesellschaft leisten; ◇ **to be kept in hospital** im Krankenhaus bleiben müssen; ◇ ~ **the goulash simmering for 25 minutes!** Lassen Sie das Gulasch 25 Minuten lang sieden!; ◇ **the noise ~s me awake at night** der Lärm hält mich nachts wach ③ ↑ *prevent* ◇ ~ **him from phoning the police!** Halte ihn davon ab, die Polizei anzurufen!, Verhindere, daß er die Polizei anruft! ④ ↑ *maintain* → *mistress* sich halten; → *farm animals* halten; → *diary* führen; ◇ ~ **quiet!** sei still! ⑤ ↑ *fulfil* → *promise* halten; → *appointment* einhalten **II.** *vi* ① ↑ *remain fresh* ← *food* sich halten ② ↑ *continue* ◇ **it ~s happening** das passiert ständig; ◇ **to** ~ **doing s.th.** etw ständig tun **III.** *n* ① (*of castle*) Bergfried *m* ② (*food, rent*) Unterhalt *m* ③ ◇ **for ~s** für immer; **keep at** *vi +prep obj* (*continue (s.th.) determinedly*) dranbleiben, weitermachen; ◇ **Don't give up, ~ ~ it!** Gib nicht auf, bleib' dran!; **keep back** *vt:* ◇ **to** ~ **s.th.** ~ **from s.o.** ↑ *withhold* jd-m etw vorenthalten; **keep down** *vt sep* ① → *head* ducken ② → *people* unterdrücken ③ → *food* bei sich behalten ④ ◇ **to ~ ~ inflation** die Inflation niedrig halten; **keep off** *vti* ① ◇ ~ ~! Betreten verboten! ② ◇ ~ **the dog** ~ **me!** Halte den Hund von mir fern!; ◇ ~ **your hands** ~! Hände weg!; **keep on I.** *vi:* ◇ **to** ~ ~ **doing st.** ↑ *go on* etwas weiter tun; (*repeatedly*) etwas immer wieder tun; (*continuously*) andauernd [*o.* ständig] etwas tun; ◇ **to ~ ~ about s.th.** andauernd von etw reden **II.** *vt sep* → *hat* aufbehalten; *FAM* ◇ **to** ~ **one's hair** ~ (*not get upset*) sich nicht aufregen; **keep out I.** *vi:* ◇ **K~ ~!** Betreten [des Geländes] verboten! **II.** *vt sep* ① ◇ **How can I** ~ **mice** ~ **of my house?** Wie kann ich die Mäuse von meinem Haus fernhalten? ② ◇ **you must** ~ **the child** ~ **of danger** du mußt das

Kind vor Gefahr schützen; **keep to I.** *vi +prep obj:* ◇ **to - - the left** sich links halten; ◇ **to - - the subject** beim Thema bleiben **II.** *vt +prep obj:* ◇ **to - s.th. - o.s.** etwas für sich behalten; **keep up I.** *vi* [1] ← *runner* Schritt halten (*with* mit) [2] ← *sunshine* andauern **II.** *vt sep* → *work* fortsetzen

keeper *n* (*zoo -*) Wärter *m;* (*museum -*) Aufseher(in *f*) *m*

keep-fit class *n* Fitneßtraining *s;* **keep-fresh bag** *n* Frischhaltebeutel *m*

keeping *n* [1] ◇ **the money is in my -** (*care and control*) ich verwalte das Geld, ich kümmere mich um die Geldangelegenheiten [2] ◇ **in - with my responsibility** ↑ *consistency* entsprechend meiner Verantwortung

keepsake *n* ↑ *momento* Andenken *s*

keg [keg] *n* [1] (*barrel*) kleines Faß *s* [2] (*- beer*) Bier *s* vom Faß

kennel ['kenl] *n* [1] (*dog house*) Hundehütte *f* [2] (*-s*) Hundeheim, Tierheim *s*

Kenya ['kenjə] *n* Kenya *s*

kept [kept] *pt, pp of* **keep**

kerb ['kɜ:b] *n* (*of street*) Bordsteinkante *f*

kernel ['kɜ:nl] *n* (*of nut*) Kern *m;* (*FIG of argument*) Kern[-aussage] *m*

kerosene ['kerəsi:n] *n* [1] ↑ *jet fuel* Kerosin *s* [2] ↑ *paraffin* Paraffin[-öl] *s*

kestrel ['kestrəl] *n* Turmfalke *m*

ketchup ['ketʃəp] *n* Ketchup *s*

kettle ['ketl] *n* Kessel *m;* **kettledrum** *n* Kesselpauke *f*

key [ki:] **I.** *n* [1] (*to door*) Schlüssel *m;* ◇ **to turn the - in the lock** den Schlüssel umdrehen [2] ↑ *textual code* Schlüssel *m;* ◇ **the - to solving the problem** der Schlüssel zur Lösung des Problems [3] (*piano -*) Taste *f;* (*computer -*) Taste *f* [4] ◇ **in the - of C major** in C-Dur; ◇ **to be all in the same -** eintönig [*o.* langweilig] sein **II.** *adj* ↑ *crucial* Haupt-; ◇ **- witness** Hauptzeuge; **keyboard I.** *n* [1] (*of piano, computer*) Tastatur *f* [2] ↑ *electric piano* Keyboard *s* **II.** *vti* PC → *data* über die Tastatur eingeben; ◇ **-ing skills** Tastaturfertigkeiten *f pl;* **keyed up** *adj* aufgeregt, angespannt (*about* wegen); **keyhole** *n* Schlüsselloch *s;* **key in** *vt* [1] PC eintippen, eingeben [2] ◇ **that -s - with what he said** das stimmt mit dem überein, was er sagte; **keynote** *n* (*of speech*) Leitgedanke *m;* **key ring** *n* Schlüsselring *m;* **keystone** *n* ARCHIT Schlußstein *m*

khaki ['kɑ:kɪ] **I.** *n* K[h]akibraun *s* **II.** *adj* k[h]akibraun

kibbutz [kɪ'bʊts] *n* <kibbutzim, kibbutzes> Kibbutz *m*

kick [kɪk] **I.** *n* [1] (*in anger*) Tritt *m;* (*penalty -*) Stoß *m;* ◇ **to give s.o. a - in the pants** jd-n in den Hintern treten; ◇ **a - in the teeth** *FIG* ein schwerer Schlag [2] *FAM* ↑ *thrill* Kick *m;* ◇ **he gets a - out it** das gibt ihm einen Kick, darauf fährt er ab; ◇ **he does it for -s** er macht das zum Vergnügen [3] (*of hand-gun*) Rückstoß *m* **II.** *vt* [1] → *ball* kicken; ◇ **he -ed the ball into the goal** er schoß den Ball ins Tor [2] → *door* treten gegen *acc* [3] → *person* treten [4] *FAM* ◇ **to - a habit** ↑ *stop* sich etw abgewöhnen, etw stecken **III.** *vi* [1] ↑ *struggle, - out* um sich treten [2] ← *baby* strampeln [3] ← *horse* ausschlagen; **kick about, kick around I.** *vi FAM:* ◇ **the tennis rackets are -ing - in the garage** die Tennisschläger fliegen irgendwo in der Garage 'rum **II.** *vt FAM:* ◇ **to - an idea -** (*discuss in an open fashion*) eine Idee durchdiskutieren; **kick off** *vi* (*start football match*) anstoßen; **kick out** *vt sep FAM* ↑ *force to leave* hinauswerfen, rausschmeißen; **kick up** *vt sep* [1] → *dust* aufwirbeln [2] ◇ **to - - a fuss** Krach schlagen, Theater machen; **kickback** *n* [1] (*money*) Provision *f* [2] (*reaction*) Auswirkung *f;* **kick-off** *n* SPORT Anstoß *m*

kid [kɪd] **I.** *n* [1] ↑ *youngster* Jugendliche(r) *fm;* ↑ *child* Kind *s;* ◇ **Leave the -s alone!** Laß' die Kinder in Ruhe!; ◇ **Why do the -s like Michael Jackson?** ↑ *teenager* Warum mögen die Kids [*o.* Teenager] Michael Jackson? [2] ↑ *young goat* Zicklein *s* [3] (*goatskin*) Ziegenleder *s* **II.** [1] ◇ **my - brother** mein kleiner Bruder [2] ◇ **to treat s.o. with --gloves** *FIG* jd-n mit Glacéhandschuhen [*o.* Samthandschuhen] anfassen **III.** *vti FAM* ↑ *fool* jd-n aufziehen; ◇ **45 dollars! you're -ding** 45 Dollar! du machst wohl Scherze, das kann nicht dein Ernst sein; ◇ **no -ding** [ganz] im Ernst

kidnap ['kɪdnæp] *vt* entführen, kidnappen; **kidnapper** *n* Entführer(in *f*) *m,* Kidnapper(in *f*) *m;* **kidnapping** *n* Entführung *f,* Kidnapping *s*

kidney ['kɪdnɪ] *n* ANAT Niere *f;* **kidney machine** *n* künstliche Niere *f,* Dialysator *m*

kill [kɪl] **I.** *vti* [1] ↑ *cause to die* töten; → *person* umbringen; → *weeds* vernichten; → *cattle* schlachten; → *rabbit, bear* erlegen; ◇ **drugs can -** Drogen können tödlich sein; ◇ **frost -ed my house plants** meine Zimmerpflanzen sind erfroren; ◇ **murder means to - s.o. on purpose** wer einen Mord begeht, tötet absichtlich jd-n [2] *FIG* ◇ **my girdle is -ing me** (*causing me great pain*) mein Korsett bringt mich um [3] ◇ **to - time** die Zeit totschlagen **III.** *n* [1] (*moment of -ing*) Tötung *f* [2] (*hunting*) Abschuß *m,* Erlegen *s;* ◇ **a lion guards its -** ein Löwe bewacht seine Beute;

killer *n:* ◇ **a psychopathic -** ein psychopathischer Mörder [*o.* Killer]; ◇ **a - shark** ein Mörderhai *m;* ◇ **cigarettes are a** ~ Zigaretten sind tödlich; **killing I.** *n* ① ↑ *murder* Tötung *f,* Mord *m* ② *FIG* ◇ **to make a** ~ einen Riesengewinn [*o.* Reibach] machen **II.** *adj* ① *FIG* ▷*work* ↑ *very hard* strapaziös ② *FIG* ▷*joke* ↑ *very funny* zum Totlachen

kiln [kɪln] *n* (*for pottery*) Brennofen *m*

kilo ['kiːləʊ] *n* <-s> Kilo[-gramm] *s*

kilobyte *n* PC Kilobyte *s*

kilogram[**me**] *n* Kilogramm *s*

kilometre, kilometer ['kiːləʊ ' miːtə*] (*AM*) *n* Kilometer *m;* ◇ **~s per hour** Stundenkilometer *m*

kilowatt ['kiːləʊwɒt] *n* TECH, PHYS Kilowatt *s*

kilt [kɪlt] *n* Schottenrock, Kilt *m*

kimono [kɪ'məʊnəʊ] *n* <-s> Kimono *m*

kin [kɪn] *n* Familie *f,* Verwandte *pl;* ◇ **your next of** ~ deine nächsten Verwandten

kind [kaɪnd] **I.** *adj* ↑ *helpful, caring* nett (*to* zu *dat*); ◇ **Would you be so ~ as to … ?** Wären Sie wohl so nett und würden … ? **II.** *n* ① ↑ *sort* Art *f;* ◇ **he doesn't like that ~ of thing** so etw mag er nicht; ◇ **to return in** ~ in gleicher Münze zurückzahlen; ◇ **he is one of a** ~ er ist einzigartig [*o.* ein Unikum] ② ↑ *sort, brand* Art, Sorte *f;* ◇ **What ~ of car have you got?** Was für ein Auto hast/fährst du? ③ ◇ **a ~ of fast food restaurant** so eine Art Schnellrestaurant; ◇ **you look ~ of sad** du siehst irgendwie traurig aus

kindergarten ['kɪndəgɑːtn] *n* Kindergarten *m*

kind-hearted ['kaɪnd'hɑːtɪd] *adj* ▷*old man* gutherzig

kindle ['kɪndl] *vt* → *fire* entzünden, entfachen; → *hope* wecken

kindliness ['kaɪndlɪnəs] *n* (*gentle kindness of manner*) Freundlichkeit *f,* Liebenswürdigkeit *f;* **kindly** ['kaɪndlɪ] **I.** *adj* (*having caring nature*) freundlich, liebenswürdig **II.** *adv* ① (*in a friendly way*) freundlich, nett ② ◇ **would you ~ shut up?** (*FAM ironically*) würdest du jetzt bitte deinen Mund halten?; **kindness** ['kaɪndnəs] *n* ① (*act*) Aufmerksamkeit, Nettigkeit *f* ② (*quality*) Freundlichkeit, Liebenswürdigkeit *f*

kindred ['kɪndrɪd] *adj:* ◇ ~ **spirit** Seelenverwandte(r) *fm*

kinetic [kɪ'netɪk] *adj* kinetisch, Bewegungs-

king [kɪŋ] *n* König *m;* **kingdom** *n* ① (*land under king*) Königreich *s* ② (REL *of heaven*) Himmelreich *s* ③ (*animal* ~) Tierreich *s*

kingfisher *n* Eisvogel *m;* **kingpin** *n* ① TECHNOL Drehzapfen *m;* AUTO Achsschenkelbolzen *m* ② (*person*) Stütze *f;* **king-size**(**d**) *adj* ▷*bed* extra groß

kink [kɪŋk] *n* ① (*in rope*) Knick *m* ② (*in personality*) Tick *m*

kinky *adj* ▷*sex* abartig

kinship [' kɪnʃɪp] *n* Verwandtschaft *f*

kiosk ['kiːɒsk] *n* ① (*newspaper* ~) Kiosk *m* ② TELECOM Telefonzelle *f*

kipper ['kɪpə*] *n* ↑ *smoked herring* Bückling *m*

kiss [kɪs] **I.** *n* ① (*lips*) Kuß *m* ② ◇ **~ of life** Atemspende *f,* Mund-zu-Mund-Beatmung *f* **II.** *vti* küssen; ◇ **to ~ the children goodnight** den Kindern einen Gutenachtkuß geben; ◇ **they ~ed in the disco** sie küßten sich in der Disko

kit [kɪt] *n* (*tennis* ~) Ausrüstung *f,* Sachen *f pl;* (*repair* ~) Werkzeugkasten *m;* **kit out** *vt* ↑ *equip* ausrüsten

kitbag *n* Seesack *m*

kitchen ['kɪtʃɪn] *n* Küche *f;* **kitchen foil** *n* Alufolie *f;* **kitchen garden** *n* Gemüsegarten *m;* **kitchen sink** *n* Spüle *f*

kite [kaɪt] **I.** *n* (*box* ~) Drachen *m;* ◇ **to fly a** ~ einen Drachen steigen lassen **II.** *vt* (*BRIT*): ◇ **to ~ a cheque** einen Scheck fälschen

kith [kɪθ] *n:* ◇ ~ **and kin** Blutsverwandte *pl*

kitten ['kɪtn] *n* Kätzchen *s*

kitty ['kɪtɪ] *n* (*pool of money*) Kasse *f*

kiwi ['kiːwiː] *n* (*fruit*) Kiwi *f*

kleptomaniac [kleptəʊ'meɪnɪæk] *n* Kleptomane *m,* Kleptomanin *f*

km *abbr. of* **kilometre[s]** km

knack [næk] *n* (*of laying bricks*) Trick, Dreh *m*

knave [neɪv] *n* ↑ *Jack* Bube *m*

knead [niːd] *vt* → *dough* kneten; → *muscle* massieren

knee [niː] *n* Knie *s;* ◇ **to bring so. to their ~s** jd-n in die Knie zwingen; **kneecap I.** *n* Kniescheibe *f* **II.** *vt* ← *terrorists* jd-m die Kniescheibe zerschießen; **knee-deep** *adj:* ◇ **the water is** ~ das Wasser ist knietief, das Wasser geht bis an die Knie

kneel [niːl] <knelt *o.* kneeled, knelt *o.* kneeled> *vi* knien; (~ *down*) sich hinknien, niederknien (*to* vor *dat*)

knell [nel] *n* Geläut *s,* Totenglocke *f*

knelt [nelt] *pt, pp of* **kneel**

knew [njuː] *pt of* **know**

knickers ['nɪkəz] *n pl* Schlüpfer *m sg; FAM* ◇ **to get one's ~ in a twist** sich ins Hemd machen

knick-knack *n* (*cheap ornament*) Kinkerlitzchen *s,* Schnickschnack *m*

knife [naɪf] **I.** *n* <knives> Messer *s* **II.** *vt* einstechen auf *acc;* (*to death*) erstechen; **knife edge** *n* Schneide *f*

knight [naɪt] *n* ① (*title, Sir Stephen Spender*) Ritter *m* ② (*of King Arthur*) Ritter *m* ③ CHESS

Pferd *s,* Springer *m;* **knighthood** *n* (*award of title*) Ritterstand *m*

knit [nɪt] **I.** *vti* → *pullover* stricken **II.** <knit, knit> *vi* ↑ *~ together* ← *bones* verwachsen; ← *group of people* zusammenwachsen; **knitting** *n* ① ◇ **she keeps her ~ in a basket** sie bewahrt ihr Strickzeug in einem Korb auf ② (*activity*) Stricken *s;* **knitting needle** *n* Stricknadel *f;* **knitwear** *n* Stricksachen *pl*

knives [naɪvz] *pl* **knife**

knob [nɒb] *n* (*door ~*) Türgriff *m;* (*control ~*) Regler, Drehknopf *m;* (*of butter*) Stückchen *s*

knock [nɒk] **I.** *vt* ① → *head* anschlagen ② → *s.o.'s. work* kritisieren ③ ◇ **to ~ s.th. flying** etw umstoßen, so daß es zu Boden fällt **II.** *vi:* ◇ **to ~ at the door** an die Tür klopfen; ◇ **to ~ on the window** ans Fenster klopfen **III.** *n* ① (*sound*) Klopfen *s* ② (*injury*) Schlag *m;* ◇ **to take a ~** (*FIG suffer*) einen Schlag wegstecken; **knock about I.** *vi* (*FAM gather life-experience*) herumkommen **II.** *vt* → *wife* verprügeln; **knock back** *vt sep FAM* → *drinks* herunterkippen; **knock down** *vt sep* ① → *vase* umwerfen ② → *pedestrian* umfahren, anfahren; (*and kill*) überfahren ③ → *price* herunterhandeln; **knock off I.** *vt sep* ① *FAM* → *essay* schnell erledigen ② *FAM* → *jewels* ↑ *steal* klauen **II.** *vti FAM* → *work* Feierabend machen; ◇ **~ it off!** ↑ *stop it* hör' auf damit!; **knock out** *vt sep* ① → *person* k.o. [*o.* bewußtlos] schlagen ② ◇ **to be ~ed ~ by s.th.** *FIG* ← *to be amazed* ganz baff sein von etw; **knock over** *vt sep* umwerfen; **knock up I.** *vt sep* ① (*FIG* → *meal, make in a hurry*) schnell herzaubern ② *FAM!* → *woman* ein Kind anhängen **II.** *vi* (*at squash*) sich einspielen

knocker *n* ↑ *door ~* Türklopfer *m*

knock-kneed *adj* X-beinig; **knockout** *n* ① (*technical ~*) K.o. *s* ② ◇ **she is a ~** sie ist eine Wucht ③ ◇ **~ competition** Ausscheidungskampf *m*

knoll *n* Hügel *m,* Kuppe *f*

knot [nɒt] **I.** *n* ① (*of rope, of string*) Knoten *m;* ◇ **to tie a ~** einen Knoten machen ② (*in timber*) Verwachsung *f* ③ (*of people*) Knäuel *m* ④ (*unit of speed at sea*) Knoten *m* **II.** *vt* ↑ *~ together* verknoten; **knotted** *adj* verknotet; **knotty** ['nɒtɪ] *adj* ▷*problem* verwickelt

know [nəʊ] <knew, known> *vti* ① (*have knowledge*) wissen; ◇ **I ~ that the earth goes round the sun** ich weiß, daß die Erde sich um die Sonne dreht; ◇ **I ~ her phone number** ich kenne ihre Telefonnummer ② ↑ *be familiar with* kennen, sich auskennen mit; ◇ **to ~ about computers** sich mit Computern auskennen; ◇ **to ~ s.o./s.th. very well** jd-n/etw gut kennen ③ ◇ **to get to ~ s.o./s.th.** ↑ *become familiar with* jd-n/etw kennenlernen ④ ◇ **to let s.o. ~ about s.th.** ↑ *inform* jd-n von etw in Kenntnis setzen, jd-n über etw informieren ⑤ ↑ *recognize* erkennen; ◇ **I ~ good workmanship when I see it** saubere Arbeit erkenne ich sofort; ◇ **I ~ you from somewhere** ich kenne Sie von irgendwoher; ◇ **to ~ one thing from another** ↑ *distinguish* zwei Dinge auseinanderhalten können ⑥ (*rhetorical reinforcement*) ◇ **work's hard, you ~, getting up and all** Arbeiten ist hart, nicht wahr, morgens aufstehen und so; ◇ **turn right at the pub, you ~, the big one** biegen Sie an der Kneipe rechts ab, Sie wissen schon, die Große; ◇ **I just can't make my mind up, ~ what I mean?** Ich kann mich einfach nicht entscheiden, kennst du das? ⑦ (*agreement*) ◇ **he's cruel, I ~** er ist grausam das weiß ich [*o.* stimmt]; **know of** *vi + prep obj* (*s.o.'s death*) gehört haben von; **know-all** *n* Alleswisser *m;* **know-how** *n* Know-how *s,* Können *s*

knowing *adj* ▷*person* gescheit; ▷*look, smile* wissend; **knowingly** *adv* ↑ *consciously* bewußt

knowledge ['nɒlɪdʒ] *n* ① (*scientific ~*) Wissen *s,* Kenntnis *f;* (*of language*) ◇ **he has a good ~ of German** er hat gute Deutschkenntnisse *pl* ② ↑ *awareness* ◇ **he acted in full ~ of the consequences** er war sich der Folgen seines Handelns voll bewußt; ◇ **to the best of my ~** soviel [*o.* soweit] ich weiß; ◇ **he did it without her ~** er tat es ohne ihr Wissen; **knowledgeable** *adj:* ◇ **to be ~** gut informiert sein (*about* über *acc*)

known [nəʊn] **I.** *pp of* **know**; **II.** *adj* ▷*criminal* bekannt; ◇ **to make s.th. ~ to** jd-m etw mitteilen

knuckle ['nʌkl] *n* (*of hand*) Knöchel *m;* (*of pork*) Haxe *f;* **knuckle down** *vi* sich anstrengen; ◇ **to ~ ~ to work** sich an die Arbeit machen; **knuckle under** *vi* sich fügen; **knuckle-duster** *n* Schlagring *m*

Koran [kɒ'rɑːn] *n* Koran *m*

kosher ['kəʊʃə*] *adj* ① ▷*foods* koscher ② *FAM* in Ordnung

kowtow [kaʊ'taʊ] *vi* kriechen, katzbuckeln (*to* vor *dat*)

kph *abbr. of* **kilometers per hour**

kudos ['kjuːdɒs] *n* Ansehen *s*

Kurd [kɜːd] *n* Kurde *m,* Kurdin *f*

Kurdish I. *adj* kurdisch **II.** *n* (*language*) Kurdisch *s*

Kuwait [kʊ'wəɪt] *n* Kuwait *s*

L

L, l [el] *n* (*letter*) L, l *s*
L *n abbr. of* 1 (*BRIT on license plate*) *Kennzeichung für Fahrschulwagen, Fahranfänger f,* Fahranfänger(in *f*) *m* 2 **litre, liter,** l
label ['leɪbl] **I.** *n* 1 ↑ *tag* Etikett *s* **II.** *vt* 1 ↑ *mark* etikettieren 2 ↑ *categorize* bezeichnen; → *person, FAM* abstempeln
laboratory [lə'bɒrətərɪ] *n* Labor[-atorium] *s*
laborious *adj* mühsam, mühselig
labour, **labor** (*AM*) ['leɪbə*] **I.** *n* 1 ↑ *hard work* schwere Arbeit *f* 2 (*workers collectively*) Arbeitskräfte *pl* 3 MED Wehen *pl;* ◇ **she has gone into** - bei ihr haben die Wehen eingesetzt **II.** *vt* ↑ *dwell on* auswalzen, breittreten **III.** *vi* 1 (*manually*) arbeiten 2 ↑ *struggle* sich quälen
labourer *n* Arbeiter(in *f*) *m*
labour-saving *adj* arbeitssparend
lace [leɪs] **I.** *n* 1 (*fabric*) Spitze *f* 2 (*of shoe*) Schuhband *s,* Schnürsenkel *m* **II.** *vt* → *a drink* einen Schuß Alkohol zugeben; ˜ **up** zuschnüren
lack [læk] **I.** *vt* nicht haben, zuwenig haben von; ◇ **we - money** es fehlt uns an Geld **II.** *vi:* ◇ **to be -ing** fehlen; ◇ **he is -ing in courage** ihm fehlt der Mut, es fehlt ihm an Mut **III.** *n* Mangel *m* (*of* an *dat*); ◇ **for - of time** aus Zeitmangel
lackadaisical [lækə'deɪzɪkəl] *adj* lustlos, schlapp, träge
lackey ['lækɪ] *n* Lakai *m*
lacklustre, **lackluster** (*AM*) ['læklʌstə*] *adj* ▷*person* langweilig, farblos; ▷*thing, event* glanzlos, matt
laconic [lə'kɒnɪk] *adj* lakonisch, wortkarg
lacquer ['lækə*] **I.** *n* Lack *m,* Farblack *m* **II.** *vt* lackieren
lacrosse [lə'krɒs] *n* SPORT Lacrossespiel *s*
lacy ['leɪsɪ] *adj* spitzenartig
lad [læd] *n* ↑ *boy* Bursche *m,* junger Kerl *m*
ladder ['lædə*] **I.** *n* 1 (*tool*) Leiter *f; FIG* ◇ **to be at the bottom of the** - (*society, firm*) ganz unten sein; ◇ **the social** - die gesellschaftliche Leiter 2 (*BRIT in stockings*) Laufmasche *f*
laden ['leɪdn] *adj* beladen; *FIG* ◇ **to be - with guilt** schuldbeladen sein
ladle ['leɪdl] *n* Schöpflöffel *m,* Suppenkelle *f*
lady ['leɪdɪ] *n* 1 (*of a household*) Dame *f;* ◇ **the - of the house** die Dame des Hauses 2 (*polite, good manners*) ◇ **act like a** - benimm dich wie eine Dame 3 (*nobility*) Adlige *f;* ◇ **the Ladies' room** ↑ *lavatory* die Damentoilette; **ladybird**, **ladybug** (*AM*) *n* Marienkäfer *m;* **lady-in-waiting** *n* <ladies-in-waiting> (*BRIT*) Ehrendame *f;* **ladylike** *adj* vornehm, damenhaft
lag [læg] **I.** *n* 1 ↑ *gap, interval* Zeitabstand *m* 2 ↑ *delay, retardation* Verzögerung *f;* ◇ **he was suffering from jet** - er litt unter der Zeitverschiebung **II.** *vi* 1 ↑ *fall behind, linger* nachhinken, zurückbleiben; ◇ **he is -ging in his lessons** im Unterricht ist er hinten dran 2 ← *flag* ↑ *slacken* durchhängen; ◇ - **behind** zurückbleiben
lager ['lɑːgə*] *n* helles Bier *s,* Lagerbier *s*
lagging ['lægɪŋ] *n* Isoliermaterial *s*
lagoon [lə'guːn] *n* Lagune *f*
laid [leɪːd] **I.** *pt, pp of* **lay II.** *adj:* ◇ **to be - up with an illness** krank sein
laid-back *adj FAM* locker, lässig
lain [leɪn] *pp of* **lie**
laity ['leɪɪtɪ] *n* 1 ↑ *laymen* Laienstand *m* 2 ↑ *nonprofessionals* Laien *pl*
lake [leɪk] *n* See *m*
lamb [læm] *n* Lamm *s;* **lamb chop** *n* Lammkotelett *s*
lame [leɪm] *adj* 1 ↑ *disabled* lahm; ◇ **the injury left him - in one leg** durch die Verletzung blieb eines seiner Beine gelähmt 2 ↑ *ineffectual, weak* lahm, schwach; ◇ **that's a - excuse** das ist eine faule Ausrede; **lame duck** *n* ↑ *failure* Versager *m,* Niete *f*
lament [lə'ment] **I.** *n* Jammer *m,* Wehklage *f* **II.** *vi* trauern, wehklagen; **lamentable** ['læməntəbl] *adj* beklagenswert, bedauerlich; **lamentation** [læmən'teɪʃən] *n* Wehklage *f*
laminated ['læmɪneɪtɪd] *adj* 1 ↑ *layered* geschichtet; ◇ - **glass** Verbundglas *s* 2 (*plastic covering*) laminiert; ◇ - **paper** Hartpapier *s*
lamp [læmp] *n* Lampe *f;* **lamppost** *n* Laternenpfahl *m;* **lampshade** *n* Lampenschirm *m*
lance [lɑːns] **I.** *n* Lanze *f* **II.** *vt* MED aufschneiden, eröffnen
lancet ['lɑːnsɪt] *n* MED Lanzette *f*
land [lænd] **I.** *n* 1 Land *s* 2 ↑ *property* Grundstück *s;* ◇ **the farmer owns a lot of** - der Bauer besitzt viel Land 3 ↑ *region* Land *s* **II.** *vi* 1 AERO ↑ *touch down* landen; NAUT an Land gehen 2 ↑ *end up* bringen; ◇ **you're going to - in the sanatorium** du wirst im Irrenhaus landen **III.** *vt* 1 → *passengers* absetzen; → *goods* an Land bringen; → *troops, space probe* landen 2 → *fish* an Land ziehen, [an-]landen; **landed** *adj* Land-, Grund-; ◇ - **gentry** Landadel *m*
landing *n* 1 (*site for -, jetty, dock*) Landung *f* 2 (*act*) Landen *s* 3 (*of stairs*) Flur *m,* Gang *m;* **landing craft** *n* Landungsboot *s;* **landing stage** *n* Landansteg, Bootssteg *m;* **landing strip** *n* Landebahn *f*

L

landlady *n s.* **landlord**; **landlocked** *adj* von Land eingeschlossen; **landlord(landlady** *f) n* (*of house*) Hausbesitzer(in *f*) *m*, Hauswirt(in *f*) *m;* (*of pub*) Wirt(in *f*) *m;* (*of land*) Grundbesitzer(in *f*) *m;* **landmark** *n* [1] ↑ *boundary marker* Grenzstein *m* [2] ↑ *monument* Wahrzeichen *s* [3] ↑ *milestone* Meilenstein *m;* **landowner** *n* Grundbesitzer(in *f*) *m;* **landscape** *n* Landschaft *f;* **landslide** *n* [1] GEO Erdrutsch *m* [2] POL ↑ *overwhelming victory* Erdrutschsieg *m*

lane [leɪn] *n* [1] (*narrow way*) Sträßchen *s;* (*in country*) Feldweg *m;* ↑ *alley, sidestreet* Gasse *f* [2] (*divided street*) Spur *f;* ◇ **a four ~ highway** eine vierspurige Autobahn; ↑ *track* Bahn *f*

language [ˈlæŋgwɪdʒ] *n* [1] (*tongue*) Sprache *f* [2] ↑ *expression, usage* Redeweise *f*, Ausdrucksweise *f;* ◇ **don't use such a vulgar ~** rede nicht so vulgär; **language laboratory** *n* Sprachlabor *s*

languid [ˈlæŋgwɪd] *adj* träge, schleppend

languish [ˈlæŋgwɪʃ] *vi* verschmachten, dahinsiechen

languor [ˈlæŋgə*] *n* Trägheit *f*

lank [læŋk] *adj* [1] ↑ *skinny* schlank, mager [2] ↑ *straggling, limp* ▷*hair* strähnig

lanky *adj* schlaksig

lantern [ˈlæntən] *n* Laterne *f*

lap [læp] **I.** *n* [1] (*of a person*) Schoß *m;* ◇ **she sat on his ~** sie saß auf seinem Schoß [2] SPORT Runde *f* **II.** *vi* ↑ *splash* ← *waves* plätschern (*against* an *acc*) **III.** *vt* [1] ↑ *overtake* überlappen [2] (*to drink*) lecken, schlecken; **lap up** *vt* auflekken; ◇ **the kitten ~ped ~ the milk** das Kätzchen schleckte die Milch auf

lapdog *n* Schoßhund *m*

lapel [ləˈpel] *n* Rockaufschlag *m*, Revers *s*

lapse [læps] **I.** *n* [1] ↑ *mistake* Versehen *s*, Irrtum *m;* (*moral, manners*) Fehltritt *m;* ◇ **to have a memory ~** Gedächtnisschwäche haben [2] (*time*) Zeitspanne *f*, Zeitraum *m* **II.** *vi* [1] ↑ *expire* ablaufen [2] ↑ *pass* ← *time* verstreichen, vergehen [3] ↑ *slip into* absinken, verfallen; ◇ **Fanny ~d into her old routine** Fanny ist wieder in ihren Alltagstrott verfallen

larceny [ˈlɑːsənɪ] *n* JUR Diebstahl *m*

lard [lɑːd] *n* Schmalz *m*

larder [ˈlɑːdə*] *n* Speisekammer *f*

large [lɑːdʒ] *adj* [1] ↑ *big* groß [2] ↑ *expansive* weitreichend, umfassend; ◇ **at ~** (*in general*) im allgemeinen; ◇ **to speak at ~** ins Blaue hinein reden; ◇ **by and ~** (*on the whole*) im großen und ganzen; **largely** *adv* größtenteils; **large-scale** *adj* umfangreich, im großen Rahmen

lark [lɑːk] *n* [1] (*bird*) Lerche *f* [2] *joke, BRIT* Jux *m;* **lark about** *vi FAM* herumblödeln

larva [ˈlɑːvə] *n* <larvae> Larve *f*

larvae [ˈlɑːvɪ] *pl of* **larva**

laryngitis [lærɪnˈdʒaɪtɪs] *n* Kehlkopfentzündung *f*

larynx [ˈlærɪŋks] *n* Kehlkopf *m*

lasicivious [ləˈsɪvɪəs] *adj* wollüstig, geil

laser [ˈleɪzə*] *n* TECH Laser *m*

lash [læʃ] **I.** *n* [1] ↑ *stroke, blow* Peitsche *f* [2] ◇ eye~ Wimper *f* **II.** *vt* [1] ↑ *whip* peitschen, schlagen [2] ↑ *bind* festbinden; ◇ **to ~ s.th. together** etw zusammenbinden (*to* an) [3] (*verbal attack*) scharf tadeln; **lash out I.** *vi* [1] (*with fists*) wild um sich schlagen [2] (*FIG with words*) vom Leder ziehen

lass [læs] *n* (*BRIT*) Mädchen *s*

lassitude [ˈlæsɪtjuːd] *n* Mattigkeit *f*

lasso [læˈsuː] **I.** *n* <-[e]s> Lasso *s, m* **II.** *vt* mit einem Lasso fangen

last [lɑːst] **I.** *adj* [1] ↑ *latest* letzte(r, s) [2] (*least expected*) ◇ **you are the ~ person I expected to see here** dich hätte ich hier am wenigsten vermutet [3] ↑ *remaining* ◇ **today is our ~ day of vacation** heute ist unser letzter Urlaubstag **II.** *vi* [1] ↑ *continue* dauern; ↑ *endure* halten; ◇ **it is too good to ~** es ist zu schön, um lange zu währen; ◇ **she was tired and didn't ~ very long** sie war müde und hielt es nicht lange aus [2] ← *money, food* ausreichen, genügen; ◇ **at ~** endlich; **lasting** *adj* [1] ↑ *enduring* dauerhaft [2] ↑ *durable* haltbar

latch [lætʃ] **I.** *n* Riegel *m* **II.** *vt* verriegeln

late [leɪt] **I.** *adj* [1] (*toward the end*) spät; ◇ **~ in the afternoon** spät am Nachmittag [2] ↑ *tardy* spät; ◇ **sorry I'm ~** tut mir leid, daß ich zu spät komme; ◇ **the train is ~** der Zug hat Verspätung; ◇ **it is too ~ to change things now** es ist zu spät, um etw daran zu ändern [3] ↑ *former* letzte(r, e, es), ehemalig; ↑ *deceased* verstorben; ◇ **the ~ prime minister** der verstorbene Premierminister **II.** *adv* [1] (*after proper time*) spät; ◇ **to arrive ~** zu spät kommen [2] ↑ *end, closing* ◇ **at a ~ hour** zu später Stunde [3] ↑ *recently* ◇ **I haven't been feeling well of ~** ich habe mich in letzter Zeit nicht sehr wohl gefühlt; **latecomer** *n* Nachzügler(in *f*) *m;* **lately** *adv* kürzlich, in letzter Zeit; ◇ **till ~ I haven't been going out much** bis vor kurzem ging ich abends nicht oft weg

latent [ˈleɪtənt] *adj* verborgen; MED latent; ◇ **in the ~ period** im Latenzstadium

later I. *adv* ↑ *subsequently* später; ◇ **I'll do the dishes ~** ich spüle später ab **II.** *adj* ↑ *latter* später, letzter(e, es); ◇ **in the ~ half of the 19th century** in der zweiten Hälfte des 19. Jahrhunderts

lateral [ˈlætərəl] *adj* seitlich, Seiten-

latest [ˈleɪtɪst] *n* ↑ *most recent* neueste(r, s); ◇ **at the ~** allerspätestens

latex ['leɪteks] *n* Latex *n*
lath [læθ] *n* Latte *f*
lathe [leɪð] *n* Drehbank *f*
lather ['lɑːðə*] **I.** *n* Seifenschaum *m* **II.** *vt* einschäumen
Latin ['lætɪn] **I.** *n* ① (*language*) Latein, Lateinische *s* ② (*race*) Südländer(in *f*) *m*, Romane(Romanin *f*) *m* **II.** *adj* ① (*of Roman origin*) romanisch ② (*language*) lateinisch ③ REL römisch-katholisch; **Latin-American I.** *adj* lateinamerikanisch **II.** *n* Lateinamerikaner(in *f*) *m*
latitude ['lætɪtjuːd] *n* ① GEO Breite *f*; ◇ **degree of** ~ Breitengrad *m* ② ↑ *freedom* Spielraum *m*
latrine [lə'triːn] *n* Latrine *f*
latter ['lætə*] **I.** *n* (*second of two*) letztgenannte(r, s) **II.** *adj* ① at the end, gegen Ende; ◇ **the ~ years of o.'s life** die späteren Lebensjahre ② ↑ *former* letztere(r, s); **latterly** *adv* in letzter Zeit; **latter-day** *adj* modern, aus neuerer Zeit
lattice ['lætɪs] *n* Gitter *s*
laudable ['lɔːdəbl] *adj* lobenswert
laugh [lɑːf] **I.** *n* Lachen *s*; ◇ **we had such a good ~** wir haben herzlich gelacht; ◇ **Fanny did it just for ~s** Fanny hat es nur aus Spaß gemacht **II.** *vi* lachen; ◇ **to ~ about s.th.** über etw lachen, sich über etw amüsieren; ◇ **Don't make me ~!** Daß ich nicht lache!; ◇ **I ~ed so hard** ich habe so fest gelacht; ◇ **they were ~ing their heads off** sie lachten sich tot; **laugh at** *vt* sich über jd-n/etw lustig machen *acc*; **laugh off** *vt* mit einem Lachen abtun, ◇**Robin ~ed the matter,** Robin konnte über diese Angelegenheit nur lachen; **laughable** *adj* lachhaft; **laughing** *adj* lachend; ◇ **it is no ~ matter** es ist nichts zum Lachen; **laughing stock** *n* Zielscheibe *f* des Spotts; ◇ **to make a ~ ~ of o.s.** sich lächerlich machen; **laughter** ['lɑːftə*] *n* Gelächter *s*
launch [lɔːntʃ] **I.** *n* ① (*of ship*) Stapellauf *m*; (*of rocket*) Start, Abschuß *m* ② (*of new product*) Einführung *f*; (*of a business*) Gründung *f*, Eröffnung *f* **II.** *vt* ① ↑ *set afloat* vom Stapel lassen; ◇ **the weather is too bad to ~ the boat** das Wetter ist zu schlecht, um das Boot auszusetzen; → *rocket* abschießen ② ↑ *set going* → *campaign, attack* in Gang setzen; → *business* gründen ③ ↑ *introduce* → *product* einführen; → *record, book* herausbringen; **launch into** *vi* ← *speech, argument* angreifen
launching pad *n* Abschußrampe *f*
launderette [lɔːndə'ret] *n* Waschsalon *m*; **laundry** ['lɔːndrɪ] *n* ① (*place*) Wäscherei *f* ② (*clothes*) Wäsche *f nopl*
laurel ['lɒrəl] *n* Lorbeerbaum *m*; ◇ **Bonnie is resting on her ~s** Bonnie ruht sich auf ihren Lorbeeren aus
lava ['lɑːvə] *n* Lava *f*
lavatory ['lævətrɪ] *n* Toilette *f*, WC *s*
lavender ['lævɪndə*] *n* (*flower*) Lavendel *m*
lavish ['lævɪʃ] **I.** *adj* ① ↑ *extravagant* üppig, reich ② ↑ *generous* freigiebig, großzügig; ◇ **his is ~ with his money** er gibt sein Geld mit vollen Händen aus **II.** *vt* verschwenderisch ausgeben; ◇ **he ~ed presents on her** er überhäufte sie mit Geschenken; **lavishly** *adv* reichlich
law [lɔː] *n* ① (*rules*) Gesetz *s*; ◇ **to break the ~** gegen das Gesetz verstoßen ② (*particular*) Gesetz *s*; (*system*) Recht *s*; ◇ **according to the ~** nach dem Gesetz; ◇ **under German ~** nach deutschem Recht ③ ↑ *commandments*, REL Gesetz *s* ④ (*field of ~*) Jura *f nopl*, Rechtswissenschaft *f* ⑤ ↑ *police, authorities, FAM* Polizei *f*; ◇ **Mr. Davenport called the ~** Herr Davenport hat die Polizei angerufen ⑥ (*natural process*) Gesetz *s*; ◇ **a ~ of nature** ein Naturgesetz *s*; **law-abiding** *adj* gesetzestreu; **lawbreaker** *n* Gesetzesbrecher(in *f*) *m*, Rechtsbrecher(in *f*) *m*; **law court** *n* Gerichtshof *m*; **lawful** *adj* gesetzlich; **lawfully** *adv*: ◇ **to act ~** im Rahmen des Gesetzes bleiben; **lawless** *adj* gesetzlos
lawn [lɔːn] *n* Rasen *m*; **lawnmower** ['lɔːnməʊə*] *n* Rasenmäher *m*
law school ['lɔːskuːl] *n* (*AM*) juristische Fakultät *f*, Rechtsakademie *f*; **law student** *n* Jurastudent(in *f*) *m*; **lawsuit** ['lɔːsuːt] *n* Prozeß *m*, Gerichtsverfahren *s*; ◇ **to bring a ~** eine Klage erheben (*against* gegen)
lawyer ['lɔːjə*] *n* Rechtsanwältin *f*, Rechtsanwalt *m*
lax [læks] *adj* ▷*behaviour* locker, nachlässig
laxative ['læksətɪv] *n* Abführmittel *s*
lay [leɪ] **I.** *pt of* **lie**; **II.** <laid, laid> *vt* ① ↑ *place* legen; ◇ **she laid the baby down** sie legte das Baby hin ② → *table* decken ③ ↑ *install* → *carpet, cable* verlegen; → *bricks* legen; → *road* anlegen, bauen ④ → *egg* legen ⑤ ↑ *have sex, FAM!* ◇ **Did Lee ~ her?** Hat Lee sie flachgelegt?; ◇ **Charlie wants to get laid** Charlie will bumsen; ◇ **to ~ low** zu Boden strecken; ◇ **to ~ emphasis on s.th.** etw betonen, vorbringen; **lay aside** *vt* zur Seite legen; **lay down** *vt* → *rules* festlegen; → *arms* niederlegen; ↑ *give up* ◇ **he laid down his life for her** er opferte ihr sein Leben; **lay off** *vt* ① → *employees* entlassen ② ↑ *stop, FAM* aufhören; ◇ **I'm going to ~ ~ drinking** ich höre mit dem Trinken auf; **lay out** *n* Anlage *f*, Aufteilung *f*, Entwurf *m*; **layover** *n* (*AM*) Aufenthalt *m*, Fahrtunterbrechung *f*; **lay-by** *n* (*BRIT*) Parkbucht *f*; (*bigger*) Rastplatz *m*
layer ['leɪə*] *n* Schicht *f*

layman ['leɪmən] *n* <-men> Laie *m*

laze [leɪz] *vi* faulenzen; **laziness** ['leɪzɪnɪs] *n* Faulheit *f;* **lazy** ['leɪzɪ] *adj* ① faul ② (*slow-moving*) träge, langsam

lead [1] [led] *n* CHEM Blei *s*

lead [2] [li:d]**I.** *n* ① (*position*) Spitze *f;* ◇ **to be in the ~** führend sein ② ↑ *clue* Hinweis *m* ③ ↑ *example* Vorbild *s;* ◇ **to follow s.o.'s ~** jd-m nacheifern; ◇ **to take the ~** die Führung übernehmen **II.** [li:d] <led, led> *vt* ① ↑ *direct* leiten, anführen; ◇ **he ~s the Democratic party** er ist Parteivorsitzender der Demokraten ② → *life* führen ③ ◇ **motivate** veranlassen; ◇ **his comment ~ me to believe that ...** auf Grund seiner Bemerkung glaubte ich, daß ... **III.** *vi* ① ↑ *be first* die erste Stelle einnehmen, in Führung liegen; ◇ **they led by one goal** sie lagen mit einem Tor in Führung ② (*goes there*) ◇ **this road ~s downtown** die Straße führt zur Stadtmitte ③ ↑ *result in* ◇ **smoking ~s to cancer** Rauchen verursacht Krebs ④ ↑ *show* führen **IV.** *adj:* ◇ **the ~ singer** der Hauptsänger; **lead astray** *vt* in die Irre führen; *FIG* verführen; **lead away** *vt* → *prisoner* abführen; (*FIG from matter*) wegführen, abbringen; **lead off** *vt* → *person* abführen; **lead on** *vt* verführen, verlocken; **lead up to** *vt* ① → *a subject* einleiten *acc*, auf etw hinaus führen ② ↑ *precede* vorausgehen; ◇ **the events that led - - - the killing** die Ereignisse, die dem Mord vorausgingen

leaded ['ledɪd] *adj* ▷*petrol* bleihaltig

leader ['li:də*] *n* ① ↑ *head* Führer(in *f*) *m*, Vorsitzende(r) *fm* ② ↑ *winner* Erste(r, *s*) ③ *BRIT* Leitartikel *m;* **leadership** ['li:dəʃɪp] *n* ① (*people in charge*) Führung *f*, Vorsitz *m* ② (*a quality*) Führerschaft *f*

lead-free ['led'fri:] *adj* ▷*petrol* bleifrei, unverbleit

leading ['li:dɪŋ] *adj* ① ↑ *chief* führend, Spitzen-; ◇ **the ~ fashion** herrschende Mode *f;* THEAT ▷*role* Haupt-; ◇ **the ~ lady** Hauptdarstellerin *f* ② ↑ *in front* vorderste(r, s)

leaf [li:f] *n* <leaves> Blatt *s;* **leaf through** *vt* → *book* durchblättern

leaflet ['li:flɪt] *n* ↑ *advertisement* Prospekt *m;* ↑ *flyer* Flugblatt *s;* (*for information*) Merkblatt *s*

leafy *adj* belaubt

league [li:g] *n* ↑ *union* Bund *m*, Verband *m;* SPORT Liga *f*

leak [li:k] **I.** *n* ① ↑ *hole* undichte Stelle *f* ② ↑ *escape* Leck *s;* ◇ **the boat sprung a ~** das Boot bekam ein Leck **II.** *vi* ← *pipe, roof* undicht sein; ← *liquid* auslaufen; ← *gas* ausströmen; ◇ **the rain is ~ing in** der Regen tropft durch die Decke **III.** *vt* ↑ *inform* durchsickern lassen; **leakage** *n* Auslaufen *s;* **leaky** *adj* undicht

lean [li:n] <leant *o.* leaned, leant *o.* leaned> **I.** *vi* ① ↑ *bend* sich biegen; ◇ **she leaned forward/across** sie beugte sich vor/über ② ↑ *approve* zuneigen *dat;* ◇ **he ~s toward his father's view** er tendiert zur Ansicht seines Vaters **II.** *vt* ↑ *rest:* ◇ **she ~ed against the tree** sie lehnte sich gegen den Baum; ↑ *support* aufstützen **III.** *adj* ① ↑ *thin* dünn, mager; ▷*face* schmal ② ▷*meat* mager ③ ▷*period* mager; **lean back** *vi* zurücklehnen

leaning *n* Neigung *f*, Tendenz *f*

leant [lent] *pt, pp of* **lean**

lean-to *n* Schuppen *m*

leap [li:p] <lept *o.* leaped, lept *o.* leaped> **I.** *vi* ↑ *jump* springen **II.** *n* Sprung *m;* **leapfrog** *n* Bockspringen *s;* **leap year** *n* Schaltjahr *s*

learn [lɜ:n] **I.** <learnt *o.* learned, learnt *o.* learned> *vt, vi* ① → *skill, fact* lernen, erlernen ② ↑ *memorize* [auswendig] lernen ③ ↑ *informed* erfahren; **learned** ['lɜ:nɪd] *adj* ↑ *erudite* akademisch, scholarly, gelehrt; **learning** *n* Gelehrtheit *f*

learnt [lɜ:nt] *pt, pp of* **learn**

lease [li:s] **I.** *n* (*of property*) Mietvertrag *m;* (*of land*) Pachtvertag *m* **II.** *vt* → *land* pachten; → *car, house* vermieten; **lease-hold** *adj* Pachtbesitz *m;* ◇ **to have a house on ~** ein Haus langfristig mieten

leash [li:ʃ] *n* Leine *f*

least [li:st] **I.** *adv* ① (*smallest likely*) am wenigsten; ◇ **he works at ~ seven hours a day** er arbeitet mindestens sieben Stunden am Tag; ◇ **he could have at ~ called** er hätte wenigsten anrufen können ② ↑ *still* ◇ **it is cold but at ~ it isn't raining** es ist kalt, aber wenigstens regnet es nicht, **II.** *adj* ① (*smallest amount*) geringste(r, s), kleinste(r, s); ◇ **that one is the ~ expensive** diese(r, s) ist am billigsten; ◇ **he is the one with the ~ money** er hat am wenigsten Geld ② (~ *important*) am unbedeutendsten, am geringsten; ◇ **that is the ~ of my worries** das ist meine geringste Sorge **III.** *n* ↑ *smallest, slightest* Kleinste *s*, Mindeste *s;* ◇ **at ~** wenigstens, zumindest; ◇ **not in the ~** nicht im geringsten; ◇ **at the very ~** allermindestens

leather ['leðə*] *n* Leder *s*

leave [li:v] **I.** <left, left> **I.** *vt* ① ↑ *depart* → *person* verlassen; → *place* fortgehen, weggehen; ◇ **he left Germany** er hat Deutschland verlassen; ◇ **the bus ~s at one o'clock** der Bus fährt um ein Uhr ab ② ↑ *~ behind* hinterlassen; ◇ **would you like to ~ a message?** möchten Sie eine Nachricht hinterlassen? ③ ↑ *quit* → *school* verlassen ④ →

remains übriglassen; ◇ **there is no time left for that** dafür gibt es keine Zeit mehr; ◇ **there isn't any cake left** es gibt keinen Kuchen mehr, es ist kein Kuchen übrig ⑤ ↑ *allow for* lassen; ◇ **remember to ~ space for my luggage** denk' daran, Platz für mein Gepäck zu lassen ⑥ ↑ *put off* ◇ **to ~ s.th. to the last minute** etw bis auf die letzte Minute hinausschieben ⑦ ↑ *bequeath* hinterlassen ⑧ (*in a condition*) lassen; ◇ **the door was left open** die Tür wurde offengelassen; ◇ **~ him alone!** laß' ihn in Ruhe! ⑨ ↑ *entrust* überlassen; ◇ **I'll ~ the choice up to you** ich überlasse dir die Entscheidung **II.** *n* ① ↑ *farewell* Abschied *m;* ◇ **to take o.'s ~** Abschied nehmen ② MIL Urlaub *m;* ◇ **Tom is on ~** Tom hat Urlaub; **leave off** *vt* ① → *butter, mustard* nicht drauftun ② → *a list* auslassen; ◇ **I left Bob off the guest list** Bob habe ich nicht auf die Gästeliste gesetzt ③ ↑ *stopped* ◇ **we'll continue later where we left off** wir machen später dort weiter, wo wir aufgehört haben; **leave out** *vt* ① ↑ *omit* aus-, weglassen ② → *person* ausschließen

leavened [levənd] *adj* Hefe-

lecherous ['letʃərəs] *adj* lüstern, geil

lecture ['lektʃə*] **I.** *n* Vortrag *m;* (*at university*) Vorlesung *f* (*on* über) **II.** *vi* ① ↑ *teach* einen Vortrag halten; ← *professor* eine Vorlesung halten ② ↑ *scold* jd-m eine Strafpredigt halten; **lecturer** *n* Redner(in *f*) *m;* (*at university*) Dozent(in *f*) *m*

led [led] *pt, pp of* **lead**

ledge [ledʒ] *n* ① (*of mountain*) Felsvorsprung *m* ② (*window ~*) Fenstersims *m or s,* Fensterbrett *s*

ledger ['ledʒə*] *n* FIN Hauptbuch *s*

leech [li:tʃ] *n* ① (*parasite*) Blutegel *m* ② (*FIG person*) Blutsauger *m*

leek [li:k] *n* Lauch *m*

leer [lɪə*] *vi* schielen (*at* nach)

leeway ['li:weɪ] *n* ① ↑ *flexibility* Spielraum *m* ② ↑ *slack* Zeitverlust *m;* ◇ **she has ~ to make up** sie hat viel nachzuarbeiten

left [left] **I.** *pt, pp of* **leave**; **II.** *adj* ① (*~ hand*) linke(r, s) ② (*socialist*) linke(r, s) **III.** *adv* links; ◇ **turn ~ at the light** biegen Sie an der Ampel links ab **IV.** *n* ① Linke *f;* ◇ **to my ~** zu meiner Linken, links von mir; ◇ **keep to the ~** halten Sie sich links ② ▷*ideas, thinking,* POL Linke *f;* ◇ **to be on the ~** links stehen

left-handed *adj* linkshändig; ◇ **he is ~** er ist Linkshänder; **left-luggage** [**office**] *n* (*BRIT*) Gepäckaufbewahrung *f;* **left-overs** *n pl* Reste *m pl;* **leftover** *adj* übriggeblieben; **left wing** *n* POL linker Flügel *m;* **left-wing** *adj* POL linke(r, s), Links-

leg [leg] *n* ① (*person*) Bein *s;* (*poultry*) Schenkel *m;* (*pork*) Haxe *f* ② (*trousers*) Hosenbein *s* ③ (*chair*) Bein *s* ④ (*journey*) Etappe *f;* ◇ **this car is on it's last ~** (*FIG about to break down for good*) dieses Auto macht es nicht mehr lange; ◇ **he doesn't have a ~ to stand on** *FIG* ↑ *has no evidence* er hat keinerlei Beweise; ◇ **Come on, shake a ~!** *FAM* ↑ *get going* Auf, beweg' dich!

legacy ['legəsɪ] *n* ① (*bequest*) Erbschaft *f* ② ↑ *consequence* ◇ **to cause a ~ of hatred** ein Vermächtnis aus Haß hinterlassen

legal ['li:gəl] *adj* ① (*law related*) juristisch, rechtlich; ◇ **to take ~ action against s.o.** jd-n verklagen, gegen jd-n Rechtsmittel einsetzen; ◇ **~ aid** Rechtshilfe *f* ② ↑ *permitted* legal, gesetzmäßig; ◇ **it is not ~** es ist gesetzlich verboten [*o.* illegal]; **legalize** *vt* → *marijuana* legalisieren; **legally** *adv* gesetzlich; ◇ **we aren't ~ separated yet** wir sind noch nicht rechtmäßig getrennt; ◇ **to be ~ entitled to s.th.** einen Rechtsanspruch auf etw haben

legation [lɪ'geɪʃən] *n* Gesandtschaft *f*

legend ['ledʒənd] *n* ① ↑ *saga* Sage *f,* Legende *f* ② (*person*) Legende *f;* **legendary** *adj* ① ↑ *fictitious* legendär ② ↑ *famous* berühmt

leggings ['legɪŋz] *n pl* Gamaschen *f pl*

legibility [ledʒɪ'bɪlɪtɪ] *n* Leserlichkeit *f;* **legible** *adj* ▷*handwriting* leserlich; ▷*sign* [gut] lesbar

legislate ['ledʒɪsleɪt] *vi* Gesetze machen/erlassen; **legislation** [ledʒɪs'leɪʃən] *n* Gesetzgebung *f;* **legislative** ['ledʒɪslətɪv] *adj* gesetzgebend; **legislator** ['ledʒɪsleɪtə*] *n* Gesetzgeber(in *f*) *m;* **legislature** ['ledʒɪslətʃə*] *n* Legislative *f*

legitimacy [lɪ'dʒɪtɪməsɪ] *n* ① ↑ *validity* Rechtmäßigkeit *f;* (*of argument*) Berechtigung *f* ② (*of child*) Ehelichkeit *f;* **legitimate** [lɪ'dʒɪtɪmət] *adj* ① ↑ *valid* berechtigt, begründet ② ▷*child* ehelich ③ ↑ *lawful* legitim, rechtmäßig

legroom ['legrʊm] *n:* ◇ **this car doesn't have much ~** dieses Auto hat nicht viel Platz für die Beine [*o.* Beinfreiheit]

leisure ['leʒə*] *n* Freizeit *f;* ◇ **at your ~** bei Gelegenheit, wenn es Ihnen paßt; **leisurely** *adv* gemächlich, gemütlich

lemming ['lemɪŋ] *n* Lemming *m*

lemon ['lemən] *n* Zitrone *f;* **lemonade** [lemə'neɪd] *n* Limonade *f*

lend [lend] <lent, lent> *vt* ① ↑ *loan* leihen; ◇ **to ~ s.b s.th.** jd-m etw leihen; ◇ **I lent two books out of the library** ich habe zwei Bücher aus der Bibliothek ausgeliehen ② ↑ *give* ◇ **to ~ s.o. a hand** jd-m helfen

lender *n* Geldverleiher(in *f*) *m;* **lending library** *n* Leihbücherei *f*

length [leŋθ] *n* (1) (*measurement*) Länge *f;* ◇ **I walked the ~ of the street** ich bin die Straße entlanggegangen (2) ↑ *piece, section* (*of material*) Stück *s;* (*of pool*) Länge *f;* ◇ **he swam five ~s** er ist fünf Bahnen geschwommen (3) ↑ *duration* Dauer *f;* ◇ **it didn't last for any great ~ of time** es hat nicht lange angehalten; ◇ **at ~** ↑ *fully* ausführlich; ◇ **we discussed the matter at ~** wir haben das Thema sehr genau behandelt; ◇ **to go to great ~s** sich sehr bemühen; **lengthen** ['leŋθən] **I.** *vt* verlängern; **lengthways** *adv* der Länge nach; **lengthy** *adj* sehr lang; ▷*story, speech* langatmig

leniency ['li:nıənsı] *n* Milde *f,* Nachsicht *f;* **lenient** *adj* nachsichtig (*towards* gegenüber)

lens [lenz] *n* (1) (*for eyes*) Linse *f* (2) FOTO Objektiv *s*

lent [lent] *pt, pp of* **lend**

Lent [lent] *n* Fastenzeit *f*

lentil ['lentl] *n* Linse *f*

Leo ['li:əʊ] *n* <-s> ASTROL Löwe *m*

leopard ['lepəd] *n* Leopard *m*

leotard ['li:ətɑ:d] *n* Gymnastikanzug *m*

leper ['lepə*] *n* Leprakranke(r) *fm*

lesbian ['lezbıən] **I.** *adj* lesbisch **II.** *n* Lesbierin *f,* Lesbe *f*

less [les] **I.** *adv* weniger; ◇ **a ~ known author** ein weniger bekannter Autor; ◇ **I expected nothing ~** ich habe nichts weniger als das erwartet; ◇ **I use the car ~ than you** ich benutze das Auto seltener als du **II.** *adj* geringer, kleiner; ◇ **of ~ value** von geringerem Wert; ◇ **he has ~ money** er hat weniger Geld **III.** *n* weniger; ◇ **it was ~ than $12** es kostete weniger als 12 Dollar; ◇ **to do s.th. in ~ than no time** etw im Nu erledigen; ◇ **they have ~ than two km to go** sie haben noch knapp zwei km vor sich; **lessen** ['lesn] **I.** *vi* sich verringern, abnehmen; ◇ **the tension began to ~** die Anspannung ließ allmählich nach **II.** *vt* verringern; ◇ **he ~ed the price considerably** er hat den Preis um einiges heruntergesetzt; **lesser** ['lesə*] *adj* kleiner, geringer; ◇ **a ~ amount** ein kleinerer Betrag

lesson ['lesn] *n* (1) ↑ *class* Unterricht *m,* Kurs *m;* ◇ **to give tennis ~s** (*unit of study*) Tennisstunden geben (2) (*experience*) Lehre *f;* ◇ **let this be a ~ to you** laß' dir das eine Lehre sein; ◇ **I'll teach him a ~** ↑ *punish* ich werde ihm eine Lektion erteilen

lest [lest] *cj:* ◇ **she ran away ~ she should be caught** sie lief weg, um nicht erwischt zu werden; ◇ **we waited ~ she'd call** wir warteten für den Fall, daß sie anrufen würde

let [let] <let, let> **I.** *vt* (1) ↑ *allow* lassen; ◇ **~ me see …** laß' mich nachdenken …; ◇ **~'s go!** gehen wir! (2) ◇ **to ~ s.o. in the house** jd-n ins Haus lassen; **let down** *vt:* ◇ **to ~ s.o. ~** ↑ *disappoint* jd-n enttäuschen; **let go I.** *vi* loslassen **II.** *vt* (1) → *things* loslassen (2) → *actions, relax* aus sich herausgehen; ◇ **~ yourself ~** entspann' dich (3) ↑ *neglect* sich gehenlassen; **let off** *vt* (1) ↑ *free* ◇ **to ~ s.o. ~ a penalty** jd-m eine Strafe erlassen; ◇ **I'll ~ you ~ this time** ↑ *forgive* diesmal drücke ich noch ein Auge zu (2) ↑ *explode* hochgehen lassen (3) → *steam, vapour* von sich geben; ▷*smell* verbreiten; **let out** *vt* (1) → *dog* rauslassen; → *bathwater* ablassen (2) → *scream* ausstoßen (3) → *part of speech* auslassen; **let up** *vi* (1) ↑ *slacken* nachlassen; ◇ **the rain hasn't ~ ~ at all** der Regen hat überhaupt nicht nachgelassen (2) *FAM* ↑ *stop* ◇ **to ~ ~ on s.o.** jd-n in Ruhe lassen

lethal ['li:θəl] *adj* tödlich

lethargic [le'θɑ:dʒık] *adj* lethargisch, träge; **lethargy** ['leθədʒı] *n* Trägheit *f,* Lethargie *f*

letter ['letə*] *n* (1) (*of alphabet*) Buchstabe *m* (2) (*message*) Brief *m;* **letterbox** *n* Briefkasten *m;* **lettering** *n* Beschriftung *f;* **letterhead** *n* Briefkopf *m*

lettuce ['letıs] *n* Kopfsalat *m*

leukaemia, leukemia (*AM*) [lu:'ki:miə] *n* MED Leukämie *f*

level ['levl] **I.** *adj* (1) (*ground*) eben; (*spoonful*) gestrichen (2) (*same height*) auf gleicher Höhe **II.** *vt* (1) → *area, land* einebnen (2) → *building* zu Boden schlagen (3) → *criticism* erheben, richten (*at* gegen); ◇ **Was that remark ~led at me?** Zielte diese Bemerkung auf mich ab? **III.** *n* (1) (*tool*) Wasserwaage *f* (2) ↑ *altitude* Höhe *f;* (*of water*) Wasserstand, Wasserpegel *m* (3) (*flat ground*) Ebene, ebene Fläche *f* (4) (*position on scale*) Niveau *s* (5) (*in education*) Stufe *f;* ◇ **to be on the same ~ as s.o.** (*social, education*) mit jd-m auf demselben Niveau sein (6) ↑ *amount, degree* Anteil *m;* **level off, level out I.** *vi* (1) ↑ *become flat* eben/flach werden; ↑ *become uniform, consistent* sich ausgleichen, sich einpendeln (2) ↑ *straighten* → *plane* sich fangen; **level crossing** *n* (*BRIT*) Bahnübergang *m;* **level-headed** *adj* ausgeglichen, vernünftig

lever ['li:və*, *AM* 'levə*] **I.** *n* (1) ↑ *handle* Hebel *m* (2) ↑ *crowbar* Brechstange *f* (3) ↑ *tactic, FIG* Druckmittel *s*

leverage *n* (1) (*mechanical*) Hebelkraft *f* (2) *positional, FIG* Einfluß *m*

levity ['levıtı] *n* Leichtfertigkeit *f,* Frivolität *f*

levy ['levı] **I.** *n* (1) Erhebung *f;* (*of taxes*) Steuereinziehung *f* (2) (MIL *of troops*) ausheben **II.** *vt* erheben; ◇ **to ~ a tax on s.th.** etw mit einer Steuer belegen

lewd [lu:d] *adj* unanständig

liability [laɪə'bɪlɪtɪ] *n* ① ↑ *burden* Belastung *f* ② ↑ *responsibility* Haftung *f;* ◇ ~ **insurance** Haftpflichtversicherung *f* ③ ◇ **liabilites** ↑ *costs* Verbindlichkeiten *pl;* **liable** ['laɪəbl] *adj* ① ↑ *responsible* haftbar; ◇ **parents are ~ for their children** Eltern haften für ihre Kinder ② ↑ *apt, likely* ◇ **difficulties are ~ to occur** es werden wahrscheinlich Schwierigkeiten auftreten; ◇ **it's ~ to happen** das kann leicht passieren ③ ↑ *susceptible* anfällig

liaison [li:'eɪzɒn] *n* ① ↑ *communication* Zusammenarbeit *f,* Verbindung *f;* MIL Verbindung *f* ② ↑ *love affair* Liaison *f;* **liaison officer** *n* Verbindungsoffizier *m*

liar ['laɪə*] *n* Lügner(in *f*) *m*

libel ['laɪbəl] **I.** *n* Verleumdung *f;* **libel[l]ous** *adj* (*AM*) verleumderisch

liberal ['lɪbərəl] **I.** *adj* ① ↑ *bountiful, generous* großzügig; ◇ **a ~ serving** eine große/reichliche Portion ② ↑ *open-minded* vorurteilslos, liberal; ◇ **a ~ thinker** ↑ *tolerant* ein freiheitlicher Denker **II.** *n* POL Liberale(r) *fm;* **liberally** *adv* ↑ *abundantly* großzügig

liberate ['lɪbəreɪt] *vt* befreien; **liberation** [lɪbə'reɪʃən] *n* Befreiung *f*

liberty ['lɪbətɪ] *n* ① ↑ *freedom* Freiheit *f* ② ↑ *permission* Erlaubnis *f;* ◇ **to be at ~ to do s.th.** etw tun dürfen ③ ↑ *cheek* ◇ **to take liberties with s.o.** sich Freiheiten gegen jd-n herausnehmen

libido [lɪ'bi:dəʊ] *n* Libido *f,* Geschlechtstrieb *m*

Libra ['li:brə] *n* ASTROL Waage *f*

librarian [laɪbreərɪən] *n* Bibliothekar(in *f*) *m;* **library** ['laɪbrərɪ] *n* ① Bibliothek *f;* ▷*public* Bücherei *f* ② ↑ *collection* Sammlung *f*

lice [laɪs] *pl of* **louse**

licence, license (*AM*) ['laɪsəns] *n* ↑ *permit* Genehmigung, Lizenz *f;* ◇ **hunting ~** Jagdschein *m;* ↑ *driving* ~ Führerschein *m;* **licence plate** *n* AUTO Nummernschild *s*

license ['laɪsəns] *vt* Lizenz erteilen, lizensieren; ◇ **to ~ a restaurant** eine Schankkonzession erteilen; **licensed** *adj* amtlich zugelassen; ◇ **a ~ doctor** ein approbierter Arzt; **licensee** [laɪsə'n'si:] *n* Lizenzinhaber(in *f*) *m;* (*of restaurant*) Wirt(in *f*) *m*

lick [lɪk] **I.** *vt* ① → *stamp, ice cream* lecken ② ↑ *beat* schlagen, besiegen; *FAM* ◇ **to ~ a problem** mit einem Problem fertig werden; ◇ **I finally ~ed it** ich habe es endlich in den Griff bekommen **II.** *n* ① Lecken *s; FAM* ↑ *none at all* ◇ **I don't have a ~ of money** ich habe überhaupt kein Geld ② MUS ↑ *guitar* ~ Lauf *m*

licorice ['lɪkərɪs] *n* Lakritze *f*

lid [lɪd] *n* ① ↑ *covering* Deckel *m* ② ↑ *eye-* Lid *s*

lido ['li:dəʊ] *n* <-s> (*BRIT*) Freibad *s*

lie [laɪ] **I.** <lay, lain> *vi* ① ▷*on bed* liegen; ◇ **I'm going to ~ down** ich werde mich hinlegen ② (*be in a condition*) ◇ **to ~ dying** im Sterben liegen ③ ↑ *await* vorliegen; ◇ **the future ~s ahead** die Zukunft liegt vor uns ④ ↑ *located* liegen; ◇ **here ~s Jim Morrison** hier ruht Jim Morrison; ◇ **the town ~s on the river** die Stadt liegt am Fluß ⑤ ↑ *fib* lügen; ◇ **to ~ to s.o.** jd-n anlügen **II.** *n* Lüge *f;* ◇ **Wanda told a ~** Wanda hat gelogen

lieu [lu:] *n* anstatt; ◇ **in ~ of that I'd like ...** statt dessen *gen* möchte ich ...

lieutenant [lef'tenənt, *AM lu:'tenənt*] *n* Leutnant *m*

life [laɪf] *n* <lives> ① ↑ *existence* Leben *s* ② ↑ *manner of living* Lebensweise *f;* ◇ **she lives a country ~** sie führt ein Leben auf dem Land; ◇ **married ~** Eheleben *s* ③ ↑ *biography* Biographie *f* ④ (*state of being*) ◇ **I have lived here all my ~** ich wohne hier mein ganzes Leben lang; ◇ **What are you going to do with your ~?** Was wirst du aus deinem Leben machen?; ◇ **to take s.o.'s ~** jd-n töten/umbringen ⑤ ↑ *durability* Dauer *f,* Haltbarkeit *f* ⑥ ↑ *liveliness* Lebendigkeit *f;* ◇ **my grandmother is still full of ~** meine Großmutter ist immer noch sehr rüstig; ◇ **she's the ~ of the party** sie ist der Mittelpunkt der Party; ◇ **not for the ~ of me** nicht um alles in der Welt; **lifeboat** *n* Rettungsboot *s;* **lifeguard** *n* Rettungsschwimmer(in *f*) *m;* **life jacket** *n* Schimmweste *f;* **lifeless** *adj* ① ↑ *dead* leblos ② ↑ *dull* lahm; ◇ **a ~ party** eine langweilige Party; **lifelike** *adj* lebensecht; **lifeline** *n* (*rope*) Rettungsleine *f;* (*FIG of firm*) Rettungsanker *m;* **lifelong** *adj* lebenslang; **life preserver** *n* ① *AM* ↑ *swim vest* Schwimmweste *f* ② (*BRIT weapon*) Totschläger *m;* **life raft** *n* Rettungsfloß *s;* **life-sized** *adj* lebensgroß; **life span** *n* Lebenserwartung *f;* **lifetime** *n* Lebenszeit *f;* ◇ **that is a once in a ~ opportunity** das ist eine einzigartige Gelegenheit [*o.* einmalige]

lift [lɪft] **I.** *vt* ① ↑ *raise, elevate* hochheben, aufheben; → *hand, eyes* erheben ② ↑ *end* → *law, sanction* aufheben ③ ↑ *steal, FAM* klauen **II.** *vi* ① ↑ *be lifted* sich hochheben lassen ② ↑ *ascend* ← *fog, balloon* steigen **III.** *n* ① ← *elevator, BRIT* Aufzug *m,* Fahrstuhl *m* ② ◇ **to give s.o. a ~** jd-n im Auto mitnehmen ③ (*operation*) Gesichtsstraffung *f,* Lifting *s;* **lift-off** *n* (*of rocket*) Start *m,* Abheben *s*

ligament ['lɪgəmənt] *n* MED Band *s,* Ligament *s*

light [laɪt] <lit *o.* lighted, lit *o.* lighted> **I.** *vt* ① ↑ *illuminate* beleuchten ② ↑ *ignite* anzünden; →

candle anmachen **II.** *n* (1) (*radiation*) Licht *s,* Helligkeit *f;* (*dawn, day*) Tagesanbruch *m* (2) ↑ *lamp* Licht *s;* ◇ **traffic** ~ Verkehrsampel *f* (3) ↑ *matches, lighter* Feuer *s;* ◇ **do you have a ~?** haben Sie Feuer? (4) ↑ *aspect* Licht *s,* Erleuchtung *f;* ◇ **let's look at it in a different** ~ laß' es uns in einem anderen Licht betrachten **III.** *adj* (1) ↑ *bright* hell; ↑ *pale* hell (2) (*not heavy*) leicht (3) (*not tiring*) ◇ ~ **housework** leichte Hausarbeiten *pl* (4) ▷*punishment* mild (5) ↑ *not serious* locker; ◇ **a ~ book** eine leichte Lektüre (6) ↑ *low-calorie* leicht **III.** *adv* (1) ◇ **to sleep** ~ einen leichten Schlaf haben (2) (*small amount*) ◇ **to travel** ~ mit wenig Gepäck reisen; **light up** *vi* (1) ← *lamp* aufleuchten; ◇ **the street lamps ~ ~ at nightfall** die Straßenlaternen gehen abends an (2) ← *face* sich erhellen (3) ← *cigarette, wood* sich anzünden lassen, angehen; **light bulb** *n* Glühbirne *f*

lighten I. *vi* ↑ *brighten* sich aufhellen, heller werden **II.** *vt* (1) ↑ *give light to* beleuchten; → *hair* aufhellen; → *gloom* aufheitern (2) (*make less heavy*) leichter machen; *FIG* erleichtern

lighter *n* ↑ *cigarette* ~ Feuerzeug *s*

light-headed *adj* (1) ↑ *frivolous, silly* leichtsinnig (2) ↑ *giddy* benommen, schwindelig; **light-hearted** *adj* unbeschwert, heiter; **light-house** *n* Leuchtturm *m*

lighting *n* Beleuchtung *f*

lightly *adv* ↑ *casually* gelassen; ◇ **to speak ~ of s.th.** sich über etw geringschätzig äußern; ◇ **he didn't take the news** ~ er hat die Neuigkeiten ziemlich ernst genommen

light meter *n* FOT Belichtungsmesser *m*

lightning *n* Blitz *m;* ◇ **a flash of** ~ ein Blitz; ◇ ~ **conductor, ~ rod** (*AM*) Blitzableiter *m*

lightweight *adj* ▷*suit* leicht; ▷*boxer* Leichtgewichts-; **lightyear** *n* ASTRON Lichtjahr *s*

like [laɪk] **I.** *vt* (1) ↑ *be fond of* mögen, gern haben; ↑ *find pleasant* gefallen *dat;* ◇ **I ~ that dress** das Kleid gefällt mir; ◇ **I ~ jogging** ich laufe gern (2) ↑ *want, desire* I'd˜ s.th. to drink, ich hätte gerne etw zu trinken; ◇ **I'd ~ to live here** ich würde gerne hier wohnen **II.** *prep* (1) ↑ *similar to* ähnlich *dat;* ◇ **it is ~ old times** es ist wie früher (2) (*typical manner*) ◇ **that's not ~ you** das ist nicht deine Art (3) (*indicative of*) ◇ **it tastes something ~ liquorice** es schmeckt ähnlich wie Lakritze; ◇ **it looks ~ rain** es sieht nach Regen aus **III.** *adj* (1) ↑ *similar* ähnlich; ◇ **they have ~ qualities** sie haben ähnliche Merkmale (2) (*equal*) gleich **IV.** *adv:* ◇ **he ran ~ crazy** er ist wie verrückt gelaufen **V.** *n:* ◇ **bills, coins, and the** ~ Scheine, Münzen und dergleichen **VI.** *cj* wie; ◇ **it is just ~ I remembered it** es ist genau wie ich es in Erinnerung habe; **likeable** [ˈlaɪkəbl] *adj* angenehm, sympathisch

likelihood [ˈlaɪklɪhʊd] *n* Wahrscheinlichkeit *f;* ◇ **in all** ~ aller Wahrscheinlichkeit nach; ◇ **this increases the ~ of our success** das vergrößert unsere Erfolgsaussichten

likely [ˈlaɪklɪ] **I.** *adj* (1) ↑ *probable* wahrscheinlich; ◇ **now that's a ~ story** (*used ironically*) und wer soll das glauben? (2) ↑ *suitable* geeignet; ◇ **he is a ~ candidate for the job** er kommt für den Job in Frage **II.** *adv:* ◇ **he will most ~ fail the exam, he is very ~ to fail the exam** er wird die Prüfung sehr wahrscheinlich [*o.* höchstwahrscheinlich] nicht bestehen

like-minded [laɪkˈmaɪndɪd] *adj* gleichgesinnt; ◇ **to be ~ with s.o.** mit jd-m einer Meinung sein

liken [ˈlaɪkən] *vt* vergleichen (*to* mit)

likewise [ˈlaɪkwaɪz] *adv* (1) ↑ *similarly* ebenso (2) ↑ *also, too* gleichfalls, gleichermaßen

liking [ˈlaɪkɪŋ] *n* (1) ↑ *feeling* Zuneigung *f,* Vorliebe *f* (2) ↑ *preference* Geschmack *m;* ◇ **that isn't to my** ~ das ist nicht nach meinem Geschmack

lilac [ˈlaɪlək] **I.** *n* Flieder *m* **II.** *adj* lila

lily [ˈlɪlɪ] *n* Lilie *f;* ◇ ~ **of the valley** Maiglöckchen *s*

limb [lɪm] *n* (1) ANAT Glied *s,* Extremität *f* (2) ↑ *branch* Ast *m*

limber up [ˈlɪmbə* ʌp] *vi* SPORT sich lockern

limbo [ˈlɪmbəʊ] *n* <-s> (1) *FIG* ↑ *uncertainty* ◇ **to be in** ~ in der Luft hängen

lime [laɪm] *n* (1) (*fruit*) Limone *f;* ◇ ~ **juice** Limonensaft *m* (2) (*calcium carbonate*) Kalk *m* (3) ↑ *bird~* Vogelleim *m*

limelight *n* ↑ *focus, FIG:* ◇ **to be in the** ~ im Mittelpunkt des Interesses stehen

limerick [ˈlɪmərɪk] *n* Limerick *m*

limestone [ˈlaɪmstəʊn] *n* Kalkstein *m*

limit [ˈlɪmɪt] **I.** *n* (1) (*greatest amount*) Grenze *f,* Limit *s;* ◇ **to exceed the speed** ~ die Geschwindigkeitsbegrenzung überschreiten; ◇ **there is a time ~ on the test** es gibt ein Zeitlimit für die Prüfung (2) ◇ **city ~s** Stadtgrenze *f;* ◇ **off ~s** Zutritt verboten **II.** *vt* (1) ↑ *restrict* begrenzen, beschränken **III.** *adj:* ◇ **~ing** einschränkend; **limitation** [lɪmɪˈteɪʃən] *n* ↑ *restriction* Beschränkung *f,* Begrenzung *f;* ↑ *shortcomings* ◇ **to know o.'s ~s** seine Grenzen kennen; **limited** *adj* begrenzt; ◇ ~ **edition** begrenzte Auflage *f*

limousine [ˈlɪməziːn] *n* Limousine *f*

limp [lɪmp] **I.** *n* Hinken *s* **II.** *vi* hinken **III.** *adj* (*without firmness*) schlapp

line [laɪn] **I.** *n* (1) ↑ *marking* Linie *f* (2) ↑ *wrinkle* Falte *f* (3) ↑ *row* Reihe *f;* (*of people*) Schlange *f* (4)

↑ *verse* Zeile *f* [5] ↑ *wire* Leitung *f;* ◇ **telephone -** Anschluß *m;* ◇ **the - is busy** der Anschluß ist besetzt; ◇ **hold the -** bleiben Sie am Apparat [6] ↑ *boundary* Linie *f* [7] ↑ *type, course* Branche *f;* ◇ **What - of business are you in?** Was machen Sie beruflich?; ◇ **that's not in our - of business** damit haben wir nichts zu tun [8] *(merchandise)* Kollektion *f,* Sorte *f;* ◇ **a - of small tools** eine Sortiment kleiner Werkzeuge [9] *(transportation system)* Gesellschaft *f,* Linie *f* [10] ↑ *track* Strecke *f,* Bahnlinie *f;* ◇ **Billy walked the -** Billy ist auf den Schienen gelaufen **II.** *vt* [1] → *coat* füttern; → *cupboards, drawers* auslegen mit [2] ↑ *mark* markieren [3] → *border* säumen; **line up I.** *vi* sich in einer Reihe aufstellen **II.** *vt* [1] ↑ *put into alignment* in einer Reihe aufstellen [2] ↑ *prepare* planen; ◇ **I have got a date all -ed - for you** ich habe eine Verabredung für dich arrangiert; ◇ **I have a present -ed - for him** ich habe ein Geschenk für ihn besorgt

linear [ˈlɪnɪə*] *adj* geradlinig; ▷*measure* Längen-

linen [ˈlɪnɪn] *n* Leinen *s; (sheets etc.)* Wäsche *f*

liner [ˈlaɪnə*] *n* Passagierschiff *s,* [Ozean-]Dampfer *m*

linesman [ˈlaɪnzmən] *n* <-men> SPORT Linienrichter *m*

linger [ˈlɪŋgə*] *vi* [1] ↑ *remain, last* anhalten, bleiben [2] ↑ *tarry* verweilen; ◇ **Frank -ed for hours in the bar** Frank hielt sich stundenlang in der Bar auf

lingerie [ˈlænʒəriː] *n* Feinwäsche *f*

lingering [ˈlɪŋgərɪŋ] *adj* zurückhaltend, zögernd; ▷*disease* schleichend

lingo [ˈlɪŋgəʊ] *n* <-es> *FAM* Jargon *m*

linguist [ˈlɪŋgwɪst] *n* [1] Sprachwissenschaftler(in *f*) *m* [2] ↑ *multilingual* Sprachkundige(r) *fm;* **linguistic** [lɪŋˈgwɪstɪc] *adj* sprachwissenschaftlich, linguistisch; **linguistics** *n sg* Sprachwissenschaft *f,* Linguistik *f*

liniment [ˈlɪnɪmənt] *n* Einreibemittel *s*

lining [ˈlaɪnɪŋ] *n* [1] *(of clothes)* Futter *s* [2] *(of body organs)* Auskleidung *f*

link [lɪŋk] **I.** *n* [1] ↑ *connection* Verbindung *f* [2] *(of chain)* Glied *s* **II.** *vt* [1] ↑ *connect* verbinden [2] ↑ *join* anschließen **III.** *vi* ← *parts* sich zusammenfügen lassen, zusammenpassen; **linked** *adj* verkettet, verbunden; **link up** *vt* ↑ *connect* verknüpfen; → *spaceships* koppeln

lino, **linoleum** [ˈlaɪnəʊ, lɪˈnəʊlɪəm] *n* Linoleum *s*

linseed [ˈlɪnsiːdˈ] *n* Leinsamen *m*

lint [lɪnt] *n* ↑ *fuzz, AM* Fussel *f*

lintel [ˈlɪntl] *n* ARCHIT Sturz *m*

lion [ˈlaɪən] *n* Löwe *m;* **lioness** *n* Löwin *f*

lip [lɪp] *n* [1] ANAT Lippe *f;* ◇ **my -s are sealed** ich schweige wie ein Grab; ◇ **to keep a stiff upper -** die Ohren steifhalten [2] ↑ *rim* Rand *m;* **lipread** *irr vi* von den Lippen ablesen; ◇ **the deaf girl - his remark** das taube Mädchen las ihm die Bemerkung von den Lippen ab; **lipstick** *n* Lippenstift *m*

liquefy [ˈlɪkwɪfaɪ] *vi* sich verflüssigen

liqueur [lɪˈkjʊə*] *n* Likör *m*

liquid [ˈlɪkwɪd] **I.** *n (substance)* Flüssigkeit *f* **II.** *adj* [1] ↑ *liquefied* flüssig [2] ↑ *assets* verfügbar;

liquidate [ˈlɪkwɪdeɪt] *vt* [1] ↑ *exterminate* liquidieren [2] ↑ *wind up* auflösen [3] ↑ *convert to money* flüssig machen; **liquidation** [lɪkwɪˈdeɪʃən] *n* Liquidierung *f;* Auflösung *f*

liquor [ˈlɪkə*] *n* Spirituosen *pl*

lisp [lɪsp] *vt, vi* lispeln

list [lɪst] **I.** *n* Liste *f* **II.** *vt* [1] (↑ *itemize*) katalogisieren, registrieren [2] ↑ *write down* in die Liste eintragen

listen [ˈlɪsn] *vi* [1] ↑ *pay attention* hören; ◇ **I'm -ing to the radio** ich höre Radio; ◇ **Are you -ing to me?** Hörst du mir zu? [2] *(scream, cry)* horchen *(for* auf *acc);* ◇ **don't forget to - for the phone** vergiß nicht auf das Telefon zu hören [3] ↑ *heed* → *advice, reason* folgen; ◇ **I should have -ed to your advice** ich hätte auf deinen Rat hören sollen; **listen in** *vi* [1] ↑ *eavesdrop* lauschen *dat;* ◇ **to - - on a conversation** ein Gespräch belauschen [2] *(lecture)* anhören; ◇ **I want to - - on Dr. Spock's lecture** ich möchte mal bei Dr. Spocks Vorlesung reinhören; **listener** Zuhörer(in *f*) *m*

listless [ˈlɪstləs] *adj* lustlos; **listlessly** *adv* lustlos; **listlessness** *n* Teilnahmslosigkeit *f,* Lustlosigkeit *f*

lit [lɪt] *pt, pp of* **light**

litany [ˈlɪtənɪ] *n* Litanei *f*

literacy [ˈlɪtərəsɪ] *n* Fähigkeit zu lesen und zu schreiben *f;* ◇ **the - rate there is 25 %** die Analphabetenquote beträgt dort 25 %

literal [ˈlɪtərəl] *adj* [1] ↑ *true* eigentlich; ◇ **it was a - waste of time** es war reine Zeitverschwendung [2] ↑ *word for word* wörtlich [3] ↑ *prosaic* prosaisch; ◇ **Ron is very - minded** Ron denkt sehr nüchtern; **literally** *adv* [1] wirklich; ◇ **they are - freezing to death** sie sind wirklich am Erfrieren [2] ◇ **to take s.th. -** (↑ *word for word*) etw wörtlich nehmen

literary [ˈlɪtərərɪ] *adj* literarisch

literate [ˈlɪtərət] *adj* [1] ↑ *knowledgeable* gebildet [2] *(able)* lesen und schreiben können

literature [ˈlɪtrətʃə*] *n* [1] *(written works)* Literatur *f;* ◇ **specialized -** Fachliteratur *f;* ◇ **she studies German -** sie studiert deutsche Litera-

tur[-wissenschaft] (2) (*circulars*) Prospekte *pl*, Informationsmaterial *s*
litigant ['lɪtɪge] *n* streitende Partei *f*, Prozeßführende(r) *fm*
litre, **liter** (*AM*) ['li:tə*] *n* Liter *m*
litter ['lɪtə*] **I.** *n* (1) ↑ *rubbish* Abfälle *pl;* ◇ **the streets were filled with** ~ die Straßen waren voller Unrat (2) (*straw, woodshavings*) Streu *f nopl;* ◇ **cat** ~ Katzenstreu *f* (3) (*of mammals*) Wurf *m* **II.** *vt:* ◇ **they fined him for** ~**ing the streets** er mußte ein Bußgeld bezahlen, weil er Abfälle auf die Straße geworfen hatte; **litter basket** *n* Abfallkorb *m;* **litter bug** *n FAM* Dreckspatz *m*
little ['lɪtl] **I.** <smaller, smallest> (1) (*in size*) klein (2) ↑ *young* ◇ **when he was** ~ als er klein war (3) ↑ *short* ▷*time, distance* kurz (4) ↑ *unimportant* kleine Sachen; ◇ **don't bother me with such** ~ **things** laß' mich mit solchen Kleinigkeiten in Ruhe **II.** *adv, n* <fewer, fewest> (1) ↑ *not much* wenig; ◇ **I have** ~ **money left** ich habe nicht viel Geld übrig (2) ↑ *a bit* ein wenig; ◇ **I'll stay for a** ~ ich bleibe für ein Weilchen; ◇ **I'm a** ~ **cold** mir ist ein bißchen kalt
live [laɪv] **I.** *adj* (1) ↑ *alive* lebendig; ▷*animals, trees* lebend (2) (*not recorded*) live, direkt; ◇ **a** ~ **broadcast** eine Direktübertragung, eine Live-Sendung (3) ▷*wire* stromführend, unter Strom stehend; ▷*bullets, bombs* scharf **II.** [lɪv] *vi* (1) ↑ *dwell, reside* wohnen, leben (2) ↑ *exist* leben; ◇ **to** ~ **and let** ~ leben und leben lassen; ◇ ~ **to be ninety** neunzig Jahre alt werden (3) ↑ *experience* erleben; ◇ **he** ~**d through the war** er hat den Krieg miterlebt; ◇ **to** ~ **it up** die Puppen tanzen lassen; **live down** *vt* sich reinwaschen, hinwegkommen über *acc;* ◇ **I'll never** ~ **it** ~ das wird man mir nie vergessen; **live on** *vi* (*income*) leben von; ◇ **I earn enough to** ~ ~ ich verdiene genug, um davon zu leben; (*kind of food*) sich ernähren von; ◇ **man can't** ~ ~ **bread alone** der Mensch lebt nicht vom Brot allein; **live up to** *vi* (*expectations*) entsprechen; ◇ **to** ~ ~ ~ **o.'s reputation** seinem Ruf gerecht werden
livelihood ['laɪvlɪhʊd] *n* Lebensunterhalt *m*, Auskommen *s*
liveliness ['laɪvlɪnəs] *n* Lebhaftigkeit *f*, Lebendigkeit *f*
lively *adj* (1) ↑ *enthusiastic* lebhaft, lebendig (2) ▷*mind* wach, aufgeweckt
liven up *vi* ↑ *perk up* aufleben, Schwung bringen in *acc*
liver ['lɪvə*] *n* ANAT Leber *f*
liverish *adj* ↑ *ill* unwohl, krank
livery ['lɪvərɪ] *n* Livree *f*
livestock ['laɪvstɒk] *n* Vieh *s*
livid ['lɪvɪd] *adj* (1) ▷*bruise* bläulich, graublau (2) ↑ *furious* wütend
living ['lɪvɪŋ] **I.** *n* (1) ↑ *livelihood* Lebensunterhalt *m;* ◇ **to work for a** ~ arbeiten, um sich *dat* den Lebensunterhalt zu verdienen (2) (*quality*) Lebensweise *f* **II.** *adj* ↑ *alive* lebend; ◇ **she has no** ~ **relatives** sie hat keine Verwandten mehr; **living room** *n* Wohnzimmer *s*
lizard ['lɪzəd] *n* Eidechse *f*
llama ['lɑ:mə] *n* Lama *s*
load [ləʊd] **I.** *n* (1) ↑ *cargo* Ladung *f*, Fracht *f* (2) ↑ *burden* Last *f;* ◇ **that took a** ~ **off my mind** da ist mir ein Stein vom Herzen gefallen (3) ↑ *a lot* ◇ ~**s** jede Menge **II.** *vt* (1) → *gun* laden, aufladen; → *camera* einen Film einlegen (2) → *truck* beladen (3) → *person* überhäufen (4) ◇ **he's** ~**ed** *FAM* ↑ *rich* er hat Geld wie Heu
loaf [ləʊf] **I.** *n* <loaves> Laib *m;* ◇ **a** ~ **of bread** ein [Laib] Brot
loafer *n* (1) ↑ *idler* Faulenzer *m*, Nichtstuer *m* (2) (*AM shoe*) Mokassin *m*
loam [ləʊm] *n* Lehmboden *m*
loan [ləʊn] **I.** *n* (1) (*from bank*) Darlehen *s*, Kredit *m;* ◇ **to take out a** ~ Kredit bekommen (2) ↑ *lending* Ausleihen *s;* ◇ **to have s.th. on** ~ etw geliehen haben **II.** *vt* leihen
loathe [ləʊð] *vt* verabscheuen, hassen; **loathing** *n* Abscheu *m*, Ekel *m*
lobby ['lɒbɪ] **I.** *n* (1) (*room*) Eingangshalle *f* (2) POL Lobby *f* **II.** *vt* auf Abgeordnete Einfluß nehmen
lobe [ləʊb] *n* Lappen *m*
lobster ['lɒbstə*] *n* Hummer *m;* ◇ **red as a** ~ krebsrot
local ['ləʊkəl] **I.** *adj* (1) ↑ *near by* örtlich, Orts-; ◇ ~ **government** Gemeindeverwaltung *f;* ◇ ~ **call** Ortsgespräch *s* (2) ▷*anaesthetic* örtlich, lokal **II.** *n* ↑ *resident* Ortsansässige(r) *fm;* **locality** [ləʊ'kælɪtɪ] *n* Gegend *f;* ◇ **a sense of** ~ Ortssinn *m;* **locally** *adv* am Ort
locate [ləʊ'keɪt] *vt* (1) ↑ *find* ausfindig machen (2) ↑ *be positioned* sich befinden *dat;* **location** [ləʊ'keɪʃən] *n* (1) ↑ *site* Lage *f*, Platz *m* (2) *of film*, CINE Drehort *m;* ◇ **the film about China was shot on** ~ der Film über China wurde auch dort gedreht
lock [lɒk] **I.** *n* (1) (*door, bicycle*) Schloß *s* (2) (*canal, river*) Schleuse *f* (3) (*of hair*) Locke *f* **II.** *vt* (1) ↑ *fasten* abschließen, zuschließen; → *door* zusperren, verriegeln; ◇ **to** ~ **s.o. in a room** jd-n in einem Zimmer einschließen **III.** *vi* schließen (1) ← *suitcase, diary* sich schließen lassen (2) ↑ *jam* blockieren

locker ['lɒkə*] *n* Schließfach *s;* ◇ ~ **room** Umkleideraum *m*
locket ['lɒkɪt] *n* Medaillon *s*
locksmith ['lɒksmɪθ] *n* Schlosser(in *f*) *m*
locomotive [ləʊkə'məʊtɪv] *n* Lokomotive *f*
locust ['ləʊkəst] *n* Heuschrecke *f*
lodge [lɒdʒ] **I.** *n* ① ↑ *gatehouse* Pförtnerhaus *s* ② ↑ *vacation* ~ Ferienhaus *s* **II.** *vi* ① ↑ *visit* übernachten, wohnen (*with* bei) ② ↑ *get stuck* stecken **III.** *vt* → *protest* einreichen; **lodger** *n* Untermieter(in *f*) *m;* **lodging** *n* ① ↑ *accomodation* Unterkunft *f Quartier,* s ② ↑ *digs* möbliertes Zimmer *s;* ◇ ~ **house** Pension *f*
loft [lɒft] *n* Speicher *m,* [Dach-]Boden *m;* (*in barn*) Heuboden *m;* **lofty** ['lɒftɪ] *adj* ① ↑ *high* hoch ② ▷*ideas, aims* hochfliegend; ▷*style* gehoben ③ ▷*behaviour* stolz, hochmütig
log [lɒg] **I.** *n* ① (*firewood*) Klotz *m;* (*branch*) Baumstamm *m* ② ↑ *record* Logbuch *s;* ◇ **to keep a** ~ über etw *acc* Buch führen **II.** *vt* Buch führen über *acc;* ◇ **to** ~ **s.th.** etw eintragen
logarithm ['lɒgərɪθəm] *n* Logarithmus *m*
logbook ['lɒgbʊk] *n* Logbuch *s*
loggerheads ['lɒgəhedz] *n pl:* ◇ **to be at** ~ **with s.o.** sich mit jd-m in den Haaren liegen
logic ['lɒdʒɪk] *n* Logik *f;* **logical** *adj* logisch; **logically** *adv* logisch
logistics [lɒ'dʒɪstɪks] *n sg* Logistik *f*
logo ['lɒgəʊ] *n* <-s> Firmenzeichen *s*
loin [lɔɪn] *n* ① (*of person*) Lende *f* ② (~ *chops*) Lendenstück *s*
loiter ['lɔɪtə*] *vi* bummeln, trödeln
loll [lɒl] *vi* ① ↑ *lounge* sich lümmeln ② ← *tongue* heraushängen
lollipop ['lɒlɪpɒp] *n* Lutscher *m*
lone [ləʊn] *adj* einsam
loneliness ['ləʊnlɪnəs] *n* Einsamkeit *f;* **lonely** *adj* einsam
long [lɒŋ] **I.** *adj* ① (*in size*) lang; (*distance*) ◇ **it's a** ~ **way** es ist ein weiter Weg ② (*in time*) lang; ◇ **class is an hour** ~ der Unterricht dauert eine Stunde ③ ▷*book* lang **II.** *adv* lang(e); ◇ **you took a** ~ **time** du hast lange gebraucht; ◇ **How** ~ **have you lived here?** Wie lange wohnen Sie schon hier?; ◇ **before** ~ bald; ◇ **all day** ~ den ganzen Tag **III.** *vi* sich sehnen (*for* nach); **long-distance** *adj* ▷*phone calls* Fern-; ▷*runner* Langstrecken-; **long-haired** *adj* langhaarig; **longhand** *n* Langschrift *f*
longing **I.** *n* Sehnsucht *f,* Verlangen *s* **II.** *adj* sehnsüchtig
longitude ['lɒŋgɪtju:d] *n* Länge *f*
long jump *n* SPORT Weitsprung *m;* **long-life milk** *n* H-Milch *f;* **long-lost** *adj* verlorengegangen; **long-playing record** *n* Langspielplatte *f;* **long-range** *adj* weitreichend; (~ *missile*) Langstrecken-; **long-standing** *adj* langjährig, alt; **long-suffering** *adj* langmütig; **long-term** *adj* langfristig; ◇ ~ **memory** Langzeitgedächtnis *s;* **long wave** *n* Langwelle *f;* **long-winded** *adj* ▷*speech* langatmig
loo [lu:] *n FAM BRIT* Klo *s*
loofah ['lu:fə*] *n* Luffa *f*
look [lʊk] **I.** *vi* ① (*with eyes*) schauen, hinsehen; ◇ **L~ here!** Schau mal!; ◇ **to** ~ **around** sich umsehen ② ↑ *read, examine* ◇ **we ~ed at the dictionary** wir sahen uns das Wörterbuch an ③ ↑ *consider* sich *dat* [etw] überlegen; ◇ **she's ~ing at the offer** sie denkt über das Angebot nach ④ (*at s.o.*) ansehen ⑤ ↑ *view* betrachten; ◇ **we** ~ **at things differently** wir haben verschiedene Ansichten ⑥ ↑ *face* zeigen (*to* nach); ◇ **the window ~s out on the beach** das Fenster geht auf den Strand ⑦ ↑ *appearance* ◇ **aussehen, you** ~ **tired** du siehst müde aus ⑧ ↑ *appear, seem* aussehen; ◇ **it ~s like he's not coming** es sieht so aus, als ob er nicht kommt **II.** *n* ① (*act*) Blick *m;* ◇ **take a** ~ **at this** schau' dir das mal an; ◇ **to give s.o. a** ~ jd-m einen Blick zuwerfen; ◇ **have a** ~ **around** sehen Sie sich um ② ↑ *expression* Miene *f,* Ausdruck *m;* ◇ **I knew by the** ~ **on his face** ich konnte es an seinem Gesicht ablesen ③ ↑ *appearance* Aussehen *s;* ◇ **I don't like the** ~ **of it** die Sache gefällt mir nicht; ◇ **she had a worried** ~ **on her face** sie sah besorgt aus ④ (*beauty*) ◇ **~s** *pl* Aussehen *s;* ◇ **~s aren't everything** gutes Aussehen ist nicht alles; **look after** *vt* ① ↑ *care for* sich kümmern um; ◇ **to** ~ ~ **o.s.** für sich selbst sorgen ② ↑ *watch, tend* aufpassen (auf *acc*); **look down on** *vt FIG* jd-n *acc* belächeln; **look forward to** *vt* sich freuen auf *acc;* **look out for** *vt* sich *acc* in acht nehmen vor; **look to** *vt* (*for help*): ◇ **to** ~ ~ **s.o. for advice** sich *acc* an jd-n um Rat wenden; **look up** **I.** *vi* sich bessern; ◇ **things are ~ing** ~ es geht bergauf **II.** *vt* ① → *word* nachschlagen; → *information* nachschauen ② → *person* aufsuchen ③ ◇ **to** ~ **s.o.** ~ **and down** jd-n von oben bis unten mustern; **look up to** *vt* bewundern; **lookout** *n* ① ▷*place, stand* Wache *f,* Beobachtungsposten *m;* ◇ **to be on the** ~ Ausschau halten (*for* nach); ◇ **we are on the** ~ **for a new car** wir sind auf der Suche nach einem neuen Auto
loom [lu:m] **I.** *n* Webstuhl *m* **II.** *vi* ① ← *tower* aufragen, drohen; ← *storm* heraufziehen; ◇ **the building ~s over the city** das Gebäude ragt über die Stadt ② ↑ *threaten* sich abzeichnen; ← *difficulties* sich auftürmen; ← *event* bedrohlich näherrücken

loop [lu:p] **I.** *n* Schleife *f*, Schlinge *f* **II.** *vt* ↑ *coil* in eine Schleife legen, schlingen
loophole *n FIG* Schlupfloch *s;* ◇ **I have taken every ~ possible** ich habe alle möglichen Hintertürchen benutzt
loose [lu:s] **I.** *adj* ① ↑ *wobbly* locker ② ▷*clothes* weit ③ ▷*hair* offen ④ ↑ *free* frei, befreit; ◇ **to be at a ~ end** nicht wissen, was man mit sich anfangen soll; ◇ **~ change** Kleingeld *s* ⑤ ↑ *promiscuous* unmoralisch; ◇ **~ women** Frauen mit lockerem Lebenswandel *s* ⑥ ↑ *lax* frei; ◇ **a ~ relationship** eine lockere Beziehung **II.** *vt* ① ↑ *free* befreien ② ↑ *untie* losmachen ③ ↑ *slacken* lockern; ◇ **I have to ~ my belt** ich muß meinen Gürtel weiter machen; **loosely** *adv* locker
loot [lu:t] **I.** *n* Beute *f* **II.** *vt* plündern; **looting** *n* Plündern *s*
lop-sided ['lɒp'saɪdɪd] *adj* schief
lord [lɔ:d] *n* ① ↑ *ruler, BRIT* Herr *m; (of authority)* ◇ **~ and master** Herr und Meister ② *title, BRIT* Lord *m;* POL ◇ **the L~s** Oberhaus *s* ③ REL ◇ **L~** Herr *m;* ◇ **the L~'s prayer** Vaterunser *s;* **lordly** *adj* ↑ *proud* hochmütig, arrogant
lore [lɔ:*] *n* Überlieferungen *f pl*
lorry ['lɒrɪ] *n* Lastwagen, LKW *m*
lose [lu:z] <lost, lost> **I.** *vt* ① ↑ *mislay* verlieren; → *job* verlieren; → *weight* abnehmen ② → *relative* ◇ **she lost her father** ihr Vater ist gestorben ③ → *time, chance* verlieren ④ ← *watch* nachgehen; ◇ **my watch is losing time** meine Uhr geht nach ⑤ *(competition)* verlieren; ◇ **to ~ sight of s.th.** etw aus den Augen verlieren ⑥ → *o.'s way* sich verlaufen, die Orientierung verlieren
loser *n* Verlierer(in *f*) *m*
losing *adj* Verlierer-
loss [lɒs] *n* ① Verlust *m;* ◇ **a ~ of time** ein Zeitverlust *m* ② MIL ◇ **heavy ~es** schwere Verluste ③ *(stuck)* ◇ **to be at a ~** nicht mehr weiterwissen ④ *FAM* ↑ *hopeless case* ◇ **a dead ~** ein hoffnungsloser Fall
lost [lɒst] **I.** *pt, pp of* **lose**; **II.** *adj* verloren; ◇ **a ~ cause** ein aussichtsloses Unterfangen; **lost-and-found** *n (AM)* Fundamt, Fundbüro *s*
lot [lɒt] *n* ① *(quantity)* Menge *f;* ◇ **to have a ~ of s.th.** viel von etw haben; ◇ **thanks a ~** vielen Dank; ◇ **~s and ~s of people** viele, viele Menschen ② *(often)* viel; ◇ **she talks a ~** sie redet viel ③ ↑ *the whole* Ganze *s;* ◇ **that's the ~** das ist alles ③ ↑ *fortune* Los *s* ④ *(at auction)* Los *s* ⑤ *(to choose)* Los *s;* ◇ **to cast/draw ~s** etw auslosen ⑥ *area, AM* Platz *m;* ◇ **parking ~** Parkplatz *m;* ◇ **a used car ~** eine Gebrauchtwagenhalde *f*
lotion ['ləʊʃən] *n* Lotion *f*
lottery ['lɒtərɪ] *n* Lotterie *f*
loud [laʊd] **I.** *adj* ① ↑ *noisy* laut; ◇ **to speak out ~** etw aussprechen; ◇ **to read out ~** etw vorlesen ② ↑ *showy* ▷*person* aufdringlich; ▷*clothes, colour* auffallend, grell; ◇ **I understand you ~ and clear** ich kann dich laut und deutlich verstehen; **loudly** *adv* laut
loudspeaker *n* Lautsprecher *m*
lounge [laʊndʒ] **I.** *n (of hotel)* Halle *f*, Gesellschaftsraum *m; (of airport)* Wartehalle *f; (of house)* Wohnzimmer *s* **II.** *vi* faulenzen
louse [laʊs] *n* <lice> Laus *f*
lousy ['laʊzɪ] *adj* ① *FAM* ↑ *bad, rotten* miserabel ② *FAM* ↑ *ill* ◇ **I feel ~** mir geht es hundsmiserabel
lout [laʊt] *n* Flegel *m*, Rüpel *m*
lovable ['lʌvəbl] *adj* liebenswert, reizend
love [lʌv] **I.** *n* Liebe *f;* ◇ **to fall in ~** sich verlieben; ◇ **to make ~ to s.o.** mit jd-m schlafen; ◇ **to send o.'s ~ to s.o.** jd-n grüßen lassen ② (SPORT *tennis*) null ③ *(name)* Liebling *f*, Schatz *f* **II.** *vt* ① → *person* lieben ② *(activity)* gern mögen; ◇ **to ~ to do s.th.** etw gern tun; **love affair** *n* Verhältnis *s*, Liebschaft *f;* **love letter** *n* Liebesbrief *m;* **love life** *n* Liebesleben *s;* **lovely** ['lʌvlɪ] *adj* lieblich, schön; ↑ *cute* niedlich, süß; ◇ **what a ~ dress** was für ein hübsches Kleid; ◇ **I had a ~ time** es war sehr schön; ◇ **a ~ lady** eine reizende Frau; **lovemaking** ['lʌvmeɪkɪŋ] *n* ↑ *sex* Sex *m*, Liebe *f;* **lover** *n* ① *(partner)* Liebhaber(in *f*) *m*, Geliebte(r) *fm* ② *(couple)* ◇ **they're ~s** sie sind ein Liebespaar *s* ③ ↑ *fan* ◇ **he's a jazz ~** er ist Jazzliebhaber(in *f*) *m;* **lovesong** *n* Liebeslied *s;* **loving** *adj* ① ↑ *affectionate* liebevoll ② ▷ *deeds* herzensgut
lovingly *adv* liebevoll; **low** [ləʊ] **I.** *adj* ① ▷*table, wall* niedrig ② ▷*income, temperature* niedrig ③ ▷*note*, MUS tief ④ ▷*supply* knapp; ◇ **to run ~** knapp werden, zur Neige gehen ⑤ ▷*grade, rank* niedrig ⑥ ▷*opinion* schlecht ⑦ ↑ *depressed* unten, deprimiert ⑧ ▷*volume* leise **II.** *n* Tiefpunkt *m*, Tiefstand *m;* ◇ **production was at a record ~** die Produktion war an einem Tiefpunkt angelangt
low-calorie *adj* kalorienarm; **low-cut** *adj* ▷*dress* tief ausgeschnitten
lower ['ləʊə*] *vt* ① *(move downwards)* herunter-, hinunterlassen; → *eyes, voice* senken ② ↑ *reduce* verringern ③ → *standard* erniedrigen; ◇ **to ~ o.s.** sich herablassen
lowly ['ləʊlɪ] *adj* niedrig
low tide [ləʊ'taɪd] *n* Niedrigwasser *s*
loyal ['lɔɪəl] *adj* ↑ *true* treu; **loyally** *adv* treu; **loyalty** *n* Treue *f*, Loyalität *f*
lozenger ['lɒzɪndʒ] *n (cough)* Hustenpastille *f*

LP *n abbr. of* **long-playing record** LP *f*
Ltd *abbr. of* **limited** GmbH *f*
lubricant ['lu:brɪkənt] *n* Gleitmittel *s; (engine)* Schmiermittel *s*
lubricate ['lu:brɪkeɪt] *vt* ölen, schmieren; **lubrication** [lu:brɪ'keɪʃən] *n* Schmierung *f*
lucid ['lu:sɪd] *adj* ① ↑ *comprehensible* anschaulich, einleuchtend ② ↑ *sane* ◇ ~ **interval** lichter Augenblick ③ ↑ *limpid* klar, strahlend; **lucidity** [lu:'sɪdɪtɪ] *n* Klarheit *f;* **lucidly** *adv* klar, anschaulich
luck [lʌk] *n* Glück *s;* ◇ **bad** ~ Unglück *s*, Pech *s;* ◇ **a good** ~ **charm** Glücksbringer, Talisman *m;* **luckily** *adv* glücklicherweise; **lucky** *adj* Glücks-; ◇ **to be** ~ Glück haben
lucrative ['lu:krətɪv] *adj* einträglich, lukrativ
ludicrous ['lu:dɪkrəs] *adj* lächerlich, absurd
ludo ['lu:dəʊ] *n (game)* Mensch, ärgere dich nicht *s*
lug [lʌg] *vt* schleppen; ◇ **she ~s everything around with her** sie schleppt alles mit sich herum
luggage ['lʌgɪdʒ] *n* Gepäck *s;* **luggage rack** *n* Gepäckträger *m*
lugubrious [lu:'gu:brɪəs] *adj* schwermütig, kummervoll
lukewarm ['lu:kwɔ:m] *adj* ① ▷*tea* lauwarm ② ▷*indifferent* lau
lull [lʌl] **I.** *n* Pause *f* **II.** *vt* beruhigen; ◇ **to ~ a baby to sleep** ein Baby einlullen
lullaby ['lʌləbaɪ] *n* Wiegenlied *s*
lumbago [lʌm'beɪgəʊ] *n* Hexenschuß *m*
lumber ['lʌmbə*] *n* ① ↑ *timber* Bauholz *s* ② *BRIT* ↑ *junk* Gerümpel *s;* **lumberjack** *n* Holzfäller *m;* ◇ ~ **mill** Sägewerk *s*
luminous ['lu:mɪnəs] *adj* leuchtend
lump [lʌmp] **I.** *n* ① *(clay, dough)* Klumpen *m;* ↑ *sugarcube* Stück *s* ② ↑ *swelling* Beule *f*, Schwellung *f; (in breast)* Knoten *m* **II.** *vt* ① ◇ ~ **together** ↑ *combine* zusammentun; *(judge)* in einen Topf werfen ② ↑ *put up with* ◇ **like it or ~ it** wenn es dir nicht paßt, dann laß' es bleiben; **lump sum** *n* Pauschalbetrag *m*
lumpy *adj* klumpig
lunacy ['lu:nəsɪ] *n* Wahnsinn *m*
lunar ['lu:nə*] *adj* Mond-
lunatic ['lu:nətɪk] **I.** *n* Wahnsinnige(r) *fm* **II.** *adj* verrückt, wahnsinnig
lunch, **luncheon** [lʌntʃ, -ən] Mittagessen *s*
luncheon meat *n* Frühstücksfleisch *s;* **luncheon voucher** *n* Essensmarke *f*
lunch hour *n* Mittagsstunde *f*
lung [lʌŋ] *n* ANAT Lunge *f*
lunge [lʌndʒ] *vi* sich stürzen
lurch [lɜ:tʃ] *vi* ① *(jerky movement)* ruckeln, sich ruckartig bewegen; NAUT schlingern ② ↑ *desert* ◇ **to leave s.o. in the** ~ im Stich lassen
lure [ljʊə*] **I.** *n (bait for fishing)* künstlicher Köder *m; FIG* Lockung *f* **II.** *vt* ködern, anlocken
lurid ['ljʊərɪd] *adj* ① ↑ *shocking* grausig, gräßlich ② ▷*colour* grell
lurk [lɜ:k] *vi* ① ↑ *skulk* schleichen; ◇ **something is ~ing about in the bushes** etw schleicht im Gebüsch herum ② ← *rumor, memory* lauern; ◇ **the doubts still ~ed in my mind** die Zweifel plagten mich immer noch
luscious ['lʌʃəs] *adj* ① ↑ *desirable* ◇ **she has ~ lips** sie hat verführerische Lippen ② ↑ *delicious* köstlich, lecker
lush [lʌʃ] *adj* ▷*vegetation* üppig, saftig
lust [lʌst] **I.** *n* ① ↑ *passion* Wollust *f*, Sinneslust *f* ② ↑ *greed* Begierde *f*, Gier *f (for* nach) **II.** *vi* ① begehren *(after, for* etw *acc)* ② gieren *(after, for* nach); **lustful** *adj* lüstern
lustre, **luster** *(AM)* ['lʌstə*] *n* Glanz *m*
lusty ['lʌstɪ] *adj* kräftig, gesund und munter; *(old person)* urwüchsig
lute [lu:t] *n* Laute *f*
Luxembourg ['lʌksəmbɜ:g] *n* Luxemburg *s*
luxuriant [lʌg'zjʊərɪənt] *adj* üppig; **luxurious** [lʌg'zjʊərɪəs] *adj* luxuriös; **luxury** ['lʌkʃərɪ] *n* Luxus *m*
lying ['laɪɪŋ] **I.** *n* Lügen *s* **II.** *adj* lügnerisch, verlogen
lynch [lɪntʃ] *vt* lynchen
lynx [lɪŋks] *n* Luchs *m*
lyre ['laɪə*] *n* Leier *f*
lyric ['lɪrɪk] **I.** *n* Lyrik *f* **II.** *adj* lyrisch; **lyrical** *adj* lyrisch

M

M, m [em] *n* M, m
mac [mæk] *n BRIT FAM* Regenmantel *m*
macabre [mə'kɑ:br] *adj* makaber
macaroni [mækə'rəʊnɪ] *n* Makkaroni *pl*
mace [meɪs] *n (gas)* Tränengas *s*
machine [mə'ʃi:n] **I.** *n* Maschine *f* **II.** *vt* → *products* maschinell herstellen; **machine fitter** *n* Maschinenschlosser(in *f*) *m;* **machinegun** *n* Maschinengewehr *s;* **machinery** [mə'ʃi:nərɪ] *n* Maschinen *f pl;* MIL Maschinerie *f;* **machine operator** *n* Maschinenarbeiter(in *f*) *m*, Operator(in *f*) *m;* ◇ ~**~s** Bedienungspersonal *s;*

machine readable *adj* maschinenlesbar; **machine tool** *n* Werkzeugmaschine *f*
mackerel ['mækrəl] *n* Makrele *f*
mackintosh ['mækıntɒʃ], **mac** *n* Regenmantel *m*
macro- ['mækrəʊ] *pref* makro-, Makro-
mad [mæd] *adj* ① ↑ *crazy* wahnsinnig, verrückt; ◇ **to be - about s.th.** verrückt sein nach etw; ◇ **to run like -** wie wild rennen ② ▷*dog* tollwütig ③ ↑ *angry* böse, sauer
madam ['mædəm] *n* ① gnädige Frau; ◇ **May I take your coat, -?** Darf ich Ihren Mantel abnehmen? ② (*spoiled girl*) kleine Prinzessin *f*
madden ['mædn] *vt* ① ↑ *make insane* verrückt machen ② ↑ *anger* ärgern; **maddening** *adj* ärgerlich; ▷*noise* unerträglich, nervenaufreibend; ◇ **It's -!** Das macht mich rasend!
made [meıd] *pt, pp of* **make**
Madeira cake [Madeira cake] *n* Sandkuchen *m*
made-to-measure ['meıdtə'meʒə*] *adj* ▷*suit* maßgeschneidert; **made-up** *adj* ① ▷*story* erfunden ② ▷*face* geschminkt
madhouse ['madhaʊs] *n also FIG* Irrenhaus *s*
madly ['mædlı] *adv* wie verrückt, wie besessen; ◇ **I'm - in love** ich bin wahnsinnig verliebt
madman ['mædmən] *n* ① (*insane*) Wahnsinniger *m* ② ↑ *maniac* Verrückter *m*
madness ['mædnəs] *n* Wahnsinn *m*
madwoman ['mædwʊmən] *n* ① (*insane*) Wahnsinnige *f* ② ↑ *maniac* Verrückte *f*
magazine ['mægəzi:n] *n* ① Zeitschrift *f*, Magazin *s* ② (*in gun*) Magazin *s* ③ ↑ *arsenal* [Munitions-]Lager *s*
maggot ['mægət] *n* Made *f*
magic ['mædʒık] **I.** *n* ① Zauberei *f*, Magie *f* ② *FIG* ↑ *charm* Zauber *m* **II.** *adj* magisch; ◇ **the witch cast a - spell on him** die Hexe hat ihn verzaubert; **magical** *adj* ▷*experience* magisch, wunderbar; ▷*woman* bezaubernd; **magician** [mə'dʒıʃən] *n* Zauberer *m*, Zauberin *f*
magistracy ['mæʒıstrəsı] *n* Richteramt *s*, Richter *mpl;* **magistrate** ['mædʒıstreıt] *n* Richter(in *f*) *m;* **magistrates' court** *n* Schöffengericht *s*
magnanimous [zæg'nænıməs] *adj* großmütig, groß
magnate ['mægneıt] *n* Moghul *m*
magnet ['mægnıt] *n* Magnet *m;* **magnetic** [mæg'netık] *adj* magnetisch; *FIG* ▷*charms* unwiderstehlich; ◇ **- attraction** magnetische Anziehungskraft *f;* ◇ **- strip** Magnetstreifen *m;* **magnetic tape** *n* Magnetband *s;* **magnetism** ['mægnıtızəm] *n* Magnetismus *m; FIG* ▷*animal* Anziehungskraft *f*, Ausstrahlung *f*
magnification [mægnıfı'keıʃən] *n* Vergrößerung *f*
magnificent [mæg'nıfısənt] *adj* prächtig, herrlich
magnify ['mægnıfaı] *vt* ① ↑ *make bigger* vergrößern ② ↑ *exaggerate* übertreiben, aufbauschen; **magnifying glass** *n* Vergrößerungsglas *s*, Vergrößerungslupe *f*
magnitude ['mægnıtju:d] *n* ↑ *size* Größe *f;* ↑ *importance* Wichtigkeit *f*
magnolia [mæg'nəʊlıə] *n* Magnolie *f*
magnum *n* (*champagne*) Anderthalbliterflasche *f*
magpie ['mægpaı] *n* Elster *f*
maharajah [mɑ:hə'rɑ:dʒə] *n* Maharadscha *m*
mahogany [mə'hɒgənı] *n* ① (*wood*) Mahagoni *s* ② (*colour*) mahagonifarben
maid [meıd] *n* Dienstmädchen *s*, Hausangestellte *f;* ◇ **old -** alte Jungfer; ◇ **- of honour** (*AM*) Ehren-, Hofdame *f*
maiden I. *n LIT* Maid *f*, Mädchen *s;* ◇ **- aunt** *unverheiratete, ältere Tante* **II.** *adj* ▷*flight, voyage* Jungfern-; **maiden name** *n* Mädchenname *m*
mail [meıl] **I.** *n* ① (*letter, parcel*) Post *f* ② (*postal system*) Post *f* **II.** *vt* mit der Post schicken; **mailbox** *n* (*AM*) Briefkasten *m;* **mailgram** *n* (*AM*) Telebrief *m;* **mailing list** *n* Anschriftenliste *f;* **mailman** *n* (*AM*) Postbote *m;* **mail order** *n* Bestellung durch die Post *f;* **mailorder catalogue** *n* Versandhauskatalog *m;* **mail order firm** *n* Versandgeschäft, Versandhaus *s*
maim [meım] *vt* ↑ *cripple* verstümmeln
main [meın] **I.** *adj* ▷*reason, purpose* Haupt-, größte(r, s); ◇ **the - is to endure** Hauptsache, man überlebt; ◇ **in the -** im großen und ganzen **II.** ◇ **-s** ▷*water, electricity* Hauptleitung *f;* **main emphasis** *n* Hauptgewicht *s;* **mainforce** *n* rohe Gewalt *f;* **mainframe** *n* PC Großrechner *m;* **main hall** *n* Schalterhalle *f;* **mainland** *n* Festland *s;* **mainline I.** *n* Hauptstrecke *f* **II.** *vt FAM* → *drugs* spritzen; **mainline train** *n* Schnellzug *m;* **main memory** *n* PC Zentralspeicher *m;* **main road** *n* Hauptstraße *f;* **main storage** *n* PC Hauptspeicher *m;* **mainstay** *n FIG* Stütze *f;* **mainstream** *n* Hauptrichtung *f;* ◇ **to be in the -** immer auf dem neuesten Stand sein; **mainstreet** *n* Hauptstraße *f;* **main subject** *n* SCH Hauptfach *s*
maintain [meın'teın] *vt* ① ↑ *keep* behalten ② → *machine, roads* instand halten; → *law and order* aufrechterhalten ③ (*financially support*) unterhalten, fördern ④ ↑ *claim* behaupten; **maintenance** ['meıntənəns] *n* ① (*of road, park*) Instandhaltung, Pflege *f;* (*of condition*) Aufrechterhaltung *f;* (*of machine*) Wartung *f* ② (*of family*)

Unterhaltung *f,* Unterhalt *m;* **maintenance-free** *adj* wartungsfrei
maisonette [meɪzə'net] *(BRIT) n* Appartment *s*
maize [meɪz] *n* Mais *m*
majestic [mə'dʒestɪk] *adj* majestätisch; ▷*proportions* stattlich; **majesty** ['mædʒɪstɪ] *n* Majestät *f*
major ['meɪdʒə*] **I.** *n* MIL Major *m* **II.** *adj* ① ↑ *important, greater* bedeutend, größer; ◇ **of ~ importance** von größerer Bedeutung; ◇ **~ road** Hauptstraße *f* ② MUS ◇ **~ key** Dur *s;* ◇ **C ~** C-Dur *s* ③ ◇ **to become a ~** volljährig werden ④ *AM* ◇ **he is a biology ~** Biologie ist sein Hauptfach ⑤ ◇ **Thompson M~** Thompson der Ältere
majorette [meɪdʒə'ret] *n* Majorette *f*
major general *n* Generalmajor *m*
majority [mə'dʒɒrɪtɪ] *n* ① *(of people)* Mehrheit *f,* Mehrzahl *f* ② JUR Volljährigkeit *f*
make [meɪk] <made, made> **I.** *vt* ① ↑ *prepare* machen; → *bread* backen; → *machines* herstellen; ◇ **made in Germany** in Deutschland hergestellt ② ↑ *do, undertake* machen, unternehmen; → *error, journey* machen; → *choice, decision* treffen ③ *(cause something to happen)* dazu bringen, veranlassen; ◇ **to ~ s.o. to do s.th.** jd-n dazu bringen, etw zu tun; ↑ *force* zwingen ④ ↑ *appoint* machen zu, ernennen ⑤ → *money* verdienen ⑥ ↑ *succeed* erreichen, schaffen; ◇ **Can we ~ it in time?** Können wir es rechtzeitig schaffen? ⑦ berühmt machen, zum Erfolg helfen; ◇ **that film made him** mit diesem Film gelang ihm der Durchbruch ⑧ ↑ *estimate* ◇ **What time do you ~ it?** Wie spät ist es bei dir?; **make for** *vt* ① ↑ *head for* zuhalten auf, losfahren; ◇ **we are making for Munich** wir wollen nach München ② ↑ *contribute, result in* führen zu; ◇ **he made for a happy life** er legte den Grundstein für ein glückliches Leben; **make of** *vi* halten von; **make out I.** *vti* ① → *cheque, bill* ausstellen ② ↑ *discern* sehen, ausmachen ③ ↑ *claim* behaupten; ↑ *pretend* so tun, als ob ④ ↑ *understand, figure out* verstehen ⑤ ↑ *progress* ◇ **How did you ~ ~?** Wie bist du zurechtgekommen? ⑥ *(argue for or against)* für/gegen etw argumentieren ⑦ *AM* ↑ *to neck* sich küssen; **make up I.** *vt* ① ↑ *constitute* bilden, bestehen aus ② → *face* schminken ③ ◇ **to ~ it ~ with somebody** sich mit jd-m wieder vertragen ④ → *story etc.* erfinden ⑤ *compensate* → *loss* ausgleichen; → *lost time* einholen; → *favour* wiedergutmachen **II.** *vi (after quarrel)* sich versöhnen; **make up for** *vt* ① ↑ *excuse* wiedergutmachen; ◇ **the money does not ~ ~ ~ your behaviour** das Geld entschuldigt dein Benehmen nicht ② ↑ *compensate* ◇ **to ~ ~ ~ lost time** verlorene Zeit aufholen; **make-believe I.** *n* Schein-, Phantasie- **II.** *adj* ~ **world,** Phantasiewelt *f*
maker *n* COMM Hersteller(in *f*) *m;* **make-or-break** *adj* entscheidend; ◇ **a ~ situation** eine kritische Situation; **makeshift** *adj* behelfsmäßig; **make-up** *n* Schminke *f,* Make-up *s*
making *n* Herstellung *f;* ◇ **this will be the ~ of him** damit ist er ein gemachter Mann; ◇ **in the ~** im Werden, im Entstehen begriffen; ◇ **he has the ~s of a criminal** er hat die Anlage zu einem Verbrecher
maladjusted [mælə'dʒʌstɪd] *adj* schlecht angepaßt; PSYCH verhaltensgestört
malady ['mælədɪ] *n* Krankheit *f*
malaise *n* Unwohlsein *s*
malaria [mə'lɛərɪə] *n* Malaria *f*
Malay [mə'leɪə] *n* Malaya *s*
male [meɪl] **I.** *n* Mann *m; (animal)* Männchen *s* **II.** *adj* male; ◇ **~ chauvinism** [männlicher] Chauvinismus *m;* ◇ **~ chauvinist pig** Chauvinist *m,* Chauvi *m;* **male bee** *n* Drohne *f;* **male dog** *n* Rüde *m;* **male nurse** *n* Krankenpfleger *m*
malevolence [mə'levələns] *n* Bosheit *f;* **malevolent** *adj* feindselig
malfunction [mæl'fʌnkʃən] *vi* ← *liver* nicht richtig arbeiten; ← *machine* defekt sein, versagen
malice ['mælɪs] *n* Bosheit *f;* **malicious** *adj* boshaft, böse; **malicious delight** *n* Schadenfreude *f*
malign [mə'laɪn] *vt* verleumden; ↑ *run down* schlecht machen; **malignant** [mə'lɪgnənt] *adj* bösartig; MED ◇ **a ~ growth** ein bösartiges Geschwür
malinger [mə'lɪŋgə*] *vi* simulieren, krank spielen
malleable ['mælɪəbl] *adj* formbar
mallet ['mælɪt] *n* Holzhammer *m*
malnutrition [mælnjʊ'trɪʃən] *n* Unterernährung *f,* Fehlernährung *f*
malpractice [mæl'præktɪs] *n* falsche Behandlung *f,* Amtsvergehen *s*
malt [mɔːlt] *n* Malz *s;* ▷*whisky* Malt Whisky *m;* **malt coffee** *n* Malzkaffee *m*
Malta ['mɔːltə] *n* Malta *s*
maltreat [mæl'triːt] *vt* mißhandeln
mammal ['mæməl] *n* Säugetier *s*
mammoth ['mæməθ] **I.** *adj* riesig **II.** *n* Mammut *s*
man [mæn] **I.** *n* ↑ *male* Mann *m;* ↑ *human race* Mensch *m,* Menschen *m pl,* Menschheit *f* **II.** *vt* → *rocket* bemannen
manage ['mænɪdʒ] **I.** *vi* zurechtkommen **II.** *vt* → *company* führen, leiten; ↑ *cope with* fertigwerden

mit; → *work* bewältigen, schaffen; → *athlete, star* managen;˜ to do s.th., es fertigbringen, etw zu tun; **manageable** *adj* ▷*person, animal* lenksam, fügsam; ▷*object* handlich; **management** *n* ↑ *control, direction* Führung *f,* Leitung *f;* ↑ *administration* Verwaltung *f; (directors)* Management *s,* Geschäftsleitung *f;* **management consultant** *n* Unternehmensberater(in *f*) *m;* **manager** *n* Verwalter(in *f*) *m,* Manager(in *f*) *m,* Geschäftsführer(in *f*) *m;* **manageress** [mænɪdʒəˈres] *n* Verwalterin *f,* Managerin *f,* Geschäftsführerin *f;* **managerial** [mænəˈdʒɪərɪəl] *adj* geschäftsführend, Management-; ▷*position* leitend; **managing** *adj* geschäftsführend, leitend; ◇ ~ **director** Betriebsleiter(in *f*) *m*

mandarin [ˈmændərɪn] *n* (1) *(fruit)* Mandarine *f* (2) *(Chinese official)* Mandarin *m*

mandate [ˈmændeɪt] *n* Mandat *s,* Befehl *m,* Vollmacht *f;* **mandatory** [ˈmændətərɪ] *adj* vorgeschrieben, obligatorisch

mane [meɪn] *n* Mähne *f*

maneuver [məˈnuːvə*] *(AM) s.* **manoeuvre** Manöver *s*

manful *adj* mannhaft, beherzt

mangle [ˈmæŋgl] **I.** *vt* → *laundry* mangeln; *FIG* verstümmeln **II.** *n* Wäschemangel *f*

mango [ˈmæŋgəʊ] *n* <-[e]s> Mango *f*

mangrove [ˈmæŋgrəʊv] *n* Mangrove *f*

mange [meɪnʒ] *n* Räude *f*

manger [ˈmeɪnʒə*] *n* Krippe *f*

mangy [ˈmeɪndʒɪ] *adj* ▷*dog* räudig; *FIG* schäbig

manhandle [ˈmænhændl] *vt* (1) *(physical strength)* etw von Hand bewegen (2) *(rough)* grob behandeln

manhole *n* Straßenschacht *m,* Mannloch *s*

manhood [ˈmænhʊd] *n* (1) *(age)* Mannesalter *s* (2) ↑ *manliness* Männlichkeit *f*

man-hour *n* COMM Mannstunde *f*

manhunt *n* Fahndung *f*

mania [ˈmeɪnɪə] *n* ↑ *craze* Manie *f,* Sucht *f;* ↑ *madness* Wahnsinn *m*

maniac [ˈmeɪnɪæk] *n* Wahnsinnige(r) *fm,* Verrückte(r) *fm;* ◇ **he is a tennis ~** er ist verrückt nach Tennis; *FIG* Fanatiker(in *f*) *m*

manicure [ˈmænɪkjʊə*] **I.** *n* Maniküre *f* **II.** *vt* maniküren; **manicure set** *n* Necessaire *s*

manifest [ˈmænɪfest] **I.** *vt* offenbaren, deutlich zeigen **II.** *adj* offenbar, deutlich erkennbar; **manifestation** [mænɪfeˈsteɪʃən] *n* (1) ↑ *showing* Offenbarung *f* (2) ↑ *statement* Kundgebung *f* (3) ↑ *sign* Anzeichen *s*

manifesto [mænɪˈfestəʊ] *n* <-[e]s> Manifest *s; (in politics)* Grundsatzerklärung *f*

manifold [manifold] *adj* vielfältig

manipulate [məˈnɪpjʊleɪt] *vt* → *election* manipulieren; → *instrument* handhaben; **manipulation** [mənɪpjʊˈleɪʃən] *n* Manipulation *f;* Handhabung *f*

mankind [mænˈkaɪnd] *n* Menschheit *f*

man-made [ˈmænmeɪd] *adj* (▷*fibre*) künstlich

manner [ˈmænə*] *n* Art *f,* Weise *f;* ↑ *style* Stil *m;* ◇ **she did it in such a ~ that …** sie hat es so gemacht, daß …; ◇ **in a ~ of speaking** sozusagen; ◇ **~s** *pl* Manieren *pl,* Benehmen *s*

mannerism *n (of person)* Angewohnheit *f; (of style)* Manieriertheit *f*

manoeuvrable [məˈnuːvrəbl] *adj* manövrierfähig; **manoeuvre** [məˈnuːvə*] **I.** *vti* manövrieren **II.** *n* (1) MIL Feldzug *m;* ◇ **~s** *pl* Truppenübungen *pl* (2) *(skilful action)* Manöver *s*

manor [ˈmænə*] *n* Landgut *s;* ◇ **~ house** Herrenhaus *s*

manpower [ˈmænpaʊə*] *n* Arbeitskräfte *fpl*

manservant [ˈmænsɜːvənt] *n* Diener *m*

mansion [ˈmænʃən] *n* Herrenhaus *s*

manslaughter [ˈmænslɔːtə*] *n* Totschlag *m*

mantelpiece [ˈmæntlpiːs] *n* Kaminsims *m*

manual [ˈmænjʊəl] **I.** *adj* ▷*control* von Hand; ▷*labour* körperlich; ◇ **~ work** Handarbeit *f* **II.** *n* Handbuch *s*

manufacture [mænjʊˈfæktʃə*] **I.** *vt* (1) → *goods* herstellen, produzieren (2) → *story, excuse* erfinden **II.** *n* Herstellung *f,* Produktion *f;* **manufacturer** *n* Hersteller(in *f*) *m*

manure [məˈnjʊə*] **I.** *n* Dünger *m,* Mist *m;* ◇ **~ heap** Misthaufen *m* **II.** düngen

manuscript [ˈmænjʊskrɪpt] *n* Manuskript *s*

many [ˈmenɪ] *adj* (1) *more, most,* viel(e); ◇ **~ times** oft; ◇ **~ a good man** so manch guter Mann; ◇ **please take as ~ as you want** bitte nehmen Sie so viele wie Sie möchten (2) ↑ *a lot* eine Menge *f,* a good˜, ziemlich viel; **many-sided** *adj* vielseitig

map [mæp] **I.** *n* [Land-]Karte *f; (of town)* Stadtplan *m* **II.** *vt* eine Karte machen; **map out** *vt FIG* planen, einteilen

maple [ˈmeɪpl] *n* Ahorn *m*

mar [mɑː*] *vt* schädigen, verderben

marathon [ˈmærəθən] *n* Marathon *m*

maraud [məˈrɔːdə*] plündern

marble [ˈmɑːbl] *n* (1) Marmor *m* (2) *(for game)* Murmel *f*

march [mɑːtʃ] **I.** *vi* marschieren; ◇ **to ~ in a country** in ein Land einmarschieren **II.** *n* Marsch *m;* ◇ **the ~ of events** der Lauf der Dinge; **marching orders** *n* Marschbefehl *m;* **marching rations** *n* Marschverpflegung *f*

March [mɑːtʃ] *n* März *m*
mare [mɛə*] *n* Stute *f; FIG* ◇ **-'s nest** Schwindel *m*
margarine [mɑːdʒəˈriːn] *n (BRIT)*
marge Margarine *f*
margin [ˈmaːdʒɪn] *n* Rand *m; (extra amount)* Spielraum *m;* COMM Spanne *f*
marginal *adj* ↑ *side* am Rande; ▷*note* Randbemerkung *f;* ▷*difference* geringfügig; **marginally** *adv* unwesentlich, nur wenig
marigold [ˈmærɪgəʊld] *n* Ringelblume *f*
marijuana [mærɪˈhwɑːnə] *n* Marihuana *s*
marina [məˈriːnə] *n* Boots-, Yachthafen *m*
marinate [ˈmærɪneɪt] *vt* GASTRON marinieren
marine [məˈriːn] **I.** *adj* Meeres-, See- **II.** *n* MIL Marineinfanterist(in *f*) *m;* ↑ *fleet* Marine *f;* **mariner** [ˈmærɪnə*] *n* Seemann *m*
marionette [mærɪəˈnet] *n* Marionette *f*
marital [ˈmærɪtl] *adj* ehelich, Ehe-; ◇ **- status** Familienstand *m*
maritime [ˈmærɪtaɪm] *adj* an der See liegend, See-
marjoram [ˈmɑːdʒərəm] *n* Majoran *m*
mark [mɑːk] **I.** *n (coin)* Mark *f;* ↑ *spot* Fleck *m; (on body)* [Körper-]Mal *s; (foot)* Spur *f;* ↑ *target* Ziel *s;* SCH Note *f* **II.** *(trade)* Marke *f; (sport)* Startlinie *f;* ◇ **to be up to the -** gesundheitlich auf der Höhe sein; *FIG* ◇ **to be wide off the -** sich gewaltig irren **III.** *vt* [be]zeichnen, markieren, kennzeichen; ↑ *note* sich etw merken, Zeichen hinterlassen auf; → *exam* benoten, notieren; COMM → *prices* festsetzen; *also FIG* ◇ **to - time** auf der Stelle treten; ◇ **quick off the -** blitzschnell; ◇ **on your -s ...** auf die Plätze ...; ◇ **- my words** denke an meine Worte; **mark off** *vt* abgrenzen; **mark out** *vt* bestimmen; → *place* abstecken; **marked** *adj* auffallend, ausgeprägt; **markedly** [ˈmɑːkɪdlɪ] *adv* merklich; **marker** *n (in book)* Lesezeichen *s; (on road)* Schild *s;* **marker pen** *n* Marker *m*
market [ˈmɑːkɪt] **I.** *n* Markt[platz] *m;* ↑ *stock -* Börse *f* **II.** *vt* COMM → *new product* auf den Markt bringen; ↑ *sell* verkaufen; ↑ *be available* angeboten werden; **market day** *n* Markttag *m;* **market economy** *n* Marktwirtschaft *f;* **market garden** *n (BRIT)* Handelsgärtnerei *f;* **marketing** *n* Marketing *s;* **market place** *n* Marktplatz *m;* **market stall** *n* Marktbude *f*
marksman [ˈmɑːksmən] *n* <-men> Scharfschütze(Scharfschützin *f*) *m;* **marksmanship** *n* Treffsicherheit *f*
marmalade [ˈmɑːməleɪd] *n (bitter)* Marmelade *f*
marmot *n* Murmeltier *s*
maroon [məˈruːn] **I.** *vt* (auf einer einsamen Insel) aussetzen **II.** *adj (colour)* kastanienbraun
marquee [mɑːˈkiː] *n* Festzelt *s*
marriage [ˈmærɪdʒ] *n (state of being married)* Ehe *f;* ↑ *wedding* Heirat *f;* ↑ *civil -* standesamtliche Trauung *f; FIG* Verbindung *f,* Zusammengehen *s;* **marriage certificate** *n* Trauschein *m;* **marriage guidance** *n* Eheberatung *f*
married [ˈmærɪd] *adj (person)* verheiratet; ◇ **- couple** Ehepaar *s;* ◇ **- life** Eheleben *s*
marrow [ˈmærəʊ] *n* Knochenmark *s; (of vegetable)* Kürbis *m;* **marrowbone** *n* Markknochen *m*
marry [ˈmærɪ] **I.** *vt (join)* trauen; ↑ *take as husband, wife* heiraten **II.** *vi:* ◇ **get married** heiraten
marsh [mɑːʃ] *n* Sumpf *m,* Morast *m*
marshal [ˈmɑːʃəl] **I.** *n (AM)* Bezirkspolizeichef *m* **II.** *vt* → *argument* ordnen; → *soldier* antreten lassen
marshmallow *n* Marshmallow *s*
marshy [ˈmɑːʃɪ] *adj* sumpfig
marten *n* Marder *m*
martial [ˈmɑːʃəl] *adj* kriegerisch, Kampf-
martial arts *n pl* Kampfkunst *f;* **martial law** *n* Kriegsrecht *s*
Martian *n (from Mars)* Marsmensch, Marsbwohner *m*
martyr [ˈmɑːtə*] **I.** *n* [1] *(sufferer)* Märtyrer(in *f*) *m;* ◇ **to be a - to rheumatism** von Rheuma gepeinigt werden **II.** *vt* martern, zu Tode quälen; **martyrdom** *n* ↑ *suffering* Martyrium *s; (death)* Märtyrertod *m*
marvel [ˈmɑːvəl] **I.** *n* Wunder *s;* ◇ **this medicine is a -** diese Medizin wirkt Wunder; ◇ **her room is a - of tidiness** ihr Zimmer ist ein Muster an Ordnung **II.** *vi* [1] ↑ *admire* staunen *(at* über *acc)* [2] ↑ *wonder* ◇ **I - that she continued** es verwundert mich, daß sie weitergemacht hat
marvellous, marvelous *(AM) adj* wundervoll, fabelhaft, herrlich
Marxism [ˈmɑːksɪzəm] *n* POL Marxismus *m;* **Marxist I.** *n* Marxsist(in *f*) *m* **II.** *adj* marxistisch
marzipan [mɑːzɪˈpæn] *n* Marzipan *s o m*
mascara [mæˈskɑːrə] *n* Maskara *f*
mascot [ˈmæskət] *n* Maskottchen *s*
masculine [ˈmæskjʊlɪn] **I.** *adj* ↑ *manly* männlich; ▷*woman* maskulin **II.** *n (gender)* Maskulinum *s;* **masculinity** [mæskjʊˈlɪnɪtɪ] *n* Männlichkeit *f*
mash [mash] *vt* stampfen, zerdrücken; **mashed** [mæʃt] *adj:* ◇ **- potatoes** *pl* Kartoffelbrei *m,* Kartoffelpüree *s*

M

mask [mɑ:sk] **I.** *n* ↑ *disguise* Maske *f;* ◇ **the - of friendship** geheuchelte Freundschaft [2] (*shield*) ◇ **surgeon's -** Mundschutz *m;* ◇ **gas -** Gasmaske *f* **II.** *vt* maskieren; → *feelings* verbergen

masochist ['mæzəʊkɪst] *n* Masochist(in *f*) *m*

mason ['meɪsn] *n* [1] ↑ *stone-* Steinmetz *m,* Steinhauer(in *f*) *m* [2] ↑ *free-* Freimaurer *m;* **masonic** [mə'sɒnɪk] *adj* Freimaurer-; ◇ **- lodge** Freimaurerloge *f;* **masonry** *n* [1] Mauerwerk *s* [2] ◇ **free-** Freimaurerei *f* [*o. f s*]

masquerade [mæskə'reɪd] **I.** *n* [1] ↑ *pose* Maskerade *f* [2] *FIG* ↑ *deception, pretence* ◇ **that is all just -** das ist alles nur Theater **II.** *vi* ↑ *disguise, appear* sich ausgeben, sich verkleiden (*as* als)

mass [mæs] **I.** *n* ↑ *quantity, load* Masse *f;* ↑ *bulk* ◇ **the great - of the mountains** das riesige Bergmassiv [2] REL Messe *f* [3] ↑ *population* ◇ **-es** Massen *pl* **II.** *vt* → *troops* zusammenziehen, massieren **III.** *vi* ← *crowd* versammeln

massacre ['mæsəkə*] **I.** *n* Massaker *s* **II.** *vt* massakrieren

massage ['mæsɑ:ʒ] **I.** *n* Massage *f* **II.** *vt* massieren; **massage parlour** *n* Massagepraxis *f*

masseur [mæ'sɜ:*] *n* Masseur(in *f*) *m;* **masseuse** [mæ'sɜ:z] *n* Masseuse *f*

mass grave *n* Massengrab *s*

massive ['mæsɪv] *adj* riesig, enorm; ▷*task* gewaltig; ◇ **the project was planned on a - scale** die Projekt wurde im ganz großen Rahmen geplant

mass media ['mæs'mi:dɪə] *n pl* Massenmedien *pl*

mass meeting *n* Massenveranstaltung *f*

mass murderer *n* Massenmörder(in *f*) *m*

mass-produce *vt* in Massen produzieren

mass production *n* Massenproduktion *f*

mass unemployment *n* Massenarbeitslosigkeit *f*

mast [mɑ:st] *n* [1] NAUT Mast *m* [2] (*television and radio*) Sendeturm *m*

master ['mɑ:stə*] **I.** *n* Herr *m;* NAUT Kapitän *m;* ↑ *teacher* Lehrer *m* **II.** *vt* meistern; → *language, technique* beherrschen; → *temper* sich beherrschen; ◇ **M- of Arts** Magister Artium *m*

master bedroom *n* großes Schlafzimmer *m;* **master copy** *n* Original *s;* **master data** *n pl* Stammdaten *pl*

masterly *adj* (*very skilful*) meisterhaft

mastermind I. *n* führende Kopf *m* **II.** *vt* planen, ausdenken; **masterpiece** *n* Meisterwerk *s;* **master stroke** *n* Glanzstück *s*

mastery *n* Meisterung *f;* (*musical instrument*) ◇ **to gain - of s.th.** etw beherrschen

mastiff *n* Dogge *f;* **mastiff breeder** *n* Doggenzüchter(in *f*) *m*

masturbate ['mæstəbeɪt] *vi* masturbieren, onanieren; **masturbation** [mæstə'beɪʃən] *n* Masturbation, Onanie *f*

mat [mæt] **I.** *n* [1] Matte *f;* (*door*) Fußmatte *f;* (*table*) Untersetzer *m* [2] (*of hair*) Gewirr *s* **II.** *vi:* ◇ **the sea-water -ted my hair** meine Haare sind vom Salzwasser ganz verfilzt **III.** *vt* verfilzen

match [mætʃ] **I.** *n* [1] Streich-, Zündholz *s* [2] ↑ *contest, game* Spiel *s;* SPORT Wettkampf *m;* ▷*tennis* Match *s* [3] ↑ *equal* ◇ **to be no - for somebody** sich mit jd-m nicht messen können [4] ↑ *be suitable* passen zu; ◇ **the blouse is a good - on the skirt** die Bluse paßt sehr gut zu dem Rock [5] ↑ *couple* ◇ **she is a good -** sie ist eine gute Partie **II.** *vt* [1] ← *clothes, colours* passen zu; ◇ **the colour of his face -ed his shirt** sein Gesicht war so rot wie sein Hemd [2] ↑ *equal* gleichkommen *dat;* ◇ **I cannot - him in tennis** im Tennis kann ich es mit ihm nicht aufnehmen [3] ↑ *correspond* entsprechen *dat* **III.** *vi* zusammenpassen; ◇ **that -es very nicely** das paßt sehr schön zusammen

matchbox *n* Streichholzschachtel *f*

matching *adj:* ◇ **a - set of glasses** ein Satz *m* Gläser

matchless *adj* unvergleichlich, beispiellos

matchmaker *n* Ehestifter(in *f*) *m*

mate [meɪt] **I.** *n* [1] ↑ *companion* Freund(in *f*) *m* [2] ↑ *spouse* Mann *m,* Frau *f* [3] ↑ *helper* Gehilfe *m* [4] NAUT Maat *m* **II.** *vi* ← *animals* sich paaren **III.** *vt* CHESS [schach-]matt setzen

material [mə'tɪərɪəl] **I.** *n* [1] (*dress*) Stoff *m,* Material *s;* ◇ **raw -s** Rohstoffe *pl;* ◇ **writing -s** Schreibzeug *s;* ◇ **building -** Baumaterial *s,* Baustoffe *pl;* (*story, article, document*) Stoff *m,* Material *s;* ◇ **-s** *pl* Material *s* **II.** *adj* ▷*comforts, needs* materiell; ◇ **- damage** Sachschaden *m;* ◇ **- defect** Materialfehler *m*

materialist [materialist] *n* Materialist(in *f*) *m;* **materialistic** [mətɪərɪə'lɪstɪk] *adj* materialistisch

materialize [mə'tɪərɪəlaɪz] *vi* ← *plan* sich verwirklichen; ← *promise, hope* wahr werden

materially *adv* wesentlich, grundlegend

maternal [mə'tɜ:nl] *adj* mütterlich; ◇ **my - grandmother** meine Großmutter mütterlicherseits; ▷*instincts* Mutterinstinkte *m pl;* **maternity** [mə'tɜ:nɪtɪ] *adj* Mutterschaft *f;* ▷*dress* Umstandskleid *s;* ◇ **- leave** Mutterschaftsurlaub *m;* ◇ **- regulations** Mutterschutz *m;* ◇ **- ward** Entbindungsstation *f*

matey ['meɪtɪ] *adj BRIT FAM* freundlich

mathematical *adj* mathematisch; **mathematician** [mæθəmə'tɪʃən] *n* Mathematiker(in *f*) *m;*

mathematics [mæθə'mætɪks] *n sg* Mathematik *f;* **maths** [mæθs] *n sg* Mathe *f*
matinee ['mætɪneɪ] *n* Frühvorstellung *f*
mating ['meɪtɪŋ] *n* Paarung *f;* ◇ **~ season** Paarungszeit *f*
matriarchal [meɪtrɪ'ɑːkl] *adj* matriarchalisch
matriculation [mətrɪkjʊ'leɪʃən] *n* Immatrikulation, Einschreibung *f*
matrimony ['mætrɪmənɪ] *n* Ehe *f;* ◇ **holy ~** der heilige Stand der Ehe
matron ['meɪtrən] *n* SCH Schwester *f;* MED Oberschwester *f;* **matronly** *adj* matronenhaft
matt [mæt] *adj (paint)* matt, mattgeworden; ◇ **~ paint** Mattlack *m*
matted *adj* zottig, verfilzt
matter ['mætə*] **I.** *n* [1] ↑ *substance* Materie *f;* ▷*organic* Stoffe *pl* [2] ◇ **printed ~** Drucksache *f* [3] ↑ *affair* Sache, Angelegenheit *f;* ◇ **in this ~** in diesem Zusammenhang *m;* ◇ **to make ~s worse** zu allem Unglück; ◇ **that's no laughing ~** da gibt es nichts zu lachen **II.** *vi* wichtig sein; ◇ **it doesn't ~** es macht nichts; ◇ **What is the ~?** Was ist los?; ◇ **no ~ how far** egal wie weit; ◇ **as a ~ of fact** wenn man es recht bedenkt, genaugenommen; ◇ **as a ~ of course** selbstverständlich; **matter-of-fact** *adj* sachlich
mattress ['mætrəs] *n* Matratze *f*
mature [mə'tjʊə*] **I.** *adj* reif **II.** *vi* ← *person, wine* reifer werden, reifen; **maturely** *adv* ▷*act* vernünftig; **maturity** [maturity] *n* Reife *f*
maul [mɔːl] *vt* übel zurichten
Maundy Thursday *n* Gründonnerstag *m*
mausoleum [mɔːsə'liːəm] *n* Mausoleum *s*
mauve [məʊv] *adj* malvenfarben
mawkish ['mɔːkɪʃ] *adj* kitschig
maxi ['mæksɪ] *pref* Maxi-
maxim ['mæksɪm] *n* Maxime *f*
maximize ['mæksɪmaɪz] *vt* maximieren
maximum ['mæksɪməm] **I.** *adj* Höchst-, Maximal-; ▷*speed* Höchstgeschwindigkeit *f* **II.** *n* Maximum *s,* Höchstgrenze *f*
may [meɪ] <might> *Hilfsverb* [1] *(possibility, probability)* ◇ **Mr. Smith ~ be late** Mr. Smith kommt vielleicht zu spät, es kann [*o.* könnte] sein, daß Mr. Smith zu spät kommt; *(esp. in technical texts)* ◇ **files ~ be deleted with a special command** Dateien lassen sich durch einen besonderen Befehl löschen [2] ↑ *have permission, be permitted* dürfen; ◇ **you ~ come in** du darfst/kannst reinkommen [3] *(uncertain question)* ◇ **Well, who ~ you be?** Und wer bist du denn? [4] *(wishes)* ◇ **~ all your dreams come true** ich wünsche dir, daß alle deine Träume in Erfüllung gehen [5] ◇ **I ~ as well go home** eigentlich kann ich auch nach Hause gehen
May [meɪ] *n* Mai *m*
maybe ['meɪbiː] *adv* vielleicht
may-day ['meɪdeɪ] *n* SOS-Ruf *m,* Mayday *s*
May Day *n* 1. Mai, Maifeiertag *m*
mayhem ['meɪhem] *n* Chaos *s*
mayonnaise [meɪə'neɪz] *n* Mayonnaise *f*
mayor [mɛə*] *n* Bürgermeister *m;* **mayoress** *n* ↑ *lady mayor* Bürgermeisterin *f;* ↑ *mayor's wife* Frau des Bürgermeisters *f*
maypole ['meɪpəʊl] *n* Maibaum *m*
maze [meɪz] *n* [1] ↑ *labyrinth* Irrgarten *m* [2] ↑ *confusion* Gewirr *s*
me [miː] *pron direct/indirect object of* **I** mich, mir; ◇ **it's ~** ich bin's; ◇ **it belongs to ~** es gehört mir
meadow ['medəʊ] *n* Wiese *f;* **meadow flower** *n* Wiesenblume *f*
meagre, meager *(AM)* ['miːgə*] *adj* spärlich; ▷*amount* kläglich; ▷*face* hager
meal [miːl] *n* [1] Essen *s,* Mahlzeit *f;* ◇ **to have a ~** eine Mahlzeit zu sich nehmen, essen [2] *(grain)* Mehl *s;* **mealtime** *n* Essenszeit *f;* **mealy** *adj* mehlig; **mealy-mouthed** ['miːlɪmaʊðd] *adj* *FAM* ↑ *evasive*: ◇ **to be ~** um den heißen Brei herumreden
mean [miːn] <meant, meant> **I.** *vt* [1] ↑ *signify* ◇ **what does it ~?** was bedeutet es?; ↑ *be of importance* ◇ **you ~ a lot to me** du bedeutest mir viel [2] ◇ **what he ~s by it ...** was er damit sagen will ... **II.** *vi* ↑ *intend* beabsichtigen; ◇ **It was ~t as a joke** das sollte ein Witz sein, das war als Witz gedacht; ↑ *not suitable* ◇ **he was not ~t to be a doctor** er ist als Arzt nicht geeignet; ◇ **all parents ~ well** alle Eltern meinen es gut; ◇ **I ~ it** ich meine es ernst **III.** *adj* [1] ↑ *stingy* geizig [2] ↑ *spiteful* gemein [3] ↑ *shabby* schäbig, armselig [4] (~ *average*) Gesamt- **IV.** *n* ↑ *average* Durchschnitt *m*
meander [mɪ'ændə*] *vi* ↑ *wander* schlendern; ← *stream* sich schlängeln, mäandern; ← *deviate from subject* abschweifen
meaning ['miːnɪŋ] *n* Bedeutung *f;* *(of life)* Sinn *m;* ◇ **What's the ~ of this?** Was soll das bedeuten?; **meaningful** *adj* ↑ *significant* bedeutungsvoll; ▷*relationship* ernsthaft; **meaningless** *adj* bedeutungslos; ▷*life* sinnlos
meanness ['miːnnəs] *n* ↑ *spitefulness* Gemeinheit *f*
means [miːnz] *n pl* [1] ↑ *method, process* Möglichkeit *f,* Mittel *spl;* ◇ **by ~ of** dadurch, auf diese Weise; ◇ **by all ~** selbstverständlich, natürlich; ◇ **by no ~** auf keinen Fall [2] ▷*financial* Gelder *pl,* Mittel *pl;* ◇ **to live beyond o.'s ~** über seine

Verhältnisse leben; **means of communication** *n pl* Kommunikationsmittel *s pl;* **means of saving** *n pl* Sparmaßnahme *f;* **means of transport** *n pl* Transportmittel *s pl;* **means of transportation** *n pl* Verkehrsmittel *s pl*

meant [ment] *pt, pp of* **mean**

meantime, **meanwhile** [mi:n'taım, -waıl] *adv* inzwischen; ◇ **for the ~** im Augenblick; ◇ **in the ~** in der Zwischenzeit

measles ['mi:zlz] *n sg* Masern *pl;* ◇ **German ~** Röteln *pl*

measly ['mi:zlı] *adj FAM* popelig, mickerig

measurable ['meʒərəbl] *adj* meßbar; **measure** ['meʒə*] **I.** *vti* messen **II.** *n (unit of measurement)* Maß *s; (ammount measured)* Menge *f;* ◇ **to take ~s** Maßnahmen ergreifen; ◇ **in some ~** in gewisser Hinsicht; **measured** *adj* ▷*pace* gemessen; ▷*language* wohlüberlegt, durchdacht; **measurement** *n (way of measuring)* Messung *f; (amount measured)* Maß *s;* **measuring** *n* Vermessung *f;* ◇ **~ cup** Meßbecher *m;* ◇ **~ device** Meßgerät *s*

meat [mi:t] *n* Fleisch *s;* **meat loaf** *n* Leberkäs *m;* **meatball** *n* Frikadelle *f*

Mecca ['mekə] *n* Mekka *s*

mechanic [mı'kænık] *n* Mechaniker(in *f*) *m;* **mechanical** *adj* mechanisch; ◇ **~ breakdown** Maschinenschaden *m;* ◇ **~ engineer** Maschinenbauingenieur(in *f*) *m;* **mechanics** *n sg (engineering)* Maschinenbau *m; (technical aspects)* Mechanik, Technik *f;* **mechanism** ['mekənızəm] *n* Mechanismus *m*

medal ['medl] *n* Medaille *f; (decoration)* Orden *m*

medallion [mı'dælıən] *n* Medaillon *s*

medallist, **medalist** *(AM)* ['medəlıst] *n* Medaillengewinner(in *f*) *m*

meddle ['medl] *vi* ↑ *interfere* sich einmischen *(in* in *acc);* ↑ *fiddle, tamper* herumfummeln *(with* an *dat);* ◇ **Mr. Anscombe is not a man to be ~d with** mit Herrn Anscombe ist nicht gut Kirschen essen

media ['mi:dıə] *n pl* Medien *pl*

mediate ['mi:dıeıt] *vi* ① *(act as go-between)* vermitteln ② → *settlement* aushandeln; **mediation** [mi:dı'eıʃən] *n* Vermittlung *f;* **mediator** ['mi:dıeıtə*] *n* Vermittler(in *f*) *m,* Schlichter(in *f*) *m*

medic ['medık] *n* ① ↑ *medical student* Medizinstudent(in *f*) *m* ② ↑ *nurse* Krankenpfleger(in *f*) *m;* ↑ *para~* [Rettungs-]Sanitäter(in *f*) *m;* **medical** ['medıkəl] **I.** *adj* medizinisch; ▷*authority* Gesundheitsamt *s;* ◇ **~ examiner** Vertrauensarzt *m,* Vertrauensärztin *f;* ◇ **~ insurance certificate** Krankenschein *m;* ◇ **~ opinion** medizinisches Gutachten *s;* ◇ **~ orderly** Sanitäter(in *f*) *m;* ◇ **in ~ treatment** in ärztlicher Behandlung *f* **II.** *n* ärztliche Untersuchung *f*

Medicare ['medıkɛə*] *n (AM) staatliches Krankenversicherungssystem*

medicated ['medıkeıtıd] *adj* in medizinischer Behandlung; **medication** *n (drugs)* Medikamente *pl*

medicinal [me'dısınl] *adj* Heil-, heilend; ◇ **~ purposes** zu medizinischen Zwecken; **medicine** ['medsın] *n* ① *(drugs)* Arznei, Medizin *f;* ◇ **Let's give her a taste of her own ~!** Zahlen wir es ihr mit gleicher Münze zurück!; ◇ **to take o.'s ~** seine Arznei einnehmen ② *(science)* Medizin *f;* **medicine chest** *n* Hausapotheke *f*

medieval [medı'i:vəl] *adj* mittelalterlich

mediocre [mi:dı'əʊkə*] *adj* mittelmäßig; **mediocrity** [mi:dı'ɒkrıtı] *n* Mittelmäßigkeit *f; (person)* kleines Licht

meditate ['medıteıt] *vi* ① ↑ *consider* nachdenken *(on, upon* über *acc);* REL meditieren ② ◇ **she ~d on revenge** sie sann auf Rache; **meditation** [medı'teıʃən] *n* ↑ *reflection* Nachdenken *s;* ↑ *contemplation* Meditation *f*

Mediterranean [medıtə'reınıən] **I.** *n (sea and region)* Mittelmeer *s;* ▷*type* Südländer(in *f*) *m* **II.** *adj* ▷*character, food* südländisch, mediterran

medium ['mi:dıəm] **I.** *adj* ▷*height, size* mittel-, Mittel-; ▷*height* mittelgroß **II.** *n* Mittel *s; (media)* Medium *s; (person)* Medium *s;* **medium wave** *n* MEDIA Mittelwelle *f;* **medium-range missile** *n* MIL Mittelstreckenrakete *f*

medley ['medlı] *n* ① ↑ *assortment* Gemisch *s* ② MUS Medley *s*

meek [mi:k] *adj* ↑ *timid* sanftmütig, lammfromm

meet [mi:t] <met, met> **I.** *vt* ① *(↑ encounter, person)* treffen; *(arranged)* sich treffen; → *problems, difficulties* stoßen auf *acc;* ◇ **I'll ~ your train** ich hole dich vom Zug ab ② *satisfy* → *expectations, requirements* erfüllen; *pay* → *costs* decken ③ *(connect)* ◇ **the train ~s the ferry** der Zug hat Anschluß an die Fähre ④ ↑ *introduce* vorstellen; ↑ *become acquainted* bekannt gemacht werden **II.** *vi* ① ← *people* sich treffen; ← *committee, society* tagen; ← *eyes* sich begegnen ② *join* ← *rivers* ineinanderfließen; **meet with** *vt* → *problems* stoßen auf *acc;* **meeting** *n* ↑ *encounter* Begegnung *f; (of friends)* Zusammentreffen *s;* ↑ *business* ~ Besprechung *f; (of committee)* Sitzung *f;* ↑ *assembly* Zusammenkunft *f;* **meeting place** *n* Treffpunkt *m*

me-first society *n* Ellbogengesellschaft *f*

megaphone ['megəfəʊn] *n* Megaphon *s*

melancholy ['melənkəlɪ] **I.** *n* Melancholie, Schwermut *f* **II.** *adj* ▷*person* melancholisch, schwermütig; ▷*sight* traurig

mellow ['meləʊ] **I.** *adj* ① ▷*person* locker ② ▷*colour, light* warm; ▷*wine* lieblich; ▷*fruit* saftig; ▷*voice* sanft **II.** *vi* ↑ *relax* abgeklärt werden

melodramatic [meləʊdrə'mætɪk] *adj* melodramatisch

melody ['melədɪ] *n* Melodie *f*

melon ['melən] *n* Melone *f*

melt [melt] **I.** *vt* ↑ *liquefy* schmelzen; ← *butter* zergehen; *thaw* ← *ice* tauen ② ↑ *diminish* schwinden ③ ↑ *vanish* verschwinden **II.** *vi* schmelzen, tauen; **melt away** *vi* dahinschmelzen; **melt down** *vt* einschmelzen; **meltdown** *n* (*in nuclear reactor*) Kernschmelze *f;* **melting point** *n* Schmelzpunkt *m;* **melting pot** *n* (*FIG mixture*) Schmelztiegel *m;* (*FIG multicultural society*) ◇ **a - - of races** ein Schmelztiegel verschiedener Rassen

member ['membə*] *n* ① (*organization, club*) Mitglied *s;* (*species, group*) Angehörige(r) *fm;* ◇ **- of cast** Mitspieler(in *f*) *m; GB* ◇ **Member of Parliament** Abgeordnete(r) des Unterhauses ② ANAT Penis *m;* **membership** *n* Mitgliedschaft *f;* ◇ **- fee** Mitgliedsbeitrag *m*

membrane ['membreɪn] *n* Membran(e) *f*

memento [mə'mentəʊ] *n* <-[e]s> Andenken *s*

memo ['meməʊ] *n* <-s>

memoirs ['memwɑːz] *n pl* Memoiren *pl*

memorable ['memərəbl] *adj* unvergeßlich

memorandum [memə'rændəm] *n* ① (▷*business*) Mitteilung *f;* ▷*personal* Notiz *f* ② POL Memorandum *s*

memorial [mɪ'mɔːrɪəl] **I.** *n* (*monument*) Denkmal *s* **II.** *adj* (*service, prize*) Gedenk-; ◇ **M- Day** Volkstrauertag *m*

memorize ['meməraɪz] *vt* sich einprägen *dat*

memory ['memərɪ] *n* ① Gedächtnis *s;* ◇ **I have a bad - when it comes to names** ich habe ein schlechtes Namensgedächtnis, Namen kann ich mir schlecht merken; ◇ **if my - serves me right** wenn ich mich recht entsinne; (*computer*) Speicher *m* ② ↑ *recollection* Erinnerung *f* (*of* an *acc*); ◇ **my memories of those days …** meine Erinnerungen an diese Zeit … ③ ◇ **to honour s.o.'s -** jd-s Andenken ehren; ◇ **in - of** zur Erinnerung an, zum Andenken an; **memory capacity** *n* PC Speicherkapazität *f;* **memory protection** *n* Speicherschutz *m*

men [men] *pl of* **man**

menace ['menɪs] **I.** *n* ① ↑ *danger, threat* Bedrohung *f;* ◇ **a - to democracy** eine Bedrohung für die Demokratie ② ↑ *nuisance* Plage *f* **II.** *vt* bedrohen; **menacing** *adj* ↑ *threatening* drohend

menagerie [mɪ'nædʒərɪ] *n* Menagerie *f*

mend [mend] **I.** *vt* reparieren; → *shirt* flicken ② ↑ *recover* heilen; ◇ **on the -** auf dem Wege der Besserung ③ ↑ *reform* ◇ **- o.'s ways** sich verbessern

mending *n* (*clothes*) Flickarbeit *f*

menial ['miːnɪəl] *adj* ▷*work* niedrig

meningitis [menɪn'dʒaɪtɪs] *n* Hirnhautentzündung *f,* Meningitis *f*

meniscus [meniscus] *n* Meniskus *m*

menopause ['menəʊpɔːz] *n* Wechseljahre *spl,* Menopause *f*

menstruate ['menstrʊeɪt] *vi* menstruieren;

menstruation [menstrʊ'eɪʃən] *n* Menstruation *f*

mental ['mentl] *adj* geistig; ◇ **- attitude** Denkweise *f;* ◇ **- calculation** Kopfrechnen *s;* ◇ **- cruelty** seelische Grausamkeit; ◇ **- derangement** geistige Umnachtung; ◇ **- health** Geisteszustand *m;* ◇ **- home** Nervenheilanstalt *f;* ◇ **- state** Geisteszustand *m;* ◇ **- strain** psychische Belastung; ◇ **to make a - note** sich *dat* etw merken; **mentality** [men'tælɪtɪ] *n* Mentalität *f;* **mentally** ['mentəlɪ] *adv* geistig-; ◇ **- ill** geisteskrank

mentholated ['menθəleɪtɪd] *adj* Menthol-

mention ['menʃən] **I.** *n* Erwähnung *f* **II.** *vt* erwähnen; → *names* nennen; ◇ **to - s.o. in o.'s will** jd-n in seinem Testament berücksichtigen; ◇ **don't - it** [es ist] nicht der Rede Wert; ◇ **not to - …** nicht zu vergessen …

menu ['menjuː] *n* ① Speisekarte *f;* ◇ **- of the day** Tageskarte *f* ② PC Menü *s;* ◇ **- display** Menüanzeige *f;* **menu-driven** *adj* PC menügesteuert

mercantile ['mɜːkəntaɪl] *adj* Handels-

mercenary ['mɜːsɪnərɪ] **I.** *n* MIL Söldner *m* **II.** *adj* Söldner- ② ▷*person* geldgierig

merchandise ['mɜːtʃəndaɪz] *n* Ware *f*

merchant ['mɜːtʃənt] **I.** *n* ↑ *trader* Kaufmann *m,* Kauffrau *f;* ◇ **textile -** Textilhändler(in *f*) *m* **II.** *adj* ① (*business*) ◇ **- bank** Handelsbank *f* ② NAUT Handels-; ◇ **- navy** Handelsmarine *f*

merciful ['mɜːsɪfʊl] *adj* ↑ *blessed* barmherzig, gnädig; **mercifully** ['mɜːsɪfəlɪ] *adv* ① (*treatment*) barmherzig, gnädig ② ↑ *fortunately* glücklicherweise; **mercilessly** *adv* (*treatment*) gnadenlos, unbarmherzig

mercury ['mɜːkjʊrɪ] *n* ① CHEM Quecksilber *s* ② ASTRON ◇ **M-** Merkur *m*

mercy ['mɜːsɪ] *n* ① ↑ *kindness, forgiveness* Erbarmen *s* ② (*control*) ◇ **I am at your -** ich bin dir auf Gedeih und Verderb ausgeliefert ③ good

luck; ◇ **it is a ~ she was not hurt** es ist erstaunlich, daß sie nicht verletzt wurde
mere ['mɪəlɪ] *adj* ↑ *just* bloß; ◇ **it is a ~ cold** es ist bloß eine Erkältung; **merely** ['mɪəlɪ] *adv* bloß
merge [mɜːdʒ] *vt* 1 COMM zusammenschließen 2 ↑ *blend* verschmelzen (*with* mit) 3 ← *roads* zusammenführen, zusammenlaufen; **merger** *n* COMM Fusion *f;* **merging** *n* Zusammenfluß *m*
meridian [mə'rɪdɪən] *n* Meridian *m*
meringue [mə'ræŋ] *n* Meringe *f,* Baiser *s*
merit ['merɪt] **I.** *n* 1 ↑ *worth* Verdienst *s;* ◇ **to judge on ~** nach Leistung beurteilen 2 (*deserving praise*) Vorzug *m* **II.** *vt* verdienen; **meritorious** *adj* verdienstvoll
mermaid ['mɜːmeɪd] *n* Meerjungfrau *f,* Nixe *f,*
merrily ['merɪlɪ] *adv* munter; **merriment** ['merɪmənt] *n* 1 Fröhlichkeit *f* 2 ↑ *laughter* Gelächter *s;* **merry** ['merɪ] *adj* 1 fröhlich; ◇ **M~ Christmas!** Fröhliche Weihnachten! 2 ↑ *tipsy* angeheitert; **merrymaking** *n* Feiern *s;* **merry-go-round** *n* Karussell *s*
mesh [meʃ] **I.** *n* (*material*) Masche *f;* ◇ **wire ~** Maschendraht *m;* ↑ *network* Drahtgeflecht *s*
mesmerize ['mezməraɪz] *vt* faszinieren
mess [mes] *n* 1 ↑ *dirt* Dreck *m* 2 (*untidy, chaotic*) Durcheinander *s;* ◇ **my life is such a ~** mein Leben ist völlig durcheinander; ◇ **to make a ~ of s.th.** etw vermasseln; ◇ **you look a ~** du siehst schrecklich aus 3 ↑ *difficult or confused state* ◇ **to get into a ~** in Schwierigkeiten geraten; **mess about** *vi* ↑ *tinker with* herumpfuschen (*with* an *dat*); ↑ *play the fool* herumalbern; ↑ *loaf* herumgammeln; **mess up** *vt* 1 ↑ *make dirty* dreckig machen 2 ↑ *make untidy* durcheinanderbringen 3 ↑ *bungle, not succeed* Mist bauen
message ['mesɪdʒ] *n* 1 ↑ *information* Nachricht *f,* Mitteilung *f;* ◇ **did you get the ~?** hast du es kapiert? 2 (*of story*) Aussage *f;* **message unit** *n AM* TELECOM Gebühreneinheit *f;* **messenger** ['mesɪndʒə*] *n* Bote *m,* Botin *f*
messy ['mesɪ] *adj* 1 ↑ *dirty* dreckig 2 ↑ *untidy* durcheinander, unordentlich 3 ◇ **~ affair** unangenehme Sache
met [met] *pt, pp of* **meet**
metabolism [me'tæbəlɪzəm] *n* Stoffwechsel *m*
metal ['metl] *n* Metall *s;* **metallic** [mɪ'tælɪk] *adj* metallisch
metamorphose [metamorphose] *vti* verwandeln, umwandeln; **metamorphosis** [metə'mɔːfəsɪs] *n* Metamorphose *f*
metaphor ['metəfɔː*] *n* Metapher *f;* **metaphorical** [metə'fɒrɪkəl] *adj* metaphorisch
metaphysics *n sg* Metaphysik *f*
metempsychosis *n* Seelenwanderung *f*
meteor ['miːtɪə*] *n* Meteor *m;* **meteorite** ['miːtɪəraɪt] *n* Meteorit *m;* **meteorology** [miːtɪə'rɒlədʒɪ] *n* Meteorologie *f*
meter, **metre** (*AM*) ['miːtə*] *n* Zähler *m;* ◇ **parking ~** Parkuhr *f*
method ['meθɒd] *n* Methode *f;* **methodical** [mɪ'θɒdɪkəl] *adj* methodisch, systematisch; **methodology** [meθə'dɒlədʒɪ] *n* Methodik *f*
methylated spirits ['meθɪleɪtɪd'spɪrɪts], **meths** *n sg* Brennspiritus *m*
meticulous [mɪ'tɪkjʊləs] *adj* sorgfältig, übergenau
metre ['miːtə*] *n* 1 Meter *m* 2 (*poem*) Metrum *s*
metric ['metrɪk] *adj* metrisch-; ◇ **~ system** Dezimalsystem *s;* ◇ **to go ~** sich auf das Dezimalsystem umstellen
metrication [metrɪ'keɪʃən] *n* Umstellung auf das Dezimalsystem *f*
metro *n* Metro *f*
metronome ['metrənəʊm] *n* Metronom *s*
metropolis [me'trɒpəlɪs] *n* Metropole *f,* Hauptstadt *f*
mettle ['metl] *n* Mut *m*
Mexico ['meksɪkəʊ] *n* Mexiko *s*
miaow [miː'aʊ] *vi* miauen
mice [maɪs] *pl of* **mouse**
mickey ['mɪkɪ] *n FAM:* ◇ **Bobby loves to take the ~ out of people** Bobby nimmt die Leute gerne ein wenig auf den Arm
microbe ['maɪkrəʊb] *n* Mikrobe *f*
microchip ['maɪkrəʊtʃɪp] *n* PC Mikrochip *m*
microcomputer *n* Mikrocomputer *m*
microelectronics *n sg* Mikroelektronik *f*
microfilm ['maɪkrəʊfɪlm] **I.** *n* Mikrofilm *m* **II.** *vt* auf Mikrofilm aufnehmen
microphone ['maɪkrəfəʊn] *n* Mikrophon *s*
microprocessor [maɪkrəʊ'prəʊsesə*] *n* Mikroprozessor *m*
microscope ['maɪkrəskəʊp] *n* Mikroskop *s*
microscopic [maɪkrə'skɒpɪk] *adj* mikroskopisch; *FAM* winzig
microwave ['maɪkrəʊweɪv] *n* Mikrowelle *f;* ◇ **~ oven** Mikrowellenherd *m*
mid [mɪd] *adj* mitten in *dat;* ◇ **a man in the ~ forties** ein Mittvierziger; ◇ **my sister is in her ~ twenties** meine Schwester ist Mitte Zwanzig; ◇ **in ~ air** in der Luft; ◇ **in ~ sentence** mitten im Satz; ◇ **~-afternoon nap** Mittagsschläfchen *s*
midday ['mɪd'deɪ] *n* Mittag *m*
middle ['mɪdl] *n* 1 ↑ *center* Mitte *f;* ◇ **we arrived in the ~ of the night** wir sind mitten in der Nacht angekommen; ◇ **in the ~ of nowhere** am

Ende der Welt; ◇ **I am in the ~ of my book** ich bin mitten in meinem Buch [2] ↑ *waist* Taille *f;* **middle-aged** *adj* [1] mittleren Alters; *FAM* ◇ **~ groover** Oldie *m* [2] ↑ *stuffy* spießig; ◇ **Middle Ages** Mittelalter *s;* **middle-class I.** *n* Mittelstand *m* **II.** *adj* [1] Mittelstands- [2] ↑ *traditional* bürgerlich; **Middle East** *n* Mittlerer Osten *m;* **middleman** *n* <-men> COMM Zwischenhändler *m;* **middle-market car** *n* Mittelklassewagen *m;* **middle name** *n* zweiter Vorname *m;* **middle-of-the-road** *adj* ▷*politics, opinion* gemäßigt

middling ['mɪdlɪŋ] *adj* mittelmäßig

midge [mɪdʒ] *n* Mücke *f*

midget ['mɪdʒɪt] **I.** *n* Liliputaner(in *f*) *m* **II.** *adj* winzig

midnight ['mɪdnaɪt] *n* Mitternacht *f;* ◇ **to burn the ~ oil** bis spät in die Nacht arbeiten

midriff ['mɪdrɪf] *n* Bauch *m*

midst [mɪdst] *n:* ◇ **in the ~ of** mitten in; ◇ **there is a thief in our ~** unter uns gibt es einen Dieb

midstream *n* [1] Flußmitte *f* [2] ↑ *in the middle of* ◇ **Jones stopped in ~ and stared** Jones hörte mitten im Gespräch auf und starrte vor sich hin

midsummer ['mɪdsʌmə*] *n* Hochsommer *m;* ◇ **M~'s Day** Sommersonnenwende *f*

midway [mɪd'weɪ] *adv:* ◇ **I'll meet you ~** wir treffen uns auf halben Wege

midweek [mɪd'wi:k] *adj, adv* zur Wochenmitte, in der Mitte der Woche

midwife ['mɪdwaɪf] *n* <-wives> Hebamme *f;* **midwifery** ['mɪdwɪfərɪ] *n* Geburtshilfe *f*

midwinter [mɪd'wɪntə*] *n* tiefster Winter

might [maɪt] **I.** (*modal aux*) *pt of* **may;** ◇ **the doctor ~ call** vielleicht ruft der Arzt an **II.** *n* (*force*) Kraft *f;* ◇ **I pushed with all my ~** ich drückte mit aller Kraft; **mightn't = might not**

mighty *adj, adv* [1] ↑ *strong, powerful* mächtig [2] *FAM* ◇ **we were ~ lucky to find this appartment** wir hatten verdammt viel Glück, diese Wohnung zu finden

migraine ['mi:greɪn] *n* Migräne *f*

migrant ['maɪgrənt] *n* ▷*birds* Zugvogel *m;* ▷*worker* Wanderarbeiter(in *f*) *m*, Gastarbeiter(in *f*) *m;* **migrate** [maɪ'greɪt] *vi* abwandern, auswandern; ← *birds* fortziehen; **migration** [maɪ'greɪʃən] *n* Abwandern *s*, Auswanderung *f; birds* Zug *m;* **migratory** [migratory] *adj* Wander-; ◇ **~ bird** Zugvogel *m*

mike [maɪk] *n s.* **microphone**

mild [maɪld] *adj* ↑ *gentle, not harsh* ▷*climate, punishment* mild; (*person's manner*) sanft; ▷*flavour* mild, leicht; ◇ **~ ale** leichtes dunkles Bier

mildew ['mɪldju:] *n* (*on food*) Schimmel *m;* (*on plants*) Mehltau *m*

mildly ['maɪldlɪ] *adv* [1] (*gentle manner*) sanft [2] ↑ *without exaggeration* ◇ **to put it ~** gelinde gesagt

mile [maɪl] *n* [1] Meile *f;* ◇ **~s and ~s** meilenweit [2] ◇ **the other company is ~s ahead** die andere Firma ist weit voraus; ◇ **this shirt is ~s too big for me** dieses Hemd ist viel zu groß für mich; ◇ **You can tell it a ~ off!** Das sieht ja ein Blinder!; **mileage** *n* Meilenzahl *f;* **milestone** *n also FIG* Meilenstein *m*

milieu ['mi:ljɜ:] *n* Mileu *s*

militant ['mɪlɪtənt] *adj* militant; **militarism** *n* Militarismus *m;* **military** ['mɪlɪtərɪ] **I.** *adj* militärisch; ◇ **M~ Counter-Intelligence Service** Militärischer Abschirmdienst, MAD; ◇ **~ service** Wehrdienst *m* **II.** *n* Militär *s*

militia [mɪ'lɪʃə] *n* Miliz *f*, Bürgerwehr *f*

milk [mɪlk] **I.** *n* Milch *f* **II.** *vt* melken; **milk bottle** *n* Milchflasche *f;* **milk chocolate** *n* Milchschokolade *f;* **milk float** *n* Milchauto *s;* **milkman** *n* <-men> Milchmann *m;* **milk shake** *n* Milchmixgetränk *s*, Milchshake *m;* **milk tooth** *n* Milchzahn *m;* **Milky Way** *n* Milchstraße *f*

mill [mɪl] **I.** *n* [1] (*building*) Mühle *f*, Fabrik *f* [2] (*apparatus*) Mühle *f* **II.** *vt* mahlen; **mill about** *vi* (*BRIT*) umherlaufen

millennium [mɪ'lenɪəm] *n* Jahrtausend *s*

miller ['mɪlə*] *n* Müller(in *f*) *m*

millet ['mɪlɪt] *n* Hirse *f*

milligram[me] ['mɪlɪgræm] *n* Milligramm *s*

millilitre, milliliter (*AM*) *n* Milliliter *m*

millimetre, millimeter (*AM*) *n* Millimeter *m*

milliner ['mɪlɪnə*] *n* Hutmacher(in *f*) *m*

million ['mɪljən] *n* Million *f*

millionaire [mɪljə'nɛə*] *n* Millionär(in *f*) *m*

millwheel ['mɪlwi:l] *n* Mühlrad *s*

milometer [maɪ'lɒmɪtə*] *n* Kilometerzähler *m*

mime [maɪm] **I.** *n* (*performance*) Pantomime *f* **II.** *vti* mimen

mimic ['mɪmɪk] **I.** *n* Imitator(in *f*) *m* **II.** *vti* nachmachen

mince [mɪns] **I.** *n* (*BRIT*) Hackfleisch *s* **II.** *vt* zerhacken, durch den Fleischwolf drehen ▢ ◇ **I won't ~ words - I don't like the idea** um ganz ehrlich zu sein, die Idee gefällt mir gar nicht; **mincemeat** *n* Hackfleisch *s;* ◇ **to make ~ out of s.o.** jd-n zur Schnecke machen; **mince pie** *n* gefüllte Pastete *f;* **mincer** *n* Fleischwolf *m;* **mincing** *adj* (*affected manner*) affektiert

mind [maɪnd] **I.** *n* [1] ↑ *consciousness* Geist *m* [2] ↑ *intelligence* Verstand *m;* ◇ **Have you lost your**

-? Hast du den Verstand verloren? [*o.* Bist du verrückt geworden?] (3) ↑ *attention* Gedanken *pl;* ◇ **to have s.th. on o.'s** - besorgt sein (4) ↑ *memory* Gedächtnis *s;* ↑ *opinion* Meinung *f;* ◇ **to give s.o. a piece of o.'s** - jd-m die Meinung sagen; ◇ **to change o.'s** - seine Meinung ändern (5) ↑ *decision* Entscheidung; ◇ **Lily has finally made up her** - Lily hat endlich mal eine Entscheidung getroffen; ◇ **Do you - if I go home now?** Haben Sie etw dagegen, wenn ich jetzt nach Hause gehe? **II.** *vt* (1) ↑ *look after* aufpassen auf *acc* (2) ↑ *be careful* ◇ **M- the step!** Vorsicht Stufe! (3) ↑ *concern, worry* ◇ **I just don't - ...** mir ist es völlig egal ...; ◇ **Father really doesn't** - Vater hat wirklich nichts dagegen; ◇ **I do wish you would - your own business** es wäre mir sehr recht, wenn du dich um deine eigenen Angelegenheiten kümmern würdest; ◇ **never** - [es] macht nichts; **mindful** *adj* achtsam, aufmerksam (*of* auf *acc*); **mindless** *adj* ▷*person* hirnlos, geistlos; ▷*chatter* dumm; ▷*violence* sinnlos

mine [maɪn] **I.** *pron* (*substantivisch*) meine(r, s); ◇ **the responsibility is** - ich bin dafür verantwortlich; ◇ **the car is** - das Auto gehört mir **II.** *n* (1) ↑ *coal-* Bergwerk *s* (2) (MIL *explosive*) Mine *f* (3) (*FIG source of knowledge*) ◇ **Grandfather is a - of information** Großvater weiß einfach alles **III.** *vt* (1) → *coal* abbauen (2) MIL ↑ *lay mines* verminen, Minen legen **IV.** *vi* Bergbau betreiben

mine detector *n* Minensuchgerät *s;* **minefield** *n* Minenfeld *s*

miner *n* Bergarbeiter *m*

mineral ['mɪnərəl] *n* Mineral *s;* **mineral oil** *n* Erdöl *s;* **mineral water** *n* Mineralwasser *s*

minesweeper ['maɪnswiːpə*] *n* Minensuchboot *s*

mingle ['mɪŋgl] **I.** *vt* ↑ *mix* vermischen **II.** *vi* sich vermischen (*with* mit *acc*); ↑ *socialise* ◇ **to - with the crowd** sich unters Volk mischen

mingy ['mɪnʒɪ] *adj* (*BRIT*) geizig; ▷*amount* lumpig

mini ['mɪnɪ] *pref* Mini-

miniature ['mɪnɪtʃə*] **I.** *n* Miniatur *f* **II.** *adj* Miniatur-; ◇ **- edition** Miniaturausgabe *f*

minibus ['mɪnɪbʌs] *n* Kleinbus *m,* Minibus *m*

minicab ['mɪnɪkæb] *n* Kleintaxi *s*

minimal ['mɪnɪml] *adj* minimal; ◇ **- risk** Restrisiko *s*

minimize ['mɪnɪmaɪz] *vt* → *costs* auf das Mindestmaß beschränken; ↑ *underestimate* herabsetzen, schlechtmachen

minimum ['mɪnɪməm] **I.** *n* Minimum *s* **II.** *adj* ▷*amount* Mindest-; ◇ **- age** Mindestalter *s;* ◇ **- wage** Mindestlohn *m*

mining ['maɪnɪŋ] **I.** *n* Bergbau *m* **II.** *adj* Bergbau-; ◇ **- industry** Bergbauindustrie *f*

miniquake ['mɪnɪkweɪk] *n* Erdstoß *m*

miniskirt ['mɪnɪskɜːt] *n* Minirock *m*

minister ['mɪnɪstə*] *n* (1) POL Minister(in *f*) *m;* ◇ **M- of Economics** Wirtschaftsminister(in *f*) *m;* ◇ **M- of the Interior** Innenminister(in *f*) *m* (2) REL Pfarrer(in *f*) *m,* Pastor(in *f*) *m;* **ministry** ['mɪnɪstrɪ] *n* (1) POL Ministerium *s;* ◇ **M- of Defence** Verteidigungsministerium *s;* ◇ **during his - there were few problems** während seiner Amtszeit gab es kaum Probleme (2) REL ↑ *office* geistliches Amt *s*

mink [mɪŋk] *n* Nerz *m*

minor ['maɪnə*] **I.** *adj* (1) ↑ *lesser* kleiner-; (*not serious*) leicht; (*not so important*) ▷*poet* unbedeutend (2) MUS Moll **II.** *n BRIT* ↑ *under 18* Minderjährige(r) *fm*

minority [maɪ'nɒrɪtɪ] *n* (1) Minderheit *f* (2) (*culture*) ◇ **- group** Minderheit, Minorität *f* (3) Minderjährigkeit *f*

minster ['mɪnstə*] *n* Münster *s,* Kathedrale *f*

mint [mɪnt] **I.** *n* (1) (*herb*) Minze *f;* (*sweet*) Pfefferminzbonbon *s* (2) (*for coins*) Münze, Münzanstalt *f* **II.** *adj* (*stamp*) ungestempelt; ↑ *like new* ◇ **the carpet was in - condition** der Teppich war in tadellosem Zustand; **mint sauce** *n* Minzsoße *f*

Minuet [mɪnjʊ'et] *n* Menuett *s*

minus ['maɪnəs] *prep* minus, weniger; **minus sign** *n* Minuszeichen *s*

minute [maɪ'njuːt] **I.** *n* (1) Minute *f;* ◇ **- hand** Minutenzeiger *m;* ◇ **just a -!** einen Moment, bitte!; ◇ **I won't consider it for a** - so was kommt überhaupt nicht in Frage (2) ◇ **the -s of a meeting** das Protokoll einer Sitzung **II.** *adj* ↑ *tiny* winzig; ▷*inspection* genau

miracle ['mɪrəkl] *n* Wunder *s;* **miraculous** [mɪ'rækjʊləs] *adj* wunderbar; ◇ **a - recovery** eine unglaubliche Genesung

mirage ['mɪrɑːʒ] *n* Fata Morgana *f*

mirror ['mɪrə*] **I.** *n* Spiegel *m* **II.** *vt* widerspiegeln

mirth [mɜːθ] *n* Freude *f*

misadventure [mɪsəd'ventʃə*] *n* Mißgeschick *s,* Unfall *m*

misanthropist [mɪ'zænθrəpɪst] *n* Menschenfeind(in *f*) *m*

misapprehension ['mɪsæprɪ'henʃən] *n* Mißverständnis *s;* ◇ **he was under the - that ...** er hatte irrtümlicherweise geglaubt ...

misappropriate [mɪsə'prəʊprɪeɪt] *vt* ↑ *misuse funds* veruntreuen

misappropriation [misappropriation] *n* Zweckentfremdung *f;* (*of funds*) Veruntreuung *f*

misbehave [mɪsbɪ'heɪv] *vi* sich schlecht benehmen
miscalculate [mɪs'kælkjʊleɪt] *vt* → *numbers, measurements* falsch berechnen; ↑ *misjudge* falsch einschätzen; **miscalculation** ['mɪskælkjʊ'leɪʃən] *n* (*numbers*) Rechenfehler *m;* ↑ *misjudgement* falsche Einschätzung *f*
miscarriage [mɪs'kærɪdʒ] *n* ① MED Fehlgeburt *f* ② ◇ **his life was ruined because of a ~ of justice** sein Leben war wegen eines Fehlurteils [*o.* Justizirrtums] ruiniert
miscellaneous [mɪsɪ'leɪnɪəs] *adj* verschieden
miscellany [mɪ'selənɪ] *n* Sammlung *f*
mischance [mɪs'tʃɑːns] *n* ↑ *bad luck* Mißgeschick *s;* ◇ **by some ~** durch einen unglücklichen Zufall
mischief ['mɪstʃɪf] *n* ① (*in trouble*) Unfug *m;* ◇ **that child is always up to ~** dieses Kind stellt dauernd etw an ② ↑ *damage* Schaden *m;* **mischievous** ['mɪstʃɪvəs] *adj* ▷*child* spitzbübisch; ▷*look* schelmisch
misconception [mɪskən'sepʃən] *n* falsche Annahme *f,* falsche Vorstellung *f*
misconduct [mɪs'kɒndʌkt] *n* ① ↑ *bad behaviour* schlechtes Benehmen *s,* Vergehen *s* ② ↑ *bad management* schlechte Verwaltung *f*
misconstrue [mɪskən'struː] *vt* mißverstehen
miscount [mɪs'kaʊnt] *vt* falsch zählen
misdemeanour, **misdemeanor** (*AM*) [mɪsdɪ'miːnə*] *n* Vergehen *s*
misdirect [mɪsdɪ'rekt] *vt wrong direction* → *letter* falsch adressieren; → *person* in die falsche Richtung schicken; → *energies, abilities* falsch einsetzen; (*give jury wrong information*) falsch belehren
miser ['maɪzə*] *n* Geizhals *m*
miserable ['mɪzərəbl] *adj* ↑ *unhappy* unglücklich; ▷*weather* schlecht; ◇ **the place is in ~ condition** das Haus ist in einem miserablen Zustand; ↑ *contemptible* miserabel; ◇ **a ~ two dollars** lumpige zwei Dollar; **miserably** *adv* unglücklich; ◇ **I failed ~** ich habe kläglich versagt
miserly ['maɪzəlɪ] *adj* geizig
misery ['mɪzərɪ] *n* ① ↑ *unhappiness* Traurigkeit *f* ② ↑ *suffering* Elend *s,* Qual *f;* ◇ **to make s.o's life a ~** jd-m das Leben zur Hölle machen
misfire [mɪs'faɪə*] *vi* ← *weapon* versagen; ← *engine* fehlzünden; ← *plan, attempt* fehlschlagen
misfit ['mɪsfɪt] *n* Außenseiter(in *f*) *m*
misfortune [mɪs'fɔːtʃən] *n* Unglück *s;* ◇ **it was my ~ to see her** ich hatte das Pech, sie zu treffen
misgiving [mɪs'gɪvɪŋ] *n* (*often pl*) Bedenken *pl*
misguided [mɪs'gaɪdɪd] *adj* töricht
mishandle [mɪs'hændl] *vt* ① ↑ *use wrongly* falsch behandeln ② ↑ *use badly* schlecht behandeln
mishap ['mɪshæp] *n* Mißgeschick *s,* Malheur *s;* ◇ **we had a slight ~ this morning** wir hatten heute früh eine kleine Panne *f*
mishear [mɪs'hɪə*] *irr vt, vi* falsch verstehen
misinform [mɪsɪn'fɔːm] *vt* falsch informieren
misinterpret [mɪsɪn'tɜːprɪt] *vt* ↑ *misread* falsch verstehen, falsch deuten; **misinterpretation** ['mɪsɪntɜːprɪ'teɪʃən] *n* ↑ *misreading* falsche Auffassung, falsche Deutung *f*
misjudge [mɪs'dʒʌdʒ] *vt* falsch einschätzen
mislay [mɪs'leɪ] *irr vt* ↑ *lose* verlegen
mislead [mɪs'liːd] *irr vt* ↑ *deceive* irreführen; **misleading** *adj* ▷*information* irreführend
mismanage [mɪs'mænɪdʒ] *vt* → *company* schlecht verwalten; → *matter* schlecht abwickeln; **mismanagement** *n* (*company*) Mißwirtschaft *f;* (*matter*) schlechte Abwicklung *f*
misnomer [mɪs'nəʊmə*] *n* falsche oder unzutreffende Bezeichnung
misogynist [mɪ'sɒdʒɪnɪst] *n* Frauenfeind *m*
misplace [mɪs'pleɪs] *vt* ↑ *lose* verlegen; (*inappropriate*) ◇ **~d fears** törichte Ängste
misprint ['mɪsprɪnt] *n* Druckfehler *m*
mispronounce [mɪsprə'naʊns] *vt* falsch aussprechen
misread [mɪs'riːd] *irr vt* falsch lesen; ◇ **I ~ the last line** ich habe mich in der letzten Zeile verlesen
misrepresent [misrepresent] *vt* entstellen
misrepresentation [mɪsreprɪ'zenteɪʃən] *n* falsche Darstellung *f*
misquote *vt* falsch zitieren
miss [mɪs] **I.** *n* ① (*failure to hit*) Fehlschlag *m;* (*shot*) Fehlschuß *m* **II.** *vt* ① → *target* verfehlen ② *notattend* → *bus, plane, train* verpassen; → *appointment, meeting* versäumen, verpassen; ◇ **to ~ an opportunity** sich eine Gelegenheit entgehen lassen ③ ↑ *overlook* versehen ④ (*regret absence*) vermissen; ◇ **we ~ her terribly** wir vermissen sie so sehr; ◇ **their cat's been ~ing for days** ihre Katze ist schon seit Tagen verschwunden ⑤ ↑ *misunderstand* ◇ **to ~ the point** nicht verstehen **II.** *vi* fehlen
Miss [mɪs] *n* Fräulein *s*
misshapen [mɪs'ʃeɪpən] *adj* mißgebildet
missile ['mɪsaɪl] *n* ① MIL Rakete *f* ② (*weapon*) [Wurf-]Geschoß *s;* **missile base** *n* Raketenbasis *f*
missing ['mɪsɪŋ] *adj absent* → *person, car* ver-

M

mißt; → *thing* verschwunden; ◇ **When were you first aware that it was ~?** Wann haben Sie zuerst bemerkt, daß es fehlt?; **missing link** *n* fehlendes Glied *s;* **missing person** *n* Vermißte(r) *fm;* **missing persons report** *n* Vermißtenanzeige *f*

mission ['mɪʃən] *n* ① *(important task)* Aufgabe *f* ② MIL Einsatz *m* ③ *overseas work* ↑ *delegation* Delegation *f;* ◇ **trade ~** Handelsreise *f* ④ ↑ *vocation* Berufung *f;* ◇ **my ~ in life is to help the poor** meine Aufgabe im Leben ist es, den Armen zu helfen ⑤ *(Christian campaign)* Mission *f* ⑤ *(church)* Missionsstation *f*

missionary *n* Missionar(in *f*) *m*

mission control *n (space mission)* Kontrollzentrum *s*

misspell *vt* falsch schreiben

misspent [mɪs'spent] *adj* ▷*money, life* vergeudet, verschwendet

mist [mɪst] *n* ↑ *fog* Nebel *m;* *(on window)* Beschlag *m;* **mist over**, **mist up** *vi* sich beschlagen

mistake [mɪ'steɪk] **I.** *n* Fehler *m;* ◇ **by ~** aus Versehen [*o.* versehentlich] **II.** *irr vt* ① ↑ *be wrong* sich irren ② ↑ *misjudge* falsch verstehen; ◇ **there was no mistaking him** er hat sich unmißverständlich ausgedrückt ③ ↑ *take for* verwechseln; **mistaken** *adj* falsch; ◇ **you must be ~** Sie müssen sich irren; ◇ **~ identity** Verwechslung *f*

mister ['mɪstə*] *n abbr* **Mr.** Herr *m*

mistletoe ['mɪsltəʊ] *n* Mistel *f*

mistranslation [mɪstræns'leɪʃən] *n* falsche Übersetzung *f*

mistreat [mɪs'triːt] *vt* schlecht behandeln

mistress ['mɪstrɪs] *n* ① *BRIT* ↑ *teacher* Lehrerin *f* ② ↑ *lover* Geliebte *f* ③ *abbr* **Mrs.**, Frau *f*

mistrust [mɪs'trʌst] *vt* mißtrauen *dat*

misty ['mɪstɪ] *adj* dunstig, neblig

misunderstand [mɪsʌndə'stænd] *irr vt, vi* mißverstehen, falsch verstehen; **misunderstanding** *n* ① Mißverständnis *s;* ◇ **there must be some ~** das muß ein Mißverständnis sein, hier muß ein Mißverständnis vorliegen ② ↑ *argument* Meinungsverschiedenheit *f;* **misunderstood** [mɪsʌndə'stʊd] *adj* ↑ *misinterpreted* falschverstanden, unverstanden

misuse [mɪs'juːs] **I.** *n* Mißbrauch *m* **II.** [mɪs'juːz] *vt* mißbrauchen-

MIT *n abbr. of* **Massachusetts Institute of Technology**

mite [maɪt] *n* ① Milbe *f* ② ↑ *little bit* ein bißchen ③ *(child)* Würmchen *s; FIG* ◇ **Poor little ~!** Armes kleines Ding!

mitigate ['mɪtɪgeɪt] *vt reduce* → *pain* lindern; ↑ *render less unpleasant* mildern; ◇ **mitigating circumstances** mildernde Umstände *m*

mitre, **miter** AM. ['maɪtə*] *n* REL Mitra *f*

mitten ['mɪtn] *n* Fausthandschuh *m*

mitts **BRIT.** *abbr* **mittens** *FAM* ◇ **Keep your ~ off!** Hände weg!

mix [mɪks] **I.** *vt (blend)* vermischen; → *ingredients* mischen, verrühren **II.** *vi* ← *liquids* sich vermischen; ← *people* ↑ *get on* miteinander auskommen; ↑ *associate* miteinander verkehren **III.** *n* ↑ *mixture* Mischung *f;* **mixed** *adj* gemischt; **mixed-up** *adj* ▷*person* verwirrt; **mixer** *n (for food)* Mixer *m*

mixture ['mɪkstʃə*] *n* ↑ *assortment* Mischung *f;* MED ◇ **cough ~** Hustensaft *m*

mix up **I.** *vt* ↑ *mix* vermischen; ↑ *confuse* verwechseln; ◇ **to be ~ed ~ in s.th.** in etw verwickelt sein **II.** *n* Durcheinander *s;* ◇ **there has been a ~ ~** es gab eine Verwechslung *f*

moan [məʊn] **I.** *n* Stöhnen *s;* ↑ *complaint* Klage *f* **II.** *vi* stöhnen; ↑ *complain* jammern, sich beklagen; **moaner** *n* Nörgler(in *f*) *m;* **moaning** *n* Stöhnen *s*

moat [məʊt] *n (castle)* Burggraben *m*

mob [mɒb] **I.** *n* ↑ *gang, rabble* Mob *m;* ↑ *crowd, FAM* ◇ **John and his ~ …** John und seine Freunde … **II.** *vt* → *surround* belagern *acc*

mobile ['məʊbaɪl] **I.** *adj* ↑ *movable* beweglich; *(car, unrestricted movement)* motorisiert, beweglich; ◇ **Is the car ~?** Fährt der Wagen? **II.** *n:* ◇ **~ home** Wohnwagen *m;* **mobility** [məʊ'bɪlɪtɪ] *n* Beweglichkeit *f*

mobster ['mɒbstə*] *n* Gangster *m,* Verbrecher *m*

moccasin ['mɒkəsɪn] *n* Mokassin *m*

mocha [mocha] *n* Mokka *m*

mock [mɒk] **I.** *vt* ↑ *ridicule* sich lustig machen über *acc* **II.** *adj* ↑ *false* Schein-, gespielt, gestellt; ◇ **~ battle** Scheinkampf *m;* ◇ **~ fear** gespielte Angst; ↑ *imitation* ◇ **~ china** falsches Porzellan *s* ② *(practice examinations)* ◇ **~s** simulierte Prüfungen; **mockery** *n* ① ↑ *ridicule* Gespött *s;* ◇ **to make a ~ of something** etw lächerlich machen ② ↑ *scorn* Spott *m* ③ *(farce, failure, event, situation)* Farce *f;* **mocking** *adj* spöttisch; **mockingbird** *n* Spottdrossel *f;* **mock-up** *n* Modell *s*

mod cons ['mɒd'knz] *abbr. of* **modern conveniences** mit allem Komfort

mode [məʊd] *n* ① ↑ *form* Art und Weise *f;* ◇ **~ of payment** Zahlungsmittel *s;* ◇ **~ of transport** Transportmittel *s* ② ↑ *fashion* Mode *f* ③ PC Modus *m*

model ['mɒdl] **I.** *n* ① Modell *s;* ↑ *example* Vorbild *s* (2) (*fashion*) Mannequin *s;* (*male*) Dressman *m* **II.** *adj* (1) ↑ *miniature* Modell- (2) ↑ *perfect* Muster-, vorbildlich; ◇ **~ student** Musterstudent(in *f*) *m* **III.** *vt* (1) ↑ *craft* modellieren (2) → *fashion* vorführen **III.** *vi* als Mannequin/Dressman arbeiten; (*art*) als Modell arbeiten; ◇ **to ~ s.th. on s.th.** etw nach einer Sache formen; **modelling, modeling** AM. *n* (*of statue*) Modellieren *s;* ◇ **to do some ~** als Mannequin/Dressman arbeiten

modem ['məʊdem] *n* PC Modem *s*

moderate ['mɒdərət] **I.** *adj middle-of-the-road* ▷*views, opinions* gemäßigt **II.** *n* POL Gemäßigte(r) *fm* **III.** ['mɒdəreɪt] *vi* nachlassen, sich abschwächen **IV.** *vt* mäßigen; **moderately** ['mɒdərətlɪ] *adv* einigermaßen

moderation [mɒdə'reɪʃən] *n* Mäßigkeit *f;* ◇ **to eat and drink in ~** in Maßen essen und trinken

modern ['mɒdən] *adj* modern; ◇ **~ languages** neuere Sprachen, moderne Fremdsprachen; **modernize** ['mɒdənaɪz] *vt* modernisieren

modest ['mɒdest] *adj* ▷*person* bescheiden; ↑ *bashful* schamhaft; ▷*house, meal* einfach; **modesty** *n* Bescheidenheit *f*

modicum ['mɒdɪkəm] *n* bißchen *s*

modification [mɒdɪfɪ'keɪʃən] *n* Abänderung *f;* **modify** ['mɒdɪfaɪ] *vt* abändern

modulation [mɒdjʊ'leɪʃən] *n* Modulation *f;* **module** ['mɒdjʊl] *n construction* ↑ *component, unit* Bauelement *s;* (*of spaceship*) Raumkapsel *f;* PC Modul *s*

mohair ['məʊhɛə*] *n* Mohair *m*

moist [mɔɪst] *adj* feucht; **moisten** ['mɔɪsn] *vt* befeuchten, anfeuchten

moisture ['mɔɪstʃə*] *n* Feuchtigkeit *f;* **moisturizer** *n* (*cosmetic*) Feuchtigkeitscreme *f*

molar ['məʊlə*] *n* Backenzahn *m*

molasses [mə'læsɪz] *n sg* Melasse *f*

mold [məʊld] (*AM*) *s.* **mould**

mole [məʊl] *n* (1) (*growth*) Leberfleck *m* (2) (*animal*) Maulwurf *m* (3) *BRIT* ↑ *spy* Spion *m* (4) ↑ *pier* Mole *f*

molecular [mə'lekjʊlə*] *adj* molekular; **molecule** ['mɒlɪkju:l] *n* Molekül *s*

molehill *n* Maulwurfshaufen, Maulwurfshügel *m*

molest [məʊ'lest] *vt* (1) ↑ *bother* ärgern (2) ↑ *assault* belästigen

mollify ['mɒlɪfaɪ] *vt* besänftigen

mollusc ['mɒləsk] *n* Weichtier *s*

mollycoddle ['mɒlɪkɒdl] *vt* verhätscheln, verwöhnen

molt [məʊlt] AM. *s.* **moult**

molten ['məʊltən] *adj* ▷*rock, metal* geschmolzen

moment ['məʊmənt] *n* (1) Moment *m,* Augenblick *m;* ◇ **at the ~** im Moment; ◇ **the police could come at any ~** die Polizei könnte jeden Moment kommen; ◇ **just a ~, please!** einen Augenblick, bitte!; ◇ **he has his ~s** er kann manchmal ganz nett sein; ◇ **the ~ of truth** die Stunde der Wahrheit (2) (*factor*) Faktor *m;* ◇ **~ of suspicion** Verdachtsmoment *s;* **momentarily** [məʊmən'tærəlɪ] *adv* einen Augenblick lang; **momentary** ['məʊməntərɪ] *adj* kurz; **momentous** [məʊ'mentəs] *adj* ↑ *critical* bedeutsam, wichtig

momentum [məʊ'mentəm] *n* Schwung *m*

Monaco ['mɒnəkəʊ] *n* Monaco *s*

monarch ['mɒnək] *n* Monarch(in *f*) *m;* **monarchy** ['mɒnəkɪ] *n* Monarchie *f*

monastery ['mɒnəstrɪ] *n* Kloster *s;* **monastic** [mə'næstɪk] *adj* mönchisch

Monday ['mʌndeɪ] *n* Montag *m;* ◇ **on ~** am Montag; ◇ **I have to work ~s** ich muß Montags arbeiten

monetary ['mʌnɪtərɪ] *adj* finanziell, Geld-; (*of currency*) Währungs-, monetär; ◇ **~ agreement** Währungsabkommen *s;* ◇ **~ unit** Währungseinheit *f*

money ['mʌnɪ] *n* Geld *s;* ◇ **to make ~** Geld verdienen; **moneyed, monied** *adj* reich, wohlhabend

moneylender *n* Geldverleiher(in *f*) *m;* **moneymaking** *adj* (*business enterprise*) lukrativ, gewinnbringend, einträglich; **moneymachine** *n* Geldautomat *m;* **money order** *n* Postanweisung *f;* **money-washing** *n* Geldwäsche *f*

mongol ['mɒŋgəl] **I.** *n* (MED *suffering from Down's syndrome*): ◇ **he is a ~** er ist mongoloid **II.** *adj* MED mongoloid

Mongolia *n* Mongolei *f*

Mongolian *n* mongolisch

mongoose ['mɒŋgu:s] *n* <-s> Mungo *m*

mongrel ['mʌŋgrəl] *n* (*dog*) Promenadenmischung *f*

monitor ['mɒnɪtə*] **I.** *n* (1) ↑ *screen* Monitor *m* (2) SCHOOL ◇ **stationary ~** Schreibwarenordner *m* **II.** *vt* ↑ *check, observe* beobachten, überwachen; → *radio or tv broadcasts* abhören

monk [mʌŋk] *n* Mönch *m*

monkey ['mʌŋkɪ] *n* Affe *m;* **monkey about** *vi* herumalbern; **monkey business** *n:* ◇ **it looks like ~ ~ to me** ich bin sicher, daß da irgendwas faul ist; **monkey nut** *n* Erdnuß *f;* **monkey wrench** *n* TECHNOL Engländer *m*

mono- ['mɒnəʊ] *pref* Mono-

monochrome ['mɒnəkrəʊm] *adj* ▷*painting* einfarbig; ▷*photographs, films* schwarz-weiß

M

monocle ['mɒnəkl] *n* Monokel *s*
monogamous *adj* monogam
monogram ['mɒnəgræm] *n* Monogramm *s*
monologue ['mɒnəlɒg] *n* Monolog *m*
monopolize [mə'nɒpəlaɪz] *vt* die Kontrolle haben, beherrschen; *FIG* in Beschlag nehmen; **monopoly** [mə'nɒpəlɪ] *n* Monopol *s*
monorail ['mɒnəʊreɪl] *n* Einschienenbahn *f*
monosyllabic [mɒnəʊsɪ'læbɪk] *adj* einsilbig
monosyllabism [monosyllabism] *n* Einsilbigkeit *f*
monotonous [mə'nɒtənəs] *adj* ▷*voice* monoton; ↑ *boring* langweilig; **monotony** [mə'nɒtənɪ] *n* ↑ *regularity, repetition* Routine, Langeweile *f*
monsoon [mɒn'su:n] *n* Monsun *m*
monster ['mɒnstə*] **I.** *n* (*dracula*) Ungeheuer *s;* (*person*) Teufel *m* **II.** *adj* FAM ↑ *giant* riesig, Riesen-
monstrosity [mɒn'strsɪtɪ] *n* Ungeheuerlichkeit *f,* Monstrosität *f;* **monstrous** [monstrous] *adj* ungeheuerlich, gräßlich
montage [mɒn'tɑ:ʒ] *n* Montage *f*
month [mʌnθ] *n* Monat *m;* **monthly I.** *adj* monatlich; ◇ ~ **season ticket** Monatskarte *f* **II.** *adv* einmal im Monat **III.** *n* ▷*magazine* Monatsschrift *f*
monument ['mɒnjʊmənt] *n* Denkmal *s*
monumental [mɒnjʊ'mentl] *adj* ↑ *huge* monumental; ↑ *impressive, terrific* gewaltig
moo [mu:] *vi* muhen
mood [mu:d] *n* ↑ *humour* Laune *f;* ◇ **to be in a good** ~ gut gelaunt sein; ◇ **to be in the** ~ **for s.th.** Lust auf etw haben; ↑ *atmosphere* Stimmung *f;* **moodiness** *n* Launenhaftigkeit *f;* **moody** *adj* launisch
moon [mu:n] *n* Mond *m;* ◇ **I was over the** ~ **to see you again** ich war überglücklich, dich wiederzusehen; **moonbeam** *n* Mondstrahl *m;* **moonlight I.** *n* Mondlicht *s* **II.** *vi* schwarzarbeiten; **moonlit** *adj* mondhell; **moonshine** *n* ① ↑ *nonsense* Unsinn *m* ② schwarz gebrannter Whisky
moor [mʊə*] **I.** *n* ↑ *heath* Heide *f,* Hochmoor *s* ② ◇ **the M~s** die Mauren **II.** *vt* → *ship* festmachen **III.** *vi* anlegen
moorings *n pl* Liegeplatz *m*
moorland *n* Heidemoor *s*
moose [mu:s] *n* <-> Elch *m*
mop [mɒp] **I.** *n* Mop *m;* ◇ ~ **of hair** Wuschelkopf *m* **II.** *vt* [auf]wischen
mope [məʊp] *vi* Trübsal blasen; ◇ **Sally ~d about the house all day** Sally saß den ganzen Tag zu Hause und blies Trübsal
moped ['maʊped] *n* **BRIT.** Moped *s*
moral ['mɒrəl] **I.** *n* ① Moral *f;* ▷*principles, values* ◇ **~s** *pl* moralische Werte *m* ② (*message of story*) Moral *f* **f.** *adj* ↑ *ethical* moralisch; ▷*duty, responsibility* tugendhaft; ◇ ~ **support** moralische Unterstützung; ◇ ~ **conflict** Gewissenskonflikt *m*
morale [mɒ'rɑ:l] *n* Moral *f;* ◇ **to boost s.o.'s.** ~ jd-n ermutigen [*o.* seelisch aufbauen]
morality [mə'rælɪtɪ] *n* ↑ *decency, principles* Moralität *f;* ↑ *integrity* Ethik *f;* **morally** *adv* moralisch
morbid ['mɔ:bɪd] *adj* krankhaft; ▷*stories* makaber, morbid
more [mɔ:*] *adj, n, pron/adv* mehr; ◇ **all the** ~ um so mehr; ◇ **there is much** ~ **to it than we thought** da steckt viel mehr dahinter als wir dachten; ◇ **once** ~ noch einmal; (*comparative*) ◇ ~ **pleasant** angenehmer; ◇ ~ **or less** mehr oder weniger; ◇ **it's becoming** ~ **and** ~ **difficult** es wird immer schwieriger
moreover *adv* außerdem
mores *n pl* Sittenkodex *m*
morgue [mɔ:g] *n* ↑ *mortuary* Leichenschauhaus *s*
moribund ['mɒrɪbʌnd] *adj* ↑ *ineffectual* ▷*service* aussterbend
morning ['mɔ:nɪŋ] **I.** *n* Morgen *m* **II.** *adj* morgen; ◇ **in the** ~ morgen früh; (*regularly*) ◇ **I jog in the ~s** morgens jogge ich; ◇ **this** ~ heute früh; **morning sickness** *n* Schwangerschaftserbrechen *s*
Morocco [mə'rɒkəʊ] *n* Marokko *s*
moron ['mɔ:rɒn] *n* Schwachsinniger *m;* **moronic** [mə'rɒnɪk] *adj* schwachsinnig
morose [mə'rəʊs] *adj* mißmutig; **moroseness** *n* Verdrossenheit *f*
morphine ['mɔ:fi:n] *n* Morphium *s*
morse [mɔ:s] *vti* morsen
Morse [mɔ:s] *n:* ◇ ~ **code** Morsealphabet *s*
morsel ['mɔ:sl] *n* (*scrap*) kleines Stück *s,* Fetzen *m*
mortal ['mɔ:tl] **I.** *n* ↑ *human being* Sterbliche(r) *fm* **II.** *adj* sterblich; ↑ *deadly* ◇ ~ **wound** tödliche Verletzung *f;* ◇ ~ **enemy** Todfeind *m;* ◇ ~ **terror** Todesangst *f;* **mortality** [mɔ:'tælɪtɪ] *n* Sterblichkeit *f;* ↑ *death rate* Sterblichkeitsrate, Sterblichkeitsziffer *f;* **mortally** *adv* tödlich; ◇ ~ **ill** sterbenskrank
mortar ['mɔ:tə*] *n* ① MIL ↑ *cannon* Minenwerfer, Mörser *m* ② (*building material*) Mörtel *m* ③ (*bowl for grinding*) Mörser *m*
mortgage ['mɔ:gɪdʒ] **I.** *n* Hypothek *f* **II.** *vt* e-e Hypothek *acc* aufnehmen
mortify ['mɔ:tɪfaɪ] *vt* demütigen; **mortified** *adj* (*embarrassing*): ◇ **she was** ~ es war ihr äußerst peinlich

mortuary ['mɔːtjʊərɪ] *n* ↑ *morgue* Leichenhalle *f*
mosaic [məʊ'zeɪɪk] *n* Mosaik *s*
Moslem ['mɒzlem] *adj* moslemisch, islamisch, mohammedanisch
mosque [mɒsk] *n* Moschee *f*
mosquito [mɒ'skiːtəʊ] *n* <-es> Moskito *s;* ◇ ~ **net** Moskitonetz *s;* ◇ ~ **bite** Mückenstich *m*
moss [mɒs] *n* Moos *s;* **mossy** *adj* bemoost, moosig
most [məʊst] **I.** *n* (*larger part*) die meisten; ◇ ~ **of the candidates passed the exam** die meisten Kandidaten haben die Prüfung bestanden; ◇ ~ **of the time** die meiste Zeit; ◇ ~ **of the day** fast den ganzen Tag **II.** *adj* (*high degree*): ◇ **a ~ interesting book** ein äußerst/höchst interessantes Buch **III.** *adv* am meisten; **mostly** *adv* meistens, hauptsächlich; ◇ **it ~ happens at night** es passiert meistens nachts
MOT *n abbr. of* **Ministry of Transport** Vekehrsministerium *s*
motel [məʊ'tel] *n* Motel *s*
moth [mɒθ] *n* Nachtfalter *m;* (*in clothes*) Motte *f;* **mothball** *n* Mottenkugel *f;* **moth-eaten** *adj:* ◇ **a ~ coat** ein mottenzerfressener Mantel
mother ['mʌðə*] **I.** *n* [1] Mutter *f* [2] (*head of group*) ◇ ~ **company** Hauptfiliale *f* **II.** *vt* ↑ *raise* erziehen; ↑ *spoil* bemuttern, verwöhnen; **mother country** *n* Vaterland *s,* Heimat *f;* **motherhood** ['mʌðəhʊd] *n* Mutterschaft *f;* **mother-in-law** *n* <mothers-in-law> Schwiegermutter *f;* **motherly** *adj* mütterlich; **Mother's Day** *n* Muttertag *m;* **mother's milk** *n* Muttermilch *f;* **mother-to-be** *n* (*mothers-to-be*) werdende Mutter
motif [məʊ'tiːf] *n* Motiv *s*
motion ['məʊʃən] **I.** *n* [1] ↑ *movement* Bewegung *f;* ◇ **slow** ~ Zeitlupe *f* [2] ↑ *suggestion, proposal* Antrag *m* **II.** *vt, vi:* ◇ **she ~ed to me to enter** sie gab mir ein Zeichen, einzutreten, sie bedeutete mir, einzutreten; **motion of no confidence** *n* Mißtrauensantrag *m;* **motionless** *adj* bewegungslos; **motion picture** *n* Film *m*
motivate ['məʊtɪveɪt] *vt* motivieren; **motivation** [məʊtɪ'veɪʃən] *n* Motivation *f*
motive ['məʊtɪv] *n* Beweggrund *m,* Motiv *s*
motley ['mɒtlɪ] *adj* ▷*assortment* buntgemischt
motor ['məʊtə*] **I.** *n* ↑ *engine* Motor *m* **II.** *adj* Auto-; ◇ ~ **industry** Autoindustrie *f;* ◇ ~ **accident** Vekehrsunfall *m* **III.** *vi* fahren; **motorbike** *n* Motorrad *s;* **motorboat** *n* Motorboot *s;* **motorcar** *n* Auto *s,* Wagen *m;* **motor coach** *n* Triebwagen *m;* **motorcycle** *n* Motorrad *m;* **motorcyclist** *n* Motorradfahrer(in *f*) *m;* **motoring** *n* Autofahren *s;* ◇ ~ **club** Automobilclub *m;* **motor insurance** *n* Schutzbrief *m;* **motorist** ['məʊtərɪst] *n* Autofahrer(in *f*) *m;* **motor racing** *n* Autorennen *s;* **motor scooter** *n* Motorroller *m;* **motor vehicle** *n* Kraftfahrzeug *s;* **motor vehicle tax** *n* Kraftfahrzeugsteuer *f;* **motorway** *n* (*BRIT*) Autobahn *f;* **motorway feeder** *n* (*BRIT*) Autobahnzubringer *m*
mottled ['mɒtld] *adj* gesprenkelt
motto ['mɒtəʊ] *n* <-es> Motto *s*
mould [məʊld] **I.** *n* [1] ↑ *fungus* Schimmel *m* [2] ↑ *cast* Form *f* [3] ↑ *type* ◇ **they're people of the same ~** sie sind Menschen der gleichen Wesensart **II.** *vt also FIG* formen
moulder ['məʊldə*] *vi* ↑ *decompose* vermodern
moulding ['məʊldɪŋ] *n* (*on ceiling*) Deckenstück *s*
mouldy ['məʊldɪ] *adj* schimmlig
moult [məʊlt] *vi* sich mausern, sich haaren
mound [maʊnd] *n* ↑ *hillock* Hügel *m;* ↑ *heap* Haufen *m*
mount [maʊnt] **I.** [1] ↑ *launch, organize* organisieren; → *exhibition* veranstalten [2] *increase* ← *problems* sich häufen [3] *get on* → *stairs* hochsteigen; → *horse* aufsitzen [4] ↑ *attach* montieren, aufziehen; → *jewel* einfassen **II.** *n* [1] ↑ *horse* Pferd *s* [2] ↑ *support, attachment* Fassung *f;* **mount up** *vt* ↑ *build up* sich häufen
mountain ['maʊntɪn] *n* Berg *m;* ◇ **in the ~s** im Gebirge; **mountaineer** [maʊntɪ'nɪə*] *n* Bergsteiger(in *f*) *m;* **mountaineering** *n* Bergsteigen, Klettern *s,* Bergsport *m;* **mountainous** *adj* gebirgig, bergig; **mountain pine** *n* Latschenkiefer *f;* **mountain range** *n* Gebirgszug *m;* **mountainside** *n* Berghang *m*
mounted *adj* MIL ↑ *horseback:* ◇ ~ **police** beritten
mounting *n* Montage *f*
mourn [mɔːn] **I.** *vt* trauern **II.** *vi* trauern (*for* um *acc*); **mourner** *n* Trauernde(r) *fm;* **mournful** *adj* traurig; **mourning** *n* ↑ *grief* Trauer *f;* ◇ **our neighbours are in ~** unsere Nachbarn trauern; **mourning dress** *n* Trauerkleidung *f*
mouse [maʊs] *n* <mice> Maus *f;* **mousetrap** *n* Mausefalle *f*
mousse [muːs] *n* (*chocolate*) Creme *f;* (*styling ~*) Schaum *m*
moustache [mə'stɑːʃ] *n* Schnurrbart *m*
mousy ['maʊsɪ] *adj* [1] ▷*colour, hair* mausgrau [2] ↑ *shy* ◇ **Ann has always been a bit ~** Ann war schon immer etw schüchtern
mouth [maʊθ] *n* Mund *m;* (*of river*) Mündung *f;* (*first-hand*) ◇ **to hear something from the horse's ~** etw aus erster Hand erfahren; ◇ **keep**

M

your - **shut** halt' die Klappe ② *FAM* ↑ *dependants* ◇ **I have four -s to feed** ich habe vier Mäuler zu stopfen; **mouthful** *n* Happen *m;* **mouth organ** *n* Mundharmonika *f;* **mouthpiece** *n* ① MUS Mundstück *s;* (*of telephone*) Sprechmuschel *f* ② *FIG* ↑ *spokesperson* ◇ **a - for the management** ein Sprachrohr der Verwaltung; **mouthwash** *n* Mundwasser *s;* **mouthwatering** *adj* ↑ *appetizing* appetitlich

movable ['mu:vəbl] *adj* beweglich

move [mu:v] **I.** *n* ↑ *motion* Bewegung *f;* ◇ **make a -** die Initiative ergreifen; ◇ **on the -** unterwegs; (*game*) Zug *m;* ↑ *step* Schritt *m* ② (*of house*) Umzug *m* ③ (*measures*) Maßnahmen *pl* **II.** *vt* ① ↑ *motion* bewegen; ◇ **this car -s** dieses Auto fährt; ◇ **get moving!** los! ② (*in other house*) umziehen ③ ↑ *change position* wechseln ④ ↑ *develop* ◇ **to - in a direction** sich in eine bestimmte Richtung entwickeln ⑤ ↑ *motivate* motivieren; ↑ *prompt* beantragen ⑥ ↑ *affect* rühren, bewegen ⑦ ↑ *mix socially* ◇ **to - in better circles** in den besseren Kreisen verkehren; **move about** *vi* sich ständig bewegen; (*journey*) unterwegs sein; **move away** *vi* weggehen; **move back** *vi* zurückgehen; **move in** *vi* ① (*to house*) einziehen ② MIL ← *troops* einrücken; **move on** *vi* weitergehen; ◇ **to - - to another subject** zu einem anderen Thema übergehen; **move out** *vi* ① (*of house*) ausziehen ② MIL ← *troops* abziehen; **move up I.** *vi* rücken, aufsteigen; (*profession*) befördert werden **II.** *vt* nach oben gehen

movement *n* ① ↑ *action, motion* Bewegung *f;* ↑ *personal affairs* ◇ **my -s seemed to interest them** meine Angelegenheiten schienen sie zu interessieren ② MUS Satz *m* ③ ↑ *mechanism, clock* Uhrwerk *s* ④ MIL ↑ *manoeuvre* Truppenbewegung *f* ⑤ ↑ *organization* Bewegung *f* ⑥ ↑ *tendency* ◇ **there was a - towards...** man tendierte zu... ⑦ (*bowel*) Stuhlgang *m*

movie ['mu:vi] *n* Film *m;* ↑ *cinema* ◇ **What's playing at the -s?** Was spielt/läuft im Kino?; **movie camera** *n* Filmkamera *f*

moving ['mu:viŋ] *adj* ↑ *motion* bewegend; ↑ *touching* bewegend; ◇ **- staircase** Rolltreppe *f*

mow [məʊ] <mowed, mown *o.* mowed> *vt* mähen; **mower** *n:* ◇ **lawn -** Rasenmäher *m;* **mown** [məʊn] *pp of* **mow**

MP *n abbr. of* **Member of Parliament** Abgeordnete(r) *fm*

mph *abbr. of* **miles per hour** Meilen pro Stunde

Mr. [mistə*] *n abbr. of* **mister** Herr

Mrs. ['misiz] *n abbr. of* **mistress** Frau

Ms. [məz] *n* (*young unmarried woman*) Fräulein *s;* (*polite, elderly unmarried woman*) Frau *f*

much [mʌtʃ] **I.** <more, most> *adj:* ◇ **too -** zuviel **II.** *n* viel(e, s); ◇ **there isn't - left** es ist nicht viel übrig; ◇ **not - to look at** nicht sehr interessant **III.** *adv more, most* viel, sehr; ◇ **- better** viel besser

muck [mʌk] *n* Dreck *m;* **muck about I.** *vi* ① *FAM* ↑ *be silly* herumalbern ② ↑ *meddle* herumfummeln; **muck up** *vt* ① *FAM* ↑ *ruin* ruinieren, vermasseln ② ↑ *dirty* dreckig machen; **mucky** *adj* ↑ *dirty* dreckig

mucus ['mju:kəs] *n* Schleim *m*

mud [mʌd] *n* Schlamm *m;* ◇ **my shirt was covered in -** mein Hemd war völlig verdreckt

muddle ['mʌdl] **I.** *n* ↑ *confusion* Durcheinander *s* **II.** *vt* ↑ - *up* durcheinanderbringen; **muddled** *adj* konfus, durcheinander; **muddle through** *vi FAM* sich durchwursteln

muddy ['mʌdi] *adj* schlammig

mudguard ['mʌdgɑ:d] *n* Schutzblech *s*

muesli [muesli] *n* Müsli *s*

muff [mʌf] *n* Muff *m*

muffin ['mʌfin] *n Frühstücksgebäck, eine Art Brötchen*

muffle ['mʌfl] *vt* → *noise* dämpfen; ↑ *wrap up* einhüllen

mug [mʌg] **I.** *n* ① Becher *m;* ◇ **beer -** Krug *m* ② *FAM* ↑ *face* Gesicht *s* ③ *FAM* ↑ *fool* Trottel *m* **II.** *vt* überfallen und berauben

mugging *n* Straßenraub *m*

muggy ['mʌgi] *adj* ▷*weather* schwül

mulatto [mju:'lætəʊ] *n* <-es> Mulatte(Mulattin *f*) *m*

mule [mju:l] *n* Maultier *s*

mull over [mʌl: əʊvə*] *vt* → *problem, puzzle* nachdenken über *acc,* reflektieren über *acc*

mulled [mʌld] *adj:* ◇ **- wine** Glühwein *m*

multi- ['mʌlti] *pref* multi-

multicoloured, **multicolored** (*AM*) *adj* mehrfarbig

multigrade oil *n* Mehrbereichsöl *s*

multinational *adj* multinational

multiple ['mʌltipl] *adj* mehrfach

multiple sclerosis *n* multiple Sklerose *f*

multiplication [mʌltipli'keiʃən] *n* Multiplikation *f,* Malnehmen *s;* **multiplication tables** *n pl* Einmaleins *s*

multipurpose hall *n* Mehrzweckhalle *f*

multiply ['mʌltiplai] **I.** *vt* multiplizieren, malnehmen (*by* mit) **II.** *vi* ← *living beings* sich vermehren

multiracial ['mʌlti'reiʃəl] *adj* gemischtrassig

multistation computer *n* Mehrplatzrechner *m*

multi-storey car-park *n* Parkhaus *s*

multitude ['mʌltitju:d] *n* Menge *f*

mum [mʌm] *n FAM* ↑ *mother* Mutti *f*
mumble ['mʌmbl] **I.** *vt, vi* nuscheln **II.** *n* Gemurmel *s*
mummy ['mʌmɪ] *n* [1] *FAM* Mutti *f* [2] (*embalmed*) Mumie *f*
mumps [mʌmps] *n sg* Mumps *m*
munch [mʌntʃ] *vt, vi* mampfen
mundane [mʌn'deɪn] *adj* [1] ↑ *boring* langweilig [2] ↑ *wordly* weltlich
Munich ['mju:nɪk] *n* München *s*
municipal [mju:'nɪsɪpəl] *adj* städtisch, Stadt-
munitions [mju:'nɪʃənz] *n pl* Munition *f*
mural ['mjʊərəl] *n* Wandbild *s*, Wandgemälde *s;* **mural painting** *n* Wandmalerei *f*
murder ['mɜ:də*] **I.** *n* Mord *m* **II.** *vt* ermorden; **murderer** *n* Mörder *m;* **murderess** *n* Mörderin *f;* **murderous** *adj* tödlich; ▷*threat* mörderisch; **murder squad** *n* Mordkommission *f;* **murder weapon** *n* Mordwaffe *f*
murk [mɜ:k] *n* Dunkelkeit *f*
murky *adj* finster, düster
murmur ['mɜ:mə*] **I.** *n* Murmeln *s;* (*wind*) Rauschen *s* **II.** *vt, vi* murmeln; ◇ **they left without a ~** sie gingen, ohne zu murren
muscle ['mʌsl] *n* Muskel *m;* **muscular** ['mʌskjʊlə*] *adj* Muskel-; ↑ *well-formed* muskulös; **muscular system** *n* Muskulatur *f*
muse [mju:z] *vi* nachsinnen
museum [mju:'zɪəm] *n* Museum *s*
mushroom ['mʌʃru:m] *n* Pilz *m*
mushy [mʌʃɪ] *adj* breiig; ↑ *soppy* schmalzig
music ['mju:zɪk] *n* Musik *f;* **musical I.** *adj* musikalisch, melodisch; ◇ **~ instrument** Musikinstrument *s;* ◇ **that is a lovely ~ piece** das ist ein sehr schönes Musikstück **II.** *n* Musical *s;* **music cassette** *n* Musikkassette *f*
musician [mju:'zɪʃən] *n* Musiker(in *f*) *m*
music stand *n* Notenständer *m*
Muslim ['mʊslɪm] **I.** *adj* mohammedanisch, moslemisch, islamisch **II.** *n* Moslem(in *f*) *m*, Mohammedaner(in *f*) *m*
mussel ['mʌsl] *n* Muschel *f*
must [mʌst] <had to, had to> **I.** *Hilfsverb* müssen; ◇ **you ~ eat s.th.** du mußt etw essen; (*in negation*) dürfen; ◇ **you mustn't eat anything** du darfst nichts essen **II.** *n* Muß *s;* ◇ **the book is a ~** das Buch muß man einfach gelesen haben
mustache ['mʌstæʃ] *n* (*AM*) *s.* **moustache**
mustard ['mʌstəd] *n* Senf *m*
muster ['mʌstə*] *vt* MIL ↑ *call up* antreten lassen; → *courage* zusammennehmen
mustiness ['mʌstɪnəs] *n* Muffigkeit *f*
mustn't ['mʌsnt] = **must not**
musty ['mʌstɪ] *adj* muffig
mutate *vi* mutieren
mute [mju:t] **I.** *adj* stumm **II.** *n* (*person*) Stumme(r) *fm;* **muted** *adj* ▷*sound* gedämpft
mutilate ['mju:tɪleɪt] *vt* verstümmeln; **mutilation** [mjʊtɪ'leɪʃən] *n* Verstümmelung *f*
mutiny ['mju:tɪnɪ] **I.** *n* Meuterei *f* **II.** *vi* meutern
mutter ['mʌtə*] *vt, vi* murmeln
mutton ['mʌtn] *n* Hammelfleisch *s*
mutual ['mju:tjʊəl] *adj* ▷*agreement* gegenseitig; ◇ **the feeling is ~** das beruht auf Gegenseitigkeit; (*friends, interests*) gemeinsam
muzzle ['mʌzl] *n* (*mouth of animal*) Maul *s;* (*protection*) Maulkorb *m;* (*of gun*) Mündung *f*
my [maɪ] *pron* (*used as adjective*) mein; **myself** [maɪ'self] *pron* selbst; ◇ **I'm not ~ today** mit mir stimmt heute irgendetwas nicht; ◇ **so I said to ~ …** also sagte ich mir …
mysterious [mɪ'stɪərɪəs] *adj* mysteriös, geheimnisvoll; **mystery** ['mɪstərɪ] *n* ↑ *puzzle* Rätsel *s;* ↑ *secret* Geheimnis *s*
mystic ['mɪstɪk] **I.** *n* Mystiker(in *f*) *m* **II.** *adj* mystisch; **mysticism** ['mɪstɪsɪzəm] *n* Mystizismus *m;* (*of art*) Mystik *f*
mystification [mɪstɪfɪ'keɪʃən] *n* Verwirrung *f;* **mystify** ['mɪstɪfaɪ] *vt* verwirren
mystique [mɪ'sti:k] *n* etw Geheimnisvolles, ein geheimnisvoller Nimbus
myth [mɪθ] *n* [1] ↑ *legend, tale* Mythos *m* [2] (*attitude, belief*) Einstellung *f;* ◇ **the ~ of racial superiority** der Irrglaube einer Überlegenheit bestimmter Rassen [3] ↑ *untrue* ◇ **that is definitely a ~** das ist nun wirklich nicht wahr; **mythical** *adj* [1] (*from legend*) mythisch [2] ↑ *untrue* nicht wahr; **mythology** [mɪ'θɒlədʒɪ] *n* Mythologie *f*

N

N, n [en] *n* N, n *s*
N.A. *abbr. of* **not applicable** trifft nicht zu
nab [næb] *vt FAM* → *thief* schnappen
nadir ['neɪdɪə*] *n FIG* ↑ *depth* Tiefpunkt *m*
nag [næg] **I.** *n* [1] ↑ *horse* Gaul *m* [2] (*FAM person*) Nörgler(in *f*) *m* **II.** *vt, vi* herumnörgeln; ◇ **he ~s his mother** er nervt seine Mutter; ◇ **his worries are ~ging at him** seine Sorgen plagen ihn; **nagging I.** *adj* ▷*worry* quälend **II.** *n* Nörgeln *s*
nail [neɪl] **I.** *n* Nagel *m* **II.** *vt* nageln; *FIG* → *person* festnageln; **nail down** *vt FIG* → *also person* festnageln; → *agreement* festmachen;

nailbrush *n* Nagelbürste *f;* **nailfile** *n* Nagelfeile *f;* **nail polish** *n* Nagellack *m;* **nail polish remover** *n* Nagellackentferner *m;* **nail scissors** *n pl* Nagelschere *f*

naive [naɪ'iːv] *adj* naiv, gutgläubig

naked ['neɪkɪd] *adj* nackt; ◇ **to see s.th. with the ~ eye** etw mit bloßem Auge sehen/erkennen; **nakedness** *n* Nacktheit *f*

name [neɪm] **I.** *n* Name *m;* ↑ *reputation* Ruf *m* **II.** *vt* nennen, benennen; ↑ *appoint, nominate* ernennen; ◇ **what's your ~?** wie heißen Sie?, wie ist Ihr Name?; ◇ **to call s.o. a ~** jd-n mit einem Schimpfwort beleidigen; **name-dropping** *n FAM*: ◇ **Why are you constantly ~?** Warum mußt du ständig erwähnen, was für wichtige Leute du kennst?; **nameless** *adj* namenlos; **namely** *adv* nämlich; **namesake** *n* Namensvetter *m*, Namensschwester *f*

nanny ['nænɪ] *n* [1] Kindermädchen *s* [2] Ziege *f*

nap [næp] **I.** *n* ↑ *sleep* Nickerchen *s;* (*on cloth*) Strich *m;* ◇ **to have/take a ~** ein Nickerchen machen **II.** *vi* dösen; *FIG* ◇ **to catch s.o. ~ping** jd-n überrumpeln

napalm ['neɪpɑːm] **I.** *n* Napalm *s* **II.** *vt* mit Napalm bewerfen

nape [neɪp] *n* Nacken *m*

napkin ['næpkɪn] *n* Serviette *f;* (*BRIT for baby*) Windel *f*

nappy ['næpɪ] *n* (*BRIT for baby*) Windel *f*

narcissism [nɑː'sɪsɪzəm] *n* Narzißmus *m*, Selbstverliebtheit *f*

narcotic [nɑː'kɒtɪk] **I.** *n* Betäubungsmittel *s*, Rauschgift *s* **II.** *adj:* ◇ **a ~ substance** ein Rauschgift

narrate [nə'reɪt] *vt* erzählen; **narration** [nə'reɪʃən] *n* Erzählung *f;* **narrative** ['nærətɪv] **I.** *n* Erzählung *f;* (*of events, journey*) Schilderung *f* **II.** *adj* erzählend; **narrator** [nə'reɪtə*] *n* Erzähler(in *f*) *m*

narrow ['nærəʊ] **I.** *adj* ▷*street* eng, schmal; ↑ *limited* beschränkt **II.** *vi* sich verengen; **narrow down I.** *vi* sich beschränken (*to* auf *acc*); ◇ **what it ~s down to is …** es läuft darauf hinaus, daß … **II.** *vt* einschränken; **narrowly** *adv* ↑ *closely* eng, genau; ◇ **she looks at things ~** sie sieht die Dinge etw eng; ↑ *barely* knapp; ◇ **he ~ won** er hätte um ein Haar gewonnen; ↑ *specifically* genauer; **narrow-minded** *adj* engstirnig

nasal ['neɪzəl] *adj* Nasal-

nastily ['nɑːstɪlɪ] *adv* ↑ *unpleasantly* scheußlich; ◇ **to speak ~ to s.o.** jd-n angiften; ↑ *dangerously* schlimm, böse; **nastiness** ['nɑːstɪnəs] *n* Ekelhaftigkeit, Scheußlichkeit *f;* **nasty** *adj* ekelhaft; ▷*situation, weather* unangenehm; ▷*injury* schlimm, böse; ↑ *dirty* schmutzig; ▷*person* gemein, fies, garstig

nation ['neɪʃən] *n* Nation *f*, Volk *s;* **national** ['næʃənl] **I.** *adj* national, Staats-, Landes- **II.** *n* Staatsangehörige(r) *fm;* **national anthem** *n* Nationalhymne *f;* **National Guard** *n* Nationalgarde *f;* **national insurance** *n* (*BRIT*) Sozialversicherung *f;* **nationalism** ['næʃnəlɪzəm] *n* Nationalismus *m;* **nationalist I.** *n* National-ist(in *f*) *m* **II.** *adj* nationalistisch; **nationality** [næʃə'nælɪtɪ] *n* Staatsangehörigkeit *f*, Nationalität *f;* **nationalization** [næʃnəlaɪ'zeɪʃən] *n* Verstaatlichung *f;* **nationalize** ['næʃnəlaɪz] *vt* verstaatlichen; **nationally** ['næʃnəlɪ] *adv* national, auf Staatsebene; **nation-wide** *adj, adv* im ganzen Land, landesweit

native ['neɪtɪv] **I.** *n* [1] Einheimische(r) *fm;* ◇ **~ speaker** Muttersprachler(in *f*) *m* [2] ↑ *indigenous people* Eingeborene(r) *fm* **II.** *adj* einheimisch; ◇ **~ country** Heimatland *s;* ◇ **~ language** Muttersprache *f;* ▷*plants, animals* einheimisch; (*of birth*) heimatlich, Heimat-; ↑ *inborn, inate* angeboren, natürlich; ◇ **a ~ of Germany** gebürtige(r) Deutsche(r) *fm*

nativity [nə'tɪvɪtɪ] *n* Geburt *f;* ◇ **the N~** Christi Geburt

NATO ['neɪtəʊ] *n acronym of* **North Atlantic Treaty Organization** Nato *f*

natter ['nætə*] *vi FAM* ↑ *chat* quatschen

natural ['nætʃrəl] *adj* ↑ *not man-made* natürlich; ↑ *normal* normal, üblich; ↑ *inborn* angeboren; ◇ **he is a ~ artist** er ist der geborene Kunstler; ◇ **to have a ~ talent for s.th.** eine natürliche Begabung für etw haben; ▷*actions, manner* natürlich; ▷*parents* leibliche; ▷*children* natürliche; ◇ **to die of ~ causes** eines natürlichen Todes sterben; ◇ **~ childbirth** natürliche [*o.* sanfte] Geburt; **naturalist** *n* Naturforscher(in *f*) *m;* **naturalize** *vt* → *foreigner* einbürgern; **naturally** *adv* natürlich; ◇ **that comes to her ~** das fällt ihr leicht

natural resources *n pl* natürliche Rohstoffe *m;* ◇ **~ science** Naturwissenschaft *f;* ◇ **~ selection** natürliche Auslese *f;* **naturalness** *n* Natürlichkeit *f*

nature ['neɪtʃə*] *n* Natur *f;* ◇ **by ~** von Natur aus; ↑ *type, sort* derartiges; ◇ **… or something of that ~** … oder etw in der Art; ◇ **mother ~** Mutter Natur; ◇ **s.o.'s better ~** der Samariter in jd-m; ◇ **the foreign language had become second ~ to her** sie beherrschte die Fremdsprache so gut wie ihre eigene

naturopath ['neɪtʃərəpæθ] *n* Heilpraktiker(in *f*) *m*

naught [nɔːt] *n* Null *f*

naughtily ['nɔ:tılı] *adv* unartig; **naughtiness** ['nɔ:tınəs] *n* Unartigkeit *f; ▹moral* Unanständigkeit *f;* **naughty** *adj ▹child* unartig, ungezogen; *▹behavior, action* ungehörig; ↑ *obscene* unanständig
nausea ['nɔ:sıə] *n* ↑ *sick feeling* Übelkeit *f;* **nauseate** ['nɔ:sıeıt] *vt* in jd-m Übelkeit erregen; (*disgusting*) anekeln, anwidern; **nauseous** *adj:* ◇ **after the injection the patient felt ~** nach der Injektion *f* bekam der Patient Brechreiz
nautical ['nɔ:tıkəl] *adj* nautisch, See-
naval ['neıvəl] *adj* Marine-, See-, Flotten-
nave [neıv] *n* Kirchenhauptschiff *s*
navel ['neıvəl] *n* Nabel *m*
navigable ['nævıgəbl] *adj* schiffbar; **navigate** ['nævıgeıt] **I.** *vt* → *car, ship etc.* steuern; ◇ **he ~d his way through the crowd** er bahnte sich einen Weg durch die Menge **II.** *vi* (*be mobile*) fahren; (*give directions*) jd-m sagen, wie er fahren muß; **navigation** [nævı'geıʃən] *n* Navigation *f;* **navigator** ['nævıgeıtə*] *n* Steuermann *m;* ↑ *explorer* Seefahrer(in *f*) *m;* AERO Navigator(in *f*) *m;* AUTO Beifahrer(in *f*) *m*
navvy ['nævı] (*BRIT*) *n* Bauarbeiter(in *f*) *m*, Straßenarbeiter(in *f*) *m*
navy ['neıvı] *n* [Kriegs-]Marine *f;* **navy-blue** *adj* marineblau
NB *abbr. of* **nota bene** N.B.
NCO *abbr. of* **non-commissioned officer** ≈Unteroffizier *m*
near [nıə*] **I.** *adj* nah[e]; ◇ **~ relatives** nahe Verwandte **II.** *adv* nahe; ◇ **to be ~** in der Nähe sein; ↑ *closely, accurately* genau; ◇ **as ~ as I can judge** soweit ich es beurteilen kann; ↑ *similar to* ähnlich *dat;* ◇ **I am not anyhere ~ to finishing...** ich bin noch lange nicht fertig; ◇ **nowhere ~ as much** lange nicht soviel; ◇ **it happened ~ to Christmas** es ist kurz vor Weihnachten geschehen; ◇ **it is ~ 5 o'clock** es ist fast fünf Uhr, es ist kurz vor fünf **III.** *prep* nah; ◇ **keep ~ me** bleib' in meiner Nähe; ◇ **~ the end** kurz vor dem Ende **IV.** *vt* sich nähern *dat;* **near enough** gut genug; **nearby I.** *adj* nahe gelegen **II.** *adv* in der Nähe; **nearly** *adv* fast; **not nearly** bei weitem nicht; **nearness** *n* Nähe *f;* **nearside I.** *n* AUTO Beifahrerseite *f* **II.** *adj* auf der Beifahrerseite
neat *adj* ↑ *tidy* ordentlich; (*way of doing s.th.*) tadellos; ↑ *great, AM* toll; ↑ *undiluted, BRIT* pur; **neatly** ['ni:t, -lı] *adv* ↑ *nicely* ordentlich; ↑ *carefully* sauber; **neatness** *n* Ordentlichkeit *f*, Sauberkeit *f*
nebulous ['nebjʊləs] *adj FIG ▹idea* unklar, verschwommen, nebulös
necessarily ['nesəsərəlı] *adv* unbedingt, notwendigerweise; **necessary** ['nesəsərı] **I.** *adj* notwendig, nötig; ◇ **it is ~ that one...** man muß...; ◇ **we drew the ~ conclusions** wir haben die entsprechenden Schlüsse daraus gezogen **II.** *n* Notwendige *s;* **necessitate** [nı'sesıteıt] *vt* erforderlich machen; **necessity** [nı'sesıtı] *n* ↑ *need* Not *f;* ↑ *compulsion* Notwendigkeit *f;* ◇ **necessities** *pl* **of life** Bedürfnisse *pl* des täglichen Lebens
neck [nek] **I.** *n m:* ◇ **to save o.'s ~** seinen Hals aus der Schlinge ziehen; ◇ **to be up to o.'s ~ in work** bis über die Ohren in der Arbeit stecken; ◇ **~ and ~** Kopf an Kopf; (*of a bottle*) Hals *m;* (*of a dress*) Ausschnitt *m;* ◇ **it has a high ~** es ist hochgeschlossen **II.** *vi* schmusen; **necklace** ['neklıs] *n* Halskette *f*
neckline *n* Ausschnitt *m;* **necktie** *n* (*AM*) Krawatte *f*
nectar ['nektə*] *n* Nektar *m*
nectarine ['nektərın] *n* Nektarine *f*
née [neı] *adj* geborene; ◇ **Patricia d'Arbanville, ~ Smith** Patricia d'Arbanville, geborene Smith
need [ni:d] **I.** *vt* brauchen; ◇ **this situation ~s some explanation** diese Situation bedarf einer Erklärung; ◇ **this work ~s to be done** diese Arbeit muß getan werden; ◇ **if ~ be** wenn es nötig ist; ↑ *require* verlangen **II.** *n* Bedarf *m;* ◇ **in time of ~** in schwierigen Zeiten, in Zeiten der Not; ◇ **to be in great ~** große Not leiden; ↑ *desire* Verlangen (*of, for* nach) *s;* ◇ **I began to feel the ~ of a vacation** ich fühlte mich allmählich urlaubsreif; ↑ *want* Mangel *m;* ◇ **there is a great ~ for** es besteht ein großer Bedarf an; ◇ **to be in ~ of s.th.** etw brauchen; ↑ *necessity* Notwendigkeit *f;* ◇ **he is in ~ of advice** er braucht [*o.* benötigt] Rat; ↑ *poverty* Not *f;* ↑ *requirement* Bedürfnis *s;* ◇ **the body's ~ for oxygen** der Sauerstoffbedarf des Körpers; ◇ **my ~s are many** ich bin sehr anspruchsvoll
needle ['ni:dl] **I.** *n* (*sewing, knitting*) Nadel *f;* ◇ **it's like looking for a ~ in a haystack** es ist, als müßte man eine Stecknadel im Heuhaufen suchen; ◇ **pine ~** Kiefernnadel **II.** *vt* ↑ *niggle* ärgern; ◇ **I was ~ed by his comments** er stichelte mich mit s-n Bemerkungen
needless ['ni:dlıs] *adj* unnötig; ◇ **~ to say, he failed** natürlich ist er durchgefallen; **needlessly** *adv* unnötigerweise; ◇ **they were ~ rude** sie waren unnötig grob
needlework ['ni:dlwɜ:k] *n* Handarbeit *f*
needy ['ni:dı] **I.** *adj* bedürftig; ◇ **in ~ circumstances** in ärmlichen Umständen **II.** *n pl* die Bedürftigen *pl*
negate [nı'geıt] *vt* ↑ *nullify* zunichte machen; ↑ *deny* verneinen; **negation** [nı'geıʃən] *n* Verneinung *f*

N

negative ['negətɪv] **I.** *n* ① FOT Negativ *s* ② MATH negative Zahl *f;* ◇ **two -s make a positive** zweimal minus gibt plus **II.** *adj* negativ; ▷*answer* abschlägig; (*not positive, bad*) schlecht; ◇ **she has a - attitude towards life** sie hat eine schlechte Lebenseinstellung

neglect [nɪ'glekt] **I.** *vt* → *opportunity* versäumen; → *garden, person* vernachlässigen; → *advice* nicht befolgen; ◇ **to - to do s.th.** es versäumen, etw zu tun **II.** *n* Vernachlässigung *f;* **neglected** *adj* vernachlässigt

negligence ['neglɪdʒəns] *n* Nachlässigkeit *f;* ◇ **- of o.'s duties** Pflichtvergessenheit *f;* **negligent** *adj* nachlässig

negligible ['neglɪdʒəbl] *adj* unbedeutend; ▷*amount, sum* unerheblich

negotiable [nɪ'gəʊʃɪəbl] *adj* ↑ *not fixed*: ◇ **these terms are -** über diese Bedingungen *acc* kann verhandelt werden; ▷*contract* übertragbar; ▷*difficulty* überwindbar; COMM ↑ *sellable* verkäuflich; **negotiate** [nɪ'gəʊʃɪeɪt] **I.** *vi* verhandeln (*for* über *acc*) **II.** *vt* → *plans, arrangements* abschließen, aushandeln; → *difficulty* überwinden; **negotiation** [nɪgəʊʃɪ'eɪʃən] **III.** *n* Verhandlung *f;* ◇ **the matter is still under -** über diese Sache wird noch verhandelt; ◇ **to begin -s with s.o.** Verhandlungen mit jd-m aufnehmen; **negotiating table** *n* Verhandlungstisch *m;* ◇ **to be at the - -** am Verhandlungstisch sitzen; **negotiator** [nɪ'gəʊʃɪeɪtə*] *n* Unterhändler(in *f*) *m*

Negress ['ni:gres] *n PEJ* Negerin *f;* **Negro** ['ni:grəʊ] **I.** *n* <-es> *PEJ* Neger *m* **II.** *adj* Neger-

neighbour, **neighbor** (*AM*) ['neɪbə*] *n* Nachbar(in *f*) *m;* **neighbourhood** *n* Nachbarschaft *f,* Gegend *f,* Viertel *s;* ◇ **in the - of s.th.** in der Nähe von etw; **neighbouring** *adj* benachbart, angrenzend; **neighbourly** *adv* freundlich, gutnachbarschaftlich

neither ['naɪðə*] **I.** *pron* keine(r, s) [von beiden] **II.** *cj* weder, auch nicht; ◇ **I don't know and - does he** ich weiß es nicht, und er auch nicht **III.** *adv* weder noch; ◇ **he - knows nor cares** er weiß es nicht, und er will es auch nicht wissen; ◇ **she - smokes nor drinks** sie raucht nicht und trinkt nicht

neo- ['ni:əʊ] *pref* neo-

neon ['ni:ɒn] *n* Neon *s;* ◇ **- light** Neonlicht *s*

nephew ['nefju:] *n* Neffe *m*

nerd *n AM FAM* Spießer *m*

nerve [nɜ:v] *n* Nerv *m;* ◇ **to be in a terrible state of -s** mit den Nerven völlig fertig sein; ◇ **to get on s.o.'s -s** jd-m auf die Nerven gehen, jd-n nerven; ◇ **she is living on her -** sie macht sich ständig Sorgen; ◇ **to have -s of steel** Nerven wie Drahtseile haben; ↑ *courage* Mut *m;* ◇ **to lose o.'s -s** die Nerven verlieren; ◇ **to have the - to do s.th.** es wagen, etw zu tun; ↑ *impudence* Frechheit *f;* ◇ **she's got -!** die hat vielleicht Nerven!; ◇ **the - of her** so eine Frechheit von ihr; **nerveless** *adj* ↑ *confident* gelassen, seelenruhig; **nerve-racking** *adj* nervenaufreibend; **nervous** ['nɜ:vəs] *adj* ↑ *apprehensive* nervös; ↑ *excited* aufgeregt; ↑ *jittery, tense* unruhig; ◇ **to be - about s.th.** wegen etw nervös sein; ◇ **I am - about the exam** ich habe Angst vor der Prüfung; ◇ **- breakdown** Nervenzusammenbruch *m;* **nervous system** *n* ANAT Nervensystem *s;* **nervous wreck** *n:* ◇ **she's a - -** sie ist mit den Nerven völlig am Ende; ◇ **I look a - -** ich schaue völlig fertig aus; **nervously** *adv* nervös; **nervousness** *n* Nervosität *f;* **nervy** *adj* (*BRIT*) nervös, unruhig; *AM* frech, unverschämt

nest [nest] *n* Nest *s; FIG* ◇ **to have a little -** ↑ *money saved* sich ein kleines Pölsterchen gespart haben

nestle ['nesl] *vi* sich kuscheln; ◇ **to - up to s.o.** sich an jd-n kuscheln; ◇ **a house nestling in the hills** ein Haus, das zwischen Berge eingebettet ist

nestling *n* Nestling *m*

net [net] **I.** *n* Netz *s* **II.** *adj* Netto-; ◇ **- profit** Reingewinn *m*

netball *n* Netzball *m;* **net curtain** *n* Store *m*

Netherlands ['neðələndz] *n pl* Niederlande *pl*

netting ['netɪŋ] *n* Netzgewebe *s,* Drahtgeflecht *s*

network ['netwɜ:k] **I.** *n* MEDIA Netz, Sendenetz *s;* PC Netzwerk *s* **II.** *vt* etw im ganzen Sendebereich ausstrahlen; **networked** *adj* vernetzt

neurosis [njʊə'rəʊsɪs] *n* Neurose *f*

neurosurgery *n* Neurochirurgie *f;* **neurotic** [njʊə'rɒtɪk] **I.** *adj* neurotisch **II.** *n* Neurotiker(in *f*) *m*

neuter ['nju:tə*] **I.** *adj* BIO ungeschlechtlich; LING sächlich **II.** *n* BIO kastriertes Tier; LING Neutrum *s*

neutral ['nju:trəl] *adj* neutral; **neutrality** [nju:'trælɪtɪ] *n* Neutralität *f;* **neutralize** *vt* neutralisieren; ◇ **neutralizing agent** neutralisierender Wirkstoff; ↑ *incapacitate* unfähig machen

neutron ['nju:trɒn] *n* Neutron *s;* **neutron bomb** *n* Neutronenbombe *f*

never ['nevə*] *adv* niemals, nie; (*expressing surprise*) ◇ **well I -...** na so was, so was habe ich noch nie...; ◇ **- ever again** niemals wieder; ◇ **that will - do** das geht ganz und gar nicht; **never-ending** *adj* endlos; **nevertheless** [nevəðə'les] *adv* trotzdem, dennoch

new [nju:] *adj* neu; ◇ **what's new?** was gibt's

Neues?; ◇ **the - woman** die moderne Frau; ▷*vegetables* jung; **newborn** *adj* neugeboren; **newcomer** *n* Neuankömmling *m;* **newly** *adv* frisch, neu; **newlywed** *n* Neuvermählte(r) *fm;* **new moon** *n* Neumond *m;* **newness** *n* Neuheit *f,* Neue *s;* ◇ **years later, the - had subsided** einige Jahre später war der Reiz des Neuen verflogen

news [nju:z] *n sg* Nachricht *f,* Nachrichten *pl;* **news agency** *n* Nachrichtenagentur *f;* **newsagent** *n* (*BRIT*) Zeitungshändler(in *f*) *m; AM* Zeitungsjunge; **news flash** *n* Kurzmeldung *f;* **newsletter** *n* Rundschreiben *s;* **newspaper** *n* Zeitung *f;* **newsreel** *n* Wochenschau *f;* **news-stand** *n* Zeitungsstand *m;* **news story** *n* Bericht *m*

newt [nju:t] *n* Wassermolch *m;* ◇ **as drunk as a -** blau wie ein Veilchen, sternhagelblau

New Year ['nju:'jɪə*] *n* Neujahr *s;* ◇ **Happy - -!** Ein gutes neues Jahr!; ◇ **- -'s resolution** guter Vorsatz *m* für das neue Jahr; ◇ **- -'s Eve** Silvester *m or s*

New Zealand [nju:'zi:lənd] **I.** *n* Neuseeland *s* **II.** *adj* neuseeländisch; **New Zealander** *n* Neuseeländer(in *f*) *m*

next [nekst] **I.** *adj* nächste(r, s) **II.** *adv* ↑ *after* dann, darauf; ◇ **- to last row** die vorletzte Reihe; ◇ **- to nothing** so gut wie nichts **III.** *prep* (*near, beside*) [gleich] neben *dat;* ◇ **- to nothing** so gut wie nichts; ◇ **to do s.th. -** etw als nächstes tun; ◇ **what -?** was denn noch [alles]?; **next door I.** *adv* ↑ *nebenan:* ◇ **she lives - - to me** sie wohnt direkt neben mir; ◇ **there is a bakery right - -** gleich nebenan gibt es eine Bäckerei **II.** *adj:* ◇ **we are - - neighbours** wir wohnen Tür an Tür; **next of kin** Familienangehörige(r) *fm*

Niagara Falls [naɪ'ægrə'fɔ:lz] *n pl* Niagarafälle *pl*

nib [nɪb] *n* Spitze *f*

nibble ['nɪbl] **I.** *vt, vi* knabbern (*at, on* an *dat*) **II.** *n* ⓵ kleiner Bissen; ◇ **I just want a - to eat** ich möchte nur eine Kleinigkeit zu essen ⓶ ◇ **I think I've got a -** ich glaube, ein Fisch hat angebissen

Nicaragua [nɪkə'rægjʊə] *n* Nicaragua *s;* **Nicaraguan I.** *adj* nicaraguanisch **II.** *n* Nicaraguaner(in *f*) *m*

nice [naɪs] *adj* ▷*person* hübsch, nett, schön; ▷*car, weather* schön; ▷*food* gut, lecker; ↑ *subtle* fein; ◇ **that's a - idea** das ist eine tolle Idee; ◇ **be -** sei lieb; (*intensifier*) ◇ **we had a - long chat** wir haben uns gut unterhalten; ◇ **it is - and peaceful here** es ist schön ruhig hier; (*ironic*) ◇ **you're in a - mess** du sitzt schön in der Tinte; ◇ **That's a - way to talk to your mother** Wie sprichst du denn mit deiner Mutter?, Spricht man so mit seiner Mutter?; **nice-looking** *adj* hübsch, gutaussehend; **nicely** *adv* gut, nett, schön; ◇ **that will do -** das reicht vollauf; ◇ **to be - spoken** sich gepflegt ausdrücken

nick [nɪk] *n* Einkerbung *f;* ◇ **in the - of time** gerade rechtzeitig

nickel ['nɪkl] *n* CHEM Nickel *s; AM* Nickel *m 5-Cent-Stück*

nickname ['nɪkneɪm] *n* Spitzname *m*

nicotine ['nɪkəti:n] *n* Nikotin *s*

niece [ni:s] *n* Nichte *f*

Nielsen rating ['ni:lsənreɪtɪŋ] *n* (*AM*) Einschaltquote *f*

niggardly ['nɪgədlɪ] *adj* ▷*person, dish* knausrig

nigger *n PEJ* Nigger(in *f*) *m*

niggle ['nɪgl] **I.** *vi* herumkritteln (*about* an *dat*) **II.** *vt* plagen **III.** *n* kleine Sorge *f;* **niggling** ['nɪglɪŋ] *adj* pingelig; ▷*doubt, worry* quälend; ▷*detail* kleinlich

night [naɪt] *n* Nacht *f;* ↑ *evening* Abend *m;* ◇ **at** [*o.* **by**] **-** nachts; abends; ◇ **to make a - of it** die Nacht durchmachen; ◇ **to have a late/early -** spät/früh ins Bett gehen; **nightcap** *n* ⓵ (*drink*) Schlummertrunk *m* ⓶ (*garment*) Nachtmütze *f;* **nightclub** *n* Nachtlokal *s,* Bar *f;* **nightdress** *n* (*BRIT*) Nachthemd *s;* **nightfall** *n* Einbruch *m* der Nacht/Dunkelheit

nightgown *n* (*AM*) Nachthemd *s;* **nightie** ['naɪtɪ] *n FAM* Nachthemd *s*

nightingale ['naɪtɪŋgeɪl] *n* Nachtigall *f*

night life ['naɪtlaɪf] *n* Nachtleben *s;* **nightly** *adv* jeden Abend, allabendlich, jede Nacht; **nightmare** ['naɪtmɛə*] *n* Alptraum *m;* **night school** *n* Abendschule *f;* **night-time** *n* Nacht *f;* **night watchman** *n* <-men> Nachtwächter *m*

nil [nɪl] *n* Nichts *s,* Null *f;* SPORT null

Nile [naɪl] *n* Nil *m*

nimble ['nɪmbl] *adj* ▷*fingers* behend[e], flink; ▷*mind* beweglich; ◇ **my granny is still -** meine Oma ist noch sehr rüstig; **nimbly** *adv* flink

nine [naɪn] *nr* neun

nineteen [naɪn'ti:n] *nr* neunzehn

ninety ['naɪntɪ] *nr* neunzig

ninth [naɪnθ] **I.** *adj* neunte(r, s) **II.** *n* ⓵ ▷*person* Neunte(r) *fm;* ▷*part* Neuntel *s*

nip [nɪp] **I.** *vt* → *person* kneifen; ← *dog* zwicken **II.** *n* Kniff, Biß *m*

nipple ['nɪpl] *n* Brustwarze *f*

nippy ['nɪpɪ] *adj FAM* ▷*person* flink; ▷*car* flott; ↑ *cold* frisch

nit [nɪt] *n* Nisse *f*

nitrogen ['naɪtrədʒən] *n* Stickstoff *m;* **nitrogen oxide** *n* Stickoxid *s*

no [nəʊ] **I.** *adj* kein **II.** *adv* nein **III.** *n* <-es> Nein *s;*

N

◇ ~ **further** nicht weiter; ◇ ~ **more time** keine Zeit mehr; ◇ **in** ~ **time** schnell

nobility [nəʊ'bɪlɪtɪ] *n* Adel *m;* ◇ **the** ~ **of this deed** diese edle Tat; **noble** ['nəʊbl] **I.** *adj* (*rank*) adlig; ↑ *splendid* nobel, edel **II.** *n* Adlige(r) *fm;* **nobleman** *n* <-men> Edelmann *m,* Adliger *m;* **noblewoman** *n* <-women> Adlige *f;* **nobly** ['nəʊblɪ] *adv* edel, großmütig

nobody ['nəʊbədɪ] **I.** *pron* niemand, keiner **II.** *n* Niemand *m*

no-claims bonus [nəʊ'kleɪmzbəʊnəs] *n* Bonus *m,* Schadenfreiheitsrabatt *m*

nod [nɒd] *vi* nicken; **nod off** *vi* einnicken

noise [nɔɪz] *n* ↑ *sound* Geräusch *s;* (*unpleasant, loud*) Lärm *m;* **noisily** ['nɔɪzɪlɪ] *adv* lärmend, laut; **noise prevention** *n* Lärmschutz *m;* **noise reducer** *n* PC Schallschluckhaube *f;* **noisy** *adj* laut; ▷*crowd* lärmend

nomad ['nəʊmæd] *n* Nomade *m,* Nomadin *f;* **nomadic** [nəʊ'mædɪk] *adj* nomadisch

no-man's land ['nəʊmænzlænd] *n* Niemandsland *s*

nominal ['nɒmɪnl] *adj* nominell; LING Nominal-

nominate ['nɒmɪneɪt] *vt* ↑ *suggest* vorschlagen; (*in election*) nominieren; ↑ *appoint* ernennen; **nomination** [nɒmɪ'neɪʃən] *n* (*of candidate*) Nominierung *f;* (*of official*) Ernennung *f*

nominative ['nɒmɪnətɪv] *n* LING Nominativ *m,* erster Fall

nominee [nɒmɪ'niː] *n* Kandidat(in *f*) *m,* Bewerber(in *f*) *m*

non- [nɒn] *pref* Nicht-, un-; **non-alcoholic** *adj* alkoholfrei, ohne Alkohol *m*

nonchalant ['nɒnʃələnt] *adj* lässig, gelassen

nondescript ['nɒndɪskrɪpt] *adj* mittelmäßig

none [nʌn] **I.** *adj, pron* kein(e, er, es) **II.** *adv:* ◇ **she returned** ~ **the wiser** als sie zurückkam, war sie auch nicht klüger als zuvor; ◇ **N~ of your excuses!** Spar' dir deine Ausreden!; ◇ **that's** ~ **of your business** das geht dich nichts an

nonentity [nɒ'nentɪtɪ] *n* Null *f*

nonetheless [nʌnðə'les] *adv* nichtsdestoweniger, nichtsdestotrotz

non-fiction [nɒn'fɪkʃən] *n* Sachbuch *s*

nonplussed [nɒn'plʌst] *adj* verdutzt, baff

nonprint [nɒn'prɪnt] *adj* nicht in Buchform

nonsense ['nɒnsəns] *n* Unsinn *m;* ◇ **literary** ~ (*Lewis Carroll*) Nonsensliteratur *f*

non-stop [nɒn'stɒp] *adj* ununterbrochen, pausenlos, Nonstop-

noodles ['nuːdlz] *n pl* Nudeln *fpl*

nook [nʊk] *n* Winkel *m,* Eckchen *s*

noon [nuːn] *n* Mittag *m;* ◇ **at** ~ um die Mittagszeit, mittags

no one ['nəʊwʌn] *pron s.* **nobody**

noose [nuːs] *n* Schlinge *f*

norm [nɔːm] *n* Norm, Regel *f*

normal ['nɔːməl] *adj* normal; **normally** *adv* ↑ *as usual* normal; ↑ *usually* normalerweise, gewöhnlich

north [nɔːθ] **I.** *n* Norden *m* **II.** *adj* nördlich, Nord- **III.** *adv* nach Norden; ◇ ~ **of Manchester** nördlich von Manchester; **North America** *n* Nordamerika *s;* **northerly** *adj* nördlich; **northern** ['nɔːðən] *adj* nördlich; **Northern Ireland** *n* Nordirland *s;* **North Sea** *n* Nordsee *f;* **northwards** *adv* nach Norden, Richtung Norden

Norway ['nɔːweɪ] *n* Norwegen *s;* **Norwegian** [nɔː'wiːdʒən] **I.** *adj* norwegisch **II.** *n* Norweger(in *f*) *m*

no., No. *abbr. of* **number** Nummer, Nr.

nose [nəʊz] *n* Nase *f;* **nosebleed** *n* Nasenbluten *s;* **nose-dive** *n* Sturzflug *m;* **nosey** ['nəʊzɪ] *adj* neugierig

nostalgia [nɒ'stældʒɪə] *n* Sehnsucht *f,* Nostalgie *f;* **nostalgic** *adj* wehmütig, nostalgisch

nostril ['nɒstrɪl] *n* Nasenöffnung *f,* Nasenloch *s;* (*of animal*) Nüster *f*

not [nɒt] *adv* nicht; ◇ **he is** ~ **certain** er ist sich nicht sicher; ◇ **she is** ~ **a doctor** sie ist keine Ärztin; ◇ ~ **at all** keineswegs; ◇ **do** ~ **feed** (*on sign*) bitte nicht füttern

notable ['nəʊtəbl] *adj* bemerkenswert, beachtlich; **notably** *adv* ↑ *especially* besonders; ↑ *noticeably* bemerkenswert

notch [nɒtʃ] *n* Kerbe *f*

note [nəʊt] **I.** *n* ① MUS Note *f,* Ton *m* ② (*written information*) Nachricht, Notiz *f;* (*of lecture*) Aufzeichnung *f;* ◇ **to take ~s of** sich Notizen machen über *acc;* POL ↑ *diplomatic* ~ Note *f* ③ ↑ *bank-* [Geld-]Schein *m,* Banknote *f* ④ ↑ *attention* ◇ **to take** ~ **of s.th.** von etw Notiz *f* nehmen ⑤ ◇ **a person of** ~ eine bedeutende Persönlichkeit *f* **II.** *vt* ↑ *observe* bemerken; ↑ *write down* notieren; **notebook** *n* Notizbuch *s;* **noted** *adj* bekannt; **notepaper** *n* Briefpapier *s*

nothing ['nʌθɪŋ] *n* nichts; ◇ **for** ~ umsonst; ◇ **it is** ~ **to me** es bedeutet mir nichts

notice ['nəʊtɪs] **I.** *n* ① ↑ *announcement* Anzeige *f,* Bekanntmachung *f* ② ↑ *attention* Beachtung *f;* ↑ *warning* Ankündigung *f* ③ ↑ ~ *of dismissal* Kündigung *f* **II.** *vt* bemerken; ◇ **he took no** ~ **of her** er beachtete sie nicht; ◇ **May I bring these facts to your ~?** Darf ich Sie auf diese Tatsachen *acc* aufmerksam machen?; ◇ **take no ~!** kümmere dich nicht darum!; **noticeable** *adj* merklich; **notice board** *n* schwarzes Brett *s,* Anschlagtafel *f*

notification [nəʊtɪfɪ'keɪʃən] *n* Benachrichtigung *f*
notify ['nəʊtɪfaɪ] *vt* benachrichtigen
notion ['nəʊʃən] *n* ↑ *idea* Vorstellung *f*, Idee *f;* ↑ *fancy* Lust *f*
notorious [nəʊ'tɔ:rɪəs] *adj* berüchtigt, notorisch
notwithstanding [nɒtwɪð'stændɪŋ] **I.** *adv* trotzdem **II.** *prep* trotz
nougat ['nu:gɑ:] *n* Nougat *m o s*
nought [nɔ:t] *n* Null *f*
noun [naʊn] *n* LING Hauptwort, Substantiv *s*
nourish ['nʌrɪʃ] *vt* [er-]nähren; **nourishing** *adj* nahrhaft; **nourishment** *n* Nahrung *f*
novel ['nɒvəl] **I.** *n* Roman *m* **II.** *adj* neuartig; **novelist** *n* [Roman-]Schriftsteller(in *f*) *m;* **novelty** *n* (*s.th. new*) Neuheit *f*
November [nəʊ'vembə*] *n* November *m*
novice ['nɒvɪs] *n* Neuling *m;* (REL *in monastery*) Novize *m*, Novizin *f*
now [naʊ] *adv* jetzt; ◇ **right** ~ jetzt, gerade; ◇ **we must do it right** ~ wir müssen es jetzt sofort tun; ◇ ~ **and then,** ~ **and again** ab und zu, manchmal; ◇ ~, ~ na, na; **nowadays** *adv* heutzutage, heute
nowhere ['nəʊwɛə*] *adv* nirgends
nozzle ['nɒzl] *n* Düse *f*
nuclear ['nju:klɪə*] *adj* ▷*particle* atomar, nuklear; ▷*energy* Kernkraftwerk, Atomkraftwerk *s;* ◇ ~ **power** Kernkraft, Atomkraft *f;* ◇ ~ **power station** Atomkraftwerk, AKW *s*, Kernkraftwerk *s;* **nuclear-free** *adj* atomwaffenfrei
nucleus ['nju:klɪəs] *n*, **nuclei** ['nju:klɪaɪ] *n* Kern *m*
nude [nju:d] **I.** *adj* nackt **II.** *n* ▷*person* Nackte(r) *fm*, Akt *m*
nudge [nʌdʒ] *vt* leicht anstoßen
nudist ['nju:dɪst] *n* Nudist(in *f*) *m*, FKK-Anhänger(in *f*) *m;* **nudist beach** *n* FKK-Strand *m*
nudity ['nju:dɪtɪ] *n* Nacktheit *f*
nuisance ['nju:sns] *n* Ärgernis *s;* ◇ **that's a** ~ das ist ärgerlich; ◇ **he's a** ~ er geht einem auf die Nerven
nuke [nju:k] *n* (*esp AM*) [1] *FAM* Kern-, Atomkraftwerk *s* [2] *FAM* ↑ *atomic bomb* Atombombe *f*
null [nʌl] *adj:* ◇ ~ **and void** null und nichtig; **nullify** *vt* für null und nichtig erklären
numb [nʌm] **I.** *adj* ▷*fingers* taub, gefühllos **II.** *vt* betäuben
number ['nʌmbə*] **I.** *n* [1] Nummer *f;* (*numeral also*) Zahl *f* [2] ↑ *quantity* [An-]Zahl *f* [3] LING Numerus *m* [4] (*of magazine also*) Ausgabe *f* **II.** *vt* ↑ *give a number to* numerieren; ↑ *amount to* sein; ◇ **his days are ~ed** seine Tage sind gezählt; ◇ **~ed account** Nummernkonto *s;* **number plate** *n* *BRIT* AUTO Nummernschild *s*
numbness ['nʌmnəs] *n* Gefühllosigkeit, Taubheit *f*
numbskull ['nʌmskʌl] *n FAM* Idiot(in *f*) *m*
numeral ['nju:mərəl] *n* Ziffer *f*
numerical [nju:'merɪkəl] *adj* numerisch; ▷*order* zahlenmäßig
numerous ['nju:mərəs] *adj* zahlreich
nun [nʌn] *n* Nonne *f*
nurse [nɜ:s] *n* **I.** Krankenschwester *f;* (*male* ~) Krankenpfleger *m;* (*for children*) Kindermädchen *s* **II.** *vt* → *patient* pflegen; → *doubt* hegen;
nursery [nɜ:srɪ] *n* (*for children*) Kinderzimmer *s;* (*plants, trees*) Gärtnerei, Baumschule *f;* ◇ ~ **rhyme** Kinderreim *m;* ◇ ~ **school** Kindergarten *m;* **nursing** *n* (*profession*) Krankenpflege *f;* ◇ ~ **home** Privatklinik *f*
nut [nʌt] *n* [1] (*pea-*) Nuß *f* [2] (*screw*) Schraubenmutter *f* [3] *FAM* Verrückte(r) *fm;* **nutcase** *n* *FAM* Verrückte(r) *fm;* **nutcrackers** *n pl* Nußknacker *m*
nutmeg ['nʌtmeg] *n* Muskat *m*, Muskatnuß *f*
nutrient ['nju:trɪənt] *n* Nährstoff *m;* **nutrition** [nju:'trɪʃən] *n* Nahrung *f;* **nutritious** [nju:'trɪʃəs] *adj* nahrhaft
nuts [nʌts] *adj FAM* ↑ *crazy* verrückt
nutshell ['nʌtʃel] *n FIG* ↑ *make a long story short:* ◇ **to put it in a** ~ um es kurz zu machen
nylon ['naɪlɒn] **I.** *n* Nylon *s* **II.** *adj* Nylon-

O

O, o [əʊ] *n* (*letter*) O, o *s;* ↑ *zero* Null *f*
oaf [əʊf] *n* <-s *o.* oaves> Lümmel *m*
oak [əʊk] *n* Eiche *f*
oar [ɔ:*] *n* Ruder *s*
oasis [əʊ'eɪsɪs] *n* Oase *f*
oath [əʊθ] *n* ↑ *promise* Schwur *m;* JUR Eid *m;* ◇ **to be under** ~ einen Eid ablegen
oatmeal ['əʊtmi:l] *n* (*AM*) Haferflocken *pl*
obdurate ['ɒbdjʊrɪt] *adj* ↑ *unbending* ▷*person* unnachgiebig
obedience [ə'bi:dɪəns] *n* Folgsamkeit *f;* **obedient** *adj* gehorsam
obelisk ['ɒbəlɪsk] *n* ↑ *pillar* Säule *f*
obesity [əʊ'bi:sɪtɪ] *n* Fettsucht *f*
obey [ə'beɪ] *vti* gehorchen *dat*, folgen *dat*
obituary [ə'bɪtjʊərɪ] *n* Todesanzeige *f*
object ['ɒbdʒɪkt] **I.** *n* [1] ↑ *thing* Ding *s*, Gegenstand *m* [2] (*of desire*) Zielscheibe *f* [3] ↑ *purpose* Zweck *m* [4] LING Objekt *s* **II.** [əb'dʒekt] *vi* ↑

disapprove dagegen sein; **objection** [əb'dʒekʃən] *n* Widerspruch *m;* ◇ **to make an ~** Widerspruch erheben; JUR Einspruch *m;* **objectionable** [əb'dʒekʃnəbl] *adj* (*obnoxious*) unanständig; (*language*) anstößig, unhöflich

objective [əb'dʒektɪv] **I.** *n* Ziel *s* **II.** *adj* sachlich; **objectively** *adv* nüchtern; ◇ **to look at s.th. ~** etw objektiv betrachten

obligate ['ɒblɪgeɪt] *vt* → *o.s.* sich verpflichten; ◇ **I felt -d to do s.th.** ich habe mich dazu verpflichtet gefühlt

obligation [ɒblɪ'geɪʃən] *n* ↑ *duty* Pflicht *f;* ◇ **he has no -s** er hat keine Verpflichtungen; COMM ◇ **no ~** unverbindlich

obligatory [ɒ'blɪgətərɪ] *adj* verbindlich; ◇ **attendance is ~** Anwesenheit ist Pflicht

oblige [ə'blaɪdʒ] *vt* (1) ↑ *help* ◇ **May I ~ you?** Darf ich Ihnen behilflich sein? (2) ↑ *thankful, grateful* ◇ **to be much -d** sehr dankbar sein; ◇ **I would be -d** ich wäre Ihnen sehr dankbar; **obliging** *adj* entgegenkommend

oblique [ə'bli:k] *adj* (1) ↑ *obscure* unklar (2) ↑ *slanted* schief

obliterate [ə'blɪtəreɪt] *vt* auslöschen; ◇ **he -d all memories of her** er löschte alle Erinnerungen an sie

oblivion [ə'blɪvɪən] *n* Vergessenheit *f*

oblivious [ə'blɪvɪəs] *adj* unbewußt; ◇ **to be ~ of s.th.** sich einer Sache nicht bewußt sein; ◇ **she was ~ to the fact that Walter liked her** sie merkte nicht, daß Walter sie gern hatte

oblong ['ɒblɒŋ] **I.** *n* ↑ *rectangle* Rechteck *s* **II.** *adj* rechteckig

obnoxious [əb'nɒkʃəs] *adj* abscheulich, widerlich; ◇ **her behaviour was ~** sie benahm sich scheußlich

oboe ['əubəʊ] *n* MUS Oboe *f*

obscene [əb'si:n] *adj* obszön, anstößig; ◇ **an ~ phone call** ein obszöner Anruf; **obscenity** [əb'senɪtɪ] *n* Obszönität *f*

obscure [əb'skjʊə*] **I.** *adj* (1) ▷*statement* undeutlich (2) ↑ *unknown* unbekannt; ◇ **the best cafés are the ~ ones** die unbekannten Cafes sind die besten **II.** *vt* ↑ *cloud, confuse* verwirren; ◇ **the statement -d the case** die Aussage machte den Fall noch komplizierter; **obscurity** [əb'skjʊərɪtɪ] *n* Unklarheit *f*

obsequious [əb'si:kwɪəs] *adj* unterwürfig; ▷*salesperson* kriecherisch

observable [əb'zɜ:vəbl] *adj* erkennbar

observance [əb'zɜ:vəns] *n* (*of custom, rule*) Beachtung *f*

observant [əb'zɜ:vənt] *adj* aufmerksam, wachsam

observation [ɒbzə'veɪʃən] *n* (1) ↑ *study* Beobachtung *f;* ◇ **to make an ~ of s.th.** Betrachtungen über/zu etw anstellen (2) ↑ *surveillance* Überwachen *s;* ◇ **to have s.o. under ~** jd-n unter Beobachtung halten

observatory [əb'zɜ:vətrɪ] *n* Sternwarte *f*

observe [əb'zɜ:v] *vt* (1) ↑ *notice* bemerken (2) ↑ *watch* beobachten (3) → *customs* achten auf; **observer** *n* (*bystander*) Zuschauer(f *f*) *m*

obsess [əb'ses] *vt:* ◇ **to be -ed with s.th.** von etw besessen sein; **obsession** [əb'seʃən] *n* fixe Idee *f,* Zwangsvorstellung *f;* **obsessive** *adj* zwanghaft; **obsessively** *adv* wie besessen; ◇ **he works ~** er arbeitet wie besessen

obsolescence [ɒbsə'lesns] *n* Veralten *s*

obsolete ['ɒbsəli:t] *adj* überholt; ◇ **Communism is becoming ~** der Kommunismus gehört bald der Vergangenheit an

obstacle ['ɒbstəkl] *n* Hindernis *s*

obstetrician [ɒbstə'trɪʃən] *n* Geburtshelfer(in *f*) *m*

obstetrics [ɒb'stetrɪks] *n sg* Geburtshilfe *f*

obstinacy ['ɒbstɪnəsɪ] *n* Hartnäckigkeit *f,* Starrsinn *m;* **obstinate** *adj* hartnäckig, starrsinnig

obstruct [əb'strʌkt] *vt* (1) → *road* blockieren; → *pipe* verstopfen (2) ↑ *hinder, prevent* behindern; **obstruction** [əb'strʌkʃən] *n* Blockierung *f,* Versperren *s;* **obstructive** *adj* behindernd

obtain [əb'teɪn] *vt* ↑ *get* erhalten, bekommen; ↑ *achieve* → *goal* erzielen; **obtainable** *adj* erhältlich

obtrusive [əb'tru:sɪv] *adj* aufdringlich

obtuse [əb'tju:s] *adj* (*angle*) stumpf

obviate ['ɒbvɪeɪt] *vt* beseitigen; → *anger* abwenden

obvious ['ɒbvɪəs] *adj* offenbar, offensichtlich; **obviously** *adv* offensichtlich

occasion [ə'keɪʒən] *n* (1) (*special event*) Anlaß *m* (2) ↑ *chance, opportunity* Gelegenheit *f;* **occasional** *adj* gelegentlich; **occasionally** *adv* gelegentlich; ◇ **~ she writes** sie schreibt sehr selten

occult [ɒ'kʌlt] **I.** *n* Okkulte *s* **II.** *adj* okkult

occupant ['ɒkjʊpənt] *n* (*of building, office*) Inhaber(in *f*) *m;* (*of apartment*) Bewohner(in *f*) *m*

occupation [ɒkjʊ'peɪʃən] *n* (1) ↑ *profession* Beruf *m* (2) MIL ↑ *of country* Besetzung *f;* **occupational** *adj* Berufs-, beruflich; **occupational hazard** *n* (*danger*) Berufsrisiko, s

occupy ['ɒkjʊpaɪ] *vt* (1) → *building* bewohnen (2) → *country* besetzen (3) → *seat* besetzen (4) → *time* beanspruchen (5) ↑ *mind* beschäftigen; ◇ **I ~ myself with books** ich beschäftige mich mit Büchern

occur [ə'kɜ:*] *vi* [1] ← *changes, event* vorkommen, geschehen [2] ↑ *appear* auftreten [3] ↑ *come to mind* einfallen (*to s.o.* jd-m); ◇ **Didn't it ~ to you to ask?** Bist du nie auf den Gedanken gekommen, zu fragen?; **occurrence** [ə'kɜ:rəns] *n* [1] ↑ *incident* Ereignis *s* [2] (*appearing*) Auftreten *s*

ocean ['əʊʃən] *n* Ozean *m*, Meer *s*

o'clock [ə'klɒk] *adv:* ◇ **it is 4 ~ p.m.** es ist 16 Uhr

octagan ['ɒktəgən] *n* (*shape*) Achteck *s*

octagonal [ɒk'tægənl] *adj* achteckig

octane ['ɒkteɪn] *n* Oktan *s*

octave ['ɒktɪv] *n* MUS Oktave *f*

octopus ['ɒktəpəs] *n* ZOOL Tintenfisch *m*

oculist ['ɒkjʊlɪst] *n* ↑ *optician* Augenarzt *m*, Augenärztin *f*

odd [ɒd] *adj* [1] ↑ *strange* sonderbar, merkwürdig; ◇ **it was ~ seeing my former boyfriend** es war komisch, meinen alten Freund wiederzusehen [2] ↑ *not even* ungerade; (*a single pair*) einzeln; ◇ **I have only ~ socks** ich habe bloß einzelne Socken [3] (*approximately*) ungefähr; ◇ **an ~ number of years ago ...** vor etlichen Jahren, ◇ **he does ~ jobs** er macht alle möglichen Arbeiten; **oddity** *n* ↑ *peculiarity* Merkwürdigkeit *f;* (*person*) seltsamer Kauz *m;* **oddly** *adv* seltsam; ◇ **~ enough** merkwürdigerweise; **odds** *n pl* [1] ↑ *chances* Chancen *pl;* (*in gambling*) Gewinnchancen *pl;* ◇ **Clinton won against all ~** Clinton gewann entgegen allen Erwartungen; ◇ **the ~ are that ...** es ist sehr wahrscheinlich, daß ... [2] ↑ *disagree* ◇ **to be at ~ with s.o.** mit jd-m zerstritten sein

odds and ends *n* (*miscellaneous*) Krimskrams *m*

ode [əʊd] *n* Ode *f*

odious ['əʊdɪəs] *adj* verhaßt; ▷*action* abscheulich

odometer [əʊ'dɒmɪtə*] *n* (*AM*) Kilometerzähler *m*

odour, **odor** (*AM*) ['əʊdə*] *n* Geruch *m;* **odourless** *adj* geruchlos

of [ɒv, əv] *prep* [1] (*contents, amount*) ◇ **a cup ~ coffee** eine Tasse Kaffee; ◇ **the three ~ us** wir drei [2] (*show possession*) ◇ **the University of Florida** die Universität von Florida; ◇ **the first day ~ the week** der erste Tag der Woche [3] ◇ **from to die ~ cancer** an Krebs sterben [4] (*comparision*) ◇ **the color ~ blood** die Farbe des Blutes

off [ɒf] **I.** *adv* [1] (*absent*) weg, fort; ◇ **I took ~ work** ich habe frei genommen [2] (*minus*) ◇ **25% ~** 25% Nachlaß [3] (*appliance*) aus[geschaltet], abgeschaltet; ◇ **he took his shoes ~** er zog seine Schuhe aus; ◇ **we lived ~ canned meats** wir haben von Dosenwurst gelebt [4] ↑ *occasionally* ◇ **~ and on** ab und zu **II.** *adj* ↑ *food* verdorben; ◇ **he is pretty bad ~** ihm geht es nicht so gut; ◇ **that's a well-~ family** das ist eine reiche Familie **III.** *prep* von; (*distant from*) ab[gelegen] von; ◇ **I live just ~ Second street** ich wohne gleich bei der Second Street

offal ['ɒfəl] *n* Innereien *pl*

off-centre ['ɒfsentə*] *adj* nicht in der Mitte

offence, **offense** (*AM*) [ə'fens] *n* [1] ↑ *crime* Vergehen *s*, Straftat *f* [2] ↑ *insult, behavior* Beleidigung *f;* ◇ **he is quick to take ~** er ist leicht beleidigt

offend [ə'fend] *vt* beleidigen; **offender** *n* Rechtsbrecher(in *f*) *m;* **offending** *adj* verletzend

offensive [ə'fensɪv] **I.** *adj* [1] ↑ *objectionable* übel, abstoßend [2] (*weapon*) Kampf-; ▷*comment* verletzend **II.** *n* MIL Angriff *m;* SPORT ◇ **the Dallas Cowboys are on the ~** die Dallas Cowboys sind in der Offensive

offer ['ɒfə*] **I.** *n* Angebot *s* **II.** *vt* [1] → *help, cigarette* anbieten [2] → *reward* aussetzen [3] → *advice* äußern; → *love* zeigen [4] ↑ *volunteer* ◇ **to ~ to do s.th.** bereit sein, etw zu tun; **offering** *n* Gabe *f;* REL Opfer *s*

off-guard *adj* unerwartet; ◇ **his question caught me ~** ich habe seine Frage nicht erwartet

offhand [ɒf'hænd] **I.** *adj* lässig **II.** *adv* ohne weiteres; ◇ **~ I'd say yes, but let me think ...** spontan würde ich zustimmen, aber laß mich nachdenken

office ['ɒfɪs] *n* [1] (*room*) Büro *s* [2] (*important position*) Amt *s;* ◇ **the president holds ~ for two years** der Präsident bleibt zwei Jahre im Amt [3] ↑ *employees* Büro; ◇ **the ~ knew ...** das Büro wußte ...; **office-holder** *n* Beamte(r) *m*, Beamtin *f;* **office hours** *n pl* Geschäftszeiten *pl*

officer ['ɒfɪsə*] *n* MIL Offizier(in *f*) *m;* (*police ~*) Polizist(in *f*) *m*

office work ['ɒfɪswɜ:k] *n* Büroarbeit *f;* **office worker** *n* Büroangestellte(r) *fm*

official [ə'fɪʃəl] **I.** *adj* offiziell, amtlich; ◇ **Is this ~?** Ist das formell? **II.** *n* (*public, government*) Beamte(r) *m*, Beamtin *f;* **officially** *adv* offiziell

officious [ə'fɪʃəs] *adj* dienstbeflissen

offing ['ɒfɪŋ] *n:* ◇ **in the ~** in [Aus-]Sicht *f*

off-licence ['ɒflaɪsəns] *n* (*BRIT*) Wein- und Spirituosenladen *m;* **off-line** *adj* PC Off-line- *getrennt von der Anlage arbeitend;* ◇ **~ mode** Off-line-Betrieb *m;* **off-peak** *adj* ▷*electricity* Speicher-; ▷*rates* verbilligt; **off-season** *adj* ▷*fruit, travel* außerhalb der Saison

offset ['ɒfset] *irr vt* ausgleichen
offshore ['ɒfʃɔ:*] **I.** *adj* küstennah, Küsten-; ▷*oil rig* im Meer **II.** *adv* draußen auf dem Meer; ◇ **the current carried the boat** ~ die Strömung trug das Boot aufs Meer hinaus
offside ['ɒf'saɪd] *n* (*of car*) Fahrerseite *f*
offspring ['ɒfsprɪŋ] *n* Nachkommenschaft *f*, Sprößling *m*
offstage ['ɒf'steɪdʒ] *adv* hinter den Kulissen
off-the-cuff ['ɒfðəkʌf] *adj* ▷*reply* unvorbereitet
often ['ɒfən] *adv* oft
oh [əʊ] *intj* oh, ach
oil [ɔɪl] **I.** *n* Öl *s* **II.** *vt* ▷*machine* ölen; **oilcan** *n* Ölkanne *f;* **oil-fired** *adj* ▷*engine* mit Öl befeuert; **oil level** *n* Ölstand *m;* **oil painting** *n* Ölgemälde *s;* **oil refinery** *n* Ölraffinerie *f;* **oil-rig** *n* Ölplattform *f;* **oilslicks** *n* Ölteppich *m;* **oil tanker** *n* Öltanker *m;* **oil well** *n* Ölquelle *f;*
oily *adj* [1] ▷*french fries* fettig [2] (*feeling*) schmierig
ointment ['ɔɪntmənt] *n* Salbe *f*
OK, okay ['əʊ'keɪ] **I.** *adj* [1] ↑ *all right* in Ordnung; ◇ **he is an** ~ **guy** er ist in Ordnung; ◇ **he is doing** ~ ihm geht es recht gut [2] ↑ *approval* ◇ ~, **go ahead!** Alles klar, mach nur! **II.** *vt* ↑ *permit, allow* genehmigen; ◇ **I'll** ~ **his going** ich bin damit einverstanden, daß er geht
old [əʊld] *adj* alt; ↑ *former* ehemalig; ◇ **in the** ~ **days** früher; ◇ **not any** ~ **thing** nicht irgendetwas; **old age** *n* Alter *s;* **old-fashioned** *adj* altmodisch; **old maid** *n* alte Jungfer
olive ['ɒlɪv] **I.** *n* (*fruit*) Olive *f;* (*colour*) Olive *s* **II.** *adj* Oliven-; **olive oil** *n* Olivenöl *s*
Olympic [əʊ'lɪmpɪk] *adj* olympisch
Olympics *n pl* (*summer, winter*) Olympische Spiele *pl*
omelet[te] ['ɒmlət] *n* Omelett *s*
omen ['əʊmən] *n* Zeichen *s*, Omen *s*
ominous ['ɒmɪnəs] *adj* bedrohlich; **ominously** *adv:* ◇ **black clouds were piling up** ~ der Himmel wurde immer bedrohlicher
omission [əʊ'mɪʃən] *n* [1] ↑ *exclusion* Einsparung *f;* ◇ **the** ~ **of gays from the military** der Ausschluß der Homosexuellen vom Militär [2] (*neglect*) Versäumnis *s;* **omit** [əʊ'mɪt] *vt* [1] ↑ *leave out* auslassen [2] (*fail to do*) versäumen
on [ɒn] **I.** *prep* [1] ↑ *upon* auf; ◇ **Put the cup** ~ **the table!** Stell die Tasse auf den Tisch!; ◇ **the newspaper is** ~ **the table** die Zeitung liegt auf dem Tisch [2] (*date*) ◇ ~ **Monday ...** am Montag; ◇ ~ **Mondays** Montags [3] (*about*) ◇ **a lecture** ~ **art** eine Vorlesung über Kunst [4] (*walk*) ◇ **he is** ~ **foot** er geht zu Fuß [5] *location* ◇ ~ **the main street** auf der Hauptstraße; ◇ **he has no money** ~ **him** er hat kein Geld bei sich **II.** *adv* [1] (*showing*) ◇ **What's** ~ **TV?** Was kommt im Fernsehen?; ◇ **Walt Disney is** ~ **at the movies** Walt Disney läuft im Kino [2] (*wear*) ◇ **she has a dress** ~ sie trägt ein Kleid [3] (*continue*) ◇ **to move** ~ weitergehen; ◇ **go** ~ mach weiter [4] (*working*) ◇ **the light is** ~ das Licht ist an [5] (*expressions*) ◇ ~ **and** ~ immer wieder; ◇ **from now** ~ ab jetzt; ◇ ~ **and off** hin und wieder; ◇ ~ **hearing this, he left** als er das hörte, ging er
once [wʌns] **I.** *adv* einmal; ◇ ~ **a week** einmal wöchentlich **II.** *cj* [1] ↑ *one time* wenn ... einmal; ◇ ~ **you've tried it** wenn du es erst einmal versucht hast; ◇ ~ **she had seen him** sobald sie ihn gesehen hatte [2] ↑ *simultaneously* gleichzeitig; ◇ **at** ~ zugleich [3] ↑ *suddenly* sofort; ◇ **all at** ~ plötzlich; ◇ ~ **again** einmal noch; ◇ **more than** ~ mehr als einmal; ◇ ~ **in a while** ab und zu; ◇ ~ **and for all** ein für allemal; ◇ ~ **upon a time** es war einmal
oncoming ['ɒnkʌmɪŋ] *adj* ▷*traffic* Gegen-, entgegenkommend
one [wʌn] **I.** *nr* eins **II.** *adj* ein, eine, ein **III.** *pron* eine(r, s); (*people, you*) man; ◇ ~ **day** eines Tages, irgendwann; ◇ **that's a difficult** ~ das ist ein schwieriger Fall; ◇ **I had** ~ **too many** ich habe einen über den Durst getrunken; ◇ **she is** ~ **of us** sie ist eine von uns; ◇ ~ **by** ~ einzeln; ◇ ~ **another** einander; **one-man** *adj* Einmann-
one-night stand *n* [1] ↑ *affair* kurze Affäre [2] THEAT einmalige Vorstellung
onerous ['ɒnərəs] *adj* ↑ *burdensome* lästig
oneself *pron* sich [selber]
one-sided *adj* einseitig
one-track *adj:* ◇ **he has a** ~ **mind** er hat nur das eine im Kopf; **one-upmanship** *n* Arroganz *f;*
one-way *adj:* ◇ **a** ~ **street** eine Einbahnstraße *f;* ◇ ~ **ticket** einfache Fahrkarte, nur hin
ongoing ['ɒngəʊɪŋ] *adj* laufend, andauernd; ◇ **it's an** ~ **situation** das geht immer so weiter
onion ['ʌnjən] *n* Zwiebel *f*
onlooker ['ɒnlʊkə*] *n* ↑ *spectator* Zuschauer(in *f*) *m*
only ['əʊnlɪ] **I.** *adv* nur, bloß; (*merely, just*) ◇ **the work has** ~ **just begun** die Arbeit hat gerade erst angefangen; ◇ **he's** ~ **kidding** er macht bloß Spaß **II.** *adj* einzige(r, s); ◇ ~ **child** Einzelkind *s*
onset ['ɒnset] *n* ↑ *beginning* Beginn *m*
onshore ['ɒnʃɔ:*] **I.** *adv* an Land **II.** *adj* Küsten-
onto ['ɒntʊ] *prep:* ◇ **he screwed the lid** ~ **the jar** er schraubte den Deckel auf das Glas; ◇ **to get** ~ **the committee** in den Ausschuß kommen; ◇ **to be** ~ **s.th.** etw auf der Spur sein
onwards ['ɒnwədz] *adv:* ◇ **to come** ~ **a subject**

auf ein Thema zu sprechen kommen; ◇ **to get ~ s.o.** jd-n schimpfen
oodles ['u:dlz] *n pl* ↑ *lots of* jede Menge; ◇ **~ of money** Geld wie Heu
onyx ['ɒnɪks] *n* Onyx *m*
ooze [u:z] **I.** *n* ↑ *sludge* Quellen *s* **II.** *vi* ← *lava, pus* sickern, herausquellen
opacity [əʊ'pæsɪtɪ] *n* Undurchsichtigkeit *f*
opal ['əʊpəl] *n* Opal *m*
opaque [əʊ'peɪk] *adj* ▷*water, window* undurchsichtig
open ['əʊpən] **I.** *adj* [1] ↑ *public* öffentlich [2] ▷*mind* offen, liberal [3] ↑ *outdoors* ◇ **~air** im Freien [4] ↑ *not closed* ▷*pub, store* geöffnet; ◇ **to keep o.'s calender ~** sich *dat* Termine freihalten **II.** *vt* → *door, bottle, letter* öffnen, aufmachen; → *account* eröffnen; ◇ **keep your eyes/ears ~** paß auf **III.** *vi* [1] ↑ *begin* anfangen [2] ← *bank* aufmachen; ◇ **the post office ~s at 9 a.m.** die Post macht um 9 Uhr auf [3] ← *flower* aufgehen; ← *play* Premiere haben; **open up** *vt* → *route* erschließen; → *shop, possibilites* eröffnen
opener *n* Öffner *m;* **opening** *n* [1] ↑ *hole* Öffnung *f,* Loch *s* [2] ↑ *beginning* Eröffnung *f,* Anfang *m* [3] ↑ *good chance* Gelegenheit *f;* ◇ **there is a job ~ at Siemens** bei Siemens ist eine Stelle frei; **openly** *adv* offen; ↑ *publicly* öffentlich; **open-minded** *adj* aufgeschlossen; **open-plan** *adj* offenangelegt; **open season** *n* Jagdzeit *f*
opera ['ɒpərə] *n* Oper *f*
operate ['ɒpəreɪt] **I.** *vt* [1] → *computer* bedienen [2] → *device, brakes* betätigen **II.** *vi* [1] ← *machine* laufen, in Betrieb sein [2] ← *system* funktionieren [3] MED ◇ **to ~ on s.o.** jd-n operieren
operating system ['ɒpəreɪtɪŋsɪstəm] *n* PC Betriebssystem *s*
operation [ɒpə'reɪʃən] *n* [1] (*function, activity*) Betrieb *m,* Tätigkeit *f;* ◇ **in full ~** in vollem Gang; ◇ **to be in ~** in Betrieb sein [2] MED Operation *f* [3] ↑ *undertaking* Unternehmen *s* [4] MIL Einsatz *m;* **operational** *adj* einsatzbereit
operative ['ɒpərətɪv] *adj* [1] wirksam; ▷*law* rechtsgültig [2] MED operativ
operator ['ɒpəreɪtə*] *n* [1] (*of machine*) Arbeiter(in *f*) *m* [2] PC Bediener(in *f*) *m* [3] TELECOM Telefonist(in *f*) *m;* ◇ **dial the ~** rufen Sie die Vermittlung [*o.* das Fernamt] an
operetta [ɒpə'retə] *n* Operette *f*
opinion [ə'pɪnjən] *n* ↑ *belief* Meinung *f;* ◇ **in his ~** seiner Meinung nach; ◇ **a matter of ~** Ansichtssache *f;* ◇ **personal ~** eigene Meinung; ◇ **I have a poor ~ of him** ich habe eine schlechte Meinung von ihm; **opinionated** *adj* starrsinnig; **opinion poll** *n* Meinungsumfrage *f*
opium ['əʊpɪəm] *n* Opium *s*
opponent [ə'pəʊnənt] *n* Gegner(in *f*) *m*
opportune ['ɒpətju:n] *adj* günstig; ▷*comment* passend; **opportunist** [ɒpə'tju:nɪst] *n* Opportunist(in *f*) *m;* **opportunity** [ɒpə'tju:nɪtɪ] *n* Gelegenheit *f,* Möglichkeit *f;* ◇ **to take advantage of an ~** eine Gelegenheit nutzen
oppose [ə'pəʊz] *vt* [1] → *argument, wish* ablehnen; (*order*) entgegentreten *dat* [2] ↑ *compare* gegenüberstellen; **opposed** *adj:* ◇ **to be ~ to s.th.** gegen etw sein; ◇ **as ~ to** im Gegensatz zu, gegenüberstellen; **opposing** *adj* ▷*points of view* entgegengesetzt; ◇ **the ~ party** die Gegenpartei
opposite ['ɒpəzɪt] **I.** *adj* ▷*house* gegenüberliegend; (*contrary*) entgegengesetzt; ◇ **the ~ sex** das andere Geschlecht **II.** *adv* gegenüber **III.** *prep* gegenüber; ◇ **~ the street** der Straße gegenüber **IV.** *n* Gegenteil *s*
opposition [ɒpə'zɪʃən] *n* ↑ *resistance, disagreement* Widerstand *m;* POL Opposition *f;* (*contrast*) Gegensatz *m*
oppress [ə'pres] *vt* ▷*person* unterdrücken; ◇ **the problem ~es me** das Problem bedrückt mich; **oppression** [ə'preʃən] *n* Unterdrückung *f;* **oppressive** *adj* [1] ▷*authority, law* ungerecht [2] ▷*burden, thought* bedrückend; ▷*wheather* drükkend
opt [ɒpt] *vi* ↑ *choose*: ◇ **to ~ to do s.th.** sich entscheiden, etw zu tun; **opt for** *vt* sich entscheiden für; **opt out of** *vt* ↑ *change o.'s mind* sich drücken vor *dat;* → *society* aussteigen aus *dat;* → *church* austreten aus *dat*
optical ['ɒptɪkəl] *adj* optisch
optician [ɒp'tɪʃən] *n* Optiker(in *f*) *m*
optimism ['ɒptɪmɪzəm] *n* Optimismus *m;* **optimist** *n* Optimist(in *f*) *m;* **optimistic** [ɒptɪ'mɪstɪk] *adj* optimistisch
optimum ['ɒptɪməm] *adj* optimal
option ['ɒpʃən] *n* [1] Wahl; ◇ **What are my ~s?** Was habe ich für Möglichkeiten? [2] COMM Vorkaufsrecht *m,* Option *f;* **optional** *adj* freiwillig; ▷*courses* wahlfrei; ◇ **~ extras** Extras *pl* auf Wunsch
or [ɔ:*] *cj* ↑ *instead* oder; ◇ **Would you like coffee ~ tea?** Möchten Sie Kaffee oder Tee?; ◇ **he didn't know whether to laugh ~ cry** er wußte, nicht ob er lachen oder weinen sollte; (*otherwise*) ◇ **you must be good ~ you wouldn't have won** du mußt gut sein, sonst hättest du nicht gewonnen
oracle ['ɒrəkl] *n* Orakel *s*
oral ['ɔ:rəl] **I.** *adj* mündlich **II.** *n* ▷*exam* mündO

liche Prüfung, Mündliche(s) *s;* ◇ **I have two -s this week** diese Woche habe ich zwei mündliche Prüfungen

orange ['ɒrɪndʒ] **I.** *n (fruit)* Apfelsine *f,* Orange *f; (colour)* Orange *s* **II.** *adj* orange[farben]

orang-outang, **orang-utan** [ɔ:ræŋu:'tæn] *n* Orang-Utan *m*

oratorio [ɒrə'tɔ:rɪəʊ] *n* <-s> Oratorium *s*

orbit ['ɔ:bɪt] **I.** *n* Umlaufbahn *f* **II.** *vt* umkreisen; ◇ **2 -s** 2 Umkreisungen; ◇ **to be in -** [die Erde/den Mond] umkreisen

orchard ['ɔ:tʃəd] *n* Obstplantage *f*

orchestra ['ɔ:kɪstrə] *n* Orchester *s;* **orchestral** [ɔ:'kestrəl] *adj* Orchester-

orchid ['ɔ:kɪd] *n* Orchidee *f*

ordain [ɔ:'deɪn] *vt* REL weihen; *(decide)* verfügen

ordeal [ɔ:'di:l] *n* Tortur *f*

order ['ɔ:də*] **I.** *n* [1] ↑ *sequence* Reihenfolge *f; (good arrangement)* Ordnung *f;* ↑ *rank* Klasse *f* [2] ↑ *command* Befehl *m;* JUR Anordnung *f;* ↑ *peace* Ordnung *f* [3] ↑ *condition* Zustand *m* [4] COMM Bestellung *f;* ◇ **to place an -** eine Bestellung machen **II.** *vt* [1] ↑ *arrange* ordnen; ◇ **to put s.th. in -** etw anordnen [2] ↑ *command* befehlen *(s.o. s.th.* jd-m etw) [3] COMM bestellen [4] ↑ *not working* ◇ **out of -** außer Betrieb; ◇ **in - to do s.th.** um etw zu tun; ◇ **in - that** damit; **order form** *n* Bestellschein *m;* **orderly I.** *n* [1] MIL Offiziersbursche *m* [2] MED Sanitäter(in *f*) *m,* Pfleger *m* **II.** *adj* [1] ↑ *proper* ordentlich; ↑ *well-behaved* ruhig [2] ◇ **- officer** diensthabender Offizier

ordinal ['ɔ:dɪnl] *adj* Ordnungs-, Ordinal-

ordinance *n* Verordnung *f*

ordinarily ['ɔ:dnrɪlɪ] *adv* gewöhnlich

ordinary ['ɔ:ndrɪ] *adj* [1] ↑ *usual, commonplace* gewöhnlich, normal; ◇ **they lead an - life** sie führen ein ganz normales Leben [2] *(average)* gewöhnlich, durchschnittlich; ◇ **just an - man** *FAM* ein stinknormaler Typ

ordnance ['ɔ:dnəns] *n* MIL Munition, Wehrmaterial *f*

ore [ɔ:*] *n* Erz *s*

organ ['ɔ:gən] *n* [1] MUS Orgel *f* [2] BIO *FIG* Organ *s;* ◇ **- donor** Organspender(in *f*) *m* [3] *(newspaper)* Organ *s*

organic [ɔ:'gænɪk] *adj* Bio-; ◇ **- farming** biologischer Anbau

organism ['ɔ:gənɪzm] *n* Organismus *m*

organist ['ɔ:gənɪst] *n* Organist(in *f*) *m*

organization [ɔ:gənaɪ'zeɪʃən] *n* [1] ↑ *club, group* Organisation *f* [2] *(arrangements)* Struktur *f;* ◇ **lack of -** schlecht organisiert; **organize** ['ɔ:gənaɪz] *vt* organisieren; ◇ **the meeting was well -d** die Sitzung war gut organisiert; ◇ **I have to get -d** ich muß einen Plan machen; **organizer** *n* Organisator(in *f*) *m,* Veranstalter(in *f*) *m*

orgasm ['ɔ:gæzəm] *n* Orgasmus *m*

orgy ['ɔ:dʒɪ] *n* Orgie *f*

Orient ['ɔ:rɪənt] *n* Orient *m;* **oriental** [ɔ:rɪ'entəl] **I.** *adj* orientalisch **II.** *n* Orientale *m,* Orientalin *f*

orientate ['ɔ:rɪenteɪt] *vt* orientieren

orifice ['ɒrɪfɪs] *n* Öffnung *f*

origin ['ɒrɪdʒɪn] *n* Ursprung *m,* Anfang *m,* Entstehung *f*

original [ə'rɪdʒɪnl] **I.** *adj* ursprünglich; ▹*ideas, art work* originell **II.** *n* ↑ *not a copy* Original *s;* ◇ **we have a Picasso -** wir haben ein Original von Picasso; **originality** [ərɪdʒɪ'nælɪtɪ] *n* Originalität *f;* **originally** *adv* ursprünglich

originate [ə'rɪdʒɪneɪt] **I.** *vi* entstehen **II.** *vt* ins Leben rufen; ◇ **to - from** stammen aus; **originator** [ə'rɪdʒɪneɪtə*] *n* ▹*of movement* Begründer(in *f*) *m; (of invention)* Erfinder(in *f*) *m*

ornament ['ɔ:nəmənt] *n* Schmuck *m;* ◇ **we hung -s on the Christmas tree** wir schmückten den Weihnachtsbaum; **ornamental** [ɔ:nə'mentl] *adj* schmückend, Zier-; **ornamentation** [ɔ:nəmen'teɪʃən] *n* Verzierung *f*

ornate [ɔ:'neɪt] *adj* reich verziert; *(baroque, fashion)* überladen

ornery ['ɔ:nərɪ] *adj AM* ▹*child* unerzogen

ornithology [ɔ:nɪ'θɒlədʒɪ] *n* Vogelkunde *f,* Ornithologie *f*

orphan ['ɔ:fən] **I.** *n* Waise *f,* Waisenkind *s* **II.** *vt:* ◇ **he was -ed at birth** er ist Waise von Geburt an;

orphanage ['ɔ:fənɪdʒ] *n* Waisenhaus *s*

orthodox ['ɔ:θədɒks] *adj* orthodox

orthopaedic, **orthopedic** *(AM)* [ɔ:θəʊ'pi:dɪk] *adj* orthopädisch

oscillation [ɒsɪ'leɪʃən] *n* Schwingung *f,* Oszillation *f*

ostensible [ɒ'stensəbl] *adj* angeblich

ostensibly *adv* vorgeblich, angeblich

ostentatious [ɒsten'teɪʃəs] *adj* ↑ *extravagant* großtuerisch

ostracize ['ɒstrəsaɪz] *vt* ausstoßen

ostrich ['ɒstrɪtʃ] *n* ZOOL Strauß *m*

other ['ʌðə*] **I.** *adj* andere(r, s); ◇ **amoung - things** unter anderem; ◇ **some - time** ein anderes Mal **II.** *pron* andere(r, s); ◇ **two -s are coming later** zwei andere kommen später **III.** *adv:* ◇ **- than** anders als; ◇ **the - day** neulich; ◇ **every - week** jede zweite Woche; ◇ **any person - than him** alle außer ihm; ◇ **somehow or -** irgendwie;

otherwise *adv* ↑ *differently* anders; *(in other ways)* sonst, im übrigen; ↑ *or else* sonst; ◇ **he had to walk, - stay home** er mußte zu Fuß gehen, ansonsten zu Hause bleiben; ↑ *besides* ◇ **the**

apartment is small, but ~ very nice die Wohnung ist klein, aber recht hübsch
otter ['ɒtə*] *n* Otter *m*
ought [ɔːt] *Hilfsverb* sollen; ◇ **he behaves as he ~** er benimmt sich, wie es sich gehört; ◇ **you ~ to know better** du solltest besser wissen; ◇ **the bus ~ to arrive any minute** der Bus dürfte jeden Augenblick kommen
ounce [aʊns] *n* Unze *f (28,35 g)*
our [aʊə*] *pron (possessive, as adjective)* unser; **ours** *pron (possessive, as noun)* unsere(r, s); **ourselves** *pron (reflexive)* uns; ◇ **we built it ~** wir haben es selbst gebaut
oust [aʊst] *vt* verdrängen
out [aʊt] *adv* (1) *(not indoors)* draußen; ◇ **Put the dog ~** Tu den Hund raus! (2) *(unconscious)* bewußtlos (3) *(information)* bekanntgegeben; *(published)* veröffentlicht, herausgekommen sein (4) ↑ *away* ◇ **to eat/go ~** auswärts essen/ausgehen; ◇ **to be out** nicht zu Hause sein; ◇ **~ and about** unterwegs (5) ↑ *not modern* ◇ **that hairstyle is ~** diese Frisur ist nicht mehr Mode (6) SPORT ◇ **the ball was ~** der Ball war aus; **out of** *prep* (1) *(away from)* außerhalb *gen* (2) ▷*supplies* aus; ◇ **to be ~ ~ s.th.** etw nicht mehr haben (3) *(from)* ◇ **made ~ ~ cotton** aus Baumwolle gemacht (4) *(expressions)* ◇ **~ ~ danger** außer Gefahr; ◇ **~ ~ place/line** fehl am Platz; ◇ **~ ~ curiosity** aus Neugier; ◇ **to be ~ ~ time** keine Zeit mehr haben; ◇ **to get ~ ~ a habit** sich etw abgewöhnen; **out-of-bounds** *adj* verboten, aus; **out-of-date** *adj* veraltet; **out-of-doors** *adv* im Freien; **out-of-the-way** *adj (off the general route)* abgelegen; *(burden)* umständlich; ◇ **I don't want to make you go ~** ich will Ihnen keine Umstände machen
outback ['aʊtbæk] *n* Hinterland *s*
outboard [motor] ['aʊtbɔːd'məʊtə*] *n* Außenbordmotor *m*
outbreak ['aʊtbreɪk] *n* Ausbruch *m*
outbuilding ['aʊtbɪldɪŋ] *n* Nebengebäude *s*
outburst ['aʊtbɜːst] *n* Ausbruch *m*
outcast ['aʊtkɑːst] *n* Ausgestoßene(r) *fm*
outclass [aʊt'klɑːs] *vt* übertreffen; ◇ **the winner totally ~ed his opponent** der Gewinner war seinem Gegner weit überlegen
outcome ['aʊtkʌm] *n* Ergebnis *s*
outcry ['aʊtkraɪ] *n* Protest *m*
outdated [aʊt'deɪtɪd] *adj* veraltet, überholt
outdo [aʊt'duː] *irr vt* übertreffen; ◇ **he really outdid himself** er übertraf sich selbst
outdoor ['aʊtdɔː*] *adj* Außen-; ◇ **~ cafés** Cafes mit Sitzplätze im Freien; SPORT im Freien; **outdoors** [aʊt'dɔːz] *adv* draußen, im Freien; ◇ **to go ~** ins Freie [*o.* nach draußen] gehen

outer ['aʊtə*] *adj* äußere(r, s)
outermost *adj* äußerste(r, s); **outer space** *n* Weltraum *m*
outfit ['aʊtfɪt] *n* Ausrüstung *f; (apparel)* Kleidung *f;* **outfitters** *n sg* Herrenausstatter *m*
outgoing *adj* (1) ▷*person* extrovertiert, offen (2) ▷*mail* hinausgehende; ◇ **the ~ flight for ...** der Flug nach ...; **outgoings** ['aʊtgəʊɪŋz] *n pl (expenses)* Ausgaben *pl;* ◇ **the firm had more ~ than incomings** die Firma hatte mehr Ausgaben als Einnahmen
outgrow [aʊt'grəʊ] *irr vt* (1) → *clothes* herauswachsen aus (2) → *habit* ablegen
outing ['aʊtɪŋ] *n* Ausflug *m*
outlast *vt* ↑ *out live* überleben; *(endure)* länger aushalten; ▷*battery, thing* länger halten als
outlaw ['aʊtlɔː] **I.** *n* Geächtete(r) *fm* **II.** *vt* ächten; *(thing)* verbieten
outlet ['aʊtlet] *n* (1) ↑ *pipe* Abfluß *m* (2) ↑ *shop* Verkaufsstelle *f* (3) *(for emotions)* Ventil *s;* ◇ **jogging is a great ~ for stress** Joggen ist toll, um den Streß abzubauen (4) ELEC Steckdose *f*
outline ['aʊtlaɪn] **I.** *n* (1) ↑ *boarder* Umriß *m* (2) *(of text)* Gliederung *f* **II.** *vt* umreißen
outlive *vt* überleben
outlook ['aʊtlʊk] *n* (1) ↑ *view* Aussicht *f* (2) ↑ *attitude* Einstellung *f*
outlying ['aʊtlaɪɪŋ] *adj* entlegen; ▷*district* Außen-
outmoded [aʊt'məʊdɪd] *adj* veraltet
outnumber [aʊt'nʌmbə*] *vt* zahlenmäßig überlegen sein *dat;* ◇ **the girls ~ed the boys** die Mädchen waren den Jungen zahlenmäßig überlegen
outpatient ['aʊtpeɪʃənt] *n* ambulanter Patient(in *f) m*
output ['aʊtpʊt] *n* (1) ↑ *capacity* Leistung *f* (2) PC Ausgabe *f*
outrage ['aʊtreɪdʒ] **I.** *n* ↑ *cruel deed* Ausschreitung *f,* Verbrechen *s; (indecency)* Skandal *m* **II.** *vt (morals)* verstoßen gegen; *(person)* empören; **outrageous** [aʊt'reɪdʒəs] **I.** *adj* (1) ▷*behaviour* unerhört, empörend (2) ▷*appearance* ausgefallen **II.** *adv:* ◇ **they were behaving ~ly** sie haben sich fürchterlich aufgeführt
outright ['aʊtraɪt] **I.** *adv* (1) ↑ *at once* sofort; ◇ **to refuse ~** rundweg ablehnen (2) ↑ *openly* ohne Umschweife **II.** *adj* ▷*denial* völlig; ◇ **that was an ~ disgrace** das war eine Riesenschande
outset ['aʊtset] *n* Beginn *m*
outside [aʊt'saɪd] **I.** *n* Außenseite *f;* ◇ **at the very ~ ...** am äußersten Rand **II.** *adj* (1) ▷*location* äußere(r, s), Außen-; ◇ **the ~ lane** die rechte Spur (2) *(price)* höchste(r, s), Höchste- (3) ▷*chance*

O

gering **III.** *adv* außen **IV.** *prep* außerhalb *gen;* ◇ **just at the ~ of town** gleich außerhalb der Stadt; ◇ **on the ~** außen, außerhalb; **outsider** *n* Außenseiter(in *f*) *m*

outsize ['aʊtsaɪz] *adj* übergroß

outskirts ['aʊtskɜːts] *n pl* Stadtrand *m*

outspoken [aʊt'spəʊkən] *adj* offen, freimütig; ◇ **Betty is a very ~ person** Betty nimmt kein Blatt vor den Mund; **outspokenness** *n:* ◇ **they were penalized for their ~** sie wurden für ihre Freimütigkeit bestraft

outstanding [aʊt'stændɪŋ] *adj* hervorragend; ▷*debts etc.* ausstehend; ▷*problems* ungelöst; **outstandingly** *adv* extrem

outstay [aʊt'steɪ] *vt:* ◇ **to ~ o.'s welcome** länger bleiben als erwünscht

outward ['aʊtwəd] **I.** *adj* äußere(r, s); (*journey*) Hin-; ▷*freight* ausgehend **II.** *adv* nach außen; **outwardly** *adv* äußerlich

outweigh [aʊt'weɪ] *vt FIG* überwiegen

outwit [aʊt'wɪt] *vt* austricksen

oval ['əʊvəl] **I.** *adj* oval **II.** *n* Oval *s*

ovary ['əʊvərɪ] *n* Eierstock *m*

ovation [əʊ'veɪʃən] *n* Beifallssturm *m*

oven ['ʌvn] *n* Backofen *m*

over ['əʊvə*] **I.** *adv* ↑ *across* hinüber/herüber; ↑ *finished* vorbei; ↑ *left* übrig; ↑ *again* wieder, noch einmal **II.** *prep* über; (*entirely*) in; ◇ **famous all ~ the world** in der ganzen Welt berühmt; ◇ **three times ~** dreimal; ◇ **~ the weekend** übers Wochenende; ◇ **~ dinner** beim Essen; ◇ **~ the phone** am Telephon; ◇ **all ~** ↑ *everywhere* überall; ◇ **~ seas** europäisch: ↑ *finished* vorbei; ◇ **the relationship is ~** die Beziehung ist vorbei; ◇ **~ and ~** immer wieder; ◇ **~ and above** darüber hinaus

over- ['əʊvə*] *pref* über-; ↑ *excessively* übermäßig

overact [əʊvər'ækt] *vi* übertreiben

overall ['əʊvərɔːl] **I.** *n* Kittel *m* **II.** *adj* [1] ↑ *in general* allgemein; ◇ **~ everything went well** im großen und ganzen ging alles gut [2] ▷*length* Gesamt- **III.** *adv* insgesamt

overawe [əʊvər'ɔː] *vt* [1] einschüchtern [2] ↑ *impress* überwältigen

overbearing [əʊvə'bɛərɪŋ] *adj* aufdringlich

overboard ['əʊvəbɔːd] *adv* [1] (*of a ship*) über Bord [2] *FIG* ◇ **to go ~** es übertreiben; ◇ **she went ~ to please him** sie tat alles, um ihn glücklich zu machen

overcast ['əʊvəkɑːst] *adj* bedeckt

overcharge [əʊvə'tʃɑːdʒ] *vt* zuviel verlangen von

overcoat ['əʊvəkəʊt] *n* Mantel *m*

overcome [əʊvə'kʌm] *irr vt* [1] → *problems* überwinden; ◇ **we shall ~** wir werden siegen [2] → *sleep, emotion* übermannen; ◇ **~ by emotions** von Gefühlen überwältigt sein

overcrowded [əʊvə'kraʊdɪd] *adj* überfüllt; **overcrowding** [əʊvə'kraʊdɪŋ] *n* Überfüllung *f*

overdo [əʊvə'duː] *irr vt* ↑ *exaggerate* übertreiben; **overdone** *adj* ▷*vegetables* verkocht

overdose ['əʊvədəʊs] **I.** *n* Überdosis *f* **II.** *vt* überdosieren (*on s.th. akk*); *FAM AM* ◇ **he ~d on sleeping pills** er nahm eine Überdosis Schlaftabletten

overdraft ['əʊvədrɑːft] *n:* ◇ **to have an ~** das Konto überzogen haben; **overdrawn** [əʊvə'drɔːn] *adj* ▷*account* überzogen

overdressed *adj* zu fein angezogen

overdue [əʊvə'djuː] *adj* überfällig

overeat *vi* zuviel essen; *FAM* überfressen

overestimate [əʊvər'estɪmeɪt] *vt* überschätzen

overexcited [əʊvərɪk'saɪtɪd] *adj* überreizt; ▷*children* aufgedreht

overexertion [əʊvərɪg'zɜːʃən] *n* Überanstrengung *f*

overexpose [əʊvərɪks'pəʊz] *vt* [1] ◇ **to ~ o.s. to the sun** zuviel Sonne abbekommen [2] FOTO überbelichten

overflow [əʊvə'fləʊ] **I.** *vi* ← *bathtub* überfließen **II.** ['əʊvəfləʊ] *n* (*excess*) Überschuß *m*

overgrown [əʊvə'grəʊn] *adj* ▷*garden* verwildert

overhaul [əʊvə'hɔːl] **I.** *vt* → *machinery* überholen; → *plans, methods* überprüfen **II.** ['əʊvəhɔːl] *n* Überholung *f*

overhead ['əʊvəhed] **I.** *adj* [1] ▷*ceiling* Decken-, Hoch- [2] (*wire*) oberirdisch **II.** [əʊvə'hed] *adv* oben; **overheads** *n pl* ↑ *expenses* allgemeine Unkosten *pl*

overhear [əʊvə'hɪə*] *irr vt* [mit an]hören; ◇ **speak quietly, I don't want to be ~d** sprich leise; ich möchte nicht, daß jd mithört

overheat **I.** *vi* ← *heater, engine* heißlaufen **II.** *vt* → *house* überhitzen; **overheated** *adj* überhitzt, heißgelaufen

overindulgence *n* übermäßiger Genuß *m,* Völlerei *f;* **overindulge** **I.** *vt* zuviel durchgehen lassen **II.** *vi* zuviel genießen

overjoyed [əʊvə'dʒɔɪd] *adj:* ◇ **to be ~** überglücklich sein

overkill *n* Übermaß *s*

overland ['əʊvəlænd] **I.** *adj* Überland-; ◇ **~ journey** auf dem Landweg **II.** [əʊvə'lænd] *adv* ▷*travel* über Land

overlap [əʊvə'læp] **I.** *vi* sich überschneiden; ← *objects* sich teilweise decken **II.** ['əʊvəlæp] *n* ← *plans* Überschneidung *f*

overload [əʊvə'ləʊd] **I.** *vt* ① → *vehicle* überladen; ◇ **Don't ~ your arms!** Tragen Sie nicht zu viel! ② → *circuit* überbelasten **II.** *n* ① Überbelastung *f*, Überladung *f* ② ELEC Überlast *f*
overlook [əʊvə'lʊk] *vt* ① ↑ *view from above* überblicken; ◇ **the house ~s the ocean** das Haus hat einen Blick aufs Meer ② ↑ *not notice, miss* übersehen ③ ↑ *excuse* hinwegsehen über *akk;* ↑ *disregard* nicht beachten
overnight [əʊvə'naɪt] **I.** *adj* ▷*journey* Nacht- **II.** *adv* über Nacht; ◇ **~ suitcase** Reisetasche *f;* ◇ **to stay ~** übernachten; ◇ **it happened ~** es ist ganz plötzlich geschehen
overpass ['əʊvəpɑːs] *n* Überführung *f*
overpopulated *adj* überbevölkert; **overpopulation** *n* Überbevölkerung *f*
overpower [əʊvə'paʊə*] *vt* überwältigen; **overpowering** *adj* überwältigend
overpriced *adj* zu teuer
overrate [əʊvə'reɪt] *vt* überschätzen
override [əʊvə'raɪd] *irr vt* ① → *order, decision* aufheben ② → *objection* übergehen; **overriding** *adj* ↑ *ruling* Haupt-, vorherrschend
overrule [əʊvə'ruːl] *vt* verwerfen; ◇ **the committee ~d the decision** das Komitee lehnte die Entscheidung ab
overseas [əʊvə'siːz] **I.** *adv* nach/in Übersee **II.** *adj* überseeisch, Übersee-
overshadow [əʊvə'ʃædəʊ] *vt FIG* überschatten
overshoot [əʊvə'ʃuːt] *irr vt* → *mark, target* hinausschießen über *akk*
oversight ['əʊvəsaɪt] *n* ↑ *mistake* Versehen *s*
oversimplify [əʊvə'sɪmplɪfaɪ] *vt* zu sehr vereinfachen
oversleep [əʊvə'sliːp] *irr vi* verschlafen
overspill ['əʊvəspɪl] *n* [Bevölkerungs-]Überschuß *m*
overstate [əʊvə'steɪt] *vt* übertreiben
overstock I. *vt* überlageren **II.** *n* ▷*of goods* Überbestand *m*
overt [əʊ'vɜːt] *adj* offen[kundig]
overtake [əʊvə'teɪk] *irr vti* ① ↑ *pass* überholen ② ↑ *overwhelm* überraschen; ◇ **to be ~n by s.th.** von etw aus der Fassung gebracht werden
overthrow [əʊvə'θrəʊ] *irr vt* POL stürzen
overtime ['əʊvətaɪm] *n* Überstunden *pl;* SPORT Verlängerung *f*
overtone ['əʊvətəʊn] *n FIG* Note *f*
overture ['əʊvətjʊə*] *n* Ouvertüre *f;* ◇ **~s** *pl FAM* Annäherungsversuche *pl*
overturn [əʊvə'tɜːn] *vti* umkippen
overweight [əʊvə'weɪt] *adj* Übergewicht haben
overwhelm [əʊvə'welm] *vt* überwältigen; **overwhelming** *adj* überwältigend
overwork [əʊvə'wɜːk] **I.** *vt* überlasten **II.** *vi* sich überarbeiten
overwrought [əʊvə'rɔːt] *adj* überreizt
owe [əʊ] *vt* ① → *money* schulden; ◇ **to ~ s.th. to s.o.** → *money, explanation* jd-m etw schulden; → *favour etc.* jd-m etw verdanken; ◇ **I ~ you one** du hast was bei mir gut ② ◇ **owing to** wegen *gen; FIG* ◇ **I ~ him my life** Ich verdanke ihm mein Leben
owl [aʊl] *n* Eule *f*
own [əʊn] **I.** *vt* besitzen; ◇ **that's everything I ~** das ist alles was ich habe **II.** *vi* ↑ *admit* eingestehen **III.** *adj* eigene; ↑ *alone* ◇ **I can do it on my ~** ich kann es alleine machen; ◇ **she lives on her ~** sie wohnt alleine; ◇ **I have money of my ~** ich habe mein eigenes Geld; ◇ **to each his ~** jeder wie er mag; **own up** *vi* zugeben (*to s.th.* etw *akk*);
owner *n* Besitzer(in *f*) *m*, Eigentümer(in *f*) *m;*
ownership *n* Besitz *m*
ox [ɒks] *n* Ochse *m*
oxide ['ɒksaɪd] *n* Oxid *s*
oxtail ['ɒksteɪl] *n* Ochsenschwanz *m;* ◇ **~ soup** Ochsenschwanzsuppe *f*
oxygen ['ɒksɪdʒən] *n* Sauerstoff *m;* **oxygen mask** *n* Sauerstoffmaske *f;* **oxygen tent** *n* Sauerstoffzelt *s*
oyster ['ɔɪstə*] *n* Auster *f*
oz *abbr. of* **ounce[s]** Unze *f*
ozone ['əʊzəʊn] *n* Ozon *s;* ◇ **~ barrier, ~ shield** Ozonschild *m;* ◇ **~ layer** Ozonschicht *f*

P, p [piː] *n* P, p *s*
p *abbr. of* **I. page** S., Seite *f* **II. pence** Penny *m*
pa [pɑː] *n FAM* Papa *m*
p.a. *abbr. of* **per annum** pro Jahr
pace [peɪs] **I.** *n* ① ↑ *rate* Tempo *s;* ◇ **at a fast ~** recht schnell; ◇ **to set the ~** das Tempo angeben; ◇ **to keep ~ with s.o.** mit jd-m Schritt halten ② ↑ *single step* Schritt *m;* ◇ **to move forward 7 ~s** 7 Schritte vorwärts gehen **II.** *vi* ↑ *walk up and down* auf und ab gehen
pacemaker *n* ① MED [Herz-]Schrittmacher *m* ② SPORT Schrittmacher *m*
Pacific [pə'sɪfɪk] *n* Pazifik *m*
pacifier ['pæsɪfaɪə*] *n* (*AM for babies*) Schnuller *m*
pacifism ['pæsɪfɪzəm] *n* Pazifismus *m;* **pacifist** *n* Pazifist(in *f*) *m*

P

pacify ['pæsɪfaɪ] *vt* [1] → *crying baby* beruhigen [2] → *social unrest* aussöhnen, befrieden

pack [pæk] **I.** *n* [1] (*of nappies*) Pack(en) *m;* (*AM of cigarettes*) Päckchen *s* [2] (*information* ~) Bündel *s* [3] *AM* ↑ *back*~ Rucksack *m* [4] ↑ *wolf* ~ Rudel *s* [5] (*of cards*) Kartenspiel *s* [6] (*of kids*) Bande *f;* ◇ **a ~ of lies** ein Haufen Lügen **II.** *vti* [1] → *bag* packen [2] → *belongings* einpacken [3] → *gun* bei sich haben **III.** *vi* [1] ← *people* sich drängen [2] ← *snow* fest werden, sich fest zusammenballen [3] *FAM* ◇ **to send s.o. ~ing** jd-n 'rausschmeißen; **pack in** *vt sep* [1] ↑ *stuff* reinstopfen [2] → *job* hinschmeißen [3] ◇ ~ **it** ~! Hör damit auf!; **pack off** *vt sep:* ◇ **to ~ the kids ~ to bed** die Kinder ins Bett schicken; **pack up I.** *vi* ← *engine* absterben, ausgehen **II.** *vti sep* ← *person* Schluß machen [mit]

package ['pækɪdʒ] *n* [1] ↑ *small parcel* Paket *s* [2] (*things sold as one unit*) Paket *s;* **package deal** *n* ↑ *all or nothing agreement* Pauschalangebot *s;* **package holiday** *n,* **package tour** *n* Pauschalreise *f*

packaging *n* (*boxes, string, plastic etc.*) Verpackung *f*

pack-animal *n* Lasttier *s*

packet ['pækət] *n* [1] (*in post*) Paket *s;* (*of cigarettes*) Schachtel *f* [2] ◇ **that cost me a ~** das hat mich einen Haufen Geld gekostet

pack-horse *n* Packpferd *s;* **pack-ice** *n* Packeis *s*

packing *n* [1] (*act*) Packen *s;* ◇ **to do o.'s ~** packen [2] (*material used*) Verpackung *f;* **packing case** *n* Kiste *f*

packthread *n* Zwirn *m*

pact [pækt] *n* Pakt *m*

pad [pæd] **I.** *n* [1] (*something soft*) ↑ *shoulder*~ Einlage *f;* ↑ *cushion* Polster *s* [2] ↑ *writing*~ Block *m* [3] ↑ *landing*~ Rampe *f* [4] (*of paw*) Ballen *m* [5] *FAM* ↑ *residence* Bude *f* **II.** *vt* ↑ *fill with soft material* polstern; **pad out** *vt sep* → *text* ausdehnen, auffüllen

padded cell *n* Gummizelle *f*

padding *n* (*material*) Polsterung *f*

paddle ['pædl] **I.** *n* (*for canoe*) Paddel *s* **II.** *vti* → *canoe* paddeln **III.** *vi* (*in water*) plantschen; **paddleboat** *n,* **paddle-steamer** *n* Raddampfer *m;* **paddling pool** *n* Planschbecken *s*

paddock ['pædək] *n* (*of horses*) Koppel *f*

paddy *n,* **paddy field** ['pædɪ] *n* Reisfeld *s*

padlock ['pædlɒk] *n* Vorhängeschloß *s*

paean ['piːən] *n* Lobrede *f*

paediatrician [piːdɪə'trɪʃən] *n* Kinderarzt *m,* Kinderärztin *f;* **paediatrics** [piːdɪ'ætrɪks] *n sg* Kinderheilkunde, Pädiatrie *f*

pagan ['peɪgən] *adj* heidnisch

page [1] [peɪdʒ] *n* [1] (*one side of sheet*) Seite *f;* ◇ **on ~ 73** auf Seite 73 [2] ↑ *sheet* Blatt *s*

page [2] [peɪdʒ] *vt* (*in hotel*) ausrufen lassen

pageant ['pædʒənt] *n* ▷*show* Historienspiel *s;* ↑ *grand procession* Festzug *m*

pageantry *n* Prunk *m*

page boy *n* Page *m*

paginate ['pædʒɪneɪt] *vt* paginieren; **pagination** *n* Paginierung *f*

pagoda [pə'gəʊdə] *n* Pagode *f*

paid [peɪd] **I.** *pt, pp of* **pay**; **II.** *adj* (*on bill*) bezahlt; **paidup** *adj* ▷*member* eingezahlt

pail [peɪl] *n* Eimer *m*

pain [peɪn] **I.** *n* [1] ▷*physical* Schmerz *m* [2] ▷*mental* Qual *f* [3] (*in specific area*) Schmerzen *pl; FIG* ◇ **he's a ~ in the neck** der geht mir auf den Wecker [4] ↑ ~*s* (*care and effort*) Mühe *f;* ◇ **to take ~** sich Mühe geben [5] ↑ *threat or penalty* ◇ **on ~ of …** unter Androhung … **II.** *vt:* ◇ **it ~s me to …** es schmerzt mich zu …; **pained** *adj* ▷*expression* gequält; **painful** *adj* [1] ▷*physically* schmerzhaft [2] ↑ *embarrassing* peinlich; ↑ *awkward* unangenehm; **pain-killer** *n* schmerzstillendes Mittel *s;* **painless** *adj* schmerzlos; **painstaking** *adj* gewissenhaft

paint [peɪnt] **I.** *n* Farbe *f;* ↑ *enamel* ~ Lack *m;* ◇ **a box of ~s** ein Farbkasten *m* **II.** *vt* [1] → *doorframe* streichen [2] → *picture* malen; **paintbrush** *n* Pinsel *m;* **painter** *n* [1] ↑ *house* ~ Anstricher(in *f*) *m* [2] ↑ *portrait* ~ Maler(in *f*) *m;* **painting** *n* [1] (*act*) Anstreichen *s;* (*by artist*) Malen *s* [2] (*art*) Malerei *f* [3] ↑ *picture* Bild *s,* Gemälde *s;* **paint-stripper** *n* Abbeizmittel *s;* **paintwork** *n* (*on car*) Lack *m,* Lackierung *f*

pair [pɛə*] **I.** *n* [1] (*of shoes, of people*) Paar *s* [2] ◇ **a ~ of scissors** eine Schere; ◇ **a ~ of trousers** eine Hose [3] (*of animals*) Pärchen *s* [4] ◇ **in ~s** paarweise **II.** *vt* paarweise anordnen; **pair off** *vt sep:* ◇ **to ~ s.o. ~ with s.o.** jd-n mit jd-m zusammenbringen

pajamas [pə'dʒɑːməz] *n pl* (*AM*) Schlafanzug *m*

Pakistan [pɑːkɪ'stɑːn] *n* Pakistan *s*

pal [pæl] *n FAM* Kumpel *m*

palace ['pæləs] *n auch fig* Palast *m*

palaeontology [pælɪɒn'tɒlədʒɪ] *n* Versteinerungskunde *f,* Paläontologie *f*

palatable ['pælətəbl] *adj* schmackhaft

palate ['pælɪt] *n* [1] ANAT Gaumen *m* [2] ↑ *taste* Geschmack *m*

palatial *adj* palastartig

palaver [pə'lɑːvə*] *n* ↑ *talk, FAM* Geschwätz *s;* ↑ *fuss, FAM* Theater *s*

pale [peɪl] *adj* ▷*complexion* blaß; ▷*light* fahl; ◇ ~ ale helles Bier; **paleface** *n* Bleichgesicht *s;* **paleness** *n* Blässe *f*
palette ['pælɪt] *n* Palette *f;* **palette knife** *n* Palettenmesser *s*
paling ['peɪlɪŋ] *n* Lattenzaun *m*
palisade *n* Palisade *f*
pall [pɔːl] **I.** *n* (1) (*dark cloth*) Sargtuch *s* (2) (*of smoke*) Rauchwolke *f* **II.** *vi* langweilig werden (*s.o.* jd-n)
pallbearer *n* Sargträger *m*
pallet ['pælət] *n* (*for bricks*) Palette *f*
palliative I. *n* Linderungsmittel *s* **II.** *adj* ▷*measures* beschönigend
pallid ['pælɪd] *adj* ↑ *unhealthy* bleich
pallor ['pælə*] *n* Blässe *f*
pally ['pælɪ] *adj FAM* freundlich; ◇ **to be ~ with s.o.** mit jd-m gut befreundet sein
palm[1] [pɑːm] **I.** *n* ANAT Handfläche *f* **II.** *vt* → *card* verstecken; **palm off** *vt sp* → *s.o.* abspeisen
palm [2] [pɑːm] BIO Palme *f;* **palmistry** *n* Handlesekunst *f*
Palm Sunday *n* Palmsonntag *m*
palpable ['pælpəbl] *adj* greifbar; *FIG* ▷*lie* eindeutig, klar
palpably *adv* ▷*wrong* offensichtlich
palpitations [pælpɪ'teɪʃən] *n* Herzklopfen *s*
paltry ['pɔːltrɪ] *adj* ▷*amount* nutzlos
pampas ['pæmpəs] *n pl* Pampas *pl*
pamper ['pæmpə*] *vt* verwöhnen
pamphlet ['pæmflət] *n* Broschüre *f*, Heft *nt*
pan [pæn] **I.** *n* (1) ↑ *frying-~* Pfanne *f* (2) (*of lavatory*) Becken *s* (3) (*of prospector*) Goldpfanne *f* (4) ◇ **a flash in the ~** ein Geistesblitz *m* **II.** *vi* (1) FILM panoramieren (2) ◇ **to ~ for gold** Gold waschen; **pan out** *vi FAM* sich ergeben
panacea [pænə'sɪə] *n* ↑ *universal cure* Allheilmittel *s*
panache [pə'næʃ] *n* Elan *m*
Panama [pænə'mɑː] *n* Panama *s*
Panama Canal *n* Panamakanal *m*
pancake ['pænkeɪk] *n* Pfannkuchen *m*
panda ['pændə] *n* ZOOL Panda *m;* **panda car** *n* (*BRIT*) Streifenwagen *m*
pandemonium [pændɪ'məʊnɪəm] *n* (*FIG wild disorder*) Tumult *m;* ↑ *noise* Höllenlärm *m*
pander ['pændə*] *vi* Vorschub leisten (*to* zu); ◇ **to ~ to s.o.'s ego** jd-m schmeicheln
pane [peɪn] *n* (*of glass*) Scheibe *f*
panel ['pænl] **I.** *n* (1) ↑ *committee* Gremium *s* (2) MEDIA Rateteam *s;* ↑ *discussion* ~ Diskussionsrunde *f* (3) (*of wood*) Platte *f* (4) ↑ *control* ~ Schalttafel *f* **II.** *vt* → *wall* täfeln; **panel beater** *n* Autoschlosser *m*

panelling *n* Paneel *s*
panellist *n* Diskussionsteilnehmer(in *f*) *m*
pang [pæŋ] *n:* ◇ **~s of hunger** quälender Hunger *m;* ◇ **~s** *pl* **of conscience** Gewissensbisse *pl*
panic ['pænɪk] **I.** *n* (*infectious fear*) Panik *f;* ↑ *anxiety* Angstzustand *m* **II.** *vi* in Panik geraten; ◇ **don't ~** nur mit der Ruhe; **panicky** *adj* ↑ *easily panicked* überängstlich; **panic-stricken** *adj* ↑ *extremely frightened* von panischer Angst ergriffen
pannier ['pænɪə*] *n* ↑ *basket* Korb *m;* ↑ *~s* (*on bike*) Satteltaschen *pl*
panorama [pænə'rɑːmə] *n* ↑ *view, auch FIG* Panorama *s;* **panoramic** [pænə'ræmɪk] *adj* ▷*picture* Panorama-; *FIG* umfassend
pan-pipe *n* Panflöte *f*
pansy ['pænzɪ] *n* (1) (*flower*) Stiefmütterchen *s* (2) *FAM* ↑ *homosexual* Homo *m*
pant [pænt] *vi* keuchen; ← *hound* schnaufen; ◇ **to ~ for breath** nach Luft schnappen
pantheon ['pænθɪən] *n* Pantheon *s*, Ehrentempel *m*
panther ['pænθə*] *n* Panther *m*
panties ['pæntɪz] *n pl* Slip *m*
pantomime ['pæntəmaɪm] *n* (1) *BRIT possenhaftes Theaterspiel für Kinder* (2) ↑ *mime* Pantomime *f*
pantry ['pæntrɪ] *n* Vorratskammer *f*
pants [pænts] *n pl* (1) (*BRIT underwear*) Unterhose *f* (2) ↑ *trousers* Hose *f*
panty-hose ['pæntɪhəʊz] *n* Strumpfhose *f;* **panty-liner** ['pæntɪlaɪnə*] *n* Slipeinlage *f*
papacy *n* Papsttum *s;* **papal** ['peɪpəl] *adj* päpstlich
paper ['peɪpə*] **I.** *n* (1) (*substance*) Papier *s* (2) ↑ *newspaper* Zeitung *f* (3) ↑ *learned ~* Referat *s* (4) ↑ *identity ~* Papiere *pl* **II.** *adj* Papier- **III.** *vt* → *wall* tapezieren; **paper over** *vt sep FIG* → *faults* übertünchen; **paperback** *n* Taschenbuch *s;* **paper bag** *n* Tüte *f;* **paper clip** *n* Büroklammer *f;* **paper feed** *n* Papiervorschub *m;* **paper shop** *n* Zeitungsladen *m;* **paperweight** *n* Briefbeschwerer *m;* **paperwork** *n* (1) (*letters etc.*) Schreibarbeit *f* (2) ↑ *red-tape* Papierkrieg *m*
papier-maché ['pæpɪeɪ'mæʃeɪ] *n* Pappmaché *s*
paprika ['pæprɪkə] *n* ↑ *red pepper* Paprika *m*
papyrus [pə'paɪərəs] *n* Papyrus *m*
par [pɑː*] *n* (1) SPORT ↑ *average score* Par *m; FIG* ◇ **that's ~ for the course** das ist halt so (2) (FIN *original share price*) Pariwert *m;* ◇ **above/below ~** über/unter pari (3) (*of currencies*) Parität, f (4) ◇ **on a ~ with st./s.o.** vergleichbar sein mit etwas/jd-m (5) ◇ **to be below ~** ↑ *not well* sich nicht wohl fühlen

P

parable ['pærəbl] *n* REL Gleichnis *s*
parachute ['pærəʃu:t] **I.** *n* Fallschirm *m* **II.** *vi* abspringen; **parachute drop** *n* (*of cargo*) Abwurf *m;* **parachutist** ['pærəʃu:tɪst] *n* Fallschirmspringer(in *f*) *m*
parade [pə'reɪd] **I.** *n* ① ↑ *carnival* ~ Umzug *m* ② ↑ *fashion* ~ Modeschau *f* ③ MIL Truppeninspektion *f* **II.** *vt* → *knowledge* zur Schau stellen **III.** *vi* (*march in public*) vorbeimarschieren
paradigm ['pærədaɪm] *n* Musterbeispiel *s*
paradise ['pærədaɪs] *n auch FIG* Paradies *s*
paradox ['pærədɒks] *n* Paradox *s;* **paradoxical** [pærə'dɒksɪkəl] *adj* widersinnig; **paradoxically** *adv* paradoxerweise
paraffin ['pærəfɪn] *n* (*BRIT*) Paraffinöl *s*
paragon ['pærəgən] *n* Muster *s;* ◇ **a ~ of virtue** ein Muster an Tugend
paragraph ['pærəgrɑ:f] *n* Absatz *m,* Paragraph *m*
parakeet ['pærəki:t] *n* Sittich *m*
parallel ['pærəlel] **I.** *adj* ① ▷*actions* parallel verlaufend (*with, to* mit, zu) ② MATH ▷*line* parallel (*with, to* mit, zu) **II.** *n auch FIG* Parallele *f*
paralysis [pə'ræləsɪs] *n* Lähmung *f;* **paralyze** ['pærəlaɪz] *vt* lähmen; **paralytic** [pærə'lɪtɪk] *adj* ① MED paralytisch ② *FAM* total besoffen
paramedic [pærəmedɪk] *n* Rettungsassistent(in *f*) *m*
parameter [pə'ræmɪtə*] *n* (*established limit*) Rahmen *m*
paramilitary [pærə'mɪlɪtərɪ] *adj* paramilitärisch
paramount ['pærəmaʊnt] *adj* ▷*importance* höchst(er, e, es)
paranoia [pærə'nɔɪə] *n* Paranoia *f,* Verfolgungswahn *m;* **paranoid** ['pærənɔɪd] *adj* paranoid
parapet ['pærəpɪt] *n* Brüstung *f*
paraphernalia ['pærəfə'neɪlɪə] *n pl* Ausrüstung *f; FAM* Zeug *s*
paraphrase ['pærəfreɪz] *vt* umschreiben
paraplegic [pærə'pli:dʒɪk] *n* Querschnittgelähmte(r) *fm*
parasite ['pærəsaɪt] *n* (*plant or animal*) Parasit *m;* (*useless person*) Schmarotzer *m*
parasol ['pærəsɒl] *n* Sonnenschirm *m*
paratrooper ['pærətru:pə*] *n* Fallschirmjäger *m*
parboil ['pɑ:bɔɪl] *vt* vorkochen
parcel ['pɑ:sl] *n* Paket *s;* **parcel out** *vt sep* → *work* aufteilen; **parcel up** *vt* als Paket verpacken; **parcel bomb** *n* Briefbombe *f;* **parcel office** *n* RAIL Paketstelle *f*
parched ['pɑ:tʃd] *adj* ↑ *very thirsty* sehr durstig; ↑ *dried out* ausgetrocknet
parchment ['pɑ:tʃmənt] *n* Pergament *s*
pardon ['pɑ:dn] **I.** *n* ① ↑ *official* ~ Begnadigung *f* ② ◇ **I beg your ~** verzeihen Sie (bitte); ◇ ~? Wie bitte? **II.** *vt* ① JUR begnadigen ② ◇ **~ me!** Entschuldigung!; **pardonable** [pɑ:dnəbl] *adj* verzeihlich
pare [peə*] *vt* → *apple* schälen; **pare down** *vt sep* → *cost* einschränken
parent ['peərənt] *n* Elternteil *m;* ◇ **~s** *pl* Eltern *pl;* **parentage** *n* Herkunft *f;* **parental** [pə'rentl] *adj* elterlich; **parent company** *n* Muttergesellschaft *f*
parenthesis [pə'renθɪsɪs] *n* <-theses> ① *parentheses, AM* Klammerzeichen, Klammern *pl* ② (*extra text*) Einschub *m* ③ ↑ *secondarily* ◇ **to say in ~** noch dazu sagen
parenthood ['peərənthʊd] *n* Elternschaft *f*
pariah ['pærɪə*] *n* ↑ *social outcast* Ausgestoßene(r) *fm*
parish ['pærɪʃ] *n* Gemeinde *f;* **parishioner** [pə'rɪʃənə*] *n* Gemeindemitglied *s*
Parisian [pə'rɪzɪən] **I.** *adj* Pariser **II.** *n* Pariser(in *f*) *f*
parity ['pærɪtɪ] *n* (FIN *of currencies*) Parität *f;* (*of pay*) Gleichheit *f;* ◇ **~ check** PC Paritätsprüfung *f*
park [pɑ:k] **I.** *n* ① (*garden, grounds*) Park *m* ② ↑ *car* ~ Parkplatz *m* **II.** *vti* → *car* parken
parka ['pɑ:kə] *n* Parka *m*
parking ['pɑ:kɪŋ] *n* Parken *s;* ◇ **no ~** Parken verboten; **parking fine** *n* Geldbuße *f,* Strafe *f;* **parking lights** *n pl* Standlicht *s;* **parking lot** *n* (*AM*) Parkplatz *m;* **parking meter** *n* Parkuhr *f;* **parking place** *n*, **parking space** *n* Parklücke *f;* **parking ticket** *n* Strafzettel *m*
Parkinson's disease ['pɑ:kɪnsəns 'dɪzi:z] *n* Parkinsonsche Krankheit *f*
parkway ['pɑ:kweɪ] *n* (*AM*) *landschaftlich schöne Straße f*
parlance ['pɑ:ləns] *n* Sprachgebrauch *m;* ◇ **common ~** gängige Sprache
parliament ['pɑ:ləmənt] *n* Parlament *s;* **parliamentary** [pɑ:lə'mentərɪ] *adj* parlamentarisch
parlour, **parlor** (*AM*) ['pɑ:lə*] *n* Salon *m*
parochial [pə'rəʊkɪəl] *adj* ① ↑ *narrow-minded* engstirnig ② (*of parish*) Gemeinde-
parody ['pærədɪ] **I.** *n* (*humorous, laughable*) Parodie *f* (*of* auf *acc*) **II.** *vt* parodieren
parole [pə'rəʊl] **I.** *n:* ◇ **on ~** auf Bewährung **II.** *vt* auf Bewährung entlassen
paroxysm ['pærəksɪzəm] *n* Anfall *m;* ◇ **~ of laughter** Lachanfall *m*
parquet ['pɑ:keɪ] *n* Parkett *s*
parrot ['pærət] **I.** *n* Papagei *m* **II.** *vt* ohne Verständnis wiederholen
parry ['pærɪ] *vt* → *blow* abwehren;

parsimonious [pɑːsɪ'məʊnɪəs] *adj* geizig; **parsimony** ['pɑːsɪmənɪ] *n* Geiz *m*
parsing ['pɑːsɪŋ] *n* PC Grammatikanalyse *f*
parsley ['pɑːslɪ] *n* Petersilie *f*
parsnip ['pɑːsnɪp] *n* Pastinake *f*
parson ['pɑːsn] *n* Pfarrer(in *f*) *m*
part [pɑːt] **I.** *n* [1] (*some but not all*) Teil *m* [2] ↑ *share* Anteil *m* [3] ↑ *piece or component* Teil *s or m;* ◇ **spare** ~ Ersatzteil *s* [4] ↑ ~*s* ↑ *area* Gegend *f;* ◇ **he's not from these ~s** er kommt nicht von hier [5] (THEAT *words, character*) Rolle *f; FIG* ◇ **to take ~ in s.th.** einen Beitrag leisten, mitmachen; ◇ **for my ~** vom mir aus [6] ◇ **for the most ~** im großen und ganzen **II.** *adv* teilweise; ◇ **~ this and ~ that** teils dies und teils das **III.** *vt* [1] ↑ *separate* trennen; ◇ **till death do us ~** bis daß der Tod uns scheidet; ◇ **to ~ company** sich trennen [2] → *hair* scheiteln **IV.** *vi* [1] ← *people* sich trennen (*from, with* von) [2] ← *materials* abgehen, sich lösen; **part with** *vi +prep obj* ↑ *get rid of (st.)* loswerden; **part-exchange** *n:* ◇ **to take s.th. in ~** etwas in Zahlung nehmen
partial ['pɑːʃəl] *adj* [1] ↑ *incomplete* Teil-, teilweise; ▷*eclipse* partiell [2] ↑ *biased* voreingenommen; ◇ **to be ~ to s.th.** eine Schwäche für etwas haben; **partially** *adv* teilweise
participant [pɑː'tɪsɪpənt] *n* Teilnehmer(in *f*) *m* (*in* an *dat*); **participate** [pɑː'tɪsɪpeɪt] *vi* teilnehmen (*in* an *dat*); **participation** [pɑːtɪsɪ'peɪʃən] *n* ↑ *taking part in* Teilnahme *f;* ↑ *sharing* Beteiligung *f;* **participator** *n s.* **participant**
participle ['pɑːtɪsɪpl] *n* Partizip *s*
particle ['pɑːtɪkl] *n* (*of dust*) Körnchen *s*
particular [pə'tɪkjʊlə*] **I.** *adj* [1] ↑ *outstanding, special* besondere(r, s); ◇ **in ~** vor allem [2] (*one and no others*) bestimmt, genau [3] ↑ *fussy* eigen **II.** *n* (*the general and the ~*) Besondere *s;* **particularize** *vt* genau angeben, spezifizieren; **particularly** *adv* ▷*request* ausdrücklich; ▷*stupid* besonders; **particulars** *n pl* (*of product*) Einzelheiten *pl;* (*of person*) Personalien *pl*
parting ['pɑːtɪŋ] **I.** *n* [1] ↑ *farewell* Abschied *m;* ↑ *separation* Trennung *f* [2] (*line in hair*) Scheitel *m* **II.** *adj* Abschieds-
partisan [pɑːtɪ'zæn] **I.** *n* [1] ↑ *strong supporter* Unterstützer(in *f*) *m* [2] ↑ *guerrilla* Partisan(in *f*) *m* **II.** *adj* parteiisch
partition [pɑː'tɪʃən] *n* [1] ↑ *thin wall* Trennwand *m* [2] (*of country*) Teilung *f*
partly ['pɑːtlɪ] *adv* ↑ *to some degree* teilweise
partner ['pɑːtnə*] *n* [1] (*sharer of interest or activity*) Partner(in *f*) *m* [2] (*in crime*) Komplize (-zin *f*) *m* [3] (COMM *in share-ownership etc.*) Gesellschafter(in *f*) *m;* **partnership** *n* [1] (*state of being partner*) Partnershaft *f,* Gemeinschaft *f;* ◇ **to do s.th. in ~ with s.o. else** mit jd-m etwas gemeinsam machen [2] COMM Personengesellschaft *f*
part of speech *n* Wortart *f*
partridge ['pɑːtrɪdʒ] *n* Rebhuhn *s;* **part-time** ['pɑːt'taɪm] **I.** *adj* Teilzeit- **II.** *adv* Teilzeit; **part-time worker**, **part timer** *n* Teilzeitarbeiter(f *f*) *m*
party ['pɑːtɪ] **I.** *n* [1] (*birthday ~*) Fest *s,* Party *f* [2] POL Partei *f* [3] (*any group doing s.th. together*) Gruppe *f,* Gesellschaft *f* [4] (JUR *guilty ~*) Partei *f;* (*in contract*) Vertragspartei *f;* ◇ **a third ~** ein Dritter; **party dress** *n* Partykleid *s;* **party politics** *n pl* Parteipolitik *f*
parvenu ['pɑːvənuː] *n* Emporkömmling *m*
PASCAL ['pæskæl] *n acronym of programming language,* PC PASCAL *s*
pass [pɑːs] **I.** *vt* [1] ↑ *go past st./s.o.* vorbeigehen an *dat,* vorbeifahren an *dat* [2] (*move st. in a particular way*) ◇ **to ~ s.o. the ball** jd-m den Ball zuspielen; → *salt* reichen; → *goods* weitergeben [3] JUR → *judgement* fällen; → *sentence* verhängen [4] POL → *motion* annehmen; → *statute* verabschieden [5] → *time* verbringen [6] ◇ **to ~ water** Wasser lassen [7] ◇ **it ~es my comprehension** es ist mir unbegreiflich **II.** *vi* [1] ← *days* vergehen [2] ◇ **to ~ through France** Frankreich durchfahren [3] ◇ **that'll ~** (*of work*) das geht, ist so in Ordnung **II.** *vti* [1] → *ball* spielen [2] → *car* überholen [3] → *exam* bestehen **III.** *n* [1] (*of exam*) Bestehen *s* [2] ↑ *permit* Ausweis *m* [3] (*at football*) Paß *m,* Vorlage *f* [4] ↑ *mountain* ~ Paß *m* [5] ◇ **to make a ~ at s.o.** jd-n anmachen; **pass away** *vi* ↑ *die* sterben; **pass by** *vi* [1] ← *people* vorbeigehen [2] ← *years* vergehen; **pass down** *vt sep* → *knowledge* weitergeben an *acc;* **pass for** *vi* gehalten werden für; **pass out** *vi* ↑ *faint* ohnmächtig werden; **pass over** *vi +prep obj* ↑ *be quiet about* schweigen über *acc;* **pass up** *vt sep* → *opportunity* vorübergehen lassen
passable ['pɑːsəbl] *adj* [1] ▷*road* befahrbar [2] (*just good enough*) passabel
passably *adv* einigermaßen
passage ['pæsɪdʒ] *n* [1] ↑ *corridor* Gang *m* [2] (*through country*) Durchfahrt *f* [3] (*of text*) Kapitel *s;* (*of music*) Passage *f* [4] ↑ *voyage* Überfahrt *f* [5] (*of time*) Verlauf *m* [6] ANAT Weg *m;* (*of ear*) Gang *m;* **passageway** *n* Durchgang *m*
passbook ['pɑːsbʊk] *n* Sparbuch *s*
passenger ['pæsɪndʒə*] *n* (*person travelling but not driving, in car*) Beifahrer(in *f*) *m;* (*in bus*) Fahrgast *m;* (*in plane*) Passagier *m;* (*in train*) Reisende(r) *fm*

P

passer-by ['pɑːsə'baɪ] *n* Passant(in *f*) *m*
passing ['pɑːsɪŋ] **I.** *n* ① ↑ *death* Ableben *s* ② ◇ **to mention in** ~ im Vorbeigehen erwähnen **II.** *adj* ① ▷*car* vorbeifahrend ② ▷*thought* momentan
passion ['pæʃən] *n* Leidenschaft *f;* **passionate** ['pæʃənət] *adj*, **passionately** *adv* leidenschaftlich
passive ['pæsɪv] **I.** *n* LING ↑ ~*form* Passiv *s* **II.** *adj* (*not resisting*) widerstandslos; (*not active*) passiv
Passover ['pɑːsəʊvə*] *n* Passah *s*
passport ['pɑːspɔːt] *n* Reisepaß *m*
password ['pɑːswɜːd] *n a.* PC Kennwort *s*
past [pɑːst] **I.** *n* Vergangenheit *f* **II.** *adv, prep* vorbei; ◇ **to walk ~ s.o./s.th.** an jd-m/etw vorbeigehen **III.** *adj* ① ▷*events* vergangen; ◇ **the time for it is** ~ die Zeit dafür ist vorbei ② ▷*prime minister* ehemalig, frühere(r, s) ③ ◇ **for some time** ~ seit einiger Zeit **IV.** *prep* (*beyond*) ▷*11 o'clock* nach; ▷*landmark* an *dat* vorbei
pasta ['pæstə] *n* Teigwaren *pl*
paste [peɪst] **I.** *n* breiartige Masse *f* ① (*fish* ~) Aufstrich *m;* (*tomatato* ~) Mark *s* ② ↑ *wet glue* Kleister *m* **II.** *vt* → *wallpaper* mit Kleister bestreichen; **paste up** *vt sep* aufkleben
pastel ['pæstəl] *adj* Pastell-
pasteurized ['pæstəraɪzd] *adj* pasteurisiert
pastime ['pɑːstaɪm] *n* Freizeitbeschäftigung *f*
past master ['pɑːst 'mɑːstə*] *n* Experte(Expertin *f*) *m*
pastor ['pɑːstə*] *n* Pfarrer(in *f*) *m*
pastoral *adj* ① ▷*poetry* pastoral ② ▷*care* seelsorgerisch
pastry ['peɪstrɪ] *n* ① ◇ **short** ~ Mürbeteig *m;* ◇ **flaky** ~ Blätterteig *m* ② (*light cake*) Gebäck *s*
pasture ['pɑːstʃə*] *n* Weide *f*
pasty ['pæstɪ] **I.** *n* Pastete *f* **II.** ['peɪstɪ] *adj* bläßlich
pat [pæt] **I.** *n* ① (*friendly touch*) Klaps *m* ② (*of butter*) Klümpchen *s* ③ ◇ ~ **on the back** Schulterklopfen *s*, Anerkennung *f* **II.** *adv, adj* ① ▷*answer* schlagfertig ② *auch FIG* ◇ **to know s.th. off pat** etwas auswendig kennen **III.** *vt* → *dog* tätscheln
patch [pætʃ] **I.** *n* ① (*of material*) Flicken *m* ② (*particular area, damp* ~) Stelle *f*, Fleck *m* ③ (*of ground*) ↑ *vegetable* ~ Beet *s;* (*of fog*) Schwaden *m* ⑤ ◇ **to go through a bad** ~ kein Glück haben **II.** *vt* flicken; **patch up** *vt sep* ① → *relationship* aussöhnen ② → *car* zusammenflicken; **patchwork** ['pætʃwɜːk] *n* Patchwork *s;* **patchy** ['pætʃɪ] *adj* ① ▷*knowledge* lückenhaft, oberflächlich ② ▷*mist* zerrissen
pâté *n* Pastete *f*
patella [pə'telə] *n* ANAT Kniescheibe *f*
patent ['peɪtənt] **I.** *n* (*exclusive right*) Patent *s;* ◇ ~ **pending** Patent angemeldet **II.** *vt* patentieren lassen **III.** *adj* ① ▷*stupidity* offensichtlich ② ▷*lock* patentiert; **patent leather** *n* Lackleder *s*
patently *adv* offensichtlich
patent office *n* Patentamt *s*
paternal [pə'tɜːnl] *adj* (*like/from father*) väterlich; ◇ **his ~ grandfather** sein Großvater väterlicherseits; **paternalism** *n* Bevormundung *f;* **paternalistic** [pətɜːnə'lɪstɪk] *adj* patriarchalisch; **paternity** [pə'tɜːnɪtɪ] *n* JUR Vaterschaft *f*
path [pɑːθ] *n* ① (*garden* ~) Weg *m;* ↑ *trail* Pfad *m;* ◇ **keep to the** ~ bleib' auf dem Weg ② (*of sun, of arrow*) Bahn *f* ③ (*to success*) Weg *m* ④ PC [Such-]Pfad *m*
pathetic [pə'θetɪk] *adj* ① ↑ *sad* mitleiderregend ② ↑ *feeble* jämmerlich; **pathetically** [pə'θetɪk-lɪ] *adv* ① ▷*whimper* mitleiderregend ② ◇ **it is ~ clear** es ist vollkommen [*o.* zum Heulen] klar
pathological [pæθə'lɒdʒɪkəl] *adj* krankhaft, pathologisch; **pathologist** [pə'θɒlədʒɪst] *n* Pathologe(Pathologin *f*) *m;* **pathology** [pə'θɒlədʒɪ] *n* ① (*academic subject*) Pathologie *f* ② (*of patient*) Krankheitsbild *s*
pathos ['peɪθɒs] *n* Pathos *s*
pathway ['pɑːθweɪ] *n s.* **path**
patience ['peɪʃəns] *n* ① Geduld *f* ② (*CARDS*) Patience *f;* **patient** ['peɪʃənt] **I.** *adj* (*composed*) geduldig **II.** *n* ↑ *ill person* Patient(in *f*) *m;* **patiently** *adv* geduldig
patio ['pætɪəʊ] *n* <-s> ① ↑ *inner courtyard* Innenhof *m*, Patio *m* ② ↑ *terrace* Terrasse *f*
patois ['pætwɑːz] *n* Patois *s*
patriachal [peɪtrɪ'ɑːkəl] *adj* patriarchalisch; **partriachy** *n* Patriarchat *s*
patrician [pə'trɪʃən] **I.** *n* Patrizier(in *f*) *m* **II.** *adj* patrizisch
patriot ['pætrɪət] *n* Patriot(in *f*) *m;* **patriotic** [pætrɪ'ɒtɪk] *adj* ▷*person* patriotisch; ▷*duty* dem Vaterland gegenüber; **patriotism** ['pætrɪətɪzəm] *n* Vaterlandsliebe *f*
patrol [pə'trəʊl] **I.** *n* ① (*in sea and sky*) Patrouille *f* ② (*by security guard*) Runde *f* ③ (*by police*) Streife *f;* ◇ **to be on** ~ auf Streife sein **II.** *vti* → *building* die Runde machen in *dat;* **patrol car** *n* Streifenwagen *m;* **patrolman** *n* <-men> (*AM*) Polizist *m;* **patrolwoman** *n* Polizistin *f*
patron ['peɪtrən] *n* ① (*well-known official supporter*) Förderer(in *f*) *m* ② (*in shop*) Stammkunde *m*, Stammkundin *f* ③ (*of art, buyer*) Gönner(in *f*) *m;* **patronage** ['pætrənɪdʒ] *n* ① ↑ *support*

Schirmherrschaft *f* [2] ↑ *right to appoint* Patronat *s*

patronize ['pætrənaɪz] *vt* [1] ↑ *support* unterstützen, fördern [2] → *hotel* besuchen [3] → *s.o.* herablassend behandeln; **patronizing** *adj* ▷*attitude* herablassend

patron saint *n* Schutzpatron(in *f*) *m*

patsy ['pætsɪ] *n* (*AM FAM victim*) Leichtgläubige(r) *fm*

patter ['pætə*] **I.** *n* [1] (*sound, of feet*) Getrippel *s;* (*of rain*) Plätschern *s* [2] (*sales talk*) Sprüche *pl* **II.** *vi* ← *feet* trippeln; ← *rain* plätschern

pattern ['pætən] **I.** *n* [1] (*of line and colour*) Muster *s* [2] ↑ *template* Schnittmuster *s* [3] (*of behaviour*) Schema *s;* ↑ *daily* ~ Gewohnheiten *pl* [4] (*of events leading somewhere*) Ablauf *m* **II.** *vt:* ◇ **to ~ yourself on s.o.** jd-n als Vorbild nehmen; **patterned** *adj* ▷*carpet* gemustert

paunch [pɔːntʃ] *n* Bauch *m*

pauper ['pɔːpə*] *n* Arme(r) *fm*

pause [pɔːz] **I.** *n* Pause *f* **II.** *vi* eine Pause machen; (*for thought*) innehalten

pave [peɪv] *vt* [1] → *path* pflastern [2] *FIG* ◇ **to ~ the way for s.th.** etwas anbahnen; **paved** *adj* ▷*road* befestigt

pavement ['peɪvmənt] *n* (*BRIT*) Bürgersteig *m*

pavilion [pə'vɪlɪən] *n* [1] ↑ *pleasure* ~ Pavillon *m* [2] ↑ *sport's* ~ Klubhaus *s*

paving ['peɪvɪŋ] *n* (*material*) Belag *m;* (*AM of highway*) Decke *f*

paw [pɔː] **I.** *n* Pfote *f;* (*of big cats*) Pranke *f,* Tatze *f* **II.** *vti* [be-]tätscheln; *FAM* betatschen

pawn [pɔːn] **I.** *n* (*CHESS*) Bauer *m* **II.** *vt* verpfänden; **pawnbroker** *n* Pfandleiher *m;* **pawnbroker's** *n,* **pawnshop** *n* Pfandhaus *s*

pay [peɪ] <paid, paid> **I.** *vti* [1] ↑ *give money (for)* [be-]zahlen [2] (*provide an advantage*) sich lohnen, sich rentieren; ◇ **crime doesn't ~** Verbrechen lohnt sich nicht; ◇ **it would ~ you to ...** es würde sich für dich lohnen zu ... **II.** *vt* [1] → *bills* → *debts* → *person* bezahlen; → *interest* zahlen [2] ◇ **to ~ o.'s way** selbst auskommen [4] (*be careful*) ◇ **to ~ attention** vorsichtig o aufmerksam sein, achtgeben (*to* auf *acc*) [4] ◇ **to ~ s.o. a call** jd-n besuchen, jd-m einen Besuch abstatten [5] ◇ **to ~ s.o. a compliment** jd-m ein Kompliment machen **III.** *n* ↑ *wages* Lohn *m,* Bezahlung *f;* ↑ *salary* Gehalt *s;* ◇ **to be in s.o.'s ~** bei jd-m beschäftigt sein; **pay for** *vi +prep obj* bezahlen; *FIG* büßen; **pay back** *vt sep* [1] → *money* zurückzahlen [2] ◇ **to ~ s.o.¯** ↑ *revenge o.s.* es jd-m heimzahlen; **pay in** *vt sep* einzahlen (*to* auf *acc*); **pay off** *vt* → *debt* tilgen, abbezahlen; → *creditor* befriedigen; **pay out** *vt sep* → *money* ausgeben; **pay up** *vi* zurückbezahlen, abbezahlen; **payable** ['peɪəbl] *adj* ▷*due* fällig; **pay-bed** *n* Privatbett *s;* **pay-claim** *n* Gehaltsforderung *f;* **pay-day** *n* Zahltag *m*

PAYE *n abbr. of* **pay as you earn** *Lohnsteuer wird direkt vom Lohn abgezogen;* **payee** [peɪ'iː] *n* Zahlungsempfänger(in *f*) *m;* **pay envelope** *n* (*AM*) *s.* **pay-packet**; **paying guest** *n* zahlender Gast *m;* **paying-in slip** *n* Einzahlungsschein *m;* **payload** *n* Nutzlast *f;* **payment** ['peɪmənt] *n* [1] (*act*) Bezahlung *f* [2] (*amount of money*) Zahlung *f;* **payment on account** *n* Abschlagszahlung *f;* **pay-off** *n* [1] (*end result*) Quittung *f* [2] ↑ *punch-line* Pointe *f*

payola [peɪ'əʊlə] *n* Bestechung *f*

pay-packet *n* Lohntüte *f;* **pay-phone** *n* Münzfernsprecher *m,* Münztelefon *s;* **payroll** *n* Lohnliste *f;* **pay-slip** *n* Lohnstreifen *m*

PC *abbr. of* **I.** *n* **personal computer** PC *m* **II.** *n* **police constable** Polizeibeamte(r)(Polizeibeamtin *f*) *m*

PE *n abbr. of* **physical education** SCHOOL Turnen *s,* Sport *m*

pea [piː] *n* Erbse *f*

peace [piːs] *n* [1] (*war and ~*) Frieden *m* [2] ↑ *tranquillity* Ruhe *f;* ◇ **~ of mind** innere Ruhe [3] JUR öffentliche Ordnung *f;* **peaceable** *adj* ▷*person* friedfertig; **peaceably** *adv* ▷*settle an argument* friedlich; **Peace Corps** ['piːs kɔː*] *n* (*AM*) Entwicklungsdienst *m;* **peaceful** *adj* [1] ▷*vacation* ruhig [2] ▷*death* sanft; **peacekeeping** *adj* friedenserhaltend, Friedens-; **peacemaker** *n* Friedensstifter(in *f*) *m;* **peace movement** *n* Friedensbewegung *f;* **peace-offering** *n FIG* Versöhnungsgeschenk *s;* **peace-pipe** *n* Friedenspfeife *f;* **peace studies** *n pl* Friedensforschung *f;* **peace talks** *n* Friedensverhandlungen *pl;* **peacetime** *n* Friedenszeiten *pl*

peach [piːtʃ] *n* (*fruit*) Pfirsich *m*

peacock ['piːkɒk] *n* Pfau *m*

pea-green ['piːgriːn] *adj* erbsengrün

peak [piːk] **I.** *n* [1] (*of mountain*) Gipfel *m* [2] *FIG of career* Höhepunkt *m* [3] (*of cap*) Schirm *m* **II.** *vi* den Höchststand erreichen **III.** *adj* Höchst-, Spitzen-; **peak period** *n* [1] ↑ *rush-hour* Hauptverkehrszeit *f* [2] ELECTR Hauptbelastungszeit *f;* **peak season** *n* Hochsaison *f*

peaked *adj* ▷*helmet* spitz

peal [piːl] **I.** *vi* ← *bells* läuten **II.** *n* [1] (*of bells*) Glockengeläute *s* [2] ◇ **~ of laughter** schallendes Gelächter *s*

peanut ['piːnʌt] *n* Erdnuß *f;* ◇ **to work for ~s** sehr schlecht bezahlt werden; **peanut butter** *n* Erdnußbutter *f*

pear [pɛə*] *n* Birne *f*
pearl [pɜːl] **I.** *n* Perle *f; (mother-of-~)* Perlmutt *s* **II.** *adj (colour)* grauweiß; **pearl grey** *adj* silbergrau; **pearly** *adj* perlmuttartig; ◇ **Pearly Gates** Himmelspforte *f*
peasant ['pezənt] *n* 1 AGR Kleinbauer *m* 2 ↑ *ignorant hick* Banause *m;* **peasantry** *n* Kleinbauernstand *m*
pease-pudding ['piːsənpuːdɪŋ] *n* Erbspüree *s*
peat [piːt] *n* Torf *s;* **peatbog** *n* Torfmoor *s*
pebble ['pebl] *n* Kiesel *m;* **pebble-dash** *n* Kieselrauhputz *m;* **pebbly** *adj* steinig
pecan ['piːkən] *n* ▷*nut* Pekannuß *f*
peccadillo [pekə'dɪləʊ] *n* <-es> kleine Sünde *f*
peck [pek] **I.** *vti* 1 ← *bird* picken 2 ◇ **to ~ at o.'s food** im Essen herumstochern **II.** *n (on cheek)* Küßchen *s*
pecking order ['pekɪŋ 'ɔːdə*] *n* Hackordnung *f*
peckish ['pekɪʃ] *adj FAM* hungrig
pectin ['pektɪn] *n* Pektin *s*-
peculiar [pɪ'kjuːlɪə*] *adj* 1 ↑ *odd* eigenartig, seltsam 2 ↑ *special, unique* eigentümlich *(to* für) 3 ↑ *ill, queasy* ◇ **the smell of onions makes me feel ~** wenn ich Zwiebeln rieche, wird mir unwohl; **peculiarity** [pɪkjʊlɪ'ærɪtɪ] *n* 1 *(singular quality)* Besonderheit *f,* Eigentümlichkeit *f* 2 ↑ *oddness* Seltsamkeit *f;* **peculiarly** [pɪ'kjuːlɪəlɪ] *adv* 1 ▷*behave* seltsam 2 ↑ *especially* besonders
pecuniary [pɪ'kjuːnɪərɪ] *adj* ▷*advantage* finanziell
pedagogue ['pedəgɒg] *n* ↑ *teacher* Pädagoge *m,* Pädagogin *f*
pedal ['pedl] **I.** *n* Pedal *s* **II.** *vi* 1 ↑ *push pedals* treten 2 ◇ **to ~ (along on) o.'s bike** radfahren; ▷*uphill* strampeln
pedant ['pedənt] *n* Pedant(in *f*) *m;* **pedantic** [pɪ'dæntɪk] *adj* pedantisch; **pedantry** ['pedəntrɪ] *n* Pedanterie *f*
pederast ['pedəræst] *n* Päderast *m*
peddle ['pedl] *vt* ↑ *sell* verkaufen; ◇ **to ~ drugs** mit Drogen handeln; **peddler** *n s.* **pedlar:** ◇ **drug ~** Drogenhändler(in *f*) *m*
pedestal ['pedɪstl] *n* Sockel *m*
pedestrian [pɪ'destrɪən] **I.** *n* Fußgänger(in *f*) *m* **II.** *adj* 1 ▷*safety* Fußgänger- 2 ▷*style* langweilig, schwunglos; **pedestrian crossing** *n* Fußgängerüberweg *m;* **pedestrian precinct** *n* Fußgängerzone *f*
pediatrics [piːdɪ'ætrɪks] *n sg (AM) s.* **paediatrics**
pedigree ['pedɪgriː] **I.** *n* Stammbaum *m;* ↑ *list of ancestors* Ahnentafel *f* **II.** *adj* ▷*animal* reinrassig
pedlar ['pedlə*] *n* ↑ *travelling salesman* Hausierer(in *f*) *m*
pee [piː] *vi FAM* pinkeln
peek [piːk] **I.** *n* kurzer [*o.* flüchtiger *m*] Blick **II.** *vi* gucken
peel [piːl] **I.** *n* Schale *f* **II.** *vt* → *orange* schälen **III.** *vi* 1 ← *paint* abblättern 2 ← *rattlesnake* sich häuten; **peel off** *vt sep* → *clothes* abstreifen; → *wallpaper* ablösen
peelings *n pl* Schalen *pl*
peep [piːp] **I.** *n (look)* neugieriger Blick *m; (sound)* Piep *m,* Ton *m* **II.** *vi* ↑ *take short look* kurz gucken; ↑ *look through hole* durchgucken; **peep-hole** *n (in door)* Spion *m;* **peeping Tom** ['piːpɪŋ tɒm] *n* Voyeur *m;* **peep-show** *n* Peepshow *f*
peer [pɪə*] **I.** *vi* starren **II.** *n* 1 *(lord)* Peer *m* 2 ↑ *equal* Ebenbürtige(r) *m* 3 ◇ **my ~s** meinesgleichen
peerage ['pɪərɪdʒ] *n* 1 ↑ *nobility* Adelsstand *m* 2 ↑ *honour* Peerswürde *f*
peer group *n (in age)* Alterskohorte *f*
peerless *adj* ▷*beauty* unvergleichlich
peeve [piːv] *vt FAM* verärgern; **peeved** *adj* ▷*person* sauer; **peevish** ['piːvɪʃ] *adj* ↑ *irritated* brummig; **peevishness** *n* ↑ *irritability* Reizbarkeit *f*
peewit ['piːwɪt] *n (bird)* Kiebitz *m*
peg [peg] *n* 1 *(for washing-line)* Klammer *f* 2 ↑ *fixing pin* Stift *m; (in ground)* Pflock *m* 3 *(for coats)* Haken *m* 4 ◇ **to buy st. off the ~** etwas von der Stange kaufen
pejorative [pɪ'dʒɒrɪtɪv] *adj* pejorativ; ▷*remark* abwertend
pekinese [piːkɪ'niːz] *n* BIO Pekinese *m*
Peking [piː'kɪŋ] *n* Peking *s*
pelican ['pelɪkən] *n* BIO Pelikan *m;* **pelican crossing** *n* Ampelübergang *m*
pellet ['pelɪt] *n* 1 ↑ *tiny ball* Kügelchen *s* 2 ↑ *shotgun ~* Schrotkorn *s*
pell-mell ['pelmel] *adv* ↑ *in confusion* durcheinander
pelmet ['pelmɪt] *n* ↑ *curtain ~* Blende *f*
pellucid [pe'luːsɪd] *adj* klar
pelt [pelt] **I.** *vt* ↑ *throw* schleudern *(at* nach) **II.** *vi* rasen **III.** *n:* ◇ **at full ~** mit voller Geschwindigkeit; **pelt down** *vi* ← *rain* gießen
pelvis ['pelvɪs] *n* Becken *s*
pen [pen] *n* 1 *(writing instrument with ink)* ↑ *fountain ~* Füller *m;* ↑ *ball-point ~* Kugelschreiber *m;* ◇ **have you got a ~?** haben Sie was zum Schreiben?; ◇ **to put ~ to paper** zur Feder greifen 2 *(enclosed space, for cattle)* Pferch *m; (for sheep)* Hürde *f*

penal ['pi:nl] *adj* ▷*reform* Straf-
penalize ['pi:nəlaɪz] *vt* 1 ↑ *make (action) punishable* unter Strafe stellen 2 → *criminal* bestrafen 3 ↑ *take advantage from* benachteiligen 4 ↑ *give penalty shot against* einen Strafstoß verhängen (gegen); **penalty** ['penəltɪ] *n* 1 ↑ *punishment* Strafe *f;* ◇ **to pay the ~** für etwas büßen 2 ↑ *~ kick* Strafstoß *m;* **penalty area** *n* Strafraum *m;* **penalty clause** *n* Vertragsstrafe *f;* **penalty spot** *n* Elfmeterpunkt *m*
penance ['penəns] *n* REL Buße *f*
pen-and-ink *adj* ▷*drawing* Feder-
pence [pens] *n pl of* **penny** Pence *m*
penchant ['pentʃənt] *n* ↑ *bias* Vorliebe *f* (*for* für)
pencil ['pensl] **I.** *n* Bleistift *m* **II.** *vt* mit einem Bleistift anzeichnen; **pencil case** *n* Federmäppchen *s;* **pencil sharpener** *n* [Bleistift-]Spitzer *m*
PEN Club *n acronym of* **poets, playwrights, editors, essayists, novelists** PEN-Club *m*
pendant ['pendənt] *n* (*charm*) Anhänger *m*
pendent *adj* ↑ *suspended* herabhängend
pending ['pendɪŋ] **I.** *prep* (*further inquiry*) bis auf; (*future event*) bis zu **II.** *adj* anstehend; ◇ **the trial is ~** das Gerichtsverfahren ist noch anhängig
pendulum ['pendjʊləm] *n* Pendel *s*
penetrable *adj* (*that may be penetrated*) durchdringlich; **penetrate** ['penɪtreɪt] **I.** *vt* 1 → *resistance* eindringen (in *acc*) 2 (*get right through*) durchdringen; → *fabric* durchstechen; → *mystery* durchschauen **II.** *vi:* ◇ **has that ~d?** hast du das jetzt kapiert?; **penetrating** *adj* ▷*eyes* durchdringend; ▷*analysis* scharfsinnig; **penetration** [penɪ'treɪʃən] *n* 1 ↑ *insertion* ↑ *incursion* Eindringen *s* (*into* in *acc*) 2 *FIG* ↑ *powers of ~* Scharfsinn *m*
pen-friend ['penfrend] *n* Brieffreund(in *f*) *m*
penguin ['peŋgwɪn] *n* Pinguin *m*
penicillin [penɪ'sɪlɪn] *n* Penizillin *s*
peninsula [pɪ'nɪnsjʊlə] *n* Halbinsel *f*
penis ['pi:nɪs] *n* Penis *m*
penitence ['penɪtəns] *n* Reue *f;* (*more extreme*) Zerknirschung *f;* **penitent I.** *adj* ↑ *sorry* reuig **II.** *n* REL Büßer(in *f*) *m*
penitentiary [penɪ'tenʃərɪ] *n* (*AM*) Strafanstalt *f*
penknife ['pennaɪf] *n* <-knives> Taschenmesser *s*
pen-name ['penneɪm] *n* Pseudonym *s*
pennant ['penənt] *n* Wimpel *m*
penniless ['penɪləs] *adj* mittellos, ohne einen Pfennig
pennon ['penən] *n* MIL Fähnlein *s*
penny ['penɪ] *n* <pence *o.* # pennies> 1 *BRIT* Penny *m* 2 *FIG* Pfennig *m* 3 ◇ **to spend a ~** mal verschwinden 4 ◇ **a pretty ~** eine Stange Geld; **penny arcade** *n* Spielsalon *m;* **penny farthing** *n* Hochrad *s;* **penny pincher** *n* Knauser, Knicker *m*
penology [pɪ'nɒlədʒɪ] *n* (*social science*) Kriminalstrafkunde *f*
pen-pal ['penpæl] *n* Brieffreund(in *f*) *m*
pen pusher *n* Bürohengst *m*
pension ['penʃən] *n* (*any allowance*) Rente *f;* (*for previously salaried people*) Pension *f;* **pension off** *vt sep* vorzeitig pensionieren; **pensionable** *adj* ▷*individual* pensionsberechtigt; ▷*employment* mit Pensionsberechtigung; **pension book** *n* Rentenausweis *m;* **pensioner** *n* Rentner(in *f*) *m;* **pension fund** *n* Rentenfonds *m;* **pension plan**, **pension scheme** *n* Rentenversicherung *f*
pensive ['pensɪv] *adj* nachdenklich
pentagon ['pentəgən] *n* 1 MATH Fünfeck *s* 2 ◇ **the P~** das Pentagon
pentathlon [pen'tæθlən] *n* Fünfkampf *m*
Pentecost ['pentɪkɒst] *n* (*7th Sunday after Easter*) Pfingsten *s*
penthouse ['penthaʊs] *n* Penthouse *s*
pent-up ['pentʌp] *adj* ▷*emotions* angestaut
penultimate [pɪ'nʌltɪmət] *adj* vorletzte(r, s)
penumbra [pɪ'nʌmbrə] *n* <-ae> ASTR Halbschatten *m*
penury ['penjʊrɪ] *n* Armut *f*
peony ['pi:ənɪ] *n* Pfingstrose *f*
people ['pi:pl] **I.** *n* 1 (*men, women and children*) Menschen *pl;* ◇ **~ like us** Leute wie wir 2 (*~s, inhabitants of country*) Bevölkerung *f*, Volk *s;* ↑ *nation* ◇ **the ~s of Asia** die Völker *s pl* Asiens 3 ◇ **~ are now saying ...** im allgemeinen wird jetzt behauptet ... **II.** *vt* → *region* besiedeln
pep [pep] *n FAM* Schwung *m*, Elan *m;* **pep up** *vt* aufmöbeln; → *food* würzen
pepper ['pepə*] **I.** *n* 1 (*salt and ~*) Pfeffer *m* 2 (*red, green or yellow ~*) Paprika *m* **II.** *vt* → *food* pfeffern
peppercorn *n* Pfefferkorn *s*
peppered *adj* ▷*with mistakes* gespickt
peppermint *n* 1 BIO Pfefferminze *f* 2 (*sweet*) Pfefferminz *s*
pepperpot *n* Pfefferstreuer *m*
pep pill [pep pɪl] *n* Aufputschpille *f*
pepsin ['pepsɪn] *n* BIO Pepsin *s*
pep talk ['peptɔ:k] *n:* ◇ **to give s.o. a ~ ~** *FAM* jd-m ein paar aufmunternde Worte sagen
per [pɜ:*] *prep* 1 ↑ *for each* ↑ *in each* pro; ◇ **85**

km ~ hour 85 Stundenkilometer, 85 km pro Stunde (2) ◇ **as ~** gemäß *dat*
per annum *adj, adv* pro Jahr, jährlich
per capita, **per caput** *adj, adv* pro Kopf, pro Person
perceive [pə'siːv] *vt* (1) ↑ *see* wahrnehmen (2) ↑ *realize* erkennen
per cent [pə'sent] *n* Prozent *s;* **percentage** [pə'sentɪdʒ] **I.** *n* (1) (*number out of 100*) Prozentsatz *m* (2) (*payment*) Anteil *m* (3) ◇ **there is no ~ in doing that** das bringt nichts **II.** *adj* Prozent-
perceptible [pə'septəbl] *adj* spürbar; **perception** [pə'sepʃən] *n* (1) ↑ *seeing* Wahrnehmung *f* (2) ↑ *insight* Einsicht *f;* **perceptive** [pə'septɪv] *adj* (1) ▹*person* einfühlsam (2) ▹*analysis* scharfsinnig; **perceptiveness** *n* Aufmerksamkeit *f*
perch [pɜːtʃ] **I.** *n* (1) (*of bird*) Stange *f* (2) (*fish*) Flußbarsch *m* **II.** *vi* ↑ *sit, rest* hocken
perchance [pə'tʃɑːns] *adv* ↑ *perhaps* vielleicht
percolate ['pɜːkəleɪt] *vi* (1) ← *coffee* durchlaufen (2) ← *ideas* durchsickern; **percolator** ['pɜːkəleɪtə*] *n* Kaffeemaschine *f*
percussion [pɜː'kʌʃən] *n* MUS Schlagzeug *s*
per diem *n* ↑ *daily allowance* Tagessatz *m*
peremptory [pə'remptərɪ] *adj* ▹*manner* gebieterisch
perennial [pə'renɪəl] *adj* ▹*flower* mehrjährig
perfect ['pɜːfɪkt] **I.** *adj* (1) ↑ *complete, faultless* ▹*solution* ideal (2) ↑ *exact, precise* ▹*fit* genau **II.** *n* LING Perfekt *s* **III.** [pə'fekt] *vt* vervollkommnen, perfektionieren; **perfectible** *adj* perfektionierbar; **perfection** [pə'fekʃən] *n* Perfektion *f;* **perfectionist** [pə'fekʃənɪst] *n* Perfektionist(in *f*) *m;* **perfectly** *adv* perfekt; *FAM* astrein
perforate ['pɜːfəreɪt] *vt* perforieren; **perforation** [pɜːfə'reɪʃən] *n* ↑ *holes* Perforation *f*
perform [pə'fɔːm] **I.** *vt* (1) (*carry (st.) out*) → *operation* durchführen; → *duty* erfüllen (2) (*in front of other people*) → *music* aufführen, spielen; → *experiment* vorführen **II.** *vi* (1) THEAT auftreten (2) ← *car, team etc.* leisten; **performance** [pə'fɔːməns] *n* (1) ↑ *engine* ~ Leistung *f* (2) ↑ *cinema* ~ Vorstellung *f;* **performer** *n* (*circus* ~) Künstler(in *f*) *m;* **performing** *adj* ▹*animal* dressiert
perfume ['pɜːfjuːm] *n* (1) Parfüm *s* (2) ↑ *smell* Duft *m;* **perfumed** *adj* parfümiert
perfunctory [pə'fʌŋktərɪ] *adj* flüchtig
perhaps [pə'hæps] *adv* vielleicht
peril ['perɪl] *n* ↑ *serious danger* Gefahr *f;* ◇ **at your own ~** auf eigenes Risiko; **perilous** *adj* ▹*adventure* gefährlich; **perilously** *adv* ▹*close* gefährlich

perimeter [pə'rɪmɪtə*] *n* (1) ↑ *boundary* Grenze *f* (2) ↑ *circumference* Umfang *m*
period ['pɪərɪəd] **I.** *n* (1) (*any length of time*) Zeit *f;* SCH Stunde *f;* ↑ *historical* ~ Zeitalter *s* (2) ↑ *full stop* Punkt *m* (3) MED Periode *f,* Tage *pl* **II.** *adj* ▹*costume* zeitgenössisch; **periodic[al]** [pɪərɪ'ɒdɪkəl] *adj* ↑ *irregular* periodisch; **periodical** *n* ▹*magazine* Zeitschrift *f*
peripatetic [perɪpə'tetɪk] *adj* ▹*teacher* an mehreren Schulen tätig
peripheral [pə'rɪfərəl] *adj* (1) peripher, Rand- (2) PC Peripherie- *f;* **peripheral equipment** *n* PC Peripheriegeräte *s pl*
periphery [pə'rɪfərɪ] *n* Peripherie *f*
periscope ['perɪskəʊp] *n* Periskop *s*
perish ['perɪʃ] *vi* (1) ↑ *die* sterben (2) ↑ *rot* verderben (3) ◇ **~ the thought!** Gott behüte!; **perishable** *adj* ▹*fruit* verderblich; **perishables** ['perɪʃəblz] *n* leichtverderbliche Waren *pl;* **perished** *adj* ↑ *very cold* durchfroren; **perishing** *adj FAM* ▹*cold* saukalt
perjure ['pɜːdʒə*] *vr:* ◇ **~ o.s.** einen Meineid leisten; **perjurer** *n* Meineidige(r) *fm;* **perjury** ['pɜːdʒərɪ] *n* Meineid *m*
perk [pɜːk] *n FAM* Vergünstigung *f;* **perk up I.** *vi* munter werden **II.** *vt* → *ears* spitzen
perky *adj* ↑ *lively* munter
perm [pɜːm] *n* ↑ *permanent wave* Dauerwelle *f*
permanence *n* (*of situation*) Beständigkeit *f;* **permanent** ['pɜːmənənt] *adj* ▹*employment* fest; **permanently** *adv* ständig
permeate ['pɜːmɪeɪt] *n* → *atmosphere* durchdringen
permissible [pə'mɪsəbl] *adj* zulässig, erlaubt; **permission** [pə'mɪʃən] *n* Erlaubnis *f;* ↑ *official* ~ Genehmigung *f;* ◇ **to give o.'s ~** etwas erlauben; **permissive** [pə'mɪsɪv] *adj* (1) ↑ *flexible* nachgiebig (2) ▹*society* permissiv; **permissiveness** *n* ▹*sexual* Freizügigkeit *f;* **permit** ['pɜːmɪt] **I.** *n* ↑ *written permission* Zulassung *f,* Genehmigung *f* **II.** [pə'mɪt] *vt* ↑ *allow* erlauben; ↑ *tolerate* dulden
permutation [pɜːmjʊ'teɪʃən] *n* MATH Permutation *f*
pernicious [pɜː'nɪʃəs] *adj* schädlich
pernickety *adj FAM* pingelig
peroxide *n* Peroxyd *s*
perpendicular [pɜːpən'dɪkjʊlə*] *adj* senkrecht
perpetrate ['pɜːpɪtreɪt] *vt* → *crime* begehen; **perpetrator** ['pɜːpɪtreɪtə*] *n* (*of crime*) Übeltäter(in *f*) *m*
perpetual [pə'petjʊəl] *adj* ewig, fortwährend; **perpetually** *adv* dauernd; **perpetual motion** *n* beständige Bewegung *f;* **perpetuate**

[pə'petjʊeɪt] *vt* ① → *bad situation* verewigen ② → *memory* bewahren; **perpetuity** [pɜːpɪ'tjuːɪtɪ] *n* Ewigkeit *f;* JUR unbegrenzte Dauer *f;* ◇ **in** ~ auf ewig

perplex [pə'pleks] *vt* verwirren; **perplexed** *adj* ⊳*facial expression* verblüfft; **perplexing** *adj* ⊳*problem* verblüffend; **perplexity** *n* ↑ *bewilderment* Verblüffung *f*

per se ['pɜː'seɪ] *adv* ↑ *in itself* an sich

persecute ['pɜːsɪkjuːt] *vt* → *minorities* verfolgen; **persecution** [pɜːsɪ'kjuːʃən] *n* Verfolgung *f*

perseverance [pɜːsɪ'vɪərəns] *n* Ausdauer *f;* **persevere** ['pɜːsɪvɪə*] *vi* nicht aufgeben, durchhalten

Persian ['pɜːʃən] **I.** *n* Perser(in *f*) *m* **II.** *adj* persisch; **Persian carpet** *n* Perser[-teppich] *m;* **Persian [cat]** Perserkatze *f;* **Persian Gulf** *n:* ◇ **the ~ ~** der Persische Golf

persist [pə'sɪst] *vi* ① ⊳*in st.* bleiben (*in* bei) ② ← *rain* andauern; **persistence** [pə'sɪstəns] *n* ① (*determined quality*) Beharrlichkeit *f* ② (*of situation*) Fortdauern *s;* **persistent** *adj* ⊳*nuisance* ständig; **persistently** *adv* ⊳*strive* hartnäckig

person ['pɜːsn] *n* ① (*man or woman*) Person *f* ② (*individual human being*) Mensch *m;* ◇ **a child is a ~ in his/her own right** ein Kind ist ein eigenständiges Individuum ③ (*own body*) ◇ **to have s.th. on o.'s ~** etwas bei sich haben; ◇ **to be there in ~** persönlich da sein ③ (LING *1st ~, 2nd ~ etc.*) Person *f*

persona [pɜː'səʊnə] *n* <-ae> (*sum characteristics of personality*) Persona *f*

persona non grata *n* ↑ *unacceptable person* unerwünschte Person, Persona *f* non grata

personable ['pɜːsənəbl] *adj* ↑ *presentable* gutaussehend

personal *adj* ① (*of self*) persönlich ② ⊳*property* Privat-, persönlich ③ ⊳*conversation* Privat- ④ ⊳*hygiene* Körper-; **personal assistant** *n* Assistent(in *f*) *m,* erste(r) Referent(in *f*) *m;* **personal column** *n* Familienanzeigen *pl;* **personal computer** *n* Personal Computer *m;* **personal data** *n* Personalien *pl*

personality [pɜːsə'nælɪtɪ] *n* Persönlichkeit *f;* **personality disorder** *n* Persönlichkeitsstörung *f*

personalize *n* → *car FAM* aufmotzen

personally ['pɜːsənəlɪ] *adv* persönlich

personal pronoun *n* Personalpronomen *s,* persönliches Fürwort *s*

personification [pɜːsɒnɪfɪ'keɪʃən] *n* ① (*embodiment*) Verkörperung *f* ② ⊳*of evil* Inbegriff *m;* **personify** [pɜː'sɒnɪfaɪ] *vt* verkörpern

personnel [pɜːsə'nel] *n sg or pl* (*in office*) Personal *s;* (*in factory*) Arbeiter *pl;* **personnel carrier** *n* Mannschaftswagen *m;* **personnel department** *n* Personalabteilung *f;* **personnel manager** *n* Personalchef(in *f*) *m*

perspective [pə'spektɪv] *n* ① *in art, auch FIG* Perspektive *f* ② *FIG* ↑ *right ~* Durchblick *m* ③ ◇ **to get things in ~** die Dinge nüchtern und sachlich sehen

Perspex® ['pɜːspeks] *n* Acrylglas *s*

perspicacity [pɜːspɪ'kæsɪtɪ] *n* Einsicht *f*

perspiration [pɜːspə'reɪʃən] *n* ↑ *sweat* Schweiß *m;* **perspire** [pə'spaɪə*] *vi* schwitzen

persuade [pə'sweɪd] *vt* ↑ *cause (so.) to believe* überzeugen; ↑ *convince* überreden; **persuasion** [pə'sweɪʒən] *n* ① ↑ *conviction* Überzeugung *f* ② (*act of persuading*) Überredung *f* ③ ↑ *persuasiveness* Überzeugungskaft *f;* **persuasive** [pə'sweɪsɪv] *adj* überzeugend; **persuasively** *adv* ⊳*argue* überzeugend; **persuasiveness** *n* Überzeugungskraft *f,* überzeugende Art *f*

pert [pɜːt] *adj* keck

pertain [pɜː'teɪn] *vt* gehören (*to* zu); ◇ **~ing to** betreffend *acc*

pertinent ['pɜːtɪnənt] *adj* relevant

perturb [pə'tɜːb] *vt* ↑ *worry* beunruhigen; ↑ *alarm* ängstigen

peruse [pə'ruːz] *vt* → *legal documents* durchlesen

pervade [pɜː'veɪd] *vt* → *atmosphere* durchdringen

perverse [pə'vɜːs] *adj* ① ↑ *moody* launisch ② (*deliberately wrong*) querköpfig ③ ↑ *sexually ~* pervers; **perversely** *adv* ↑ *obstinately* eigensinnig; **perverseness** *n s.* **perversity**; **perversion** [pə'vɜːʃən] *n* ① (*sexual deviance*) Perversion *f* ② ◇ **~ of justice** Rechtsbeugung *f;* **perversity** [pə'vɜːsɪtɪ] *n* ① PSYCH Perversität *f* ② (*of situation*) Verkehrtheit *f,* Wunderlichkeit *f;* **pervert** ['pɜːvɜːt] **I.** *n* ↑ *sexual ~* perverser Mensch **II.** [pə'vɜːt] *vt* ① ↑ *corrupt* verderben, verführen ② ◇ **to ~ the course of justice** das Recht beugen

pessimism ['pesɪmɪzəm] *n* Pessimismus *m;* **pessimist** *n* Pessimist(in *f*) *m;* **pessimistic** [pesɪ'mɪstɪk] *adj* pessimistisch

pest [pest] *n* ① (*animal or insect*) Schädling *m* ② (*nuisance, person*) lästiger Mensch *m;* (*thing*) Plage *f*

pester ['pestə*] *vt* ↑ *bother* belästigen

pesticide ['pestɪsaɪd] *n* Schädlingsbekämpfungsmittel *s*

pestilence ['pestɪləns] *n* Seuche *f*

pestle ['pesl] *n* Stößel *m*

pet [pet] **I.** *n* ① (*animal*) Haustier *s* ② (*person*) Liebling *m* **II.** *vt* ↑ *fondle* streicheln, liebkosen

petal ['petl] *n* Blütenblatt *s;* ◇ **a rose** ~ ein Rosenblatt *s;* **petalled** *adj* ▷*plant* blühend
peter out ['piːtə* aʊt] *vi* ← *enthusiasm* sich verlieren
petite [pə'tiːt] *adj* zierlich
petition [pə'tɪʃən] **I.** *n* (*request signed by one or more*) Petition, Bittschrift *f* **II.** *vti* bitten (*for* um)
petrel ['petrəl] *n* (*sea bird*) Sturmvogel *m*
petrified ['petrɪfaɪd] *adj* 1 ▷*forest* versteinert 2 ▷*person* starr vor Schrecken; **petrify** ['petrɪfaɪ] *vt* ↑ *paralyse with terror* erstarren lassen (*with* vor)
petrochemical ['petrəʊ 'kemɪkəl] *adj* petrochemisch
petrol ['petrəl] *n* Benzin *s,* Kraftstoff *m;* **petrol can** *n* Reservekanister *m;* **petroleum** [pɪ'trəʊlɪəm] *n* Petroleum *s;* **petrol pump** *n* (*at filling station*) Zapfsäule *f;* (*engine part*) Benzinpumpe *f;* **petrol station** *n* Tankstelle *f;* **petrol tank** *n* Benzintank *m*
petticoat ['petɪkəʊt] *n* Unterrock *m*
pettifogging ['petɪfɒgɪŋ] *adj* ▷*person* pedantisch
pettiness ['petɪnəs] *n* 1 ↑ *insignificance* Geringfügigkeit *f* 2 ↑ *small-mindedness* Kleinlichkeit *f;* **petty** ['petɪ] *adj* 1 ↑ *inconsequential* unbedeutend, belanglos 2 ↑ *mean* kleinlich; **petty bourgeois** *adj* kleinbürgerlich; ↑ *narrow-minded* spießig; **petty cash** *n* Portokasse *f;* **petty offence** *n* leichtes Vergehen *s;* **petty officer** *n* Maat *m*
petulant ['petjʊlənt] *adj* verdrießlich
pew [pjuː] *n* Kirchenbank *f*
pewit ['piːwɪt] *n* Kiebitz *m*
pewter ['pjuːtə*] *n* ↑ *alloy* Hartzinn *s*
phalanx ['fælæŋks] *n* geschlossene Front *f*
phallic ['fælɪk] *adj* phallisch
phallus *n* <-es> Phallus *m*
phantasmagoria [fæntæzmə'gɔːrɪə] *n* (*shifting scene of figures*) Phantasmagorie *f*
phantom ['fæntəm] *n* Phantom *s,* Geist *m*
Pharaoh ['fɛrəʊ] *n* Pharao *m*
pharmaceutical [fɑːmə'sjuːtɪkəl] *adj* ▷*industry* pharmazeutisch; **pharmacist** ['fɑːməsɪst] *n* (*in shop*) Apotheker(in *f*) *m;* (*in research and development*) Pharmazeut(in *f*) *m;* **pharmacology** [fɑːmə'kɒlədʒɪ] *n* (*academic subject*) Pharmakologie *f;* **pharmacy** ['fɑːməsɪ] *n* (*shop*) Apotheke *f*
phase [feɪz] **I.** *n* (*in general progression*) Phase *f;* (*in education*) Entwicklungsphase *f;* (*in project work*) Abschnitt *m;* ◇ **it's just a ~ he's going through** er macht nur einer Phase durch **II.** *vt* 1 (*construction project*) koordinieren, schrittweise planen 2 TECH gleichschalten; **phase in** *vt sep* stufenweise einführen; **phase out** *vt* auslaufen lassen
PhD *n abbr. of* **Doctor of Philosophy** Doktor *m;* (*dissertation*) Doktorarbeit *f*
pheasant ['feznt] *n* Fasan *m*
phenomenal [fɪ'nɒmɪnl] *adj FAM* sagenhaft; **phenomenally** [fɪ'nɒmɪnəlɪ] *adv* ausserordentlich; **phenomenon** [fɪ'nɒmɪnən] *n* <phenomena> Phänomen *s;* ◇ **common ~** alltägliche Erscheinung
phew *intj* puh!
phial ['faɪəl] *n* Fläschchen *s*
philanderer [fɪ'lændərə*] *n* Schürzenjäger *m*
philanthropic [fɪlən'θrɒpɪk] *adj* ▷*personality* menschenfreundlich; **philanthropist** [fɪ'lænθrəpɪst] *n* Philanthrop *m*
philatelist [fɪ'lætəlɪst] *n* Briefmarkensammler(in *f*) *m;* **philately** [fɪ'lætəlɪ] *n* Philatelie *f,* Briefmarkenkunde *f*
Philippines ['fɪlɪpiːnz] *n pl* Philippinen *pl*
philistine ['fɪlɪstaɪn] *n* Banause *m,* Spießbürger *m*
philology [fɪ'lɒlədʒɪ] *n* Philologie *f*
philosopher [fɪ'lɒsəfə*] *n* Philosoph(in *f*) *m;* **philosophers' stone** *n* Stein [*o.* m] der Weisen; **philosophic[al]** [fɪlə'sɒfɪkəl] *adj* 1 ▷*inquiry* philosophisch 2 ◇ **Bill is ~ about setbacks** Bill nimmt Rückschläge gelassen hin; **philosophize** [fɪ'lɒsəfaɪz] *vi* philosophieren (*about* über *acc*); **philosophy** [fɪ'lɒsəfɪ] *n* 1 (*academic subject*) Philosophie *f* 2 ↑ *company* ~ Philosophie *f,* Grundsatz *m;* ↑ *personal* ~ Einstellung *f*
phlegm [flem] *n* 1 MED Schleim *m* 2 (*of character*) Phlegma *s*
phlegmatic [fleg'mætɪk] *adj* ▷*person* phlegmatisch
phobia ['fəʊbɪə] *n* ↑ *morbid fear* Phobie *f,* krankhafte Angst *f*
phoenix ['fiːnɪks] *n* Phönix *m*
phone [fəʊn] **I.** *n* Telefon *s* **II.** *vti* anrufen; **phone back** *vti sep* zurückrufen; **phonebook** *n* Telefonbuch *s;* **phonebox** *n* Telefonzelle *f;* **phonecard** *n* Telefonkarte *f;* **phone-in** *n Sendung, an der man sich telefonisch beteiligen kann*
phoneme *n* Phonem *s*
phonetic ['fəʊ'netɪk] *adj* phonetisch; **phonetics** [fəʊ'netɪks] *n sg* Phonetik *f*
phon[e]y ['fəʊnɪ] **I.** *adj FAM* unecht, falsch **II.** *n* 1 ↑ *hollow person* Angeber(in *f*) *m* 2 ↑ *forgery* Fälschung *f*

phonology [fəʊ'nɒlədʒɪ] *n* (*of language*) Lautsystem *s*
phosphate ['fɒsfeɪt] *n* Phosphat *s*
phosphorescent [fɒsfə'resənt] *adj* phosphoreszierend
phosphorus ['fɒsfərəs] *n* CHEM Phosphor *m*
photo ['fəʊtəʊ] *n* <-s> Foto *s*, Bild *s*
photocopier ['fəʊtəʊ'kɒpɪə*] *n* Kopiergerät *s*; **photocopy** ['fəʊtəʊkɒpɪ] **I.** *n* Fotokopie *f* **II.** *vt* fotokopieren
photoelectric cell [fəʊtəʊɪ'lektrɪk sel] *n* Photozelle *f*
photo finish ['fəʊtəʊ'fɪnɪʃ] *n FIG* sehr knappe Entscheidung *f*
Photofit® ['fəʊtəʊfɪt] *n* (*collage representation of suspect*) Phantombild *s*
photogenic [fəʊtəʊ'dʒenɪk] *adj* fotogen
photograph ['fəʊtəgrɑ:f] **I.** *n* Foto *s*, Bild *s*, Aufnahme *m* **II.** *vt* fotografieren; *FAM* knipsen; **photographer** [fə'tɒgrəfə] *n* Fotograf(in *f*) *m*; **photographic** [fəʊtə'græfɪk] *adj* fotografisch; **photography** [fə'tɒgrəfɪ] *n* ① (*act*) Fotografieren *s* ② ↑ *pictures* Aufnahmen *pl*
photosensitive ['fəʊtəʊ'sensɪtɪv] *adj* lichtempfindlich
Photostat® ['fəʊtəʊstæt] *n s.* **photocopy**
phrasal verb ['freɪsəl vɜ:b] *n* Verb *s* mit Präposition
phrase [freɪz] **I.** *n* ① LING Wortverbindung *f*, Satzteil *m* ② ↑ *popular* ~ Redewendung *f* ③ MUS Satz *m*, Phrase *f* **II.** *vt* ausdrücken, formulieren; **phrasebook** *n* Sprachführer *m*
phraseology [freɪzɪ'ɒlədʃɪ] *n* (*use of language*) Stil *m*, Ausdrucksweise *f*
physical ['fɪzɪkəl] *adj* ① (*can be touched and seen*) physisch ② (*of the body*) körperlich ③ PHYS physikalisch; **physically** *adv* ▷*attack* körperlich; **physical education**, **physical training** *n* Sport *m*, Turnen *s*
physician [fɪ'zɪʃən] *n* Arzt *m*, Ärztin *f*
physicist ['fɪzɪsɪst] *n* Physiker(in *f*) *m*; **physics** ['fɪzɪks] *n sg* (*academic subject*) Physik *f*
physiology [fɪzɪ'ɒlədʒɪ] *n* Physiologie *f*
physiotherapist [fɪzɪə'θerəpɪst] *n* Krankengymnast(in *f*) *m*; **physiotherapy** *n* Krankengymnastik *f*
physique [fɪ'zi:k] *n* ↑ *physical build* Körperbau *m*
pi [paɪ] *n* MATH Pi *s*
pianist ['pɪənɪst] *n* Klavierspieler(in *f*) *m*
piano ['pjɑ:nəʊ] *n* <-s> ↑ *upright* ~ Klavier *s*; ↑ *grand* ~ Flügel *m*; **piano-player** *n* Klavierspieler(in *f*) *m*; **piano-stool** *n* Klavierstuhl *m*; **piano tuner** *n* Klavierstimmer(in *f*) *m*
piccolo ['pɪkələʊ] *n* <-s> Pikkoloflöte *f*
pick [pɪk] **I.** *n* ① (~ *and shovel*) Pickel *m* ② (*simple choice*) Wahl *f*; (*selection of the best*) Auslese *f*; ◇ **the ~ of the bunch** das Beste vom Besten ③ ↑ *guitar* ~ Plektrum *s* **II.** *vt* ① ← *birds* aufpicken ② → *flowers* pflücken; → *berries* sammeln, pflücken ③ ↑ *select* auswählen ④ ◇ **to ~ s.o.'s brains** jd-s Kenntnisse ausbeuten; ◇ **to ~ s.o.'s pocket** jd-n bestehlen; ◇ **to ~ o.'s nose** in der Nase bohren; ◇ **to ~ a lock** ein Schloß knakken; ◇ **I have a bone to ~ with you** ich habe ein Hühnchen mit dir zu rupfen; ◇ **to ~ holes in s.th.** etwas bekritteln; **pick off** *vt +prep obj* → *person* abschießen; **pick on** *vi* → *person* herumhacken (auf *dat*); **pick out** *vt sep* ① → *select* aussuchen ② → *feature* hervorheben; **pick up I.** *vt* ① → *weight* aufheben; → *st. from shop* abholen ② → *word* aufschnappen; → *girl, FAM* aufgabeln ③ → *speed* gewinnen (an *dat*) **II.** *vi* ← *performance* besser werden **III.** *vti* → *what's going on* mitbekommen; ◇ **to ~ ~ quick** schnell kapieren
pickaxe *n* Pickel *m*, Spitzhacke *f*
picker *n* ① (*of fruit*) Pflücker(in *f*) *m* ② ↑ *guitar* ~ Zupfer(in *f*) *m*
picket ['pɪkɪt] **I.** *n* (*striker[s] on duty*) Streikposten *m* **II.** *vti* → *factory* Streikposten aufstellen (vor *dat*); **picket line** *n* Streikpostenkette *f*
pickle ['pɪkl] **I.** *n* ① (*vegetables*) Mixpickles *pl* ② *FIG* ◇ **to be in a ~** in der Klemme sitzen **II.** *vt* → *food* einlegen, pökeln
pick-me-up ['pɪkmi:ʌp] *n* Stärkung *f*
pickpocket ['pɪkpɒkɪt] *n* Taschendieb(in *f*) *m*
pickup ['pɪkʌp] *n* ① ↑ *small truck* Lieferwagen *m* ② (*on record deck*) Tonabnehmer *m*
picnic ['pɪknɪk] **I.** *n* Picknick *s* **II.** *vi* picknicken
pictorial [pɪk'tɔ:rɪəl] *adj* ① ▷*representation* bildlich ② (*feature in magazine*) illustriert, Bild-
picture ['pɪktʃə*] **I.** *n* ① (*any representation*) Bild *s* ② ↑ *mental image* Vorstellung *f* ③ ◇ **to go to the ~s** ins Kino gehen ④ ◇ **to be in the ~ about s.th.** ein Bild von etwas haben, im Bild sein **II.** *vt* ↑ *visualize* sich *dat* vorstellen; **picture book** *n* (*for kids*) Bilderbuch *s*
picturesque [pɪktʃə'resk] *adj* malerisch, pittoresk
piddling *adj* ▷*amount* lächerlich
pidgin ['pɪdʒɪn] **I.** *n* Mischsprache *f* **II.** *adj*: ◇ **~ English** Pidgin-Englisch *s*
pie [paɪ] *n* ① (*savory*) Pastete *f*; (*sweet*) Obstkuchen *m* ② *FIG* ◇ **~ in the sky** Träumerei *f*
piebald ['paɪbɔ:ld] *adj* ▷*horse* scheckig
piece [pi:s] *n* ① (*separated part*) Stück *s* ② (*part of set*) Teil *m* ③ ◇ **to take a machine to ~s** eine Maschine zerlegen; ◇ **to break s.th. to ~s** etwas

P

kaputtmachen; ◇ **to fall to ~ s** auseinanderfallen [4] ◇ **a ~ of work** eine Arbeit *f;* ◇ **a ~ of advice** ein Ratschlag *m* [5] ◇ **a 25 cent ~** ein 25-Cent-Stück *s;* ◇ **chess ~** Schachfigur *f;* ◇ **a ~ of cake** ein Stück Kuchen *s* [6] *FIG* ↑ *go mad* ◇ **to go to ~s** durchdrehen; **piece together** *vt* → *evidence* zusammenfügen

piecemeal *adv* Stück für Stück, allmählich; **piecework** *n* Akkordarbeit *f*

pie chart ['paɪ tʃɑːt] *n* Kreisdiagramm *s*

pier [pɪə*] *n* [1] ↑ *jetty* Pier *m or f;* (*for boats*) Anleger *m* [2] ↑ *bridge support* Pfeiler *m*

pierce [pɪəs] *vt* [1] → *fabric* durchstechen [2] → *silence* durchdringen; **piercing** *adj* [1] ▷*scream* gellend [2] ▷*eyes* stechend [3] ▷*wind* durchdringend

piety ['paɪətɪ] *n* Pietät *f,* Frömmigkeit *f*

piffling ['pɪflɪŋ] *adj* ▷*amount* lächerlich

pig [pɪg] *n* Schwein *s*

pigeon ['pɪdʒən] *n* [1] Taube *f* [2] *FIG* ◇ **that's not my ~** das ist nicht meine Sache; **pigeonhole** **I.** *n* (*for letters*) Fach *s* **II.** *vt* → *people* abstempeln; **pigeon-toed** *adj FAM*: ◇ **to be ~** über den großen Onkel gehen

piggy-bank ['pɪgɪbæŋk] *n* Sparschwein *s*

pigheaded ['pɪg'hedɪd] *adj* dickköpfig, eigensinnig

piglet ['pɪglət] *n* Ferkel *s,* Schweinchen *s*

pig iron *n* Roheisen *s*

pigment ['pɪgmənt] *n* Pigment *s;* **pigmentation** [pɪgmən'teɪʃən] *n* Pigmentierung *f*

pigmy ['pɪgmɪ] *n s.* **pygmy**

pigskin ['pɪgskɪn] Schweinsleder *s*

pigsty ['pɪgstaɪ] *n* Schweinestall *m; FIG* ↑ *messy place* Saustall *m*

pigtail ['pɪgteɪl] *n* (*of hair*) Zopf *m*

pike [paɪk] *n* [1] (*large spear*) Langspieß *m* [2] (*carnivorous fish*) Hecht *m*

pilchard ['pɪltʃəd] *n* Pilchard *m*

pile [paɪl] **I.** *n* [1] (*stacked objects, of wood*) Stapel *m,* Stoß *m;* ◇ **to arrange s.th. in a ~** etwas stapeln [2] ↑ *large amount* Haufen *m,* Menge *f;* ◇ **a ~ of money** ein Haufen Geld [3] (*of carpet*) Flor *m* [4] (ARCHIT *structural support*) Pfeiler *m* **II.** *vt* → *bricks* aufstapeln; **pile in** *vi* ↑ *get in[to]* einsteigen (*to* in *acc*); **pile up** **I.** *vt* → *dishes* stapeln **II.** *vi* ← *debts* sich anhäufen

pile-driver *n* Ramme *f*

piles [paɪlz] *n pl* MED Hämorrhoiden *pl*

pile-up ['paɪlʌp] *n* AUTO Karambolage *f*

pilfer ['pɪlfə*] *vti* klauen, stibitzen; **pilfering** *n* Dieberei *f*

pilgrim ['pɪlgrɪm] *n* Pilger(in *f*) *m,* Wallfahrer(in *f*) *m;* **pilgrimage** ['pɪlgrɪmɪdʒ] *n* Wallfahrt *f*

pill [pɪl] *n* (*solid medicine*) Pille *f;* ◇ **vitamin ~s** Vitamintabletten *pl;* ◇ **the p~** ↑ *contraceptive* ~ die [Anti-Baby-]Pille; ◇ **are you on the ~?** nimmst du die Pille?

pillage ['pɪlɪdʒ] **I.** *vt* plündern, rauben **II.** *n* (*act*) Raub *m*

pillar ['pɪlə*] *n* [1] (*of building, of smoke*) Säule *f* [2] (*FIG of society*) Stütze *f; FIG* ◇ **a ~ of strength** ein Fels *m* in der Brandung; **pillar-box** *n* (*BRIT*) Briefkasten *m*

pillion ['pɪljən] *n* Soziussitz *m;* **pillion passenger** *n* Beifahrer(in *f*) *m*

pillory ['pɪlərɪ] **I.** *n* Pranger *m* **II.** *vt FIG* anprangern

pillow ['pɪləʊ] *n* Kopfkissen *s;* **pillowcase, pillow slip** *n* Kopfkissenbezug *m*

pilot ['paɪlət] **I.** *n* (*of aeroplane*) Pilot(in *f*) *m;* (*of ship*) Lotse, Lotsin *m* **II.** *vt* AERO fliegen; NAUT lotsen; **pilot house** *n* Steuerhaus *s;* **pilot light** *n* (*of gas-burner*) Zündflamme *f;* **pilot scheme** *n* Versuchsprojekt *s;* **pilot study** *n* Pilotstudie *f*

pimento [pɪ'mentəʊ] *n* <-s> (*AM*) Paprikaschote *f*

pimp [pɪmp] *n* Zuhälter *m*

pimple ['pɪmpl] *n* Pickel *m;* **pimply** ['pɪmplɪ] *adj* pickelig

pin [pɪn] **I.** *n* [1] (*jewlery*) Stecknadel; ↑ *hat~* Nadel *f f* [2] TECH Stift *m* **II.** *vt* [1] → *fabric* stecken; → *papers* heften [2] *FIG* ◇ **to ~ s.th. on s.o.** jd-m etwas [*o.* acc] anhängen; *FIG* ◇ **to ~ o.'s hopes on st.** auf etwas [*o.* acc] Hoffnung setzen; **pin down** *vt sep* [1] ← *person* niederhalten; ← *weight* einklemmen [2] *FIG* ◇ **to ~ s.th. ~** genau sagen, worum es geht; ◇ **to ~ o.'s ideas ~** s-e Ideen umreißen; **pin up** *vt sep* → *list* anheften

pinafore ['pɪnəfɔː*] *n* ↑ *apron* Kittel *m*

pinball ['pɪnbɔːl] *n* Flipper *m*

pincers ['pɪnsəz] *n pl* [1] ↑ *grips* [Kneif-]Zange *f* [2] MED Pinzette *f* [3] (*of crab*) Schere *f*

pinch [pɪntʃ] **I.** *n* [1] (*for reaction*) Zwicken *s* (*on* in *acc*) [2] *FIG* ◇ **to feel the ~** knapp bei Kasse sein; *FIG* ◇ **at a ~** zur Not [3] (*of salt*) Prise *f* [4] *FIG* ◇ **to take s.th. with a ~ of salt** (*not believe everything*) nicht alles glauben **II.** *vt* [1] → *classmate* zwicken; ◇ **to ~ o.'s fingers in the door** die Finger in der Tür einklemmen [2] *FAM* ↑ *steal* klauen **III.** *vi* ← *shoes* drücken; **pinched** *adj* ▷*face* abgehärmt, spitz

pincushion ['pɪnkʊʃən] *n* Nadelkissen *s*

pine [1] [paɪn] *n* [1] ↑ *~ tree* Kiefer *f* [2] (*soft wood*) Kiefernholz *s*

pine [2] [paɪn] *vi* [1] ↑ *feel sad and lonely* sich verlassen fühlen [2] ↑ *long for* ◇ **to ~ for s.th. that**

is gone sich nach etwas Vergangenem sehnen; **pine away** *vi* ▷*in sorrow* sich verzehren
pineal gland ['pɪnɪəl glænd] *n* ANAT Zirbeldrüse *f*
pineapple ['paɪnæpl] *n* Ananas *f*
pine cone *n* Kiefernzapfen *m;* **pine needle** *n* Kiefernnadel *f*
ping [pɪŋ] *vi* ← *bell* klingeln
ping-pong *n* (*game*) Pingpong *s*
pin-hole *n* Nadelloch *s*
pinion ['pɪnɪən] **I.** *vt:* ◇ **to - s.o. against the wall** jd-n gegen die Wand drücken **II.** *n* TECH Ritzel *s*
pink [1] [pɪŋk] **I.** *n* 1 (*colour*) Rosa *s; FIG* ◇ **to be in the -** kerngesund sein 2 (*garden flower*) Nelke *f* **II.** *adj* (*colour*) rosa[farben]; *FIG* ◇ **to be tickled -** entzückt sein
pink [2] [pɪŋk] *vi* ← *car engine* klopfen
pinkie *n* kleiner Finger *m*
pinkish *adj* rötlich
pinnacle ['pɪnəkl] *n* Gipfel *m*
pinpoint ['pɪnpɔɪnt] *vt* → *location* genau anzeigen; → *problem* genau feststellen
pinprick *n* Nadelstich *m*
pins and needles *n* Kribbeln *s;* ◇ **I've got pins and needles in my arm** mein Arm kribbelt
pinstriped *adj* ▷*trousers* mit Nadelstreifen
pint [paɪnt] *n* 1 (*unit of measure*) Pint *s* 2 ◇ **to have another -** noch ein Bier trinken; **pint-sized** *adj* winzig
pinup ['pɪnʌp] *n* ↑ *picture* Pin-up-Foto *s; FIG* Idol *s*
pioneer [paɪə'nɪə*] **I.** *n also FIG* Pionier(m *f*) *m* **II.** *vt* → *new method* als erste(r) etw einführen **III.** *adj* ▷*work* bahnbrechend
pious ['paɪəs] *adj* fromm
pip [pɪp] **I.** *n* 1 ↑ *seed* Kern *m* 2 ↑ *sound* Piepsen *s;* ◇ **the - s** das Zeitzeichen 3 (*on uniform*) Stern *m* **II.** *vt:* ◇ **to - s.o. at the post** *FIG* jd-m um eine Haaresbreite zuvorkommen
pipe [paɪp] **I.** *n* 1 (*copper*) Rohr *s* 2 ↑ *tobacco* Pfeife *f* 3 (MUS *simple flute*) Flöte *f* 4 ◇ **to play the -s** ↑ *bagptops* Dudelsack spielen **II.** *vt* 1 → *water* in Rohre leiten 2 → *tune* flöten, pfeifen; **pipe down** *vi* ↑ *be quiet* ruhig sein; **pipe up** *vi* ← *person* sich melden; **pipe cleaner** *n* Pfeifenreiniger *m*
piped music *n* Musikberieselung *f*
pipe-dream *n* Hirngespinst *s*
pipeline *n* 1 Rohrleitung *f;* (*for oil*) Pipeline *f* 2 *FIG* ◇ **to be in the -** in Anlauf sein
piper ['paɪpə*] *n* Flötenspieler(in *f*) *m;* (*of bagpipes*) Dudelsackpfeifer(in *f*) *m*
piping ['paɪpɪŋ] **I.** *n* 1 (*system*) Rohrleitungssystem *s* 2 (*decoration, on cake*) [Spritzguß-] Verzierung *f;* (*on clothes*) Paspelierung *f* **II.** *adv:* ◇ **- hot** kochend heiß
piquant ['pi:kənt] *adj* ▷*sauce* würzig
pique [pi:k] *n* Gereiztheit *f;* ◇ **a fit of -** verärgert; **piqued** *adj* gereizt
piracy ['paɪərəsɪ] *n* 1 (*at sea*) Seeräuberei *f* 2 (*of original work*) Plagiat *s*, Copyright-Verletzung *f*
piranha ['pɪrɑ:njə] *n* Piranha *m*
pirate ['paɪərɪt] *n* Seeräuber *m;* **pirate ship** *n* Piratenschiff *s;* **pirate radio station** *n* Piratensender *m*
pirouette [pɪru'et] **I.** *n* Pirouette *f* **II.** *vi* Pirouetten drehen
Pisces ['paɪsi:z] *n sg* ASTR Fische *pl;* ◇ **I am -** ich bin Fisch
piss [pɪs] **I.** *n FAM!* Pisse *f;* ◇ **to have a -** pissen; ◇ **to take the - out of so.** jd-n verarschen; ◇ **that's a piece of -** das ist idiotisch, **II.** *vti FAM* pissen; **piss off I.** *vi FAM!:* ◇ **- -!** ↑ *go away* verpiß' dich! **II.** *vt sep FAM!* ankotzen; ◇ **to be -ed off with s.th.** von etwas die Schnauze voll haben; **pissed** [pɪst] *adj* 1 *FAM* ↑ *drunk* blau 2 *FAM* ▷*brickwork* schief 3 *FAM* ◇ **to be -ed at s.o.** sauer auf jd-n sein
pistachio [pɪ'stɑ:ʃɪəʊ] *n* <-s> Pistazie *f*
pistol ['pɪstl] *n* Pistole *f*
piston ['pɪstən] *n* Kolben *m;* **piston stroke** *n* Kolbenhub *m*
pit [pɪt] **I.** *n* 1 (*hole in ground*) Grube *f* 2 THEAT Parterre *s* 3 (*mining*) Zeche *f* 4 ANAT ◇ **- of o.'s stomach** Magengrube, f 5 ◇ **the -s** *pl* (*at motor racing*) Boxen *pl* 6 *FAM* ◇ **my sister is the -s** meine Schwester ist die wahre Hölle **II.** *vt* 1 → *surface* Löcher machen in *acc* 2 ◇ **to - your wits against s.o./s.th.** seinen Verstand an etwas/jd-m messen
pit-a-pat *adv* ticktack
pitch [pɪtʃ] **I.** *n* 1 ↑ *throw* Wurf *m* 2 MUS Tonhöhe *f;* ◇ **to have perfect -** das absolute Gehör haben 3 (*of roof*) Neigung *f* 4 (*football -*) Platz *m*, Feld *s* 3 (*at market*) Stand *m;* (*FIG sales--*) Anpreisung *f* 4 (*black substance*) Pech *s* **II.** *vt* 1 → *ball* werfen 2 → *tent* aufstellen, aufschlagen 3 MUS stimmen **III.** *vi* 1 NAUT stampfen; AERO absacken 2 ↑ *fall* hinstürzen; **pitch in** *vi FAM* einspringen; ◇ **everybody -ed and helped** alle packten mit an
pitch-black, **pitch-dark** *adj* pechschwarz
pitched battle *n* offene Schlacht *f*
pitcher *n* ↑ *jug* Krug *m*
pitchfork *n* Heugabel *f*
pit closure *n* (*mining*) Zechenstillegung *f*
piteous ['pɪtɪəs] *adj* ▷*cries* kläglich

P

pitfall ['pɪtfɔ:l] *n* (*unexpected danger*) Falle *f*
pith [pɪθ] *n* 1 (*of stem*) Mark *s* 2 (*of orange*) weiße Haut *f*
pithead ['pithed] *n* (*mining*) Übertageanlagen *pl*
pithy ['pɪθɪ] *adj* ▷*language* markig, prägnant
pitiable ['pɪtɪəbl] *adj* ↑ *worthy of pity* mitleiderregend; **pitiful** ['pɪtɪfʊl] *adj* ▷*performance* erbärmlich; **pitifully** [-fəlɪ] *adv* ▷*thin* mitleiderregend; **pitiless** *adj* ▷*ruler* gnadenlos, erbarmungslos
pittance ['pɪtəns] *n* Hungerlohn *m*
pitter-patter ['pɪtə'pætə*] *n* (*of rain*) Klatschen *s*
pity ['pɪtɪ] **I.** *n* 1 ↑ *sympathy* Mitgefühl *s;* ◇ **to do s.th. out of ~** etwas aus Mitleid tun; ◇ **to take ~ on s.o.** Mitleid mit jd-m haben 2 (*unfortunate situation*) Jammer *m;* ◇ **What a ~!** Das ist aber schade!; ◇ **it's a ~ you can't …** es ist schade, daß du nicht … **II.** *vt* ↑ *feel sympathy for* bemitleiden; **pitying** *adj* ▷*smile* bedauernd; ↑ *contemptuous* verächtich
pivot ['pɪvət] **I.** *n* 1 ↑ *turning point, also FIG* Angelpunkt *m* 2 ↑ *pin* Drehzapfen *m* **II.** *vi* sich drehen (*on* um); **pivotal** *adj* ▷*issue* zentral
pixie ['pɪksɪ] *n* Elfe *f*, Kobold *m*
placard ['plækɑ:d] *n* Plakat *s*
placate [plə'keɪt] *vt* beschwichtigen; **placatory** *adj* ▷*gesture* versöhnlich
place [pleɪs] **I.** *n* 1 (*any particular area or position*) ↑ *location* Stelle *f;* ↑ *country* Land *s;* ↑ *area* Gegend *f;* ↑ *locality* Ort *m* 2 ↑ *proper position* Platz *m;* ◇ **out of ~** fehl am Platz; ◇ **Is my hair in ~?** Sind meine Haare in Ordnung?; ◇ **Go your ~!** Geh' an deinen Platz!; ◇ **I've lost my ~** (*in book*) ich habe meine Seite verblättert 3 ↑ *house* Haus *s;* ◇ **let's go to your ~** laß uns zu dir nach Hause gehen 4 ↑ *seat* Platz *m;* ◇ **Are there any spare ~s?** Sind noch Plätze frei? 5 (*ranking of order or importance*) ◇ **Germany's ~ in Europe** Deutschlands Stellung in Europa; ◇ **to be in third ~** (*of athlete*) auf dem dritten Platz liegen; ◇ **in the first/second ~** (*of points in argument*) erstens/zweitens 5 ◇ **to take ~** stattfinden 6 ◇ **in ~ of** statt *gen* 7 ↑ *be successful* ◇ **Richard is definitely going ~s** Richard wird es sicherlich zu etw bringen **II.** *vt* 1 ↑ *put s.th. somewhere* legen, stellen 2 ◇ **to ~ an order with so.** jd-m einen Auftrag erteilen 3 SPORT ◇ **to be ~d second** Zweiter werden, den zweiten Platz belegen 4 ◇ **I can't quite ~ you** ↑ *identify* ich kann dich nicht richtig einordnen
placenta [plə'sentə] *n* Plazenta *f*
placid ['plæsɪd] *adj* ▷*person* ruhig, gelassen
plagiarism ['pleɪdʒɪərɪzəm] *n* Plagiat *s;* **plagiarist** ['pleɪdʒɪərɪst] *n* Plagiator(in *f*) *m;* **plagiarize** ['pleɪdʒɪəraɪz] *vt* plagiieren
plague [pleɪg] **I.** *n* 1 (*infectious disease*) Seuche *f;* ◇ **the ~** die Pest 2 (*of locusts*) Plage *f* **II.** *vt* ↑ *annoy* plagen, quälen
plaice [pleɪs] *n* Scholle *f*
plaid [plæd] *n* (*cloth*) Plaid *s*
plain [pleɪn] **I.** *adj* 1 ↑ *clear* klar; ◇ **to use ~ language, …** um es ganz klar [*o.* deutlich] zu sagen, … 3 ↑ *simple* ▷*dress* schlicht, einfach 4 (*not pretty*) nicht gerade ansprechend 5 ↑ *direct* direkt; ▷*truth* schlicht; ▷*greed* rein 6 ◇ **the talks were ~ sailing** die Gespräche sind problemlos abgelaufen, glatt über die Bühne gegangen **II.** *n* GEO Ebene *f;* ◇ **the ~s of the Midwest** das Flachland des Mittelwestens; **plain chocolate** *n* Zartbitterschokolade *f;* **plain-clothes** *adj* ▷*policeman* in Zivil, Zivil-; **plainly** *adv* ↑ *clearly* eindeutig; ↑ *obviously* offensichtlich; **plainness** *n* 1 (*no beauty*) Unansehnlichkeit *f* 2 ▷*of manner* Offenheit *f;* **plain-spoken** *adj* offen
plaintiff ['pleɪntɪf] *n* Kläger(in *f*) *m*
plaintive ['pleɪntɪv] *adj* ▷*cries* klagend
plait [plæt] **I.** *n* Zopf *m* **II.** *vt* flechten
plan [plæn] **I.** *n* 1 (*future arrangement*) Plan *m*, Programm *s* 2 ↑ *drawing* Plan *m* 3 ◇ **to go according to ~** planmäßig [*o.* wie geplant] ablaufen **II.** *vt* 1 (*future activity*) ▷*in detail* planen 2 ↑ *intend* vorhaben; ◇ **we ~ to go to London, we are planning on going to …** wir haben vor, nach London zu fahren 3 → *layout* planen, entwerfen **III.** *vi:* ◇ **to ~ for every eventuality** mit jeder Eventualität rechnen; **plan out** *vt sep* in Einzelheiten planen
plane [pleɪn] **I.** *n* 1 AERO Flugzeug *s* 2 (*tool*) Hobel *m* 3 MATH Ebene *f* **II.** *adj* eben **III.** *vt* → *wood* hobeln **IV.** *vt* ← *fast boat* gleiten
planet ['plænɪt] *n* Planet *m;* **planetarium** [plænɪ'teərɪəm] *n* Planetarium *s;* **planetary** ['plænɪtərɪ] *adj* ▷*motion* planetarisch
plane tree ['pleɪn tri:] *n* Platane *f*
plank [plæŋk] *n* 1 (*of wood*) Brett *s* 2 (*of government policy*) ↑ *principle* Grundsatz *m*
plankton ['plæŋktən] *n* Plankton *s*
planned *adj* geplant; **planner** *n* (*town-~*) Planer(in *f*) *m;* **planning** ['plænɪŋ] **I.** *n* Planung *f* **II.** *adj:* ◇ **to be at the ~ stage** in der Planung sein; **planning permission** *n* (*for construction*) Baugenehmigung *f*
plant [plɑ:nt] **I.** *n* 1 BIO Pflanze *f* 2 (*heavy machinery*) Anlagen *pl* 3 (*power ~, car ~*) Werk *s* **II.** *vti* 1 → *flowers* pflanzen; → *garden* bepflanzen 2 ◇ **to ~ an idea in s.o.'s head** jd-m etwas in den Kopf setzen 3 ◇ **to ~ drugs on s.o.** jd-m

Drogen unterjubeln ④ ◇ **to ~ o.s. down** sich hinpflanzen

plantain ['plæntɪn] *n* Plantainbanane *f*

plantation [plæn'teɪʃən] *n* (*cotton* ~) Plantage *f;* (*of trees*) Anpflanzung *f*

planter *n* ① (*tea* ~) Plantagenbesitzer(in *f*) *m*

plaque [plæk] *n* ① (*on building*) Tafel *f* ② (*on teeth*) Zahnbelag *m*

plasma ['plæzmə] *n* Plasma *s*

plaster ['plɑ:stə*] **I.** *n* ① (ARCHIT *ceiling*-~) Putz *m* ② MED ◇ **to have o.'s arm in** ~ den Arm in Gips haben; (*sticking* ~) Pflaster *s* **II.** *vt* ① → *walls* verputzen ② ◇ **the wall was ~ed with adverts** die Wand war mit Reklameplakaten zugeklebt; ◇ **to ~ o.'s face in make-up** das Gesicht mit Schminke zuschmieren; **plasterboard** *n* Gipskartonplatten *pl,* Rigipsplatten® *pl;* **plaster cast** *n* ① (*of statuette*) Gipsform *f* ② MED Gipsverband *m;* **plastered** *adj FAM* besoffen; **plasterer** *n* Stukkateur(in *f*) *m;* **plastering** *n* ↑ *decorative* ~ Stuckarbeit *f;* ↑ *regular* ~ Verputz *m;* **plaster of Paris** *n* Gips *m*

plastic ['plæstɪk] **I.** *n* Kunststoff *m,* Plastik *s* **II.** *adj* ① ↑ *made of* ~ Plastik- ② (*easy to mould*) formbar, plastisch ③ (*in art criticism*) plastisch; **plastic arts** *n* bildende Kunst *f;* **plastic bag** *n* Plastiktüte *f;* **plastic bomb** *n* Plastikbombe *f*

plasticine® ['plæstɪsi:n] *n* Plastilin *s*

plasticity [plæs'tɪsɪtɪ] *n* Formbarkeit *f*

plastic surgery *n* plastische Chirurgie *f*

plate [pleɪt] **I.** *n* ① (*dinner* ~) Teller *m; FIG* ◇ **to have a lot on o.'s** ~ *FAM* viel am Hals haben ② (*flat sheet, metal* ~) Platte *f* ③ (*on door*) Schild *s* ④ (*metal covered in gold or silver*) vergoldetes/versilbertes Metall *s* ⑤ (*picture in book*) Tafel *f* **II.** *vt* (*cover with metal, with armour*) panzern; (*with gold/silver*) vergolden/versilbern

plateau ['plætəʊ] *n* <-x, -s> GEO Hochebene *f,* Plateau *s*

plate glass *n* Tafelglas *s*

platform ['plætfɔ:m] *n* ① (*building* ~) Arbeitsbühne *f;* (*speakers'* ~) Podium *s,* Bühne *f* ② RAIL Bahnsteig *m;* ◇ **our train leaves from ~ 8** unser Zug fährt von Gleis 8 ab ③ POL ↑ *manifesto* Parteiprogramm *s;* **platform ticket** *n* Bahnsteigkarte *f*

plating ['pleɪtɪŋ] *n* (*thin covering of metal*) Auflage *f*

platinum ['plætɪnəm] *n* Platin *s*

platitude ['plætɪtju:d] *n* ↑ *truism* Platitüde *f*

platonic [plə'tɒnɪk] *adj* ▷*relationship* platonisch

platoon [plə'tu:n] *n* MIL Zug *m*

platter ['plætə*] *n* ↑ *serving dish* Platte *f*

plaudit ['plɔ:dɪt] *n pl* (*show of approval*) Huldigung *f,* Beifall *m*

plausibility [plɔ:zə'bɪlɪtɪ] *n* ① (*of plan*) Plausibilität *f* ② (*of person*) Glaubwürdigkeit *f;* **plausible** ['plɔ:zəbl] *adj* ① ▷*explanation* einleuchtend, plausibel, gut möglich ② ▷*person* überzeugend

play [pleɪ] **I.** *n* ① THEAT Theaterstück *s;* MEDIA Fernsehspiel *s* ② (*amusing activity*) Spiel *s;* ◇ **children at** ~ Kinder beim Spiel ③ (*action at sport*) Spiel *s* ④ (*of sunlight*) Spiel *s;* ◇ **a ~ on words** Wortspiel *s* ⑤ (TECH *11 mm* ~) Spiel *s* **II.** *vi* ① (*amuse o.s.*) spielen ② ↑ *join in* [mit]spielen ③ *FIG* ◇ **to ~ for time** auf Zeit spielen, Zeit gewinnen wollen **III.** *vti* ① → *game* spielen ② MUS spielen **III.** *vt* ① → *reserve player* einsetzen ② → *role* spielen; ◇ **to ~ a part in s.th.** *FIG* bei etwas eine Rolle spielen ③ → *music* ◇ **to ~ s.th. by ear** etwas nach dem Gehör spielen; ◇ **to ~ a joke on s.o.** jedem einen Streich spielen; **play along** *vi:* ◇ **to ~ ~ with s.th.** sich mit etwas arrangieren; **play back** *vt sep* → *tape* abspielen; **play down** *vt sep* runterspielen; **play off** *vt sep:* ◇ **to ~ ~ s.o. against s.o. else** jd-n gegen jd-n anderen ausspielen; **play on, play upon** *vi +prep obj* → *weakness* ausnutzen; **play up** *vi* ① ← *naughty child* frech werden ② ← *bad stomach* weh tun; **play-act** *vi FIG* Theater machen; **play-back** *n* ▷*switch* Wiedergabe *f;* **playboy** *n* Playboy *m;* **player** *n* Spieler(in *f*) *m;* **playful** *adj* ① ▷*teasing* neckisch ② ▷*kitten* verspielt; **playgoer** *n* Theaterbesucher(in *f*) *m;* **playground** *n* Spielplatz *m;* **play-group** *n* Spielgruppe *f;* **playhouse** *n* Schauspielhaus *s;* **playing-card** *n* Spielkarte *f;* **playing-field** *n* Sportplatz *m;* **playmate** *n* Spielkamerad(in *f*) *m;* **play-off** *n* SPORT Entscheidungsspiel *s;* **play-pen** *n* Laufstall *m;* **play-room** *n* Spielzimmer *s,* Kinderzimmer *s;* **plaything** *n* ↑ *toy* Spielzeug *s;* **playtime** *n* Freizeit *f;* SCH ↑ *break* Pause *f*

playwright ['pleɪraɪt] *n* Dramatiker(in *f*) *m*

plc *abbr. of* **public limited company** GmbH *f*

plea [pli:] *n* ① ↑ *request* Bitte *f* ② JUR Plädoyer *s;* ◇ **to enter a ~ of guilty** ein Geständnis ablegen;

plea bargaining *n* JUR *vorherige Absprache der Strafe, falls der Angeklagte sich doch schuldig bekennt*

plead [pli:d] **I.** *vi* ① ◇ **to ~ with s.o. for s.th.** jd-n um etwas bitten ② ◇ **to ~ guilty/not guilty** sich schuldig/nicht schuldig bekennen **II.** *vt* ① JUR ◇ **to ~ a case for so.** jd-n vertreten ② → *poverty* → *injury* sich berufen auf *acc*

pleasant ['pleznt] *adj* ▷*weather* angenehm; ▷*face* nett; **pleasantly** *adv* ▷*surprised* angenehm; **pleasantness** *n* (*of surprise*) Freude, Erfreulichkeit *f;* (*of person*) Freundlichkeit *f;* **pleasantry** *n* [1] ↑ *light comment* scherzhafte Bemerkung *f* [2] ↑ *politeness* Höflichkeit *f*

please [pli:z] **I.** *intj* bitte; ◇ **yes, ~** ja, bitte, gerne; ◇ **may I? ~ do** darf ich? aber bitte **II.** *vti* [1] ↑ *give (so.) pleasure* gefallen *dat* [2] ◇ **do what you ~!** mach' was du willst!; ◇ **he does it to ~ you** er tut es dir zuliebe; ◇ **we do everything to see that our product ~s** wir tun alles, damit unser Produkt gut ankommt; ◇ **she is easily ~d** sie ist leicht zufriedenzustellen; **pleased** *adj* ↑ *content* zufrieden; ↑ *happy* glücklich (*with* über *acc*); **pleasing** *adj* ▷*results* erfreulich

pleasurable ['pleʒərəbl] *adj* ▷*experience* angenehm; **pleasure** ['pleʒə*] *n* [1] (*happy feeling*) Freude *f;* ◇ **it's a ~ to paint** Malen macht mir Freude [2] (*cause*) Vergnügen *s;* ◇ **it's a ~ to paint** Malen ist ein Vergnügen [3] ↑ *enjoyment* Vergnügen *s;* ◇ **to have the ~ of doing st.** das Vegnügen haben, etwas zu tun [4] ◇ **it's a ~!** gern geschehen; **pleasure-cruise** *n* Kreuzfahrt *f;* **pleasure ground, pleasure park** *n* Vergnügungspark *m;* **pleasure principle** *n* PSYCH Lustprinzip *s;* **pleasure-seeking** *adj* lebenslustig; **pleasure steamer** *n* Ausflugsdampfer *m*

pleat [pli:t] **I.** *n* Falte *f* **II.** *vt* fälteln, plissieren

plebeian [plɪ'bi:ən] **I.** *n* Plebejer(in *f*) *m* **II.** *adj* plebejisch

plebiscite ['plebɪsɪt] *n* Volksentscheid *m,* Plebiszit *s*

plectrum ['plektrəm] *n* Plektrum *s*

pledge [pledʒ] **I.** *n* [1] ↑ *deposit* Pfand *s* [2] ↑ *solemn promise* Verspechen *s,* Zusicherung *f* **II.** *vt* [1] ↑ *allege* schwören (*to dat*) [2] → *money to charity* zusichern (*to dat*) [3] ↑ *provide deposit* verpfänden

plenary ['pli:nərɪ] *adj* [1] ▷*power* unbeschränkt [2] ▷*meeting* Plenar-

plentiful ['plentɪfʊl] *adj* (*supplies*) reichlich; **plenty** ['plentɪ] **I.** *n* [1] ↑ *abundance* Fülle *f* (*of* an *dat*); ◇ **~ more where that came from** davon gibt's noch jede Menge; ◇ **in ~** im Überfluß, massenhaft; ◇ **that's ~!** genug!, das ist aber reichlich! [2] ◇ **plenty of** viel, Menge *f;* ◇ **~ of time** eine Menge Zeit, viel Zeit; ◇ **to have ~ of st.** [*o.* **st. in plenty**] etwas in Hülle und Fülle haben **II.** *adv FAM AM* sehr; *Irish* ◇ **~ no notice!** hör gar nicht hin! **III.** *adj FAM AM* reichlich

plenum ['plɪnəm] *n* Vollversammlung *f*

pleurisy ['plʊərɪsɪ] *n* Brustfellentzündung *f*

pliable ['plaɪəbl] *adj* [1] ▷*object* biegsam; ↑ *supple* geschmeidig [2] ▷*person* fügsam

pliers ['plaɪəz] *n pl* Zange *f*

plight [plaɪt] *n* (*bad situation*) schlechter Zustand *m,* Not *f*

plimsolls ['plɪmsəlz] *n pl* Turnschuhe *pl*

plinth [plɪnθ] *n* Sockel *m*

plod [plɒd] *vi* ▷*through snow* stapfen; **plod away, plod on** *vi* ↑ *work steadily* sich durchkämpfen, einfach weitermachen (*at* mit)

plodder ['plɒdə*] *n FIG* Arbeitstier *s*

plodding *adj* schwerfällig

plonk [plɒŋk] **I.** *n FAM* ↑ *wine* Wein *s* **II.** *vi:* ◇ **to ~ s.th. (down)** etw hinschmeißen; ◇ **~ yourself down!** hau' dich hin!

plop [plɒp] *vi* ▷*into water* platschen

plot [plɒt] **I.** *n* [1] (*of land*) Land *s;* (*for building*) Grundstück *s;* (*vegetable ~*) Beet *s* [2] (*of novel*) Handlung *f* [3] ↑ *secret plan* Verschwörung *f* **II.** *vt* [1] ↑ *plan* planen [2] (*represent in graph form*) aufzeichnen; → *aircraft's flight* feststellen **III.** *vti* ↑ *plan secretly* sich verschwören

plotter *n* [1] Verschwörer(in *f*) *m* [2] PC Plotter *m*

plough, plow (*AM*) [plaʊ] **I.** *n* Pflug *m* **II.** *vti* → *field* pflügen **II. plough back** *vt* ↑ *reinvest* reinvestieren (*in* in *acc*); **plough into** *vi +prep obj* → *truck* heftig 'reinfahren in *acc;* **plough through** *vi +prep obj* → *book* sich durchackern durch; **plough up** *vt sep* → *field* umpflügen

ploy [plɔɪ] *n* ↑ *trick, manoeuvre* Trick *m*

pluck [plʌk] **I.** *vt* [1] → *chicken* rupfen [2] → *flowers* pflücken; → *o.'s eyebrows* [aus]zupfen [3] → *guitar string* zupfen [4] ◇ **to ~ up the courage to do s.th.** Mut fassen etwas zu tun **II.** *n* ↑ *nerve, courage* Schneid *m;* **plucky** *adj* ↑ *brave, determined* mutig

plug [plʌg] **I.** *n* [1] ↑ *electrical ~* Stecker *m* [2] ↑ *bath ~* Stöpsel *m* [3] AUTO ↑ *spark ~* Zündkerze *f* **II.** *vt* [1] → *hole* zustopfen, 2; → *product* Schleichwerbung machen für; **plug in** *vt sep* ELECTR → *lamp* einstecken; **plughole** *n* Abfluß *m*

plum [plʌm] **I.** *n* [1] (*fruit*) Pflaume *f,* Zwetschge *f* [2] (*colour*) Pfaumenblau *s* **II.** *adj* (*job*) Mords-

plumage ['plu:mɪdʒ] *n* Gefieder *s*

plumb [plʌm] **I.** *n* Lot *s;* ◇ **out of ~** aus dem Lot **II.** *vt* → *sea-depth* ausloten **III.** *adv* [1] senkrecht [2] ▷*crazy* total; **plumber** ['plʌmə*] *n* Klempner(in *f*) *m,* Installateur(in *f*) *m;* **plumbing** ['plʌmɪŋ] *n* [1] (*system*) Installationen *pl* [2] (*work*) Installieren *s;* **plumbline** ['plʌmlaɪn] *n* Senkblei *s*

plume [plu:m] *n* [1] ↑ *large feather* Feder *f* [2] (*of smoke*) Fahne *f*

plummet ['plʌmɪt] *vi* ← *plane* abstürzen; ← *prices* fallen, absacken
plump [plʌmp] **I.** *adj* pummelig; ▷*fowl* fleischig **II.** *vi:* ◇ **to ~ (down)** hinplumpsen **III.** *vt* fallen lassen; **plump for** *vi +obj prep* ↑ *select* sich entscheiden für; **plump up** *vt* → *cushion* aufschütteln
plumpness *n* (*of person*) Pummeligkeit *f*
plunder ['plʌndə*] **I.** *n* [1] (*act*) Plünderung *f*, Raub *m* [2] ↑ *booty* Beute *f* **II.** *vt* plündern
plunge [plʌndʒ] **I.** *n* Sturz *m*, Sprung *m;* ◇ **to take a ~** einen Sprung wagen **II.** *vt* (*thrust*) kraftvoll stoßen **III.** *vi* [1] (*dive*) ein-, untertauchen (*into* in *dat*) [2] (*activity, debt*) sich stürzen (*into* in); (*price, rate*) stürzen; **plunger** *n* (*toilet, sink*) Sauger *m*
plunging *adj* (*neckline*) ausgeschnitten
pluperfect [plu:'pɜ:fɪkt] *n* LING Plusquamperfekt *s*, Vorvergangenheit *f*
pluralistic [plʊərə'lɪstɪk] *adj* pluralistisch
plus [plʌs] **I.** *prep* plus **II.** *adj* (*more than*) plus; ◇ **he earned a hundred dollars ~** er verdiente mehr als hundert Dollar
plush [plʌʃ] **I.** *adj* luxuriös, feudal **II.** *n* Plüsch *m*
plutonium [plu:'təʊnɪəm] *n* CHEM Plutonium *s*
ply [plaɪ] **I.** *vt* [1] (*supply*) überhäufen; ◇ **she plied her guests with food** sie überhäufte ihre Gäste mit Essen [2] (*traverse regularly*) regelmäßig befahren [3] (*a trade*) ausüben, betreiben **III.** *vi* (*ship, taxi*) verkehren (*between* zwischen) **IV.** *n* Schicht *f;* ◇ **three-~ paper** dreilagiges Papier
plywood ['plaɪwʊd] *n* Sperrholz *s*
PM *abbr. of* **post meridiem** *die Zeit zwischen 12 und 24 Uhr;* ◇ **at 3 o'clock PM** um 15 Uhr, um drei Uhr nachmittags
PM *n abbr. of* **Prime Minister**
pneumatic [nju:'mætɪk] *adj* pneumatisch; ◇ **~ drill** Preßluftbohrer *m;* ◇ **~ brakes** Druckluftbremse *f*
pneumonia [nju:'məʊnɪə] *n* Lungenentzündung *f*
poach [pəʊtʃ] *vt* [1] (*hunt without permission*) wildern [2] (*idea, patent*) stehlen [3] (*an egg*) pochieren; **poached** *adj:* ◇ **~ egg** Ei im Glas
poacher *n* Wilddieb, Wilderer *m;* **poaching** *n* Wildern *s*
pocket ['pɒkɪt] **I.** *n* [1] (*of jacket*) Tasche *f* [2] (*of suitcase*) Fach *s* [3] (*financial means*) Geldbeutel *m; FAM* ◇ **Whose ~ is this coming out of?** Wer soll das bezahlen? [4] (AERO *air ~*) Luftloch *s* **II.** *vt* (*to steal*) einstecken **III.** *adj* Taschen-; **pocketbook** *n* [1] (*notebook*) Notizbuch *s* [2] *handbag, AM* Tasche *f;* **pocket calculator** *n* Taschenrechner *m;* **pocket knife** *n* <knives> Taschenmesser *s;* **pocket money** *n* Taschengeld *s*
pod [pɒd] [1] (*seed vessel*) Hülse *f;* (*pea~*) Schote *f* [2] (*of engine*) Gehäuse *s*
podgy ['pɒdʒɪ] *adj* dicklich
poem ['pəʊəm] *n* Gedicht *s;* **poet** ['pəʊɪt] *n* Dichter(in *f*) *m*, Poet(in *f*) *m;* **poetic** [pəʊ'etɪk] *adj* poetisch, dichterisch; **poetry** ['pəʊɪtrɪ] *n* Dichtung *f;* (*poems*) Gedichte *pl;* ◇ **I like reading ~** ich lese gerne Gedichte
point [pɔɪnt] **I.** *n* [1] (*statement*) Punkt *m;* ◇ **to make a ~** ein Argument anbringen; ◇ **that's beside the ~** das ist irrelevant; ◇ **that's the ~ I wanted to make** darauf wollte ich hinaus; ◇ **you have a ~ there** da ist was Wahres dran [2] (*quality, characteristic*) hervorstechende Eigenschaft; ◇ **she has her ~s** sie hat ihre Vorzüge [3] (*spot*) Stelle *f;* ◇ **~ of destination** Bestimmungsort *m* [4] (*tip*) Spitze *f* [5] (*dot*) Punkt *m;* (*decimal ~*) Komma *s;* ◇ **zero ~ five** null Komma fünf [6] (*of a compass*) Punkt *m* [7] (*an instant*) Zeitpunkt *m;* ◇ **at one ~, I just wanted to quit** es gab eine Zeit, da wollte ich einfach aufgeben; ◇ **at the ~ of death** im Augenblick des Todes; ◇ **he was at the ~ of doing it** er war im Begriff, es zu tun, er war drauf und dran, es zu tun; ◇ **boiling ~** Siedepunkt *m;* ◇ **freezing ~** Gefrierpunkt *m* [8] (*rating, game, exam*) Punkt *m* **II.** *vt* [1] (*bring to notice*) zeigen [2] (*aim, direct, gun*) richten (*at* auf *acc*); ◇ **to ~ o.s. finger at s.o.** mit dem Finger auf jd-n deuten **III.** *vi* [1] (*positioned*) gerichtet sein (*at, to* auf *acc*) [2] (*indicate*) hinweisen (*to* auf); ◇ **their actions ~ to discontentment** ihr Handeln deutet auf Unzufriedenheit hin; **point out** *vt* [1] (*place, object*) zeigen; ◇ **he ~ed all the nice sites ~ to me** er wies mich auf alle Sehenswürdigkeiten hin; ◇ **I tried to ~ it ~ to you** ich versuchte dich, darauf aufmerksam zu machen [2] (*mistake, fact*) zeigen; ◇ **he ~ed ~ to me that I was wrong** er konnte mir zeigen, daß ich im Unrecht war; **point-blank** *adv* [1] (*at close range*) aus kurzer Entfernung [2] (*bluntly*) direkt; ◇ **he told me ~ to leave** er sagte mir klipp und klar, daß ich gehen sollte; **pointed** *adj* [1] (*chin, pencil*) spitz [2] (*comments*) spitz
pointer ['pɔɪntə*] *n* [1] (*advice*) Hinweis *m;* ◇ **Can you give me a few ~s?** Kannst du mir ein paar Hinweise geben? [2] (*on dial*) Zeiger *m*
pointless ['pɔɪntləs] *adj* sinnlos
point of view *n* Standpunkt *m*
poise [pɔɪz] **I.** *n* (*manner*) Ausgeglichenheit *f;* **poised** *adj* [1] (*dignified*) gelassen [2] (*positioned*) im Gleichgewicht [3] (*prepared*) bereit sein, im Begriff sein

P

poison ['pɔɪzn] **I.** *n* Gift *s* **II.** *vt* vergiften; **poisoning** *n* Vergiftung *f;* **poisonous** ['pɔɪsənəs] *adj* giftig

poke [pəʊk] **I.** *vt* (1) *(jab)* stoßen (2) *(a hole)* stoßen; ◇ **to ~ fun at s.o.** sich über jd-n lustig machen **II.** *vi* (1) *(stick)* stecken; ◇ **she ~d her head out of the window** sie streckte ihren Kopf aus dem Fenster (2) *(meddle)* sich einmischen; ◇ **Annie is always poking in my business** Annie mischt sich ständig in meine Angelegenheiten ein; ◇ **she ~s her nose into everything** sie steckt überall ihre Nase hinein **III.** *n* Stoß *m;* **slowpoke** *n AM FAM* Schnecke *f*

poke about *vi* suchen

poker *n* (1) *(game)* Poker *s* (2) *(rod)* Schürhaken *m*

poker face *n* Pokergesicht *s*

poky ['pəʊkɪ] *adj* eng

Poland ['pəʊlənd] *n* Polen *s*

polar ['pəʊlə*] *adj* Polar-; ◇ **~ bear** Eisbär *m*

polarize ['pəʊləraɪz] *vi* sich polarisieren

pole [pəʊl] *n* (1) *(telephone)* Pfahl *m; (flag-)* Mast *m* (2) (SPORT *vaulting ~*) Stab *m* (3) *(of earth)* Pol *m* (4) ◇ **they are ~s apart** Welten trennen sie

Pole [pəʊl] *n* Pole *m,* Polin *f*

pole vault *n* Stabhochsprung *m*

polemic [pɒ'lemɪk] *n* (1) *(argument)* Polemik *f* (2) *(practice)* Polemisieren *s*

police [pə'li:s] **I.** *n* (1) *(organization)* Polizei *f* (2) *(members)* Polizisten *pl* **I.** *vt* überwachen, kontrollieren; **police car** *n* Polizeiwagen *m;* **policeman** *n* <-men> Polizist *m;* **police state** *n* Polizeistaat *m;* **police station** *n* Polizeiwache *f;* **policewoman** *n* <-women> Polizistin *f*

policy ['pɒlɪsɪ] *n* (1) *(set of rules)* Politik *f; (public)* Rechtsordnung *f;* ◇ **it is our ~** es ist unser Grundsatz (2) *(insurance ~)* Versicherungsschein *m;* ◇ **~ holder** Versicherungsnehmer *m*

polio ['pəʊlɪəʊ] *n* MED Polio *f,* Kinderlähmung *f*

polish ['pɒlɪʃ] **I.** *n (substance)* Poliermittel *s; (for floor)* Wachs *s; (for shoes)* Creme *f; (nail-)* Lack *m* **II.** *vt* polieren; *(shoes)* putzen; **polish off** *vt (FAM work)* hinhauen; *(food)* verdrücken; **polished** ['pɒlɪʃt] *adj* (1) *(surface)* poliert, glänzend (2) *(FIG manner)* tadellos, geschliffen; *(skill)* verfeinert

polite [pəlaɪt] *adj* höflich; **politeness** *n* Höflichkeit *f*

politic ['pɒlɪtɪk] *adj (tactful)* klug; ◇ **that wasn't very ~ of you** das war nicht sehr schlau von dir; ◇ **it would be ~ to tell him yourself** es wäre diplomatisch, wenn du es ihm selbst sagtest; **political** [pə'lɪtɪkəl] *adj* politisch; ◇ **~ science** Politikwissenschaft *f,* Politologie *f;* **politically** *adv* politisch; **politician** [pɒlɪ'tɪʃən] *n* Politiker(in *f*) *m,* Staatsmann *m;* **politics** *n* (1) *(activities)* Politik *f;* ◇ **to enter into ~** in die Politik gehen (2) *(beliefs)* politische Einstellung *f,* politische Ansichten; ◇ **What are your ~?** Wie sind Sie politisch eingestellt? (3) *(study)* Politik *f*

poll [pəʊl] **I.** *n* (1) *survey* Umfrage *f* (2) *(voting)* Abstimmung *f* (3) *(political election)* ◇ **the ~s** *(place)* die Wahllokale *pl;* ◇ **to go to the ~s** zur Wahl gehen **II.** *vt* (1) *(to question)* befragen; ◇ **the majority of those ~ed...** die Mehrheit der Befragten... (2) *(obtain votes)* Wahlstimmen erhalten

pollen ['pɒlən] *n* Pollen *m,* Blütenstaub *m;* **pollen count** *n* Pollenzahl *f;* **pollination** [pɒlɪ'neɪʃən] *n* Bestäubung *f*

polling booth ['pəʊlɪŋbu:ð] *n* Wahlzelle *f;* **polling day** *n* Wahltag *m*

pollute [pə'lu:t] *vt* → *water, air* verschmutzen; **pollution** [pə'lu:ʃən] *n* Verschmutzung *f,* Umweltverschmutzung;

polo ['pəʊləʊ] *n* Polo[-spiel] *s*

polygamy [pɒ'lɪgəmɪ] *n* Polygamie *f*

polythene ['pɒlɪθi:n] *n* (1) CHEM Polyäthylen *s* (2) *(FAM plastic)* ◇ **put your sandwich in a ~ bag** pack' dein Sandwich in eine Plastiktüte ein

polyunsaturated [pɒlʌn'sætju:reɪtɪd] *adj,* CHEM ◇ **~ fats** mehrfach ungesättigte Fettsäuren *pl*

pomegranate ['pɒməgrænɪt] *n* Granatapfel *m*

pomp [pɒmp] *n* Prunk *m,* Pomp *m*

pompous ['pɒmpəs] *adj* (1) *(conceited)* aufgeblasen (2) *(magnificent)* bombastisch; **pompously** *adv* pompös; *(language)* bombastisch, geschwollen

ponce [pɒns] *n* (1) *pimp, FAM BRIT* Zuhälter *m* (2) *homosexual, FAM BRIT* Schwuler *m*

pond [pɒnd] *n* Teich *m*

ponder ['pɒndə*] *vt* nachdenken über *acc*

ponderous ['pɒndərəs] *adj* (1) *(speech, writing)* schwerfällig (2) *(massive)* massig, schwer (3) *(action)* schwerfällig

pontoon [pɒn'tu:n] *n* Ponton *m*

pony ['pəʊnɪ] *n* Pony *s;* **ponytail** *n (hairstyle)* Pferdeschwanz *m*

poodle ['pu:dl] *n* Pudel *m*

pool [pu:l] **I.** *n* (1) *(swimming ~)* Schwimmbecken *s* (2) *(puddle)* Pfütze *f; (blood)* Lache *f* (3) *(pond)* Teich *m* (4) *(grouping)* Interessengemeinschaft *f; (monopoly)* Kartell *s;* ◇ **car ~** Fahrgemeinschaft *f;* ◇ **labour ~** Arbeitsgemeinschaft *f; (fund)* gemeinsame Kasse (5) *(billard)* Poolbillard *s; (BRIT gambling game)* ◇ **the ~s** Toto *s, m;* ◇ **he won big**

on the ~s er hat im Toto viel Geld gewonnen **II.** *vt* (*capital*) zusammenschließen; (*funds*) untereinander verteilen

poor [pʊə*] **I.** *adj* ① (*lacking money*) arm ② (*pitiable*) arm; ◇ **you ~ thing** du Arme; ◇ **my ~ mother** meine arme Mutter ③ (*unsatisfactory*) schlecht; (*excuse, health*) schwach; (*crop, harvest*) unergiebig; ◇ **a ~ outlook** schlechte Aussichten **II.** *n:* ◇ **the ~** *pl* die Armen *pl;* **poorly I.** *adv* ① schlecht, schwach; ◇ **he writes ~** er schreibt schlecht; ◇ **to think ~ of s.o.** schlecht von jd-m denken; ② dürftig; arm **II.** *adj ill, FAM* krank, schlecht

pop [pɒp] **I.** *n* ① (*music*) Popmusik *f,* Pop *m* ② (*drink*) Limo *f* ③ *AM FAM* Papa *m* **II.** *vi* ① (*sound, cork*) knallen ② (*zip, nip*) ◇ **to ~ in** schnell mal vorbeischauen **III.** *vt* ① (*put, thrust*) hineintun, einwerfen in; ◇ **I'll ~ this in the mailbox** ich werfe das schnell in den Briefkasten; (*pills*) schlucken ② (*balloon*) platzen; ◇ **to ~ popcorn** Popcorn machen; ◇ **to ~ the question** einen Heiratsantrag machen; **pop up** auftauchen; ◇ **s.th. ~ped ~ and I cancelled** mir ist etw dazwischengekommen, da habe ich abgesagt

poplin ['pɒplɪn] *n* Popeline *f, m*

poppy ['pɒpɪ] *n* Mohn *m*

populace ['pɒpjʊlɪs] *n* Volk *s*

popular ['pɒpjʊlə*] *adj* ① (*well-liked*) beliebt ② (*widespread, ideas, attitudes*) allgemein, weitverbreitet ③ (*newspaper, show*) Populär-, bekannt; **popularity** [pɒpjʊ'lærɪtɪ] *n* Beliebtheit *f;* **popularize** ['pɒpjʊləraɪz] *vt* populär machen; **popularly** *adv* allgemein

populate ['pɒpjʊleɪt] *vt* ① (*inhabit*) bewohnen, wohnen in ② → *area* besiedeln, bevölkern; ◇ **over~d** überbevölkert; **population** [pɒpjʊ'leɪʃən] *n* Bevölkerung *f;* (*of town*) Einwohner *pl,* Einwohnerschaft *f*

porcelain ['pɔ:slɪn] *n* Porzellan *s*

porch [pɔ:tʃ] *n* ① (*shelter*) Vorbau *m* ② *veranda, AM* Veranda *f*

porcupine ['pɔ:kjʊpaɪn] *n* Stachelschwein *s*

pore [pɔ:*] *n* Pore *f*

pore over *vt* vertieft sein in; ◇ **sie ~d ~ the article** she studierte eifrig den Artikel; ◇ **to ~ ~ o.'s books** über seinen Büchern sitzen

pork [pɔ:k] *n* Schweinefleisch *s*

pornographic [pɔ:nəʊ'græfɪk] *adj* pornographisch; **pornography** [pɔ:'nɒgrəfɪ] *n* Pornographie *f*

porous ['pɔ:rəs] *adj* (*rock*) porös; (*skin*) porig

porpoise ['pɔ:pəs] *n* Delphin *m*

porridge ['pɒrɪdʒ] *n* Haferbrei *m*

port [pɔ:t] *n* ① (*harbour*) Hafen *m* ② (*town*) Hafenstadt *f* ③ Portwein *m* ④ (NAUT *left side*) Backbord *s*

portable ['pɔ:təbl] *adj* tragbar

porter ['pɔ:tə*] *n* ① (*doorman*) Portier *m* ② (*railway*) Gepäckträger *m*

porthole ['pɔ:thəʊl] *n* Bullauge *s*

portion ['pɔ:ʃən] *n* ① (*section*) Teil *m* ② (*serving*) Portion *f;* **portion out** *vt* aufteilen

portly ['pɔ:tlɪ] *adj* [wohl-]beleibt

portrait ['pɔ:trɪt] *n* Porträt *s,* Bild *s*

portray [pɔ:'treɪ] *vt* ← *actors* darstellen; ↑ *describe* schildern; **portrayal** [pɔ:'treɪəel] *n* Darstellung *f;* Schilderung *f*

Portugal ['pɔ:tʃʊgl] *n* Portugal *s*

Portuguese [pɔ:tʃʊ'gi:z] **I.** *adj* portugiesisch **II.** *n* Portugiese *m,* Portugiesin *f*

pose [pəʊz] **I.** *n* ① (*posture*) Haltung *f* ② (*behaviour*) Pose *f* **II.** *vi* sich ausgeben (*as* als *acc*) **III.** *vt* ① (*for a photo*) aufstellen ② (*present, problem*) aufwerfen; (*danger*) darstellen ③ (*a question*) vortragen

posh [pɒʃ] *adj BRIT FAM* schick

position [pə'zɪʃən] **I.** *n* ① (*location*) Standort *m;* ◇ **the ~ of the sun** der Stand *m* der Sonne; ◇ **out of ~** nicht in der richtigen Lage ② (*in society*) Position *f,* Stellung *f* ③ (*posture*) Haltung *f* ④ (*race, competition*) Platz *m* ⑤ (*situation*) Lage *f;* ◇ **to be in a ~ to do s.th.** in der Lage sein, etw zu tun ⑥ (*viewpoint*) Standpunkt *m,* Einstellung *f* ⑦ (*job*) Stelle *f* **II.** *vt* (*put, place*) aufstellen; ◇ **Bill ~ed himself so that he could leave first** Bill stellte sich so, daß er als erster gehen konnte

positive ['pɒzɪtɪv] *adj* ① (*certain*) sicher ② (*optimistic*) positiv; ◇ **a ~ decision** eine sinnvolle Entscheidung ③ (*definite*) bestimmt, definitiv ④ (*affirmative*) bejahend ⑤ MATH positiv; **positively** *adv* positiv; bestimmt; , *definitiv, eindeutig, FAM* ◇ **I'm ~, absolutely sure** ich bin mir todsicher

possess [pə'zes] *vt* ① (*own*) besitzen, im Besitz haben ② (*an attribute*) besitzen ③ (*dominate*) besessen sein; ◇ **to be ~ed by s.th.** von etw besessen sein; ◇ **I don't know what ~ed me to do that** ich weiß nicht, was mich dazu getrieben hat; **possessed** *adj* besessen; **possession** [pə'zeʃən] *n* ① (*ownership*) Besitz *m;* ◇ **to take ~ of s.th.** etw in Besitz nehmen; ◇ **we are in ~ of the jewels** wir haben den Schmuck in unserem Besitz ③ (*belongings*) ◇ **~s** Eigentum *s,* Besitz *m;* **possessive** [pə'sesɪv] *adj* ① (*desire to control*) besitzgierig ② (*greedy*) eigen ③ LING possessiv; **possessor** *n* Besitzer(in *f*) *m*

possibility [pɒsə'bɪlɪtɪ] *n* Möglichkeit *f;* **possible** ['pɒsəbl] **I.** *adj* (*feasible*) möglich; ◇ **Is this**

P

afternoon ~? (*appointment*) Wäre Ihnen heute Nachmittag möglich?; ◇ **there is only one ~ choice** es gibt nur eine Möglichkeit; ◇ **as soon as ~** so bald wie möglich **II.** *n* (*potential*) Möglichkeit *f;* ◇ **I may be a ~ for the position** ich komme vielleicht für die Stelle in Frage; ◇ **there are several ~s for the job** es gibt mehrere Kandidaten für die Stelle; **possibly** *adv* [1] (*perhaps*) vielleicht [2] (*conceivably*) überhaupt; ◇ **How could you ~ think that?** Wie konntest du so etw überhaupt denken?; ◇ **that can't ~ be true** das kann unmöglich wahr sein

post [pəʊst] **I.** *n* [1] (*pole*) Pfosten *m*, Pfahl *m* [2] (*place of duty*) Posten *m;* (*job*) Posten *m*, Position *f* **II.** *vt* (*notice*) ankleben, anbringen; (*letters*) abschicken, absenden; (*soldiers*) postieren

postage ['pəʊstɪdʒ] *n* Postgebühr *f*, Porto *s*

postal ['pəʊstəl] *adj* postalisch, Post-; *BRIT* ◇ **~ order** Postanweisung *f*

postcard *n* Postkarte *f;* **postcode** *n* (*BRIT*) Postleitzahl *f;* **postdate** *vt* [1] (*cheque*) vordatieren [2] (*later date*) später datieren

poster ['pəʊstə*] *n* (*large picture*) Poster *s;* (*advertisement*) Plakat *s*

posterior [pɒ'stɪərɪə*] *adj* (*rear*) hintere(r, s)

posterity [pɒ'sterɪtɪ] *n* Nachwelt *f*

postgraduate [pəʊst'grædjuɪt] *n Student/in, der/die nach dem ersten Examen weiterstudiert;* **posthumous** [pɒstjʊːməs] *adj* (*after o.s. death*) post[h]um; **postman** ['pəʊstmən] *n* <-men> Briefträger(in *f*) *m*, Postbote(Postbotin *f*) *m;* **postmark** *n* Poststempel *m;* **post meridien** [pəʊst mə'rɪdɪən] *adj* Nachmittags-; **postmortem** ['pəʊst'mɔːtəm] *n* (*autopsy*) Leichenöffnung, Obduktion *f;* **post office** ['pəʊstɒfɪs] *n* Post *f;* (*building*) Postamt *s*

postpone [pə'spəʊn] *vt* hinausschieben, vertagen; ◇ **the meeting has been ~d till Monday** die Versammlung ist auf Montag verschoben worden

postscript ['pəʊsskrɪpt] *n* (*of letter*) Postskriptum *s*

postulate ['pɒstjʊleɪt] **I.** *vt* (*maintain*) postulieren **II.** *n* (*hypothesis*) Postulat *s*

posture ['pɒstʃə*] *n* Haltung *f*

postwar [pəʊst'wɔː*] *adj* Nachkriegs-

posy ['pəʊzɪ] *n* Sträußchen *s*

pot [pɒt] **I.** *n* [1] (*cooking*) Topf *m* [2] (*tea~*) Kanne *f* [3] (*flower*) Blumentopf *m* [4] (*FAM marijuana*) Gras *s;* ◇ **the ~ calls the kettle black** ein Esel schimpft den anderen Langohr; ◇ **Fanny has gone to ~** Fanny ist auf den Hund gekommen; ◇ **to keep the ~ boiling** die Sache in Gang halten **II.** *vt* (*plant*) eintopfen

potash ['pɒtæʃ] *n* Pottasche *f*

potato [pə'teɪtəʊ] *n* <-es> Kartoffel *f*

potency ['pəʊtənsɪ] *n* Stärke *f*, Macht *f;* **potent** ['pəʊtənt] *adj* [1] (*effective*) stark [2] (*man*) potent

potential [pəʊ'tenʃəl] **I.** *adj* potentiell **II.** *n* Potential *s;* (*abilities, talent*) Leistungsfähigkeit *f;* **potentially** *adv* potentiell *f*

pothole ['pɒthəʊl] *n* Schlagloch *s*

potholing *n* Höhlenforschung *f*

potion ['pəʊʃən] *n* Trank *m*

potluck [pɒt'lʌk] *n:* ◇ **to take ~** mit dem vorliebnehmen, was es gerade gibt; ◇ **a ~ party** *Party, zu der jeder Gast etw Essen mitbringt*

potted ['pɒtɪd] *adj* [1] (*meat*) eingemacht [2] (*plant*) Topf-

potter ['pɒtə*] **I.** *n* Töpfer(in *f*) *m* **II.** *vi* herumhantieren

pottery *n* [1] (*workshop*) Töpferei *f* [2] (*earthenware*) Töpferware *f*

potty ['pɒtɪ] **I.** *adj FAM BRIT* verrückt **II.** *n* Töpfchen *s; FAM* ◇ **~ trained** sauber

pouch [paʊtʃ] *n* [1] (*small bag*) Beutel *m* [2] (*of kangaroo*) Tasche *f*

pouffe [puːf] *n* Puff *m*

poultice ['pəʊltɪs] *n* Wickel *m*

poultry ['pəʊltrɪ] *n* Geflügel *s;* **poultry farm** *n* Geflügelfarm *f*

pounce [paʊns] **I.** *vi* sich stürzen (*on* auf *acc*) **II.** *n* Sprung *m*, Satz *m*

pound [paʊnd] **I.** *n* [1] (*currency*) Pfund *s* [2] (*weight*) Pfund *s;* ◇ **by the ~** pfundweise [3] (*for stray animals*) Tierheim *s* **II.** *vi* (*heart*) hämmern; ◇ **my heart was ~ing with joy** mein Herz klopfte vor Freude **III.** *vt* [1] (*hammer*) trommeln, hämmern (*on* auf *acc*) [2] (*crush*) zerstoßen; ◇ **to ~ s.th. to pieces** etw kleinstampfen

pounding *n* Hämmern *s;* (*of heart*) Pochen *s;* Zerstoßen *s*

pour [pɔː*] **I.** *vt* [1] (*water, wine*) gießen; ◇ **to ~ s.o. a cup of coffee** jd-m eine Tasse Kaffee eingießen; (*salt, sugar*) schütten [2] (*invest, money, time*) hineinpumpen; ◇ **I ~ed a lot of energy into this project** ich habe viel Kraft in dieses Projekt gesteckt **II.** *vi* [1] (*rain*) strömen; ◇ **it is ~ing down with rain** es gießt in Strömen [2] (*crowds*) strömen; **pour out I.** *vi* hinausströmen (*of* aus) **II.** *vt* [1] (*serve*) einschenken [2] (*feelings*) ausschütten

pout [paʊt] **I.** *n* Schmollen *s;* ◇ **Danny has the ~s** Danny schmollt **II.** *vi* schmollen

poverty ['pɒvətɪ] *n* Armut *f;* **poverty-stricken** *adj* notleidend, arm

powder ['paʊdə*] **I.** *n* [1] (*baking, gun ~*) Pulver *s* [2] (*face ~*) Puder *s* **II.** *vt* [1] (*baby, body*) einpudern; ◇ **to ~ o.'s nose** sich *dat* die Nase pudern [2] (*sprinkle*) stoßen; **powdered** *adj* (*milk*) -pulver; ◇ ~ **sugar** (*AM*) Puderzucker; **powder room** *n* Damentoilette *f;* **powdery** *adj* pulverig

power ['paʊə*] **I.** *n* [1] (*strength*) Kraft *f;* (*force*) Gewalt *f,* Wucht *f* [2] (*capability*) Fähigkeit *f,* Vermögen *s,* Kraft *f;* ◇ **I did everything within my ~ to help** ich tat alles, was in meiner Macht stand, um zu helfen [3] (*legal right*) Macht *f,* Befugnis *f* [4] (*authority*) Macht *f,* Gewalt *f;* POL ◇ **to be in ~** an der Macht sein [5] (*energy*) Energie *f;* (*water, steam*) Kraft *f* [6] (*electricity*) Strom *m;* ◇ **the ~ has been cut off** der Strom ist abgestellt worden [7] MATH Potenz *f;* ◇ **raise to the second ~** in die zweite Potenz erheben [8] (*strength*) Leistung *f;* (*of sun, microscope*) Stärke *f;* ◇ **the ~ of love** die Macht der Liebe **II.** *vt* antreiben; **power cut** *n* Stromausfall *m;* **powerful** *adj* [1] (*person*) mächtig, einflußreich [2] (*engine*) stark [3] (*physically*) kräftig [4] (*writing, speech*) ausdrucksvoll; **powerless** *adj* kraftlos; (*government, person*) machtlos; ◇ **to be ~ to do s.th.** nicht in der Lage sein, etw zu tun; **power point** *n* Steckdose *f;* **power station** *n* Kraftwerk *s,* Elektrizitätswerk *s*

practicable ['præktɪkəbl] *adj* durchführbar;

practical ['præktɪkəl] *adj* [1] (*not theoretical*) praktisch [2] (*useful*) anwendbar, praktisch [3] (*level-headed*) praktisch denkend; **practically** *adv* [1] (*virtually*) praktisch [2] (*almost*) ◇ **he ~ ran over me** er hat mich regelrecht umgefahren; **practical joke** *n* Streich; ◇ **to play a ~ ~ on s.o.** jd-m einen Streich spielen

practice ['præktɪs] *n* [1] (*training*) Übung *f;* ◇ **to keep in ~** in der Übung bleiben; ◇ **~ makes perfect** Übung macht den Meister; ◇ **out of ~** aus der Übung [2] (*of doctor, lawyer*) Praxis *f* [3] (*repeated performance*) Brauch *m,* Gewohnheit *f;* ◇ **in ~ that is impossible** das läßt sich praktisch nicht durchführen

practise, practice (*AM*) ['præktɪs] **I.** *vt* [1] (*do repeatedly*) üben; ◇ **I am practising my German** ich tue was für mein Deutsch [2] (*profession*) ausüben, praktizieren [3] (*patience, diligence*) üben; ◇ **~ what you preach** setz' deine Lehren in die Tat um **II.** *vi* [1] (*doctor, lawyer*) praktizieren [2] (*skill*) üben; **practised** *adj* geübt, erfahren; **practising, practicing** (*AM*) *adj* praktizierend; (*Christian etc.*) aktiv

pragmatic [præg'mætɪk] *adj* pragmatisch; **pragmatist** ['prægmətɪst] *n* Pragmatiker(in *f*) *m*

prairie ['prɛərɪ] *n* Prärie *f*

praise [preɪz] **I.** *n* Lob *s* **II.** *vt* loben; (*worship*) preisen; **praiseworthy** ['preɪzwɜːðɪ] *adj* lobenswert

pram [præm] *n* (*BRIT*) Kinderwagen *m*

prance [prɑːns] *vi* [1] (*horse*) tänzeln [2] (*person*) stolzieren

prank [præŋk] *n* Streich *m*

prattle ['prætl] *vi* plappern

prawn [prɔːn] *n* Garnele *f*

pray [preɪ] *vi* (*to God*) beten (*for s.th./s.o.* um etw/für jd-n); **prayer** [prɛə*] *n* [1] Gebet *s;* ◇ **I said a ~ for you** ich habe für dich gebetet; ◇ **to say o.'s ~s** beten [2] (*in church*) ◇ **~s** Andacht *f;* ◇ **Morning ~** Morgenandacht *f* [3] (*strong desire*) Wunsch *m;* ◇ **my only ~ is to finish this work** mein einziger Wunsch ist es, diese Arbeit zu schaffen; **prayer book** *n* Gebetbuch *s*

pre- [priː] *pref* vor-

preach [priːtʃ] *vi* [1] (*in church*) predigen; ◇ **he ~ed a sermon** er hielt eine Predigt [2] (*advocate*) propagieren; **preacher** *n* Prediger(in *f*) *m*

preamble [priː'æmbl] *n* Einleitung *f*

prearrange [priːə'reɪndʒ] *vt* vorher vereinbaren; ◇ **the demonstration was ~d** die Demonstration war zuvor abgesprochen worden

precarious [prɪ'kɛərɪəs] *adj* [1] (*situation*) unsicher, prekär [2] (*shaky, unstable*) unsicher, wakkelig; ◇ **that ladder looks pretty ~** die Leiter sieht ziemlich gefährlich aus; **precariously** *adv* unsicher; ◇ **artists tend to live ~** Künstler leben oft in unsicheren Verhältnissen

precaution [prɪ'kɔːʃən] *n* Vorsichtsmaßnahme *f,* Vorkehrung *f;* **precautionary** *adj* (*measure*) vorbeugend, Sicherheits-

precede [prɪ'siːd] *vt, vi* [1] (*event*) vorangehen *dat;* ◇ **the riots were preceded by a scandalous verdict** den Unruhen ging ein skandalöses Urteil voraus; (*paragraph, sentence*) vorangehen, vorstehen [2] (*lead*) voraus-, vorangehen; ◇ **the baby ducks were ~d by their mother** die Entenmutter ist ihren Jungen vorausgegangen; **precedence** ['presɪdəns] *n* Vorrang *m;* ◇ **to take ~ over s.th.** e-r Sache *dat* gegenüber Vorrang haben; **precedent** ['presɪdənt] *n* [1] (*forerunner*) Präzedenzfall *m;* ◇ **to set a ~** einen Präzedenzfall schaffen [2] (*example*) Präjudiz *s,* this case is without ~, so e-n Fall hat es noch nie gegeben; ◇ **according to ~** nach den bisherigen Erfahrungen; **preceding** [prɪ'siːdɪŋ] *adj* voran-, vorhergehend

precinct ['priːsɪŋkt] *n* [1] *shopping area, BRIT* Fußgängerzone *f,* Einkaufsviertel *s* [2] (*of institution*) Gelände *s,* Umgebung *f* [3] *district, AM* Bezirk *m;* (*police ~*) Revier *s*

precious ['preʃəs] *adj* [1] (*prized, rare*) kostbar,

P

wertvoll [2] (*cherished*) wertvoll; (*memories*) wertvoll, teuer [3] *IRON* ◇ **my ~ mother-in-law** meine hochverehrte Schwiegermutter; **precious metal** *n* Edelmetall *s;* **precious stone** *n* Edelstein *m*

precipice ['presıpıs] *n* Steilabfall *m*

precipitate [prı'sıpıteıt] *vt* (*hasten*) beschleunigen; **precipitation** [prısıpı'teıʃən] *n* [1] CHEM Ausfällung *f*, Niederschlag *m* [2] (*rain, snow*) Niederschlag *m;* **precipitous** [prı'sıpıtəs] *adj* steil

précis ['preısi:] *n* Zusammenfassung *f*

precise [prı'saıs] *adj* [1] (*very, exact*) genau; ◇ **at that ~ moment** genau in dem Augenblick [2] (*detailed, accurate*) präzise; (*instructions*) deutlich; (*timing*) genau [3] (*emphasizing*) ◇ **I'm leaving soon, in five minutes to be ~** ich gehe bald, genauer gesagt in fünf Minuten; **precisely** *adv* [1] (*accurately*) genau; ◇ **the departure is at ~ one o'clock p.m.** die Abfahrt ist um Punkt 13 Uhr [2] (*give reason*) ◇ **the boss was furious, ~ because...** der Chef war wütend, und zwar deshalb, weil...; (*to confirm*) ◇ **~!** genau!; **precision** [prı'sıʒən] *n* Genauigkeit *f*, Präzision *f*

preclude [prı'klu:d] *vt* hindern; ◇ **to ~ s.o. from s.th.** jd-n hindern, etw zu tun

precocious [prı'kəʊʃəs] *adj* frühreif

preconceived [pri:kən'si:vd] *adj* (*idea*) vorgefaßt

precursor [pri:'kɜ:sə*] *n* Vorläufer *m*

predator ['predətə*] *n* Raubtier *s;* **predatory** *adj* räuberisch

predecessor ['pri:dısesə*] *n* Vorgänger(in *f*) *m;* ◇ **the musket was the ~ of the rifle** die Muskete war der Vorläufer des Gewehrs

predestination [pri:destı'neıʃən] *n* Prädestination *f*, Vorbestimmung *f;* **predestined** [pri:'destın] *adj* vor[her]bestimmt, prädestiniert

predetermined [pri:dı'tɜ:mın] *adj* vorherbestimmt

predicament [prı'dıkəmənt] *n* Dilemma *s*, Zwangslage *f*

predicate ['predıkət] *n* LING Prädikat *s*

predict [prı'dıkt] *vt* voraussagen; **prediction** [prı'dıkʃən] *n* Voraussage *f*

predominance [prı'dɒmınəns] *n* [1] (*in power*) Vorherrschaft *f*, Vormachtstellung *f* [2] (*in number*) Überwiegen *s;* ◇ **the ~ of women** die Überzahl der Frauen; **predominant** [prı'dɒmınənt] *adj* vorherrschend; **predominantly** *adv* überwiegend, hauptsächlich; **predominate** [prı'dɒmıneıt] *vi* [1] (*in a group*) überwiegen [2] (*prevail, feature, quality*) vorherrschen

pre-eminent [pri:'emınənt] *adj* überragend

pre-empt [pri:'empt] *vt* (*action, decision*) zuvorkommen *dat*

preen [pri:n] *vt* [1] (*primp*) sich herrichten [2] (*bird*) sich putzen; ◇ **the peacock ~ed its feathers** der Pfau putzte sich das Gefieder

prefab ['pri:fæb] *n* Fertighaus *s*

prefabricated [pri:'fæbrıkeıtıd] *adj* vorgefertigt

preface ['prefıs] **I.** *n* Vorwort *s* **II.** *vt* einleiten

prefect ['pri:fekt] *n* Präfekt *m; BRIT* SCH Aufsichtsschüler(in *f*) *m*

prefer [prı'fɜ:*] *vt* vorziehen; ◇ **I ~ coffee to tea** ich hätte lieber Kaffee als Tee; ◇ **she ~s summer to winter** sie mag den Sommer lieber als den Winter; ◇ **I'd ~ you to stay** es wäre mir lieber, du würdest bleiben; ◇ **Mr. Bond ~s sports cars** Mr. Bond bevorzugt Sportwagen; **preferable** ['prefərəbl] *adj* besser, lieber; ◇ **warm weather is ~ to cold** warmes Wetter ist angenehmer als kaltes; **preferably** ['prefərəblı] *adv* vorzugsweise, lieber; ◇ **do these exercises, ~ without your book** mach diese Aufgaben, am besten ohne Buch; **preference** ['prefərəns] *n* [1] (*liking*) Vorliebe *f* [2] (*precedence*) Bevorzugung *f;* ◇ **~ is given to candidates having computer skills** Bewerber mit Computerkenntnissen werden bevorzugt; **preferential** [prefə'renʃəl] *adj* Sonder-; ◇ **she receicved ~ treatment** sie wurde bevorzugt behandelt

prefix ['pri:fıks] *n* [1] LING Präfix *s*, Vorsilbe *f* [2] *AM* TELECOM Vorwahl, Vorwählnummer *f*

pregnancy ['pregnənsı] *n* (*of woman*) Schwangerschaft *f;* (*of animal*) Trächtigkeit *f;* **pregnant** ['pregnənt] *adj* schwanger; ◇ **Hella is ~** Hella ist in anderen Umständen, Hella bekommt ein Kind; ◇ **Nancy is three months ~** Nancy ist im dritten Monat schwanger

prehistoric [pri:hı'stɒrık] *adj* prähistorisch, vorgeschichtlich; **prehistory** [pri:'hıstərı] *n* Vorgeschichte *f*

prejudge [pri:'dʒʌdʒ] *vt* sich vorschnell eine Meinung bilden

prejudice ['predʒʊdıs] **I.** *n* [1] (*discrimination*) Vorurteil *s;* ◇ **racial ~** Rassenvorurteile *pl* [2] (*bias*) Voreingenommenheit *f;* ◇ **to show ~ in favour of s.o.** eine Vorliebe für jd-n zeigen; **prejudiced** *adj* (*person*) voreingenommen

preliminary [prı'lımınərı] **I.** *adj* Vor-; (*measures*) vorbereitend; ◇ **~ discussion** Vorbesprechung *f* **II.** *n* Vorbereitung *f;* (*measure*) vorbereitende Maßnahme *f;* SPORT Vorspiel *s;* JUR ◇ **preliminaries** *pl* Präliminarien *pl*

prelude ['prelju:d] *n* Präludium *s;* MUS Vorspiel *s*

premarital [priːˈmærɪtl] *adj* vorehelich
premature [ˈpremətʃʊə*] *adj* [1] *(too early)* vorzeitig; *(decision)* verfrüht [2] *(birth)* vorzeitig; ◇ **a ~ baby** Frühgeburt *f;* **prematurely** *adv* vorzeitig; ◇ **the actions were ~ taken** es wurde voreilig gehandelt
premeditated [priːˈmedɪteɪtəd] *adj* vorsätzlich; **premeditation** [priːmedɪˈteɪʃən] *n* Vorsatz *m*
premier [ˈpremɪə*] **I.** *adj* führend **II.** *n* Premier[-minister](Premierministerin *f*) *m*
premiere [ˈpremɪɛə*] *n* Erstaufführung *f*
premise [ˈpremɪs] *n* [1] *(assumption)* Voraussetzung *f* [2] *(grounds)* ◇ **~s** *pl* Gelände *s;* ◇ **smoking isn't allowed on the company ~s** auf dem Betriebsgelände darf nicht geraucht werden
premium [ˈpriːmɪəm] *n* [1] *(bonus)* Prämie *f;* ◇ **to sell s.th. at a ~** etw über [seinem] Wert verkaufen; *(needed, in demand)* ◇ **apartments are at a ~** Wohnungen sind sehr begehrt; ◇ **put a high ~ on s.th.** sehr viel Wert auf etw *acc* legen [2] *(payment)* Prämie *f;* ◇ **insurance ~** Versicherungsprämie *f*
premonition [preməˈnɪʃən] *n* Vorahnung *f*
preoccupation [priːɒkjʊˈpeɪʃən] *n* Beschäftigung *f (with* mit *dat);* **preoccupied** [priːˈɒkjʊpaɪd] *adj* gedankenverloren; ◇ **to be ~ with s.th.** sehr mit etw *dat* beschäftigt sein; ◇ **I'm ~** meine Gedanken sind anderswo
prepaid [priːˈpeɪd] *adj* vorausbezahlt; *(postage)* frankiert, freigemacht
preparation [prepəˈreɪʃən] *n* [1] *(act)* Vorbereitung *f* [2] *(arrangements)* ◇ **to make ~s for** Vorbereitungen treffen [2] *(mixture)* Zubereitung *f;* **preparatory** [prɪˈpærətərɪ] *adj* Vorbereitungs-; ◇ **~ class** Einführungsseminar, Propädeutikum *s;*
prepare [prɪˈpɛə*] **I.** *vt* [1] *(make ready)* vorbereiten *(for* auf *acc);* ◇ **I tried to ~ him for the bad news** ich versuchte ihn, auf die schlechte Nachricht vorzubereiten; ◇ **Jane is preparing a room for Paul** Jane richtet ein Zimmer für Paul [2] *(o.s.)* sich gefaßt machen auf [3] *(fix, make, soup, meal)* zubereiten, machen **II.** *vi* sich vorbereiten auf; ◇ **he is preparing for a final** er bereitet sich auf eine Abschlußprüfung vor; **prepared** [prɪˈpɛəd] *adj* [1] *(willing)* bereit, gewillt [2] *(ready)* vorbereitet
preponderance [prɪˈpɒndərəns] *n* Übergewicht *s;* ◇ **there is a ~ of men in the committee** in dem Ausschuß gibt es ein Übergewicht an Männern
preposition [prepəˈzɪʃən] *n* LING Verhältniswort *s,* Präposition *f*
preposterous [prɪˈpɒstərəs] *adj* absurd, abartig
prerequisite [priːˈrekwɪzɪt] *n* Voraussetzung *f,* Vorbedingung *f*
prerogative [prɪˈrɒgətɪv] *n* Vorrecht *s*
presbytery [ˈprezbɪtərɪ] *n (house)* Pfarrhaus *s*
prescribe [prɪˈskraɪb] *vt* [1] *(order, dictate)* vorschreiben [2] *medicine, treatment,* MED verschreiben; ◇ **the doctor ~d me s.th. for my cold** der Arzt verschrieb mir etw gegen meine Erkältung; **prescription** [prɪˈskrɪpʃən] *n* [1] *(paper)* Rezept *s* [2] *(medicine)* verordnete Medizin *f;* ◇ **available only on ~** rezeptpflichtig; **prescriptive** [prɪˈskrɪptɪv] *adj* vorgeschrieben, normativ
presence [ˈprezns] *n* [1] *(in a place)* Gegenwart *f,* Anwesenheit *f* [2] *(personality)* Auftreten *s,* Haltung *f;* ◇ **I felt comfortable in Zack's ~** ich fühlte mich in Zacks Anwesenheit wohl [3] *(spirit)* ◇ **we could feel a ~** wir spürten, daß etw anwesend war; **presence of mind** Geistesgegenwart *f*
present [ˈpreznt] **I.** *adj* [1] *(existing, current)* anwesend, vorhanden; ◇ **the ~ government** die gegenwärtige [*o.* derzeitige] Regierung; ◇ **in the ~ circumstances** unter den jetzigen Umständen [2] *(in attendance)* anwesend; ◇ **to be ~** anwesend sein **II.** *n* [1] *(now)* Gegenwart *f;* ◇ **at ~** zur Zeit; ◇ **for the ~** vorerst, einstweilen; ◇ **there is no time like the ~** die Zeit ist reif [2] LING Präsens *s;* ◇ **this verb is in the ~ tense** dieses Verb steht in der Gegenwart [*o.* im Präsens] [3] *(gift)* Geschenk *s* **III.** [prɪˈzent] *vt* [1] *(provide)* zeigen, vorführen [2] *(portray)* schildern, darstellen [3] *(introduce, important person)* vorstellen [4] *(give, certificate, prize)* überreichen; ◇ **to ~ s.o. with s.th.** jd-m etw übergeben ◇ **the waitress ~ed us with the bill** die Bedienung präsentierte uns die Rechnung [5] *(TV programme)* präsentieren, moderieren **III.** *vr* [1] *(o.'s)* sich einfinden; *(as a candidate)* sich aufstellen lassen [2] *(occurs)* sich ergeben; ◇ **if the opportunity ~s itself** wenn sich die Gelegenheit bietet [*o.* ergibt]
presentable [prɪˈzentəbl] *adj* vorzeigbar; ◇ **I have to make myself ~, Fred's coming** ich muß mich zurechtmachen, Fred kommt; ◇ **you look ~** du kannst dich sehen lassen; **presentation** [prezənˈteɪʃən] *n* [1] *(exposition)* Darbietung *f,* Präsentation *f* [2] *(of a gift, prize)* Präsentation *f,* Übergabe *f* [3] *(lecture)* Vorführung *f* [4] (THEAT *performance)* Aufführung *f,* Darstellung *f*
present-day [ˈprezntˈdeɪ] *adj* heutig, gegenwärtig; **presently** *adv* [1] *(short time ago)* vor kurzem [2] *(at present)* im Augenblick [3] *(very soon)* bald
preservation [prezəˈveɪʃən] *n* Bewahrung *f,* Erhaltung *f;* ◇ **there is a ~ order on this building** dieses Gebäude steht unter Denkmalschutz; ◇ **wildlife ~** Naturschutzgebiet *s;* **preservative** [prɪˈzɜːvətɪv] *n* Konservierungsmittel *s;* **pre-**

P

serve [prɪ'zɜːv] **I.** *vt* [1] (*maintain*) bewahren, erhalten; ◇ **How can we ~ world peace?** Wie können wir den Weltfrieden erhalten? [2] (*protect*) beschützen (*from* vor *dat*) [3] (*food*) konservieren **II.** *n:* ◇ **~s** Eingemachtes *s*

preside [prɪ'zaɪd] *vi* den Vorsitz haben (*over* bei); ◇ **to ~ over a meeting** eine Versammlung leiten

presidency ['prezɪdənsɪ] *n* POL Präsidentschaft *f;* **president** ['prezɪdənt] *n* [1] (*of a country*) Präsident *m* [2] (*of organization*) Vorsitzender *fm;* **presidential** [prezɪ'denʃəl] *adj* Präsidentschafts-

press [pres] **I.** *n* [1] (*application of pressure*) Druck *m* [2] (*publishers*) Verlag *m;* (*newspapers*) Presse *f;* ◇ **to get a good ~** eine gute Presse bekommen [3] (*machine*) Druckerpresse *f* **II.** *vt* [1] (*iron*) bügeln [2] (*physically*) drücken; (*orange juice*) auspressen [3] → *charges* jd-n verklagen **III.** *vi* [1] (*push*) drücken [2] (*campaign*) ◇ **~ for** drängen auf *acc;* ◇ **he ~ed for custody of the children** er drängte darauf, die Kinder zugesprochen zu bekommen; **pressed** *adj* unter Druck stehen; ◇ **to be ~ for time** unter Zeitdruck stehen; **press on** *vi* weitermachen; **press agency** *n* Presseagentur *f;* **press conference** *n* Pressekonferenz *f;* **press cutting** *n* Zeitungsausschnitt *m;* **pressing** *adj* dringend

pressure ['preʃə*] **I.** *n* [1] (*physical force*) Druck *m;* ◇ **to apply ~** Kraft anwenden; TECH, PHYS ◇ **at high ~** unter Hochdruck [2] (*persuade*) ◇ **to put ~ on s.o.** jd-n unter Druck setzen [3] (*stress*) Druck *m;* ◇ **I'm living under too much ~ these days** zur Zeit habe ich zu viel Streß **II.** *vt* → *s.o.* unter Druck setzen; ◇ **to ~ s.o. to do s.th.** jd-n zwingen, etw zu tun; **pressure cooker** *n* Dampfkochtopf *m;* **pressure gauge** *n* TECHNOL Druckanzeige *f,* Druckmesser *m;* **pressure group** *n* POL Interessenvertretung, Lobby *f;* **pressurized** ['preʃəraɪzd] *adj:* ◇ **~ cabin** Druckkabine *f*

prestige [pre'stiːʒ] *n* Ansehen *s,* Prestige *s;* **prestigious** [pre'stɪdʒəs] *adj* renommiert

presumably [prɪ'zjuːməblɪ] *adv* vermutlich; **presume** [prɪ'zjuːm] *vt, vi* annehmen, vermuten; **presumption** [prɪ'zʌmpʃən] *n* Vermutung *f;* **presumptuous** [prɪ'zʌmptjʊəs] *adj* unverschämt, dreist

presuppose [priːsə'pəʊz] *vt* voraussetzen (*that* daß); **presupposition** [priːsʌpə'zɪʃən] *n* Voraussetzung *f*

pretence [prɪ'tens] *n* [1] (*Verstellung*) f; ◇ **her friendliness is only a ~** ihre Freundlichkeit ist nur gespielt [2] (*false claim*) ◇ **to do s.th. under false ~s** etw unter einem Vorwand tun; **pretend** [prɪ'tend] **I.** *vt* vortäuschen, vorgeben **II.** *vi* sich verstellen; ◇ **she's only ~ing** sie tut nur so; **pretense** [prɪ'tens] *n* (*AM*) *s.* **pretence**

pretension [prɪ'tenʃən] *n* Protzerei *f,* Anmaßung *f*

pretentious [prɪ'tenʃəs] *adj* anmaßend

pretext ['priːtekst] *n* Vorwand *m*

prettily ['prɪtɪlɪ] *adv* nett, hübsch; **pretty** ['prɪtɪ] **I.** *adj* [1] (*attractive*) hübsch; (*charming*) nett, schön **II.** *adv FAM* ziemlich, ganz schön; ◇ **I'm ~ certain he'll call** ich bin mir ziemlich sicher, daß er anrufen wird; (*almost*) ◇ **What's his condition like? ~ much the same** Wie ist sein Zustand? Praktisch unverändert

prevail [prɪ'veɪl] *vi* [1] (*exist*) vorherrschen; ◇ **this custom ~s throughout Europe** diese Sitte ist in Europe weit verbreitet [2] (*triumph, win*) siegen (*against, over* über *acc*); ◇ **capitalism ~ed against communism** der Kapitalismus setzte sich gegen den Kommunismus durch; **prevailing** *adj* vorherrschend; **prevalent** ['prevələnt] *adj* vorherrschend, weitverbreitet

prevarication [prɪværɪ'keɪʃən] *n* Ausflucht *f*

prevent [prɪ'vent] *vt* (*verhindern, verhüten*): ◇ **to ~ s.o. from doing s.th.** jd-n davon abhalten, etw zu tun; **preventable** *adj* vermeidbar; **preventative** *n* vorbeugend; ◇ **~ medicine** Präventivmedizin *f;* **prevention** [prɪ'venʃən] *n* Verhinderung *f,* Verhütung *f,* Vorbeugung *f* (*of* gegen); ◇ **drug ~** Drogenprophylaxe *f;* **preventive** *adj* vorbeugend

preview ['priːvjuː] *n* Vorschau *f*

previous ['priːvɪəs] *adj* (*preceding*) vorher, vorherig; ◇ **on the ~ morning** am Morgen davor; ◇ **~ experience** Vorkenntnisse *pl;* ◇ **the ~ owner** Vorbesitzer(in *f*) *m;* **previously** *adv* vorher, früher

prewar [priː'wɔː*] *adj* Vorkriegs-

prey [preɪ] *n* Beute *f;* ◇ **to be an easy ~** eine leichte Beute sein; ◇ **beast of ~** Raubtier *s;* **prey on** *vi* [1] (*animal*) Jagd machen auf *acc* [2] (*worry, trouble*) nagen an *dat;* ◇ **the thoughts ~ed upon my mind** die Gedanken quälten mich

price [praɪs] **I.** *n* [1] (*cost*) Preis *m;* ◇ **to buy at a reduced ~** verbilligt kaufen [2] (*sacrifice*) Preis *m;* ◇ **the ~ of success** der Preis für den Erfolg; ◇ **everyone has his ~** jeder hat seinen Preis; ◇ **at any ~** um jeden Preis **II.** *vt* [1] (*set*) den Preis festsetzen [2] (*value*) den Preis schätzen; **priceless** *adj also FIG* unbezahlbar; **price list** *n* Preisliste *f;* **pricey** ['praɪsɪ] *adj FAM* teuer

prick [prɪk] **I.** *n* [1] (*pain*) Stich *m* [2] *penis, FAM!* Schwanz *m* **II.** *vt, vi* stechen; ◇ **to ~ o.'s finger** sich *dat* in den Finger stechen; ◇ **the dog ~ed up its ears** der Hund stellte die Ohren auf

prickle ['prɪkl] **I.** *n* Stachel *m,* Dorn *m* **II.** *vi* prickeln; **prickly** ['prɪklɪ] *adj* (*beard*) stachelig; (*bush, cactus*) dornig; **prickly heat** *n* Hitzebläschen *s pl;* **prickly pear** *n* (*plant*) Feigenkaktus *m;* (*fruit*) Kaktusfeige *f*

pride [praɪd] *n* Stolz *m;* ◇ **to take ~ in s.th.** auf etw stolz sein; ◇ **he has too much ~ to accept the money** er ist zu stolz, um das Geld anzunehmen; ◇ **to swallow o.'s ~** s-n Stolz unterdrücken; ◇ **his car is his ~ and joy** sein Auto ist sein ganzer Stolz

priest [pri:st] *n* Priester *m;* **priestess** *n* Priesterin *f;* **priesthood** *n* Priestertum *s*

prig [prɪg] *n* Musterknabe *m*

prim [prɪm] *adj:* ◇ **Mrs. Galdy is very ~ and proper** Frau Galdy ist sehr etepetete

prima donna [pri:mə'dɒnə] *n* Primadonna *f*

primarily ['praɪmərɪlɪ] *adv* hauptsächlich; **primary** ['praɪmərɪ] *adj* (1) (*chief*) wichtigste(r, s), Haupt-; ◇ **of ~ importance** von größter Bedeutung (2) (*basic*) grundlegend, elementar; ◇ **~ colour** Grundfarbe *f* (3) *election, AM* Vorwahl *f*

primate ['praɪmɪt] *n* BIO Primat *m*

prime [praɪm] **I.** *adj* (1) (*main*) wichtigst, Haupt-; ◇ **the ~ reason** der Hauptgrund; ◇ **a ~ suspect** ein Hauptverdächtiger (2) (*first class*) erstklassig; (*meat, produce*) von hervorragender Qualität **II.** *vt* (1) (*prepare, brief*) instruieren; ◇ **I ~d him for the interview** ich habe ihn auf das Vorstellungsgespräch vorbereitet (2) (*wood*) grundieren **III.** *n* (*heyday*): ◇ **to be in the ~ of life** in der Blüte des Lebens stehen; **prime minister** *n* Premierminister(in *f*) *m,* Ministerpräsident(in *f*) *m*

primer ['praɪmə*] *n* Grundierfarbe *f,* Grundierung *f*

primeval [praɪ'mi:vəl] *adj* urzeitlich; ◇ **~forest** Urwald *m*

primitive ['prɪmɪtɪv] *adj* (1) (*uncivilized*) primitiv (2) → *conditions* ↑ *crude* einfach, primitiv

primrose ['prɪmrəʊz] *n* Schlüsselblume *f*

primula ['prɪmjʊlə] *n* Primel *f*

primus [stove]® ['praɪməs stəʊv] *n* Primuskocher *m Art Spirituskocher für Camping*

prince [prɪns] *n* (1) (*of royalty*) Prinz *m* (2) (*ruler*) Fürst *m*

princess [prɪn'ses] *n* Prinzessin *f;* Fürstin *f*

principal ['prɪnsɪpəl] **I.** *adj* Haupt-, wichtigste(r, s) **II.** *n* (*AM* SCH) Rektor(in *f*) *m;* **principality** [prɪnsɪ'pælɪtɪ] *n* Fürstentum *s;* **principally** ['prɪnsɪpəlɪ] *adv* hauptsächlich

principle ['prɪnsəpl] *n* (1) (*personal belief*) Prinzip *s;* ◇ **a man of high ~s** ein Mann mit Prinzipien; ◇ **it's a matter of ~** es geht dabei ums Prinzip; ◇ **he abandoned his ~s** er handelte gegen seine Prinzipien (3) (*scientific law*) Naturgesetz *s*

print [prɪnt] **I.** *n* (1) (*characters*) Druck *m,* Schrift *f;* ◇ **in bold ~** fettgedruckt (2) (*picture*) Druck *m* (3) (*photograph*) Abzug *m* (4) (*impression*) Abdruck *m* **II.** *vt* (1) (*newspaper, book*) drucken (2) (*story*) veröffentlichen (3) (*on cloth*) bedrucken (4) (*not cursive*) in Druckbuchstaben *m* schreiben; ◇ **please ~ your name** bitte schreiben Sie ihren Namen in Druckschrift *f* (5) (*photograph*) abziehen (6) PC drucken; ◇ **to ~ s.th. out** etw ausdrucken

printed matter *n* Drucksache *f*

printer *n* PC Drucker *m*

printing *n* Drucken *s;* ◇ **~ press** Druckerpresse *f*

printout *n* PC Ausdruck *m*

prior ['praɪə*] **I.** *adj* (1) (*previous to*) vor; ◇ **~ to this job, I waited on tables** bevor ich diese Stelle bekam, bediente ich im Lokal (2) (*previous*) vorherig, früher; ◇ **~ knowledge is required** Vorkenntnise sind erforderlich (3) (*more important*) vorrangig

prioritize [praɪ'ɒrɪtaɪz] *vt* den Vorrang geben *dat;* **priority** [praɪ'ɒrɪtɪ] *n* (1) (*concerns*) Priorität *f,* Vorrang *m;* ◇ **you'd better get your priorities right** du solltest deine Prioritäten richtig setzen (2) (*urgent*) vordringliche Sache *f;* ◇ **a top ~** eine Angelegenheit von äußerster Dringlichkeit (3) (*precedence*) ◇ **to have ~ over s.th.** Vorrang vor etw haben *dat*

priory ['praɪərɪ] *n* Priorat *s*

prise [praɪz] *vt:* ◇ **to ~ open** aufbrechen

prism ['prɪzəm] *n* Prisma *s*

prison ['prɪzn] *n* Gefängnis *s;* ◇ **~ sentence** Freiheitsstrafe *f;* **prisoner** ['prɪsənə*] *n* Gefangene(r) *fm,* Häftling *f;* ◇ **~ of war** Kriegsgefangene(r) *fm*

prissy ['prɪsɪ] *adj FAM* zimperlich

privacy ['prɪvəsɪ] *n* Privatleben *s;* ◇ **in the ~ of our own home** in der Ungestörtheit unserer vier Wände; ◇ **he's invading on my ~** er verletzt meine Privatsphäre; **private** ['praɪvɪt] **I.** *adj* (1) (*personal*) privat, Privat-; ◇ **these are my ~ things** dies sind meine persönlichen Sachen; ANAT ◇ **~ parts** Geschlechtsteile *s pl* (2) (*independent*) Frei-; ◇ **~ school** Privatschule *f* (3) (*confidential*) geheim, vertraulich; ◇ **let's keep this ~** das soll unter uns bleiben (4) (*secluded*) ungestört, ruhig **II.** *n* (1) (*alone*) ◇ **in ~** privat; ◇ **I want to speak to you in ~** ich will mit dir unter vier Augen sprechen (2) (*soldier*) Gefreiter *m;* **private eye** *n* Privatdetektiv *m;* **privately** *adv* privat

privilege ['prɪvɪlɪdʒ] *n* Privileg *s,* Vorrecht *s;* (*honour*) Ehre *f;* **privileged** *adj* privilegiert

privy ['prɪvɪ] *adj:* ◇ **to be ~ to s.th.** eingeweiht sein in etw *acc*

P

prize [praɪz] **I.** *n* Preis *m,* Gewinn *m* **II.** *adj* (*example*) preisgekrönt **III.** *vt* hochschätzen; **prize fighter** *n* Profiboxer *m;* **prize winner** *n* Preisträger(in *f*) *m*

pro [prəʊ] *n* <-s> [1] (*professional*) Profi *m* [2] (*positive*) für; ◇ **the -s and cons** *pl* das Für und Wider

probability [prɒbəˈbɪlɪtɪ] *n* Wahrscheinlichkeit *f;* **probable** [ˈprɒbəbl] *adj* wahrscheinlich

probation [prəˈbeɪʃən] *n* Probezeit *f;* JUR Bewährungszeitraum *m;* ◇ **to be on -** auf Bewährung sein; ◇ **Lefty was put on -** Leftys Strafe wurde zur Bewährung ausgesetzt; **probation officer** *n* Bewährungshelfer(in *f*) *m;* **probationary** *adj* Probe-; **probationer** *n* [1] (*nurse*) Lernschwester *f* [2] JUR auf Bewährung Freigelassene(r) *fm*

probe [prəʊb] **I.** *n* [1] (*instrument*) Sonde *f* [2] (*investigation*) Untersuchung *f* (*into* gen) **II.** *vt, vi* [1] (*investigate*) untersuchen, erforschen [2] (*poke, prod*) bohren, untersuchen

problem [ˈprɒbləm] *n* [1] Problem *s;* (*FAM sure*) ◇ **no -** kein Problem; ◇ **he is a - child** er ist ein Problemkind [2] (*puzzle*) Aufgabe *f;* **problematic** [prɒblɪˈmætɪk] *adj* problematisch

procedural [prəˈsiːdjʊrəl] *adj* Verfahrens-; **procedure** [prəˈsiːdʒə*] *n* Vorgehen *s,* Verfahren *s;* ◇ **we are just following -s** wir halten uns nur an die Vorschriften

proceed [prəˈsiːd] *vi* [1] (*advance*) weitergehen; ◇ **I -ed to the court** ich ging weiter zum Gericht [2] (*carry on*) fortfahren; ◇ **before we - any further…** bevor wir weitermachen…; ◇ **to - with o.'s work** die Arbeit fortsetzen [3] (*continue*) weitergehen; ◇ **to - as normal** weitermachen wie bisher; **proceedings** *n pl* [1] *legal action,* JUR Verfahren *s;* ◇ **to take - against s.o.** gegen jd-n gerichtlich vorgehen; ◇ **court -** Gerichtsverhandlung *f* [2] (*series of events*) Vorgehen *s;* ◇ **we watched the -** wir schauten uns das Geschehen an

proceeds [ˈprəʊsiːds] *n pl* Einnahmen *pl,* Ertrag *m*

process [ˈprəʊses] **I.** *n* [1] (*steps*) Vorgang *m,* Verfahren *s* [2] (*action*) Prozeß *m;* ◇ **in the - of the meeting** im Laufe der Versammlung; ◇ **to be in the - of doing s.th.** dabeisein, etw zu tun; (*simultaneously*) ◇ **in the -** dabei **II.** *vt* (*treat, chemically*) behandeln; (*food*) haltbar machen; (*film*) entwickeln; (PC *data*) verarbeiten; **procession** [prəˈseʃən] *n* Prozession *f,* Umzug *m*

proclaim [prəˈkleɪm] *vt* proklamieren, ausrufen; ◇ **to - s.o. king** jd-n zum König ausrufen; **proclamation** [prɒkləˈmeɪʃən] *n* Verkündigung *f,* Ausrufung *f,* Proklamation *f*

procrastinate [prəʊˈkræstɪneɪt] *vi* zögern; ◇ **I have to stop procrastinating** ich muß aufhören, die Dinge vor mir her zu schieben; **procrastination** [prəʊkræstɪˈneɪʃən] *n* Zaudern *m*

procreation [prəʊkrɪˈeɪʃən] *n* Zeugung *f,* Fortpflanzung *f*

procure [prəˈkjʊə*] *vt* etw beschaffen, besorgen

prod [prɒd] **I.** *vt* [1] (*poke*) stoßen [2] (*remind*) anspornen, anstacheln **II.** *n* Stoß *m*

prodigious [prəˈdɪdʒəs] *adj* erstaunlich; (*wonderful*) wunderbar

prodigy [ˈprɒdɪdʒɪ] *n* Wunder *s;* ◇ **a child -** ein Wunderkind *s*

produce [ˈprɒdjuːs] **I.** *n* Produkt *nt,* Erzeugnis *s;* ◇ **milk -** Milchprodukte; ◇ **Where's the - department?** Wo ist die Lebensmittelabteilung? **II.** [prəˈdjuːs] *vt* [1] (*cause*) bewirken, hervorrufen; ◇ **this medicine may - side effects** dieses Medikament hat mögliche Nebenwirkungen [2] (*make, create*) herstellen, produzieren [3] (*present, show*) vorzeigen; (*documents, I.D.*) vorzeigen, vorlegen [4] (*film, record*) produzieren; **producer** [prəˈdjuːsə*] *n* [1] Hersteller(in *f*) *m,* Produzent(in *f*) *m* [2] (CINE) Regisseur(in *f*) *m;* **product** [ˈprɒdʌkt] *n* [1] (*goods*) Produkt *s,* Erzeugnis *s* [2] (*result*) Produkt *s;* **production** [prəˈdʌkʃən] *n* [1] (*process*) Herstellung *f,* Produktion *f,* Erzeugung *f* [2] (*output*) Produktion *f* [3] (*of film, record*) Produktion *f* [4] (*creation*) Erzeugung *f,* Bewirkung *f* [5] (*a play, film*) ◇ **a Walt Disney -** eine Walt-Disney-Produktion *f;* **production line** *n* Fertigungsstraße *f;* **productive** [prəˈdʌktɪv] *adj* [1] (*efficient*) produktiv [2] (*fruitful*) ergiebig, rentabel; **productivity** [prɒdʌkˈtɪvɪtɪ] *n* Produktivität *f*

prof [prɒf] *n* (*FAM professor*) Prof *m*

profane [prəˈfeɪn] **I.** *adj* [1] (*blasphemous*) gotteslästerlich [2] (*secular*) weltlich, profan **II.** *vt* entweihen, profanieren

profess [prəˈfes] *vt* [1] (*claim, allege*) vorgeben, vortäuschen; ◇ **he -ed to be a good skier** er behauptete, ein guter Skifahrer zu sein; ◇ **she -ed a distaste for politics** sie bekundete einen Widerwillen gegen Politik [2] (*faith*) sich bekennen zu

profession [prəˈfeʃən] *n* [1] (*career*) Beruf *m;* ◇ **by -** von Beruf; ◇ **medical -** Arztberuf *m* [2] (*declaration*) Gelübde *s;* ◇ **a - of love** eine Liebeserklärung

professional [prəˈfeʃənl] **I.** *n* (*expert*) Fachmann *m,* Profi *m;* SPORT Berufssportler(in *f*) *m* **II.** *adj* [1] (*expert*) fachmännisch; ◇ **he acted in a very - manner** er hat sich sehr professionell verhalten; ◇ **that looks more** ~ das sieht professioneller aus [2] (*not amateur*) Berufs-, beruflich; ◇ **the amateur turned** ~ der Amateur ist ins Profilager übergewechselt; ◇ **his** ~ **ability** seine beruflichen Fähigkeiten; ◇ **she sought** ~ **advice** sie suchte nach fachmännischem Rat; **professionalism** *n* Professionalismus *m*

professor [prəˈfesə*] *n* [1] (*at university*) Professor(in *f*) *m*, Dozent(in *f*) *m* [2] (*of faith*) Bekenner(in *f*) *m*

proficiency [prəˈfɪʃənsɪ] *n* Können *s*, Tüchtigkeit *f*; ◇ ~ **level** Leistungsstand *m*; ◇ **her** ~ **in bookkeeping** ihr Können als Buchhalterin; **proficient** [prəˈfɪʃənt] *adj* tüchtig, fähig

profile [ˈprəʊfaɪl] *n* [1] (*outline*) Profil *s* [2] (*biography*) Porträt *s* [3] (*lie low*) ◇ **to keep a low** ~ sich zurückhalten

profit [ˈprɒfɪt] **I.** *n* Gewinn *m*, Profit *m*; ◇ **we sold our house at a** ~ wir verkauften unser Haus mit Gewinn **II.** *vi* profitieren (*by, from* von), Gewinn ziehen (*by, from* aus); **profitability** [prɒfɪtəˈbɪlɪtɪ] *n* Rentabilität *f*; **profitable** *adj* gewinnbringend, einträglich; ◇ **the deal wasn't** ~ das Geschäft war nicht rentabel

profiteering [prɒfɪˈtɪərɪŋ] *n* Wuchergeschäfte *pl*

profound [prəˈfaʊnd] *adj* [1] (*knowledge*) profund, tiefgehend; (*thought*) tiefsinnig; (*book*) gehaltvoll; ◇ **a** ~ **question** eine tiefgehende Frage [2] (*intensity*) völlig, vollkommen; (*feeling*) tief; ◇ **it has a** ~ **effect** es hat eine tiefgreifende Auswirkung; **profoundly** *adv* zutiefst; ◇ **Boris is** ~ **ignorant of music** Boris hat überhaupt keine Ahnung von Musik

profuse [prəˈfjuːs] *adj* überreichlich; ◇ **she was** ~ **in her thanking** sie bedankte sich überschwenglich; **profusely** *adv* stark, heftig; ◇ **he was bleeding** ~ er hat stark geblutet

profusion [prəˈfjuːʒən] *n*: ◇ **fruit in** ~ Obst in Hülle und Fülle

programme, **program** (*AM*) [ˈprəʊgræm] **I.** *n* [1] PC Programm *s* [2] (*TV*) Sendung *f* [3] (*booklet of events*) Verzeichnis *s*; (*theater, opera*) Programm *s* **II.** *vt* programmieren

programmer *n* PC Programmierer(in *f*) *m*

progress [ˈprəʊgres] **I.** *n* [1] (*process of completing*) Fortschritt *m*; ◇ **I'm making slow** ~ **with my work** ich komme mit der Arbeit langsam voran; ◇ **Sabine is making good** ~ **with her English** Sabine macht mit ihrem Englisch gute Fortschritte [2] (*development*) Entwicklung *f*; ◇ **we followed the** ~ **of the project** wir verfolgten die Entwicklung des Projektes [3] (*under way*) ◇ **the project is in** ~ das Projekt ist im Gange **II.** [prəˈgres] *vi* [1] (*advance, improve*) Fortschritte machen [2] (*to continue*) ◇ **as the trip** ~**ed** im Laufe der Reise; **progression** [prəˈgreʃən] *n* [1] (*development*) Entwicklung *f*; (*in rank*) Aufstieg *m* [2] (*of events*) Folge *f*; **progressive** [prəˈgresɪv] *adj* [1] (*radical, modern*) progressiv [2] (*gradual*) fortschreitend; **progressively** [prəˈgresɪvlɪ] *adv* (*increasingly*) zunehmend

prohibit [prəˈhɪbɪt] *vt* (*forbid*) verbieten, untersagen; ◇ **cars on the beach are** ~**ed** Autos sind am Strand verboten; ◇ **the selling of alcohol to minors is** ~**ed** es ist verboten, Alkohol an Minderjährige zu verkaufen; **prohibition** [prəʊɪˈbɪʃən] *n* (*law, rule*) Verbot *s*; **prohibitive** [prəˈhɪbɪtɪv] *adj* (*cost*) unerschwinglich

project [ˈprɒdʒekt] **I.** *n* Projekt *s* **II.** [prəˈdʒekt] *vt* [1] (*plan*) planen [2] (*slides*) projizieren (*on* auf *acc*) [3] (*personality*) zur Geltung bringen **III.** *vi* (*protrude*) vorstehen

projectile [prəˈdʒektaɪl] *n* Projektil *s*, Geschoß *s*

projection [prəˈdʒekʃən] *n* [1] (*estimate*) Planung *f* [2] (*protrusion*) Vorsprung *m* [3] (*of film*) Projektion *f*

projector [prəˈdʒektə*] *n* Projektor *m*

proletarian [prəʊləˈtɛərɪən] *adj* proletarisch

prologue [ˈprəʊlɒg] *n* Prolog *m*; (*book*) Vorwort *s*

prolong [prəˈlɒŋ] *vt* verlängern; **prolonged** *adj* anhaltend; ◇ **a** ~ **absence** eine längere Abwesenheit

promenade [prɒmɪˈnɑːd] *n* Promenade *f*; **promenade concert** *n* Stehkonzert *s Konzert in ungezwungener Atmosphäre*; **promenade deck** *n* Promenadendeck *s*

prominent [ˈprɒmɪnənt] *adj* [1] (*important*) prominent, berühmt [2] (*noticeable*) vorspringend

promiscuity [prɒmɪˈskjuːɪtɪ] *n* Promiskuität *f*, häufiger Partnerwechsel *m*; **promiscuous** [prəˈmɪskjʊəs] *adj* häufig den Partner wechselnd, promiskuitiv

promise [ˈprɒmɪs] **I.** *n* [1] (*vow*) Versprechen *s*; ◇ **to make a** ~ **to s.o.** jd-m ein Versprechen geben ◇ **I have to keep my** ~ ich muß mein Versprechen halten [2] (*hope*) Aussicht *f*, Hoffnung *f* (*of* auf *acc*); ◇ **this candidate shows great** ~ dies ist ein vielversprechender Kandidat **II.** *vt, vi* [1] (*pledge*) versprechen; ◇ **I** ~ **to be back by 7 o'clock** ich verspreche dir, daß ich um sieben Uhr zurück bin [2] (*situation, event*) vielversprechend sein; **promising** *adj* vielversprechend

promote [prəˈməʊt] *vt* [1] (*foster*) fördern; ◇ **the talks were intended to** ~ **a better understanding** die Gespräche sollten zu einem besseren Verständnis führen [2] (*advertise, push*) werben für, eintreten für [3] (*organize, marathon, race*) veranstalten [4] (*in rank*) befördern; **promoter** *n* (*sponsor*) Veranstalter(in *f*) *m*, Promoter(in *f*) *m;* **promotion** [prəˈməʊʃən] *n* [1] Beförderung *f*, Versetzung *f* [2] Werbung *f* [3] Veranstaltung *f* [4] Förderung *f*

prompt [prɒmpt] **I.** *adj* (*immediate*) sofortig, unverzüglich **II.** *adv* (*punctually*) pünktlich; ◊ **at 12 o'clock** ~ um Punkt 12 Uhr **III.** *vt* [1] (*motivate*) veranlassen; ◊ **to ~ s.o. to do s.th.** jd-n veranlassen, etw zu tun [2] (*coax*) jd-m vorsagen *dat;* **prompter** *n* THEAT Souffleur *m*, Souffleuse *f;* **promptly** *adv* [1] (*immediately*) prompt [2] (*punctually*) pünktlich

prone [prəʊn] *adj* [1] (*liable*) neigen zu; (*susceptible*) ◊ **to be ~ to s.th.** anfällig sein für [2] (*position*) auf dem Bauch liegen; ◊ **he was lying ~ on the floor** er lag auf dem Boden mit dem Gesicht nach unten

prong [prɒŋ] *n* (*of fork*) Zacke *f*

pronoun [ˈprəʊnaʊn] *n* Pronomen *s*, Fürwort *s*

pronounce [prəˈnaʊns] **I.** *vt* [ ] (*a word*) aussprechen **II.** *vi* [1] (*declare*) erklären für; ◊ **to ~ s.o. dead** jd-n für tot erklären [2] (*a verdict, opinion*) Stellung nehmen (*on* zu); **pronounced** [prəˈnaʊnst] *adj* bestimmt, entschieden; **pronouncement** [ˈprəˈnaʊnsmənt] *n* Erklärung *f*

pronto [ˈprɒntəʊ] *adv FAM* fix; ◊ **~!** hopp!, dalli!

pronunciation [prənʌnsɪˈeɪʃən] *n* Aussprache *f*

proof [pru:f] **I.** *n* [1] (*fact, evidence*) Beweis *m* (*of* für); ◊ **to show ~ of s.th.** den Nachweis für etw liefern [2] (*of photo*) Probeabzug *m* [3] (*of alcohol*) Alkoholgehalt *m* **II.** *adj* (*sound*) sicher; ◊ **waterproof** wasserdicht; **proof-read** *vi, vt* korrekturlesen

prop [prɒp] **I.** *n* [1] (*mainstay*) Halt *m* [2] (*stick, object*) Stütze *f* [3] ◊ **~s** (*of play*) Requisiten *f pl* **II.** *vt* (*support*) stützen; (*a door*) offenhalten; **prop up** [ ] (*to lean*) abstützen; ◊ **to ~ ~ against s.th.** gegen etw lehnen; (*to rest*) ◊ **to ~ ~ o.'s feet** die Füße hochlegen

propaganda [prɒpəˈgændə] *n* Propaganda *f*

propagate [ˈprɒpəgeɪt] *vt* [1] (*news, ideas*) verbreiten, propagieren [2] (*plants*) fortpflanzen, vermehren; **propagation** [prɒpəˈgeɪʃən] *n* [1] Verbreitung *f* [2] Fortpflanzung *f*

propel [prəˈpel] *vt* [ ] (*drive*) antreiben; ◊ **What ~led you to do that?** Was hat dich dazu getrieben, so etwas zu tun?

propellant *n* Treibstoff *m*

propeller *n* Propeller *m*

propelling pencil *n* Drehbleistift, Druckbleistift *m*

propensity [prəˈpensɪtɪ] *n* (*inclination*) Neigung *f*

proper [ˈprɒpə*] *adj* [1] (*correct*) echt, richtig [2] (*suitable*) passend, geeignet; ◊ **in the ~ place** am rechten Platz [3] (*decent, fitting*) anständig, schicklich; ◊ **it isn't ~ to hit a woman** man schlägt keine Frauen; **properly** [ˈprɒpəlɪ] *adv* [1] (*satisfactorily*) richtig; ◊ **make sure that you eat ~** achte darauf, daß du dich richtig ernährst [2] (*decently*) anständig; ◊ **you behaved ~** du hast dich korrekt verhalten

proper noun *n* Eigenname *m*

property [ˈprɒpətɪ] *n* [1] (*belongings*) Eigentum *s*, Besitz *m* [2] (*building, land*) Grundbesitz *m*, Grundstück *s* [3] (*characteristic*) ◊ **properties** *pl* Merkmale *s pl;* **property owner** *n* Grundbesitzer(in *f*) *m*

prophecy [ˈprɒfɪsɪ] *n* Prophezeiung *f;* **prophesy** [ˈprɒfɪsaɪ] *vt* prophezeien; **prophet** [ˈprɒfɪt] *n* Prophet(in *f*) *m;* **prophetic** [prəˈfetɪk] *adj* prophetisch

proportion [prəˈpɔ:ʃən] *n* [1] (*share, percentage*) Teil *m* [2] (*ratio*) Verhältnis *s;* ◊ **the ~ of workers to employers** das Verhältnis von Arbeitnehmern zu Arbeitgebern; ◊ **in ~ to** im Verhältnis zu; ◊ **to be far out of ~** in keinem Verhältnis stehen; ◊ **a room of good ~** ein Zimmer mit guter Raumaufteilung; **proportional** *adj* proportional, verhältnismäßig; **proportionally** *adv* proportional; **proportional representation** *n* POL Verhältniswahl *f;* **proportionate** [prəˈpɔ:ʃənət] *adj* proportional; FIN ◊ **output is ~ to input** der Ertrag verhält sich proportional zum Einsatz

proposal [prəˈpəʊzl] *n* [ ] (*offer*) Vorschlag *m;* ◊ **to make s.o. a ~** jd-m einen Vorschlag machen (*of marriage*) Heiratsantrag *m;* **propose** [prəˈpəʊz] **I.** *vt* [1] (*suggest*) vorschlagen [2] (*toast*) ausbringen (*to* auf *acc*) **II.** *vi* [1] (*to s.o.*) e-n Heiratsantrag machen [2] (*intend*) beabsichtigen, vorhaben; ◊ **And just how do you ~ to do that?** Und wie willst du das schaffen?; **proposition** [prɒpəˈzɪʃən] **I.** *n* [1] (*statement*) Behauptung *f* [2] (*suggestion*) Vorschlag *m* **II.** *vt* herantreten an *acc*

proprietor [prəˈpraɪətə*] *n* (*of pub, hotel*) Inhaber(in *f*) *m*

propulsion [prəˈpʌlʃən] *n* Antrieb *m*

pro-rata [prəʊˈrɑ:tə] *adv* (*payment*) anteilmäßig

prosaic [prəˈzeɪɪk] *adj* prosaisch; (*methods*) nüchtern, sachlich

prose [prəʊz] *n* Prosa *f*

prosecute [ˈprɒsɪkju:t] *vt* strafrechtlich verfolgen (*for* wegen); ◊ **prosecuting lawyer** Vertreter(in) *fm* der Anklage; **prosecution** [prɒsɪ'kju:ʃən] *n* 1 JUR strafrechtliche Verfolgung *f*, Strafverfolgung *f* 2 JUR ◇ **the** ~ Staatsanwaltschaft *f*, Anklagebehörde *f*; **prosecutor** ['prɒsɪkju:tə*] *n* Staatsanwalt *m*, Staatsanwältin *f*

prospect ['prɒspekt] **I.** *n* 1 (*likelihood*) Aussicht *f* (*of* auf *acc*); ◇ **his ~s look bad** seine Chancen stehen schlecht 2 (*candidate*) ◇ **a good ~** ein aussichtsreicher Kandidat **II.** [prə'spekt] *vi* nach Bodenschätzen suchen (*for* nach); **prospective** [prə'spektɪv] *adj* 1 (*would-be*) voraussichtlich; ◇ **a ~ buyer** ein potentieller Käufer 2 (*future*) ◇ **my ~ mother-in-law** meine zukünftige Schwiegermutter

prospectus [prə'spektəs] *n* Prospekt *m*

prosper ['prɒspə*] *vi* (*country*) gedeihen, blühen; (*person*) ◇ **how is Jane ~ing?** wie geht es Jane so?; **prosperity** [prɒ'sperɪtɪ] *n* Wohlstand *m*; **prosperous** ['prɒspərəs] *adj* wohlhabend; (*business*) gutgehend, florierend

prostitute ['prɒstɪtju:t] *n* Prostituierte *f*, Dirne *f*

prostrate ['prɒstreɪt] *adj* hingestreckt; ◇ **~ with exhaustion** der völligen Erschöpfung nahe sein

protagonist [prəʊ'tægənɪst] *n* 1 (*of play, book*) Hauptfigur *f*, Held(in *f*) *m* 2 (*of a movement*) Vorkämpfer(in *f*) *m*

protect [prə'tekt] *vt* schützen (*from* vor); ◇ **to be ~ed against a disease** gegen eine Krankheit geschützt sein; **protection** [prə'tekʃən] *n* Schutz *m*; **protective** *adj* 1 (*clothing, creams*) Schutz- 2 (*person*) beschützend; ◇ **his mother is over~ towards him** seine Mutter ist ihm gegenüber übermäßig besorgt; **protector** *n* 1 (*defender*) Beschützer(in *f*) *m* 2 (*~ wear*) Schutz *m*

protein ['prəʊti:n] *n* Eiweiß *s*, Protein *s*

protest ['prəʊtest] **I.** *n* (*demonstration*) Protest *m* **II.** [prə'test] *vi* 1 (*drugs, abortion*) protestieren (*against* gegen) 2 (*insist*) protestieren; ◇ **that's the truth he ~ed** das ist die Wahrheit, beteuerte er 3 *criticize, AM* Einspruch erheben gegen

Protestant ['prɒtəstənt] **I.** *adj* protestantisch, evangelisch **II.** *n* Protestant(in *f*) *m*, Evangelische(r) *fm*

protocol ['prəʊtəkɒl] *n* Protokoll *s*

prototype ['prəʊtəʊtaɪp] *n* Prototyp *m*

protracted [prə'træktɪd] *adj* (*negociations*) langwierig; (*break, lunch*) länger; (*discussion*) sich hinziehend; (*explanation*) langgezogen; **protractor** [prə'træktə*] *n* Winkelmesser *m*

protrude [prə'tru:d] *vi* vorstehen

protuberance [prə'tju:bərəns] *n* Vorsprung *m*, Ausbuchtung *f*; **protuberant** *adj* vorstehend

proud [praʊd] *adj* 1 (*happy*) stolz; ◇ **she was ~ of her son** sie war stolz auf ihren Sohn; ◇ **I'm ~ to be black** ich bin stolz, ein Schwarzer zu sein 2 (*dignified*) erhaben sein; ◇ **he is poor but very ~** er ist arm, aber er hat seinen Stolz 3 (*arrogant*) hochmütig, stolz; ◇ **she is too ~ to associate with me** sie ist sich zu gut, um mit mir zu verkehren; **proudly** *adv* stolz

prove [pru:v] **I.** *vt* (*verify*) beweisen, nachweisen **II.** *vi*: ◇ **that ~d to be wrong** das hat sich als falsch erwiesen

proverb ['prɒvɜ:b] *n* Sprichwort *s*; **proverbial** *adj* sprichwörtlich

provide [prə'vaɪd] *vt* 1 (*to supply*) zur Verfügung stellen; ◇ **he ~ed me with the money** er stellte das Geld für mich bereit 2 (*make available*) versehen, beliefern (*with* mit); ◇ **the hotel couldn't ~ enough rooms** das Hotel hatte nicht genügend Zimmer; ◇ **this train is ~d with a dining car** dieser Zug hat einen Speisewagen 3 (*stipulation*) vorsehen; ◇ **~d that** vorausgesetzt, daß; **provide for** *vt* (*care for*) sorgen für; ◇ **she has a child to ~ ~** sie hat ein Kind zu versorgen; ◇ **we will ~ ~ your well-being** wir sorgen dafür, daß es Ihnen an nichts fehlt

Providence ['prɒvɪdəns] *n* Vorsehung *f*

province ['prɒvɪns] *n* 1 (*district*) Provinz *f* 2 ◇ **the ~s** *pl* die Provinz *f* 3 (*division of work*) Bereich *m*, Gebiet *s*; **provincial** [prə'vɪnʃəl] *adj* 1 (*regional*) Provinz- 2 (*narrow-minded*) provinzlerisch, provinziell

provision [prə'vɪʒən] *n* 1 (*agreement*) Bestimmung *f*, Vorschrift *f*; ◇ **with the ~ that** unter der Bedingung, daß 2 ◇ **~s** *pl* Proviant *m*, Verpflegung *f*; (*goods*) Lebensmittel *nt pl* 3 (*allowance*) Vorkehrung *f*, Berücksichtigung *f*; ◇ **to make ~s for o.'s future** für die Zukunft vorsorgen 4 (*act of giving*) Bereitstellung *f*; (*of food, clothing*) Versorgung *f*; **provisional** *adj* provisorisch, vorläufig

proviso [prə'vaɪzəʊ] *n* <-[e]s> Vorbehalt *m*, Bedingung *f*

provocation [prɒvə'keɪʃən] *n* Provokation *f*; ◇ **at the slightest ~** beim geringsten Anlaß; **provocative** [prə'vɒkətɪv] *adj* 1 (*provoke*) provozierend 2 (*entice*) aufreizend; ◇ **a ~ dress** ein gewagtes Kleid

provoke [prə'vəʊk] *vt* provozieren; ◇ **to ~ s.o. into doing s.th.** jd-n zu etw provozieren; (*cause*) veranlassen

prow [praʊ] *n* NAUT Bug *m*

prowl [praʊl] **I.** *vi* ← *robber* herumschleichen **II.** *n*: ◇ **on the ~** (*street gang*) auf Streifzug; (*police*) auf Streife sein; **prowler** *n* Herumtreiber(in *f*) *m*

proximity [prɒk'sɪmɪtɪ] *n* Nähe *f*; ◇ **it's in the ~ of the beach** es ist nahe beim Strand

proxy ['prɒksı] *n* (*power*) Vollmacht *f;* ◇ **to vote by** ~ durch einen Stellvertreter wählen
prude [pru:d] *n* prüder Mensch
prudence ['pru:dəns] *n* Vernunft *f,* Klugheit *f;* **prudent** ['pru:dənt] *adj* vernünftig, klug; **prudently** *adv* wohlweislich, umsichtig
prudish ['pru:dıʃ] *adj* prüde
prune [pru:n] **I.** *n* Backpflaume *f* **II.** *vt* → *hedge* beschneiden, stutzen
pry [praı] *vi* (*snoop*) neugierig sein; ◇ **I don't mean to ~ but...** ich möchte nicht neugierig sein, aber...
psalm [sɑ:m] *n* Psalm *m*
pseudo ['sju:dəʊ] *adj* (*fake*) unecht, pseudo-
pseudonym ['sju:dənım] *n* Pseudonym *s*
psyche ['saıkı] *n* Psyche *f,* Seele *f*
psychiatric [saıkı'ætrık] *adj* [1] (*hospital, help*) psychiatrisch [2] (*disorder*) psychisch; **psychiatrist** [saı'kaıətrıst] *n* Psychiater(in *f*) *m;* **psychiatry** [saı'kaıətrı] *n* Psychiatrie *f*
psychic ['saıkıkəl] *adj* (*person, powers*) übersinnlich
psychoanalyse, **psychoanalyze** (*AM*) [saıkəʊ'ænəlaız] *vt* psychoanalysieren
psychoanalysis [saıkəʊə'nælısıs] *n* Psychoanalyse *f;* **psychoanalyst** [saıkəʊ'ænəlıst] *n* Psychoanalytiker(in *f*) *m*
psychological [saıkə'lɒdʒıkəl] *adj* psychologisch; **psychologically** *adv* psychisch; ◇ **she is ~ unstable** sie ist psychisch labil; **psychologist** [saı'kɒlədʒıst] *n* Psychologe *m,* Psychologin *f;* **psychology** [saı'kɒlədʒı] *n* [1] (*science*) Psychologie *f* [2] (*mind*) Psyche *f*
psychopath ['saıkəʊpæθ] *n* Psychopath(in *f*) *m*
psychosomatic [saıkəʊsəʊ'mætık] *adj* psychosomatisch
psychotherapy [saıkəʊ'θerəpı] *n* Psychotherapie *f*
psychotic [saı'kɒtık] **I.** *adj* psychotisch **II.** *n* Psychotiker(in *f*) *m*
pto *abbr. of* **please turn over** b.w.
pub [pʌb] *n* Kneipe *f,* Pub *s*
puberty ['pju:bətı] *n* Pubertät *f;* ◇ **to be going through ~** in der Pubertät sein
pubic ['pju:bık] *adj* Scham-; ◇ **~ hair** Schamhaar *s*
public ['pʌblık] **I.** *n* [1] (*people*) Öffentlichkeit *f;* ◇ **to say s.th. in ~** etw öffentlich sagen [2] (*group*) Publikum *s,* Öffentlichkeit *f* **II.** *adj* [1] (*not private*) öffentlich; (*transportation, toilet*) öffentlich; (*library*) Volks-, Stadt-; ◇ **~ opinion** allgemeine/öffentliche Meinung *f* [2] (*well-known*) bekannt; ◇ **a ~ figure** eine Persönlichkeit des öffentlichen Lebens; ◇ **to go ~** sich an die Öffentlichkeit wenden; ◇ **to make s.th. ~** etw bekanntmachen; ◇ **~ holiday** gesetzlicher Feiertag *m*
publication [pʌblı'keıʃən] *n* [1] (*printing*) Veröffentlichung *f,* Publikation *f* [2] (*a book, a magazine*) Publikation *f*
publicity [pʌb'lısıtı] *n* [1] (*public notice*) Publicity *f,* Bekanntheit *f* [2] (*exposure*) Reklame *f,* Werbung *f;* ◇ **~ agent** Werbeagent(in *f*) *m*
public opinion n, öffentliche Meinung *f;* **public relations** *n pl* COMM Public Relations *sg,* Öffentlichkeitsarbeit *f*
publish ['pʌblıʃ] *vt* [1] (*book*) veröffentlichen, herausbringen; (*letter, story*) abdrucken [2] (*broadcast*) bekanntgeben; **publisher** *n* Verleger(in *f*) *m,* Herausgeber(in *f*) *m;* **publishing** *n* Verlagswesen *s;* ◇ **~ company** Verlag[-shaus], m
puck [pʌk] *n* (*ice hockey*) Puck *m,* Scheibe *f*
pucker ['pʌkə*] *vt* [1] ← *material* falten werfen [2] (*lips*) verziehen; ◇ **she ~ed up for a kiss** sie spitzte die Lippen zu einem Kuß
pudding ['pʊdıŋ] *n* [1] *course, BRIT* Nachspeise *f,* Nachtisch *m* [2] (*dish*) Pudding *m*
puddle ['pʌdl] *n* Pfütze *f*
puff [pʌf] **I.** *n* [1] (*of wind etc.*) Windstoß, Luftstoß *m,* Hauch *m* [2] (*cosmetic*) Quaste *f* [3] (*smoke*) Zug *m;* ◇ **let me have a ~** laß mich mal ziehen [4] (*pastry*) ◇ **cream ~** Windbeutel *m* **II.** *vt* [1] (*pipe, cigarette*) paffen; (*smoke*) ausstoßen **III.** *vi* [ ] (*pant*) schnaufen; **puff out** (*cheeks*) aufblasen; **puff up** (*breast, swell*) anschwellen
puffed *adj* (*FAM tired*): ◇ **I'm ~!** Ich hab' keine Puste mehr!
puffin ['pʌfın] *n* ZOOL Papageientaucher, Lund *m*
puffy ['pʌfı] *adj* angeschwollen
pull [pʊl] **I.** *n* [1] (*yank*) Ruck *m;* (*tug*) Zug *m* [2] (*influence*) Beziehungen *pl;* (*FAM is on good terms with*) ◇ **he has ~ with the professor** er hat einen guten Draht zum Professor **II.** *vt* [1] (*hair, trigger*) ziehen an *dat; FIG* ◇ **to ~ s.o.'s leg** (*fool s.o.*) jd-n auf den Arm nehmen [2] (*draw, cart, wagon*) ziehen [3] (*cover, uncover*) zumachen; ◇ **will you ~ the curtain please?** machst du bitte den Vorhang zu? [4] (*muscle*) sich zerren **III.** *vi* (*draw*) ziehen; ◇ **the car is ~ing to the right** das Auto zieht nach rechts; ◇ **~ apart** auseinanderziehen; ◇ **~ away** wegziehen; (*vehicle*) wegfahren; **pull down** *vt* [1] (*pants*) herunterziehen [2] (*destroy*) abreißen; **pull in** *vi* (*vehicle*): ◇ **~ to next gas station** halten Sie bei der nächsten Tankstelle; **pull off** *vt* [1] (*shirt*) ausziehen [2] (*the wrapping*) abziehen; ◇ **to ~ s.th.** ~ etw drehen; **pull out I.** *vt* [1] (*withdraw*) zurückziehen; (*troops*) abziehen [2] (*remove*) herausziehen; ◇ **the den-**

tist -ed my tooth - der Zahnarzt zog mir den Zahn **II.** *vi* 1 (*vehicle*) herausfahren 2 (*of situation*) herauskommen; **pull over** *vi* zur Seite fahren; **pull through I.** *vt* (*support*) jd-m helfen; ◇ **my friend helped me - the exams** mein Freund half mir durch die Prüfungen **II.** *vi* (*recover*) durchkommen; **pull together I.** *vi* (*gemeinsam ziehen*): ◇ **we -ed - and won** wir sind gemeinsam durchgekommen **II.** *vt* 1 (*join forces*) zusammenschweißen 2 (*solve, close*) in e-n Zusammenhang bringen **III.** *vr* sich zusammmenreißen
pull up *vi* 1 (*vehicle*) vorfahren; ◇ **- - a little bit** fahr' ein bißchen vor; (*stop*) anhalten; ◇ **- - over there** halt' da drüben an 2 (*raise*) hochziehen 3 (*chair*) herholen
pulley ['pʊlɪ] *n* Flaschenzug *m*
pulp [pʌlp] **I.** *n* 1 ◇ **to turn s.th. into a -** etw zu Brei machen 2 (*of fruit*) Fruchtfleisch *s;* (*of tooth*) Zahnmark *s* **II.** *vt* zu Brei verarbeiten; (*berries*) zerdrücken
pulpit ['pʊlpɪt] *n* Kanzel *f*
pulsate [pʌl'seɪt] *vi* pulsieren
pulse [pʌls] **I.** *n* 1 (*heartbeat*) Puls *m;* ◇ **to take s.o.'s -** jd-m den Puls fühlen 2 (*of music*) Rhythmus *m* **II.** *vi* pulsieren; (*music*) vibrieren, pulsieren
pulverize ['pʌlvəraɪz] *vt* 1 (*grind*) pulverisieren 2 (*FAM demolish*) fertigmachen; ◇ **he literally -d him** er hat Kleinholz aus ihm gemacht
puma ['pju:mə] *n* Puma *m*
pump [pʌmp] **I.** *n* 1 Pumpe *f;* ◇ **bicycle -** Luftpumpe *f* 2 (*shoe*) Pumps *m* **II.** *vt* 1 (*transport, water, gas*) pumpen 2 (*money, energy*) hineinpumpen
pump up *vt* (*tyre*) aufpumpen
pumpkin ['pʌmpkɪn] *n* Kürbis *m*
pun [pʌn] *n* Wortspiel *s*
punch [pʌntʃ] **I.** *n* 1 (*tool*) Lochzange *f,* Locher *m* 2 (*blow*) Schlag *m;* ◇ **to give s.o. a -** jd-m einen Schlag versetzen, jd-n boxen 3 (*drink*) Punsch *m,* Bowle *f* **II.** *vt* 1 (*make holes*) lochen 2 (*strike*) schlagen; **punch-line** *n* Pointe *f;* **punch-up** *n FAM* Schlägerei *f*
punctual ['pʌŋtʃʊəl] *adj* pünktlich; ◇ **to be -** pünktlich kommen; **punctuality** [pʌŋktjʊ'ælɪtɪ] *n* Pünktlichkeit *f*
punctuate ['pʌŋktjʊeɪt] *vt* 1 (*interrupt*) unterbrechen (*with* mit, durch); ◇ **her speech was -d with questions** ihre Rede war mit Fragen durchsetzt 2 *text,* LING interpunktieren; ◇ **she didn't - the paragraph** sie hat in dem Abschnitt die Satzzeichen ausgelassen; **punctuation** [pʌŋktjʊ'eɪʃən] *n* Interpunktion *f,* Zeichensetzung *f;* ◇ **- mark** Satzzeichen *s*
puncture ['pʌŋktʃə*] **I.** *n* Loch *s* **II.** *vt* durchstechen
pungent ['pʌndʒənt] *adj* 1 (*smell, taste*) scharf, stechend 2 (*words*) bissig, scharf
punish ['pʌnɪʃ] *vt* 1 (*someone*) bestrafen; ◇ **he was -ed with a fine** er wurde mit einer Geldstrafe belegt 2 (*a crime*) bestrafen; ◇ **murder is -ed with a jail sentence** Mord wird mit e-r Freiheitsstrafe bestraft; **punishable** *adj* strafbar; **punishment** *n* 1 (*penalty*) Bestrafung *f,* Strafe *f* 2 (*conditions*) ◇ **this car takes a lot of -** dieses Auto muß einiges aushalten
punk [pʌnk] *n* **I.** 1 (*music*) Punk[-rock] *m* 2 (*person*) Punk *fm,* Punker(in *f*) *m* **II.** *adj* punkig
punt [pʌnt] **I.** *n* Stechkahn *m* **II.** *vi* staken
puny ['pju:nɪ] *adj* schwächlich, mick[e]rig
pup [pʌp] *n s.* **puppy**
pupil ['pju:pl] *n* 1 (*student*) Schüler(in *f*) *m* 2 (*of eye*) Pupille *f*
puppet ['pʌpɪt] *n* 1 (*doll*) Handpuppe *f;* (*on string*) Marionette *f* 2 (*FIG controlled by another power*) ◇ **- government** Marionettenregierung *f*
puppy ['pʌpɪ] *n* junger Hund *f,* Hündchen *s;* ◇ **- fat** Babyspeck *m;* ◇ **it's only - love** es ist bloß e-e Schwärmerei
purchase ['pɜ:tʃɪs] **I.** *n* 1 (*buying*) Kauf *m;* ◇ **to make a -** einen Kauf tätigen 2 (*item*) Einkäufe *pl;* ◇ **one of my -s is missing** von meinem Einkauf fehlt etw **II.** *vt* kaufen, erwerben; **purchaser** *n* Käufer(in *f*) *m*
pure [pjʊə*] *adj* 1 (*not mixed*) rein; ◇ **- silk** reine Seide 2 (*clean, healthy*) rein, sauber 3 (*sound*) klar 4 (*sheer*) ◇ **by - chance** rein zufällig; **purebred** *adj* reinrassig; **purely** ['pju:əlɪ] *adv* rein; ◇ **- and simply** (*clearly*) schlicht und einfach
purgatory ['pɜ:gətərɪ] *n* Fegefeuer *s*
purge [pɜ:dʒ] **I.** *n* (*cleansing*) Reinigung *f;* POL ◇ **a - in the party** eine parteiinterne Säuberung **II.** *vt* 1 (*guilt, envy*) büßen 2 (*body*) entschlakken; ◇ **to - the bowls** den Darm entleeren 3 (*purify*) reinigen
purification [pjʊərɪfɪ'keɪʃən] *n* Reinigung *f;* **purify** ['pjʊərɪfaɪ] *vt* reinigen
purist ['pjʊərɪst] *n* Purist(in *f*) *m*
puritan ['pjʊərɪtən] *n* Puritaner(in *f*) *m;* **puritanical** [pjʊərɪ'tænɪkəl] *adj* puritanisch
purity ['pjʊərɪtɪ] *n* Reinheit *f*
purl [pɜ:l] **I.** *n* linke Masche *f* **II.** *vt* links strikken
purple ['pɜ:pl] *adj* lila; **purple heart** 1 *drug, BRIT* Amphetamintablette *f* 2 *medal, AM* ◇ Verwundetenabzeichen *s*
purpose ['pɜ:pəs] *n* 1 (*reason*) Zweck *m,* Vor-

P

satz *m;* ◇ **What is the ~ of this discussion?** Was ist der Zweck dieses Gespräches?; ◇ **to put s.th. to a good** ~ etw einen Nutzen geben [2] (*intention, objective*) Absicht *f,* Ziel *s;* ◇ **to have a sense of** ~ einen Sinn im Leben sehen [3] (*useful*) ◇ **to serve a** ~ e-m Zweck dienen [4] (*intentionally*) ◇ **on** ~ absichtlich; **purposeful** *adj* zielstrebig, entschlossen; **purposely** *adv* absichtlich

purr [pɜː*] *vi* (*cat*) schnurren; (*motor*) surren

purse [pɜːs] *n* Geldbeutel *m,* Portemonnaie *s;* (*AM hand bag*) Tasche *f*

purser ['pɜːsə*] *n* Zahlmeister *m*

pursue [pə'sjuː] *vt* [1] (*engage in, interest, activity*) verfolgen; ◇ **to ~ a degree** ein Diplom *acc* anstreben [2] (*strive, chase*) verfolgen; (*success*) nachjagen *dat* [3] (*go into, follow*) durchführen; ◇ **let's ~ this question later** laß' uns dieser Frage später nachgehen, heben wir uns diese Frage für später auf; **pursuer** *n* Verfolger(in *f*) *m;* **pursuit** [pə'sjuːt] *n* [1] (*happiness*) Streben *s* (*of* nach) [2] (*hobby*) Beschäftigung, f [3] (*of person*) Verfolgung *f;* ◇ **to be in hot ~ of s.o.** jd-m dicht auf den Fersen sein

pus [pʌs] *n* Eiter *m*

push [pʊʃ] **I.** *n* Stoß *m,* Schubs *m;* ◇ **Can you give me a ~?** (*car*) Kannst du mein Auto anschieben? **II.** *vt* [1] (*bicycle*) schieben; (*button*) drükken [2] (*force, persuade*) jd-n zwingen; ◇ **you can't ~ him to do it** du kannst ihn nicht dazu drängen; ◇ **to be ~ed for time** es eilig haben, unter Zeitdruck stehen [3] (*promote*) propagieren; ◇ **they are ~ing the new product** sie machen massiv Werbung für das neue Produkt [4] (*drugs*) schieben, verdealen; ◇ **to ~ o.'s luck** etw zu weit [*o.* bunt] treiben **III.** *vi* [1] (*shove*) ◇ **to ~ o.'s way through a crowd** sich durch die Menge drängen [2] (*press*) ◇ **to ~ for s.th.** drängen auf *acc*

push ahead *vi* (*make progress*) vorwärtskommen; **push around** *vt:* ◇ **to ~ s.o. ~** jd-n herumkommandieren; **push off** *vi* [ ] (*FAM leave*) ◇ **I'm ~ing ~** ich gehe; ◇ **~ ~!** Verpiss' dich!, Hau ab!; **push on** *vi* weiterfahren; (*on foot*) weitergehen; **push through** *vt:* ◇ **to ~ s.th. ~** etw durchziehen; (*policy*) durchpeitschen; **push-button** *n* Drucktaste *f;* ◇ **a ~ telephone** Tastentelefon *s;* **pushchair** *n* (*BRIT*) Kinderwagen *m*

pushing *prep* fast; ◇ **she is ~ thirty** sie geht auf die Dreißig zu

push-up *n* (*AM*) Liegestütz, Push-up *m*

pushy *adj FAM* penetrant

put [pʊt] <put, put> *vt* [1] (*to place*) setzen, stellen, legen; ◇ **I ~ the baby to bed** ich habe das Baby hingelegt [2] (*express*) ausdrücken, sagen; ◇ **well, that's one way of ~ting it** so kann man es auch sagen [3] (*written information*) schreiben; ◇ **he ~ it in his résumé** er hat das in seinen Lebenslauf reingenommen [4] (*to ask*) stellen; ◇ **she ~ that same question to me** sie hat mir die gleiche Frage gestellt [5] (*translate*) ◇ **Can you ~ that into English?** Kannst du das ins Englische übersetzen? [6] (*apply, time, money, energy*) hineinstecken [7] (*cause*) ◇ **that ~s me in a bad position** dadurch komme ich in eine schwierige Lage; ◇ **that ~ me in a bad mood** das hat mir die Laune verdorben; **put across** *vt* (*explain*) verständlich machen; **put away** *vt* [1] (*in its place*) aufräumen, wegräumen [2] (*someone*) einsperren; **put back** *vt* [1] (*delay, meeting, event*) verschieben auf *acc* [2] (*replace*) zurücklegen, zurückstellen [3] (*clock*) zurückstellen; **put by** *vt* zurücklegen; **put down** *vt* [1] (*pencil*) hinlegen, ablegen, absetzen [2] (*stop, riot, rebellion*) niederwerfen [3] (*in writing*) aufschreiben [4] (*critic*) ◇ **to ~ s.o. ~** jd-n zum Schweigen bringen; **put forward** *vt* [1] (*suggest*) vorbringen [2] (*clock*) vorstellen; **put off** *vt* [1] (*delay, lay aside*) aufschieben, hinauszögern; ◇ **to ~ s.th. ~ till tomorrow** etw auf morgen verschieben [2] (*postpone*) verschieben [3] (*discourage*) ◇ **to ~ s.o. ~ from doing s.th.** es jd-m ausreden, etw zu tun [4] (*repel*) jd-n abstoßen, jd-n aus dem Konzept bringen; (*that ~ ~ my appetite*) das hat mir den Appetit verdorben; **put on** *vt* [1] (*clothes etc.*) anziehen; (*hat, glasses*) aufsetzen [2] (*light*) anmachen, einschalten [3] (*play etc.*) aufführen; (*party*) geben; (*competition*) veranstalten [4] (*weight*) zunehmen [5] (*money*) ↑ *bet* setzen [6] (*adopt, assume*) vortäuschen, heucheln [7] (*handbrake*) anziehen; **put out** *vt* [1] (*hand*) ausstrecken [2] (*fire*) löschen; (*cigarette*) ausmachen [3] (*announcement*) herausbringen, bekanntgeben [4] (*light*) ausschalten, ausmachen [5] (*needed items*) auslegen; ◇ **I ~ a towel ~ for you** ich habe dir ein Handtuch rausgelegt [6] (*injure*) ausrenken; ◇ **she ~ her arm ~ badly** sie hat sich den Arm ausgerenkt [7] (*annoy, upset*) verärgern; ◇ **to be ~ ~ by s.th.** über etw ungehalten sein [*o.* verärgert] [8] (*inconvenience*) → *s.o.* jd-m Umstände machen; ◇ **he ~ himself ~ to help them** er hat sich helfend für sie eingesetzt; **put through** *vt* [1] (*phone call*) durchstellen; (*s.o.*) verbinden (*to* mit *dat*) [2] (*cause hardship*) durchmachen lassen; ◇ **I'm sorry to ~ you ~ this** tut mir leid, daß ich Ihnen das zumuten muß; **put up** *vt* [1] (*raise, hand*) hochheben; (*hair*) hochstecken [2] (*erect, tent*) aufstellen, aufbauen; (*building*) errichten [3] (*poster*) anschlagen; (*picture*) aufhängen [4] (*price*) erhöhen [5] (*person*) unterbringen [6] ◇ **they are still ~ting ~ resistance**

sie leisten noch immer Widerstand 7 (*money*) bereitstellen 8 (*accept*) sich abfinden mit; ◇ **I won't - - with it** das lasse ich mir nicht gefallen
putrid ['pju:trɪd] *adj* verfault, faulig
putsch [pʊtʃ] *n* POL Putsch *m*
putt [pʌt] **I.** *vt* (*golf*) putten **II.** *n* (*golf*) Schlag *m*
putty ['pʌtɪ] *n* Kitt *m*
put-up ['pʊtʌp] *adj:* ◇ **- job** abgekartetes Spiel
puzzle ['pʌzl] **I.** *n* 1 (*mystery*) Rätsel *s;* ◇ **it's a - to me** es ist mir ein Rätsel 2 (*toy*) Geduldsspiel *s;* (*jigsaw -*) Puzzle *s* **II.** *vt* verblüffen; ◇ **to be -d about s.th.** über etw völlig erstaunt sein **III.** *vi* sich den Kopf zerbrechen (*over* über *acc*); **puzzled** *adj* verdutzt, verblüfft; **puzzling** *adj* rätselhaft
pygmy ['pɪgmɪ] *n* Pygmäe *m,* Pygmäin *f;* (*FIG small person*) Zwerg *m*
pyjamas [pɪ'dʒɑ:məz] *n pl* Schlafanzug *m,* Pyjama *m*
pylon ['paɪlən] *n* Hochspannungsmast *m*
pyramid ['pɪrəmɪd] *n* Pyramide *f*
python ['paɪθən] *n* Python[-schlange] *f*

Q

Q, q [kju:] *n* Q, q *s*
quack [kwæk] *n* 1 (*of duck*) Quaken *s* 2 ↑ *bad doctor* Quacksalber *m,* Kurpfuscher *m*
quadrangle ['kwɒdræŋgl] *n* 1 Hof *m* 2 (*shape*) Viereck *s*
quadruple ['kwɒdru:pl] **I.** *adj* vierfach, Vierer-; MUS Vierertakt *m* **II.** *vi* sich vervierfachen
quadruplet ['kwɒdrʊplət] *n* Vierling *m*
quagmire ['kwægmaɪə*] *n* 1 (*land*) Sumpf *m* 2 (*dilemma*) Schlamassel *m;* ◇ **to be caught in a -** in der Patsche sitzen
quaint [kweɪnt] *adj* seltsam, idyllisch
quaintly *adv* idyllisch
quake [kweɪk] *vi* beben, zittern (*with* vor *dat*)
qualification [kwɒlɪfɪ'keɪʃən] *n* 1 (*degree*) Zeugnis *s* 2 (*skills*) Voraussetzung *f,* Vorbedingung *f* 3 (*restriction*) Einschränkung *f*
qualified ['kwɒlɪfaɪd] *adj* 1 ↑ *trained* ausgebildet 2 ↑ *suited* berechtigt 3 (*limited*) eingeschränkt; ◇ **- sale** Konditionskauf *m*
qualify **I.** *vt* 1 (*succed*) qualifizieren 2 ↑ *be eligible* berechtigen; ◇ **he -ed for a raise** er hat das Recht auf eine Lohnerhöherung 3 (*modify*) einschränken, modifizieren **II.** *vi* SPORT sich qualifizieren
qualitative ['kwɒlɪtətɪv] *adj* qualitativ
quality ['kwɒlɪtɪ] *n* 1 (*level*) Qualität *f* 2 (*characteristic*) Eigenschaft *f* 3 (*property, nature*) Art *f,* Beschaffenheit *f*
qualm [kwɑ:m] *n* Bedenken *s,* Skrupel *m*
quandary ['kwɒndərɪ] *n* Verlegenheit *f;* ◇ **to be in a -** sich in einem Dilemma befinden
quantitative ['kwɒntɪtətɪv] *adj* quantitativ
quantity ['kwɒntɪtɪ] *n* 1 ↑ *amount* Menge *f;* ◇ **to produce s.th. in -** etw in Massen/großen Mengen produzieren; ◇ **a - discount** Mengenrabatt *m* 2 ↑ *a number of* Unmenge *f,* Größe *f;* ◇ **large quantities of grain** Unmengen von Getreide
quarantine ['kwɒrənti:n] *n* Quarantäne *f*
quarrel ['kwɒrəl] **I.** *n* 1 ↑ *disagreement* Auseinandersetzung *f* 2 (*objection*) Einwand *m* (*with* gegen) **II.** *vi* sich streiten (*about, over* über *acc*)
quarrelsome *adj* streitsüchtig
quarry ['kwɒrɪ] *n* 1 (*mine*) Steinbruch *m* 2 (*prey*) Beute *f*
quarter ['kwɔ:tə*] **I.** *n* 1 (*fraction*) Viertel *n,* vierter Teil; ◇ **a - of a century** Vierteljahrhundert *s* 2 (*of hour*) Viertel *s;* ◇ **a - to seven** Viertel vor sieben, drei Viertel sieben 3 ↑ *district* Viertel *s* 4 (*accomodation, soldier, servant*) Quartier *s,* Unterkunft *f* 5 (*3 months*) Vierteljahr *s,* Quartal *s* 6 *money, US* Vierteldollar *m,* 25 Cent; ◇ **at close -s** nahe aufeinander **II.** *vt* ↑ *divide* vierteln
quarter-deck *n* Achterdeck *s*
quarter final *n* SPORT Viertelfinalspiel *s;* ◇ **-s** Viertelfinale *s*
quarterly **I.** *adj* Viertel-; ◇ **a - meeting** eine vierteljährliche Versammlung **II.** *n* (*publication*) Vierteljahresschrift *f*
quartet[te] [kwɔ:'tet] *n* Quartett *s*
quash [kwɒʃ] *vt* (*verdict*) aufheben, annullieren
quaver ['kweɪvə*] *vi* (*tremble*) zittern
quay [ki:] *n* Kai *m*
queasy ['kwi:zɪ] *adj* unwohl; ◇ **he feels -** ihm ist übel
queen [kwi:n] *n* Königin *f*
queer [kwɪə*] **I.** *adj* seltsam, sonderbar **II.** *n* *FAM* ↑ *homosexual* schwul
quench [kwentʃ] *vt* ▷*thirst* stillen; ↑ *extinguish* löschen
query ['kwɪərɪ] **I.** *n* ↑ *question* Frage *f* **II.** *vt* (*check accuracy*) überprufen, abklären
quest [kwest] *n* Suche *f*
question ['kwestʃən] **I.** *n* 1 ↑ *inquiry* Frage *f* 2 ↑ *matter* Thema *s,* Frage *f;* ◇ **the - of ethics** eine Frage der Ethik; ◇ **a - of money** eine Geldfrage 2 ↑ *doubt* Frage *f,* Zweifel *m;* ◇ **beyond -** ohne Frage; ◇ **it's out of the -** das kommt nicht in

Frage **II.** *vt* ① ↑ *ask* fragen (*about* nach) ② ↑ *doubt* bezweifeln

questionable *adj* ① ↑ *open to question* fraglich, zweifelhaft, ungewiß ② (*dubious*) bedenklich, fragwürdig

questioning **I.** *adj* fragend; ◇ **he looked at me with a ~ expression** er schaute mich fragend an **II.** *n* (*by police*) Vernehmung *f*

question mark *n* Fragezeichen *s*

questionnaire [kwestɪə'nɛə*] *n* Fragebogen *m*

queue [kju:] **I.** *n* (*BRIT*) Schlange *f;* ◇ **we formed a ~** wir haben eine Schlange gebildet **II.** *vi* sich anstellen; ◇ **we ~ed for hours** wir standen stundenlang in der Schlange

quibble ['kwɪbl] **I.** *n* Spitzfindigkeit *f,* Wortklauberei *f* **II.** *vi* kleinlich/spitzfindig sein; ◇ **to ~ over nothing** herumstreiten über nichts

quick [kwɪk] **I.** *n* ① ↑ *the living* Lebenden *pl* ② (*sensitive, flesh*) empfindliches Fleisch *s;* ◇ **she bit her nails to the ~** sie kaute ihre Nägel bis zum Fleisch ab; (*emotion*) ◇ **cut to the ~** tief getroffen sein, bis ins Mark getroffen **II.** *adj* ① (*great speed*) schnell; ◇ **he's a ~ thinker** er ist schlagfertig; ◇ **a ~ temper** hitzig ② (*w.o. delay*) geschwind; (*kiss*) flüchtig; (*visit*) kurz

quicken **I.** *vt* ↑ *accelerate* beschleunigen **II.** *vi* sich beschleunigen, schneller werden

quickie *n* eine(r, s) auf die Schnelle; (*question*) kurze Frage *f*

quickly *adv* schnell

quickness *n* Schnelligkeit *f;* ⊳*mental* Flinkheit *f,* schnelle Auffassungsgabe

quicksand *n* Treibsand *m*

quid [kwɪd] *n Brit FAM* ↑ *pound* Pfund *s;* ◇ **it costs 20 quid** es kostet 20 Pfund

quiet ['kwaɪət] **I.** *adj* ① ↑ *silent, hushed* ruhig, leise; ◇ **to say s.th. in a ~ voice** etw leise sagen; ◇ **please keep ~** bitte sei still ② ↑ *peaceful, calm* ruhig; ◇ **we had a nice, ~ lunch** wir haben in aller Ruhe zu Mittag gegessen; ◇ **the town was ~** die Stadt war ruhig ③ ↑ *placid* sanft, friedlich; ◇ **she leads a ~ life** sie hat ein behagliches Leben ④ ↑ *restrained* unauffällig, einfach; (*tie*) dezent ⑤ ↑ *keep secret* versteckt, geheim; ◇ **to keep ~ about s.th.** etw geheimhalten **II.** *n* Ruhe *f,* Stille *f*

quieten ['kwaɪətən] *vt* zur Ruhe bringen; ◇ **can you ~ the baby?** kannst du das Baby beruhigen?; **quiten down** *vi* still werden, sich beruhigen; ◇ **the class ~ed ~** die Klasse wurde leise

quietly *adv* leise, ruhig; ↑ *secretly* still und heimlich

quietness *n* ① ↑ *silence* Geräuschlosigkeit *f* ② ↑ *peacefulness* Friede *m,* Ruhe *f*

quill [kwɪl] *n* ① (*of porcupine*) Stachel *m* ② (*pen*) Federkiel *m,* Feder *f*

quilt [kwɪlt] *n* Steppdecke *f*

quilting *n* (*material*) Steppstoff *m*

quince [kwɪns] *n* Quitte *f*

quinine [kwɪ'ni:n] *n* Chinin *s*

quintet[**te**] [kwɪn'tet] *n* Quintett *s*

quintuplet ['kwɪntjʊplət] *n* Fünfling *m*

quirk [kw3:k] *n* □ ↑ *peculiarity* ⊳*of behaviour* Marotte *f;* ◇ **that is one of her little ~s** das ist ihre Marotte; (*of action*) Eigenart *f;* ◇ **by a strange ~** durch einen verrückten Zufall

quit [kwɪt] <quit *o.* quitted, quit *o.* quitted> *vt* ① ↑ *to stop* aufhören mit; ◇ **he ~ smoking** er hat mit dem Rauchen aufgehört; ↑ *resign* kündigen ② ↑ *even* ◇ **~s, we are ~s** wir sind quitt; ◇ **shall we call it ~s?** lassen wir es?

quite [kwaɪt] *adv* ① ↑ *rather, somewhat* ziemlich; ◇ **I have had ~ a lot to drink** ich habe ziemlich viel getrunken; ◇ **the movie was ~ good** der Film war recht gut; ◇ **he's ~ tired** er ist ziemlich müde; ◇ **I don't ~ understand** ich verstehe nicht ganz; ◇ **she hasn't ~ recovered yet** sie ist immer noch ein bißchen krank ② (*entirely*) ganz, völlig; ◇ **I don't ~ agree** ich bin nicht ganz der Meinung; ◇ **~ wrong** völlig falsch ③ (*to emphasize, actually*) wirklich; ◇ **it was ~ a sight** es war wirklich etwas zum anschauen; ◇ **~ a disappointment** eine ziemliche Enttäuschung

quiver ['kwɪvə*] **I.** *vi* beben, zittern (*with* vor) **II.** *n* Zittern *s*

quiz [kwɪz] **I.** *n* ① (*game*) Quiz *s* ② *test, US* kleine Prüfung *f* **II.** *vt* ↑ *question* ausfragen; ↑ *drill* abfragen, prüfen

quizzical ['kwizɪkəl] *adj* fragend, zweifelnd

quoit [kwɔɪt] *n* Wurfringspiel *s*

quorum ['kwɔ:rəm] *n* (*minimum*) Quorum *s,* beschlußfähige Anzahl

quota ['kwəʊtə] *n* Quantum *s;* ◇ **an import ~** Einfuhrkontingent *s;* ◇ **~ system** Zuteilungssystem *s*

quotation [kwəʊ'teɪʃən] *n* ① Zitat *s* ② (*price*) Preisangabe *f,* Preisansatz *m*

quotation marks *n pl* Anführungszeichen *pl*

quote [kwəʊt] **I.** *vi* □ ⊳*from book* zitieren (*from* aus) **II.** *vt* ① ⊳*fact, law* heranziehen; (*as example*) anführen ② (*price*) ansetzen, aufgeben

quotient ['kwəʊʃənt] *n* MATH Quotient *m*

R

R, r [ɑ:*] *n* R, r *s*
rabbi ['ræbaɪ] *n* Rabbiner *m*
rabbit ['ræbɪt] *n* Kaninchen *s;* **rabbit hutch** *n* Kaninchenstall *m;* **rabbit on** *vt* ← *chatterbox* quasseln
rabble ['ræbl] *n* Pöbel *m*
rabid *adj* (*having rabies*) tollwütig
rabies ['reɪbi:z] *n sg* Tollwut *f*
raccoon, racoon [rə'ku:n] *n* Waschbär *m*
race [reɪs] **I.** *n* ① (*competition*) Rennen *s;* ↑ *running* ~ [Wett-]Lauf *m;* ◇ **arms** ~ Rüstungswettlauf *m* ② (*species*) ▷*human* ~ Rasse *f* ③ ◇ ~s ↑ *horse* ~*s* Pferderennen *s;* ↑ *hectic* ◇ **the rat** ~ der tägliche Streß **II.** *vt* ① um die Wette laufen; → *horses* laufen lassen ② ↑ *rush* ◇ **they** ~**ed John to the hospital** sie rasten mit John ins Krankenhaus, sie fuhren John schnell ins Krankenhaus **III.** *vi* ↑ *run* rennen; (*in contest*) am Rennen teilnehmen; **racecourse** *n* (*for horses*) Rennbahn *f;* **race horse** *n* Rennpferd *s;* **race meeting** *n* (*for horses*) Pferderennen *s*
race relations *n pl* das Verhältnis *s* zwischen den Rassen
racetrack *n* (*for cars*) Rennstrecke *f*
racial ['reɪʃəl] *adj* Rassen; ◇ ~ **discrimination** Rassendiskriminierung *f;* ◇ ~ **prejudice** Rassenvorurteile *pl;* **racialism** *n* Rassismus *m;* **racialist I.** *adj* rassistisch **II.** *n* Rassist(in *f*) *f*
racing ['reɪsɪŋ] *n* SPORT Rennen *s;* **racing car** *n* Rennwagen *m;* **racing driver** *n* Rennfahrer(in *f*) *m*
racism ['reɪsɪzəm] *n* Rassismus *m;* **racist I.** *adj* rassistisch **II.** *n* Rassist(in *f*) *m*
rack [ræk] **I.** *n* ① ↑ *framework* Gestell *s* ② ◇ **roof** ~ Dachgepäckträger *m* ③ (*torture instrument*) Folterbank *f* **II.** *vt* [zer]martern; ↑ *think hard, FAM* ◇ **to** ~ **o.'s brains** sich das Gehirn verrenken; ◇ **to go to** ~ **and ruin** verfallen
racket ['rækɪt] *n* ① ↑ *noise* Krach *m,* Lärm *m;* ◇ **what a terrible** ~ **they are making!** was für einen schrecklichen Krach sie machen! ② ↑ *illegal scheme* Schwindel *m,* illegales Geschäft *s* ③ SPORT Schläger *m*
racketeer ['rækɪtɪə*] *n* ↑ *villain* Gauner(in *f*) *m,* Erpresser(in *f*) *m*
racking *adj* ▷*pain, emotion* rasend; ▷*cough* quälend
rack railway *n* Zahnradbahn *f*
racy ['reɪsɪ] *adj* ↑ *daring* gewagt; ▷*car* spritzig
radar ['reɪdɑ:*] *n* Radar *s, m*
raddish [raddish] *n* Radieschen *s*
radial ['reɪdɪəl] *adj* radial, Radial-; ▷*lines* strahlenförmig; ◇ ~**-ply tyres** *pl* Gürtelreifen *pl*
radiant ['reɪdɪənt] *adj* ↑ *shining* strahlend; ▷*person* strahlend
radiate ['reɪdɪeɪt] *vt, vi* ← *lines* strahlenförmig wegführen; → *happiness* ausstrahlen; → *heat, warmth* ausstrahlen; **radiation** [reɪdɪ'eɪʃən] *n* ① (*nuclear* ~) [radioaktive] Strahlung *f;* ◇ **he was exposed to** ~ er wurde der Strahlung ausgesetzt, er wurde verstrahlt ② Ausstrahlung *f;* **radiator** ['reɪdɪeɪtə*] *n* (*for heating*) Heizkörper *m;* AUTO Kühler *m*
radical ['rædɪkəl] *adj* ▷*change* radikal; **radically** *adv* radikal
radio ['reɪdɪəʊ] *n* <-s> Radio *s,* Rundfunk *m*
radioactive [reɪdɪəʊ'æktɪv] *adj* radioaktiv; **radioactivity** [reɪdɪəʊæk'tɪvɪtɪ] *n* Radioaktivität *f*
radio alarm clock *n* Radiowecker *m;* **radio announcer** *n* Rundfunksprecher(in *f*) *m* **radio cassette recorder** *n* Radiorecorder *m*
radiographer [reɪdɪ'ɒgrəfə*] *n* Röntgenassistent(in *f*) *m;* **radiography** [reɪdɪ'ɒgrəfɪ] *n* Radiographie *f,* Röntgenographie *f*
radio licence *n* Rundfunkgebühr *f*
radiology [reɪdɪ'ɒlədʒɪ] *n* Strahlenkunde, Radiologie *f*
radio play *n* Hörspiel *s;* **radio station** ['reɪdɪəʊsteɪʃən] *n* Rundfunkstation *f,* Radiosender *m;* **radio taxi** *n* Funktaxi *s;* **radio telephone** *n* Funksprechgerät *s;* **radio telescope** *n* Radioteleskop *s*
radiotherapist [reɪdɪəʊ'θerəpɪst] *n* Röntgenologe(Röntgenologin *f*) *m;* **radiotherapy** *n* Röntgentherapie *f*
radish ['rædɪʃ] *n* (*big*) Rettich *m;* (*small*) Radieschen *s*
radium ['reɪdɪəm] *n* Radium *s*
radius ['reɪdɪəs] *n* ① (*of circle*) Radius *m* ② ↑ *range* Umkreis *m*
raffia ['ræfɪə] *n* [Raffia-]Bast *m*
raffle ['ræfl] *n* ↑ *lottery* Tombola *f*
raft [rɑ:ft] *n* Floß *s*
rafter ['rɑ:ftə*] *n* ↑ *beam* [Dach-]Sparren *m*
rag [ræg] **I.** *n* ① ↑ *cloth* Lappen *m;* ◇ **from** ~**s to riches** vom Tellerwäscher zum Millionär ② (*FAM unimportant newspaper*) Käseblatt *s* ③ (*at university, fund raising event*) Wohltätigkeitsveranstaltung *f* **II.** *vt* → *s.o.* ↑ *tease* jd-n aufziehen, jd-n auf den Arm nehmen
ragamuffin ['rægəmʌfɪn] *n* (*poor child*) Schmuddelkind *s*
ragbag [ræggbæg] *n FIG* ↑ *jumble* Sammelsurium *s;* **rag doll** *n* (*toy*) Flickenpuppe *f*

rage [reɪdʒ] **I.** *n* [1] ↑ *fury* Wut *f*, Zorn *m* [2] ↑ *fashion* Mode *f;* ◇ **long skirts are all the - now** lange Röcke sind jetzt die große Mode **II.** *vi* wettern; *FIG* ↑ *fever* wüten; ◇ **to be in a - wütend** sein

ragged [ˈrægɪd] *adj* ▷*edge* gezackt; ▷*clothes* zerlumpt

raging [ˈreɪdʒɪŋ] *adj* ▷*pain, emotion* rasend; ↑ *stormy* ▷*weather* tobend

raid [reɪd] **I.** *n* [1] MIL Angriff *m* [2] (▷*police, drug* -) Razzia *f* [3] ↑ *robbery* Überfall *m* **II.** *vt* überfallen

rail [reɪl] *n* [1] ↑ *track* Schiene *f* [2] (*on stair*) Geländer *s* [3] RAIL Schiene *f;* ◇ **by** - per Bahn; **railcard** *n* Bahncard *f;* **railroad** (*AM*), **railway** (*BRIT*) *n* Eisenbahn *f;* **railway carriage** *n* Eisenbahnwagen *m;* **railway embankment** *n* Bahndamm *m;* **railway network** *n* Streckennetz *s;* **railroad station**, **railway station** *n* Bahnhof *m*

rain [reɪn] **I.** *n* Regen *m* **II.** *vt, vi* regnen; ◇ **the -s are late this year** *pl* die Regenzeit kommt dieses Jahr spät; ↑ *raining heavily* ◇ **it's -ing cats and dogs** es gießt wie aus Kübeln; **rainbow** *n* Regenbogen *m;* **raincoat** *n* Regenmantel *m;* **raindrop** *n* Regentropfen *m;* **rainfall** *n* Regen, Niederschlag *m;* **rainforest** *n* Regenwald *m;* **rainy** *adj* ▷*day* regnerisch; ▷*season* Regen-; ◇ **to save money for a - day** (*FIG save for the future*) Geld für schlechte Zeiten zurücklegen

raise [reɪz] **I.** *n esp AM* ↑ *increase* (*of taxes*) Erhöhung *f;* (*of wages/salary*) Gehaltserhöhung *f* **II.** *vt* [1] ↑ *lift* hochheben [2] ↑ *increase* → *prices* erhöhen [3] → *family* großziehen [4] → *question* aufwerfen [5] → *money* beschaffen [6] → *problem* machen, verursachen [7] → *demands* stellen [8] ↑ *construct* errichten; **raised** *adj* erhaben

raisin [ˈreɪzən] *n* Rosine *f*

rake [reɪk] **I.** *n* [1] (*garden tool*) Rechen *m* [2] (*immoral man*) Schwerenöter *m* **II.** *vt* [1] (*in garden*) rechen [2] ↑ *search through* absuchen [3] ◇ **to - in a lot of money** viel Geld einstreichen

rakish [ˈreɪkɪʃ] *adj* flott

rally [ˈrælɪ] **I.** *n* [1] POL Kundgebung *f*, Wahlversammlung *f* [2] AUTO Rallye *f* [3] SPORT Ballwechsel *m* **II.** *vt* MIL sammeln **III.** *vi* sich wieder sammeln; **rally round** *vt FIG* ↑ *support* sich scharen um

ram [ræm] **I.** *n* ↑ *male sheep* Widder *m*, Schafbock *m;* ASTROL ◇ **the Ram** Widder **II.** *vt* [1] ↑ *bump into* rammen [2] (*push in violently*) einrammen

RAM [ræm] *acronym of* **random access memory** Speicher *m* mit wahlfreiem Zugriff

ramble [ˈræmbl] **I.** *n* ↑ *wander* Wanderung *f* **II.** *vi* [1] ↑ *wander off* wandern [2] ↑ *talk nonsense* faseln, schwafeln; **rambler** *n* [1] ↑ *wanderer* Wanderer *m*, Wandrerin *f* [2] (*rose*) Kletterrose *f;* **rambling** *adj* [1] ▷*house* weitläufig [2] ▷*speech* weitschweifig, unklar

ramification *n* Verzweigung *f;* ◇ **the drug problem and its many -s** ↑ *implication* das Drogenproblem und die vielen damit verbundenen Aspekte

ramp [ræmp] *n* Rampe *f*

rampage [ræmˈpeɪdʒ] *n* ↑ *go wild:* ◇ **to be on the** - randalieren; (*angry*) [herum-]toben

rampant [ˈræmpənt] *adj* ↑ *uncontrolled* ▷*growth* wuchernd; ↑ *unrestrained* ◇ **to be** - wuchern

rampart [rampart] *n* Wall *m*

ramshackle [ˈræmʃækl] *adj* ▷*house* baufällig

ran [ræn] *pt of* **run**

ranch [rɑːntʃ] *n* Ranch *f*

rancher *n* Rancher(in *f*) *m;* **ranching** *n* ↑ *farming* Viehzucht *f*

rancid [ˈrænsɪd] *adj* ▷*smell* ranzig

rancour, **rancor** (*AM*) [ˈræŋkə*] *n* ↑ *hostility* Boshaftigkeit *f*

random [ˈrændəm] **I.** *adj* willkürlich **II.** *n* (*without plan*): ◇ **the name was chosen at** - der Name wurde zufällig so gewählt; ◇ **- sample** Stichprobe *f;* PC ◇ **- access memory** Speicher *m* mit wahlfreiem Zugriff

randy [ˈrændɪ] *adj BRIT FAM* ↑ *lecherous* scharf

rang [ræŋ] *pt of* **ring**

range [reɪndʒ] **I.** *n* [1] (*of gun*) Reichweite *f* [2] ↑ *mountain* - Bergkette *f* [3] ↑ *variety* (*of products*) Auswahl *f* [4] COMM Sortiment *s* [5] ↑ *distance* Entfernung *f;* ◇ **to shoot s.o. at point blank** - auf jd-n aus kurzer Entfernung schießen [6] ↑ *shooting* - Schießplatz *m* [7] ↑ *meadow* Wiese *f* [8] ↑ *stove* Herd *m* **II.** *vt* [1] ↑ *arrange* anordnen [2] ↑ *roam* durchstreifen **III.** *vi* ↑ *extend* schwanken, bewegen; ◇ **prices ranging from $12 to $25** Preise, die sich zwischen $12 und $25 bewegen; **rangefinder** *n* Entfernungsmesser *m*

ranger *n* Förster(in *f*) *m*

rank [ræŋk] **I.** *n* [1] ↑ *line* Reihe *f* [2] (*in society*) Stand *m* [3] MIL Rang *m* [4] (*ordinary people*) ◇ **the - and file** *FIG* Mannschaftsstand *m* **II.** *vt* zählen, rechnen **III.** *vi* zählen (*among* zu *dat*), gehören (*among* zu *dat*) **IV.** *adj* ↑ *smelly* übel; ↑ *extreme* wuchernd

rankle *vt* ↑ *irritate* nerven

ransack [ˈrænsæk] *vt* [1] ↑ *rummage through* durchwühlen [2] ↑ *steal* plündern

ransom [ˈrænsəm] *n* Lösegeld *s;* ◇ **to hold s.o. to**

~ jd-n bis zur Zahlung des Lösegelds gefangenhalten

rant [rænt] *vi* (*talk loud and emotionally*) Tiraden loslassen; ↑ *talk nonsense* Unsinn reden; ↑ *exaggerate* ◇ **she had a tendency to ~ and rave** sie neigte dazu, sich in Tiraden zu ergehen; **ranting** *n* Wortschwall *m*

rap [ræp] **I.** *n* 1 ↑ *knock* Klopfen *s* 2 (*style of music*) Rap *m* **II.** *vi* 1 ↑ *thump* klopfen an 2 ↑ *chat* plaudern 3 *FIG* ↑ *take the blame* ◇ **to take the ~** den Kopf hinhalten; **rap music** *n* Rapmusik *f*

rape [1] [reɪp] **I.** *n* Vergewaltigung *f* **II.** *vt* vergewaltigen

rape [2] [reɪp] *n* Raps *m*

rapid ['ræpɪd] *adj* schnell; **rapidity** [rə'pɪdɪtɪ] *n* Schnelligkeit *f*

rapids *n pl* Stromschnellen *pl*

rapist ['reɪpɪst] *n* Vergewaltiger *m*

rapport [ræ'pɔ:] *n* ↑ *exchange* gutes Verhältnis; ◇ **I managed to establish a pleasant ~** mir gelang es, ein harmonisches Verhältnis herzustellen

rapt [ræpt] *adj* ↑ *attentive*: ◇ **with ~ attention** mit gespannter Aufmerksamkeit

rapture ['ræptʃə*] *n* Verzückung *f*, Entzücken *s*; ◇ **the children went into ~s about the animals** die Kinder waren von den Tieren völlig begeistert; **rapture of the deep** *n* Tiefenrausch *m*; **rapturous** *adj* ▷*welcome* entzückt, hingerissen

rare [rɛə*] *adj* 1 ↑ *scarce* selten, rar 2 ↑ *exceptional*, *FIG* exklusiv 3 ▷*steak* ↑ *underdone* blutig, englisch; **rarefied** ['rɛərɪfaɪd] *adj* 1 ▷*university* exklusiv, Elite- 2 ▷*air* dünn; **rarely** *adv* kaum

raring *adj* ↑ *enthusiastic*: ◇ **the kids are ~ to go** die Kinder sind ganz wild darauf, zu gehen

rarity ['rɛərɪtɪ] *n* Seltenheit *f*

rascal ['rɑ:skəl] *n* Gauner *m*

rash [ræʃ] **I.** *adj* 1 ↑ *hasty* ▷*decision* schnell, voreilig 2 ↑ *reckless* unbesonnen **II.** *n* MED [Haut-]Ausschlag *m*; ◇ **heat ~** Sonnenallergie *f*

rasher ['ræʃə*] *n* (*slice of bacon*) Speckscheibe *f*

rasp [rɑ:sp] *n* Raspel *f*

raspberry ['rɑ:zbərɪ] *n* Himbeere *f*

rasping *adj* ▷*sound* kratzend; ▷*voice* krächzend

Rastafarian [ræstə'fɛrɪən] *n* REL Rasta[fari] *m*

rat [ræt] *n* (*animal*) Ratte *f*; (*person*) Schuft *m*; (*FIG suspicious*) ◇ **I smell a ~** hier ist was faul; ↑ *Oh bother!* ◇ **Oh ~s!** Mist!

rate [reɪt] **I.** *n* 1 (*inflation ~*) Rate *f*; (*birth ~*) Ziffer *f* 2 ◇ **~s** *pl* (*BRIT*) Gemeindesteuern *f pl* 4 (*tax ~*) Satz *m*; ◇ **~ of exchange** Wechselkurs *m*; ◇ **we'll never get anywhere at this ~** wenn wir so weitermachen, werden wir es nie schaffen; ◇ **Bill was at any ~ upset** Bill war jedenfalls ziemlich böse **II.** *vt* ↑ *evaluate* einschätzen; ◇ **how would you ~ her work?** was hältst du von ihrer Arbeit?;

ratepayer *n* Steuerzahler(in *f*) *m*

rather ['rɑ:ðə*] *adv* 1 (*preference*) ◇ **I'd ~ be with you** ich möchte lieber bei dir sein 2 ↑ *somewhat* ◇ **that was a ~ clever idea** das was eine ziemlich gute Idee; ↑ *instead of* ◇ **~ than go to all the trouble ...** anstatt sich all' die Mühe zu machen ...

ratification [ratification] *n* Ratifizierung *f*; **ratify** ['rætɪfaɪ] *vt* ↑ *confirm* bestätigen

rating [1] ['reɪtɪŋ] *n* 1 ↑ *assessment* Einschätzung *f*, Klasse *f* 2 ◇ **yesterday's TV show got low ~s** die Fernsehsendung gestern hatte niedrige Einschaltquoten 3 ↑ *statistics* ◇ **~s** *pl* Statistik *f*

rating [2] ['reɪtɪŋ] *n* ↑ *sailor* Matrose *m*

ratio ['reɪʃɪəʊ] *n* <-s> Verhältnis *s*

ration ['ræʃən] **I.** *n* ↑ *allowance* Ration *f* **II.** *vt* rationieren

rational *adj* rational, verstandesmäßig

rationale [ræʃə'nɑ:l] *n* (*basis*) Gründe *pl*

rationalization [ræʃnəlaɪ'zeɪʃən] *n* ↑ *justification* Rationalisierung *f*

rationalize ['ræʃnəlaɪz] *vt* rationalisieren

rationing ['ræʃənɪŋ] *n* Rationierung *f*

rat race ['rætreɪs] *n* täglicher Streß *m*

ratter *n Hund oder Katze, der/die Ratten jagt*

rattle ['rætl] **I.** *n* 1 (*noise*) Rattern *s*, Rasseln *s*; (*of window*) Klappern *s* 2 (*toy*) Rassel *f* **II.** *vi* rattern, klappern

rattlesnake *n* Klapperschlange *f*

rattle off *vt* ↑ *reel off* → *facts* herunterrasseln

ratty *adj* ↑ *in a bad mood* gereizt

raucous ['rɔ:kəs] *adj* ↑ *noisy* rauh, heiser

raunchy ['rɔntʃɪ] *adj FAM!* geil

ravage ['rævɪdʒ] *vt* ↑ *devastate* verheeren

ravages *n pl* veheerende Auswirkungen *pl*; *FIG* ↑ *effects* ◇ **the ~ of time** die Spuren der Zeit

rave [reɪv] *vi* ↑ *rant* Tiraden loslassen; ↑ *enthuse* schwärmen (*about* von *dat*)

raven ['reɪvn] **I.** *n* Rabe *m* **II.** *adj* ↑ *black* ▷*hair* schwarz

ravenous ['rævənəs] *adj* ↑ *famished* heißhungrig, ausgehungert

ravine [rə'vi:n] *n* Schlucht *f*, Klamm *f*

raving ['reɪvɪŋ] **I.** *n*: ◇ **~s** *pl* ↑ *rantings* wirres Gerede **II.** *adj* ▷*mad* übergeschnappt

ravioli [rævɪ'əʊlɪ] *n* Ravioli *pl*

ravish ['rævɪʃ] *vt* 1 ↑ *take pleasure in* hinreißen 2 → *woman* vergewaltigen; **ravishing** *adj* ↑ *stunning* hinreißend

R

raw [rɔː] *adj* ▷*meat* roh; ↑ *inexperienced* unerfahren; ◇ **the ~ facts** die blanken Tatsachen; ◇ **~ material** Rohmaterial *s;* ▷*wound* offen; ◇ **~-boned** ↑ *tall* hager, knochig; **raw silk** *n* Rohseide *f*

ray [reɪ] *n* ① (*of light*) Lichtstrahl *m;* (*of hope*) Schimmer *m* ② ZOOL Rochen *m*

rayon ['reɪɒn] *n* Kunstseide *f*

razor ['reɪzə*] *n* Rasierapparat *m;* **razor blade** *n* Rasierklinge *f;* **razor-sharp** *adj* (*like razor*) rasiermesserscharf

razzle ['ræzl] *n* ↑ *have a good time*: ◇ **to be out on the ~** *FAM* auf den Putz hauen

Rd *abbr. of* **road** Straße *f*

re [riː] *prep* COMM betreffs *gen;* ◇ **Re your letter** Betr.: Ihr Schreiben

re- [riː] *pref* wieder; ◇ **~introduce** wiedereinführen

reach [riːtʃ] **I.** *n* ① (*compass range*) Reichweite *f* ② ◇ **~es** (*of river*) [Fluß-]Lauf *m* **II.** *vt* ① ↑ *come to* erreichen; → *decision* erreichen, erzielen, kommen zu; ↑ *contact s.o.* erreichen ② ↑ *pass on* geben, reichen **III.** *vi* ① ↑ *try to attain* langen (*for* nach *dat*) ② ↑ *grasp* greifen, langen; ◇ **within easy ~** leicht zu erreichen; **reach out** *vi* greifen, langen, die Hand ausstrecken; ◇ **~ ~ and touch so** die Hände nach jd-m ausstrecken

react [riː'ækt] *vi* reagieren; **reaction** [riː'ækʃən] *n* Reaktion *f;* **reactionary** [riː'ækʃənrɪ] *adj* reaktionär

reactor [rɪ'æktə*] *n* Reaktor *m*

read [riːd] <read, read> *vt, vi* lesen; ▷*aloud* vorlesen; ◇ **she ~ my lips** sie las es mir von den Lippen ab; ◇ **I can ~ your mind** ich kann deine Gedanken lesen; ◇ **the letter ~s as follows** der Brief lautet folgendermaßen

read [red] *pt, pp of* **read**

readable *adj* ▷*handwriting* leserlich; ↑ *worth reading* lesenswert

reader *n* ① (*person*) Leser(in *f*) *m* ② (SCH *book*) Lesebuch *s*

readily ['redɪlɪ] *adv* ① ↑ *willingly* bereitwillig ② ↑ *easily* leicht; ◇ **I couldn't ~ say what it was** ich könnte nicht leicht sagen, was es war; **readiness** ['redɪnəs] *n* ① ↑ *willingness* Bereitwilligkeit *f* ② (*prepared*) Bereitschaft *f*

reading ['riːdɪŋ] *n* ① (*act of*) Lesen *s* ② ↑ *interpretation* Auffassung *f,* Interpretation *f;* **reading device** *n* PC Lesegerät *s;* **reading glasses** *n* Lesebrille *f;* **reading lamp** *n* Leselampe *f;* **reading matter** *n* ↑ *literature, books* Lektüre *f,* Lesestoff *m;* **reading room** *n* ↑ *library* Lesesaal *s*

readjust [riːə'dʒʌst] *vt* ① ↑ *get used to* neu einstellen; ◇ **to ~ o.s. to s.th.** sich wieder an etw anpassen ② ↑ *rearrange* korrigieren, nachstellen

read only memory ['riːdəʊnlɪ'memərɪ] *n* PC Nur-Lese-Speicher *m,* ROM *s*

ready ['redɪ] **I.** *adj* ↑ *prepared* bereit; ◇ **~ when you are!** ich wäre dann soweit!; ↑ *willing* bereit; ▷*money* verfügbar; ▷*fruit* reif **II.** *adv* bereit; **ready-made** *adj* vorgefertigt, Fertig-; **ready to depart** *adj* reisefertig; **ready-to-eat** *adj* tischfertig; **ready to help** *adj* hilfsbereit; **ready to use** *adj* gebrauchsfertig

real [rɪəl] *adj* ① (▷*experience, not a dream*) wirklich; ↑ *true, genuine* echt; ◇ **she is for ~** sie meint es ernst ② ↑ *actual* eigentlich; ◇ **my ~ name is Betty** mein richtiger Name ist Betty; **real estate** *n* Grundbesitz *m;* **real estate agent** *n* Grundstücksmakler(in *f*) *m*

realism *n* Realismus *m*

realist *n* Realist(in *f*) *m;* **realistic** *adj* ① ▷*story* realistisch ② ↑ *sensible* realistisch; **reality** [riː'ælɪtɪ] *n* ① ↑ *actuality* Realität *f,* Wirklichkeit *f;* ◇ **in ~ it is quite different** in Wirklichkeit ist es ganz anders *f* ② ↑ *facts* Tatsachen *pl*

realization [rɪəlaɪ'zeɪʃən] *n* ① ↑ *understanding* Erkenntnis *f* ② ↑ *fulfilment* (*of plans*) Verwirklichung *f;* **realize** ['rɪəlaɪz] *vt* ① ↑ *understand* erkennen; ◇ **mother ~d it was s.th. serious** es war Mutter klar, daß es etw Ernstes war; ◇ **we didn't ~ we were so late** wir wußten nicht, daß wir so spät dran waren ② ↑ *fulfill* verwirklichen

really ['riːəlɪ] *adv* ↑ *honestly* wirklich; ◇ **~?** wirklich?, echt?; ◇ **Did you ~ ask?** Hast du wirklich gefragt?; ↑ *I suppose* ◇ **it was a waste of time, ~** es war eigentlich reine Zeitverschwendung

realm [relm] *n* ① ↑ *kingdom* Reich *s* ② ↑ *area* ◇ **in the ~ of the human mind** im Bereich des menschlichen Geistes

realpolitik [realpolitik] *n* Realpolitik *f*

real time [rɪəl'taɪm] *n* PC Echtzeit *f*

realtor [realtor] *n* Grundstücksmakler(in *f*) *m*

reap [riːp] *vt* ① → *harvest* ernten ② ↑ *gain* erreichen; *FIG* ◇ **to ~ the rewards of success** die Früchte des Erfolgs ernten

reappear [riːə'pɪə*] *vi* wieder erscheinen, wieder auftauchen

reappoint [riːə'pɔɪnt] *vt* wieder anstellen

reappraisal [riːə'preɪzəl] *n* ↑ *review* Neubewertung *f*

rear [rɪə*] **I.** *adj* hintere(r, s); ◇ **the ~ seat** der hintere Platz **II.** *n* ① Rückseite *f* ② ↑ *buttocks* Hintern *m* **III.** *vt* ↑ *bring up* aufziehen **IV.** *vi* ← *horse* sich aufbäumen; **rear axle** *n* Hinterachse *f;* **rear engine** *n* Heckmotor *m;* **rear foglight**

n Nebelschlußleuchte *f;* **rear-light** *n* Rücklicht *s*

rearm [riː'ɑːm] **I.** *vt* wiederbewaffnen **II.** *vi* wieder aufrüsten; **rearmament** *n* Wiederaufrüstung *f*

rearrange [riːə'reɪndʒ] *vt* → *furniture* umordnen; → *plans* ändern

rearrangement *n* Umstellung *f,* Änderung *f*

rear-view ['rɪəvjuː] *adj:* ◇ ~ **mirror** Rückspiegel *m*

reason ['riːzn] **I.** *n* [1] ↑ *cause* Grund *m;* ↑ *justification* Anlaß, Grund *m;* ◇ **for some ~ she can't come** aus irgendeinem Grund kann sie nicht kommen; ◇ **by ~ of my age** wegen meines Alters [2] ↑ *common sense* Verstand *m,* Vernunft *f;* ◇ **try to see ~** sei doch vernünftig **II.** *vi* [1] ↑ *think* denken [2] ↑ *argue* ◇ **to ~ with s.o.** mit jd-m vernünftig reden; ◇ **it stands to ~** es ist ja logisch

reasonable *adj* vernünftig; **reasonably** *adv* [1] vernünftig [2] ↑ *fairly* ziemlich; ◇ **I ~ assumed you would know about it** ich mußte doch annehmen, daß du davon wußtest

reasoning *n* [1] ↑ *logic* Logik *f* [2] ↑ *argumentation, proof* Argumentation *f*

reassemble [riːə'sembl] **I.** *vt* [1] ↑ *gather* wieder versammelm, wieder zusammenführen [2] ↑ *reconstruct,* TECH wieder zusammenbauen **II.** *vi* sich wieder versammeln

reassess *vt* ↑ *rethink* noch mal überlegen

reassurance [riːə'ʃʊərəns] *n* [1] ↑ *comfort* Beruhigung *f* [2] ↑ *confirmation* Bestätigung, Versicherung *f;* **reassure** [riːə'ʃʊə*] *vt* [1] beruhigen [2] bestätigen, versichern; **reassuring** *adj* (↑ *comforting*) beruhigend

rebate ['riːbeɪt] *n* ↑ *repayment* Rabatt *m*

rebel ['rebl] **I.** *n* (*fighter*) Rebell(in *f*) *m* **II.** *adj* rebellisch; **rebellion** [rɪ'belɪən] *n* Rebellion *f,* Aufstand *m;* **rebellious** [rɪ'belɪəs] *adj* ↑ *defiant,* *FIG* widerspenstig; ▷*against government* rebellisch

rebirth [riː'bɜːθ] *n* Wiedergeburt *f*

rebound [rɪ'baʊnd] **I.** *vi* zurückprallen **II.** ['riːbaʊnd] *n* SPORT Abpraller *m;* (*basketball*) Rebound *m;* (*FIG very soon after her last relationship*) ◇ **she married him on the ~** es war gerade erst Schluß, als sie ihn heiratete

rebuff [rɪ'bʌf] **I.** *n* ↑ *rejection* schroffe Abweisung *f* **II.** *vt* ↑ *reject* schroff abweisen

rebuild [riː'bɪld] *irr vt* → *city, business* wiederaufbauen

rebuke [rɪ'bjuːk] **I.** *n* Tadel *m,* Rüge *f* **II.** *vt* rügen, tadeln

recalcitrance [recalcitrance] *n* Widerspenstigkeit *f*

recall [rɪ'kɔːl] *vt* [1] ↑ *call back* zurückrufen [2] ↑ *remember* sich erinnern an *acc;* ↑ *forgotten* ◇ **to be beyond ~** in Vergessenheit geraten sein

recant [rɪ'kænt] *vi* widerrufen

recap ['riːkæp] **I.** *vti* → *information* ↑ *summarise* wiederholen

recapture *vt* [1] ↑ *regain* → *feeling* wieder wachwerden lassen [2] ↑ *recover* → *land* wiedererobern [3] ↑ *catch again* (*animal*) wieder einfangen; → *prisoner* wiederergreifen

recede [rɪ'siːd] *vi* schwinden; ◇ **receding hairline** Geheimratsecken *pl*

receipt [rɪ'siːt] *n* [1] ↑ *record* Quittung *f;* ◇ **~s** *pl* Einnahmen *f pl* [2] ↑ *receiving* Empfang *m,* Erhalt *m;* (*of goods*) Eingang *m*

receive [rɪ'siːv] *vt* [1] → *letter* bekommen, erhalten; → *visitors* empfangen [2] ↑ *meet with* → *criticism* finden [3] ↑ *admit* → *member* aufnehmen

receiver *n* TELECOM Hörer *m*

recent ['riːsnt] *adj* jüngst; ↑ *modern* neueste(r, s); ◇ **because of the ~ troubles** wegen der jüngsten Unruhen; **recently** *adv* kürzlich, vor kurzem; ◇ **he's been out a lot ~** er ist viel weggegangen in letzter Zeit

receptacle [rɪ'septəkl] *n* ↑ *container* Behälter *m*

reception [rɪ'sepʃən] *n* [1] (*hotel*) Rezeption *f* [2] ↑ *greeting* Empfang *m;* ◇ **Harold received a very friendly ~** Harold wurde sehr freundlich empfangen [3] (*of idea*) Aufnahme, Rezeption *f* [4] MEDIA Empfang *m;* **receptionist** *n* (*in hotel*) Empfangschef *m,* Empfangsdame *f;* **reception-office** *n* Empfangsbüro *s*

receptive [rɪ'septɪv] *adj* ↑ *open* empfänglich, aufnahmefähig

recess [riː'ses] *n* [1] ↑ *short break* Pause *f* [2] (*FIG corner*) ◇ **in the deepest ~es of my mind** in den tiefsten Tiefen meiner Seele; **recessional** *adj* rückläufig

recharge [riː'tʃɑːdʒ] *vt* → *battery* aufladen; **rechargeable** *adj* wiederaufladbar

recidivism [recidivism] *n* Rückfall *m;* **recidivous** [recidivous] *adj* rückfällig

recipe ['resɪpɪ] *n* Rezept *s;* *FIG* ↑ *preconditions* ◇ **the ~ for war** die Formel für Krieg

recipient [rɪ'sɪpɪənt] *n* Empfänger(in *f*) *m*

reciprocal [rɪ'sɪprəkəl] *adj* ↑ *mutual* gegenseitig, wechselseitig; **reciprocate** [rɪ'sɪprəkeɪt] *vt* ↑ *return* erwidern

recital [rɪ'saɪtl] *n* (*of poetry*) Vortrag *m,* Lesung *f;* MUS Konzert *s*

recite [rɪ'saɪt] *vt* [1] → *poem* rezitieren, vortragen [2] → *list of things* aufzählen

reckless ['rekləs] *adj* ↑ *careless* rücksichtslos; ◇

R

~ **driving** Verkehrsgefährdung *f;* **recklessness** *n* ↑ *rashness* Rücksichtslosigkeit *f*
reckon ['rekən] **I.** *vt* [1] ↑ *consider* glauben, schätzen; ◇ **I ~ she is mad** ich schätze, sie ist verrückt [2] ↑ *estimate* schätzen [3] ↑ *intend* damit rechnen; ◇ **he ~s to be gone by summer** er denkt, daß er bis zum Sommer weg sein wird **II.** *vi* ↑ *suppose* annehmen; **reckon on** *vt* ↑ *bank on* zählen auf; **reckon with** *vt* ↑ *be prepared for* rechnen mit; **reckoning** *n* ↑ *calculation* Berechnung *f*
reclaim [rɪ'kleɪm] *vt* [1] → *baggage* abholen [2] → *land* abgewinnen [3] → *expenses* zurückverlangen
reclamation [reclamation] *n* Reklamation *f*
recline [rɪ'klaɪn] *vi* sich zurücklehnen; **reclining** *adj:* ◇ **~ seat** Ruhesitz *m*
recluse [rɪ'klu:s] *n* Einsiedler(in *f*) *m*
recognition [rekəg'nɪʃən] *n* [1] ↑ *recognizing* Erkennen *s*, Erkennung *f;* ◇ **he has changed beyond ~** er ist nicht mehr wiederzuerkennen [2] ↑ *acknowledgement* Anerkennung *f;* ◇ **she was rewarded in ~ of her efforts** sie wurde in Anerkennung für ihre Dienste belohnt; **recognizable** ['rekəgnaɪzəbl] *adj* [wieder]erkennbar; **recognize** ['rekəgnaɪz] *vt* [1] → *friend* [wieder]erkennen [2] ↑ *identify* erkennen, identifizieren [3] POL ↑ *approve* anerkennen [4] ↑ *acknowledge* zugeben, eingestehen
recoil [rɪ'kɔɪl] *vi* [1] ↑ *draw back* zurückweichen; (*in horror*) zurückschrecken [2] ↑ *rebound* zurückprallen, zurückstoßen
recollect [rekə'lekt] *vi* sich erinnern an *acc;* **recollection** *n* ↑ *memory* Erinnerung *f*
recommend [rekə'mend] *vt* [1] ↑ *commend* empfehlen [2] ↑ *advise* empfehlen, raten; **recommendable** *adj* empfehlenswert; **recommendation** [rekəmen'deɪʃən] *n* Empfehlung *f*
recompense ['rekəmpens] **I.** *n* [1] ↑ *compensation* Entschädigung *f* [2] ↑ *reward* Belohnung *f* **II.** *vt* [1] ↑ *compensate* entschädigen [2] ↑ *reward* belohnen
reconcile ['rekənsaɪl] *vt* [1] → *agreement* vereinbaren, in Einklang bringen [2] ↑ *make up* versöhnen [3] ↑ *accept* sich mit etw abfinden; **reconciled** *adj* → *to an idea or situation:* ◇ **Al became ~ to his prison sentence** Al fand sich mit seiner Freiheitsstrafe ab; **reconciliation** [rekənsɪlɪ'eɪʃən] *n* [1] ↑ *forgiveness* Versöhnung *f* [2] ↑ *agreement* Vereinbarung *f*
reconditioned [ri:kən'dɪʃənd] *adj* überholt; ◇ **~ engine** Austauschmotor *m*
reconnaissance [rɪ'kɒnɪsəns] *n* (*investigation*) Aufklärung *f*
reconnoitre, **reconnoiter** (*AM*) [rekə'nɔɪtə*] **I.** *vt* erkunden **II.** *vi* aufklären
reconsider [ri:kən'sɪdə*] **I.** *vt* ↑ *review* überdenken **II.** *vi* es sich noch mal überlegen *dat*
reconstruct [ri:kən'strʌkt] *vt* [1] ↑ *restore* wieder aufbauen [2] → *crime, FIG* rekonstruieren; **reconstruction** [ri:kən'strʌkʃən] *n* [1] ↑ *rebuilding* Wiederaufbau *m* [2] (*reproduction, of building*) Wiederaufbau *m* [3] (*of crime*) Rekonstruktion *f*
record ['rekɔ:d] **I.** *n* [1] (*evidence*) Aufzeichnung *f*, Niederschrift *f* [2] Schallplatte *f* [3] ↑ *best performance* Rekord *m* **II.** *adj* ▷*time* Rekord- **III.** [rɪ'kɔ:d] *vt* → *information* aufzeichnen; → *music, speech* aufnehmen; ◇ **~ holder** SPORT Rekordhalter(in *f*) *m;* ◇ **on ~** aktenkundig; ◇ **just for the ~** nur für die Akten; ◇ **Father aims to put the ~ straight** Vater hat vor, das klarzustellen; ◇ **off the ~** inoffiziell; **record-breaking** *adj* ▷*performance* rekordbrechend; **recorded delivery letter** *n* Einschreibebrief *m*
recorder [rɪ'kɔ:də*] *n* [1] MUS Blockflöte *f* [2] ▷*cassette* Rekorder *m*
recording [rɪ'kɔ:dɪŋ] *n* [1] MUS Aufnahme *f* [2] (*of information*) Aufzeichnung *f*
record player ['rekɔ:dpleɪə*] *n* Plattenspieler *m*
recount ['ri:kaʊnt] **I.** *n* ↑ *second count* Nachzählung *f* **II.** [rɪ'kaʊnt] *vt* [1] ↑ *count again* nachzählen [2] → *story* erzählen
recoup [rɪ'ku:p] *vt* wettmachen
recourse [recourse] *n* Zuflucht *f*
recover [rɪ'kʌvə*] **I.** *vt* ↑ *regain* wiederfinden; → *consciousness* wieder zu sich kommen; → *expenses* wiedereinbringen **II.** *vi* ▷*from illness* sich erholen; **recovery** *n* [1] ↑ *recuperation* Erholung *f* [2] ↑ *retrieval* Wiederfinden *s;* (*of expenses*) Wiedereinbringung *f*
recreate [ri:krɪ'eɪt] *vt* ↑ *restore* wiederherstellen; **recreation** [rekrɪ'eɪʃən] *n* ↑ *leisure* Freizeitbeschäftigung *f*, Entspannung *f*, Unterhaltung *f;* **recreation ground** *n* Spielplatz *m*
recreational *adj* Freizeit-
recrimination [rɪkrɪmɪ'neɪʃən] *n* Gegenbeschuldigung *f*
recruit [rɪ'kru:t] **I.** *n* Rekrut *m* **II.** *vt* → *soldiers* rekrutieren; → *members* werben; **recruitment** *n* Rekrutierung *f*
rectangle ['rektæŋgl] *n* Rechteck *s;* **rectangular** [rek'tæŋgjʊlə*] *adj* rechteckig
rectify ['rektɪfaɪ] *vt* berichtigen
rectory ['rektərɪ] *n* Pfarrhaus *s*
recuperate [rɪ'ku:pəreɪt] *vi* sich erholen
recur [rɪ'kɜ:*] *vi* → *dream* sich wiederholen; **re-**

currence *n* Wiederholung *f;* **recurrent** *adj* wiederkehrend
recycle [riː'saɪkl] *vt* wiederverwerten, wiederaufbereiten; **recycling** *n* Recycling *s,* Wiederverwertung *f,* Wiederaufbereitung *f;* **recycling paper** *n* Umweltschutzpapier *s,* Recyclingpapier *s*
red [red] **I.** *n* POL *FAM* ↑ *communist* Rote(r) *fm* **II.** *adj* rot; ↑ *become very angry* ◇ **to see** ~ *FIG* rotsehen; ↑ *in debt* ◇ **my brother's always in the** ~ mein Bruder ist immer in den roten Zahlen; ◇ **R~ Cross** Rotes Kreuz; ◇ **to turn as ~ as a beetroot** rot werden wie ein Krebs; **reddish** *adj* rötlich
redecorate [riː'dekəreɪt] *vt* → *room* renovieren
redeem [rɪ'diːm] *vt* (1) ↑ *save* retten (2) → *debt* zahlen (3) → *promise* einhalten (4) COMM einlösen (5) REL erlösen; **redeemable** *adj* ▷*tickets* einlösbar; **redeeming** *adj* ausgleichend; ▷*virtue, feature* aussöhnend; **redemption** [redemption] *n* Erlösung, f
red-faced *adj* ↑ *embarrassed* mit rotem Kopf; **red-haired** ['redhɛəd] *adj* rothaarig; **red-handed** [red'hændɪd] *adv:* ◇ **the thief was caught** ~ der Dieb wurde auf frischer Tat ertappt; **redhead** *n* Rothaarige(r) *fm,* Rotschopf *m;* **red herring** *n FIG* ↑ *diversion* Ablenkungsmanöver *s;* **red hot** *adj* rotglühend, glühendheiß; *FIG* ▷*clue* brandheiß
redirect [riːdaɪ'rekt] *vt* umleiten
rediscovery [riːdɪ'skʌvərɪ] *n* Wiederentdeckung *f*
redistribute [riːdɪ'strɪbjuːt] *vt* neu verteilen, umverteilen
redness ['rednəs] *n* Röte *f*
redo [riː'duː] *irr vt* nochmal machen
redouble [riː'dʌbl] *vt* verdoppeln
red tape [red'teɪp] *n FIG* ← *bureaucracy* Bürokratie *f*
reduce [rɪ'djuːs] *vt lessen* → *prices* reduzieren, herabsetzen; → *speed, temperature* vermindern; → *photo* verkleineren; ◇ **to ~ s.o. to tears** jd-n zum Weinen bringen; **reduction** [rɪ'dʌkʃən] *n* Herabsetzung *f;* Verminderung *f;* Verkleinerung *f;* (*money*) Nachlaß *m;* **reduction of charge** *n* Gebührenermäßigung *f*
redundancy [rɪ'dʌndənsɪ] *n* (1) (*of workers*) Freistellung *f;* ◇ ~ **payments** Abfindung *f* (2) LING Redundanz *f;* **redundant** *adj* (1) ▷*workers* arbeitslos, freigestellt, freigesetzt (2) ↑ *unnecessary* überflüssig; LING redundant
redwood *n* Redwood *s*
reed [riːd] (1) Schilf *s* (2) MUS Rohrblatt *s*
reef [riːf] *n* ▷*coral* Riff *s*
reek [riːk] **I.** *n* ↑ *stink* Gestank *m* **II.** *vi* stinken (*of* nach); (*FIG suggestion of*) ◇ **the case ~s of racism** dieser Fall riecht nach Rassismus
reel [riːl] **I.** *n* Spule *f,* Rolle *f* **II.** *vt* (1) ↑ *wind up* wickeln, spulen (2) ↑ *stagger* taumeln
re-election [riːɪ'lekʃən] *n* Wiederwahl *f*
re-enact [riː'enækt] *vt* (1) ↑ *act out* nachspielen (2) JUR wieder in Kraft setzen
re-enter [riː'entə*] *vti* wieder eintreten in *acc;* **re-entry** [riː'entrɪ] *n* Wiedereintritt *m*
re-establish [re-establish] *vt* wiederherstellen
re-examine [riːɪg'zæmɪn] *vt* neu überprüfen
ref [ref] *n FAM* ↑ *referee* Schiri *mf*
refectory [rɪ'fektərɪ] *n* (*at college*) Mensa *f;* SCH Speisesaal *m*
refer [rɪ'fɜː*] **I.** *vt* (1) hinweisen (*to* auf *acc*); → *s.o.* verweisen (*to* auf *acc*) (2) verweisen (*to* an *acc*); → *patient* überweisen (3) ↑ *mention* sich beziehen auf *acc* (4) (*book*) nachschlagen
referee [refə'riː] **I.** *n* (1) SPORT Schiedsrichter(in *f*) *m* (2) (*for job*) Referenz *f* **II.** *vt* SPORT als Schiedsrichter fungieren; **reference** ['refrəns] *n* (1) ↑ *mentioning* Hinweis *m* (2) ↑ *allusion* Anspielung *f* (3) (*for job*) Referenz *f* (4) (*in book*) Verweis *m* (5) ↑ *number, code* Aktenzeichen *s* (6) ◇ **with ~ to your letter…** bezugnehmend auf Ihren Brief; ◇ **I kept his address for future ~** ich bewahrte seine Anschrift für später auf; **reference book** *n* Nachschlagewerk *s;* **reference disk** *n* PC Lerndiskette *f;* **reference number** *n* Kennziffer *f*
referendum [refə'rendəm] *n* Volksentscheid *m*
referral [referral] *n* FIN Überweisung *f*
refill [riː'fɪl] **I.** *vt* nachfüllen **II.** ['riːfɪl] *n* (1) → *drink* ◇ **would you like a ~?** möchten Sie noch eine Tasse?; ◇ **would you like a ~ on coke?** möchten Sie mehr Cola? (2) (*for pen*) Mine *f,* Patrone *f*
refine [rɪ'faɪn] *vt* (1) ↑ *purify* raffinieren (2) ↑ *perfect, FIG* verfeinern, kultivieren; **refined** *adj* ▷*manner* kultiviert; **refinement** *n* Raffinierung *f;* ↑ *good manners* Schliff *m;* **refinery** *n* Raffinerie *f*
refit [riː'fɪt] *vt* ↑ *repair* reparieren
refitting [refitting] *n* Nachrüstung *f*
reflect [rɪ'flekt] **I.** *vt* (1) ← *mirror* widerspiegeln (2) ← *show* zeigen, darstellen (3) → *light* reflektieren (4) ↑ *discredit* ◇ **your actions will ~ on us** dein Vorgehen wird sich zu unserem Nachteil auswirken **II.** *vi* ↑ *meditate* nachdenken (*on* über *acc*); **reflection** [rɪ'flekʃən] *n* (1) ↑ *thought* Reflexion *f* (2) (*in mirror*) Spiegelbild *s;* **reflector** [rɪ'flektə*] *n* Reflektor *m*
reflex ['riːfleks] *n* Reflex *m;* (*of body*) ◇ **your ~es are satisfactory** Ihre Reflexe sind in Ordnung; **reflex camera** *n* Spiegelreflexkamera *f*

R

reflexive [rɪ'fleksɪv] *adj* LING Reflexiv-

reform [rɪ'fɔːm] **I.** *n* ① POL Reform *f* ② ↑ *improvement* Verbesserung *f* **II.** *vt* → *person* bessern; → *system* reformieren, umbilden

Reformation [refə'meɪʃən] *n* HIST Reformation *f*

refrain [rɪ'freɪn] *vi* absehen, unterlassen (*from* von *dat*)

refresh [rɪ'freʃ] *vt* → *o.s.* erfrischen; → *knowledge* auffrischen; **refresher course** *n* Auffrischkurs *m;* **refreshing** *adj* erfrischend

refreshments *n pl* Erfrischungen *pl*

refrigeration [rɪfrɪdʒə'reɪʃən] *n* Kühlung *f;* **refrigerator** [rɪ'frɪdʒəreɪtə*] *n* Kühlschrank *m*

refuel [riː'fjʊəl] *vti* auftanken; **refuelling** *n* Auftanken *s*

refuge ['refjuːdʒ] *n* ① ↑ *sanctuary* Zuflucht *f* ② ↑ *shelter* Zufluchtsort *m;* ◇ **to take ~** Zuflucht nehmen

refugee [refjʊ'dʒiː] *n* Flüchtling *m;* **refugee transit camp** *n* Notaufnahmelager *s*

refund ['riːfʌnd] **I.** *n* Rückzahlung *f*, Rückerstattung *f* **II.** [rɪ'fʌnd] *vt* zurückzahlen, zurückerstatten

refurnish [riː'fɜːnɪʃ] *vt* neu möblieren

refusal [rɪ'fjuːzəl] *n* (*of permission*) Verweigerung *f;* (*of request*) Ablehnung *f;* **refuse** ['refjuːs] **I.** *n* Abfall *m*, Müll *m* **II.** [rɪ'fjuːz] *vt* ablehnen; → *entrance* verweigern **III.** *vi* sich weigern

refuse disposal *n* Abfallbeseitigung *f*

refute [rɪ'fjuːt] *vt* ↑ *prove wrong* widerlegen

regain [rɪ'geɪn] *vt* → *control* wiedergewinnen; ◇ **when I ~ed consciousness** als ich wieder zu mir kam, als ich das Bewußtsein wiedererlangte

regal ['riːgəl] *adj* königlich

regalia [rɪ'geɪlɪə] *n pl* Insignien *pl*

regard [rɪ'gɑːd] **I.** *n* ↑ *esteem* Achtung *f;* ◇ **with kind ~s** mit freundlichen Grüßen; ◇ **~s to your family** viele Grüße an Ihre Familie; ◇ **with ~ to the situation ...** im Hinblick auf die Situation ...; ◇ **~ing our agreement ...** bezüglich [*o.* hinsichtlich] unserer Vereinbarung **II.** *vt* ← *look at* ansehen, betrachten; **regardless** *adj* ↑ *in spite*: ◇ **~ of our difficulties ...** ungeachtet unserer Probleme ...

regatta [rɪ'gætə] *n* Regatta *f*

regency ['riːdʒənsɪ] *n* Herrschaft, Regentschaft *f*

regenerate [riː'dʒenəreɪt] *vti* ↑ *revitalize* [sich] regenerieren, erneuern

regent ['riːdʒent] *n* Regent(in *f*) *m*

regime [reɪ'ʒiːm] *n* Regime *s*

regiment ['redʒɪmənt] *n* Regiment *s*

region ['riːdʒən] *n* Gegend *f;* **regional** *adj* örtlich, regional; **regional parliament** *n* Landtag *m;* **regional program[me]** *n* MEDIA Regionalprogramm *s*

register ['redʒɪstə*] **I.** *n* Register *s*, Verzeichnis *s;* PC Kurzzeitspeicher *m* **II.** *vt* ↑ *list* registrieren, eintragen; → *disappointment* zeigen; ↑ *make a note of* eintragen **III.** *vi* ① (*at hotel*) sich eintragen; (*with police*) sich melden (*with* bei) ② ↑ *sink in* wirken, verstehen; **registered** *adj* ↑ *official* eingetragen; ▷*letter* eingeschrieben; ◇ **~ trademark** eingetragenes Warenzeichen

registrar [redʒɪ'strɑː*] *n* Standesbeamte(r) *m*, Standesbeamtin *f;* **registration** [redʒɪ'streɪʃən] *n* ① (*car*) Kraftfahrzeugschein *m;* ◇ **~ number** Kennzeichen *s* ② (*act of*) Registrierung *f*, Eintragung *f;* **registration deadline** *n* Meldefrist *f;* **registration office** *n* Einwohnermeldeamt *s*, Meldestelle *f;* **registry office** ['redʒɪstrɪɒfɪs] *n* Standesamt *s*

regret [rɪ'gret] **I.** *n* Bedauern *s* **II.** *vt* bedauern; ◇ **I have no ~s at all** ich bereue es überhaupt nicht; **regretfully** *adv* ↑ *sadly* mit Bedauern; **regrettable** *adj* bedauerlich

regroup [riː'gruːp] **I.** *vt* umgruppieren **II.** *vi* sich umgruppieren

regular ['regjʊlə*] **I.** *adj* ▷*duties* regelmäßig; ↑ *usual* normal, üblich; ▷*set* gewöhnlich, normal; ↑ *standard* standardmäßig, normal **II.** *n* ① ◇ **~ client** Stammkunde *m*, Stammkundin *f* ② ▷*petrol* Normalbenzin *s;* **regularity** [regjʊ'lærɪtɪ] *n* Regelmäßigkeit *f;* **regularly** *adv* regelmäßig

regulate ['regjʊleɪt] *vt* regeln, regulieren; **regulation** [regjʊ'leɪʃən] *n* ① ↑ *rule* Vorschrift *f;* ◇ **~ clothing** vorgeschriebene Kleidung ② ↑ *control* Regulierung *f*, Kontrolle *f;* (*of machine*) Einstellung *f* ③ ↑ *order* Regelung *f*, Anordnung *f;* **regulator** *n* Regler *m*

rehab ['riːhæb] *n AM FAM* ↑ *rehabilitation* Reha *f;* **rehabilitation** [riːhəbɪlɪ'teɪʃən] *n* ① (*of invalid*) Rehabilitation *f* ② (*of criminal*) Resozialisierung *f*

rehash [riː'hæʃ] *vt FAM* aufwärmen

rehearsal [rɪ'hɜːsəl] *n* (*of play, concert*) Probe *f;* **rehearse** [rɪ'hɜːs] *vt* ① ↑ *practice* proben ② ↑ *go over* wiederholen

reign [reɪn] **I.** *n* Herrschaft *f;* ◇ **~ of terror** Schreckensherrschaft *f* **II.** *vi* herrschen; **reigning** *adj* ▷*champion* herrschend

reimburse [riːɪm'bɜːs] *vt* zurückzahlen; **reimbursement** *n* Rückzahlung *f*, Vergütung *f*

rein [reɪn] *n* (*horse*) Zügel *m;* (*freedom*) ◇ **to give a free ~ to s.o.** jd-m freien Lauf lassen

reincarnation [riːɪnkɑː'neɪʃən] *n* Wiedergeburt *f*

reindeer ['reɪndɪə*] *n* Rentier *s*
reinforce [riːɪn'fɔːs] *vt* ① ↑ *increase* verstärken; ↑ *strengthen* verstärken; *FIG* untermauern ② ↑ *back up* → *policy* unterstützen; **reinforced** *adj* verstärkt; ◇ ~ **concrete** Stahlbeton *m;* **reinforcement** *n* ① ↑ *strengthening* Verstärkung *f; FIG* Untermauerung *f* ② ◇ ~**s** *pl* MIL *FIG* Verstärkung *f*
reinstate [riːɪn'steɪt] *vt* → *power* wiedereinstellen
reissue [riː'ɪʃuː] *vt* neu herausgeben
reiterate [riː'ɪtəreɪt] *vt* wiederholen; **reiteration** [reiteration] *n* Wiederholung *f*
reject ['riːdʒekt] **I.** *n* → *faulty goods* Ausschußartikel *m* **II.** [rɪ'dʒekt] *vt* ① → *person* ablehnen ② → *offer, request* ausschlagen ③ → *plans* verwerfen; **rejection** [rɪ'dʒekʃən] *n* ① Ablehnung *f* ② Verweigerung *f* ③ Verwerfung *f*
rejoice [rɪ'dʒɔɪs] *vi* glücklich sein über, sich freuen
rejoinder [rɪ'dʃɔɪndə*] *n* (↑ *sharp remark*) Erwiderung *f*
rejuvenate [rɪ'dʒuːvɪneɪt] *vt* verjüngen
rekindle [riː'kɪndl] *vt* → *interest, love* neu entfachen
relapse [rɪ'læps] *n* Rückfall *m*
relate [rɪ'leɪt] *vt* ① ↑ *tell* erzählen, berichten ② ↑ *connect* verbinden ③ ↑ *imagine* ◇ **to** ~ **to** nachvollziehen; **related** *adj* verwandt (*to* mit); ◇ ~ **occurences** zusammenhängende Ereignisse; **relating** *prep:* ◇ **comments ~ to our present situation** Bemerkungen in bezug auf unsere derzeitige Situation
relation [rɪ'leɪʃən] *n* ① Verwandte(r) *fm* ② (*connection*) Beziehung *f;* ◇ **to bear no** ~ in keiner Beziehung stehen ③ ◇ **diplomatic ~s** diplomatische Beziehungen *f pl*
relationship *n* Beziehung *f,* Verhältnis *s*
relative ['relətɪv] **I.** *n* Verwandte(r) *fm* **II.** *adj* relativ, bedingt; **relatively** *adv* relativ; **relativity** *n* Relativität *f*
relax [rɪ'læks] **I.** *vt* ① ↑ *slacken* lockern ② → *muscles, body* entspannen **II.** *vi* ← *muscles* sich entspannen; ◇ **just ~!** bleib' ganz ruhig!; **relaxation** [riːlæk'seɪʃən] *n* ① (*act of*) Entspannung *f* ② ← *slackening* Lockerung *f;* **relaxed** *adj* ▷*body, mind* entspannt; ▷*atmosphere* entspannt; **relaxing** *adj* entspannend
relay ['riːleɪ] **I.** *n* ① SPORT Staffel *f* ② TECH Relais *s* **II.** *vt* ① → *message* weiterleiten ② MEDIA übertragen ③ ↑ *lay s.th. again* → *carpet* neu verlegen
release [rɪ'liːs] **I.** *n* (*from jail*) Entlassung *f* ② ↑ *relief* Erleichterung *f* ③ TECH Auslöser *m* **II.** *vt* befreien; (*from jail*) entlassen; → *report, news* bekanntgeben
relentless [rɪ'lentləs] *adj* ↑ *determined* unnachgiebig; ▷*pain* anhaltend
relevance ['reləvəns] *n* Relevanz *f;* **relevant** *adj* relevant, wichtig
reliability [rɪlaɪə'bɪlɪtɪ] *n* Zuverlässigkeit *f;* **reliable** *adj* zuverlässig; **reliance** [rɪ'laɪəns] *n* ↑ *dependence* Abhängigkeit *f;* ◇ ~ **on drugs** Abhängigkeit von Drogen
relic ['relɪk] *n* ① REL Reliquie *f* ② ↑ *remnant* Relikt *s,* Überbleibsel *s*
relief [rɪ'liːf] *n* ① Erleichterung *f* ② ↑ *assistance* Hilfe *f;* ↑ *support* Unterstützung *f* ③ (*person*) Ablösung *f* ④ ↑ *diversion* ◇ **to provide comic** ~ eine Situation durch einen Scherz entspannen; **relief action** *n* Hilfsaktion *f;* **relieve** [rɪ'liːv] *vt* ① ↑ *ease* erleichtern ② ↑ *assist* entlasten ③ ↑ *rid* befreien ④ → *person* ablösen; ◇ **I ~d Ann of the responsibility** ich nahm Ann die Verantwortung ab ⑤ ↑ *sack* ◇ **to ~ s.o. of their duties** jd-n entlassen, jd-m kündigen ⑥ ↑ *urinate* ◇ **to ~ o.s.** seine Notdurft verrichten; **relieved** *adj* ↑ *glad* erleichtert, froh
religion [rɪ'lɪdʒən] *n* Religion *f;* **religious** [rɪ'lɪdʒəs] *adj* religiös; **religious freedom** *n* Glaubensfreiheit *f*
relinquish [rɪ'lɪŋkwɪʃ] *vt* → *hold, duties* aufgeben
relish ['relɪʃ] **I.** *n* ↑ *sauce* Soße *f* **II.** *vt* genießen; ↑ *look forward to* ◇ **to ~ the prospect of s.th.** sich auf etw freuen
relive [riː'lɪv] *vt* noch einmal erleben
reluctance [rɪ'lʌktəns] *n* Widerwille[n] *m,* Abneigung *f;* **reluctant** *adj* widerwillig; **reluctantly** *adv* widerwillig, ungern
rely on [rɪ'laɪ ɒn] *vt* ① ↑ *depend* sich verlassen auf *acc* ② ↑ *need* brauchen
remain [rɪ'meɪn] **I.** *vi* ① ↑ *be left* übrigbleiben ② ↑ *stay* bleiben; ◇ **that ~s to be seen** das werden wir noch sehen; ◇ **it ~ed a mystery for many years** es blieb für viele Jahre ein Rätsel **II.** *n* (*of body*): ◇ **his ~s** *pl* seine sterblichen Überreste; **remainder** *n* Rest *m;* **remaining** *adj* übrig
remake ['riː'meɪk] *n* → *of film* Remake *s,* Neuproduktion *f*
remand [rɪ'mɑːnd] **I.** *n* JUR: ◇ **be on** ~ in Untersuchungshaft *f* sein **II.** *vi* ↑ *imprison:* ◇ **Al was ~ed in custody** Al blieb in Untersuchungshaft *f*
remark [rɪ'mɑːk] **I.** *n* Bemerkung *f* **II.** *vi* bemerken; **remarkable** *adj* bemerkenswert; **remarkably** *adv* ▷*good* bemerkenswert, beachtlich
remarry [riː'mærɪ] *vi* wieder heiraten

R

remedial [rɪˈmiːdɪəl] *adj* ▹*measures, action* Hilfs-; ◇ **to take ~ action** Abhilfe schaffen; MED Heil-; ◇ **~ exercises** Heilgymnastik, Krankengymnastik *f*

remedy [ˈremədɪ] **I.** *n* [Heil-]Mittel *s* (*for* gegen) **II.** *vt* [1] → *pain* abhelfen *dat* [2] → *trouble* in Ordnung bringen; → *situation* bereinigen; → *damages* beheben

remember [rɪˈmembə*] *vt* ↑ *recall* sich erinnern an *akk;* ◇ **please ~ me to her** grüße sie bitte von mir; **remembrance** [rɪˈmembrəns] *n* [1] ↑ *memory* Erinnerung *f* [2] (*official*) Gedenken *s;* **Remembrance Day** *n* Volkstrauertag *m*

remind [rɪˈmaɪnd] *vt* erinnern an; **reminder** *n* Erinnerung *f*

reminisce [remɪˈnɪs] *vi* ↑ *remember* in Erinnerung schwelgen; **reminiscences** [remɪˈnɪsənsɪz] *n pl* ↑ *memory, recollections* Erinnerungen *pl;* **reminiscent** *adj* ↑ *similar* erinnernd (*of* an *acc*)

remiss [remiss] *adj* nachlässig

remit [rɪˈmɪt] *vt* → *money* überweisen; **remittance** *n* Geldanweisung *f*

remnant [ˈremnənt] *n* ↑ *remains* Rest, Überrest *m*

remonstrate [ˈremənstreɪt] *vi* ↑ *protest, object* protestieren

remorse [rɪˈmɔːs] *n* Reue, f; **remorseful** *adj* reumütig

remote [rɪˈməʊt] *adj* [1] ↑ *distant* fern, entfernt [2] ↑ *isolated* isoliert, abgelegen [3] ↑ *removed* entfernt [4] ▹*possibility* entfernt; ▹*chance* gering [5] ◇ **~ control** (*TV*) Fernbedienung *f;* (*model plane*) Fernsteuerung *f;* ◇ **I don't have the ~st idea** ich habe nicht die leiseste Ahnung; **remotely** *adv* ▹*situated* abgelegen

removal [rɪˈmuːvəl] *n* ↑ *taking away* Entfernung *f;* (*of furniture*) ◇ **~ company** Möbelspedition *f;* ◇ **~ van** Möbelwagen *m;* **remove** [rɪˈmuːv] *vt* [1] ↑ *move* entfernen [2] → *clothing* ablegen [3] → *suspicion* abwenden [4] ↑ *dismiss* entlassen [5] → *difficulties* beseitigen; **removed** *adj* [1] ↑ *different* ▹*idea* weit entfernt [2] ◇ **a cousin twice ~** ein Cousin zweiten Grades; **remover** *n* (*for paint, stains*) Entferner *m*

remuneration [rɪmjuːnəˈreɪʃən] *n* ↑ *pay* Honorar *s*

Renaissance [rəˈneɪsɑ̃ːns] *n* HIST: ◇ **the ~** die Renaissance

rename [riːˈneɪm] *vt* umbenennen

rend [rend] <rent, rent> *vt* → *clothes* zerreißen

render [ˈrendə*] *vt* [1] ↑ *make possible* möglich machen [2] → *help* leisten [3] ↑ *submit* → *bill* vorlegen [4] ↑ *translate* übersetzen; **rendering** *n* (MUS *performance*) Vortrag *m*

rendez-vous [ˈrɒndɪvuː] *n* [1] ↑ *meeting* Verabredung *f,* Rendezvous *s* [2] ↑ *meeting place* Treffpunkt *m*

renegade [ˈrenɪgeɪd] *n* Abtrünnige(r) *fm*

renew [rɪˈnjuː] *vt* erneuern; → *license, passport* erneuern lassen, verlängern; → *relationship* wiederaufnehmen; ↑ *replace* ersetzen; **renewal** *n* [1] ↑ *resumption* (*of events*) Erneuerung *f* [2] (*of old buildings*) Renovierung *f*

renounce [rɪˈnaʊns] *vt* [1] ↑ *reject, give up* verzichten auf *acc;* → *belief* abschwören; → *official position* ablehnen, verzichten auf [2] ↑ *disown* verstoßen

renovate [ˈrenəveɪt] *vt* → *building* renovieren; → *artwork, mansion* restaurieren; **renovation** [renəʊˈveɪʃən] *n* Renovierung *f;* Restaurierung *f*

renown [rɪˈnaʊn] *n* (↑ *fam*) Berühmtheit *f,* Ruhm *m;* **renowned** *adj* ↑ *famous* berühmt, bekannt

rent [rent] **I.** *pt, pp of* **rend**; **II.** *n* (*for house, flat*) Miete *f;* (*for land*) Pacht *f* **III.** *vt* [1] → *house, car* mieten; → *land* pachten [2] ↑ *let* → *house, car* vermieten; ◇ **for ~** zu vermieten

rental **I.** *n* [1] (*agreement*) Mietvertrag *m* [2] (*monthly fee*) Leihgebühr *f* **II.** *adj:* ◇ **computer ~ service** Computerverleih *m;* ◇ **~-free** mietfrei; **rental charge** *n* Leihgebühr *f;* **rented flat** *n* Mietwohnung *f*

renunciation [rɪnʌnsɪˈeɪʃən] *n* [1] ↑ *rejection* Verzicht *m* (*of* auf *acc*); (*of friend*) Ablehnung *f* [2] (*of official position*) Ablehnung, Verzicht *m*

reopen [riːˈəʊpən] *vt* → *discussion, borders* wiedereröffnen

reorder [riːˈɔːdə*] *vt* wieder/neu bestellen

reorganization [riːɔːgənaɪˈzeɪʃən] *n* Umorganisation *f,* Umstellung *f;* **reorganize** [riːˈɔːgənaɪz] *vt* reorganisieren

rep [rep] *n* [1] ↑ *representative,* COMM Vertreter(in *f*) *f* [2] THEAT Repertoire *m*

repair [rɪˈpeə*] **I.** *n* Reparatur *f* **II.** *vt* reparieren; → *damage* wiedergutmachen; ◇ **beyond ~** nicht mehr zu reparieren; ◇ **in good ~** in gutem Zustand; **repairable** *adj* reparabel; **repair kit** *n* Werkzeugkasten *m;* **repair man** *n* <-men> Mechaniker *m;* **repair shop** *n* Reparaturwerkstatt *f*

reparation [reparation] *n* Wiedergutmachung *f*

repartee [repɑːˈtiː] *n* [1] (*wittiness*) Schlagabtausch *m* [2] (*witty comment*) schlagfertige Antwort *f*

repatriate [rɪːˈpætrɪeɪt] in die Heimat zurückführen

repay [riːˈpeɪ] *irr vt* [1] ↑ *pay back* zurückzahlen [2] → *favour* vergelten [3] → *reward* vergelten [4] → *visit* erwidern; **repayment** *n* [1] (*of money*)

Rückzahlung *f* [2] (*FIG for favour, for help*) Vergeltung *f*
repeal [rɪ'pi:l] **I.** *n* (*of law*) Aufhebung *f* **II.** *vt* aufheben
repeat [rɪ'pi:t] **I.** *n* MEDIA Wiederholung *f* **II.** *vt* [1] → *action* wiederholen; ↑ *reiterate* wiederholen [2] → *secret* weitererzählen; **repeatedly** *adv* wiederholt; **repeat order** *n* Nachbestellung *f*
repel [rɪ'pel] *vt* [1] ↑ *revolt* abstoßen [2] → *army* zurückschlagen; ← *magnets* sich abstoßen; **repellent** **I.** *adj* ↑ *revolting* abstoßend **II.** *n*: ◇ insect ~ Insektenschutzmittel *s*
repent [rɪ'pent] *vti* ↑ *regret* bereuen; **repentance** *n* ↑ *regret* Reue *f*
repercussion [ri:pə'kʌʃən] *n* [1] ↑ *consequences* Auswirkung *f* [2] (*of firearm*) Rückstoß *m*
repertoire ['repətwɑ:*] *n* THEAT, MUS ↑ *range* Repertoire *s*; ↑ *complete works* Repertoire *s*
repertory ['repətərɪ] *n* THEAT Repertoire *s*
repetition [repə'tɪʃən] *n* [1] ↑ *repeat* Wiederholung *f* [2] ↑ *duplication* Wiederholung *f*; **repetitive** [rɪ'petɪtɪv] *adj* sich wiederholend
rephrase [ri:'freɪz] *vt* umformulieren
replace [rɪ'pleɪs] *vt* [1] ↑ *take the place of* ersetzen [2] ↑ *return* zurücklegen, zurückstellen; ◇ **to ~ the telephone receiver** den Hörer auflegen; **replaceable** *adj* ersetzbar; **replacement** *n* [1] ↑ *substitution* Ersatz *m* [2] ↑ *substitute* (*person*) Vertretung *f*
replenish [rɪ'plenɪʃ] *vt* ↑ *top up* wiederauffüllen
replica ['replɪkə] *n* [1] ↑ *model* Replik *f* [2] ↑ *copy* Kopie *f*, Nachbildung *f*
reply [rɪ'plaɪ] **I.** *n* ↑ *answer* Antwort *f* **II.** *vi* antworten; ↑ *respond to action* erwidern
report [rɪ'pɔ:t] **I.** *n* [1] ↑ *account* Bericht *m* [2] SCH Zeugnis *s* [3] ↑ *rumours* ↑ *news* ◇ **there have been ~s of violence** es wurde von Gewalt berichtet; ◇ **Arthur is ~ed to have said ...** Arthur soll gesagt haben ... **II.** *vt* [1] ↑ *tell* berichten [2] → *bad behaviour* melden [3] (*to authorities*) anzeigen **III.** *vi* [1] ↑ *make report* Bericht anfertigen [2] ↑ *present o.s.* sich melden; **reportedly** *adv* ↑ *allegedly* wie verlautet; **reported speech** *n* ↑ *indirect speech* indirekte Rede *f*
reporter *n* Reporter(in *f*) *m*
repose [rɪ'pəʊz] *adj* ↑ *relaxed*: ◇ **in a state of ~** in einem Zustand der Gelassenheit
repossess [rɪ:pə'zes] *vt* ↑ *reclaim* wieder in Besitz nehmen
reprehensible [reprɪ'hensɪbl] *adj* ↑ *blameworthy* tadelnswert, verwerflich
represent [reprɪ'zent] *vt* [1] ↑ *act on behalf* vertreten [2] ↑ *symbolize* symbolisieren, darstellen; ↑ *embody* verkörpern [3] ↑ *constitute* darstellen [4] ↑ *typify* darstellen [5] ↑ *portray* darstellen; ↑ *present* → *situation* darstellen, zeigen; **representation** [reprɪzen'teɪʃən] *n* [1] ↑ *group of representatives* Vertretung *f* [2] ↑ *portrayal* Darstellung *f*; **representative** [reprɪ'zentətɪv] **I.** *n* [1] ↑ *delegate* Vertreter(in *f*) *m* [2] ↑ *company rep* Vertreter(in *f*) *m* **II.** *adj* repräsentativ
repress [rɪ'pres] *vt* [1] → *laughter* verdrängen [2] ↑ *suppress* unterdrücken; **repressed** *adj* ▷*feelings* unterdrückt, verdrängt; **repression** [rɪ'preʃən] *n* [1] ↑ *oppression* Unterdrückung *f* [2] (*of feelings*) Verdrängung *f*; **repressive** *adj* [1] ▷*government, measures* repressiv [2] PSYCH ▷*feelings, behaviour* hemmend
reprieve [rɪ'pri:v] *n* [1] (*from capital punishment*) Begnadigung *f* [2] (*pain*) Erleichterung *f*
reprimand ['reprɪmɑ:nd] **I.** *n* ↑ *scolding* Rüge *f*, Tadel *m* **II.** *vt* rügen, tadeln
reprint ['ri:prɪnt] **I.** *n* Nachdruck *m* **II.** [ri:'prɪnt] *vt* nachdrucken, neu auflegen; **reprinting** *n* (*of book*) Nachdruck *m*
reprisal [rɪ'praɪzəl] *n* ↑ *retaliation* Vergeltung *f*
reproach [rɪ'prəʊtʃ] **I.** *n* [1] ↑ *reprimand* Tadel *m* [2] ↑ *blame* Vorwurf *m* **II.** *vt* [1] ↑ *reprimand* tadeln *dat* [2] ↑ *blame* ◇ **to ~ s.o.** jd-m Vorwürfe machen; ◇ **beyond ~** über jeden Vorwurf erhaben; **reproachful** *adj* vorwurfsvoll
reprocess [ri:'prəʊses] *vt* wiederaufarbeiten, wiederaufbereiten; **reprocessing** *n* Wiederaufbereitung *f*, Wiederaufarbeitung *f*; ◇ **~ plant** Wiederaufarbeitungsanlage *f*
reproduce [ri:prə'dju:s] **I.** *vt* ↑ *duplicate* reproduzieren **II.** *vi* ↑ *procreate* sich vermehren; **reproduction** [ri:prə'dʌkʃən] *n* [1] ↑ *duplication* Wiedergabe *f*; FOTO Reproduktion *f* [2] ↑ *breeding* Fortpflanzung *f*
reproof [rɪ'pru:f] *n* ↑ *criticism*: ◇ **to look at so with ~** jd-n kritisch betrachten;
reptile ['reptaɪl] *n* Reptil *s*
republic [rɪ'pʌblɪk] *n* Republik *f*; **republican** **I.** *adj* republikanisch **II.** *n* Republikaner(in *f*) *m*
repudiate [rɪ'pju:dɪeɪt] *vt* ↑ *reject* zurückweisen; → *debt* nicht anerkennen
repugnance [rɪ'pʌgnəns] *n* ↑ *revulsion* Widerwille[n] *m*; **repugnant** *adj* widerlich
repulsion [rɪ'pʌlʃən] *n* ↑ *revulsion* Abscheu *f*; **repulsive** [rɪ'pʌlsɪv] *adj* ↑ *revolting* abstoßend
reputable ['repjʊtəbl] *adj* ↑ *respectable* anständig; **reputation** [repjʊ'teɪʃən] *n* Ruf *m*
repute [rɪ'pju:t] *n* ↑ *reputation* Ruf *m*; ◇ **of ~** angesehen; ◇ **to be held in ~** ein hohes Ansehen genießen; **reputed** *adj* [1] ↑ *angeblich* ◇ **the**

company is ~ to be successful die Firma gilt als erfolgreich [2] ◇ the ~ beauty of the Alps ... die sprichwörtliche Schönheit der Alpen ...

request [rɪ'kwest] **I.** *n* [1] ↑ *polite appeal* Bitte *f;* ↑ *demand* Wunsch *m* **II.** *vt* ↑ *ask for s.th. politely* erbitten; → *person* ersuchen; ◇ **on ~** auf Wunsch; ◇ **at s.o.'s ~** auf jd-s Wunsch; **request stop** *n* (*bus~*) Bedarfshaltestelle *f*

require [rɪ'kwaɪə*] *vt* [1] ↑ *need* erfordern, brauchen; ↑ *wish* wünschen [2] erlangen; ◇ **I was constantly ~d to do s.th.** ich mußte ständig etw tun; **requirement** *n* [1] ↑ *condition* Anforderung *f;* ↑ *provision* Voraussetzung *f* [2] ↑ *need* Bedarf *m,* Notwendigkeit *f*

requisite ['rekwɪzɪt] **I.** *n* ↑ *requirement* Erfordernis *s* **II.** *adj* ↑ *required* erforderlich; **requisition** [rekwɪ'zɪʃən] **I.** *n* ↑ *demand* Anforderung *f;* (*of goods*) Requisition *f* **II.** *vt* ↑ *demand* anfordern; → *goods* requirieren

reroute [riː'ruːt] *vt* → *traffic* umleiten

re-run *n* MEDIA ↑ *repeat* Wiederholung *f*

rescind [rɪ'sɪnd] *vt* ↑ *repeal* aufheben

rescue ['reskjuː] **I.** *n* Rettung *f* **II.** *vt* retten; ◇ **to come to the ~ of s.o.** jd-m retten; **rescue party** *n* Rettungsmannschaft *f;* **rescuer** *n* Retter(in *f*) *m*

research [rɪ'sɜːtʃ] **I.** *n* Forschung *f* **II.** *vi* forschen über *acc* **III.** *vt* erforschen; **researcher** *n* Forscher(in *f*) *m;* **research paper** *n* SCH Hausarbeit *f,* Referat *s;* **research work** *n* Forschungsarbeit *f;* **research worker** *n* wissenschaftlicher Mitarbeiter(wissenschaftliche Mitarbeiterin *f*) *m*

resemblance [rɪ'zembləns] *n* Ähnlichkeit *f;* **resemble** [rɪ'zembl] *vt* ähneln *dat*

resent [rɪ'zent] *vt* übelnehemen; **resentful** *adj* nachtragend; **resentment** *n* [1] ↑ *bitterness* Ärger *m* [2] ↑ *grudges* ◇ **to suppress o.'s ~s** seinen Widerwillen unterdrücken

reservation [rezə'veɪʃən] *n* [1] ↑ *booking* Reservierung *f;* THEAT Vorbestellung *f* [2] ↑ *doubt* Vorbehalt *m;* ◇ **to have ~ about s.th./s.o.** wegen jd-m/etw Bedenken *pl* haben; (*unsure*) ◇ **to do s.th. with ~s** etw unter Vorbehalt machen [3] (*land*) Reservat *s;* **reserve** [rɪ'zɜːv] **I.** *n* [1] ↑ *store* Reserve *f* [2] SPORT Ersatzspieler(in *f*) *m* [3] ↑ *restraint* (*manner*) Zurückhaltung *f* [4] ↑ *game ~* Wildschutzgebiet *s;* ↑ *native ~* Reservat *s* **II.** *vt* [1] → *book* reservieren [2] → *judgement* sich vorbehalten *dat* [3] ◇ **~s** *pl* MIL Reserve *f;* **reserved** *adj* reserviert; ◇ **all rights ~** alle Rechte vorbehalten; **reserve tank** *n* Reservetank *m*

reservoir ['rezəvwɑː*] *n* [1] (*lake*) Reservoir *s* [2] ↑ *store* (*of facts*) Fundgrube *f*

reset [riː'set] *vt* [1] → *watch* zurückstellen auf *acc* [2] → *jewel* neu fassen

resettle [riːsetl] *vt* → *refugees* umsiedeln; → *virgin land* neu besiedeln

reshuffle [riː'ʃʌfl] *vt* POL ↑ *reorganize* umbilden

reside [rɪ'zaɪd] *vi* ↑ *stay* wohnen; **residence** ['rezɪdəns] [1] ↑ *house* Haus *s,* Wohnung *f* [2] ↑ *place of living* Wohnort *m* [3] ↑ *length of stay* Aufenthalt *m;* **resident** ['rezɪdənt] **I.** *n* (*in house*) Bewohner(in *f*) *m;* (*in area*) Einwohner(in *f*) *m* **II.** *adj* (*of area, of country*) wohnhaft; ▷*tutor, specialist* ansässig; ▷*doctor* Haus-; **residential** [rezɪ'denʃəl] *adj:* ◇ **~ area** Wohngebiet, Wohnviertel *s*

residue ['rezɪdjuː] *n* [1] ↑ *left-over* Rest *m;* CHEM Rückstand *m* [2] *FIG* ↑ *feeling* ◇ **~ of guilt** Schuldgefühl *s*

resign [rɪ'zaɪn] **I.** *vt* ↑ *quit* aufgeben, verzichten auf **II.** *vi* (*from office*) niederlegen; ◇ **she ~ed herself to a life full of pain** sie hat sich mit einem Leben voller Schmerz abgefunden; **resignation** [rezɪg'neɪʃən] *n* [1] (*resigning from job*) Amtsniederlegung *f;* POL Rücktritt *m* [2] ↑ *submission* Resignation *f;* **resigned** *adj* ↑ *reconciled* resigniert

resilient [rɪ'zɪlɪənt] *adj* unverwüstlich

resin ['rezɪn] *n* Harz *s*

resist [rɪ'zɪst] *vt* [1] ↑ *oppose* widerstehen, Widerstand leisten [2] ↑ *refrain from* ◇ **I ~ed the urge to call him** ich widerstand der Versuchung, ihn anzurufen; **resistance** *n* Widerstand *m;* **resistance movement** *n* Widerstandsbewegung *f;* **resistant** *adj* [1] ▷*floor* strapazierfähig; ↑ *-proof* widerstandsfähig (*to* dat); ◇ **water-~** wasserabweisend [2] ↑ *immune,* MED immun

resolute ['rezəluːt] *adj* resolut; **resolution** [rezə'luːʃən] *n* [1] ↑ *determination* Entschlossenheit *f* [2] ↑ *intention* Vorsatz *m;* ◇ **a New Year's ~** ein guter Vorsatz für das neue Jahr [3] ↑ *decision* Beschluß *m* [4] (*of problem*) Lösung *f* [5] (*of monitor*) Auflösung *f*

resolve [rɪ'zɒlv] **I.** *n* Entschlossenheit *f* **II.** *vt* ↑ *decide* beschließen; ↑ *remedy* lösen; → *problem* überwinden; **resolved** *adj* entschlossen

resonance *n* Resonanz *f;* **resonant** ['rezənənt] *adj* (*sound*) voll; (*voice*) klangvoll

resort [rɪ'zɔːt] **I.** *n* (*holiday place*) Urlaubsort *m;* ◇ **health ~** Kurort *m;* ◇ **as a last ~** für alle Fälle **II.** *vi* Zuflucht nehmen (*to* zu)

resource [rɪ'sɔːs] *n* [1] Mittel *s* [2] ◇ **natural ~s** natürliche Rohstoffe *m pl* [3] ↑ *wealth* ◇ **~s** *pl* [Geld-]Mittel *s pl;* **resourceful** *adj* findig, einfallsreich

respect [rɪ'spekt] **I.** *n* [1] ↑ *esteem* Achtung *f*, Respekt *m*, Grüße *pl*, Empfehlungen *pl* [2] ↑ *in view of* ◇ **with ~ to your situation …** was deine Situation *acc* anbelangt/betrifft …; ◇ **in ~ of the circumstances** in Anbetracht der Umstände; ◇ **in this ~** in dieser Hinsicht **II.** *vt* respektieren; ◇ **to treat so with ~** jd-n mit Respekt behandeln; ◇ **to pay o.'s last ~s** jd-m die letzte Ehre erweisen; **respectable** [rɪ'spektəbl] *adj* [1] ↑ *reputable* anständig; ↑ *worthy* ehrbar [2] ↑ *decent* ▷*clothes, behaviour* korrekt; **respected** [rɪ'spektɪd] *adj* ▷*judge* angesehen; **respectful** *adj* höflich

respective [rɪ'spektɪv] *adj* jeweilig; **respectively** *adv* beziehungsweise

respiration [respɪ'reɪʃən] *n* Atmen *s*, Atmung *f*; **respirator** *n* ↑ *breathing device* Atemschutzgerät *s*; **respiratory** [rɪ'spɪrətərɪ] *adj* ANAT: ◇ **~ system** Atemwege *m pl*

respite ['respaɪt] *n* [1] ↑ *pause* Pause *f* [2] ↑ *reprieve* Aufschub *m*; ◇ **the band played on without ~** die Band spielte ohne Unterbrechung weiter

resplendent [rɪ'splendənt] *adj* strahlend

respond [rɪ'spɒnd] *vi* [1] ↑ *answer* antworten [2] ↑ *react* ← *government policy* reagieren (*to* auf *acc*); **response** [rɪ'spɒns] *n* [1] ↑ *answer* Antwort *f* [2] ↑ *reaction* Reaktion *f* [3] ▷*public* Reaktion *f*; **responsibility** [rɪspɒnsə'bɪlɪtɪ] *n* Verantwortung *f*; **responsible** [rɪ'spɒnsəbl] *adj* [1] ↑ *answerable* verantwortlich [2] ↑ *reliable* verantwortungsbewußt; **responsibly** *adv* verantwortungsvoll; **responsive** [rɪ'spɒnsɪv] *adj* ↑ *sensitive* (*needs*) empfänglich (*to* für); ◇ **to be ~ to s.th.** auf etw reagieren/ansprechen

rest [rest] **I.** *n* [1] ↑ *remainder* Rest *m*; ◇ **I took all the ~ away** ich habe den ganzen Rest weggebracht; ◇ **the ~ of them** alle übrigen [2] ↑ *repose* Erholung *f* [3] ↑ *break* Pause *f* **II.** *vi* [1] ↑ *relax* sich ausruhen [2] ← *head* ↑ *be supported* [auf]liegen [3] ← *decision* ↑ *remain* liegen (*with* bei *dat*) [4] (← *subject, lay off*) lassen [5] (*assure*) ◇ **I set her mind at ~** ich habe sie beruhigt; ◇ **R~ In Peace** Ruhe in Frieden; (*euphem.: bury*) ◇ **to lay s.o. ~** jd-n zu Grabe tragen; **rest cure** *n* Erholung[surlaub] *f*

restate [ri:'steɪt] *vt* → *case* wieder nennen, erneut vortragen

restaurant ['restər :ŋ] *n* Restaurant *s*, Gaststätte *f*; **restaurant car** *n* Speisewagen *m*

rested [restəd] *adj* ↑ *relaxed* erholt; **restful** *adj* ruhig, erholsam; **rest home** *n* (Alters)Pflegeheim *s*; **resting place** *n* [1] ↑ *place to rest* Rastplatz *m* [2] *FIG* ↑ *grave* Ruhestätte, Ruhestatt *f*

restitution [restɪ'tju:ʃən] *n* ↑ *compensation* Rückgabe *f*, Rückerstattung *f*

restive ['restɪv] *adj* unruhig

restless ['restləs] *adj* ↑ *fidgety* ruhelos, rastlos

restock [ri:'stɒk] *vt* wieder auffüllen

restoration [restə'reɪʃən] *n* [1] (*of customs*) Wiedereinsetzung *f*; (*of paintings*) Restaurierung *f* [2] ↑ *recovery* Rückgabe *f* [3] (*of law and order*) Wiederherstellung *f* [4] HIST ◇ **the R~** die Restauration

restore [rɪ'stɔ:*] *vt* [1] wiedereinsetzen [2] restaurieren [3] wiederherstellen

restrain [rɪ'streɪn] *vt* [1] (↑ *hold back*) zurückhalten; → *curiosity, anger* beherrschen [2] ↑ *curtail* hindern an *dat*; **restrained** *adj* ▷*style etc.* ↑ *inhibited* beherrscht

restraint [rɪ'streɪnt] *n* [1] ↑ *restriction* Einschränkung *f*, Beschränkung *f* [2] ↑ *control* ↑ *measure* Zurückhaltung *f*

restrict [rɪ'strɪkt] *vt* [1] ↑ *confine* einschränken, begrenzen [2] ↑ *hinder* → *movements* einschränken; **restricted** *adj* [1] ↑ *confined* beschränkt [2] (*classified document*) geheim, Geheim-; **restriction** [rɪ'strɪkʃən] *n* [1] ↑ *rule, law* Einschränkung, Beschneidung *f* [2] ↑ *limit* Einschränkung *f* [3] ↑ *hindrance* Zurückhaltung *f*; **restrictive** *adj* ▷*clothes, surrounding* einengend, beengend

restroom ['restru:m] *n* (*AM*) Toilette *f*

restructure *vt* erneuern, wiederaufbauen

result [rɪ'zʌlt] **I.** *n* [1] ↑ *consequence* Folge *f*, Resultat *s* [2] (*of exam, sport*) Ergebnis *s* [3] (*of calculation*) Ergebnis, Resultat *s* **II.** *vi* ↑ *bring about* resultieren, sich ergeben; **resultant** [rɪ'zʌltənt] *adj* ↑ *consequent* resultierend, daraus enstehend

resume [rɪ'zju:m] *vt* → *activity* fortsetzen; → *position* wieder einnehmen

resumé ['reɪzju:meɪ] *n* [1] ↑ *summary* Zusammenfassung *f* [2] *AM* Lebenslauf *m*; **resumption** [rɪ'zʌmpʃən] *n* Wiederaufnahme *f*

resurface [rɪ'sɜ:fəs] *vt* [1] ↑ *come to surface* → *submarine* wiederauftauchen [2] ↑ *reappear* wiederauftauchen

resurgence [rɪ'sɜ:dʒəns] *n* ↑ *revival* Wiederaufleben *s*

Resurrection [rezə'rekʃən] *n* Auferstehung *f*

resuscitate [rɪ'sʌsɪteɪt] *vt* [1] MED wiederbeleben, reanimieren [2] *FIG* → *old traditions* wiederbeleben, wieder aufleben lassen; **resuscitation** [rɪsʌsɪ'teɪʃən] *n* Wiederbelebung *f*

retail ['ri:teɪl] **I.** *n* ↑ *wholesale* Einzelhandel *m* **II.** *adj* Einzelhandels- **III.** [ri:'teɪl] *vt* im Einzelhandel verkaufen **IV.** *vi* im Einzelhandel kosten; **retailer** ['ri:teɪlə*] *n* Einzelhändler(in *f*) *m*; **re-**

R

tail price *n* Ladenpreis *m,* Einzelhandelspreis *m*

retain [rɪ'teɪn] *vt* [1] ↑ *preserve* behalten [2] → *water* stauen [3] ↑ *pay* behalten [4] → *warmth* speichern; **retainer** *n* [1] ↑ *fee* [Honorar-]Vorschuß *m* [2] ↑ *servant* Faktotum *s;* **retaining wall** *n* Stützmauer *f*

retake [riː'teɪk] *vt* → *exam* noch einmal ablegen

retaliate [rɪ'tælɪeɪt] *vi* Vergeltung üben, sich revanchieren; **retaliation** [rɪtælɪ'eɪʃən] *n* Vergeltung *f,* Revanche *f*

retarded [rɪ'tɑːdɪd] *adj* ▷*development* zurückgeblieben; ▷*mentally* geistig zurückgeblieben

retelling [retelling] *n* Nacherzählung *f*

retention [rɪ'tenʃən] *n* [1] ↑ *preservation* (*of tradition*) Bewahrung *f* [2] (*of possession*) Einbehalten, Zurückbehalten *s* [3] (*of facts, of details*) Behalten *s* [4] (*of memory*) Speicherung *f* [5] (*of water, of heat*) Speicherung *f*

retentive [rɪ'tentɪv] *adj* ▷*memory* gut

rethink [riː'θɪŋk] *irr vt* überdenken

reticent ['retɪsənt] *adj* schweigsam

retina ['retɪnə] *n* Netzhaut *f*

retire [rɪ'taɪə*] *vi* [1] (*from work*) in Rente/Pension gehen [2] ↑ *withdraw* sich zurückziehen [3] ↑ *go to bed* ins/zu Bett gehen; **retired** *adj* ▷*person* pensioniert, im Ruhestand; **retirement** *n* Ruhestand *m;* **retirement pension** *n* (*money*) Pension *f,* Rente *f;* **retiring** [rɪ'taɪərɪŋ] *adj* ↑ *shy* schüchtern, zurückhaltend

retort [rɪ'tɔːt] **I.** *n* ↑ *reply* Erwiderung *f* **II.** *vi* [scharf] erwidern

retrace [rɪ'treɪs] *vt* ↑ *trace back* zurückverfolgen

retract [rɪ'trækt] *vt* [1] → *statement* zurücknehmen; → *agreement* widerrufen [2] → *claws* einziehen; **retractable** *adj* ▷*machine parts, claws* einziehbar

retrain [riː'treɪn] *vt* umschulen

retreat [rɪ'triːt] **I.** *n* [1] ↑ *withdrawal* Rückzug *m;* (*of army*) Rückzug *m* [2] ↑ *quiet place* Zufluchtsort *m,* Zuflucht *f* **II.** *vi* [1] ↑ *move back* sich zurückziehen [2] ↑ *shy away* zurückweichen vor

retrial [riː'traɪəl] *n* ↑ *second trial* Wiederaufnahmeverfahren *s*

retribution [retrɪ'bjuːʃən] *n* ↑ *vengeance* Vergeltung *f*

retrieval [rɪ'triːvəl] *n* ↑ *recovery* Zurückholen *s,* Wiedergewinnung *f;* (PC *of data*) Aufruf, Abruf *m;* **retrieve** [rɪ'triːv] *vt* [1] ↑ *recover* zurückholen, wiedergewinnen; → *data* abrufen, aufrufen [2] ↑ *save* → *situation* retten

retriever *n* (*dog*) Apportierhund *m*

retroactive [retrəʊ'æktɪv] *adj* ↑ *backdated* rückwirkend

retrograde ['retrəʊgreɪd] *adj* ▷*action, attitude* rückständig

retrospect ['retrəʊspekt] *n:* ◇ **in ~** rückblickend; **retrospective** [retrəʊ'spektɪv] *adj* [1] ▷*opinions, feelings* rückblickend [2] ↑ *retroactive* ▷*laws* rückwirkend

retrovirus ['retrəʊvaɪrəs] BIO Retrovirus *s o m*

return [rɪ'tɜːn] **I.** *n* [1] (*of s.o./s.th.*) Rückkehr *f* [2] ↑ *profit* Gewinn *m* [3] (*tax*) Steuererklärung *f* [4] ▷*rail ticket* Rückfahrkarte *f;* (*plane*) Rückflugkarte *f* [5] ↑ *re-election* Wiederwahl *f* [6] ◇ **many happy ~s** herzlichen Glückwunsch **II.** *adj* ▷*journey, match* Rück- **III.** *vi* zurückkommen, zurückkehren **IV.** *vt* [1] ↑ *give back* zurückgeben [2] ↑ *pay back* zurückzahlen [3] ↑ *elect* wählen

returnable *adj* ▷*bottle etc.* Pfand-

return call *n* Rückruf *m*

return key *n* PC Eingabetaste *f*

return match *n* SPORT Rückspiel *s*

reunion [riː'juːnjən] *n* [1] (*of family*) Wiedervereinigung *f* [2] SCH Treffen *s;* **reunite** [riːjuː'naɪt] *vt* wiedervereinigen

rev [rev] **I.** *n* (*of engine*) Drehzahl *f* **II.** *vti:* ◇ **~ up** → *engine* den Motor auf Touren bringen

Rev *n abbr. of* **Reverend** Pfarrer(in *f*) *m*

revalue [riː'væluː] *vt* [1] → *currency* aufwerten [2] ↑ *evaluate price* aufwerten [3] ↑ *reassess* neu bewerten

revamp [riː'væmp] *vt improve* → *appearance* verbessern, aufpolieren; → *house* aufmöbeln

reveal [rɪ'viːl] *vt* [1] ↑ *disclose* aufdecken, enthüllen [2] ↑ *display* aufzeigen, zeigen [3] ◇ **his manner ~ed itself to be unpleasant** seine Art entpuppte sich als unangenehm; **revealing** *adj* [1] ↑ *telling* aufschlußreich [2] ▷*clothes* offenherzig

revel ['revl] *vi* genießen, schwelgen in *dat*

revelation [revə'leɪʃən] *n* [1] ↑ *disclosure* Enthüllung *f,* Aufdeckung *f* [2] ↑ *surprise* Überraschung *f*

reveller ['revələ*] *n* Feiernde(r) *fm*

revelry ['revlrɪ] *n* Feiern *s,* Festlichkeit *f*

revenge [rɪ'vendʒ] **I.** *n* Rache *f* **II.** *vt* rächen; **revengeful** *adj* rachsüchtig

revenue ['revənjuː] *n* [1] ↑ *income* Einkommen *s;* (*of state*) Staatseinnahmen *pl* [2] ▷*department* Finanzamt *s*

reverberate [rɪ'vɜːbəreɪt] *vi* [1] ← *sound* widerhallen [2] *FIG* ← *ideas* Nachhall finden

revere [rɪ'vɪə*] *vt* verehren; **reverence** ['revərəns] *n* Verehrung *f,* Ehrfurcht *f*

Reverend ['revərənd] *n* Pfarrer *m*

reverent ['revərənt] *adj* ↑ *respectful* ehrfürchtig, ehrfurchtsvoll

reverie ['revərɪ:] *n* ↑ *daydream* Träumerei *f*
reversal [rɪ'vɜ:səl] *n* Umkehrung *f,* Rückschlag *m;* **reverse** [rɪ'vɜ:s] **I.** *n* [1] ↑ *other side* Rückseite *f,* Rückschlag *m* [2] AUTO ▷*gear* Rückwärtsgang *m;* ◇ **put the car into** ~ den Rückwärtsgang einlegen **II.** *adj* ▷*order, direction* entgegengesetzt **III.** *vt* [1] → *page* umdrehen [2] → *car* zurücksetzen, rückwärts fahren **IV.** *vi* [1] ← *car* rückwärts fahren [2] → *telephone call* ◇ **to** ~ **the charges** ein R-Gespräch führen; **reverse gear** *n* Rückwärtsgang *m;* **reverse side** *n* Rückseite *f;* **reversible** *adj* [1] ▷*process, decision* umkehrbar [2] ▷*clothing* Wende-
revert [rɪ'vɜ:t] *vi* ← *topic* zurückkehren, zurückkommen (*to* zu *acc*); ← *habit* zurückfallen (*to* in *acc*)
review [rɪ'vju:] **I.** *n* [1] ↑ *film or book criticism* Kritik *f,* Rezension *f;* ↑ *discussion* Besprechung *f* [2] (*magazine*) Zeitschrift *f* [3] ↑ *assessment* Überprüfung *f* **II.** *vt* [1] → *book* besprechen, rezensieren [2] ↑ *reexamine* erneut überprüfen; ◇ **my case is under** ~ mein Fall wird untersucht; **reviewer** *n* ↑ *critic* Kritiker(in *f*) *m,* Rezensent(in *f*) *m*
revise [rɪ'vaɪz] *vt* [1] ↑ *alter, improve* revidieren, überholen; → *book* überarbeiten [2] ↑ *reconsider* neu überlegen [3] ↑ *study* lernen; **revised edition** *n* Neubearbeitung *f;* **revision** [rɪ'vɪʒən] *n* [1] ↑ *change* Revidierung *f,* Änderung *f;* (*of book*) Überarbeitung *f* [2] ↑ *studying* Lernen *s* [3] COMM Revision *f*
revitalize [ri:'vaɪtəlaɪz] *vt* neu beleben
revival [rɪ'vaɪvəl] *n* [1] ↑ *resumption* Wiederaufnahme *f* [2] ↑ *renewed popularity* Wiederbelebung *f,* Wiederaufleben *s* [3] THEAT Wiederaufnahme *f;* **revive** [rɪ'vaɪv] *vt* [1] → *resumption* wiederbeleben [2] THEAT wiederaufnehmen
revoke [rɪ'vəʊk] *vt* → *law* aufheben; → *decision, agreement* rückgängig machen, widerrufen; → *licence* entziehen; → *promise* zurückziehen
revolt [rɪ'vəʊlt] **I.** *n* ↑ *uprising* Revolte *f;* (*opposition*) Aufstand *m* **II.** *vi* [1] ↑ *rebel* revoltieren, rebellieren [2] ↑ *reject* sich auflehnen **III.** *vt* ↑ *repel* entsetzen; **revolting** *adj* ↑ *unpleasant* widerlich, abstoßend
revolution [revə'lu:ʃən] *n* [1] ↑ *uprising* Revolution *f* [2] ↑ *rotation* Umdrehung *f* [3] ↑ *change* Umwälzung *f;* **revolutionary** **I.** *adj* (*ideas*) revolutionär **II.** *n* (*person*) Revolutionär(in *f*) *m;* **revolution counter** *n* Drehzahlmesser *m;* **revolutionize** *vt FIG* revolutionieren
revolve [rɪ'vɒlv] *vi* [1] ↑ *circle* kreisen; (*on own axis*) sich drehen, rotieren [2] ← *conversation* sich drehen
revolver [rɪ'vɒlvə*] *n* Revolver *m*
revovling *adj* drehbar; **revolving door** *n* Drehtür *f*
revue [rɪ'vju:] *n* ↑ *show* Revue *f,* Kabarett *s*
revulsion [rɪ'vʌlʃən] *n* ↑ *disgust* Ekel *m;* ↑ *dislike* Abscheu *f*
reward [rɪ'wɔ:d] **I.** *n* Belohnung *f* **II.** *vt* belohnen; ◇ **that might** ~ **some careful investigation** es wäre sicherlich lohnend, das näher zu untersuchen; **rewarding** *adj* ↑ *worthwhile* lohnend; ◇ **it is a** ~ **experience** es ist eine sehr lohnende Erfahrung
rewind [ri:'waɪnd] *vt* → *cassette* zurückspulen
rewire [ri:'waɪə*] *vt* → *building* neu verkabeln
reword [ri:'wɜ:d] *vt* umformulieren
rewrite [ri:'raɪt] *irr vt* neu schreiben, umschreiben
rhapsody ['ræpsədɪ] *n* (*composition*) Rhapsodie *f*
rhetoric ['retərɪk] *n* Rhetorik *f,* Redekunst *f;* **rhetorical** [rɪ'tɒrɪkəl] *adj* ▷*question* rhetorisch
rheumatic [ru:'mætɪk] **I.** *adj* rheumatisch **II.** *n* Rheumatiker(in *f*) *m;* **rheumatism** ['ru:mətɪzəm] *n* Rheumatismus *m,* Rheuma *s*
Rhine [raɪn] *n* Rhein *m*
rhinestone *n* (*cheap jewel*) Rheinkiesel *m*
rhinoceros [raɪ'nɒsərəs] *n* Nashorn *s,* Rhinozeros *s*
rhododendron [rəʊdə'dendrən] *n* Rhododendron *m*
Rhône [rəʊn] *n* Rhône *f*
rhubarb ['ru:bɑ:b] *n* Rhabarber *m*
rhyme [raɪm] *n* Reim *m*
rhythm ['rɪðəm] *n* Rhythmus *m;* **rhythmical** ['rɪðmɪkl] *adj* rhythmisch
rib [rɪb] *n* Rippe *f;* **rib-cage** *n* Brustkorb *m*
ribald ['rɪbəld] *adj* ↑ *vulgar* derb
ribbon ['rɪbən] *n* (*hair*) Band *s;* (*typewriter*) Farbband *s*
rice [raɪs] *n* Reis *m;* **rice paper** *n* Oblate *f;* **rice pudding** *n* Milchreis *m*
rich [rɪtʃ] *adj* [1] ↑ *wealthy* reich, wohlhabend [2] ↑ *fertile* fruchtbar [3] ▷*food* schwer [4] (*in colour*) voll; **riches** *n pl* Reichtum *m,* Reichtümer *pl;* **richly** *adv* [1] ↑ *handsomely* ◇ **she was** ~ **rewarded for her efforts** sie wurde reich belohnt für ihre Mühe [2] ↑ *thoroughly* ◇ **Michael** ~ **deserves the chance** Michael hat die Chance mehr als verdient [3] ↑ *abundant* reich [4] ▷*coloured* bunt
rick [rɪk] *n* ↑ *stack* Schober *m*
rickets ['rɪkɪts] *n sg* (*disease*) Rachitis *f*
rickety ['rɪkɪtɪ] *adj* ▷*table, chair* wackelig
rickshaw ['rɪkʃɔ:] *n* Rikscha *f*

ricochet ['rıkəʃeı] *vi* abprallen

rid [rıd] <rid, rid> *vt* ① ↑ *free* befreien (*of* von); ◇ **to get ~ of s.o./s.th.** jd-n/etw loswerden ② ↑ *remove* entfernen

riddance ['rıdəns] *n:* ◇ **Good ~ to that!** Den bin ich Gott sei Dank los!

ridden ['rıdn] *pp of* **ride**

riddle ['rıdl] **I.** *n* ① ↑ *sieve* [Schüttel-]Sieb *s* ② ↑ *problem, puzzle* Rätsel *s;* ◇ **to talk in ~s** in Rätseln sprechen **II.** *vt:* ◇ **to be ~ed with bullets** von Kugeln durchlöchert

ride [raıd] <rode, ridden> **I.** *vt* → *horse* reiten; → *bicycle* fahren **II.** *vi* reiten, fahren; ← *ship* vor Anker liegen **III.** *n* (*in car*) Fahrt *f;* (*on horse*) Ritt *m; FIG* ↑ *deceive* ◇ **to take s.o. for a ~** jd-n reinlegen; **rider** *n* ① Reiter(in *f*) *m* ② ↑ *addition* Zusatz *m*

ridge [rıdʒ] *n* ① (*of hills*) Kamm *m,* Grat *m;* (*of roof*) First *m* ② (*meteorology*) ◇ **a ~ of high pressure** ein Hochdruckkeil *m*

ridicule ['rıdıkju:l] **I.** *n* Spott *m* **II.** *vt* sich lächerlich machen (*s.o./s.th.* über jd-n/etw *acc*); **ridiculous** [rı'dıku:ləs] *adj* lächerlich

riding ['raıdıŋ] *n* (*horses*) Reiten *s;* **riding boot** *n* Reitstiefel *m;* **riding breeches** *n pl* Reithose *f;* **riding habit** *n* Reitkleid *s*

rife [raıf] *adj* ① ↑ *common* → *corruption* weit verbreitet ② ↑ *full of* voll von, voller

riffraff ['rıfræf] *n* Gesindel *s,* Pöbel *m*

rifle ['raıfl] **I.** *n* Gewehr *s* **II.** *vt* (*go through quickly*): ◇ **Tom ~d through the book** Tom blätterte das Buch schnell durch; **rifleman** *n* [Gewehr-]Schütze *m;* **rifle range** *n* Schießstand *m*

rift [rıft] *n* ① (*in ground*) Spalte *f* ② (*FIG in friendship*) Bruch *m*

rig [rıg] **I.** *n* ① (*gas, oil*) Bohrinsel *f* ② (*outfit*) Takelung *f* **II.** *vt* ① → *ship* auftakeln ② ↑ *fix* → *election* manipulieren

rigging *n* ① (*of ship*) Auftakeln *s* ② (*of elections*) Manipulation *f*

right [raıt] **I.** *adj* ① ↑ *correct* richtig, korrekt ② (*opposite of left*) rechts; ◇ **the house on the ~** das Haus rechts/auf der rechten Seite **II.** *n* ① ↑ *entitlement* Recht *s;* (POL *conservative or nationalist*) Rechte *f* **III.** *adv* ① ◇ **the house on the ~** das Haus rechts [*o.* auf der rechten Seite]; (*to the ~*) rechts ② ↑ *directly* ◇ **I went ~ home** ich bin direkt nach Hause gefahren ③ ↑ *exactly* ◇ **~ there** genau dort ④ ◇ **to work ~** richtig funktionieren **IV.** *vt* ↑ *become correct*: ◇ **the problem ~ed itself** das Problem löste sich von selbst **V.** *intj:* ◇ **to be ~** Recht haben; ◇ **it must be done ~ away** es muß sofort gemacht werden; ◇ **do you mean ~ now?** meinen Sie jetzt gleich?; (*ironically*) ◇ **When will the time be ~?** Und wann ist, bitteschön, die passende Zeit dafür?

right angle *n* MATH rechter Winkel *m*

righteous ['raıtʃəs] *adj* rechtschaffen

rightful ['raıtfʊl] *adj* rechtmäßig; **rightfully** *adv* ↑ *justifiably* rechtmäßig, zu Recht

right-hand side *n* rechte Seite *f;* **right-hand man** *n FIG* ↑ *support* rechte Hand *f*

rightly *adv* mit Recht

right-minded *adj* rechtschaffen; **right of way** *n* Vorfahrt *f;* **right to strike** *n* Streikrecht *s;* **right to vote** *n* Wahlrecht *s;* **right-wing** *n* POL Rechts-, dem rechten Flügel angehörend; **right-winger** *n* POL Rechte(r) *fm,* Rechtsaußen *m*

rigid ['rıdʒıd] *adj* ① ↑ *fixed* starr ② ↑ *inflexible* steif, streng

rigmarole ['rıgmərəʊl] *n* Gelaber *s,* Geschwätz *s*

rigor mortis ['rıgə'mɔ:tıs] *n* Leichenstarre *f*

rigorous ['rıgərəs] *adj* ① ↑ *strict* streng ② ↑ *exact* genau, gründlich; **rigour**, **rigor** (*AM*) ['rıgə] *n* Strenge *f,* Härte *f*

rig-out ['rıgaʊt] *n FAM* ↑ *outfit* Aufzug *m*

rile [raıl] *vt* ↑ *annoy* reizen, ärgern

rim [rım] *n* (*of glass*) Rand *m;* (*of wheel*) Felge *f;* **rimless** *adj* ▷*spectacles* randlos; **rimmed** *adj* ↑ *edged* gerändert

rind [raınd] *n* ↑ *peel* Schale *f;* (*of cheese*) Rinde *f;* (*of bacon*) Schwarte *f*

ring [rıŋ] <rang, rung> **I.** *vti* → *bell* läuten; TELECOM ◇ **~ up** anrufen **II.** *n* ① (*jewel*) Ring *m* ② (*of people*) Kreis *m* ③ (*circus*) Manege *f;* ↑ *boxing* **~** Ring *m* ④ (*of telephone*) Klingeln *s,* Läuten *s;* ◇ **to give s.o. a ~** jd-n anrufen; ◇ **that story has a familiar ~** diese Geschichte klingt irgendwie bekannt; ◇ **my ears are ~ing** ich habe Ohrensausen *s;* **ring binder** *n* Ringbuch *s*

ringer *n* ① (*person who rings bells*) Glöckner *m* ② (*s.o. who looks identical to s.o. else*) ◇ **to be a dead ~ for s.o.** jd-m aufs Haar gleichen

ring finger *n* Ringfinger *m*

ringing tone *n* TELECOM Rufzeichen *s*

ringleader *n* Rädelsführer(in *f*) *m*

ringlets ['rıŋlıts] *n pl* Ringellocken *f pl*

ring road *n* (*BRIT*) Umgehungsstraße *f;* **ringside** *n* (*circus*): ◇ **at the ~** am Ring *m;* **ringworm** *n* BIO Scherpilzflechte *f*

rink [rıŋk] *n:* ◇ **ice ~** Eislaufbahn, Schlittschuhbahn *f;* ◇ **rollerskating ~** Rollschuhbahn *f*

rinse [rıns] *vt* spülen

riot ['raıət] **I.** *n* (*wild event*) Aufruhr *m,* Krawall *m* **II.** *vi* ① randalieren ② ↑ *funny* ◇ **Fred is a ~** Fred ist zum Schreien komisch; **rioter** *n* Aufrührer(in *f*) *m,* Randalierer(in *f*) *m;* **riotous** *adj* (1) ↑ *in riot* aufrührerisch, randalierend (2) ↑ *out of control* wild; **riot squad** *n* Überfallkommando *s*

rip [rɪp] **I.** *n* ↑ *tear* Riß *m* **II.** *vti* (1) ↑ *tear* zerreißen (2) ↑ *snatch* aus der Hand reißen

ripcord *n* (*parachute*) Reißleine *f*

ripe [raɪp] *adj* ▷*fruit* reif; ▷*cheese* reif, ausgereift; ◇ **the time is** ~ die Zeit ist reif

ripen *vti* reifen, reifen lassen

rip-off *n* ↑ *swindle, FAM* Nepp *m,* Diebstahl *m*

ripple ['rɪpl] **I.** *n* kleine Welle *f,* Kräuseln *s* **II.** *vt* kräuseln **III.** *vi* sich kräuseln, plätschern

rise [raɪz] <rose, risen> **I.** *vi* ← *temperature* steigen; ← *sun* aufgehen; ← *smoke* aufsteigen; ← *prices* steigen, hochgehen; ← *tension* steigen; ← *mountain* sich erheben; ← *ground* ansteigen; ← *rebel* sich erheben **II.** *n* (1) ▷*in pay* Gehaltserhöhung *f* (2) ↑ *slope* Steigung *f* (3) ↑ *increase* Anstieg *m;* ◇ **on the** ~ ansteigend (4) ↑ *cause* ◇ **to give** ~ **to** verursachen, führen zu; ◇ **to** ~ **from the dead** von den Toten auferstehen; ↑ *stand up* ◇ **to** ~ **to the occasion** der Situation begegnen; **rise above I.** *vt* ↑ *overcome* überwältigen **II.** *vi* stehen über

risen ['rɪzn] *pp of* **rise**

riser *n:* ◇ **early** ~ Frühaufsteher(in *f*) *m*

rising ↑ *rebellion* Aufstand *m;* **rising damp** *n* (*mould*) aufsteigende Feuchtigkeit *f*

risk [rɪsk] **I.** *n* Risiko *s,* Gefahr *f;* ◇ **health** ~ Gesundheitsrisiko *s;* ◇ **at your own** ~ auf eigene Gefahr, auf eigenes Risiko **II.** *vt* ↑ *venture* wagen; ↑ *chance loss of* riskieren, aufs Spiel setzen; **risky** *adj* riskant, gefährlich

risqué ['ri:skeɪ] *adj* → *joke* gewagt

rissole ['rɪsəʊl] *n* Fleischklößchen *s*

rite [raɪt] *n* Ritus *m;* ◇ **the Last R-s** *pl* die Letzte Ölung *f*

ritual ['rɪtjʊəl] **I.** *n* ↑ *ceremony* Ritual *s;* (*routine*) Ritual *s* **II.** *adj* ritual, Ritual-; *FIG* rituell

rival ['raɪvəl] **I.** *n* Rivale(in *f*), Konkurrent(in *f*) *m* **II.** *adj* rivalisierend **III.** *vt* rivalisieren; COMM konkurrieren; **rivalry** ['raɪvəlrɪ] *n* Rivalität *f,* Konkurrenz *f*

river ['rɪvə*] *n* Fluß *m;* ◇ **the R~ Thames** die Themse; **riverbank** *n* Flußufer *s;* **riverbed** *n* Flußbett *s;* **riverside I.** *n* Flußufer *s* **II.** *adj* am Fluß, am Ufer, Ufer-

rivet ['rɪvɪt] *vt* (1) ↑ *engross* → *attention* fesseln (2) ↑ *tie* nieten

rivetting *adj* ▷*conversation* fesselnd, hochinteressant

Riviera [rɪvɪ'ɛərə] *n:* ◇ **the French** ~ die Riviera

RN *n abbr. of* **Royal Navy** *BRIT* die Royal Navy *f*

roach [rəʊtʃ] *n AM FAM* Küchenschabe *f*

road [rəʊd] *n* Straße *f;* **roadblock** *n* Straßensperre *f;* **road holding** *n* Straßenlage *f;* **roadhog** *n* Verkehrsrowdy *m;* **roadmap** *n* Straßenkarte *f;* **road side I.** *n* Straßenrand *m* **II.** *adj* (~ ~ *cafe*) Straßen-, an der Straße; **road sign** *n* Straßenschild *s;* **road tax** *n* Kraftfahrzeugsteuer *f;* **road test** *n* Probefahrt *f*

road-user *n* Verkehrsteilnehmer(in *f*) *m;* **roadway** *n* Fahrbahn *f;* **roadworks** *n pl* Bauarbeiten *pl,* Sraßenarbeiten *pl;* **roadworthy** *adj* verkehrstüchtig

roam [rəʊm] **I.** *vi* wandern **II.** *vt* wandern durch

roar [rɔ:*] **I.** *n lion* Brüllen *s,* Gebrüll *s* **II.** *vi* (*sound*) donnern; ← *lion* brüllen; ↑ *shout* ◇ **to** ~ **with laughter** schallend lachen; **roaring** *adj* ▷*sound* brüllend, donnernd; ▷*success* Riesen-, Bomben-; *FAM* ◇ ~ **drunk** sternhagelvoll

roast [rəʊst] **I.** *n* Braten *m;* ◇ ~ **beef** Rinderbraten *m* **II.** *vt* → *meat* braten; → *coffee* rösten

rob [rɒb] *vt* → *tourist* berauben, bestehlen; → *bank* überfallen; **robber** [rɒbə*] *n* Räuber(in *f*) *m;* **robbery** *n* Raub *m*

robe [rəʊb] **I.** *n* (1) ↑ *dress* Gewand *s* (2) (*judge's* ~) Robe *f* **II.** *vt* ↑ *get dressed up* sich feierlich kleiden

robin ['rɒbɪn] *n* Rotkehlchen *s*

robot ['rəʊbɒt] *n* Roboter *m*

robust [rəʊ'bʌst] *adj* robust

rock [rɒk] **I.** *n* (1) ↑ *boulder* Felsen *m;* (*piece*) Stein *m* (2) ▷*music* Rockmusik *f,* Rock *m* (3) (~ *candy*) Zuckerstange *f* **II.** *vti* (1) ← *boat* schaukeln (2) ↑ *shock* schockieren (3) ◇ **on the** ~**s** (*drink*) mit Eis; (*FIG in danger*) ◇ **their marriage is on the** ~**s** in ihrer Ehe kriselt es gewaltig; ← *ship* auflaufen; ◇ **to** ~ **with laughter** sich vor Lachen biegen; **rock-bottom** *n FIG:* ◇ **to hit** ~ ~ den Tiefpunkt erreichen; ▷*price* Niedrigstpreis *m;* **rock climber** *n* Kletterer *m,* Klettrerin *f;* **rock climbing** *n* Klettern *s*

rocker *n* (1) (*chair*) Kufe *f* (2) *person, BRIT* Rokker *m* (3) ↑ *crazy* ◇ **to be off o.'s** ~ übergeschnappt sein

rockery *n* (*garden*) Steingarten *m*

rock hard *adj* steinhart

rocket ['rɒkɪt] *n* Rakete *f*

rock face ['rɒkfeɪs] *n* Felswand *f*

rocking chair ['rɒkɪŋtʃɛə*] *n* Schaukelstuhl *m;* **rocking horse** *n* Schaukelpferd *s*

rock sugar *n* Kandiszucker *m;* **rocky** ['rɒkɪ] *adj* felsig

rod [rɒd] *n* ↑ *bar* Stange *f,* Stab *m*

rode [rəʊd] *pt of* **ride**

rodent ['rəʊdənt] *n* Nagetier *s*

R

rodeo ['rəʊdɪəʊ] *n* <-s> Rodeo *s*
roe [rəʊ] *n* ① ↑ *deer* Reh *s* ② (*of fish*) Rogen *m*
roguish ['rəʊgɪʃ] *adj* ↑ *playful* schelmisch
role [rəʊl] *n* ① ↑ *place, part* Rolle *f* ② THEAT ↑ *part* Rolle *f;* **role distribution** *n* Rollenverteilung *f;* **role-playing** *n* Rollenspiel *s*
roll [rəʊl] **I.** *n* ① Rolle *f* ② (*bread*) Brötchen *s,* Semmel *f* ③ ↑ *list* Verzeichnis *s;* ◇ **~ call** Verlesen *s* der Namensliste ④ (*of drum*) Wirbel *m* ⑤ (*of fat*) Wulst *f* **II.** *vt* ↑ *turn* rollen; → *eyes* verdrehen; → *dice* würfeln; ◇ **to ~ a cigarette** eine Zigarette drehen **III.** *vi* ← *sound* rollen, sich wälzen; ◇ **they are ~ing in money** sie schwimmen im Geld; *FIG* ↑ *pay for s.th.* ◇ **heads will be ~ing** es werden einige Köpfe rollen; **roll about** *vi* ① herumrollen ② ← *ship* schlingern ③ ← *dog* sich wälzen; **roll down** *vt* → *sleeves* herunterkrempeln; → *blinds* herunterkurbeln, herunterlassen; **roll on** *vi:* ◇ **~ ~, five o'clock** wenn es doch nur schon fünf Uhr wäre; **roll over** *vi* sich [herum-]drehen; **roll up** **I.** *vi* ↑ *arrive* auftauchen, ankommen **II.** *vt* ① → *carpet* ausrollen ② ↑ *turn up* antanzen; **roll call** *n* Namensaufruf *m*
roller *n* (*road ~*) Straßenwalze *f;* (*hair ~*) Lockenwickler *m;* **roller-coaster** *n* Achterbahn *f;* **roller shutters** *n pl* Rolladen *m;* **roller skates** *n pl* Rollschuhe *m pl*
rollicking ['rɒlɪkɪŋ] *adj* (*person*) ausgelassen; (*occasion*) wild, sehr lustig
rolling ['rəʊlɪŋ] *adj* ▷*landscape* wellig; **rolling pin** *n* Teigrolle *f,* Nudelholz *s;* **rolling stock** *n* Wagenmaterial *s;* **rolling stone** *n* (*FIG person*) Wandervogel *m*
roll-on deodorant ['rəʊlɒn] *n* Deoroller *m*
ROM [rɒm] *n acronym of* **read only memory** Nur-Lese-Speicher *m*
Roman ['rəʊmən] **I.** *adj* römisch; ◇ **~ numerals** römische Ziffern *f pl* **II.** *n* Römer(in *f*) *m;* **Roman Catholic** *n* Katholik(in *f*) *m*
romance [rəʊ'mæns] **I.** *n* Romanze *f;* (*story*) [Liebes-]Roman *m* **II.** *vi* ↑ *tell stories* phantasieren
Romania [rəʊ'meɪnɪə] *n* Rumänien *s*
Romanian **I.** *adj* rumänisch **II.** *n* Rumäne *m,* Rumänin *f*
romantic [rəʊ'mæntɪk] *adj* romantisch; **romanticize** *vt* ↑ *idealize* romantisieren
Romanticism [rəʊ'mæntɪsɪzəm] *n* Romantik *f*
romp [rɒmp] *vi* ↑ *~ about* herumtollen
rompers *n pl* (*child's clothing*) Spielanzug *m*
roof [ru:f] **I.** *n* (*of house*) Dach *s;* (*of mouth*) Gaumen *m;* ↑ *shelter* ◇ **a ~ over your head** ein Dach über dem Kopf **II.** *vt* ① überdachen, überdecken ② ↑ *be angry* ◇ **to go through the ~** an die Decke gehen; **roofer** *n* Dachdecker(in *f*) *m;* **roof garden** *n* Dachgarten *m;* **roofing** *n* Dachmaterial *s;* **roof-rack** *n* (*on car*) Dachgepäckträger *m*
rook [rʊk] **I.** *n* ① (*bird*) Saatkrähe *f* ② CHESS Turm *m* **II.** *vt* ↑ *cheat* betrügen
room [ru:m] *n* ① (*of house*) Zimmer *s,* Raum *m* ② ↑ *space* Platz *m* ③ (*FIG for manoevre*) Spielraum *m* ④ ◇ **men's ~** Männertoilette *f;* ◇ **~s** *pl* Zimmer zu vermieten; **room-mate** *n* Mitbewohner(in *f*) *m,* Zimmergenosse(Zimmergenossin *f*) *m;* **room service** *n* Zimmerservice *m;* **room-temperature** *n* Zimmertemperatur *f;* **roomy** *adj* ↑ *spacious* geräumig
roost [ru:st] **I.** *n* Hühnerstange *f* **II.** *vi* ← *cock* sich auf die Stange setzen
rooster *n* ↑ *cock* Hahn *m*
root [ru:t] **I.** *n* Wurzel *f;* ◇ **the ~ of all evil** die Wurzel allen Übels; ◇ **to get to the ~ of s.th.** einer Sache auf den Grund gehen **II.** *vt* einwurzeln; *FIG* ◇ **to take ~** Wurzeln schlagen; **root about** *vi FIG* ↑ *hunt* herumwühlen; **root for** *vi AM* ↑ *cheer on* anfeuern, unterstützen; **root out** *vt* ausjäten; *FIG* ausrotten; **rooted** *adj* (*FIG in tradition*) verwurzelt; **root sign** *n* MATH Wurzelzeichen *s*
rope [rəʊp] **I.** *n* Seil *s,* Strick *m* **II.** *vt* ↑ *tie* festbinden; ◇ **to know the ~s** sich auskennen; **rope off** *vt* absperren, (durch ein Seil) abgrenzen; **rope ladder** *n* Strickleiter *f*
rosary ['reʊzərɪ] *n* REL Rosenkranz *m*
rose [rəʊz] **I.** *pt of* **rise**; **II.** *n* Rose *f* **III.** *adj* (*colour*) rosa[rot]
rosé ['rəʊzeɪ] *n* ▷*wine* Rosé *m*
rosebud ['rəʊzbʌd] *n* Rosenknospe *f;* **rosebush** *n* Rosenstock *m,* Rosenstrauch *m;* **rose-red** *adj* rosenrot; **rosemary** ['rəʊzmərɪ] *n* Rosmarin *m;* **rosewood** *n* Rosenholz *s*
rosette [rəʊ'zet] *n* Rosette *f*
roster ['rɒstə*] *n* Dienstplan *m*
rostrum ['rɒstrəm] *n* Rednerpult *s*
rosy ['rəʊzɪ] *adj* ① (*colour*) rosig ② ▷*prospects* ↑ *good* rosig
rot [rɒt] **I.** *n* ① ↑ *decay* Fäulnis *f* ② ↑ *nonsense* ◇ **What ~!** Was für ein Blödsinn! **II.** *vti* ① ↑ *go bad* verrotten, verfaulen ② *FIG* ↑ *stay forever* verrotten
rota ['rəʊtə] *n BRIT* ↑ *roster* Dienstplan *m*
rotary ['rəʊtərɪ] *adj* rotierend, sich drehend
rotate [rəʊ'teɪt] **I.** *vt* rotieren lassen; → *crops* im Wechsel anbauen **II.** *vi* rotieren; **rotating** *adj* rotierend; **rotation** [rəʊ'teɪʃən] *n* Rotation *f,* Drehung *f;* (*of crops*) Anbau *m* im Wechsel; (*of jobs*) turnusmäßiger Wechsel *m;* ◇ **to do s.th. in ~** etw abwechselnd machen

rotor ['rəʊtə*] *n* ↑ *helicopter blades* Rotor *m*
rotten ['rɒtn] *adj* ↑ *decomposed* faul, verfault; ↑ *bad* schlecht; ▷*person* schlecht, gemein; ◇ ~ **luck!** Pech gehabt!
rotter *n BRIT* ↑ *mean person* Lump *m*
rotund [rəʊ'tʌnd] *adj* rund
rouge [ru:ʒ] *n* Rouge *s*
rough [rʌf] **I.** *adj* ↑ *rugged* rauh; ▷*skin* rauh; ▷*manner* grob; ↑ *violent, aggressive* grob, aggressiv; ▷*situation* gefährlich; ↑ *approximate* ungefähr; ▷*plan, draft* grob, ungefähr; ▷*shelter* grob; ▷*sea* stürmisch; ▷*area, part of town* gefährlich; ◇ ~ **diamond** Rohdiamant *m* **II.** *n* ▷*person* Rowdy *m;* ◇ **to take the ~ with the smooth** das Leben nehmen wie es kommt; ◇ **we are going to have to ~ it** wir müssen primitiv leben; ◇ **to play ~** SPORT hart spielen; ◇ **to sleep ~** im Freien schlafen; **rough out** *vt* ↑ *outline* flüchtig skizzieren
rough and tumble *n* ↑ *playful fight* Balgerei *f*
roughage ['rʌfɪdʒ] *n* Ballaststoffe *pl*
roughen *vt* aufrauhen; **roughly** *adv* ▷*made* grob; ↑ *about* ungefähr; **roughness** *n* Rauheit *f;* (*of manner*) Ungeschliffenheit, Derbheit *f*
roulade [roulade] *n* Roulade *f*
roulette [ru:'let] *n* Roulette *s;* ◇ **Russian ~** Russisches Roulette *s*
round [raʊnd] **I.** *adj* rund; ▷*object* abgerundet **II.** *adv* (*in a circle*) rundherum **III.** *prep* um…herum **IV.** *n* [1] (*of drinks*) Runde *f* [2] (*of ammunition*) Ladung *f* [3] (*song*) Kanon *m* [4] ◇ ~ **of applause** Applaus *m,* Beifall *m* **V.** *vt* → *edge* abrunden; ◇ **to look ~** sich umschauen; ◇ ~ **and ~** immer rund herum, immer im Kreis herum; **round off** *vt* abrunden; **round up** *vt* [1] → *criminal* hochnehmen [2] → *figures* aufrunden; **roundabout** ['raʊndəbaʊt] **I.** *n* [1] ▷*traffic* Kreisverkehr *m* [2] ↑ *merry-go-round* Karussell *s* **II.** *adj* ▷*manner*: ◇ **in a ~ way** auf Umwegen; **rounded** *adj* gerundet
rounders *n* SPORT *BRIT* Schlagball *m;* **round-eyed** *adj* ↑ *fear-filled* großäugig; **roundly** *adv FIG* ↑ *soundly* gründlich; **round-shouldered** *adj* mit runden Schultern; **round-the-clock** *adj* rund um die Uhr; **roundsman** *n* <-men> (*deliveryman*) Austräger *m;* ◇ **milk ~** Milchmann *m;* **round trip** *n* Rückfahrkarte *f;* **roundup** *n* [1] ↑ *summary* Zusammenfassung *f* [2] ↑ *gathering* Zusammentreiben *s*
rouse [raʊz] *vt* [1] ↑ *wake up* [auf]wecken [2] ↑ *stir* → *emotions* erregen [3] ↑ *provoke* provozieren; ◇ **to ~ s.o. to action** jd-n zum Handeln bewegen; **rousing** *adj* ▷*welcome* stürmisch; ▷*speech* zündend
rout [raʊt] *vt* ↑ *defeat* in die Flucht schlagen
route [ru:t] *n* Route *f,* Weg *m*
routine [ru:'ti:n] **I.** *n* Routine *f* **II.** *adj* ↑ *regular* Routine-, routinemäßig; ↑ *drudgery* Routine-, routinemäßig
rove [rəʊv] *vt* [1] ↑ *wander* umherwandern [2] ↑ *scan* ← *eyes* wandern durch; ◇ **Jean has a roving eye** Jean riskiert gerne ein Auge
roving ['rəʊvɪŋ] *adj* ▷*reporter* im Außendienst
row [rəʊ] **I.** *n* ↑ *line* Reihe *f* **II.** *vti* → *boat* rudern **III.** [raʊ] *n* [1] ↑ *argument* Streit *m* [2] ↑ *noise* ◇ **What a ~!** Was für ein Krach! **IV.** *vi* sich streiten;
rowboat ['rəʊbəʊt] *n* (*AM*) Ruderboot *s*
rowdy ['raʊdɪ] **I.** *adj* randalierend **II.** *n* (*person*) Rowdy *m*
rower *n* (*person who rows*) Ruderer(in *f*) *m;* **rowing** ['rəʊɪŋ] *n* Rudern *s;* SPORT Rudersport *m;*
rowing boat *n* Ruderboot *s*
rowlock ['rɒlək] *n* Rudergabel *f*
royal ['rɔɪəl] *adj* ↑ *regal, kingly* königlich, Königs-; ▷*treatment* königlich, fürstlich; ◇ ~ **blue** königsblau; ◇ ~ **family** königliche Familie *f;*
royalty *n* [1] (*family*) Mitglied der königlichen Familie [2] (*for book, play*) ◇ **royalties** Tantiemen *f* [3] (*for invention*) Patentgebühr, Lizenzgebühr *f*
rub [rʌb] **I.** *n* [1] ↑ *stroke* Reiben, Streicheln *s* [2] ↑ *problem, snag* Haken *m* **II.** *vt* ↑ *polish* polieren; ↑ *apply* → *creme* einreiben; ◇ **to give s.th. a ~** etw abreiben; (*fig to make even worse*) ◇ **to ~ salt into s.o.'s wounds** Salz in jd-s Wunden streuen; **rub off** *vi also FIG* ← *influence* abfärben (*on* auf *acc*); **rub up** *vt* ↑ *annoy*: ◇ **to ~ ~ s.o. the wrong way** bei jd-m anecken
rubber ['rʌbə*] *n* [1] Gummi *m* [2] ↑ *eraser* Radiergummi *m* [3] (*AM contraceptive*) Kondom *s,* Gummi *m;* **rubber ball** *n* Gummiball *m;* **rubber band** *n* Gummiband *s;* **rubber dinghy** *n* Schlauchboot *s;* **rubber glove** *n* Gummihandschuh *m;* **rubber plant** *n* Gummibaum *m;* **rubbery** *adj* gummiartig
rubbish ['rʌbɪʃ] *n* [1] ↑ *waste* Abfall *m,* Abfälle *pl* [2] ↑ *nonsense* Unsinn *m,* Quatsch *m* [3] (*of poor quality*) Mist *m;* **rubbish disposal** *n* Müllabfuhr *f;* **rubbish dump** *n* Müllabladeplatz *m;* **rubbish heap** *n* Müllhaufen *m*
rubble ['rʌbl] *n* Schutt *m*
ruby ['ru:bɪ] **I.** *n* Rubin *m* **II.** *adj* (*colour*) rubinrot
rucksack ['rʌksæk] *n* Rucksack *m*
rudder ['rʌdə*] *n* Steuerruder *s*
ruddy ['rʌdɪ] *adj* [1] (*colour*) rot [2] *FAM* ↑ *bloody* verdammt
rude *adj* ▷*behaviour* böse, unhöflich; ▷*awaken-*

ing überraschend, böse; **rudeness** *n* Grobheit *f*, Unhöflichkeit *f*
rudimentary [ru:dɪ'mentərɪ] *adj* ↑ *basic* elementar, Anfangs-
rudiments ['ru:dɪmənt] *n* ↑ *basics* Grundlage *f*
Rudolf-Steiner school *n* Waldorfschule *f*
ruff [rʌf] *n* ↑ *collar* Halskrause *f*
ruffian ['rʌfɪən] *n* ↑ *scoundrel* Rohling, Grobian *m*
ruffle ['rʌfl] *vt* [1] → *hair* zerzausen; → *feathers* sich aufplustern [2] ↑ *upset, FIG* verärgern; ◇ **to ~ s.o.'s composure** jd-n aus der Fassung bringen
rug [rʌg] *n* [1] ↑ *mat* Teppich *m* [2] (*bed*) Vorleger *m* [3] ↑ *ignore* ◇ **to sweep s.th. under the ~** etw unter den Teppich kehren
rugged ['rʌgɪd] *adj* ▷*coastline* felsig, zerklüftet; ▷*features* zerfurcht
ruin ['ru:ɪn] **I.** *n* [1] (*house*) Ruine *f* [2] (*downfall*) Trümmer *pl;* ◇ **you'll be the ~ of me yet** du wirst mich noch ruinieren [3] ◇ **~s** Trümmer *m pl;* ◇ **the place was in ~s** das Haus lag in Trümmern **II.** *vt* ruinieren, verderben; **ruination** [ru:ɪ'neɪʃən] *n* Ruinierung *f*, Zerstörung *f;* **ruinous** *adj* [1] ↑ *costly* teuer [2] ↑ *disastrous* ruinös
rule [ru:l] **I.** *n* [1] ↑ *regulation* Regel *f*, Normalfall *m* [2] (*of government*) Regierung *f* [3] ◇ **golden ~** goldene Regel *f* [4] ↑ *convention* ◇ **~s of conduct** Verhaltensregeln *f pl* **II.** *vti* [1] ↑ *govern* herrschen *acc*, über, regieren [2] ↑ *decide* entscheiden [3] ↑ *make lines* linieren [4] ◇ **to bend the ~s** es mit den Vorschriften nicht so genau nehmen; ◇ **to make s.th. the rule** etw zur Regel machen; ◇ **as a ~ I don't drink** in der Regel trinke ich nicht; **ruled** *adj* ▷*paper* liniert; **ruler** *n* [1] Lineal *s* [2] (*person*) Herrscher(in *f*) *m*
ruling *adj* [1] (*in power*) ▷*party* Regierungs-; ▷*class* herrschend [2] ↑ *predominant* ▷*idea, feeling* vorherrschend
rum [rʌm] *n* Rum *m*
rumble ['rʌmbl] **I.** *n* (*of rocks*) Poltern, Rumpeln *s;* ↑ *murmur* Raunen *s;* (*of thunder*) Grollen *s;* (*of stomach*) Knurren *s* **II.** *vi* rumpeln, grollen
ruminate ['ru:mɪneɪt] *vi* wiederkäuen; *problem, FIG* grübeln
rummage ['rʌmɪdʒ] **I.** *n* Ramsch *m* **II.** *vi* herumstöbern
rummy *n* (*card game*) Rommé *s*
rumour, **rumor** (*AM*) ['ru:mə*] **I.** *n* ↑ *gossip* Gerücht *s* **II.** *vt:* ◇ **it is ~ed that he is living nearby** es geht das Gerücht um, daß er in der Nähe wohnt
rump [rʌmp] *n* ↑ *behind* Hinterteil *s;* (*of fowl*) Bürzel *m*
rump steak *n* Rumpsteak *m*
rumpus ['rʌmpəs] *n* (*disturbance*) Krach *m*
run [rʌn] <ran, run> **I.** *vt* [1] ↑ *move quickly* laufen [2] ↑ *function* funktionieren [3] ↑ *race* rennen; ← *car, train, bus* fahren; ↑ *pay for* unterhalten; ← *liquid* laufen, fließen; ← *colour* [ab]färben; ↑ *take place* → *concert* stattfinden, spielen **II.** *vi* PC laufen; ↑ *race* rennen; ← *bus, train* fahren; ↑ *flow* fließen, laufen; ← *colours* [ab]färben **III.** *n* Lauf *m;* (*in car*) Fahrt *f;* ↑ *series* Serie *f;* (*of play*) Spielzeit *f;* (*for animals*) Auslauf *m;* ◇ **ski ~** Abfahrt *f;* ◇ **he's on the ~** er ist auf der Flucht; ◇ **in the long ~ it can't work** auf die Dauer kann es nicht funktionieren; ◇ **to ~ a risk** ein Risiko eingehen; ◇ **a ~ of bad luck** Pechsträhne *f;* ◇ **it ~s in the family** das liegt in der Familie; **run about** *vi* ↑ *run around* sich herumtreiben mit; **run across** *vt* ↑ *bump into* stoßen auf *acc;* **run away** *vi* davonlaufen; **run after** *vi* [1] ↑ *chase* nachlaufen [2] ↑ *admire* nachlaufen; **run down I.** *vi* ← *clock* ablaufen **II.** *vt* [1] ↑ *critise* kritisieren, schlechtmachen [2] ↑ *run over* anfahren, überfahren [3] ↑ *tired, exhausted* ◇ **to be ~ ~** erschöpft sein; **run in** *vt BRIT* → *car* einfahren; **run into** *vt* → *person* begegnen, treffen; → *trouble* bekommen, kriegen; ↑ *collide with* zusammenstoßen; **run off** *vi* [1] ↑ *run away* fortlaufen [2] ↑ *elope* ◇ **to ~ ~ with s.o.** mit jd-m durchbrennen [3] ↑ *copy* kopieren, Abzüge machen [4] (*esp. to child*) ◇ **~ ~!** Los!; **run out** *vi* [1] ← *person* hinausrennen [2] ← *liquid* auslaufen [3] ↑ *expire* ablaufen [4] ← *money* ausgehen; ◇ **we ran out of petrol** uns ging das Benzin aus; **run over** *vt* [1] (*in accident*) überfahren [2] ↑ *scan* überfliegen; **run through** *vt* [1] → *instructions* durchgehen [2] ↑ *rehearse* proben [3] ↑ *stab* durchspießen; **run up** *vt* → *bill* machen; **run up against** *vt* ↑ *encounter* → *difficulties* stoßen auf *acc;* **runabout** ['rʌnəbaʊt] *n* (*small car*) Stadtwagen *m;*
runaround ['rʌnəraʊnd] *n:* ◇ **to give s.o. the ~** jd-n an der Nase herumführen; **runaround ticket** *n* RAIL Netzkarte *f;* **runaway** ['rʌnəweɪ] *adj* **I.** *n* ▷*child* Ausreißer(in *f*) *m* **II.** *adj* ▷*child* ausgerissen, durchgebrannt; ▷*car* ↑ *out of control* außer Kontrolle; **run-down** *adj* [1] ▷*house* baufällig [2] ↑ *decline* ▷*business* abgewirtschaftet [3] ▷*battery* leer
rung [rʌŋ] **I.** *pp of* **ring**; **II.** *n* (*of ladder*) Sprosse *f*
run-in *n* ↑ *argument* Streit *m*, Konflikt *m*
runner ['rʌnə*] *n* [1] Läufer(in *f*) *m* [2] ↑ *messenger* Bote *m* [3] (*for sleigh*) Kufe *f*
runner-up *n* Zweite(r) *fm*
running ['rʌnɪŋ] **I.** *n* [1] SPORT Laufen *s*, Rennen

s ② ↑ *management* Leitung *f* ③ ↑ *maintenance* (*of machine*) Laufen *s* ④ (*for election*) Kandidatur *f* **II.** *adj* ▷*water* fließend; ◇ ~ **commentary** fortlaufender Bericht; ↑ *consecutive* ◇ **for 2 days ~ now we haven't had water** wir haben jetzt seit zwei Tagen kein Wasser mehr

runny ['rʌnɪ] *adj* ▷*nose* laufend; ▷*eyes* tränend

run-of-the-mill ['rʌnəvðə'mɪl] *adj* ↑ *ordinary* durchschnittlich, mittelmäßig

run-time *n* (*of contract etc.*) Laufzeit *f*

runway ['rʌnweɪ] *n* Landebahn *f*, Startbahn *f*

rupture ['rʌptʃə*] **I.** *n* ① ↑ *breach* Bruch *m* ② ↑ *damage* Schaden *pl* ③ MED Bruch *m* **II.** *vr* ↑ *injure*: ◇ ~ **o.s.** sich einen Bruch heben

rural ['rʊərəl] *adj* (*in the country*) ländlich, Land-; ◇ ~ **community** Landgemeinschaft *f*

ruse [ru:z] *n* ↑ *deceitful plan* Kniff *m*, List *f*

rush [rʌʃ] **I.** *n* ① ↑ *hurry* Eile *f*, Hetze *f* ② ◇ ~ **of air** Zug *m* ③ ◇ **gold** ~ Goldrausch *m* **II.** *vt* ① ↑ *transport s.th. urgently* etw schnellstens weiterbefördern ② ↑ *attack* losstürmen auf *acc* **III.** *vi* ↑ *hurry* eilen; ◇ **to ~ into s.th.** etw überstürzen; ◇ **don't ~ her** dräng' sie nicht; ◇ **you're always in a ~** du hast es immer eilig; ↑ *very busy* ◇ **to be ~ed off o.'s feet** auf Trab sein; ◇ **to ~ into a situation** sich Hals über Kopf in etw stürzen

rushes *n pl* BIO Schilf *s*

rush hour *n* → *traffic* Hauptverkehrszeit *f*

rusk [rʌsk] *n* (*biscuit*) Zwieback *m*

Russia ['rʌʃə] *n* Rußland *s*

Russian **I.** *adj* russisch **II.** *n* Russe *m*, Russin *f*

rust [rʌst] **I.** *n* Rost *m* **II.** *vi* rosten

rustic ['rʌstɪk] *adj* ① ↑ *unsophisticated* derb ② ▷*country* ländlich, bäuerlich

rustle ['rʌsl] **I.** *n* Rauschen *s* **II.** *vi* rauschen **III.** *vt* ↑ *steal* → *cattle* steal

rust protection [rust protection] *n* Rostschutzmittel *s*; **rustproof** *adj* rostfrei; **rusty** *adj* ① ↑ *bearing rust* rostig ② ▷*memory, knowledge* eingerostet, verschüttet

rut [rʌt] *n* ① ↑ *grove* Radspur *f* ② (*deer*) Brunft *f* ③ *FIG* ↑ *bad habit* schlechte Angewohnheit *f*

ruthless ['ru:θləs] *adj* ① ↑ *merciless* unbarmherzig ② ↑ *determined* hart, rücksichtslos; **ruthlessly** *adv* unbarmherzig; ◇ **to ~ pursue s.th.** etw schonungslos verfolgen

rye [raɪ] *n* Roggen *m*; **rye bread** *n* Roggenbrot *s*

S

S, s [es] *n* S, s *s*

Sabbath ['sæbəθ] *n* Sabbat *m*

sabbatical [sə'bætɪkəl] *adj*: ◇ ~ **year** ↑ *research* Forschungsjahr *s*, Forschungsurlaub *m*

sabotage ['sæbətɑ:ʒ] **I.** *n* Sabotage *f* **II.** *vt* sabotieren

sabre, **saber** (*AM*) ['seɪbə*] *n* Säbel *m*

saccharin ['sækərɪn] *n* ↑ *sweetener* Saccharin *s*

sachet ['sæʃeɪ] *n* Beutel *m*; ▷*lavender* Kissen *s*

sack [sæk] **I.** *n* ▷*potato* Sack *m* **II.** *vt* ① *FAM* ↑ *fire, dismiss* rausschmeißen; ◇ **to give s.o. the ~** *FAM* jd-n rausschmeißen ② ↑ *pillage* plündern;

sacking ['sækɪŋ] *n* ① (*fabric*) Sackleinen *s* ② *FAM* ↑ *dismissal* Entlassung *f*

sacrament ['sækrəmənt] *n* Sakrament *s*

sacred ['seɪkrɪd] *adj* ▷*church* heilig

sacrifice ['sækrɪfaɪs] **I.** *n* Opfer *s* **II.** *vt* ① → *ritual* opfern ② (*FIG renounce*) opfern

sacrilege ['sækrɪlɪdʒ] *n* Sakrileg *s*

sad [sæd] *adj* traurig; **sadden** ['sædən] *vt* traurig machen

saddle ['sædl] **I.** *n* Sattel *m* **II.** *vt* ① → *horse* satteln ② → *problem* aufhalsen; ◇ **to ~ s.o. with s.th.** jd-m etw aufbürden; **saddlebag** *n* Satteltasche *f*

sadism ['seɪdɪzəm] *n* Sadismus *m*; **sadistic** [sə'dɪstɪk] *adj* sadistisch

sadly ['sædlɪ] *adv* traurig; ↑ *regrettably* bedauerlich

sadness ['sædnəs] *n* Traurigkeit *f*

s.a.e. *abbr. of* **stamped addressed envelope** vorfrankiereter Umschlag *m*

safari [sə'fɑ:rɪ] *n* Safari *f*; **safari park** *n* Safaripark *m*

safe [seɪf] **I.** *adj* ① ↑ *careful* vorsichtig; *FAM* ◇ **to play it ~** auf Nummer sicher gehen ② ↑ *harmless* sicher ③ ↑ *secure* sicher; ◇ ~ **and sound** gesund und wohlbehalten; ↑ *reliable* ◇ **in ~ hands** in guten Händen sein; ◇ **my secret was ~ with her** mein Geheimnis war bei ihr gut aufgehoben **II.** *n* Safe *m*, Geldschrank *m*

safe-deposit box *n* Schließfach *s*; **safeguard** **I.** *n* ↑ *protection* Schutz *m* **II.** *vt* schützen; PC sichern; **safekeeping** *n* sichere Verwahrung *f*; **safely** *adv* ① ↑ *securely* sicher, ungefährlich ② (*arrive*) wohlbehalten; **safeness** *n* Sicherheit *f*; **safety** ['seɪftɪ] *n* Sicherheit *f*; **safety belt** *n* Sicherheitsgurt *m*; **safety pin** *n* Sicherheitsnadel *f*; **safety measure** *n* Sicherheitsvorkehrung *f*; **safety valve** *n* Sicherheitsventil *s*

sag [sæg] *vi* ↑ *droop* durchhängen; ← *prices* sinken

saga ['sɑ:gə] *n* ↑ *legend* Heldenepos *s;* ↑ *tale, story* Geschichte *f*
sage [seɪdʒ] *n* 1 (*herb*) Salbei *m* 2 ↑ *guru* Weise *m*
Sagittarius [sædʒɪ'teərɪəs] *n* ASTROL Schütze *m*
said [sed] **I.** *pp of* **say; II.** *adj:* ◇ **it has often been ~ that ...** es wurde oft gesagt, daß ...
sail [seɪl] **I.** *n* Segel *s;* ↑ *journey* Segeltörn *m* **II.** *vt* segeln **III.** *vi* segeln; **sailboat** *n* (*AM*) Segelboot *s;* **sailing** *n* Segeln *s;* **sailing ship** *n* Segelschiff *s;* **sailor** ['seɪlə*] *n* Seemann *m,* Matrose *m*
saint [seɪnt] *n* 1 Heilige(r) *fm;* ◇ **S~ Michael** der heilige Michael [*o.* Sankt Michael] 2 *generous person, FIG* Engel *m;* **saintly** *adj* heilig
sake [seɪk] *n* 1 (*for s.o.*) ◇ **for her ~** um ihretwillen *gen; FAM* ◇ **for God's ~** um Gottes willen 2 (*for fun*) ◇ **I studied Art just for the ~ of it** ich habe Kunst einfach so studiert
salad ['sæləd] *n* Salat *m;* **salad bowl** *n* Salatschüssel *f;* **salad dressing** *n* Salatsoße *f;* **salad oil** *n* Salatöl *s,* Speiseöl *s*
salami [sə'lɑ:mɪ] *n* Salami *f*
salaried ['sælərɪd] *adj* ↑ *paid:* ◇ **~ employees** Gehaltsempfänger *pl*
salary ['sælərɪ] *n* Gehalt *s*
sale [seɪl] *n* 1 Verkauf *m;* ◇ **the house is up for ~** das Haus steht zum Verkauf; ◇ **on ~ everywhere** überall erhältlich 2 ↑ *auction* Ausverkauf *m;* **saleroom** *n* Auktionsraum *s;* **salesman** *n* <-men> 1 Verkäufer *m* 2 ↑ *representative* Vertreter *m;* **salesmanship** *n* Verkaufstechnik *f;* **saleswoman** *n* <-women> Verkäuferin *f*
salient ['seɪlɪənt] *adj* ↑ *striking* auffallend
saliva [sə'laɪvə] *n* Speichel *m*
sallow ['sæləʊ] *adj* ▷*face* bleich
salmon ['sæmən] *n* Lachs *m*
saloon [sə'lu:n] *n* 1 (*sedan*) Limousine *f* 2 (*AM bar*) Wirtschaft *f* 3 (*ship's lounge*) Salon *m*
salt [sɔ:lt] **I.** *n* Salz *s* **II.** *vt* 1 ↑ *flavour* salzen 2 ↑ *cure* (ein)pökeln; **saltcellar** ['sɔlt'selə*] *n* Salzstreuer *m;* **salt mine** *n* Salzbergwerk *s;* **salt water** *n* Salzwasser *s;* **salty** *adj* salzig
salubrious [sə'lu:brɪəs] *adj* 1 ↑ *wholesome* gesund 2 ▷*district* ersprießlich
salute [sə'lu:t] **I.** *n* MIL Gruß *m;* ▷*guns* Salut *m* **II.** *vi* MIL salutieren
salvage ['sælvɪdʒ] **I.** *n* (*from shipwreck*) Bergung *f* 2 (*objects recovered from shipwreck*) Bergungsgut *s* **II.** *vt* 1 bergen 2 *FIG* ▷*difficult situation* ↑ *rescue* retten
salvation [sæl'veɪʃən] *n* 1 REL ↑ *deliverance* Erlösung *f* 2 ↑ *rescue* Rettung *f* 3 ◇ **S~ Army** Heilsarmee *f*
salvo ['sælvəʊ] *n* <-s> Salve *f*
same [seɪm] *adj* ↑ *similar* gleich, ähnlich; ↑ *identical* gleich, identisch; ◇ **all** [*o.* **just**] **the ~** trotzdem, egal
sample ['sɑ:mpl] **I.** *n* 1 (*example*) [Muster]beispiel *s* 2 (*specimen*) Probe *f* **II.** *vt* (*wine*) probieren
sanatorium [sænə'tɔ:rɪəm] *n* Sanatorium *s*
sanctify ['sæŋktɪfaɪ] *vt* weihen
sanctimonious [sæŋktɪ'məʊnɪəs] *adj* scheinheilig
sanction ['sæŋkʃən] *n* Sanktion *f*
sanctity ['sæŋktɪtɪ] *n* Heiligkeit *f*
sanctuary ['sæŋktjʊərɪ] *n* 1 ↑ *refuge* Zufluchtsort *m;* ◇ **to seek ~ with** Zuflucht suchen bei 2 ▷*animal* Naturschutzgebiet *s* 3 REL Heiligtum *s*
sand [sænd] **I.** *n* 1 Sand *m* 2 ◇ **~s** *pl* Sand *m* **II.** *vt* ▷*wood or metal* schmirgeln
sandal ['sændl] *n* Sandale *f*
sandbag ['sændbæg] *n* Sandsack *m;* **sandblast** ['sændblɑ:st] *vt* sandstrahlen; **sand-castle** ['sænd'kɑ:sl] *n* Sandburg *f;* **sand dune** *n* Sanddüne *f;* **sandpaper** *n* Sandpapier *s;* **sandpit** *n* (*playground*) Sandkasten *m;* **sandstone** *n* Sandstein *m;* **sandstorm** *n* Sandsturm *m*
sandwich ['sænwɪdʒ] *n* Sandwich *s,* belegtes Brot *s;* ◇ **cheese ~** Käsebrot *s*
sandwich course *n* SCH *GB Blockunterricht mit praktischen Arbeiten*
sandy ['sændɪ] *adj* sandig; ▷*hair* rotblond
sane [seɪn] *adj* 1 geistig gesund 2 (*sensible, reasonable*) vernünftig
sang [sæŋ] *pt of* **sing**
sanitarium [sænɪ'teərɪəm] *n* (*AM*) *s.* **sanatorium**
sanitary ['sænɪtərɪ] *adj* 1 ↑ *clean* sanitär, sauber 2 (*health*) hygienisch; **sanitary napkin** *n* Damenbinde *f*
sanitation [sænɪ'teɪʃən] *n* Kanalisation *f*
sanity ['sænɪtɪ] *n* 1 geistige Gesundheit *f* 2 ↑ *sense* Vernunft *f;* ◇ **to lose o.'s ~** den Verstand verlieren
sank [sæŋk] *pt of* **sink**
Santa Claus [sæntə'klɔ:z] *n* Nikolaus *m,* Weihnachtsmann *m*
sap [sæp] **I.** *n* (*of plants*) Saft *m* **II.** *vt* ↑ *drain* zehren an; ▷*strength* schwächen
sapling ['sæplɪŋ] *n* junger Baum *m*
sapphire ['sæfaɪə*] *n* Saphir *m*
sarcasm ['sɑ:kæzəm] *n* Sarkasmus *m;* **sarcastic** [sɑ:'kæstɪk] *adj* sarkastisch
sardine [sɑ:'di:n] *n* Sardine *f*
sardonic [sɑ:'dɒnɪk] *adj* höhnisch; ▷*smile* sardonisch

sari ['sɑːrɪ] *n (garment)* Sari *m*
sash [sæʃ] *n* Schärpe *f*
sat [sæt] *pp of* **sit**
Satan ['seɪtn] *n* Satan *m,* Teufel *m*
satchel ['sætʃəl] *n* SCH Schulranzen *m,* Schultasche *f*
satellite ['sætəlaɪt] **I.** *n* ① ▷*space* Satellit *m* ② ▷*town* Satelittenstadt *f* **II.** *adj* Satelliten-; ◇ **~ dish** Satellitenschüssel *m*
satin ['sætɪn] *n* Satin *m*
satire ['sætaɪə*] *n* Satire *f;* **satirical** [sə'tɪrɪkəl] *adj* satirisch
satisfaction [sætɪs'fækʃən] *n* ① ↑ *contentment* Befriedigung *f,* Zufriedenheit *f* ② ↑ *compensation* Genugtuung *f;* **satisfactory** [sætɪs'fæktərɪ] *adj* zufriedenstellend; **satisfy** ['sætɪsfaɪ] *vt* ① ↑ *content* befriedigen ② ↑ *convince* überzeugen ③ ↑ *meet* erfüllen; **satisfying** ['sætɪsfaɪɪŋ] *adj* befriedigend; ▷*meal* sättigend
saturate ['sætʃəreɪt] *vt* ↑ *wet* durchnässen, durchtränken
Saturday ['sætədeɪ] *n* Samstag *m*
sauce [sɔːs] *n* Soße *f;* **saucepan** ['sɔːspæn] *n* Kochtopf *m;* **saucer** ['sɔsə*] *n* Untertasse *f*
saucy ['sɔːsɪ] *adj* ↑ *cheeky* frech
Saudi Arabia ['saʊdɪə'reɪbɪə] *n* Saudiarabien *s*
sauna ['sɔːnə] *n* Sauna *f*
saunter ['sɔːntə*] *vi* schlendern
sausage ['sɒsɪdʒ] *n* Wurst *f*
savage ['sævɪdʒ] **I.** *adj* ① ↑ *ferocious* brutal, wild ② ↑ *uncivilized* primitiv, wild ③ ↑ *person* böse, unhöflich **II.** *n* ↑ *original inhabitants of land* Wilde(r) *fm* **III.** *vt* → *animals* zerfleischen; **savagery** ['sævɪdʒərɪ] *n* Brutalität *f,* Grausamkeit *f*
save [seɪv] **I.** *vt* ① ▷*life* retten ② *put aside* → *money* sparen; ↑ *keep* → *receipts* aufbewahren, aufheben ③ ↑ *conserve* → *energy, time, effort* sparen ④ PC sichern; → *data* abspeichern **II.** *n* SPORT Abwehr *f;* **saving** ['seɪvɪŋ] **I.** *adj* rettend **II.** *n (of money)* Sparen *s;* ◇ **I lost all my ~s** *pl* ich habe meine ganzen Ersparnisse verloren
saviour ['seɪvjə*] *n* ① REL ◇ **S~** Heiland *m,* Erlöser *m* ② Retter(in *f*) *m*
savoir-faire ['sævwɑː'fɛə*] *n* Gewandtheit *f*
savour, **savor** *(AM)* ['seɪvə*] **I.** *n* ↑ *taste* Geschmack *m* **II.** *vt* ① → *taste* schmecken ② *(FIG success)* genießen; **savoury** ['seɪvərɪ] *adj* ↑ *appetizing* lecker; ↑ *not sweet* pikant, würzig
saw [sɔː] <sawed, sawn> **I.** *vti (wood)* sägen **II.** *n (tool)* Säge *f* **III.** *pt of* see; **sawdust** ['sɔːdʌst] *n* Sägemehl *s;* **sawmill** ['sɔːmɪl] *n* Sägewerk *s;* **sawn** [sɔːn] *pp of* **saw**
saxophone ['sæksəfəʊn] *n* Saxophon *s*
say [seɪ] <said, said> **I.** *vti* sagen **II.** *n* ① *(opinion, idea)* Meinung *f;* ◇ **to have a ~** seine Meinung sagen ② *(right)* Mitspracherecht *s* ③ ◇ **let's meet, ~, at five** treffen wir uns, sagen wir mal, um fünf; ◇ **you don't ~!** das meinst du nicht im Ernst!; ◇ **it goes without ~ing** es versteht sich von selbst; ◇ **he is said to be extremely helpful** man sagt, daß er sehr hilfsbereit ist; ◇ **that is to ~** das heißt; ◇ **What is the artist trying to ~?** Was will der Künstler damit aussagen?; **saying** ['seɪɪŋ] *n* ↑ *expression* Sprichwort *s*
scab [skæb] *n* Schorf *m;* **scabby** *adj* ▷*skin* schorfig
scaffold ['skæfəʊld] *n* ↑ *execution platform* Schafott *s;* **scaffolding** ['skæfəldɪŋ] *n (of building)* [Bau]gerüst *s*
scald [skɔːld] **I.** *n* Verbrühung *f* **II.** *vt* ① ↑ *burn* verbrühen ② ↑ *clean* [ab]brühen; **scalding** *adj* ↑ *boiling* siedend heiß
scale [skeɪl] **I.** *n* ① ↑ *dimension* Ausmaß *s* ② MUS Tonleiter *f* ③ *(of map)* Maßstab *m;* ↑ *gradation* Skala *f* ④ *(weighing device)* Waagschale *f* ⑤ ▷*fish* Schuppe *f* ⑥ ▷*kettle* Kesselstein *m* **II.** *vt* → *mountain* erklettern; **scale down** *vt* ↑ *reduce* verkleinern, Abstriche machen
scallop ['skɒləp] *n* Jakobsmuschel *f*
scalp [skælp] **I.** *n* Kopfhaut *f* **II.** *vt* skalpieren
scalpel ['skælpəl] *n* Skalpell *s*
scamper ['skæmpə*] *vi* huschen
scan [skæn] **I.** *n GB* MED Ultraschallaufnahme *f* **II.** *vt* ↑ *search for* absuchen, genau suchen; ↑ *flick through* ▷*page* überfliegen
scandal ['skændl] *n* ① ↑ *outrage* Skandal *m* ② ↑ *rumours* Klatsch *m;* **scandalize** ['skændəlaɪz] *vt* schockieren; **scandalous** ['skændələs] *adj* skandalös, schockierend
Scandinavia [skændɪ'neɪvɪə] *n* Skandinavien *s;* **Scandinavian I.** *adj* skandinavisch **II.** *n* Skandinavier(in *f*) *m*
scant [skænt] *adj* ↑ *meagre* wenig; **scantily** *adv* ▷*dressed* knapp; **scanty** *adj* ▷*ammount* knapp, spärlich
scapegoat ['skeɪpgəʊt] *n* Sündenbock *m*
scar [skɑː*] **I.** *n* Narbe *f* **II.** *vt* Narben hinterlassen; ◇ **~red for life** fürs Leben gezeichnet
scarce ['skɛəs] *adj* ① ↑ *rare* selten ② ↑ *insufficient* knapp ③ ↑ *lie low, disappear* ◇ **to make o.s. ~** sich rar machen; **scarcely** ['skɛəslɪ] *adv* ① ↑ *hardly* kaum ② ↑ *hardly* ◇ **that is ~ possible** das ist kaum möglich ③ ↑ *no sooner* ◇ **I had ~ woken up when…** ich war kaum aufgewacht, als…; **scarceness** *n* ↑ *rareness* Seltenheit *f;* **scarcity** ['skɛəsɪtɪ] *n* ↑ *insufficiency* Knappheit *f,* Mangel *m*

scare ['skɛə*] **I.** *n* ① ↑ *fright* Schrecken *m* ② (*alarm*) Panik *f* **II.** *vt* erschrecken; ◇ **to be ~d** Angst haben/bekommen; ◇ **I get easily ~d** ich bekomme schnell Angst; **scarecrow** ['skɛə*krəʊ] *n* Vogelscheuche *f;* **scaremonger** ['skɛə*mɒŋgə*] *n* Bangemacher(in *f*) *m*

scarf [skɑ:f] *n* <scarves> Schal *m;* ▷*head* Kopftuch *s*

scarlet ['skɑ:lət] *adj* scharlachrot; **scarlet fever** *n* Scharlach *m*

scarred ['skɑ:d] *adj* ① narbig ② ↑ *affected* fürs Leben gezeichnet

scary ['skɛərı] *adj* ▷*story* schaurig

scathing ['skeıðıŋ] *adj* ▷*remark* scharf, bissig

scatter ['skætə*] **I.** *vt* ① ↑ *strew* verstreuen ② ↑ *disperse* zerstreuen **II.** *vi* sich zerstreuen; **scatterbrained** ['skætəbreınd] *adj* ↑ *forgetful* schußlig, vergeßlich

scavenger ['skævındʒə*] *n* ① (*animal*) Aasfresser *m* ② (*FIG person*) Aasgeier *m*

scene [si:n] *n* ① Schauplatz *m;* ◇ **~ of crime** Tatort *m* ② ▷*theater* Bühnenbild *s;* ↑ *act* Auftritt *m;* ◇ **behind the ~s** hinter den Kulissen ③ ↑ *sight* Anblick *m* ④ ↑ *outburst* Szene *f;* **scenery** ['si:nərı] *n* ① (*theater*) Bühnenbild *s* ② ↑ *landscape* Landschaft *f*

scenic ['si:nık] *adj* ↑ *picturesque* malerisch

scent [sent] **I.** *n* ① ↑ *smell* Duft *m* ② ◇ **perfume** Parfüm *s* ③ ↑ *track* Fährte *f* **II.** *vt* parfümieren

sceptic ['skeptık] *n* Skeptiker(in *f*) *m;* **sceptical** ['skeptıkl] *adj* skeptisch; **scepticism** ['skeptısızəm] *n* Skepsis *f*

schedule ['ʃedju:l, 'skedʒʊəl] **I.** *n* ① ↑ *plan* Programm *s* ② ↑ *list* Tabelle *f* ③ ↑ *timetable* Zeitplan *m* **II.** *vt:* ◇ **on ~** plangemäß; ◇ **behind ~** verspätet; ◇ **it was ~ed to happen yesterday** es sollte gestern stattfinden

scheme [ski:m] **I.** *n* ① ↑ *design* Schema *s* ② ↑ *project* Projekt *s* ③ ↑ *plan* Plan *m* ④ (*evil plan*) Intrige *f* **II.** *vi* ← *evil plan* sich verschwören **III.** *vt* → *plan* planen; **scheming** ['ski:mıŋ] *adj* ↑ *plotting* intrigierend

schism ['skızəm] *n* ↑ *split* Spaltung *f*

schizophrenic [skıtsəʊ'frenık] *adj* schizophren

scholar ['skɒlə*] *n* Gelehrte *m;* (*holding scholarship*) Stipendiat(in *f*) *m;* **scholarly** *adj* gelehrt; **scholarship** ['skɒlə'ʃıp] *n* Stipendium *s*

school [sku:l] **I.** *n* Schule *f* **II.** *vt* schulen; **schoolboy** *n* Schüler *m;* **schooldays** *n pl* Schulzeit *f;* **schoolgirl** *n* Schülerin *f;* **schooling** *n* ↑ *education* Schulung *f,* Ausbildung *f;* **schoolteacher** *n* Lehrer(in *f*) *m*

schooner ['sku:nə*] *n* ① (*ship*) Schoner *m* ② (*sherry glass*) großes Sherryglas

science ['saıəns] *n* Wissenschaft *f;* (*natural ~*) Naturwissenschaft *f;* **science fiction** *n* Science-fiction *f*

scientific [saıən'tıfık] *adj* wissenschaftlich

scientist ['saıəntıst] *n* Wissenschaftler(in *f*) *m*

scintillating ['sıntıleıtıŋ] *adj* ▷*conversation* sprühend

scissors ['sızəz] *n pl:* ◇ **a pair of ~** Schere *f*

scoff [skɒf] **I.** *vt* ↑ *gobble* fressen **II.** *vi* ↑ *mock* spotten (*at* über *akk*)

scold [skəʊld] *vt* ↑ *reprimand* schimpfen

scone [skɒn] *n* (*GB*) *Teegebäck s*

scoop [sku:p] **I.** *n* ① (*ladle*) Schaufel *f* ② (*news*) Knüller *m* **II.** *vt* (*~ out, ~ up*) schaufeln

scoot [sku:t] (*FAM leave quickly*) abzischen

scooter ['sku:tə*] *n* Motorroller *m*

scope [skəʊp] *n* ↑ *range* Ausmaß *m;* ▷*discussion* Rahmen *m* ② (*opportunity*) Entfaltungsmöglichkeit *f*

scorch [skɔ:tʃ] *vt* ↑ *burn* versengen; **scorcher** ['skɔ:tʃə*] *n* (*FAM very hot day*) heißer Tag; **scorching** *adj* glühend heiß

score [skɔ:*] **I.** *n* ① (*game points*) Spielstand *m,* Spielergebnis *s;* ◇ **What's the ~?** Wie steht das Spiel? ② (SPORT *scoring of goal*) Torerfolg *m* ③ MUS Partitur *f* **II.** *vi* ① (*goal*) ein Tor schießen ② (*be successful*) Erfolg haben mit **III.** *vt* ① → *marks, points* erzielen; → *goals* schießen ② MUS schreiben; ◇ **on that ~** deshalb; ◇ **~s of people** Hunderte von Leuten; **scoreboard** *n* Anzeigetafel *f;* **scorecard** *n* SPORT Punktliste *f;* **scorer** ['skɔ:rə*] *n* ① (*person who makes a point*) Torschütze *m,* Torschützin *f* ② (*recorder*) Aufschreiber *m,* Anschreiber *m*

scorn ['skɔ:n] **I.** *n* ↑ *contempt* Verachtung *f* **II.** *vt* verachten; **scornfully** *adv* verächtlich

Scorpio ['skɔ:pıəʊ] *n* <-s> ASTROL Skorpion *m*

scorpion ['skɔ:pıən] *n* ZOOL Skorpion *m*

Scot [skɒt] *s.* **Scotch, Scottish**

scotch [skɒtʃ] *vt* ↑ *foil* zunichte machen

Scotch [skɒtʃ] **I.** *adj* schottisch **II.** *n* ① ▷*whisky* schottischer Whisky *m* ② ◇ **the ~** *pl* die Schotten *pl*

scot-free ['skɒt'fri:] *adj* ungeschoren davonkommen

Scotland *n* Schottland *s;* **Scotsman** ['skɒtsmən] *n* <-men> Schotte *m;* **Scotswoman** ['skɒtswʊmən] *n* <-women> Schottin *f;* **Scottish** *adj* schottisch

scoundrel ['skaʊndrəl] *n* ↑ *rogue* Schurke *m,* Schuft *m*

scour ['skaʊə*] *vt* ① ↑ *look for* absuchen ② ↑ *scrub* scheuern; **scourer** ['skaʊrə*] *n* Topfreiniger *m*

scourge [skɜːdʒ] *n* Geißel *f*
scout [skaʊt] **I.** *n:* ◇ **boy** ~ Pfadfinder *m* [2] MIL Späher *m* **II.** *vi* ↑ *reconnoitre* auskundschaften
scowl [skaʊl] *vi* ↑ *glower* ein böses Gesicht machen
scraggy ['skrægɪ] *adj* ▷*person* fertig, ungepflegt
scram [skræm] *vi FAM* ↑ *scoot* abhauen
scramble ['skræmbl] **I.** *n* [1] *(climb)* Kletterei *f* [2] ↑ *rush* Gedrängel *s* **II.** *vi* [1] ↑ *clamber, struggle* klettern [2] ↑ *fight* sich um etw drängeln, kämpfen [3] ◇ **~ed eggs** *pl* Rühreier *pl*
scrap [skræp] **I.** *n* [1] ▷*paper* Fetzen *m; (of truth)* Fünkchen *s* [2] ◇ **~s** *(food)* Reste *pl* [3] ↑ *fight* Keilerei *f* **II.** *adj* Abfall-; ◇ **~ metal** Schrott *m* **III.** *vt* → *discard* wegschmeißen, wegwerfen; **scrapbook** *n* Sammelalbum *s*
scrape [skreɪp] **I.** *n* [1] *(sound)* Kratzen *s* [2] ↑ *trouble* Klemme *f;* ↑ *predicament* Schwulitäten *pl* **II.** *vt* [1] ↑ *remove top layer* [ab]kratzen; ↑ *damage* ▷*paint* zerkratzen; ▷*wood* abziehen [2] ↑ *economize* ◇ **to ~ money together** Geld zusammenkratzen **III.** *vi (sound)* kratzen
scrap heap ['skræphiːp] *n* Schutthaufen *m;* **scrap iron** *n* Schrott *m*
scrappy ['skræpɪ] *adj* ▷*education* lückenhaft
scratch ['skrætʃ] **I.** *n* [1] ↑ *wound* Kratzer *m* [2] *(mark)* Kratzer *m* **II.** *vt* [1] ↑ *wound* zerkratzen [2] ↑ *mark, damage* kratzen; ▷*paint* zerkratzen **IV.** *vi* (sich) kratzen **V.** ◇ **this work is not up to ~** diese Arbeit entspricht nicht den Anforderungen; ◇ **we had better start from ~** wir sollten bei Null anfangen; **scratch file** *n* PC Hilfsdatei *f*
scrawl [skrɔːl] **I.** *n* Gekritzel *s* **II.** *vti* kritzeln
scrawny ['skrɔːnɪ] *adj* ▷*neck* hager, dürr
scream [skriːm] **I.** *n (fear)* Schrei *m* **II.** *vi* schreien
screech [skriːtʃ] **I.** *n* ↑ *shriek* Kreischen *s* **II.** *vi* [1] ↑ *shriek* kreischen [2] ← *car* quietschen
screen [skriːn] **I.** *n* [1] *(television, computer)* Bildschirm *m; (film)* Leinwand *f* [2] ↑ *partition* Trennwand *f* **II.** *vt* [1] ↑ *protect* schützen [2] ↑ *check* überprüfen, kontrollieren [3] ↑ *film* vorführen
screening *n* [1] ▷*film* Vorführung *f* [2] ↑ *check* Überprüfung *f*
screw [skruː] **I.** *n* Schraube *f* **II.** *vt* [1] ↑ *fasten* schrauben [2] *FAM!* mit jd-m schlafen, ficken
screw up *vt FAM* ↑ *bungle* → *plans, o.'s life* vermasseln; **screwdriver** ['skruː'draɪvə*] *n* Schraubenzieher *m;* **screw top** *n* Schraubverschluß *m;* **screwy** ['skruːɪ] *adj FAM* ↑ *dotty* spinnig
scribble ['skrɪbl] **I.** *n* Gekritzel *s* **II.** *vt* kritzeln
script [skrɪpt] *n* [1] ▷*film* Drehbuch *s;* ▷*theater* Manuskript *s* [2] ↑ *handwriting* Handschrift *f*
Scripture ['skrɪptʃə*] *n* [1] Heilige Schrift
scriptwriter ['skrɪptraɪtə*] *n* ▷*film* Drehbuchautor(in *f*) *m*
scrounge [skraʊndʒ] *vt* schnorren
scrub [skrʌb] **I.** *n* [1] *(wash)* Schrubben *s* [2] *(of landscape)* Gestrüpp *s,* Buschwerk *s* **II.** *vt* [1] *(wash)* schrubben, scheuern [2]
scruff [skrʌf] *n (of neck)* Genick *s;* **scruffy** *adj* ↑ *unkempt* vergammelt
scrummage ['skrʌmáɪdʒɪ] *n* Gedränge *s*
scruple ['skruːpl] *n* Skrupel *m;* **scrupulously** ['skruːpjʊləslɪ] *adv* gewissenhaft; ▷*clean* peinlich
scrutinize ['skruːtɪnaɪz] *vt* genau untersuchen/überprüfen; **scrutiny** ['skruːtɪnɪ] *n* ↑ *examination* genaue Untersuchung, genaue Überprüfung
scuffle ['skʌfl] **I.** *n* ↑ *fight* Handgemenge *s* **II.** *vt* ↑ *fight* sich prügeln
scullery ['skʌlərɪ] *n* Spülküche *f*
sculptor ['skʌlptə*] *n* Bildhauer(in *f*) *m*
sculpture ['skʌlptʃə*] *n* Bildhauerei *f;* ↑ *statue* Skulptur *f*
scum [skʌm] *n* ↑ *trash* Gesindel *s*
scurry ['skʌrɪ] *vi* ↑ *rush, hurry* huschen
scurvy ['skɜːvɪ] *n* MED Skorbut *m*
scuttle ['skʌtl] **I.** *n (coal)* Kohlefüller *m* **II. I.** *vt* ↑ *ship* versenken **III.** *vi* ↑ *move quickly* flitzen, trippeln
scythe [saɪð] *n* Sense *f*
SDP *n abbr. of* **Social Democratic Party** *britische sozialdemokratische Partei*
sea [siː] **I.** *n* Meer *s,* See *f* **II.** *adj* Meeres-, See-; **sea bird** *n* Seevogel *m;* **sea breeze** *n* Seewind *m;* **seafaring** *adj* ▷*ship* seefahrend; **seafood** *n* Meeresfrüchte *pl;* **sea front** *n* Strandpromenade *f;* **seagull** *n* Möwe *f*
seal [siːl] **I.** *n* [1] ZOOL Seehund *m,* Robbe *f* [2] ↑ *stamp* Siegel *s* **II.** *vt* versiegeln
sea level ['siːlevl] *n* Meeresspiegel *m*
sealing wax ['siːlɪŋwæks] *n* Siegellack *m*
sea lion ['siːlaɪən] *n* Seelöwe *m*
seam [siːm] *n join* ▷*fabric* Naht *f;* ▷*rocks* Schicht *f;* ▷*coal, marble* Flöz *s*
seaman ['siːmən] *n* <-men> Seemann *m*
seamless ['siːmlɪs] *adj* nahtlos
seamy ['siːmɪ] *adj* ↑ *sordid* düster, unanständig
seaport ['siːpɔːt] *n* Seehafen *m*
search [sɜːtʃ] **I.** *n* Suche *f* **II.** *vi* suchen **III.** *vt* ↑ *examine* ▷*luggage* durchsuchen, überprüfen; **searching** *adj* ▷*look* bohrend; **searchlight** *n* Suchscheinwerfer *m;* **search party** *n* Suchmannschaft *f,* Suchtrupp *m*
seashore ['siːʃɔː*] *n* Küste *f;* **seasick** *adj* see-

krank; **seasickness** *n* Seekrankheit *f;* **seaside** *n* Küste *f;* ◇ **we have a house at the ~** wir haben ein Haus am Meer

season ['si:zn] **I.** *n* Jahreszeit *f* **II.** *vt* ↑ *add flavour* würzen; **seasonal** ['si:zənəl] *adj* Saison-; **seasoning** ['si:sənɪŋ] *n* Würze *f,* Gewürz *s;* **season ticket** *n* [1] RAIL Zeitkarte *f* [2] THEAT Abonnement *s*

seat [si:t] **I.** *n* [1] Sitz *m,* Platz *m* [2] ▷*toilet* Klobrille *f* [3] *FAM* ↑ *behind* Gesäß *s* **II.** *vt* [1] ← *o.s.* sich hinsetzen; ◇ **Please be ~ed** Nehmen Sie bitte Platz, Setzen Sie sich [2] *(space availible for)* Sitzplätze bieten für; **seat belt** *n* Sicherheitsgurt *m;* **seating** *n* Sitzplätze *pl*

sea water ['si:wɔ:tə*] *n* Meerwasser *s,* Seewasser *s;* **seaweed** *n* [See]tang *m;* **seaworthy** *adj* seetüchtig

secluded [sɪ'klu:dɪd] *adj* [1] ↑ *isolated* abgelegen [2] ↑ *peaceful* ruhig; **seclusion** [sɪ'klu:ʒən] *n* [1] ↑ *isolation* Abgelegenheit *f* [2] ↑ *peacefulness* Ruhe *f*

second ['sekənd] **I.** *adj* zweite(r, s); ◇ **~ biggest** zweitgrößte(r, s); ◇ **to have ~ thoughts** Zweifel haben **II.** *adv:* ◇ **in ~ position** an zweiter Stelle **III.** *n* Sekunde *f;* ◇ **just a ~ please!** einen Moment, bitte!; **secondary** ['sekəndərɪ] *adj* [1] ↑ *of lesser importance* zweitrangig [2] ↑ *continuing (~ education)* höher; ◇**~ school** *Realschule f*

second-best *adj* zweitbeste(r, s)

second-class *adj* [1] *(on train)* zweite Klasse [2] ↑ *disadvantaged* zweiter Klasse; **secondhand** *adj* ▷*clothes, car* gebraucht; **secondly** *adv* zweitens; **second-rate** *adj* zweitklassig

secrecy ['si:krəsɪ] *n* Heimlichkeit *f*

secret ['si:krət] **I.** *n* Geheimnis *s* **II.** *adj* Geheim-; ◇ **~ information** Geheiminformation *f;* ◇ **~ agent** Geheimagent *m*

secretarial [sekrə'tɛərɪəl] *adj* Sekretär-

secretary ['sekrətrɪ] *n* [1] *(office ~)* Sekretär(in *f*) *m* [2] *government ~, esp AM* Minister(in *f*) *m*

secretive ['si:krətɪv] *adj* geheimnisvoll

secretly ['si:krətlɪ] *adv* heimlich

sect [sekt] *n* ▷*religious* Sekte *f;* **sectarian** [sek'tɛərɪən] *adj (part of sect)* Sekten-; ▷*school* konfessionell

section ['sekʃən] *n* [1] ↑ *part* Teil *m* [2] ↑ *chapter* Abschnitt *m; (of statute)* Paragraph *m* [3] ↑ *department* Abteilung *f*

sector ['sektə*] *n* Sektor *m*

secular ['sekjʊlə*] *adj* weltlich

secure [sɪ'kjʊə*] **I.** *adj* [1] ↑ *safe* sicher [2] ↑ *fastened* fest **II.** *vt* [1] ↑ *make safe* sichern [2] ↑ *fasten* fest machen [3] ↑ *obtain* bekommen; **securely** [sɪ'kjʊəlɪ] *adv* sicher, fest

security [sɪ'kjʊərɪtɪ] *n* Sicherheit *f;* ◇ **national ~** Staatssicherheit *f;* ◇ **~ measures** Sicherheitsmaßnahmen *pl;* **security check** *n* Sicherheitskontrolle *f;* **Security Council** *n (of United Nations)* Sicherheitsrat *m;* **Security Force** *n (of United Nations)* Friedenstruppe *f,* Sicherheitskräfte *pl;* **security guard** *n* Wächter *m*

sedate [sɪ'deɪt] **I.** *adj* [1] ↑ *sober* gelassen [2] ↑ *serious* ernst, gesetzt **II.** *vt* MED sedieren, ein Beruhigungsmittel geben; **sedation** [sɪ'deɪʃən] *n* MED Sedation *f;* **sedative** ['sedətɪv] **I.** *n* Beruhigungsmittel *s* **II.** *adj* sedativ, beruhigend

sedentary ['sedntrɪ] *adj* ↑ *inactive* sitzend

sediment ['sedɪmənt] *n* Bodensatz *m;* **sedimentary** [sedɪ'mentərɪ] *adj* GEOL Sediment-

seduce [sɪ'dju:s] *vt* verführen; **seduction** [sɪ'dʌkʃən] *n* Verführung *f;* **seductive** [sɪ'dʌktɪv] *adj* verführerisch

see [si:] <saw, seen> **I.** *vt* [1] sehen [2] ↑ *understand* verstehen; ◇ **Do you ~ what I mean ?** Verstehst du, was ich meine?; ◇ **I ~!** Ach so! [3] ↑ *escort* begleiten; ◇ **Shall I ~ you home?** Soll ich dich nach Hause begleiten? [4] ↑ *make sure* ◇ **Please ~ that it is done as** Bitte sorgen Sie dafür, daß es gemacht wird [5] ↑ *discover* herausfinden [6] ↑ *visit* ◇ **When can I come and ~ you?** Wann kann ich dich besuchen? [7] ↑ *imagine* vorstellen; ◇ **I must be ~ing things** ich glaube ich spinne **II.** *vi (know)* sehen; ↑ *find out* nachsehen; ◇ **wait and ~** warte es ab; ◇ **the agent saw through the plan immediately** der Agent durchschaute den Plan sofort

seed [si:d] **I.** *n* Samen *m* **II.** *vt* SPORT ▷*tennis* plazieren; **seedling** ['si:dlɪŋ] *n* Setzling *m*

seedy ['si:dɪ] *adj* [1] ▷*place* heruntergekommen [2] ▷*health* angeschlagen [3] ▷*character* zweifelhaft, zwielichtig

seeing ['si:ɪŋ] *cj* da

seek [si:k] <sought, sought> ↑ *look for* suchen

seem [si:m] *vi* scheinen; **seemingly** ['si:mɪŋlɪ] *adv* ↑ *apparently* anscheinend; **seemly** ['si:mlɪ] *adj* ↑ *suitable* passend

seen [si:n] *pp of* **see**

seep [si:p] *vi* ↑ *ooze* sickern

seesaw ['si:sɔ:] *n* Wippe *f*

seethe [si:ð] *vi* [1] ↑ *boil* kochen; *FIG* ↑ *fume* wütend sein, kochen [2] ↑ *be full of people* wimmeln *(with* von)

see-through ['si:θru:] *adj* ▷*blouse* durchsichtig

segment ['segmənt] *n* Ausschnitt *m,* Scheibe *f*

segregate ['segrɪgeɪt] *vt* trennen; ▷*racially* absondern; **segregation** [segrɪ'geɪʃən] *n* Rassentrennung *f*

seismic ['saɪzmɪk] *adj* seismisch

seize [si:z] *vt* ① ↑ *grab* ergreifen ② → *power* Macht ergreifen; ↑ *capture* gefangennehmen; → *opportunity* ergreifen ③ ↑ *impound* beschlagnahmen ④ ↑ *overwhelm* überwältigen; **seize up** *vi* ← *engine* sich festfressen

seizure ['si:ʒə*] *n* ① MED Anfall *m* ② ↑ *capture* Gefangennahme *f*

seldom ['seldəm] *adv* selten

select [sɪ'lekt] **I.** *adj* ↑ *specially chosen* ausgewählt; ↑ *exclusive* exklusiv **II.** *vt* auswählen; **selection** [sɪ'lekʃən] *n* ① ↑ *variety* Auswahl *f* ② ↑ *choice* Auswahl *f;* **selective** *adj* ① ↑ *specially chosen,* selektiv ② ↑ *fussy* wählerisch

self [self] *n* <selves> Selbst *s;* **self-adhesive** *adj* selbstklebend; **self-appointed** *adj* selbsternannt; **self-assurance** *n* Selbstsicherheit *f;* **self-assured** *adj* selbstsicher; **self-catering** *adj* mit Selbstversorgung [*o.* für Selbstversorger]; **self-confidence** *n* Selbstbewußtsein *s,* Selbstvertrauen *s;* **self-confident** *adj* selbstbewußt; **self-conscious** *adj* unsicher, gehemmt; **self-contained** *adj* ↑ *selfsufficient* selbstgenügsam; ▷*flat* abgeschlossen, separat; ▷*person* unabhängig

self control *n* Selbstbeherrschung *f;* **self-defeating** *adj* sinnlos, widersinnig; **self-defence** *n* JURA Notwehr *f,* Selbstverteidigung *f;* **self-employed** *adj* selbständig

self-esteem *n* ↑ *self-respect* Selbstachtung *f;* **self-evident** *adj* offensichtlich; **self-explanatory** *adj* unmittelbar verständlich; **self-indulgent** *adj* maßlos, hemmungslos; **self-interest** *n* Eigeninteresse *f,* Eigennutz *m*

selfish ['selfɪʃ] *adj* selbstsüchtig; **selfishness** *n* Selbstsucht *f,* Egoismus *m;* **selflessly** ['selfləslɪ] *adv* selbstlos

self-made *adj* selbstgemacht

self-opinionated *adj* rechthaberisch; **self-pity** *n* Selbstmitleid *s;* **self-reliant** *adj* unabhängig; **self-respect** *n* Selbstachtung; **self-righteous** *adj* selbstgerecht

self-sacrifice **I.** *n* Selbstopferung *f* **II.** *vt* selbstopfern; **self-service** *adj* ▷*canteen* Selbstbedienungs-; **self-sufficient** *adj* unabhängig, selbständig; **self-supporting** *adj* ↑ *independent* eigenständig

sell [sel] <sold, sold> **I.** *vt* verkaufen; ◇ **sold out** ausverkauft **II.** *vi* verkaufen; ← *produce* sich verkaufen; **sell-by date** ['sel'baɪ'deɪt] *n* (*for groceries*) Mindesthaltbarkeitsdatum *s;* **seller** ['selə*] *n* Verkäufer(in *f*) *m;* **selling price** *n* Verkaufspreis *m*

semantic [sɪ'mæntɪk] *adj* semantisch; **semantics** [sɪ'mæntɪks] *n sg* Semantik *f*

semi ['semɪ] *pref* halb-/Halb-; **semicircle** *n* Halbkreis *m;* **semicolon** *n* Semikolon *s;* **semiconscious** *adj* halb bewußtlos; **semidetached house** *n* Doppelhaus *f s;* **semifinal** *n* Halbfinale *s*

seminar ['semɪnɑ:*] *n* Seminar *s*

semiquaver ['semɪkweɪvə*] *n* Sechzehntelnote *f;* **semi-skimmed milk** *n* Halbfettmilch *f;* **semitone** ['semɪtəʊn] *n* Halbton *m*

semolina [semə'li:nə] *n* Grieß *m*

senate ['senət] *n* Senat *m;* **senator** ['senətə*] *n* Senator(in *f*) *m*

send [send] <sent, sent> *vt* ① → *letter* schicken ② ↑ *cause* ◇ **her voice ~s me to sleep** ihre Stimme macht mich müde ③ ↑ *dismiss* ◇ **to ~ s.o packing** jd-m wegschicken; **send away** *vt* wegschicken; **send away for** *vt* → *catalogue* holen lassen, anfordern; **send back** *vt* zurückschicken; **send for** *vt* ↑ *summon* holen lassen; **send off** *vt* ① (*for goods*) abschicken ② (*sport*) vom Platz stellen; **send out** *vt* → *invitation* aussenden; **sender** ['sendə*] *n* Absender(in *f*) *m;* **send-off** ['sendɒf] *n* Verabschiedung *f*

senile ['si:naɪl] *adj* senil; **senility** [sɪ'nɪlɪtɪ] *n* Senilität *f*

senior ['si:nɪə*] **I.** *adj* ↑ *older* älter; ↑ *higher rank* höher, vorgesetzt **II.** *n* ↑ *older person* Senior(in *f*) *m;* ↑ *higher ranking* Vorgesetzte(r) *fm*

sensation [sen'seɪʃən] *n* ① ↑ *feeling, emotion* Gefühl *s* ② ↑ *exciting event* Sensation *f;* **sensational** *adj* sensationell

sense [sens] **I.** *n* ① ↑ *faculty* Sinn *m;* (*of smell*) Geruchsinn *m* ② ↑ *feeling* Gefühl *s* ③ ↑ *understanding, comprehension* Verstand *m,* Vernunft *f;* ◇ **Could you make ~ of it?** Konntest du es verstehen? ④ ↑ *significance, meaning* Sinn *m,* Bedeutung *f;* ◇ **in a ~** in gewisser Hinsicht; ◇ **there's no ~ in thinking about it** es hat keinen Sinn, darüber nachzudenken; ◇ **to make ~** einen Sinn ergeben **II.** *vt* ↑ *feel* spüren, empfinden; **senseless** ['sensləs] *adj* ① ↑ *without purpose* sinnlos ② ↑ *unconscious* bewußtlos; **senselessly** *adv* sinnlos

sensibility [sensɪ'bɪlɪtɪ] *n* ① (*intention*) Empfindsamkeit *f* ② ↑ *sensitivity* Empfindlichkeit *f*

sensible ['sensɪbl] *adj* ▷*person* vernünftig

sensibly *adv* vernünftig

sensitive ['sensɪtɪv] *adj* ① ▷*skin* empfindlich (*to* gegen) ② ↑ *perceptible* empfindsam ③ ↑ *touchy, easily hurt* leicht ④ ▷*subject* prekär ⑤ ▷*film* lichtempfindlich; **sensitivity** [sensɪ'tɪvɪtɪ] *n* ① Empfindlichkeit *f* ② ↑ *perception* Feinfühligkeit *f* ③ ▷*artistic* Feingefühl *s*

sensor ['sensə*] *n* Sensor *m*

sensual ['sensjʊəl] *adj* sinnlich

sensuous ['sensjʊəs] *adj* sinnlich

sent [sent] *pt, pp of* **send**

sentence ['sentəns] **I.** *n* ① LING Satz *m* ② JURA Strafe *s;* ↑ *verdict* Urteil *s* **II.** *vt* JURA verurteilen

sentiment ['sentɪmənt] *n* Gefühl *s;* (*thought*) Gedanke *m;* **sentimental** [sentɪ'mentl] *adj* (*soppy*) sentimental; ↑ *emotional* gefühlsmäßig; **sentimentality** [sentɪmen'tælɪtɪ] *n* Sentimentalität *f*

sentinel ['sentɪnl] *n* Wachtposten *m*

sentry ['sentrɪ] *n* Wache *f*

separable ['sepərəbl] *adj* trennbar

separate ['seprət] **I.** *adj* ▷*entrance* separat; ↑ *different* verschieden; (*individual*) eigen, einzeln **II.** ['sepəreɪt] *vt* trennen; ↑ *divide* aufteilen **III.** *vi* ← *couple* sich trennen; **separately** *adv* getrennt; **separation** [sepə'reɪʃən] *n* ▷*of couple* Trennung *f*

September [sep'tembə*] *n* September *m*

septic ['septɪk] *adj* septisch; ◇ ~ **tank** Klärbehälter *m*

sequel ['siːkwəl] *n* ▷*to film* Folge *f*

sequence ['siːkwəns] *n* ↑ *series* Reihenfolge *f;* ◇ **in** ~ der Reihe nach

sequin ['siːkwɪn] *n* Paillette *f*

serenade [serə'neɪd] **I.** *n* Serenade *f,* Ständchen *s* **II.** *vt* ein Ständchen bringen (*to s.o.* jd-m)

serene [sə'riːn] *adj* gelassen, ruhig; **serenity** [sɪ'renɪtɪ] *n* Gelassenheit *f,* Ruhe *f*

sergeant ['sɑːdʒənt] *n* MIL Unteroffizier *m;* ▷*police* Polizeimeister(in *f*) *m*

serial ['sɪərɪəl] **I.** *n* ▷*story* Fortsetzungsroman *m* **II.** *adj* ↑ *consecutive* fortlaufend; **serialize** ['siːrɪəlaɪz] *vt* in Fortsetzungen veröffentlichen

series ['sɪərɪz] *n sg* ↑ *sequence* Reihe *f;* MEDIA Serie *f;* (*of events*) Folge *f;* (*of literature*) Reihe *f*

serious ['sɪərɪəs] *adj* ① ↑ *earnest, important* ernst; ▷*consequence, accident* schwer; ▷*mistake* schlimm; ↑ *interest* ernsthaft ② ◇ **I'm** ~ ich meine es ernst; ◇ **Joan gave it** ~ **thought** Joan hatte es ernsthaft überlegt; **seriously** *adv* ↑ *earnestly* ernsthaft; ▷*injured* schwer; **seriousness** *n* Ernst *m,* Ernsthaftigkeit *f*

sermon ['sɜːmən] *n* Predigt *f*

serpent ['sɜːpənt] *n* Schlange *f*

serrated [se'reɪtɪd] *adj* gezackt; ◇ ~ **knife** Sägemesser *s*

serum ['sɪərəm] *n* Serum *s*

servant ['sɜːvənt] *n* Diener(in *f*) *m*

serve [sɜːv] **I.** *vt* dienen *dat;* → *guest, client* bedienen; → *food* servieren **II.** *vi* ① dienen; ↑ *to dish up* servieren ② (SPORT *tennis*) aufschlagen ③ ◇ **it ~s them right** das geschieht ihnen recht; ↑ *to be useful as* ◇ **that will ~ as a door** das kann man als Tür verwenden; **serve up** *vt* → *dinner* servieren, auftragen

service ['sɜːvɪs] **I.** *n* ① (*in restaurant*) Bedienung *f* ② ↑ *assistance* Service *m;* ◇ **Can I be of ~?** Kann ich Ihnen behilflich sein? ③ (*church* ~) Gottesdienst *m* ④ ↑ *crockery set* Service *s* ⑤ SPORT Aufschlag *m* ⑥ MIL Waffengattung *f;* ◇ **armed ~s** Streitkräfte *pl* ⑦ (*household repairs*) Kundendienst *m;* (*car*) Inspektion *f;* ◇ **out of** ~ außer Betrieb **II.** *vt* AUTO, TECHNOL warten; **serviceable** ['sɜːvɪsəbl] *adj* nützlich, brauchbar; **service area** *n* Raststätte *f;* **service charge** *n* Bearbeitungsgebühr *f;* **serviceman** *n* <-men> ↑ *soldier* Soldat *m;* **service station** *n* Tankstelle *f;* **servicing** *n* AUTO, TECHNOL Wartung *f*

serviette [sɜːvɪ'et] *n* Serviette *f*

servile ['sɜːvaɪl] *adj* unterwürfig

serving ['sɜvɪŋ] *n* Portion *f*

session ['seʃən] *n* ① ↑ *sitting* Sitzung *f* ② (*psychiatric treatment*) Behandlung *f* ③ POL Sitzungsperiode *f;* (*term of office*) Legislaturperiode *f;* ◇ **to be in** ~ eine Sitzung abhalten ④ MUS ◇ **recording** ~ Aufnahme *f* ⑤ (*university term*) Studienjahr *s*

set [set] <set, set> **I.** *vt* ① ↑ *place* setzen, stellen ② → *watch, alarm* stellen ③ → *time, price* festsetzen ④ → *table* decken ⑤ → *jewels* fassen ⑥ → *hair* legen ⑦ MED → *bone* einrichten ⑧ → *task, question* stellen **II.** *vi* ① ← *sun* untergehen ② ← *bone* zusammenwachsen ③ ↑ *solidify* fest werden **III.** *n* ① (*collection, of two*) Paar *s,* Set *s,* Satz *m* ② (SPORT *tennis*) Satz *m* ③ ◇ **television** ~ Fernsehapparat *m* ④ THEAT Bühnenbild *s;* (*movie* ~) Szene *f* ⑤ MATH Menge *f* **IV.** *adj* ① ↑ *planned* festgelegt, vorgeschrieben; ◇ **I'm ~ on going** ich habe mich entschlossen zu gehen ② ◇ ~ **menu** Menü *s* ③ ↑ *ready* bereit ④ ◇ **to ~ s.th. going** etw in Gang bringen; ◇ **he is very ~ in his ways** er ist in seinen Gewohnheiten festgefahren; ◇ **Will the murderer be ~ free?** Wird der Mörder freigelassen?; ◇ **to ~ on fire** anzünden; **set about** *vt* sich an etw machen; **set aside** *vt* ① → *money* beiseite legen ② → *time* einplanen ③ → *arrangements, plans* aufschieben ④ → *verdict* aufheben; **set back** *vt* ↑ *delay* behindern, verzögern; ↑ *cost alot of money* kosten; **set down** *vt* ① ↑ *drop off* aussteigen lassen ② ↑ *write down* aufschreiben; **set off I.** *vi* ↑ *set out* (*on journey*) sich auf den Weg machen **II.** *vt* ① *trigger* → *bomb* losgehen lassen; → *argument* auslösen ②

↑ *enhance* hervorheben; **set out** I. *vi* ↑ *set off* sich auf den Weg machen II. *vt* ↑ *try, intend to* versuchen, vorhaben; ↑ *lay out* ausbreiten; ↑ *present* darstellen; **set up** I. *vt* [1] ↑ *place* aufstellen [2] → *tent* aufbauen [3] → *plan, scheme* arrangieren, planen [4] → *system* gründen II. *vi* [1] ↑ *establish* sich niederlassen [2] ↑ *prearrange* arrangieren, vereinbaren [3] ↑ *frame* ◇ **it was obvious that Jones had been ~ ~** es war klar, daß Jones reingelegt wurde; **setback** *n* Rückschlag *m;* **set square** *n* Zeichendreieck *s*

settee [se'ti:] *n* Sofa *s*

setting ['setɪŋ] *n* [1] ↑ *scene* Szene *f;* (*of story*) Schauplatz *m* [2] ↑ *background* Hintergrund *m;* ↑ *surroundings* Rahmen *m* [3] ↑ *frame* Fassung *f* [4] MUS Vertonung *f* [5] ↑ *place at table* Gedeck *s*

settle ['setl] I. *vt* [1] ↑ *agree* vereinbaren [2] ↑ *decide* entscheiden [3] *resolve* → *problems, differences* beilegen; → *doubts* ausräumen; → *price* aushandeln [4] ↑ *organize, take care of* erledigen [5] → *bill* bezahlen [6] → *dust, sediment* sich setzen lassen; → *fluids* sich klären, absetzen lassen II. *vi* [1] ↑ *settle down* sich einleben [2] ↑ *put down roots* sich niederlassen [3] ↑ *sink* sich setzen [4] ↑ *become calm* sich beruhigen; **settlement** ['setlmənt] *n* [1] ↑ *payment* Bezahlung *f* [2] (*of argument, of differences*) Schlichtung *f,* Beilegung *f* [3] (*court*) Vergleich *m* [4] ↑ *territory* Niederlassung *f,* Siedlung *f;* **settler** *n* Siedler(in *f*) *m*

setup ['setʌp] *n* [1] ↑ *system of organization* Aufbau *m,* Gliederung *f* [2] ↑ *situation* Situation *f* [3] (*frame*) ◇ **it was ~** es war Betrug

seven ['sevn] *nr* sieben

seventeen ['sevn'ti:n] *nr* siebzehn

seventh ['sevnθ] I. *adj* siebte(r s) II. *n* [1] (*person*) Siebte(r) *fm* [2] (*fraction*) Siebtel *s*

seventy ['sevntɪ] *nr* siebzig

sever ['sevə*] *vt* [1] (*divide*) durchtrennen, abtrennen [2] → *ties, connections* abbrechen

several ['sevrəl] I. *adj* ▷*possibilities* mehrere, verschiedene II. *pron* einige

severance ['sevərəns] *n* [1] (*division*) Abtrennung *f;* (*of ties*) Abbruch *m;* ◇ **~ pay** Abfindung *f*

severe [sɪ'vɪə*] *adj* [1] ▷*person* streng; ↑ *grave, harsh* hart; ▷*injury, condition* schwer; ◇ **the passenger was ~ly injured** der Beifahrer war schwer verletzt [2] ▷*pain, weather* rauh

sew [səʊ] <sewed, sewn> *vti* nähen; **sew up** *vt* zunähen

sewage ['sju:ɪdʒ] *n* Abwässer *pl*

sewer ['sjʊə*] *n* Abwasserkanal *m*

sewing ['səʊɪŋ] *n* Näharbeit *f;* **sewing machine** *n* Nähmaschine *f;* **sewn** [səʊn] *pp of* **sew**

sex [seks] *n* [1] ↑ *gender* Geschlecht *s* [2] ↑ *intercourse* Sex *m*

sex education *n* Sexualerziehung *f;* **sexism** ['seksɪzəm] *n* Sexismus *m;* **sexist** ['seksɪst] I. *adj* sexistisch II. *n* Sexist(in *f*) *m*

sex maniac *n* Triebtäter(in *f*) *m*

sextant ['sekstənt] *n* Sextant *m*

sextet [seks'tet] *n* Sextett *s*

sexual ['seksjʊəl] *adj* sexuell

sexuality ['seksjʊ'ælɪtɪ] *n* Sexualität *f;* **sexually** ['seksjʊəl] *adv* sexuell

sexy ['seksɪ] *adj* sexy

shabbiness ['ʃæbɪnəs] *n* Schäbigkeit *f*

shabby ['ʃæbɪ] *adj* schäbig

shack [ʃæk] *n* Hütte *f*

shackle ['ʃækl] *n* Fessel *f*

shade [ʃeɪd] I. *n* [1] (*of tree*) Schatten *m* [2] (*of colour, tone*) Ton *m* [3] ◇ **lamp ~** Lampenschirm *m* [4] (*fraction*) Spur *f;* ◇ **~s** Sonnenbrille *f* II. *vt* abschirmen, beschatten

shadow ['ʃædəʊ] I. *n* [1] Schatten *m* [2] ◇ **without a ~ of doubt** ohne den geringsten Zweifel II. *vt* ↑ *follow, pursue* beschatten III. *adj:* ◇ **~ cabinet** POL Schattenkabinett *s;* **shadowy** *adj* [1] ↑ *vague, mysterious* schattenhaft, unbestimmt [2] ↑ *dim* verschwommen, unklar

shady ['ʃeɪdɪ] *adj* schattig; ↑ *dubious, suspicious* verdächtig, zwielichtig

shaft [ʃɑ:ft] *n* [1] (*of spear, axe*) Schaft *m* [2] (*mine ~*) Schacht *m* [3] (*of engine*) Welle *f;* (*of light*) Strahl *m*

shaggy ['ʃægɪ] *adj* ▷*dog* struppig

shake [ʃeɪk] <shook, shaken> I. *vt* [1] schütteln [2] (*with fright*) erschüttern II. *vi* [1] ↑ *tremble* zittern [2] ↑ *sway* schwanken, schaukeln, wakkeln [3] ◇ **to ~ hands** sich die Hände geben *dat;* ↑ *hurry* ◇ **~ a leg** sich beeilen [*o.* Dampf machen]; **shake off** *vt* → *snow, person* abschütteln; **shake up** *vt* ↑ *upset* erschüttern, einen Schrekken einjagen *dat;* **shaken** ['ʃeɪkən] *pp of* **shake**; **shake-up** *n* (*of company*) Umbesetzung *f;* **shakily** ['ʃeɪkɪlɪ] *adv* ↑ *trembling* zitternd; **shaky** ['ʃeɪkɪ] *adj* zittrig

shale [ʃeɪl] *n* Schiefer *m*

shall [ʃæl] <should> *Hilfsverb* [1] (*future*) werden; ◇ **I ~ visit you tomorrow** morgen werde ich dich besuchen [2] (*will, intention*) werden; ◇ **I ~ do whatever I want** ich werde das machen, was ich möchte; ◇ **What ~ we do now?** Was sollen wir jetzt tun? [3] (*should, incase*) sollen; ◇ **if we should arrive late..** falls wir zu spät ankommen sollten.

S

shallow ['ʃæləʊ] *adj* ① ▹*river, pool* seicht ② *FIG* ▹*person* flach

sham [ʃæm] **I.** *n* ↑*fraud, cheat* Täuschung *f*, Heuchelei *f*, Trug *m* **II.** *adj* unecht, imitiert

shambles ['ʃæmblz] *n sg* Durcheinander *s*, Unordnung *f*

shame [ʃeɪm] **I.** *n* ① ↑*remorse* Scham *f* ② ↑*disgrace, pity* Schande *f*; ◇ **~ on you!** Schäm dich!; ◇ **what a ~!** Schade! **II.** *vt* beschämen; **shamefaced** ['ʃeɪmfeɪsd] *adj* beschämt, betreten; **shameful** ['ʃeɪmfʊl] *adj* ▹*behaviour* beschämend; **shameless** ['ʃeɪmləs] *adj* schamlos

shampoo [ʃæm'pu:] **I.** *n* Schampoo *s*, Shampoo *s* **II.** *vt* schamponieren, schampunieren

shamrock ['ʃæmrɒk] *n* Kleeblatt *s*

shandy ['ʃændɪ] *n* (*beer with lemonade*) Radler *s*

shan't [ʃɑ:nt] = **shall not**

shanty ['ʃæntɪ] *n* Hütte *f*; **shanty town** *n* Elendsviertel *s*

shape [ʃeɪp] **I.** *n* Gestalt *f*, Form *f*; ◇ **all ~s and sizes** jeder Art; ◇ **to be in good/bad ~** in Form/nicht in Form sein; ◇ **what kind of ~ does it have?** welche Form hat es?; ◇ **to take ~** Gestalt annehmen **II.** *vt* ① ↑*form* formen ② ↑*determine* bestimmen; **shapeless** *adj* formlos; **shapely** *adj* (*good shape*) wohlgeformt; ▹*figure* schön

share [ʃɛə*] **I.** *n* ① ↑*division, portion* Teil *m*; ◇ **I insist that you do your fair ~** ich bestehe darauf, daß du deinen Teil dazu beiträgst ② COMM Aktie *f* **II.** *vt* ① ↑*divide* teilen ② → *mutual interest* gemeinsam haben; **shareholder** *n* Aktionär(in *f*) *m*

shark [ʃɑ:k] *n* ① Haifisch *m* ② ↑*crook* Gauner *m*; ◇ **loan ~** Kredithai *m*

sharp [ʃɑ:p] **I.** *adj* ① ▹*knife* scharf, spitz; ▹*turn, bend* scharf ② ↑*clear, distict* deutlich ③ ▹*tongue* spitz ④ ▹*wind* beißend ⑤ ▹*taste, wine* sauer ⑥ ▹*pain* heftig; ▹*whistle, cry* schrill ⑦ ↑*bright, clever* begabt, clever ⑧ MUS ▹*note* um einen Halbton erhöht ⑨ *AM* ↑*smart appearance* sehr schick, todschick **II.** *adv* ① ↑*punctually* ◇ **four o'clock ~** Punkt vier Uhr ② (MUS *note*) zu hoch ③ ◇ **turn ~ right** scharf rechts abbiegen; **sharpen** [ʃɑ:pən] *vt* → *pencil* spitzen; **sharpener** [ʃɑ:pənə*] *n* Spitzer *m*; **sharp-eyed** ['ʃɑ:p'aɪd] *adj* ↑*vigilant* scharfsichtig; **sharpness** *n* Schärfe *f*

shatter ['ʃætə*] **I.** *vt* ① ↑*smash* zertrümmern; → *glass* zerbrechen ② → *emotions* mitnehmen; → *hopes* zerstören ③ ↑*exhaust* fertig machen, erledigen **II.** *vi* zerbrechen, kaputt gehen; **shattered** *adj* ① ↑*smashed* zertrümmert ② ▹*glass* zerbrechen ③ ▹*emotions* mitgenommen; ▹*nerves* zerrüttet; ▹*hopes* zerstört ④ ↑*exhausted* fertig, erledigt; **shattering** *adj* ▹*experience* furchtbar; ▹*effect* verheerend

shave [ʃeɪv] <shaved, shaved *o.* shaven> **I.** *vt* rasieren **II.** *vi* sich rasieren **III.** *n* Rasur *f*; ◇ **to have a ~** sich rasieren; *FIG* ◇ **that was a very close ~** das war aber sehr knapp; **shaven I.** *pp of* shave; **II.** *adj* ▹*legs* rasiert; ▹*head* geschoren; **shaver** ['ʃeɪvə*] *n* Rasierapparat *s*; **shaving** ['ʃeɪvɪŋ] *n* ① (*act of*) Rasieren *s* ② ◇ **~s** *pl* (*wood, silver*) Späne *pl*; **shaving brush** *n* Rasierpinsel *m*; **shaving cream** *n* Rasiercreme *f*; **shaving foam** *n* Rasierschaum *m*

shawl [ʃɔ:l] *n* Schal *m*

she [ʃi:] **I.** *pron* sie **II.** *adj* (*gender*) weiblich

sheaf [ʃi:f] *n* <sheaves> (*of corn*) Garbe *f*

shear [ʃɪe*] <sheared, shorn *o.* sheared> *vt* → *sheep* scheren; **shears** *n pl* (*for sheep*) Schere *f*; (*for hedges*) Heckenschere *f*

sheath [ʃi:θ] *n* ① (*for knife*) Scheide *f* ② (*contraceptive*) Kondom *s*; **sheathe** [ʃi:ð] *vt* ① (*knife*) einstecken ② ↑*cover* verkleiden

shed [ʃed] <shed, shed> **I.** *vt* ① *cast off* → *tears* vergießen; → *hair, blood* verlieren ② → *weight* ◇ **You really need to ~ a few pounds** du solltest wirklich ein Paar Pfund abnehmen ③ ◇ **to ~ light on a matter** Licht auf eine Sache werfen **II.** *vi* ← *animal fur* sich haaren **III.** *n* (*garden ~*) Schuppen *m*; (*for animals*) Stall *m*

she'd [ʃi:d] = **she had; she would**

sheep [ʃi:p] *n* <-> Schaf *s*; **sheepdog** *n* Schäferhund *m*; **sheepish** *adj* ↑*embarrassed* ▹*smile* verlegen, betreten; **sheepskin** *n* Schaffell *s*

sheer [ʃɪə*] *adj* ① ▹*stupidity, coincidence* rein ② ▹*silk* rein ③ ▹*cliff* steil

sheet [ʃi:t] *n* ① ↑*cover* Bettuch *s*; (*of ice*) Fläche *f* ② (*of paper*) Blatt *s*

sheikh [ʃeɪk] *n* Scheich *m*

shelf [ʃelf] *n* <shelves> Regal *s*

she'll [ʃi:l] = **she will; she shall**

shell [ʃel] **I.** *n* ① (*covering*) Schale *f*; (*sea-*) Muschel *f*; (*snail*) Haus *s*; (*turtle*) Panzer *m* ② ↑*explosive* Granate *f* **II.** *vt* → *peas* schälen; **shellfish** *n* Schalentier *s*, Meeresfrüchte *pl*

shell-shock *n* Kriegsneurose *f*

shelter ['ʃeltə*] **I.** *n* ① (*protection*) Schutz *m* ② ▹*air-raid* Bunker *m* **II.** *vt* schützen **III.** *vi*: ◇ **take ~** sich unterstellen; **sheltered** ['ʃeltəd] *adj* ↑*protected* geschützt; ▹*life* behütet

shelve [ʃelv] **I.** *vt* ↑*put off* aufschieben [*o.* auf Eis legen] **II.** *vi* ↑*slope* abfallen

shelving ['ʃelvɪŋ] *n* Regale *pl*

shepherd ['ʃepəd] *n* Schäfer *m*

sheriff ['ʃerɪf] *n* Sheriff *m*

she's [ʃi:z] = **she is; she has**

Shetland Islands ['ʃetlənd 'aɪləndz] *n* Shetlandinseln *pl*

shield [ʃi:ld] **I.** *n* ① ↑ *trophy* Trophäe *f* ② (*military*) Schild *m* ③ ↑ *protection, FIG* Schutz *m* **II.** *vt* ↑ *protect* schützen vor

shift [ʃɪft] **I.** *n* ① (*of work*) Schicht *f* ② ↑ *change* Veränderung *f;* ▷*opinion* Umschwung *m,* Wandel *m* ③ ▷*gear* Schaltung *f* ④ (*on keyboard*) Hochstelltaste *f,* Umschalttaste *f* **II.** *vt* ① ↑ *move* bewegen ② ↑ *alter* → *opinion* ändern ③ → *gears* schalten **III.** *vi* sich verschieben; **shift work** *n* Schichtarbeit *f;* **shifty** ['ʃɪftɪ] *adj* ↑ *suspicious* verschlagen

shilly-shally ['ʃɪlɪʃælɪ] *vi* zaudern, zögern

shimmer ['ʃɪmə*] **I.** *n* (*of light, hope*) Schimmer *m* **II.** *vi* schimmern

shin [ʃɪn] *n* ANAT Schienbein *s*

shine [ʃaɪn] <shone, shone> **I.** *vt* → *shoes, furniture* polieren **II.** *vi* ① ↑ *gleam* scheinen; *FIG* ← *eyes* glänzen ② ↑ *focus* ◇ **to ~ a light on s.th.** etw anleuchten **II.** *n* ↑ *gleam* Schein *m;* (*eyes*) Glanz *m*

shiner ['ʃaɪnə*] *n* (*FAM black eye*) Veilchen *s*

shingle ['ʃɪŋgl] *n* ① Kies *m* ② (*tile*) Schindel *f;* **shingles** *n sg* MED Gürtelrose *f*

shining ['ʃaɪnɪŋ] *adj* ▷*light* strahlend; ▷*eyes* glänzend

shiny ['ʃaɪnɪ] *adj* glänzend

ship [ʃɪp] **I.** *n* Schiff *s* **II.** *vt* (*with ship*) verschiffen; ↑ *send* verschicken; **ship-building** *n* Schiffbau *m;* **shipment** ['ʃɪpmənt] *n* (*with ship*) Verschiffung *f;* ↑ *sending* Versand *m;* **shipper** ['ʃɪpə*] *n* Verschiffer *m,* Spediteur *m;* **shipping** *n* ① ↑ *transporting* Versand *m,* Verschiffung *f* ② (*ships*) Schiffe *pl;* **shipshape** ['ʃɪpʃeɪp] *adj* ↑ *good condition* tipptopp [*o.* in bester Ordnung]; **shipwreck** ['ʃɪprek] *n* Schiffbruch *m;* **shipyard** *n* Werft *f*

shirk [ʃɜ:k] *vt* ↑ *avoid* sich drücken vor

shirt [ʃɜ:t] *n* Hemd *s;* **shirty** *adj BRIT FAM* ↑ *bad-tempered* schlecht gelaunt, sauer

shit [ʃɪt] **I.** *n FAM* Scheiße *f* **II.** *FAM!* scheißen

shiver ['ʃɪvə*] **I.** *vi* zittern **II.** *n* Schauer *m*

shoal [ʃəʊl] *n* (*of fish*) Schwarm *m*

shock [ʃɒk] **I.** *n* ① ▷*mental* Schock *m* ② ▷*earthquake* Erschütterung *f* ③ (*electrical*) Schlag *m* **II.** *vt* ① ↑ *offend* schockieren ② (*earthquake*) erschüttern; **shock absorber** *n* Stoßdämpfer *m;* **shocking** *adj* schockierend; **shockproof** *adj* ▷*watch* stoßsicher

shod [ʃɒd] *pp of* **shoe**

shoddy ['ʃɒdɪ] *adj* ↑ *badly made* schäbig

shoe [ʃu:] <shod, shod> **I.** *n* Schuh *m;* (*of horse*) Huf *m* **II.** *vt* → *horse* beschlagen; **shoebrush** *n* Schuhbürste *f;* **shoehorn** *n* Schuhlöffel *m;* **shoelace** *n* Schnürsenkel *m*

shone [ʃɒn] *pp of* **shine**

shook [ʃʊk] *pp of* **shake**

shoot [ʃu:t] <shot, shot> **I.** *vt* (*with firearm*) ① schießen; ↑ *kill* erschießen; ↑ *wound* ◇ **to ~ at** anschießen ② → *film* drehen ③ ↑ *move quickly* schießen **II.** *vi* ① (*with firearm*) schießen ② ↑ *move quickly* schießen ③ *FAM* ← *heroin* fixen **III.** *n* ① ↑ *branch* Schößling *f* ② ↑ *hunt* Jagd *f;* **shoot down** *vt* → *plane* abschießen; **shooting** *n* ① ↑ *firing* Schießerei *f,* Schießen *s* ② ↑ *killing* Erschießung *f* ③ (*of film*) Drehen *s*

shooting-range *n* Schießplatz *m;* **shooting star** *n* Sternschnuppe *f*

shop [ʃɒp] **I.** *n* Laden *m,* Geschäft *s* **II.** *vi:* ◇ **go ~ping** einkaufen gehen; **shop around** *vi* sich umsehen; **shop assistant** *n* Verkäufer(in *f*) *m;* **shopkeeper** *n* Ladenbesitzer(in *f*) *m;* **shoplifter** *n* Ladendieb(in *f*) *m;* **shoplifting** *n* Ladendiebstahl *m;* **shopper** *n* Käufer(in *f*) *m;* **shopping** ['ʃɒpɪŋ] *n* Einkaufen *s,* Einkauf *m;* **shopping bag** *n* Einkaufstasche *f;* **shopping centre**, **shopping center** (*AM*) *n* Einkaufszentrum *s;* **shopping list** *n* Einkaufszettel *m;* **shop window** *n* Schaufenster *s*

shore [ʃɔ:*] *n* (*bank*) Ufer *s;* (*beach*) Strand *m*

shoreline *n* Wasserlinie *f,* Uferlinie *f*

shorn [ʃɔ:n] *pp of* **shear**

short [ʃɔ:t] **I.** *adj* ↑ *brief* kurz; ▷*person* klein; ↑ *abrupt* kurz angebunden; (*measurement*) zu knapp, zu kurz; ◇ **time is ~** die Zeit ist knapp; ↑ *lacking in* knapp; ◇ **we are ~ of food** wir haben zu wenig zu essen **II.** *n* (ELECTR ~ *circuit*) Kurzschluß *m* **II.** *adv* ↑ *suddenly, abruptly* plötzlich; ◇ **to stop ~** plötzlich aufhören/anhalten; **shortage** ['ʃɔ:tədʒ] *n* Mangel *m,* Knappheit *f;* ◇ **a ~ of water** Wassermangel *m;* **short-circuit** ['ʃɔ:-t'sɜ:kət] **I.** *n* ELECTR Kurzschluß *m* **II.** *vi* einen Kurzschluß haben; **shortcoming** *n* Fehler *m;* **short cut** *n* Abkürzung *f;* **shorten** ['ʃɔ:tən] *vt* ↑ *reduce* kürzen; → *hem* kürzer machen; **shorthand** *n* Stenographie *f,* Kurzschrift *f;* **shorthand typist** *n* Stenotypist(in *f*) *m;* **shortlist** *n* engere Auswahl *f;* **short-lived** *adj* kurzlebig; **shortly** *adv* gleich, bald; **shortness** *n* Kürze *f;* **short-range missile** ['ʃɔ:t'reɪndʒ 'mɪsaɪl] *n* Kurzstreckenrakete *f;* **shorts** [ʃɔ:ts] *n pl* kurze Hosen *pl;* **short-sighted** ['ʃɔ:t'saɪtəd] *adj* (*eye sight*) kurzsichtig; ▷*attitude* kurzsichtig; **short story** *n* Kurzgeschichte *f;* **short-tempered**

['ʃɔːt'tempəd] *adj* unbeherrscht; **short-term** *adj* ▹*effect* kurzfristig; **short wave** *n* Kurzwelle *f*
shot [ʃɒt] **I.** *pp of* **shoot**; **II.** *n* [1] (*with firearm*) Schuß *m* [2] ↑ *marksman* Schütze *m* [3] ↑ *try, attempt* Versuch *m;* ◇ **let him have a ~ at it** laß ihn mal probieren [4] ↑ *injection* Spritze *f* [5] (*camera ~*) Aufnahme *f;* **shotgun** *n* Schrotflinte *f*
should [ʃʊd] *modal auxiliary* [1] (*ought to*) sollen [2] (*shall*) sollen [3] (*were to*) würden; ◇ **if he ~ call** falls er anrufen sollte
shoulder [ʃəʊldə*] *n* [1] (*body part*) Schulter *f;* ◇ **to cry on s.o.'s ~** sich an jd-s Brust *dat* ausweinen [2] (*of road*) Bankett *s*, Seitenstreifen *m;* **shoulder blade** *n* Schulterblatt *s*
shout [ʃaʊt] *vi* (*yell*) rufen, schreien; (*scold*) ◇ **to ~ at s.o.** jd-n anschreien
shove [ʃʌv] **I.** *vt* (*push*) schubsen, stoßen, schieben *acc* **II.** *n:* ◇ **to give s.o. a ~** jd-n schubsen/stoßen; **shove off** *vi* [1] (*in boat*) ablegen [2] (*FAM get lost*) ◇ **S~ -!** Hau ab!
shovel [ʃʌvəl] **I.** *n* (*tool*) Schaufel *f* **II.** *vt* → *snow, dirt* schaufeln
show [ʃəʊ] **I.** *vt* [1] (*demonstrate*) zeigen [2] (← *instrument, register*) anzeigen [3] → *pictures, letter* zeigen [4] (*escort*) hinbringen, begleiten [5] (*teach*) vormachen; ◇ **to ~ s.o. how to do s.th.** jd-m zeigen, wie etw geht; ◇ **here, let me ~ you** komm, laß' mich es dir zeigen [6] (*exhibit*) → *art* ausstellen **II.** *vi* [1] (*visible*) zu sehen sein; (*stain*) sichtbar sein [2] → *affection* zeigen, erweisen [3] (*appear*) auftreten **III.** *n* [1] (*performance*) Aufführung *f* [2] (*TV ~*) Sendung *f* [3] (*act, pretend*) Schau *f* [4] ◇ **she put up a good ~ in front of her boss** sie hat sich vor ihrem Chef wichtig gemacht; **show off I.** *vi* (*brag, boast*) angeben (*to, in front of* vor *dat*) **II.** *vt* [1] (*display, car etc.*) protzen mit, vorführen [2] (*complement*) hervorheben; **show up** *vi* [1] (*turn up*) auftauchen; (*be seen*) zu erkennen sein [2] (*reveal*) zum Vorschein kommen [3] (*embarrass*) bloßstellen; **showbiz** ['ʃʒb'z] *n FAM* Showbusiness *s;* **showcase** *n* (*display cabinet*) Schaukasten *m;* **showdown** *n* (*conflict*) Auseinandersetzung *f*
shower ['ʃaʊə*] **I.** *n* [1] (*in bathroom*) Dusche *f;* ◇ **to take a ~** duschen [2] (*rain~*) Schauer *m* [3] *party, bridal ~, baby ~, AM Party für eine Frau, die heiratet oder schwanger ist* **II.** *vi* [1] (*to wash*) duschen [2] (*heap, s.o. with s.th.*) etw auf jd-n niederregnen lassen
showing ['ʃəʊɪŋ] *n* (*presentation*) Zeigen *s*
showmanship *n* (*skill*) schauspielerisches Talent, Showtalent *s*
shown *pp of* **show**
show-off *n* (*boastful person*) Angeber(in *f*) *m;* **showpiece** *n* (*art*) Schaustück *s;* **showy** ['ʃəʊɪ] *adj* (*flamboyant*) protzig
shrank [ʃræŋk] *pp of* **shrink**
shred [ʃred] **I.** *vt* → *paper* zerreißen, zerfetzen; → *carrot* raspeln **II.** *n* (*scrap*) Fetzen *m;* (*strip, piece*) Schnipsel *m;* **shredder** ['ʃredə*] *n* (*machine*) Zerkleinerungsmaschine *f*, Schredder *m;* (*grater*) Reibe *f*
shrew [ʃruː] *n* Spitzmaus *f*
shrewd [ʃruːd] *adj* (*astute*) raffiniert, schlau
shriek [ʃriːk] *vi* (*screech*) schreien, kreischen
shrill [ʃrɪl] *adj* (*high-pitched, piercing*) schrill, durchdringend
shrimp [ʃɪmp] *n* [1] (*crustacean*) Garnele *f* [2] (*FAM weak person*) Hänfling *m*
shrimping *n* (*fishing*) Garnelenfang *m*
shrine [ʃraɪn] *n* (*place of worship*) Heiligtum *s*
shrink [ʃrɪnk] **I.** *vi* ← *clothes* eingehen; (*recoil*) zurückschrecken **II.** *n FAM* ↑ *psychiatrist* Irrenarzt *m*, Klapsdoktor *m*
shrinkage [ʃrɪnkədʒ] *n* ↑ *reduction* Eingehen *s*, Schrumpfung *f*
shrivel [ʃrɪvəl] *vi* (*wither*) austrocknen; ◇ **to ~ up like a prune** zusammenschrumpfen wie eine Pflaume
shroud [ʃraʊd] **I.** *n* (*funeral*) Leichentuch *s*, Totenhemd *s* **II.** *vt* (*wrap*) hüllen (*in* in)
shrub [ʃrʌb] *n* (*plant*) Busch *m*, Strauch *m*, Staude *f;* **shrubbery** ['ʃrʌbərɪ] *n* (*in garden*) Gebüsch *s*
shrug [ʃrʌb] *vt* → *shoulders* zucken; **shrug off** *vt* (*ignore*): ◇ **he ~ged ~ the remark** er tat die Bemerkung mit einem Achselzucken ab
shrunk [ʃrʌnk] *pp of* **shrink**
shrunken *adj* eingeschrumpft
shudder [ʃʌdə*] *vi* [1] (*tremble*) schaudern [2] (*machine*) rütteln
shuffle ['ʃʌfl] **I.** *vi* (*walk*) schlurfen **II.** *vt* ↑ *mix up* durchwühlen; → *cards* mischen; **shuffle off** *vt* (*evade*) ablegen
shun [ʃʌn] *vt* (*reject, eschew*) meiden, ausstoßen
shunt [ʃʌnt] *vt* RAIL rangieren
shush [ʃʊʃ] *vt* ↑ *silence* → *s.o.* beruhigen, zum Schweigen bringen
shut [ʃʌt] **I.** *vt* ↑ *close* → *door* zumachen; → *eyes* schließen, zumachen; ◇ **S~ your mouth!** Halt' deinen Mund! **II.** *vi* ← *shop, pub* schließen, zumachen; **shut away** *vt* wegschließen; **shut down** *vi* ← *factory, business* zumachen, schließen; **shut in** *vt* ↑ *imprison* einsperren; ◇ **she ~ herself ~ the bedroom** sie sperrte sich im Schlafzimmer ein; **shut off** *vt* [1] → *engine* ausschalten

[2] (*block*) absperren [3] (*isolate*) abtrennen; **shut out** *vt* ↑ *exclude* → *person* ausschließen; → *pain, thoughts* unterdrücken; **shut up** *vi FAM* ↑ *stop talking* den Mund halten; ◇ **her reply - me -** auf ihre Antwort fiel mir nichts mehr ein; **shutdown** *n* (*of apparatus*) Abschaltung *f;* (*of place*) Schließung *f;* **shut-eye** *n* (*FAM sleep*) Schlaf *m*
shutter [ʃʌtə*] *n* [1] (*of window*) Fensterladen *m* [2] (*of camera*) Verschluß *m*
shuttle [ʃʌtl] **I.** *n* (*vehicle*) Zubringer *m* **II.** *vi* ↑ *travel* pendeln
shy [ʃaɪ] *adj* [1] (*bashful*) schüchtern [2] (*hesitant*) zögerlich
Siamese ['saɪəmi:z] *adj* (*Thai*) siamesisch; **Siamese cat** *n* Siamkatze *f;* **Siamese twins** *n* siamesische Zwillinge *m pl*
sibling ['sɪblɪŋ] *n* (*brother or sister*) Geschwister *s*
Sicilian [sɪ'sɪlɪən] *adj* sizilianisch
sick [sɪk] **I.** *adj* [1] (*ill*) krank; ◇ **to fall -** krank werden, erkranken; ◇ **I feel -** mir ist übel/schlecht [2] (*offensive*) krank, abartig; ◇ **that's a - book** das ist ein perverses Buch **II.** *vi* [1] (*vomit*) ◇ **I'm going to be -** ich glaube, ich muß mich übergeben [2] (*fed up*) ◇ **I'm - of winter** ich habe genug vom Winter, mir hängt der Winter zum Hals heraus; **sickbed** *n* Krankenbett, Krankenlager *s;* **sicken** ['sɪkən] *vt* [1] (*repulse*) abstoßen [2] (*fall ill*) erkranken; **sickening** *adj* (*unpleasant*) abstoßend, ekelerregend
sickle ['sɪkl] *n* (*tool*) Sichel *f*
sick leave *n* (*from work*): ◇ **to be on - -** krankgeschrieben sein
sickly *adj* (*weak*) kränkelnd, schwächlich
sickness *n* (*illness*) Krankheit *f;* **sickness benefit** *n* (*aid*) Krankengeld *s;* **sickroom** *n* Krankenzimmer *s*
side [saɪd] *n* [1] (*position*) Seite *f;* ◇ **on every -** auf jeder Seite; ◇ **on all -s** auf allen Seiten; ◇ **to be - by -** Seite an Seite sein [2] (*participant, competitor*) Seite *f;* ◇ **the democratic - won** die demokratische Seite hat gewonnen [3] (*viewpoint*) Seite *f;* ◇ **to take -s** parteiisch sein [4] (*support*) ◇ **I'm on your -** ich stehe auf deiner Seite [5] (*in addition*) ◇ **he has a girlfriend on the -** er hat nebenher eine Freundin; ◇ **to be on the safe -** sichergehen, auf der sicheren Seite sein; **side against** *vi* (*disagree*) gegen jd-n Partei ergreifen; **side with** *vi* (*support*) für jd-n Partei ergreifen, sich auf jd-s Seite stellen; **sideboard** *n* [1] (*cupboard*) Anrichte *f* [2] (*sideburns*) ◇ **-s** Koteletten *pl;* **sidecar** *n* (*passenger compartment*) Beiwagen *m,* Seitenwagen *m;* **side-effect** *n* [1] (*of a drug*) Nebenwirkung *f* [2] (*by-product*) Nebenprodukt *s;* **side issue** *n* (*minor*) Nebensache *f;* **side job** *n* Nebenjob *m;* **sidekick** *n* (*FAM assistant*) Handlanger *m;* **sideline** *n* [1] (*extra job*) Nebenerwerb *m* [2] (*boundary of playing field*) Seitenauslinie *f; FIG* ◇ **to stand on the -s** (*to view objectively*) etw aus neutraler Sicht betrachten; **sidelong** *adj* ▷ *look* versteckt, Seiten- ; **side-saddle** *adj* (*sideways*) im Damensitz; **sideshow** *n* (*entertainment*) Nebenvorstellung *f;* **side-splitting** *adj* (*FAM hilarious*) umwerfend komisch, urkomisch; **sidestep** *vt* (→ *problem, question, evade*) ausweichen; **sideswipe** *n* (*unexpected attack*) Seitenhieb *m;* **sidetrack** *vt* (*distract*) ablenken; **sidewalk** *n* (*for pedestrians*) Gehsteig *m,* Gehweg *m,* Bürgersteig *m;* **sideways** *adj* (*direction*) seitlich, zur Seite
siesta ['sɪestə] *n* (*nap*) Siesta *f,* Mittagsschläfchen *s*
sieve [sɪv] *n* (*utensil*) Sieb *s*
sift [sɪft] *vt* [1] → *flour* [durch]sieben [2] (*sort*) → *information* aussieben
sigh [saɪ] **I.** *vi* (*exhale*) seufzen **II.** *n:* ◇ **to give a - of relief** einen Stoßseufzer von sich geben, einen Seufzer der Erleichterung ausstoßen
sight [saɪt] **I.** *n* [1] (*vision*) Sehkraft *f;* ◇ **his - is failing** seine Augen werden schlechter [2] (*view*) Sicht *f;* ◇ **the car was out of -** das Auto war außer Sichtweite [3] (*occurence*) ◇ **that was an encouraging -** das war ein ermutigender Anblick; ◇ **the -s of Washington D.C.** die Sehenswürdigkeiten von Washington D.C. [4] (*wreck, mess*) ◇ **What a - you are!** Wie du nur ausschaust! **II.** *vt* (*spot*) erkennen, ausmachen; ◇ **I know him only by -** ich kenne ihn nur vom Sehen
sight-read *vi, vt* MUS vom Blatt spielen/singen; **sightseeing** ['saɪtsi:ɪŋ] *n* (*touring*) Besichtigungstour *f,* Rundfahrt *f;* **sightseer** *n* (*tourist*) Teilnehmer *m* an einer Rundfahrt
sign [saɪn] **I.** *n* [1] (*symbol*) Zeichen *s;* (*gesture*) Geste *f* [2] (*traffic-*) Schild *s* [3] (*indication*) Anzeichen *s* [4] (*zodiac*) [Stern-]Zeichen *s,* [Tierkreis-]Zeichen *s;* ◇ **What's your -?** Was bist du für ein Sternzeichen? **II.** *vt* → *name* unterschreiben; **sign away** *vi* (*relinquish*) verzichten auf; **sign for** *vt* (*accept*) bestätigen; **sign in** *vt* [1] (*register*) eintragen [2] (*admit*) → *to a club, hospital* einschreiben, anmelden; **sign off** *vt* (*finish*) Schluß machen, schließen; **sign out** *vt* (*check-out*) abmelden; **sign over** *vt* → *cheque, document* überschreiben; **sign up** *vi* (*register*) sich verpflichten/einschreiben (*for* für)
signal ['sɪgnəl] **I.** *n* [1] (*indication*) Zeichen *s* [2] (*traffic light*) Ampel *f;* (*radio waves*) Signal *s* **II.** *vti* (*movement, gesture*) bedeuten, signalisieren

S

signature [sɪgnətʃə*] *n* (*name*) Unterschrift *f*, Signatur *f*
significance [sɪg'nɪfɪkəns] *n* (*importance*) Wichtigkeit *f*, Bedeutung *f*; **significant** *adj* (*important*) wichtig; (*noteworthy*) bedeutend; **signify** ['sɪgnɪfaɪ] *vt* (*indicate*) bedeuten
sign language *n* (*communication*) Zeichensprache *f*, Gebärdensprache *f*
silage ['saləd3] *n* (*crop*) Silage *f*
silence ['saɪləns] **I.** *n* (*quiet*) Ruhe *f*, Stille *f* **II.** *vt* → *a person* zum Schweigen bringen; **silencer** *n* (*muffler*) Schalldämpfer *m*; **silent** [saɪlənt] *adj* still, ruhig
silhouette [sɪlu:'et] *n* (*profile*) Silhouette *f*, Profil *s*
silicon ['sɪlɪkən] *n* CHEM Silicium *s*
silicone ['sɪlɪkəʊn] *n* MED, TECHNOL Silikon *s*
silk [sɪlk] *n* (*cloth*) Seide *f*; **silken** *adj* (*smooth*) seiden, samten; **silk-screen** *n* (*method of painting*) Seidensiebdruck *m*; **silkworm** *n* (*caterpillar*) Seidenraupe *f*; **silky** *adj* seidig, samtig
sill [sɪl] *n* (*window* ~) Fensterbrett *s*
silly ['sɪlɪ] *adj* (*childish*) albern; (*foolish*) dumm, töricht; (*ridiculous*) lächerlich
silo ['saɪləɪ] *n* (*bin*) Silo *s*
silt [sɪlt] *n* (*deposit*) Schlick *m*
silver [sɪlvə*] **I.** *n* 1 (*metal*) Silber *s* 2 (*money*) Hartgeld *s*, Silbergeld *s* 3 (*silverware*) Besteck *s* **II.** *adj* (*colour*) silbern; **silver birch** *n* (*tree*) Weißbirke *f*; **silverfish** *n* (*insect*) Silberfischchen *s*; **silver jubilee** *n* (*25th anniversary*) Silberjubiläum *s*; **silver paper** *n* (*candy wrapper*) Stanniolpapier *s*, Silber-/Alufolie *f*; **silver-plated** *adj* (*silver coated*) versilbert; **silverware** *n* (*cutlery*) Tafelsilber, Silberbesteck *s*
similar ['sɪmɪlə] *adj* (*like*) ungefähr gleich, ähnlich; **similarity** ['sɪmɪlærɪtɪ] *n* (*resemblance*) Ähnlichkeit *f*; **similarly** ['sɪmɪləlɪ] *adv* ähnlich, auf ähnliche Weise
simile ['sɪmɪli:] *n* (*comparison*) Gleichnis *s*
simmer [sɪmə*] *vi* 1 (*food*) köcheln, simmern, sieden 2 (*quarrel*) [vor Wut] kochen; **simmer down** *vi* (*calm down*) sich beruhigen
simple ['sɪmpl] *adj* 1 (*straight forward*) einfach, klar; ◇ **the matter is pure and ~** die Sache ist ganz einfach 2 (*not elaborate*) einfach 3 (*easy*) einfach, leicht 4 (*person, unsophisticated*) einfach, bescheiden; (*foolish*) einfältig; **simple interest** *n* (*finance*) [primärer] Zins *m*; **simple-minded** *adj* (*naive*) einfältig; **simpleton** ['sɪmpltən] *n* (*idiot*) Idiot *m*, Schwachkopf *m*
simplicity [sɪm'plɪsɪtɪ] *n* 1 Einfachheit *f* 2 (*of behaviour*) Einfältigkeit *f*; **simplify** ['sɪmplɪfaɪ] *vt* vereinfachen; **simply** ['sɪmplɪ] *adv* 1 (*just, merely*) lediglich, nur; ◇ **he left ~ because of her** er ging nur wegen ihr fort 2 (*without question*) ◇ **there is ~ no reason to be angry** es gibt wirklich keinen Grund, ärgerlich zu sein
simulate ['sɪmju:leɪt] *vt* 1 (*fake*) nachmachen, fälschen 2 → *set of conditions* simulieren; **simulator** *n* (*machine*) Simulator *m*
simultaneous [sɪməl'teɪnɪəs] *adj* (*at once*) gleichzeitig, simultan
sin [sɪn] **I.** *n* (*transgression*) Sünde *f*; (*cohabit*) ◇ **to be living in ~** in Sünde leben **II.** *vi* sündigen, eine Sünde begehen
since [sɪns] **I.** *prep* (*from a time till now*) seit; ◇ **I have been up ~ 6 a.m.** ich bin jetzt seit 6 Uhr früh wach **II.** *adv* (*subsequently*): ◇ **we met last year and have been friends ever ~** wir lernten uns letztes Jahr kennen u. sind seither befreundet **III.** *art* (*because*) da, weil; ◇ **~ it rained, we stayed home** da es regnete, sind wir zu Hause geblieben
sincere [sɪn'sɪə*] *adj* (*genuine*) ehrlich, aufrichtig; **sincerely** *adv* 1 (*honestly*) ehrlich 2 (*in letter*) ◇ **S~ yours, J. Morrison** mit freundlichen Grüßen, Hochachtungsvoll J. Morrison
sinecure ['saɪnɪkjʊə*] *n* (*FAM easy job*) Ruheposten *m*
sine qua non [sɪnɪkwɑ: 'nəʊn] *n* (*essential, must*) unerläßliche Voraussetzung
sinew ['sɪnjʊ:] *n* (*tendon*) Sehne *f*
sing [sɪŋ] **I.** *vt* (*a song*) singen; ◇ **to ~ s.o. to sleep** jd-m ein Gutenachtlied singen, jd-n einlullen **II.** *vi* ← *bird* singen
Singapore ['sɪŋəpɔ:] *n* Singapur *s*
singe [sɪnd3] *vt* → *hair* versengen
singer ['sɪŋə*] *n* Sänger(in *f*) *m*
single ['sɪŋgl] **I.** *adj* 1 (*solitary*) einzig 2 (*individual*) allein, einzeln 3 (*unmarried*) ledig 4 (*~ room*) Einzelzimmer *s* **II.** *n* 1 (*person*) Single *m* 2 (SPORT *one on one*) Einzel *s* 3 (*45 rpm record*) Single *f*; **single out** *vi* (*pick out*) aussondern, aussortieren; **single cream** *n* (*BRIT lowfat cream*) Sahne *f* mit niedrigem Fettgehalt; **single-decker** *n* (*bus*) einstöckiger Bus; **single-handed** *adj* (*alone*) alleine, ohne fremde Hilfe; **single-minded** *adj* (*dogged*) beharrlich, zielstrebig; **singles bar** *n* Single[s]-Bar *f*
singlet ['sɪŋglɪt] *n* (*t-shirt*) T-Shirt *s*
sing-song *adj*: ◇ **a ~ voice** eine Stimme mit Sing-Sang
sinister ['sɪnɪstə*] *adj* (*ominous*) düster, finster
sink [sɪnk] **I.** *n* ↑ *basin* (*in bathroom*) Waschbecken *s*; (*in kitchen*) Spülbecken *s* **II.** *vi* (*descend*)

sinken; (*price*) sinken, fallen **III.** *vt* (*knife*) versenken; (*succeed or fail*) ◇ **Jones was left to ~ or swim** Jones war ganz auf sich gestellt; **sink in** *vi* (*become understood*) verstanden/kapiert werden

sinker *n* (*weight*) Gewicht *s*, Beschwerung *f*

sinner ['sɪnə*] *n* (*person*) Sünder(in *f*) *m*

sinus ['saɪnəs] *n* Sinus *m*

sip [sɪp] **I.** *n* (*of water*) Schluck *m* **II.** *vti* schlürfen, nippen

siphon ['saɪfən] **I.** *n* (*tube*) Siphon *m* **II.** *vt* (*draw*) absaugen

sir [sɜː] *n* 1 (*man*) Herr *m* 2 ◇ **S~** *Sir, englischer Adelstitel*

siren ['saɪrən] *n* (*ambulance, police car*) Sirene *f*, Martinshorn *s*

sirloin ['sɜːlɔɪn] *n* (*steak*) Filet[stück] *s*

sisal ['saɪsəl] *n* (*plant*) Sisal *m*

sissy ['sɪsɪ] *n* (*FAM cowardly boy*) Memme *f*

sister ['sɪstə*] *n* 1 (*sibling*) Schwester *f* 2 (*nun*) Nonne *f*; **sisterly** *adj* (*affectionate*) schwesterlich

sit [sɪt] *vi* 1 (*in a chair*) sitzen; (*pose*) setzen 2 (*be positioned*) sitzen; **sit around** *vi* (*loaf*) herumsitzen; **sit back** *vi* (*relax*) sich zurücklehnen; **sit by** *vi* (*wait, not interfere*) ruhig dasitzen; **sit in on** *vi* (*attend*) beiwohnen *dat*; **sit out** *vi* (*wait, endure*) aussitzen; **sit through** *vt* (*endure*) → *lecture, concert* aushalten; **sit up** *vi* 1 (*to position*) sich aufsetzen 2 (*stay up*) aufbleiben

site [saɪt] *n* (*area*) Gelände *s*, Gebiet *s*, Ort *m*

sit-in ['sɪtɪn] *n* (*protest*) Sit-in *s*

sitter ['sɪtə*] *n* (*baby-*) Babysitter *m*

sitting *n* 1 (*mealtime*) Essenszeit *f* 2 (*session*) Sitzung *f*; ◇ **I read the entire book in one ~** ich habe das ganze Buch auf einmal gelesen; **sitting duck** *n* (*easy prey*) leichte Beute; **sitting-room** *n* (*lounge*) Wohnzimmer *s*

situate ['sɪtjuːeɪt] *vt* (*position*) legen; **situation** [sɪtjʊ'eɪʃən] *n* 1 (*state, circumstances*) Situation *f*, Lage *f* 2 (*s.o.'s ~, position*) Situation *f*, Lage *f*, Verhältnisse *spl* 3 (*of building, location*) Lage *f*

sit-up *n* (*stomach exercise*) Situp *m*

six [sɪks] *nr* sechs

sixth sense *n* (*intuition*) sechster Sinn

sixty ['sɪkstɪ] *nr* sechzig

size [saɪz] *n* 1 (*big, small*) Größe *f* 2 (*clothes*) ◇ **to try s.th. on for ~** etw anprobieren; **size up** *vt* (*weigh, examine*) abschätzen

sizzle ['sɪzl] *vi* (*food in pan*) brutzeln

skate [skeɪt] **I.** *n* ▷*ice ~* Eislaufen *s*, Schlittschuhlaufen *s*; ◇ **roller ~** Rollschuhfahren *s* **II.** *vi* eislaufen, schlittschuhlaufen; **skater** *n* (*person*) Eisläufer(in *f*) *m*, Schlittschuhläufer(in *f*) *m*

skeletal ['skelɪtl] *adj* Skelett-; **skeleton** ['skelɪtn] *n* Skelett *s*, Gerippe *s*; (*FIG deep secret*) ◇ **to have a ~ in the closet** eine Leiche im Keller haben

sketch [sketʃ] **I.** *n* 1 (*drawing*) Skizze *f* 2 (*skit*) Sketch *m* **II.** *vt* 1 (*draw*) skizzieren 2 (*outline*) umreißen; **sketchpad** *n* (*notebook*) Notizblock *m*, Skizzenblock *m*

ski [skiː] **I.** *n*: ◇ **a pair of ~s** ein Paar Skier **II.** *vi* skifahren; ◇ **we are ~ing** wir fahren Ski

skid [skɪd] *vi* (*slide*) rutschen, schlittern

skier ['skɪə*] *n* (*person*) Skifahrer(in *f*) *m*

ski jump *n* (*ramp*) Sprungschanze *f*

skilful ['skɪlfʊl], **skillful** (*AM talented*) geschickt

skill [skɪl] *n* (*expertise*) Geschick *s*, Begabung *f*

skillet ['skɪlət] *n* (*pan*) Bratpfanne *f*

skim [skɪm] *vt* 1 → *cream* entrahmen 2 → *newspaper* überfliegen; **skimmed milk** ['skɪmd mɪlk] *n* fettarme Milch, Magermilch *f*

skimp [skɪmp] *vt* (*economize*) knausern (*on* mit *dat*)

skimpy *adj* (*scant*) dürftig, kärglich

skin [skɪn] **I.** *n* 1 (*human*) Haut *f* 2 (*potato*) Schale *f*; (*cooked milk*) Haut *f* **II.** *vt* (*animal*) häuten; **skin-deep** *adj* (*superficial*): ◇ **beauty is only ~** der äußere Schein trügt oft; **skin-diver** *n* (*scuba-diver*) Sporttaucher(in *f*) *m*; **skinhead** *n* (*fascist hooligan*) Skinhead *m*

skinny *adj* (*scrawny*) mager, dünn

skin-tight *adj* ▷*jeans* hauteng

skip [skɪp] *vi* 1 (*run, hop*) hüpfen 2 (*miss*) überspringen, auslassen 3 ◇ **to ~ from subject to subject** von einem Thema zum anderen springen

skipper [skɪpə*] *n* (*captain*) Skipper *m*, Kapitän *m*

skirmish ['skɜːmɪʃ] *n* (*fight, dispute*) Geplänkel *s*, Zusammenstoß *m*

skirt [skɜːt] *n* (*garment*) Rock *m*

skirting *n* (*BRIT*) Fußleiste *f*

skit [skɪt] *n* (*sketch*) Sketch *m*

skittish ['skɪtɪʃ] *adj* (*carefree*) sorglos, übermütig

skull [skʌl] *n* ANAT Schädel[-knochen] *m*; (*on pirates' ship*) ◇ **~ and crossbones** Totenkopf *m*

skunk [skʌnk] *n* (*mammal*) Stinktier *s*

sky [skaɪ] *n* Himmel *m*; **sky-blue** *adj* (*colour*) himmelblau; **sky-high** *adj* (*very high*) himmelhoch; **skylark** *n* (*bird*) Lerche *f*; **skyline** *n* (*horizon*) Skyline *f*, Silhouette *f*; **skyscraper** ['skaɪskreɪpə*] *n* (*building*) Wolkenkratzer *m*; **skyward** *adv* (*upwards*) himmelwärts

slab [slæb] *n* (*of bacon*) [dicke] Scheibe *f*

slack [slæk] **I.** *adj* 1 (*not taut*) schlaff, locker 2 (*period*) ruhig, flau 3 (*careless*) nachlässig **II.** *vi* (*on the job*) pfuschen, schlechte Arbeit machen; **slacken** *vi* 1 (*slow down*) ◇ **the rain is starting to - off** der Regen läßt allmählich nach; (*FAM Get busy!*) ◇ **Stop slacking off!** Schluß mit der Faulenzerei! 2 (*loosen*) erschlaffen; **slacker** [slækə*] *n* (*FAM idler*) Schlafmütze *f*

slacks [slæks] *n pl* (*trousers*) Hose *f sg*

slain [sleın] *pp of* **slay**

slalom ['slɑ:ləm] *n* (*race*) Slalom *m*

slam [slæm] *vi* (*bang*) zuknallen, zuschlagen

slammer ['slæmə*] *n* (*FAM prison*) Knast *m*

slander ['slɑ:ndə*] **I.** *n* (*rumour*) Verleumdung *f* **II.** *vt* (*malign*) verleumden; **slanderous** *adj* (*scurrilous*) verleumderisch

slang [slæŋ] *n* (*sociolect*) Slang *m;* (*dialect*) Dialekt *m,* Slang *m*

slant [slɑ:nt] **I.** *vi* (*slope*) sich neigen **II.** *vtFIG* ↑ *bias* (*news, information*) färben, einen Anstrich geben

slap [slæp] **I.** *vt* (*smack*) ohrfeigen; (*FIG rebuff*) ◇ **her behavior slapped me in the face** durch ihr Verhalten fühlte ich mich regelrecht geohrfeigt **II.** *adv* direkt

slapdash ['slæpdæʃ] *adj* (*haphazard*) schluderig, schlampig; **slap-up** *adj* (*extravagant*) mit allem Drum und Dran

slash [slæʃ] **I.** *vt* (*sword*) schlagen; ◇ **to - at s.th.** auf etw einschlagen **II.** *n* Schnitt *m*

slat [slæt] *n* (*strip of wood*) Leiste *f*

slate [sleıt] *n* 1 (*rock*) Schiefer *m;* (*FIG start afresh*) ◇ **to start with a clean -** wieder bei Null anfangen; ◇ **to wipe the - clean** reinen Tisch machen; (*credit*) ◇ **to put s.th. on -** etw anschreiben lassen [*o.* auf Kredit kaufen] 2 (*roof tile*) Schieferplatte *f*

slaughter ['slɔ:tə*] *vt* ↑ *murder* erschlagen, totschlagen; → *animals* schlachten; **slaughterhouse** *n* Schlachthaus *s*

Slav [slɑ:v] *n* Slawe(in *f*) *m*

slave [sleıv] **I.** *n* (*servant*) Sklave(in *f*) *m* **II.** *vi* sich abplagen (*away at s.th,* mit etw); **slave labour** *n* (*AM hard unpaid work*) Sklavenarbeit *f;* **slavery** *n* Sklaverei *f;* **slave trade** *n* Sklavenhandel *m*

Slavonic [slə'vɒnık] *adj* slawisch

slay [sleı] *vt* (*kill*) erschlagen, totschlagen

sleazy ['sli:zı] *adj* (*squalid*) schäbig

sled [sled], **sleigh** (*AM*) *n* Schlitten *m*

sledge [sledʒ] *n s.* **sled**

sledgehammer *n* Vorschlaghammer *m*

sleek [sli:k] *adj* 1 (*glossy*) geschmeidig, glatt 2 (*person*) glatt

sleep [sli:p] **I.** *n* Schlaf *m;* ◇ **to get some -** etw Schlaf bekommen **II.** *vi* 1 schlafen; (*think over*) ◇ **to - on it** eine Nacht darüber schlafen 2 (*kill*) ◇ **to put an animal to -** ein Tier einschläfern; **sleep around** *vi* (*be promiscuous*) mit jeder/jedem ins Bett gehen; **sleep in** *vi* (*sleep late*) ausschlafen; ◇ **on Saturdays, I always - -** samstags schlafe ich immer lange aus; **sleep off** *vt* (*hangover*) ausschlafen; **sleeping bag** *n* Schlafsack *m;* **sleepwalker** *n* (*person*) Schlafwandler(in *f*) *m,* Nachtwandler(in *f*) *m;* **sleepyhead** *n* (*person*) Schlafmütze *f*

sleet [sli:t] **I.** *n* (*rain and snow*) Schneeregen *m* **II.** *vi:* ◇ **it's -ing** es regnet Schnee

sleeve [sli:v] *n* 1 (*of shirt*) Ärmel *m;* (*idea, plan*) ◇ **to have s.th. up o.'s -** noch etw auf Lager haben 2 (TECHNOL *tube*) Manschette *f*

slender ['slendə*] *adj* (*slim*) schlank

slept [slept] *pp of* **sleep**

slice [slaıs] **I.** *n* (*piece*) Scheibe *f* **II.** *vt* 1 (*meat, bread*) in Scheiben schneiden, aufschneiden 2 (*tennis ball*) anschneiden; **sliced** *adj* in Scheiben geschnitten, aufgeschnitten

slick [slık] *adj* (*glib*) glatt

slick down *vt* → *hair* anklatschen

slide [slaıd] **I.** *vi* 1 (*slip*) rutschen 2 (*glide*) gleiten; (*ignore*) ◇ **she let the remark -** sie ignorierte den Kommentar **II.** *n* (*film*) Dia *s;* **slide rule** *n* Rechenschieber *m*

sliding scale *n* gleitende Skala

slight [slaıt] *adj* (*small degree*) leicht, geringfügig

slim [slım] *adj* ↑ *slender* schlank; ▷*chance* gering, hauchdünn

slime [slaım] *n* (*ooze*) Schleim *m*

sling [slıŋ] **I.** *vt* (*fling*) schleudern **II.** *n* (*device*) Schleuder *f*

slip [slıp] *vi* 1 (*slither*) ausrutschen 2 (*sneak*) schleichen; (*tell a secret*) ◇ **to let s.th. -** etw rauslassen; (*elude*) ◇ **give s.o. the -** jd-m entwischen; ◇ **her name has -ped my mind** ihr Name ist mir entfallen; **slip up** (*make a mistake*) sich vertun

slipknot *n* Slipstek *m*

slipper ['slıpə*] *n* (*shoe*) Hausschuh *m*

slippery ['slıpərı] *adj* ▷*ice, floor* rutschig, glatt

slit [slıt] *n* (*crack*) Schlitz *m*

slither ['slıðə*] *vi* (*slide*) rutschen, schlittern

sliver [slıvə*] *n* (*of wood*) Splitter *m*

slob [slɒb] *n* (*PEJ man*) Schwein *s;* (*woman*) Schlampe *f*

slobber [slɒbə] *vi* (*dribble*) sabbern, geifern; **slobber over** *vi* (*FAM nude photos*) sich aufgeilen an; **slobbery** *adj* ▷*kiss* naß

sloe [sləʊ] *n* (*plum*) Schlehe *f*
slogan ['sləʊgən] *n* (*phrase*) Slogan *m*, Schlagwort *s*
slop [slɒp] *vi* überschwappen
slope [sləʊp] *n* (*incline*) Schräge *f*, Neigung *f*
sloppy [slɒpɪ] *adj* (*messy*) unordentlich, schlampig
slot [slɒt] *n* 1 (*slit*) Schlitz *m* 2 (*time*) ◇ **luckily, my dentist found a time - for me** mein Zahnarzt konnte mich zum Glück noch einschieben
sloth [sləʊθ] *n* 1 (*laziness*) Faulheit *f* 2 ZOOL Faultier *s*
slot machine *n* (*vending machine*) Münzautomat *m*
slouch [slaʊtʃ] *vi* (*droop*) sich lümmeln
slow [sləʊ] *adj* langsam; ◇ **the - lane of traffic** die Kriechspur; ◇ **my watch is -** meine Uhr geht nach; **slow down** *vi* langsamer werden; **slow-motion** *n* (*movement*) Zeitlupe *f*; **slowpoke** *n* (*person*) Trödler(in *f*) *m*
slug [slʌg] I. *n* (*mollusc*) Nacktschnecke *f* II. *vt* (*hit*) kräftig schlagen; **sluggish** *adj* (*lethargic*) lethargisch
slum [slʌm] *n* (*area*) Slumviertel *s*; **slummy** *adj* (*run-down*) heruntergekommen
slump [slʌmp] *vi* (*drop*) absinken, fallen
slung [slʌŋ] *pp of* **sling**
slur [slɜ:*] *n* (*insult*) Beleidigung *f*
slurp [slɜ:p] *vt* → *a drink* schlürfen
slush [slʌʃ] *n* (*snow*) Schneematsch *m*
slut [slʌt] *n* (*whore*) Schlampe *f*
sly [slaɪ] *adj* (*clever*) schlau, listig
smack [smæk] *vt* (*slap*) ohrfeigen, schlagen; (*lips*) knutschen, küssen, einen Schmatzer geben
small [smɑ:l] *adj* 1 (*size*) klein 2 (*young*) klein, jung 3 (*insignificant*) unbedeutend 4 (*minor, task, problem*) klein, gering; **small change** *n* (*money*) Kleingeld *s*; **small fry** *n* (*FIG unimportant person*) kleiner Fisch; **smallpox** *n* (*disease*) Windpocken *pl*; **small talk** *n* Klatsch *m*, Smalltalk *m*
smart [smɑ:t] I. *adj* ▷*student* schlau, klug II. *vi* ← *pain* brennen; **smarten up** *vi BRIT* ↑ *spruce up* sich zurechtmachen
smartness *n* ↑ *intelligence* Klugheit *f*, Intelligenz *f*
smash [smæʃ] I. *vt* → *glass* zerschlagen, kaputtschlagen II. *n* ↑ *success, hit* Knüller *m*
smashing *adj FAM* ▷*party, dress* klasse, geil
smear [smɪə*] I. *vt* → *paint* [ver]schmieren II. *n* ↑ *smudge* schmieriger Fleck
smell [smel] I. *vt* → *flower* riechen an II. *vi* ← *feet* ↑ *odor* riechen
smelt *s.* **smell**
smile [smaɪl] I. *vi* ↑ *grin* lächeln, anlächeln (*at s.o.* jd-n) II. *n* (*facial expression*) Lächeln *s*
smirk [smɜ:k] I. *vi* (*sneer*) grinsen II. *n* ↑ *sneer* Grinsen *s*
smock [smɒk] *n* ↑ *coverall* Kittel *m*
smog [smɒg] *n* (*smoke and fog*) Smog *m*
smoke [sməʊk] I. *n* (*fire*) Rauch, Qualm *m* II. *vt* → *cigarette* rauchen III. *vi* ← *fire* rauchen, qualmen; **smokestack** *n* ↑ *chimney* Kamin *m*; **smoker** *n* (*person*) Raucher(in *f*) *m*; **smoking** I. *n* (*habit*) Rauchen *s* II. *adj* (*section*) Raucherabteil *s*
smolder *s.* **smoulder**
smooch [smu:tʃ] *vt* ↑ *kiss* knutschen
smooth [smu:ð] I. ↑ *flatten* glätten, ebnen II. *adj* ↑ *even* glatt, eben; **smoothly** *adv* (*regulated, calmly*) glatt
smother ['smʌðə*] *vt* 1 ↑ *suffocate* ersticken 2 (*with affection*) erdrücken mit
smoulder ['sməʊldə*] *vi* (*to burn*) ← *hatred, anger* glimmen, schwelen
smudge [smʌdʒ] I. *n* ↑ *mark, smear* Fleck *m* II. *vt* → *lipstick* verschmieren
smuggle ['smʌgl] *vt* → *drugs* schmuggeln; **smuggler** *n* Schmuggler(in *f*) *m*; **smuggling** *n* (*of drugs, refugees*) Schmuggel *m*, Schmuggeln *s*
smutty [smʌtɪ] *adj* ▷*fireplace* schmutzig
snack [snæk] I. (*eat*) einen kleinen Imbiß einnehmen II. *n* ↑ *small, quick meal* Imbiß *m*, Snack *m*
snag [snæg] I. *n* (*difficulty*) Schwierigkeit *f*, Haken *m* II. *vt* → *pantyhose* hängen bleiben *f*
snail [sneɪl] *n* ZOOL Schnecke *f*
snake [sneɪk] *n* ZOOL Schlange *f*
snap [snæp] I. *vi* ← *rope* reißen II. *vt* 1 → *fingers* schnippen 2 (*photograph*) einen Schnappschuß machen III. *n* (*breaking*) Reißen *s*, Auseinanderbrechen *s*
snare [snɛə*] I. *n* ↑ *trap* Falle *f* II. *vt* (*catch, trap*) fangen
snarl [snɑ:l] *vi* → *animal* knurren
snatch [snætʃ] *vt* (*to grab*) grabschen, an sich reißen
sneak [sni:k] I. *n* (*person*) Petze *f* II. *vt* ↑ *steal* stehlen III. *vi* (*creep*) schleichen
sneer [snɪə*] I. *vi* hämisch lächeln II. *n* (*expression*) hämisches Lächeln
sneeze [sni:z] *vi* niesen
snicker ['snɪkə*] ↑ *giggle* kichern
snide [snaɪd] *adj* ▷*comment* abfällig
sniff [snɪf] I. *n* (*sound*) Schniefen *s* II. *vt* ↑ *smell* schnüffeln; (*cocaine*) schnupfen III. *vi* (*dog*) schnuppern

S

snigger ['snɪgə*] *vi* ↑ *snicker* kichern
snip [snɪp] **I.** *n* (*quick movement*) Schnipsen *s* **II.** *vt* → *thread* abschneiden
snivelling ['snɪvəlɪŋ] *n* ↑ *whimper* Geheule *s*
snob [snɒb] *n* Snob *m;* **snobbish** *adj* ↑ *pretentious* versnobt
snoop [snu:p] **I.** *n* (*look*): ◇ **let's have a ~ around** schauen wir uns doch ein bißchen um **II.** *vi* ↑ *pry* herumschnüffeln
snooty ['snu:tɪ] *adj* ↑ *snobbish* hochnäsig
snooze [snu:z] **I.** *vi* (*doze*) dösen **II.** *n* ↑ *nap* Nickerchen, Schläfchen *s*
snore [snɔ:*] **I.** *vi* schnarchen **II.** *n* (*noise*) Schnarchen *s*
snorkel [snɔ:kəl] **I.** *n* (*air tube*) Schnorchel *m* **II.** *vi* schnorcheln
snort [snɔ:t] *vi* ← *pig* grunzen
snotty ['snɒtɪ] *adj* ▷*kid* rotznäsig
snout [snaʊt] *n* (*nose of animal*) Schnauze *f*
snow [snəʊ] **I.** *n* Schnee *m* **II.** *vi* schneien; **snowball I.** *n* Schneeball *m* **II.** *vi* ↑ *escalate* ← *business* eskalieren, gewaltig anwachsen; **snowblind** *adj* schneeblind; **snowbound** *adj* ↑ *snowed in* eingeschneit; **snowfall** *n* ↑ *amount of snow* Schneefall *m;* **snowflake** *n* Schneeflocke *f;* **snowline** *n* Schneegrenze *f;* **snowplough** [snəʊplaʊ] *n* (*vehicle*) Schneepflug *m;* **snowshoe** *n* Schneeschuh *m*
snub [snʌb] **I.** *vt* abweisen (*s.o.* jd-n *acc*) **II.** *n* ↑ *insult* Brüskierung *f*
snuff [snʌf] **I.** *n* ↑ *tobacco* Schnupftabak *m* **II.** *vt* ↑ *sniff* schnupfen
snug [snʌg] *adj* [1] ↑ *cozy, comfy* gemütlich, lauschig [2] (*tight*) fest
so [səʊ] *adv* [1] (*in this manner*) so, auf diese Weise [2] (*true*) ◇ **Is that ~?** Stimmt das? [3] ↑ *then, therefore* also, folglich
soak [səʊk] **I.** *vi* ↑ *penetrate* durchsickern **II.** *vt* (*with water*) durchnässen, durchtränken; **soaked** *adj* ↑ *drenched* durchtränkt, getränkt; **soaking** *adj* ↑ *drenched* triefend
soap [səʊp] **I.** *n* (*bar*) Seife *f* **II.** *vt* → *o.s.* einseifen; **soapflakes** *n* (*shreaded soap*) Seifenflocken *f pl;* **soap opera** *n* (*TV show*) Seifenoper *f*, Fernsehserie *f;* **soapsuds** *n* (*bubbles*) Seifenschaum *m;* **soapy** ['səʊpɪ] *adj* ▷*water* seifig
soar [sɔ:*] *vi* ← *bird* aufsteigen, durch die Lüfte fliegen
sob [sɒb] *vi* ↑ *wheep* schluchzen
sober ['səʊbə*] *adj* ↑ *not drunk* nüchtern; **sober up** *vi* ← *drunkard* nüchtern werden
so-called ['səʊ'kɔ:ld] *adj* (*misleading*) sogenannt
soccer [sɒkə*] *n* Fußball *m*
sociable ['səʊʃəbl] *adj* (*extrovert*) gesellig; **sociability** *n* Geselligkeit *f;* **social** [səʊʃəl] **I.** *adj* (*relating to society*) gesellschaftlich; (*relating to welfare*) sozial **II.** *n* (*gathering*) Gesellschaftsabend *m*
socialism ['səʊʃəlɪzəm] *n* POL Sozialismus *m;* **socialist** *n* Sozialist(in *f*) *m*
social science *n* (*study of society*) Soziologie *f*, Sozialwissenschaften *fpl;* **social security** *n* (*welfare*) Sozialhilfe *f;* **social work** *n* (*counseling*) Sozialarbeit *f;* **social worker** *n* (*counsellor*) Sozialarbeiter(in *f*) *m*
society [sə'saɪətɪ] *n* (*people*) Gesellschaft *f*
sociology [səʊʃɪ'ɔlədʒɪ] *n* (*social science*) Soziologie *f*
sock [sɒk] **I.** *vt* ↑ *hit* → *s.o.* reinhauen **II.** *n* (*clothing*) Socke *f*, Socken *m*
socket [sɒkət] *n* ↑ *electrical outlet* Steckdose *f*
sod [sɒd] *n* (*grass*) Grassode *f*
soda ['səʊdə] *n* [1] (*for cooking*) Natron *s*, Soda *s* [2] *carbonated drink, AM* Mineralwasser, Sodawasser *s;* **soda pop** ['əɪdə 'pɒp] *n* (*carbonated drink*) ↑ *soda water* Limonade *f*
sodden ['sɒdən] *adj* ↑ *drenched* durchnäßt, triefend naß
sofa ['səɪfə] *n* ↑ *couch* Sofa *s*
soft [sɒft] *adj* [1] ↑ *gentle* sanft [2] (*faint*) ▷*sound* leise, kaum hörbar [3] (*plush*) weich; **soft drink** *n* ↑ *carbonated drink* Limonade *f*
soften ['sɒfn] **I.** *vi* ← *ice-cream* weich werden **II.** *vt* ↑ *cushion, absorb* dämpfen, abschwächen; **soften up** *vt* ↑ *butter up* weich machen; **softener** [sɒfnə*] *n* (*substance*) Weichmacher *m;* **softness** *n* Weichheit *f;* **software** ['sɒftwɛə*] *n* PC Software *f*
soggy ['sɒgɪ] *adj* ↑ *soaked* vollgesogen, durchtränkt
soil [sɔɪl] **I.** *n* ↑ *earth* Erde *f* **II.** *vt* (*make dirty*) beschmutzen; **soiled** *adj* (*dirty*) beschmutzt, schmutzig
solace ['sɒlɪs] *n* ↑ *consolation* Trost *m*
solar [səʊlə*] *adj* (*related to the sun*) solar, Sonnen-; **solar cell** *n* (*device*) Solarzelle *f;* **solar panel** *n* Sonnenkollektor *m;* **solar system** *n* Sonnensystem *s*
sold [səʊld] *s.* **sell**
solder *vt* ▷*together* löten
soldier ['səʊldʒə*] *n* MIL Soldat(in *f*) *m*
sole [səʊL] **I.** *adj* ↑ *single* einzig, alleinig **II.** *n* (*of foot*) Sohle *f* **III.** *vt* (*resole*) besohlen
solely *adv* einzig, allein, nur
solemn ['sɒləm] *adj* (*declaration*) feierlich
solicitor [sə'lɪsɪtə*] *n* (*lawyer*) Rechtsanwalt *m*, Rechtsanwältin *f*

solid [sɒlɪd] **I.** *adj* ① ▷*block* fest, solide ② ↑ *concrete, tangible* ▷*information* konkret, handfest, sicher ③ (*unbroken*) ganz; ◇ **for a ~ hour** eine geschlagene Stunde **II.** *n* (*substance*) Festkörper *m*
solidarity [sɒlɪˈdærɪtɪ] *n* (*unity*) Solidarität *f*
solidify [səˈlɪdɪfaɪ] *vi* (*harden*) hart werden, sich härten
soliloquy [səˈlɪləkwɪ] *n* ↑ *monologue* Monolog *m*
solitaire [sɒlɪˈteə*] *n* ① (*game*) Solitär *s* ② (*diamond*) Solitär *m*
solitary [ˈsɒlɪtərɪ] *adj* (*lonely*) alleine, einsam
solitude [ˈsɒlɪtju:d] *n* Einsamkeit *f*
solo [ˈsəʊləʊ] **I.** *n* ↑ *performance* Solo *s* **II.** *adj* (*lone*) solo, alleine
soluble [ˈsɒlju:bl] *adj* ▷*aspirin* löslich
solution [səˈlu:ʃən] *n* ① (*remedy*) Lösung *f* ② (*answer*) Lösung *f* ③ (*liquid*) Lösung *f*
solve [sɒlv] *vt* → *a problem* lösen
solvent [ˈsɒlvənt] **I.** *adj* (*having no debt*) schuldenfrei **II.** *n* (*liquid*) Lösungsmittel *s*
sombre [ˈsɒmbə*] *adj* ▷*colours* dunkel, düster
some [sʌm] *DET* ① (*portion*) einige, ein paar ② (*indefinite*) irgendein ③ (*about*) ◇ **~ fifty miles off shore** so etwa fünfzig Meilen vor der Küste
somebody [ˈsʌbədɪ] *pron* jemand(-en, -em)
someday [ˈsʌmdeɪ] *adv* irgendwann [einmal]
somehow [ˈsʌmhaʊ] *adv* irgendwie
someplace [ˈsʌmpleɪs] *adv* irgendwo
somersault [ˈsʌməsɔ:lt] *n* ↑ *flip* Salto *m*
something [ˈsʌmθɪŋ] *pron* etwas
sometime [ˈsʌmtaɪm] *adv* irgendwann
sometimes *adv* manchmal
somewhat [ˈsʌmwɒt] *adv* etwas
somewhere [ˈsʌmweə*] *adv* irgendwo
son [sʌn] *n* (*boy*) Sohn *m*
song [sɒŋ] *n* (*music*) Lied *s*; **songwriter** *n* Liedermacher(in *f*) *m*
sonic [ˈsɒnɪk] *adj* (*sound related*) Schall-; **sonic boom** *n* Schallknall *m*
son-in-law [ˈsʌnɪnlɔ:] *n* Schwiegersohn *m*
sonnet [ˈsɒnət] *n* Sonett *s*
soon [su:n] *adv* bald; **sooner** [ˈsu:nə*] *adv* früher, eher
soot [sʊt] *n* (*from a fire*) Ruß *m*
soothe [su:ð] *vt* ① (*quieten*) beruhigen ② (*alleviate*) → *pain* nehmen, lindern; **soothing** *adj* ① ▷*music* beruhigend, entspannend ② (*relieving*) lindernd
sophisticated [səˈfɪstɪceɪtɪd] *adj* ▷*lady* kultiviert, niveauvoll; **sophistication** *n* Kultiviertheit *f*, hohes Niveau *s*
sophomore [ˈsɒfəmɔ:*] *n* (*AM*) *Student(in) im dritten oder vierten Semester*
soporific [sɒpəˈrɪfɪk] *adj* ▷*drug* einschläfernd
sopping [ˈsɒpɪŋ] *adj* ▷*clothes* klitschnaß, triefend naß
soppy [ˈsɒpɪ] *adj* (*foolishly sentimental*) sentimental
soprano [səˈprɑ:nəʊ] *n* (*singer*) Sopran *m*
sordid [ˈsɔ:dɪd] *adj* shabby, verkommen, erbärmlich
sore [sɔ:*] **I.** *adj* ① (*aching*) schmerzend, wund ② (*mad*) verärgert (*at* über *acc*) **II.** *n* ↑ *wound* Wunde, Verletzung *f*
sorely *adv* ▷*needed* dringen
soreness *n* (*pain*) Schmerz *m*; (*madness*) Verärgerung *f*
sorrow [ˈsɒrəʊ] **I.** *n* ① (*sadness*) Traurigkeit *f* ② (*affliction*) Leiden *s* ③ (*grief*) Trauer *f* **II.** *vi* (*grieve*) trauern; **sorrowful** *adj* traurig
sorry [ˈsɒrɪ] **I.** *adj* (*about a situation*): ◇ **I'm ~ I hurt you** es tut mit leid, daß ich dich verletzt habe; (*excuse me*) ◇ **I'm ~!** Entschuldigung! Verzeihung!; (*FAM I beg your pardon?*) ◇ **S~?** Wie bitte? **II.** *adv* (*regret*): ◇ **she felt ~ for him** er tat ihr leid
sort [sɔ:t] **I.** *n* (*kind, type*) Art, Sorte *f* **II.** → *mail* [aus]sortieren; **sort out** *vt* ① (*seperate*) aussuchen, aussortieren ② → *problem* lösen, klären ③ (*reprove*) jd-m die Meinung sagen, sich jd-n vorknöpfen
so-so [ˈsəʊsəʊ] *adj* (*FAM okay, fair*) so lala
soufflé [su:fleɪ] *n* (*dish*) Soufflé *s*
sought [sɔ:t] *s.* **seek**
soul [səʊl] *n* ① (*spirit*) Gespenst *s*, Geist *m* ② (*essence*) Seele *f*, Wesen *s* ③ (*being*) Seele *f* ④ (*music*) Soul *m*
sound [saʊnd] **I.** *n* (*audible*) Geräusch *s*, Klang, Ton *m* **II.** *vi* ← *speech* sich anhören (*like* wie) **II.** *vt* ↑ *enunciate* aussprechen, betonen
soundly *adv* (*without disturbance*): ◇ **to sleep ~** fest/tief schlafen
sound off *vi* (*speak*) sich auslassen über *acc*; **sound out** *vi* ↑ *find out* herausbekommen; **sound barrier** *n* Schallmauer *f*; **sound effect** *n* THEAT Klangeffekt *m*; **soundproof** *adj* ▷*room* schalldicht; **sound wave** *n* Schallwelle *f*
soup [su:p] *n* Suppe *f*; **soup kitchen** *n* (*shelter*) Suppenküche *f*
sour [ˈsaʊə*] *adj* ▷*lemon, grape* sauer
source [sɔ:s] *n* ① (*origin*) Ursprung *m*, Quelle *f* ② (*person, book*) Quelle *f*
sourness [ˈsaʊənɪs] *n* Säure *f*
south [saʊθ] *adj* südlich, Süd-, nach Süden; **southbound** [ˈsaʊθbaʊnd] *adj* (*direction*) nach Süden, südwärts; **southern** [ˈsʌðən] *adj* süd-

lich, Süd-; **southward** ['saʊθwəd] *adv* (*direction*) südwärts, nach Süden
souvenir [su:və'nɪə*] *n* Souvenir, Andenken *s*
sovereign ['sɒvrɪn] **I.** *n* ↑ *monarch* Herrscher(in *f*) *m*, Regent(in *f*) *m* **II.** *adj* [1] ▷*country, state* souverän [2] (*excellent*) ▷*remedy* hervorragend; **sovereignty** ['sɒvrəntɪ] *n* domination, Souveränität *f*
Soviet Union ['səʊvɪət 'u:nɪən] *n* HIST Sowietunion, Sowjetunion *f*
sow [səʊ] *vt* → *seed* säen
soya bean ['sɔɪə bi:n] *n* Sojabohne *f*
soybean ['sɔɪbi:n] *n* (*AM*) Sojabohne *f*
spa [spɑ:] *n* [Heil-]Bad *s*, Kurort *m*
space [speɪs] **I.** *n* [1] (*room*) Platz, Raum *m* [2] (*outer* ~) Weltall *s*, Weltraum *m* [3] (*hole*) Lücke *f* **II.** *vt* (*position*) in Abständen verteilen; **spaced out** *adj* (*FAM high on drugs*) drauf, dicht, knülle; **spacecraft** *n* Raumschiff *s*; **space module** *n* Raumkapsel *f*; **space shuttle** *n* Raumfähre *f*
spacious ['speɪʃəs] *adj* (*roomy*) ▷*room, area* geräumig, mit viel Platz
spade [speɪd] *n* [1] (*shovel*) Spaten *m* [2] (*cards*) Pik *s* [3] *Negro, PEJ* Neger(in *f*) *m*
spaghetti [spə'getɪ] *n* Spaghetti *fpl*
Spain [speɪn] *n* Spanien *s*
span [spæn] **I.** *vt* (*last*) überdauern, überspannen **II.** *n* (*wing* ~) Spannweite *f*
Spaniard ['spænjəd] *n* Spanier(in *f*) *m*
spaniel ['spænjəl] *n* (*dog*) Spaniel *m*
Spanish ['spænɪʃ] **I.** *adj* spanisch **II.** *n* [1] (*language*) Spanisch *s* [2] (*people*) Spanier *m pl*
spank [spæŋk] *vt* → *child* einen Klaps [aufs Hinterteil] geben
spanner ['spænə*] *n* (*wrench*) Schraubenschlüssel *m*
spar [spɑ:*] **I.** *vi* (*fight*) sich kabbeln **II.** *n* (NAUT *pole*) Spiere *f*
spare [speə*] **I.** *adj* ▷*money, tire* Ersatz-, Reserve- **II.** *n* ↑ *tire* Ersatzrad *s* **III.** *vt* [1] (*have left over*) übrig haben; (*give*) ◇ **Can you spare a dollar?** Hast du einen Dollar für mich übrig? [2] (*leave out*) → *details* auslassen, weglassen [3] (*save*) sparen
spark [spɑ:k] **I.** *n* (*flash*) Blitz *m*; (*from fire*) Funke *m* **II.** *flash* blitzen, funken
sparkle ['spɑ:kl] **I.** *vi* (*glisten, glitter*) funkeln, glitzern **II.** *n* Funkeln, Glitzern *s*
sparrow ['spærəʊ] *n* (*bird*) Schwalbe *f*
sparse [spɑ:s] *adj* ↑ *meagre* spärlich, dürftig
spasm [spæzəm] *n* (*convulsion*) Krampf, Spasmus *m*
spasmodic [spæz'mɒdɪk] *adj* krampfartig, spasmisch
spastic ['spæstɪk] *adj* spastisch
spat [spæt] *n* (*FAM dispute*) Krach, Stunk, Knatsch *m*
spatter ['spætə*] *vt* (*sprinkle*) → *water* bespritzen
spatula ['spætjʊlə] *n* (*tool*) Spachtel *f*; MED Spatel *m*
spawn [spɔ:n] **I.** *n* BIO Laich *m* **II.** *vi* ↑ *fish* laichen
speak [spi:k] **I.** *vi* (*talk*) sprechen, reden (*to, with* mit *dat*); (*chat, converse*) sich unterhalten (*to, with* mit *dat*) **II.** *vt* (*foreign language*) sprechen
speaker *n* (*orator*) Sprecher(in *f*) *m*, Redner(in *f*) *m*
spear [spɪə*] **I.** *n* (*weapon*) Speer *m* **II.** (*jab*) aufspießen
special ['speʃəl] **I.** *adj* [1] (*specific*) bestimmte(r, s) [2] (*unique*) einzigartig, ungewöhnlich [3] (*extra, particular*) besondere(r, s), Sonder- **II.** *n* (*bargain, offer*) [Sonder-]Angebot *s*
specialist *n* (*expert*) Spezialist(in *f*) *m*, Experte *m*, Expertin *f* Fachmann(Fachfrau *f*) *m*
speciality [speʃɪ'ælɪtɪ] *n* [1] (*field*) Spezialgebiet *s*, Fachgebiet *s* [2] (*special product*) Spezialität *f*
specialize ['speʃəlaɪz] *vi* (*concentrate on*) sich spezialisieren auf
specially ['speʃəlɪ] *adv* besonders, eigens
species ['spi:si:z] *n* (*plants, animals*) Art, Gattung, Spezies *f*
specific [spə'sɪfɪk] *adj* [1] (*exact*) ▷*description* exakt, genau [2] (*specified*) ▷*area, issue* spezifisch, bestimmt; **specifications** [spesɪfɪ'keɪʃəns] *n* (*in manual*) Abmessungen, technische Daten *pl*; **specify** ['spesɪfaɪ] *vt* (*state clearly*) genaue Angaben machen
specimen ['spesɪmɪn] *n* (*example*) Exemplar *s*
speck [spek] *n* (*spot*) Fleck *m*
spectacles ['spektəklz] *n* ↑ *glasses* Brille *f*
spectacular [spek'tækjʊlə*] *adj* ▷*performance* einzigartig, spektakulär
spectator [spek'teɪtə*] *n* (*viewer*) Zuschauer(in *f*) *m*
spectrum ['spektrəm] *n* (*range of colours*) Spektrum *s*
speculate ['spekjʊleɪt] *vi* ↑ *conjecture* spekulieren, Vermutungen anstellen; **speculation** *n* Spekulation *f*; **speculative** ['spekjʊlətɪv] *adj* spekulativ
sped *s.* **speed**
speech [spi:tʃ] *n* [1] (*report*) Rede *f* [2] (*faculty of* ~) Sprache *f*, Sprechfähigkeit *f*
speed [spi:d] **I.** *n* [1] (*rate of movement*) Ge-

schwindigkeit *f* [2] (*drug*) Speed *s* **II.** *vi* (*exceed the limit*) zu schnell fahren, das Tempolimit übertreten; **speeding** *n* (*act*) Geschwindigkeitsüberschreitung *f*, zu schnelles Fahren; **speed up** *vi* beschleunigen; **speedboat** *n* Rennboot *s*; **speed limit** *n* Tempolimit *s*, Höchstgeschwindigkeit *f*, Geschwindigkeitsbegrenzung *f*; **speedometer** [spɪ'dɒmɪtə*] *n* (*gauge*) Tacho[meter] *m*; **speedway** ['spi:dweɪ] *n* SPORT Speedway *m*; **speedy** ['spi:dɪ] *adj* schnell

spell [spel] **I.** *vt* → *word* buchstabieren; ◇ **How do you ~ Massachusetts?** Wie schreibt man Massachusetts? **II.** *n* [1] (*period of time*) Periode *f* [2] (*hoax, trance*) Zauber, Fluch *m*

spend [spend] *vt, vi* → *money* ausgeben

spender [spendə*] *n* (*of money*): ◇ **he's a big ~** bei ihm sitzt der Geldbeutel locker

spending *n* (*expenditure*) Ausgaben *f pl*; **spending money** *n* (*pocket money*) Taschengeld *s*

spendthrift *n* person, Verschwender(in *f*) *m*

spent [spent] *adj* (*consumed*) verbraucht

sperm [spɜ:m] *n* (*cell*) Spermie *f*; (*fluid*) Sperma *s*

spew [spju:] *vt* (*vomit*) spucken, brechen

sphere [sfɪə*] *n* [1] (*object*) Kugel *f* [2] (*environment*) Sphäre *f*; **spherical** ['sferɪkəl] *adj* ▷*earth* kugelförmig

spice [spaɪs] **I.** *n* (*seasoning*) Gewürz *s* **I.** (*season*) würzen

spick-and-span ['spɪkən'spæ n] *adj* ▷*house* piccobello, blitzsauber

spicy ['spaɪsɪ] *adj* ▷*food* scharf [gewürzt]

spider [spaɪdə*] *n* ZOOL Spinne *f*

spike [spaɪk] **I.** *n* (*of spear*) Spitze *f* **II.** *vt* [1] (*poke*) aufspießen [2] → *drink* einen Schuß zugeben

spill [spɪl] **I.** *vi* (*pour out*) sich ergießen **II.** *vt* (*by mistake*) verschütten **III.** *n* (*fall*) Sturz *m*; **spill out** *vi* → *information* verbreiten

spin [spɪn] **I.** *vi* rotieren, spinnen **II.** *vt* → *clothes* spinnen **III.** *n* (*trip*) Spritztour *f*

spinach ['spɪnɪdʃ] *n* Spinat *m*

spinal ['spaɪnəl] *adj* [1] Rücken- [2] (*nerves*) Rückenmarks- [3] (*injury*) Rückgrat-; ◇ ~ **cord** Rückenmark *s*

spin-drier ['spɪndraɪə*] *n* Trockenschleuder *f*

spine [spaɪn] *n* (*back*) Rückgrat *s*; **spineless** ['spaɪnləs] *adj* (*FIG weak*) rückgratlos

spinning wheel ['spɪnɪŋwi:l] *n* Spinnrad *s*

spiral ['spaɪrəl] *n* Spirale *f*

spire [spaɪə*] *n* Turmspitze *f*

spirit ['spɪrɪt] *n* [1] (*soul*) Seele *f* [2] (*ghost*) Geist *m* [3] (*attitude*) Geist *m* [3] (*alcoholic drinks*) ◇ **~s** Spirituosen *pl*; **spirited** ['spɪrɪtəd] *adj* feurig, temperamentvoll

spiritual ['spɪrɪtjʊəl] *adj* spirituell; **spiritualism** ['spɪrɪtjʊəlɪzəm] *n* Spiritismus *m*

spit [spɪt] **I.** *n* Spucke *f*, Speichel *m* **II.** *vti* spukken

spite [spaɪt] **I.** *n* Haß *m* **II.** *vt* ärgern; **spiteful** *adj* boshaft, gemein

splash [splæ ʃ] **I.** *vi* ← *wave, water* klatschen, platschen **II.** *n* [1] (*sound*) Klatschen *s* [2] (*of whiskey*) Schuß *m*

spleen [spli:n] *n* ANAT Milz *f*

splendid ['splendɪd] *adj* ▷*dress* herrlich

splendour ['splendə*], **splendor** (*AM*) *n* Herrlichkeit *f*, Größe *f*

splint [splɪnt] *n* Schiene *f*

splinter ['splɪntə*] **I.** *n* (*sliver*) Splitter *m* **II.** *vti* splittern

split [splɪt] **I.** *n* Spalt, Bruch *m* **II.** *vt* auseinanderteilen, aufteilen; **split up** *vti* (*seperate*) sich trennen

splitting *adj* (*severe, painful*) ▷*headache* rasend

spoil [spɔɪl] **I.** *vt* [1] → *child* verziehen, verwöhnen [2] → *party* verderben **II.** *vi* ← *milk* schlecht werden; **spoilsport** ['spɔɪlspɔ:t] *n* Spielverderber(in *f*) *m*, Miesmacher(in *f*) *m*; **spoilt** [spɔɪlt] *adj* (*child*) verzogen, verwöhnt

spoke *s.* **speak**

spokesman ['spəʊksmən] *n* Sprecher *m*

sponge [spʌndʒ] **I.** *n* Schwamm *m* **II.** *vt* ↑ *mop up* aufwischen; **sponge cake** *n* Rührkuchen *m*; **sponger** *n* Schmarotzer(in *f*) *m*; **spongy** *adj* (*soft, mushy*) weich, schwammig

sponsor ['spɒnsə*] **I.** *n* (*with money*) Sponsor(in *f*) *m* **II.** *vt* [1] (*promote*) fördern [2] (*finance, fund*) sponsern, finanzieren; **sponsorship** *n* Schirmherrschaft *f*

spontaneity [spɒntə'neɪətɪ] *n* Spontaneität *f*; **spontaneous** [spɒn'teɪnɪəs] *adj* spontan; **spontaneously** *adv* spontan

spooky [spu:kɪ] *adj* unheimlich, gruselig

spool [spu:l] *n* ↑ *reel* Spule *f*

spoon [spu:n] **I.** *n* Löffel *m* **II.** *vt* auslöffeln; **spoon-fed** [spu:nfed] *adj* → *baby* gefüttert; **spoonful** *n* ein Löffel *m* [voll]

sporadic [spə'rædik] *adj* sporadisch

sport [spɔ:t] *n* [1] Sport *m*, Sportart *f* [2] (*person*) anständiger Kerl, Sportsfreund *m*; **sports car** *n* Sportwagen *m*; **sportsmanship** ['spɔ:tsmənʃɪp] *n* Sportlichkeit *f*; **sporty** ['spɔ:tɪ] *adj* sportlich

spot [spɒt] **I.** *n* (*stain*) Fleck *m* **II.** *vt* [1] (*stain*) beflecken [2] (*notice*) entdecken, ausmachen; **spot check** *n* Stichprobe *f*; **spotless** ['spɒtlɪs] *adj* (*clean*) unbefleckt, sauber; **spotlight**

['spɒtlaɪt] **I.** *n* (*light*) Scheinwerfer *m*, Spotlight *s* **II.** *vt* (*highlight*) aufmerksam machen auf, in den Mittelpunkt stellen
spotted ['spɒtəd] *adj* (*dotted*) gefleckt, gepunktet
spouse [spaʊs] *n* Ehegatte(in *f*) *m*
spout [spaʊt] **I.** *vi* (*gush, spurt*) hervorspritzen **II.** *n* (*of teapot*) Ausgießer, Schnabel *m*
sprain [spreɪn] **I.** *n* Verstauchung *f* **II.** *vt* verstauchen
sprang *s.* **spring**
sprawl [sprɔːl] *vti* sich lümmeln, sich ausstrekken
spray [spreɪ] **I.** *n* Spray *s* **II.** *vt* → *water* [ver]sprühen; **spray paint** *n* Sprühfarbe *f*
spread [spred] **I.** *vt* (1) (*distribute*) verteilen; (*butter*) verstreichen (2) (*lay*) → *blanket* ausbreiten **II.** *vi* (1) ← *news* sich verbreiten; (*disease*) sich ausbreiten (2) (*styles, fashion*) um sich greifen, Verbreitung *f* finden (3) ← *fire* sich ausbreiten, sich ausweiten **III.** *n* (1) ↑ *paste* (*cheese*) Aufstrich *m* (2) (*range*) Ausbreitung, Verbreitung *f* (3) (*centerfold*) Ausklapper *m* (4) (*large meal*) Festessen *s*
spree [spriː] *n* Tour *f*; ◇ **to go on a shopping ~** einen Einkaufsbummel machen
spring [sprɪŋ] **I.** *n* (1) (*coil*) Feder *f* (2) (*season*) Frühling *m*, Frühjahr *s* **II.** *vi* (*jump, leap*) springen; ◇ **to ~ a leak** plötzlich undicht werden; **spring up** *vi* hervorschießen, hervorspringen; **springboard** *n* Sprungbrett *s*; **spring-clean** *vti* Frühjahrsputz machen; **spring-cleaning** *n* Frühjahrsputz *m*
sprinkle [sprɪŋkl] *vt* → *sugar* bestreuen; → *water* besprenkeln; **sprinkler** ['sprɪŋkle*] *n* Sprinkler *m*
sprint [sprɪnt] **I.** *n* (*short race*) Sprint *m* **II.** *vi* (*run fast*) sprinten; **sprinter** ['sprɪntə*] *n* Sprinter(in *f*) *m*
sprout [spraʊt] **I.** *vi* (*grow*) ← *plant* sprießen **II.** *n* (*shoot*) Sprosse *f*
spruce [spruːs] *n* Fichte *f*; **spruce up** *vt* (*FAM tidy up*) auf Vordermann bringen
spud [spʌd] *n FAM* Kartoffel *f*
spun *s.* **spin**
spur [spɜː*] *n* (*on a boot*) Spore *f*
spurt [spɜːt] **I.** *n* (*burst*) Ausbruch *m*; ◇ **I had a ~ of energy** ich war auf einmal voller Energie **II.** *vi* (*rush*) spurten, eilen
spy [spaɪ] **I.** *n* (*agent*) Spion(in *f*) *m* **II.** *vt* (*watch closely*) genau beobachten
sq *abbr. of* **square** Quadrat-
squabble ['skwɒbl] **I.** *vi* streiten, sich zanken **II.** *n* Streit, Zank *m*
squad [skwɒd] *n* (*division*) Trupp *m*
squadron ['skwɒdrən] *n* (MIL *division*) Schwadron *f*
squalid ['skwɒlɪd] *adj* ↑ *nasty* schäbig, niederträchtig
squall [skwɔːl] **I.** *n* (*cry*) Schrei *m* **II.** *vi* (*cry, shriek*) schreien
squander ['skwɒndə*] *vt* → *money* verschwenden
square [skwɛə*] **I.** *n* (1) (*figure*) Quadrat *s* (2) (*nerd*) Spießer(in *f*) *m* **II.** *adj* ▷*box* quadratisch **II.** *vt* (1) (*straighten*) ◇ **he ~ed everything away** er hat alles in Ordnung gebracht (2) → *number* quadrieren; **square up** (*settle up*) → *bill, debt* abrechnen; (*confront*) → *to problem* sich stellen
squash [skwɒʃ] **I.** *n* (1) (*game*) Squash[-spiel] *s* (2) (*vegetable*) Kürbis *m* **II.** *vt* ↑ *flatten* zerdrükken
squat [skwɒt] **I.** *vi* (*sit*) kauern, hocken **II.** *adj* ↑ *stocky* gedrungen; **squatter** [skwɒtə*] *n* (*occupant*) [Haus-]Besetzer(in *f*) *m*
squaw [skwɔː] *n* Squaw *f*
squawk [skwɔːk] **I.** *vi* ← *bird* schreien **II.** *n* (*noise*) Schrei *m*
squeak [skwiːk] *vi* ← *door* quietschen
squeal [skwiːl] *vi* ← *pig* quieken
squeeze [skwiːz] **I.** *vt* (1) → *orange* ausdrücken; → *hand* drücken (2) (*move*) Platz machen, sich klein machen; (*cram*) → *meeting, date* unterbringen, einbauen; ◇ **I can't ~ that into my schedule** ich bringe das nicht in meinem Terminplan unter, ich kann das nirgends einschieben **II.** *n* (1) (*action*) Drücken *s* (2) (*jam*) Spritzer, Klecks *m*; **squeeze out** *vt* ausdrücken
squid [skwɪd] *n* Tintenfisch *m*
squint [skwɪnt] *vt* schielen, den Silberblick haben
squirm [skwɜːm] *vi* (*wriggle*) sich winden, sich ringeln
squirrel ['skwɪrəl] *n* Eichhörnchen *s*
squirt [skwɜːt] **I.** *n* (1) (*of water*) Spritzer *m* (2) (*FAM arrogant person*) Fatzke *m* **II.** *vi* (*to wet*) spritzen
stab [stæb] **I.** *vt* (*jab*) einstechen auf, zustechen **II.** *n* (*jab*) Stich *m*; **stabbing** *n* (*attack*) Messerstecherei *f*
stability [stə'bɪlɪtɪ] *n* Stabilität *f*; **stabilize** ['steɪbəlaɪz] *vi* sich stabilisieren; **stabilizer** *n* Stabilisator *m*
stable ['steɪbl] **I.** *adj* (1) stabil; ▷*relationship* stabil, fest (2) (*well built, construction*) stabil **II.** *n* Stall *m*
staccato [stə'kɑːtəʊ] **I.** *adv* MUS stakkato **II.** *adj* MUS stakkato

stack [stæk] **I.** *n* (*pile*) Haufen *m,* Stapel *m* **II.** *vt* → *books* stapeln
stadium ['steɪdɪəm] *n* Stadion *s*
staff [stɑːf] *n* 1 ↑ *rod* Stock *m;* (*flag~*) Mast *m* 2 (*employees*) Belegschaft *f,* Mitarbeiter *pl*
stag [stæg] *n* (*deer*) Hirsch *m*
stage [steɪdʒ] **I.** *n* THEAT Bühne *f* **II.** *vt* → *play* aufführen
stagecoach *n* Pferdekutsche *f;* **stage fright** *n* Lampenfieber *s*
stagger ['stægə*] *vi* (*wobble*) schwanken, taumeln
stagnant ['stægnənt] *adj* 1 ▷*water* stehend 2 (*situation*) stagnierend; **stagnate** [stæg'neɪt] *vi* stagnieren; **stagnation** [stæg'neɪʃən] *n* Stagnation *f*
stag party [stæ g pɑːtɪ] *n* (*bachelor's party*) Männerabend *m,* Herrenabend *m*
stain [steɪn] **I.** *vt* (*spot*) beflecken, beschmutzen **II.** *n* ↑ *spot* Fleck *m;* **stained** *adj* 1 ▷*tea cup* fleckig 2 ▷*glass* bemalt
stair [stɛə*] *n* (*step*) [Treppen-]Stufe *f;* **stairs** [stɛəz] *n pl* Treppe *f;* **staircase** [stɛəkeɪs] *n* Treppe *f*
stake [steɪk] **I.** *vt* (*bet*) wetten, setzen **II.** *n* 1 (*risk*) ◇ **his job is at ~** sein Arbeitsplatz steht auf dem Spiel 2 (*post*) Pfahl, Pfosten *m*
stale [steɪl] *adj* ▷*bread* trocken, alt
stalemate ['steɪlmeɪt] *n* Patt *s*
stalk [stɔːk] **I.** *vi* (*hunt*) pirschen **II.** *n* Stiel *m*
stall [stɔːl] **I.** *vt* 1 (*delay*) verzögern, hinausschieben 2 (*shut off*) → *car* abwürgen **II.** *n* (*booth*) Stand *m;* (*shower*) Kabine *f*
stallion ['stælɪən] *n* [Zucht-]Hengst *m*
stamina ['stæmɪnə] *n* Stehvermögen *s*
stamp [stæmp] **I.** *n* 1 (*postage*) Briefmarke *f* 2 (*rubber*) Stempel *m* **II.** *vt* 1 (*stick a stamp*) eine Briefmarke draufkleben, frankieren 2 (*mark*) abstempeln
stampede [stæm'piːd] **I.** *vi* ← *herd* durchgehen **II.** *n* Durchgehen *s,* plötzlicher Flucht
stand [stænd] **I.** *vti* 1 (*on feet*) stehen 2 (*place*) stellen 3 (*like, take*) ausstehen, aushalten; ◇ **I can't ~ her** ich kann sie nicht ausstehen 4 (*be valid*) gültig sein 5 (*express opinion*) ◇ **to take ~ on an issue** zu einer Sache Stellung nehmen; ◇ **to ~ a chance** eine Chance haben; ◇ **to ~ trial** schweres durchmachen **II.** *n* 1 (*booth*) Stand *m* 2 JURA [Zeugen-]Stand *m;* **stand by** *vi* 1 (*wait*) warten auf 2 (*watch*) unbeteiligt zusehen 3 (*support*) halten zu (*s.o.* jd-m); **stand for** *vi* 1 (*represent*) stehen für, repräsentieren 2 (*take, endure*) sich gefallen lassen; **stand out** *vi* 1 (*stick out*) hervorstehen, herausragen 2 (*be obvious*) auffallen; **stand up** *vi* 1 (*get up*) aufstehen 2 (*FIG support*) aufstehen (*for* für) 3 (*not meet*) ◇ **Tom always ~s girls up** Tom versetzt immer seine Freundinnen
standard ['stændəd] *adj* normal, Standard-; **standardization** [stændədaɪ'zeɪʃən] *n* Standardisierung *f;* **standardize** ['stændədaɪz] *vt* standardisieren
standby ['stændbaɪ] *n* Ersatz *m;* **stand-by flight** *n* Standby-Flug *m*
standing ['stændɪŋ] **I.** *adj* 1 ▷*ovation* stehend 2 (*permanent*) ständig, permanent **II.** *n* (*status*) Stellung *m;* **standing orders** *n* (*of company*) Geschäftsordnung *f;* (*with bank*) Dauerauftrag *m;* **standing room** *n* Stehplatz *m;* **standpoint** *n* Standpunkt *m;* **standstill** *n* Stillstand *m*
stank *s.* **stink**
stanza ['stænzə] *n* Strophe *f*
staple ['steɪpl] **I.** *n* (*clip*) Heftklammer *f* **II.** *vt* heften; **staple gun** *n* (*for wood*) Tacker *m*
stapler [steɪplə*] *n* (*for paper*) Tacker *m*
star [stɑː*] *n* 1 (*sky*) Stern *m* 2 (*celebrity*) Star *m,* Berühmtheit *f*
starch [stɑːʃ] *n* Stärke *f;* **starchy** *adj* stärkehaltig
stare [stɛə*] *vi* (*gaze*) starren, glotzen
star fish *n* Seestern *m*
start [stɑːt] **I.** *n* (*beginning*) Beginn *m,* Anfang *m;* (*of race*) Start *m* **II.** *vi* (*begin*) beginnen, anfangen, starten
starter ['stɑːtə*] *n* 1 (*appetizer*) Vorspeise *f* 2 (*of race*) Starter(in *f*) *m*
starting point ['stɑːtɪŋ pɔɪnt] *n* Ausgangspunkt *m*
startle ['stɑːtl] *vt* erschrecken, aufschrecken; **startling** *adj* erschreckend
starvation [stɑː'veɪʃən] *n* Hungern *s;* **starve** [stɑːv] **I.** *vi* (*be hungry*) hungern; (*die of hunger*) verhungern **II.** *vt* (*deprive of food*): ◇ **the guards ~d the prisoners** die Wachen ließen die Gefangenen hungern
state [steɪt] **I.** *n* 1 (*condition*) Zustand *m* 2 (*country*) Staat *m,* Land *s* **II.** *vt* (*declare*) sagen, erklären; **stated** ['steɪtəd] *adj* (*mentioned*) erwähnt, genannt; **statement** ['steɪtmənt] *n* 1 (*comment*) Aussage *f,* Darstellung *f* 2 (*invoice*) Rechnung *f*
statesman ['steɪtsmən] *n* Staatsmann *m*
static [stætɪk] **I.** *adj* (*fixed, unchanging, population*) gleichbleibend, konstant; (*ideas*) unbeweglich; (*situation*) gleichbleibend, unveränderlich **II.** *n* 1 (*electricity*) Statik *f* 2 (*interference, TV, radio*) Störungen *f pl*
station ['steɪʃən] *n* (*train ~*) Bahnhof *m*

S

stationary ['steɪʃənərɪ] *adj* (*immobile*) stationär, unbeweglich
stationer ['steɪʃənə*] *n* (*BRIT*) Schreibwarenhändler(in *f*) *m;* **stationery** ['steɪʃənərɪ] *n* Schreibwaren *f pl,* Bürobedarf *m*
station wagon *n* AUTO Kombi *m*
statistic [stə'tɪstɪk] *n* Statistik *f*
statue ['stætju:] *n* Statue *f,* Denkmal *s*
status ['steɪtəs] *n* Status *m,* Stellung *f;* **status symbol** *n* Statussymbol *s*
statute ['stætju:t] *n* (*law*) Gesetz *s;* **statutory** ['stætju:tərɪ] *adj* (*legal*) legal, gesetzlich
staunch [stɔ:ntʃ] *adj* (*steadfast*) standhaft
stay [steɪ] **I.** *n* (*visit*) Aufenthalt *m,* Besuch *m* **II.** *vi* (*remain*) bleiben, verweilen; **stay in** *vi* zuhausebleiben; **stay on** *vi* (*remain longer*) dableiben; **stay up** *vi* wachbleiben, aufbleiben
steadfast ['stedfəst] *adj* (*persistent*) standhaft, unerschütterlich
steadily ['stedɪlɪ] *adv* (*constant*) gleichbleibend, konstant; **steadiness** ['stedɪnes] *n* Ruhe *f,* Stetigkeit *f;* **steady** [stedɪ] *adj* ↑ *regular* (*job*) fest, regelmäßig; (*boyfriend*) fest
steal [sti:l] **I.** *vt* (*take away*) stehlen **II.** *vi* (*creep*) schleichen
stealthy [stelθɪ] *adj* heimlich
steam [sti:m] **I.** *n* Dampf *m;* ◇ **~ engine** Dampfmaschine *f* **II.** *vt* dämpfen, dünsten **III.** *vi* ← *water* dampfen; **steamer** ['sti:mə*] *n* (*ship*) Dampfer *m;* **steamy** ['sti:mɪ] *adj* [1] (*kitchen*) dampfig, dunstig [2] (*erotic*) ▹*books* erotisch, heiß
steel [sti:l] *n* Stahl *m;* **steelworks** ['sti:lwɜ:ks] *n* Stahlwerk *s*
steep [sti:p] *adj* ▹*mountain* steil
steeple ['sti:pl] *n* Kirchturm *m*
steepness ['sti:pnəs] *n* Steilheit *f*
steer [sti:*] **I.** *vt* (*guide*) → *car* lenken; (*direct, people*) lotsen **II.** *n* (*bull*) junger Ochse
steering wheel ['sti:rɪŋwi:l] *n* Steuer(rad), Lenkrad *s*
stem [stem] **I.** *n* [1] (*of plant*) Stiel *m,* Stengel *m;* (*of glass*) Stiel *m* [2] (*of word*) Stamm *m* **II.** *vi:* ◇ **to ~ from sth** von etw kommen
stench [stentʃ] *n* Gestank *m*
stencil ['stensɪl] *n* Schablone *f*
stenographer [ste'nɒgrəfə*] *n* Stenograph(-in *f*) *m*
step [step] **I.** *n* [1] (*pace*) Schritt *m* [2] (*footstep*) Schritt *m* [3] (*stair*) Stufe *f* **II.** *vi* gehen; ◇ **to be in ~** im Tritt sein; **step down** *vi* herab-/hinabsteigen; **step up** *vt* verstärken, steigern; **stepladder** *n* Stufenleiter *f;* **step-mother** *n* Stiefmutter *f*
steppe [step] *n* Steppe *f*
stepping stone ['stepɪŋ stəʊn] *n* Trittstein *m*
stereo ['sterɪəʊ] *n* Stereo *s*
stereotype ['sterɪətaɪp] **I.** *n FIG* Stereotyp *s* **II.** *vt* als Typ darstellen
sterile [steraɪl] *adj* [1] (*germ free*) steril [2] (*infertile*) unfruchtbar, steril; **sterility** [ste'rɪlɪtɪ] *n* [1] Sterilität *f* [2] Unfruchtbarkeit *f,* Sterilität *f;* **sterilize** ['sterɪlaɪz] *vt* sterilisieren
sterling ['stɜ:lɪŋ] **I.** *n* das Pfund Sterling **II.** *adj* (▹*silver*) Sterling-
stern [stɜ:n] *adj* ▹*person* streng; ▹*look* ernst
stethoscope ['steθəskəʊp] *n* Stethoskop *s*
stew [stju:] **I.** *n* Eintopf *m* **II.** *vti* (*cook*) schmoren; *FAM* [sich] aufregen
steward ['stju:wəd] *n* Steward *m;* **stewardess** [stju:wə'des] *n* Stewardeß *f*
stick [stɪk] **I.** *n* (*piece of wood*) Zweig *m;* (*hockey ~*) Schläger *m* **II.** *vi* (*adhere*) kleben (*to* auf); (*remain*) bleiben; (*impression, thoughts*) sich einprägen **III.** *vt* [1] (*place, put*) stecken [2] (*paste*) kleben; **stick out** **I.** *vt* (*poke out*) hinausstecken **II.** *vi* [1] (*protude*) vorstehen [2] (*obvious*) auffallen [3] (*be presistent*) ◇ **I'll ~ it ~ no matter what** ich werde es durchstehen, koste es, was es wolle; **stick up** *vt* → *bank* überfallen
stickler ['stɪklə*] *n* (*fan*): ◇ **he's a ~ for routine** bei ihm muß immer alles seinen gewohnten Gang gehen
stick-up *n* Überfall *m*
sticky *adj* [1] ▹*lollipop* klebrig [2] (*awkward*) ▹*situation* heikel, knifflig
stiff [stɪf] **I.** *adj* [1] (*hard*) hart [2] (*joints, muscles*) steif [3] (*behaviour*) kühl, formell [4] (*difficult*) schwer, schwierig **II.** *n FAM* Leiche *f;* **stiffen** ['stɪfən] **I.** *vt* (*make hard*) steif machen **II.** *vi* (*become hard*) steif werden
stifle ['staɪfəl] *vt* [1] (*yawn, emotions*) unterdrükken [2] (*suffocate*) ersticken
stifling ['staɪflɪŋ] *adj* ▹ *air* erstickend, drückend
stigma ['stɪgmə] *n* Stigma *s*
still [stɪl] **I.** *adv* [1] noch; ◇ **the weather is ~ bad** das Wetter ist immer noch schlecht [2] (*nonetheless*) trotzdem [3] (*unchanged*) nach wie vor **II.** *adj* bewegungslos
stillborn [stɪlbɔ:n] *adj* totgeboren; **still life** *n* Stilleben *s*
stillness *n* [1] (*tranquility*) Ruhe *f* [2] (*motionlessness*) Unbewegtheit *f*
stilt [stɪlt] *n* (*pole*) Pfahl *m*
stimulant ['stɪmju:lənt] *n* Stimulans *s;* **stimulate** ['stɪmju:leɪt] *vt* [1] anregen [2] MED stimulieren; **stimulating** *adj* anregend, stimulierend

stimulus ['stɪmju:ləs] *n* 1 (*incentive*) Anreiz *m* 2 MED Reiz *m*
sting [stɪŋ] I. *n* (ZOOL, BIO *organ*) Stachel *m;* (*wound*) Stich *m* II. *vi* stechen, brennen III. *vt* ← *bee, plant* stechen; **stinging nettle** ['stɪŋɪŋ 'netl] *n* Brennessel *f*
stingy ['stɪndʒɪ] *adj* geizig
stink [stɪnk] *vi* (*reek*) stinken *m;* **stinker** ['stɪnkə*] *n* (*unpleasant person*) Widerling *m;* **stinking** *adj* stinkend; ◇ **to be ~ rich** stinkreich sein
stipend ['staɪpend] *n* Gehalt *s*
stipulate ['stɪpju:leɪt] (*specify*) vorschreiben; **stipulation** ['stɪpju:leɪʃən] *n* (*specification*) Bedingung *f*
stir [stɜ:*] *vt* 1 (*mix*) [um-]rühren 2 (*shift positions*) bewegen 3 (*incite*) anstacheln 4 (*move, affect*) aufwühlen; **stir up** *vt* 1 (*move*) aufwühlen 2 (*instigate*) anstacheln
stirrup ['stɪrəp] *n* Steigbügel *m*
stitch [stɪtʃ] I. *vi* (*sew*) nähen II. *n* 1 Stich *m* 2 (*side pain*) Seitenstechen *s; FIG* ◇ **a ~ in time saves nine** was du heute kannst besorgen, das verschiebe nicht auf morgen
stoat [avee‹ʊt] *n* Wiesel *s*
stock [stɒk] I. *n* 1 (*shares*) Anteil *m* 2 (*goods available*) Vorrat *m;* ◇ **to have in ~** vorrätig haben; *FIG* ◇ **to take ~** Bilanz ziehen 3 (*livestock*) Viehbestand *m* 4 (*broth*) Brühe *f* II. *vt* (*keep for sale*) führen
stockbroker ['stɒkbrəʊkə*] *n* Börsenmakler *m;* **stock exchange** *n* Börse *f;* **stockpile** *n* Vorrat *m;* **stocktaking** *n* Inventur *f;* **stocky** ['stɒkɪ] *adj* stämmig
stoic ['stəʊɪk] *n* Stoiker *m;* **stoical** ['stəʊɪkəl] *adj* stoisch
stoke [stəʊk] *vt* (*auch RHET fire*) schüren
stole [stəʊl] *s.* **steal**
stomach ['stʌmək] *n* Magen *m;* (*belly*) Bauch *m;* **stomach-ache** ['stʌməkeɪk] *n* Magenschmerzen *pl*
stone [stəʊn] I. *n* (*rock*) Stein *m;* ◇ **Gerhard's made of ~** Gerhard hat ein Herz aus Stein II. *vt* mit Steinen bewerfen, steinigen; **stone-cold** *adj* eiskalt; **stone-deaf** *adj* stocktaub
stonemason *n* Steinmetz *m*
stood *s.* **stand**
stool [stu:l] *n* Hocker *m,* Schemel *m*
stoop [stu:p] *vi* sich beugen
stop [stɒp] I. *vi* 1 (*cease*) anhalten; (*machine*) nicht mehr laufen 2 (*finish*) ◇ **the bike path ~s here** der Fahrradweg endet hier II. *vt* anhalten, stoppen; (*hinder*) verhindern II. *n* 1 (*for bus*) Haltestelle *f* 2 (*break*) Pause *f;* ◇ **we made two ~s on the flight to Sydney** wir hatten zwei Zwischenlandungen auf dem Flug nach Sydney; **stop by** *vi* vorbeischauen; **stop off** *vi* haltmachen; **stop over** *vi* Zwischenstation machen; **stop-light** *n* Bremslicht *s;* **stopover** *n* Zwischenstation *f;* (*on flight*) Zwischenlandung *f*
stoppage ['stɒpɪdʒ] *n* Unterbrechung *f*
stopwatch *n* Stoppuhr *f*
storage ['stɔ:rɪdʒ] *n* Lagerung *f*
store [stɔ:*] I. *n* 1 (*shop*) Geschäft *s* 2 (*supply*) Vorrat *m* II. *vt* (*put away*) [ein-]lagern; (*retain, data*) speichern; **store up** *vt* einen Vorrat anlegen; **store room** *n* Lagerraum *m*
storey ['stɔ:rɪ] *n* Stockwerk *s,* Etage *f*
stork [stɔ:k] *n* Storch *m*
storm [stɔ:m] *n* Unwetter *s,* Sturm *m;* **stormy** ['stɔ:mɪ] *adj* stürmisch
story ['stɔ:rɪ] *n* 1 (*fiction*) Geschichte 2 (*account*) Bericht *m* 3 (*lie*) Märchen *s,* Story *f*
stout [staʊt] *adj* (*chubby*) stämmig
stove [stəʊv] *n* (*for cooking*) Herd *m*
stow [stəʊ] *vi, vt* (*stash, store*) verstauen; **stow away** *vi* (*travel secretly*) als blinder Passagier fahren; **stowaway** *n* blinder Passagier
straddle ['strædl] *vt* → *on fence, horse* rittlings sitzen
straggle ['strægl] *vi* (*dawdle*) trödeln, bummeln
straight [streɪt] *adj* (*not bent*) gerade
straightaway ['streɪtəweɪ] I. *adv* (*immediately*) sofort II. *n* (*straight road*) gerade Strecke
straighten ['streɪtən] I. *vt* → *tie* geradeziehen II. *vi* ← *person* sich aufrichten
straightforward *adj* (*clear, direct*) aufrichtig, direkt
strain [streɪn] I. *n* 1 (*pressure*) Druck *m;* (*stress*) Belastung *f,* Streß *m* 2 (*worry*) Last *f* II. *vt* 1 (*try*) auf die Probe stellen 2 MED verrenken 3 (*drain*) strapazieren
strainer ['streɪnə*] *n* GASTRON Sieb *s;* TECHNOL Filter *m*
strait-jacket ['streɪtdʒækɪt] *n* Zwangsjacke *f;* **strait-laced** ['streɪtleɪst] *adj* prüde, puritanisch
strand [strænd] *n* (*thread*) Faden *m*
strange [streɪndʒ] *adj* 1 (*bizarre*) seltsam 2 (*unknown*) fremd; **strangely** ['streɪndʒlɪ] *adv* (*oddly*) sonderbar; **strangeness** *n* (*weirdness*) Merkwürdigkeit *f;* **stranger** ['steɪndʒə*] *n* Fremde(r) *fm*
strangle ['srængl] *vt* (*kill*) strangulieren, erwürgen
strap [stræp] I. *n* (*band*) Riemen *m* II. *vt* (*fasten*) festschnallen, anschnallen
strategy ['strætɪgɪ] *n* 1 (*plan*) Strategie *f* 2 (*tactics*) Taktik *f*

stratosphere ['strætəʊsfɪə*] *n* Stratosphäre *f*
straw [strɔː] *n* 1 BIO Stroh *s* 2 (*plastic*) Strohhalm *m;* ◇ **that's the last -!** das hat gerade noch gefehlt!; (*hint*) ◇ **that may be a - in the wind** das könnte ein Hinweis sein
strawberry ['strɔːbərɪ] *n* Erdbeere *f*
stray [streɪ] **I.** *vi* (*roam*) herumwandern; (*thoughts*) abschweifen **II.** *adj* 1 ▷*dog* herrenlos 2 (*random*) vereinzelt
streak [striːk] **I.** *vi* (*dart*) flitzen **II.** *n* (*strip*) Streifen *m;* ◇ **lucky -** Glückssträhne *f*
stream [striːm] **I.** *n* 1 (*brook*) Bach *m* 2 (*flow*) Strom *m* **II.** *vi* (*flow*) fließen; (*people*) strömen; ← *light* fluten
streamer ['striːmə*] *n* (*decoration*) Band *s*
streamlined *adj* windschlüpfrig, stromlinienförmig
street [striːt] *n* Straße *f;* **streetcar** *n* (*AM*) Straßenbahn *f;* **streetwise** *adj* (*experienced*)
strength [streŋθ] *n* 1 (*physcial*) Kraft *f* 2 (*of machine*) Stärke *f* 3 (*influence, power*) Macht *f* 4 (*positive trait*) Festigkeit *f;* **strengthen** [streŋθən] **I.** *vt* 1 (*reinforce*) stärken 2 → *business* festigen 3 (*encourage*) bestärken **II.** *vi* 1 stärker werden 2 ← *wind* sich verstärken
strenuous ['strenjuːəs] *adj* ▷*work* anstrengend; ▷*opposition* heftig; **strenuously** *adv* energisch, heftig
stress [stres] **I.** *n* 1 (*pressure*) Belastung *f,* Streß *m;* ◇ **to be under -** im Streß sein 2 (*emphasis*) Betonung *f* **II.** *vt* 1 → *point* hervorheben 2 (*accent*) betonen; **stressful** ['stresfʊl] *adj* anstrengend; *FAM* stressig
stretch [stretʃ] **I.** *n* 1 (*time period*) Zeitspanne *f* 2 (*of land*) Streifen *m,* Stück *s* **II.** *vt* 1 (*make last*) → *money, food* strecken 2 (*pull tight*) spannen 3 (*expand*) ausbreiten **III.** *vi* 1 (*yourself*) sich strecken 2 (*become larger*) ← *shoes* weiter werden 3 (*be enough*) ← *money, food* reichen (*to* für); **stretch out I.** *vt* ausbreiten **II.** *vi* (*relax*) sich hinlegen
stretcher ['stretʃə*] *n* (*for injured*) Tragbahre *f*
stricken ['strɪkən] *adj* (*afflicted*) leidgeprüft
strict [strɪkt] *adj* 1 (*rigorous*) streng; (*exact*) genau 2 ▷*rule* strikt; **strictly** *adv* streng; **strictness** *n* Strenge *f*
stride [straɪd] **I.** *vi* (*march*) schreiten **II.** *n* (*long step*) Schritt *m;* ◇ **to take s.th. in -** etw gelassen hinnehmen; **strident** ['straɪdənt] *adj* ▷*voice* durchdringend
strike [straɪk] **I.** *n* 1 (*cessation of work*) Streik *m* 2 MIL Angriff *m* 3 (*discovery of petroleum*) Fund *m* **III.** *vi* (*protest*) streiken; MIL angreifen **II.** *vt* 1 (*hit*) schlagen 2 (*occur to*) einfallen, auffallen (*dat*) 3 (*impress*) beeindrucken 4 → *match* anzünden 5 ← *lightning* treffen 6 → *oil, gold* stoßen auf; ◇ **to - it rich** [unerwartet] zu Geld kommen; **strike out I.** *vi* 1 (*start out*) beginnen 2 (*AM FAM fail*) auf die Schnauze fliegen **II.** *vi* (*cross out*) [durch-]streichen; **strike up** *vt* (*start*) → *conversation* anfangen, in Gang *m* bringen; → *music* anfangen zu spielen; **strike pay** *n* Streikgeld *s;* **striker** *n* Streikende(r) *fm*
striking *adj* (*remarkable*) bemerkenswert; (*stunning*) verblüffend
string [strɪŋ] **I.** *n* 1 (*thread*) Schnur *f,* Bindfaden *m;* (*violin, guitar*) Saite *f* 2 (*of events*) Reihe *f,* Kette *f* **II.** *vt* 1 → *musical instrument* besaiten 2 (*put up*) aufreihen; ◇ **to - s.o. along** jd-m etw vormachen; **string bean** *n* grüne Bohne
stringency ['strɪndʒənsɪ] *n* 1 (*shortage of money*) Knappheit *f* 2 (*severity*) Strenge *f;* **stringent** ['strɪndʒənt] *adj* (*strict*) streng
strip [strɪp] **I.** *n* 1 (*shred*) Streifen *m;* (*of land*) kleines Stück 2 (*runway*) Start- und Landebahn *f* 3 (*cartoon-*) Comic strip *m* **II.** *vt* 1 (*undress*) ausziehen; → *bed* abziehen 2 → *car* auseinandernehmen 3 → *beliefs* berauben (*of gen*) **III.** *vi* (*in a night club*) strippen
stripe [straɪp] *n* (*line*) Streifen *m;* **striped** ['straɪpd] *adj* gestreift
stripper ['strɪpə*] *n* 1 (*in a night club*) Stripper(in *f*) *m* 2 (*for removing paint*) Farbentferner *m*
striptease ['strɪptiːz] *n* Striptease *m*
strive [straɪv] *vi* (*pursue*) trachten, streben (*for* nach)
strode *s.* **stride**
stroke [strəʊk] **I.** *vt* → *cat* streicheln **II.** *n* 1 (*movement*) Schlag *m* 2 (*swimming style*) Stil *m* 3 MED Schlag[-anfall] *m* 4 ◇ **a - of luck** ein Glücksfall
stroll [strəʊl] **I.** *n* Spaziergang *m* **II.** *vi* spazieren; **stroller** ['strəʊlə*] *n* (*baby buggy*) Sportwagen *m,* Buggy *m*
strong [strɒŋ] *adj* 1 (*sturdy*) kräftig 2 ▷*influence* groß 3 (*intense*) stark; (*accent*) stark; (*relationship*) stabil; (*coffee*) stark 4 (*powerful, lens*) stark; (*beliefs*) fest, unerschütterlich
stronghold *n* (*bastion*) Festung *f; FIG* Hochburg *f*
strongly *adv* stark, kräftig
strove *s.* **strive**
struck *s.* **strike**
structural ['strʌktʃərəl] *adj* strukturell, Struktur-; **structure** ['strʌktʃə*] **I.** *n* 1 (*make-up*) Struktur *f* 2 (*construction*) Konstruktion *f* 3 (*of*

society) Aufbau *m* [4] (*order*) Anordnung *f* **II.** *vt* strukturieren
struggle ['strʌgl] **I.** *n* [1] (*fight*) Kampf *m* [2] (*effort*) Anstrengung *f* **II.** *vi* [1] (*strain*) sich bemühen [2] (*scuffle*) raufen (*with* mit)
strum [strʌm] *vt* → *instrument* klimpern (auf *dat*)
strut [strʌt] *vi* stolzieren
stub [stʌb] **I.** *n* (*remains*) Stummel *m;* (*of cheque*) Abschnitt *m;* (*of cigarette*) Kippe *f* **II.** *vt* → *foot* gegen etw stoßen; → *cigarette* ausdrücken
stubble [stʌbl] *n* [1] (*in a field*) Stoppeln *fpl* [2] (*razor-*) Bartstoppeln *fpl;* **stubbly** [stʌblı] *adj* ▹*beard* stoppelig
stubborn ['stʌbən] *adj* (*obstinate*) störrisch; (*stain*) hartnäckig; **stubbornness** *n* Sturheit *f*
stuck *s.* stick
stuck [stʌk] *adj* [1] (*unable to continue*) feststekken, nicht weiterkommen [2] (*burdened*) belastet (*with* mit) [3] (*very keen*) verschossen sein (*on s.o./s.th.* in *akk*); *FIG* ◇ **to get - into s.th.** sich in etw verbeißen
stud [1] [stʌd] *n* (*ornament*) Ziernagel *m*
stud [2] [stʌd] *n* (*horse*) Zuchthengst *m; male, FAM* Aufreißer *m*
student ['stju:dənt] *n* (*university*) Student(in *f*) *m;* (*school*) Schüler(in *f*) *m*
studied ['stʌdıd] *adj* (*planned*) geplant, wohlüberlegt
studio ['stju:dıəʊ] *n* Studio *s*
studious ['stju:dıəs] *adj* fleißig
study ['stʌdı] **I.** *n* [1] (*investigation*) Untersuchung *f*, Studie *f* [2] UNIV Studium *s* **II.** *vt* [1] (*a particular subject*) studieren [2] (*examine*) untersuchen
stuff [stʌf] **I.** *n* [1] (*things*) Zeug *s;* (*belongings*) Sachen *pl* [2] (*FAM drug*) Stoff *m* [3] (*FAM money*) Kohle *f* **II.** *vt* [1] (*cram*) vollstopfen [2] (*FAM s.b. with food*) mästen [3] (*turkey*) füllen
stuffing ['stʌfıŋ] *n* [1] (*padding*) Polsterung *f* [2] (*food*) Füllung *f*
stuffy ['stʌfı] *adj* [1] (*stale*) stickig [2] (*staid*) spießig; (*dull*) langweilig
stumble ['stʌmbl] *vi auch FIG* stolpern
stumbling block ['stʌmblınŋ blɒk] *n FIG* Hürde *f*
stump [stʌmp] *n* Stumpf *m,* Stummel *m*
stun [stʌn] *vt* (*astonish*) verblüffen; (*daze*) benommen machen
stung *s.* sting
stunk *s.* stink
stunning ['stʌnıŋ] *adj* (*FAM fabulous*) toll; (*astonishing*) überraschend
stunt [stʌnt] *n* (*attraction*) Kunststück *s;* (*dangerous trick*) Stunt *m;* ◇ **don't pull any more -s like that** zieh keine solche Show mehr ab!
stupefy ['stju:pıfaı] *vt* (*bewilder*) verblüffen
stupendous ['stju:pendəs] *adj* (*staggering*) umwerfend
stupid ['stju:pıd] *adj* dumm, blöde; **stupidity** [stju:'pıdıtı] *n* Dummheit *f*
stupor ['stju:pə*] *n* (*daze*) Benommenheit *f*
sturdily ['stɜ:dılı] *adv* (*robust, firm*) robust, stabil; **sturdy** ['stɜ:dı] *adj* (*robust*) kräftig; (*refusal*) energisch
stutter ['stʌtə*] **I.** *vi* stottern **II.** *n* Stottern *s*
stye [staı] *n* MED Gerstenkorn *s*
style [staıl] **I.** *n* [1] (*technique*) Stil *m* [2] (*fashion*) Mode *f;* ◇ **to be in -** modern [*o.* in Mode] sein [3] (*smartness, elegance*) Stil *m* [4] (*type*) Typ *m,* Art *f;* ◇ **to cramp s.o.'s -** jd-m im Weg sein **II.** *vt* (*fix, design*) entwerfen; (*hair*) stylen
styling ['staılıŋ] *adj* ▹*gel, brush* Styling *s;* **stylish** ['staılı∫] *adj* (*fashionable*) modisch
suave ['swɑ:v] *adj* (*charming, polite*) charmant, höflich
sub- [sʌb] *pref* [1] (*under*) Unter- [2] (*part of a whole*) Sub-
subconscious I *adj* unterbewußt **II** *n* Unterbewußtsein *s*
subdivide *vt* unterteilen; **subdivision** *n* Unterteilung *f*
subdue [səb'dju:] *vt* [1] (*crush*) unterdrücken [2] (*emotions*) zügeln, unterdrücken; (*brightness*) dämpfen; **subdued** [səb'dju:d] *adj* [1] (*downcast*) niedergedrückt [2] (*lights*) gedämpft [3] (*emotions*) unterdrückt
subject ['sʌbdʒekt] **I.** *n* [1] (*topic*) Thema *s;* ◇ **let's change the -** laßt uns das Thema wechseln [2] LING Subjekt *s* [3] POL Staatsbürger(in *f*) *m* **II.** *adj* (*bound by, rules, laws*) unterworfen **III.** *vt* [1] (*subdue*) unterwerfen [2] (*expose*) aussetzen (*to s.th.* einer Sache)
subjection [səb'dʒek∫ən] *n* (*subjugation*) Unterwerfung *f*
subjective [səb'dʒektıv] *adj* subjektiv; **subjectively** *adv* subjektiv
subject matter *n* Stoff *m*
subjunctive [səb'dʒʌŋktıv] *n* LING Konjunktiv *m*
sublet [sʌb'let] *vti* untervermieten
sublime [sə'blaım] *adj* erhaben
submarine ['sʌbməri:n] *n* U-Boot *s*
submerge [səb'mɜ:dʒ] **I.** *vt* untertauchen **II.** *vi* tauchen
submission [səb'mı∫ən] *n* [1] (*subjection*) Unterwerfung *f* [2] (*presentation*) Vorlage *f*
submit [səb'mıt] **I.** *vt* (*present*) vorlegen **II.** *vi* (*yield, give in*) nachgeben, aufgeben

subnormal [sʌb'nɔːməl] *adj* (*not average*) unterdurchschnittlich
subordinate [sə'bɔːdɪneɪt] **I.** *n* (*of lower rank*) Untergebene(r) *fm* **II.** *adj* (*secondary*) zweitrangig **III.** *vt* unterordnen
subpoena [səb'piːnə] **I.** *n* Vorladung *f* **II.** *vt* vorladen
subscribe [səb'skraɪb] *vi* ▷*magazine* abonnieren (*to akk*); **subscriber** *n* Abonnent(in *f*) *m;* **subscription** [səb'skrɪpʃən] *n* (*monthly, annually*) Abonnement *s*
subsequent ['sʌbsɪkwənt] *adj* anschließend, folgend
subside [səb'saɪd] *vi* ① (*sink to a lower level*) absacken ② (*weaken, recede, feeling*) abklingen; ← *noise* nachlassen
subsidence [səb'sɪdəns] *n* (*sinking*) Absacken *s*
subsidiary [səb'sɪdɪərɪ] *adj* (*secondary*) zweitrangig, Neben-
subsidize ['sʌbsɪdaɪz] *vt* (*finance*) subventionieren; **subsidized** *adj* subventioniert; ◇ **housing** sozialer Wohnungsbau; **subsidy** ['sʌbsɪdɪ] *n* Subvention *f*
subsistence [səb'sɪstəns] *n* ① Leben *s* ② (*means*) Lebensunterhalt *m*
substance ['sʌbstəns] *n* ① (*material*) Substanz *f* ② (*significance*) Gewicht *s;* ◇ **a man of ~** ein wohlhabender Mann
substandard [sʌb'stændəd] *adj* minderwertig
substantiate [səb'stænʃɪeɪt] *vt* erhärten
substitute ['sʌbstɪtjuːt] *vt* ① (*exchange*) austauschen ② (*stand in*) vertreten (*for s.o.*); **substitution** ['sʌbstɪtjuːʃən] *n* Ersetzen *s,* Ersatz *m,* Vertretung *f*
subtle ['sʌtl] *adj* (*faint, slight, colour, smell*) zart; (*indirect*) subtil; **subtlety** ['sʌtltɪ] *n* Subtilität *f*
subtract [səb'trækt] *vt* subtrahieren, abziehen; **subtraction** [səb'trækʃən] *n* Abziehen *s,* Subtraktion *f*
subtropical [sʌb'trɒpɪkəl] *adj* subtropisch
suburb ['sʌbɜːb] *n* Vorort *m;* **suburban** [sə'bɜːbən] *adj* ① vorstädtisch ② (*conventional*) spießig
subway ['sʌbweɪ] *n* (*AM tube*) U-Bahn *f*
succeed [sək'siːd] **I.** *vi* Erfolg *m* haben **II.** *vt* (*follow*) nachfolgen
success [sək'ses] *n* Erfolg *m;* ◇ **selfconfidence is the key to ~** wer nicht wagt, der nicht gewinnt; **successful** [sək'sesfʊl] *adj* erfolgreich; **succession** [sək'seʃən] *n* (*row*) Serie *f,* Folge *f* ▢ (*taking over of office*) Nachfolge *f*
successive [sək'sesɪv] *adj* aufeinanderfolgend; **successor** [sək'sesə*] *n* Nachfolger(in *f*) *m*
succulent ['sʌkjʊlent] *adj* saftig
succumb [sə'kʌm] *vi* erliegen (*to dat*)
such [sʌtʃ] *particle* ① (*to refer back to, this, that*) solche(r, s) ② (*great degree or extent*) solche(r, s), so, solch; ◇ **I had ~ a great time** die Zeit war einfach toll ③ (*and the like*) derartige(r, s); ◇ **it's depressing to think about diseases and ~** es ist deprimierend, über Krankheiten und Ähnliches nachzudenken ④ (*show examples*) ◇ **~ as...** wie z.B., so wie
suchlike ['sʌtʃlaɪk] *adj* solche
suck [sʌk] *vt* → *straw* saugen; → *thumb* lutschen; *FAM AM* ◇ **that ~s!** das haut rein!
sucker [sʌkə*] *n* ① *ZOOL* Saugnapf *m* ② (*FAM person*) Einfaltspinsel *m;* ◇ **he is a ~ for pretty girls** er kann hübschen Mädchen einfach nicht widerstehen ③ (*FAM lollipop*) Lutscher *m*
suckle [sʌkl] **I.** *vt* (*baby*) stillen; (*animal*) säugen **II.** *vi* saugen
suction ['sʌktʃən] *n* Saugen *s,* Saugwirkung *f*
sudden ['sʌdəb] *adj* plötzlich; **suddenly** ['sʌdənlɪ] *adv* plötzlich; **suddenness** *n* Plötzlichkeit *f*
sue [suː] *vt* verklagen
suede [sweɪd] *n* Wildleder *s*
suffer ['sʌfə*] **I.** *vt* → *pain* erleiden; → *illness* leiden (*from* an *dat*) **II.** *vi* leiden; **suffering** ['sʌfərɪŋ] *n* Leiden *s*
suffice [sə'faɪs] *vi* genügen
sufficiency [sə'fɪʃənsɪ] *n* Hinlänglichkeit *f;* **sufficient** *adj* genügend, ausreichend
suffix ['sʌfɪks] *n* LING Suffix *s*
suffocate ['sʌfəkeɪt] *vi* ersticken; **suffocation** [sʌfə'keɪʃən] *n* Ersticken *s*
sugar ['ʃʊgə*] *n* Zucker *m;* **sugar beet** *n* Zuckerrübe *f;* **sugar cane** *n* Zuckerrohr *s;* **sugary** ['ʃʊgərɪ] *adj* (*sweet*) süß
suggest [sə'dʒest] *vi* ① (*propose*) vorschlagen; (*recommend*) empfehlen, nahelegen ② (*indicate*) andeuten; **suggestion** [sə'dʒestʃən] *n* ① (*proposal*) Vorschlag *m;* (*advice*) Ratschlag *m,* Anregung *f* ② (*hint*) Andeutung *f;* **suggestive** *adj* ① (*refering to sex*) anzüglich ② ◇ **to be ~ of s.th.** den Eindruck von etw erwecken
suicidal [sʊɪ'saɪdl] *adj* selbstmörderisch; ◇ **driving with this speed is ~** mit dieser Geschwindigkeit zu fahren, ist selbstmörderisch; **suicide** ['sʊɪsaɪd] *n* Selbstmord *m*
suit [suːt] **I.** *n* ① (*outfit*) Anzug *m* ② (*lawsuit*) Prozeß *m* ③ (*in cards*) Farbe *f* **II.** *vt* (*fit, please*) passen; **suitability** [suːtə'bɪlɪtɪ] *n* Angemessenheit *f;* **suitable** ['suːtəbl] *adj* geeignet, angemessen
suitcase ['suːtkeɪs] *n* Koffer *m*

suite [swi:t] *n* ① (*furniture*) Garnitur *f* ② (*music*) Suite *f*

sulfur ['sʌlfə*] *n* Schwefel *m*

sulk [sʌlk] *vi* beleidigt sein, eingeschnappt sein; **sulky** ['sʌlkɪ] *adj* eingeschnappt, beleidigt

sullen ['sʌlən] *adj* griesgrämig, mürrisch

sulphur *s.* sulfur

sultana [sʌl'tɑ:nə] *n* (*grape*) Sultanine *f*

sultry ['sʌltrɪ] *adj* (*muggy*) schwül

sum [sʌm] *n* ① (*quantity*) Summe *f* ② (*total*) Betrag *m;* **sum up** *vt* ① (*summarize*) zusammenfassen ② (*size up, person, situation*) abschätzen

summarize ['sʌməraɪz] *vt* zusammenfassen; **summary** ['sʌmərɪ] *n* Zusammenfassung *f*

summer ['sʌmə*] *n* Sommer *m*

summit ['sʌmɪt] *n* Gipfel; ◇ **-meeting** Gipfeltreffen *s*

summon ['sʌmən] *vt* ① (*servant*) herbeirufen, kommen lassen ② (*conference*) einberufen ③ JURA vorladen; **summons** ['sʌməns] *n* JURA Vorladung *f*

sumptuous ['sʌmptjʊəs] *adj* (*luxurious, lavish*) luxuriös, aufwendig

sun [sʌn] *n* Sonne *f*

sunbathe *vi* sich sonnen; **sunbathing** *n* Sonnenbaden *s;* **sunburn** *n* Sonnenbrand *m*

Sunday ['sʌndeɪ] *n* Sonntag *m;* **sundial** ['sʌndaɪl] *n* Sonnenuhr *f;* **sundown** *n* Sonnenuntergang *m;* **sunflower** *n* Sonnenblume *f*

sung *s.* sing

sunglasses *n* Sonnenbrille *f*

sunk *s.* sink

sunken ['sʌŋkən] *adj* ① ▷*ship, treasure* gesunken ② (*face*) eingefallen; **sunlight** *n* Sonnenlicht *s;* **sunlit** *adj* sonnig, sonnenbeschienen; **sunny** ['sʌnɪ] *adj* sonnig; **sun protection factor**, **SPF** *n* Sonnenschutzfaktor *m;* **sunrise** *n* Sonnenaufgang *m;* **sunscreen** *n* Sonnenschutzcreme *f;* **sunset** *n* Sonnenuntergang *m;* **sunshade** *n* Sonnenschirm *m;* **sunshine** *n* Sonnenschein *m;* **sunspot** *n* Sonnenfleck *m;* **sunstroke** *n* Sonnenstich *m;* **suntan** *n* Sonnenbräune *f*

super ['su:pə*] *adj* super, klasse

superb [su:'pɜ:b] *adj* hervorragend

superficial [su:pə'fɪʃəl] *adj* ① (*shallow*) oberflächlich ② (*apparent*) äußerlich

superintendent [su:pə'ɪntendənt] *n* (*director*) Leiter(in *f*) *m*

superior [sʊ'pɪərɪə*] *adj* überlegen; **superiority** [sʊpɪərɪ'ɒrɪtɪ] *n* Überlegenheit *f*

superlative [sʊ'pɜ:lətɪv] **I.** *n* LING Superlativ *m* **II.** *adj* ① (*outstanding*) außerordentlich ② LING superlativisch

supermarket ['su:pəmɑ:kɪt] *n* Supermarkt *m*

supernatural [su:pə'nætʃərəl] *adj* übernatürlich

superpower ['su:pə'paʊə*] *n* Supermacht *f*

supersede [su:pə'si:d] *vt* ablösen

supersonic [su:pə'sɒnɪk] *adj* Überschall-

superstition [su:pə'stɪʃən] *n* Aberglaube *m;* **superstitious** [su:pə'stɪʃəs] *adj* abergläubisch

supervise ['su:pəvaɪz] *vt* (*watch over*) überwachen, beaufsichtigen; **supervision** [su:pə'vɪʒən] *n* Beaufsichtigung *f;* **supervisor** ['su:pəvaɪzə*] *n* (*person*) Aufseher *m*

supper [sʌpə*] *n* Abendessen *s*

supplement ['sʌplɪmənt] *n* ① (*addition*) Ergänzung *f;* (*literary ~, seperate*) Ergänzungsband *m;* (*of magazine*) Beilage *f* ② (*dietary ~*) Zusatz

supply [sə'plaɪ] **I.** *n* (*provision*) Vorrat *m,* Versorgung *f* **II.** *vt* (*provide*) versorgen (*with* mit)

support [sə'pɔ:t] **I.** *n* ① (*allegiance, backing*) Unterstützung *f* ② (*comfort*) Stütze *f;* ◇ **he's my moral ~** er gibt mir moralischen Halt ③ (*funding*) Unterstützung *f;* ◇ **she receives child~** sie erhält Kindergeld **II.** *vt* ① (*back*) stützen ② (*comfort*) unterstützen ③ (*theory*) untermauern; **supporter** *n* Anhänger(in *f*) *m*

suppose [sə'pəɪz] *vi* (*assume*) annehmen; (*guess, think*) vermuten; **supposedly** *adv* angeblich

suppress [sə'pres] *vt* ① (*hinder*) unterdrücken ② (*withhold, information*) zurückhalten; **suppression** [sə'preʃən] *n* Unterdrückung *f*

surcharge ['sɜ:tʃɑ:dʒ] *n* Zuschlag *m*

sure [ʃʊə*] *adj* ① (*certain*) sicher; ◇ **to make ~** sich vergewissern; ◇ **to be ~** sicher sein; ◇ **for ~** ganz sicher ② (*confident*) überzeugt, sicher ③ (*bound*) bestimmt

surety *n* (*guarantor*) Bürge *m*

surf [sɜ:f] **I.** *n* Brandung *f* **II.** *vi* surfen

surface ['sɜ:fəs] **I.** *n* ① Oberfläche *f,* Fläche *f* ② (*exterior, situation*) Anschein *m* **II.** *vi* (*emerge*) auftauchen

surfboard ['sɜ:fbɔ:d] *n* Surfbrett *s;* **surfer** *n* Surfer(in *f*) *m*

surgeon ['sɜ:dʒən] *n* Chirurg(in *f*) *m;* **surgery** ['sɜ:dʒərɪ] *n* Chirurgie *f;* **surgical** *adj* chirurgisch

surmount [sɜ:'maʊnt] *vt* (*overcome*) überwinden

surname ['sɜ:neɪm] *n* Nachname *m*

surpass [sɜ:'pɑs] *vt* übertreffen

surplus ['sɜ:pləs] *n* Überschuß *m*

surprise [sə'praɪz] **I.** *n* Überraschung *f* **II.** *vt* überraschen; **surprising** *adj* überraschend

surrealism [sə'rɪəlɪzəm] *n* Surrealismus *m*

surrender [sə'rendə*] *vi* ① (*give up*) aufgeben ② (*give in*) sich ergeben (*to dat*)
surreptitious [sʌrep'tɪʃəs] *adj* heimlich
surrogate ['sʌrəgeɪt] *n* Ersatz *m*
surround [sə'raʊnd] *vt* ① (*enclose*) umgeben ② MIL umzingeln; **surrounding** *adj* umliegend
surveillance [sɜː'veɪləns] *n* Überwachung *f*
survey ['sɜːveɪ] **I.** *n* (*study*) Untersuchung *f* **II.** *vt* (*study*) untersuchen; **surveyor** [sə'veɪə*] *n* (*of land*) Landvermesser(in *f*) *m*
survival [sə'vaɪvəl] *n* Überleben *s;* **survivor** [sə'vaɪvə*] *n* Überlebende(r) *fm*
susceptible [sə'septəbl] *adj* ① (*vulnerable, disease*) anfällig (*to* für) ② (*impressionable*) beeindruckbar
suspect ['səspekt] **I.** *n* Verdächtige(r) *fm* **II.** [sə'spekt] *vt* ① (*believe*) bezweifeln ② → *person* verdächtigen
suspend [sə'spend] *vt* ① (*dangle*) [auf-]hängen ② (*postpone*) unterbrechen, aufschieben ③ (*remove from position*) suspendieren
suspenders *n* (*straps*) Hosenträger *mpl,* Strapse *fpl*
suspense [sə'spens] *n* ① Spannung *f;* ◇ **to keep s.o. in ~** jd-n im Ungewissen lassen ② ◇ **to be in ~** in der Schwebe sein; **suspension** [sə'spenʃən] *n* ① (*removal of a person*) Suspendierung *f* ② (*postponement*) Aufschub *m* ③ (*of vehicle*) Federung *f;* **suspension bridge** *n* Hängebrücke *f*
suspicion [sə'spɪʃən] *n* Verdacht *m;* **suspicious** [sə'spɪʃəs] *adj* ① argwöhnisch ② verdächtig
sustain [sə'steɪn] *vt* ① (*keep up*) aufrechterhalten ② (*carry*) tragen
swab [sw ɒb] *n* (*cotton*) Tupfer *m*
swallow ['swɒləʊ] **I.** *n* Schluck *m;* ◇ **take a ~ of beer** einen Schluck Bier trinken **II.** *vt* (*auch FIG drink, food*) schlucken
swam *s.* swim
swamp [swɒmp] **I.** *n* Sumpf *m* **II.** *vt* überschwemmen
swan [swɒn] *n* Schwan *m*
swap [swɒp] **I.** *n* Tausch *m* **II.** *vt* [aus-]tauschen
swarm [swɔːm] **I.** *n* (*of bees*) Schwarm **II.** *vi* schwärmen
swastika ['swɒstɪkə] *n* Hakenkreuz *m*
sway [sweɪ] **I.** *vi* (*rock, swing*) sich wiegen **II.** *vt* (*persuade*) beeinflussen, überreden
swear [swɛə*] *vi* ① (*curse*) fluchen ② (*vow*) schwören; **swear-word** *n* Fluch *m,* Schimpfwort *s*
sweat [swet] **I.** *n* Schweiß *m* **II.** *vi* (*perspire*) schwitzen
sweater [swetə*] *n* Pullover *m*
sweatshirt *n* Sweatshirt *s*
sweaty *adj* schweißig, verschwitzt
Sweden [swiːdən] *n* Schweden *s*
sweep [swiːp] **I.** *n* (*movement*) Schwung *m* **II.** *vt* → *floor* fegen; **sweep away** *vi* wegfegen
sweet [swiːt] **I.** *n* (*hard candy*) Bonbon *s* **II.** *adj* ① (*sugary*) süß ② (*cute*) süß, goldig; **sweet-tooth** *n* Naschkatze *f;* **sweetcorn** *n* Mais *m;* **sweeten** ['swiːtən] *vt* süßen; **sweetener** ['swiːtənə*] *n* Süßstoff *m;* **sweetheart** *n* Schatz *m;* **sweetness** *n* Süße *f*
swell [swel] **I.** *vi auch FIG* anschwellen **II.** *adj* (*FAM great, cool*) ▷*guy* geil
sweltering ['sweltərɪŋ] *adv* glühend heiß
swerve [swɜːv] **I.** *n* Bogen *m* **II.** *vi* (*veer*) einen Bogen machen
swift [swɪft] *adv* schnell
swig [swɪg] *n* Schluck *m*
swim [swɪm] **I.** *vi* schwimmen **II.** *n* Schwimmen *s;* ◇ **to go for a ~** schwimmen gehen; **swimmer** ['swɪmə*] *n* Schwimmer(in *f*) *m;* **swimming pool** *n* Schwimmbad *s*
swindle ['swɪndl] *vt* betrügen, beschwindeln; **swindler** *n* Schwindler(in *f*) *m*
swine [swaɪn] *n* Schwein *s*
swing [swɪŋ] **I.** *vi* schwingen **II.** *n* ① (*movement*) Schwingen *s* ② (*hanging chair*) Schaukel *f*
swinging door ['swɪŋɪŋ dɔː*] *n* Pendeltür *f*
swipe [swaɪp] **I.** *vt* ① (*pinch, steal*) stibitzen, stehlen ② (*hit*) schlagen (*at* auf) **II.** *n* (*swing*) Schlag *m*
Swiss [swɪs] **I.** *adj* schweizerisch, Schweizer **II.** *n* Schweizer(in *f*) *m*
Switzerland ['swɪtsəlænd] *n* Schweiz *f*
switch [swɪtʃ] **I.** *n* ① (*control*) Schalter ② (*change*) Wechsel *m* **II.** *vi* ① (*changeover*) wechseln ② (*exchange*) tauschen; **switch off** *vt* ausschalten; **switch on** *vt* anschalten; **switchboard** *n* COMM Zentrale *f*
swivel ['swɪvl] **I.** *n* Drehgelenk *s* **II.** *vi* (*spin*) sich drehen
swollen ['swəʊlən] **I.** *vi pp of* swell; **II.** *adj* geschwollen
swoop [swuːp] **I.** *n* Sturzflug *m* **II.** *vi* ← *bird* herabstürzen
sword [sɔːd] *n* Schwert *s;* **swordfish** *n* Schwertfisch *m*
swore *pp of* swear
swum *pp of* swim
sycamore ['sɪkəmɔː*] *n* (*maple tree*) Bergahorn *m*
syllable ['sɪləbl] *n* LING Silbe *f*
syllabus ['sɪləbəs] *n* (*curriculum*) Lehrplan *m*
symbol ['sɪmbəl] *n* (*emblem*) Symbol *s;* (*sign*)

Zeichen *s;* **symbolism** ['sɪmbəlɪzəm] *n* Symbolik *f;* **symbolize** ['sɪmbəlaɪz] *vt* symbolisieren
symmetrical [sɪ'metrɪkəl] *adj* symmetrisch; **symmetry** ['sɪmɪtrɪ] *n* Symmetrie *f*
sympathetic [sɪmpə'θetɪk] *adj* mitfühlend; **sympathy** ['sɪmpəθɪ] *n* Mitgefühl *s,* Verständnis *s*
symphony ['sɪmfənɪ] *n* Sinfonie *f*
symptom ['sɪmtəm] *n* Symptom *s*
synagogue ['sɪnəgɒg] *n* Synagoge *f*
synchronize ['sɪŋkrənaɪz] *vt* abstimmen (*with* auf *akk*)
syndicate ['sɪndɪkət] **I.** *n* COMM Verband *m,* Syndikat *s* **II.** *vt* (*photos*) an mehrere Zeitungen verkaufen
syndrome ['sɪndrəʊm] *n* (*medical condition*) Syndrom *s;* (*phenomenon*) Phänomen *s*
synonym ['sɪnənɪm] *n* LING Synonym *s*
syntactic [sɪn'tæktɪc] *adj* LING syntaktisch
synthetic [sɪn'θetɪk] *adj* synthetisch
syphilis ['sɪfɪlɪs] *n* Syphilis *f*
syringe [sɪ'rɪndʒ] *n* Spritze *f*
syrup ['sɪrəp] *n* Sirup *m*
system ['sɪstəm] *n* System *s;* **systematic** [sɪstə'mætɪk] *adj* systematisch

T

T, t [ti:] *n* (1) T, t *s* (2) ◇ **that's Jane to a T** das ist Jane, wie sie leibt und lebt; ◇ **that suits me to the T** das paßt mir ganz gut
ta [tɑ:] *intj BRIT FAM* danke
tab [tæb] *n* (1) Schlaufe *f,* Aufhänger *m;* (*name* ~) Schild *s* (2) ↑ *bill* Rechnung *f;* ◇ **to pick up the ~** die Rechnung zahlen (3) ◇ **to keep ~s on sb** jd-n überwachen
Tabasco® *n* Tabasco *m o s*
tabby ['tæbɪ] **I.** *n* ↑ *female cat* (weibliche) Katze *f* **II.** *adj* ↑ *black-striped* getigert
tabernacle ['tæbənækl] *n* REL Tabernakel *m o s*
table ['teɪbl] *n* (1) (*desk*) [Schreib-]Tisch *m;* ↑ *dinner* ~ [Eß-]Tisch *m;* ◇ **at the ~** am Tisch; *FIG* ◇ **to turn the ~s** den Spieß umdrehen (2) (*verb* ~) Tafel *f,* Tabelle *f;* **tablecloth** *n* Tischdecke *f,* Tischtuch *s;* **table football** *n* Tischfußball *s;* **tablemat** *n* Untersetzer *m;* **table of contents** *n* Inhaltsverzeichnis *s;* **tablespoon** *n* Eßlöffel *m;* **table tennis** *n* Tischtennis *s;* **table wine** *n* Tafelwein *m*
tablet ['tæblət] *n* (1) MED Tablette *f* (2) (*of soap*) Stück *s,* Riegel *m* (3) (*writing*) Tafel *f* (4) (*paper*) Schreibblock *m*
taboo [tə'bu:] **I.** *n* Tabu *s* **II.** *adj* tabu
tabulate ['tæbjʊleɪt] *vt* tabellarisch ordnen; **tabulator** *n* Tabulator *m*
tacit ['tæsɪt] *adj* stillschweigend
taciturn ['tæsɪtɜ:n] *adj* schweigsam
tack [tæk] *n* (1) ↑ *small nail* Stift *m;* ◇ **thumb-** Reißnagel *m,* Reißzwecke *f* (2) (*stitch*) Heftstich *m* (3) NAUT Aufkreuzen *s*
tackle ['tækl] **I.** *n* (1) ↑ *equipment* Ausrüstung *f,* Zeug *s;* ◇ **fishing ~** Angelzubehör *s* (2) SPORT Angriff *m* **II.** *vt* (1) ↑ *attend to* → *problem* angehen, anpacken (2) SPORT → *player* angreifen (3) ↑ *confront* konfrontieren, herausfordern
tacky ['tækɪ] *adj* (1) ↑ *sticky* klebrig (2) ↑ *cheap* schäbig
tact [tækt] *n* Takt *m;* **tactful** *adj* taktvoll; **tactfulness** *adj* Taktgefühl *s,* Feingefühl *s*
tactical ['tæktɪkəl] *adj* taktisch
tactics ['tæktɪks] *n sg* Taktik *f*
tactless *adj* taktlos
tag [tæg] *n* (1) ↑ *label* Schild *s,* Anhänger *m;* ◇ **price ~** Preisschild *s;* ◇ **name ~** Namensschild *s* (2) (*trade* ~) Etikett *s* (3) ↑ *phrase* stehende Redensart *f;* **tag along** *vi* mitgehen, mitkommen
tail [teɪl] **I.** *n* (1) (*of animal*) Schwanz *m;* (*FIG humiliated, defeated*) ◇ **with o.'s ~ between o.'s legs** mit eingezogenem Schwanz (2) ◇ **~s** (*of coin*) Zahl[-seite] *f* (3) (*of comet*) Schweif *m* (4) (*of plane*) Schwanz, hinterer Teil *m* **II.** *vt* ↑ *follow* beschatten *acc,* folgen *dat;* **tail off** *vi* ↑ *get weaker* abnehmen, schwächer werden; **tail end** *n* Schluß *m,* Ende *s;* **tailgate I.** *n* AUTO Hecktür *f* **II.** *vt* zu dicht auffahren; **tail light** *n* AUTO Rücklicht *s,* Schlußleuchte *f*
tailor ['teɪlə*] *n* Schneider(in *f*) *m;* **tailoring** *n* Schneidern *s;* **tailor-made** *adj* maßgeschneidert; ◇ **~ suit** Maßanzug *m;* (*FIG suit s.o. perfectly*) ◇ **that job was ~ for Susan** diese Stelle war Susan wie auf den Leib geschnitten
tails *n* Frack *m*
tailwind ['teɪlwɪnd] *n* Rückenwind *m*
tainted ['teɪntɪd] *adj* ↑ *spoiled* verdorben
take [teɪk] **I.** <took, taken> *vt* (1) (*in hand*) nehmen (2) (*remove*) wegnehmen; ↑ *steal* nehmen; ↑ *carry, transport* bringen; ◇ **to ~ s.o. somewhere** jd-n irgendwohin bringen (3) ↑ *accept* → *credit card* annehmen (4) ↑ *receive* → *letter, blow* bekommen (5) ↑ *lead* führen (6) → *exam* ablegen (7) ↑ *assume* annehmen (8) ↑ *measure* → *temperature* messen (9) ↑ *capture* erobern; → *ship* kapern (10) → *walk* machen (11) ↑ *rent* → *house* nehmen

(12) ↑ *understand* verstehen (13) → *lessons* nehmen; ↑ *teach classes* halten, unterrichten (14) ↑ *write down* aufschreiben, notieren (15) ↑ *endure* → *pain* ertragen; → *heat* vertragen; → *rudeness* sich gefallen lassen (16) ↑ *have capacity for* Platz haben für (17) ↑ *react to* → *news* reagieren auf *acc*, aufnehmen (18) → *time* dauern (19) ◇ **he's got what it -s** er bringt alle Voraussetzungen mit; ◇ **What do you - me for?** Wofür hältst du mich?; ◇ **don't - it so seriously** nimm es nicht so ernst; ◇ **- it easy** laß' es dir gut gehen; ◇ **it -s a lot of courage** man braucht viel Mut dazu **II.** *vi* (1) ← *new film, novel* ↑ *be liked* ankommen (2) ← *vaccine* ↑ *have effect* wirken (3) ← *hair dye* angenommen werden (4) ← *fish* anbeißen **III.** *n* (1) (*film*) Einstellung *f* (2) ↑ *profits* Einnahmen *pl;* **take after** *vt* → *s.o.* ↑ *look like* jd-m ähneln; ↑ *be like* jd-m nachschlagen; **take along** *vt* mitnehmen; **take away** *vt* wegnehmen; **take back** *vt* (1) ↑ *return* zurückbringen, zurücknehmen (2) → *comment* zurücknehmen (3) MIL zurückerobern; **take down** *vt* (1) → *picture* abnehmen (2) → *trousers* herunterlassen (3) ↑ *write down* aufschreiben; **take in** *vt* (1) ↑ *deceive* betrügen; ◇ **to be -n - by s.o./s.th.** hereinfallen auf jd-n/etw (2) → *information* aufnehmen (3) → *clothes* enger machen; **take off I.** *vi* ← *plane* abheben **II.** *vt* (1) ↑ *remove* wegnehmen (2) → *clothes* ausziehen (3) → *prices* abziehen; **take on** *vt* (1) ↑ *employ* einstellen (2) ↑ *undertake* unternehmen (3) → *opponent* herausfordern; **take out** *vt* (1) ↑ *extract* herausnehmen (2) → *girl* ausführen (3) → *insurance, loan* abschließen (4) → *book* ausleihen (5) ↑ *be frustrated* ◇ **to - s.th. - on s.o.** sich an jd-m abreagieren; **take over I.** *vt* übernehmen **II.** *vi* ↑ *relieve s.o.* ablösen; **take part** *vt* teilnehmen; **take place** *vt* ↑ *happen* sich ereignen, geschehen; **take up** *vt* ↑ *hem* kürzer machen; ↑ *engage* sich befassen mit; **taken** ['teɪkən] *pp of* **take**; **takeoff** *n* (1) AERO Abheben *s*, Start *m* (2) ↑ *imitation* Nachahmung *f;* **takeover** *n* COMM Übernahme *f;* ◇ **- bid** Übernahmeangebot *s*

takings *n pl* COMM ↑ *profits* Einnahmen *pl*

talc [tælk] *n* **talcum powder** Talkumpuder *m*

tale [teɪl] *n* (1) ↑ *story* Geschichte *f*, Erzählung *f* (2) ↑ *lie* Lüge *f;* ◇ **to tell -s** petzen; ◇ **to tell -s about s.o.** jd-n verpetzen (3) ◇ **fairy -** Märchen *s*

talent ['tælənt] *n* Talent *s*, Begabung *f;* ◇ **Harry has a - for music** Harry ist musikalisch sehr begabt; **talented** *adj* ↑ *gifted* talentiert, begabt; **talent scout** *n* Talentsucher(in *f*) *m*

talisman ['tælɪzmən] *n* ↑ *charm* Talisman *m*

talk [tɔːk] **I.** *n* (1) ↑ *conversation* Gespräch *s;* ◇ **small -** Small talk *s or m* (2) ↑ *warning* ◇ **I had a little - with John yesterday** gestern habe ich mich in aller Freundschaft mit John unterhalten (3) ↑ *gossip* Gerede *s;* ◇ **there's a lot of - about you** über dich hört man so einiges (4) ↑ *speech, discussion* Vortrag *m* **II.** *vi* (1) ↑ *converse* sprechen, reden (2) ↑ *gossip* klatschen (3) ↑ *discuss, lecture* einen Vortrag halten (4) ◇ **to - s.th.** über etw reden/sprechen, etw diskutieren; ◇ **look who's -ing!** das sagst ausgerechnet du!; ◇ **-ing of computers ...** da wir gerade über Computer sprechen ...; ◇ **to - shop** fachsimpeln; **talk nonsense** *vt* quatschen, Unsinn reden; **talk over** *vt* besprechen, diskutieren; **talk politics** *vt* politisieren; **talk shop** *vt* fachsimpeln

talkative *adj* gesprächig; **talker** *n* Schwätzer(in *f*) *m*

talkie *n* ↑ *silent film* Stummfilm *m*

talk show *n* MEDIA Talkshow *f*

talking *n* Reden *s;* ◇ **let me do the -** überlasse mir das Reden

talking-to *n* ↑ *scolding* Standpauke *f;* ◇ **to give s.o. a good -** jd-m eine Standpauke halten

tall [tɔːl] *adj* (1) ▷*person* groß; ▷*building* hoch (2) ◇ **A - story indeed!** was für ein Märchen!; **tallish** *adj* ▷*person* ziemlich groß

tallboy *n* (*piece of furniture*) Kommode *f*

tallow ['tæləʊ] *n* (*fat for candles and soap*) Talg *m*

tally ['tælɪ] **I.** *n* (1) ↑ *bill* Rechnung *f* (2) SPORT Stand *m* **II.** *vi* übereinstimmen mit **III.** *vt:* ◇ **- up** zusammenrechnen, zusammenzählen

talon ['tælən] *n* ZOOL Kralle *f*

tamarind ['tæmərɪnd] *n* (GASTRON *spice*) Tamarinde *f;* ◇ **- tree** Tamarindenbaum *m*

tambourine [tæmbə'riːn] *n* MUS Tamburin *s*

tame [teɪm] **I.** *adj* (*not wild*) ▷*animal, person* zahm **II.** *vt* → *animal* zähmen

tamper ['tæmpə*] *vi* (1) ↑ *fiddle with* ◇ **to - with s.th.** an etw herumhantieren [*o.* herumspielen]; TECH ◇ **- evident seal** Plombe, Versiegelung *f* (2) ↑ *falsify* → *evidence* fälschen

tampon ['tæmpən] *n* Tampon *m*

tan [tæn] **I.** *n* (1) (*skin*) Bräune *f* (2) (*colour*) [Gelb-]Braun *s* **II.** *adj* (*colour*) [gelb-]braun

tandem ['tændəm] *n* Tandem *s;* ◇ **in -** zusammen mit

tandoori [tæn'duːrɪ] *n* GASTRON *Variante der indischen Küche*, Tandoori *s*

tang [tæŋ] *n* (*smell*) scharfer Geruch *m;* (*taste*) scharfer Geschmack *m*

tangent ['tændʒənt] *n* Tangente *f;* ◇ **to go off at a -** vom Thema abschweifen

tangerine [tændʒə'ri:n] *n* Mandarine *f*
tangible ['tændʒəbl] *adj* [1] ↑ *comprehensible* greifbar [2] ↑ *concrete* ▷*evidence* handfest
tangle ['tæŋgl] **I.** *n* [1] (*general*) Gewirr *s;* ◇ **-d hair** zerzaustes Haar [2] ↑ *mess* Durcheinander *s* [3] ↑ *trouble* Schwierigkeiten *f pl* **II.** *vt* verwirren, durcheinanderbringen
tango ['tæŋgəʊ] *n* <-s> (*dance*) Tango *m*
tank [tæŋk] *n* [1] (*car*) Tank *m* [2] (*water*) Tank *m*, Behälter *m* [3] MIL Panzer *m* [4] (*FIG large person*) Schrank *m*
tankard ['tæŋkəd] *n* (*beer*) Krug, Humpen *m*, Deckelkrug *m*
tanked-up *adj* ↑ *drunk* betrunken; ◇ **to get ~** sich vollaufen lassen
tanker ['tæŋkə*] *n* [1] NAUT Tanker *m*, Tankschiff *s* [2] (*vehicle*) Tankwagen *m*
tanned [tænd] *adj* ▷*skin* gebräunt
tanner *n* Gerber(in *f*) *m;* **tannery** *n* Gerberei *f*
tantalizing ['tæntəlaɪzɪŋ] *adj* [1] ▷*offer* verlokkend [2] ↑ *teasing* reizend [3] ↑ *tormenting* quälend
tantamount ['tæntəmaʊnt] *adj* ↑ *equal to*: ◇ **a nuclear war is ~ to total destruction** ein Atomkrieg kommt der totalen Vernichtung gleich
tantrum ['tæntrəm] *n* ↑ *rage* Koller *m;* ◇ **to fly into a ~** einen Koller bekommen
Taoism *n* Taoismus *m*
tap [tæp] **I.** *n* [1] (*water*) Hahn *m;* ◇ **~ water** Leitungswasser *s;* ◇ **they have beer on ~** sie haben Bier vom Faß [2] ↑ *slight knock* Klopfen *s* **II.** *vt* [1] ↑ *knock* klopfen; ◇ **to tap s.o. on the shoulder** jd-m auf die Schulter klopfen [2] (*into a supply of s.th.*) anzapfen [3] → *telephone* ↑ *listen in* abhören; **tap-dance** *vi* steppen
tape [teɪp] **I.** *n* [1] ↑ *cassette* Kassette *f* [2] (*general sense*) Band *s* [3] (*adhesive*) Klebeband *s*, Tesafilm® *m* **II.** *vt* ↑ *record* aufnehmen; **tape measure** *n* Maßband *s*
taper ['teɪpə*] *vi s.* **taper off** spitz zulaufen
tape recorder ['teɪprɪkɔ:də*] *n* Tonbandgerät *s*
tapestry ['tæpɪstrɪ] *n* Wandteppich *m*, Gobelin *m*
tapeworm *n* Bandwurm *m*
tapioca [tæpɪ'əʊkə] *n* Tapioka *f*
tar [tɑ:*] *n* [1] (*on road*) Teer *m* [2] *FIG* ↑ *punish* ◇ **to ~ and feather s.o.** jd-n teeren und federn
tarantula [tə'ræntjʊlə] *n* Tarantel *f*
tardy ['tɑ:dɪ] *adj* ↑ *late* spät, unpünktlich
target ['tɑ:gɪt] *n* [1] (*shooting*) [Schieß-]Scheibe *f* [2] ▷*board* Zielscheibe *f* [3] (*of fun*) Zielscheibe *f;* **target group** *n* Zielgruppe *f;* **target date** *n* Termin *m*
tariff ['tærɪf] *n* [1] Zoll *m* [2] (*hotel*) Preisverzeichnis *s* [3] *BRIT* Tarif *m*
tarmac ['tɑ:mæk] *n* [1] (*road*) Asphalt *m* [2] AERO Rollfeld *s*
tarn [tɑ:n] *n* ↑ *mountain lake* kleiner Bergsee *m*
tarnish ['tɑ:nɪʃ] *vt* [1] → *metal* matt machen [2] *FIG* ↑ *spoil, mark* beflecken
tarot cards ['tɑ:rəɪ kɑ:dz] *n* (*fortune telling*) Tarotkarten *f pl*
tarpaulin [tɑ:'pɔ:lɪn] *n* Plane *f;* NAUT Persenning *f*
tarragon ['tærəgən] *n* (GASTRON *spice*) Estragon *m*
tarry [tærɪ] *vt* ↑ *linger* verweilen, zögern
tart [tɑ:t] **I.** *n* [1] GASTRON Obstkuchen *m* [2] (*FAM cheap woman*) Flittchen *s* **II.** *adj* [1] ▷*taste* herb, sauer [2] ▷*remark* bissig, gemein
tartan ['tɑ:tən] *n* [1] (*design*) Schottenmuster *s* [2] (*fabric*) Schottenstoff *m*
tartar ['tɑ:tə*] *n* MED Zahnstein *m;* CHEM Weinstein *m;* **tartar[e] sauce** *n* [Sauce] Remoulade *f*
Tasmania [tæz'meɪnɪə] *n* Tasmanien *s*
task [tɑ:sk] *n* [1] Aufgabe *f* [2] ↑ *duty* Pflicht *f;* **task force** *n* [1] (*police or army*) Sondereinheit *f*, Spezialeinheit *f* [2] (*organized group of people*) Arbeitsgruppe *f*, Team *s*
tassel ['tæsəl] *n* Troddel *f*
taste [teɪst] **I.** *n* [1] (*of food*) Geschmack *m;* ↑ *sense of ~* Geschmackssinn *m; FIG* ↑ *have an unpleasant effect* ◇ **to leave a bad ~ in s.o.'s mouth** einen üblen Nachgeschmack hinterlassen [2] ↑ *style* Geschmack *m;* ◇ **in good ~** geschmackvoll; ◇ **in poor ~** geschmacklos; ◇ **to have no ~** keinen Geschmack haben, stillos sein [3] ↑ *small try* Kostprobe *f* [4] ↑ *preference* ◇ **to have a ~ for s.th.** eine Vorliebe für etw haben **II.** *vt* [1] → *food* schmecken [2] ↑ *try out* probieren, versuchen **III.** *vi* schmecken (*of* nach); ◇ **it ~s of chocolate** es schmeckt nach Schokolade; **tasteful** *adj* ▷*style* geschmackvoll; **tastefully** *adv:* ◇ **~ done** geschmackvoll gemacht; **tasteless** *adj* [1] ▷*food* fad, ohne Geschmack [2] (*in poor taste*) geschmacklos; **tastily** ['teɪstɪlɪ] *adv* schmackhaft; **tasty** *adj* ▷*food* schmackhaft
tattered ['tætəd] *adj* ▷*clothes* zerrissen, schäbig; ▷*pride* angeschlagen; ▷*hopes* enttäuscht; **tatters** ['tætəz] *n pl* Fetzen *m pl*
tattoo [tə'tu:] **I.** *n* Tätowierung *f* **II.** *vt* tätowieren
tatty ['tætɪ] *adj FAM* ▷*furniture* schäbig
taught [tɔ:t] *pt, pp of* **teach**
taunt [tɔ:nt] **I.** *n* ▷*remark* spöttische Bemerkung *f* **II.** *vt* verspotten, verhöhnen
Taurus ['tɔ:rəs] *n* ASTROL Stier *m*
taut [tɔ:t] *adj tense* ▷*rope* straff; ▷*muscles* angespannt; ▷*person* [an-]gespannt

tavern ['tævən] *n* ↑ *bar* Taverne *f*
tawdry ['tɔːdrɪ] *adj* ↑ *cheap* ▷*clothes* schäbig, geschmacklos, billig
tawny ['tɔːnɪ] *adj* (*colour*) ▷*cat* gelbbraun, goldbraun
tax [tæks] **I.** *n* Steuer *f* **II.** *vt* ① → *s.o.* besteuern ② ↑ *put a strain on* belasten ③ → *patience* strapazieren; **tax assessment** *n* Steuerbescheid *m;* **taxation** [tæk'seɪʃən] *n* Besteuerung *f*
tax bracket *n* Steuerklasse *f;* **tax collector** *n* Finanzbeamte(r) *m,* Finanzbeamtin *f;* **tax consultant** *n* Steuerberater(in *f*) *m;* **tax-deductible** *adj* von der Steuer absetzbar; ▷*mortgage* steuerbegünstigt; **tax disc** *n* (*BRIT*) Steuerplakette *f;* **tax evasion** *n* Steuerhinterziehung *f;* **tax-free** *adj* steuerfrei; **tax haven** *n* Steuerparadies *s*
taxi ['tæksɪ] **I.** *n* Taxi *s* **II.** *vi* ← *plane* rollen
taxidermist ['tæksɪdɜːmɪst] *n* Tierpräparator(in *f*) *m*
taxi driver ['tæksɪdraɪvə*] *n* Taxifahrer(in *f*) *m;* **taxi rank** *n* Taxistand *m*
tax number *n* Steuernummer *f;* **tax office** *n* Finanzamt *s;* **taxpayer** ['tækspeɪə*] *n* Steuerzahler(in *f*) *m;* **tax rebate** *n* Steuerrückzahlung *f;* **tax relief** *n* Steuererleichterung *f;* **tax return** *n* Steuererklärung *f;* **tax year** *n* ↑ *fiscal year* Steuerjahr *s*
TB *n abbr. of* MED **tuberculosis**
tea [tiː] *n* ① (*drink*) Tee *m* ② (*afternoon meal*) (frühes) Abendessen *s;* **tea bag** *n* Teebeutel *m;* **tea break** *n* Teepause *f*
teach [tiːtʃ] <taught, taught> *vti* ① (*at school, college*) lehren, unterrichten ② ↑ *demonstrate* zeigen; ◇ **I'll ~ you how to cook** ich werde dir das Kochen beibringen ③ *FIG* ↑ *scold* ◇ **to ~ s.o. a lesson** jd-m eine Lektion erteilen; (*unpleasant experience*) ◇ **That'll ~ you to tell lies!** Das hast du nun davon, daß du gelogen hast!; **teacher** *n* Lehrer(in *f*) *m;* **teaching** *n* ① (*career*) Unterrichten *s,* Lehren *s* ② ↑ *doctrine* Lehre *f*
tea cosy ['tiːkəʊzɪ] *n* Teewärmer *m;* **teacup** *n* Teetasse *f*
teak [tiːk] *n* Teakholz *s*
tea leaves ['tiːliːvz] *n pl* Teeblätter *s pl;* (*fortune tell*) ◇ **to read the ~ ~** aus dem Kaffeesatz lesen
team [tiːm] *n* ① SPORT Mannschaft *f,* Team *s* ② (*animals*) Gespann *s* ③ (*group of people*) Gruppe *f;* **team spirit** *n* (*community*) Gemeinschaftssinn *m;* SPORT Mannschaftsgeist, Teamgeist *m;* **teamwork** *n* Teamwork *s;* SPORT Zusammenspiel *s*
tea party ['tiːpɑːtɪ] *n* Teegesellschaft *f;* **teapot** *n* Teekanne *f*
tear [tɛə*] <tore, torn> **I.** *n* Riß *m* **II.** *vt* ① ↑ *rip* zerreißen; ↑ *pull* → *muscle* zerren ② (*conflict*) ◇ **to be torn between two possibilities** hin- und hergerissen sein zwischen zwei Möglichkeiten **III.** *vi* ↑ *rush through* rasen
tear [tɪə*] *n* (*crying*) Träne *f;* ◇ **~s of joy** Freudentränen *f pl;* ◇ **to be in ~s** in Tränen aufgelöst sein
tearaway *n* ↑ *rebel* Rabauke *m*
tear drop *n* Träne *f;* **tearful** *adj* ① ↑ *crying* weinend ② ▷*goodbye* traurig, tränenreich; **tear gas** *n* Tränengas *s*
tearing ['tɛərɪŋ] *adj:* ◇ **to be in a ~ hurry** es schrecklich eilig haben
tear jerker *n FAM* ↑ *emotional:* ◇ **the film was a real ~ ~** der Film ging mächtig auf die Tränendrüsen
tearoom ['tiːrʊm] *n* Teestube *f*
tease [tiːz] **I.** *n* → *person* Schäker(in *f*) *m* **II.** *vt* ① ↑ *taunt* → *animal* necken ② ↑ *make fun of* → *person* hänseln; ◇ **they were only teasing** sie machten das nur aus Spaß
tea set ['tiːset] *n* Teeservice *s;* **teashop** *n* Teestube *f;* **teaspoon** *n* Teelöffel *m;* **tea strainer** *n* Teesieb *s*
teat [tiːt] *n* ① ZOOL Zitze *f* ② (*baby's bottle*) Gummisauger *m*
tea towel ['tiːtaʊəl] *n* Geschirrtuch *s;* **tea-trolley** *n* Teewagen *m*
tech *n* (*BRIT*) *abbr. of* **technical college** Fachhochschule *f*
technical ['teknɪkəl] *adj* technisch; ↑ *specialised* Fach-, fachlich; ◇ **~ translation** Fachübersetzung *f;* **technicality** [teknɪ'kælɪtɪ] *n* ① (*mechanics*) technisches Detail ② JUR Formsache *f;* **technically** *adv* technisch; *FIG* ◇ **~ speaking** genau gesagt; **technical term** *n* Fachausdruck *m,* Terminus technicus *m*
technician [tek'nɪʃən] *n* Techniker(in *f*) *m*
Technicolour *n* Technicolor *s*
technique [tek'niːk] *n* Technik *f,* Methode *f*
technological [teknə'lɒdʒɪkəl] *adj* technologisch, technisch; **technologist** [tek'nɒlədʒɪst] *n* Technologe(Technologin *f*) *m;* **technology** [tek'nɒlədʒɪ] *n* Technologie *f,* Technik *f*
teddy [bear] ['tedɪbɛə*] *n* Teddy[-bär] *m*
tedious ['tiːdɪəs] *adj* ① ↑ *dull* langweilig ② ▷*task* lästig; **tediousness** *n* Stumpfsinn *m*
tee [tiː] *n* GOLF Tee *s,* Abschlagstelle *f*
teem [tiːm] *vi* ① ↑ *swarm* (*people*) wimmeln (*with* vor *dat*) ② ↑ *pour* in Strömen regnen
teenage ['tiːneɪdʒ] *adj* ▷*fashion* Jugend-, Teen-

ager-; **teenager** *n* Teenager *m,* Backfisch *m;* **teens** [ti:nz] *n pl:* ◇ **to be in o.'s** - Teenager sein

teeny *adj* winzig klein

teeny bopper *n FAM* Teenager *m*

teeter ['ti:tə*] *vi* schwanken

teeth [ti:θ] *pl of* **tooth**

teethe [ti:ð] *vi* ← *baby* zahnen; *FIG* ↑ *problems of early stages* ◇ **teething problems** Kinderkrankheiten *f pl*

teetotal ['ti:'təʊtl] *adj* (*no alcohol*) abstinent; **teetotaller**, **teetotaler** (*AM*) *n* Abstinenzler(in *f*) *m*

TEFL *n abbr. of* (*exam*) **teaching English as a foreign language,** Englisch als Fremdsprache unterrichten

Teflon® *n* Teflon *s*

tel. *abbr. of* **telephone number**

telecommunications [telıkəmju:nı'keıʃənz] *n pl* Telekommunikation *f*

telecopier ['telıkɒpıə*] *n* Telefax[-gerät] *s,* Fernkopierer *m;* **telecopy** *n* Telefax, Fax *s,* Fernkopie *f*

telefax ['telıfæks] *n* (*machine, message*) Telefax, Fax *s*

telegram ['telıgræm] *n* Telegramm *s*

telegraph ['telıgrɑ:f] *n* Telegraf *m;* **telegraphic** [telı'græfık] *adj* telegrafisch; **telegraph pole** *n* Telegrafenmast *m*

telemessage ['telımesıdʒ] *n* Telebrief *m*

telepathic [telı'pæθık] *adj* telepathisch; **telepathy** [tə'lepəθı] *n* Telepathie *f*

telephone ['telıfəʊn] **I.** *n* Telefon *s,* Fernsprecher *m* **II.** *vi* telefonieren **III.** *vt* anrufen; **telephone box** (*BRIT*), **telephone booth** (*AM*) *n* Telefonzelle *f;* **telephone call** *n* Telefonanruf *m,* Telefongespräch *s;* **telephone connection** *n* Telefonverbindung *f;* **telephone directory** *n* Telefonbuch *s;* **telephone exchange** *n* Fernsprechamt *s,* Telefonzentrale *f;* **telephone help-line** *n* Telefonseelsorge *f;* **telephone number** *n* Telefonnummer *f*

telephonist [tə'lefənıst] *n* Telfonist(in *f*) *m*

telephoto lens ['telıfəʊtəʊ'lenz] *n* Teleobjektiv *s*

teleprinter ['telıprıntə*] *n* Fernschreiber *m*

telescope ['telıskəʊp] **I.** *n* Teleskop *s* **II.** *vt* ineinanderschieben; **telescopic** [telı'skɒpık] *adj* teleskopisch; ◇ - **sight** Zielfernrohr *s;* ◇ - **aerial** Teleskopantenne *f*

telethon ['telıθɒn] *n* (*TV*) *Fernsehshow mit Spendenaufruf für einen guten Zweck*

televiewer ['telıvju:ə*] *n* Fernsehzuschauer(in *f*) *m;* **televise** ['telıvaız] *vt* im Fernsehen übertragen, im Fernsehen bringen; **television** ['telıvıʒən] *n* Fernsehen *s;* ◇ **to watch** - fernsehen, fernsehschauen; ◇ - **guide** Programmzeitschrift *f;* ◇ **cable** - Kabelfernsehen *s;* ◇ **breakfast** - Frühstücksfernsehen *s;* ◇ **What's on - tonight?** Was gibt's heute abend im Fernsehen?; **television [set]** *n* Fernseher *m,* Fernsehapparat *m*

telex ['teleks] **I.** *n* Telex *s,* Fernschreiber *m* **II.** *vt* telexen

tell [tel] <told, told> **I.** *vt* ① sagen, erzählen; ◇ **to tell s.o. s.th.** jd-m etw sagen/erzählen; ◇ **You're -ing me!** Wem sagst du das!; (*state opinion*) ◇ **to - the truth ...** ehrlich gesagt ..., wenn Sie mich fragen ...; ◇ **to - tales** lügen; (*confirmation*) ◇ **I'm -ing you!** Ich kann dir vielleicht sagen! ② ↑ *differentiate between* sagen, erkennen; ◇ **How can you -?** Woran erkennst du das?; ◇ **Can you - which is yours?** Weißt du, welches dir gehört?; ◇ **to - the difference** etw auseinanderhalten können ③ ↑ *order* sagen, befehlen; ◇ **do as you're told** tu', was man dir sagt **II.** *vi* ① ↑ *be certain* wissen; ◇ **who can -?** wer weiß? ② ↑ *have effect on, cause* sich auswirken, sich bemerkbar machen ③ → *secret* verraten; **tell off** *vt* ↑ *scold* schelten, jd-m Bescheid stoßen; **tell on** *vt* verpetzen, verraten; **teller** *n* (*AM*) Kassierer(in *f*) *m;* **telling** *adj* ↑ *revealing* ▷*sign* verräterisch, aufschlußreich; ◇ **the - moment** der Augenblick der Wahrheit; **telltale I.** *n* ↑ *sneak* Petzer(in *f*) *m* **II.** *adj* ▷*sign* verräterisch

telly ['telı] *n BRIT FAM* Fernseher *m,* Glotze *f*

temerity [tı'merıtı] *n* Kühnheit *f*

temp [temp] (*BRIT secretary*) Zeitarbeitskraft *f;* ◇ - **work** Zeitarbeit *f*

temper ['tempə*] **I.** *n* ① ↑ *disposition* Temperament *s* ② ↑ *anger* Zorn *m;* ◇ **to lose o.'s** - wütend werden, die Beherrschung verlieren; ◇ **to keep o.'s** - ruhig bleiben; ◇ **she's very quick -ed** sie ist sehr jähzornig **II.** *vt* ① ↑ *moderate, tone down* mildern ② → *metals* härten; **temperament** *n* Temperament *s,* Lebhaftigkeit *f;* **temperamental** [tempərə'mentl] *adj* ↑ *moody* launisch

temperance ['tempərəns] *n* Mäßigung *f;* **temperate** ['tempərət] *adj* ▷*climate* gemäßigt; ▷*behaviour* gemäßigt; ▷*demands* maßvoll

temperature ['temprıtʃə*] *n* ① Temperatur *f;* ◇ **-s were up in the thirties** es hatte ungefähr dreißig Grad ② MED Fieber *m;* ◇ **to have a** - Fieber haben; ◇ **to take s.o.'s** - jd-s Temperatur messen, bei jd-m Fieber messen

tempest ['tempıst] *n* ↑ *storm* Sturm *m;* **tempestuous** [tem'pestjʊəs] *adj* ▷*winds* stürmisch; *FIG* ▷*character* stürmisch; ▷*anger* heftig

temping *n* Zeitarbeit *f;* ◇ - **agency** Agentur *f* für Zeitarbeit

template ['templət] *n* Schablone *f*
temple ['templ] *n* [1] (*place of worship*) Tempel *m* [2] ANAT Schläfe *f*
tempo ['tempəʊ] *n* <-s> [1] ↑ *pace* Tempo *s* [2] MUS Tempo *s*
temporal ['tempərəl] *adj* [1] ↑ *earthly* weltlich [2] (LING *time*) temporal, Zeit-
temporarily ['tempərərılı] *adv* vorübergehend; ◇ ~ **out of order** vorübergehend außer Betrieb; **temporary** ['tempərərı] *adj* [1] ▷*arrangement* vorübergehend, zeitweilig [2] ↑ *provisional* ▷*road, exit* provisorisch
tempt [tempt] *vt* [1] → *s.o.* jd-n in Versuchung führen; ◇ **I'm almost ~ed into going** ich würde am liebsten gehen; ◇ **that looks ~ing** das sieht sehr verlockend aus; ◇ **to ~ fate** das Schicksal herausfordern; **temptation** [temp'teıʃən] *n* Versuchung *f*, Verführung *f*; **tempting** *adj* ▷*person* verführerisch; ▷*idea* verlockend
ten [ten] *nr* zehn
tenable ['tenəbl] *adj* haltbar
tenacious [tı'neıʃəs] *adj* zäh, hartnäckig; **tenacity** [tə'næsıtı] *n* Zähigkeit *f*, Hartnäckigkeit *f*
tenancy ['tenənsı] *n* ▷*rights* Mietrecht *s;* **tenant** ['tenənt] *n* Mieter(in *f*) *m;* (*of farm*) Pächter(in *f*) *m*
tench ['tenʃ] *n* ZOOL Schleie *f*
tend [tend] **I.** *vt* (*look after*) sich kümmern um; → *land* bestellen; → *o.s.* sich pflegen; → *livestock* hüten **II.** *vi* ↑ *be inclined to* neigen, tendieren, die Tendenz haben (*to* zu); ◇ **she ~s to exaggerate** sie neigt zu Übertreibungen, sie übertreibt gerne ein bißchen; **tendency** ['tendənsı] *n* Tendenz *f*, Neigung *f*
tender ['tendə*] **I.** *adj* ↑ *soft* zart, weich; ↑ *sensitive* empfindlich; ▷*meat* zart; ◇ **~hearted** gutherzig **II.** *vi* COMM ↑ *offer* ein Angebot machen für **III.** *vt offer* → *money, service* anbieten; → *resignation* einreichen; **tenderize** *vt* → *meat* zart/weich machen
tenderloin ['tendələın] *n* GASTRON Lendenstück *s;* **tenderly** *adv* ▷*touch* zärtlich; **tenderness** *n* ↑ *care* Zärtlichkeit *f;* ↑ *love* Liebe *f*
tendon ['tendən] *n* ANAT Sehne *f*
tendril ['tendrıl] *n* [1] BIO Ranke *f* [2] ↑ *wisp* (*hair*) Ringellocke *f*
tenement ['tenəmənt] *n* Mietshaus *s*
tenet ['tenət] *n* [1] REL Glaubenssatz *m* [2] Lehrsatz *m*
tenner ['tenə*] *n* ↑ *ten pound note* Zehner *m*
tennis ['tenıs] *n* Tennis *s;* **tennis ball** *n* Tennisball *m;* **tennis court** *n* Tennisplatz *m;* **tennis racket** *n* Tennisschläger *m*
tenor ['tenə*] *n* [1] MUS Tenor *m* [2] ↑ *significance* Sinn *m*, Tenor *m*
tense [tens] **I.** *adj* [1] ▷*person* nervös, angespannt [2] ↑ *taut* ▷*muscles* gespannt **II.** *n* LING Tempus *s;* **tensely** *adv* angespannt; **tenseness** *n* [1] ↑ *tautness* Spannung *f* [2] ↑ *strain* [An-]Spannung *f;* **tension** ['tenʃən] *n* [1] ELECTR Spannung *f* [2] ↑ *strain* Anspannung *f*
tent [tent] *n* Zelt *s*
tentacle ['tentəkl] *n* Fühler *m*
tentative ['tentətıv] *adj* ↑ *provisional* vorläufig; ↑ *hesitant* vorsichtig; ↑ *offer* unverbindlich; ↑ *suggestion* zögernd, vorsichtig; **tentatively** *adv* ↑ *hesitantly* vorsichtig, zögernd
tent camp *n* Zeltlager *s*
tenterhooks ['tentəhʊks] *n pl:* ◇ **to be on ~** auf die Folter gespannt werden, wie auf glühenden Kohlen sitzen
tenth [tenθ] **I.** *adj* zehnte(r ,s) **II.** *adv* an zehnter Stelle **III.** *n* (*position*) Zehnte(r) *fm;* (*fraction*) Zehntel *s*
tent peg ['tentpeg] *n* Zeltpflock *m*, Hering *m;* **tent pole** *n* Zeltstange *f*
tenuous ['tenjʊəs] *adj* ▷*air* dünn; ▷*connection, argument* schwach
tenure ['tenjʊə*] *n* [1] ↑ *property* Besitz *m* [2] ↑ *office, position of power* Amtszeit *f*
tepee ['ti:pi:] *n* (*wigwam*) Tipi *s*
tepid ['tepıd] *adj* (*temperature*) lauwarm
term [tɜ:m] **I.** *n* [1] ↑ *period* Dauer *f;* ◇ **~ of office** Amtszeit *f*, Frist *f*, Laufzeit *f* [2] SCH Trimester *s;* UNI Semester *s;* ◇ **~ time** Semesterzeit *f* [3] ↑ *expression* Ausdruck *m;* ◇ **technical ~** Fachausdruck *m;* ◇ **a contradiction in ~s** ein Widerspruch in sich [4] ↑ *relations* ◇ **to be on friendly ~s** gut mit jd-m auskommen, sich gut verstehen; ◇ **we are not on speaking ~s** wir reden nicht mehr miteinander [5] ↑ *conditions* Bedingungen *pl;* ◇ **On what ~s?** Zu welchen Bedingungen?; ◇ **the ~s of our agreement** die Bedingungen unserer Vereinbarung [6] ↑ *in relation to* ◇ **in ~s of time** zeitlich gesehen
terminal ['tɜ:minl] **I.** *n* [1] RAIL Endstation *f;* AERO Terminal *s* [2] ELECTR [Anschluß-]Klemme *f;* (*battery*) Pol *m* [3] PC Terminal *s* **II.** *adj* (*disease*): ◇ **~ cancer** Krebs im Endstadium
terminate ['tɜ:mıneıt] **I.** *vt* ↑ *end* → *process* beenden; → *contract* kündigen **II.** *vi* [1] enden, aufhören [2] → *pregnancy* unterbrechen; **termination** [tɜ:mı'neıʃən] *n* [1] ↑ *end* Ende *s* [2] ↑ *ending* Beendigung *f* [3] (*of contract*) Kündigung *f* [4] (*of pregnancy*) Unterbrechung *f*
terminology [tɜ:mı'nɒlədʒı] *n* Terminologie *f*
terminus *n* Endbahnhof *m*

termite ['tɜːmaɪt] *n* ZOOL Termite *f*
tern [tɜn] *n* ZOOL Seeschwalbe *f*
terrace ['terəs] *n* 1 (*garden*) Terrasse *f* 2 ↑ *row of houses, BRIT* Häuserreihe *f;* **terraced** *adj* 1 ▷*garden* Terrassen-, terrassenartig 2 ▷*house* Reihen-; ◇ ~ **house** Reihenhaus *s*
terra-cotta *n* Terrakotta *s*
terrible ['terəbl] *adj* ↑ *abominable* schrecklich, furchtbar; **terribly** *adv* fürchterlich; *FAM* ↑ *very* ◇ **the Millers are ~ nice people** die Millers sind furchtbar nette Leute, die Millers sind furchtbar nett
terrier ['terıə*] *n* (ZOOL *breed of dog*) Terrier *m*
terrific [tə'rıfık] *adj* 1 ↑ *great, FAM* toll, wahnsinnig; ◇ **That's ~!** Toll! 2 ↑ *big* ▷*noise* Heiden-, Wahnsinns- 3 ↑ *unlikely* ▷*story* unwahrscheinlich
terrify ['terıfaı] *vt* ↑ *scare* → *s.o.* erschrecken, jd-m schreckliche Angst einjagen; ◇ **she's terrified of the dark** sie hat schreckliche Angst vorm Dunkeln; **terrifying** *adj* ▷*experience* erschreckend
territorial [terı'tɔːrıəl] *adj* Gebiets-, territorial; ◇ ~ **rights** *pl* Hoheitsrechte *pl;* ◇ ~ **waters** Hoheitsgewässer *pl*
territory ['terıtərı] *n* Gebiet *s;* ◇ **government ~** Staatsgebiet *s*
terror ['terə*] *n* 1 ↑ *fear* Schrecken *m,* Entsetzen *s* 2 ↑ *violence* Terror *m* 3 (*naughty child*) Plage *f;* **terror attack** *n* Terroranschlag *m;* **terrorism** *n* Terrorismus *m;* **terrorist** *n* Terrorist(in *f*) *m;* **terrorize** *vt* terrorisieren; ↑ *intimidate* einschüchtern
terse [tɜːn] *adj* ↑ *abrupt:* ◇ **to give a ~ answer** kurz angebunden sein
test [test] **I.** *n* 1 ↑ *exam* Prüfung *f* 2 ↑ *experiment* Test *m;* ◇ **to put to the ~** ausprobieren, auf die Probe stellen; ◇ ~ **results** Ergebnisse *s pl* **II.** *vt* 1 ↑ *examine* prüfen 2 ↑ *try out* ausprobieren, probieren 3 (*experiment*) testen
testament ['testəmənt] *n* Testament *s*
test balloon *n* Versuchsballon *m;* **test case** *n* JUR Musterprozeß *m*
tester *n* 1 ↑ *examiner* Prüfer(in *f*) *m* 2 (*machine*) Prüfgerät *s* 3 ↑ *sample* (*perfume*) Probe *f;* **test flight** *n* Probeflug *m*
testicle ['testıkl] *n* ANAT Hoden *m*
testify ['testıfaı] *vi* (*before court*) aussagen
testimonial [testı'məʊnıəl] *n* (*character*) Referenz *f*
testimony ['testımənı] *n* JUR Aussage *f*
testiness ['testın ıs] *n* Gereiztheit *f*
testing ground *n* Versuchsgebiet *s; FIG* Versuchsfeld *s*
test match ['testmætʃ] *n* SPORT *BRIT* Testspiel *s;* **test paper** *n* SCH schriftliche Arbeit *f;* **test pilot** *n* Testpilot(in *f*) *m;* **test tube** *n* Reagenzglas *s;* ◇ ~ ~ **baby** Retortenbaby *s*
testy ['testı] *adj* ↑ *irritable* gereizt
tetanus ['tetənəs] *n* Tetanus *m;* ◇ **anti-~ vaccination** Tetanusschutzimpfung *f*
tetchy ['tetʒı] *adj* gereizt
tête-à-tête *n* ↑ *private talk* Gespräch unter vier Augen
tether ['teðə*] *vt* anbinden; ↑ *fed up* ◇ **I'm at the end of my ~** ich bin völlig am Ende; *FAM* ich bin fix und fertig
text [tekst] *n* 1 (*writing*) Text *m* 2 (*of document*) Wortlaut *m;* **textbook** *n* Lehrbuch *s*
textile ['tekstaıl] *n* ↑ *fabric, material* Stoff *m;* ◇ ~**s** *pl* Textilien *pl;* ◇ ~ **industry** Textilindustrie, Bekleidungsindustrie *f*
textual ['teksʃjʊəl] *adj* Text-
texture ['tekstʃə*] *n* (*feeling*) Textur *f,* Beschaffenheit *f;* ◇ **it has the ~ of silk** es fühlt sich wie Seide an
Thailand ['taılənd] *n* Thailand *s*
Thames [temz] *n* Themse *f; FIG* ↑ *he does not have what it takes* ◇ **he won't set the ~ on fire** er hat das Pulver auch nicht erfunden
than [ðæn] *prep, cj* als, mehr als; ◇ **Alice is taller ~ John** Alice ist größer als John; ◇ **it was nothing more ~ a lie** es war nichts mehr als eine Lüge
thank [θæŋk] *vt* danken *dat;* ◇ ~ **you** danke schön; ◇ **to ~ s.o.** sich bedanken bei jd-m; ◇ **how can I ever ~ you!** wie soll ich Ihnen danken!; ◇ **no ~you** nein, danke; ◇ **yes, ~you** ja, bitte, ja, danke; ◇ ~ **you for your help** danke für deine Hilfe; ◇ **T~ Goodness** Gott sei Dank; **thankful** *adj* dankbar; **thankfully** *adv* ↑ *luckily* zum Glück, Gott sei Dank; **thankless** *adj* ▷*job, task* undankbar; **thanks** [θæŋks] *n pl* Dank *m;* ◇ ~ **to you** dank dir *gen;* ◇ **that's all the ~ I get** und das ist jetzt der Dank dafür; **Thanksgiving** *n* (*AM*) Thanksgiving Day *m Erntedankfest, vierter Donnerstag im November*
that [ðæt] **I.** *adj, pron* 1 das; ◇ **at ~** zudem, dazu noch; ◇ **and ~'s it** und damit Schluß; ◇ **~'s it for today** das war's für heute 2 jener, jene, jenes; ◇ ~ **house** jenes Haus **III.** *cj* daß **IV.** *adv* so, dermaßen; ◇ **it is ~ easy** es ist so einfach
thatched [θætʃt] *adj* ▷*roof, cottage* strohgedeckt, reetgedeckt
thaw [θɔː] **I.** *n* Tauwetter *s* **II.** *vi* ← *frozen food* auftauen **III.** *vt* → *frozen food* auftauen lassen
the [ðiː, ðə] *art* der, die, das; ◇ **this is ~ way to do it** so macht man das; ◇ ~ **sooner ~ better** je schneller, desto besser

T

theatre, **theater** (*AM*) ['θɪətə*] *n* [1] (*plays*) Theater *s* [2] MED ↑ *operating* ~ Operationssaal *m* [3] ↑ *lecture hall* Hörsaal *m*
theatre critic *n* Theaterkritiker(in *f*) *m;* **theatregoer** *n* Theaterbesucher(in *f*) *m;* **theatre of war** *n* Kriegsschauplatz *m;* **theatrical** [θɪ'ætrɪkəl] *adj* ▷*behaviour* theatralisch; ▷*career* Schauspieler-
theft [θeft] *n* Diebstahl *m*
their [ðɛə*] *pron* (*used as an adjective*) ihr; ◇ ~ **description** ihre Beschreibung; **theirs** *pron* (*used as a noun, possessive*) ihre(r, s); ◇ **it is** ~ es gehört ihnen
them [ðem, ðəm] *pron direct/indirect object of they* sie, ihnen; ◇ **it's ~ I'm talking about** ich spreche von ihnen; ◇ **it's ~ we saw** sie sind es, die wir sahen
theme [θi:m] *n* ↑ *subject* Thema *s;* (*of art, story*) Thema *s;* ◇ ~ **song** Titelsong *m*
themselves [ðəm'selvz] *pron* sich; ◇ **they ~ are responsible** sie selbst sind dafür verantwortlich
then [ðen] **I.** *adv* [1] ↑ *afterwards* dann; ◇ ~ **you can help me** dann kannst du mir helfen [2] (*past*) da, damals; ◇ **I was younger** ~ ich war damals jünger **II.** *cj* also, folglich; ◇ ~ **you will do it** dann machst du es also **III.** *adj:* ◇ **but** ~ doch, andererseits; ◇ **Will it be finished by ~?** Wird es bis dahin fertig?; ◇ **from ~ on** von da an
theologian [θɪə'ləʊdʒən] *n* Theologe(Theologin *f*) *m;* **theological** [θɪə'lɒdʒɪkəl] *adj* theologisch; **theology** [θɪ'ɒlədʒɪ] *n* Theologie *f*
theorem ['θɪərəm] *n* Lehrsatz *m*
theoretically [θɪə'retɪkəlɪ] *adv* theoretisch; ◇ ~ **possible** theoretisch möglich
theorist ['θɪəraɪz] *n* Theoretiker(in *f*) *m*
theorize ['θɪərɪst] *vi* theoretisieren
theory ['θɪərɪ] *n* Theorie *f;* ◇ **in ~ it should work** theoretisch sollte es funktionieren
therapeutic[al] [θerə'pju:tɪkəl] *adj* MED therapeutisch; ↑ *relaxing* erholsam
therapist ['θerəpɪst] *n* Therapeut(in *f*) *m*
therapy ['θerəpɪ] *n* ▷*psychiatric* Therapie *f*, Behandlung *f*
there [ðɛə*] **I.** *adv* da, dort; ◇ ~ **they are!** Da sind sie!; ◇ ~ **and back** hin und zurück; (*to a place*) ◇ **let's go** ~ gehen wir dorthin; (*once more*) ◇ ~ **she goes again** sie fängt schon wieder damit an **II.** *intj:* ◇ **T~!** Na, also!; (*comforting*) ◇ ~, ~ na, na; ◇ ~ **is a very nice place near here** es gibt hier einen sehr schönen Ort in der Nähe; ◇ ~ **are many children here** es sind/gibt hier viele Kinder; **thereabouts** [ðɛə'baʊts] *adv* (*about*) ungefähr; ◇ **3 pounds or** ~ so etwa drei Pfund; **thereafter** [ðɛər'ɑ:ftə*] *adv* dannach; **thereby** *adv* dadurch; **therefore** ['ðɛərɔ:*] *adv* deshalb, daher; **there's** = **there is** es gibt/sind
therm *n abbr. of BRIT* PHYS *100 000 Wärmeeinheiten*
thermal ['θɜ:məl] *adj* thermisch; PHYS Thermo-; **thermal bath** *n* Thermalbad *s;* **thermal clothes** *n* Thermobekleidung *f no pl;* **thermal power station** *n* Wärmekraftwerk *s;* **thermal printer** *n* Thermodrucker *m;* **thermal underwear** *n* Thermounterwäsche *f no pl;* **thermomat** *n* Isomatte *f;* **thermometer** [θə'mɒmɪtə*] *n* Thermometer *s;* **thermonuclear** [θɜ:məʊ'nju:klɪə*] *adj* ▷*war* thermonuklear; **Thermos®** ['θɜ:məs] *n* ▷*flask* Thermosflasche *f;* **thermostat** ['θɜ:məstæt] *n* Thermostat *m*
thesaurus [θɪ'sɔ:rəs] *n* Thesaurus *m*, Synonymwörterbuch *s*
these [ði:z] *pron, adj* diese; ◇ ~ **ones** diese; ◇ ~ **trees** diese Bäume
thesis ['θi:sɪs] *n* [1] ↑ *discussion* These *f* [2] ↑ *academic research* Dissertation *f*, Doktorarbeit *f*
they [ðeɪ] *pron pl* sie; ◇ ~ **are very nice** sie sind sehr nett; (*no one particular*) ◇ ~ **eat it cold** man ißt es kalt; **they'd** = **they had; they would they'll** = **they shall; they will**; **they're** = **they are**; **they've** = **they have**
thick [θɪk] **I.** *adj* dick [1] ↑ *dense* ▷*forest* dicht [2] ▷*soup* dickflüssig [3] (*not intelligent*) dumm, blöd [4] ↑ *close* ◇ ~ **friends** dicke Freunde **II.** *n:* ◇ **in the ~ of the matter** mitten in der Sache *dat* drin; **thicken I.** *vi* ← *fog, smoke* dichter werden **II.** *vt* → *sauce* verdicken; **thickness** *n* [1] (*of board, tin*) Dicke *f* [2] ↑ *density* Dichte *f* [3] (*of soup*) Dickflüssigkeit *f* [4] ↑ *stupidity* Dummheit *f;* **thickset** ['θɪkset] *adj* ▷*figure* untersetzt; **thickskinned** ['θɪkskɪnd] *adj* ↑ *insensitive, stubborn* dickhäutig, stur
thief [θi:f] *n* <thieves> Dieb(in *f*) *m;* **thieving** ['θi:vɪŋ] **I.** *n* Stehlen *s*, Diebstahl *m* **II.** *adj* stehlend, diebisch; ◇ **this ~ lot** diese Räuberbande *f*, diese Strauchdiebe *m pl*
thigh [θaɪ] *n* Oberschenkel *m;* (*boots*) ◇ ~ **high** bis zum Oberschenkel; **thighbone** *n* Oberschenkelknochen *m*
thimble ['θɪmbl] *n* (*sewing*) Fingerhut *m;* **thimbleful** *n* (*a little*) Fingerhut (voll) *m*
thin [θɪn] **I.** *adj* [1] ↑ *skinny* dünn [2] ↑ *not much* spärlich; ▷*hair* schütter; ◇ **to disappear into ~ air** sich in Luft auflösen **II.** *vt* → *plants*: ◇ **to ~ out** ausdünnen
thing [θɪŋ] *n* [1] (*object*) Ding *s;* ↑ *matter* Sache *f* [2] ◇ **my ~s are in the car** meine Sachen sind im Auto [3] (*complain*) ◇ **I'd like to tell him a ~ or two** ich würde ihm gerne mal die Meinung sagen

thingummyjig *n FAM* Dings, Dingsbums *s*
think [θɪŋk] <thought, thought> *vt, vi* ① denken; ↑ *believe* ◇ **I ~ so** ich glaube schon ② glauben; ↑ *consider* ◇ **we're ~ing of moving** wir haben vor, umzuziehen [*o.* wir überlegen, ob wir umziehen sollen] ③ ↑ *believe, have opinion* ◇ **What do you ~ of it?** Was hältst du davon?; ◇ **I thought you were a nurse** ich dachte, du bist Krankenschwester; **think over** *vt* ↑ *carefully consider* → *decision* verarbeiten; **think up** *vt* ausdenken *dat*
thinker *n* Denker(in *f*) *m;* **thinking** *adj* denkend
thinly ['θɪnlɪ] *adv* ▷*populated* dünn
thinness ['θɪnnəs] *n* (*of person*) Dünnheit *f*
thin-skinned *adj* ↑ *sensitive* empfindlich
third [θɜ:d] **I.** *adj* dritte(r, s) **II.** *adv* an dritter Stelle **III.** *n* ① (*person*) Dritte(r) *fm* ② (*fraction*) Drittel *s* ③ ◇ **~ class** (*quality*) drittklassig; ◇ **the ~ world** die Dritte Welt
third-degree I. *n* (*interrogation*): ◇ **to give s.o. the ~** jd-n in die Zange nehmen **II.** *adj* MED: ◇ **~ burns** Verbrennungen *pl* dritten Grades; **thirdly** *adv* drittens; **third party insurance** *n* Haftpflichtversicherung *f;* **third-rate** *adj* ▷*hotel* minderwertig
Third-World store *n* Dritte Welt Laden *m*
thirst [θɜ:st] *n* Durst *m;* (*FIG for knowledge*) Wissensdurst *m;* **thirsty** *adj* durstig; ◇ **to be ~** Durst haben
thirteen ['θɜ:'ti:n] *nr* dreizehn
thirty ['θɜ:tɪ] *nr* dreißig
this [ðɪs] **I.** *adj* diese(r, s); ◇ **~ book** dieses Buch **II.** *pron* ① dies, das ② ◇ **~ is how I like it** so mag ich es; (*with gesture*) ◇ **he was ~ close** er was so nah; ◇ **you are supposed to do it like ~** man soll es so machen
thistle ['θɪsl] *n* Distel *f*
thistledown *n* ↑ *fluff of thistle* Distelwolle *f*
thong [θɒŋ] *n* [Leder-]Riemen *m*
thorax ['θɔ:ræks] *n* ANAT Thorax *m*, Oberkörper *m*
thorn [θɔ:n] *n* ① (*rose*) Dorn *m*, Stachel *m;* ◇ **it's a ~ in my side** es ist mir ein Dorn im Auge ② ↑ *rosebush* Dornbusch, Dornenstrauch *m;* **thorn bush** *n* Dornenstrauch *m;* **thorny** *adj* ▷*plant* dornig; *FIG* ▷*situation* heikel, schwierig
thorough ['θʌrə] *adj* ↑ *complete* ▷*search* gründlich; **thoroughbred I.** *n* ▷*horse* Vollblut *s* **II.** *adj* Vollblut-
thoroughgoing *adj* ↑ *complete* ▷*check* ▷*changes* grundlegend; ▷*meausures* durchgreifend; **thoroughly** *adv* ↑ *completely* gründlich; ↑ *extremely* vollkommen; ◇ **we ~ enjoyed ourselves** wir haben uns sehr gut amüsiert; **thoroughness** *n* Gründlichkeit *f*

those [ðəʊz] **I.** *pron* die, jene **II.** *adj* die, jene; ◇ **~ who are late will be punished** diejenigen, die zu spät kommen, werden bestraft
though [ðəʊ] **I.** *cj* obwohl, obgleich **II.** *adv* trotzdem, dennoch; ◇ **~ I may not come** obwohl ich vielleicht nicht kommen kann; ◇ **it was as ~ we were old friends** es war, als ob wir gute Freunde wären
thought [θɔ:t] **I.** *pt, pp of* **think**; **II.** *n* ① ↑ *thinking* Denken *s* ② ↑ *idea* Gedanke *m;* ◇ **the mere ~ worries me** der bloße Gedanke beunruhigt mich schon; **thoughtful** *adj* ① ↑ *reflective* nachdenklich ② ↑ *considerate* rücksichtsvoll, hilfsbereit; **thoughtless** *adj* ① ↑ *without a thought* gedankenlos ② ↑ *inconsiderate* rücksichtslos ③ ↑ *nasty* ▷*comment* gemein
thousand ['θaʊzənd] *nr* tausend; ◇ **one ~** eintausend
thrash [θræʃ] **I.** *vt* verdreschen; → *person* ↑ *hit* schlagen **II.** *adj* ▷*car* heruntergekommen, in schlechtem Zustand
thread [θred] **I.** *n* ① (*sewing*) Faden *m* ② (*in story*) Faden *m;* (*in conversation*) ◇ **to lose the ~** den Faden verlieren ② TECH Gewinde *s* **II.** *vt* → *needle* einfädeln **III.** *vi* ↑ *weave*: ◇ **to ~ one's way** sich durchschlängeln; **threadbare** *adj* abgewetzt; ▷*clothes* abgetragen, alt
threat [θret] *n* ① ↑ *menace* Drohung *f* ② ↑ *danger* Gefahr *f*, Bedrohung *f;* ◇ **a ~ to public safety** eine Gefahr für die öffentliche Sicherheit;
threaten I. *vt* bedrohen **II.** *vi* drohen; ◇ **he was ~ed with exposure** man drohte ihm, alles zu veröffentlichen; **threatening** *adj* ▷*situation* drohend; ▷*letter* ◇ **~ letter** Drohbrief *m*
three [θri:] *nr* drei; **three-dimensional** *adj* dreidimensional; **threefold** *adj* dreifach
three-legged *adj* dreibeinig; **three-piece suit** *n* dreiteiliger Anzug *m*
three-ply *adj* ▷*wool* Dreifach-, dreifach, dreilagig; ▷*wood* dreischichtig; **three-quarter** [θri:'kwɔ:tə*] *adj* dreiviertel
threesome ['θri:sʌm] *n* (*3 people*) Dreiergruppe *f;* **three-wheeler** *n* Dreiradwagen *m*
thresh [θreʃ] *vt, vi* dreschen; **threshing machine** *n* Dreschmaschine *f*
threshold ['θreʃhəʊld] *n* Schwelle *f*
threw [θru:] *pt of* **throw**
thrift [θrɪft] *n* ↑ *saving* Sparsamkeit *f;* **thrifty** *adj* ↑ *economical* sparsam
thrill [θrɪl] **I.** *n* Reiz *m; FAM* ↑ *nothing special* ◇ **Cheap ~!** Schön für dich! **II.** *vt* begeistern; ◇ **to be ~ed about s.th.** hingerissen sein von etw; ◇ **we were ~ed to read your letter** wir waren ganz begeistert von deinem Brief; **thriller** *n* (*film,*

novel) Thriller *m*, Krimi *m;* **thrilling** *adj* ↑ *full of suspense* ▷*film* spannend; ↑ *exciting* ▷*news* aufregend

thrive [θraɪv] *vi* [1] ← *child* sich gut entwickeln; ← *garden* gedeihen [2] ◇ **my neighbour ~s on gossip** mein Nachbar ist unglaublich vertratscht; **thriving** *adj flourishing* ▷*business* ↑ *successful* erfolgreich, blühend, gutgehend; ▷*plant* prächtig gedeihend

throat [θrəʊt] *n* Hals *m*, Kehle *f;* ◇ **to grab s.o. by the ~** jd-n am Kragen packen

throb [θrɒb] *vi* ← *heart* klopfen

throes [θrəʊz] *n pl:* ◇ **in the ~ of** mitten in *dat*

thrombosis [θrɒm'bəʊsɪs] *n* MED Thrombose *f*

throne [θrəʊn] *n* Thron *m*

throttle ['θrɒtl] **I.** *n* TECH Gashebel *m*, Drosselkappe *f;* ◇ **to drive at full ~** Vollgas fahren **II.** *vt* ↑ *strangle* erdrosseln, erwürgen

through [θru:] **I.** *prep* [1] durch; ◇ **~ the garden** durch den Garten [2] (*time*) während; ◇ **all ~ the holidays** während der Ferien *gen* [3] ↑ *due to* aus, durch; ◇ **~ your negligence** durch deine Nachlässigkeit **II.** *adv* durch **III.** *adj* [1] (*~ train*) ↑ *direct* durchgehend *s* [2] ↑ *finished, complete* fertig; ◇ **we're ~ with the repairs** wir sind mit den Reparaturen fertig; ↑ *over* (*relationship*) ◇ **we're ~** es ist aus zwischen uns [3] TEL to get˜, durchkommen [4] (*ordeal*) ◇ **to go ~ s.th.** etw durchmachen; **throughout** [θrʊ'aʊt] **I.** *prep* (*place*) überall ◇ **~ the country** überall im Land; (*time*) während *gen;* ◇ **~ the evening** die ganze Nacht hindurch **II.** *adv* ganz, überall; **through road** *n* Durchgangsstraße *f;* **through traffic** *n* Durchgangsverkehr *m*

throw [θrəʊ] <threw, thrown> **I.** *vt* werfen **II.** *n* Wurf *m;* **throw away** *vt* (*trash*) wegwerfen; **throw out** *vt* [1] (*of window*) hinauswerfen [2] → *person out of house* rausschmeißen, hinauswerfen [3] → *rubbish* wegschmeißen; **throw up** *vt, vi* ↑ *vomit* erbrechen

throw-away society *n* Wegwerfgesellschaft *f;* **throw-in** *n* Einwurf *m;* **thrown** [θrəʊn] *pp of* **throw**

thru [θru:] *prep* (*AM*) *s.* **through**

thrush [θrʌʃ] *n* [1] ZOOL Drossel *f* [2] MED Soor *m*

thrust [θrʌst] <thrust, thrust> **I.** *vt, vi* ↑ *push* stoßen; ↑ *to force o.s.* ◇ **to ~ o.s. on s.o.** sich jd-m aufdrängen; ◇ **to ~ into** etw rammen in [*o.* stoßen] **II.** *n* [1] ↑ *push* Stoß *m* [2] TECH Schubkraft *f* [3] MIL Vorstoß *m;* **thrusting** *adj* ▷*person* ↑ *pushy* aufdringlich

thud [θʌd] *n* (*noise*) dumpfes Geräusch *s;* (*heart*) Pochen *s*

thug [θʌg] *n* ↑ *criminal* Schlägertyp *m*

thumb [θʌm] **I.** *n* Daumen *m* **II.** *vt* ↑ *flick* → *book, magazine* durchblättern; *FIG* ◇ **to stick out like a sore ~** auffallend anders sein, auffallen wie ein bunter Hund; ◇ **she would often ~ a lift** sie ist häufig per Anhalter gefahren; **thumb index** *n* Daumenregister *s*

thumbs-down *n* ↑ *disapproval* Ablehnung *f*

thumbs-up *n* ↑ *approval, okay* Zustimmung *f;* **thumbnail** *n* Daumennagel *m*

thump [θʌmp] **I.** *n* [1] ↑ *blow* Schlag *m* [2] (*of heart*) Klopfen *s* [3] (*noise*) dumpfer Schlag *m* **II.** *vi* ↑ *bang* hämmern **III.** *vt* ↑ *blow, hit* schlagen; ◇ **to ~ s.o.** jd-n schlagen

thunder ['θʌndə*] **I.** *n* Donner *m* **II.** *vi* donnern **III.** *vt* ↑ *roar* brüllen

thunder bolt *n* Blitz *m*

thunder clap *n* Donnerschlag *m;* **thunderous** *adj* ▷*applause, voice* stürmisch, donnernd; **thunderstorm** [θʌndəstɔ:m] *n* Gewitter *s*, Unwetter *s;* **thunderstruck** ['θʌndəstrʌk] *adj* ↑ *amazed, shocked:* ◇ **Sarah was ~** Sarah war wie vom Donner gerührt; **thundery** *adj* gewittrig

Thursday ['θɜ:zdeɪ] *n* Donnerstag *m;* ◇ **on ~** am Donnerstag; ◇ **on ~s, on a ~** donnerstags

thus [ðʌs] *adv* [1] ↑ *in this way* auf diese Weise [2] ↑ *consequently* somit, folglich [3] ◇ **~ far** soweit

thwart [θwɔ:t] *vt spoil, frustrate* → *plans, arrangements* durchkreuzen, vereiteln, verhindern; → *person* hindern

thyme [taɪm] *n* GASTRON Thymian *m*

thyroid [gland] ['θaɪrɔɪd] *n* ANAT Schilddrüse *f*

tiara [tɪ'ɑ:rə] *n* [1] (*for hair*) Diadem *s* [2] (*of pope*) Tiara *f*

Tibet [tɪ'bet] *n* Tibet *s*

tic [tɪk] *n* (*nervous*) Tick *m*

tick [tɪk] **I.** *n* [1] (*sound*) Ticken *s* [2] (*mark*) Haken *m* [3] *FAM* ↑ *moment* ◇ **the doctor will be with you in a ~** der Doktor kommt gleich zu Ihnen **II.** *vi* (*sound*) ticken **III.** *vt* (*list*) abhaken

ticker *n FAM* ↑ *heart* Pumpe *f*

ticket ['tɪkɪt] *n* [1] (*train, bus*) Fahrkarte *f* [2] ↑ *parking* ~ Strafzettel *m* [3] (*entry*) Eintrittskarte *f;* (*concert*) Karte *f* [4] ↑ *price* ~ Preisschild *s* [5] ↑ *luggage* ~ Gepäckschein *m;* **ticket collector** *n* Schaffner(in *f*) *m;* **ticket counter** *n* Fahrkartenschalter *m;* **ticket holder** *n* Karteninhaber(in *f*) *m*

ticket inspector *n* Fahrscheinkontolleur(in *f*) *m;* **ticket machine** *n* Fahrscheinautomat *m;* **ticket office** *n* [1] (*cinema, theater*) Kasse *f* [2] RAIL Fahrkartenschalter *m*

ticking-off ['tɪkɪŋ'ɒf] *n FAM* ↑ *reprimand* Anpfiff *m;* ◇ **I gave him a** ~ ich habe ihn angepfiffen

tickle ['tɪkl] **I.** *n* Kitzeln *s* **II.** *vt* [1] → *toes, tummy* kitzeln [2] ↑ *find amusing* lustig finden; *FAM* ◇ **to be ~d pink** sich wie ein Schneekönig freuen; ◇ **that ~d his fancy** das gefiel ihm; **ticklish** ['tɪklɪʃ] *adj* kitzlig

tidal ['taɪdl] *adj* Flut-, Tide-; ◇ ~ **wave** Flutwelle *f*

tidbit ['tɪdbɪt] *n* (*AM*) Leckerbissen *m*

tiddly-winks ['tɪdlɪwɪŋks] *n* (*game*) Floh[hüpf-]spiel *s*

tide [taɪd] *n* Gezeiten *pl,* Ebbe und Flut *f*

tide mark *n* Flutmarke *f*

tidily ['taɪdɪlɪ] *adv* ordentlich

tidiness ['taɪdɪnəs] *n* Ordnung *f*

tidy ['taɪdɪ] **I.** *adj* ▷*room, affairs* ordentlich **II.** *vt* aufräumen, in Ordnung bringen

tie [taɪ] **I.** *n* [1] ↑ *necktie* Krawatte *f,* Schlips *m;* ◇ **a ~ pin** Krawattennadel *f* [2] ↑ *bind* Schnur *f* [3] SPORT Unentschieden *s;* ◇ **to end in a** ~ unentschieden ausgehen [4] ↑ *equal* (*votes*) Stimmengleichheit *f* [5] ↑ *link* Bindung *f;* ◇ **family ~s** Familienbande *f* **II.** *vt* ↑ *fasten* binden; ↑ *knot* schnüren; *FIG* ◇ **my hands are ~d** mir sind die Hände gebunden **III.** *vi* ← *game* punktgleich/unentschieden enden; **tie down** *vt* [1] → *s.o.* festlegen [2] *FIG* ↑ *hinder* binden; **tie up** *vt* [1] → *person* binden [2] → *parcel* verschnüren; → *shoelaces* binden [3] → *boat* festmachen [4] ↑ *settle* unter Dach und Fach bringen; ◇ **Mr. Ball is ~d ~ right now** Mr. Ball hat im Moment keine Zeit

tiebreaker ['taɪbreɪkə] *n* SPORT Tie-Break *m o s*

tie-pin *n* Krawattennadel *f*

tier [tɪə*] *n* [1] ↑ *row* Reihe *f,* Rang *m* [2] (*wedding cake, two-tiered*) Etage *f*

tiff [tɪf] *n* ↑ *small argument* Streit *m*

tiger ['taɪgə*] *n* ZOOL Tiger *m*

tight [taɪt] *adj* ▷*clothes, skirt* eng; ▷*rope* straff; ▷*screw* festangezogen, festsitzend; ▷*hug* fest; ▷*person* ↑ *stingy* geizig; ▷*schedule* gedrängt; ▷*control* streng; **tighten I.** *vt* [1] → *screw* anziehen [2] → *law* verschärfen **II.** *vi* ← *muscles* sich anspannen; ◇ **to ~ o.'s belt** sich einschränken; **tight-fisted** *adj* knauserig, knickerig; **tightly** *adv* ▷*fastened* eng, fest; **tight-rope** *n* Seil *s für Seiltänzer(in);* **tights** *n pl* Strumpfhose *f*

tile [taɪl] *n* [1] (*in bathroom*) Kachel *f,* Fliese *f* [2] (*on roof*) Dachziegel *m;* **tile oven** *n* Kachelofen *m;* **tiled** *adj* [1] ▷*wall* gefliest, gekachelt [2] ▷*roof* Ziegel-

till [tɪl] **I.** *n* Kasse *f* **II.** *prep, cj* [1] ↑ *until* bis; ◇ **Father won't stop ~ he's finished** Vater hört nicht auf, bis er damit fertig ist [2] ◇ ~ **we meet again** bis zum nächsten Mal; ◇ **not ~ Christmas** nicht vor Weihnachten

tiller ['tɪlə*] *n* (*boat*) Ruderpinne *f*

tilt [tɪlt] **I.** *vt* ↑ *turn on side* kippen **II.** *vi* kippen, sich neigen

timber ['tɪmbə*] *n* Holz *s;* ◇ ~ **line** Baumgrenze *f;* ◇ **~ed house** Fachwerkhaus *s*

time [taɪm] **I.** *n* [1] Zeit *f* [2] ↑ *occasion* Mal *s* [3] ↑ *rhythm* Takt *m;* ◇ **to be on ~** im Takt sein **II.** *vt* [1] → *plan* den richtigen Zeitpunkt wählen; timen [2] ↑ *stop-watch* stoppen; → *speed* messen; ◇ **at the ~** damals; ◇ **to have a good ~** sich amüsieren; ◇ **on ~** pünktlich, rechtzeitig; ◇ **one more ~** noch einmal; ◇ **for the ~ being** vorläufig; ◇ **at ~s** manchmal; ◇ **from ~ to ~** von Zeit zu Zeit; ◇ **ten ~s** zehnmal; ◇ **this ~ tomorrow** morgen um dieselbe Zeit; ◇ **only ~ can tell** man muß abwarten und sehen, die Zeit wird es bringen; ◇ **how ~ flies** wie die Zeit vergeht; ◇ **It's about ~, too!** Das wird aber auch Zeit!

time bomb *n* Zeitbombe *f;* **time check** *n* Zeitansage *f;* **time clock** *n* Stechuhr *f*

time-consumimg *adj* ▷*work* zeitraubend; **timekeeper** *n* SPORT Zeitnehmer(in *f*) *m;* **time-lag** *n* (*jet travel*) Zeitunterschied *m;* **timeless** *adj* ▷*beauty* zeitlos; ↑ *eternal* ewig; **time limit** *n* Frist *f;* **timely** *adj* ↑ *on time* rechtzeitig; ▷*death* unerwartet

timer *n* (*egg ~*) Uhr *f;* (*light, coffee machine*) Zeitschaltuhr *f;* **time-saving** *adj* zeitsparend; **time sense** *n* Taktgefühl *s;* **time-sharing** *n* PC Time-Sharing *s;* **time sheet** *n* Stundenzettel *m;* **time signal** *n* Zeitzeichen *s;* **time switch** *n* Zeitschalter *m;* **timetable** *n* [1] RAIL Fahrplan *m* [2] SCH Stundenplan *m;* **time zone** *n* Zeitzone *f*

timid ['tɪmɪd] *adj* [1] ↑ *shy* schüchtern [2] ↑ *anxious, scared* ängstlich; **timidity** [tɪ'mɪdɪtɪ] *n* Ängstlichkeit *f;* **timidly** *adv* ängstlich

timing ['taɪmɪŋ] *n* Timing *s*

tin [tɪn] *n* [1] ↑ *metal* Blech *s* [2] ↑ *can* Dose *f,* Büchse *f;* ◇ **a ~ of peas** eine Dose Erbsen; **tinfoil** *n* Alufolie *f*

tinge [tɪndʒ] **I.** *n* [1] ↑ *colour* Farbe *f,* Tönung *f* [2] (*FIG of doubt*) Anflug *m* **II.** *vt* färben, tönen *acc*

tingle ['tɪŋgl] *vi* prickeln, kribbeln

tinker ['tɪŋkə*] *n* Kesselflicker(in *f*) *m;* **tinker with** *vt* ↑ *fiddle with* herumbasteln an *dat,* herumpfuschen an *dat*

tinkle ['tɪŋkl] *vi* klingeln; ◇ **to give s.o. a ~** jd-n anrufen

tinned [tɪnd] *adj* ▷*food* Dosen-, Büchsen-; ◇ ~

T

peas Dosenerbsen; **tinny** [ˈtɪnɪ] *adj* ▷*sound* blechern; **tin opener** *n* Dosenöffner *m*
tinpot [ˈtɪnpɒt] *adj* ↑ *inferior* mickrig
tinsel [ˈtɪnsəl] *n* Lametta *s*, Rauschgoldgirlanden *f pl*
tin soldier *n* Zinnsoldat *m*
tint [tɪnt] *n* ① ↑ *colour* [Farb-]Ton *m* ② ↑ *trace of colour* Anflug *m* ③ (*hair*) Tönung *f*
tiny [ˈtaɪnɪ] *adj* winzig
tip [tɪp] **I.** *n* ① ↑ *top* Spitze *f* ② (*given to waiter*) Trinkgeld *s* ③ ↑ *clue* Tip *m*, Hinweis *m* ④ ↑ *advice* Ratschlag *m* **II.** *vt* ① ↑ *slant* kippen ② → *waiter* Trinkgeld geben *dat* ③ (*racing*) setzen auf; **tip-off** *n* ↑ *clue* Tip *m*, Hinweis *m;* **tipped** *adj* ▷*cigarette* Filter-
tipple [ˈtɪpl] *n* ↑ *alcoholic drink:* ◇ **rum is David's favourite** ~ Rum ist Davids Lieblingsgetränk
tipsy [ˈtɪpsɪ] *adj* ↑ *slightly drunk* beschwipst
tiptoe [ˈtɪptəʊ] *vi* auf Zehenspitzen gehen; ◇ **on** ~**s** auf Zehenspitzen
tiptop [tɪpˈtɒp] *adj* ↑ *excellent:* ◇ **the car is in** ~ **condition** der Wagen ist in erstklassigem [o. einwandfreiem] Zustand
tire [ˈtaɪə*] **I.** *n* (*AM*) *s.* **tyre; II.** *vt, vi* müde werden, ermüden; ◇ **to be** ~**d of doing s.th.** es satt haben, etw zu tun; **tired** *adj* müde; ◇ **the children are** ~ **of watching TV** die Kinder haben keine Lust mehr, fernzusehen; **tiredness** *n* Müdigkeit *f;* **tirelessly** *adv* ▷*pursue* unermüdlich; **tiresome** [ˈtaɪəsəm] *adj* ↑ *bothersome* lästig; **tiring** *adj* ermüdend
tissue [ˈtɪʃuː] *n* ① ANAT Gewebe *s* ② ↑ *paper handkerchief* Papiertaschentuch *s;* **tissue paper** *n* Seidenpapier *s*
tit [tɪt] *n* ① ZOOL Meise *f* ② *FAM* ↑ *breast* Titte *f* ③ ◇ ~ **for tat** wie du mir, so ich dir
titanic [taɪˈtænɪk] *adj* ↑ *very important* sehr wichtig
titbit [ˈtɪtbɪt] *n* (*food*) Leckerbissen *m*
titillate [ˈtɪtɪleɪt] *vt* ↑ *excite* anregen, erregen; ▷*sexually* erregen
titivate [ˈtɪtɪveɪt] *vt* schniegeln
title [ˈtaɪtl] *n* ① (*of book*) Titel *m* ② JUR [Rechts-]Anspruch *m*, Eigentumsrecht *s;* **title deed** *n* Eigentumsurkunde *f*
title-holder *n* ① SPORT Titelträger(in *f*) *m* ② (*other competitions*) Titelinhaber(in *f*) *m;* **title page** *n* Titelblatt *s;* **title role** *n* (*in play*) Hauptrolle *f*
tittle-tattle [ˈtɪtltætl] *n* (*children*) Tratsch *m*, Geschwätz *s*
tizzy [tɪzɪ] *n:* ◇ **to get into a** ~ hektisch/nervös werden

to [tuː, tə] **I.** *prep* ① (*direction of, towards*) zu, nach, in; ◇ **to go** ~ **the doctor** zum Arzt gehen; ◇ **to go** ~ **the cinema** ins Kino gehen; ◇ **to go** ~ **school** zur Schule gehen; ◇ **to go** ~ **bed** ins Bett gehen; ◇ **to go** ~ **France** nach Frankreich fahren ② ↑ *as far as* bis; ◇ **it's 12 km** ~ **Hanover** es ist 12 km bis Hannover; ◇ ~ **this very day** bis auf den heutigen Tag ③ (*indirect object*) ◇ **to give s.th.** ~ **s.o.** jd-m etw geben; ◇ **I said** ~ **myself** ich sagte mir; ◇ **Who did you give it** ~**?** Wem hast du es gegeben? ④ (*time*) ◇ **five** ~ **nine** fünf vor neun ⑤ (*toast*) ◇ **Here's** ~ **you!** Auf dich! ⑥ ↑ *in order to* um … zu ⑦ (*tie s.th. to s.th.*) an ⑧ (*reaction*) ◇ **much** ~ **my surprise** sehr zu meiner Überraschung *f*
toad [təʊd] *n* Kröte *f;* **toadstool** *n* BIO nicht eßbarer Pilz *m;* **toady I.** *n* ↑ *crawler* Kriecher(in *f*) *m* **II.** *vi* kriechen (*to* vor *dat*)
to-and-fro *n* Hin und Her *s*
toast [təʊst] **I.** *n* ① (*bread*) Toastbrot *s* ② (*drink*) Anstoßen *s*, Toast *m* **II.** *vt* ① → *bread* toasten ② ↑ *drink to* trinken auf (*to acc*); **toaster** *n* Toaster *m;* **toastmaster** *n* Zeremonienmeister *m;* **toastrack** *n* Toastständer *m*
tobacco [təˈbækəʊ] *n* <-[e]s> Tabak *m;* **tobacconist** [təˈbækənɪst] *n* Tabakhändler(in *f*) *m;* ◇ ~**'s [shop]** Tabakladen *m*
toboggan [təˈbɒgən] *n* [Rodel-]Schlitten *m;* **toboggan run** *n* Rodelbahn *f*
today [təˈdeɪ] **I.** *adv* heute; ↑ *these days* heutzutage **II.** *n* ① (*this very day*) ◇ ~**'s news** die heutigen Nachrichten; ◇ ~**'s special** Tagesgericht *s* ③ (*time*) ◇ ~ **one can't trust anyone** heute kann man niemandem mehr trauen
toddle [ˈtɒdl] *vi* ← *infant* wackeln; **toddler** *n* ↑ *infant* Kleinkind *s*
toddy [ˈtɒdɪ] *n* (*alcoholic drink*) Toddy *m*
to-do [təˈduː] *n* <-s> ↑ *fuss, FAM* Theater *s*
toe [təʊ] **I.** *n* ① ANAT Zehe *f*, Zeh *m;* (*offend*) ◇ **to tread on s.o.'s** ~**s** jd-m auf die Füße treten; (*attention*) ◇ **you have to be on your** ~**s** du mußt gut aufpassen ② (*of sock*) Spitze *f* **II.** *vt FIG:* ◇ **to** ~ **the line** sich einfügen; **toenail** [ˈtəʊneɪl] *n* Zehnagel *m*
toffee [ˈtɒfɪ] *n* Toffee *s;* ◇ **she can't drive for** ~ sie kann überhaupt nicht fahren; **toffee apple** *n* kandierter Apfel *m;* **toffee-nosed** *adj* ↑ *snobby* eingebildet, hochnäsig
toga [ˈtəʊgə] *n* (*Roman costume*) Toga *f*
together [təˈgeðə*] *adv* ① ↑ *altogether* zusammen ② ↑ *simultaneously* gleichzeitig ③ *FAM* ↑ *organized* ausgeglichen; **togetherness** [təˈgeðənɪs] *n* (*feeling*) Zusammengehörigkeitsgefühl *s*

toggle ['tɒgl] *n* ① (*on clothes*) Knebelknopf *m* ② (*on tent*) Seilzug *m*

toil [tɔɪl] **I.** *n* ↑ *hard work* mühselige Arbeit *f* **II.** *vi* ↑ *labour* sich abmühen

toilet ['tɔɪlət] *n* ↑ *lavatory* Toilette *f;* ◇ **to go to the ~** auf die Toilette gehen; **toilet bag** *n* Waschbeutel *m;* **toilet paper** *n* Toilettenpapier *s;* **toiletries** ['tɔɪlətrɪz] *n pl* (*cosmetic*) Toilettenartikel *pl;* **toilet roll** *n* Toilettenpapier *s;* **toilet soap** *n* Toilettenseife *f*

toilet training *n* (*child*) Erziehung *f* zur Sauberkeit; **toilet water** *n* Toilettenwasser *s*

token ['təʊkən] **I.** *n* ① ↑ *sign* Zeichen *s;* ◇ **as a ~ of our gratitude** als Zeichen unserer Dankbarkeit ② ↑ *present* ◇ **gift ~** Gutschein *m* ③ (*game*) Marke *f* **II.** *adj* ① ↑ *alibi* Alibi- ② (*in appearance*) Schein-; ◇ **~ payment** symbolische Bezahlung *f*

Tokyo ['təʊkɪəʊ] *n* Tokio *s*

told [təʊld] *pt, pp of* **tell**

tolerable ['tɒlərəbl] *adj* ① ↑ *satisfactory* leidlich ② ↑ *bearable* erträglich, leidlich; **tolerably** *adv* ① ↑ *quite* ziemlich, einigermaßen; ◇ **~ late** ziemlich spät ② ↑ *bearably* leidlich

tolerance ['tɒlərəns] *n* Toleranz *f;* **tolerant** *adj* ① ▷*patient* tolerant ② ↑ *open-minded* tolerant

tolerate ['tɒləreɪt] *vt* tolerieren, dulden; → *s.o.* ertragen

toll [təʊl] **I.** *n* ① ↑ *fee* Gebühr *f;* ◇ **road ~** Autobahngebühr *f* ② ↑ *hardship* ◇ **to take its ~** seinen Tribut fordern **II.** *vi* ← *bell* läuten; **tollbridge** *n* Mautbrücke *f;* **toll-free** *adj* zollfrei; **toll road** *n* Mautstraße *f*, gebührenpflichtige Straße *f*

tom [tɒm] *n* **tomcat** ↑ *male cat* Kater *m*

tomato [tə'mɑːtəʊ] *n* <-es> Tomate *f*

tomb [tuːm] *n* Gruft *f*, Grabmal *s*

tombola [tɒm'bəʊlə] *n* Tombola *f*

tomboy ['tɒmbɔɪ] *n* (*girl*) Wildfang *m*

tombstone ['tuːmstəʊn] *n* Grabstein *m*

tomcat ['tɒmkæt] *n* Kater *m*

tomfoolery ['tɒmfuːərɪ] *n* ↑ *nonsense, messing around* Blödsinn *m*

tom-tom *n* (*drum*) Tom-Tom-Trommel *f*

tomograph ['tɒməgrɑːf] *n* Tomograph *m*

tomorrow [tə'mɒrəʊ] **I.** *n* Morgen *s* **II.** *adv* morgen; ◇ **~ morning** morgen früh; ◇ **~ evening** morgen abend

ton [tʌn] *n* (*weight*) Tonne *f; FAM* ◇ **~s of them** jede Menge davon

tone [təʊn] **I.** *n* Ton *m*, Klang *m* **II.** *vi* ← *harmonize* harmonieren **III.** *vt* (*with colour*) harmonieren mit *dat;* **tone down** *vt* ① ↑ *modify* → *criticism* abmildern ② → *colours* abschwächen; **tone-deaf** *adj* nicht imstande, Tonhöhen zu unterscheiden

tongs [tɒŋz] *n pl* Zange *f;* ↑ *curling* ~ Lockenstab *m*

tongue [tʌŋ] *n* ① ANAT Zunge *f;* ◇ **Have you lost your ~?** Hat es dir die Sprache verschlagen? ② ↑ *language* [Mutter-]Sprache *f* ③ (*of shoe*) Zunge *f* ④ ↑ *jokingly* ◇ **with ~ in cheek** scherzhaft; **tongue-tied** *adj* sprachlos; **tongue-twister** *n* Zungenbrecher *m*

tonic ['tɒnɪk] *n* MED Tonikum *s;* **tonic water** *n* Tonic[water] *s*, Tonic *m*

tonight [tə'naɪt] *adv* (*evening*) heute abend; (*night*) heute nacht

tonnage ['tʌnɪdʒ] *n* Tonnage *f*

tonsil ['tɒnsl] *n* ANAT Mandel *f;* **tonsillitis** [tɒnsɪ'laɪtɪs] *n* MED Mandelentzündung *f*

too [tuː] *adv* ① (*excess, very*) zu; ◇ **~ much** zu viel ② ↑ *also* auch; ◇ **you ~** du auch

took [tʊk] *pt of* **take**

tool [tuːl] *n* Werkzeug *s;* **toolbox** *n* Werkzeugkasten *m;* **tool cabinet** *n* Werkzeugschrank *m;* **toolkit** *n* Werkzeug *s*

toot [tuːt] *vi* (*sound*) tuten; AUTO hupen

tooth [tuːθ] *n* <teeth> ANAT Zahn *m;* (*likes sweets*) ◇ **Bernd has a sweet ~** Bernd ist eine Naschkatze; **toothache** *n* Zahnschmerzen *pl;* **toothbrush** *n* Zahnbürste *f;* **toothless** *adj* zahnlos; **toothpaste** *n* Zahnpasta *f;* **toothpick** *n* Zahnstocher *m*

top [tɒp] **I.** *n* ① ↑ *highest point* Spitze *f;* (*of mountain*) Gipfel *m;* (*of tree*) Krone *f;* (*of wave*) Kamm *m* ② ↑ *surface* Oberfläche *f* ③ ↑ *blouse* Bluse *f* ④ (*of jar*) Deckel *m;* (*of car*) Dach *s;* (*of convertible car*) ◇ **soft ~** Verdeck *s* **II.** *adj* (*highest*) oberste; (*upper*) obere; ◇ **~ grades** beste Noten *f pl* **III.** *vt* ① ↑ *cover* bedecken ② (*be at the ~*) an der Spitze stehen ③ ↑ *surpass* übersteigen; **topcoat** *n* Mantel *m*

top dog *n FIG* ↑ *man in charge* Verantwortliche(r) *m;* **top hat** *n* Zylinder *m;* **top-heavy** *adj* kopflastig

topic ['tɒpɪk] *n* ↑ *subject* Thema *s;* ◇ **~ of conversation** Gesprächsthema; **topical** *adj* ↑ *recent* aktuell

top job *n* Spitzenjob *m*

topless ['tɒpləs] *adj* oben ohne

top-level ['tɒp'levl] *adj* Spitzen-, auf höchster Ebene

topmost ['tɒpməʊst] *adj* oberst

top notch *adj* ▷*job* erstklassig

top performance *n* Spitzenleistung *f*

topping *n* (*on icecream, chocolate ~s*) Überzug *m*

topple ['tɒpl] **I.** *vi s.* **topple over** ↑ *fall over* umkippen **II.** *vt* ① ↑ *fall over* umkippen ② ← *government* stürzen

top-secret ['tɒp'si:krət] *adj* ↑ *documents* streng geheim
top soil *n* AGR Ackerkrume *f*
topsy-turvy ['tɒpsɪ'tɜ:vɪ] *adj* ▷*room* ↑ *messy* unordentlich
torch [tɔ:tʃ] *n* 1 (*BRIT with battery*) Taschenlampe *f* 2 (*flame*) Fackel *f*
tore [tɔ:*] *pt of* **tear**
torment ['tɔ:ment] **I.** *n* ↑ *suffering* Qual *f* **II.** [tɔ:'ment] *vt* 1 ↑ *torture* quälen 2 ↑ *bother, annoy* plagen
torn [tɔ:n] **I.** *pp of* tear; **II.** *adj* zerrissen
tornado [tɔ:'neɪdəʊ] *n* <-es> Tornado *m*
torpedo [tɔ:'pi:dəʊ] **I.** *n* <-es> MIL Torpedo *m* **II.** *vt* torpedieren
torpid ['tɔ:pɪd] *adj* ↑ *lethargic* träge
torrent ['tɒrənt] *n* ↑ *gush* Schwall, Sturzbach *m;* ↑ *heavy rain* ◇ **-s of rain** sintflutartiger Regen; **torrential** [tə'renʃəl] *adj* ▷*rain* sintflutartig
torso ['tɔ:səʊ] *n* ANAT Torso *m*
tortoise ['tɔ:təs] *n* ZOOL Schidkröte *f*
tortuous ['tɔ:tjʊəs] *adj* 1 ↑ *winding* ▷*path, road* gewunden 2 ↑ *dishonest* unehrlich, gemein
torture ['tɔ:tʃə*] **I.** *n* Folter *f; FIG* Qual *f* **II.** *vt* foltern; *FIG* quälen
Tory ['tɔ:rɪ] **I.** *n* Tory *m*, Konservative(r) *fm* **II.** *adj* Tory-, konservativ
toss [tɒs] *vt* 1 ↑ *throw up in air* werfen 2 → *head* zurückwerfen 3 (*heads or tails*) ◇ **to - a coin** eine Münze werfen
toss-up *n* (*with coin*) Ausknobeln *s*
tot [tɒt] *n* 1 ↑ *little bit* ein bißchen *s* 2 ↑ *drink* Schluck *m* 3 ↑ *child* Knirps *m*
total ['təʊtl] **I.** *n* Ganze *s*, Gesamtheit *f;* ◇ **- sum** Gesamtsumme *f* **II.** *adj* total, völlig **III.** *vt* ↑ *add up* zusammenzählen; ↑ *come to* sich belaufen auf *acc*
totalitarian [təʊtælɪ'teərɪən] *adj* totalitär
totality [təʊ'tælɪtɪ] *n* Gesamtheit *f;* **totally** *adv* total, völlig, ganz
totem pole ['təʊtəmpəʊl] *n* Totempfahl *m*
totter [tɒtə*] *vi* schwanken
touch [tʌtʃ] **I.** *n* 1 ↑ *sense of feeling* Tastgefühl, Gefühl *s*, Tastsinn *m* 2 (*act of -ing*) Berühren *s*, Berührung *f* 3 ↑ *a little bit* (*irony*) Spur *f* 4 ↑ *stroke* (*art*) Strich *m;* ◇ **a nice -** eine hübsche Note; ◇ **the finishing -es** der letzte Schliff 5 ↑ *contact* ◇ **to be in -** in Verbindung stehen; ◇ **to lose -** den Kontakt verlieren; ◇ **stay in -!** laß' mal was von dir hören! **II.** *vt* 1 ↑ *feel* berühren; ↑ *brush* streifen 2 ↑ *get hold of* anfassen 3 → *food* anrühren 4 → *problem* anrühren 5 ▷*emotionally* berühren; ↑ *concern* betreffen **III.** *vi* ↑ *feel* sich berühren; ◇ **don't -!** Finger weg!
touched *adj* ↑ *moved* gerührt, bewegt
touching *adj* ▷*story, film* bewegend; **touch on** *vt* → *topic* ↑ *discuss, mention* erwähnen, berühren; **touch up** *vt* (*with paint*) auffrischen; **touch-and-go** *adj* ↑ *risky, critical* riskant, kritisch; **touchdown** *n* 1 AERO Aufsetzen *s* 2 *AM* SPORT Touchdown *m;* **touchiness** *n* ↑ *sensitivity* Empfindlichkeit *f;* **touching** *adj* ↑ *moving* ▷*story* rührend, bewegend; **touchline** *n* (SPORT *football*) Seitenlinie *f*
touchstone *n FIG* Prüfstein *m;* **touchy** *adj* 1 ↑ *irritable* ▷*person* empfindlich, reizbar 2 ▷*subject* heikel
tough [tʌf] **I.** *adj* 1 ▷*person* hart, zäh 2 ▷*meat* zäh 3 ↑ *difficult, complicated* ▷*problem* schwierig, schwer **II.** *n:* ◇ **- luck** Pech *s;* ◇ **a - guy** ein harter Typ; **toughen I.** *vt* 1 ↑ *strengthen* zäh machen 2 ↑ *harden* (*to life*) abhärten **II.** *vi* zäh werden
toupé ['tu:peɪ] *n* Toupet *s*
tour ['tʊə*] **I.** *n* 1 (*of country*) Reise *f*, Tour *f* 2 (*of town*) Tour *f*, Fahrt *f* 3 (*of house*) Besuch *m* 4 (*band*) Tournee *f;* ◇ **to be on -** auf Tournee sein 1 ↑ *travel around* umreisen 2 THEAT auf Tour gehen 3 ← *musicians* auf Tournee gehen **III.** *vt* → *Alaska* bereisen; **tour guide** *n* (*person*) Reiseführer(in *f*) *m;* **touring** *n* 1 (*travelling around country*) Reisen *s* 2 THEAT, MUS Tournee *f;* **tourist I.** *n* Tourist(in *f*) *m* **II.** *adj:* ◇ **- class** Touristenklasse *f;* ◇ **- office** Verkehrsamt *s;* ◇ **- season** Reisesaison *f*
touristy *adj* (*FAM restaurants, shops*) für Touristen
tour manager *n* Reiseleiter(in *f*) *m*
tournament ['tʊənəmənt] *n* Turnier *s*
tour operator ['tʊərɒpəreɪtə*] *n* Reiseveranstalter(in *f*) *m*
tousled ['taʊzld] *adj* ▷*hair* zerzaust
tow [təʊ] *vt* → *car* abschleppen; *FIG* ↑ *with* ◇ **in -** im Schlepptau
toward[s] [tə'wɔ:dz] *prep* 1 (*time*) ↑ *around* gegen; ◇ **- 5 o'clock** gegen 5 Uhr; ◇ **- the end** gegen Ende 2 ↑ *in direction of* nach; ◇ **- the station** Richtung Bahnhof; ◇ **it came - me** es kam auf mich zu 3 ↑ *to* gegenüber; ◇ **his attitude - me** seine Einstellung mir gegenüber
towel ['taʊəl] *n* 1 Tuch *s;* (*hand*) Handtuch *s* 2 ◇ **sanitary -** Damenbinde *f* 3 ◇ **to throw in the -** *FIG* ↑ *to give up* das Handtuch werfen
towelling *n* ▷*fabric* Frotteestoff *m*
tower ['taʊə*] *n* Turm *m;* **tower above/over** *vt* überragen; **towering** *adj* überragend
town [taʊn] *n* Stadt *f;* **town centre** *n* Stadtmitte

f, Innenstadt *f;* **town council** *n* Stadtrat *m;* **town dweller** *n* Städter(in *f*) *m;* **town hall** *n* Rathaus *s;* **town hall restaurant** *n* Ratskeller *m;* **town house** *n* (*AM*) Reihenhaus *s;* **town planner** *n* Stadtplaner(in *f*) *m*

township *n* ↑ *shanty town* Township *f arme Stadtgemeinde in Südafrika*

towpath ['təʊpɑ:θ] *n* Treidelpfad *m;* **towrope** ['təʊrəʊp] *n* Abschleppseil *s*

toxic ['tɒksɪk] *adj* giftig, toxisch; **toxicological** [tɒksɪkə'lɒdʒɪkəl] *adj* toxikologisch; **toxic waste** *n* Giftmüll *m*

toy [tɔɪ] *n* Spielzeug *s;* **toy with** *vt* → *idea* spielen mit; **toyshop** *n* Spielwarengeschäft *s*

trace [treɪs] **I.** *n* Spur *f;* ◇ **to disappear without a ~** spurlos verschwinden **II.** *vt* [1] ↑ *look for* nachspüren *dat,* suchen *acc* [2] ↑ *discover* aufspüren [3] ↑ *copy* durchpausen

track [træk] **I.** *n* [1] ↑ *mark, trace* Spur *f* [2] ↑ *path* Weg *m,* Pfad *m* [3] (*horses, race-~*) Rennbahn *f* [4] (*train*) Gleis *s* **II.** *vt* ↑ *follow* verfolgen; ◇ **to keep ~ of a conversation** einem Gespräch folgen können; ◇ **to keep ~ of the situation** die Lage verfolgen; **track down** *vt* → *criminal* verfolgen, aufspüren; **tracker dog** *n* Spürhund *m*

track suit *n* SPORT Trainingsanzug *m*

tract [trækt] *n* [1] (*of land*) Fläche *f,* Gebiet *s* [2] ↑ *booklet* Abhandlung *f* [3] ANAT ▷*digestive* Trakt *m;* ▷*breathing* Atemwege *pl*

tractable *adj* fügsam

traction *n* [1] (*force*) Zugkraft *f,* Ziehkraft *f* [2] MED Streckverband *m*

tractor ['træktə*] *n* Traktor *m,* Zugmaschine *f*

trade [treɪd] **I.** *n* [1] COMM Handel *m;* ↑ *business* Geschäft *s,* Gewerbe *s;* ◇ **How do they always manage to do a good ~?** Wie schaffen sie es immer, ein gutes Geschäft zu machen?; ◇ **her husband is in the computer ~** ihr Mann ist in der Computerbranche; ◇ **he knows all the tricks of the ~** er kennt all die kleinen Tricks in s-m Gewerbe; ◇ **~ secret** Branchengeheimnis *s* [2] (*skilled labour*) Handwerk *s* **II.** *vi* handeln (*in* mit); ◇ **I'm a shoemaker by ~** ich bin Schuhmacher von Beruf **III.** *vt* ↑ *exchange* eintauschen gegen *acc;* **trade agreement** Handelsabkommen *s;* **trade in** *vt* in Zahlung geben; **trade licence** *n* Gewerbeschein *m;* **trademark** *n* Warenzeichen *s;* **trade name** *n* Handelsbezeichnung *f,* Markenname *m;* **trader** *n* Händler(in *f*) *m;* **trade tax** *n* Gewerbesteuer *f;* **tradesman** *n* <-men> [1] ↑ *shopkeeper* Ladeninhaber *m,* Geschäftsmann *m* [2] ↑ *worker* Handwerker *m* [3] ↑ *delivery man* Lieferant *m;* ◇ **~'s entrance** Lieferanteneingang *m;* **trade union** *n* Gewerkschaft *f;* **trade unionist** *n* Gewerkschaftler(in *f*) *m;*

trading *n* Handel *m;* ◇ **~ estate** Industriegelände *s*

tradition [trə'dɪʃən] *n* Tradition *f;* ◇ **to keep to ~** die Tradition wahren; **traditional** *adj* traditionell; **traditionally** *adv* traditionellerweise

traffic ['træfɪk] **I.** *n* Verkehr *m;* ◇ **rush hour ~** Berufsverkehr *m;* (*drugs*) Drogenhandel *m* **II.** *vi* (*drugs*) handeln (*in* with); **traffic circle** *n* (*AM*) Kreisverkehr *m;* **traffic accident** *n* Verkehrsunfall *m;* **traffic chaos** *n* Verkehrschaos *s;* **traffic jam** *n* Stau *m*

trafficker [træfɪkə*] *n* (*illegal*) Händler(in *f*) *m;* ◇ **drug ~** Drogenhändler(in) *fm;* **traffic lights** *n pl* Verkehrsampel *f*

traffic sign *n* Vekehrsschild *s*

traffic warden *n* Vekehrspolizist(in *f*) *m*

tragedy ['trædʒədɪ] *n* Tragödie *f;* **tragic** ['trædʒɪk] *adj* tragisch; **tragically** *adv* tragischerweise

tragicomedy ['træʒɪ'kɒmədɪ] *n* Tragikomödie *f*

trail [treɪl] **I.** *n* [1] ↑ *track* Spur *f,* Fährte *f;* ◇ **to be on sb's ~** jd-m auf der Spur sein [2] (*of smoke*) Rauchfahne *f* [3] (*of dust*) Staubwolke *f* [4] (*of blood*) Blutspur *f* [5] ↑ *road* Pfad *m,* Weg *m* **II.** *vt* [1] ↑ *hunt* verfolgen; → *person* folgen *dat* [2] ↑ *drag s.th.* schleppen; ↑ *drag o.'s feet* schlurfen **III.** *vi* ↑ *hang loosely* schleifen; **trail behind** *vi* zurückbleiben; **trailer** *n* [1] (*on lorry*) Anhänger *m* [2] *AM* ↑ *caravan* Wohnwagen *m* [3] CINE Trailer *m,* Vorschau *f*

train [treɪn] **I.** *n* [1] Zug *m* [2] (*wedding dress*) Schleppe *f* **II.** *vt* [1] ↑ *teach* → *person* ausbilden; → *animal* abrichten [2] SPORT ↑ *practice* trainieren **III.** *vi* ↑ *exercise* trainieren; ↑ *study* ◇ **she's a ~ed hairdresser** sie ist eine gelernte Friseuse; **train compartment** *n* Zugabteil *s;* **train connection** *n* Zugverbindung *f;* **trained** *adj* ▷*eye, senses* geschult; ↑ *skilled* ausgebildet; **trainee** *n* Lehrling *m,* Praktikant(in *f*) *m;* **trainer** *n* [1] SPORT Trainer(in *f*) *m* [2] (*course*) Ausbilder(in *f*) *m;* **training** *n* [1] SPORT Training *s;* ◇ **she is still in ~** sie trainiert noch [2] (*for job*) Ausbildung *f;* **training college** *n* (*for teachers*) Pädagogische Hochschule *f;* **training diskette** *n* PC Lerndiskette *f*

traipse [treɪps] *vi* ↑ *trudge* latschen

trait [treɪ(t)] *n* (*character*) Zug *m,* Eigenschaft *f*

traitor ['treɪtə*] *n* Verräter *m;* **traitress** ['treɪtrɪs] *n* Verräterin *f*

trajectory [trə'dʒektərɪ] *n* Flugbahn *f*

tram[car] ['træmkɑ:*] *n* Straßenbahn *f;* ◇ **it's best to travel on the ~** am besten man nimmt die Straßenbahn; **tram line** *n* [1] ↑ *rail* Straßenbahngleis *s* [2] ↑ *route* Straßenbahnlinie *f*

T

tramp [træmp] **I.** *n* [1] (*homeless person*) Landstreicher(in *f*) *m* [2] (*cheap woman*) Schlampe *f* **II.** *vi* [1] ↑ *tread heavily* trampeln, stampfen [2] ↑ *go on foot* wandern

trample ['træmpl] **I.** *vt* niedertrampeln **II.** *vi* trampeln

trampoline ['træpəlın] *n* Trampolin *s*

trance [trɑ:ns] *n* Trance *f;* ◇ **it was as if she was in a ~** es war, als ob sie in Trance verfallen war

tranquil ['træŋkwıl] *adj* ruhig, friedlich; **tranquility** [træŋ'kwılıtı] *n* Ruhe *f*

tranquilize ['træŋkwılaız] *vt* → *person* beruhigen, betäuben; **tranquilizer** *n* Beruhigungsmittel *s*, Betäubungsmittel *s*

trans- [trænz] *pref* Trans-; ◇ **~alpine** transalpin

transact [træn'zækt] *vt* → *business affairs* durchführen, abwickeln; → *trade, deal* abschließen; **transaction** *n* [1] ↑ *business affairs* Abwicklung, Durchführung *f* [2] ▷*financial* Transaktion *f*

transatlantic ['trænzət'læntık] *adj* transatlantisch

transcend [træn'send] *vt* übersteigen

transcendental *adj* transzendental; ◇ **~ meditation** transzendentale Meditation

transcendent [træn'sendənt] *adj* transzendent

transcribe [træn'skraıb] *vt* → *documents* abschreiben, kopieren

transcript ['trænskrıpt] *n* [1] Abschrift *f*, Kopie *f* [2] JUR Protokoll *s;* **transcription** [træn'skrıp∫ən] *n* Abschreiben *s*, Kopieren *s*

transept ['trænsept] *n* Querschiff *s*

transfer ['trænsfə*] **I.** *n* [1] ↑ *transferring* (*of information*) Übertragung *f* [2] (*of business location*) Umzug *m* [3] ↑ *being transferred* Versetzung *f* [4] (SPORT *to another team*) Transfer *m* [5] (*of money*) Überweisung *f* [6] (*of legal rights*) Übertragung *f* [7] (*of prisoner*) Überführung *f*, Verlegung *f* **II.** [træns'fɜ:*] *vt* [1] → *information* übertragen [2] → *business location* verlegen [3] → *person* versetzen [4] → *money* überweisen [5] → *legal rights* übertragen [6] → *prisoner* überführen, verlegen; **transferable** [træns'fɜ:rəbl] *adj* ▷*funds* übertragbar

transform [træns'fɔ:m] *vt* → *s.th.* umwandeln; (*sb*) verwandeln; **transformation** [trænsfə'meı∫ən] *n* Umwandlung *f*, Verwandlung *f;* **transformer** *n* ELECTR Transformator *m*

transfusion [træns'fju:ʒən] *n* Bluttransfusion *f*

transgress [træns'gres] *vt* verstoßen gegen

transient ['trænzıənt] *adj* flüchtig, vergänglich

transistor [træn'zıstə*] *n* [1] ELECTR Transistor *m* [2] MEDIA Transistorradio *s*

transit ['trænzıt] *n* Durchfahrt *f*, Transport *m;* (*in airport*) ◇ **in ~** unterwegs

transition [træn'zı∫ən] *n* Übergang *m;* ◇ **period of ~** Übergangsperiode *f;* **transitional** *adj* Übergangs-; ◇ **~ agreement** Interimslösung, Übergangsvereinbarung *f*

transitive [trænsıtıv] *adj* transitiv

transitively *adv* transitiv

transitory ['trænzıtərı] *adj* vorübergehend

translatable [trænz'leıtəbl] *adj* übersetzbar

translate [trænz'leıt] *vt, vi* übersetzen; ◇ **to ~ from English into German** aus dem Englischen ins Deutsche übersetzen; **translation** [trænz'leı∫ən] *n* Übersetzung *f;* **translator** [trænz'leıtə*] *n* Übersetzer(in *f*) *m*

translucent [træns'lu:sənt] *adj* ▷*glass* lichtdurchlässig

transmission [trænz'mı∫ən] *n* [1] (*of news, information*) Übermittlung *f* [2] ELECTR, MEDIA Übertragung *f;* (*TV*) Sendung *f* [3] AUTO Getriebe *s* [4] (*of sickness*) Übertragung *f;* **transmit** [trænz'mıt] *vt* [1] → *news, information* übermitteln [2] ELECTR, MEDIA übertragen [3] → *sickness* übertragen; **transmitter** *n* Sender *m*

transmutation [trænzmju:'teı∫ən] *n* Umwandlung *f*, Verwandlung *f*

transmute *vt* umwandeln, verwandeln

transparency [træns'pɛərənsı] *n* [1] Durchsichtigkeit *f;* (*of person*) Durchschaubarkeit *f* [2] FOT Dia *s;* **transparent** [træns'pærənt] *adj* ↑ *see-through* durchsichtig; *FIG* durchsichtig, durchschaubar

transpiration *n* ↑ *sweating* Transpiration *f*, Schwitzen *s*

transpire *vi* [1] ← *person* schwitzen [2] ← *plants* transpirieren [3] ↑ *happen* passieren; ◇ **it ~d that …** es passierte, daß …

transplant [træns'plɑ:nt] **I.** *vt* [1] MED transplantieren, verpflanzen [2] → *plants* umpflanzen, verpflanzen [3] *FIG* → *people* umsiedeln **II.** ['trænsplɑ:nt] *n* MED Transplantation *f;* → *organ* Transplantat *s*

transport ['trænspɔ:t] **I.** *n* (*of goods*) Transport *m;* (*of person*) Beförderung *f* **II.** [træns'pɔ:t] *vt* → *goods* transportieren; → *person* beförden; ◇ **means of ~** Transportmittel *s;* **transportable** [træns'pɔ:təbl] *adj* transportabel; **transportation** [trænspɔ:'teı∫ən] *n* (*of goods*) Transport *m;* (*for person*) Beförderung *f*

transverse ['trænzvɜ:s] *adj* Quer-, horizontal

transvestite [trænz'vestaıt] *n* Transvestit *m*

trap [træp] **I.** *n* [1] (*for animal*) Falle *f* [2] ↑ *carriage* zweirädriger Pferdewagen *m* **II.** *vt* fangen; → *person* in e-e Falle locken; ◇ **to set a ~ for s.o.** jd-m eine Falle stellen; *FAM* ◇ **to shut o.'s ~**

die Klappe halten; → *miners* ◇ **to be -ped** eingeschlossen sein; **trapdoor** *n* Falltür *f*

trapeze [trə'pi:z] *n* Trapez *s;* ◇ **- artist** Trapezkünstler *m,* Trapezkünstlerin *f*

trapper ['træpə*] *n* Trapper(in *f*) *m,* Fallensteller(in *f*) *m*

trappings ['træpɪŋz] *n pl* Aufmachung *f,* Drum und Dran *s*

trash [træʃ] *n* [1] ↑ *waste* Müll *m,* Abfall *m* [2] ↑ *nonsense* Quatsch *m* [3] ↑ *cheap* (*novel*) Schundroman *m;* **trash can** *n* (*AM*) Mülleimer *m;* **trashy** *adj* Schund-; **trashy novel** *n* Schundroman *m*

trauma ['trɔ:mə] *n* MED, PSYCH Trauma *s;* **traumatic** [trɔ:'mætɪk] *adj* ▷*experience* traumatisch

travel ['trævl] **I.** *n* Reisen *s* **II.** *vi* reisen **III.** *vt* [1] → *long distance* zurücklegen [2] → *Siberia* bereisen; **travel agency** *n* Reisebüro *s;* **travel destination** *n* Reiseziel *s;* **traveller, traveler** (*AM*) *n* Reisende(r) *fm;* **traveller['s] cheque, traveler['s] check** (*AM*) *n* Reisescheck *m,* Travellerscheck *m;* **travelling, traveling** (*AM*) *n* Reisen *s;* **travelling bag** *n* Reisetasche *f;* **travelling exhibition** *n* Wanderausstellung *f*

travelling expenses *n pl* Reisekosten *pl;* **travel sickness** *n* Reisekrankheit *f;* **travel souvenir** *n* Reiseandenken *s*

traverse [træ'vɜ:s] *vt* [1] ↑ *cross* durchqueren [2] ↑ *cover* überspannen

travesty ['trævəstɪ] *n* (*literature*) Travestie *f;* ◇ **it was a - of justice** es war ein Hohn auf die Gerechtigkeit

trawler ['trɔ:lə*] *n* (*fishing ship*) Trawler *m,* Fischdampfer *m*

tray [treɪ] *n* [1] (*food*) Tablett *s* [2] ↑ *receptacle* Einsatz, Kasten *m*

treacherous ['tretʃərəs] *adj* ▷*weather* unsicher, gefährlich; ▷*memory* unzuverlässig; **treachery** ['tretʃərɪ] *n* ↑ *disloyalty* Verrat *m*

treacle ['tri:kl] *n* Sirup *m*

tread [tred] <trod, trodden> **I.** *vi* treten; ↑ *walk* gehen **II.** *n* [1] (*tyre*) Profil *s* [2] ↑ *step* Tritt *m,* Schritt *m,* Gang *m;* ◇ **tread mill** Tretmühle *f;* **tread on** *vt* ↑ *walk over* treten auf *acc*

treason ['tri:zn] *n* Verrat *m*

treasure ['treʒə*] **I.** *n* (*gold, jewels*) Schatz *m;* (*FIG person*) Schatz *m* **II.** *vt* schätzen; ↑ *value* zu schätzen wissen; → *memory* in Ehren halten; **treasure hunt** *n* Schatzsuche *f;* **treasurer** *n* Schatzmeister(in *f*) *m;* **treasury** ['treʒərɪ] *n* POL Finanzministerium *s*

treat [tri:t] **I.** *n* ↑ *present, surprise* Überraschung *f* **II.** *vt* [1] ↑ *handle* behandeln [2] MED → *patient* behandeln [3] ↑ *surprise* ◇ **to - s.o. to s.th.** jd-m etw spendieren; ◇ **I'll - you** ich lade dich ein

treatise ['tri:tɪz] *n* Abhandlung *f*

treatment ['tri:tmənt] *n* Behandlung *f;* **treatment for addicts** *n* Entziehungskur *f*

treaty ['tri:tɪ] *n* Vertrag *m;* ◇ **Peace T-** Friedensvertrag *m*

treble ['trebl] **I.** *adj* dreifach **II.** *vt* verdreifachen **III.** *n* [1] ← *voice* Sopran *m* [2] (*of piano*) Diskant *m*

tree [tri:] *n* Baum *m;* **tree frog** *n* Laubfrosch *m;* **tree-lined** *adj* baumbestanden

treetop *n* Baumkrone *f,* Baumwipfel *m;* **tree trunk** *n* Baumstamm *m*

trek [trek] *n* (*difficult journey*) Treck *m,* Zug *m*

trellis ['trelɪs] *n* (*gardening*) Spalier *s*

tremble ['trembl] *vi* ▷*with fear* zittern; ← *earth* beben

tremendous [trə'mendəs] *adj* ↑ *huge* gewaltig; *FAM* ↑ *very good* ▷*reception* sehr gut, prima; **tremendously** *adv* ungeheuer

tremor ['tremə*] *n* [1] (*of earth*) Beben *s* [2] ↑ *shiver* Zittern *s*

trench [trentʃ] *n* [1] MIL Schützengraben *m* [2] (*hole in ground*) Graben *m*

trend [trend] **I.** *n* [1] ↑ *tendency* Tendenz *f;* ◇ **a - to the right** eine Tendenz nach rechts; ◇ **to set a -** einen neuen Trend setzen [2] ↑ *fashion* Mode *f;* ◇ **it's the - this winter ...** dieser Winter ist es sehr in Mode ... **II.** *vi* tendieren, sich neigen; **trendy** *adj FAM* ▷*people* modisch

trestle *n* Gerüst *s*

trepidation [trepɪ'deɪʃən] *n* ↑ *alarm* Beklommenheit, Ängstlichkeit *f*

trespass ['trespəs] *vi* unbefugt betreten; ◇ **No T-ing!** Betreten verboten!; **trespasser** *n:* ◇ **-s will be prosecuted** Betreten bei Strafe verboten

tri- [traɪ] *pref* Drei-, drei; ◇ **-mester** Trimester *s*

trial ['traɪəl] *n* [1] JUR Prozeß *m,* Verfahren *s;* ◇ **to be on -** angeklagt sein [2] ↑ *hardship, strain* Unannehmlichkeit *f* [3] ↑ *test* Probe *f,* Versuch *m;* (*with car*) ◇ **- run** Probefahrt *f;* ◇ **by - and error** durch Ausprobieren; (*employee*) ◇ **on -** auf Probe [4] SPORT ◇ **-s** Qualifikationsspiel *s*

triangle ['traɪæŋgl] *n* [1] Dreieck *s* [2] (MUS *instrument*) Triangel *f;* **triangular** [traɪ'æŋgjʊlə*] *adj* ▷*face* dreieckig

tribal ['traɪbəl] *adj* Stammes-; ◇ **- war** Stammeskrieg *m*

tribe [traɪb] *n* (*Zulu*) Stamm *m;* **tribesman** *n* <-men> Stammesangehörige(r) *fm*

tribulation [trɪbjʊ'leɪʃən] *n* Kummer *m,* Sorgen *f pl*

tribunal [traɪ'bju:nl] *n* [1] ↑ *court* Gericht *s* [2] ↑ *investigation* Untersuchungsausschuß *m*

tributary ['trɪbjʊtərɪ] *n (of river)* Nebenfluß *m*
tribute ['trɪbju:t] *n* ↑ *admiration* Tribut *m;* ◇ **a - to Jimi Hendrix** eine Hommage an Jimi Hendrix
trice [traɪs] *n:* ◇ **in a -** im Handumdrehen
triceps ['traɪseps] *n* ANAT Trizeps *m*
trick [trɪk] **I.** *n* [1] *(naughty)* Streich *m* [2] CARDS Trick *m* [3] *(magic)* Trick *m,* Kunststück *s;* ◇ **it's just a - of the light** da täuscht nur das Licht **II.** *vt* beschwindeln; ◇ **to - sb into doing s.th.** jd-n durch e-e Schindelei zu etw bringen; **trickery** *n* Tricks *pl*
trickle ['trɪkl] **I.** *n* [1] *(of water)* Tröpfeln *s* [2] ↑ *small river* Rinnsal *s* **II.** *vi* tröpfeln
trickster *n* ↑ *swindler* Schwindler(in *f*) *m,* Betrüger(in *f*) *m*
tricky ['trɪkɪ] *adj* ▷*situation, question* schwierig
tricycle ['traɪsɪkl] *n* Dreirad *s*
tried [traɪd] *adj* ▷*method* erprobt
trifle ['traɪfl] **I.** *n* [1] ↑ *not important* Kleinigkeit *f* [2] GASTRON ↑ *pudding* Trifle *m* **II.** *adv:* ◇ **she looked a - worried** sie sah ein bißchen besorgt aus; **trifling** *adj* ▷*problem* geringfügig
trigger ['trɪgə*] *n (of gun)* Abzug *m;* ◇ **- happy** schießwütig; **trigger off** *vt* ↑ *set off* → *a reaction* auslösen
trigonometry [trɪgə'nɒmətrɪ] *n* Trigonometrie *f*
trilby ['trɪlbɪ] *n* ▷*hat* weicher Filzhut *m*
trilingual *adj* dreisprachig
trill [trɪl] *n* [1] MUS Triller *m* [2] *(bird's song)* Trillern *s*
trillion ['trɪljən] *n* Billion *f*
trilingual *adj* dreisprachig
trilogy ['trɪlədʒɪ] *n* Trilogie *f*
trim [trɪm] **I.** *adj* ↑ *neat* ordentlich; ▷*figure* schlank **II.** *n* [1] ↑ *condition* Zustand *m,* Verfassung *f* [2] *(on car)* Verzierung *f* [3] *(hair)* ◇ **I think your hair needs a -** du könntest dir mal die Haare schneiden lassen **III.** *vt* [1] ↑ *neaten* → *hedge* stutzen, schneiden [2] ↑ *cut* → *hair* schneiden; → *beard* stutzen [3] → *sails* trimmen; **trimmings** *n pl* [1] ↑ *decorations* Verzierungen *pl f* [2] ↑ *extra bits* Drum und Dran *s,* Extras *pl*
Trinity ['trɪnɪtɪ] *n:* ◇ **the -** die Dreieinigkeit
trinket ['trɪŋkɪt] *n* billiges Schmuckstück *s*
trio ['trɪəʊ] *n* <-s> Trio *s;* MUSIC Terzett *s*
trip [trɪp] **I.** *n* [1] ↑ *journey* Reise *f;* ◇ **we went on a bus - to Hungary** wir haben eine Busreise nach Ungarn gemacht; ◇ **a day -** ein Tagesausflug [2] *FAM* ↑ *LSD* - Trip *m* **II.** *vi* ↑ *stumble* stolpern; ◇ **to - over s.th.** über etw stolpern **III.** *vt* → *sb* jd-n stolpern lassen, jd-m ein Bein stellen; **trip up** *vi* [1] ↑ *stumble* stolpern [2] *FIG* ↑ *make a mistake* einen Fehler machen, sich vertun
tripe [traɪp] *n* [1] GASTRON Kutteln *pl* [2] ↑ *nonsense* Unsinn *m,* Quatsch *m;* ◇ **What -!** So ein Quatsch!
triple ['trɪpl] *adj* dreifach; **triplets** ['trɪpləts] *n pl* Drillinge *pl;* **triplicate** ['trɪplɪkət] *n:* ◇ **in -** in dreifacher Ausfertigung
tripod ['traɪpɒd] *n* [1] CHEM Dreifuß *m* [2] FOT Stativ *s*
tripper ['trɪpə*] *n (person on day trip)* Ausflügler(in *f*) *m*
trip wire *n* Stolperdraht *m*
trite [traɪt] *adj* ↑ *dull* ▷*idea* banal, abgedroschen
triumph ['traɪʌmf] **I.** *n* Triumph *m;* ◇ **she walked off in -** sie lief triumphierend davon **II.** *vi* triumphieren; **triumphant** [traɪ'ʌmfənt] *adj* ↑ *successful* triumphierend; ↑ *victorious* siegreich
trivia ['trɪvɪə] *n (unimportant)* triviales Zeug *s*
trivial ['trɪvɪəl] *adj* ▷*issue* trivial, geringfügig; **triviality** [trɪvɪ'ælɪtɪ] *n (unimportant)* Trivialität *f,* Belanglosigkeit *f*
trod [trɒd] *pt of* **tread**; **trodden** *pp of* **tread**
troll [trɒl] *n (mythological figure)* Troll *m*
trolley ['trɒlɪ] *n* [1] ↑ *shopping* - Einkaufswagen *m* [2] ↑ *luggage* - Gepäckwagen *m* [3] ↑ *table* - Wagen *m*
trolley bus *n* Obus, Oberleitungsbus *m*
trollop ['trɒləp] *n (cheap woman)* Hure *f*
trombone [trɒm'bəʊn] *n* MUS Posaune *f*
troop [tru:p] *n* Schar *f;* MIL ◇ **-s** *pl* Truppen *pl;* **troop in/out** *vi* ↑ *go in and out* hinein-/hinausströmen; **trooper** *n* [1] MIL Kavallerist *m* [2] *AM* ↑ *state* - Polizist(in *f*) *m*
trophy ['trəʊfɪ] *n* ↑ *cup* Trophäe *f; FIG* Trophäe *f*
tropic ['trɒpɪk] *n* [1] GEO Wendekreis *m;* ◇ **- of Cancer** Wendekreis des Krebses; ◇ **- of Capricorn** Wendekreis des Steinbocks [2] ◇ **the -s** *pl* Tropen *pl;* **tropical** *adj* ▷*weather* tropisch; ◇ **- fruits** *pl* Südfrüchte *pl*
trot [trɒt] **I.** *n* Trab *m,* Trott *m; FAM* ↑ *gallavant* ◇ **to be on the -** auf Trab sein **II.** *vi* trotten
trouble ['trʌbl] **I.** *n* [1] ↑ *worry* Sorge *f* [2] ↑ *difficulty* Schwierigkeiten *f pl;* ◇ **to be in -** in Schwierigkeiten sein, Ärger haben [3] ↑ *suffering, complaint* Leiden *s* [4] ↑ *political unrest* Unruhen *pl* [5] ↑ *effort* Mühe *f;* ◇ **to take the - to do s.th.** sich die Mühe machen, etw zu tun **II.** *vt* [1] ↑ *disturb* stören, belästigen [2] ↑ *worry* beunruhigen **III.** *vi* ↑ *try* sich bemühen; **troubled** *adj* ▷*person* beunruhigt; ▷*country* geplagt; ▷*mind* besorgt; **trouble-free** *adj* sorglos; **troublemaker** *n* Unruhestifter(in *f*) *m;* **troubleshooter** *n* [1] COMM ↑ *problem solver* Fehlersucher(in *f*) *m* [2] POL Vermittler(in *f*) *m;* **troublesome** *adj* ↑ *bothersome* lästig; ▷*employee* schwierig
trouble spot *n (country)* Unruheherd *m*

trough [trɒf] *n* [1] (*vessel*) Trog *m* [2] (*channel*) Rinne *f*
trousers ['traʊzəz] *n pl* Hose *f*, Hosen *pl*; ◇ **a pair of ~** eine Hose *f*
trousseau ['tru:səʊ] *n* (*wedding*) Aussteuer *f*
trout [traʊt] *n* Forelle *f*
trowel ['traʌəl] *n* Kelle *f*
truant ['trʊənt] *n* ↑ *skip school*: ◇ **to play ~** die Schule schwänzen
truce [tru:s] *n* Waffenstillstand *m*
truck [trʌk] *n* [1] ↑ *lorry* Lastwagen *m* [2] RAIL Güterwagen *m* [3] *FAM* ◇ **to have no ~ with sb** mit jd-m nichts am Hut haben; **truck driver** *n* Lastwagenfahrer(in *f*) *m*
truckload *n* ↑ *whole lot* (*stones, people*) Wagenladung *f*; **truck stop** *n* (*AM*) Fernfahrerlokal *s*
truculent ['trʌkjʊlənt] *adj* ↑ *sullen* trotzig
trudge [trʌdʒ] *vi* stapfen
true [tru:] *adj* ↑ *exact* genau; ↑ *genuine, real* ▷*leather* echt; ▷*friend* treu; ▷*feelings* wahr
true-blue *n* ↑ *conservative* waschechter Tory *m*
truffle ['trʌfl] *n* BIO Trüffel *m*
truly ['tru:lɪ] *adv* [1] ↑ *really* wirklich; ◇ **I ~ mean it** ich meine das wirklich so [2] ↑ *exactly* genau; ◇ **that's ~ the one we lost** das ist genau diejenige, die wir verloren haben [3] ◇ **Yours ~** Hochachtungsvoll
trump [trʌmp] *n* CARDS Trumpf *m*; **trumped-up** *adj* ▷*story* erfunden
trumpet ['trʌmpɪt] **I.** *n* MUS Trompete *f* **II.** *vi* trompeten
truncate [trʌŋ'keɪt] *vt* → *tree* stutzen, zurückschneiden
truncheon ['trʌntʃən] *n* (*of policeman*) Gummiknüppel, Schlagstock *m*
trunk [trʌŋk] *n* [1] (*elephant*) Rüssel *m* [2] *tree* Stamm *m* [3] (*luggage*) Truhe *f* [4] ↑ *boot of car, AM* Kofferraum *m* [5] ◇ **swimming ~s** *pl* Badehose *f sg*; **trunk call** *n* Ferngespräch *s*
trust [trʌst] **I.** *n* [1] ↑ *confidence* Vertrauen *s*; ◇ **to place o.'s ~ in** Vertrauen setzen in [2] COMM Trust *m*, Treuhand *f*; ◇ **to hold s.th. in ~** etw treuhänderisch verwalten **II.** *vt* [1] ↑ *believe in* vertrauen *dat* [2] ↑ *rely on* sich auf jd-n verlassen können; ◇ **one can ~ her to do the work** man kann sich bei dieser Arbeit auf sie *acc* verlassen [3] ↑ *hope* ◇ **I ~ you will be coming** ich hoffe doch, daß Sie kommen [4] (*typical of*) ◇ **~ Anne to behave that way** das war typisch Anne; **trusted** *adj* ▷*friend* treu; **trustee** [trʌ'sti:] *n* Treuhänder(in *f*) *m*; **trustful**, **trusting** *adj* vertrauensvoll; **trustworthy** ['trʌstwɜ:ðɪ] *adj* ▷*person* vertrauenswürdig, vertrauensvoll; ▷*story* glaubwürdig
truth [tru:θ] *n* Wahrheit *f*; ◇ **to tell you the ~** um ehrlich zu sein; **truthful** *adj* ehrlich; **truthfully** *adv* wahrheitsliebend
try [traɪ] **I.** *n* ↑ *attempt* Versuch *m*; ◇ **to have a ~** es versuchen; ◇ **I'll give it a ~** ich versuche es **II.** *vt* [1] ↑ *attempt* versuchen [2] ↑ *test out* → *car* ausprobieren; ↑ *taste, sample* ausprobieren [3] JUR → *person* vor Gericht stellen; → *case* verhandeln [4] ↑ *strain* anstrengen [5] → *patience* auf die Probe stellen **III.** *vi* [1] ↑ *make effort* sich bemühen um [2] (*~ on*) → *clothes* anprobieren; **try on** *vt* → *clothes, costume* anprobieren; → *hat* aufprobieren; **try out** *vt* ↑ *test out* → *appliance* ausprobieren; **trying** *adj* ↑ *bothersome, difficult to handle* anstrengend
tsar [zɑ:*] *n* Zar *m*; **tsarina** [tsɑ:'ri:nə] *n* Zarin *f*
tsetse fly *n* ZOOL Tsetsefliege *f*
T-shirt ['ti:ʃɜ:t] *n* T-shirt *s*
tsp. *n abbr. of* **teaspoon** TL
tub [tʌb] *n* [1] (*bath*) Wanne *f* [2] (*margarine*) Becher *m*
tubby ['tʌbɪ] *adj* ↑ *plump* rundlich
tuba ['tju:bə] *n* MUS Tuba *f*
tube [tju:b] *n* [1] ↑ *pipe* Rohr *s* [2] (*toothpaste*) Tube *f* [3] (*tyre*) Schlauch *m* [4] ↑ *London underground* U-Bahn *f* [5] *FAM* ↑ *TV* Glotze *f*
tubeless *n* ▷*tyre* schlauchlos
tuber ['tju:bə*] *n* BIO Knolle *f*
tuberculosis [tjʊbɜ:kjʊ'ləʊsɪs] *n* MED Tuberkulose *f*
tube station ['tju:bsteɪʃən] *n* (*London*) U-Bahn-Station *f*
tubular ['tju:bjʊlə*] *adj* ↑ *tubelike* rohrförmig, Rohr-
tuck [tʌk] **I.** *n* [1] ↑ *sew* Saum *m* [2] ↑ *sweets* Süßigkeiten *f pl* **II.** *vt* [1] ↑ *sew* Biesen steppen in *acc* [2] ↑ *~ under* verstauen; **tuck away** *vt* ↑ *hide away* wegstecken; **tuck in I.** *vi* [1] *FAM* ↑ *eat* es sich schmecken lassen; ◇ **~ ~!** Lang zu!, Hau rein! **II.** *vt* [1] → *child* zudecken [2] → *shirt* ◇ **to ~ o.'s shirt in** das Hemd in die Hose stecken; **tuck up** *vt* [1] → *child* zudecken [2] → *sleeves* hochkrempeln; **tuck shop** *n* Süßwarenladen *m*
Tuesday ['tju:zdeɪ] *n* Dienstag *m*; ◇ **on ~** am Dienstag; ◇ **on ~s, on a ~** dienstags
tuft [tʌft] *n* (*of grass, hair*) Büschel *s* o *m*
tug [tʌg] **I.** *n* [1] ↑ *jerk, pull* Zerren *s*, Ziehen *s* [2] NAUT Schleppdampfer *m* **II.** *vt, vi* [1] ↑ *jerk, pull* zerren, ziehen [2] → *boat* schleppen; **tug-of-war** *n* Tauziehen *s*
tuition [tju'ɪʃən] *n* [1] ↑ *lessons* Unterricht *m* [2] *AM* ↑ *fees* Unterrichtsgebühren *pl*
tulip ['tju:lɪp] *n* Tulpe *f*

tulle [tju:l] *n* (*fabric*) Tüll *m*
tumble ['tʌmbl] **I.** *n* ↑ *fall* Sturz *m* **II.** *vi* ↑ *fall* fallen, stürzen; **tumble to** *vt BRIT FAM* kapieren
tumbledown *adj* ▷*house* baufällig
tumble dryer *n* Wäschetrockner *m;* **tumbler** *n* ↑ *glass* Glas *s*
tummy ['tʌmɪ] *n FAM* Bauch *m;* ◇ **- ache** Bauchschmerzen *m pl*
tumour ['tju:mə*] *n* MED Tumor *m*
tumult ['tju:mʌlt] *n* ↑ *turmoil* Tumult *m;* **tumultuous** [tju:'mʌltjʊəs] *adj* ▷*applause, reception* lärmend, stürmisch
tumulus ['tju:mjʊləs] *n* Grabhügel *m*
tuna ['tju:nə] *n* Thunfisch *m*
tune [tju:n] **I.** *n* ↑ *melody* Melodie *f;* (*musical performance*) ◇ **they are out of -** sie singen/spielen falsch; ◇ **he'll change his -** er wird seine Meinung ändern; (*FAM in charge*) ◇ **Who calls the -?** Wer gibt den Ton an?, Wer bestimmt, was zu tun ist?, wer hat die Hosen an? **II.** *vt* [1] → *musical instrument* stimmen [2] AUTO ↑ *tune up* tunen; **tune in** *vi* (*radio*) einstellen; **tuner** *n* [1] (*person*) Stimmer(in *f*) *m* [2] ↑ *radio set* Tuner *m*, Empfangsgerät *s;* **tuneful** *adj* melodisch
Tunesia [tju:'nɪzɪə] *n* Tunesien *s*
tungsten ['tʌŋstən] *n* CHEM Wolfram *s*
tunic ['tju:nɪk] *n* (*covering garment*) Tunika *f;* (*of school uniform*) Kittel *m*
tuning ['tju:nɪŋ] *n* [1] MUS Stimmen *s* [2] MEDIA Einstellen *s*
tunnel ['tʌnl] *n* Tunnel *m;* RAIL Unterführung *f*
tunnel vision *n* MED Tunnelblick *m*
turban ['tɜ:bən] *n* Turban *m*
turbid ['tɜ:bɪd] *adj* ▷*liquid* trübe, dick; *FIG* ↑ *complicated* verworren
turbine ['tɜ:baɪn] *n* Turbine *f;* **turbine-engine** *n* AUTO Turbomotor *m*
turbocharger ['tɜ:bəʊtʃɑ:dʒə*] *n* Turbolader *m*
turbot ['tɜ:bət] *n* ZOOL Steinbutt *m*
turbulence ['tɜ:bjʊləns] *n* AVIAT Turbulenz *f; FIG* ↑ *trouble* Turbulenz *f;* **turbulent** *adj* turbulent
tureen [tjʊ'ri:n] *n* (*soup*) Terrine *f*
turf [tɜ:f] *n* <-s *o.* turves> ↑ *lawn* Rasen *m;* (*piece*) Sode *f*
Turk [tɜ:k] *n* Türke *m*, Türkin *f*
turkey ['tɜ:kɪ] *n* Truthahn *m*, Puter *m*
Turkey ['tɜ:kɪ] *n* Türkei *f;* **Turkish** *adj* türkisch; ◇ **- bath** türkisches Dampfbad
turmoil ['tɜ:mɔɪl] *n* ↑ *trouble, unrest* Aufruhr *m*
turn [tɜ:n] **I.** *n* [1] ↑ *rotation* Drehung *f* [2] (*in road*) Kurve *f* [3] ↑ *favour* ◇ **to do sb a good -** jd-m einen guten Dienst erweisen [4] MED Anfall *m* **II.** *vt* [1] ↑ *revolve* drehen [2] (*other side*) wenden; → *page* umblättern; → *record* umdrehen [3] ↑ *direct* → *thoughts* zuwenden [4] (*age*) ↑ *become* werden [5] ↑ *transform* umwandeln [6] ↑ *release* (*~ loose*) laufen lassen **III.** *vi* [1] ↑ *revolve* sich drehen [2] ↑ *change direction* (*in car*) abbiegen [3] ← *colour* verfärben [4] ← *thoughts* zuwenden [5] (*~ nasty*) werden [6] ◇ **in -s** abwechselnd; ◇ **to take -s** sich abwechseln; ◇ **your -** du bist dran; ◇ **the - of the century** die Jahrhundertwende
turn against *vi* sich wenden gegen
turn around *vt* ← *person* sich umdrehen; → *car* wenden
turn away I. *vi* ↑ *look away* sich abwenden **II.** *vt* ↑ *send away* wegschicken; **turn back I.** *vt* [1] ↑ *turn around* umdrehen [2] ↑ *send away* → *person* zurückschicken [3] → *clock* zurückstellen **II.** *vi* umkehren, sich umdrehen; **turn down I.** *vt* [1] ↑ *reject* ablehnen, zurückweisen [2] → *collar* herunterklappen [3] → *music* leiser stellen; → *temperature* kleiner stellen **II.** *vi* ← *street* abbiegen in; **turn in I.** *vi* [1] ↑ *go to bed* ins Bett gehen [2] ↑ *car* einfahren **II.** *vt* [1] → *criminal* jd-n anzeigen [2] ↑ *return* zurückgeben, zurückbringen; **turn into** *vi* sich verwandeln in *acc;* **turn off I.** *vi* ← *car* abbiegen **II.** *vt* [1] → *lights* ausschalten; → *water* abstellen; → *TV* abschalten [2] ↑ *disgust* jd-m die Lust nehmen; **turn on** *vt* → *light* einschalten, anschalten; → *water* aufdrehen; → *TV* anstellen; **turn out I.** *vi* [1] ↑ *end up as* sich erweisen [2] ↑ *attend* erscheinen, kommen **II.** *vt* [1] → *light* ausschalten [2] ↑ *produce* produzieren; ◇ **How did the party - -?** Wie ist die Fete geworden?; **turn to** *vt* sich zuwenden *dat;* **turn up I.** *vi* [1] ↑ *appear* auftauchen [2] ↑ *happen, occur* passieren **II.** *vt* [1] → *collar* hochklappen [2] → *volume* lauter stellen [3] → *heating* höher stellen; **turnabout** *n* Kehrtwendung *f;* **turned-up** *adj* ▷*nose* Stups-; **turning** *n* (*in road*) Abzweigung *f;* ◇ **a - point in my life** ein Wendepunkt in meinem Leben
turnip ['tɜ:nɪp] *n* Rübe *f*
turnout ['tɜ:nəʊt] *n* [1] (*number of visitors*) Besucherzahl *f* [2] COMM Produktion *f*
turnover ['tɜ:nəʊvə*] *n* [1] ↑ *profit* Umsatz *m* [2] GASTRON ↑ *apple -* Apfeltasche *f;* **turnover tax** *n* Umsatzsteuer *f*
turnpike ['tɜ:npaɪk] *n* (*AM*) *gebührenpflichtige Autobahn*
turnstile ['tɜ:nstaɪl] *n* Drehkreuz *s*
turntable ['tɜ:nteɪbl] *n* [1] (*of record-player*) Plattenteller *m* [2] (*railway station*) Drehscheibe *f*

turn-up ['tɜːnʌp] *n* (*on trousers*) [Hosen-]Aufschlag *m*
turpentine ['tɜːpəntaɪn] *n* Terpentin *s*
turquoise ['tɜːkwɔɪz] **I.** *n* [1] (*precious stone*) Türkis *m* [2] (*colour*) Türkis *s* **II.** *adj* türkis[farben]
turret ['tʌrɪt] *n* Turm *m*
turtle ['tɜːtl] *n* Schildkröte *f*
turtleneck *adj*: ◇ ~ **sweater** *Pullover mit kurzem Rollkragen*
tusk [tʌsk] *n* (*elephant*) Stoßzahn *m*
tutelage ['tjuːtɪlɪʒ] *n* [1] ↑ *teaching* Führung *f* [2] ↑ *guardian* Vormundschaft *f*
tutor ['tjuːtə*] *n* [1] ↑ *private teacher* Privatlehrer(in *f*) *m* [2] (*BRIT at university, college*) Tutor(in *f*) *m;* **tutorial** [tjuː'tɔːrɪəl] *n* SCHOOL Kolloquium *s*
tuxedo [tʌk'siːdəʊ] *n* <-s> (*AM*) Smoking *m*
TV ['tiː'viː] **I.** *n* [1] ↑ ~ *set* Fernseher *s* [2] (*one of the mass media*) Fernsehen *s* **II.** *adj* Fernseh-; ◇ ~ **programme** Fernsehprogramm *s*
twaddle [twɔdl] *n* ↑ *nonsense* dummes Zeug *s*
twang [twæŋ] **I.** *n* (*of voice*) Näseln *s* **II.** *vt* näseln
tweed [twiːd] *n* (*fabric*) Tweed *m;* ◇ ~**s** Tweedkleidung *f*
tweezers ['twiːzəz] *n pl* Pinzette *f*
twelfth [twelfθ] *adj* zwölfte(r, s)
twelve [twelv] *nr* zwölf
twenty ['twentɪ] *nr* zwanzig; **twenty-one** *nr* einundzwanzig
twerp [twɜːp] *n FAM* ↑ *idiot* Blödmann *m*
twice [twaɪs] *adv* zweimal; ◇ ~ **as much** zweimal so viel; ◇ ~ **the sum** die doppelte Summe; ◇ ~ **your age** doppelt so alt wie du
twig [twɪg] **I.** *n* Zweig *m* **II.** *vt FAM* kapieren
twilight ['twaɪlaɪt] *n* Dämmerung *f*, Zwielicht *s*
twill [twɪl] *n* (*fabric*) Köper *m*
twin [twɪn] **I.** *n* Zwilling *m* **II.** *adj* Zwillings-; ◇ ~ **sister** Zwillingsschwester *f;* ◇ ~ **beds** zwei Einzelbetten
twinge [twɪndʒ] *n* stechender Schmerz *f;* ◇ **Don't you feel a ~ of remorse?** Hast du denn gar keine Gewissensbisse?
twinkle ['twɪŋkl] **I.** *n* (*of stars*) Funkeln *s*, Glitzern *s* **II.** *vi* glitzern; **twin town** *n* Partnerstadt *f*
twirl [twɜːl] **I.** *n* Wirbel *m* **II.** *vt, vi* [herum]wirbeln
twist [twɪst] **I.** *n* [1] ↑ *twisting* Drehung *f* [2] (*of street*) Kurve *f* [3] (*in story*) ↑ *unexpected surprise* überraschende Wendung *f* **II.** *vt* [1] ↑ *turn* drehen [2] → *words, information* ↑ *distort* verdrehen [3] → *ankle* [mit dem Fuß] umknicken [4] ↑ *put out of shape* verbiegen [5] ◇ **Harry's face was ~ed with pain** Harrys Gesicht war schmerzverzerrt **III.** *vi* ← *river* sich schlängeln; ← *curve* sich winden
twit [twɪt] *n FAM* ↑ *idiot* Blödmann *m*
twitch [twɪtʃ] **I.** *vi* zucken **II.** *n* (*of eye*) Zucken *s*
twitchy *adj* ↑ *nervous* nervös
two [tuː] *nr* zwei; (*doubt*) ◇ **Mother is in ~ minds about it** Mutter weiß nicht genau; ◇ **the ~ children** die beiden Kinder; ◇ **to put ~ and ~ together** sich seinen Reim auf etw machen; *FIG* ↑ *deceiving* ◇ **~-faced** falsch; ↑ *in pairs* ◇ ~ **by** ~ zu zweit; **two-door** *adj* ▷*car* zweitürig
two-dimension *adj* zweidimensional; **two-faced** *adj FIG* ↑ *deceiving* falsch; **twofold** *adj, adv* zweifach, doppelt; **two-piece** *adj* ▷*suit* zweiteilig; **two-seater** *n* (*car*) Zweisitzer *m;* **twosome** *n* Paar *s*
two-stroke engine *n* Zweitaktmotor *m;* **two-way** *adj* in beide Richtungen; ▷*switch* Wechsel-; ◇ ~ **traffic** Gegenverkehr *m;* ◇ ~ **mirror** venezianischer Spiegel *m;* ◇ ~ **adaptor** Doppelstecker *m*
tycoon [taɪ'kuːn] *n* Magnat, Tycoon *m*
type [taɪp] **I.** *n* [1] ↑ *kind* Art *f*, Typ *m*, Sorte *f;* ◇ **she's not your ~** sie ist nicht dein Typ [2] TYP Type *f* **II.** *vt, vi* tippen, mit der Maschine schreiben; **type-cast** *adj* THEAT auf eine bestimmte Rolle festgelegt; **typeface** *n* Schriftart *f;* **typescript** *n* maschinengeschriebener Text *m*
type setter *n* Schriftsetzer(in *f*) *m;* **typewriter** *n* Schreibmaschine *f;* **typewriter ribbon** *n* Farbband *m;* **typewritten** *adj* maschinengeschrieben
typhoid ['taɪfɔɪd] *n* Typhus *m*
typhoon [taɪ'fuːn] *n* Taifun *m*
typhus ['taɪfəs] *n* Fleckfieber *s*
typical ['tɪpɪkəl] *adj* typisch
typify ['tɪpɪfaɪ] *vt* ↑ *exemplify* typisch sein für, bezeichnend sein für
typing ['taɪpɪŋ] *n* Maschineschreiben *s;* ◇ ~ **error** Tippfehler *m;* ◇ ~ **pool** Schreibzentrale *f;* **typist** ['taɪpɪst] *n* Schreibkraft *f*
tyranny ['tɪrənɪ] *n* Tyrannei *f;* **tyrant** ['taɪrənt] *n* Tyrann(in *f*) *m*
tyre [taɪə*] *n* Reifen *m;* ◇ **spare ~** Ersatzrad *s;* (*FAM fat around belly*) Rettungsringe *m pl*

U

U, u [ju:] *n* U *s*, u *s*
ubiquitous [ju:'bıkwıtəs] *adj* allgegenwärtig
udder ['ʌdə*] *n* Euter *s*
UFO ['ju:fəʊ] *n abbr. of* **unidentified flying object** Ufo *s*
ugliness ['ʌglınəs] *n* Häßlichkeit *f*; **ugly** ['ʌglı] *adj* häßlich; ↑ *bad* ▷*scar* schlimm, bös
UK *n abbr. of* **United Kingdom** Vereinigtes Königreich
ukulele [ju:kə'leılı] *n* Ukulele *f*
ulcer ['ʌlsə*] *n* MED Geschwür *s*; ◇ **stomach ~** Magengeschwür *s*
ulterior [ʌl'tıərıə*] *adj* ↑ *hidden* ▷*motive, reason*: ◇ **~ motive** Hintergedanke *m*
ultimate ['ʌltımət] *adj* ① ↑ *perfect* perfekt, vollendet ② ↑ *final* letzte(r, s), endgültig; **ultimately** *adv* ↑ *eventually, finally* schließlich
ultimatum [ʌltı'meıtəm] *n* ↑ *warning* Ultimatum *s*
ultra- ['ʌltrə] *pref* ultra-
ultrasound ['ʌltrəsaʊnd] *n* MED Ultraschallaufnahme *f*
ultraviolet [ʌltrə'vaıələt] *adj* ▷*rays* ultraviolett
umbilical cord [ʌm'bıklıkl'kɔ:d] *n* Nabelschnur *f*
umbrella [ʌm'brelə] *n* (Regen-)Schirm *m*
umlaut ['ʊmlaʊt] *n* (*in Germanic languages*) Umlaut *m*
umpire ['ʌmpaıə*] **I.** *n* SPORT Schiedsrichter(in *f*) *m* **II.** *vti* (*at football game*) als Schiedsrichter fungieren
umpteen ['ʌmpti:n] *nr FAM* ↑ *countless*: ◇ **~ times** x-mal
un- [ʌn] *pref* un-
UN *n sg abbr. of* **United Nations** UNO *f*
unabashed [ʌnə'bæʃt] *adj* ↑ *undaunted, unaffected* unerschrocken, unverfroren
unabated [ʌnə'beıtıd] *adj* ↑ *unchanged* unvermindert
unable [ʌn'eıbl] *adj*: ◇ **to be ~ to do s.th.** unfähig sein, etw zu tun; ◇ **unfortunately, I' m ~ to come** ich kann leider nicht kommen
unaccompanied [ʌnə'kʌmpənıd] *adj* ▷*minor* ohne Begleitung; MUS Solo-
unaccountable [ʌnə'kaʊntəbl] *adv* (*unknown*) unerklärlich
unaccustomed [ʌnə'kʌstəmd] *adj* ↑ *unfamiliar, new* ungewohnt
unaided [ʌn'eıdıd] *adj* ↑ *single-handed* selbständig
unanimity [ju:nə'nımıtı] *n* ↑ *accord* Einstimmigkeit *f*; **unanimous** *adj* einstimmig, einmütig
unattached [ʌnə'tætʃt] *adj* ↑ *free, not connected* ungebunden; ↑ *single* single
unattended [ʌnə'tendıd] *adj* ▷*child* unbeaufsichtigt; ▷*cash register* unbewacht
unattractive [ʌnə'træktıv] *adj* ① ▷*appearance* ▷*person* unattraktiv ② ↑ *not tempting* ▷*offer* unattraktiv, wenig reizvoll
unauthorized [ʌn'ɔ:θəraızd] *adj* ↑ *without permission* ▷*entry* unbefugt
unavoidable *adj* ↑ *inevitable* unvermeidlich
unaware [ʌnə'wεə*] *adj*: ◇ **to be ~ of s.th.** sich einer Sache nicht bewußt sein
unbalanced [ʌn'bælənst] *adj* ▷*person* labil
unbearable [ʌn'bεərəbl] *adj* ▷*pain* unerträglich
unbeatable [ʌn'bi:təbl] *adj* ▷*opponent* unschlagbar
unbecoming [ʌnbı'kʌmıŋ] *adj* ↑ *unflattering* ▷*dress* unvorteilhaft; ▷*behaviour* unschicklich
unbelievable [ʌnbı'li:vəbl] *adj* ↑ *shocking, amazing* unglaublich
unbend [ʌn'bend] *vi* geradebiegen
unblemished [ʌn'blemıʃəd] *adj* ↑ *flawless* makellos
unborn [ʌn'bɔ:n] *adj* ▷*child* ungeboren
unbridled [ʌn'braıdld] *adj* ungezügelt
unbroken [ʌn'brəʊkən] *adj* ① ↑ *continuous* ▷*period* ununterbrochen ② ▷*horse, spirit* ungebrochen ③ ▷*record* unübertroffen
unburden [ʌn'bɜ:dn] *vr* ↑ *confess*: ◇ **to ~ o.s.** sein Herz ausschütten
unbutton [ʌn'bʌtn] *vt* → *coat* aufknöpfen
uncalled-for [ʌn'kɔ:ldfɔ:*] *adj* ▷*remark, comment* unnötig
uncanny [ʌn'kænı] *adj* ↑ *weird, unnatural* unheimlich, seltsam
unceasing [ʌn'si:sıŋ] *adj* ↑ *constantly* unaufhörlich
uncertain [ʌn'sɜ:tn] *adj* ① ↑ *unreliable* ▷*weather* unbeständig ② ↑ *doubtful, unsure* ▷*matter* unsicher; **uncertainty** *n* Ungewißheit *f*
uncharitable [ʌn'tʃærıtəbl] *adj* ↑ *severe, harsh* hartherzig; ▷*comment* unfreundlich
uncharted [ʌn'tʃɑ:tıd] *adj* ↑ *unknown* ▷*land, waters* unbekannt; ↑ *alien* unentdeckt
unchecked [ʌn'tʃekt] *adj* ↑ *uncontrolled* ungehindert
uncivil [ʌn'sıvıl] *adj* ↑ *impolite* unhöflich
uncle ['ʌŋkl] *n* Onkel *m*
uncoil [ʌn'kɔıl] *vi* ↑ *unwind* abwickeln
uncomfortable [ʌn'kʌmfətəbl] *adj* ① ▷*chair* unbequem ② ↑ *awkward* ▷*situation* unerfreulich
uncommited [ʌn'kəmıtəd] *adj* neutral

uncompromising [ʌn'kɒmprəmaɪzɪŋ] *adj* ↑ *steadfast* kompromißlos
unconditional [ʌnkən'dɪʃənl] *adj* ↑ *total, complete* bedingungslos
uncongenial [ʌnkən'dʒi:nɪəl] *adj* ↑ *unpleasant* unerfreulich
unconscious [ʌn'kɒnʃəs] *adj* [1] MED bewußtlos [2] ↑ *unaware* unbewußt (*of* gen) [3] ↑ *not deliberate* unbewußt, unabsichtlich; **unconsciously** *adv* unbewußt; **unconsciousness** *n* MED Bewußtlosigkeit *f*
uncontrollable [ʌnkən'trəʊləbl] *adj* [1] ▷*emotion* unbezähmbar [2] ↑ *unmanageable* unkontrollierbar
uncork [ʌn'kɔ:k] *vt* → *bottle* entkorken
uncouth [ʌn'ku:θ] *adj* ▷*actions, behaviour* grob, ordinär
uncover [ʌn'kʌvə*] *vt* [1] ↑ *take off* aufdecken [2] ↑ *discover* → *information, secret* aufdecken; **uncovered** [ʌn'kʌvə*] *adj* ↑ *exposed* offen
unctuous ['ʌŋktjʊəs] *adj* ↑ *flattering, smooth* ▷*speech* salbungsvoll
undaunted [ʌn'dɔ:ntɪd] *adj* ↑ *fearless* unerschrocken
undecided [ʌndɪ'saɪdɪd] *adj* ▷*matter* unentschieden; ▷*person* unentschlossen
undeniable [ʌndɪ'naɪəbl] *adj* ↑ *certain* unbestreitbar, unleugbar
under ['ʌndə*] *prep* [1] (*location*) unter *dat;* ◇ **the cat was ~ the table** die Katze war unter dem Tisch; (*direction*) ◇ **the ball rolled ~ the table** der Ball rollte unter den Tisch [2] ▷*rank* unter *dat* [3] ↑ *less than* unter, weniger als [4] ▷*various conditions* ↑ *in the process* ◇ **to be ~ treatment** in Behandlung sein; ↑ *exposed to* ◇ **to be ~ pressure** unter Druck stehen; ◇ **I was ~ the impression ...** ich hatte den Eindruck ...; ◇ **the CD is listed ~ pop music** die CD findet man unter Popmusik; **under-age** *adj* ↑ *a minor* minderjährig
undercarriage ['ʌndəkærɪdʒ] *n* AERO Fahrwerk *s*, Fahrgestell *s*
underclothes ['ʌndəkləʊðz] *n pl* ↑ *underwear* Unterwäsche *f*
undercoat ['ʌndəkəʊt] *n* ↑ *paint* Grundierung *f*
undercover ['ʌndəkʌvə*] *adj* ↑ *secret* Geheim-; ◇ **~ agent** Geheimagent *m*
undercut ['ʌndəkʌt] *irr vt* (*sell cheaper*) → *prices* unterbieten
underdeveloped [ʌndədɪ'veləpt] *adj* unterentwickelt; ◇ **~ countries** Entwicklungsländer *pl*
underdog ['ʌndədɒg] *n* ↑ *the weaker one* Unterlegene(r) *fm*
underdone [ʌndə'dʌn] *adj* GASTR ▷*steak* nicht durchgebraten

underestimate [ʌndər'estɪmeɪt] *vt* ↑ *miscalculate* unterschätzen; ↑ *misjudge* unterschätzen
underexposed [ʌndərɪks'pəʊzd] *adj* FOTO unterbelichtet
undergo [ʌndə'gəʊ] *irr vt* → *experience* erleben, durchmachen; → *operation* sich unterziehen *dat*
undergraduate [ʌndə'grædjʊət] *n* ↑ *university student* Student(in *f*) *m*
underground ['ʌndəgraʊnd] **I.** *n* U-bahn *f* **II.** *adj* ↑ *below surface* ▷*railway, tunnel* unterirdisch; *FIG* ▷*press etc.* Untergrund-
undergrowth ['ʌndəgrəʊθ] *n* ↑ *shrubs, bushes* Unterholz, Gestrüpp *s*
underhand [ʌndə'hænd] *adj* ↑ *secret, deceitful* hinterhältig
underlie [ʌndə'laɪ] *irr vt* zugrundeliegen *dat*
underline [ʌndə'laɪn] *vt* → *a sentence* unterstreichen; ↑ *stress* betonen
underling ['ʌndəlɪŋ] *n FAM* ↑ *person of lower rank* Untergebene(r) *fm*
underlying [ʌndə'laɪɪŋ] *adj* [1] ↑ *not obvious, real* ▷*cause, theme* eigentlich [2] ↑ *underground* ▷*rocks* tieferliegend
undermine [ʌndə'maɪn] *vt* ↑ *weaken* → *person* schwächen; → *idea, system* untergraben
underneath [ʌndə'ni:θ] **I.** *adv* ↑ *below* darunter **II.** *prep* ↑ *below* unter
underpaid [ʌndə'peɪd] *adj* ▷*workers* unterbezahlt
underpants ['ʌndəpænts] *n pl* Unterhose *f*
underpass ['ʌndəpɑ:s] *n* ↑ *subway* Unterführung *f*
underprice [ʌndə'praɪs] *vt* unter Preis anbieten
underprivileged [ʌndə'prɪvɪlɪdʒd] *adj* ↑ *deprived* ▷*children* unterpriviligiert
underrate [ʌndə'reɪt] *vt* ↑ *misjudge, underestimate* unterschätzen
undersexed [ʌndə'seksəd] *adj* ↑ *having little desire*: ◇ **to be ~** nicht viel für Sex übrig haben
undershirt ['ʌndəʃɜ:t] *n* (*US*) Unterhemd *s*
undershorts ['ʌndəʃɔ:ts] *n pl* (*US*) Unterhose *f*
underside ['ʌndəsaɪd] *n* Unterseite *f*
understand [ʌndə'stænd] *irr vt* [1] ↑ *comprehend* verstehen; (*German, English*) verstehen [2] ↑ *realize* ◇ **I ~ that it's a hard decision** soviel ich weiß, ist es eine schwere Entscheidung [3] ↑ *relate to* ◇ **they ~ each other** sie verstehen sich gut; ◇ **I can ~ his anger** ich kann seinen Wut nachvollziehen; **understandable** *adj* verständlich; **understanding I.** *n* Verständnis *s* **II.** *adj* ▷*person* verständnisvoll
understatement ['ʌndəsteɪtmənt] *n* Untertreibung *f*
undertake [ʌndə'teɪk] *irr vt* **I.** *vt* [1] → *job, task*

unternehmen; → *risk* eingehen **II.** *vi* ↑ *promise, affirm* sich verpflichten
undertaker *n* Leichenbestatter(-in *f*) *m*; ◇ the ~'s Beerdigungsinstitut *s*
undertaking *n* 1 ↑ *task, enterprise* Unternehmen, Projekt *s* 2 ↑ *promise* Wort *s*
undertow [ʌndə'təʊ] *n* ↑ *current* Unterströmung *f*
undervalue [ʌndə'vælju:] *vt* ↑ *underestimate* unterschätzen
underwater [ʌndə'wɔ:tə*] *adj* Unterwasser-
underwear ['ʌndəwɛə*] *n* Unterwäsche *f*
underworld ['ʌndəwɜ:ld] *n* Unterwelt *f*
underwriter ['ʌndəraɪtə*] *n* (*of insurance policy*) Assekurant(in *f*) *m*
undesirable [ʌndɪ'zaɪərəbl] *adj* ▷*circumstances* unerwünscht
undies ['ʌndɪz] *n pl FAM* Unterwäsche *f*
undignified [ʌn'dɪgnɪfaɪd] *adj* ▷*manner* unelegant; ▷*person* würdelos
undiscovered [ʌndɪs'kʌvəd] *adj* unentdeckt
undisputed [ʌndɪ'spju:tɪd] *adj* ↑ *certain* ▷*fact* unbestritten
undo [ʌn'du:] *irr vt* 1 ↑ *unfasten* aufmachen 2 ↑ *put right* → *damage, wrong* ungeschehen machen
undoing *n* ↑ *downfall* Verderben *s*
undoubted [ʌn'daʊtɪd] *adj* ↑ *obvious, certain* unbezweifelt; **undoubtedly** *adv* zweifellos, ohne Zweifel; ◇ **she has ~ improved** sie hat sich zweifellos verbessert
undress ['ʌn'dres] *vti* ausziehen; **undressed** *adj* nicht angezogen; ◇ **to get ~** sich ausziehen
undue [ʌn'dju:] *adj* ↑ *exaggerated, extreme* übertrieben
undulating ['ʌndjʊleɪtɪŋ] *adj* ▷*countryside* hügelig
unduly [ʌn'dju:lɪ] *adv* übermäßig; ◇ **she is ~ pessimistic** sie ist zu pessimistisch
unearth [ʌn'ɜ:θ] *vt* 1 ↑ *dig up* ausgraben 2 ↑ *discover* entdecken
unease [ʌn'i:z] *n* 1 ↑ *anxiety* Unbehagen *s* 2 ▷*public* Unruhe *f*; **uneasy** *adj* 1 ↑ *worried* unruhig, besorgt 2 ↑ *uncomfortable* beunruhigend; ▷*suspicion* unbehaglich; ◇ **to feel ~** sich nicht wohl fühlen 3 ↑ *embarrassed* unbequem
uneconomical [ʌni:kə'nɒmɪkəl] *adj* ↑ *wasteful* unökonomisch, unwirtschaftlich
uneducated [ʌn'edjʊkeɪtɪd] *adj* ▷*person* ungebildet
unemployed [ʌnɪm'plɔɪd] **I.** *adj* arbeitslos **II.** *n*: ◇ **the ~** *pl* die Arbeitslosen *pl*; **unemployment** [ʌnɪm'plɔɪmənt] *n* Arbeitslosigkeit *f*; ◇ **~ benefit** Arbeitslosengeld *s*
unending [ʌn'endɪŋ] *adj* ↑ *continual* endlos
unendurable [ʌnɪn'djuːrəbl] *adj* ▷*pain, injustice* unerträglich
unerring [ʌn'ɜ:rɪŋ] *adj* ↑ *accurate* unfehlbar
unethical [ʌneθɪkəl] *adj* ↑ *immoral* unmoralisch
uneven [ʌn'i:vən] *adj* 1 ▷*surface* uneben 2 ↑ *inequitable* ungleichmäßig, unterschiedlich
unfair [ʌn'fɛə*, -əlɪ] *adj* 1 ▷*decision* unfair, ungerecht 2 ↑ *biased* unlauter; **unfairly** [ʌn'fɛəlɪ] *adv* unfair, ungerecht; unlauter
unfaithful [ʌn'feɪθfʊl] *adj* untreu
unfasten [ʌn'fɑ:sn] *vt* (→ *hook*) aufmachen, öffnen
unfavourable, unfavorable (*US*) [ʌn'feɪvərəbl] *adj* 1 ▷*answer* negativ 2 ↑ *unfair* ▷*comparison* ungünstig, unvorteilhaft
unfeeling [ʌn'fi:lɪŋ] *adj* ↑ *cruel, unsympathetic* gefühllos, kalt
unfinished [ʌn'fɪnɪʃt] *adj* ▷*job, book* unvollendet, unfertig
unfit [ʌn'fɪt] *adj* 1 ↑ *not suitable* ungeeignet, unpassend (*for* zu, für) 2 ↑ *incompetent* unfähig; ◇ **she is ~ to drive** sie ist fahruntüchtig
unflagging [ʌn'flægɪŋ] *adj* ▷*energy, patience* unermüdlich
unflappable [ʌn'flæpəbl] *adj FAM* ↑ *controlled, calm* ruhig, unerschütterlich
unflinching [ʌn'flɪntʃɪŋ] *adj* ↑ *fearless, resolute* unerschrocken
unfold [ʌn'fəʊld] **I.** *vt* → *paper* entfalten, auseinanderfalten; → *chair* aufklappen **II.** *vi* ↑ *develop* → *story* sich abwickeln
unforeseen [ʌnfɔ:'si:n] *adj* ↑ *unpredictable* unvorhergesehen, unvorhersehbar
unforgivable [ʌnfə'gɪvəbl] *adj* ↑ *unpardonable* unverzeihlich
unfortunate [ʌn'fɔ:tʃnət] *adj* 1 ↑ *unlucky* unglücklich, unglückselig 2 ↑ *regrettable* ▷*remark* bedauerlich; **unfortunately** *adv* ↑ *regrettably* leider; ◇ **~ I have to go** ich muß leider gehen
unfounded [ʌn'faʊndɪd] *adj* ↑ *groundless* unbegründet
unfriendly [ʌn'frendlɪ] *adj* unfreundlich
unfurnished [ʌn'fɜ:nɪʃt] *adj* ▷*flat* unmöbliert
ungainly [ʌn'geɪnlɪ] *adj* ↑ *awkward, clumsy* linkisch
unguarded [ʌn'gɑ:dɪd] *adj* 1 ↑ *unattended* unbewacht 2 *FIG* ↑ *careless* ▷*remark* unüberlegt
unhappy [ʌn'hæpɪ] *adj* ↑ *sad, depressed* unglücklich; ◇ **we are ~ with the results** wir sind mit den Ergebnissen unzufrieden
unharmed [ʌn'hɑ:md] *adj* ↑ *not hurt* unversehrt

unhealthy [ʌn'helθɪ] *adj* (*cigarettes*) ungesund; (*Person*) nicht gesund, kränklich
unheard-of [ʌn'hɜːdɒv] *adj* ① ↑ *unknown* gänzlich unbekannt ② ↑ *shocking, offensive* unerhört
unheeded [ʌn'hiːdəd] *adj* ↑ *ignored* ▷*advice* unbeachtet
unicorn ['juːnɪkɔːn] *n* Einhorn *s*
unidentified [ʌnaɪ'dentɪfaɪd] *adj* ↑ *anonymous* unbekannt; ◇ ~ **flying object** unbekanntes Flugobjekt
unification [juːnɪfɪ'keɪʃən] *n* Vereinigung *f*
uniform ['juːnɪfɔːm] **I.** *n* (*school* ~) Uniform *f* **II.** *adj* ↑ *unvarying* einheitlich; **uniformity** [juːnɪ'fɔːmɪtɪ] *n* Einheitlichkeit *f*
unify ['juːnɪfaɪ] *vt* ① ↑ *unite* vereinigen ② ↑ *make uniform* vereinheitlichen
unilateral [juːnɪ'lætərəl] *adj* ↑ *one-sided* einseitig
unimaginable [ʌnɪ'mædʒɪnəbl] *adj* ↑ *inconceivable* unvorstellbar
unimpaired [ʌnɪm'pɛəd] *adj* ▷*quality* unbeeinträchtigt; ▷*health* unvermindert
unimpeachable [ʌnɪm'pekəbəl] *adj* ↑ *impeccable* untadelig
unintentional [ʌnɪn'tenʃənl] *adj* ↑ *not deliberate* unabsichtlich
union ['juːnjən] *n* ① (*act of joining*) Verbindung *f* ② (*German* ~) Vereinigung *f;* (*political* ~) Verbindung *f,* Bund *m,* Pakt *m* ③ ◇ **trade** ~ Gewerkschaft *f*
Union Jack *n* (*BRIT flag*) Union Jack *m*
unique [juː'niːk] *adj* ↑ *exceptional* einzig; ↑ *rare* einmalig
unisex ['juːnɪseks] *adj* Unisex-, unisex-
unison ['juːnɪzn] *n* MUS ↑ *simultaneously* Gleichklang *m;* ◇ **in** ~ unisono
unit ['juːnɪt] *n* ① (*standard of measurement*) Einheit *f* ② (*part, section*) Teil *s* ③ (*machinery*) Element *s,* Teil *s*
unite [juː'naɪt] **I.** *vt* ↑ *join* vereinigen, verbinden **II.** *vi* ↑ *come together* sich vereinigen; **united** *adj* ▷*efforts* vereint; ◇ **U~ Kingdom** Vereinigtes Königreich; ◇ **U~ Nations** *pl* Vereinte Nationen *pl;* ◇ **U~ States of America** *pl* Vereinigte Staaten *pl*
unity ['juːnɪtɪ] *n* ① ↑ *harmony, agreement* Einmütigkeit *f,* Einigkeit *f* ② (*state of being united*) Einheit *f*
universal [juːnɪ'vɜːsəl] *adj* ↑ *widespread* universal; **universally** *adv* allgemein; **universe** ['juːnɪvɜːs] *n* Universum *s,* All *s*
university [juːnɪ'vɜːsɪtɪ] *n* Universität *f*
unjust [ʌn'dʒʌst] *adj* ↑ *wrong* ungerecht

unjustifiable [ʌn'dʒʌstɪfaɪəbl] *adj* ↑ *inexcusable* nicht zu rechtfertigen
unkempt [ʌn'kempt] *adj* ↑ *untidy* vernachlässigt; ▷*hair* ungekämmt
unkind [ʌn'kaɪnd] *adj* unfreundlich, lieblos, gemein
unknown [ʌn'nəʊn] *adj* unbekannt; ◇ **the facts are ~ to the police** die Tatsachen sind der Polizei nicht bekannt
unleaded [ʌn'ledɪd] *adj* ▷*gas, petrol* bleifrei
unleash [ʌn'liːʃ] *vt* ↑ *let loose* → *dog* von der Leine lassen; → *anger* auslösen
unleavened [ʌn'levnd] *adj* ▷*bread* ungesäuert
unless [ən'les] *cj* ↑ *except when* es sei denn; ◇ **don't come ~ I say so** komm nur, wenn ich es dir sage; ◇ **~ I say so, stay at home** wenn ich es dir nicht sage, bleib' zu Hause
unlicensed [ʌn'laɪsənst] *adj* ↑ *unauthorized* unberechtigt, unbefugt; ▷*television* nicht angemeldet
unlike [ʌn'laɪk] *prep* ① ↑ *different* unähnlich ② ↑ *not typical of* ◇ **that is very ~ him not to call** das paßt überhaupt nicht zu ihm, nicht anzurufen ③ ↑ *contrary* im Gegensatz; ◇ **you are very optimistic, ~ myself** im Gegensatz zu mir bist du sehr optimistisch
unlikely *adj* ↑ *improbable* unwahrscheinlich; ▷*story* unglaubwürdig
unlimited [ʌn'lɪmɪtɪd] *adj* ↑ *indefinite* unbegrenzt
unlisted [ʌn'lɪstɪd] *adj* ▷*telephone number* nicht verzeichnet
unload [ʌn'ləʊd] *vt* → *goods* entladen
unlock [ʌn'lɒk] *vt* → *door* aufschließen
unmannerly [ʌn'mænəlɪ] *adj* ▷*behaviour* ungehörig
unmarried [ʌn'mærɪd] *adj* unverheiratet
unmask [ʌn'mɑːsk] *vt* demaskieren; *FIG* ↑ *reveal* entlarven
unmistakable [ʌnmɪ'steɪkəbl] *adj* ↑ *certain* unverkennbar, nicht zu verwechseln; **unmistakably** [ʌnmɪ'steɪkəblɪ] *adv* unverkennbar, zweifelsohne
unmitigated [ʌn'mɪtɪgeɪtɪd] *adj* ↑ *absolute, utter* total, vollkommen
unmoved [ʌn'muːvd] *adj* ↑ *unaffected* ungerührt
unnecessary [ʌn'nesəsərɪ] *adj* unnötig
unobtainable [ʌnəb'teɪnəbl] *adj* nicht erhältlich
unoccupied [ʌn'ɒkjʊpaɪd] *adj* ↑ *vacant* ▷*house* unbewohnt; ▷*seat* leer, frei
unopened [ʌn'əʊpənd] *adj* ↑ *sealed, closed* ungeöffnet

unorthodox [ʌn'ɔːθədɒks] *adj* ↑ *unconventional* unorthodox, unkonventionell
unpack [ʌn'pæk] *vti* → *suitcase* auspacken
unpalatable [ʌn'pælətəbl] *adj* ↑ *unpleasant, nasty, FIG* ungenießbar; ▷*truth* schwer verdaulich
unparalleled [ʌn'pærəleld] *adj* ↑ *unequalled* beispiellos, einmalig
unpleasant [ʌn'pleznt] *adj* ↑ *disagreeable* unangenehm
unplug [ʌn'plʊg] *vt* → *iron* den Stecker herausziehen von
unpopular [ʌn'pɒpjʊlə*] *adj* unbeliebt
unprecedented [ʌn'presɪdəntɪd] *adj* (*first time*) noch nie dagewesen, beispiellos
unqualified [ʌn'kwɒlɪfaɪd] *adj* [1] (*not qualified*) unqualifiziert [2] ↑ *absolute* uneingeschränkt
unravel [ʌn'rævəl] *vt* [1] → *knitting* aufziehen [2] ↑ *solve* → *case* lösen
unreal [ʌn'rɪəl] *adj* unwirklich
unreasonable [ʌn'riːznəbl] *adj* ▷*person* uneinsichtig, schwierig; ▷*demand* übertrieben; ▷*amount* unzumutbar, übertrieben
unrelenting [ʌnrɪ'lentɪŋ] *adj* ↑ *continuous, relentless* unablässig
unreliable [ʌnrɪ'laɪbəl] *adj* ↑ *untrustworthy* unzuverlässig
unrest [ʌn'rest] *n* ↑ *discontent* Unzufriedenheit *f*
unruly [ʌn'ruːlɪ] *adj* ▷*child* ungebärdig
unsafe [ʌn'seɪf] *adj* ↑ *dangerous* nicht sicher
unsaid [ʌn'sed] *adj* ungesagt, unausgesprochen; ◇ **to leave s.th. ~** etw unausgesprochen lassen
unsatisfactory [ʌnsætɪs'fæktərɪ] *adj* ↑ *inadequate* unbefriedigend
unsavoury, **unsavory** (*US*) [ʌn'seɪvərɪ] *adj* ▷*food* geschmacklos; *FIG* ▷*person* abstoßend; ↑ *distasteful* ▷*details, subject* unerfreulich
unscrew [ʌn'skruː] *vt* ↑ *loosen* abschrauben
unscrupulous [ʌn'skruːpjʊləs] *adj* ↑ *unprincipled* skrupellos, gewissenslos
unselfish [ʌn'selfɪʃ] *adj* ↑ *generous* selbstlos
unsettle [ʌn'setl] *vt* → *person* aus dem Gleichgewicht bringen
unsettled [ʌn'setld] *adj* [1] (*emotionally*) verstört sein [2] ↑ *unpaid* unbezahlt [3] ↑ *unfinished* ▷*disputes* offen, ungeklärt [4] ▷*land* unbesiedelt
unshaven [ʌn'ʃeɪvn] *adj* unrasiert
unsightly [ʌn'saɪtlɪ] *adj* ↑ *hideous* häßlich
unskilled [ʌn'skɪld] *adj* ▷*worker* ungelernt
unsophisticated [ʌnsə'fɪstɪkeɪtɪd] *adj* natürlich, einfach
unspeakable [ʌn'spiːkəbl] *adj* ▷*joy* unbeschreiblich; ▷*crime* abscheulich
unstuck [ʌn'stʌk] *adj* [1] (*sticker*) ◇ **to come ~** sich lösen [2] (*person*) steckenbleiben
unsuccessful [ʌnsək'sesfʊl] *adj* ↑ *fail* erfolglos; ◇ **our attempt was ~** unser Versuch war vergeblich; ◇ **an ~ businessman** ein erfolgloser Geschäftsmann
unsuspecting [ʌnsə'spektɪŋ] *adj* nichtsahnend
untangle [ʌn'tæŋgl] *vt* → *rope* entwirren
untapped [ʌn'tæpt] *adj* ▷*resources* ungenutzt
unthinkable [ʌn'θɪŋkəbl] *adj* ↑ *unimaginable* undenkbar, unvorstellbar
untidy [ʌn'taɪdɪ] *adj* ↑ *messy* unordentlich
untie [ʌn'taɪ] *vt* → *shoe* aufbinden
until [ən'tɪl] *prep, cj* bis; ◇ **not ~** nicht bis
untimely [ʌn'taɪmlɪ] *adj* ▷*death* vorzeitig
untold [ʌn'təʊld] *adj* ▷*story, truth* nicht erzählt;
untranslatable [ʌntræns'leɪtəbl] *adj* ▷*idiom* unübersetzbar
untried [ʌn'traɪd] *adj* [1] JUR nicht verhandelt [2] ▷*plan, medicine* ungetestet
untruth [ʌn'truːθ] *n* ↑ *lie* Unwahrheit *f*
unused [ʌn'juːzd] *adj* ↑ *new* ungebraucht, unbenutzt
unusual [ʌn'juːʒʊəl] *adj* [1] ↑ *odd, strange* ungewöhnlich [2] ↑ *not routine* außergewöhnlich
unusually *adv* ↑ *exceptionally*: ◇ **she was ~ late** sie war ungewöhnlich spät dran
unveil [ʌn'veɪl] *vt* ↑ *disclose* enthüllen
unwanted [ʌn'wɒntɪd] *adj* ▷*baby, dog* unerwünscht
unwavering [ʌn'weɪvərɪŋ] *adj* unerschütterlich
unwelcome [ʌn'welkəm] *adj* unwillkommen
unwilling [ʌn'wɪlɪŋ] *adj* ↑ *reluctant* widerwillig; ◇ **to be ~ to do s.th.** etw ungern tun
unwind [ʌn'waɪnd] *irr* **I.** *vt* (*wire*) abwickeln **II.** *vi* ↑ *relax* sich entspannen, abschalten
unwitting [ʌn'wɪtɪŋ] *adj* ↑ *unknowing, unaware* unbewußt, nichtsahnend
unwrap [ʌn'ræp] *vt* → *present* auspacken
unwritten [ʌn'rɪtn] *adj* ▷*letter* ungeschrieben
up [ʌp] **I.** *prep* auf **II.** *adv* [1] (*out of bed*) auf; ◇ **Is Fritz ~ yet?** Ist Fritz schon auf? [2] (*next*) ◇ **contestant no. 3 is ~** Kandidat Nr. 3 ist an der Reihe [3] (*happy, cheerful*) ◇ **the ~s and downs** die Höhen und Tiefen [4] (*position, location*) ◇ **the book is up there** das Buch ist dort oben [5] (*FAM What's going on?*) ◇ **What's ~?** Was ist los?; ◇ **it is ~ to you** (*your decision*) es liegt an dir; ◇ **What is he ~ to?** Was hat er vor?; ◇ **I'm not ~ to jogging today** (*no desire*) Heute habe ich keine Lust zum Joggen; **up-and-coming** *adj* ↑ *flourishing* erfolgreich
upbringing ['ʌpbrɪŋɪŋ] *n* ↑ *raising* Erziehung *f*
update [ʌp'deɪt] *vt* (*current*) auf den neuesten Stand bringen
upgrade [ʌp'greɪd] *vt* ↑ *improve* verbessern

upheaval [ʌp'hiːvəl] *n* ▷*political, FIG* Aufruhr *m*
uphill ['ʌp'hɪl] **I.** *adj* ▷*road* bergauf (führend); *FIG* ▷*struggle* mühsam **II.** *adv:* ◇ **to go** ~ bergauf gehen
uphold [ʌp'həʊld] *irr vt* [1] ↑ *support* unterstützen [2] → *tradition* wahren
upholstery [ʌp'həʊlstərɪ] *n* Polsterung *f,* Polster *s*
upkeep ['ʌpkiːp] *n* ↑ *maintance* Instandhaltung *f*
up-market ['ʌp'mɑːkɪt] *adj* (*posh, extravagant*) anspruchsvoll
upon [ə'pɒn] *prep* ↑ *on* auf; (*FIG story telling*) ◇ **once ~ a time ...** es war einmal ...
upper ['ʌpə*] **I.** *n* [1] (*of shoe*) Obermaterial *s* [2] ↑ *stimulant* Aufputschmittel *s* **II.** *adj* [1] ↑ *higher* (*situated*) obere(r, s) [2] (*rank*) höhere(r, s); **upper-class** *adj* (*of society*) gehoben, fein; **uppermost** *adj* [1] (*most important*) wichtigste(r, s), höchste(r, s) [2] (*top*) oberste(r, s)
upright ['ʌpraɪt] **I.** *adj* [1] ↑ *erect* aufrecht [2] ↑ *honest* aufrecht, ehrlich **II.** *adv* (*vertical side*) senkrecht
uprising ['ʌpraɪzɪŋ] *n* ↑ *revolt* Aufstand *m*
uproar ['ʌprɔː*] *n* ↑ *outburst* Aufruhr *m*
upset ['ʌpset] **I.** *n* (*disruption*) Störung *f* **II.** [ʌp'set] *irr vt* [1] (*overturn*) umstoßen; → *drink* umleeren; → *boat* umkippen [2] ↑ *disturb* aufregen, erschüttern [3] ↑ *spoil* → *plans* umwerfen **III.** *adj* (*distressed*) aufgeregt, mitgenommen; **upsetting** *adj* ↑ *distressing* störend; ↑ *offending* beleidigend, verletzend; ↑ *irritating* ärgerlich
upshot ['ʌpʃɒt] *n* ↑ *outcome* Ergebnis *s*
upside-down ['ʌpsaɪd'daʊn] *adv* (*bottom up*) verkehrt herum; ↑ *confuse* ◇ **the affair turned her life** ~ die Affäre brachte ihr Leben völlig durcheinander
upstairs [ʌp'stɛəz] **I.** *adv* oben; ◇ **to carry s.th.** ~ etw nach oben tragen **II.** *adj* (*room*) im oberen Stockwerk **III.** *n* (*higher storey*) oberes Stockwerk
upstart ['ʌpstɑːt] *n* (*person*) Emporkömmling *m*
upstream ['ʌp'striːm] *adv* flußaufwärts
uptake ['ʌpteɪk] *n FAM* ↑ *slow/quick to understand*: ◇ **to be slow/quick on the** ~ langsam/schnell von Begriff sein
uptight [ʌp'taɪt] *adj FAM* ↑ *tense, nervous* verklemmt, nervös, verkrampft
up-to-date ['ʌptə'deɪt] *adj* auf dem neusten Stand; ▷*information* aktuell
upwards ['ʌpwədází] **I.** *adj* nach oben, Aufwärts- **II.** *adv* nach oben, aufwärts

uranium [jʊə'reɪnɪəm] *n* (*metal*) Uran *s*
urban ['ɜːbən] *adj* ↑ *city* städtisch
urbane [ɜː'beɪn] *adj* ↑ *sophisticated* weltmännisch
urchin ['ɜːtʃɪn] *n* Gassenkind *s*
urge [ɜːdʒ] **I.** *n* ↑ *desire* Verlangen, Bedürfnis *s;* ◇ **to have an ~ to do s.th.** das Bedürfnis spüren, etw zu unternehmen **II.** *vt* ↑ *persuade, press* eindringlich bitten *acc;* ◇ **we -d him to visit us** wir haben ihn gebeten, uns auf alle Fälle zu besuchen; **urge on** *vt* ↑ *encourage* antreiben, anfeuern
urgency ['ɜːdʒənsɪ] *n* Dringlichkeit *f;* **urgent** *adj* dringend; **urgently** *adv* dringend, eindringlich
urinal ['jʊərɪnl] *n* [1] MED Urinflasche *f* [2] (*public*) Pissoir *s;* **urinate** ['jʊərɪneɪt] *vi* urinieren; **urine** ['jʊərɪn] *n* Urin *m,* Harn *m*
urn [ɜːʌ] *n* [1] (*vase*) Urne *f* [2] (*tea* ~) Tee-/Kaffemaschine *f*
us [ʌs] *pron direct/indirect object of* **we** uns; ◇ **it's** ~ wir sind es
USA *n sg abbr. of* **United States of America** USA *pl*
usage ['juːzɪdʒ] *n* [1] (*application*) Behandlung *f* [2] LING Gebrauch *m*
use [juːs] **I.** *n* [1] (*the using of*) Nutzung *f;* (*of machinery*) Verwendung; ◇ **I don't have any ~ for an extra bike** ich brauche kein zweites Fahrrad; ◇ **there is no ~ in trying** es lohnt sich nicht, es zu probieren; ◇ **Can you make ~ of this?** Kannst du das gebrauchen?; ◇ **out of** ~ außer Betrieb; ◇ **it's no** ~ es hat keinen Sinn [2] (*permission*) ◇ **he has the ~ of his parent's car** er hat den Wagen seiner Eltern zur Verfügung [3] (*occupied, toilet*) ◇ **in** ~ besetzt **II.** [juːz] *vt* [1] ↑ *utilize* benutzen, verwenden [2] ↑ *exploit* (*person, situation*) ausnutzen [3] (*prior, earlier times*) ◇ **she -d to live here** sie hat mal hier gewohnt; **use up** [juːz ʌp] *vt* → *energy, food* verbrauchen; **used** [juːzd] *adj* ▷*car* gebraucht; **useful** *adj* nützlich; **usefulness** *n* Nützlichkeit *f;* **useless** *adj* nutzlos, unbrauchbar; (*person*) zu nichts nütze; **uselessness** *n* Nutzlosigkeit *f;* **user** ['juːzə*] *n* Benutzer(in *f*) *m*

usher ['ʌʃə*] *n* (*escort*) Platzanweiser *m;* **usherette** [ʌʃə'ret] *n* Platzanweiserin *f*
USSR *n abbr. of* **Union of Soviet Socialist Republics** UdSSR *f*
usual ['juːʒʊəl] *adj* ↑ *customary* üblich; ◇ **as** ~ wie üblich; ◇ **that's our ~ way** das ist so unsere Art; **usually** *adv* ↑ *generally* gewöhnlich, normalerweise; ◇ **I usually go for a walk** normalerweise gehe ich spazieren
usurp [juː'zɜːp] *vt* (*steal*) → *job, position* an sich

reißen, usurpieren; **usurper** *n* Usurpator(in *f*) *m*

utensil [ju:'tensl] *n* (*cooking/eating -s*) Gerät *s*

uterus ['ju:tərəs] *n* ANAT Gebärmutter *f*, Uterus *m*

utilitarian [ju:tɪlɪ'tɛərɪən] *adj* (*functional, useful*) Nützlichkeits-

utility [ju:'tɪlɪtɪ] *n* [1] (*usefulness*) Nützlichkeit *f*; ◇ ~ **room** (*storage room*) Abstellraum *m* [2] ◇ **public** ~ (*gas, water*) öffentlicher Versorgungsbetrieb

utilization [ju:tɪlaɪ'zeɪʃən] *n* ▷*of natural resources* Verwendung *f*, Benutzung *f*; ▷*of old things* Verwertung *f*

utilize ['ju:tɪlaɪz] *vt* ↑ *make use of* verwenden, benutzen

utmost ['ʌtməʊst] **I.** *adj* [1] ↑ *most important* äußerste(r, s); ◇ **to be of ~ importance** äußerst wichtig sein [2] ↑ *greatest extent* größte(r, s), höchste(r, s) **II.** *n*: ◇ **to do o.'s ~** sein Bestes tun

utter ['ʌtə*] **I.** *adj* ↑ *absolute* vollkommen, total; ◇ **in ~ darkness** in absoluter Dunkelheit **II.** *vt* ↑ *voice* → *opinion* äußern, sagen; **utterance** *n* ▷*of words* Äußerung *f*; **utterly** *adv* ↑ *absolutely* vollkommen, völlig; ◇ **we were ~ exhausted** wir waren völlig erschöpft

U-turn ['ju:'tɜ:n] *n* AUTO Wende *f*

V

V, v [vi:] *n* V, v *s*

vacancy ['veɪkənsɪ] *n* (*job*) freie Stelle *f*, offene Stelle *f*; (*room*) freies Zimmer *s*; **vacant** ['veɪkənt] *adj* ↑ *empty* leer; ▷*seat, room* frei; ▷*house* leerstehend; ▷*expression, gaze* leer

vacate [və'keɪt] *vt* → *seat* frei machen; → *room* räumen

vacation [və'keɪʃən] *n* Ferien *pl*, Urlaub *m*; **vacationist** *n AM* ↑ *holiday-maker* Urlauber(in *f*) *m*

vaccinate ['væksɪneɪt] *vt* impfen; **vaccination** [væksɪ'neɪʃən] *n* Impfung *f*; **vaccine** ['væksi:n] *n* Impfstoff *m*

vacuum ['vækjʊm] **I.** *n* Vakuum *s* **II.** *vi, vt* staubsaugen; **vacuum flask** *n* (*BRIT*) Thermosflasche *f*; **vacuum cleaner** *n* Staubsauger *m*

vagary ['veɪgərɪ] *n* Laune *f*

vagina [və'dʒaɪnə] *n* Vagina *f*, Scheide *f*

vagrant ['veɪgrənt] *n* Landstreicher(in *f*) *m*

vague [veɪg] *adj* ↑ *indistinct* vage, unbestimmt; ▷*question* ungenau, unklar; ▷*notion* vage; ◇ **Susan hasn't the ~st idea** Susan hat nicht die leiseste Ahnung; **vaguely** *adv* ▷*amused* ein wenig; ▷*remember* dunkel; ▷*understand* ungefähr

vain [veɪn] *adj* [1] ↑ *conceited* eitel [2] ▷*attempt* vergeblich [3] ◇ **in ~** vergeblich; **vainly** *adv* vergebens

valentine ['væləntaɪn] *n* ↑ *sweetheart* ≈Schatz *m jemand, dem man zum Valentinstag eine Karte schickt*; ◇ ~ **card** Valentinskarte *f*

valiant ['væljɪənt] *adj* tapfer

valid ['vælɪd] *adj* ▷*passport* gültig; ▷*argument* stichhaltig; ▷*objection* begründet; **validity** [və'lɪdɪtɪ] *n* (*legal, reasonable*) Validität *f*; (*of argument*) Stichhaltigkeit *f*

valley ['vælɪ] *n* Tal *s*

valuable ['væljʊəbl] *adj* [1] ▷*jewels* wertvoll; ▷*time* kostbar [2] ↑ *beneficial, useful* nützlich; **valuables** *n pl* Wertsachen *pl*

value ['vælju:] **I.** *n* [1] ↑ *worth* Wert *m*; ↑ *meaning* Bedeutung *f*; ◇ **some information of great ~** eine sehr wertvolle Information; ◇ **take s.th. at face ~** etw für bare Münze nehmen [2] ↑ *use* Nutzen *m* [3] ↑ *morals* ◇ **~s** Werte *pl* **II.** *vt* [1] ↑ *assess worth* schätzen [2] ↑ *appreciate* schätzen; **valued** *adj* ▷*friend, help* hochgeschätzt

valve [vælv] *n* (*of radio*) Röhre *f*; TECH Ventil *s*; BIO Klappe *f*; ◇ **safety ~** Sicherheitsventil *s*

vampire ['væmpaɪə*] *n* Vampir *m*

van [væn] *n* Lieferwagen *m*, Kombiwagen *m*

vandal ['vændəl] *n* Rowdy *m*; **vandalism** *n* Vandalismus *m*, Zerstörungswut *f*

vanilla [və'nɪlə] **I.** *n* Vanille *f* **II.** *adj* Vanille-; ◇ **vanilla ice-cream** Vanilleeis *s*

vanish ['vænɪʃ] *vi* verschwinden

vanity ['vænɪtɪ] *n* Eitelkeit *f*; **vanity case** *n* Schminkkoffer *m*

vantage ['vɑ:ntɪdʒ] *n*: ◇ **~ point** Aussichtspunkt *m*

vapour, vapor (*AM*) ['veɪpə*] *n* ↑ *mist* Dunst *m*; ↑ *steam* Dampf *m*

variable ['vɛərɪəbl] **I.** *adj* ▷*weather* veränderlich; ▷*temperature* regulierbar **II.** *n* MATH ▷*factor* Variable *f*

variance ['vɛərɪəns] *n*: ◇ **to be at ~** nicht übereinstimmen

variant ['vɛərɪənt] *n* Variante *f*

variation [vɛərɪ'eɪʃən] *n* [1] ↑ *difference* Unterschied *m* [2] ↑ *change* Variation *f*, Veränderung *f* [3] MUS Variation *f*

varicose ['værɪkəʊs] *adj*: ◇ **~ veins** *pl* Krampfadern *f pl*

varied ['vɛərɪd] *adj* ↑ *different, wide range* unterschiedlich

variety [və'raɪətɪ] *n* [1] ↑ *diversity, difference* Vielfältigkeit *f*, Abwechslung *f*; ◇ **I want to do it for a ~ of reasons** ich will es aus verschiedenen Gründen machen [2] ↑ *sort* Sorte *f*, Art *f*; **variety show** *n* Varieté *s*

various ['vɛərɪəs] *adj* ▷*reasons* verschieden, unterschiedlich

varnish ['vɑːnɪʃ] **I.** *n* ↑ *shine* Lack *m* **II.** *vt* lackieren

vary ['vɛərɪ] **I.** *vt* ↑ *change* verändern, ändern; ↑ *add variety to* abwechslungsreicher gestalten **II.** *vi* sich ändern; ← *prices, conditions* schwanken; ← *weather* veränderlich sein; ◇ **this method varies from the other one** diese Methode unterscheidet sich von der anderen; **varying** *adj* ↑ *different* unterschiedlich; ↑ *changing* veränderlich

vase [vɑːz] *n* Vase *f*

vast [vɑːst] *adj* ↑ *immense* groß, riesig; ↑ *essential* ▷*difference* wesentlich

VAT *n abbr. of* **value added tax** Mehrwertsteuer *f*

Vatican ['vætɪkən] *n*: ◇ **the ~** der Vatikan *m*

vaudeville ['vəʊdəvɪl] *n AM* ▷*show* Varieté *s*

vault [vɔːlt] **I.** *n* [1] (*in bank*) Tresorraum *m* [2] ↑ *tomb* Gruft *f* [3] ↑ *roof* Gewölbe *s* [4] ↑ *jump* Sprung *m* **II.** *vt* ↑ *jump* springen über

VCR *n abbr. of* **video cassette recorder** Videorekorder *m*

VD *n abbr. of* **venereal disease** Geschlechtskrankheit *f*

VDU *n abbr. of* **visual display unit** Bildschirm *m*

veal [viːl] *n* Kalbfleisch *s*

veer [vɪə*] *vi* ↑ *swerve* ← *car* ausscheren

vegetable ['vedʒətəbl] *n* [1] (*plant*) Gemüse *s* [2] (*braindead*) ◇ **he's a ~** er vegetiert nur so vor sich hin

vegetarian [vedʒɪ'tɛərɪən] **I.** *n* Vegetarier(in *f*) *m* **II.** *adj* vegetarisch

vegetate ['vedʒɪteɪt] *vi* ↑ *stagnate* [dahin]vegetieren

vegetation [vedʒɪ'teɪʃən] *n* ↑ *plant life* Vegetation *f*

vehemence ['viːɪməns] *n* ↑ *ferocity* Heftigkeit *f*; **vehement** *adj* ▷*reaction* heftig

vehicle ['viːɪkl] *n* [1] ↑ *car* Fahrzeug *s* [2] ↑ *means* Mittel *s*

veil [veɪl] **I.** *n* Schleier *m* **II.** *vt* verschleiern

vein [veɪn] *n* ANAT Vene *f*; (*any blood vessel*) Ader *f*

Velcro® ['velkrəʊ] *n* <-s>: ◇ **~ fastener** Klettverschluß *m*

velocity [vɪ'lɒsɪtɪ] *n* Geschwindigkeit *f*

velvet ['velvɪt] *n* Samt *m*; **velvety** *adj* [1] ↑ *made of velvet* samtig [2] ▷*voice* samtig

vendetta [ven'detə] *n* (*fam*) Blutrache *f*; ↑ *feud* Fehde *f*

vending machine ['vendɪŋməʃiːn] *n* Automat *m*

vendor ['vendɔː*] *n* Verkäufer(in *f*) *m*

veneer [və'nɪə*] *n* [1] *FIG* ↑ *outward appearance* Maske, Fassade *f*, Schleier *m* [2] ↑ *covering* Furnier *s*

venerable ['venərəbl] *adj* ↑ *distinguished, esteemed* ehrwürdig

venereal [vɪ'nɪərɪəl] *adj*: ◇ **~ disease** Geschlechtskrankheit *f*

venetian [vɪ'niːʃən] *adj*: ◇ **~ blind** Jalousie *f*

vengeance ['vendʒəns] *n* [1] Rache *f* [2] (*vigorously*) ◇ **he worked with a ~** er hat gewaltig gearbeitet; *FAM* er hat sich mächtig reingehängt

venison ['venɪsn] *n* Reh[fleisch] *s*, Hirsch[fleisch] *s*

venom ['venəm] *n* ↑ *poison* Gift *s*; **venomous** *adj* giftig

vent [vent] **I.** *n* [1] ↑ *opening* Öffnung *f* [2] ↑ *release* (*for feelings, FIG* Ventil *s* **II.** *vt* → *feelings* Luft machen

ventilate ['ventɪleɪt] *vt* [1] → *air* belüften [2] → *idea, opinion* erörtern, äußern; **ventilation** [ventɪ'leɪʃən] *n* Belüftung *f*, Ventilation *f*; **ventilator** ['ventɪleɪtə*] *n* Ventilator *m*

ventriloquist [ven'trɪləkwɪst] *n* Bauchredner(in *f*) *m*

venture ['ventʃə*] **I.** *n* ↑ *enterprise, endeavour* Unternehmung *f* **II.** *vt* ↑ *endeavour* wagen **III.** *vi* sich wagen

venue ['venjuː] *narranged place for event*) Veranstaltungsort *m*; ↑ *meeting place* Treffpunkt *m*

veranda [və'rændə] *n* Veranda *f*

verb [vɜːb] *n* Verb *s*; **verbal** *adj* [1] ↑ *spoken* mündlich [2] (*verbal properties*) verbal, Verbal-; **verbatim** [vɜː'beɪtɪm] *adj* wortwörtlich

verdict ['vɜːdɪkt] *n* Urteil *s*

verge [vɜːdʒ] **I.** *n* [1] ↑ *edge* Rand *m* [2] ↑ *close to* ◇ **on the ~ of crying** den Tränen nahe **II.** *vi*: ◇ **Roger was on the ~ of leaving when ...** Roger wollte gerade weggehen, als...; ↑ *border* ◇ **to ~ on** grenzen an *acc*

verification [verɪfɪ'keɪʃən] *n* [1] ↑ *confirmation* Bestätigung *f* [2] ↑ *proof, evidence* Beleg *m* [3] ↑ *check* Überprüfung *f*; **verify** ['verɪfaɪ] *vt* [1] ↑ *confirm* bestätigen [2] ↑ *substantiate* beweisen [3] ↑ *check* überprüfen

vermin ['vɜːmɪn] *n* Ungeziefer *s*

vermouth ['vɜːməθ] *n* (*alcoholic drink*) Wermut *m*

versatile ['vɜ:sətaɪl] *adj* vielseitig
verse [vɜ:s] *n* (1) ↑ *poetry* Lyrik *f;* ↑ *stanza* Strophe *f* (2) (*Bible*) Vers *m*
version ['vɜ:ʃən] *n* (1) ↑ *interpetation* Version *f* (2) ↑ *model* Modell *s*
versus ['vɜ:səs] *prep* gegen
vertebra ['vɜ:tɪbrə] *n* Wirbel *m;* **vertebrate** ['vɜ:tɪbrət] *adj* ▷*animal* Wirbeltier *s*
vertical *adj* senkrecht; ◇ **Is it ~?** Steht es senkrecht?
vertigo ['vɜ:tɪgəʊ] *n* <-s> ↑ *dizziness* Schwindel *m*
verve [vɜ:v] *n* ↑ *gusto* Schwung *m*
very ['verɪ] **I.** *adv* ↑ *extremely* sehr, genau **II.** *adj* ↑ *extreme* sehr, genau; ◇ **I'm ~ well, thank you** mir geht es sehr gut, danke; ◇ **you're the ~ person I want to speak to** genau dich wollte ich sprechen; ◇ **on the ~ same day** noch am gleichen Tag; ◇ **I'd only like a ~ little** ich möchte nur ganz wenig; ◇ **we knew from the ~ start about the problems** wir wußten von Anfang an von den Problemen; ◇ **the ~ thought of it makes me ill** alleine schon der Gedanke daran macht mich krank
vessel ['vesl] *n* (1) ↑ *ship* Schiff *m* (2) ◇ **blood ~** Blutgefäß *s*
vest [vest] *n* (1) *BRIT* ↑ *underwear* Unterhemd *s* (2) *AM* ↑ *waistcoat* Weste *f;* **vested** *adj* ▷*business*: ◇ **~ interests** *pl* finanzielle Beteiligung *f;* (*in someone*) ein persönliches Interesse *s*
vestry ['vestrɪ] *n* Sakristei *f*
vet [vet] **I.** *n* Tierarzt(Tierärztin *f*) *m* **II.** *vt* ↑ *check, appraise* überprüfen
veteran ['vetərən] *n* ↑ *serviceman* Veteran(in *f*) *m*
veterinarian *n s.* vet; **veterinary** ['vetɪnərɪ] *adj* tiermedizinisch; ◇ **~ surgeon** Tierarzt(Tierärztin *f*) *m*
veto ['vi:təʊ] **I.** *n* <-es> Veto *s* **II.** *vt* ein Veto einlegen
vex [veks] *vt* (1) ↑ *irritate* verärgern (2) ↑ *worry* beunruhigen; **vexed** *adj* (1) ↑ *irritated* verärgert (2) ↑ *worried* beunruhigt
VHF *n abbr. of* **very high frequency** UKW
via ['vaɪə] *prep* über *acc;* **viable** ['vaɪəbl] *adj* ↑ *feasible, possible* möglich, realisierbar, durchführbar
viaduct ['vaɪədʌkt] *n* Viadukt *s or m*
vibrate [vaɪ'breɪt] *vi* ← *machine* vibrieren; ← *shake* zittern; ← *ground* beben; **vibration** [vaɪ'breɪʃən] *n* (*of machine*) Vibrieren *s*, Vibration *f;* ↑ *shaking* Zittern *s;* (*of ground*) Beben *s*
vicar ['vɪkə*] *n* Pfarrer(in *f*) *m;* **vicarage** *n* Pfarrhaus *s*
vice [vaɪs] **I.** *n* (1) ↑ *failing* Laster *s* (2) TECH Schraubstock *m* **II.** *pref:* ◇ **~-president** Vizepräsident(in *f*) *m*
vice versa ['vaɪs'vɜ:sə] *adv* umgekehrt
vicinity [vɪ'sɪnɪtɪ] *n* (1) ↑ *immediate area* Umgebung *f* (2) ↑ *nearby* in der Nähe
vicious ['vɪʃəs] *adj* ▷*reaction* brutal; ▷*person* böse; ◇ **~ circle** Teufelskreis *m*
victim ['vɪktɪm] *n* Opfer *s;* **victimization** [vɪktɪmaɪ'zeɪʃən] *n* Schikanierung *f*, Benachteiligung *f;* **victimize** *vt* schikanieren, benachteiligen
victor ['vɪktə*] *n* Sieger(in *f*) *m*
Victorian [vɪk'tɔ:rɪən] *adj* viktorianisch
victorious [vɪk'tɔ:rɪəs] *adj* siegreich; **victory** ['vɪktərɪ] *n* Sieg *m*
video ['vɪdɪəʊ] **I.** *adj* Video- **II.** *n* <-s> (1) Video *s* (2) *AM* ↑ *TV* Fernsehen *s;* **video camera** *n* Videokamera *f;* **video cassette** *n* Videokassette *f;* **video clip** *n* Videoclip *m;* **video game** *n* Videospiel *s;* **video player** *n* Videogerät *s;* **video recorder** *n* Videorecorder *m;* **videotape** **I.** *n* Videoband *s* **II.** *vt* auf Videoband aufnehmen; ◇ **~ library** Videothek *f;* **videotex®** *n* Bildschirmtext *m*, ≈Btx *s*
Vietnam, Viet Nam [vjet'næm] *n* Vietnam *s*
view [vju:] **I.** *n* (1) ↑ *sight* Blick *m*, Sicht *f* (2) ↑ *scene* Aussicht *f* (3) ↑ *opinion* Meinung *f*, Ansicht *f* **II.** *vt* (1) → *survey* betrachten (2) → *house* ansehen; ◇ **in ~ of** angesichts *gen*, wegen *gen;* **viewdata** *n* Bildschirmtext *m;* **viewer** *n* (1) (*TV*) Fernsehzuschauer(in *f*) *m* (2) ↑ *mini-projector* Diabetrachter *m;* **viewfinder** *n* (*in camera*) Sucher *m;* **viewpoint** *n* Standpunkt *m*
vigil ['vɪdʒɪl] *n* ↑ *watch* Wachen *s;* **vigilance** ['vɪdʒɪləns] *n* Wachsamkeit *f;* **vigilant** *adj* wachsam
vigorous *adj* kraftig, heftig
vigour, vigor (*AM*) ['vɪgə*] *n* (1) ↑ *energy* Kraft *f*, Heftigkeit *f* (2) ↑ *life* Vitalität *f*
vile [vaɪl] *adj* (1) ▷*weather* scheußlich (2) ▷*shameful, vulgar* vulgär, obszön
villa ['vɪlə] *n* Villa *f*
village ['vɪlɪdʒ] *n* Dorf *s;* **villager** *n* Dorfbewohner(in *f*) *m*
villain ['vɪlən] *n* ↑ *scoundrel* Verbrecher(in *f*) *m*, Schurke *m*
vindicate ['vɪndɪkeɪt] *vt* ↑ *justify* rechtfertigen
vindictive [vɪn'dɪktɪv] *adj* nachtragend
vine [vaɪn] *n* Rebstock *m*, Rebe *f*
vinegar ['vɪnɪgə*] *n* Essig *m*
vineyard ['vɪnjəd] *n* Weinberg *m*
vintage ['vɪntɪdʒ] *n* (1) (*wine*) Jahrgang *m;* **vintage car** *n* (*BRIT*) Oldtimer *m;* **vintage wine** *n* edler Wein *m;* **vintage year** *n* (*for wine*) gutes Weinjahr *s*
vinyl ['vaɪnɪl] *n* Vinyl *s*, PVC *s*

viola [vɪ'əʊlə] *n* (*musical instrument*) Bratsche *f*
violate ['vaɪəleɪt] *vt* ① ↑ *break* brechen; → *rights* verletzen; → *law* übertreten ② ↑ *disturb* stören ③ ↑ *dishonour* entweihen, schänden ④ ↑ *rape* vergewaltigen, schänden; **violation** [vaɪə'leɪʃən] *n* ① (*of rights*) Verletzung *f* ② (*of law*) Übertretung *f* ③ ↑ *rape* Schändung *f*
violence ['vaɪələns] *n* ↑ *force* Heftigkeit *f;* ↑ *brutality* Gewalt *f;* **violent** *adj* heftig, gewalttätig
violet ['vaɪələt] **I.** *n* Veilchen *s* **II.** *adj* (*colour*) violett
violin [vaɪə'lɪn] *n* (*musical instrument*) Violine *f*, Geige *f*
VIP *n abbr. of* **very important person** Prominente(r) *fm*
viper ['vaɪpə*] *n* ① ↑ *adder* Viper *f* ② *FIG* ↑ *traitor* Schlange *f*
virgin ['vɜːdʒɪn] **I.** *n* Jungfrau *f* **II.** *adj* jungfräulich; **virginity** [vɜː'dʒɪnɪtɪ] *n* Unschuld *f*
Virgo ['vɜːgəʊ] *n* <-s> ASTROL Jungfrau *f*
virile ['vɪraɪl] *adj* ↑ *manly* männlich; **virility** [vɪ'rɪlɪtɪ] *n* Männlichkeit *f*
virtual ['vɜːtjʊəl] *adj* eigentlich, so gut wie; **virtually** *adv* fast, praktisch
virtue ['vɜːtjuː] *n* ① ↑ *moral goodness* Tugend *f* ② ↑ *advantage* Vorteil *m* ③ ↑ *due to circumstances* ◇ **by ~ of** auf Grund *gen*
virtuoso [vɜːtjʊ'əʊzəʊ] *n* <-s> ↑ *expert* Virtuose (Virtuosin *f*) *m*
virtuous ['vɜːtjʊəs] *adj* tugendhaft
virulence ['vɪrjʊləns] *n* Bösartigkeit *f;* **virulent** *adj* ↑ *poisonous* bösartig; ▷*disease* virulent; ▷*feelings* heftig, bitter
virus ['vaɪərəs] *n* Virus *s or m*
visa ['viːzə] *n* Visum *s*
vis-à-vis ['viːzəviː] *prep* ↑ *in relation to, in view of* in Anbetracht, gegenüber
visibility [vɪzɪ'bɪlɪtɪ] *n* Sichtbarkeit *f;* (*of driver, pilot*) Sichtweite, Sicht *f;* **visible** ['vɪzəbl] *adj* sichtbar; **visibly** *adv* sichtlich
vision ['vɪʒən] *n* ① ↑ *mental picture* Vision *f* ② ↑ *sight* Sehkraft *f* ③ ↑ *foresight* Weitblick *m;* **visionary** **I.** *n* ↑ *seer* Hellseher(in *f*) *m* **II.** *adj* ↑ *dreamlike* visionär
visit ['vɪzɪt] **I.** *n* Besuch *m* **II.** *vt* → *friend* besuchen; ↑ *trip* fahren nach; **visiting** *adj:* ◇ **~ hours** *pl* Besuchszeiten *pl;* ◇ **~ professor** Gastprofessor(in *f*) *m;* **visitor** *n* (*at home*) Besucher(in *f*) *m;* (*hotel*) Gast *m*
vista ['vɪstə] *n* ↑ *view* Aussicht *f*
visual ['vɪzjʊəl] *adj* visuell, Sicht-; ▷*impression* optisch; ◇ **~ aid** Anschauungsmaterial *s;* (*of PC*) ◇ **~ display unit** Bildschirm *m;* **visualize** *vt* ↑ *imagine* sich vorstellen *dat*
vital ['vaɪtl] *adj* ① ↑ *lively* vital, lebendig ② ↑ *crucial* entscheidend ③ ↑ *necessary for life* lebenswichtig; **vitality** [vaɪ'tælɪtɪ] *n* Vitalität *f*, Lebendigkeit *f;* **vitally** *adv:* ◇ **a ~ important decision** eine Entscheidung von größter Wichtigkeit
vitamin ['vɪtəmɪn] *n* Vitamin *s*
vivacious [vɪ'veɪʃəs] *adj* ↑ *bubbly* lebhaft; **vivacity** [vɪ'væsɪtɪ] *n* Lebhaftigkeit *f*
vivid *adj* ① ▷*colour* lebhaft, leuchtend ② ↑ *clear* deutlich
vocabulary [vəʊ'kæbjʊlərɪ] *n* Wortschatz *m*, Vokabular *s*
vocal ['vəʊkəl] *adj* ↑ *voice* Stimm-; ◇ **~ cord** Stimmband *s;* **vocalist** *n* Sänger(in *f*) *m*
vocation [vəʊ'keɪʃən] *n* ↑ *calling* Berufung *f;* **vocational** *adj* ▷*training* Berufs-
vociferous [vəʊ'sɪfərəs] *adj* laut, lautstark
vodka ['vɒdkə] *n* Wodka *m*
vogue [vəʊg] *n* ↑ *fashion* Mode *f*
voice [vɔɪs] **I.** *n* ① Stimme *f* ② ↑ *right to speak out* Mitspracherecht *s* **II.** *vt* ↑ *speak out* äußern, zum Ausdruck bringen; LING ◇ **~d** stimmhaft; ◇ **~less** stimmlos
void [vɔɪd] **I.** *n* ↑ *space* Leere *f* **II.** *adj* ① ↑ *empty* leer ② ↑ *invalid* ungültig ③ ◇ **~ of all life** ohne jegliches Leben
volatile ['vɒlətaɪl] *adj* ▷*gas* flüchtig; ▷*person* impulsiv; ▷*situation* unsicher, brisant
volcanic [vɒl'kænɪk] *adj* vulkanisch
volcano [vɒl'keɪnəʊ] *n* Vulkan *m*
volley ['vɒlɪ] *n* ① (*of guns*) Salve *f* ② SPORT Volley *m;* **volleyball** *n* Volleyball *m*
volt [vəʊlt] *n* ELECTR Volt *s;* **voltage** *n* Spannung *f*
volume ['vɒljuːm] *n* ① ↑ *book* Band *m* ② (*of sound*) Lautstärke *f* ③ ↑ *size* Umfang *m* ④ ↑ *space* Volumen *s*
voluntary ['vɒləntərɪ] *adj* freiwillig
volunteer [vɒlən'tɪə*] **I.** *n* Freiwillige(r) *fm* **II.** *vi* sich freiwillig melden **III.** *vt* → *help, food, shelter* anbieten
voluptuous [və'lʌptjʊəs] *adj* ↑ *buxom* üppig
vomit ['vɒmɪt] **I.** *n* Erbrochenes *s* **II.** *vt* erbrechen **III.** *vi* sich übergeben
vote [vəʊt] **I.** *n* ① Stimme *f* ② ↑ *ballot* Abstimmung *f*, Wahl *f;* ↑ *right to vote* Stimmrecht *s* **II.** *vt, vi* wählen; **voter** *n* Wähler(in *f*) *m;* **voting** *n* Wahl *f*
voucher ['vaʊtʃə*] *n* Gutschein *m*
vouch for ['vaʊtʃ fɔː*] *vt* bürgen für
vow [vəʊ] **I.** *n* ① ↑ *resolution* Versprechen *s* ② REL Gelübde *s* **II.** *vt* ↑ *promise* geloben; ↑ *swear* schwören

vowel ['vaʊəl] *n* Vokal *m*
voyage ['vɔɪɪdʒ] *n* Reise *f*
vulgar ['vʌlgə*] *adj* [1] ↑ *tasteless* geschmacklos, vulgär [2] ↑ *crude* ordinär; **vulgarity** [vʌl'gærɪtɪ] *n* Vulgarität *f*
vulnerability [vʌlnərə'bɪlɪtɪ] *n* ↑ *sensitivity* Verletzlichkeit *f;* **vulnerable** ['vʌlnərəbl] *adj* [1] ↑ *defenseless* angreifbar [2] ↑ *sensitive* verletzlich
vulture ['vʌltʃə*] *n* Geier *m*

W

W, w ['dʌblju:] *n* W, w *s*
wacky ['wækɪ] *adj* ↑ *mad* → *idea* verrückt
wad [wɒd] *n* [1] ↑ *bundle* Bündel *s* [2] (*of paper*) Stoß *m,* Knäuel *m or s* [2] (*of banknotes*) Bündel *s*
waddle I. *n* Watscheln *s* **II.** *vt* watscheln
wade [weɪd] *vi* waten; **wade through** *vt* → *water* waten durch; → *problem* sich durchkämpfen durch
wafer ['weɪfə*] *n* [1] (*icecream*) Waffel *f* [2] PC Chip *m* [3] REL Hostie *f;* **wafer-thin** *adj* ↑ *very thin* hauchdünn
waffle ['wɒfl] **I.** *n* [1] (*sweet*) Waffel *f* [2] *FAM* ↑ *nonsense* Geschwafel *s* **II.** *vi FAM BRIT* ↑ *talk nonsense* schwafeln; **waffle iron** *n* Waffeleisen *s*
waft [wɑ:ft] **I.** *vti* ← *smell* ziehen, wehen **II.** *n*
wag [wæg] **I.** *vt* → *tail* wedeln mit **II.** *vi* ← *tail* wedeln
wage [weɪdʒ] **I.** *n* Lohn *m,* Gehalt *s;* ◇ **-s** *pl* Lohn *m* **II.** *vt* → *war* Krieg führen gegen; **wage adjustment** *n* Lohnausgleich *m;* **wage agreement** *n* Tarifvertrag *m;* **wage claim** *n* Lohnforderung *f;* **wage earner** *n* Lohnempfänger(in *f*) *m;* **wage freeze** *n* Lohnstopp *m*
wager ['weɪdʒə*] **I.** *n* ↑ *bet* Wette *f* **II.** *vti* wetten
wage scale *n* Lohnskala *f;* **wages clerk** *n* Lohnbuchhalter(in *f*) *m*
waggle ['wægl] **I.** *vt* → *tail* wedeln mit, wackeln **II.** *vi* wedeln; **waggly** *adj* ▷*tail* wedelnd
wag[g]on ['wægən] *n* [1] (*horse-drawn*) Fuhrwerk *s* [2] (*AM car*) Wagen *m* [3] *BRIT* RAIL (offener) Güterwagen *m;* **wagonload** *n* ▷*of goods* Wagenladung *f*
waif [weɪf] *n* ↑ *homeless child* heimatloses Kind *s*
wail [weɪl] **I.** *n* Heulen *s,* Jammern *s* **II.** *vi* jammern
waist [weɪst] *n* ANAT Taille *f;* ◇ **stripped to the ~** mit nacktem Oberkörper *m;* **waistcoat** *n* Weste *f;* **waisted** *adj* tailliert; **waistline** *n* ANAT Taille *f*
wait [weɪt] **I.** *n* Wartezeit *f;* ◇ **a five-minute ~** eine fünfminütige Wartezeit, eine Wartezeit von fünf Minuten **II.** *vi* warten (*for* auf *acc*); ◇ **I can hardly ~** ich kann es kaum erwarten; ◇ **~ and see ...** da muß man abwarten ...; ◇ **~ a minute** einen Moment, bitte; ◇ **Just you ~!** Warte nur!; ◇ **to lie in ~** jd-m auflauern; **wait around/about** *vi* warten auf *acc;* **wait on** *vi* [1] ↑ *wait for* warten auf [2] ↑ *serve* servieren, bedienen; **waiter** *n* Kellner *m;* ◇ **~!** Herr Ober!
waiting game *n* Wartespiel *s;* **waiting list** *n* Warteliste *f;* **waiting room** *n* [1] (*at doctor's*) Wartezimmer *s* [2] RAIL Bahnhofshalle *f;* **waitress** ['weɪtrɪs] *n* Kellnerin *f;* ◇ **~!** Fräulein!
waive [weɪv] *vt* → *rights* verzichten auf *acc;* → *question* abtun; **waiver** ['weɪvə*] *n* Verzicht *m*
wake [weɪk] <woke *o.* waked, woken *o.* waked> **I.** *vt* wecken **II.** *vi* aufwachen **III.** *n* NAUT Kielwasser *s;* ◇ **to ~ up to s.th.** *FIG* sich einer Sache bewußt werden *gen;* **wakeful** *adj* schlaflos; **waken** *vt* ↑ *wake up* aufwecken
waking *n:* ◇ **~ hours** von früh bis spät
Wales ['weɪlz] *n* Wales *s;* ◇ **Prince of ~** *Titel des ältesten Sohnes der englischen Königin oder des englischen Königs, Thronfolger*
walk [wɔ:k] **I.** *n* [1] (*in park*) Spaziergang *m* [2] (*style*) Gang *m* [3] ↑ *way, route* Weg *m* **II.** *vi* [1] (*act of walking*) gehen [2] (*in park*) spazierengehen; ◇ **it's a 15-minute ~ to the beach** zum Strand sind es 15 Minuten zu Fuß; ◇ **I took my mother for a ~** ich bin mit meiner Mutter spazierengegangen; ◇ **people from all ~s of life** Leute aus den verschiedensten Berufsgruppen; **walkabout** *n* Rundgang *m;* **walker** *n* [1] (*in park*) Spaziergänger(in *f*) *m* [2] ↑ *hiker* (*mountains*) Wanderer *m,* Wandrerin *f;* **walkie-talkie** *n* Walkietalkie *s,* tragbares Sprechfunkgerät *s;* **walking** *n* [1] (*movement*) Gehen *s* [2] (*in park*) Spaziergehen *s* [3] (*hiking*) Wandern *s;* ◇ **~ stick** Spazierstock *m;* **walkout** *n* ↑ *strike* Streik *m;* **walkover** *n FAM* ↑ *very easy* lockerer Sieg *m,* Kinderspiel *s*
wall [wɔ:l] *n* [1] (*inside building*) Wand *f;* (*FIG anger*) ◇ **to drive s.o. up the ~** jd-n auf die Palme bringen; ◇ **it's like talking to a brick ~** ich könnte genauso gut gegen eine Wand reden, das ist einem Ochsen ins Horn gepfetzt; ◇ **~-to-~ carpeting** Teppichboden *m* [2] (*outside building*) Mauer *f;* ◇ **the Great W~ of China** die chinesische Mauer; **wall bars** *n pl* Sprossenwand *f;* **walled** *adj* ▷*property* von Mauern umgeben

wallet ['wɒlɪt] *n* Brieftasche *f*
wallflower *n* (*FIG girl*) Mauerblümchen *s*
wallhanger *n* Tapezierer(in *f*) *m*; **wall lamp** *n* Wandleuchter *m*
wallop ['wɒləp] ↑ *hit* schlagen
wallow ['wɒləʊ] *vi* sich wälzen in; ◇ **to ~ in self pity** in Selbstmitleid schwelgen; ◇ **to ~ in money** im Geld schwimmen
wallpaper ['wɔːlpeɪpə*] *n* Tapete *f*; **wallposter** *n* Wandzeitung *f*
walnut ['wɔːlnʌt] *n* [1] (*nut*) Walnuß *f*; ◇ **~ cake** Nußkuchen *m*; (*tree*) Walnußbaum *m* [2] (*wood*) Nußbaumholz *s*
walrus ['wɔːlrəs] *n* ZOOL Walroß *s*
waltz [wɔːlts] **I.** *n* (*dance*) Walzer *m* **II.** *vi* Walzer tanzen; ◇ **to ~ in** hereintanzen
wan [wɒn] *adj* ↑ *pale* bleich, blaß; ▷*smile* matt
wand [wɒnd] *n* (*magic*) Zauberstab *m*
wander ['wɒndə*] *vi* ↑ *roam around* [herum-]wandern; (*FIG from subject*) abschweifen; ◇ **to let o.'s mind ~** seine Gedanken schweifen lassen; **wander about** *vi* (*countryside, streets*) umherwandern; **wanderer** *n* Wanderer *m*, Wandrerin *f*; **wandering** *adj* ▷*eyes* umherschweifend; ▷*thoughts* abschweifend
wane [weɪn] *vi* → *moon* abnehmen; *FIG* ← *interest, influence* schwinden
wangle ['wæŋgl] → *favour, money* verschaffen; → *job* organisieren
want [wɒnt] **I.** *n* [1] ↑ *desire* Wunsch *m*; ◇ **a ~ed man** (*by police*) ein von der Polizei Gesuchter [2] ↑ *lack* Mangel *m* (*of* an *dat*); ◇ **for ~ of** aus Mangel an *dat*; ◇ **she ~s for nothing** ihr fehlt es an nichts [3] ↑ *need* Bedürfnis *s*; ◇ **their ~s have been taken care of** für ihr Wohlergehen wurde gesorgt **II.** *vt* [1] ↑ *desire* wollen [2] ↑ *need* brauchen, nötig haben; ◇ **it just ~s some water** es braucht nur ein bißchen Wasser; **want-ad** *n* (*newspaper*) Kaufgesuch *s*
wanton ['wɒntən] *adj* mutwillig; → *woman* liederlich, schamlos; ▷*look* lüstern
war [wɔː*] *n* Krieg *m*; ◇ **to declare ~** den Krieg erklären; ◇ **to be at ~** sich im Krieg befinden; **war baby** *n* Kriegskind *s*; **war crime** *n* Kriegsverbrechen *s*; **war cry** *n* Kriegsgeschrei *s no pl*
ward [wɔːd] *n* [1] MED Station *f* [2] ↑ *child* Mündel *s* [3] ↑ *area of city* Stadtbezirk *m*; **ward off** *vt* → *danger, evil* abwenden
warden ['wɔːdən] *n* [1] ↑ *guard* Wächter(in *f*) *m* [2] ↑ *traffic ~* Verkehrpolizist(in *f*) *m* [3] (*AM in prison*) Gefängniswärter(in *f*) *m*
warder ['wɔːdə*] *n* (*in prison*) Gefängniswärter(in *f*) *m*
wardrobe ['wɔːdrəʊb] *n* [1] (*furniture*) Kleiderschrank *m* [2] (*clothes*) Garderobe *f*
wardship *n* Vormundschaft *f*
warehouse ['wɛəhaʊs] *n* Lagerhaus *s*
wares [wɛəz] *n pl* ↑ *goods* Waren *pl*
warfare ['wɔːfɛə*] *n* Krieg *m*; **war guilt** *n* Kriegsschuld *f*; **warhead** *n* MIL Gefechtskopf *m*, Sprengkopf *m*
warily ['wɛərɪlɪ] *adv* vorsichtig
warlike ['wɔːlaɪk] *adj* kriegerisch
warm [wɔːm] **I.** *adj* warm; ▷*welcome, greeting* herzlich **II.** *vti* → *feet* wärmen; **warm up I.** *vt* [1] ↑ *heat* aufwärmen [2] SPORT sich aufwärmen **II.** *vi* warm werden; **warm-hearted** *adj* warmherzig; **warmly** *adv* warm, herzlich; ◇ **to ~ welcome s.o.** jd-n herzlich wilkommen heißen; **warm start** *n* PC Warmstart *m*; **warmth** *n* [1] ↑ *heat* Wärme *f* [2] (*of reception*) Herzlichkeit *f*
warn [wɔːn] *vt* warnen (*of, against* vor *dat*); ◇ **I'm ~ing you** ich warne dich; ◇ **you have been ~ed** ihr wißt Bescheid; **warning** *n* Warnung *f*; ◇ **without ~** ohne Vorwarnung *f*; **warning light** *n* Warnlicht *s*; **warning shot** *n* Warnschuß *m*; **warning sign** *n* Warnzeichen *s*; **warning strike** *n* Warnstreik *m*; **warning triangle** *n* AUTO Warndreieck *s*
warp [wɔːp] *vi* (*wood*) sich verziehen
war path *n* Kriegspfad *m*
warped *adj* ▷*wood* verzogen, auf dem Kriegspfad sein; *FIG* ▷*mind* pervers, abartig
warrant ['wɒrənt] **I.** *n* (*for arrest*) Haftbefehl *m* **II.** *vt* ↑ *justify* rechtfertigen; ↑ *deserve* verdienen; ↑ *guarantee* gewährleisten; **warranty** ['wɒrəntɪ] *n* COMM Garantie *f*
warrior ['wɒrɪə*] *n* Krieger(in *f*) *m*
warship ['wɔːʃɪp] *n* Kriegsschiff *s*
wart [wɔːt] *n* MED Warze *f*
wartime ['wɔːtaɪm] *n* Krieg *m*, Kriegszeit *f*
wary ['wɛərɪ] *adj* ↑ *careful, hesitant* vorsichtig; ↑ *suspicious* mißtrauisch; ◇ **to be ~ of s.th.** kein Vertrauen haben zu etw
war zone *n* Kriegsgebiet *s*
was [wɒz, wəz] *pt of* **be**
wash [wɒʃ] **I.** *n* Wäsche *f* **II.** *vt* waschen; → *dishes* abspülen **III.** *vi* sich waschen; **wash away** *vt* ↑ *remove* wegspülen; **washable** *adj* waschbar; ▷*carpet* abwaschbar; **washbasin** *n* Waschbecken *s*; **wash cloth** *n* (*AM*) Waschlappen *m*; **washhouse** *n* Waschküche *f*
washed-out *adj* ▷*person* fertig, müde; **washer** *n* ↑ *dish~* Spülmaschine *f*
wash house *n* Waschhaus *s*; **washing** *n* ↑ *laundry* Wäsche *f*; **washing machine** *n* Waschmaschine *f*; **washing powder** *n* Waschpulver *s*; **washing-up** *n* (*dirty dishes*) Abwasch *m*; **washing-up liquid** *n* Geschirrspülmittel *s*;

washroom *n* [1] *AM* Toilette *f* [2] (*laundry room*) Waschraum *m*

wasn't ['wɒznt] = **was not**

wasp [wɒsp] *n* Wespe *f*

wastage ['weɪstɪdʒ] ↑ *loss* Verlust *m*

waste [weɪst] **I.** *n* [1] ↑ *wasting* Verschwendung *f;* ◇ **a ~ of time** reine Zeitverschwendung [2] ↑ *rubbish* Abfall *m* **II.** *adj* ↑ *useless* Abfall- **III.** *vt* [1] ↑ *not make full use of* verschwenden; → *time, money* vergeuden [2] ↑ *lay ~* verwüsten; **waste away** *vi* ← *person* ↑ *become weaker* immer schwächer werden; **waste container** *n* Müllcontainer *m;* **wasteful** *adj* verschwenderisch; **wasteland** *n* Ödland *s;* **waste management** *n* Entsorgung *f;* **waste of time** *n* Zeitverschwendung *f;* **wastepaper basket** *n* Papierkorb *m;* **waste product** *n* Abfallprodukt *s*

watch [wɒtʃ] **I.** *n* [1] ↑ *wrist ~* [Armband-]Uhr *f* [2] ↑ *guard* Wache *f* **II.** *vt* [1] → *film* anschauen, ansehen [2] ↑ *observe* beobachten [3] ↑ *be wary of* aufpassen auf *acc;* ◇ **~ out!** paß' auf! [4] ↑ *guard* bewachen **III.** *vi* zuschauen; **watchdog** *n* Wachhund *m;* **watchful** *adj* → *eye* wachsam; **watchmaker** *n* Uhrmacher(in *f*) *m;* **watchman** *n* <-men> Wachmann *m,* Wächter *m;* **watch strap** *n* Uhrband *s;* **watch tower** *n* Wachturm *m*

water ['wɔːtə*] **I.** *n* Wasser *s;* ◇ **~s** *pl* (*of river*) Gewässer *pl;* ◇ **~ under the bridge** ↑ *bygones* Schnee von gestern; (MED *childbirth*) ◇ **Have the ~s broken?** Ist schon Fruchtwasser abgegangen? **II.** *vt* → *plants* gießen; → *lawn* sprengen; → *horses* tränken **III.** *vi* ← *eye* tränen; ◇ **my mouth is ~ing** mir läuft das Wasser im Mund zusammen; **water down** *vt* [1] (*soak*) verwässern [2] ← *thin out* verdünnen, abschwächen; **water cannon** *n* Wasserwerfer *m;* **water closet** *n* Wasserklosett *s;* **watercolour, watercolor** (*AM*) *n* (*painting*) Aquarell *s;* (*paint*) Wasserfarbe *f;* **watercress** *n* Brunnenkresse *f;* **waterfall** *n* Wasserfall *m;* **water gun** *n* Wasserwerfer *m;* **water hole** *n* Wasserloch *s;* **watering can** *n* Gießkanne *f*

watering hole *n* [1] Kurort *m* [2] (*animals*) Wasserstelle *f;* **water level** *n* Wasserstand *m;* **waterlily** *n* Seerose *f;* **waterline** *n* Wasserlinie *f;* **waterlogged** *adj* (*ground*) voll Wasser; **watermelon** *n* Wassermelone *f;* **water pipe** *n* Wasserleitung *f;* **water pollution** *n* Wasserverschmutzung *f;* **water polo** *n* Wasserballspiel *s;* **waterproof** *adj* wasserdicht; **watershed** *n* Wasserscheide *f;* **water-skiing** *n* Wasserskilaufen *s;* **water-soluble** *adj* wasserlöslich

water supply *n* Wasserversorgung *f;* **watertight** *adj* ↑ *waterproof* wasserdicht

water vapour *n* Wasserdampf *m;* **waterworks** *n pl or sg* Wasserwerk *s;* **watery** *adj* ▷*soup* wässerig, wäßrig; ▷*eyes* tränend

watt [wɒt] *n* PHYS Watt *s*

wave [weɪv] **I.** *n* (*of hands*) Winken *s* [2] (*water*) Welle *f* [3] (*hair*) Welle *f* **II.** *vt* [1] ↑ *swing* schwenken; → *hand* winken mit; ◇ **to wave sb goodbye** jd-m zum Abschied zuwinken [2] → *hair* wellen **III.** *vi* [1] ← *person* winken; ← *flag* wehen [2] ← *hair* sich wellen; **wavelength** *n also FIG* Wellenlänge *f;* ◇ **she's not on my ~** sie und ich haben nicht die gleiche Wellenlänge

waver ['weɪvə*] *vi* ← *courage* weichen; ← *flicker* flackern; ↑ *be hesitant* schwanken

wavering *adj* ▷*flame* flackernd; ↑ *decreasing* nachlassend; ▷*determination* wankend

wavy ['weɪvɪ] *adj* ↑ *uneven* ungleich; ▷*hair* wellig

wax [wæks] **I.** *n* [1] (*candle*) Wachs *s* [2] ↑ *sealing ~* Siegellack *m* [3] ↑ *ear ~* Ohrenschmalz *m* **II.** *vt* → *floor* wachsen; **wax crayon** *n* Wachsmalstift *m;* **waxwork** *n* (*figure*) Wachsfigur *f;* ◇ **~s** Wachsfigurenkabinett *s*

waxy *adj* Wachs-, aus Wachs

way [weɪ] *n* Weg *m* [1] ↑ *direction* Richtung *f,* Seite *f;* ◇ **the ~ to Cologne** der Weg nach Köln; ◇ **by ~ of** via; ◇ **there's no ~ out** es gibt keinen Ausweg; ◇ **on the ~** unterwegs [2] ↑ *road* Straße *f;* ◇ **Is this the ~ to the station?** Führt diese Straße zum Bahnhof? [3] ↑ *method* Art und Weise *f;* ◇ **to find a ~** einen Weg finden; ◇ **this is the ~** so macht man das; ◇ **in a ~** gewissermaßen; ◇ **by the ~** übrigens [4] ↑ *distance* Entfernung *f,* Strekke *f;* ◇ **it's quite a ~** es ist eine ziemlich lange Strecke [5] ↑ *habit* Eigenart *f,* Gewohnheit *f;* ◇ **he has his ~s** er hat seine Eigenarten [6] ↑ *tradition* Sitte *f;* **waylay** *irr vt* ↑ *ambush* auflauern *dat;* **wayward** *adj* eigensinnig

we [wiː] *pron* wir

weak [wiːk] *adj* (*lacking strength*) schwach; ▷*tea* dünn; ▷*personality* schwach, labil; **weak current** *n* Schwachstrom *m;* **weak spot** *n* Schwachstelle *f;* **weaken I.** *vt* schwächen **II.** *vi* schwächer werden; ↑ *give in* nachgeben; **weakling** *n* Schwächling *m;* **weakness** *n* Schwäche *f*

wealth [welθ] *n* Reichtum *m;* **wealthy** *adj* reich, wohlhabend

wean [wiːn] *vt* → *child* entwöhnen, abstillen

weaning *n* Entwöhnung *f*

weapon ['wepən] *n* Waffe *f*

wear [wɛə*] <wore, worn> **I.** *vt* [1] ↑ *have on*

tragen; → *glasses* tragen; → *hat* aufhaben [2] ↑ *make use of* abnutzen **II.** *vi* ↑ *last* halten, sich abnutzen **III.** *n* [1] ↑ *clothes* Kleidung *f* [2] Verschleiß *m*, Abnutzung *f*; (*durability*) ◇ **- and tear** Verschleiß *m*, Abnutzung *f*

wearable *adj* ▹*clothes* tragbar; **wear down** *vt* ↑ *diminish* abtreten; → *heels* ablaufen

weariness ['wɪərɪnɪs] *n* Müdigkeit *f*, Lustlosigkeit *f*; **wear off** *vi* nachlassen; **wear out** *vt* → *clothes* abnutzen; → *tire* erschöpfen; **wearer** *n* Träger(in *f*) *m*

wearily ['wɪərɪlɪ] *adv* ↑ *tiredly* müde, erschöpft; **weariness** *n* Müdigkeit *f*; **weary** ['wɪərɪ] **I.** *adj* ↑ *tired* müde, erschöpft **II.** *vt* ↑ *tire* ermüden **III.** *vi* ↑ *be tired of s.th.* etw satt haben

weasel ['wi:zl] *n* ZOOL Wiesel *s*; ◇ **to - out of s.th.** sich aus etw rauslavieren

weather ['weðə*] **I.** *n* Wetter *s*; ◇ **bad -** schlechtes Wetter; ◇ **good -** gutes Wetter; ◇ **it depends on the -** es hängt vom Wetter ab; (*feel ill*) ◇ **Kate is feeling a little under the -** Kate geht es nicht so gut **II.** *vt* [1] GEOL verwittern lassen [2] ↑ *resist* überstehen; **weather-beaten** *adj* ▹*face* verwittert; **weather chart** *n* Wetterkarte *f*; **weathercock** *n* Wetterhahn *m*; **weather forecast** *n* Wettervorhersage *f*; **weather situation** *n* Wetterlage *f*

weave [wi:v] <wove *o.* weaved, woven *o.* weaved> *vt* weben; ◇ **to - o.'s way through the crowds** sich durch das Gewühle kämpfen; **weaver** *n* Weber(in *f*) *m*; **weaving** *n* Weben *s*; **weaving mill** *n* Weberei *f*

web [web] *n* [1] (*of spider*) Netz *m*; ◇ **a - of lies** ein Lügengespinst *s* [2] ↑ *membrane* Schwimmhaut *f*; **webbed** *adj* ▹*toes* mit Schwimmhäuten; **webbing** *n* Gewebe *s*

wed [wed] <wed *o.* wedded, wed *o.* wedded> *vt* ↑ *marry* heiraten

we'd [wi:d] = **we had; we would**

wedding ['wedɪŋ] *n* Hochzeit *f*; **wedding anniversary** *n* Hochzeitstag *m*; **wedding announcement** *n* Vermählungsanzeige *f*; **wedding ceremony** *n* Trauung *f*; **wedding day** *n* Hochzeitstag *m*; **wedding present** *n* Hochzeitsgeschenk *s*; **wedding ring** *n* Ehering *m*, Trauring *m*

wedge [wedʒ] **I.** *n* [1] Keil *m*; ◇ **to drive a - between** einen Keil treiben zwischen [2] (*of cake, cheese*) Stück *s* **II.** *vt* ↑ *secure* verkeilen, einkeilen

Wednesday ['wenzdeɪ] *n* Mittwoch *m*; ◇ **on -** am Mittwoch; ◇ **on -s** mittwochs

wee [wi:] *adj* winzig klein

weed [wi:d] **I.** *n* [1] Unkraut *s* [2] (*person*) Schwächling *m* **II.** *vt* ↑ *pull out -s* jäten; **weed-killer** *n* Unkrautvertilgungsmittel *s*

week [wi:k] *n* Woche *f*; ◇ **a - ago** vor einer Woche; ◇ **in a -** in einer Woche; ◇ **a -'s work** eine Woche Arbeit; **weekday** *n* Wochentag *m*; **weekend** *n* Wochenende *s*; ◇ **What are you doing this -?** Was machst du am Wochenende?; **weekend house** *n* Wochenendhaus *s*; **weekly** *adj, adv* ▹*check-up* wöchentlich; **weekly wages** *n* Wochenlohn *m*; **weekly [newspaper]** *n* Wochenblatt *s*

weep [wi:p] <wept, wept> *vi* (*cry softly*) weinen

weeping willow *n* BIO Trauerweide *f*

weevil ['wi:vɪl] *n* ZOOL Rüsselkäfer *m*

weigh [weɪ] *vti* wiegen; ◇ **how much do you -?** wieviel wiegst du?; ◇ **to - anchor** die Anker lichten; **weigh down** *vt* ↑ *push down* niederdrücken; ◇ **to be -ed -** überladen sein; **weigh up** *vt* abwägen

weighbridge *n* Brückenwaage *f*

weight [weɪt] *n* [1] Gewicht *s*; ◇ **to lose -** abnehmen; ◇ **to put on -** zunehmen; *FAM* ◇ **to push -s** Hanteltraining machen, mit Hanteln trainieren [2] ↑ *bother, strain* Last *f*; ◇ **to take a - off s.o.'s mind** jd-n von einer Last befreien [3] ↑ *importance, meaning* Wichtigkeit *f*, Bedeutung *f*; ◇ **you shouldn't attach any - to the matter** du solltest diese Sache nicht so wichtig nehmen; ◇ **he's worth his - in gold** er ist Gold wert; **weight category** *n* Gewichtsklasse *f*; **weighting** *n* ↑ *allowance* Ortszuschlag *m*; **weightlessness** *n* Schwerelosigkeit *f*; **weight-lifter** *n* Gewichtheber(in *f*) *m*

weight lifting *n* SPORT Gewichtheben *s*; **weighty** *adj* ▹*decision, FIG* schwer, gewichtig

weir [wɪə*] *n* Wehr *s*

weird [wɪəd] *adj* unheimlich, komisch; ◇ **he's kind of -** er ist ein bißchen daneben

weirdo *n* ↑ *strange person* komischer *m* Typ [*o.* etwas seltsamer]

welcome ['welkəm] **I.** *n* Willkommen *s*, Empfang *m*; ◇ **a warm -** ein herzliches Willkommen; ◇ **- home!** Willkommen zu Hause!; ◇ **you're -** nichts zu danken, bitte **II.** *vt* begrüßen; **welcoming** *adj* ↑ *reception* Begrüßung *f*

weld [weld] **I.** *n* Schweißnaht *f* **II.** *vt* schweißen; **welder** *n* Schweißer(in *f*) *m*; **welding** *n* Schweißen *s*

welfare ['welfɛə*] *n* [1] ↑ *wellbeing* Wohl *s* [2] *AM* Sozialhilfe *f*; **welfare state** *n* Wohlfahrtsstaat *m*

well [wel] **I.** *n* Brunnen *m*; (*oil -*) Quelle *f* **II.** *adj* ↑ *in good health* gesund **III.** *intj* nun, tja; (*starting* *conversation*) nun, also **IV.** *adv* gut, wohl; ◇ **-, -!** So, so!; ◇ **Are you -?** Geht es dir gut?; ◇ **he is - over forty** er ist schon weit über die Vierzig hinaus; ◇ **it may - be** das kann gut sein; ◇ **it would be [as] - to ...** es wäre wohl besser ...; ◇ **you did - [not] to ...** es war ganz gut, daß du ...; ↑ *O.K.* ◇ **very -** gut

we'll [wi:l] = **we will; we shall**

well-adjusted *adj* gut angepaßt

well-behaved [welbɪ'heɪvd] *adj* wohlerzogen; **well-being** *n* Wohlergehen *s,* Wohl *s;* **well-built** *adj* ▷*person* kräftig gebaut

well-deserved *adj* wohlverdient; **well-earned** *adj* ▷*rest* wohlverdient; **well-funded** *adj* kaufkräftig; **well-heeled** *adj FAM* ↑ *wealthy* wohlhabend, gutbetucht

well-informed *adj* gut informiert

wellingtons ['welɪŋtənz] *n pl* (*boots*) Gummistiefel *pl*

well-kept *adj* ▷*house* gepflegt; **well-known** [wel'nəʊn] *adj* ▷*person* bekannt

well-mannered *adj* ▷*children* wohlerzogen, mit guten Manieren; **well-meaning** *adj* ▷*person* wohlmeinend; ▷*advice* gut gemeint; **well-off** *adj* ↑ *rich* reich, wohlhabend; **well-read** [wel'red] *adj* belesen; **well-to-do** *adj* reich, begütert; **well-wisher** ['welwɪʃə*] *n* (*benevolent*): ◇ **Tommy received letters from hundreds of -s** Tommy bekam Briefe von Hunderten von Leuten, die ihm alles Gute wünschten; **well-wooded** *adj* waldreich

Welsh [welʃ] **I.** *adj* walisisch **II.** *n:* ◇ **the -** *pl* die Waliser *pl;* GASTRON ◇ **- rarebit** *überbackene Käseschnitte;* **Welshman** *n* <-men> Waliser *m;* **Welshwoman** *n* <-women> Waliserin *f*

went [went] *pt of* **go**

wept [wept] *pt, pp of* **weep**

were [wɜ:*] *pt pl of* **be**

we're [wɪə*] = **we are**

weren't [wɜ:nt] = **were not**

west [west] **I.** *n* Westen *m;* ◇ **in the -** im Westen; ◇ **the W-** POL, GEO der Westen **II.** *adj* westlich **III.** *adv* nach Westen; ◇ **- of here** westlich von hier; **westerly** *adj* → *wind* westlich; **western I.** *adj* (*direction*) westlich **II.** *n* ▷*movie* Western *m;* **westward[s]** ['westwədz] *adv* nach Westen

wet [wet] *adj* naß; **wetness** *n* Nässe *f,* Feuchtigkeit *f;* **wet shave** *n* Naßrasur *f*

we've [wi:v] = **we have**

whack [wæk] **I.** *n* ↑ *knock* Schlag *m* **II.** *vt* schlagen

whale [weɪl] *n* ① Wal *m* ② ↑ *good time, fun, fam* ◇ **a - of a time** eine Mordsgaudi

wharf [wɔ:f] *n* <-s *o.* wharves> Kai *m*

what [wɒt] **I.** *pron, intj* was **II.** *adj* welch, was für; ◇ **- a hat!** was für ein Hut!; ◇ **- money I had** alles Geld, das ich hatte; (*suggestion*) ◇ **- about ...** wie wäre es ...; ◇ **- about it?, so -?** na und?; ◇ **Well, - about him?** Ja, was ist mit ihm?; ◇ **And - about me?** Und wo bleibe ich?; ◇ **- for?** Wozu?; **whatever** *adj:* ◇ **- you say** egal, was du sagst; ◇ **- happened** egal, was passierte; ◇ **you have no reason - to complain** du hast überhaupt keinen Grund, dich zu beklagen

wheat [wi:t] *n* Weizen *m;* ◇ **whole- bread** Vollkornbrot *s*

wheedle ['wi:dl] *vt* ↑ *persuade:* ◇ **to - sb into doing s.th.** jd-n herumkriegen

wheel [wi:l] **I.** *n* ① (*on bike*) Rad *s* ② (*steering -*) Lenkrad *s* ③ ↑ *disc* Scheibe *f* **II.** *vt* → *person in wheelchair* schieben; **wheelbarrow** *n* Schubkarre *f,* Schubkarren *m;* **wheelchair** *n* Rollstuhl *m;* **wheel clamp** *n* (*illegal parking*) Parkkralle *f*

wheeze [wi:z] *vi* (*when you have a cold*) keuchen, pfeifend atmen

when [wen] **I.** *adv* wann **II.** *adv, cj* ① (*present tense*) wenn; ◇ **- you come** wenn du kommst ② (*past tense*) als; ◇ **- they arrived** als sie ankamen ③ (*indirect question*) wann; ◇ **- did it happen** wann ist es passiert?; **whenever** *adv* wann immer, immer wenn; ◇ **- you want** wann immer du möchtest; ◇ **- I say s.th.** immer, wenn ich was sage

where [wɛə*] *adv* wo; ◇ **- to** wohin; ◇ **- from** woher; **whereabouts** ['wɛərə'baʊts] **I.** *adv* wo **II.** *n pl* Verbleib *m,* Aufenthalt *m;* **whereas** [wɛər'æz] *cj* während, wohingegen; **whereby** [wɛər'baɪ] *adv* womit, wodurch, woran; **wherever** [wɛər'evə*] *adv* wo[immer], ganz gleich

whet [wet] *vt* → *appetite* anregen

whether ['weðə*] *cj* ob; ◇ **tell us - or not you can come** sag' uns, ob du kommen kannst oder nicht

whey *n* Molke *f*

which [wɪtʃ] **I.** *adj* (*choice, selection*) welche(r, s) **II.** *pron* (*relative*) der, die, das; (*factual*) was; (*interrogative*) welche(r, s); ◇ **-ever** welche(r, s) auch immer, ganz gleich welche(r, s)

whiff [wɪf] *n* (*smell, food*) Hauch *m;* (*perfume*) Duftwolke *f*

whiffy *adj* ↑ *smelly* stark nach etw riechend

while [waɪl] **I.** *n* Weile *f;* ◇ **all the -** die ganze Zeit (über); ◇ **to be worth o.'s -** sich lohnen **II.** *cj* während; ◇ **for a - I was afraid** eine Zeitlang hatte ich Angst

whim [wɪm] *n* Laune *f;* ◇ **at -** nach Lust und Laune

whimper ['wɪmpə*] *vi* ← *child* wimmern; ← *dog* winseln
whimsical ['wɪmzɪkəl] *adj* launisch
whine [waɪn] **I.** *n* (*of dog*) Gewinsel *s*, Jaulen *s;* (*of person*) Gejammer *s* **II.** *vi* ← *dog* ↑ *cry* winseln, jaulen; ← *person* ↑ *to complain* jammern
whip [wɪp] **I.** *n* [1] (*horse*) Peitsche *f* [2] *BRIT* POL Einpeitscher(in *f*) *m* [3] GASTRON ◇ **chocolate** - Schokoladencreme *f* **II.** *vt* [1] ↑ *beat* peitschen [2] ↑ *grab* reißen; ◇ **strawberries and -ped cream** Erdbeeren mit Schlagsahne *f;* **whip up** *vt* ↑ *quickly prepare* → *meal* schnell hinzaubern
whip lash *n* MED ≈Schleudertrauma *s*
whippet ['wɪpɪt] *n* (ZOOL *dog*) Whippet *m*
whipping *n* [1] ↑ *defeat* Niederlage *f* [2] ↑ *beating* Prügel *f;* **whipping boy** *n* Prügelknabe *m;* **whip-round** *n FAM* Geldsammlung *f*
whirl [wɜːl] **I.** *n* Wirbel *m* **II.** *vti* [herum]wirbeln; **whirlpool** *n* Strudel *m;* ◇ - **bath** Whirlpool® *m;* **whirlwind** *n* Wirbelwind *m;* ◇ - **romance** stürmische Romanze *f*
whisk [wɪsk] **I.** *n* Schneebesen *m* **II.** *vt* → *cream, eggs* schlagen
whisk away *vt* wegscheuen
whisker ['wɪskə*] *n* (*of animal*) Schnurrhaar *s;* ◇ -s *pl* ↑ *moustache* Schnurrbart *m*
whisk[e]y ['wɪskɪ] *n* Whisky *m*
whisper ['wɪspə*] **I.** *vi* flüstern, leise sprechen **II.** *vt* flüstern, tuscheln
whistle ['wɪsl] **I.** *n* [1] (*sound*) Pfiff *m* [2] (*instrument*) Pfeife *f* **II.** *vti* pfeifen
white [waɪt] **I.** *n* (*colour*) Weiß *s;* (*of egg*) Eiweiß *s;* ◇ **to turn** - (*person*) blaß werden; (*object*) weiß werden **II.** *adj* weiß; ◇ - **coffee** Kaffee *m* mit Milch; **white [wheat] beer** *n* Weißbier *s;* **white cabbage** *n* Weißkohl *m;* **white cabbage** Weißkraut *s;* **white-collar crimes** *n pl* Wirtschaftskriminalität *f;* **white-collar worker** *n* Angestellte(r) *fm;* **white elephant** *n* (*FIG useless object*) nutzloser Gegenstand *m;* ◇ - - **sale** Flohmarkt *s;* **white horse** *n* Schimmel *m*
White House *n* POL das Weiße Haus; **white lie** *n* Notlüge *f*
white meat *n* helles Fleisch *s;* **whiteness** *n* Weiß *s;* **whiteout** *n* (*AM*) Korrekturflüssigkeit *f*, Tipp-ex® *s;* **whitewash I.** *n* ↑ *paint* Tünche *f* **II.** *vt* tünchen, weißen; *FIG* beschönigen; **white wedding** *n* Hochzeit *f* in Weiß; **white wine** *n* Weißwein *m*
whiting ['waɪtɪŋ] *n* Weißfisch *m*
Whitsun ['wɪtsn] *n* Pfingsten *s*
Whit Sunday *n* Pfingssonntag *m*
whizz [wɪz] *vi* ↑ *rush, hurry* sausen, zischen; **whizz kid** *n FAM* ↑ *genius* Genie *s*, Wunderkind *s*
who [huː] *pron* (*interrogative*) wer; (*relative*) der, die, das; **whoever** [huː'evə*] *pron* wer immer, wer auch, egal wer/wen/wem
whole [həʊl] **I.** *adj* ganz; ◇ **the - house** das ganze Haus; ↑ *safe* heil **II.** *n* Ganze(s) *s;* (*of people*) ◇ **the - lot** alle miteinander, der ganze Verein; ◇ **the - of the year** das ganze Jahr; ◇ **on the - it was pleasant** im großen und ganzen war es angenehm; ◇ **as a -** als Gesamtheit; **wholefood** *n* Vollwertkost *f;* **wholehearted** *adj* ↑ *enthusiastic* rückhaltlos; ↑ *serious* ernsthaft; **wholeheartedly** *adv* voll und ganz, von ganzem Herzen; **wholemeal** *adj* Vollkorn-; ◇ - **bread** Vollkornbrot *s;* **whole milk** *n* Vollmilch *f;*
wholesale I. *n* Großhandel *m* **II.** *adj* Großhandels-; **wholesaler** *n* Großhändler(in *f*) *m;*
wholesome *adj* ↑ *healthy* → *food* gesund;
wholly ['həʊlɪ] *adv* ganz, völlig
whom [huːm] *pron* (*interrogative*) wen *acc*, wem *dat;* (*relative*) den, die, das *acc*, dem, der, dem *dat*
whoop *n* (*cry of joy*) Schrei *m*
whooping cough ['huːpɪŋkɒf] *n* MED Keuchhusten *m*
whoops *intj:* ◇ -! Hoppla!
whopper ['wɒpə*] *n FAM* Mordsding *s;* ↑ *lie* faustdicke Lüge *f;* **whopping** *adj* (*FAM hudge*) riesig; ◇ **a - big thing** ein riesiges Ding
whore ['hɔː*] *n* Hure *f*
whorehouse *n* Bordell *s*
whose [huːz] *pron* (*interrogative*) wessen; (*relative*) dessen, deren
why [waɪ] *adv* warum, wieso, wofür; ◇ **that's -** deshalb, deswegen, darum; ◇ **And - not?** Warum denn nicht?
wick [wɪk] *n* Docht *m*
wicked ['wɪkɪd] *adj* ↑ *mean* gemein; ↑ *evil* ▷*witch* böse; **wickedness** *n* Bosheit *f*
wicker ['wɪkə*] *n* ↑ *basket* Korbgeflecht *s*
wicket ['wɪkɪt] *n* [1] (SPORT *cricket*) Tor *s;* ◇ **-keeper** Torwächter *m* [2] ↑ *playing grounds* Spielfeld *s*
wide [waɪd] **I.** *adj* [1] (*not narrow*) breit; ◇ **--eyed** mit großen Augen [2] ▷*interests* vielfältig [3] ↑ *wrong, not quite right* daneben [4] ◇ - **apart** weit auseinander **II.** *adv* weit; **wide-angle** *adj* (*lens of camera*) Weitwinkel-; **wide-awake** *adj* hellwach; **widely** *adv* weit; ▷*known* allgemein; ◇ **it is - known** es ist weithin bekannt; **widen I.** *vt* → *knowledge* erweitern; → *road* verbreiten **II.** *vi* breiter werden; **wideness** *n* Breite *f;* **wide-open** *adj* → *door* weit geöffnet, weit offen
wide-ranging *adj* ▷*interests* weitreichend; **wi-**

despread *adj* ▷*knowledge, disease* weitverbreitet
widow ['wɪdəʊ] *n* Witwe *f;* **widowed** *adj* verwitwet; **widower** *n* Witwer *m*
width [wɪdθ] *n* Breite *f;* Weite *f*
wife [waɪf] *n* <wives> Ehefrau *f,* Gattin *f*
wig [wɪg] *n* Perücke *f*
wiggle ['wɪgl] *vti* wackeln mit
wigwam ['wɪgwæm] *n* Wigwam *m*
wild [waɪld] *adj* ① ↑ *untamed* ▷*animal* wild; ◇ **the ~s** *pl* die Wildnis ② ↑ *violent* ▷*storm* heftig ③ ▷*notion* verrückt, wahnsinnig ④ ▷*party* wild, heiß ⑤ ◇ **that was just a ~ guess** ich habe nur mal drauflosgeraten ⑥ ◇ **to be ~ about s.th./s.o.** verrückt nach etw/jd-m sein; **wilderness** ['wɪldənəs] *n* Wildnis *f;* **wild-goose chase** *n* (*FIG useless*) fruchtloses Unterfangen *s;* **wildlife** *n* Tierwelt *f;* ◇ **~ sanctuary** Naturschutzgebiet *s;* **wildly** *adv* ▷*excited* völlig, in höchstem Maße
wilful ['wɪlfʊl] *adj* ① ↑ *on purpose* absichtlich ② ↑ *obstinate* eigensinnig
will [wɪl] **I.** *Hilfsverb:* ◇ **it ~ happen** es wird passieren; ◇ **they ~ be here soon** sie werden bald da sein **II.** *vt* ↑ *want* wollen, möchten; ◇ **~ you have another cup of tea?** möchten Sie noch eine Tasse Tee?; ◇ **do so if you ~** tun Sie es, wenn Sie wollen **III.** *n* ① Wille *f;* ◇ **she did it against her ~** sie hat es gegen ihre Willen gemacht ② JUR Testament *s;* **willing** *adj* bereit; **willingness** *n* Bereitschaft *f*
willow ['wɪləʊ] *n* Weide *f*
will power ['wɪlpaʊə*] *n* ↑ *determination* Willenskraft *f*
willy-nilly ['wɪlɪ'nɪlɪ] *adv* wohl oder übel
wilt [wɪlt] *vi* → *flower* verwelken
wimp [wimp] *n FAM* Schlaffi *m*
win [wɪn] <won, won> **I.** *vt* gewinnen **II.** *vi* ↑ *be successful* siegen, gewinnen **III.** *n* SPORT Sieg *m*
winch [wɪntʃ] **I.** *n* Winde *f* **II.** *vt* winschen
wind [waɪnd] <wound, wound> **I.** *vt* ① ↑ *twist* winden ② ↑ *wrap* → *bandage* wickeln ③ ↑ *turn* drehen ④ (*through crowd*) sich schlängeln **II.** *vi* ① ↑ *turn* sich winden ② ← *river* sich schlängeln **III.** *n* Kurve *f;* **wind up I.** *vt* ① → *clock* aufziehen ② ↑ *end* → *discussion* [ab]schließen **II.** *vi FAM* ↑ *end up* landen; ◇ **to ~ ~ in jail** im Gefängnis landen
wind [wɪnd] *n* ① Wind *m* ② MED Blähungen *pl;* **windbag** *n* Windbeutel *m;* **windbreak** *n* Windschutz *m*
winded *adj* ↑ *out of breath* außer Atem; **windfall** *n* (*apples*) Fallobst *s*
winding ['waɪndɪŋ] *adj* ▷*road* gewunden; ◇ **~ staircase** Wendeltreppe *f*
wind instrument ['wɪndɪnstrʊmənt] *n* Blasinstrument *s;* **windmill** *n* Windmühle *f*
window ['wɪndəʊ] *n* Fenster *s;* **window box** *n* Blumenkasten *m;* **window cleaner** *n* Fensterputzer(in *f*) *m;* **window dresser** *n* Schaufensterdekorateur(in *f*) *m;* **window envelope** *n* Fensterumschlag *m;* **window ledge** *n* Fenstersims *s;* **window pane** *n* Fensterscheibe *f;* **window-shopping** *n* Schaufensterbummel *m;* **windowsill** *n* Fensterbrett *s*
windpipe ['wɪndpaɪp] *n* Luftröhre *f*
windscreen, **windshield** (*AM*) ['wɪndskri:n, 'wɪndʃi:ld] *n* Windschutzscheibe *f;* **windscreen wiper** *n* Scheibenwischer *m*
windsurfer ['wɪndsɜ:fə*] *n* Windsurfer(in *f*) *m;* **windsurfing** *n* Windsurfen *s*
windswept ['wɪndswept] *adj* ▷*hair* zerzaust
windy ['wɪndɪ] *adj* windig
wine [waɪn] *n* Wein *m;* ◇ **white ~** Weißwein *m;* **wine cellar** *n* Weinkeller *m;* **wineglass** *n* Weinglas *s;* **wine grower** *n* Winzer(in *f*) *m;* **wine list** *n* Weinkarte *f;* **wine merchant** *n* Weinhändler(in *f*) *m;* **wine press** *n* Weinpresse *f;* **winery** *n* (*AM*) Weingut *s;* **wine tasting** *n* Weinprobe *f*
wing [wɪŋ] *n* ① (*of bird*) Flügel *m* ② MIL Gruppe *f* ③ (*of house*) Flügel *m* ④ ◇ **~s** *pl* THEAT Seitenkulisse *f;* **winger** *n* SPORT Flügelstürmer(in *f*) *m*
wink [wɪŋk] **I.** *n* Zwinkern *s* **II.** *vi* zwinkern
winner ['wɪnə*] *n* ① (*general*) Gewinner(in *f*) *m* ② SPORT Sieger(in *f*) *m;* **winning I.** *adj* ① siegreich, Sieg-; ◇ **~ team** siegreiche Mannschaft *f* ② ▷*smile* gewinnend **II.** *n* ↑ *profits:* ◇ **~s** *pl* Gewinn *m*
wino *n FAM* Saufkumpan(in *f*) *m*
winter ['wɪntə*] **I.** *n* Winter *m* **II.** *adj* Winter- **III.** *vi* ↑ *spend the ~* überwintern; ◇ **in ~** im Winter; **winter garden** *n* Wintergarten *m;* **winter sports** *n pl* Wintersport *m;* **winter term** *n* Wintersemester *s;* **wintry** ['wɪntrɪ] *adj* ▷*day* winterlich; ▷*look, smile* frostig, kühl
wipe [waɪp] *vt* → *floor* abwischen; → *feet* abwischen; **wipe away** *vt* → *memory, FIG* wegwischen; **wipe off** *vt* abwischen; ◇ **~ that smile ~ your face** hör' auf zu grinsen; ◇ **to ~ s.th. ~ the face of the earth** von der Landkarte verschwunden; **wipe out** *vt* → *mess* abwischen; → *person* auslöschen; → *debt* löschen; **wipe up** *vt* → *mess, spill* aufwischen
wire ['waɪə*] **I.** *n* ① Draht *m* ② ↑ *telegram* Telegramm *s* **II.** *vt* telegrafieren *dat,* ein Telegramm schicken; **wire cutters** *n pl* Drahtschere *f;* **wire-haired** *adj* ▷*dog* drahthaarig; **wire-**

less *n BRIT* ↑ *radio* Radio *s;* **wire netting** *n* Maschendraht *m*
wire tap *n* 1 ↑ *bug* Wanze *f* 2 ↑ *listening* Abhören *s;* **wiretapping** *n* Abhören *s*
wiry ['waɪərɪ] *adj* → *hair* drahtig
wisdom ['wɪzdəm] *n* Weisheit *f,* Klugheit *f;* **wisdom tooth** *n* <teeth> Weisheitszahn *m*
wise [waɪz] *adj* weise; ◇ **a ~ choice** eine gute/kluge Wahl; *FAM* ◇ **to get ~** schlau werden; ◇ **you'd be ~ to stay away** du tätest gut daran, weg zu bleiben; **wisecrack** *n* Witzelei *f;* **wise guy** *n* 1 *FAM* Klugschwätzer, Klugscheißer *m* 2 Mafioso *m;* **wisely** *adv* weise, klug
wish [wɪʃ] **I.** *n* ↑ *desire* Wunsch *m* **II.** *vt* 1 ↑ *desire, want* wünschen, wollen; ◇ **I ~ to go home** ich möchte nach Hause gehen; ◇ **whatever you ~** was immer Sie wollen 2 ↑ *bid, hope* wünschen; ◇ **to ~ s.o. well** jd-m alles Gute wünschen 3 ◇ **Best W-es** Alles Gute; **wish bone** *n* Gabelbein *s;* **wishful thinking** *n* Wunschdenken *s*
wishy-washy ['wɪʃɪwɒʃɪ] *adj* ▷*person* lasch; ▷*idea, discussion* verschwommen, schwammig, nichtssagend; ▷*colour* verwaschen
wisp [wɪsp] *n* ↑ *trace* Hauch *m;* (*of hair*) kleines Büschel *s*
wistful ['wɪstfʊl] *adj* ↑ *longing* sehnsüchtig, wehmütig
wit [wɪt] *n* 1 ↑ *cleverness* Verstand *m* 2 ↑ *joke* Witz *m* 3 ◇ **I'm at my ~'s end** ich bin mit meinem Latein am Ende; ◇ **to scare the ~s out of s.o.** jd-n zu Tode erschrecken
witch [wɪtʃ] *n* Hexe *f;* **witchcraft** *n* Hexerei *f;* **witch doctor** *n* Medizinmann *m*
witch hazel *n* Zaubernuß *f*
with [wɪð, wɪθ] *prep* mit; ◇ **she came ~ a book** sie kam mit einem Buch; ◇ **to stay ~ the Parkers** bei den Parkers wohnen; ◇ **to tremble ~ fear** vor Angst zittern; ◇ **Do you have it ~ you?** Hast du es dabei?; ◇ **Are you ~ me?** Kannst du mir folgen?, Verstehst du mich?
withdraw [wɪθ'drɔː] *irr* **I.** *vt* 1 MIL → *troops* zurückziehen, abziehen 2 → *money* abnehmen 3 ↑ *take back* → *remark, statement* zurücknehmen **II.** *vi* sich zurückziehen; **withdrawal** *n* 1 Rückzug *m,* Abzug *m* 2 Abheben *s* 3 Zurücknahme *f* 4 ◇ **~ symptoms** *pl* Entzugserscheinungen *f pl*
withdrawn *adj* (▷*person*) verschlossen
wither ['wɪðə*] *vi* ← *plant* verwelken, verdorren; **withered** *adj* verwelkt; **withering** *adj* → *look* vernichtend
withhold [wɪθ'həʊld] *irr vt* → *information* zurückhalten; (*from sb*) vorenthalten
within [wɪð'ɪn] *prep* innerhalb *gen*
without [wɪð'aʊt] *prep* ohne; ◇ **it goes ~ saying that …** es ist selbstverständlich, daß …
withstand [wɪθ'stænd] *irr vt* 1 ↑ *resist* widerstehen *dat* 2 (*go without*) aushalten
witness ['wɪtnəs] **I.** *n* Zeuge *m,* Zeugin *f* **II.** *vt* 1 ↑ *be ~* Zeuge sein; ↑ *observe* sehen 2 ↑ *sign document* beglaubigen **III.** *vi* bezeugen, aussagen; **witness box, witness stand** (*AM*) *n* Zeugenstand *m;* **witness statement** *n* Zeugenaussage *f*
witticism ['wɪtɪsɪzəm] *n* witzige/lustige Bemerkung *f;* **wittiness** ['wɪtɪn ɪs] *n* Witzigkeit *f;* **witty** *adj* → *remark, person* witzig, geistreich
wizard ['wɪzəd] *n* 1 (*magic*) Zauberer *m* 2 ↑ *genius* Genie *s;* ◇ **mathematics ~** mathematisches Genie *s*
wobble ['wɒbl] *vi* ← *chair* wackeln
woe [wəʊ] *n* Leid *s,* Kummer *m,* Traurigkeit *f;* **woeful** *adj* ↑ *sad* traurig; ▷*state* bedauerlich
woke [wəʊk] *pt of* **wake**; **woken** *pp of* **wake**
wolf [wʊlf] *n* <wolves> Wolf *m;* **wolfhound** *n* Wolfshund *m*
wolf down *vt* ↑ *gobble* → *food* hinunterschlingen; **wolfish** *adj* ↑ *greedy* gierig
woman ['wʊmən] *n* <women> Frau *f;* ◇ **~ driver** Fahrerin *f;* ◇ **~ doctor** Ärztin *f;* ◇ **cleaning ~** Putzfrau *f*
womanize *vi* ↑ *be woman crazy* hinter den Frauen her sein
womanly *adj* 1 ▷*figure* fraulich 2 ▷*qualities* weiblich
womb [wuːm] *n* Mutterleib *m,* Gebärmutter *f*
women ['wɪmɪn] *pl of* **woman**; **womenfolk** *n* Frauen *pl;* **women's lib** *n* Frauenbewegung *f;* **women's libber** *n* Frauenrechtlerin *f*
won [wʌn] *pt, pp of* **win**
wonder ['wʌndə*] **I.** *n* 1 (*marvel*) Staunen *s* 2 (*unbelievable*) Wunder *s;* ◇ **it's a ~ that …** es ist ein Wunder, daß …; ◇ **No ~!** Kein Wunder!; ◇ **~s never cease** es geschehen noch Zeichen und Wunder **II.** *vt* gespannt sein; ◇ **I ~ what will happen next** ich bin gespannt, was als Nächstes passiert **III.** *vi* 1 ↑ *reflect* sich fragen; ◇ **I ~ if …** ich frage mich, ob … 2 ↑ *be surprised* sich wundern; **wonderful** *adj* wunderbar
wonky *adj FAM* ↑ *crooked* schief, schräg
won't [wəʊnt] = **will not**
wood [wʊd] *n* 1 Holz *s* 2 ↑ *forest* ◇ **~s** *pl* Wald *m;* **wood carving** *n* Holzschnitzerei *f;* **woodchuck** *n* Waldmurmeltier *s;* **wooded** *adj* ▷*area* bewaldet; **wooden** *adj* 1 ↑ *made of wood* hölzern; ◇ **~ leg** Holzbein *s* 2 ▷*smile* steif, gekünstelt; **woodpecker** *n* Specht *m;* **wood-**

pile *n* Holzhaufen *m;* **woodsman** *n* Holzfäller *m;* **woodwind** *n* Holzblasinstrumente *pl;* **woodwork** *n* ① (*material*) Holz *s* ② (*craft*) Holzarbeiten *pl;* **woodworm** *n* Holzwurm *m*

woofer *n* (*in loudspeaker*) Baßlautsprecher *m*

wool [wʊl] *n* Wolle *f;* **woollen, woolen** (*AM*) *adj* Woll-; ◇ **~ cover** Wolldecke *f;* **woolly, wooly** (*AM*) *adj* wollig

word [wɜːd] **I.** *n* ① LING Wort *s* ② (*remark, conversation*) Wort *s;* ◇ **Could I have a ~ with you?** Kann ich dich mal kurz sprechen?; ◇ **beyond ~s** unbeschreiblich; ◇ **without a ~** ohne ein Wort ③ ↑ *promise, vow* Wort *s;* ◇ **I give you my ~** ich gebe dir mein Wort ④ ↑ *news* Nachricht *f* **II.** *vt* formulieren; **word group** *n* LING Wortgruppe *f;* **wording** *n* Formulierung *f,* Wortlaut *m;* **word processing** *n* PC Textverarbeitung *f;* **word processor** *n* PC Textverarbeitungssystem *s*

wore [wɔː*] *pt of* **wear**

work [wɜːk] *s.* **works; I.** *n* ① ↑ *task* Arbeit *f;* ◇ **Good ~!** Gut gemacht!; ◇ **to put a lot of ~ into s.th.** eine Menge Arbeit in etw stecken ② ↑ *employment* Arbeit *f;* ◇ **at ~** bei der Arbeit *f;* ◇ **out of ~** arbeitslos; ◇ **off ~** frei haben ③ (*art*) Werk *s* **II.** *vi* arbeiten ① ← *appliance, machine* funktionieren ② ← *plan, idea* klappen ③ ← *medicine, treatment* wirken ④ ◇ **to get ~ed up** ↑ *to get upset* sich aufregen **III.** *vt* ① → *employees* arbeiten lassen ② → *machine* bedienen; **work off** *vt* ① → *debts* abarbeiten ② → *anger, frustration* abreagieren; **work on I.** *vt* ① (*to take care of, deal with*) arbeiten an *dat* ② ↑ *persuade* → *person* bearbeiten; **work out I.** *vi* ① ← *sum* herauskommen ② ← *plan* durchführbar sein, klappen **II.** *vt* ① → *problem* lösen ② → *solution* ausarbeiten; **work over** *vt FAM* ↑ *to beat up* zusammenschlagen; **work through** *vi* durcharbeiten, abarbeiten; **work together** *vi* zusammenarbeiten; **work up to** *vt* ↑ *aim for* hinarbeiten auf *acc;* **workable** *adj* formbar; ▷*plan* durchführbar; **workaholic** [wɜːkəˈhɒlɪk] *n* Arbeitssüchtige(r) *fm;* **worker** *n* Arbeiter(in *f*) *m;* **working class** *n* Arbeiterklasse *f;* **working-class** *adj* Arbeiter-; ◇ **~ area** Arbeitergegend *f;* **work bench** *n* Werkbank *f;* **work day** *n* Werktag *m;* **workman** *n* <-men> Arbeiter *m,* Handwerker *m;* **workmanship** *n* Arbeit *f;* **workmate** *n* Arbeitskollege(Arbeitskollegin *f*) *m f;* **work(s)** *n sg o pl* ① ↑ *factory* Fabrik *f* ② ↑ *mechanism* Getriebe *s;* (*of watch*) Uhrwerk *s* ③ ↑ *extras* alles Drum und Dran; **workshop** *n* ① ↑ *garage* Werkstatt *f* ② ↑ *seminar* Workshop *m*

world [wɜːld] *n* Welt *f;* ◇ **the animal ~** das Tierreich *s;* ◇ **all over the ~** in der ganzen Welt; ◇ **that was out of this ~** das war unglaublich; ◇ **he means the ~ to me** er bedeutet mir alles; ◇ **there is a ~ of difference between them** zwischen ihnen liegen Welten; **world champion** *n* Weltmeister(in *f*) *m;* **world fair** *n* Weltausstellung *f;* **world-famous** *adj* → *actor* weltberühmt; **worldly** *adj* weltlich, irdisch; **world power** *n* Weltmacht *f;* **world war** *n* Weltkrieg *m;* **world-wide** *adj* weltweit

worm [wɜːm] *n* Wurm *m;* ◇ **tape~** Bandwurm *m*

worn [wɔːn] **I.** *pp of* **wear**; **II.** *adj* ▷*clothing, shoes* abgetragen, abgenutzt; **worn-out** *adj* ① ▷*jacket* abgenutzt ② ↑ *exhausted* erschöpft

worried [ˈwʌrɪd] *adj* besorgt, beunruhigt

worry [ˈwʌrɪ] **I.** *n* Sorge *f,* Kummer *m* **II.** *vt* beunruhigen **III.** *vi* ↑ *feel uneasy* sich sorgen, sich Gedanken machen *dat;* **worrying** *adj* ▷*thought* beunruhigend

worse [wɜːs] **I.** *adj, adv* <*comparative of* **bad**> schlechter, schlimmer; ◇ **and ~ still …** und schlimmer noch …; ◇ **just to make matters ~** zu allem Übel **II.** *n* Schlechteres *s,* Schlimmeres *s;* **worsen I.** *vt* verschlechtern, schlechter werden **II.** *vi* schlechter werden

worship [ˈwɜːʃɪp] **I.** *n* ① Verehrung *f* ② REL ↑ *service* Gottesdienst *m* **II.** *vt* ① *FIG* vergöttern ② → *God* anbeten; **worshipper** *n* ① ↑ *admirer* Verehrer(in *f*) *m* ② ↑ *churchgoer* Kirchgänger(in *f*) *m*

worst [wɜːst] **I.** *adj, adv* <*superlative of* **bad**> schlechtest, schlimmst; ◇ **the ~ case** der schlimmste Fall *m* **II.** *n* Schlimmste *s*

worth [wɜːθ] **I.** *n* ↑ *value* Wert *m* **II.** *adj* wert; ◇ **it's ~ $5** es ist $5 wert; ◇ **they think it is ~ seeing** sie meinen, daß es sehenswert ist; ◇ **it's not ~ talking about** es lohnt sich nicht, darüber zu sprechen, es ist nicht der Rede wert; ◇ **it's ~ mentioning** es ist erwähnenswert; **worthless** *adj* ▷*object* wertlos; ▷*person* nichtsnutzig; **worthwhile I.** *adj* lohnend **II.** *adv:* ◇ **it's not ~** es lohnt sich nicht; **worthy** [wɜːðɪ] *adj* würdig; ◇ **this project is ~ of support** dieses Projekt sollte unterstützt werden

would [wʊd] *Hilfsverb:* ◇ **I ~ do it** ich würde es machen; ◇ **~ you like some?** Möchten Sie etwas davon?; ◇ **she ~ always go there and watch the birds** sie ging immer dorthin und sah den Vögeln zu; **would-be** *adj* Möchtegern-; ◇ **a ~ actor** ein Möchtegern-Schauspieler; **wouldn't = would not**

wound [wuːnd] *pt, pp of* **wind**

wound I. *n* Wunde *f* **II.** *vt* verwunden, verletzen; ◇ **~ed pride** verletzter Stolz

wove [wəʊv] *pt of* **weave**; **woven** *pp of* **weave**

wrap [ræp] **I.** *n* ① ↑ *stole* Schal *m* **II.** *vt* ① ↑ ~ *up* einwickeln ② ↑ *package* einpacken ③ → *business deal* abschließen; **wrapper** *n* (*BRIT*) [Schutz-]Umschlag *m;* **wrapping paper** *n* ① (*for parcel*) Packpapier *s* ② (*for present*) Geschenkpapier *s*

wreak [ri:k] *vt* → *havoc* anrichten

wreath [ri:θ] *n* Kranz *m*

wreck [rek] **I.** *n* (*ship*) Wrack *s; also FIG* ◇ **to be a nervous** ~ ein Nervenbündel sein **II.** *vt* ↑ *destroy* zerstören; → *plans* ruinieren; **wreckage** ['rekɪdʒ] *n* ① (*ship*) Wrack *s* ② ↑ *damages* Trümmer *pl*

wren [ren] *n* ZOOL Zaunkönig *m*

wrench [rentʃ] **I.** *n* ① TECH ↑ *spanner* Schraubenschlüssel *m* ② ↑ *twist* Ruck *m* **II.** *vt* reißen; ◇ **he ~ed it from my hand** er hat es mir aus der Hand gedreht

wrestle ['resl] *vi* ringen; **wrestling** *n* SPORT Ringen *s;* ◇ ~ **match** Ringkampf *m*

wretched ['retʃɪd] *adj* ① ▷*living conditions* erbärmlich, elend ② ↑ *unhappy* todunglücklich ③ ↑ *ill* ◇ **Barry felt ~ all day** Barry ging es den ganzen Tag schlecht

wriggle ['rɪgl] *vi* sich winden, zappeln

wring [rɪŋ] <wrung, wrung> *vt* → *neck, towel* wringen

wrinkle ['rɪŋkl] **I.** *n* Falte *f,* Runzel *f* **II.** *vt* runzeln **III.** *vi* sich runzeln; ← *clothes* faltig werden, knittern

wrist [rɪst] *n* ANAT Handgelenk *s;* **wristwatch** *n* Armbanduhr *f*

writ [rɪt] *n* Befehl *m*

write [raɪt] <wrote, written> *vti* schreiben; **write down** *vt* aufschreiben, niederschreiben; **write off** *vt* ↑ *dismiss* abschreiben; **write out** *vt* ↑ *write down* aufschreiben; → *cheque* ausstellen; **write up** *vt* → *report* verfassen, schreiben; **write-off** *n* Totalschaden *m;* ◇ **the car is a** ~ das Auto kann man abschreiben, das Auto ist [ein] Totalschaden; **writer** *n* (*of text*) Verfasser(in *f*) *m;* ↑ *author* Schriftsteller(in *f*) *m;* **write-up** *n* ① ↑ *report* Bericht *m* ② ↑ *critical report* Kritik *f;* **writing** *n* ① (*act of*) Schreiben *s* ② ↑ *hand* ~ Handschrift *f* ③ ◇ ~s *pl* Werke *pl;* **writing desk** *n* Schreibtisch *m;* **writing pad** *n* Notizblock *m;* **writing paper** *n* Schreibpapier *s;* **written** ['rɪtən] *pp of* **write**

wrong [rɒŋ] **I.** *adj* ① ↑ *incorrect* falsch ② ↑ *dishonest* ▷*behaviour, action* unrecht ③ ↑ *not okay* nicht in Ordnung **II.** *n* Unrecht *s* **III.** *vt* Unrecht tun *dat;* ◇ **that was** ~ das war falsch; ◇ **to be in the** ~ im Unrecht sein; ◇ **the plan went** ~ der Plan ist schiefgegangen; ◇ **What is ~ with your uncle?** Was ist mit deinem Onkel los?; ◇ **What's ~ now?** Was ist jetzt?; ◇ **What is ~ with you?** Was ist mit dir los?, Was hast du denn?; **wrong doer** *n* Übeltäter(in *f*) *m;* **wrongful** *adj* → *doing, action* ungerechtfertigt, unrechtmäßig; **wrongly** *adv* ↑ *incorrectly* falsch; ▷*accuse* zu Unrecht

wrote [rəʊt] *pt of* **write**

wrought [rɔ:t] *adj:* ◇ ~ **iron** Schmiedeeisen *s*

wrung [rʌŋ] *pt, pp of* **wring**

wry [raɪ] *adj* ↑ *ironical* ironisch; ▷*smile* süßsauer

X, x [eks] *n* X, x *s;* ◇ **X chromosome** X-Chromosom *s*

xenophobia [zenə'fəʊbɪə] *n* Fremdenhaß *m,* Fremdenfeindlichkeit *f*

Xerox® ['zɪərɒks] *vt* → *document, page* fotokopieren

Xmas ['krɪsməs] *n* (*only written*) Weihnachten *s,* Weihnacht *f*

X-ray ['eks'reɪ] **I.** *n* (*examination*) Röntgenuntersuchung *f;* (*picture*) Röntgenaufnahme *f* **II.** *vt* röntgen

xylophone ['zaɪləfəʊn] *n* Xylophon *s*

Y, y [waɪ] *n* Y, y *s;* ◇ **Y chromosome** Y-Chromosom *s*

yacht [jɒt] *n* (*large boat*) Yacht, Jacht *f;* ◇ **~ing** Sportsegeln *s;* **yachtsman** ['jɒtsmən] *n* Sportsegler *m;* **yachtswoman** ['jɒtswʊmən] *n* Sportseglerin *f*

Yank, Yankee ['jæŋkɪ] *n* (*FAM slightly offensive: American*) Ami, Yankee *m*

yap [jæp] *vi* ← *dog* kläffen; ← *person* quasseln

yard [jɑ:d] *n* ① (*measurement*) Yard *s* 91,4 *cm* ② (*space next to building*) Hof *m;* ◇ **freight** ~ Güterbahnhof *m*

yardstick ['jɑ:dstɪk] *n FIG* ↑ *criterion* Maßstab *m*

yarn [jɑ:n] *n* ① (*material*) Garn *s* ② *FIG* ↑

made-up story [Lügen-]Märchen *s;* (*of sailors*) Seemannsgarn *m*

yawn [jɔ:n] *vi* ← *person, gap* gähnen

yd, yds *abbr. of* **yard, yards** Yard *s*

yeah *s.* **yes**

year [jɪə*] *n* Jahr *s;* ◇ **in the ~ 1993** im Jahre 1993; ◇ **twenty ~s ago** vor zwanzig Jahren; ◇ **I haven't seen him for ~s** ich habe ihn schon seit Jahren nicht mehr gesehen; **yearbook** ['jɪəbʊk] *n* Jahrbuch *s*

yearn [jɜ:n] *vi* ↑ *crave* sich sehnen (*for* nach *dat*)

yeast [ji:st] *n* Hefe *f*

yell [jel] **I.** *n* ↑ *cry, shout* lauter Schrei *m* **II.** *vt* → *orders* brüllen, schreien **III.** *vi* ↑ *baby* schreien

yellow ['jeləʊ] **I.** *n* Gelb *s* **II.** *adj* [1] (*colour*) gelb; (*illness*) ◇ **~ fever** Gelbfieber *s;* (*phone book*) ◇ **~ pages** Branchenfernsprechbuch *s,* Gelbe Seiten *pl* [2] *FAM* ↑ *cowardly* ◇ **Don't tell me you're ~!** Sag' bloß, du hast die Hosen voll!

yelp [jelp] *n* (*of dog*) Kläffen *s;* (*of person*) kurzer Aufschrei *m*

yeoman ['jəʊmən] *n:* ◇ **Y~ of the Guard** Leibgardist *m*

yes [jes] **I.** *particle* (*affirmative*) ja; *FAM* ◇ **yeah** ja **II.** *n* ↑ *consent:* ◇ **his ~ came rather late** sein Ja [*o.* seine Zustimmung] kam etwas spät

yesterday ['jestədeɪ] **I.** *adv* gestern; ◇ **the day before ~** vorgestern **II.** *n* Gestern *s*

yet [jet] **I.** *adv* noch; ◇ **not ~** noch nicht; ◇ **this work has ~ to be done** diese Arbeit muß noch gemacht werden; (*in questions*) ◇ **Have you done it ~?** Hast du es schon gemacht?; (*expressing emphasis*) ◇ **our work will become harder ~** unsere Arbeit wird noch schwieriger werden **II.** *cj* ↑ *however:* ◇ **it looks peaceful here, ~ me must be alert** hier sieht es friedlich aus, dennoch müssen wir aufpassen; ↑ *but* ◇ **he is a clever ~ lazy man** er ist ein kluger, aber auch fauler Mensch

yew [ju:] *n* (*tree, wood*) Eibe *f*

YHA *abbr. of* **Youth Hostels Association** ≈*DJH, internationaler Jugendherbergsverband*

Yiddish ['jɪdɪʃ] *n* Jiddisch *s*

yield [ji:ld] **I.** *n* FIN ↑ *produce* [Zins-]Ertrag *m* **II.** *vt* [1] ↑ *produce* → *results* ergeben, hervorbringen; → *profit* abwerfen [2] ↑ *give in* → *power* abgeben **III.** *vi* (*to criticism*) ↑ *give in* nachgeben, zurückweichen; (*traffic sign*) ◇ **Y~!** Vorfahrt gewähren!

YMCA *Young Men's Christian Association* CVJM, Christlicher Verein Junger Menschen *m*

yob [jɒb] *n FAM* ↑ *hooligan* Rowdy, Halbstarker *m*

yodel ['jəʊdl] *vi* jodeln

yoga ['jəʊgə] *n* (*exercise, philosophy*) Yoga, Joga *s;* ◇ **I'm into ~** ich mache [*o.* betreibe] Yoga

yoghurt, yoghourt ['jɒgət] *n* Joghurt *m*

yogurt *s.* **yoghurt**

yoke [jəʊk] *n* (*in farming*) Joch *s; FIG* ↑ *burden, tyranny* Joch *s*

yolk [jəʊk] *n* (*of egg*) Eigelb, Dotter *s*

yonder [jɒndʒ*] *adv* ↑ *over there* dort drüben

Yorkshire pudding ['jɔ:kʃə 'pʊdɪŋ] *n gebackene Beilage zu Rindfleisch; keine Süßspeise*

you [ju:] *pron* [1] (*2nd person sing, familiar form: friend, relative*) du; (*polite form: stranger, superior*) Sie [2] (*2nd person pl, familiar*) ihr; (*polite*) Sie [3] ↑ *one* man; ◇ **~ rarely see them around here** man sieht sie in dieser Gegend selten [4] (*direct/indirect object, familiar*) dich/dir; (*polite*) Sie/Ihnen; (*indefinite*) einen/einem; **you'd** [ju:d] = **I had, I should; I would**; **you'll** [ju:l] = **you will**

young [jʌŋ] **I.** *adj* jung; ◇ **~ fashion** junge Mode *f;* ◇ **~ish** recht jung **II.** *n:* ◇ **the ~** *pl* (*of animal*) die Jungen *s pl;* ↑ *children* die Jugend *f,* die Jungen *pl; FAM* ◇ **~ster** Jugendliche(r) *fm*

your [jʊə*, jɔ:*] *pron* (*familiar, sg*) dein; (*polite, sg*) Ihr; (*familiar, pl*) euer; (*polite, pl*) Ihr; (*judge*) ◇ **Y~ Honour** (*speaking to judge*) Herr Vorsitzender, Frau Vorsitzende; **you're** [jʊə*] = **you are**; **yours** [jʊəz, jɔəz] *pron* (*possessive, familiar*) deine(r, s); (*polite*) Ihre(r, s); (*in letters*) ◇ **Y~s truly** [*o.* **sincerely**] Mit freundlichen Grüßen, Hochachtungsvoll; **yourself** [jə'self] *pron* (*reflexive, familiar, sg*) dich; (*polite, sg*) sich; ◇ **you ~** du/Sie selbst; **youselves** (*familiar, pl*) euch; (*polite, pl*) sich

youth [ju:θ] *n* [1] (*early period of life*) Jugend *f* [2] ↑ *youthfulness, quality* Jugend, Jugendlichkeit *f* [3] ↑ *young man* Jugendlicher *m;* **youth club** *n* Jugendklub, Jugendverein *m*

youthful ['ju:θfʊl] *adj* ↑ *young, lively* jugendlich;

youth hostel *n* Jugendherberge *f*

you've [ju:v] = **you have**

YTS [waɪti:es] *Youth Training Scheme* ≈Ausbildungsförderungsprogramm *s*

Yugoslav ['ju:gəʊslɑv] **I.** *n* Jugoslawe(Jugoslawin *f*) *m* **II.** *adj* jugoslawisch; **Yugoslavia** ['ju:gəʊ'slɑvɪə] *n* Jugoslawien *s;* **Yugoslavian** *adj* jugoslawisch

yummy ['jʌmɪ] *adj FAM* ↑ *delicious* lecker

YWCA *abbr. of* **Young Women's Christian Association** Christlicher Verein Junger Frauen

yuppie ['jʌpɪ] *n acronym of* **young urban professional** Yuppie *m*

Z

Z, z [zed] *n* Z, z *s*

zany ['zeɪnɪ] *adj* → *gadget, person* eigenartig, komisch

zap [zæp] *vt FAM* ↑ *kill* töten

zeal [ziːl] *n* ↑ *enthusiasm* (*in religion, politics*) Fanatismus *m;* **zealous** ['ziːləs] *adj* ↑ *enthusiastic* begeistert, fanatisch

zebra ['zebrə] *n* Zebra *s;* **zebra crossing** *n* ↑ *pedestrian crossover* Zebrastreifen, Fußgängerübergang *m*

zero ['ziərəʊ] **I.** *n* <-s, -es> (*number*) Null *f* **II.** *adj* ↑ *no, none at all*: ◇ **he has ~ ambition** sein Ehrgeiz ist gleich Null; POL ◇ **~ option** Nulllösung *f*

zest [zest] *n* ↑ *enthusiasm, excitement* Begeisterung *f*

zigzag ['zɪgzæg] **I.** *adj* (*~ movement*) Zickzack-, im Zickzack **II.** *vi* (*move in a ~ fashion*) im Zickzack fahren/gehen

zinc [zɪnk] *n* CHEM Zink *s*

Zionism ['zaɪənizəm] *n* POL, REL Zionismus *m*

zip, **zipper** ['zɪpə*] **I.** *n* ↑ *zip fastener* Reißverschluß *m* **II.** *vi* ↑ *~ up* → *coat* den Reißverschluß zumachen

zither ['zɪðə*] *n* MUS Zither *f*

zodiac ['zəʊdɪæk] *n* ASTROL Tierkreis *m*

zombie ['zɒmbɪ] *n* ① (*FAM unaware, thoughtless person*) Zombie, Schläfer *m* ② (*living dead*) Zombie *fm*

zone [zəʊn] *n* ↑ *district, area* Zone *f*, Gebiet *s*, Bereich *m;* MIL ◇ **no-fly ~** Flugverbotszone *f*

zoo [zuː] *n* Zoo *m*

zoological [zuːə'lɒdʒikəl] *adj* (*related to animals*) zoologisch; **zoologist** [zuː'ɒlədʒɪst] *n* Zoologe(Zoologin *f*) *m;* **zoology** [zuː'ɒlədʒɪ] *n* (*branch of biology*) Zoologie *f*

zoom [zuːm] **I.** *vi* ← *car* flitzen, sausen; ← *prices* in die Höhe schnellen; ← *sales* rapide zunehmen **II.** *n* (*camera*) ◇ **~ lens** Zoomobjektiv *s*

zucchini [zuː'kiːnɪ] *n* (*vegetable*) Zucchini *m pl*

Zulu ['zuːluː] *n* ① (*man, woman*) Zulu *fm* ② (*language*) Zulu *s*

Abbildungen

Mensch – innerer und äußerer Aufbau

Haus- und Nutztiere

Wildtiere

Vögel

Verschiedene Tierklassen

Pflanzen

Stadtbild

Burg und Kirche

Haus und Garten

Wohnzimmer

Küche und Haushaltsgeräte

Bad, Toilette und Pflegeprodukte

Bekleidung

Flugzeug und Schiff

Auto

Motorrad

Fahrrad

Camping

Unterhaltungselektronik

Musikinstrumente

DER MENSCH – INNERER UND ÄUSSERER AUFBAU
THE HUMAN BODY – INNER AND OUTER STRUCTURE

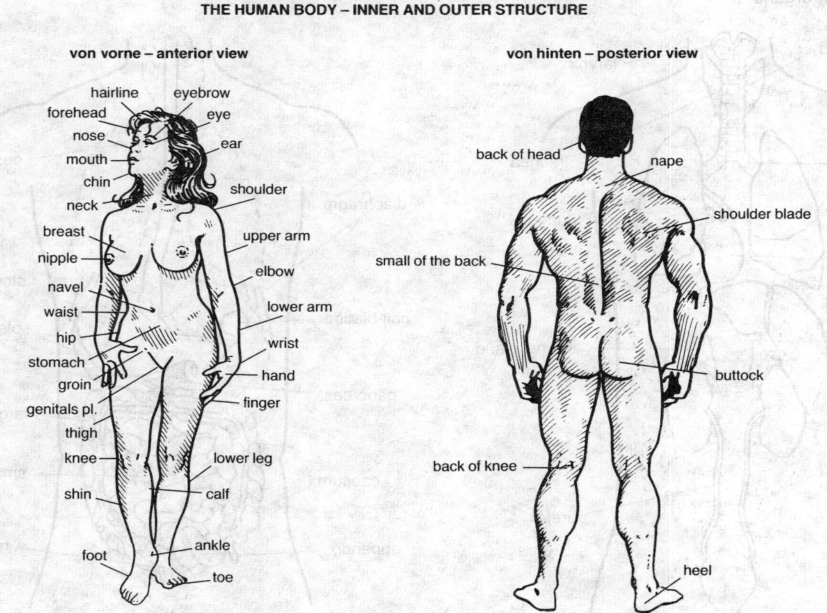

Organe – inner organs

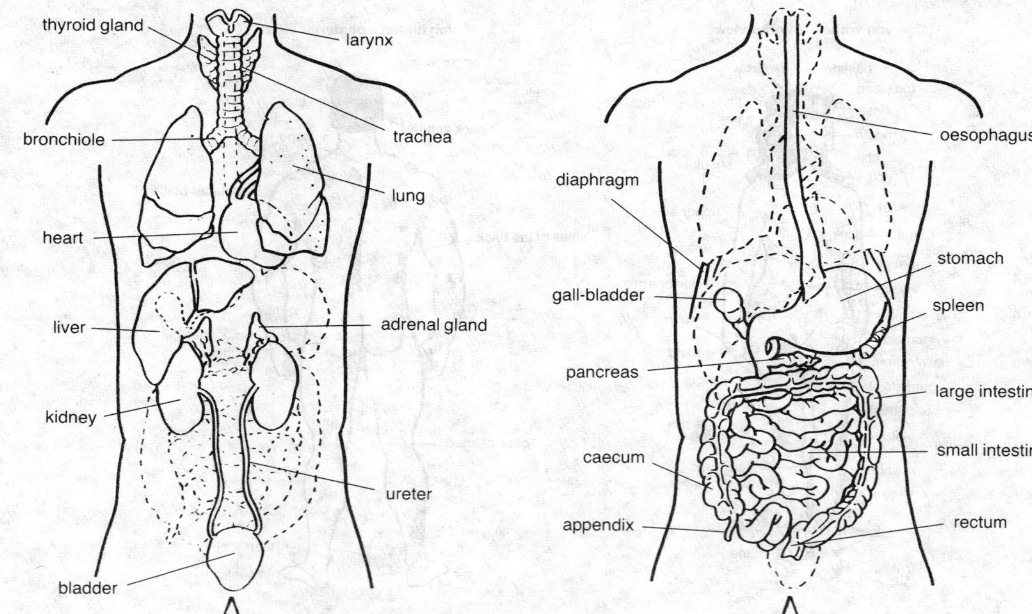

HAUS- UND NUTZTIERE
DOMESTIC AND FARM ANIMALS

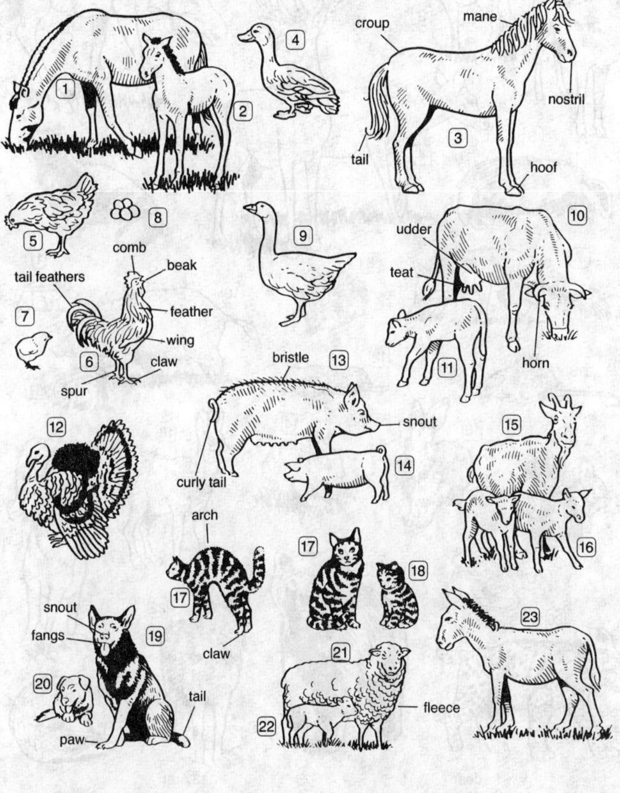

1 horse
stallion
mare
2 foal
3 white horse
4 duck
5 chicken
hen
6 cock
rooster

7 chick
8 eggs
9 goose
10 cow
cow
ox
bull
steer
11 calf
12 turkey

13 pig
sow
boar
14 piglet
15 goat
16 billy goat
16 kid
17 cat
tom (cat)
18 kitten

19 dog
bitch
dog
20 puppy
21 sheep
ram
wether
22 lamb
23 donkey

WILDTIERE – WILD ANIMALS

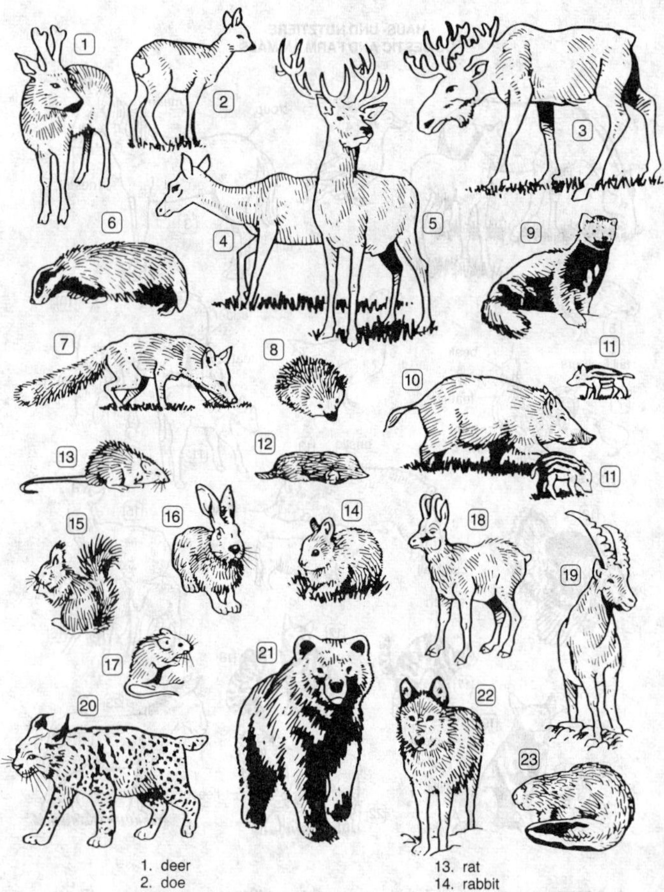

1. deer
2. doe
3. moose
4. hind
5. stag
6. badger
7. fox
8. hedgehog
9. marten
10. wild boar
11. young wild boar
12. mole
13. rat
14. rabbit
15. squirrel
16. hare
17. mouse
18. chamois
19. ibex
20. lynx
21. bear
22. wolf
23. beaver

VÖGEL – BIRDS

1. Singvögel – song-birds
great tit
rook
magpie
swallow
sparrow
lark
blackbird
jay
trush
2. Greifvögel – birds of prey
1
2
3
4
5
hawk
peregrine (falcon)
common buzzard
kite
sea eagle
3. Eulen – owls
screech owl
eagle-owl
barn owl
4. Wasservögel – aquatic birds
swan
duck
seagull
goose

VERSCHIEDENE TIERKLASSEN – VARIOUS ANIMAL CLASSES

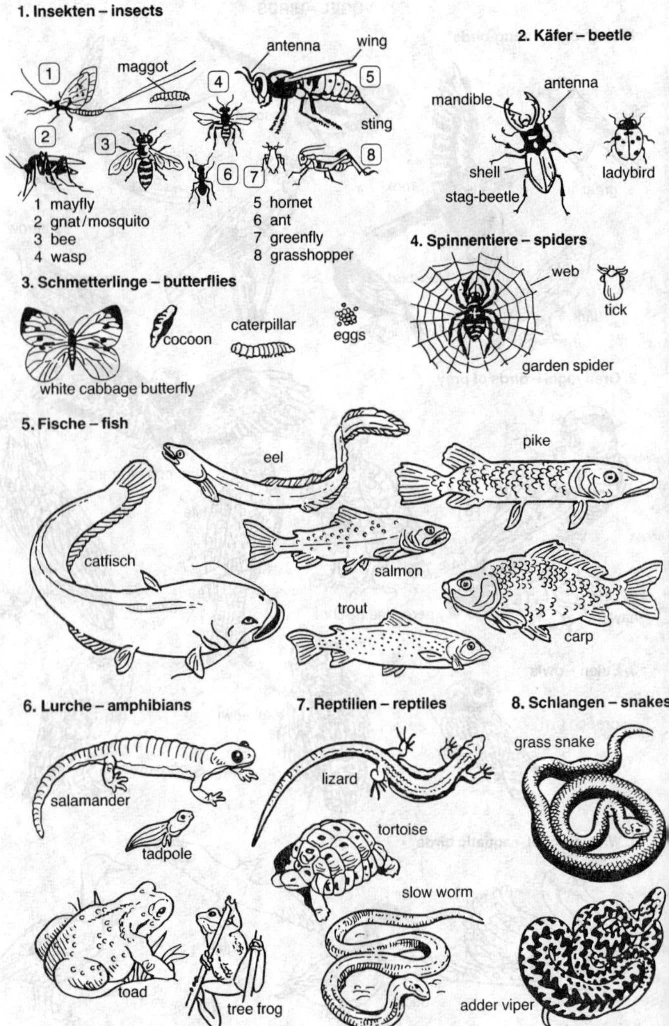

1. Insekten – insects
antenna
wing
maggot
sting
1 mayfly
2 gnat/mosquito
3 bee
4 wasp
5 hornet
6 ant
7 greenfly
8 grasshopper
2. Käfer – beetle
antenna
mandible
shell
ladybird
stag-beetle
3. Schmetterlinge – butterflies
cocoon
caterpillar
eggs
white cabbage butterfly
4. Spinnentiere – spiders
web
tick
garden spider
5. Fische – fish
eel
pike
catfisch
salmon
trout
carp
6. Lurche – amphibians
salamander
tadpole
toad
tree frog
7. Reptilien – reptiles
lizard
tortoise
slow worm
8. Schlangen – snakes
grass snake
adder viper

PFLANZEN – PLANTS

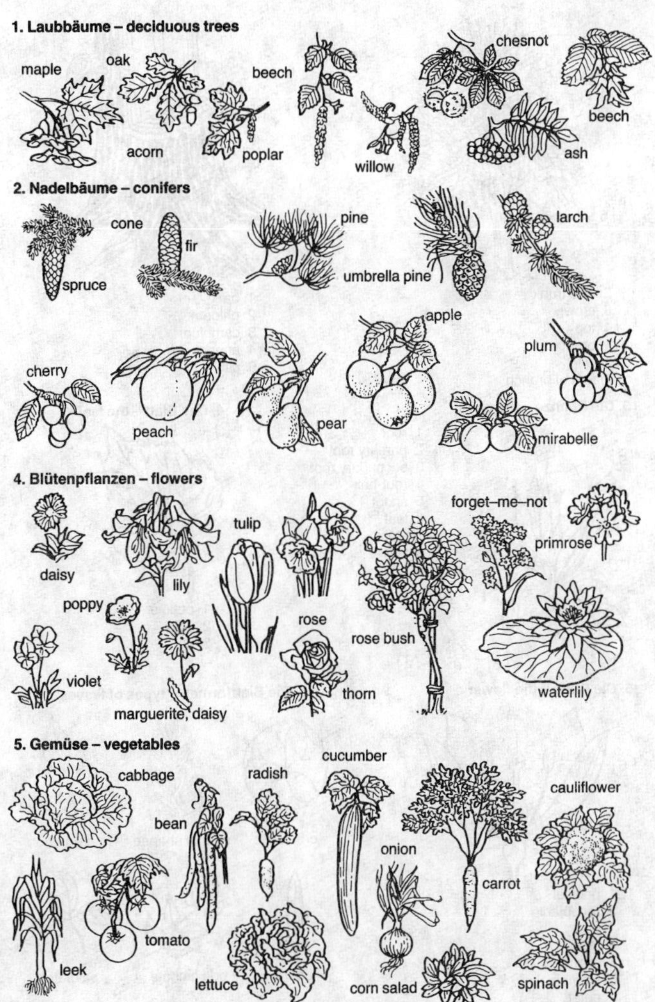

PFLANZEN – PLANTS, TREES

1. Der Baum – the tree

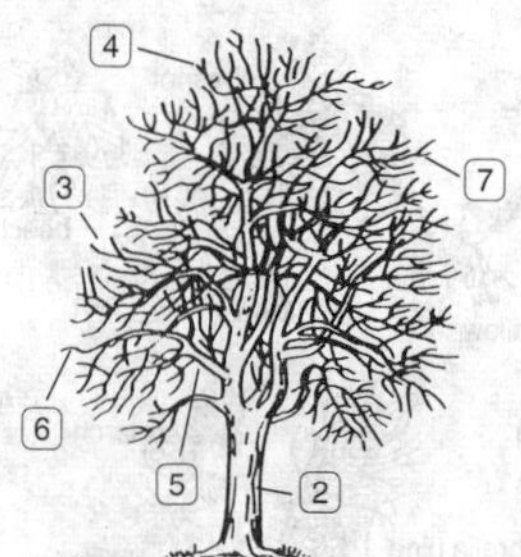

2 tree trunk
3 crown
4 top
5 branch
6 twig
7 fork of branch

2. Der Baumstamm – tree trunk

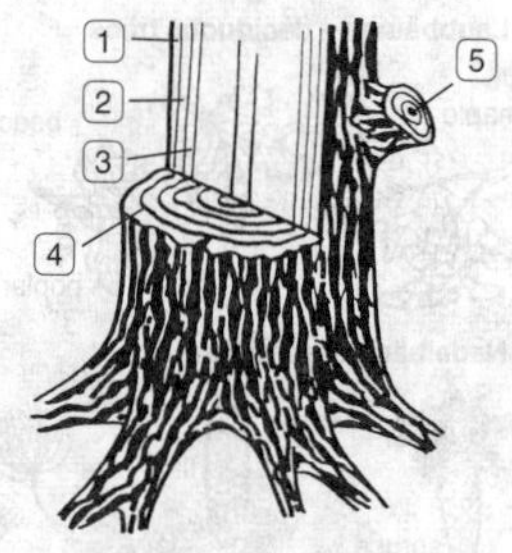

1 bark
2 phloem
3 cambium
4 annual ring
5 pith

3. Die Pflanze – the plant

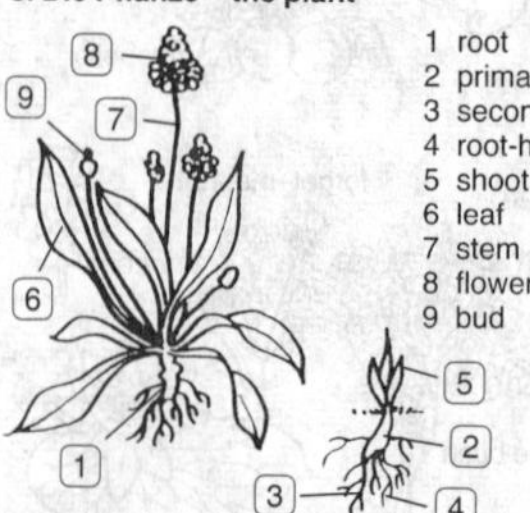

1 root
2 primary root
3 secondary root
4 root-hair
5 shoot
6 leaf
7 stem
8 flower
9 bud

4. Das Blatt – the leaf

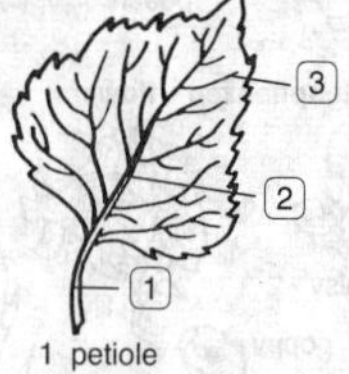

1 petiole
2 vein
3 rib

5. Die Blüte – the flower

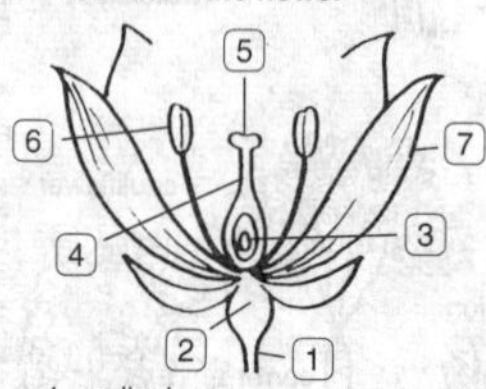

1 pedicel
2 receptacle
3 ovary
4 style
5 stigma
6 stamen
7 petal

6. Die Blattformen – types of leaves

orbiculate

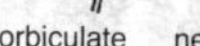
needle shaped

cordate

hastate odd pinnate

palmate

STADTBILD – A DOWNTOWN SCENE

1 tracks
2 streetcar/train
3 stop
4 cross-walk
5 (traffic) light
6 traffic sign
7 pedestrian zone
8 pedestrians
9 green
10 taxi
11 taxi stand
12 taxi sign
13 parking meter
14 advertising column
15 poster
16 directions
17 litter/waste basket
18 street light
19 street sign
20 drain
21 sidewalk
22 department store
23 shop window
24 bookstore
25 ice-cream parlour
26 clothing store
27 car
28 bicyclist
29 motorcyclist
30 telephone
31 mail box
32 movies, movie-theater cinema

BURG UND KIRCHE – CASTLE AND CHURCH, CATHEDRAL

1. Die Burg – the castle

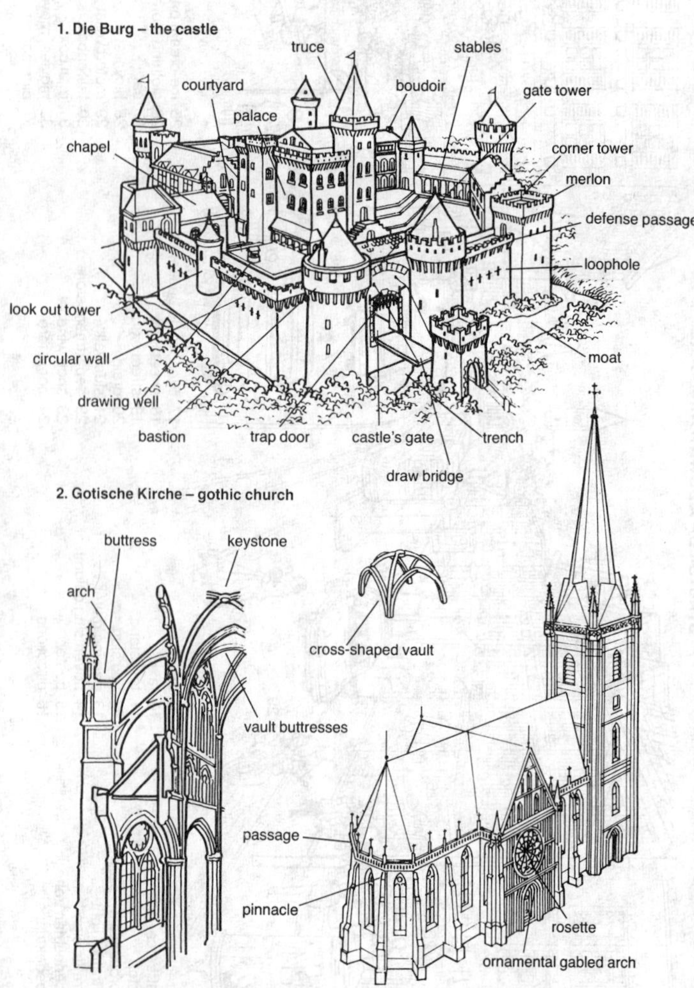

HAUS UND GARTEN – HOUSE AND GARDEN

1. Das Haus – the house

1 foundation
2 foundation wall
3 wall
4 door
5 threshold
6 basement window
7 roof
8 roofing tile
9 gable
10 ridge
11 sky light
12 gutter
13 cornice
14 chimney
15 window
16 mullion and transom
17 shutter
18 pane
19 window-sill, window ledge
20 balcony
21 ground floor
22 floor/storey

2. Der Garten – the garden

23 garden gate
24 fence
25 lawn
26 fruit tree
27 ornamental shrubs
28 herbaceous shrubs
29 vegetable patch
30 veranda
31 deck chair
32 sun-shade
33 garden table
34 garden chair
35 bar-be-que
36 sandpit
37 swing

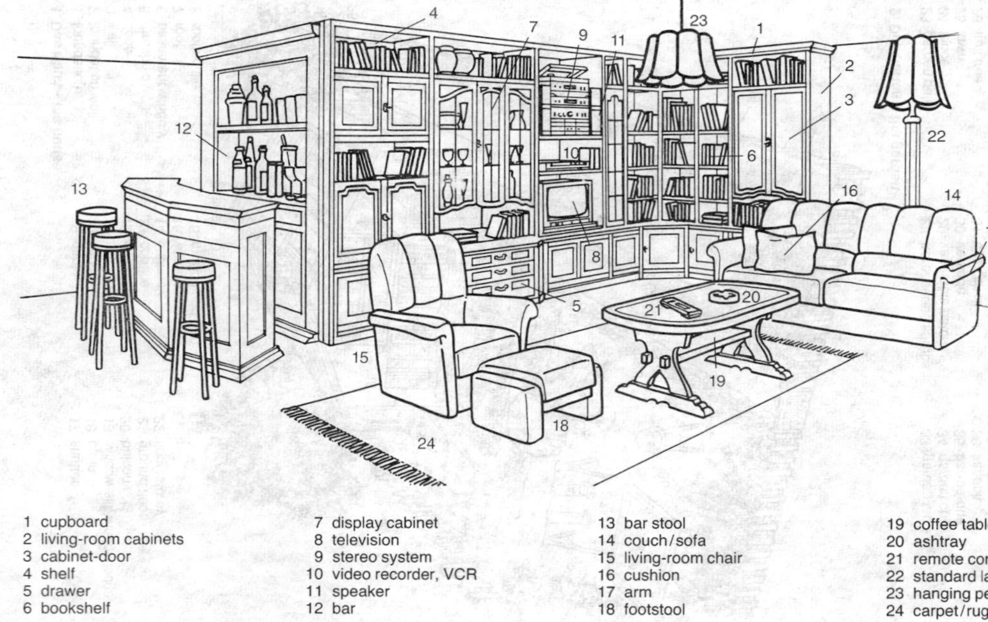

1 cupboard
2 living-room cabinets
3 cabinet-door
4 shelf
5 drawer
6 bookshelf
7 display cabinet
8 television
9 stereo system
10 video recorder, VCR
11 speaker
12 bar
13 bar stool
14 couch/sofa
15 living-room chair
16 cushion
17 arm
18 footstool
19 coffee table
20 ashtray
21 remote control
22 standard lamp
23 hanging pendant
24 carpet/rug

KÜCHE UND HAUSHALTSGERÄTE – KITCHEN AND HOUSEHOLD APPLIANCES

1. Küche – the kitchen

1 kitchen table
2 kitchen chair
3 perculator
4 teatowel
5 plug
6 sink
7 sink
8 tap
9 washing-up liquid
10 dishwasher
11 blender
12 coffee grinder
13 freezer
14 refridgerator
15 crisper
16 freezer compartment
17 kitchen clock
18 hand mixer
19 waffle iron
20 bottom cupboard
21 upper cupboard
22 corner cupboard
23 microwave
24 toaster
25 kettle
26 pot
27 stove/cooker
28 oven
29 oven window
30 hotplate
31 ovencloth
32 pan

2. Haushaltsgeräte – domestic appliances

1 washing machine
2 dryer
3 iron
4 bucket
5 rag/cloth
6 clothes stand
7 scrubbing brush
8 hand brush
9 ladder
10 broom
11 ironing board
12 vacuum cleaner

BAD, TOILETTE UND PFLEGEPRODUKTE
BATHROOM, TOILET AND TOILETRIES

1. BAD UND TOILETTE – BATHROOM AND TOILET

1 mirror
2 bubble bath
3 tap
4 bath (tub)
5 face cloth/flannel
6 bathroom cabinet
7 drawer
8 soap dish
9 soap
10 shelf
11 toothbrush glass
12 toothbrush
13 basin
14 tap
15 towel-rail
16 towel
17 sponge
18 shower (cubicle)
19 shower curtain
20 shower
21 shower attachment
22 (pair of) scales
23 toilet rug
24 toilet
25 toilet seat
26 (toilet) lid
27 (toilet) paper
28 tank
29 (toilet) flusher
30 toilet brush
31 bidet
32 ventilation

2. PFLEGEPRODUKTE – TOILETRIES

1 Lipstick
2 hair-dryer
3 nail varnish/polish
4 mascara
5 body lotion
6 nail scissors
7 shaver
8 back scrubber
9 hairbrush
10 nail file
11 powder

BEKLEIDUNG – CLOTHING

1. Damenbekleidung – women's clothing

1 vest
2 petticoat
3 pleated skirt
4 stockings
5 tights
6 night dress/nightie
7 body suit
8 slip
9 blouse
10 pants/panties
11 dirndl
12 bra
13 coat
14 suit
15 jumper/pullover
16 dress
17 cardigan
18 evening dress

2. Accessoirs – accessories

1 handbag
2 hat
3 cap
4 belt
5 scarf
6 umbrella
7 gloves

3. Schuhe – shoes

1 slippers
2 boots
3 hiking boots
4 court shoes
5 leather shoes
6 patent-leather shoes
7 sandals

4. Herrenbekleidung – mens clothing

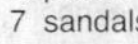

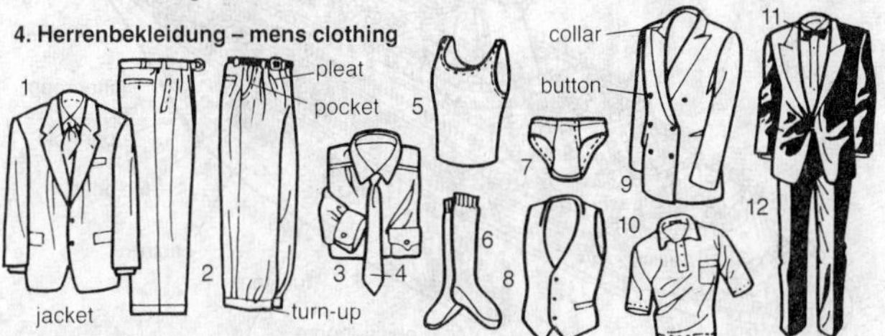

1 suit
2 trousers
3 shirt
4 tie
5 vest
6 socks
7 underpants
8 waistcoat
9 jacket
10 polo shirt
11 bow tie
12 tuxedo

FLUGZEUG – AIRPLANE
SCHIFF – SHIP

1. Flugzeug – airplane

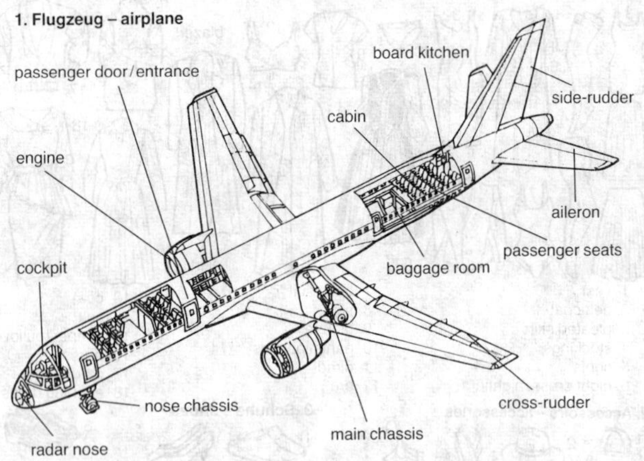

2. Schiff – ship

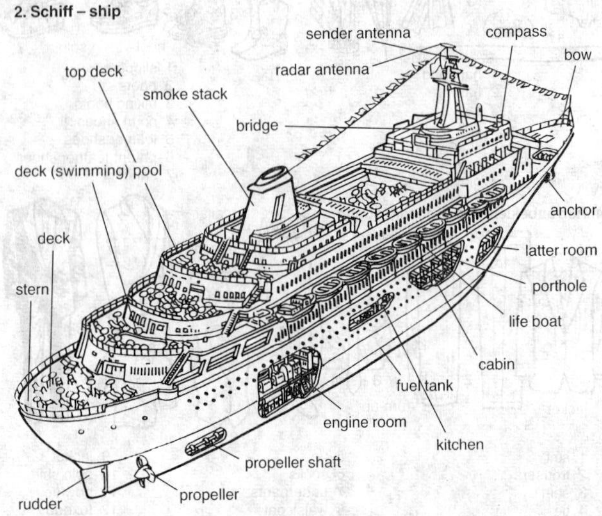

AUTO – CAR, AUTOMOBILE

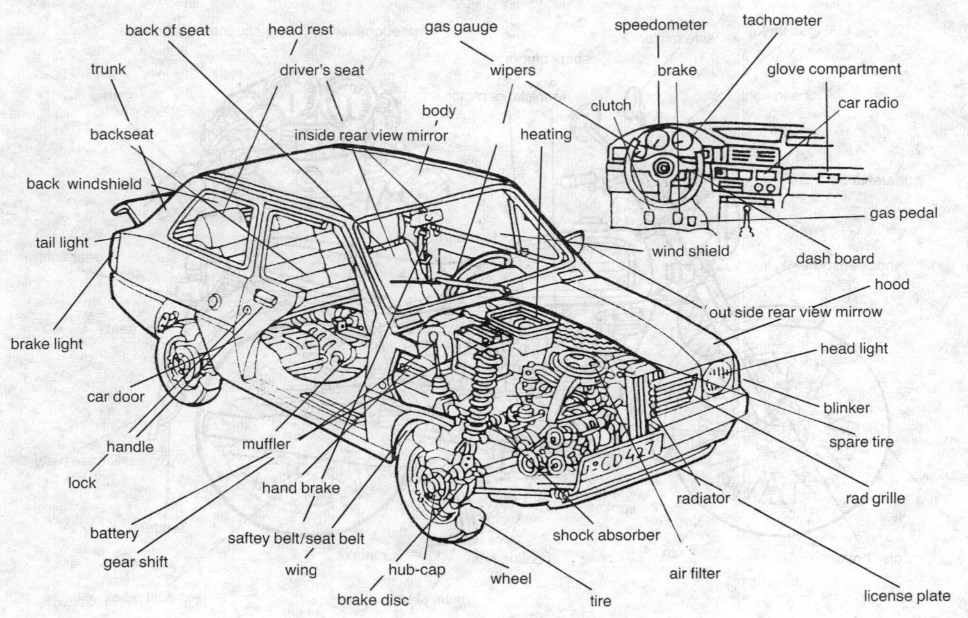

MOTORRAD – MOTORCYCLE, MOTORBIKE

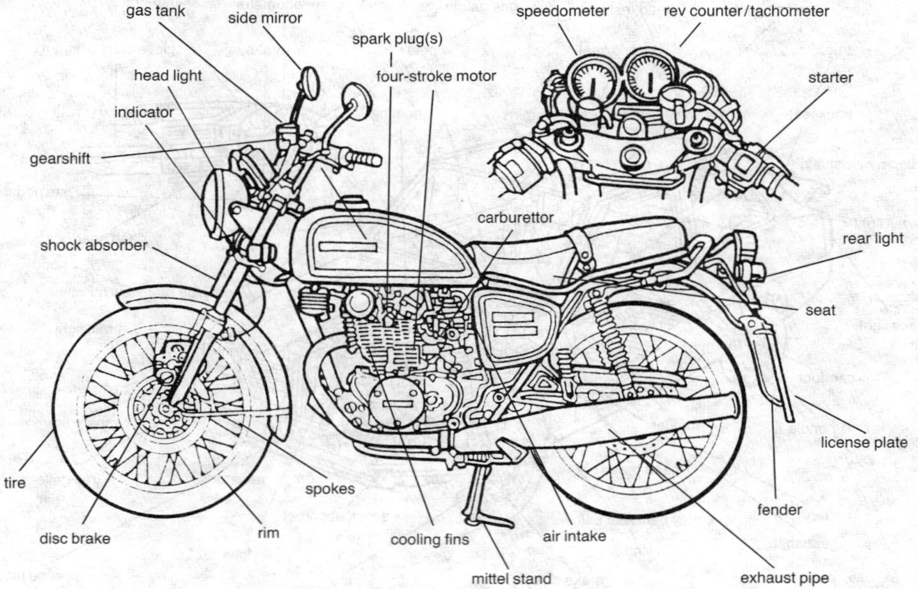

gas tank
side mirror
spark plug(s)
four-stroke motor
speedometer
rev counter/tachometer
head light
indicator
starter
gearshift
carburettor
shock absorber
rear light
seat
license plate
tire
spokes
fender
disc brake
rim
cooling fins
air intake
mittel stand
exhaust pipe

Fahrrad – bicycle

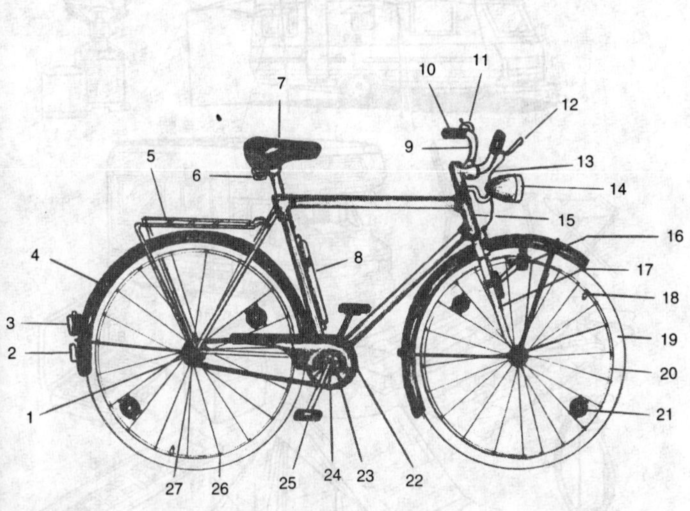

1 back sprocket
2 reflector
3 back light
4 mudguard
5 bicycle rack
6 tool bag/pouch
7 seat
8 tyre pump
9 handlebars
10 grip
11 bell
12 handbrake
13 cable
14 light
15 frame
16 dynamo
17 fork
18 valve
19 tyre (outer tyre, inner tube)
20 rim
21 reflector
22 mudguard
23 bearing
24 chain
25 pedal
26 spoke
27 gears

CAMPING – CAMPING

1 trailer
2 caravan
3 camp chair
4 gas tank
5 foam mat
6 air mattress
7 sleeping bag
8 camp stove
9 air pump
10 tent
11 flysheet
12 tarpaulin
13 peg
14 inner tent
15 floor of tent
16 tent pole
17 camp fire
18 cooler
19 rucksack/backpack
20 water carrier
21 cutlery set

UNTERHALTUNGSELEKTRONIK – AUDIO SYSTEMS

1. Videorecorder – video recorder, VCR

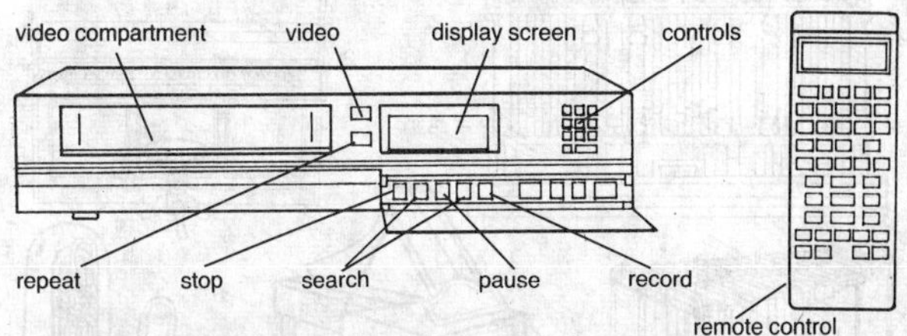

2. Fernsehapparat – television set, TV

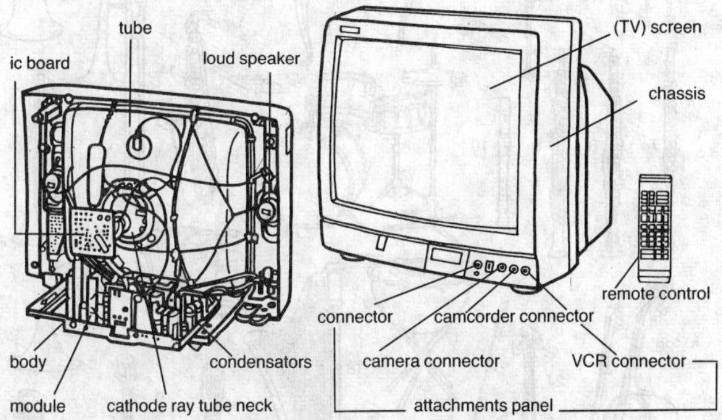

2. Homecomputer – home computer

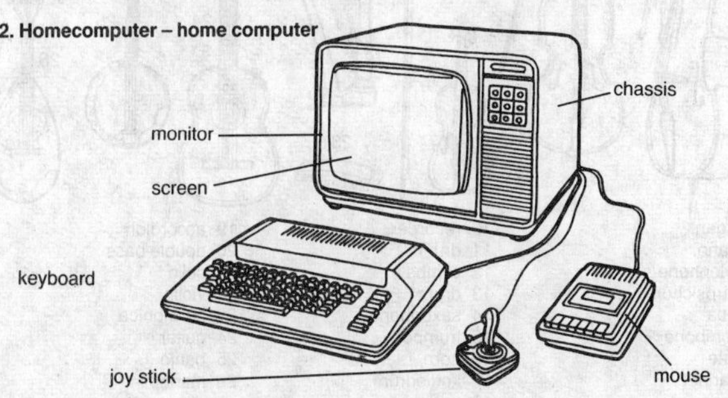

MUSIKINSTRUMENTE – MUSICAL INSTRUMENTS

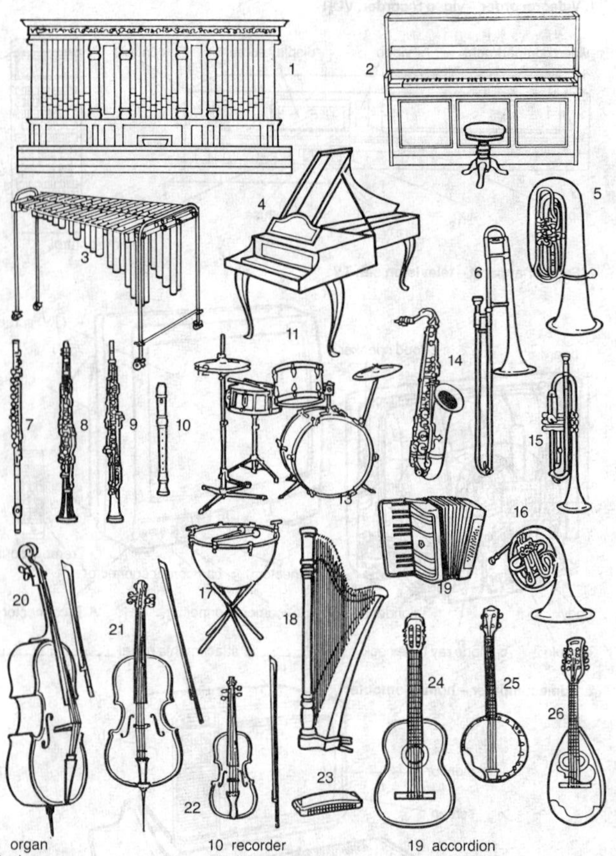

1 organ
2 piano
3 xylophone
4 harpsichord
5 tuba
6 trombone
7 flute
8 clarinet
9 oboe
10 recorder
11 drums
12 cymbals
13 drum
14 saxophone
15 trumpet
16 horn
17 kettledrum
18 harp
19 accordion
20 double bass
21 cello
22 violin
23 harmonica
24 guitar
25 banjo
26 mandolin

WÖRTERBUCH

DEUTSCH - ENGLISCH

A

A, a *s* ① (*Buchstabe*) A, a ② MUS [key] A
Aal *m* <-[e]s, -e> (*Fisch*) eel
Aas *s* <-es, -e *o.* Äser> ① ↑ *Tierkadaver* carcass ② *FAM!* ↑ *Miststück* bugger; **Aasgeier** *m* ① (*Vogel*) vulture ② (*FIG FAM gieriger Mensch*) vulture, scavenger
ab I. *prep dat* ① (*zeitlich*) ↑ *von ... an* from; ◇ **~ Juli** from July [on]; ◇ **~ morgen** from tomorrow [on] ② (*räumlich*) ↑ *von ... an* from; ◇ **~ München** from Munich **II.** *adv* ① (*räumlich, zeitlich*) ◇ **von da ~** from then on ② (*räumlich*) ◇ **auf und ~ gehen** to go back and forth ③ (*zeitlich*) ◇ **~ und zu** now and then/again ④ ↑ *weg, fort* ◇ **~ mit dir!** off you go!; ◇ **der Griff ist ~** the handle is off
abändern *vt* ① → *Urteil* revise ② → *Kleid* change ③ → *auch Text* alter, modify; **Abänderung** *f* alteration, modification; **Abänderungsantrag** *m* POL proposed amendment
abarbeiten I. *vt* ① → *Schuld* work off ② → *Pensum* work off **II.** *vr* ◇**sich ~** ↑ *sich verausgaben* slave
Abart *f a.* BIO ↑ *Abweichung* variety; **abartig** *adj* ① ↑ *anormal* abnormal, odd; ▷*sexuell* perverted ② *FAM* → *Geruch etc.* abnormal, odious
Abbau *m* <-[e]s> ① ↑ *Demontage* (*von Maschinen, Fabrik*) dismantling ② (MIN *von Rohstoffen*) mining ③ ↑ *Reduzierung* (*von Truppen, Personal*) cutback ④ ↑ *Verfall* ▷*körperlich, geistig* decline; **abbauen I.** *vt* ① ↑ *demontieren* → *Maschine, Fabrik* dismantle ② → *Rohstoffe* mine ③ ↑ *reduzieren* → *Arbeitskräfte* reduce; → *Truppen* cut down **II.** *vi* ↑ *verfallen* ▷*körperlich, geistig* decline
abbeißen *unreg vt* → *Stück Brot etc.* bite off
abberufen *unreg vt* → *Diplomaten* recall; **Abberufung** *f* recall
abbestellen *vt* ① → *Zeitung, Telefon* cancel ② → *Handwerker* cancel, call off
abbezahlen *vt* (*in Raten*) pay off
abbiegen *unreg* **I.** *vi* (*in Straße*) turn off (*in akk* into); ◇ **rechts/links ~** turn left/right **II.** *vt* ① ↑ *krümmen* → *Draht* bend ② *FAM* ↑ *verhindern* → *Streit* avoid
Abbild *s* ① ↑ *Kopie* copy ② ↑ *Spiegelbild* reflection ③ (*bildliche Wiedergabe, von Gegenstand*) portrayal, picture ④ (*große Ähnlichkeit*) likeness; ◇ **sie ist das ~ ihrer Mutter** she is the spitting image of her mother; **abbilden** *vt* ① ↑ *darstellen* portray ② ↑ *abzeichnen, kopieren* copy; **Abbildung** *f* ① (*in Zeitschrift*) illustration ② (*von Fotos*) pictures, prints
abbinden *vt* → *Arm, Bein* ligature
abblasen *unreg vt FAM* → *Feier* call off, cancel
abblättern *vi* ← *Putz* peel [off]
abblenden I. *vt* ① AUTO → *Scheinwerfer* to dim the headlights ② → *Lampe* screen, dim; → *Licht, Fenster* to draw the drapes **II.** *vi* ① (AUTO *Ggs von aufblenden*) dim ② FOT stop down ③ (*bei Film*) fade out; **Abblendlicht** *s* AUTO dimmed headlights
abblitzen *vi FAM* to be sent packing (*bei* by)
abbrechen *unreg* **I.** *vt* ① → *Ast* break off ② ↑ *abreißen* → *Haus* tear down, pull down ③ ↑ *beenden* → *Gespräch, Tätigkeit* stop ④ *FIG* ◇ **Zelte ~** take down, dismantle **II.** *vi* ↑ *entzweigehen* ← *Griff* ← *Ast* break off
abbrennen *unreg* **I.** *vt* ① ↑ *in Brand stecken* burn off ② → *Feuerwerk* let off **II.** *vi* ① ↑ *brennen* burn down ② *FAM* ◇ **abgebrannt sein** to be broke
abbringen *unreg vt* ① *FAM* ↑ *entfernen können* take off ② ↑ *abhalten* ◇ **jd-n von einer Sache ~** to dissuade s.b. from doing s.th.; *FIG* ◇ **jd-n vom rechten Weg ~** to lead s.b. off the right path, to mislead s.b.
abbröckeln I. *vi* ① ↑ *sich ablösen* ← *Putz* crumble [away] ② *FIG* ↑ *weniger werden* ← *Preise* decline, crumble [away] **II.** *vt* ↑ *stückweise entfernen* crumble [away]
Abbruch *m* ① (*von Haus*) demolition ② (*von Gespräch*) breaking off ③ ◇ **einer Sache ~ tun** to damage s.th.; **abbruchreif** *adj* ▷*Haus* ↑ *kaputt* fit for demolition
abbuchen *vt* (COMM *vom Konto*) debit
Abc *s* ↑ *Alphabet* ABC; **ABC-Schütze** *m* school beginner; **ABC-Waffen** *f pl* ABC weapons
abdanken *vi* ← *Präsident etc.* resign; ← *König* abdicate; **Abdankung** *f* ← *von Präsident* resignation; ← *von König* abdication
abdecken *vt* ① ↑ *Ziegel entfernen* to remove the roof of a house; ↑ *abräumen* → *Tisch* clear ② ↑ *zudecken* → *Loch* cover, conceal
abdichten *vt* ↑ *verstopfen* → *Leck* seal
abdrängen *vt* ↑ *zur Seite schieben* push away
abdrehen I. *vt* ① ↑ *zudrehen* → *Wasserhahn, Schalter* turn off ② ↑ *abbrechen* → *Schraube* twist [off] ③ ↑ *zu Ende drehen* → *Film* shoot **II.** *vi* ← *Wind, Flugzeug* to change direction; ◇ **nach links ~** to veer to the left
Abdruck I. *m* <-s, Abdrucke> ① ↑ *das Abdrucken* (*von Buch*) printing; ↑ *Veröffentlichung* printing ② ↑ *Kopie* copy **II.** *m* <-s, Abdrücke> ↑ *das Abdrücken* (*Stempel~*) stamp; (*Finger~*) print; (*Gips~*) cast; **abdrucken** *vt* → *Artikel* print

abdrücken I. *vt* [1] ↑ *schießen* → *Revolver* fire [2] *FAM* ↑ *umarmen* → *Freundin* hug [3] → *Blutgefäß* compress; *FAM* ◇ **jd-m die Luft** ~ to squeeze the breath out of s.b. **II.** *vi* ↑ *schießen* shoot, fire **III.** *vr* ◇**sich** ~ [1] ↑ *Abdruck hinterlassen* to leave a mark/an imprint [2] ↑ *sich abstoßen* push off/away

abebben *vi* ↑ *nachlassen* ← *Wasser* ebb away; ← *Lärm, Schmerz* abate, fade [away]; ← *Wind* calm [down]; ← *Nachfrage* decline

abend *adv:* ◇ **gestern/morgen** ~ yesterday/tomorrow evening; ◇ **heute** ~ tonight; **Abend** *m* <-s, -e> [1] (*Tageszeit*) evening [2] ◇ **guten** ~! Good evening!; ◇ **jeden** ~ every evening, every night; ◇ **unterhaltsamer** ~ enjoyable evening; **Abenddämmerung** *f* dusk; **Abendessen** *s* dinner, supper; **abendfüllend** *adj* to last the entire evening; ◇ ~**es Programm** a programme to fill the entire evening; **Abendkurs** *m* evening course; **Abendland** *s* ↑ *Westen* West; **abendlich** *adj* ▷*Stimmung* evening; **Abendmahl** *s* [1] REL ↑ *Abschiedsmahl* the Last Supper [2] (REL *Sakrament*) Holy Communion; **abends** *adv* ↑ *am Abend* (*Ggs von morgens*) in the evening

Abenteuer *s* <-s, -> adventure; **Abenteuerin** *f* adventuress; **abenteuerlich** *adj* [1] ↑ *gewagt* ▷*Unternehmen* adventurous [2] ↑ *unglaublich* ▷*Geschichte* unbelievable, bizarre [3] ↑ *ungewöhnlich, seltsam* strange; **Abenteuerroman** *m* adventure story; **Abenteurer** *m* <-s, -> adventurer

aber I. *cj* ↑ *jedoch* but, however; ◇ **zwar ...** ~ however; ◇ **er ist reich,** ~ **nicht glücklich** he is rich but not happy **II.** *adv* (*wiederholt*) again and again; ◇ **ich habe es dir tausend und** ~**tausend Mal gesagt** I have told you thousands and thousands of times **III.** *adv* (*verstärkend*): ◇ **das ist** ~ **nett** that is really nice; ◇ ~ **ja!** But of course!; **Aber** *s* <-s, -> (*Einschränkung*) but; ◇ **ohne Wenn und** ~ no buts about it

Aberglaube *m* superstition; **abergläubisch** *adj* superstitious

aberkennen *unreg vt* [1] ↑ *entziehen* → *Titel* remove, take away [2] ↑ *absprechen* → *Fähigkeit* take away, deprive s.b. of s.th.; ◇ **jd-m etw** *akk* ~ to deprive s.b. of s.th.

abermalig *adj* ↑ *wiederholt* repeated

abermals *adv* ↑ *noch einmal* once again, once more

abfahren *unreg* **I.** *vi* [1] ↑ *starten* ← *Zug* leave, set off [2] *FAM* ◇ **auf jd-n /etw** ~ to really like s.b./s.th. [*o.* to go for s.b./s.th.] **II.** *vt* [1] ↑ *entlangfahren* → *Route* drive along [2] ↑ *abnutzen* → *Reifen* wear out [3] ↑ *wegbringen* → *Müll* take away;

Abfahrt *f* [1] (*Autobahn-*) exit [2] (*von Zug*) departure [3] (*Ski-*) ↑ *Piste* run; **abfahrtbereit** *adj* ready to go; **Abfahrtslauf** *m* SPORT downhill; **Abfahrt[s]tafel** *f* train/bus schedule; **Abfahrt[s]tag** *m* (*Reisebeginn*) day of departure; **Abfahrtszeit** *f* (*von Bus, Zug*) time of departure

Abfall *m* [1] ↑ *Müll* waste, rubbish [2] (*FIG Leistungs-*) drop, decline; **Abfalleimer** *m* (*BRIT*) [rubbish] bin; *AM* trash can, garbage can

abfallen *unreg vi* [1] ↑ *weniger werden* ← *Temperatur* drop; ← *Leistung* drop, decline [2] ↑ *sich lösen* ← *Blatt vom Baum* fall off; (*vom Glauben*) break away from [3] *FIG* ↑ *übrigbleiben* to be left over; ◇ **etw fällt für jd-n ab** to get one's share of s.th.

abfällig *adj* ↑ *geringschätzig* ▷*Bemerkung* disparaging

abfangen *unreg vt* [1] ↑ *aufhalten* → *Person, Brief* intercept [2] → *Stoß* intercept [3] ↑ *fangen* → *Ball* catch [4] → *Wagen* to bring under control; MIL → *Flugzeug* intercept

abfärben *vi* [1] ← *Farbe* ↑ *sich übertragen* ◇ **das grüne Hemd hat auf das Tischtuch abgefärbt** the green colour has come out of the shirt onto the table-cloth [2] ↑ *verlieren* ← *Farbe* run [3] *FIG* ← *Gewohnheit* rub off (*auf akk* on)

abfassen *vt* ↑ *verfassen* → *Text* write [up]

abfertigen *vt* [1] → *Kunden* serve, attend to; *FIG* ◇ **jd-n kurz** ~ to snub s.b. [2] → *Pakete* to prepare for dispatch [3] → *Schiff* clear; → *Zug* to prepare for departure [4] ↑ *kontrollieren* (*am Zoll*) clear, check; **Abfertigung** *f* [1] (*von Kunden*) service [2] (*von Paketen*) dispatch [3] (*von Schiff*) clearance; (*von Zug*) preparation [4] (*am Zoll*) [customs] clearance

abfinden *unreg* **I.** *vt* (*mit Geldsumme*) compensate **II.** *vr* ◇**sich** ~ ↑ *sich zufriedengeben* to come to terms (*mit* with); **Abfindung** *f* ▷*zahlen* compensation, settlement

abflauen *vi* ↑ *abnehmen* ← *Wind* die down; ← *Wut* calm down; ← *Nachfrage* die down, slacken

abfliegen *unreg* **I.** *vi* [1] ↑ *starten* ← *Flugzeug* take off [2] ← *Passagier* leave **II.** *vt* ↑ *kontrollieren* → *Gebiet* fly over

abfließen *unreg vi* ← *Wasser* flow off

Abflug *m* ▷*planmäßig* departure

Abfluß *m* [1] (*von Wasser*) drain [2] (*-rohr*) ↑ *Kanal* drain-pipe [3] *FIG* ↑ *Verminderung* (*von Kapital*) [out]flow

abfragen *vt* SCHOOL → *Vokabeln* test

Abfuhr *f* <-, -en> [1] (*Müll-*) removal [2] *FAM* ↑ *Zurückweisung* snub, rebuff; ◇ **jd-m eine** ~ **ertei-**

len to snub s.b.; **abführen I.** *vt* [1] ↑ *wegführen* → *Verbrecher* take away [2] ↑ *zahlen* → *Steuern* pay [out] **II.** *vi* [1] ↑ *abzweigen* ← *Straße* branch off [2] *FIG* ↑ *ablenken* (*vom Thema*) distract, take off [3] MED ↑ *Stuhlgang anregen* to function as a laxative; **Abführmittel** *s* MED laxative

abfüllen *vt* [1] → *Flüssigkeit* bottle [2] *FAM* ↑ *betrunken machen* to make s.b. drunk; **Abfüllung** *f* (*in Flaschen*) bottling

Abgabe *f* [1] ↑ *Abliefern* (*von Ware*) delivery; ↑ *Aushändigung* (*von Gepäck*) checking-in, handing-in [2] ↑ *Abstrahlung* (*von Wärme*) emission [3] ↑ *Rückgabe* (*Bücher-*) return [4] (*Steuer-*) contribution [3] (*von Erklärung*) submission, giving; **abgabenfrei** *adj* ↑ *steuerfrei* tax-free; **abgabenpflichtig** *adj* ↑ *steuerpflichtig* liable to taxation

Abgang *m* [1] ↑ *Verlassen* (*Schul-*) leaving [2] (THEAT *von Bühne*) exit [3] ↑ *Absenden* (*von Waren, Post*) dispatch [4] MED ↑ *Fehlgeburt* miscarriage [5] (*von Eiter etc.*) discharging

Abgas *s* AUTO exhaust [fumes]

abgeben *unreg* **I.** *vt* [1] ↑ *abliefern* → *Ware, Brief* deliver; → *Gepäck* hand in, check in [2] → *Posten, Amt* relinquish, hand over (*an akk* to) [3] → *Wärme* emit [4] ↑ *abfeuern* → *Schuß* fire [5] → *Ball* pass (*an akk* to) [6] → *Erklärung, Urteil* submit, give [7] ↑ *darstellen, sein* ◇ **sie gibt eine gute Lehrerin ab** she makes a good teacher **II.** *vr* ◇**sich** ~ ↑ *sich beschäftigen* concern o.s. (*mit* with)

abgebrüht *adj* [1] *FIG* ↑ *unempfindlich* hardened [2] ↑ *gerissen, verschlagen* cunning

abgedroschen *adj* ↑ *banal, witzlos* ▷*Redensart* hackneyed

abgegriffen *adj* [1] ↑ *abgenutzt* ▷*Buch* used, battered [2] *FIG* ↑ *banal* ▷*Redensart* hackneyed

abgehen *unreg* **I.** *vi* [1] (*von Schule*) leave [2] (THEAT *von Bühne*) exit [3] ↑ *sich lösen* ← *Knopf* come loose, come off [4] MED ← *Embryo* miscarry; ← *Sekret* discharge [5] *FAM* ◇ **da geht die Post ab** there is really s.th. going on **II.** *vt* [1] ↑ *kontrollieren* → *Strecke* patrol [2] ↑ *fehlen* ◇ **das geht mir ab** I don't have it [ability]

abgelegen *adj* ↑ *einsam* ▷*Haus* secluded

abgemacht *adj* ↑ *beschlossen* settled; ◇ **A~!** Done!

abgeneigt *adj:* ◇ **einer Sache nicht ~ sein** not to be averse to s.th., to fancy doing s.th.

Abgeordnete(r) *m+f* (*Parlaments-*) Member of Parliament

abgerissen *adj FAM* ↑ *schäbig* ▷*Person* tatty, ragged

abgerundet *adj* rounded

Abgesandte(r) *m+f* delegate

abgesehen *adv:* ◇ **~ von** apart from

abgespannt *adj* ↑ *müde* tired, weary

abgestanden *adj* ↑ *alt* ▷*Bier* flat

abgestorben *adj* [1] ▷*Baum* dead [2] MED ▷*Gliedmaßen* numb

abgetragen *adj* worn-out

abgewinnen *unreg vt* [1] ↑ *Gefallen finden an* ◇ **einer Sache** *dat* **etw/nichts ~ können** to find no pleasure in s.th. [2] ↑ *abnötigen* ◇ **jd-m ein Lächeln ~** to make s.b. smile

abgewöhnen *vt* ↑ *Gewohnheit ablegen:* ◇ **sich** *dat* **etw ~** to cure o.s. of s.th.

abgezehrt *adj* emaciated

abgießen *vt* pour away

abgleiten *unreg vi* [1] ↑ *abrutschen* slip [2] (*FIG in anderes Thema*) wander

Abgott *m* idol

abgrasen *vt* [1] → *Wiese* graze [2] *FAM* ↑ *absuchen* → *Gebiet* comb, search

abgrenzen *vt* [1] ↑ *einzäunen* → *Grundstück* fence off [2] *FIG* → *Thema, Aufgaben* distinguish [3] → *Pflichten* delimit

Abgrund *m* [1] ↑ *Schlucht* abyss [2] *FIG* ↑ *Untergang* doom; ▷*moralisch* decline; **abgründig** *adj* ↑ *sehr tief* ▷*Haß* deep

Abguß *m* sink

abhaken *vt* [1] (→ *Namen, Warenposten, auf Liste*) tick off [2] *FAM* ↑ *vergessen* cross s.b./s.th. off

abhalten *unreg vt* [1] → *Konferenz* hold [2] ↑ *hindern* stop s.b. (*von* from) [3] ↑ *fernhalten* → *Lärm, Kälte* keep out, hold off

abhandeln *vt* [1] ↑ *besprechen* → *Thema* discuss [2] ◇ **er hat ihm diese Ware billig abgehandelt** he struck a good deal with him for these goods

abhanden *adj:* ◇ **~ kommen** to get lost

Abhandlung *f* [1] ↑ *Aufsatz* ▷*wissenschaftlich* discourse (*über akk* [2] (*von Thema*) discussion, treatment

Abhang *m* slope

abhängen I. *vt* [1] ↑ *vom Haken nehmen* take off [2] → *Anhänger* uncouple [3] ↑ *entkommen* → *Verfolger* shake off **II.** *unreg vi* [1] ← *Schinken* hang [2] *FIG* ↑ *bedingt sein* ◇ **von jd-m/etw ~** to depend on s.b./s.th.; **abhängig** *adj* [1] ↑ *angewiesen sein auf* dependent (*von dat* on) [2] ↑ *süchtig* addicted (*von dat* to) [3] (*bedingt durch*) dependent (*von dat* upon); **Abhängigkeit** *f* [1] ▷*finanziell* dependence; ▷*psychisch* dependence [2] (*Drogen-*) ↑ *Sucht* addiction

abhärten *vr* ◇**sich ~** (*widerstandsfähig machen*) to toughen o.s.

abhauen *unreg* **I.** *vt* ↑ *fällen* → *Ast* cut off **II.** *vi FAM* ↑ *weglaufen* get away

abheben *unreg* **I.** *vt* [1] (→ *Geld, von Konto*) withdraw [2] ↑ *abnehmen* → *Telefonhörer* pick up [3] → *Masche* slip [4] → *Karten* cut **II.** *vi* [1] ↑ *starten* ← *Flugzeug* take off [2] *FAM* (*vor Freude*) to be deliriously happy [3] *FIG* ↑ *hinweisen* ◇ **auf** etw *akk* ~ to emphasize s.th. **III.** *vr* ◇**sich** ~ ↑ *sich unterscheiden* stand out (*von dat* from)

abhelfen *unreg vi* ▷*einem Mangel* remedy

abhetzen *vr* ◇**sich** ~ ↑ *sich verausgaben* to tire o.s. out

Abhilfe *f*: ◇ ~ **schaffen** to take remedial action

abhobeln → *Brett* plane down

abholen *vt* [1] → *jd-n* pick up, collect [2] → *Paket* pick up, collect

abholzen *vt* → *Regenwald* cut down, deforest; **Abholzung** *f* cutting-down, deforestation

abhorchen *vt* MED → *Lunge, Herz* listen to, auscultate

abhören *vt* [1] SCHOOL ↑ *abfragen* → *Vokabeln* test [2] ↑ *belauschen* → *Gespräch* to secretly listen in on [3] MED → *Lunge* listen to, auscultate; **Abhörgerät** *s* ↑ *Wanze (FAM)* bug

Abitur *s* <-s, -e> *German school-leaving exam and certificate giving access to university;* **Abiturient(in** *f*) *m person who is taking or has passed Abitur*

abkanzeln *vt FAM* ↑ *schroff zurechtweisen, BRIT FAM* to tick s.b. off

abkapseln *vr* ◇**sich** ~ ↑ *isolieren* to cut o.s. off, to isolate o.s.

abkaufen *vt* [1] → *Ware* buy off [2] *FIG FAM* ↑ *glauben* ◇ **jd-m etw** ~ believe s.th.

abkehren *vr* ◇**sich** ~ ↑ *sich abwenden* turn away (*von* from)

abklappern *vt* scour

Abklatsch *m* <-es, -e> *FIG PEJ* extremely bad imitation

abklingen *unreg vi* [1] ↑ *abnehmen* ← *Lärm* die, abate [2] ↑ *schwächer werden* ← *Fieber* subside

abknöpfen *vt FAM* ↑ *wegnehmen*: ◇ **jd-m etw** ~ to get s.th. off s.b.

abkochen *vt* → *Wasser* boil

abkommen *unreg vi* [1] ↑ *sich verirren* (*vom Weg*) stray [2] (*von Thema*) digress (*von* from) [3] ↑ *verwerfen* (*von Idee*) abandon

Abkommen *s* <-s, -> ↑ *Vereinbarung* agreement; ◇ **ein** ~ **treffen** to come to an agreement

abkömmlich *adj* ↑ *entbehrlich* free, available

abkratzen I. *vt* → *Eis* scrape off, scratch off **II.** *vi FAM!* ↑ *sterben* to kick the bucket

abkühlen I. *vt* ↑ *kühler machen* → *Suppe* cool down **II.** *vi* ↑ *kühler werden* ← *Wetter, Luft* cool down **III.** *vr* ◇**sich** ~ [1] ← *Mensch* cool off/down [2] *FIG* ↑ *abnehmen* ← *Freundschaft* cool off

abkürzen *vt* [1] → *Weg* to take a short cut [2] → *Wort, Verfahren* shorten, abbreviate; **Abkürzung** *f* [1] (*Wort-*) abbreviation [2] (*Weg-*) short cut

abladen *unreg vt* [1] → *Lastwagen* unload [2] *FIG* ↑ *sich aussprechen* → *Sorgen* to unburden o.s.

Ablage *f* [1] (*Papier-*) tray [2] ↑ *Garderobe* (*Kleider-*) cloakroom

ablagern I. *vt* ↑ *deponieren* → *Müll* deposit **II.** *vr* ◇**sich** ~ ↑ *festsetzen* ← *Staub* to be deposited **III.** *vi* ↑ *gelagert werden* ← *Wein* mature

ablassen *unreg* **I.** *vt* [1] → *Öl, Wasser* let out, drain off; → *Luft, Dampf* purge [2] *FIG FAM* ◇ **Dampf** ~ to let off steam [3] (*vom Preis*) knock off **II.** *vi* ↑ *aufhören* (*von Vorhaben*) desist (*von* from)

Ablauf *m* [1] ↑ *Abfluß* (*Wasser-*) drain [2] ↑ *Ende* (*von Frist*) expiry [3] ↑ *Verlauf* (*Handlungs-*) course; **ablaufen** *unreg* **I.** *vi* [1] ↑ *abfließen* to flow away [2] ← *Ereignisse* take place [3] ↑ *zu Ende gehen* expire **II.** *vt* [1] → *Strecke* walk over [2] → *Schuhe* wear down [3] ◇ **jd-m den Rang** ~ outdo s.b.

ablegen *vt* [1] ↑ *hinlegen* put down, place [2] ↑ *ausziehen* → *Kleider* take off [3] ↑ *absolvieren* → *Examen* take, sit [4] ↑ *sich abgewöhnen* → *Fehler* give up; **Ableger** *m* <-s, -> [1] ↑ *Filiale* branch [2] (*von Blumen*) branch

ablehnen *vt* [1] → *Angebot* reject, decline [2] → *Antrag* reject [3] → *Person* reject [4] → *Zahlung* refuse; **Ablehnung** *f* [1] (*von Angebot*) rejection [2] (*von Antrag*) rejection [3] (*von Person*) rejection

ableiten *vt* [1] → *Bach* divert [2] → *Wort* derive (*von* from) [3] ↑ *folgern* deduce (*von* from); **Ableitung** *f* [1] ↑ *das Ableiten* diversion [2] (*Wort-*) derivation

ablenken I. *vt* [1] (*von Fährte*) deflect [2] (*von Arbeit*) distract [3] ↑ *unterhalten, zerstreuen* distract, divert **II.** *vi* ↑ *ausweichen* to change the subject; **Ablenkung** *f* [1] ↑ *das Ablenken* distraction [2] ↑ *Zerstreuung* distraction, diversion

ablesen *unreg vt* [1] ↑ *lesen* → *Text* read [2] → *Zähler* read [3] ↑ *erkennen* ◇ **jd-m etw** *akk* **an der Miene** ~ to tell s.th. from s.b.'s face

abliefern *vt* [1] ↑ *abgeben* → *Ware, Brief* deliver [2] *FAM* ◇ **jd-n zu Hause** ~ to take s.b. home; **Ablieferung** *f* delivery

ablösen I. *vt* [1] ↑ *entfernen* → *Klebeband* remove, take off [2] ↑ *übernehmen* → *Kollegen* relieve [3] ↑ *bezahlen* → *Schuld* pay off **II.** *vr* ◇**sich** ~ [1] ↑ *abblättern* ← *Farbe* peel off [2] ◇ **einander** ~ to take turns; **Ablösung** *f* [1] (*von Schulden*) paying off [2] ↑ *Wechsel* (*Wach-*) changing [3] (*von Farbe*) peeling off

abmachen *vt* 1 ↑ *entfernen* → *Etikett* take off; → *Schnur* take away/off 2 ↑ *vereinbaren* → *Treffpunkt* agree [to] 3 ↑ *besprechen* ◇ **etw** *akk* **mit sich** ~ to sort s.th. out with o.s.; **Abmachung** *f* ↑ *Vereinbarung* ▷*treffen* agreement

abmagern *vi* to become thin; **Abmagerungskur** *f* ↑ *Diät* diet

Abmarsch *m* (*von Truppen*) march-off; **abmarschbereit** *adj* ready to march off; **abmarschieren** *vi* ↑ *weggehen* set off; ← *Soldaten* march off

abmelden I. *vt* 1 → *Auto* to cancel car registration 2 → *Zeitung* cancel; → *Telefon* disconnect **II.** *vr* ◇**sich** ~ 1 ▷*polizeilich* to notify authorities of change in residence 2 (*im Hotel*) check out

abmessen *unreg vt* 1 ↑ *messen* → *Distanz* measure 2 *FIG* ↑ *abschätzen* → *Tragweite* weigh; **Abmessung** *f* measurement

abmontieren *vt* ↑ *abmachen, abschrauben* dismantle

abmühen *vr* ◇**sich** ~ ↑ *anstrengen* to wear o.s. out

abnabeln *vr* ◇**sich** ~ to become independent

Abnahme *f* <-, -n> 1 ↑ *Rückgang* decreaseloss; (*Gewichts-*) weight loss 2 ↑ *Wegnehmen* removal 3 COMM (*Waren-*) buying 4 (*TÜV-Abnahme*) inspection; **abnehmen** *unreg* **I.** *vt* 1 ↑ *wegnehmen* remove, take off 2 *FIG* ↑ *helfen* → *Last, Problem* relieve, unburden 3 ↑ *sich verringern* → *Gewicht* lose 4 → *Hörer* pick up 5 → *Prüfung* hold 6 *FAM* ↑ *glauben* ◇ **jd-m eine Geschichte** ~ *FAM* buy [a story] **II.** *vi* 1 ↑ *weniger werden* decrease 2 ↑ *dünner werden* lose weight; **Abnehmer(in** *f*) *m* <-s, -> COMM ↑ *Käufer* (*Waren-*) purchaser

Abneigung *f* 1 ↑ *Widerwille* (*gegen Sachen*) dislike, aversion 2 ↑ *Antipathie gegen Personen*) dislike

abnutzen I. *vt* ↑ *verbrauchen* → *Kleider* wear out **II.** *vr* ◇**sich** ~ ↑ *verschleißen* → *Möbel, Schuhe* to get worn out; **Abnutzung** *f* ↑ *Verschleiß* wear and tear

Abonnement *s* <-s, -s> 1 (*Zeitungs-*) subscription 2 THEAT season ticket; **Abonnent** (**in** *f*) *m* 1 (*Zeitungs-*) subscriber 2 THEAT season ticket holder; **abonnieren** *vt* 1 → *Zeitschrift* subscribe to 2 THEAT to have a season ticket

Abort *m* <-[e]s, -e> 1 *FAM* ↑ *WC* lavatory 2 ↑ *Fehlgeburt, Abgang* miscarriage; ↑ *Abtreibung* abortion

abpacken *vt* ↑ *einpacken* pack

abpassen *vt* 1 ↑ *auflauern* → *jd-n* to way lay s.b. 2 ↑ *abwarten* → *Gelegenheit* to wait for the right time

abpfeifen *unreg vt, vi* SPORT ↑ *beenden* → *Spiel* to blow the whistle for the end of the game

abprallen *vi* 1 ← *Geschoß* ricochet (*an dat* off) 2 ← *Ball* bounce (*an/von dat* off)

abputzen *vt* → *Schuhe* clean

abqualifizieren *vt* → *Person, Sache* dismiss

abquälen *vr* ◇**sich** ~ ↑ *abmühen* to torture o.s.

abraten *unreg vi* ↑ *warnen* warn; ◇ **jd-m von etw** ~ to advise s.o. against s.th.

abräumen *vt* → *Tisch* clear

abreagieren I. *vt* ↑ *auslassen* → *Wut* work off (*an dat* against) **II.** *vr* ◇**sich** ~ ↑ *austoben* to blow off steam

abrechnen I. *vt* → *Betrag* deduct **II.** *vi* 1 ↑ *Rechnung aufstellen* [make up an] account 2 balance the cash 3 *FIG* ↑ *zur Rechenschaft ziehen* get even (*mit* with); **Abrechnung** *f* 1 (*Tages-*) [balancing of] accounts 2 *FIG* ↑ *Rache* revenge

abregen *vr* ◇**sich** ~ *FAM* ↑ *beruhigen* cool/settle down

abreiben *unreg vt* 1 ↑ *abwischen* → *Schmutz* rub off 2 ↑ *frottieren* (*nach Bad*) rub down; **Abreibung** *f FAM* ↑ *Prügel* ▷*verpassen* thrashing

Abreise *f* ↑ *Start* ▷*verschieben* departure; **abreisen** *vi* ↑ *Reise antreten* depart

abreißen *unreg* **I.** *vt* 1 → *Haus* tear down 2 → *Papier* tear off **II.** *vi* ↑ *aufhören* ← *Kontakt* be broken off; ← *Serie* be broken

abriegeln *vt* 1 ↑ *absperren* → *Gebiet* cordon/block off 2 ↑ *abschließen* → *Zimmer* bolt

Abriß *m* <-sses, -sse> 1 ↑ *Abbruch* (*von Haus*) demolition 2 ↑ *Übersicht* (*von Buch*) abstract, summary 3 (*von Kalenderblatt etc.*) discarded pad sheet

Abruf *m* ↑ *Bestellung* (*von Waren*) order; ◇ **auf** ~ on call; **abrufen** *unreg vt* 1 COMP → *Datei* retrieve 2 ↑ *bestellen* → *Ware* order

abrüsten *vt, vi* MIL → *Waffen, Staat* disarm; **Abrüstung** *f* ▷*militärisch* disarmament

Abs. *abbr of* **Absender** sender, return address

Absage *f* ↑ *Ablehnung* refusal; **absagen I.** *vt* 1 → *Termin* cancel 2 ◇ **eine Sendung** ~ to cancel a programme **II.** *vi* ↑ *nicht kommen* beg off

absägen *vt* 1 → *Ast* saw off 2 *FAM* ↑ *entlassen* → *Politiker* axe

absahnen *vt FIG* ↑ *Gewinn einstreichen* cream off

Absatz *m* 1 (*Schuh-*) heel 2 ↑ *Verkauf* (*Waren-*) disposal, sales 3 (*Treppen-*) landing 4 ↑ *Abschnitt* (*Text-*) paragraph, section

abschaben *vt* ↑ *schälen* → *Möhren* scrape

abschaffen *vt* ↑ *beseitigen* → *Steuer* abolish; →

Gesetz repeal, annul; → Übel get rid of, to do away with; **Abschaffung** f ↑ Beseitigung abolition

abschalten I. vt ↑ ausmachen → Radio, Fernseher switch off; → Licht turn off II. vi ① FIG FAM ↑ sich entspannen relax, switch off ② FIG FAM be out of it

abschätzen vt ↑ einschätzen → Lage gauge; → Person assess, rate

abschätzig adj ↑ verächtlich disparaging

Abschaum m PEJ: ◇ - **der Menschheit** scum of the earth

Abscheu m <-[e]s> ↑ Ekel disgust; **abscheulich** adj ↑ schrecklich disgusting

abschicken vt → Brief post, mail AM

abschieben unreg vt ① ◇ **Schuld auf jd-n abschieben** to blame s.o., to push the blame onto s.o. ② → Asylanten deport ③ FAM ◇ **schieb ab!** push off!

Abschied m <-[e]s, -e> ↑ Trennung parting, farewell; ◇ - **nehmen** to take leave (von of), to bid farewell (von to)

abschießen unreg vt ① → Flugzeug shoot down ② ↑ abfeuern → Pistole shoot ③ ◇ **den Vogel** - to surpass everyone ④ FIG FAM ↑ entlassen → Poltiker kick out

abschirmen I. vt ↑ schützen → Augen shield; → Person protect II. vr ◇ **sich** - ↑ isolieren withdraw from public gaze

abschlagen unreg vt ① → Henkel knock off ② → Ast hack off ③ ↑ ablehnen → Bitte reject; FAM knock back; **abschlägig** adj ↑ ablehnend ▷Antwort negative; **Abschlagszahlung** f ↑ Rate installment (payment)

abschleifen unreg I. vt → Unebenheit rub down, smooth II. vr ◇ **sich** - FIG refine one's manners

Abschleppdienst m break-down [o. recovery] service; **abschleppen** vt → Auto tow away; FAM → Mann/Frau take in tow, pick up; **Abschleppseil** s towing rope

abschließen unreg I. vt ① → Tür lock ② ↑ beenden → Vertrag enter, sign; → Rede conclude, terminate II. vr ◇ **sich** - ↑ sich isolieren seclude/isolate o.s.; **Abschluß** m ① ↑ Zustandekommen (von Vertrag) closing; ◇ **Geschäfts**- transaction ② (Jahres-) financial statement ③ (SCH -prüfung) final examination, finals ④ ◇ **zum** - in conclusion; **Abschlußrechnung** f final account

abschmieren vt ↑ einfetten → Lager grease, lubricate

abschminken vr ◇ **sich** - take off one's make-up; FAM ◇ **das kannst du dir** - you can forget that

abschneiden unreg I. vt ↑ abtrennen → Brot, Faden cut off; ◇ **den Weg** - to take a shortcut; FIG ◇ **jd-m das Wort** - to interrupt s.o. II. vi (bei Prüfung) get a (good/bad) result (bei at), come off (well/badly) (bei at)

Abschnitt m ① ↑ Teilstück section, segment ② (Front-) divisional area ③ (Zeit-) period, phase ④ (Text-) extract, passage ⑤ (eines Gesetzbuches) paragraph, section

abschrauben vt ↑ abmontieren unscrew

abschrecken vt ① ↑ einschüchtern intimidate ② ↑ abhalten deter ③ ↑ abkühlen → Ei dip in cold water; **abschreckend** adj ① ↑ warnend ◇ -**es Beispiel** deterrent ② ▷Brutalität repellant; **Abschreckung** f (MIL atomare -) deterrence

abschreiben unreg vt ① → Text copy; SCH ↑ spicken crib, copy ③ ◇ **etwas steuerlich** - to write s.th. off against tax ④ FAM write off; **Abschreibung** f ① (COMM von Steuer) allowance, writing off ② COMM ↑ Wertverminderung depreciation; **Abschrift** f copy

abschürfen vt → Haut chafe, graze

Abschuß m ① (von Kanone) firing ② (von Flugzeug) shooting down

abschüssig adj ▷Gelände, Straße steep

abschwächen vt ① ↑ abmildern → Aussage moderate, qualify ② ↑ schwächer machen → Farbe thin; → Stoß attenuate

abschweifen vi ↑ abkommen: ◇ **vom Thema** - to digress from the subject; **Abschweifung** f (vom Weg) deviation; (vom Thema) digression

abschwellen unreg vi ← Beule going down; ← Geräusch lessen, decrease, fade away

abschwören unreg vi: ◇ **einem Laster** - to forswear a vice; ◇ **einer Lehre** - to renounce a doctrine

absehbar adj ① ◇ **in -er Zeit** in the foreseeable future ② ◇ **der Schaden ist** - the damage is contained/measurable; **absehen** unreg I. vt ↑ abschätzen → Folgen foresee, predict II. vi ① ◇ **von etwas** - ↑ verzichten to refrain from (doing) s.th. ② ◇ **von den Folgen abgesehen, …** disregarding the consequences, …

abseits I. adv remote; ◇ - **stehen** to stand apart II. präp: ◇ - **der Straße** off the road; **Abseits** s <-> SPORT offside; ◇ **im** - **stehen** to be offside

absenden unreg vt ↑ abschicken send off, dispatch; → Brief post BRIT, mail US; **Absender(in f)** m <-s, -> ↑ Adresse return address

absetzbar adj ① (von Steuer) deductible ② (▷Person, von Posten) dismissible ③ ▷Ware sal(e)able; **absetzen** I. vt ① → Last put down ② → Hut take off ③ → Waren sell ④ (von Steuer) deduct ⑤ (vom Amt) dismiss ⑥ THEAT → Stück withdraw, scratch **II.** *vr* ◇ **sich** ~ ① ← *Staub* settle ② (*ins Ausland*) retreat

absichern *vt* ↑ *schützen* (*gegen Diebstahl etc.*) safeguard

Absicht *f* intention; ◇ **mit** ~ on purpose, purposely; **absichtlich** *adj* ↑ *vorsätzlich* intentional, deliberate

absitzen *unreg* **I.** *vi* (*von Pferd*) dismount **II.** *vt* *FAM*: ◇ **eine Haftstrafe** ~ to do time

absolut *adj* ① ↑ *völlig* ▷*Vertrauen* complete ② (*Ggs relativ*) absolute; ◇ **~e Mehrheit** absolute majority

absolvieren *vt* ① → *Studium* finish ② ◇ **einen Besuch** ~ to get a visit over with

absondern I. *vt* ① CHEM separate ② → *Kranke* isolate ③ ↑ *abgeben* ← *Drüse* discharge, produce **II.** *vr* ◇ **sich** ~ ↑ *isolieren* (*von Gruppe*) cut o.s. off

abspecken *vi FAM* ↑ *abnehmen* lose weight

abspeichern *vt* PC → *Datei* save

abspeisen *vt FIG*: ◇ **jd-n mit leeren Worten** ~ to fob s.o. off with fancy talk

abspenstig *adj*: ◇ **jd-m jd-n/etw** ~ **machen** to entice s.o./s.th. away from s.o.

absperren *vt* → *Straße* block off; → *Wasser* shut off; **Absperrung** *f* (*Straßen~*) barrier

abspielen I. *vt* ① → *CD, Kassette* play ② SPORT → *Ball* pass **II.** *vr* ◇ **sich** ~ ↑ *passieren, stattfinden* take place, happen

Absprache *f* [working] agreement, arrangement; **absprechen** *unreg vt* ① ↑ *vereinbaren* agree ② ↑ *aberkennen* dispute; ◇ **jd-m seinen guten Willen** ~ to question s.o.'s good will

abspringen *unreg vi* ① ↑ *herunterspringen* jump off ② ↑ *abgehen* ← *Lack* come off; *FIG FAM* (*von Projekt*) leave, quit; **Absprung** *m* ① (*Fallschirm~*) jump ② *FIG* ↑ *Austritt* desertion; *FIG* ◇ **den** ~ **schaffen** to break with the past

abspülen *vt* wash (up)

abstammen *vi* stem (*von* from), descend (*von* from); **Abstammung** *f* ↑ *Herkunft* origin, parentage; *AM* filiation

Abstand *m* ① (*räumlich*) distance; ◇ ~ **halten** to keep one's distance ② (*zeitlich*) space of time, interval ③ ◇ **mit** ~ **der Beste** far and away the best, the best by a mile

abstatten *vt* ① ◇ **jd-m einen Besuch** ~ to pay s.o. a visit, to call on s.o. ② ◇ **jd-m Dank** ~ to thank s.o.

abstauben *vt* ① ↑ *abwischen* → *Möbel* dust ② *FIG FAM* ◇ **darf ich von dir eine Zigarette** ~ can I bum a cigarette off you?

Abstecher *m* <-s, -> ↑ *kurze Reise* excursion

abstehen *unreg vi* ① ← *Ohren* stick out ② ↑ *schal werden* ← *Bier* get stale

absteigen *unreg vi* ① (*in Hotel*) stay ② (*vom Rad*) get off; (*vom Pferd*) dismount ③ ↑ *sinken* (*im Wert*) come down

abstellen *vt* ① ↑ *hinstellen* put down; ↑ *parken* → *Auto* park ② ↑ *ausmachen* → *Motor* switch off ③ ↑ *beseitigen* → *Übel* eradicate

abstempeln *vt* ① → *Briefmarke* postmark ② *FIG* ◇ **jd-n zum Gauner** ~ to label s.o. as a crook

absterben *unreg vi* ① ← *Baum* die ② ↑ *gefühllos werden* ← *Fuß* go numb

Abstieg *m* <-[e]s, -e> ① (*vom Berg*) descent ② *FIG* ▷*sozial* decline ③ (SPORT *von Verein*) drop down

abstimmen I. *vi* ↑ *Stimme abgeben* vote (*über akk* on) **II.** *vt* ↑ *angleichen* → *Interessen* harmonize (*auf akk* with); → *Instrumente* tune; → *Termine* co-ordinate (*auf akk* with); ◇ **Berichte aufeinander** ~ to collate reports; **Abstimmung** *f* ① ↑ *Wahl* vote; (*Volks~*) referendum ② ↑ *Angleichen* harmonization

abstinent *adj* (*von Alkohol*) teetotal, abstinent; **Abstinenz** *f* abstinence; (*von Alkohol*) temperance

abstoßen *unreg vt* ① ↑ *anwidern* disgust ② ↑ *billig verkaufen* (*Waren*) clear; (COMM *zu Dumpingpreisen*) dump; **abstoßend** *adj* ↑ *widerlich* disgusting

abstrakt *adj* (*Ggs konkret*) abstract; ▷*Kunst* abstract, non-figurative; **Abstraktion** *f* abstraction

abstreiten *unreg vt* → *Tat* deny

Abstrich *m* ① ↑ *Kürzung* cut ② MED ↑ *Sekretentnahme* swab ③ *FIG* ◇ **~e machen** to economize

abstufen *vt* → *Terrassen* arrange in terraces; → *Farbtöne* shade, tone; → *Gehälter* scale, graduate

abstumpfen I. *vi* ① ↑ *Glanz verlieren* ← *Metall* lose sparkle, become dull ② ↑ *stumpf werden* ← *Nadel* become blunt ③ *FIG* ↑ *gefühllos werden* become stunted **II.** *vt* ① ↑ *stumpf machen* blunt ② *FIG* ↑ *teilnahmslos machen* deaden

Absturz *m* (*Flugzeug~*) crash; **abstürzen** *vi* ↑ *fallen* fall, plunge

absuchen *vt* search, scour (*nach* for)

absurd *adj* absurd

abtauen *vti* → *Kühlschrank* defrost

Abtei *f* <-, -en> (*Kloster~*) abbey

Abteil *s* <-[e]s, -e> (*Zug~*) compartment; **abteilen** *vt* ↑ *abtrennen* divide off, separate; **Abteilung** *f* ① ↑ *Abtrennung* separation ② (*in Betrieb*) department, division; (*in Kaufhaus*) department; **Abteilungsleiter(in** *f*) *m* departmental head

abträglich *adj* ↑ *nicht förderlich* detrimental (*dat* to)

abtreiben *unreg* **I.** *vt* MED abort **II.** *vi* ← *Boot* get blown off course; **Abtreibung** *f* ↑ *Abort* abortion

abtrennen *vt* ↑ *abschneiden* → *Blatt* tear off; ↑ *amputieren* → *Körperteil* amputate; ↑ *ausgliedern* → *Land* partition

abtreten *unreg* **I.** *vt* ↑ *abgeben* → *Land* hand over, transfer **II.** *vi* ↑ *zurücktreten* ← *Minister* resign; **Abtreter** *m* <-s, -> doormat

abtrocknen *vt* dry

abtrünnig *adj* unfaithful, disloyal

abwägen <wägte ab, abgewogen> *vt* → *Entscheidung* consider

abwählen *vt* → *Regierung* vote out

abwarten **I.** *vt* → *Ereignis* wait for; ◇ **das Ende** ~ to stay to the end **II.** *vi* ↑ *warten* lie low

abwärts *adv* ↑ *hinunter* downward

abwaschen *unreg vt* wash

Abwasser *s* <-s, Abwässer> waste water

abwechseln *vr* ◇ **sich** ~ (*beim Fahren*) take turns

abwegig *adj* ▷*Bemerkung* beside the point; ▷*Einstellung* mistaken

Abwehr *f* <-> ① ↑ *Verteidigung* defence ② ▷*innere* resistance; **abwehren** *vt* → *Angriff* repel; SPORT → *Ball* deflect; → *Gefahr* avert

abweichen *unreg vi* ① (*vom Weg*) wander, stray; (*FIG vom Thema*) digress (*von* from) ② ↑ *sich unterscheiden* ◇ **von jd-s Meinung** ~ to differ from s.o. in one's opinion

abweisen *unreg vt* ① ↑ *abwehren* refuse, keep off ② ↑ *ablehnen* → *Antrag* reject; JURA → *Klage* dismiss; **abweisend** *adj* unfriendly

abwenden *unreg* **I.** *vt* ① ↑ *verhindern* → *Unglück* avert, prevent ② → *Blick* avert **II.** *vr* ◇ **sich** ~ ↑ *sich distanzieren* (*von jd-m*) become estranged

abwerben *unreg vt* entice away

abwerfen *unreg vt* ① → *Ballast, Reiter* throw off ② ↑ *bringen* → *Gewinn* bring in

abwerten *vt* ↑ *im Wert herabsetzen* → *Währung* devalue; *FIG* → *Person* denigrate

abwesend *adj* ① ↑ *nicht da* absent ② ↑ *zerstreut* absentminded; **Abwesenheit** *f* ① ▷*örtliche* absence ② ▷*geistige* ~ abstraction

abwickeln **I.** *vt* ① → *Spule* unwind ② *FIG* ↑ *abschließen* → *Geschäft* settle, effect **II.** *vr* ◇ **sich** ~ ↑ *vonstatten gehen* progress, go off

abwiegen *unreg vt* weigh

abwimmeln *vt FAM* → *Vertreter* get rid of, shake off

abwinken *vi* ① *FAM* motion away ② ← *Schaffner* signal

abwischen *vt* → *Schmutz* wipe away

Abwurf *m* ① (*von Ballast*) jettisoning; (*von Reiter*) throwing off; (*von Bomben*) release ② (SPORT *Ball-*) goal-throw

abwürgen *vt* ① ↑ *abrupt beenden* → *Gespräch* kill; → *Debatte* gag ② *FAM* → *Motor* stall

abzahlen *vt* → *Kredit* pay off

abzählen *vt* → *Geld, Personen* count up

Abzahlung *f* ↑ *Ratenzahlung* installment payment; ↑ *Tilgung* payment in full

Abzeichen *s* (*Partei-*) badge; MIL tab, ensign; ↑ *Orden* medal

abzeichnen **I.** *vt* ① ↑ *kopieren* → *Bild* copy ② ↑ *unterschreiben* → *Vertrag* sign **II.** *vr* ◇ **sich** ~ ① ↑ *sichtbar werden* stand out ② *FIG* ↑ *sich andeuten* acquire profile

abziehen *unreg* **I.** *vt* ① ↑ *subtrahieren* subtract, deduct ② ↑ *entfernen* → *Schlüssel* remove ③ PRINT ↑ *kopieren* copy ④ ↑ *abdrücken* (*bei Pistole*) pull the trigger, fire ⑤ → *Bett* strip ⑥ ↑ *häuten* → *Tier* flay ⑦ GASTRON → *Soße* thicken ⑧ *FAM* ◇ **eine Show** ~ to put on a show **II.** *vi* *weggehen* ← *Truppen* withraw; ◇ **beleidigt** ~ to go away in a sulk

abzielen *vi* aim (*auf akk* for); *FIG* ◇ **die Maßnahmen zielen auf erhöhte Leistung ab** the measures are designed to improve performance

Abzug *m* ① ↑ *Subtraktion* (*von Geldbetrag etc.*) deduction ② ↑ *Weggang* (*Truppen-*) withdrawal ③ (*Revolver-*) trigger ④ (*Rauch-*) vent, outlet ⑤ PRINT ↑ *Kopie* copy; FOTO (contact) print; **abzüglich** *präp gen* COMM minus

abzweigen **I.** *vi* ← *Straße* branch off **II.** *vt FAM* ↑ *beiseite legen* → *Geld* set aside, earmark; **Abzweigung** *f* ① (*Straßen-*) junction, fork ② ↑ *Nebenstrecke* fork road; BAHN branch line

Accessoires *pl* (*Mode-*) accessories *pl*

ach *intj* oh!; ◇ ~ **je!** oh dear!; ◇ ~ **wirklich?** really?; ◇ ~ **so!** I see!

Achse *f* <-, -n> (*Rad-*) axle; *FAM* ◇ **auf** ~ **sein** (*unterwegs*) on the move; (*Erd-*) axis

Achsel *f* <-, -n> ANAT ① shoulder ② (*-höhle*) armpit

Achsenbruch *m* TECH axle failure

acht *nbr* eight; ◇ ~ **Leute** eight people; ◇ **in** ~ **Tagen** in a week; **Acht** *f* <-, -en> ① ◇ **die** ~ eight ② ↑ *Aufmerksamkeit* ◇ **etw außer a- lassen** to disregard s.th. ③ ◇ **sich vor jd-m in a- nehmen** to beware of s.o.

achtbar *adj* ▷*Mensch* respectable

achte(r, s) *adj* eighth; ◇ **der** ~ **Februar** the eighth of February; **Achtel** *s* <-s, -> ↑ *achter Teil* eighth; ◇ **ein** ~ **Wein** an eighth (of a litre) of wine

achten I. *vt* [1] ↑ *respektieren* → *jd-s Meinung* respect, value [2] ↑ *beachten* → *Vorschrift* observe, respect [3] ↑ *schätzen* → *Person* have a high opinion of (s.o.) **II.** *vi* [1] ↑ *aufpassen* pay attention (*auf akk* to)
achtens *adv* (*8.*) eighth, in the eighth place
ächten *vt* ▷*öffentlich* ban
Achterbahn *f* roller coaster; **achtfach I.** *adj* eightfold; ◇ **die ~e Summe** eight times the sum **II.** *adv* eight times, eightfold
achtgeben *unreg vi* [1] (*hüten*) take care (*auf akk* of) [2] ↑ *aufmerksam sein* pay attention (*auf akk* to)
achthundert *nbr* eight hundred; **achtjährig** *adj* [1] ◇ **ein ~es Kind** an eight-year-old (child) [2] ◇ **~e Ehe** marriage of eight years standing
achtlos *adj* careless
achtmal *adv:* ◇ **~ soviel** eight times as much
achtsam *adj* cautious, careful; **Achtung I.** *f* respect, regard; ◇ **jd-s ~ Achtung erringen** to gain s.o.'s respect **II.** *intj:* ◇ **~!** danger! attention!
achtzehn *nbr* eighteen; **achtzig** *nbr* eighty
ächzen *vi* [1] ↑ *stöhnen* ← *Mensch* groan (*vor dat* with) [2] ↑ *knarren* ← *Bodenbretter* creak
Acker *m* <-s, Äcker> field
Action *f FAM* [1] ◇ **Film mit viel ~** film with a lot of action [2] ◇ **das ist mir zuviel ~** (*zu umständlich*) that's too much of a bother for me
ADAC *m* <-> *Abk v.* **Allgemeiner Deutscher Automobil-Club**
Adapter *m* <-s, -> ELECTR adapter
adäquat *adj* ↑ *angemessen* adequate
addieren *vt* add; **Addition** *f* (*Ggs zu Subtraktion*) addition
ade *intj FAM* ta-ta
Adel *m* <-s> nobility, aristocracy
Ader *f* <-, -n> [1] MED blood vessel, vein; (*Schlag-*) artery [2] (GEO *Erz-*) vein [3] *FIG* ↑ *Talent* (*musisch*) bent
Adjektiv *s* SPRACHW adjective
Adler *m* <-s, -> eagle
adlig *adj* aristocratic, titled
Admiral(in *f*) *m* <-s, -e> [1] admiral [2] BIO red admiral
adoptieren *vt* → *Kind* adopt; **Adoption** *f* adoption; **Adoptivkind** *s* adopted child
Adrenalin *s* <-s> MED adrenalin
Adresse *f* <-, -n> [1] ↑ *Anschrift* address; ◇ **an die falsche ~ kommen** to come to the wrong address [2] PC address; **adressieren** *vt* → *Brief* address (*an akk* to); → *Güter* consign
Advent *m* <-[e]s, -e> (*erster ~*) Advent
Adverb *s* SPRACHW adverb; **adverbial** *adj* SPRACHW adverbial
Aerobic *s* <-s> SPORT aerobics *sg*
Affäre *f* <-, -n> [1] (*Liebes-*) affair [2] ↑ *Angelegenheit* affair, business
Affe *m* <-n, -n> [1] (*Menschen-*) ape; (*mit Schwanz*) monkey [2] (*FAM blöder Kerl*) silly fool
affektiert *adj* ▷*Getue* affected
affenartig *adj* simian; *FAM* ◇ **mit ~em Tempo** like a bat out of hell; **Affenhitze** *f FAM* insane heat; **affig** *adj* silly
Afrika *s* Africa; **Afrikaner(in** *f*) *m* <-s, -> African; **afrikanisch** *adj* African
After *m* <-s, -> anus
AG *f* <-, -s> *Abk v.* **Aktiengesellschaft** joint stock company
Agent(in *f*) *m* [1] ↑ *Spion* spy, agent [2] ↑ *Vertreter* (*Versicherungs-*) agent; **Agentur** *f* (*Versicherungs-*) agency
Aggregat *s* <-[e]s, -e> aggregate; (TECHNOL *Strom-*) power unit, generator
Aggression *f* PSYCH aggression; **aggressiv** *adj* aggressive; **Aggressivität** *f* aggressiveness
agieren *vi* [1] ↑ *handeln* act [2] THEAT ↑ *auftreten* appear (*als* as), play; **Agitation** *f* ▷*betreiben* political agitation
Agonie *f* (*auch FIG*) ↑ *Todeskampf* death throes
Agrarstaat *m* agricultural state
Ägypten *s* Egypt
aha *intj* aha!, I see!; **Aha-Erlebnis** *s FAM* revelation, moment of realisation
Ahn *m* <-en, -en> ancestor
ähneln *vi:* ◇ **jd-m ~** to resemble s.o.; ◇ **sich** *dat* **~** to resemble each other, to be alike
ahnen *vt* [1] ↑ *vermuten* sense; ↑ *voraussehen* foresee; ◇ **ich habe es ja geahnt!** I just knew it! [2] ↑ *erraten* guess; ◇ **wie soll ich das ~?** how am I supposed to know that?; *FAM* ◇ **du ahnst es nicht!** you'll never guess!
ähnlich I. *adj* ↑ *fast gleich* similar **II.** *adv* [1] ↑ *fast genauso* similarly, likewise; ◇ **jd-m ~ sein/sehen** to be like s.o. [2] *FIG* ◇ **das sieht ihm ~** that's just like him; **Ähnlichkeit** *f* (*verblüffende ~*) similarity (*mit* to)
Ahnung *f* [1] ↑ *Vorgefühl* intuition [2] *FAM* ◇ **keine ~ haben** to have no idea, to not have a clue; **ahnungslos** *adj* ↑ *arglos* unsuspecting
Ahorn *m* <-s, -e> (*Baum*) maple-tree
Aids *s* <-> *Akr v.* (*Acquired Immune Deficiency Syndrome*) AIDS
Aids-Hilfe *f* AIDS charity; **Aids-positiv** *adj* HIV-positive
Akademiker(in *f*) *m* <-s, -> university graduate; **akademisch** *adj* (*~ Laufbahn*) academic

akklimatisieren *vtr* ◇ **sich ~** get acclimatized (*in dat* to)

Akkord *m* <-[e]s, -e> ① MUS chord ② ↑ *Stücklohn* piecework; ◇ **im ~ arbeiten** to do piecework; **Akkordeon** *s* <-s, -s> accordion

Akkusativ *m* SPRACHW accusative

Akne *f* <-, -n> acne

Akrobat(in *f*) *m* <-en, -en> (*Zirkus~*) acrobat

Akt *m* <-[e]s, -e> ① ↑ *Handlung* action; ↑ *Rechtsvorgang* deed; ◇ **~ der Humanität** act of humanity ② THEAT ↑ *Aufzug* act ③ ↑ *Nacktaufnahme* ▷*weiblich, männlich* nude ④ ↑ *Geschlechts~* coitus, sexual act

Akte *f* <-, -n> ① (*jd\s*) file, dossier; *FIG* ◇ **etw zu den ~n legen** to close the case/file on s.th. ② ↑ *Urkunde* document; **aktenkundig** *adj* on record; ◇ **~ machen** to put on the record; **Aktentasche** *f* briefcase

Aktie *f* <-, -n> share; *AM* stock; **Aktiengesellschaft** *f* joint stock company; **Aktienkurs** *m* COMM share/stock price

Aktion *f* ① ↑ *Tätigkeit* action; ◇ **in ~ treten** to get into action ② ↑ *Kampagne* (*Werbe~*) campaign

Aktionär(in *f*) *m* <-s, -e> shareholder

aktiv *adj* ① ▷*Person* lively, dynamic, active ② SPRACHW ◇ **~e Verbform** active voice; **Aktiv** *s* <-s> SPRACHW active; **Aktiva** *pl* COMM assets *pl;* **aktivieren** *vt* ① ↑ *starten* → *Kampagne* put s.th. into action ② → *Angestellte* stimulate, motivate; **Aktivität** *f* ① ↑ *Unternehmung* (*Freizeit~*) activity ② ↑ *Regsamkeit* vitality

aktualisieren *vt* actualize; **Aktualität** *f* topicality; **aktuell** *adj* ① ↑ *relevant* ▷*Thema* relevant, topical ② ▷*Film, Buch* new ③ ↑ *zeitgemäß* ▷*Mode* current, latest

Akupunktur *f* acupuncture

Akustik *f* ① (*Fach*) acoustics *sg* ② (*Saal~*) ▷*gute, schlechte* acoustics *pl;* **Akustikkoppler** *m* <-s, -> PC Modem

akut *adj* ① ↑ *plötzlich, heftig* ▷*Schmerz* acute ② ↑ *hochaktuell* ▷*Thema, Frage* critical

AKW *s* <-s, -s> *Abk v.* **Atomkraftwerk**

Akzent *m* <-[e]s, -e> ① SPRACHW ↑ *Aussprache* ▷*fremdländisch* accent ② SPRACHW ↑ *Betonung* stress ③ *FIG* ↑ *Schwerpunkt* emphasis; ◇ **den ~ auf etw legen** emphasize s.th.

akzeptieren *vt* → *Vorschlag* accept

Alarm *m* <-[e]s, -e> (*Feuer~*) alarm; **Alarmanlage** *f* alarm system; **Alarmbereitschaft** *f* alert; ◇ **in ~ sein** to be on stand-by; **alarmieren** *vt* ① → *Feuerwehr* call out ② → *jd-n* alarm

Albaner(in *f*) *m* Albanian; **albanisch** *adj* Albanian

albern *adj* ① ↑ *kindisch* silly, puerile; ◇ **~es Gerede** silly talk ② ↑ *geziert* affected; ◇ **~es Getue** poncing about ③ ↑ *banal, aber lustig* ▷*Film* farcical

Album *s* <-s, Alben> (*Foto~*) album

Alge *f* <-, -n> alga, algae *pl*

Algebra *f* <-> MATH algebra

Alibi *s* <-s, -s> ① JURA alibi ② *FIG* alibi, excuse

Alimente *pl* ▷*zahlen* maintenance

Alkohol *m* <-s, -e> alcohol; **alkoholfrei** *adj* nonalcoholic; ◇ **~es Bier** alcohol-free beer; **Alkoholiker(in** *f*) *m* <-s, -> alcoholic; **alkoholisch** *adj* ▷*Getränk* alcoholic

All *s* <-s> ① (*Welt~*) universe ② (*Weltraum*) space

allabendlich *adj* every evening

alle(r, s) *adj* ① (*Gesamtheit*) all; ◇ **~ Vögel haben Flügel** all birds have wings; ◇ **wir ~ sind daran schuldig** all of us are to blame, we are all to blame ② ◇ **die Butter ist ~** the butter's all gone; ◇ **in ~r Frühe** very early ③ (*jede(r, s)*) all the, every; ◇ **~ Gäste brachten Blumen** all the guests brought flowers, every guest brought flowers; ◇ **~ beide sind blöd** both of them are stupid ④ ◇ **~ zwei Monate** every two months

Allee *f* <-, -n> (*Pappel~*) avenue

allein I. *adv* ① ◇ **~ sein** ↑ *für sich, ohne andere* to be alone, to be solitary; ◇ **~ leben** to live alone ② ↑ *einsam* lonely; ◇ **sich ~ fühlen** to feel all alone ③ ↑ *ohne Hilfe* alone; ◇ **etw ~ schaffen** to do s.th. by o.s. ④ ↑ *ausschließlich* exclusively, alone; ◇ **sie ~ kann das schaffen** she is the only one who can do it **II.** *cj:* ◇ **~ die Vorstellung macht mich krank** the mere idea of it makes me sick; ◇ **nicht allein …, sondern auch** not solely …, but also;

alleinerziehend *adj:* ◇ **sie ist ~** she is a single parent; **Alleingang** *m* ① SPORT solo attempt ② *FIG* ◇ **im ~ handeln** to go it alone; **alleinstehend** *adj* single

allerbeste(r, s) *adj* very best

allerdings *adv* ① ↑ *aber* however, admittedly; ◇ **ich habe ~ einen Einwand** I do, however, have an objection ② ↑ *gewiß, natürlich* of course, indeed; ◇ **das ist ~ wahr** that's true of course

Allergie *f* (*Pollen~*) allergy (*gegen* to); **allergisch** *adj* allergic (*gegen* to)

allerhand *adj inv* ① ↑ *allerlei* various; ◇ **~ Kram** all sorts of stuff ② ↑ *recht viel* a lot of; ◇ **sie hat ~ zu tun** she has a great deal to do ③ *FAM* ◇ **das ist doch ~!** (*empörend*) that's the limit!; (*anerkennend*) that's quite something!

Allerheiligen *s* All Saints' Day

allerhöchste(r, s) *adj* very highest; ◇ **es ist ~ Zeit** it is high time

allerlei *adj inv* ▷*Sachen* various; **allerletzte(r, s)** *adj* very last; ◇ **das ist ja das -!** that is absolutely impossible (behaviour)!; **allerseits** *adv* from all sides, from every side; ◇ **guten Tag -!** morning all!, good morning everybody!; **allerwenigste(r, s)** *adj* very least; ◇ **er hat das - gekriegt** he got least of all; ◇ **das -, was wir für Sie tun können** the very least we could do for you

alles *pron* all, everything; ◇ **- in allem** all together, all in all; ◇ **- hat seine zwei Seiten** everything has two sides; ◇ **auf - gefaßt sein** to be ready for anything; **Alleskleber** *m* all-purpose adhesive

allgemein *adj* [1] ↑ *überall, bei allen* common; ▷*Wahlrecht* universal; ◇ **von -em Interesse** of general interest [2] ↑ *weit verbreitet* common, current; ▷*Redensart* commonly used, widespread [3] ↑ *öffentlich* public; ◇ **das -e Wohl** the public good [4] ◇ **im -en** in general; **Allgemeinbildung** *f* general education; **allgemeingültig** *adj* ▷*Aussage* generally accepted; **Allgemeinheit** *f* public; ◇ **die -** the general public; **Allgemeinmedizin** *f* general medical practice

Allheilmittel *s* universal cure

Allianz *f* ▷*schließen* alliance; **Alliierte(r)** *m+f* [1] ↑ *Verbündete(r)* ally [2] ◇ **die -n** the Allies

alljährlich *adj* annual, yearly; **allmählich** *adj* ▷*Entwicklung* gradual

Allopathie *f* (*Ggs zu Homöopathie*) allopathy

Allradantrieb *m* AUTO four-wheel drive

Alltag *m* [1] ↑ *Werktag* working day, week day [2] *FIG* ↑ *Routine* ▷*bewältigen* daily grind; **alltäglich** *adj* [1] ↑ *täglich* ▷*Gymnastik* daily [2] *nicht außergewöhnlich* ▷*Tagesablauf* routine; **allwissend** *adj* omniscient

allzu *adv* too; ◇ **nicht -viel trinken!** don't drink too much!

Allzweckreiniger *m* all-purpose cleaner

Alm *f* <-, -en> mountain pasture

Almosen *s* <-s, -> alms *pl*, charity

Alpen *pl* Alps *pl*; **Alpenpaß** *m* alpine pass

Alphabet *s* <-[e]s, -e> alphabet; **alphabetisch** *adj* alphabetic; ◇ **in -er Reihenfolge** in alphabetic order

Alptraum *m* [1] ↑ *böser Traum* nightmare [2] *FIG* ◇ **die Prüfung war ein -** the exam was a nightmare

als *cj* [1] (*zeitlich*) ↑ *während* while; ◇ **- er heimfuhr, regnete es** as he drove home, it rained [2] ↑ *nachdem* after; ◇ **- wir gegessen hatten, ...** once we had eaten, ... [3] as; ◇ **sie arbeitet - Mechanikerin** she works as a mechanic; ◇ **- Kind ...** as a child ... [4] (*Komparativ*) ◇ **kleiner -** smaller than ... [5] ◇ **nichts - ...** (*nur*) only ..., nothing other than ... [6] ◇ **- ob ...** (*wie wenn*) as if ...

also I. *cj* ↑ *demzufolge, folglich* consequently, thus; ◇ **... , - hat sie verstanden** and so she understood; ◇ **- wenn ich ehrlich bin, ...** now if I'm honest, ... **II.** *adv* [1] ◇ **- schön!** well okay! [2] ◇ **na -!** there you go!

alt <älter, ältest> [1] ▷*Mensch, Sache* old; ◇ **wie - sind Sie?** how old are you? [2] *PEJ FAM* ◇ **-er Gauner** old crook [3] *FAM* ◇ **- aussehen** to look bad [4] ↑ *gebraucht* secondhand, used

Alt *m* <-s, -e> (MUS *Stimmlage*) alto

Altar *m* <-[e]s, Altäre> (*in Kirche, Hoch-*) altar

Altbauwohnung *f* flat in an old building; **Altbier** *s* brown beer; **Alteisen** *s* scrap iron; **Alte(r)** *m+f* [1] ↑ *Seniore* old/elderly person; ◇ **die -n** the elderly [2] (*PEJ alte Frau,*) old girl; (*alter Mann*) old boy [3] (*PEJ Ehefrau*) old lady [4] *FAM* ◇ **meine Alten** (*Eltern*) my mother and the old man

älter <*Komparativ von* **alt**> *adj* [1] older [2] (*Bruder, Schwester etc.*) elder [3] ◇ **ein -er Herr** an elderly gentleman; **Alter** *s* <-s, -> [1] (*Lebens-*) age [2] ◇ **das -** old age [3] (*von Sachen*) age; **altern** *vi* [1] grow old; ◇ **früh -** age [2] ↑ *reifen* ▷*Wein* mature

alternativ *adj* [1] ↑ *wahlweise* ▷*Vorschlag* alternative [2] ▷*Lebensweise* alternative [3] POL ◇ **die A-e Liste** *German minority party;* **Alternative** *f* ↑ *Wahlmöglichkeit* alternative (*zu* to); **Alternative(r)** *m+f* POL member of minority party in Germany

Altersgenosse(Altersgenossin *f*) *m* contemporary; **Altersgrenze** *f* age limit; ◇ **gesetzliche -** legal retirement age; **Altersheim** *s* old people's home; **Altersversorgung** *f* old-age pension scheme; **Altertum** *s* ancient past [1] (*Antike*) classical antiquity [2] (*der Kelten*) early history; **ältest** <*Superlativ von* **alt**> *adj* [1] oldest [2] (*Bruder, Schwester etc.*) eldest; **Altglascontainer** *m* glass-waste container; **altmodisch** *adj* [1] ↑ *überholt* ▷*Ansichten* old-fashioned, out-of-date [2] ↑ *aus der Mode* ▷*Kleidung* outmoded, dated; **Altpapier** *s* ▷*sammeln* waste paper; **Altstadt** *f* old part of town; ◇ **historische -** original town

Alufolie *f* aluminium foil

Aluminium *s* <-s> aluminium

am I. = **an dem**; **II.** *präp* [1] (*Ortsbestimmung, - Rande*) on/at/by the ... [2] (*Zeitangabe*) ◇ **am Donnerstag** on Thursday [3] ◇ **- schönsten ist ...** the nicest is ... [4] ◇ **- Ende** at the end [5] *FAM* ↑ *beim* ◇ **ich bin - Arbeiten** I'm working, I'm hard at work

Amalgam *s* <-s, -e> amalgam (filling)
Amateur(in *f*) *m* amateur
Ambition *f* ↑ *Bestrebung* ambition, aspiration; ◇ **-en haben** to have ambitions
ambivalent *adj* ambivalent
ambulant *adj* (*Ggs zu stationär*) mobile; ◇ **-er Patient** outpatient; **Ambulanz** *f* [1] ↑ *Krankenhausstation* outpatients' department [2] (*-wagen*) ambulance
Ameise *f* <-, -n> ant
Amerika *s* America
Amerikaner(in *f*) *m* <-s, -> [1] (*Person*) American [2] (*Gebäck*) light iced cake; **amerikanisch** *adj* American
Amnestie *f* amnesty
Amok *m*: ◇ **- laufen** to run amok
Ampel *f* <-, -n> [1] (*Verkehrs-*) traffic light [2] (*Blumen-*) hanging flowerpot
Ampulle *f* <-, -en> MED ampoule; *FAM* amp
Amputation *f* amputation; **amputieren** *vt* ▷*Arm, Bein* amputate
Amsel *f* <-, -n> blackbird
Amt *s* <-[e]s, Ämter> [1] ↑ *Behörde* (*Post-, Sozial-*) office, department, bureau [2] ↑ *Posten* (*Bürgermeister-*) office, position [3] ↑ *Aufgabe, Pflicht* duty; ◇ **sein - erfüllen** to do one's duty; **amtieren** *vi* officiate; **amtlich** I. *adj* official, authorized; ◇ **-e Erklärung** official statement II. *adv*: ◇ **- zugelassen** certified, licensed; **Amtsgeheimnis** *s* official secret
Amulett *s* <-(e)s, -e> amulet
amüsant *adj* ▷*Film, Person* amusing; **amüsieren** I. *vt* ↑ *belustigen, unterhalten* amuse II. *vr* ◇ **sich -** [1] ↑ *sich vergnügen* amuse o.s. [2] ↑ *lachen über etw/jd-n* laugh (*über akk* about)
an I. *präp dat/akk* [1] (*räumlich/wo?*) ↑ *bei, in der Nähe von* at, near; ◇ **- der Mauer** at the wall; ◇ **München an der Isar** Munich on the river Isar [2] (*räumlich/wohin?*) to; ◇ **- den Tisch** to the table; ◇ **ans Meer fahren** to drive to the seaside [3] (*zeitlich*) ◇ **- Ostern** at Easter; ◇ **am Donnerstag** on Thursday [4] ↑ *neben* next to; ◇ **Tür - Tür** one door next to the other II. *adv* [1] ↑ *ungefähr* roughly; ◇ **- die 3 Monate** approximately 3 months [2] ↑ *eingeschaltet* on; ◇ **der Radio ist -** the radio is (switched) on [3] ◇ **von da -** from then on
analog *adj* [1] ↑ *ähnlich, vergleichbar* analogous, similar (*zu* to) [2] PC analog; **Analogrechner** *m* analog computer
Analphabet(in *f*) *m* illiterate (person)
Analyse *f* <-, -n> CHEM PSYCH analysis; **analysieren** *vt* [1] CHEM analyze [2] SPRACHW → *Wort (in Satz)* construe

Ananas *f* <-, - *o.* -se> pineapple
Anarchie *f* [1] (*Gesetzlosigkeit*) anarchy [2] *PEJ* ↑ *Chaos, zügellose Freiheit* chaos
Anatomie *f* [1] ↑ *Lehre vom Körperbau* anatomy [2] ↑ *Institut* institute of anatomy
anbahnen I. *vt* → *Möglichkeit* open up; → *neue Entwicklung* initiate, pave the way for II. *vr* ◇ **sich -** (*sich andeuten*) ← *Positives* be in the offing; ← *Negatives* be impending
anbändeln *vi FAM*: ◇ **mit jd-m -** to try to get off with s.o.
Anbau [1] *m*AGR ↑ *Anpflanzung* (*von Getreide*) cultivation
Anbau [2] *m* <-s, Anbauten> ARCHIT ↑ *Erweiterungsgebäude* extension
anbauen *vt* [1] AGR → *Getreide* grow, cultivate [2] → *Gebäudeteil* add
anbehalten *unreg vt* → *Mantel* keep on
anbei *adv* enclosed, attached; ◇ **- finden Sie die Fotos** you will find the photos enclosed
anbeißen *unreg* I. *vt* [1] → *Brot* nibble [2] *FIG FAM* ◇ **zum A- aussehen** to look good enough to eat II. *vi* (← *Fisch, an Angel*) bite
anbelangen *vt*: ◇ **was ihn anbelangt, …** as far as he is concerned, …, as for him, …
anbeten *vt* [1] → *Gott* worship [2] *FIG* ↑ *vergöttern* idolize
Anbetracht *m*: ◇ **in -** considering *gen*
anbiedern *vr* ◇ **sich -** ↑ *einschmeicheln* ingratiate o.s. (*bei* with)
anbieten *unreg* I. *vt*: ◇ **jd-m etw -** to offer s.o. s.th., to offer s.th. to s.o. [1] ↑ *darreichen* → *Zigarette* offer, hold out [2] → *Rücktritt* tender [3] ↑ *feilbieten* → *Ware* offer (s.th.) for sale II. *vr* ◇ **sich -** [1] (*als Hilfe*) offer one's services [2] ↑ *naheliegen, in Betracht kommen* invite consideration; ◇ **es bietet sich an** it suggests itself
anbinden *unreg vt* [1] ↑ *anleinen* → *Pferd, Boot* tie up (*an akk* to) [2] *FIG* ◇ **kurz angebunden sein** to be gruff
Anblick *m* sight; ◇ **beim ersten -** at first sight; **anblicken** *vt* → *jd-n* glance at
anbraten *unreg vt* → *Steak* sear
anbrechen *unreg* I. *vt* [1] *anreißen, öffnen* → *Packung Kekse* start on; → *Flasche* open; → *Reserve* dip into [2] → *Knochen* crack II. *vi* ← *Tag* break; ← *Nacht* fall; ← *Jahreszeit* set in
anbrennen *unreg* I. *vt* ↑ *anzünden* → *Feuer* light II. *vi* [1] GASTRON ← *Suppe* burn [2] *anfangen zu brennen* ← *Stoff, Holz* catch fire, ignite
anbringen *unreg vt* [1] ↑ *befestigen* → *Plakat, Lampe* fix [2] ↑ *anschließen* → *Leitung, Telefon* connect [3] PC ↑ *verkaufen* → *Ware* sell [4] ↑ *vorbringen, äußern* express; ◇ **Kritik -** criticize

[5] *FAM* ↑ *anschleppen, herbeibringen* bring along
Anbruch *m* <-(e)s> beginning; ◇ **Tages~** daybreak
anbrüllen *vt* yell at
Andacht *f* <-, -en> [1] (*in Kirche*) prayers; ◇ **Morgen~** morning prayers [2] ▷*geistig* rapt attention, absorption; **andächtig** *adj* absorbed
andauern *vi* last, continue; ◇ **der Regen dauert an** it's still raining, the rain is persisting; **andauernd** *adj* [1] ↑ *unaufhörlich* continuous; ◇ **~ reden** to talk incessantly [2] ↑ *anhaltend* ▷*Regen* continual
Andenken *s* <-s, -> [1] ↑ *Souvenir* souvenir, keepsake [2] ↑ *Erinnerung* remembrance (*an akk* of)
andere(r, s) *pron* [1] ↑ *verschieden* different, another; ◇ **ein ~s Buch** a different book [2] ↑ *folgend* following; ◇ **am ~n Tage** on the next day [3] ↑ *übrigen, restlichen* remaining, other; ◇ **die ~n Bücher habe ich gelesen** I've read the other books [4] ◇ **ein ~s Mal** another time; **andererseits** *adv* on the other hand
ändern I. *vt anders gestalten* → *Plan* revise; → *Meinung* change; → *Kleid* alter II. *vr* ◇ **sich ~** [1] ← *Wetter* change [2] ↑ *sich bessern* ← *Charakter, Mensch* reform
anders *adv* [1] ↑ *auf andere Weise* ▷*sprechen* differently (*als* from); ▷*schmecken* different (*als* from); ◇ **er kann nicht ~** he can't help himself; ◇ **ich habe es mir ~ überlegt** I've changed my mind [2] ↑ *sonst* otherwise; ◇ **wo ~?** where else?; ◇ **niemand ~** nobody else; **andersartig** *adj* different; **anderswo** *adv* somewhere else
anderthalb *nbr* one and a half
Änderung *f* [1] (*von Plan*) revision [2] (*von Meinung*) change [3] (*von Kleidung*) ▷*vornehmen* alteration (*an dat* to)
anderweitig *adv* [1] ↑ *auf andere Weise* otherwise; ◇ **sich ~ beschäftigen** to be otherwise engaged [2] ↑ *anderswo* elsewhere; ◇ **~ beschäftigt** to be engaged elsewhere
andeuten I. *vt* [1] → *Frage* indicate [2] ↑ *ahnen lassen* suggest [3] → *Lächeln* give a hint of; → *Umrisse* outline II. *vr* ↑ *abzeichnen, bevorstehen* become apparent; **Andeutung** *f* [1] ↑ *Hinweis, Anspielung* ▷*machen* hint, allusion [2] ↑ *Anflug* intimation; ◇ **~ eines Lächelns** hint of a smile
Andrang *m* [1] FIN run (*auf akk* on) [2] (*Gedränge*) rush (*nach* for)
andrehen *vt* [1] ↑ *einschalten* → *Licht, Radio* switch on [2] *FAM* ◇ **jd-m etw ~** to palm s.o. off with s.th., to persuade s.o. to buy s.th.
androhen *vt:* ◇ **jd-m etw ~** to threaten s.o. with s.th.; **Androhung** *f:* ◇ **unter ~ von Gewalt** under threat of violence
aneignen *vt:* ◇ **sich** *dat* **etw ~** VAKAT [1] ↑ *sich zueigen machen, lernen* → *Verhalten* adopt; → *Wissen* acquire [2] ↑ *annektieren* → *Gebiet* annex
aneinander *adv* ↑ *einer am anderen* together; ◇ **~ vorbeireden** to talk at cross-purposes; **aneinandergeraten** *unreg vi* clash
Anekdote *f* <-, -n> anecdote
anekeln *vt* sicken
anerkannt *adj* ▷*Künstler* recognised
anerkennen *unreg vt* [1] ↑ *akzeptieren* → *Herrscher* acknowledge; → *Rechnung* accept; → *Anspruch* allow; → *Vaterschaft* recognise [2] ↑ *loben, würdigen* → *Leistung* praise; **anerkennenswert** *adj* praiseworthy; **Anerkennung** *f* [1] ↑ *Akzeptieren* recognition; (*von Rechnung*) acceptance; (*von Vaterschaft*) recognition [2] ↑ *Lob* praise
anfahren *unreg* I. *vt* [1] ↑ *anstoßen* → *Auto* run [*o.* bump] into; → *Fußgänger* hit [2] ↑ *ansteuern* → *Hafen* steer [*o.* head] for [3] *FIG* ↑ *schimpfen* → *jd-n* let fly at II. *vi* ↑ *losfahren, starten* start; **Anfahrt** *f* [1] ↑ *Hinreise, Hinfahrt* outward journey, drive [2] ↑ *Einfahrt* drive
Anfall *m* [1] (MED *Attacke, Fieber~*) attack; (*Wut~*) fit [2] ↑ *Ertrag* (*Zins~*) yield [3] (*von Kosten*) accumulation (*an dat* of); **anfallen** *unreg* I. *vt* ↑ *überfallen* → *jd-n* attack, assault II. *vi* [1] ↑ *sich ergeben* ← *Arbeit* come in [2] ↑ *entstehen* ← *Nebenprodukt* result; **anfällig** *adj* MED prone (*für* to); ◇ **~ für Erkältungen** susceptible to colds
Anfang *m* <-[e]s, Anfänge> ↑ *Beginn* beginning; ◇ **von ~ an** from the start; ◇ **~ Juli** early in July;
anfangen *unreg* I. *vt* [1] *beginnen* → *Gespräch* begin, commence; → *Streit* start; → *Liebesverhältnis* begin [2] ↑ *machen* do; ◇ **was fangen wir damit an?** what are we going to do with it? II. *vi* ↑ *losgehen* start off; **Anfänger(in** *f*) *m* <-s, -> beginner; (*Berufs~*) novice; **anfangs** *adv* at/in the beginning; **Anfangsbuchstabe** *m* first letter (of a word); **Anfangsstadium** *s* (*von Krankheit etc.*) initial stage
anfassen I. *vt* [1] ↑ *ergreifen, berühren* → *jd-n, etw* touch [2] *FIG* → *Sache* get to grips with II. *vi* ↑ *zupacken:* ◇ **mit ~** to lend a hand
anfechten *unreg vt* → *Urteil* appeal
anfeinden *vt* show hostility toward
anfertigen *vt* make
anfeuern *vt* [1] ↑ *anschüren* → *Ofen* fire [2] *FIG* → *Mannschaft* cheer for
anflehen *vt* implore (*um* for)
anfliegen I. *unreg vt* ↑ *ansteuern* → *Flughafen* head for, fly toward II. *vi:* ◇ **angeflogen kom-**

men ← *Ball, Vogel* to come through the air; **Anflug** *m* [1] (AERO *von Flugzeug*) approach (*auf akk* to) [2] *FIG* ↑ *Andeutung* hint; ◇ **ein - von Ironie** a touch of irony

anfordern *vt* ▷*Waren* order; **Anforderung** *f* [1] ↑ *Bestellung* order [2] (*Forderung, Anspruch*) ▷*stellen* demand (*an akk* on), claim (*an akk* on); ◇ **hohe -en an das Können stellen** to make heavy demands on one's skill

Anfrage *f* ▷*schriftlich* inquiry; **anfragen** *vi* inquire (*bei* s.th. of s.o.)

anfreunden *vr* ◇ **sich -** [1] ↑ *Freundschaft beginnen* make friends (*mit* with) [2] ◇ **er freundete sich mit dem Gedanken an** he got to like the idea

anfügen *vt* add

anführen *vt* [1] ↑ *befehligen* → *Gruppe* command [2] ↑ *benennen* → *Beweis* state; → *Beispiel* give [3] *FIG* ↑ *zitieren* → *Textstelle* quote [4] *FAM* to take s.o. for a ride, to fool s.o.; **Anführer(in** *f*) *m* leader; **Anführungszeichen** *pl* [1] PRINT quotation marks *pl* [2] *FIG* ◇ **in -** in quotes

Angabe *f* [1] ↑ *Information* (*Orts-*) information [2] ↑ *Instruktion* instruction; ◇ **genaue -n für die Arbeit** precise specifications for the work (to be done) [3] ↑ *Angeberei, Prahlerei* showing off [4] SPORT ↑ *Ballaufschlag* service; **angeben** *unreg* **I.** *vt* [1] ↑ *mitteilen, nennen* → *Adresse* state, give [2] ↑ *bestimmen* → *Tempo, Arbeit* dictate; ◇ **den Ton -** to call the tune [3] ↑ *anzeigen* → *Temperatur* indicate **II.** *vi* [1] *FAM* ↑ *prahlen* boast, show off [2] SPORT ↑ *aufschlagen* serve; **Angeber(in** *f*) *m* <-s, -> *FAM* show-off, boaster; **angeblich** *adj* supposed; ◇ **der -e Vater** the reputed father

angeboren *adj* innate; ◇ **das ist ihr -** that is natural to her

Angebot *s* [1] ↑ *Vorschlag* (*Friedens-*) proposal; ◇ **jd-m ein - machen** to make s.o. an offer [2] (COMM *Sonder-*) offer; ◇ **- und Nachfrage** supply and demand [3] ↑ *Auswahl* ▷*reichhaltig* selection [4] COMM ↑ *bei Ausschreibung* tender

angebracht *adj* appropriate

angeheitert *adj* tipsy

angehen *unreg* **I.** *vi* [1] ↑ *beginnen* ← *Film, Schule, Konzert etc.* begin, commence [2] ↑ *anfangen zu brennen* ← *Feuer* catch fire; ← *Licht* go on [3] ↑ *sich wehren, widersetzen* fight; ◇ **gegen jd-n/etw -** to take measures against s.o./s.th. **II.** *vt* [1] ↑ *bitten um* → *jd-n* ask (*um* for s.th.) [2] (*sich heranwagen an*) → *Aufgabe* tackle [3] ↑ *betreffen, interessieren* concern; ◇ **das geht Sie nichts an** that's no concern of yours; *FAM* that's none of your business; **angehend** *adj:* ◇ **eine -e Ärztin** a future doctor

angehören *vi* belong (*dat* to); **Angehörige(r)** *m+f* [1] (*Familien-*) relative [2] ↑ *Mitglied* member

Angeklagte(r) *m+f* accused, defendant

angeknackst *adj FAM labil* ▷*Person* dotty; ▷*Gesundheit* impaired; ▷*Selbstbewußtsein* damaged

Angel *f* <-, -n> [1] (*zum Fischen*) fishing rod [2] (*Tür-*) hinge

Angelegenheit *f* [1] ↑ *Affäre* affair; ◇ **ernste -** serious business [2] ↑ *Sache* matter; ◇ **sich um seine -en kümmern** to take care of one's affairs

angelernt *adj* trained on the job; ◇ **-er Arbeiter** semi-skilled worker

angeln *vti* ↑ *fangen* → *Fisch* fish

angemessen *adj* [1] ↑ *adäquat* ▷*Preis, Lohn* adequate [2] ↑ *passend* ▷*Aufgabe* appropriate

angenehm *adj* [1] ↑ *verträglich* ▷*Klima* agreeable [2] ↑ *nett* ▷*Person* pleasant [3] ◇ **-!** a pleasure to meet you; ◇ **-e Reise** have a good journey!

angenommen I. *adj* ↑ *adoptiert* ▷*Kind* adopted **II.** *cj* ↑ *vorausgesetzt* assuming; ◇ **- wir fahren morgen, …** assuming (that)/suppose we leave tomorrow, …

angepaßt *adj* PSYCH adjusted

angeregt *adj* ▷*Gespräch* animated

angesehen *adj* ▷*Musiker* respected

angesichts *präp* in view (*gen* of); ◇ **- der Gefahr** in the face of danger

angespannt *adj* [1] ▷*Person* nervous, tense [2] ▷*Weltlage* tense, threatening

angestellt *adj* ↑ *beschäftigt* employed; ◇ **fest- sein** to be a salaried employee (*bei* at), to be in permanent employment (*bei* at); **Angestellte(r)** *m+f* employee; (*Büro-*) office worker

angetan *adj:* ◇ **von jd-m/etw - sein** to be very taken with s.th./s.o.

angewiesen *adj:* ◇ **auf jd-n/etw - sein** to be dependent on s.o./s.th.

angewöhnen *vt* [1] ↑ *anerziehen* accustom; ◇ **jd-m etw -** to accustom s.o. to doing s.th. [2] ◇ **sich** *dat* **etw -** to get o.s. into the habit of s.th.; **Angewohnheit** *f* ▷*gute, schlechte* habit

angleichen *unreg* **I.** *vt* ↑ *gleich/ähnlich machen* match, assimilate; (*Rechtsvorschriften*) harmonize; (*Löhne*) equalize **II.** *vr* ◇ **sich -** adjust (*dat* to)

Angler(in *f*) *m* <-s, -> angler

angreifen *unreg vt* [1] *auch FIG* ↑ *attackieren* → *Person* attack [2] SPORT → *gegnerische Mannschaft* attack [3] ◇ **Säure greift Lack an** acid corrodes paintwork; **Angreifer(in** *f*) *m* <-s, -> attacker; (JURA *assailant*, POL *von Staat*) aggressor; **Angriff** *m* [1] MIL SPORT *auf FIG* ↑

Attacke attack (*auf akk* on) ② ◇ **etw in ~ nehmen** tackle s.th.; **angriffslustig** *adj* aggressive; (*kriegerisch*) bellicose

Angst *f* <-, Ängste> ① ↑ *Furcht* fear (*vor dat* of); ◇ **vor der Dunkelheit ~ haben** to be afraid of the dark ② ↑ *Sorge* worry (*um akk* about); **Angsthase** *m FAM* scaredy-cat

ängstigen I. *vt* ↑ *Angst machen* → *jd-n* frighten **II.** *vr* ◇ **sich ~** ① ↑ *Angst haben* be frightened (*vor dat* of) ② ↑ *sich sorgen* be worried (*um dat* about); **ängstlich** *adj* ① ↑ *furchtsam* frightened, fearful ② ↑ *besorgt* worried, nervous

angurten *vtr* ◇ **sich ~** AUTO belt up, buckle up *US*

anhaben *unreg vt* ① → *Kleidung* wear ② *FIG* ◇ **jd-m etw ~ können** to be in a position to harm s.o.

anhalten *unreg* **I.** *vt* ① → *Auto* stop ② ◇ **vor Schreck den Atem ~** to check one' s breath of fright ③ ◇ **einen Angestellten zur Arbeit ~** to keep an employee at it **II.** *vi* ① ← *Bus* come to a halt, stop ② ← *schönes Wetter* last, continue ③ ◇ **um jd-s Hand ~** to suggest marriage; **anhaltend** *adj* continual; ▷*Beifall* sustained; **Anhalter(in** *f*) *m* <-s, -> hitchhiker; ◇ **per ~ reisen** to hitchhike; **Anhaltspunkt** *m* pointer, clue, hint

anhand *präp gen* by means of

Anhang *m* ① (*von Buch*) appendix ② (*Ergänzung*) supplement ③ *FAM* ↑ *Verwandte* (family) dependents *pl;* **anhängen** *unreg* **I.** *vt* ① → *Waggon* hitch (*an akk* to) ② → *Zettel* attach (*an akk* to) ③ → *Bemerkung* add ④ *FAM* ↑ *Schuld zuweisen* ◇ **jd-m etw ~** to saddle s.o. with s.th. **II.** *vi* ① ◇ **jd-m wie eine Klette ~** to stick to s.o. like glue ② ◇ **einer Überzeugung ~** to be an adherent of a belief; **Anhänger** *m* <-s, -> ① (*Schmuck-*) pendant ② (*von LKW*) trailer ③ (*an Gepäck*) label; **Anhänger(in** *f*) *m* <-s, -> ① (*von Partei*) supporter ② (*von Überzeugung*) adherent ③ (*von Sportart*) devotee; **anhänglich** *adj* ▷*Freund* devoted

anhauen *vt FAM*: ◇ **jd-n um etw ~** to touch s.o. for s.th.

anhäufen I. *vt* → *Vorräte* hoard; → *Geld* accumulate **II.** *vr* ◇ **sich ~** accumulate; ← *Zinsen* accrue; **Anhäufung** *f* ① (*von Sand*) heap ② (*von Kapital*) accumulation ③ (*von Zinsen*) accrual

anheben *unreg vt* ① ↑ *hochheben* → *Gewicht* lift ② ↑ *steigern* → *Preise* up; **Anhieb** *m:* ◇ **auf ~** straight off, straight away

anhören I. *vt* ① → *Musik* listen to ② → *jd-n* give (s.o.) a hearing, let (s.o.) speak **II.** *vr* ◇ **sich ~** ① ◇ **sich etwas ~** to listen attentively to s.th. ② *FIG* ◇ **das hört sich gut an** that sounds okay

animieren *vt* ← *Alkohol* stimulate; ◇ **jd-n zum Kauf ~** to encourage s.o. to buy

Anis *m* <-es, -e> aniseed

ankämpfen *vi:* ◇ **gegen etw ~** to struggle against s.th.

ankaufen *vr* ◇ **sich ~** buy land

Anker *m* <-s, -> (*Schiffs-*) anchor; ◇ **vor ~ gehen** drop anchor; *FIG* settle down

Anklage *f* JURA charge (*gegen* against); (*in Schwurgericht*) indictment (*gegen* against); ↑ *Vorwurf* accusation; **anklagen** *vt* ① (JURA *des Mordes*) charge (*gen* of), prosecute (*wegen gen* for) ② ↑ *beschuldigen* accuse

Anklang *m:* ◇ **bei jd-m ~ finden** to appeal to s.o., to go down well with s.o.

Ankleidekabine *f* changing booth

anklopfen *vi* (*an Tür*) knock

anknüpfen I. *vt* ① → *Seil* fasten, tie (*an akk* to) ② *FIG* → *Beziehungen* establish; → *Gespräch* start **II.** *vi* (*FIG an Thema*) take up (*an akk* s.th.)

ankommen *unreg vi* ① ← *Brief* arrive ② ↑ *näherkommen* approach ③ ↑ *gefallen* ← *Produkt* find a ready market; ◇ **bei jd-m ~** to be acceptable to s.o.; ◇ **beim Publikum gut ~** to get one's message across to the audience ④ ◇ **gegen jd-n/etw ~** to assert o.s. inspite of s.th./s.o. ⑤ *FAM* ◇ **jetzt kommt er schon wieder damit an!** he's on about it again! ⑥ es kommt auf das Wetter an, it depends on the weather ⑦ ◇ **es darauf ~ lassen** to take one's chances

ankündigen I. *vt* ① MEDIA announce ② → *Besuch der Königin* announce, proclaim; → *Buch* announce publication of ④ ◇ **etw rechtzeitig ~** to give due notice **II.** *vr* ◇ **sich ~** ① (*Winter*) give signs of coming ② (*als Besucher*) announce that one is coming; **Ankündigung** *f* announcement

Ankunft *f* <-, Ankünfte> arrival; ◇ **bei ~ des Zuges** on the train's arrival, when the train comes in

ankurbeln *vt* ① → *Maschine* crank up, get (s.th.) going ② → *Gespräch* pep up; → *Wirtschaft* stimulate

Anlage *f* ① (*Park-*) facility; layout ② (*Geld-*) investment ③ (*Stereo-*) system ④ (*Produktions-*) installation, plant; ◇ **Klima~** air-conditioner ⑤ *FIG* ↑ *Neigung* predisposition (*zu* to) ⑥ ↑ *Anhang* enclosure, supporting document

Anlaß *m* <-sses, Anlässe> ① ▷*feierlicher* occasion (*zu* to, for) ② ↑ *Motiv, Veranlassung* reason; ◇ **ohne jeden ~** for no reason at all

anlassen *unreg* **I.** *vt* ① ↑ *starten* → *Motor* start ② → *Licht* leave on; → *Motor* leave running ③ *FAM* → *Mantel etc.* leave on **II.** *vr* ◇ **sich ~** *FAM*:

◇ **das läßt sich gut an** that looks [*o.* looks promising] okay; **Anlasser** *m* <-s, -> AUTO starter

Anlauf *m* [1] SPORT ▷*zum Sprung* run-up [2] (*der Produktion*) early stages [3] ◇ **erster** ~ first attempt; *FIG* ◇ **einen neuen ~ nehmen** to make a fresh attempt; **anlaufen** *unreg* **I.** *vi* [1] (*von Motor*) start up [2] ← *Film* run [3] ← *Fenster* mist (up); ← *Silber* tarnish [4] ◇ **rot** ~ to blush **II.** *vt* → *Hafen* call at; **Anlaufstelle** *f* emergency address for people in crisis

anlegen I. *vt* [1] ↑ *gestalten* → *Garten* lay out [2] → *Archiv, Kartei* set up, organise [3] ↑ *investieren* → *Kapital* invest; *FAM* ◇ **was wollen Sie denn ~?** how much do you want to spend? [4] ↑ *anziehen* → *Kleid* put on [5] → *Gewehr* level, direct, aim (*auf akk* at) **II.** *vi* [1] (*im Hafen*) berth [2] *FAM* ◇ **sich mit jd-m** ~ to have a bit of a set-to with s.o.

anlehnen I. *vt* [1] (*an Wand*) lean (*an akk o dat* against) [2] → *Tür* leave ajar **II.** *vr* ◇ **sich** ~ [1] ↑ *Halt suchen* lean (*an akk* on, against) [2] (*FIG sich beziehen auf*) be based (*an akk* on), be derived (*an akk* from)

anleiern *vt FAM*: ◇ **wer hat die ganze Sache angeleiert?** who started it all?, who got it all going?

anleiten *vt* → *jd-n* instruct; **Anleitung** *f* [1] ↑ *Handbuch* manual, instructions *pl* [2] (*des Lehrers*) guidance, instruction

anlernen *vt*: ◇ **jd-n zu etwas** ~ to train s.o. in s.th.

Anliegen *s* <-s, -> request; ◇ **ein ~ an jd-n haben** to have a request to make of s.o.; **Anlieger(in** *f*) *m* <-s, -> local residents; ◇ **-verkehr** (*Straßenschild*) residents only

anlügen *unreg vt* → *jd-n* lie to, deceive

anmachen *vt* [1] → *Radio* switch on; → *Licht* turn on [2] ↑ *mischen* → *Salat* dress; → *Mörtel* mix [3] *FAM* ◇ **jd-n dumm** ~ to make stupid remarks to s.o. [4] *FAM* ↑ *flirten, ärgern* chat up

anmalen I. *vt* [1] → *Wand* paint [2] ↑ *schminken* make up **II.** *vr* ◇ **sich** ~ *FAM* put on one's make-up

anmaßen *vt*: ◇ **sich** *dat* **etw** ~ to arrogate s.th. to o.s., to presume s.th. unjustifiably; **anmaßend** *adj* presumptuous; **Anmaßung** *f* arrogance

Anmeldeformular *s* application form; **anmelden I.** *vt* [1] AUTO, SCH register; SCH register [2] → *Anspruch* submit; → *Berufung* give notice of; → *ansteckende Krankheit* notify **II.** *vr* ◇ **sich** ~ [1] (*in Hotel, in Flughafen*) check in [2] ▷*polizeilich* register o.s. with the police; (*beim Arzt*) make an appointment; **Anmeldung** *f* [1] ↑ *das Anmelden* registration [2] reception (room)

anmerken *vt* [1] ↑ *hinzufügen* add; ◇ **als Fußnote** ~ to make a footnote [2] ↑ *markieren* note, highlight [3] ◇ **jd-m etw** ~ to notice s.th. in s.o.; **Anmerkung** *f* [1] ↑ *Fußnote* footnote [2] ↑ *Kommentar* annotation, note

anmotzen *vt FAM* pester

Anmut *f* ↑ *Schönheit* charm; (*von Bewegung*) grace; **anmutig** *adj* ↑ *graziös* graceful, lovely

annähen *vt* (*befestigen*) sew on; **annähernd I.** *adj* ↑ *ungefähr* approximate **II.** *adv* ↑ *etwa* nearly; **Annäherung** *f* [1] approach (*an akk* toward, to) [2] *FIG* ↑ *Angleichung* approximation (*an akk* to); **Annäherungsversuch** *m* overtures *pl*

Annahme *f* <-, -n> [1] (*von Geschenk*) acceptance; (*von Namen*) adoption [2] ↑ *Vermutung*, assumption; ↑ *Voraussetzung* supposition; ◇ **gehe ich recht in der ~ ...** am I right in supposing ... [3] (*für Reisegepäck*) check-in counter; **annehmbar** *adj* acceptable; **annehmen** *unreg* **I.** *vt* [1] ↑ *entgegennehmen* accept; → *Auftrag, Wette* take on [2] → *Verhalten, Sprechweise* assume [3] → *Kind* adopt [4] SPORT → *Ball* receive [5] ↑ *vermuten* assume; ↑ *voraussetzen* presuppose; ◇ **etw als gegeben** ~ to take s.th. as given **II.** *vr* ◇ **sich** ~ (*kümmern*) take an interest (*gen* in); **Annehmlichkeit** *f* convenience, ease; ◇ **die ~en des modernen Lebens** modern amenities

annektieren *vt* annex

Annonce *f* <-, -n> (*Zeitungs-*) (small) ad; **annoncieren** *vti* (*in Zeitung*) advertise

annullieren *vt* annul

anöden *vt FAM* ↑ *langweilen* bore

anomal *adj* MED abnormal

anonym *adj* anonymous; **Anonymität** *f* anonymity

Anorak *m* <-s, -s> anorak

anordnen *vt* [1] ↑ *bestimmen, festsetzen* order [2] ↑ *ordnen* ◇ **nach dem Alphabet** ~ to arrange in alphabetical order; **Anordnung** *f* [1] ↑ *Weisung, Befehl* direction, regulation [2] ↑ *Reihenfolge* ▷*systematisch* system, arrangement [3] ↑ *Grafik* layout, design

anorganisch *adj* CHEM inorganic

anormal *adj* abnormal, anomalous

anpacken I. *vt* [1] ↑ *anfassen* grasp, grip [2] ↑ *handhaben* handle; ↑ *bewerkstelligen* tackle [3] *FIG* ◇ **jd-n hart** ~ to be hard on somebody **II.** *vi*: ◇ **mit** ~ to lend a hand

anpassen I. *vt* [1] ↑ *passend machen* → *Kleid* tailor (*an akk* to), fit (*an akk* on) [2] *FIG* ↑ *in Einklang bringen* align (*dat* with), adapt (*dat* to) **II.** *vr* ◇ **sich** ~ ↑ *einfügen* conform (*dat* to); **Anpassung** *f auch FIG* adaptation (*an akk* to); **anpassungsfähig** *adj* flexible; **Anpas-**

sungsschwierigkeiten *pl* assimilative difficulties *pl*
anpeilen *vt* [1] take (s.th.) as a bearing [2] *FIG FAM* ◇ **jd-n/etw** ~ to have a gander at s.o./s.th.
anpfeifen *unreg vti* SPORT give the starting whistle; **Anpfiff** *m* [1] SPORT starting whistle [2] *FAM* ◇ **einen ~ kriegen** to get a dressing-down
anpflanzen *vt* → *Blumen etc.* lay out; ↑ *anbauen* → *Getreide* cultivate
anpirschen *vr* ◇ **sich** ~ stalk (*an akk* s.th./s.o.)
anpöbeln *vt FAM* ↑ *belästigen* pester
anprangern *vt* denounce
anpreisen *unreg vt* promote
Anprobe *f* (*beim Schneider*) fitting; **anprobieren** *vt* try on
anpumpen *vt FAM*: ◇ **jd-n** ~ to put the bite on s.o.
anrechnen *vt* [1] ↑ *debitieren* debit, charge; ◇ **jd-m zu viel** ~ to overcharge s.o. [2] ↑ *gutschreiben* credit, allow; *FIG* ◇ **jd-m etwas hoch** ~ to give s.o. credit for s.th.
Anrecht *s* ↑ *Anspruch* right (*auf akk* to)
Anrede *f* form of address; **anreden** *vt*: ◇ **jd-n mit "Sie"** ~ address s.o. with "Sie"
anregen *vt* [1] → *Neuerung* propose [2] ↑ *beleben* → *Durchblutung* stimulate [3] ◇ **jd-n zu etwas ~ anregen** to encourage s.o. to do s.th.; **anregend** *adj* stimulating; **Anregung** *f* ▷*geben* idea, stimulus
Anreise *f* journey (to destination)
Anreiz *m* incentive
anrempeln *vt* bump [against]; ▷*mit Absicht* jostle
anrichten *vt* [1] ↑ *zubereiten* → *Essen* prepare [2] ↑ *verüben* → *Unheil* cause
anrüchig *adj* ▷*Kneipe* shady
Anruf *m* [1] (*Telefon-*) call [2] ↑ *Zuruf* call [3] (MIL *von Wachposten*) challenge; **Anrufbeantworter** *m* <-s, -> answering machine; **anrufen** *unreg* **I.** *vt* [1] ↑ *telefonieren* ring up, call [2] ↑ *zurufen* call; NAUT hail [3] ↑ *bitten* appeal **II.** *vi* ↑ *telefonieren* make a call
anrühren *vt* [1] → *Teig, Mörtel* mix [2] ↑ *berühen, anfassen* touch
ans = an das
Ansage *f* [1] (*Fernseh-*) announcement [2] (*beim Kartenspiel*) bid; **ansagen I.** *vt* [1] → *Film, Besuch* announce [2] → *Zeit* give [3] (*beim Kartenspiel*) bid [4] ◇ **die Firma hat Bankrott angesagt** the company has declared itself bankrupt **II.** *vr* ◇ **sich** ~ ↑ *ankündigen* announce one's visit
ansammeln I. *vt* → *Kapital* accumulate; → *Reichtum* amass **II.** *vr* ◇ **sich** ~ ← *Müll* pile up; **Ansammlung** *f* [1] ↑ *Ansammeln* (*von Menschen*) gathering; (*von Truppen*) concentration; (*von Dingen*) accumulation; (*von Gefühlen*) build-up [2] ↑ *Menge* crowd
ansässig *adj*: ◇ ~ **sein** to be resident; ◇ **sich ~ machen** to settle
Ansatz *m* [1] ↑ *Beginn* first beginnings *pl*, inception; ◇ **der ~ zum Reden** the attempt to speak; (*Haar-*) hairline; (*Fett-*) layer; (*Rohr-*) extension [2] (MUS *eines Sängers*) intonation [3] MATH formulation
anschaffen *vt* [1] acquire; ◇ **sich** *dat* **ein Auto** ~ to purchase a car [2] *FAM* ◇ **sich** *dat* **Kinder anschaffen** to have children [3] *FAM* ◇ ~ **gehen** (*sich prostituieren*) to go on the game; **Anschaffung** *f* [1] ↑ *Kauf* purchase [2] ↑ *das Gekaufte* purchase
anschalten *vt* switch on
anschauen *vt* look at; ◇ **sich** *dat* **ein Bild** ~ to have a look at a picture
anschaulich *adj* graphic, descriptive; ◇ **etw ~ darstellen** to depict; **Anschauung** *f* ↑ *Überzeugung, Ansicht* view, opinion; ↑ *Vorstellung* (*Welt-*) conception
Anschein *m* appearance; ◇ **allem ~ nach** to all appearances; **anscheinend** *adj* apparent
anscheißen *vt FIG FAM!* [1] ↑ *grob anfahren* bawl out s.o. [2] ↑ *betrügen* cheat; ◇ **sich ~ lassen** to let o.s. be taken for a ride
Anschlag *m* [1] ↑ *Überfall* attack, assault [2] ▷*am schwarzen Brett* notice [3] TECHNOL stop; ◇ **bis zum ~ drehen** wind on to the stop [4] (*ein Tastendruck*) stroke; **anschlagen** *unreg* **I.** *vt* [1] → *Knie* crack, hit, bump (*an dat* against) [2] → *Porzellan* chip [3] → *Werbeplakat* put up; ◇ **ein Rockkonzert** ~ to advertise a rock concert [4] (*für Steuer*) assess; ◇ **zu hoch** ~ to overestimate [5] → *Glocke* strike **II.** *vi* [1] MED ← *Behandlung* be effective; ◇ **gut bei jd-m anschlagen** to have a great effect on s.o. [2] ← *Hund* start to bark [3] ◇ **die Wellen schlugen am Ufer an** the waves beat on [*o.* against] the shore
anschleppen *vt* [1] → *Möbel* haul [2] → *Auto* give s.o./s.th. a starting tow [3] *FAM* ◇ **einen Haufen Freunde** ~ to come with a load of friends in tow
anschließen *unreg* **I.** *vt* [1] → *Fahrrad* padlock; → *Hund* chain up [2] ELECTR wire up; TELEC connect [3] (*Sender*) link up, hook up **II.** *vr* [1] ◇ **eine Diskussion schloß sich an den Vortrag an** the lecture was followed by a discussion [2] ◇ **der See schließt sich an die Berge an** the lake is right by the mountains, the mountains run into the lake [3] ◇ **sich der Mehrheit** ~ to go along with the majority [4] ◇ **sich schnell** ~ to make social

contacts easily; **anschließend I.** *adj* 1 (*Film*) subsequent 2 (*Sportanlage*) adjacent **II.** *adv:* ◇ ~ **an** *akk* (*nach*) following; **Anschluß** *m* 1 (*Strom~*) connection, contact 2 (*Wasser~*) supply 3 (*Zug~*) connection 4 *FIG* ↑ *Kontakt* contact; ◇ **leicht ~ finden** to make friends easily 5 ◇ **im ~ an** *akk* (*nach*) following; (*mit Bezug auf*) in connection with

anschmiegsam *adj* 1 ▷*Katze* affectionate 2 ▷*Kleid* clinging 3 *FIG* ▷*Person* compliant

anschnallen I. *vt* buckle; (*mit Riemen*) strap **II.** *vr* ◇ **sich ~** ↑ *angurten* (*im Auto*) belt up, fasten one's safety belt, buckle up

anschnauzen *vt FAM* snap at s.o.

anschneiden *unreg vt* 1 → *Kuchen, Brot* begin to cut 2 *FIG* → *Thema* raise, broach

anschreiben *unreg vt* 1 (*an Tafel*) write (*an acc* on) 2 ↑ *benachrichtigen* write to s.o. (*wegen* regarding) 3 (*notieren*) note s.th. down; ◇ **etwas ~ lassen** to buy s.th. on account; *FAM* to buy s.th. on tick

anschreien *unreg vt* shout at s.o.

Anschrift *f* address

anschwellen *unreg vi* 1 ↑ *dicker werden* ← *Beule* swell 2 ↑ *lauter werden* ← *Lärm* increase; **Anschwellung** *f* MED swelling

anschwindeln *vt* cheat; *FAM* diddle

ansehen *unreg vt* 1 → *Bild* look at; ▷*böse* frown at; ◇ **sich** *dat* **die Stadt ~** to take a look at the town 2 (*FIG beurteilen, betrachten*) regard (*als* as); ◇ **etw als seine Pflicht ~** to consider s.th. (as being) one's duty 3 ↑ *anmerken* ◇ **jd-m etw ~** to notice s.th. about s.o.; **Ansehen** *s* <-s> 1 ↑ *Ruf* reputation; ◇ **hohes ~ genießen** to enjoy a high reputation 2 ↑ *Aussehen* appearance; **ansehnlich** *adj* 1 ↑ *gutaussehend* good-looking 2 ▷*Vermögen* considerable

ansetzen I. *vt* 1 ↑ *annähen* → *Stück Stoff* sew s.th. on, fix on 2 → *Blasinstrument* lift (s.th.) to one's lips 3 → *Bowle* prepare 4 ◇ **Fett ~** to get fat 5 ↑ *festlegen* → *Preis, Termin* determine, fix **II.** *vi* 1 (*zum Sprung*) get set 2 ↑ *beginnen* begin; ◇ **~ etw zu tun** to start doing s.th. **III.** *vr* ◇ **sich ~** ← *Rost etc.* get a hold, begin to develop

Ansicht *f* 1 (*Stadt~*) view 2 ↑ *Betrachten, Ansehen* viewing; ◇ **zur ~ schicken** to send on approval 3 ↑ *Meinung* (point of) view; ◇ **meiner ~ nach** in my opinion; **Ansichtskarte** *f* picture postcard; **Ansichtssache** *f:* ◇ **das ist ~** that's a matter of opinion

ansiedeln *vtr* ◇ **sich ~** settle; **Ansiedlung** *f* ↑ *Ort, Kolonie* settlement

ansonsten *adv* ↑ *andernfalls* otherwise

anspannen *vt* 1 → *Pferd* harness 2 → *Muskeln* tense, brace 3 ↑ *beanspruchen* → *Nerven* stretch, strain; **Anspannung** *f* ▷*körperlich* exertion; ▷*geistig* tension

Anspiel *s* SPORT start; (*bei Fußball*) kickoff; **anspielen I.** *vt* 1 SPORT → *Mitspieler* pass s.th. to s.o. 2 → *Melodie* begin to play **II.** *vi:* ◇ **auf etw** *akk* **~** to allude to s.th.; *FAM* to get at s.th.; **Anspielung** *f* allusion (*auf akk* to); ◇ **~en machen** to make insinuations

Ansporn *m* <-[e]s> incentive

Ansprache *f* speech; **ansprechbar** *adj* 1 ▷*Vorgesetzter* approachable 2 ▷*Patient* responsive

ansprechen *unreg* **I.** *vt* 1 → *Gesprächspartner* talk to s.o., speak to s.o. 2 ↑ *diskutieren* → *Problem* talk about s.th. 3 ↑ *gefallen* ← *Ware* appeal to s.o. **II.** *vi:* ◇ **die Bremse spricht nur langsam an** the brake is slow to react; **ansprechend** *adj* ▷*Erscheinung* pleasing; **Ansprechpartner(in** *f*) *m* contact

anspringen *unreg* **I.** *vi* ↑ *starten* ← *Auto* start **II.** *vt* ← *Tiger* pounce on s.o./s.th.

Anspruch *m* 1 ↑ *Anrecht* right (*auf akk* to); ◇ **auf etwas** *acc* **~ erheben** to lay claim to s.th. 2 ↑ *Forderung, Erwartung* demand; ◇ **hohe Ansprüche stellen** to have high standards 3 ◇ **die Arbeit nimmt mich sehr in ~** the work absorbs a lot of my time; **anspruchslos** *adj* 1 ▷*Buch etc.* undemanding 2 ▷*Mensch* unassuming, modest 3 ▷*Arbeit, Aufgabe* easy; **anspruchsvoll** *adj* ▷*Buch, Film etc.* highbrow; ▷*Mensch* hard to please; ▷*Aufgabe* difficult, exacting; ▷*Produkt* setting high standards

anstacheln *vt* spur

Anstalt *f* <-, -en> 1 ↑ *Institut* institute 2 ↑ *öffentliche Einrichtung* [public] facility; (*Erziehungs~*) institute 3 ◇ **~en machen, etw zu tun** to get ready to do s.th.

Anstand *m* ↑ *gutes Benehmen* good manners; **anständig** *adj* 1 ▷*Mensch* proper 2 wellmannered; ◇ **sich ~ benehmen** to behave well 3 *FAM* ↑ *großzügig* ▷*Trinkgeld* generous; **anstandslos** *adv* (*ohne zu zögern*) without question; ◇ **~ bezahlen** to pay without hesitating

anstänkern *vt FAM* to pick on s.o.

anstarren *vt* to stare at s.o./s.th.

anstatt I. *präp gen* ↑ *an Stelle von* instead of **II.** *cj* ↑ *statt* instead; ◇ **~ etw zu tun** instead of doing s.th.

anstauen *vr* ◇ **sich ~** ← *Arbeit* pile up; ← *Wut, Ärger* build up

anstechen *unreg vt* → *Faß* open; → *Fleisch* fork

anstecken I. *vt* 1 ↑ *befestigen* fasten 2 ↑

infizieren (*mit Krankheit*) ◇ **er hat mich mit Aids angesteckt** he gave me Aids [3] ↑ *anzünden* → *Pfeife* light; → *Haus* set fire to **II.** *vr* ◇ **sich ~ mit etw** ↑ *sich infizieren* to catch s.th.; ◇ **sich mit Aids ~** to catch Aids **III.** *vi FIG* ← *Gähnen* to be contagious; **ansteckend** *adj* [1] MED ▷*Krankheit* contagious [2] *FIG* ▷*Lachen* contagious; **Ansteckung** *f* MED infection

anstehen *unreg vi* [1] (*an Haltestelle*) to queue up [2] ◇ **diese Arbeit steht noch an** this work has yet to be done; ← *Gespräch* to be open

ansteigen *unreg vi* ← *Straße* ascend; ← *Preise, Temperatur* rise

anstelle *präp gen* ↑ *anstatt* instead of

anstellen I. *vt* [1] → *Leiter* lean (*an akk* against) [2] → *Gerät* switch on [3] → *Mitarbeiter* employ, hire [4] ◇ **etw ~** to do mischief [5] ↑ *bewerkstelligen* ◇ **wie hat sie das angestellt?** how did she manage that? **II.** *vr* ◇ **sich ~** [1] (*in Warteschlange*) queue up [2] *FAM* ↑ *sich zieren* ◇ **stell' dich nicht so an** don't make such a big deal about it [3] ◇ **sich dumm ~** to be clumsy; **Anstellung** *f* ↑ *Arbeitsstelle* employment

Anstieg *m* <-[e]s, -e> [1] (*von Berg*) ascent [2] *FIG* (*von Temperatur, Preis*) rise, increase

anstiften *vt* [1] → *Unheil* to cause [2] ↑ *verleiten* entice; ◇ **jd-n zu etw ~** to make s.o. do s.th.

anstimmen *vt* [1] → *Lied* to start singing [2] *FIG* → *Geschrei* burst out in

Anstoß *m* [1] ◇ **~ nehmen an etw** *dat* to become annoyed at s.th. [2] (SPORT *Ball~*) kick-off [3] *FIG* ↑ *Anregung* (*Denk~*) prompt; **anstoßen** *unreg* **I.** *vt* → *Kopf, Knie* bump, knock (*an dat* against) **II.** *vi* [1] (*mit Gläsern*) toast; drink (*auf akk* on) [2] (*beim Fußball*) to kick off [3] ↑ *angrenzen* border (*an dat* on) [4] (*mit Zunge*) to speak with a lisp; **anstößig** *adj* ▷*Verhalten* offensive

anstrahlen *vt* [1] (*mit Scheinwerfer*) spotlight [2] ↑ *ansehen* → *jd-n* gleam at s.o.

anstreben *vt* → *Erfolg* strive for

anstreichen *unreg vt* [1] → *Wand* paint [2] → *Fehler* mark; → *Stelle im Buch* mark, highlight; **Anstreicher(in** *f*) *m* <-s, -> painter

anstrengen I. *vr* ◇ **sich ~** ↑ *sich bemühen* try hard; ◇ **sich sehr ~** take pains **II.** *vt* [1] ↑ *beanspruchen* strain; → *jd-n* strain; → *Augen, Muskeln* strain [2] JURA → *Prozeß* take legal action; **anstrengend** *adj* ↑ *mühsam* strenuous, tiring; **Anstrengung** *f* ↑ *Mühe* effort; ↑ *Strapaze* strain

Anstrich *m* [1] (*Farb~*) coating [2] *FIG* ↑ *Anschein* appearance

Ansturm *m* run, rush (*auf akk* for)

Antagonismus *m* antagonism; **antagonistisch** *adj* anatagonistic

antasten *vt* [1] ↑ *berühren* touch [2] ↑ *verletzen* → *Freiheit* infringe; → *Reserven, Vorräte* fall back on

Anteil *m* [1] ↑ *Beteiligung* share (*an dat* of) [2] ↑ *Mitgefühl* compassion; ◇ **~ nehmen an** *dat* to have compassion for s.o.; **Anteilnahme** *f* compassion (*an dat* for)

Antenne *f* <-, -n> [1] MEDIA antenna [2] ZOOL antenna, feeler

Anthrazit *m* <es, -e> MIN anthracite

Anti- *präf* [1] ↑ *gegen* anti- [2] ↑ *pseudo* ◇ **-held** anti-hero; **Antialkoholiker(in** *f*) *m* alcohol fiend; **antiautorität** *adj* anti-authoritarian; **Antibabypille** *f* contraceptive pill; **Antibiotikum** *s* <-s, -ka> MED anti-biotic; **Antiblockiersystem** *s* AUTO anti-block system

antik *adj* [1] ↑ *alt u. wertvoll* ▷*Möbel* antique [2] (*aus der Antike stammend*) ancient; **Antike** *f* <-, -n> the ancient world

antiklerikal *adj* anticlerical; **Antikörper** *m* anti-body (*gegen akk* against)

Antilope *f* <-, -n> ZOOL antelope

Antipathie *f* ↑ *Abneigung* antipathy

Antiquariat *s* antiquarian; **Antiquitäten** *pl* antiques *pl*

Antisemitismus *m* anti-Semitism

Antlitz *s* ↑ *Gesicht* face

Antrag *m* <-[e]s, Anträge> [1] ↑ *Gesuch* application; ◇ **einen ~ stellen auf etw** *akk* to apply for s.th., to fill out an application for s.th. [2] POL (*Gesetzes~*) motion [3] JURA ↑ *Petition* petition (*auf akk* for)

antreffen *unreg vt vorfinden* → *jd-n, Verhältnisse* find

antreiben *unreg* **I.** *vt* [1] → *Pferd etc.* drive [2] (→ *jd-n, zu Leistung*) encourage, pressure [3] → *Maschine, Motor* drive [4] → *Strandgut* wash ashore **II.** *vi* (*ans Ufer*) float ashore

antreten *unreg* **I.** *vt* [1] ↑ *übernehmen* → *Tätigkeit* begin [2] ↑ *beginnen* → *Reise* begin [3] → *Motorrad* kick-start [4] → *Erbschaft* inherit [5] ↑ *liefern* → *Beweis* prove **II.** *vi* [1] ↑ *sich aufstellen* queue up; ← *Soldaten* line up [2] SPORT ◇ **gegen jd-n ~** to compete against s.o.

Antrieb *m* [1] TECH ◇ **ein Motor mit Dampf~** a steam-operated engine [2] *FIG* ↑ *Motivation* motivation [3] ◇ **aus eigenem ~** on one's own initiative

antrinken *unreg vt* [1] ◇ **sich** *dat* **Mut ~** to give o.s. Dutch courage; ◇ **angetrunken sein** to be tipsy [2] → *Flasche* to take the first sip

Antritt *m* (*von Amt, Reise*) beginning; (*von Erbe*) accepting; (*von Beweis*) presenting

…eg *vt* ① ◇ **jd-m etw** ~ to cause s.o. … ② ◇ **sich** *dat* **etw** ~ to attempt suicide ③ … **hat es mir angetan** she turns me on

…wort *f* <-, -en> (*auf Frage*) answer (*auf akk* …o); ↑ *Auskunft* answer; *FIG* ↑ *Reaktion* reaction, response; ◇ **das ist die ~ auf dein Verhalten** that is the consequence of your behaviour; **antworten** *vi* (*auf Frage*) answer; ↑ *erwidern* reply; (*auf Brief*) reply, answer; *FIG* react, respond (*auf akk* to)

anvertrauen I. *vt* ① → *Kind* trust s.o. with ② → *Geheimnis* tell; ◇ **jd-m etw** ~ to confide s.th. to s.o. **II.** *vr:* ◇ **sich jd-m** ~ confide in s.o.

anwachsen *unreg vi* ① ← *Zahl, Lärm* increase ② ← *Pflanze* take root; ← *Nagel* grow

Anwalt *m* <-[e]s, Anwälte> ① lawyer ② *FIG* ↑ *Fürsprecher* advocate; ◇ **sich zum ~ für etw machen** to advocate s.th.; **Anwältin** *f* lawyer; **Anwaltschaft** *f* (*Gesamtheit der Anwälte*) body of lawyers

Anwandlung *f* ↑ *Laune* (*von Großzügigkeit*) urge; (*von Gefühl*) mood; ◇ **~en haben** to have a fit of s.th.

Anwärter(in *f*) *m* candidate, prospect; ◇ **ein ~ auf ein Amt** a candidate [*o.* prospect] for an office

anweisen *unreg vt* ① ↑ *instruieren, anlernen* instruct ② ↑ *anordnen* instruct; ◇ **jd-n ~ etw zu tun** to instruct s.o. to do s.th. ③ → *Platz* appoint, show ④ → *Geld* transfer; **Anweisung** *f* ① ↑ *Anleitung* instruction ② ↑ *Anordnung* instruction; ◇ **klare ~en geben** to give clear instructions ③ (FIN *Geld-*) transfer; (*Post-*) money order

anwendbar *adj* (*auf Methode*) applicable; **anwenden** *vt* ① → *Regel, Heilmittel* apply (*auf akk* to) ② → *Gesetz, Theorie* apply (*auf akk* to); **Anwender(in** *f*) *m* <-s, -> user; **Anwenderprogramm** *s* PC application program; **Anwendung** *f* ① ↑ *Gebrauch* application (*auf akk* on) ② ↑ *Übertragung* application (*auf akk* on) ③ MED ↑ *Heilbehandlung* treatment

anwerben *unreg vt* ① → *jd-n* recruit (*für* for) ② MIL recruit; ◇ **sich ~ lassen** to enlist

anwerfen *unreg vt* TECH → *Motor, Propeller* start

Anwesen *s* <-, -> estate

anwesend *adj* present; ◇ **die A~en** *pl* the ones present; **Anwesenheit** *f* presence; ◇ **in ~ von** in the presence of

anwidern *vt* → *jd-n* disgust

Anwohner(in *f*) *m* <-s, -> resident

Anzahl *f* <-> (*zählbar*) number; (*nicht zählbar*) amount (*an dat* of)

anzahlen *vt* → *Ware* make a down payment on s. th.; **Anzahlung** *f* down payment (*für, auf akk* on)

anzapfen *vt* ① → *Faß* open ② *auch FIG* → *Strom, Telefon* tap ③ *FAM* ↑ *borgen* → *jd-n* hit s.o. up

Anzeichen *s* ↑ *Hinweis, Zeichen* evidence, symptom (*für* of)

Anzeige *f* <-, -n> ① ↑ *Annonce* classified ad[vertisement] ② ↑ *Reklame* ad[vertisement] ③ ↑ *Meldung* announcement; ◇ **~ wegen Diebstahls erstatten** to report a theft ④ (*Benzin-*) gauge ⑤ (PC *Bildschirm-*) display; **anzeigen** *vt* ① → *Diebstahl, jd-n* report s.o./s.th. ② → *Geschwindigkeit* show ③ ↑ *bekanntgeben* → *Verlobung* announce; **Anzeigenteil** *m* classified [ads]; **Anzeiger** *m* <-s, -> ① TECH ↑ *Gerät* gauge, meter ② (*Anzeigenblatt*) advertiser

anziehen *unreg* **I.** *vt* ① → *Kleidung* put on ② ↑ *festziehen* → *Schraube* tighten; → *Seil* tighten ③ ← *Magnet* → *Metall* attract; → *Knie* pull up ④ *FIG* ↑ *anlocken* → *Käufer* attract, lure **II.** *vi* ① ← *Pferdewagen* pull away ② FIN ← *Preise, Kurse* rise **III.** *vr* ◇ **sich ~** ① ↑ *ankleiden* dress ② *FIG* ◇ **sich gegenseitig ~** to be attracted to one another; **Anziehen** *s* (*der Preise*) increase; **anziehend** *adj* ↑ *attraktiv* attractive; ↑ *nett* pleasant; **Anziehung** *f* ↑ *Reiz* attraction; **Anziehungskraft** *f* ① PHYS gravity ② *FIG* ↑ *Attraktivität* attractiveness

Anzug *m* ① (*Herren-*) suit ② (*Heranziehen, von Krankheit*) coming; (*von Unwetter*) approach; ◇ **im ~ sein** to be coming, to be approaching ③ AUTO ↑ *Beschleunigung* acceleration

anzüglich *adj* ▷*Bemerkung* lewd; **Anzüglichkeit** *f* lewd remark

anzünden *vt* → *Feuer, Zigarette* light

anzweifeln *vt* doubt

apart *adj* ↑ *reizvoll* distinctive, unusual; **Apartheid** *f* <-> apartheid

Apathie *f* apathy, lethargy; **apathisch** *adj* apathetic, lethargic

Apfel *m* <-s, Äpfel> apple; **Apfelbaum** *m* apple tree; **Apfelschimmel** *m* dapple-grey horse; **Apfelsine** *f* orange; **Apfelwein** *m* cider

Apostel *m* <-s, -> ① apostle ② ◇ **Moral~** preacher of moral standards

Apostroph *m* <-s, -e> PRINT apostrophe

Apotheke *f* <-, -n> ① *AM* pharmacy; *BRIT* chemist's ② (*Haus-, Reise-*) first aid kit; **Apotheker(in** *f*) *m* <-s, -> *AM* pharmacist; *BRIT* chemist

Apparat *m* <-[e]s, -e> ① ↑ *Gerät* device, machine; (*Fernseh-*) set; (*Küchengerät*) appliance; ◇ **am ~ bleiben** to hold the line ② *FIG* ↑ *Organisation* (*Verwaltungs-*) apparatus

Apartment *s* <-s, -s> apartment, flat

Appell *m* <-s, -e> ① *FIG* ↑ *Aufruf* appeal; ◇ **einen ~ richten an** *akk* to make an appeal to s.o. ② MIL (*Wach~*) wake-up call; **Appellationshof** *m* JURA court of appeal; **appellieren** *vi* appeal; ◇ **an** *akk* **jd-s Vernunft ~** to appeal to s.o.'s reasoning

Appetit *m* <-[e]s, -e> *auch FIG* appetite (*auf akk* for); ◇ **guten ~!** enjoy your meal; **appetitlich** *adj* ① inviting, tempting ② ↑ *lecker* tasty; **Appetitlosigkeit** *f* lack of appetite

applaudieren *vi* → *Künstler* applaud

Applaus *m* <-es, -e> applause

Aprikose *f* <-, -n> apricot

April *m* <-[s], -e> (*Monat*) April; ◇ **1. ~ 1993** April 1st, 1993, April 1, 1993; **Aprilscherz** *m* April fool; **Aprilwetter** *s* inconsistent weather

Aquädukt *s* ↑ *Wasserleitung* aqueduct

Aquaplaning *s* <-[s]> aquaplaning

Aquarell *s* <-s, -e> water colour

Aquarium *s* aquarium

Äquator *m* <-s> equator

äquivalent *adj* equivalent

Araber(in *f*) *m* <-s, -> Arab

Arabeske *f* arabesque

Arabien *s* Arabia; **arabisch** *adj* ① Arab ② ▷*Ziffer, Sprache* Arabic

Arbeit *f* <-, -en> ① ↑ *Tätigkeit* work; ◇ **eine ~ erledigen** to finish a job ② ↑ *Beruf* profession, job; ◇ **einer geregelten ~ nachgehen** to have a steady/regular job ③ ↑ *Anstrengung* work; *FAM* ◇ **das war eine Heiden~** that was work for a horse/mule ④ (*Prüfungs~*) written exam; **arbeiten** *vi* ① ↑ *beschäftigt sein* work (*bei* for); ◇ **als Gärtner ~** to work as a gardener ② ↑ *sich bemühen, anstrengen* work; ◇ **schwer ~** to work hard, to labour; *FIG* ◇ **sich nach oben ~** to work one's way up ③ ← *Maschine* work, function ④ ↑ *sich mehren* ← *Geld* earn; **Arbeiter(in** *f*) *m* <-s, -> (*Metall~, Fach~*) [skilled] worker; (*Hilfs~*) [unskilled] worker; **Arbeiterklasse** *f* working class; **Arbeiterschaft** *f* workforce; **Arbeitersiedlung** *f* workers' housing estate; **Arbeitgeber(in** *f*) *m* <-s, -> employer; **Arbeitnehmer(in** *f*) *m* <-s, -> employee; **Arbeits-** *in Zusammensetzungen* work-; **Arbeitsamt** *s* employment office; **Arbeitsbeschaffungsmaßnahme** *f* (*ABM*) *government scheme for providing jobs;* **arbeitsfähig** *adj* capable of working; **Arbeitsgang** *m* course of assembly; **Arbeitsgemeinschaft** *f* work team; ◇ **eine ~ bilden** to form a work team; **Arbeitskampf** *m* ↑ *Streik* strike; **Arbeitskittel** *m* work coat; **Arbeitskräfte** *pl* workforce *sg;* **arbeitslos** *adj* unemployed, out of work; ◇ **sich ~ melden** to apply for unemployment [money]; **Arbeitslosengeld** *s* ▷*beziehen* unemployment money *AM*, unemployment benefit *BRIT*; **Arbeitslosenhilfe** *f* unemployment aid; **Arbeitslosigkeit** *f* unemployment; **Arbeitsmarkt** *m* job market; **Arbeitsplatz** *m* ① ↑ *Stelle* position; ◇ **gesicherter ~** secured position ② (*Büro, Fabrik, etc.*) work place; **Arbeitsspeicher** *m* (PC *RAM*) memory; **Arbeitssuche** *f:* ◇ **er ist auf ~** he is looking for work; **Arbeitstag** *m* work day; ◇ **harter ~** a hard day's work; **Arbeitsteilung** *f* division of labour; **Arbeitstier** *s FAM* workhorse; **arbeitsunfähig** *adj* unable to work; **Arbeitsunfall** *m* work accident; **Arbeitszeit** *f* working hours; ◇ **gleitende ~** flexible working hours

Archäologe *m* <-n, -n> archaeologist; **Archäologin** *f* archaeologist

Archetypus *m* PHIL archetype

Architekt(in *f*) *m* <-en, -en> architect; **Architektur** *f* architecture

Archiv *s* <-s, -e> archive

ARD *f Abk v. s.* **Arbeitsgemeinschaft der Rundfunkanstalten der BRD** *German association of public broadcasting*

arg I. *adj* ① ↑ *schlimm* bad ② ↑ *gemein* ▷*Mensch* mean **II.** *adv:* ◇ **jd-m ~ mitspielen** to be mean to s.o.

Argentinien *s* Argentina

Ärger *m* <-s> ① ↑ *Verstimmung* annoyance (*über akk* ② ↑ *Unannehmlichkeit* trouble; ◇ **~ haben wegen/mit** to have trouble with s.o./s.th.; **ärgerlich** *adj* ① ↑ *verstimmt* annoyed, upset ② ↑ *unerfreulich* annoying, upsetting; **ärgern I.** *vt* ① ↑ *belästigen* frustrate, annoy ② ↑ *wütend machen* make s.o. angry, irritate s.o. ③ ↑ *necken, aufziehen* pick on s.o. **II.** *vr* ◇ **sich ~** ↑ *sich aufregen* to get annoyed; **Ärgernis** *s* ① ↑ *Unannehmlichkeit* trouble ② ↑ *Skandal* outrage; ◇ **öffentliches ~ erregen** to offend the public

Argument *s* argument

Argwohn *m* <-[e]s> distrust; ◇ **~ hegen gegen jd-n** to be distrustful towards s.o.; **argwöhnisch** *adj* distrustful, suspicious

Arie *f* <-, -n> aria; **Arier** *m* Aryan

Aristokrat(in *f*) *m* <-en, -en> aristocrat; **Aristokratie** *f* aristocracy; **aristokratisch** *adj* aristocratic

arithmetisch *adj* MATH arithmetic[al]

Arkade *f* ARCHIT archway

arm *adj* ① ↑ *mittellos* poor ② ↑ *bedauernswert* poor ③ ↑ *spärlich* ▷*Vegetation* sparse ④ ◇ **~ an etw** *dat* **sein** to lack s.th.

Arm *m* <-[e]s, -e> ① arm ② ↑ *Abzweigung* (*Fluß~*) branch ③ (TECH *Hebel~*) lever ④ ↑ *Ärmel* sleeve

Armatur *f* TECH (*an Badewanne*) fitting; **Armaturenbrett** *s* AUTO dashboard

Armband *s, pl* <-bänder> bracelet; **Armbanduhr** *f* [wrist-]watch

Arme(r) *m+f* ① ↑ *Mittellose(r)* poor person ② ◇ **du -r!** you poor thing!

Armee *f* <-, -n> MIL army

Ärmel *s* <-s, -> sleeve

Armlehne *f* armrest

ärmlich *adj* poor; **armselig** *adj* ① ↑ *elend* ⊳*Behausung* wretched, pathetic ② ↑ *unzureichend* ⊳*Leistung* poor; **Armut** *f* <-> ⊳*materiell, geistig* poverty

Aroma *s* <-s, Aromen> ↑ *Geschmack* flavour; ↑ *Duft* aroma, scent; **aromatisch** *adj* aromatic

arrangieren **I.** *vt* ↑ *organisieren* → *Verabredung, Feier* arrange, organise **II.** *vr* ◇ **sich -** ↑ *sich einigen* come to terms

Arrest *m* <-[e]s, -e> JURA, SCH, MIL detention

arrogant *adj* arrogant; **Arroganz** *f* arrogance

Arsch *m* <-es, Ärsche> *FAM!* ① ↑ *Hintern, AM* ass; *BRIT* arse; ◇ **jd-m in den - kriechen** to brown-nose s.o. ② ↑ *Person* ass, bum

Art *f* <-, -en> ① ↑ *Gattung* (*Tier-*) species ② ↑ *Sorte* kind, type, sort ③ ↑ *Wesen* (*Eigen-*) way; ◇ **das ist so seine -** that's just how he is ④ ↑ *Methode* way, manner; ◇ **auf diese - u. Weise** in this way; ◇ **ich möchte mein Steak nach - des Hauses** I would like to have my steak according to the house

Arterie *f* MED artery; **Arterienverkalkung** *f* MED hardening of the arteries

artig *adj* well-behaved

Artikel *m* <-s, -> ① (*Zeitungs-*) article ② (*Gesetzes-*) clause, article ③ SPRACHW ↑ *Geschlechtswort* ⊳*weiblich etc.* article; ◇ **[un]bestimmter Artikel** [in]definite article; **artikulieren** **I.** *vt* ↑ *aussprechen* → *Laute* articulate; ↑ *formulieren* → *Gedanken* express **II.** *vr* ◇ **sich -** (*FIG sich ausdrücken*) express o.s.

Artillerie *f* MIL artillery

Artischoke *f* artichoke

Arznei *f* medicine

Arzneikosten *f pl* medical costs

Arzt *m* <-es, Ärzte> doctor, physician; **Ärztin** *f* [woman] doctor; **ärztlich** *adj* medical

As *s* <-ses, -se> ① (*Spielkarte*) ace ② *FIG* ↑ *Spezialist, Könner* crack, whiz

Asbest *m* <-[e]s, -e> asbestos

Asche *f* <-, -n> ash; **Aschenbahn** *f* SPORT cinder track; **Aschenbecher** *m* ashtray; **Aschenbrödel, Aschenputtel** *s* cinderella; **Aschermittwoch** *m* Ash Wednesday

äsen *vi* graze

Asiat(in *f*) *m* <-en, -en> Asian; **asiatisch** *adj* Asian, Asiatic; **Asien** *s* Asia

Asket *m* ascetic

ASCII-Code *m* <-s, -s> PC ASCII code

asozial *adj* ① ↑ *unsozial* ⊳*Verhalten* unsocial ② *PEJ* ⊳*Familie* scummy

Aspekt *m* <-[e]s, -e> aspect; ◇ **unter diesem -** from this point of view

Asphalt *m* <-[e]s, -e> asphalt; **asphaltieren** *vt* → *Straße* asphalt, pave

aß *pt von* **essen**

Assembler *m* <-s, -> PC assembler

Assistent(in *f*) *m* assistant

Assoziation *f* ① ↑ *Zusammenschluß* association ② ↑ *Gedankenverknüpfung* association; **assoziieren** *vt* (*verbinden, zu Handelsgesellschaft*) associate; → *Gedanken* associate

Ast *m* <-[e]s, Äste> branch

Aster *f* BIO aster

ästhetisch *adj* ↑ *schön* ⊳*Ideal* aesthetic

Asthma *s* <-s> MED asthma; **Asthmatiker(in** *f*) *m* <-s, -> asthmatic

Astrologe(Astrologin *f*) *m* <-n, -n> astrologer; **Astrologie** *f* astrology

Astronaut(in *f*) *m* <-en, -en> astronaut

Astronomie *f* astronomy; **astronomisch** *adj* ① astronomical ② *FIG* ↑ *riesig* ⊳*Preis* colossal

ASU *f* <-, -s> *Abk v.* AUTO **Abgassonderuntersuchung;** *annual inspection of a car's exhaust output*

Asyl *s* <-s, -e> ① ↑ *Zufluchtsort* ⊳*politisch* asylum, refuge ② ↑ *Heim* (*Obdachlosen-*) home for the needy; **Asylant(in** *f*) *m Asylbewerber* ⊳*politischer* asylum-seeker; *Wirtschafts-, PEJ person seeking asylum due to poverty;* **Asylrecht** *s* right to asylum

Atelier *s* <-s, -s> (*Maler-, Film-*) studio

Atem *m* <-s> breath; ◇ **- holen** to catch one's breath; ◇ **außer -** out of breath; **atemberaubend** *adj* ⊳*Spannung, Schönheit* breath-taking; **atemlos** *adj* breathless; **Atempause** *f* breather

Atheismus *m* atheism; **Atheist(in** *f*) *m* atheist

Äther *m* <-s, -> ① MED ether ② MEDIA air; ◇ **durch den - schicken** to put s.th. on the air

Äthiopien *s* Ethiopia

Athlet(in *f*) *m* <-en, -en> athlete

Atlantik *m* <-s> the Atlantic [Ocean]

Atlas *m* <- *o.* -ses, -sse *o.* Atlanten> (*Welt-*) atlas

atmen *vti* (*ein-, aus-*) breathe

Atmosphäre *f* <-, -n> ① (PHYS *Erd-*) atmosphere ② *FIG* ↑ *Stimmung* (*Wohn-*) atmosphere

Atmung *f* breathing

Atoll *s* atoll

Atom *s* <-s, -e> atom; **Atom-** *in Zusammensetzungen* nuclear, atomic; **atomar** *adj* ① PHYS atomic ② ▷*Sprengkopf, Rüstung* atomic, nuclear; **Atombombe** *f* atom bomb, nuclear bomb; **Atombunker** *m* fallout shelter; **Atomenergie** *f* nuclear energy; **Atomkern** *m* nucleus; **Atomkraft** *f* nuclear power/energy; **Atomkraftwerk** *s* nuclear power plant; **Atomkrieg** *m* nuclear war; **Atommacht** *f* nuclear power; **Atommüll** *m* nuclear waste; **Atomsperrvertrag** *m* POL nuclear weapons non-proliferation treaty; **Atomversuch** *m* nuclear test; **atomwaffenfrei** *adj* (*ohne Atomwaffen*): ◇ **~e Zone** no-nuke zone; **Atomzeitalter** *s* atomic age

Attentat *s* <-[e]s, -e> (*Mord an Politiker*) assassination (*auf akk* of); **Attentäter(in** *f*) *m* assassin

Attest *s* <-[e]s, -e> certificate, notice; **attestieren** *vt* certify; ◇ **jd-m Krankheit** ~ to certify s.o. as being ill

Attraktion *f* attraction; **attraktiv** *adj* ① ↑ *schön* ▷*Person* attractive ② ↑ *interessant* ▷*Angebot* attractive, interesting

Attrappe *f* <-, -n> sham

Attribut *s* <-[e]s, -e> ① ↑ *Eigenschaft* characteristic ② SPRACHW attribute

ätzen *vi* ① ← *Säure* corrode ② MED cauterize; **ätzend** *adj* ① ▷*Flüssigkeit* acidic; ▷*Geruch* pungent ② *FIG* ▷*Spott* acrid ③ *FAM* ↑ *unangenehm, nervig* gross; ◇ **ein ~er Typ** a gross guy

Aubergine *f* egg plant, aubergine

auch *cj* ① ↑ *gleichermaßen, ebenso* also, as well, too; ◇ **sowohl...als** ~ as well as ② ↑ *außerdem* too, besides; ◇ **das hat er ~ gemacht** he did that too ③ ↑ *sogar* even; ◇ **~ der Reichste hat Probleme** even the richest have problems ④ ↑ *wirklich* really; ◇ **ist das ~ wahr?** is that really true?

audiovisuell *adj* audiovisual; ◇ **~er Unterricht** audiovisual teaching

Auditorium *s* auditorium

auf I. *präp akk/dat* ① (*wohin?, räumlich, akk*) up; ◇ **~ einen Berg steigen** to climb up a mountain; ◇ **sich ~s Bett legen** to lie down on the bed; ↑ *zu* to; ◇ **~ die Post gehen** to go to the post office; ◇ **~ ein Glas Wein** for a glass of wine ② (*wo?, räumlich, dat*) on; ◇ **~ dem Berg stehen** to stand on [*o.* top of] the mountain; ◇ **das Buch liegt ~ dem Stuhl** the book is lying on the chair; ↑ *in* at; ◇ **~ der Bank** at the bank; ◇ **~ der Hochzeit** at the wedding ③ (*wie lange?, zeitlich, akk*) ↑ *für* for; ◇ **~ 6 Monate** for six months ④ (*zeitlich, akk*) ↑ *nach* after; ◇ **~ Sonntag folgt Montag** Monday comes after Sunday; ◇ **Schlag ~ Schlag** one after the other ⑤ ↑ *bis* ◇ **A~ Wiedersehen** until we meet again, good-bye ⑥ (*Art u. Weise*) ◇ **etw ~ deutsch sagen** to say s.th. in German; ◇ **~ einmal** all at once, all of a sudden ⑦ (*als Reaktion*) ◇ **~ seine Bitte hin** at his wish, upon his request **II.** *adv* ① ↑ *offen* open; ◇ **die Tür ist ~** the door is open ② ◇ **~ u. ab gehen** to go to and fro ③ ↑ *los* ◇ **~!** come on! let's go!

aufarbeiten *vt* ① → *Arbeit* to catch up on one's work ② ↑ *bewältigen* → *Vergangenheit* re-examine

aufatmen *vi FIG* sigh in relief

Aufbau [1] *m* ① (*Wieder~*) reconstruction ② ↑ *Struktur* (*Satz~*) structure

Aufbau [2] *m* <-s, Aufbauten> (*auf Haus*) addition; (*auf Auto*) body; **aufbauen I.** *vt* ① → *Zelt* put up, set up; → *Gebäude* build ② ↑ *gründen* → *Existenz* establish ③ ↑ *strukturieren* → *Text* compose ④ ↑ *unterstützen* → *Politiker* support ⑤ ↑ *trösten* ▷*seelisch* pick up, restore **II.** *vr* ① ↑ *sich postieren* ◇ **er hat sich vor mir aufgebaut** he planted himself in front of me ② ↑ *basieren, sich gründen* be based (*auf dat* on)

aufbäumen *vr* ◇ **sich ~** ① ← *Pferd* rear up ② *FIG* ↑ *Widerstand leisten* rebel (*gegen akk* against)

aufbauschen *vt FIG* blow up

aufbehalten *unreg vt* → *Hut* keep on

aufbekommen *unreg vt* ① → *Tür* be able to open ② → *Hausaufgaben* be given

aufbereiten *vt* ① → *Rohstoffe* process ② → *Daten* process; → *Texte* edit

aufbessern *vt* ① ↑ *erhöhen* → *Gehalt* increase ② ↑ *auffrischen* → *Wissen* refresh

aufbewahren *vt* ① → *alte Fotos* keep, save ② → *Gepäck* keep; **Aufbewahrung** *f* ① keeping, storage; ◇ **jd-m etw zur ~ geben** to give s.o. s.th. for safekeeping ② (*Gepäck~*) luggage deposit

aufbieten *unreg vt* ① ↑ *einsetzen* → *Kraft* apply ② → *Truppen* present

aufblähen *vt* inflate, blow up

aufblasen *unreg* **I.** *vt* → *Luftballon, Reifen* inflate, blow up **II.** *vr* ◇ **sich ~** *FAM* ↑ *sich wichtig machen* act too big for one's shoes

aufbleiben *unreg vi* ① ← *Geschäft* stay open ② ← *Mensch* stay up

aufblenden *vti* ① FOTO open up the lens ② AUTO turn on the brights

aufblicken *vi auch FIG* look up (*zu* to)

aufbrausen *vi FIG* fly into a rage

aufbrechen *unreg* **I.** *vt* → *Schloß* break open **II.** *vi* ① leave, set out ② ↑ *aufplatzen* ← *Knospe* break out

aufbringen *unreg vt* ① ↑ *beschaffen* → *Geld*

raise; ◇ **Verständnis für etw** ~ to muster up understanding for s.th. [2] *FAM* → *Tür* be able to open [3] → *Gerücht* spread [4] ↑ *in Wut bringen* → *jd-n* make s.o. mad (*gegen* at)

Aufbruch *m* (*von Urlaubsort*) departure, leaving

aufbürden *vt auch FIG*: ◇ **jd-m etw** ~ → *Last, Verantwortung* to encumber s.o. with s.th.

aufdecken *vt* [1] → *Bett* uncover [2] *FIG* ↑ *offenlegen* → *Wahrheit* discover, reveal [3] ↑ *zeigen* → *Spielkarte* turn over

aufdrängen I. *vt* impose; ◇ **jd-m etw** ~ to push s.th. on s.o. II. *vr* ◇ **sich** ~ ↑ *anbiedern, lästig werden* impose; ◇ **sich jd-m** ~ to impose o.s. on s.o.

aufdrehen I. *vt öffnen* → *Wasser* turn on; → *Schraube* unscrew; → *Radio* turn up I. *vt* [1] *FAM* ↑ *beschleunigen* floor it [2] *FAM* ← *Person* let o.s. go

aufdringlich *adj* imposing, insistent

aufdrücken *vt* [1] ◇ **fest** ~ press down firmly [2] → *Tür* push open

aufeinander *adv* [1] ▷*gestapelt* on top of each other [2] ▷*warten* for each other, for one another; **aufeinanderfolgen** *vi:* ◇ **direkt** ~ to come one right after the other; **aufeinanderlegen** *vt* to put one on top of the other; **aufeinanderprallen** *vi* collide

Aufenthalt *m* [1] (*Urlaubs~*) stay [2] (*Zwischen~*) stopover [3] ↑ *Aufenthaltsort* whereabouts pl; **Aufenthaltsgenehmigung** *f* residence permit

Auferstehung *f* REL resurrection

aufessen *unreg vt* eat up

auffahren *unreg* I. *vi* [1] ↑ *zusammenstoßen* (*auf Auto*) bump (*auf akk* into) [2] ▷*dicht* drive (*auf akk* up) [3] ↑ *aufspringen* ▷*erschreckt* start; ◇ **aus dem Schlaf** ~ to wake with a start [4] ↑ *wütend werden* fly into a rage II. *vt* [1] ↑ *heranfahren* → *Ladung Steine* bring [2] *FAM* → *Essen* dish out [3] → *Geschütz* bring up; **Auffahrt** *f* [1] (*Autobahn~*) ramp [2] ↑ *Rampe* ramp; **Auffahrunfall** *m* front-in collision

auffallen *unreg vi* ▷*unangenehm* attract attention, stick out; ◇ **jd-m** ~ to attract s.o.'s attention; **auffallend** *adj* unusual, striking; ◇ ~ **klug** unusually smart

auffangen *unreg vt* [1] ↑ *fangen* → *Ball* catch [2] → *Wasser* catch [3] ↑ *aufschnappen, zufällig hören* → *Wort, Blick* ◇ **ich habe das zufällig aufgefangen** I heard that by chance [4] ↑ *mildern* → *Preissteigerung* absorb; **Auffanglager** *s* holding camp

auffassen *vt* [1] ↑ *interpretieren* understand [2] ↑ *verstehen* ▷*schnell* grasp, catch on; **Auffassung** *f* [1] ↑ *Meinung* opinion; ◇ **meiner** ~ **nach** in my opinion [2] (*~sgabe*) comprehension

auffordern *vt* [1] ↑ *verlangen* demand; ◇ **jd-n** ~ **etw zu tun** to demand s.o. to do s.th. [2] (*zum Tanz*) ask; **Aufforderung** *f* [1] ↑ *Ermahnung* (*Zahlungs~*) demand [2] ↑ *Bitte* ▷*höflich* request

Aufforstung *f* reforestation, retimbering

auffrischen I. *vt erneuern* → *Erinnerung* refresh; → *Möbel, Farbe* freshen up II. *vi* ← *Wind* become windy

aufführen I. *vt* [1] → *Theaterstück* perform [2] ↑ *auflisten* list II. *vr* ◇ **sich** ~ ↑ *sich benehmen* behave; **Aufführung** *f* [1] (*Theater~*) performance [2] ↑ *Liste* list

Aufgabe *f* [1] ↑ *Verpflichtung, Arbeit* ▷*schwierig, leicht* task, job [2] (SCH *Haus~*) homework [3] ↑ *Verzicht* (*Geschäfts~*) closing; (*von Gewohnheit*) giving up [4] (*von Sportler*) giving up [5] ↑ *Abgabe* (*Gepäck~*) check-in [6] ↑ *Aufgeben* (*von Anzeige*) turning in

Aufgang *m* [1] (*Treppen~*) staircase [2] (*Sonnen~*) sunrise

aufgeben *unreg* I. *vt* [1] → *Gewohnheit, Hoffnung* give up [2] ↑ *stellen* → *Rätsel, Frage* give [3] ↑ *abgeben* → *Gepäck* check in, turn in [4] SCH ↑ *anordnen* assign [5] → *Bestellung* → *Inserat* place II. *vi a.* SPORT give up

aufgedreht *adj FAM* hyper

aufgehen *unreg vi* [1] ↑ *sich öffnen* ← *Tür, Knospe* open [2] ← *Sonne* rise [3] ↑ *stimmen* ← *Rechnung* work out [4] ◇ **jetzt geht mir ein Licht auf** now it dawns on me [5] ◇ **in einer Arbeit** ~ (*sich widmen, hingeben*) to become absorbed in a job [6] ◇ **in Flammen** ~ to go up in flame

aufgeklärt *adj* [1] ↑ *informiert* informed [2] ▷*sexuell* know the facts of life

aufgelegt *adj* [1] ↑ *gelaunt* ◇ **gut** ~ **sein** to be in a good mood [2] ◇ **zu etw** ~ **sein** to be in the mood to do s.th.

aufgeregt *adj* (*nervös*) nervous; (*freudig*) excited

aufgeschlossen *adj* open-minded

aufgliedern *vtr* ↑ *unterteilen* categorize, divide up (*in akk* in)

aufgreifen *unreg vt* [1] ↑ *ergreifen, festhalten* (*jd-n*) catch, pick up [2] *FIG* → *Thema* take up

aufgrund *präp* ↑ *wegen* due to *gen;* ◇ ~ **Ihrer guten Arbeit** due to your good work

aufhaben *unreg* I. *vt* [1] ↑ *tragen* → *Hut* wear [2] *offen haben* → *Geschäft* have open; → *Augen* have open [3] → *Hausaufgabe* be assigned, have to do II. *vi* ↑ *geöffnet haben* be open; ◇ **bis 19 Uhr** ~ be open until 7 p.m.

aufhalten *unreg* **I.** *vt* [1] ↑ *stoppen* → *Fortschritt* delay, hold back [2] *offen halten* → *Tür* hold open; → *Augen* keep open **II.** *vr* ◇ **sich** ~ [1] ↑ *bleiben* (*im Ausland*) stay (*bei* in) [2] ◇ **sich lange** ~ to spend time dealing with s.th.

aufhängen I. *vt* [1] → *Wäsche, Bild* hang up [2] → *Person* hang **II.** *vr* ◇ **sich** ~ ↑ *erhängen* hang o.s.; **Aufhänger** *m* <-s, -> [1] (*an Jacke, Handtuch etc.*) loop [2] *FIG* ↑ *Grundlage* (*für Thema*) starting point (*für* for)

aufheben *unreg* **I.** *vt* [1] (*vom Boden*) pick up [2] → *Bestimmung, Urteil* cancel, do away with [3] ↑ *auflösen* → *Versammlung* break off [4] ↑ *aufbewahren* keep **II.** *vr* ◇ **sich** ~ cancel each other out; **Aufheben** *s FIG*: ◇ **viel A~[s] machen von/wegen** to make a big fuss about s.th.

aufheitern I. *vt* ↑ *trösten* cheer up **II.** *vr* ◇ **sich** ~ [1] ↑ *heiter werden* ← *Miene* brighten up [2] ← *Wetter* brighten up, clear up; **Aufheiterung** *f* (*Wetter*) sunny period

aufhetzen *vt* ↑ *aufstacheln* stir up; ◇ **jd-n gegen jd-n/etw** ~ to stir up s.o.'s animosity against s.o./s.th.

aufholen I. *vt* ↑ *einholen* → *Vorsprung*: ◇ **wir müssen diese Verspätung** ~ we have to make up for the delay **II.** *vi* catch up

aufhorchen *vi* become attentive

aufhören *vi* [1] ↑ *zu Ende gehen* stop, end [2] ↑ *nicht weitermachen* stop; ◇ **mit etw** ~ stop doing s.th.

aufkaufen *vt* buy up

aufklären I. *vt* [1] → *Verbrechen* solve [2] ↑ *informieren* inform; ◇ **sexuell** ~ tell s.o. about the facts of life **II.** *vr* ◇ **sich** ~ ← *Wetter* clear up; **Aufklärer** *m* MIL reconnaissance plane; **Aufklärung** *f* [1] (*eines Sachverhalts*) enlightenment [2] (*Zeitalter der* ~) Age of Enlightenment

aufkleben *vt* stick on

aufkommen *unreg vi* [1] ← *Mode* appear, come into style [2] ← *Wind* rise, come up [3] ← *Gefühl* rise [4] ↑ *bezahlen* ◇ **für jd-n/etw** ~ to pay for s.th.

aufladen *unreg vt* [1] (→ *Ware, auf LKW*) load [2] → *Batterie* charge

Auflage *f* [1] ↑ *Ausgabe* (*von Buch*) edition [2] ↑ *Belag* (*Schreibtisch-*) covering [3] COMM production [4] ↑ *Bedingung* condition; ◇ **etw zur** ~ **machen** to make s.th. a condition

auflassen *unreg vt* [1] ↑ *nicht schließen* → *Fenster, Tür, Mantel* leave open [2] ↑ *nicht absetzen* → *Mütze* leave on

auflauern *vi*: ◇ **jd-m** ~ to lie in wait for

Auflauf *m* [1] (GASTRON *Reis-*) casserole [2] ↑ *Ansammlung* (*Menschen-*) crowd

aufleben *vi* [1] ↑ *neu entflammen* ← *Streit* revive [2] ↑ *wieder aktiv werden* ← *Person* liven up

auflegen *vt* [1] → *Telefonhörer* hang up [2] ↑ *verlegen* → *Buch* publish; ◇ **neu** ~ republish [3] COMM → *Ware* introduce [4] → *Gedeck, Hand* put down

auflehnen I. *vr* ◇ **sich** ~ rebel (*gegen* against) **II.** *vt* ↑ *abstützen* → *Arm* lean (*auf akk* on)

auflesen *unreg vt* [1] ↑ *aufheben* (*vom Boden*) pick up [2] *FIG FAM* ↑ *finden u. mitnehmen* ◇ **jd-n auf der Straße** ~ to pick s.o. up off the street

auflesen *vt* pick, gather

aufleuchten *vi* light up

aufliegen *unreg vi* [1] ↑ *liegen* lie (*auf dat* on) [2] ↑ *ausliegen* ◇ **die Kondolenzliste liegt auf** a condolences book will be available [3] ↑ *veröffentlicht sein* ← *Buch* be published

Auflistung *f* [1] ↑ *Liste* list [2] (PC *von Programmzeilen*) listing

auflockern *vt* [1] ↑ *entspannen* → *Muskeln* loosen up [2] *FIG* ↑ *entkrampfen* → *Stimmung* ease the tension

auflösbar *adj* soluble; **auflösen I.** *vt* [1] ↑ *lösen* (*in Wasser*) dissolve [2] ↑ *abschaffen* dissolve [3] → *Haushalt* break up [4] *FIG* ↑ *ausräumen, beseitigen* → *Mißverständnis* clear up **II.** *vr* ◇ **sich** ~ [1] ↑ *zerfallen* ← *Tablette* dissolve [2] ↑ *auseinandergehen* ← *Versammlung, Partei* dissolve; **Auflösung** *f* [1] (*von Tablette*) dissolving [1] (*von Versammlung*) disbanding [3] (*von Rätsel*) solution [4] (*von Haushalt*) breaking up; **Auflösungszeichen** *s* MUS natural

aufmachen I. *vt* [1] ↑ *öffnen* → *Tür, Brief* open [2] ↑ *eröffnen* → *Laden* open **II.** *vr* ◇ **sich** ~ [1] ↑ *starten, weggehen* set out [2] ↑ *sich zurechtmachen* get ready, get dressed; **Aufmachung** *f* ↑ *Gestaltung* presentation, make-up

aufmarschieren *vi* march up

aufmerksam *adj* [1] ↑ *konzentriert* alert, attentive [2] ↑ *zuvorkommend* considerate [3] ◇ **jd-n auf etw** *akk* ~ **machen** to draw s.o.'s attention to s.th.; **Aufmerksamkeit** *f* [1] (*geistig*) attention [2] (*kleines Geschenk*) gift

aufmuntern *vt* [1] ↑ *ermuntern* encourage [2] ↑ *fröhlich machen* cheer up

Aufnahme *f* <-, -n> [1] (*Film-, Foto-*) picture [2] (*in Partei*) admission [3] ↑ *Beginn* commencement [4] ↑ *Notieren* noting, recording [5] (*Nahrungs-*) eating [6] ↑ *Leihen* (*Kredit-*) obtaining [7] ↑ *Unterkunft* ◇ ~ **gewähren** provide accomodation

Aufnahme *f* (*von Sendung, Musik*) recording; **Aufnahmegerät** *s* recorder; **Aufnahmeleiter(in** *f*) producer; **Aufnahmeprüfung** *f* (*für*

Schule, Uni etc.) entrance exam; **aufnehmen** *unreg vt* [1] → *Foto* take; → *Film, Musik* record [2] ↑ *beginnen* ◇ **Kontakt mit jd-m** ~ to make contact with s.o. [3] (→ *jd-n, in Partei*) admit [4] ↑ *notieren* note, write down [5] ↑ *aufheben, hochnehmen* pick up [6] ↑ *beherbergen* → *jd-n* accomodate [7] ◇ **es mit jd-m ~ können** to be a match for s.o.

Aufopferung *f* sacrifice

aufpassen *vi* [1] ↑ *beaufsichtigen* take care (*auf akk* of) [2] ↑ *aufmerksam sein* pay attention; ◇ **im Straßenverkehr** ~ to be careful in the traffic

Aufprall *m* <-s, -e> crash, impact; **aufprallen** *vt* crash into

Aufpreis *m* additional charge

aufpumpen *vt* pump up, inflate

aufraffen *vr* ◇ **sich** ~ *FAM* ↑ *sich entschließen zu* rouse o.s.

aufräumen I. *vt* [1] ↑ *in Ordnung bringen* → *Zimmer* straighten up, tidy up [2] ↑ *wegräumen* → *Sachen* tidy up **II.** *vi* tidy [up]

aufrecht *adj* [1] ▷*Gang* upright, erect [2] *FIG* ↑ *aufrichtig, ehrlich* upright, honest; **aufrechterhalten** *unreg vt beibehalten* → *Kontakt* uphold; → *Behauptung* uphold, keep to

aufregen I. *vt* → *jd-n* annoy **II.** *vr* ◇ **sich** ~ ↑ *wütend werden* become angry, become annoyed (*über akk* about); **aufregend** *adj* [1] ↑ *spannend* ▷*Film* exciting [2] ↑ *attraktiv* ▷*Frau, Mann* interesting, exciting; **Aufregung** *f* [1] (*freudig*) excitement [2] (*Unruhe*) upheaval, disturbance

aufreibend *adj* strenuous, exhausting

aufreißen *unreg vt* [1] *schnell oder gewaltsam öffnen* → *Straße* tear up; → *Umschlag* tear open; → *Tür* throw open, fling open [2] *FAM* ↑ *kennenlernen* → *Frau, Mann* pick up

aufrichtig *adj* sincere, honest; **Aufrichtigkeit** *f* sincerity, honesty

Aufruf *m* [1] ↑ *Appell* appeal (*zu* to) [2] (*Namens-*) call [3] AERO, PC call; **aufrufen** *unreg vt* [1] ↑ *rufen* → *Person* call [2] ↑ *appellieren, auffordern* appeal (*zu dat* to) [3] AERO, PC call up

Aufruhr *m* <-[e]s, -e> uprising, upheaval; **Aufrührer(in** *f*) *m* trouble-maker

aufrunden (*Summe*) round up

Aufrüstung *f*: ◇ **atomare** ~ nuclear arming

aufs = auf das

aufsässig *adj* cheeky, sassy

Aufsatz *m*, *Aufsätze* [1] (*Schul-, Essay*) essay, composition [2] ↑ *Aufbau* (*auf Schrank*) attachment

aufsaugen *vt* [1] ← *Schwamm* absorb, soak up [2] *FIG* ◇ **etw in sich** ~ → *Wissen, Information* to absorb s.th.

aufschieben *unreg vt* [1] → *Schiebetür* slide open [2] ↑ *verschieben* → *Termin* postpone, put off

Aufschlag *m* [1] (*Preis-*) extra charge [2] (*Ärmel-*) cuff [3] ↑ *Aufprall* (*auf Boden*) crash, impact [4] (SPORT *Ball-*) serve; **aufschlagen** *unreg* **I.** *vt* [1] ↑ *aufmachen* → *Zeitung* open [2] ↑ *errichten* → *Lager* set up; ◇ **s-n Wohnsitz** ~ to take up residence [3] ↑ *verletzen* → *Knie* bump [4] SPORT → *Ball* serve **II.** *vi* [1] ↑ *aufprallen* hit [2] ↑ *teurer werden* ← *Preise* go up [3] SPORT ◇ **du mußt** ~ it's your serve

aufschließen *unreg* **I.** *vt* → *Tür* unlock **II.** *vi* ↑ *aufrücken* catch up to

Aufschluß *m* information; ◇ **jd-m ~ geben über etw** *akk* to give s.o. some information about s.th.;

aufschlußreich *adj* informative

aufschnallen *vt* ↑ *öffnen* → *Skistiefel* unfasten, unbuckle

aufschnappen *vt* catch, pick up

aufschneiden *unreg* **I.** *vt* [1] → *Wurst, Brot* slice [2] MED → *Bauch* cut open **II.** *vi* ↑ *angeben* show off, brag; **Aufschnitt** *m* (*Wurst-, Käse-*) meat/cheese assortment, sandwich meat/cheese

aufschrecken I. *vt* ↑ *erschrecken* → *jd-n* scare, frighten **II.** *unreg vi*: ◇ **aus dem Schlaf** ~ to wake with a start

Aufschrei *m* (*vor Freude, Schmerz*) [out]cry

aufschreiben *unreg vt* [1] ↑ *notieren* write down, put down; ◇ **sich** *dat* **etw** ~ to write s.th. down [2] ↑ *niederschreiben* write down [3] (*auf Rechnung setzen*) ◇ **schreiben Sie's auf!** put it on my bill! [4] *FAM* → *Parksünder* write s.o. up, give s.o. a ticket

aufschreien *unreg vi* cry out

Aufschrift *f* (*Beschriftung, Etikett, auf Buch*) inscription, label; (*auf Grab*) epitaph, inscription

Aufschub *m* ▷*Zahlungs-* postponement; ◇ **jd-m ~ gewähren** to give s.o. more time, to allow s.o. deferral

aufschwatzen *vt FAM*: ◇ **jd-m etw** ~ to talk s.o. into s.th.

aufschwingen *unreg vr* ◇ **sich** ~ [1] ← *Turner* swing o.s. up; ↑ *Vogel* soar up [2] *FIG* ◇ **los, schwing' dich auf!** come on, rouse y.s. up!;

Aufschwung *m* [1] ↑ *Auftrieb* lift [2] COMM upswing [3] SPORT swing-up

aufsehen *unreg vi* ↑ *hochblicken* (*von Buch*) look up;*FIG* ↑ *verehren* (*zu Person*) look (*zu* up to s.o.); **Aufsehen** *s* <-s> sensation; ◇ ~ **erregen** to cause a sensation; **aufsehenerregend** *adj* sensational; **Aufseher(in** *f*) *m* <-s, -> (*Gefängnis-*) ward, guard; (*in Museum, Park*) attendant, supervisor

aufsein *unreg vi FAM* [1] ← *Fenster, Kleidung* be open [2] ↑ *wach sein* be up
aufsetzen I. *vt* [1] → *Hut, Wasser* put on [2] ↑ *verfassen* draft II. *vr* ◇ **sich** ~ ↑ *sich aufrichten* sit up III. *vi* → *Flugzeug* touch down, land
Aufsicht *f* [1] ↑ *Überwachen* supervision (*über akk* over) [2] ↑ *Aufpasser* supervisor, attendant; **Aufsichtslehrer(in** *f*) *m* supervisor, proctor
aufsitzen *unreg vi* [1] (*im Bett*) sit up [2] (*auf Pferd*) mount; (*auf Motorrad*) get on [3] *FAM* ↑ *hereinfallen* ◇ **wir sind einem Scherz aufgesessen** we fell for a hoax
aufsperren *vt* [1] ↑ *aufschließen* unlock [2] ↑ *offen halten* → *Mund* open wide
aufspielen *vr* ◇ **sich** ~ show off, act like God
aufspringen *unreg vi* [1] ↑ *hochspringen* jump to one's feet [2] (*auf Zug*) jump (*auf akk* on s.th.) [3] ↑ *rissig werden* ← *Lippen* chap, crack [4] ← *Knospe* burst
aufspüren *vt* track down
aufstacheln *vt* stir up, rouse up
Aufstand *m* rebellion
aufstehen *unreg vi* [1] (*vom Stuhl*) get up, rise; ◇ **früh** ~ get up early [2] ↑ *offen sein* ← *Fenster* be open
aufsteigen *unreg vi* [1] ↑ *hinaufsteigen* (*auf Berg*) climb up [2] (*auf Motorrad etc.*) get on [3] (SPORT *in nächste Klasse*) climb [up] [4] *FIG* ◇ **ich fühle Freude in mir aufsteigen** I feel the excitement rising in me; **Aufsteiger(in** *f*) *m* <-s, -> winner
aufstellen I. *vt* [1] → *Zelt* pitch; → *Möbelstück* set up, place; → *Wachen* set up, station [2] → *Kandidaten* nominate [3] → *Theorie* found, put forward [4] ↑ *auflisten* → *Rechnung* make up [5] ↑ *vollbringen* → *Rekord* set II. *vr* ◇ **sich** ~ (*im Kreis*) stand; **Aufstellung** *f* [1] (*von Zelt*) pitching; (*Gerüst*) build up, put up [2] ↑ *Liste* (*von Waren*) list [3] (*von Truppen*) stationing [4] (*von Theorie*) founding [5] (*von Rekord*) setting
Aufstieg *m* <-[e]s, -e> [1] (*auf Berg*) ascent [2] ↑ *Karriere* rise [3] (SPORT *in höhere Klasse*) advancement
aufstoßen *unreg* I. *vt* → *Tür* push open II. *vi* ↑ *rülpsen* burp
Aufstrich *m* (*Brot-*) spread
aufstützen I. *vr* ◇ **sich** ~ lean (*auf akk* on) II. *vt* → *Arm* lean (*auf akk* on)
aufsuchen *vt* [1] ↑ *hingehen zu* → *Arzt* see, go to; → *Toilette* go to; ↑ *besuchen* visit, see [2] → *Minen* search for
auftakeln *vr* ◇ **sich** ~ *FAM* ↑ *sich herausputzen* deck o.s. out
Auftakt *m* [1] ↑ *Beginn* ◇ **festlicher** ~ festive start [2] MUS ↑ *Vortakt* upbeat
auftanken *vt* → *Benzin* fill up
auftauchen *vi* [1] surface, emerge [2] ↑ *sichtbar werden* emerge, appear [3] *FAM* (*wieder da sein*) turn up [4] *FIG* ↑ *entstehen* ← *Zweifel* arise
auftauen I. *vt* → *Gefrorenes* thaw II. *vi* [1] ← *Fleisch* thaw; ← *Schnee* melt [2] *FIG* ↑ *Hemmungen ablegen* come out of one's shell
aufteilen *vt* [1] ↑ *verteilen* divide (*auf akk* among) [2] → *Zeit* divide [s.th.] up [2] → *Kuchen* divide (*in akk* into); **Aufteilung** *f* division
auftischen *vt* [1] → *Essen* serve [2] *FIG* ◇ **jd-m eine Lüge** ~ to feed s.o. a lie
Auftrag *m* <-[e]s, Aufträge> [1] ↑ *Aufgabe, Arbeit* task, duty; ◇ ~ **erteilen** to give orders [2] COMM (*Produktions-*) order (*über akk* for) [3] ↑ *Weisung, Mission* task [4] ◇ **im** ~ (*stellvertretend*) pp; **auftragen** *unreg* I. *vt* [1] → *Essen* serve [2] → *Lack, Creme* spread, apply [3] ◇ **jd-m etw** ~ to instruct s.o. to do s.th. II. *vi* [1] ◇ **das Kleid trägt auf** that dress makes you look fat [2] *FIG* ↑ *prahlen* ◇ **dick** ~ to lay s.th. on thick; **Auftraggeber(in** *f*) *m* <-s, -> COMM customer, client; **Auftragsbestätigung** *f* confirmation of order; **Auftragserteilung** *f* placing of order
auftreiben *unreg vt FAM* ↑ *beschaffen* find, get hold of
auftrennen *vt* undo, separate
auftreten *unreg vi* [1] ↑ *sich benehmen* ▷ *energisch* present o.s., appear, act [2] (*auf Boden*) take a step [3] ↑ *vorkommen* ← *Krankheit* occur, appear [4] THEAT perform; JURA (*als Zeuge*) appear; **Auftreten** *s* <-s> [1] ↑ *Benehmen* ◇ **sein** ~ **in der Öffentlichkeit** his behaviour before the public [2] ↑ *Vorkommen* occurrence [3] ↑ *Erscheinen* (*als Schauspieler, Zeuge*) appearance
Auftrieb *m* [1] (*FIG vor Freude*) boost [2] ↑ *Aufwind* buoyancy
Auftritt *m* [1] THEAT entrance; performance [2] *PEJ* scene
aufwachen *vi auch FIG* wake up, awake
aufwachsen *unreg vi* grow up
Aufwand *m* <-[e]s> [1] ↑ *Einsatz* expenditure [2] ↑ *Luxus* extravagance; ◇ **großen** ~ **betreiben** to go to a great extent
aufwärmen I. *vt* [1] → *Essen* warm up [2] ↑ *immer wieder erzählen* warm up II. *vr* ◇ **sich** ~ SPORT warm up
aufwarten *vi* [1] (*mit Essen etc.*) serve (*mit* s.o. s.th.) [2] *FIG* offer (*mit* s.th.)
aufwärts *adv* (*räumlich*) up[wards]; ◇ **stromfahren** to go upstream; **aufwärtsgehen** *unreg vi FAM* ↑ *bessergehen* improve; ◇ **es geht aufwärts mit ihm** his situation is improving
aufwecken *vt* → *Kind* wake up

aufweisen *unreg vt* → *Mängel* bear, show

aufwenden *unreg vt* → *Geld, Energie* use; **aufwendig** *adj:* ◇ ~ **gearbeitet** costly and precisely worked

aufwerfen *unreg* **I.** *vt* [1] → *Frage, Problem* raise [2] → *Tür* throw open [3] → *Erdhaufen* pile up

aufwerten *vt* → *Währung* revalue, increase value; *FIG* → *Person* increase s.o.'s value; **Aufwertung** *f* revaluation

aufwiegeln *vt* stir up, rouse up

aufwiegen *unreg vt FIG* balance off; ◇ **die Nachteile wiegen die Vorteile auf** the cons outweigh the pros

Aufwind *m* [1] AERO, METEOR upcurrent [2] *FIG* ↑ *Aufschwung* upcurrent, upwind

aufwirbeln *vt FIG*: ◇ **Staub** ~ stir up [*o.* cause] a commotion

aufwischen *vt* wipe (s.th.) up

aufzählen *vt* → *Namen, Dinge etc.* list, enumerate

aufzeichnen *vt* [1] ↑ *zeichnen* → *Bild* sketch, draw [2] ↑ *notieren* note, record [3] (*auf Tonband*) record; **Aufzeichnung** *f* [1] ↑ *Notizen* ▷*schriftlich* notes, records [2] (*Tonband-*) recording [3] (MEDIA *Film-*) playback, recording

aufzeigen *vt* demonstrate, show

aufziehen **I.** *unreg vt* [1] → *Uhr* wind [2] ↑ *in die Höhe ziehen* → *Lasten* hoist, draw up [3] ↑ *öffnen* → *Vorhang* draw [4] *FAM* ↑ *necken* tease; ◇ **jd-n mit etw** ~ to tease s.o. about s.th. [5] → *Kinder, Tiere* raise [6] *FAM* ◇ **ein Fest groß** ~ to put on an extravagant festival **II.** *vi* ← *Gewitter* approach

Aufzug *m* [1] ↑ *Fahrstuhl, BRIT* lift; *AM* elevator [2] *PEJ* ↑ *Aufmachung* get-up [3] THEAT ↑ *Szene* act

aufzwingen *unreg vt* impose; ◇ **jd-m etw** ~ to force [*o.* impose] s.th. on s.o.

Augapfel *m* eyeball

Auge *s* <-s, -n> [1] (*Sinnesorgan*) eye [2] (*von Würfel*) eye [3] (*Fett-*) bubble [4] *FIG* ◇ **unter vier -n** from face to face; ◇ **jd-m schöne -n machen** to make eyes at s.o.; ◇ **beide -n zudrükken** to turn a blind eye; ◇ **jd-n aus den -n verlieren** to lose touch with s.o.; **Augenarzt**(**Augenärztin** *f*) *m* opthamologist

Augenblick *m* moment; ◇ **im** ~ at the moment, right now; **augenblicklich** *adj* [1] ↑ *sofort* immediately, at once; ◇ **komm** ~ **her!** come here at once! [2] ↑ *momentan* at the moment, presently; ◇ ~ **habe ich keine Zeit** I don't have any time at the moment [*o.* right now]

Augenbraue *f* <-, -n> eyebrow; **Augenlid** *s* eyelid; **Augenwischerei** *f FIG* ↑ *Selbsttäuschung* eyewash; **Augenzeuge**(**Augenzeugin** *f*) *m* eye witness

August *m* <-[e]s *o.* -, -e> August; ◇ **im** ~ in August; ◇ **7.** ~ **1991** August 7 [*o.* 7th], 1991

Auktion *f* auction

Aula *f* <-, Aulen *o.* -s> (*Schul-*) auditorium

Au-pair-Mädchen *s* au-pair

Aura *f* <-, Auren> *FIG* ↑ *Ausstrahlung* aura, air

aus **I.** *präp dat* [1] (*von innen nach außen*) out; ◇ ~ **dem Haus gehen** to go out of the house [2] ↑ *von … her* from; ◇ ~ **Spanien kommen** to come from Spain [3] (*zeitlich*) from; ◇ ~ **dem 18. Jahrhundert** from the 18th century [4] (*Beschaffenheit*) of; ◇ **dieser Stuhl ist** ~ **Holz** this chair is made of [*o.* out of] wood; ◇ **Käse wird** ~ **Milch hergestellt** cheese is made from milk [5] ↑ *aufgrund* because of, due to; ◇ ~ **Liebe** out of love **II.** *adv* [1] (*zu Ende*) finished, over; ◇ **das Spiel ist** ~ the game is over [2] ↑ *abgeschaltet* off [3] ◇ **von mir** ~ it's O.K. with me, as far as I'm concerned [4] ◇ **von sich** ~ (*von selbst*) on his own [5] ◇ **auf etw** *akk* ~ **sein** to be set on s.th. [*o.* fixed]; **Aus** *s* <-> [1] *FIG* ↑ *Ende* end [2] SPORT out-of-bounds; ◇ **der Ball ist im** ~ the ball is out

ausarbeiten *vt* → *Plan* draw/pull up, work out

ausarten *vi* get out of hand

ausbaden *vt FAM* → *Dummheit* face the consequences

Ausbau **I.** *m* <-[e]s> (*von Motor*) removal **II.** *m* <-s, Ausbauten> ↑ *Erweiterung* (*von Haus*) extension; (*von Ideen etc.*) elaboration; **ausbauen** *vt* [1] ↑ *herausnehmen* remove [2] ↑ *erweitern* → *Idee* elaborate; → *Haus* extend [3] ↑ *weiterführen* → *Projekt* extend; **ausbaufähig** *adj FIG* ▷*Gedanke, Idee*: ◇ **der Gedanke ist** ~ this thought can be elaborated on

ausbessern *vt* → *Wäsche* mend; → *Haus* repair; → *Text* correct; **Ausbesserungsarbeiten** *pl* repair work

ausbeulen *vt* beat out a dent

Ausbeute *f* profit, gain; **ausbeuten** *vt* [1] ↑ *ausnutzen* → *Arbeiter* exploit; → *Unwissenheit* to take advantage of s.th. [2] ↑ *fördern* → *Rohstoffe* exploit

ausbezahlen *vt FAM* → *Gehalt* pay out; → *Erbteil* pay out

ausbilden *vt* [1] ↑ *lehren* → *Lehrling* train s.o. (*zu* as) [2] ↑ *fördern* → *Können* develop; **Ausbildung** *f* (*Schul-*) education; (*Berufs-*) [vocational] training

ausbleiben *unreg vi* [1] ← *Gäste* not show up [2] ← *Ereignisse* not occur; ◇ **das wird nicht** ~ that is bound to happen

Ausblick *m* [1] ↑ *Aussicht* view (*auf akk* of) [2] *FIG* ↑ *Perspektive* out look (*auf akk* on), prospect (*auf akk* for)

ausbrechen *unreg* **I.** *vi* [1] (*aus Gefängnis*) break out, escape [2] (*in Freudengeschrei, Tränen*) break out, burst out [3] ← *Krankheit* break out [4] ← *Vulkan* erupt **II.** *vt* [1] break out [2] ↑ *sich übergeben* → *Essen* vomit, throw up

ausbreiten I. *vt* [1] → *Teppich* lay; → *Gegenstände* spread out [2] → *Arme* open **II.** *vr* ◇ **sich** - [1] ← *Feuer* spread [2] ← *Gebiet* spread, cover [3] (*FAM etw ausführlich behandeln*) ◇ **er breitete sich über seine Probleme aus** he covered his problems in detail; **Ausbreitung** *f* expansion

Ausbruch *m* [1] (*Gefängnis-*) escape [2] (*Gefühls-*) outburst, eruption [3] (*Krankheits-*) outbreak

ausbrüten *vt* [1] → *Ei* hatch [2] *FIG* ↑ *ausdenken* → *Plan* cook up, hatch up

ausbürsten *vt* brush off

Ausdauer *f* endurance, stamina

ausdehnen I. *vt* [1] → *Gebiet* extend [2] → *Sendezeit* go overtime, prolong [3] *FIG* → *Macht* extend **II.** *vr* ◇ **sich** - [1] ↑ *sich erstrecken* stretch, extend [2] ↑ *größer werden* expand; **Ausdehnung** *f* extension, stretching; expansion;

ausdenken *unreg vt* ↑ *erfinden* → *Geschichte* make up, think up; ◇ **sich** *dat* **etw** - to think of s.th.

ausdiskutieren *vt* → *Problem* talk s.th. out

Ausdruck *m, pl* <Ausdrücke> [1] ↑ *Miene* (*Gesichts-*) expression [2] ↑ *Formulierung* ▷*sprachlich* expression [3] ↑ *Stil, Wirkung* ▷*künstlerisch* expression [4] ◇ **etw zum - bringen** to express s.th.

Ausdruck *m, pl* <-e> (*Computer-*) printout, hardcopy; **ausdrucken** *vt* PC: ◇ **eine Datei** - to print a file

ausdrücken I. *vt* [1] ↑ *auspressen* → *Zitrone* press out, squeeze [2] → *Zigarette* put out [3] ↑ *formulieren* → *Gedanken* express [4] ↑ *zeigen* → *Beileid* express **II.** *vr* ◇ **sich** - ↑ *sprechen* to express o.s.; ◇ **sich gewählt** - to express o.s. carefully, to weigh one's words; **ausdrücklich** *adj* clear; ◇ **etw - verbieten** to strictly forbid s.th.; **ausdruckslos** *adj* expressionless; **ausdrucksvoll** *adj* expressive, full of expression; **Ausdrucksweise** *f* way of expressing o.s.

ausdünnen *vt* clear out, thin out

auseinander *adv* ↑ *getrennt* apart; **auseinandergehen** *unreg vi* [1] ↑ *sich trennen* separate [2] ↑ *differieren* ← *Meinungen* differ [3] ↑ *kaputtgehen* ← *Gegenstand* fall apart, break apart [4] *FAM* ↑ *dick werden* get fat, gain weight; **auseinanderhalten** *unreg vt FIG* ↑ *unterscheiden* → *Personen* tell apart, distinguish; → *Gedanken* keep apart; **auseinandernehmen** *vt* take apart; **auseinandersetzen I.** *vt* → *Sachlage* ↑ *erklären* explain, discuss; ◇ **jd-m etw** - to explain s.th. to s.o. **II.** *vr* ◇ **sich** - ↑ *intensiv beschäftigen* (*mit Thema*) occupy o.s. (*mit* with); **Auseinandersetzung** *f* argument, quarrel

auserlesen *adj* ▷*Wein* select

Auserwählte *m* REL the Chosen One

ausfahren *unreg* **I.** *vi* [1] ↑ *spazierenfahren* go for a ride [2] ↑ *hinausfahren* ← *Zug, Schiff* depart [3] → *Zeitungen, Brötchen* deliver **II.** *vt* [1] ↑ *spazierenfahren* → *jd-n* drive s.o. around [2] TECH → *Fahrwerk* lower [3] ↑ *abnutzen* → *Weg* wear down [4] → *Wagen* drive full speed

Ausfahrt *f* [1] ↑ *Spazierfahrt* ride [2] (*Autobahn-, Garagen-*) exit; ◇ - **freihalten!** No parking in front of driveway [3] ↑ *Hinausfahren* (*des Zuges etc.*) departure

Ausfall *m* [1] (*Arbeits-*) loss [2] TECH (*Maschinen-*) standstill [3] (*Haar-, von Zähnen*) loss [4] ↑ *Resultat* (*von Prüfung*) result, outcome; **ausfallen** *unreg vi* [1] ↑ *nicht zur Verfügung stehen* ← *Arbeiter* not be available; ← *Lohn* not be provided [2] ↑ *nicht funktionieren* ← *Maschine* be out of order, malfunction; ◇ **der Strom ist ausgefallen** there is no electricity [3] ↑ *herausfallen* ← *Zähne, Haare* fall out [4] ↑ *Ergebnis haben* ← *Klassenarbeit, Spiel* turn out [5] ↑ *nicht stattfinden* ◇ **der Unterricht fällt heute aus** class is cancelled today; **ausfallend** *adj* ↑ *beleidigend*: ◇ - **werden** to become abusive; **Ausfallstraße** arterial road, outbound road

ausfertigen *vt* → *Urkunde* complete, issue; **Ausfertigung** *f* completion; ◇ **in zweifacher/dreifacher** - in duplicate/triplicate

ausfindig machen *vt* locate, find

ausfliegen *unreg vi* (*FAM weggehen*): ◇ **sie ist ausgeflogen** she popped out

ausflippen *vi FAM* (*vor Freude, Wut etc.*) flip out, freak out

Ausflucht *f* <-, Ausflüchte> excuse, alibi

Ausflug *m* (*Betriebs-*) trip, outing, excursion; ◇ **einen - machen** to go on an excursion; **Ausflügler** traveller, [day] tripper

Ausfluß *m* [1] ↑ *Ausfließen* (*von Flüssigkeit*) leaking [2] ↑ *Abfluß* drainage [3] MED ↑ *Sekret* discharge

ausformulieren *vt* express

ausfragen *vt* question

ausfransen *vi* ravel

ausfressen *unreg vt* [1] eat up [2] *FAM* ◇ **etw** - to get into trouble

Ausfuhr I. *f* <-, -en> ↑ *Export* export **II.** *in Zusammensetzungen* export; **ausführen** *vt* [1] ↑ *exportieren* export [2] → *Plan* carry out [3] ↑ *erklä-*

ren explain [4] ↑ *spazierenführen* → *Hund* take out

ausführlich *adj* detailed, thorough; **Ausführung** *f* [1] (*von Plan*) execution, carrying out [2] ↑ *Darstellung* (*von Thema*) presentation, explanation [3] (*Luxus-*) model

ausfüllen *vt* [1] → *Formular* fill in/out [2] ↑ *befriedigen* ← *Beruf* satisfy, fulfill

Ausgabe *f* [1] ↑ *Herausgeben* (*von Waren*) distribution, handing out [2] ↑ *Rückgabe* (*Gepäck-*) baggage claim [3] ↑ *Aufwand* (*von Geld*) expense [3] ↑ *Veröffentlichung* (*von Buch, Zeitung*) edition [4] (PC *von Daten*) output

Ausgang *m* [1] (*-stür*) exit [2] (*von Diskussion*) conclusion, outcome; (*von Spiel*) outcome, result; (*von Roman*) ending; (*von Zeitabschnitt*) end [3] ↑ *Ausgehen* leave; ◇ **die Kinder haben heute** ~ the children have the permission to go out today; **Ausgangspunkt** *m* (*Beginn, Start, von Reise etc.*) point of departure; (*FIG von Diskussion etc.*) starting point

ausgebaut *adj* ▷*Straßennetz, Schulsystem* developed

ausgeben *unreg* **I.** *vt* [1] ↑ *aufwenden* → *Geld* spend [2] ↑ *verteilen* → *Essen* give out, pass out [3] ↑ *spendieren* → *Runde Schnaps* pay, treat s.o. to **II.** *vr* ◇ **sich für etw/jd-n** ~ ↑ *vortäuschen, vorgeben* to pretend to be s.o. else

ausgebucht *adj* ▷*Flug, Hotel* booked up

ausgebufft *adj FAM* [1] ↑ *erschöpft* beat, pooped out [2] ↑ *raffiniert* ◇ **ein -er Betrüger** a tricky con-man

ausgedehnt *adj* [1] ▷*Gummiband etc.* stretched [2] ▷*Spaziergang* extended, long

ausgedient *adj* [1] ↑ *abgenutzt* ▷*Sache* worn out, beat up; ◇ **dieses Auto hat** ~ this car is on its last string [2] ↑ *im Ruhestand* ▷*Soldat* veteran

ausgefallen *adj* unusual, extraordinary

ausgeglichen *adj* [1] ▷*Person* consistent, stable [2] ▷*Verhältnis* even, balanced; ▷*Spiel* even; **Ausgeglichenheit** *f* ↑ *Ruhe, Harmonie* stability, balanced nature

ausgehen *unreg vi* [1] (*zum Essen, ins Kino etc.*) go out [2] ← *Feuer, Licht* go out [3] ← *Haare* fall out [4] ↑ *Ergebnis haben* turn out; ◇ **wie ist der Film/das Spiel ausgegangen?** how did the film/game turn out? [5] ↑ *zu Ende gehen* ← *Geld* run out [6] ↑ *abstammen* ← *Initiative* come from, originate from [7] ◇ **ich gehe davon aus, daß du Hunger hast** I assume that you are hungry

ausgekocht *adj FIG* ↑ *raffiniert* tricky, clever, sly

ausgelassen *adj* relaxed, loose

ausgelastet *adj* ▷*Arbeiter* fully occupied; ▷*Maschine* in full operation

ausgelernt *adj*: ◇ ~ **haben** to be qualified

ausgemacht *adj* [1] ↑ *vereinbart* agreed; ◇ **es ist** ~**, daß …** it was agreed that … [2] *FAM* ↑ *groß* utter, complete; ◇ **ein -er Dummkopf** a complete fool

ausgenommen *cj* ↑ *bis auf* except [for], apart from; ◇ **er ißt alles,** ~ **Käse** he eats everything except cheese; ◇ **Anwesende** ~ except for the ones present

ausgeprägt *adj* [1] ↑ *stark* ▷*Interesse* strong [2] ↑ *markant* ▷*Gesichtszüge* distinctive

ausgerechnet *adv* ↑ *gerade*: ◇ ~ **er/heute!** of all people, him!/of all days, today!

ausgeschlossen *adj* [1] ↑ *ausgeräumt* out of the question; ◇ **Irrtum** ~ no error possible [2] ↑ *nicht möglich* impossible; ◇ **etw für** ~ **halten** to consider s.th. impossible [*o.* out of the question] [3] SPORT ↑ *disqualifiziert* disqualified

ausgeschmückt *adj* decorated

ausgeschnitten *adj* ▷*Kleid* low cut

ausgesprochen I. *adj* ↑ *unverkennbar* ▷*Lüge, Schönheit* downright **II.** *adv* ↑ *sehr* very, really, extremely; ◇ **jd-n** ~ **gern haben** to like s.o. very much

ausgestattet *adj* ▷*Haus, Auto* equipped

ausgestorben *adj* [1] ▷*Pflanze* extinct [2] ◇ **die Stadt war wie** ~ the city appeared abandoned

ausgezeichnet *adj* excellent, very good

ausgiebig *adj* ↑ *reichlich* generous; ◇ ~ **frühstücken** to have a large breakfast

Ausgleich *m* <-[e]s, -e> [1] ↑ *Begleichung* (*Konto-*) balance [2] ↑ *Entschädigung* ◇ **zum** ~ as a compensation [3] SPORT ↑ *Gleichstand* tie; (*-stor*) equalizer; **ausgleichen** *unreg* **I.** *vt* [1] → *Unterschied, Mangel* compensate for [2] → *Meinungen* settle [3] → *Konto* balance [4] SPORT → *Spielstand* tie **II.** *vr* ↑ *sich aufheben* ← *Gegensätze* balance out

ausgleiten *vi* (*auf Eis*) slip

ausgraben *unreg vt* [1] → *Wurzeln, antike Stadt* dig up, dig out [2] *FIG* → *alte Mode, Musik* bring back; **Ausgrabung** *f* ▷*archäologisch* excavation

ausgrenzen *vt* (*aus Gesellschaft*) isolate

Ausguß *m* [1] ↑ *Spüle* sink [2] ↑ *Abfluß* drain

aushaben *unreg vt FAM* SCH: ◇ **wir haben um 12 Uhr aus** school's out at 12 o'clock

aushalten *unreg* **I.** *vt* [1] ↑ *ertragen* → *Belästigung* endure, stand; → *Gewicht* bear [2] *FAM* ↑ *für Unterhalt aufkommen* → *Geliebte(n)* support, hold s.o. above the water **II.** *vi* ↑ *durchhalten* hold out

aushandeln *vt* → *Bedingungen, Vertrag* negotiate

aushändigen *vt:* ◇ **jd-m etw** ~ to hand s.th. out to s.o.

Aushang *m* ▷*öffentlich, am schwarzen Brett* notice, announcement; **aushängen** **I.** *vt* ① → *Informationsblatt* put up ② → *Tür* unhinge **II.** *unreg vi* hang **III.** *vr* ◇ **sich** ~ ← *Pullover* stretch; **Aushängeschild** *s* ① ↑ *Reklameschild* sign ② *FIG* symbol

aushecken *vt FAM* → *Plan* cook up

aushelfen *unreg vi* help out; **Aushilfskraft** *f* assistant worker; **aushilfsweise** *adv:* ◇ ~ **arbeiten** to work on a temporary basis

ausholen *vi* ① (*zum Schlag*) swing ② ↑ *große Schritte machen* take big steps ③ *FIG* ◇ **weit** ~ (*erklären*) to go a long way back

aushöhlen *vt* → *Kürbis* hollow out

aushorchen *vt FAM* question

aushungern *vt* (*Stadt im Krieg*) starve out

auskennen *unreg vr* ◇ **sich** ~ ① (*in einer Stadt*) be familiar with ② ↑ *Bescheid wissen* (*in Fragen etc.*) know about, be familiar with

Ausklang *m* (*Jahres~, von Jahreszeit*) end; **ausklingen** *unreg vi* ① ↑ *langsam verklingen* ← *Ton* fade away, abate ② ↑ *zu Ende gehen* ← *Fest, Jahr* close, end

auskommen *unreg vi* ① ↑ *sich verstehen* (*mit Person*) get along with; ◇ **gut miteinander** ~ to get along well with one another ② ↑ *genügend haben* have enough; (*mit Geld*) get by (*mit* with/on); **Auskommen** *s* livelihood; ◇ **sein** ~ **haben** to get by

auskriechen *vi* crawl out

auskugeln *vt FAM* → *Arm* dislocate

auskundschaften *vt* ① ↑ *herausfinden* find out, gather information ② → *Gelände* explore; **Auskunft** *f* <-, Auskünfte> ① ↑ *Information* information *nopl;* ◇ **jd-m eine** ~ **erteilen** to give s.o. some information ② (*Telefon~*) operator; (*Schalter*) information desk

auskuppeln *vi* let the clutch out, disengage the clutch

auslachen *vt* → *jd-n* laugh at s.o.

ausladen *unreg vt* ① ↑ *entladen* → *Fracht* unload ② *FAM* → *Gäste* cancel an invitation

ausladend *adj* ① *weit vorragend* ▷*Kinn* protruding; ▷*Dach* overhanging ② ↑ *ausholend* ▷*Bewegung* sweeping

Auslage *f* ① (*Schaufenster~*) display ② (*von Waren*) display ③ ↑ *Kosten* ◇ **-n** *pl* expenses

Ausland *s* (*Ggs zu Inland*) foreign country; ◇ **im/ins** ~ abroad; **Ausländer(in** *f*) *m* <-s, -> foreigner; **ausländerfeindlich** *adj* hostile to foreigners, xenophobic; **ausländisch** *adj* foreign; ◇ **-e Waren** foreign goods/products; ◇ **-e Mitbürger** foreign citizens; **Auslandsamt** *s* foreign affairs office; **Auslandsaufenthalt** *m* stay abroad; ◇ **längerer** ~ extended stay abroad; **Auslandsgespräch** *s* TELEC long distance call; **Auslandskorrespondent(in** *f*) *m* foreign correspondent; **Auslandsvertretung** *f* (*von Firma*) agency abroad

auslassen *unreg* **I.** *vt* ① ↑ *weglassen* → *Buchstaben* leave out, omit; ↑ *versäumen* → *Chance* miss out; ↑ *übergehen* → *jd-n* leave out, skip ② ↑ *abfließen lassen* → *Wasser* let out; → *Fett* melt ③ ↑ *abreagieren* → *Wut* let out (*an dat* on) ⑤ ↑ *nicht anmachen* → *Licht, Ofen* leave off **II.** *vr* ◇ **sich** ~ ↑ *ausgiebig äußern, reden über* elaborate (*über akk* on); **Auslassungszeichen** *s* apostrophe

Auslauf *m* ① (*für Tiere*) run ② (*Wasser~*) drain, outlet; **auslaufen** *unreg vi* ① ← *Flüssigkeit, Faß* leak (*aus dat* out) ③ ← *Schiff* set out, set sail ④ ↑ *langsam aufhören* ← *Serie, Frist* come to an end

Ausläufer *m* ① (METEOR *Tief~*) trough; (*Hoch~*) ridge ② (*Gebirgs~*) foothills *pl*

ausleben *vr* ◇ **sich** ~ live it up

ausleeren *vt* (*Behälter, Glas*) empty

auslegen *vt* ① ↑ *hinlegen* → *Teppich* lay ② (*zur Ansicht*) display, place ③ ↑ *verleihen* → *Geld* lend; ◇ **jd-m etw** ~ to lend s.o. s.th. ④ → *Text* interpret ⑤ TECH design (*für, auf akk* for); ◇ **für Dauerbelastung ausgelegt** designed for heavy use; **Auslegung** *f* ① ↑ *Deutung* interpretation ② ↑ *Erklärung* explanation

Ausleihe *f* <-, -n> ① ↑ *das Ausleihen* lending ② ↑ *-stelle* check-out counter; **ausleihen** *unreg vt* ① ↑ *verleihen* → *Geld* lend; ◇ **jd-m etw** ~ to lend s.th. to s.o. ② ↑ *leihen* ◇ **sich** *dat* **etw** ~ **von jd-m** to borrow s.th. from s.o.

auslernen *vi* ① ← *Azubi* finish one's training ② *FIG* ◇ **man lernt nie aus** you learn s.th. new every day

Auslese *f* ① ↑ *Auswahl* selection ② ↑ *Elite* elite ③ (*von Wein*) *wine made from carefully selected grapes;* **auslesen** *unreg vt* ① ↑ *auswählen* select ② *FAM* ↑ *zu Ende lesen* → *Buch* finish

ausliefern **I.** *vt* ① → *Flüchtling* turn over (*an akk* to) ② COMM → *Waren* deliver **II.** *vr* ◇ **sich** ~ ① expose o.s. ② ↑ *preisgeben* ◇ **jd-m/einer Sache ausgeliefert sein** to be at the mercy of s.o./s.th.

auslöschen *vt* ① ↑ *ausmachen* → *Licht, Kerze* put out ② *vernichten* → *Tierart, Volk* destroy, terminate; → *Spuren* erase; *FIG* → *Erinnerung* erase, purge, blot out

auslosen *vt* ① draw; ◇ ~ **wer anfängt** to draw to see who goes first ② ↑ *Lose ziehen* → *Gewinner* draw, raffle

auslösen *vt* 1 ↑ *in Gang setzen* → *Alarm* activate 2 ↑ *verursachen* → *Reaktion* cause 3 ↑ *loskaufen* → *Gefangene* bail out; **Auslöser** *m* <-s, -> 1 (TECH *von Kamera*) shutter release; ◊ **den - drücken** to push the shutter release 2 *FIG* ↑ *Anlaß, Reiz* trigger (*für* for)

ausmachen *vt* 1 → *Gerät, Licht etc.* turn off 2 ↑ *löschen* → *Feuer* put out 3 ↑ *vereinbaren* → *Termin* set, arrange 4 ↑ *betragen* ← *Summe* come to, make 5 ↑ *entdecken* discover, find 6 ↑ *stören* matter; ◊ **das macht mir nichts aus** it doesn't matter to me 7 ↑ *besprechen* settle; ◊› **macht das unter euch aus** settle that yourselves

ausmalen *vt* 1 → *Bild* colour 2 *FIG* ↑ *vorstellen* imagine; ◊ **sich** *dat* **etw** - to imagine s.th.

Ausmaß *s* 1 (*von Gebiet*) size 2 *FIG* (*von Katastrophe*) range, extent; **ausmessen** *unreg vt* measure

ausmisten *vti* 1 → *Stall* muck out, fork out 2 *FAM* ↑ *aufräumen* → *Wohnung* clear out

ausmustern *vt* 1 → *Wehrpflichtige* invalid out 2 → *Maschine* take out of service

Ausnahme *f* <-, -n> exception; ◊ **eine - von der Regel machen** make an exception to the rule; **Ausnahmezustand** *m* POL state of emergency; ◊ **den - verhängen** to declare a state of emergency; **ausnahmslos** *adv* without exception; **ausnahmsweise** *adv* as an exception, just this one time; **ausnehmen** *unreg* **I.** *vt* 1 → *Tier* clean out; → *Nest* take out 2 ↑ *nicht berücksichtigen, ausschließen* exclude; ◊ **jd-n von etw** - to exempt s.o. from s.th. 3 *FAM* ↑ *berauben* rob **II.** *vr* ◊ **sich** - ↑ *wirken* look, appear; ◊ **sich gut** - look good; **ausnehmend** *adv* exceptionally

ausnützen *vt* 1 ↑ *nutzen* → *Gelegenheit* take advantage of; → *Einfluß* use 2 → *Person* use, take advantage of; → *Gutmütigkeit* take advantage of

auspacken *vt* 1 → *Koffer* unpack 2 *FAM* → *Geheimnis* open up

auspfeifen *unreg vt* 1 → *Theaterstück* boo out 2 SPORT → *Spiel* blow the whistle

ausplaudern *vt* → *Geheimnis* let out

auspressen *vt* → *Zitrone* squeeze

ausprobieren *vt* 1 ↑ *versuchen* try 2 ↑ *prüfen, testen* → *Maschine* test

Auspuff *m* <-[e]s, -e> TECH, AUTO exhaust pipe, muffler; **Auspuffgase** *s pl* exhaust fumes

ausradieren *vt* 1 → *Zeichnung* erase 2 *FIG* ↑ *vernichten, töten* terminate, wipe out

ausrangieren *vt FAM* scrap

ausrasten *vi* 1 (*Ggs zu einrasten*) become disengaged 2 *FAM* blow one's top

ausrauben *vt* → *jd-n* rob

ausräumen *vt* 1 → *Schrank* empty 2 *FIG* ↑ *beseitigen* → *Konflikt* clear up

ausrechnen *vt* 1 ↑ *errechnen* → *Summe* calculate, work out 2 ↑ *mit etw rechnen* count on, reckon with; ◊ **sich** *dat* **Chancen** - to count on having good chances

Ausrede *f* excuse; ◊ **faule** - bad excuse; **ausreden I.** *vi* ↑ *zu Ende reden* finish speaking; ◊ **jd-n - lassen** to let s.o. finish speaking **II.** *vt:* ◊ **jd-m etw** - to talk s.o. out of s.th.

ausreichend *adj* 1 sufficient 2 SCH ↑ *Note 4* satisfactory

Ausreise *f:* ◊ **bei der** - on leaving the country; **Ausreiseerlaubnis** *f* permission to leave the country; **ausreisen** *vi* leave a country

ausreißen *unreg* **I.** *vt* ↑ *herausziehen* pull out **II.** *vi* 1 ↑ *reißen* ← *Stoff* tear 2 *FAM* ↑ *weglaufen* run away

ausrenken *vr:* ◊ **sich** *dat* **den Arm** - to dislocate one's arm

ausrichten *vt* 1 → *Gruß* tell; ◊ **jd-m etw** - to give s.o. a message 2 ↑ *bewirken* achieve; ◊ **ich kann bei ihm nichts** - I can't get anywhere with him 3 ↑ *einpassen* align s.th. (*nach* according to); ◊ **Angebot nach der Nachfrage** - to arrange the offer according to the demand 4 ↑ *veranstalten* → *Fest* organize, arrange

ausrotten *vt* exterminate

ausrücken *vi* 1 ← *Feuerwehr, Polizei* move out, set out 2 *FAM* ↑ *ausreißen* run away

Ausruf *m* 1 ↑ *Schrei* cry, shout 2 ↑ *Bekanntmachung* announcement; **ausrufen** *unreg vt* 1 (*vor Freude*) exclaim, cry out 2 → *Streik* declare 3 ↑ *rufen* ◊ **jd-n - lassen** to have s.o. paged; **Ausrufesatz** *m* exclamation; **Ausrufezeichen** *s* exclamation mark

ausruhen I. *vr* ◊ **sich** - ↑ *erholen* rest, relax (*von* from) **II.** *vi* rest

ausrüsten *vt* equip, supply; **Ausrüstung** *f* (*Wander-, Schwimm-*) equipment, gear

ausrutschen *vi* slip

Aussage *f* 1 ↑ *Erklärung* statement; ◊ **eine klare** - a clear statement 2 JURA statement; ◊ **- machen** testify, make a statement; ◊ **Falsch-** untrue statement 3 ↑ *Inhalt, Bedeutung* meaning, message; **aussagen I.** *vt* 1 ↑ *mitteilen* state 2 ↑ *ausdrücken, bedeuten* mean **II.** *vi* JURA testify; ◊ **vor Gericht** - to testify in court; **Aussagesatz** *m* SPRACHW assertive sentence

Aussatz *m* leprosy; **Aussätzige(r)** *m+f* leper

ausschachten *vt* excavate

ausschalten *vt* 1 ↑ *ausmachen* → *Gerät, Licht*

turn/switch off [2] *FIG* → *Konkurrenten* get rid of, eliminate

Ausschank *m* bar, pub

ausschauen *vi* [1] ↑ *suchen, warten* look (*nach* out for) [2] *FAM* ↑ *aussehen* look; ◇ **hübsch** ~ to look pretty

ausscheiden *unreg* **I.** *vi* [1] ↑ *nicht in Betracht kommen* be ruled out [2] (*aus Amt*) retire [3] SPORT (*aus Wettkampf*) drop out **II.** *vt* [1] ↑ *ausschließen* → *Möglichkeit* rule out [2] MED ↑ *absondern* → *Sekret* discharge

ausschenken *vt* → *Bier* serve

ausscheren *vi* ← *Auto* pull out

ausschlachten *vt* [1] → *Fahrzeug* make use of parts [2] *FIG* → *Thema, Ereignis* make use of

ausschlafen *unreg* **I.** *vi* [1] sleep late [2] → *Rausch* sleep off **II.** *vr* ◇ **sich** ~ get enough sleep

Ausschlag *m* [1] (MED *Haut-*) rash [2] (*von Zeiger, Pendel*) swing [3] *FIG* ↑ *Anlaß* reason; ◇ **den ~ geben** to be the decisive factor

ausschlagen *unreg* **I.** *vt* [1] ↑ *auskleiden* (*mit Stoff*) line [2] ↑ *verweigern* → *Bitte* turn down **II.** *vi* [1] ← *Pferd* kick, buck; ← *Zeiger* swing [2] ↑ *Blätter treiben* ← *Baum* bud

ausschlaggebend *adj* decisive

ausschließen *unreg vt* [1] ↑ *aussperren* lock out; *FIG* ↑ *nicht miteinbeziehen* exclude (*aus dat* from) [2] *FIG* → *Möglichkeit* rule out; ◇ **etw von vornherein** ~ to rule s.th. out right from the start; **ausschließlich I.** *adj* ↑ *alleinig* sole, exclusive **II.** *adv* ↑ *nur* only; ◇ ~ **im Winter in Urlaub fahren** to go on a holiday only in winter **III.** *präp gen* exclusive of; **Ausschluß** *m* [1] ↑ *Ausschließen* (*von Mitglied*) expulsion (*aus* from) [2] ↑ *Fernhalten* keeping away; ◇ **unter ~ der Öffentlichkeit** closed to the public

ausschmücken *vt* [1] ↑ *dekorieren* decorate [2] *FIG* → *Erzählung* embellish

ausschneiden *unreg vt* [1] (*aus Papier*) cut out [2] → *Bäume* prune, cut back; **Ausschnitt** *m* [1] (*Bild-*) clipping; (*Film-*) clip [2] (*Text-*) extract [3] (*von Kleid*) neckline

ausschreiben *unreg vt* [1] → *Namen* write out [2] → *Stelle* offer [3] ↑ *schreiben* → *Rechnung* write out

Ausschreitung *f* riot; ◇ **~en gegen Asylanten** violence towards refugees

Ausschuß *m* [1] ↑ *Gremium* committee [2] COMM ↑ *fehlerhafte Ware* rejects *pl*

ausschütten I. *vt* [1] → *Tasse* spill [2] → *Gewinn* pour out [3] *FIG* ◇ **sein Herz** ~ to pour out one's heart **II.** *vr* ◇ **sich** ~ *FAM*: ◇ **sich vor Lachen** ~ to split one's sides laughing

ausschweifend *adj* [1] ↑ *luxuriös* luxurious; ◇ **ein ~es Leben führen** to lead a life of luxury [2] ↑ *üppig* ▷*Phantasie* wild

ausschweigen *unreg vr* ◇ **sich** ~ remain silent (*über akk* about)

aussehen *unreg vi* [1] ▷*gut, schlecht, jung* look [2] ◇ **es sieht nicht gut aus** it looks bad [3] appear; ◇ **es sieht nach Schnee aus** it looks like snow; **Aussehen** *s* <-s> appearance, looks *pl*

aussein *unreg vi FAM* [1] ← *Licht, Radio* be off [2] ← *Film, Schule* be over

außen *adv* [1] (*Ggs innen*) outside [2] *FIG* ◇ **nach** ~ outwardly

aussenden *unreg vt* [1] → *Signale* send out [2] → *Person* send out

Außendienst *m* [1] external duty [2] (*von Diplomat*) service abroad; **Außenhandel** *m* foreign trade; **Außenminister(in** *f*) *m* (*BRIT*) foreign minister/secretary; *AM* secretary of state; **Außenpolitik** *f* (*Ggs Innenpolitik*) foreign affairs; **Außenseite** *f* outside, exterior; **Außenseiter(in** *f*) *m* <-s, -> outsider; **Außenstehende(r)** *m+f* outsider

außer I. *präp akk/dat* [1] ↑ *abgesehen von* except [for], with the exception of; ◇ **alles ~ Käse** everything except for cheese [2] ↑ *außerhalb von* outside; ◇ **er ist ~ Haus** he is not in [3] ◇ ~ **Betrieb** out of operation [4] ◇ ~ **sich** *dat* **sein** to be mad **II.** *cj* [1] ↑ *es sei denn* unless, except if; ◇ **sie arbeitet gern, ~ es scheint die Sonne** she enjoys working unless the sun is shining [2] ◇ ~ **wenn** except when [3] ◇ ~ **daß** except that

außerdem *cj* besides, furthermore

äußere(r, s) *adj* (*Ggs innere(r, s)*) [1] outside, exterior [2] ↑ *von außen sichtbar* outside; ◇ **der ~ Schein** the outward appearance [3] POL foreign; ◇ ~ **Angelegenheiten** external affairs

außerehelich *adj* ▷*Verhältnis* extramarital

außergewöhnlich *adj* ↑ *ungewöhnlich* unusual, extraordinary; ◇ ~ **klug** extraordinarily smart

außerhalb I. *präp gen* [1] (*Ggs innerhalb, räumlich*) outside; ◇ ~ **des Hauses** outside the house [2] (*zeitlich, nicht während*) outside; ◇ ~ **der Sprechstunde** outside of office hours **II.** *adv* (~ *wohnen*) on the outskirts

äußerlich *adj* (*Ggs innerlich*) external

äußern I. *vt* → *Kritik* express **II.** *vr* ◇ **sich** ~ [1] ↑ *Stellung nehmen* comment (*zu dat* on) [2] ↑ *sich zeigen* ← *Freude* express; (*Krankheit*) show, manifest

außerordentlich *adj* [1] ▷*Sitzung* exceptional [2] ↑ *bemerkenswert* ▷*Leistung* extraordinary, remarkable

außerstande *adv* unable, incapable; ◇ **~ sein etw zu tun** to be incapable of doing s.th.

äußerst *adv* ↑ *sehr* very, extremely; ◇ **~ interessant** extremely interesting; **äußerste(r, s)** *adj* [1] ↑ *weiteste(r, s)* (*räumlich*) outermost; ◇ **~ Grenze** upper limit [2] *höchste(r, s)* ▷*Spannung* utmost; ◇ **jd-n bis aufs Ä~ reizen** to push s.o. to his/her limits; ▷*Angebot* highest offer

Äußerung *f* [1] ↑ *Bemerkung* ▷*schriftlich* statement; ▷*mündlich* remark, comment [2] (*Gefühls~*) sign

aussetzen **I.** *vt* [1] → *Tier* put out; → *Kind* abandon [2] → *Belohnung* offer [3] ↑ *verschieben* → *Verfahren* suspend [4] ↑ *beanstanden* ◇ **an jd-m/etw etwas ~** find fault with s.o./s.th. **II.** *vi* [1] ← *Motor, Organ* fail [2] ↑ *pausieren* take a break **III.** *vr* ◇ **sich ~** (*der Sonne*) expose o.s. (*dat* to)

Aussicht *f* [1] ↑ *Panorama* panorama, view [2] ↑ *Erwartung, Chance* prospect, chance (*auf akk* of); ◇ **etw in ~ haben** to have good prospects of s.th.; **aussichtslos** *adj* hopeless, pointless; **aussichtsreich** *adj* hopeful, promising; **Aussichtsturm** *m* lookout tower; **Aussichtswagen** *m* observation car

aussitzen *unreg vt* → *Krise* wait out

aussöhnen **I.** *vt* ↑ *versöhnen* → *jd-n* reconcile **II.** *vr* ◇ **sich ~:** ◇ **sich mit jd-m ~** to make up with s.o.; **Aussöhnung** *f* reconciliation

aussortieren *vt* sort out

ausspannen **I.** *vt* [1] → *Pferd* unharness [2] *FAM* ↑ *abspenstig machen* → *Freund(in)* steal s.o.'s girlfriend/boyfriend **II.** *vi* relax, rest

aussperren *vt* [1] lock out [2] (*bei Streik*) lock out; **Aussperrung** *f* lockout

ausspielen **I.** *vt* [1] → *Karte* play [2] *FIG* ↑ *einsetzen* → *Einfluß* use [3] *FIG* ↑ *intrigieren* ◇ **jd-n gegen jd-n ~** to turn s.o. against s.o. **II.** *vi* (*beim Kartenspiel*) play; *FIG* ◇ **du hast ausgespielt** you've played your last card

Aussprache *f* [1] ↑ *Artikulation* pronunciation [2] (*nach Streit*) talk; **aussprechen** *unreg* **I.** *vt* [1] ↑ *artikulieren* pronounce [2] ↑ *ausreden* finish talking [3] ↑ *äußern* → *Verdacht* utter **II.** *vr* ◇ **sich ~** [1] talk s.th. out [2] ▷*lobend* praise (*über akk* s.o.) [3] ↑ *sich anvertrauen* confide in s.o.; **Ausspruch** *m* [1] ↑ *Äußerung* remark [2] ↑ *Satz, Zitat* quotation

ausspülen *vt* rinse out

Ausstand *m* strike; ◇ **in den ~ treten** to go on a strike

ausstatten *vt* [1] ↑ *einrichten* → *Wohnung* furnish [2] ↑ *versorgen* equip, provide; **Ausstattung** *f* [1] ↑ *Einrichtung* furnishings [2] (*Auto~*) equipment

ausstechen *unreg vt* [1] → *Augen* poke, gouge [2] *FIG* ↑ *übertreffen* → *jd-n* surpass

ausstehen *unreg* **I.** *vt:* ◇ **ich kann sie nicht ~** I can't stand her **II.** *vi* remain to be done; ← *Entscheidung* remain to be met; ← *Zahlungen* be owed

aussteigen *unreg vi* [1] (*aus Bus etc.*) get off [2] *FAM* ↑ *nicht mehr mitmachen* drop out, get out (*aus dat* of); **Aussteiger(in** *f*) *m* (*FAM aus Alltag*) dropout

ausstellen *vt* [1] ↑ *zeigen* → *Bilder* show, display [2] ↑ *schreiben* → *Rechnung, Dokument* issue, write out [3] *FAM* → *Radio* turn off; **Aussteller(in** *f*) *m* exhibitor; **Ausstellung** *f* [1] (*von Gemälden*) exhibition [2] (*von Rechnung, Urkunde etc.*) issuing; **Ausstellungsgelände** *s* exhibition grounds *pl*

aussterben *unreg vi* die out, become extinct

Aussteuer *f* dowry

Ausstieg *m* <-s, -e> exit

ausstopfen *vt* → *Kissen, Vogel* stuff

ausstoßen *unreg vt* [1] → *Rauch* blow out [2] → *Laut* give [3] ↑ *hinauswerfen, ausgrenzen* (*aus Gemeinschaft*) expel, banish

ausstrahlen *vt* [1] ↑ *von sich geben* → *Wärme* give off, emit [2] MEDIA → *Sendung* broadcast, transmit [3] *FIG* → *gute Laune* spread; **Ausstrahlung** *f* [1] *FIG* (*von Person*) air, countenance [2] (MEDIA *von Sendung*) broadcasting

ausstrecken *vt* → *Hand* stretch out

ausströmen *vi* ← *Gas* escape; ← *Flüssigkeit* pour out, flow out

aussuchen *vt* choose, select; ◇ **sich** *dat* **etw ~** to choose s.th.

Austausch *m* exchange; **austauschbar** *adj* exchangeable; **Austauschdienst** *m:* ◇ **Deutscher akademischer ~** *German exchange student program;* **austauschen** *vt* [1] ↑ *wechseln* → *Motor* change [2] → *Gedanken* exchange; **Austauschmotor** *m* AUTO replacement engine

austeilen *vt* distribute

Auster *f* oyster; **Austernschale** *f* oyster shell

austoben *vr:* ◇ **die Kinder müssen sich ~** the children have got to let their steam off

austragen *unreg vt* [1] ↑ *austeilen* → *Briefe* deliver [2] → *Streit* have [3] ↑ *abhalten* → *Wettkämpfe* hold [4] → *Kind* bear

Australien *s* Australia; ◇ **nach ~ fahren** to travel to Australia; **Australier(in** *f*) *m* <-s, -> Australian; **australisch** *adj* Australian

austreten *unreg* **I.** *vi* [1] (*aus Partei*) leave, resign from [2] ↑ *zur Toilette gehen* go to the toilet [3] ← *Gas* flow out, escape **II.** *vt* [1] → *Zigarette* put out [2] ↑ *abnutzen* → *Treppe* wear out

A

austrinken *unreg vt* ↑ *leertrinken* → *Tasse etc.* empty, drink up

Austritt *m* [1] (*aus Partei etc.*) resignation [2] (*von Öl etc.*) outflow

austrocknen *vi* ← *Kehle, Fluß* dry up; ← *Pflanze* dry out

ausüben *vt* [1] → *Beruf* practice [2] → *Reiz* have an attraction (*auf jd-n* for s.o.) [3] → *Macht, Druck* exercise (*auf akk* on); **Ausübung** *f* (*von Beruf, Kunst etc.*) practice; (*von Macht, Einfluß etc.*) exercise

Ausverkauf *m* COMM sell-out, liquidation sale; **ausverkauft** *adj* [1] ▷*Karten* sold out [2] ↑ *vollbesetzt* ▷*Theater* sold out

Auswahl *f* [1] ↑ *Sortiment* (*an Waren*) assortment, variety (*an dat* of) [2] ↑ *Auslese* (*an Früchten etc.*) selection; **auswählen** *vt* choose, select

auswandern *vi* emigrate; **Auswanderung** *f* emigration

auswärtig *adj* [1] ◇ - **Gäste** guests from out of town [2] foreign [3] POL ◇ **A-es Amt** German Foreign Office; **auswärts** *adv* [1] ↑ *außerhalb* somewhere else; ◇ - **essen** to eat out [2] ↑ *nach außen* outwards; ◇ - **gerichtet** directed outwards; **Auswärtsspiel** *s* (SPORT *Ggs Heimspiel*) away game

auswechseln *vt* exchange

Ausweg *m FIG* solution; ◇ **nach einem - suchen** to look for a solution; **ausweglos** *adj FIG* hopeless; ◇ **-e Lage** hopeless situation

ausweichen *unreg vi* [1] ↑ *Platz machen* make way, make room; ◇ **jd-m/einer Sache** - to avoid s.o./s.th. [2] *FIG* ↑ *sich entziehen* evade; ◇ **einer Frage** - to evade a question; **ausweichend** *adj FIG* ▷*Antwort* evasive

ausweinen *vr* ◇ **sich** - have a good cry

Ausweis *m* <-es, -e> [1] (*Personal-*) identity card [2] (*Bibliotheks-*) membership card; **ausweisen** *unreg* **I.** *vt* (*aus einem Land*) expel, banish **II.** *vr* ◇ **sich** - ↑ *legitimieren* identify o.s.; **Ausweispapiere** *pl* identity papers *pl*

Ausweisung *f* expulsion

Ausweitung *f* expansion

auswendig *adv:* ◇ - **lernen/können** by heart

auswerfen *vt* ← *Maschiene* eject; → *Angel* cast [out]

auswerten *vt* → *Statistik* analyze, evaluate; **Auswertung** *f* analysis, evaluation

auswirken *vr* ◇ **sich** - have an effect (*auf akk* on); **Auswirkung** *f* effect (*auf akk* on)

auswischen *vt* [1] ↑ *säubern* → *Schrank etc.* wipe out [2] ↑ *wegwischen* wipe out [3] *FAM* ◇ **jd-m eins** - to cause s.o. trouble

auswringen *vt* → *Wäsche* wring out

Auswuchs *m FIG* excess

auswuchten *vt* → *Reifen, Räder* balance

auszahlen I. *vt* → *Geld* pay out; → *Miterbe* pay off **II.** *vr* ◇ **sich** - ← *Mühe* pay

auszählen *vt* [1] → *Stimmen* count [2] (SPORT *beim Boxen*) count out

auszeichnen I. *vt* [1] → *Ware* price [2] (*mit Orden*) honour **II.** *vr* ◇ **sich** - (*durch Leistung*) excel; (*durch Eigenschaft*) distinguish o.s.; **Auszeichnung** *f* [1] ↑ *Preisangabe* price tag [2] ↑ *Ehrung* award [3] ↑ *Gunst* honour [4] ◇ **mit** - with excellence

ausziehbar *adj* ▷*Tisch* extendable; **ausziehen** *unreg* **I.** *vt* [1] → *Kleidung* take off [2] *herausziehen* → *Unkraut* pull out; → *Antenne* pull out, extend **II.** *vr* ◇ **sich** - ↑ *sich entkleiden* (*Ggs sich anziehen*) undress, take off one's clothes **III.** *vi* [1] (*aus Wohnung*) move out [2] ↑ *fortziehen* move away; **Ausziehtisch** *m* extendable table, pullout table

Auszubildende(r) *m+f* trainee

Auszug *m* [1] (*aus Wohnung*) move [2] (*Konto-*) bank statement [3] (*Text-*) extract

auszupfen *vt* pluck out

authentisch *adj* authentic, genuine

Autismus *m* MED autism

Auto *s* <-s, -s> car, automobile; ◇ - **fahren** to drive, to go by car; **Autobahn** *f* AUTO *Bundes-, BRIT* motorway; *AM* interstate, freeway; **Autofahrer(in** *f*) *m* driver; **Autofriedhof** *m* junkyard

autogen *adj:* ◇ **-es Training** self-hypnosis

Autogramm *s* <-s, -e> autograph

Autokino *s* drive-in [theater]

Automat *m* <-en, -en> [1] (*Münz-, Zigaretten-*) machine [2] ↑ *Maschine* machine [3] ↑ *Roboter* robot; **Automatikgetriebe** *s* (*Ggs Schaltgetriebe*) automatic transmission; **Automatikgurt** *m* automatic seatbelt; **Automation** *f* automation; **automatisch** *adj* [1] ↑ *mechanisch* ▷*Herstellung* automatic [2] ↑ *intuitiv* ▷*Reaktion* automatically

Automechaniker *m* car mechanic; **Automobilausstellung** *f* car show; **Automobilindustrie** *f* automobile/car industry

autonom *adj* autonomous; **Autonome** *pl unorganized leftist outsiders and critics of society*

Autopsie *f* autopsy

Autor(in *f*) *m* <-s, -en> (*Buch-*) author

Autoradio *s* car radio; **Autoreifen** *m* tyre, tire *AM*; **Autorennen** *s* car race

autoritär *adj* [1] ▷*Erziehung* authoritarian [2] ↑ *totalitär* ▷*Regime* totalitarian; **Autorität** *f* [1] ↑

Fachmann expert [2] ↑ *Ansehen* authority; ◇ **jd-s ~ untergraben** to undermine s.o.'s authority
Autounfall *m* automobile accident, car crash; **Autoverleih** *m* car rental; **Autowrack** *s* wreck
Aversion *f* aversion (*gegen jd-n/etw* to)
Axiom *s* axiom
Axt *f* <-, Äxte> axe
Azubi *m* <-s, -s>, *f* <-, -s> *Akr v.* **Auszubildende(r)**

B

B, b *s* B, b; MUS b flat
Baby *s* <-s, -s> ↑ *Säugling* baby; **Babyausstattung** *f* layette; **babysitten** *vi* baby-sit
Bach *m* <-[e]s, Bäche> stream, brook, creek *AM*; **Bachstelze** *f* ZOOL wagtail
Backblech *s* baking tray, cookie sheet *AM*
Backbord *s* (NAUT *linke Seite*) port
Backe *f* <-, -n> ↑ *Wange* cheek
backen <backte, gebacken> **I.** *vi* bake **II.** *vt* (*in Ofen*) bake; (*in Pfanne*) fry, bake
Backenknochen *m* ANAT cheekbone; **Backenzahn** *m* molar
Bäcker(in *f*) *m* <-s, -> (*von Brot*) baker; (*Fein-*) pastry-cook; **Bäckerei** *f* [1] (*Laden*) baker's [shop], bakery [2] ↑ *-gewerbe* baking; **Backofen** *m* oven; **Backpulver** *s* baking powder; **Backstein** *m* [solid] brick
backte *impf von* **backen**
Bad *s* <-[e]s, Bäder> [1] (*Voll-*) bath; ↑ *Schwimmen* swim, dip [2] (*Badezimmer*) bathroom [3] (*Kur-*) spa, health resort; **Badeanstalt** *f* [public] swimming pool *pl;* **Badeanzug** *m* bathing suit; **Badehose** *f* swimming trunks *pl;* **Badekappe** *f* bathing cap; **Bademantel** *m* bath[ing] robe; **Bademeister(in** *f*) *m* lifeguard *AM*; **baden I.** *vt* → *Baby* bath, wash **II.** *vi* [1] (*in Wanne*) have/take a bath [2] (*im Meer*) go swimming, take a dip; **Badeort** *m* spa, seaside resort; **Badetuch** *s* bath towel; **Badewanne** *f* bath [tub]; **Badezimmer** *s.* **Bad 2**
Bafög *s* <-> *Akr v.* **Bundesausbildungsförderungsgesetz** *financial aid for education*
Bagatelle *f* trifle, bagatelle; **bagatellisieren** *vt* ↑ *herunterspielen* play down, make light of
Bagger *m* <-s, -> TECH excavator; **Baggersee** *m flooded gravel pit*
Bahn *f* <-, -en> [1] (*Eisen-*) railway, railroad *AM*; ↑ *Zug* train [2] ↑ *Weg, Pfad* road, way; ↑ *Spur* lane; ◇ **auf die schiefe ~ geraten** *FIG* ↑ *kriminell werden* to go downhill [3] (*Wettkampf-*) track [4] (*Tapeten-*) strip; **bahnbrechend** *adj* pioneering; **Bahndamm** *m* railway embankment; **bahnen** *vt:* ◇ **sich/jd-m einen Weg ~** clear a way for s.b./s.th.; **Bahnfahrt** *f* train trip; **Bahnhof** *m* [railway] station; (*Bus-*) terminus, terminal *AM*; ◇ **auf dem ~** at the station; ◇ **jd-n am ~ abholen** to fetch s.o. [*o.* pick s.b. up] from the station; ◇ **jd-n zum ~ bringen** to bring/take s.b. to the station; **Bahnhofshalle** *f* station concourse; **Bahnhofsmission** *f* traveller's aid; **Bahnhofswirtschaft** *f* station restaurant; **Bahnpolizei** *f* station police, British Rail Police *BRIT*; **Bahnsteig** *m* <-[e]s, -e> platform; **Bahnstrecke** *f* [railway] line; **Bahnübergang** *m* level crossing *BRIT*, railroad crossing *AM*
Bahre *f* <-, -n> bier
Baiser *s* <-s, -s> meringue
Bakterie *f* <-, -n>, **Bakterium** *s* <-s, -ien> MED bacterium, bacteria *pl; FAM* bug
Balance *f* <-, -n> balance, equilibrium; **balancieren** *vt* → *Tablett* balance
bald *adv* [1] ↑ *in Kürze* soon; ◇ **~ danach/darauf** soon afterwards; ◇ **auf/bis ~** see you later [2] ↑ *annähernd* almost; ◇ **ich warte schon bald eine Stunde** I have been waiting for almost an hour
Baldachin *m* <-s, -e> ↑ *Stoffdach* canopy
baldig *adj* early, speedy; ◇ **für die ~e Zusendung der Waren wären wir Ihnen dankbar** we would be grateful if the goods could be dispatched promptly
baldmöglichst *adv* as soon as possible
Baldrian *m* <-s> valerian
balgen *vr* ↑ *sich raufen* tussle, have a scrap
Balkan *m* <-s> Balkans *pl*
Balken *m* <-s, -> (*von Bauholz*) beam; ◇ **er lügt, daß sich die ~ biegen** he lies like a trooper
Balkon *m* <-s, -s *o.* -e> (*an Haus*) balcony
Ball [1] *m* <-[e]s, Bälle> (*Fuß-*) ball; ↑ *Kugel* (*Schnee- etc.*) ball; ◇ **am ~ bleiben** *FIG* ↑ *nicht lockerlassen* to keep the ball rolling
Ball [2] *m* <-[e]s, Bälle> (*festlicher Tanz*) dance, ball
Ballade *f* <-, -n> ballad
Ballast *m* <-[e]s, -e> [1] (*zum Beschweren*) ballast [2] *FIG* ↑ *Bürde* weight, burden; **Ballaststoffe** *mpl* (*in Nahrung*) roughage *sg*
ballen I. *vt* → *Fäuste* clench **II.** *vr* ◇ **sich zusammen~** ← *Wolken* gather
Ballen *m* <-s, -> [1] (*Stoff-*) bale [2] (ANAT *an Fuß*) bunion
ballern *vi* [1] ↑ *herumschießen* let off a couple of rounds [2] ↑ *hämmern, klopfen* bang away

Ballett *s* <-[e]s, -e> ballet; **Ballettänzer(in** *f*) *m* ballet dancer; **Ballettruppe** *f* ballet company
Ballistik *f* ballistics *sg*
Balljunge *m* ball boy
Ballkleid *s* ball gown, evening dress/gown
Ballon *m* <-s, -s *o.* -e> (*Luft-, Heißluft-*) balloon
Ballspiel *s* ball game
Ballung *f* concentration; (*von Energie*) build-up; **Ballungsgebiet** *s* congested area, conurbation
Balsam *m* <-s> [1] (*Salbe*) balsam, balm [2] *FIG* ↑ *Wohltat* source of relief
Bambus *m* <-ses, -se> bamboo; **Bambusrohr** *s* bamboo cane
banal *adj* banal, trite
Banane *f* <-, -n> banana
Banause *m* <-n, -n> (*Kunst-*) philistine
band *impf von* **binden**
Band *s* <-[e]s, Bänder> [1] (*Stoff-*) band, cord [2] ANAT ligament [3] (*Ton-*) tape; ◇ **etw auf - aufnehmen** tape/record s.th. [4] (*Fließ-*) production line; ◇ **Fehler am laufenden -** *FIG FAM* ↑ *ein Fehler nach dem anderen* mistakes all the way
Band *m* <-[e]s, Bände> (*Buch-*) volume, tome; ◇ **das spricht Bände** *FIG* ↑ *das ist aufschlußreich* this speaks volumes
Band *f* <-, -s> (*Jazz-, Rock-*) band, group
Bandage *f* <-, -n> bandage; **bandagieren** *vt* → *Bein, Hand etc.* bandage
Bandarbeit *f* assembly line production; **Bandbreite** *f* [1] PHYS frequency range [2] *FIG* ↑ *Auswahl* range, variety
Bande *f* <-, -n> [1] (*Straßen-*) gang [2] (*scherzhaft Rassel-*) bunch
bändigen *vt* [1] → *wilde Tiere* tame; → *Pferde* break in [2] → *Wut* master, keep under control [3] → *Naturkräfte* harness
Bandit(in *f*) *m* <-en, -en> bandit; ◇ **einarmiger -** (*FIG Spielautomat*) one arm bandit
Bandsäge *f* band saw; **Bandscheibe** *f* ANAT disc; **Bandwurm** *m* (*Plattwurm*) tapeworm
bange *adj* ↑ *beklommen* scared; ◇ **mir ist -** I'm scared; (*- Minuten*) ↑ *angsterfüllt* anxious; **bangen** *vi:* ◇ **ich bangte um ihr Leben** I feared for her life
Bank *f* <-, Bänke> [1] (*Sitzmöbel*) bench; ◇ **etw ständig auf die lange - schieben** to keep putting s.th. off [2] (*Werk-*) workbench [3] (*Korallen-*) reef
Bank *f* <-, -en> [1] (*Kreditinstitut*) bank [2] (*Spiel-*) casino [3] (*Organ-*) [human organ] bank; **Bankanweisung** *f* ↑ *Zahlungsanweisung* banker's order; **Bankbeamte(r)** *m* bank clerk; **Bankbeamtin** *f* bank clerk
Bankett *s* <-[e]s, -e> [1] ↑ *Festessen* banquet, dinner [2] ↑ *Straßenrand* verge
Bankgeschäft *s* banking transactions *pl;* **Bankier** *m* <-s, -s> banker; **Bankkonto** *s* bank account; **Bankleitzahl** *f* bank code number; **Banknote** *f* banknote, bill *AM*; **Bankraub** *m* bank robbery
bankrott *adj* bankrupt; **Bankrott** *m* <-[e]s, -e> ↑ *Zahlungsunfähigkeit* bankruptcy; ◇ **- machen** to go bankrupt
Banküberweisung *f* bank transfer; **Bankverbindung** *f* ↑ *Kontonummer* banking details *pl;* **Bankwesen** *s* banking
Banner *s* <-s, -> ↑ *Flagge* banner, flag
Bantamgewicht *s* bantam weight
bar *adj* [1] ↑ *bloß, nackt* bare; (*frei von*) devoid (*gen* of); ↑ *offenkundig* utter, sheer; ◇ **-er Unsinn** complete nonsense [2] ▷ *bezahlen* in cash; ◇ **etw gegen - verkaufen** to sell s.th. for cash; ◇ **etw für -e Münze nehmen** *FIG* ↑ *nicht ernst Gemeintes glauben* to take s.th. at its face value
Bar *s* METEO bar
Bar *f* <-, -s> [1] ↑ *Theke* bar, counter [2] ↑ *Nachtlokal* night club, bar; (*Hotel-*) lounge
Bär *m* <-en, -en> [1] bear; ◇ **jd-m einen -en aufbinden** *FIG* ↑ *Lügengeschichte erzählen* to pull someone's leg [2] ◇ **der Große -** ASTRON the big dipper
Baracke *f* <-, -n> (*Holz-*) hut, shack; (*Wellblech-*) shanty
Barbar(in *f*) *m* barbarian; **barbarisch** *adj* barbaric, barbarous
Bardame *f* barmaid
barfuß *adj* barefoot
barg *impf von* **bergen**
Bargeld *s* cash; **bargeldlos** *adj* non-cash
Barhocker *m* bar stool
Bariton *s* baritone
Barkasse *f* launch
Barkeeper *m* <-s, -> barman, bartender *AM*
barmherzig *adj* merciful, compassionate; **Barmherzigkeit** *f* mercy, compassion
Barock *s* baroque
Barometer *s* <-s, -> barometer
Barren *m* <-s, -> [1] SPORT parallel bars *pl* [2] (*Gold-*) ingot
Barriere *f* <-, -n> ↑ *Schlagbaum* barrier; *FIG* ↑ *Hindernis* obstacle
Barrikade *f* barricade
barsch *adj* harsh
Barsch *m* <-[e]s, -e> ZOOL perch
Barscheck *m* open cheque/check *AM*
barst *impf von* **bersten**
Bart *m* <-[e]s, Bärte> beard; **bärtig** *adj* bearded

Barverkauf *m* cash sale; **Barzahlung** *f* cash payment

Basar *m* <-s, -e> [1] (*orientalischer Markt*) bazaar [2] (*Wohltätigkeits-*) charity sale

Base *f* <-, -n> CHEM base

basieren *vi* ↑ *beruhen auf* be based (*auf dat* on)

Basilikum *s* <-s> basil

Basis *f* <-, Basen> [1] ↑ *Grundlage* basis; (*FIG einer Partei*) grass roots [2] MIL base

basisch *adj* CHEM basic

Basketballspiel *s* basketball [game]

Baß *m* <-sses, Bässe> MUS bass

Bassin *s* <-s, -s> ↑ *Schwimmbecken* pool; ↑ *Teich* pond

Bast *m* <-[e]s, -e> (*-faser*) raffia

basteln I. *vi* (*zum Zeitvertreib*) do handicrafts; *FIG* ↑ *improvisieren, tüfteln* tinker (*an dat* with s.o.) II. *vt* (*selbst herstellen*) make, fashion; **Basteln** *s* ↑ *Heimwerken* handicraft

bat *impf von* **bitten**

Batterie *f* ELECTR battery

Bau [1] *m* <-[e]s> (*von Häusern*) construction

Bau [2] *m* <-[e]s, Bauten> ↑ *Gebäude* building

Bau I. *m* <-s, -e> [1] (*Tier-*) hole, burrow II. *m* <-s> *FIG* ↑ *Gefängnis* slammer; **Bauarbeiter(in** *f*) *m* building worker, construction worker

Bauch *m* <-[e]s, Bäuche> belly, tummy, stomach; ◇ **auf den ~ fallen** *FIG* ↑ *scheitern* to do a belly flop; ◇ **aus dem hohlen ~ antworten** (*FAM spontan*) answer off the cuff; **Bauchlandung** *f* belly landing; **Bauchredner(in** *f*) *m* ventriloquist; **Bauchschmerzen** *pl* stomach-ache, belly-ache; **Bauchtanz** *m* belly dance; **Bauchweh** *s* <-s> *s.* **Bauchschmerzen**; **bauen** *vt, vi* [1] → *Haus etc.* build, construct [2] *FIG* ↑ *verursachen* → *Unfall* have, cause [3] ◇ **auf etw/jd-n ~** rely/count on s.th./s.b.

Bauer *m* <-n *o.* -s, -n> [1] farmer [2] (*Schachfigur*) pawn

Bäuerin *f* ↑ *Bauersfrau* farmer's wife; **bäuerlich** *adj* ↑ *ländlich* rustic, rural; **Bauernbrot** *s coarse brown bread [of loaf]*; **Bauernfrühstück** *s fried potatoes with diced ham and eggs*; **Bauernhaus** *s* farmhouse; **Bauernhof** *m* farm

baufällig *adj* dilapidated, tumbledown; **Baufirma** *f* building construction company; **Baugelände** *s* building site; **Baugerüst** *s* scaffolding; **Baugewerbe** *s* construction industry; **Bauherr(in** *f*) *m builder [and owner]*; **Bauingenieur** *m* civil engineer; **Baukasten** *m* (*zum Spielen*) box of building blocks; **Bauklotz** *m* (*zum Spielen*) building block; **Baukosten** *pl* construction costs *pl*; **Bauland** *s* (*von Landschaft*) development area; **baulich** *adj* structural

Baum *m* <-[e]s, Bäume> tree; **Baumbestand** *m* stock of trees

baumeln *vi* dangle

bäumen *vr* ◇ **sich [auf]-** rear [up]

Baumschule *f* tree nursery; **Baumstamm** *m* tree trunk; **Baumstumpf** *m* tree stump; **Baumwolle** *f* cotton

Bauplan *m* architect's plan, blue-print; **Bauplatz** *m* building site

Bausch *m* <-[e]s, Bäusche> (*Watte-*) wad; **bauschen** I. *vt* bulge, swell II. *vr* ◇ **aufblähen** puff out, swell; **bauschig** *adj* baggy, wide

Bausparen *s* building society savings scheme; **Bausparkasse** *f* building society; **Baustein** *m* [1] (*für Gebäude, zum Spielen*) block, brick [2] (*FIG elektronischer ~*) component; **Baustelle** *f* building site; **Baustoff** *m* building material; **Bauteil** *s* prefabricated part [of building]; **Bauunternehmer(in** *f*) *m* contractor, builder; **Bauweise** *f* [method of] construction; **Bauwerk** *s* building, edifice; **Bauwesen** *s* ↑ *Bauhandwerk* building trade; ↑ *Bautechnik* civil engineering; **Bauzaun** *m* hoarding

Bayer(in *f*) *m* <-n, -n> Bavarian; **Bayern** *s* Bavaria; **bayrisch** *adj* Bavarian

Bazillus *m* <-, Bazillen> bacillus

beabsichtigen *vt* intend/mean/plan to do s.th.

beachten *vt* [1] ↑ *bemerken* take note of; ◇ **~ Sie die Vielfalt** note the variety [2] → *Regeln, Vorschrift* obey, observe; → *Vorfahrt* observe, abide by; **beachtenswert** *adj* noteworthy; **beachtlich** *adj* ↑ *beträchtlich* considerable; ↑ *bemerkenswert* remarkable; **Beachtung** *f* [1] (*einer Person, Sache*) notice, attention [2] (*von Regeln, Ratschlägen*) heed; ◇ **er schenkte der öffentlichen Meinung Beachtung** he paid heed to public opinion

Beamte(r) *m* <-n, -n>, **Beamtin** *f* official, civil servant

beängstigend *adj* alarming, frightening

beanspruchen *vt* [1] ↑ *fordern, verlangen* claim [2] ↑ *brauchen, benötigen* take up, occupy [3] ◇ **jd-n ~** to take up s.b.'s time; **Beanspruchung** *f* [1] ↑ *Forderung* claim, demand [2] (*von Maschine*) stress, strain

beanstanden *vt* → *Mangel* complain about s.th.; **Beanstandung** *f* objection, complaint

beantragen *vt* apply for, ask for

beantworten *vt* answer; **Beantwortung** *f* answer (*von* to)

bearbeiten *vt* [1] ▷*manuell* work; ↑ *umstellen* adapt; → *Rohstoff* process; → *Boden* cultivate [2]

PC → *Datei* process; → *Manuskript* work on [3] *FAM* ↑ *überreden versuchen* bug s.o. about s.th. [4] *FAM* ↑ *zusammenschlagen* beat s.o. up; **Bearbeitung** *f* ↑ *Fertigung* processing; ↑ *Anbau* cultivation; (*eines Textes*) processing; **Bearbeitungsgebühren** *f pl* service charge

beaufsichtigen *vt* supervise

beauftragen *vt* [1] ↑ *Auftrag erteilen* commission [2] ↑ *anweisen* instruct [3] ↑ *betrauen* entrust

bebauen *vt* [1] → *Grundstück* build on [2] → *Feld* cultivate

beben *vi* [1] ← *Erde, Haus* quake, shake [2] (*vor Angst, Kälte*) tremble [3] ← *Stimme* quiver; **Beben** *s* <-s, -> [1] (*von Erde*) earthquake [2] (*vor Angst, Kälte*) trembling, shaking [3] (*von Stimme*) quivering

bebildern *vt* → *Buch etc.* illustrate

Becher *m* <-s, -> (*Plastik~, Trink~*) cup; (*Margarine~*) tub

Becken *s* <-s, -> [1] ANAT pelvis [2] (*Schwimm~, Plansch~*) pool; (*Wasch~*) basin [3] MUS cymbals *pl*

Becquerel *s* <-, -> PHYS Becquerel

bedacht *adj* ↑ *besonnen, überlegt* considered; ◇ **auf etw ~ sein** to be mindful of s.th.

bedächtig *adj* [1] → *Worte* thoughtful [2] (*ohne Eile*) slow, deliberate

bedanken *vr* ◇ **sich ~** thank; ◇ **ich bedanke mich für Ihre Hilfe** thank you for your help

Bedarf *m* <-[e]s> (*Tages~*) needs, requirements *pl*; (*Maler~*) equipment; COMM ↑ *Nachfrage* demand; ◇ **bei ~** if necessary; ◇ **~ an etw** *dat* **haben** be in need of s.th.; **Bedarfshaltestelle** *f* request stop

bedauerlich *adj* ↑ *betrüblich, schade* regrettable; **bedauern** *vt* [1] → *Sache, Vorfall* be sorry for, regret; ◇ **wir ~ Ihnen mitteilen zu müssen** we regret to have to inform you that; ◇ **wir nehmen ~d zur Kenntnis, daß ...** we hear with regret, that ... [2] → *Person* pity; **Bedauern** *s* <-s> regret; **bedauernswert** *adj* ▷*Vorfall* regrettable; ▷*Person* pitiable, unfortunate

bedecken *vt* cover; **bedeckt** *adj* ▷*Behälter, Oberfläche* covered; ▷*Himmel* overcast

bedenken *unreg vt* ↑ *sich genau überlegen* think [over], consider; **Bedenken** *s* <-s, -> ↑ *Vorbehalt, Zweifel* doubt; **bedenklich** *adj* [1] ↑ *Besorgnis erregend* doubtful [2] ↑ *beängstigend* dangerous, risky; **Bedenkzeit** *f* time for reflection

bedeuten I. *vt* ↑ *Sinn haben* mean; ↑ *ausdrücken* signify **II.** *vi* ↑ *Wert haben* be of importance; **bedeutend** *adj* [1] ▷*Künstler* important, famous [2] ▷*Summe, Einfluß* considerable; **Bedeutung** *f* [1] ↑ *Sinn* meaning; significance [2] ↑ *Wichtigkeit* importance; **bedeutungslos** *adj* insignificant, unimportant; **Bedeutungsunterschied** *m* difference in meaning; **bedeutungsvoll** *adj* [1] ↑ *voll Bedeutung* momentous, significant [2] ↑ *vielsagend* meaningful

bedienen I. *vt* [1] → *Gäste* serve [2] → *Gerät* operate **II.** *vr* ◇ **sich ~** (*bei Tisch*) help o.s.; ◇ **er bediente sich einer List** he used a trick; **Bedienung** *f* [1] (*an Tankstelle, in Laden*) service [2] ↑ *Kellner* waiter/waitress; ↑ *Verkäufer* shop assistant

bedingen *vt* [1] ↑ *voraussetzen* presuppose, require [2] ↑ *bewirken* cause, occasion; **bedingt** *adj* [1] ↑ *unter Vorbehalt* conditioned; ◇ **das ist nur ~ richtig** that is only conditionally true [2] ↑ *eingeschränkt* limited; **Bedingung** *f* [1] ↑ *Forderung* condition; ◇ **einer ~ zustimmen** to agree to a condition [2] ↑ *Voraussetzung* stipulation [3] (*Zahlungs~en*) terms of payment; ◇ **~en einhalten** to comply with the terms; **bedingungslos** *adj* unconditional

bedrängen *vt* ↑ *heftig zureden* pester, harass

bedrohen *vt* threaten; **bedrohlich** *adj* ominous, threatening; **Bedrohung** *f* threat, menace

bedrucken *vt* print on

bedrücken *vt* oppress, trouble; **bedrückt** *adj* depressed, troubled

bedürfen *vi* → *benötigen*: ◇ **das bedarf einer Erklärung gen** this needs to be explained; **Bedürfnis** *s* ↑ *Verlangen* need, want; ◇ **~se des Lebens** necessities of life; ◇ **~se des Marktes** requirements of the market; **Bedürfnisanstalt** *f* ↑ *Toilette* public convenience, comfort station; **bedürftig** *adj* ↑ *arm* poor, needy

Beefsteak *s* <-s, -s> [beef]-steak; ↑ *Fleischklößchen* minced steak

beehren *vt* honour; ◇ **bitte ~ Sie uns bald wieder** please favour us with another visit soon

beeiden *vt* JUR swear to, affirm

beeilen *vr* ◇ **sich ~** hurry; ◇ **beeil' dich!** hurry up!

beeindrucken *vt* impress, make an impression on

beeinflussen *vt* influence

beeinträchtigen *vt* [1] (*hemmend einwirken*) affect adversely, impair [2] (*in seiner Freiheit*) limit

beenden *vt* ↑ *abschließen* finish, end, complete

beengen *vt* (*in Bewegungsfreiheit*) restrict

beerben *vt* JUR → *Tante* inherit from

beerdigen *vt* bury; **Beerdigung** *f* funeral, burial

Beere *f* <-, -n> berry

Beet *s* <-[e]s, -e> (*Blumen-*) bed

Beete *f* <->: ◇ **rote** ~ beetroot

befähigen *vt* [1] (*ermöglichen, etw zu tun*) enable [2] ↑ *qualifizieren* qualify; **Befähigung** *f* [1] ↑ *Fähigkeit, Fähigsein* capability [2] ↑ *Begabung* talent, aptitude

befahl *impf von* **befehlen**

befahrbar *adj* ▷*Weg* passable; **befahren I.** *unreg vt* → *Straße* use, drive on; → *Wasserstraße* navigate **II.** *adj:* ◇ **eine viel~e Straße** a busy road

befallen *unreg vt* ← *Angst, Trauer* overcome; ← *Krankheit* afflict

befangen *adj* [1] ↑ *gehemmt* inhibited [2] ↑ *voreingenommen* ▷*Richter* biased, prejudiced; **Befangenheit** *f* inhibition; bias

befassen I. *vr* ◇ **sich ~ [mit]** concern o.s. with **II.** *vt:* ◇ **jd-n mit einer Sache ~** ↑ *beauftragen* to appoint s.o. to do s.th.

Befehl *m* <-[e]s, -e> ↑ *Anordnung, Weisung* command, order; PC command; **befehlen** <befahl, befohlen> **I.** *vt* → *Angriff* order, command **II.** *vi* [1] ↑ *kommandieren* give orders [2] ◇ **jd-m ~ etw zu tun** order s.b. to do s.th.; **befehligen** *vt* → *Armee* be in command of, command; **Befehlsform** *f* GRAM imperative; **Befehlshaber(in** *f*) *m* <-s, -> MIL commander; **Befehlsverweigerung** *f* (*von Soldat*) insubordination

befestigen *vt* [1] ↑ *festmachen* fasten, attach, fix (*an dat* to) [2] MIL → *Stadt, Grenze* fortify; → *Deich, Ufer* reinforce; **Befestigung** *f* [1] (*das Festmachen*) fixing [2] (*-sanlage, Burg*) fortification; (*Ufer-*) reinforcement

befeuchten *vt* → *Lappen* damp, wet; → *Luft* humidify

befinden *unreg* **I.** *vr* ◇ **sich ~** ↑ *sich aufhalten* be; ↑ *gelegen sein* be situated, be located **II.** *vt:* ◇ **etw für gut/schlecht ~** to think/consider s.th. good/bad **III.** *vi:* ◇ **über jd-s Schicksal ~** to decide on s.o's fate; **Befinden** *s* <-s> ▷*gesundheitliches* [state of] health, condition

beflaggen *vt* decorate with flags

beflecken *vt* soil, spot

befleißigen *vr:* ◇ **sich ~ etw zu tun** to make an effort to do s.th.

beflügeln *vt* → *Phantasie* inspire, fire

befohlen *pp von* **befehlen**

befolgen *vt* → *Befehl, Anordnung* follow, obey

befördern *vt* [1] → *Fracht, Reisende* transport, send, convey [2] (*zum Abteilungsleiter*) promote, move up, advance; **Beförderung** *f* transport, conveyance; promotion, advancement

befragen *vt* question, interrogate; **Befragung** *f* (*Zeugen-*) questioning; (*Meinungsumfrage*) survey

befreien *vt* [1] (*aus Notlage*) set free, liberate [2] (*von Sorge*) free, relieve [3] (*von Pflicht ~*) exempt; **Befreiung** *f* [1] (*aus Notlage*) liberation, release [2] (*von Sorge*) deliverance, relief [3] ↑ *Erlassen* exemption

befremdend *adj:* ◇ **sein Verhalten ist wahrlich ~** his behaviour is truly astonishing; **Befremden** *s* <-s> surprise, astonishment

befreunden *vr* ◇ **sich ~** (*mit Person*) make friends with; **befreundet** *adj:* ◇ **[eng] mit jd-m befreundet sein** to be [close] friends

befriedigen *vt* [1] ↑ *erfüllen, zufriedenstellen* satisfy, content, gratify [2] → *Wünsche, Ansprüche* satisfy, meet; **befriedigend** *adj* [1] ▷*Ergebnis* satisfactory, satisfying [2] ↑ *Note 3* average, satisfactory, c-grade *AM*; **Befriedigung** *f* [1] ↑ *Genugtuung, Zufriedenheit* satisfaction, gratification [2] (*von Ansprüchen*) compliance [with]

befristet *adj* limited

befruchten *vt* → *Zelle* fertilize, impregnate; → *Pflanzen* pollinate

Befugnis *f* authorization; **befugt** *adj* authorized, entitled

befühlen *vt* feel, touch

Befund *m* <-[e]s, -e> MED [diagnosis] results *pl*

befürchten *vt* fear; **Befürchtung** *f* fear, misgiving

befürworten *vt* → *Plan* support, speak in favour of; **Befürworter(in** *f*) *m* <-s, -> supporter, advocate; **Befürwortung** *f* support[ing], favouring

begabt *adj* gifted, talented; **Begabung** *f* gift, talent

begann *impf von* **beginnen**

begeben *unreg vr* ◇ **sich ~** [1] (*an Ort*) proceed (*zu, nach* to) [2] (*an Arbeit*) get to; **Begebenheit** *f* ↑ *Ereignis* occurrence; ↑ *Vorfall* incident

begegnen I. *vi* [1] ↑ *treffen* meet (*jd-m* s.b.) [2] → *einer Meinung, Schwierigkeit* come across s.th. [3] ◇ **jd-m/einer Sache ~** ↑ *behandeln* deal with s.o./s.th. **II.** *vr* ◇ **sich/einander ~** ↑ *sich zufällig treffen* meet, run into; **Begegnung** *f* [1] ↑ *Treffen* [chance] meeting [2] (*mit etw Neuem*) encounter [3] SPORT match

begehen *unreg vt* [1] → *Verbrechen, Dummheit* commit, perpetrate [2] → *Fest* celebrate

begehren *vt* → *Frau, Mann* desire; **begehrt** *adj* ▷*Souvenir* popular; ▷*Junggeselle, Frau* eligible

begeistern I. *vt* ↑ *in Begeisterung versetzen* enthuse, inspire **II.** *vr:* ◇ **sich für etw ~** to get enthusiastic about s.th.; **Begeisterung** *f* enthusiasm, zest

Begierde *f* <-, -n> desire, passion; **begierig** *adj* ↑ *erwartungsvoll* eager

begießen *unreg vt* ① (*mit Wasser*) water ② (*FIG trinken auf*) drink to

Beginn *m* <-[e]s> beginning, start; **beginnen** <begann, begonnen> *vt, vi* begin, start

beglaubigen *vt* certify, witness; **Beglaubigung** *f* certification

begleichen *unreg vt* → *Rechnung, Schuld* settle, pay

begleiten *vt* ① ↑ *mitgehen* accompany, see (*in, an, auf akk* to); ◇ **jd-n zur Bahn** ~ to take someone to the station ② (MUS *auf Klavier*) accompany ③ ↑ *einhergehen mit* go hand in hand with; **Begleiter(in** *f*) *m* <-s, -> ① ↑ *Freund* companion, attendant ② MUS accompanist; **Begleitung** *f* ① (*Person*) company ② MUS accompaniment

beglückwünschen *vt* congratulate (*zu* on); **Begnadigung** *f* pardon, amnesty

begnügen *vr* ◇ **sich ~ mit** be satisfied with, content o.s. with

begonnen *pp von* **beginnen**

begraben *unreg vt* ① → *Toten* bury, inter ② (*unter sich* ~) bury ③ *FIG* ↑ *aufgeben* bury; **Begräbnis** *s* burial, funeral

begradigen *vt* → *Straße, Weg* straighten [out]

begreifen *unreg vt* ↑ *verstehen* understand, comprehend; ↑ *nachfühlen* sympathize with; **begreiflich** *adj* understandable, conceivable

begrenzen *vt* ① → *Raum, Bereich* demarcate, limit, confine ② *FIG* → *Geschwindigkeit* limit, restrict; **Begrenztheit** *f* limitation, restriction; (*von Wissen*) narrowness

Begriff *m* <-[e]s, -e> ① ↑ *-sinhalt* concept, idea; ↑ *Bezeichnung, Ausdruck* term ② ◇ **schwer von ~ sein** *FAM* ↑ *nicht recht verstehen* be slow/dense/obtuse ③ ◇ **im ~ sein, etw zu tun** to be about/prepared to do s.th.; **Begriffsvermögen** *s* conceptual ability, grasp *FAM*

begründen *vt* ① → *Behauptung* justify, substantiate ② → *Theorie, Lehre* found, initiate; **Begründung** *f* justification, reason; founding

begrüßen *vt* ① → *Gäste* greet, welcome ② → *Entscheidung* welcome, approve; **Begrüßung** *f* greeting, welcome; approval

begünstigen *vt* ① → *Freund* favour, benefit ② ↑ *fördern* promote, foster

begutachten *vt* ① → *Schaden* give an expert opinion [on], evaluate ② (*vor Kauf*) carefully regard; **Begutachtung** *f* inspection

behaart *adj* ▷*Mensch* hairy; ▷*Tier* furry

behäbig *adj* corpulent, partly sedate; **Behagen** *s* <-s> ① ↑ *Bequemlichkeit* comfort, ease ② ↑ *Zufriedenheit* contentment, pleasure; **behaglich** *adj* ▷*Umgebung* comfortable, cosy; ▷*Wärme* snug

behalten *unreg vt* ① → *Besitz* retain, keep; → *Glanz, Wert* maintain, keep ② (*in Erinnerung*) remember/keep s.th./s.o. in mind; **Behälter** *m* <-s, -> (*für Flüssigkeit*) reservoir, tank; ▷*kleiner* ~ container, receptacle, box; ▷*großer* ~ container

behandeln *vt* ① → *Patienten* treat ② → *Mensch/Tier* ↑ *umgehen mit* treat; → *Gerät* handle [with care] ③ → *Thema* deal with, discuss; **Behandlung** *f* ① (*von Patienten*) treatment ② (*von Mensch/Tier*) treatment; (*von Gerät*) handling ③ (*von Thema*) discussion

beharren *vi* persevere; ◇ **auf seinem** *dat* **Standpunkt** ~ to persist in a point of view; ◇ **er beharrte darauf, nicht zu gehen** he insisted on not going; **beharrlich** *adj* ↑ *geduldig, ausdauernd* steadfast, persistent; ↑ *hartnäckig, verbissen* dogged, unremitting, insistent; **Beharrlichkeit** *f* perseverence, tenacity, persistence

behauen *vt* → *Stein* cut, dress, trim; ▷*grob* ~ hew

behaupten I. *vt* ① ↑ *etwas sagen* state, assure ② (*an Meinung festhalten*) claim, assert, affirm; ◇ ~, **daß ...** to maintain that ... ③ MIL → *Festung, Stellung* defend, maintain **II.** *vr* ◇ **sich ~ gegen** ↑ *sich durchsetzen* hold one's own [against], stand up to; **Behauptung** *f* claim, assertion

Behausung *f* ↑ *[einfache] Wohnung* dwelling, accomodation; *FAM* digs *BRIT*

beheimatet *adj* ↑ *wohnhaft* resident; ▷*Tier, Pflanze* native, indigenous (*in dat* to)

beheizen *vt* → *Haus* heat

behelfen *unreg vr* ◇ **sich ~ mit etw** make do with s.th.; **behelfsmäßig** *adj* ↑ *provisorisch, notdürftig* improvised, makeshift

behelligen *vt* ↑ *stören* pester, bother

beherbergen *vt* ↑ *Unterkunft gewähren* put up, house

beherrschen I. *vt* ① → *Situation, Arbeit* master; → *Fremdsprache* speak, have a command of; → *Instrument* be able to play, master; → *Wut, Gefühl* control, dominate ② → *öffentliche Meinung* dominate ③ → *Volk, Land* rule, govern **II.** *vr* ◇ **sich** ~ control o.s.; **beherrscht** *adj* ↑ *maßvoll, gezügelt* restrained, cool; **Beherrschung** *f* control; domination; mastery

beherzigen *vt* → *Rat, Anliegen* take to heart; **beherz[ig]t** *adj* ↑ *entschlossen* determined, courageous

behilflich *adj* ↑ *helfend* helpful; ◇ **könnten Sie mir bitte ~ sein** could you help me please [*o.* lend me a hand] (*bei* with)

behindern *vt* → *Entwicklung, Arbeit, Sicht* hinder, impede; → *Person* ↑ *im Wege stehen* obstruct; **Behinderte(r)** *fm* disabled person; **Be-**

hinderung *f* ① (*von Personen, Sachen*) hindrance ② ▷*körperliche/geistige* ~ handicap, disability

Behörde *f* <-, -n> ↑ *Amt* [administrative] authority; **behördlich** *adj* ▷*Genehmigung* official

behüten *vt* → *Haus* ↑ *bewachen* guard; ◇ **jd-n vor etw** *dat* ~ ↑ *schützen* protect s.b. from s.th.; **behutsam** *adj* ↑ *sorgfältig* cautious, careful

bei *präp dat* ① (*örtlich*) near, by; ◇ **das Haus in der Nähe der Brücke** the house near the bridge; ◇ ~ **uns** ↑ *zuhause* at our place; (*im Herkunftsland*) in our country; ◇ **-m Bäcker** at the baker's; ◇ ~ **Tisch** at table; ◇ ~ **jd-m wohnen** to stay with s.o.; ◇ ~ **Schmitt** (*für Post*) care of, c/o Schmitt; ◇ ~ **jd-m beschäftigt sein** to be on s.b.'s payroll; ◇ ~ **sich haben** (*jd-n*) to have s.b. with one; (*eine Sache*) to have s.th. on one ② (*zeitlich*) at, on; ◇ ~ **Beginn** at the beginning; ◇ ~ **seiner Rückkehr** on his return; ↑ *während* during; ◇ **-m letzten Gewitter** during the last thunderstorm; ◇ ~ **Tag/Nacht** by day/night; ◇ ~ **Nebel** in fog ③ ◇ ~ **vollem Bewußtsein** fully conscious; ◇ ~ **bester Gesundheit** in good health; ◇ ~ **31 Grad im Schatten** when it's 31 degrees in the shade

beibehalten *unreg vt* ↑ *aufrechthalten* retain, keep up

Beiboot *s* ↑ *Ersatzboot* dinghy

beibringen *unreg vt* ① ↑ *[her-]beischaffen* produce; (*Gründe für Behauptung*) adduce ② → *Lesen, Schreiben* teach s.b. s.th. ③ *FAM* ↑ *schonend mitteilen* get s.th. into someones head ④ ◇ **jd-m eine Verletzung** ~ ↑ *zufügen* to injure s.o.

Beichte *f* <-, -n> ↑ *Sündenbekenntnis* confession; **beichten** **I.** *vt* ↑ *Beichte ablegen* confess; *FAM* → *Seitensprung* admit **II.** *vi* ↑ *zur Beichte gehen* go to confession

beide(s) *adj, pron* both, either; ◇ **wir** ~ we two; ◇ **meine -n Brüder** my two brothers, both my brothers; ◇ **die ersten -n** the first two; ◇ **einer von -n** one of the two, one of either; ◇ **keiner von -n** neither the one nor the other; ◇ **in -n Fällen** in either case; ◇ **-s ist möglich** either is [*o.* both are] possible; **beiderlei** *adj inv* of either sort; **beiderseitig** *adj* ↑ *gegenseitig* mutual, reciprocal; JURA ▷*Vertrag* bilateral; **beiderseits** **I.** *adv* mutually **II.** *präp gen* on both sides of; **beidesmal** *adv* both times

beieinander *adv* ↑ *zusammen* together

Beifahrer(in *f*) *m* passenger; **Beifahrersitz** *m* passenger seat

Beifall *m* <-[e]s> ① ↑ *Zustimmung, Billigung* approval ② (*Zuschauer-*) applause

beifügen *vt* → *Rechnung, Brief* enclose; ↑ *beiheften* attach

beige *adj inv* beige, fawn

beigeben *unreg* **I.** *vt* → *Brief* add **II.** *vi* ↑ *nachgeben* give in (*dat* to); *FAM* take it lying down

Beigeschmack *m* ① ↑ *Nachgeschmack* aftertaste ② *FIG* ▷*peinlicher* ~ overtone

Beihilfe *f* <-, -n> ① ↑ *Hilfe, Unterstützung* aid, assistance ② (*Finanz-*) subsidy, allowance ③ JURA ▷*strafrechtlich* aiding and abetting

beikommen *unreg vi:* ◇ **jd-m/einer Sache** *dat* ~ ↑ *bewältigen* get on top of s.th./get the better of s.o.; → *Schwierigkeit* get round; → *Problem* get to the root of, aiding and abetting

Beil *s* <-[e]s, -e> axe, hatchet

Beilage *f* ① (*Zeitungs-*) supplement ② GASTRON (*Salat- etc.*) vegetables and potatoes *pl*, side order *AM*

beiläufig **I.** *adj* ▷*Frage* casual, incidental **II.** *adv* casually, by the way

beilegen *vt* ① ↑ *beifügen* enclose, add ② → *Differenzen* settle ③ → *Künstlernamen* attribute, ascribe

Beileid *s* (*bei Trauerfall*) condolence, sympathy; ◇ **ich möchte Ihnen mein herzliches ~ aussprechen** I would like to express my deepest sympathy to you

beiliegend *adj:* ◇ ~ **finden Sie die gewünschten Unterlagen** COMM you will find the requested documentation enclosed

beim = bei dem ① ◇ ~ **Putzen** (*Vorgang*) when/whilst cleaning ② ◇ **jd-n ~ Wort nehmen** to take someone at his word

beimessen *unreg vt* → *Bedeutung* ↑ *zukommen lassen* attribute, ascribe (*dat* to)

Bein *s* <-[e]s, -e> ① ANAT leg ② (*von Gerät, Tisch- etc.*) leg

beinah, beinahe *adv* ↑ *fast* almost, nearly

Beiname *m* <-n, -n> surname

Beinbruch *m* fracture of the leg; ◇ **Hals und ~!** touch wood!

beinhalten *vt* ① → *Ware, Gerät* contain ② ADMIN → *Aussage* cover; imply

beipflichten *vi:* ◇ **jd-m/einer Sache** ~ ↑ *zustimmen* agree with s.b./s.th.

Beirat *m* ① ↑ *gesetzlicher Vertreter* legal adviser, counselor ② (*Schul-, Rundfunk-*) advisory board ③ (*Eltern-*) parent-teacher association

beirren *vt* ◇ **laß Dich nicht ~!** do not let y.s. be confused!

beisammen *adv* together; **Beisammensein** *s* <-s> get-together

Beischlaf *m* ↑ *Koitus* sexual intercourse

Beisein *s* <-s> presence

beiseite *adv* ① ↑ *zur Seite* to one side, aside ② ◇ **jd-n/etw ~ schaffen** ↑ *aus dem Weg* get s.b./s.th.

out of the way [3] ◇ **etw ~ legen** ↑ *sparen* to put s.th. away

beisetzen *vt* → *Toten, Urne* bury, inter; **Beisetzung** *f* funeral

Beisitzer *m* (*beim Gericht*) lay magistrate, associate judge

Beispiel *s* <-[e]s, -e> example; ◇ **[wie] zum ~** for example, for instance; ◇ **ein ~ geben/nehmen** give/take an example; ◇ **sich** *dat* **an einer Sache** [*o.* **an jd-m**] **ein ~ nehmen** take s.th. as a model/ take s.o. as an example; **beispiellos** *adj* unprecedented; **beispielsweise** *adv* for instance/ example

beißen *vt* bite

beißend *adj* [1] ▷*Geruch, Rauch* pungent, caustic, stinging [2] *FIG* ↑ *sarkastisch* → *Spott* sarcastic, poignant; **Beißzange** *f* (*Handwerkszeug*) pliers, pincers *pl*

Beistand *m* ↑ *Stütze, Hilfe* support, help; **beistehen** *unreg vi:* ◇ **jd-m [mit Rat und Tat] ~** to stand by s.b.

beisteuern *vt* ↑ *Beitrag leisten* contribute [to]; → *Geld* contribute [to], subsidize [to]

Beitrag *m* <-[e]s, Beiträge> [1] (*persönliche Leistung*) contribution [2] ▷*fianzieller ~* fee, subscription, contribution; (*Mitglieds-, Vereins-*) membership fee [3] (*Zeitungs-, musikalischer ~*) contribution; **beitragen** *unreg* **I.** *vt* ↑ *dazugeben* (*zum Lebensunterhalt*) contribute (*zu* to) **II.** *vi* ↑ *mithelfen* help (*zu* with)

beitreten *unreg vi* → *Verein* join; → *Bündnis* enter into; **Beitritt** *m* <-s, -e> joining, enrolment; **Beitrittserklärung** *f* (*zu Verein*) declaration of membership

Beiwagen *m* (*von Motorrad*) sidecar

beiwohnen *vi* → *einem Vortrag* attend

Beize *f* <-, -n> [1] (*Holz-*) stain; (*Leder-*) tan [2] (GASTRON *Fleisch-*) marinade, pickle

beizeiten *adv* in [good] time

beizen *vt* → *Holz, Leder* stain; → *Lebensmittel* marinade, pickle

bejahen *vt* → *Frage* answer in the affirmative, say yes to; **bejahend** *adj* affirmative; **Bejahung** affirmative; ◇ **~ des Lebens** positive attitude to life

bekämpfen I. *vt* → *Gegner, Widersacher* fight; → *Seuche* combat; ↑ *überwältigen* overcome **II.** *vr* ◇ **sich ~** ↑ *gegeneinander ankämpfen* fight; **Bekämpfung** *f* fight, struggle (*gen* against)

bekannt *adj* [1] (*allgemein wissen*) generally known; ↑ *berühmt* famous; ↑ *nicht fremd* familiar [2] ◇ **jd-n mit jd-m ~ machen** ↑ *vorstellen* introduce s.b. to s.b.; ◇ **es kommt mir ~ vor** it seems familiar; ◇ **er ist mir ~** I know him; ◇ **dies ist mir ~** I am aware of it; **Bekannte(r)** *fm* friend, acquaintance; **Bekanntenkreis** *m* [circle of] friends; **bekanntgeben** *unreg vt* → *Neuigkeiten* proclaim; (*in Zeitung*) advertise, publish; → *Vermählung* announce; **bekanntlich** *adv* as is generally known, as you know; **bekanntmachen** *vt* announce, publicize, give notice; **Bekanntmachung** *f* ▷*öffentliche ~* announcement, notice; (*von Gesetz*) promulgating; (*von Nachrichten*) bulletin, communiqué, broadcasting; **Bekanntschaft** *f* **I.** (*nur Singular*) acquaintance, familiarity; ◇ **jd-s ~ machen** make the acquaintance of **II.** (*auch Plural*) ↑ *Freundeskreis* [circle of] friends; **bekanntwerden** *vi* ↑ *öffentlich werden* be made public, leak out

bekehren I. *vt* → *Andersgläubigen* convert, turn; ◇ **jd-n zu einer Sache ~** *FIG* ↑ *umstimmen* bring someone round to [the matter] **II.** *vr* ◇ **sich ~ zu** become converted, turn over a new leaf; **Bekehrung** *f* conversion

bekennen *unreg* **I.** *vt* → *Schuld* admit; → *Sünden* confess; → *Straftat* admit, own up to **II.** *vr* ◇ **sich ~** [1] (*als Sünder ~*) admit to being a sinner [2] (*zu einem Glauben/einer Freundin ~*) to stand up for a belief/girlfriend; **Bekenntnis** *s* [1] ↑ *Beichte, Eingeständnis* [own] admission, confession [2] (*zu etw*) declaration of allegiance [3] ↑ *Konfession* confession, denomination

beklagen I. *vt* → *Schicksal, Tod* bewail, mourn; ◇ **Menschenleben waren nicht zu ~** there was no loss of life **II.** *vr* ◇ **sich ~ über** complain about

bekleben *vt* plaster; (*mit Etikett*) label; ◇ **eine Mauer mit Plakaten ~** to stick posters all over a wall

bekleiden I. *vt* [1] ↑ *anziehen* dress, clothe [2] → *Amt, Posten* hold, occupy **II.** *vr* ◇ **sich ~ mit** dress in; **bekleidet** *adj:* ◇ **mit etw ~ sein** be dressed in s.th.; **Bekleidung** *f* clothing

beklemmend *adj* ▷*Gefühl* oppressive; **Beklemmung** *f* feeling of oppressiveness, constriction

beklommen *adj* ↑ *ängstlich* anxious; ↑ *bedrückt* depressive, oppressive; **Beklommenheit** *f* anxiety; uneasiness; depression, oppression

bekommen *unreg* **I.** *vt* [1] ↑ *erhalten* get, receive, obtain; → *Kind* expect; → *Krankheit* take, get [2] → *Zug* catch, get **II.** *vi:* ◇ **jd-m ~** ↑ *guttun* agree with s.b.; **bekömmlich** *adj* ▷*Speisen* well-becoming, wholesome

bekräftigen *vt* strengthen, confirm

bekreuzen, bekreuzigen ◇ **sich bekreuzen** make the sign of the cross, cross o.s.

bekriegen *vt* → *Land* wage war, be at war; ◇ **warum ~ sich diese Völker (gegenseitig)?** why are these nations at war with each other?

bekümmern *vt* worry, trouble
bekunden *vt* ↑ *zeigen* show, express, manifest
belächeln *vt* → *Verhalten, komische Figur* smile at
beladen *unreg vt* → *Fahrzeug* load
Belag *m* <-[e]s, Beläge> ① covering, coating ② (*Brot-*) spread ③ (*Zahn-*) film, tartar ④ (*Brems-*) lining; (*Straßen-*) surface
belagern *vt* ① → *Burg, Stadt* besiege ② *FIG* → *Hotel, Star* beleaguer; **Belagerung** *f* siege
Belang *m* <-[e]s, -e> ① ◇ **das ist wenig/ohne -** that is irrelevant ② ◇ **-e** *pl* ↑ *Interessen* interests *pl;* **belangen** *vt* ↑ *zur Verantwortung ziehen* take disciplinary action against; **belanglos** *adj* trivial, unimportant
belassen *unreg vt* ↑ *unverändert lassen* retain, leave
belasten I. *vt* ① burden, load, encumber; *FIG* ↑ *bedrücken* trouble, worry ② COMM → *Konto* debit, charge ③ JURA incriminate **II.** *vr* ◇ **sich -** ① weigh o.s. down ② JURA incriminate o.s.
belästigen *vt* ① (*mit Fragen, Lärm*) annoy, pester, bother ② ↑ *zudringlich werden* harass, molest; **Belästigung** *f* ① (*mit Fragen, Lärm*) annoyance, pestering ② ↑ *Zudringlichkeit* harassment, importunity
Belastung *f* ① load; *FIG* ↑ *Sorge etc.* stress ② COMM charge, debit[ing] ③ (JURA *durch Aussage*) incriminatory evidence
belauern *vt* lie in wait for
belaufen *unreg vr* ◇ **sich -** ↑ *betragen* amount (*auf akk* to)
belauschen *vt* → *Gespräch, Person* eavesdrop on, listen in on
beleben I. *vt* → *Wirtschaft* ↑ *ankurbeln* stimulate; ← *Unterhaltung* animate **II.** *vr* ◇ **sich -** ← *Straße, Platz* become populated; **belebt** *adj* ▷*Straße* busy
Beleg *m* <-[e]s, -e> ① ↑ *Beweis* documentary evidence, proof, verification ② COMM ↑ *Quittung* receipt; **belegen** *vt* ① (*mit Belag versehen*) cover; → *Brötchen* spread ② → *Telefonleitung* occupy; → *Seminar, Kurs* register for, sign up for ③ → *Ausgaben, Behauptung* verify, prove, vouch for ④ (*mit Bußgeld*) fine; **Belegschaft** *f* personnel, staff
belehren *vt* ① ↑ *aufklären* inform; ◇ **jd-n - über etw** enlighten someone about s.th. ② ◇ **diese Erfahrung belehrte uns eines Besseren** ↑ *aufklären* this experience taught us better; **Belehrung** *f* instruction, advice
beleibt *adj* portly, corpulent
beleidigen *vt* ↑ *kränken* insult, offend; **Beleidigung** *f* insult, offence; **Beleidigungsklage** *f* JURA ↑ *Verleumdungsklage* libel action
belesen *adj* well-read
beleuchten *vt* ① ↑ *Straße, Schaufenster* light, illuminate ② → *Text, Argument* elucidate, illustrate; **Beleuchtung** *f* ① (*das Beleuchten*) lighting, illumination ② ↑ *Licht* light
Belgien *s* Belgium; **Belgier(in** *f*) *m* <-s, -> Belgian; **belgisch** *adj* Belgian
belichten *vt* → *Film, Foto* expose; **Belichtung** *f* FOT exposure
Belieben *s* ① ↑ *Ermessen* discretion ② ↑ *Gutdünken, Wunsch* choice, pleasure; ◇ **[ganz] nach deinem -** take it or leave it; **beliebig** *adj* optional, discretionary; ↑ *irgendein* any [you like]; ◇ **an einem -en Ort** anywhere; **beliebt** *adj* ▷*Lehrer, Buch* popular; ▷*Ausrede* well-loved, habitual; ◇ **- sein bei** be popular with; **Beliebtheit** *f* popularity
beliefern *vt* supply, provide
bellen *vi* ← *Hund* bark
Belletristik *f* <-> elegant literature
belohnen *vt* (*für Bemühungen, mit Geld*) reward, pay; **Belohnung** *f* (*das Belohnen*) reward; ↑ *Preis* reward, prize
belüften *vt* ventilate
belügen *unreg vt* ↑ *anlügen* lie to
belustigen *vt* ↑ *zum Lachen bringen* amuse, entertain
bemächtigen *vr* ◇ **sich bemächtigen** seize; ▷*widerrechtlich* usurp
bemalen *vt* → *Wand, Haus* paint
bemängeln *vt* → *Fehler, Fahrzeug* find fault with, criticize
bemerkbar *adj* ↑ *erkennbar* perceptible, noticeable, discernable; ◇ **sich - machen** to make o.s. noticeable; **bemerken** *vt* ① ↑ *wahrnehmen* notice, observe ② ↑ *äußern* remark, mention; **bemerkenswert** *adj* ↑ *beachtlich* remarkable, noteworthy; **Bemerkung** *f* ① ↑ *Äußerung* remark, comment ② (*am Textrand*) note
bemitleiden *vt* pity
bemühen I. *vt* ↑ *veranlassen* trouble, give trouble; ◇ **darf ich Sie nochmals -?** may I trouble you once again? **II.** *vr* ◇ **sich -** ↑ *sich anstrengen* endeavour, take trouble/pains; ◇ **bitte - Sie sich um Karten** please try to get hold of tickets; ◇ **danke für Ihre -** thank you for your efforts; **Bemühung** *f* ↑ *Anstrengungen* trouble, effort, pains *pl*
benachbart *adj* adjacent, neighbouring
benachrichtigen *vt* inform, notify (*von* of); **Benachrichtigung** *f* information, notification
benachteiligen *vt* ↑ *diskriminieren* disadvantage, victimize

benehmen *unreg vr* ◇ **sich ~** behave; ◇ **benimm Dich bitte!** please behave y.s.; **Benehmen** *s* <-s> behaviour; ↑ *Manieren* manners *pl*
beneiden *vt* envy (*um eine Sache* s.th.); **beneidenswert** *adj* enviable
Beneluxländer *pl* Benelux countries *pl*
benennen *unreg vt* name
Bengel *m* <-s, -> rascal, rogue
benommen *adj* dazed, stunned
benötigen *vt* need, require
benutzen, **benützen** (*süddt., ÖST*) *vt* ① ↑ *gebrauchen* use ② ◇ **er benutzt dich nur** (*ausnutzen*) he's just using you; **Benutzer(in** *f*) *m* <-s, -> user; **benutzerfreundlich** *adj* user-friendly; **Benutzung** *f* (*von Räumen, Werkzeug*) utilization, use; ◇ **unter ~ von** with the aid of
Benzin *s* <-s, -e> AUTO petrol *BRIT AM*, fuel, gas; ◇ **bleifreies ~** unleaded petrol *BRIT*, unleaded gas/fuel *AM*; **Benzinkanister** *m* petrol can *BRIT*, gas can *AM*; **Benzintank** *m* petrol tank *BRIT*, gas tank *AM*; **Benzinuhr** *f* (*Benzinanzeige im Auto*) petrol gauge *BRIT*, gas gauge *AM*
beobachten *vt* ① observe, watch ② ◇ **etw an jd-m ~** ↑ *bemerken, feststellen* observe s.th. about someone; **Beobachter(in** *f*) *m* <-s, -> observer; ↑ *Zeuge* witness; **Beobachtung** *f* (*das Beobachten*) observation, surveillance; ◇ **eine interessante ~ machen** (*etw eher zufällig bemerken*) to make an interesting observation; **Beobachtungsgabe** *f* faculty/gift of observation
bepacken *vt* → *Tier, Mensch, Laster* load, pack
bepflanzen *vt* plant
bequem *adj* ① ▷*Stuhl, Kleidung* comfortable; ◇ **machen Sie es sich bitte ~!** do make y.s. comfortable ② ▷*Antwort* convenient ③ ↑ *träge, faul* indolent, lazy; **Bequemlichkeit** *f* ① ↑ *Behaglichkeit* comfort; ↑ *Annehmlichkeit, Komfort* convenience ② ↑ *Trägheit* indolence, laziness
beraten *unreg* **I.** *vt* → *Kunden* advise, counsel; ↑ *besprechen* discuss, debate **II.** *vr:* ◇ **sich ~ [über etw]** ↑ *besprechen* consult; **Berater(in** *f*) *m* <-s, -> adviser, counsellor; **Beratung** *f* ① (*Beraten*) advice, counselling ② ↑ *Besprechung* consultation
berauben *vt* deprive (*gen* of); ↑ *rauben* rob
berauschen I. *vt* ↑ *betrunken machen* intoxicate **II.** *vr* ◇ **sich ~** ① ↑ *sich betrinken* get drunk ② (MUS, THEAT *an Aufführung*) enthuse o.s., enchant o.s.; **berauschend** *adj* ① ▷*Wein* intoxicating, heady ② ◇ **das ist nicht gerade ~** (*nichts besonderes*) that's nothing special at all
berechenbar *adj* calculable; **berechnen** *vt* ① → *Rauminhalt, Kosten* ↑ *ausrechnen* calculate, reckon ② → *Bauzeit, Reaktion* ↑ *planen, [ein]schätzen* estimate, assess ③ COMM ↑ *in Rechnung stellen* charge; **berechnend** *adj* ↑ *auf Vorteil aus* calculating, scheming; **Berechnung** *f* ① (*Ausrechnen*) calculation ② ↑ *[Ein]schätzung* valuation, assessment ③ COMM charge
berechtigen I. *vt* ↑ *bevollmächtigen* authorize **II.** *vi* ↑ *das Recht haben* entitle; **berechtigt** *adj* ① ▷*Vorwurf* justified, valid ② ↑ *bevollmächtigt* authorized; **Berechtigung** *f* ① ↑ *Bevollmächtigung* authorization ② ↑ *Rechtsanspruch* right
bereden *vt* ↑ *besprechen* discuss; **Beredsamkeit** *f* ↑ *sprachliche Gewandtheit* eloquence
Bereich *m* <-[e]s, -e> ① (*Stadt-, Küsten-*) area ② (*Zuständigkeits-*) sphere; (*Kompetenz-, Reichweite*) scope
bereichern I. *vt* → *Sammlung* enrich, enlarge **II.** *vr* ◇ **sich [auf Kosten Dritter] ~** to line one's pockets; **Bereicherung** *f* enrichment
bereinigen *vt* → *Streit* settle
bereisen *vt* → *Land, Stadt* travel through, tour
bereit *adj* ready, prepared; ◇ **für/zu etw ~ sein** be ready for s.th.; ◇ **er erklärte sich [für]** [*o.* **fand sich**] **~, zu helfen** ↑ *willens sein* he said he was willing/prepared to help; **bereiten** *vt* ① → *Essen* prepare, make ready ② → *Freude, Sorgen* cause, give; **bereithalten** *unreg vt* → *Geld, Werkzeug* have available; **bereitlegen** *vt* → *Werkzeug* lay out
bereits *adv* already
Bereitschaft *f* ① (*das Bereitsein*) readiness ② ↑ *Bereitschaftsdienst* emergency duty; ◇ **~ haben, in ~ sein** be on call, be on stand-by; **bereitwillig** *adj* ↑ *entgegenkommend* willing
bereuen *vt* ① ↑ *Reue empfinden* repent, feel remorse for ② ↑ *bedauern* ← *Kündigung* regret
Berg *m* <-[e]s, -e> mountain, hill; (*FIG von Akten*) pile; ◇ **über alle ~e sein** to be beyond reach; **bergab** *adv* downhill; **bergauf** *adv* uphill; **Bergarbeiter** *m* miner; **Bergbahn** *f* mountain railway; **Bergbau** *m* mining
bergen <barg, geborgen> *vt* ① → *Verunglückte* rescue; → *Waren, Schiffsladung* salvage ② → *Risiken* ↑ *beinhalten* involve
Bergführer(in *f*) *m* mountain guide; **Berggipfel** *m* mountain top, summit; **Berghütte** *f* mountain hut, refuge; **bergig** *adj* ▷*Landschaft* mountainous, hilly; **Bergkette** *f* mountain range; **Bergkristall** *m* rock crystal; **Bergmann** *m* <-s, Bergleute> miner; **Bergrutsch** *m* landslide; **Bergsteigen** *s* mountaineering, climbing; **Bergsteiger(in** *f*) *m* <-s, -> moun-

taineer, climber; **Bergung** *f* (*von Verunglückten*) rescue; (*von Material*) recovery; (NAUT *von Schiffbrüchigen*) rescue; (*von Schiffsladung*) salvage; **Bergwacht** *f* <-, -en> mountain rescue service; **Bergwerk** *s* mine

Bericht *m* <-[e]s, -e> report; **berichten** *vt* report; ◇ **jd-m etw [*o.* über/von einer Sache] ~** to report s.th. [*o.* on s.th.] to someone; **Berichterstatter(in *f*)** *m* <-s, -> ↑ *Korrespondent* reporter, [newspaper] correspondent; **Berichterstattung** *f* reporting

berichtigen *vt* ① → *Wort, Aussprache* correct ② → *Behauptung* put straight

beritten *adj* ▷*Polizei* mounted

Bernhardiner *m* ZOOL St. Bernard

Bermudas *pl* ① (*Inseln*) Bermudas *pl* ② (*Hose*) Bermuda shorts *pl*

Bernstein *m* amber

bersten <barst, geborsten> *vi* burst, split

berüchtigt *adj* ▷*Lokal, Spieler* notorious, infamous

berücksichtigen *vt* → *Person, Antwort* consider, bear in mind

Beruf *m* <-[e]s, -e> (*gehobener ~*) profession; (*Handwerks-*) trade; (*sonstiger ~*) occupation; ◇ **was sind Sie von ~?** what do you do to make a living?; **berufen** *unreg* **I.** *vt* ↑ *einsetzen* appoint (*in akk* to as); ◇ **er wurde in das Amt ~** he was appointed to the office **II.** *vr* ◇ **sich ~** ↑ *sich beziehen* refer (*auf akk* to) **III.** *adj* ↑ *fähig* capable, competent; ◇ **er fühlte sich hierzu nicht ~** he did not feel suited to this; ◇ **zu etw ~ sein** REL to be called to s.th.; **beruflich** *adj* professional, vocational; **Berufs-** *adj* occupational; **Berufsausbildung** *f* [professional] training; (*für Handwerk*) vocational training; **Berufsberatung** *f* vocational guidance; **Berufskrankheit** *f* occupational disease; **Berufsleben** *s* professional life; **Berufsrisiko** *s* occupational hazard; **Berufsschule** *f* technical college; **berufstätig** *adj* employed; **Berufsverkehr** *m* rush hour traffic; **Berufswahl** *f* choice of occupation; **Berufung** *f* ① (*in Amt*) appointment ② (*zu einer Tätigkeit*) vocation, calling ③ JURA ↑ *Einspruch* appeal; ◇ **in die ~ gehen** to appeal

beruhen *vi* rest upon, be based on; ◇ **seine Vorwürfe ~ auf Gegenseitigkeit** his censure is mutual

beruhigen I. *vt* → *Baby* calm, pacify, soothe; ◇ **es beruhigt uns sehr, daß ...** it is reassuring to us, that ... **II.** *vr* ◇ **sich ~** ① ↑ *ruhiger werden* calm [o.s.] down ② ← *Herz, Wind etc.* calm down; **Beruhigung** *f* ① reassurance; (*von Nerven*) soothing; (*von Sturm*) calming ② ◇ **zu deiner ~ kann ich sagen, daß ...** ↑ *Beruhigtsein* for your peace of mind I can tell you that ...; **Beruhigungspille** *f* tranquillizer; **Beruhigungsspritze** *f* tranquillizing shot

berühmt *adj* famous, renowned, celebrated; **Berühmtheit** *f* (*Persönlichkeit*) celebrity; ◇ **~ erlangen** to become famous

berühren I. *vt* ① → *Person, Sache* touch ② → *Thema* ↑ *streifen* touch on ③ ← *Krankheit, Schicksal* affect **II.** *vr* ◇ **sich [gegenseitig] ~** make contact, meet; **Berührung** *f* contact, touch; **Berührungspunkt** *m* point of contact, junction

besäen *vt* → *Acker* seed, sow

besagen *vi* ① ↑ *zum Ausdruck bringen* mean ② ↑ *andeuten* imply ③ ↑ *vermitteln, klarmachen* convey ④ ◇ **was besagt das schon?** what does that prove anyway?; **besagt** *adj* ▷*Zeuge, Tat etc.* mentioned; ◇ **zur ~en Zeit** at the time in question

besänftigen *vt* → *Zorn, Nerven* soothe, calm, placate

Besatz *m* <-es, Besätze> ① ↑ *Einfassung, Borte* edging; (*Kleider-*) trimming; (*von Tischtuch*) border ② (*Füllen bei Bauwerk*) tamping

Besatzer *m* <-s, -> (*-soldat*) member of occupying forces; **Besatzung** *f* ① ↑ *Mannschaft* crew ② (*-struppen*) occupying forces; **Besatzungsmacht** *f* occupying power

besaufen *unreg vr* ◇ **sich [voll und ganz] ~** *FAM* to get plastered/pissed

beschädigen *vt* damage, impair; **Beschädigung** *f* ① (*das Beschädigen*) damage ② ↑ *das Beschädigte* damaged area, actual damage

beschaffen I. *vt* get [hold of], obtain; → *Geld* raise funds **II.** *adj* ▷*Mensch, Haus* constituted; **Beschaffenheit** *f* nature, make-up; **Beschaffung** *f* procurement, provision

beschäftigen I. *vt* → *Kind* occupy, keep busy; ↑ *anstellen* employ **II.** *vi:* ◇ **beschäftigt sein** (*mit Gedanken*) to be preoccupied with **III.** *vr* ◇ **sich ~** ↑ *sich betätigen* occupy o.s.; ◇ **sich [mit etw] ~** ↑ *sich befassen* deal with s.th.; **beschäftigt** *adj* busy, occupied; (*in Firma*) employed; **Beschäftigung** *f* (*Freizeit-*) activity, occupation; (*im Beruf*) employment, business pursuit; (*mit Thema*) treatment

beschämen *vt* ↑ *erniedrigen* shame; ↑ *demütigen* humiliate; **beschämend** *adj* ▷*Verhalten, Auftritt* shameful, disgraceful; **beschämt** *adj* ashamed; ◇ **~ lief er nach draußen** he rushed out shamefacedly

beschatten *vt* → *Verbrecher* ↑ *observieren* shadow, tail

beschaulich *adj* ① ↑ *anschaulich* contemplative [2] ◇ **seine Auskünfte waren sehr** - ↑ *karg* the information he gave was not thoughtful [3] ◇ **ein -es Leben führen** ↑ *idyllisch* to live the life of Riley

Bescheid *m* <-[e]s, -e> [1] ↑ *Nachricht* information [2] ↑ *Beschluß* decision [3] ↑ *amtliche Mitteilung* notice, notification [4] ↑ *Weisung* directions *pl;* ◇ **ich weiß darüber** - I am aware of the fact; ◇ **jd-m** - **sagen** let s.b. know, inform s.o.

bescheiden *adj* ▷*Mensch, Verhältnisse* modest; **Bescheidenheit** *f* modesty

bescheinigen *vt* [1] → *Geldempfang* acknowledge receipt of, sign for [2] → *gute Arbeit, Verlust* certify; **Bescheinigung** *f* [1] (*das Bescheinigen*) attestation [2] ↑ *Urkunde, Ausweis etc.* certificate

bescheißen *unreg vt FAM* ↑ *betrügen* fiddle, cheat, screw s.o. over/up *AM*; (*mit Geld*) rip s.o. off *AM*

beschenken *vt* give presents [*o.* a present] to

bescheren *vt* [1] ◇ **jd-n** - give presents to s.b.; ◇ **jd-m eine Sache** - give s.b. s.th. as a present [2] ◇ **der Sommer beschert uns viel Sonne** *FIG* ↑ *bringen* we are blessed with plenty sunshine in summer; **Bescherung** *f* [1] (*am Weihnachtsabend*) giving of presents [2] *FAM* mess; ◇ **das ist vielleicht eine schöne** -! that's a fine mess [*o.* a pretty kettle of fish]

bescheuert *adj* ↑ *blöd* crazy, stupid

beschießen *vt* → *Stadt* bombard, fire at/on

beschildern *vt* → *Straße* signpost, mark

beschimpfen *vt* ↑ *schelten* abuse, insult; **Beschimpfung** *f* abuse, insult

Beschiß *m* <-sses>: ◇ **das ist [ja]** -! *FAM* ↑ *Betrug* that is a dirty trick! [*o.* a cheat]

Beschlag *m* <-s, Beschläge> [1] (*Tür-, Fenster-*) mounting; (*Buch-, Koffer-*) fitting; ↑ *Hufeisen* [horse]shoes *pl* [2] (*von Pferden*) shoeing [3] ◇ **in** - **nehmen** ↑ *beanspruchen* monopolize; **beschlagen** *unreg* **I.** *vt* ↑ *Beschlag anbringen* panel; → *Pferd* shoe **II.** *vi* ← *Metall* tarnish; ← *Fenster* mist over **III.** *vr* ◇ **sich** - ← *Glas etc.* steam up, mist **III.** *adj* knowledgable; ◇ **er ist in/auf seinem Gebiet sehr** - he is well-versed in his field; **Beschlagnahme** *f* confiscation, seizure; **beschlagnahmen** *vt* → *Akten, Waren, Pass* confiscate, seize

beschleunigen I. *vt* → *Entwicklung, Ablauf* accelerate, speed up **II.** *vi* ← *Fahrer, Fahrzeug* accelerate; **Beschleunigung** *f* acceleration

beschließen *unreg vt* [1] → *Arbeit* ↑ *beenden* close, end; → *Ende* conclude [2] ↑ *Beschluß fassen* decide, settle; **Beschluß** *m* decision, conclusion; (*Gerichts-*) ruling; (*Kabinetts-*) vote, conclusion

beschmieren *vt* [1] → *Brot* spread, cover [2] → *Kleid* [be]smear, [be]daub; → *Tafel* scribble over

beschmutzen *vt* → *Kleider etc.* soil, dirty

beschneiden *unreg vt* → *Papier* cut, prune, trim; → *Zweige* prune, trim; REL, MED → *Vorhaut* circumcise; *FIG* ↑ *einengen* cut down on, curtail

beschönigen *vt* → *Fehler* gloss over, whitewash

beschränken I. *vt* → *Rechte, Person* limit, restrict; → *Bedeutung* confine (*auf akk* to) **II.** *vr* ◇ **sich** - [1] ↑ *sich bescheiden* restrict o.s. [2] (*in Rede*) confine o.s.

beschrankt *adj* ▷*Bahnübergang* guarded, gated

beschränkt *adj* [1] ▷*Verhältnisse, Situation* confined, narrow [2] ↑ *stumpfsinnig, einfältig* limited, narrow-minded; **Beschränkung** *f* ↑ *Einengung* limitation, restriction

beschreiben *unreg vt* [1] → *Blatt Papier* write on [2] ↑ *schildern* describe; (*bildhaft*) depict, portray; **Beschreibung** *f* [1] description; ↑ *Darstellung* portrayal [2] ↑ *Gebrauchsanweisung* instructions

beschriften *vt* → *Papier* write on; → *Grabstein* inscribe; → *Diskette* label; → *Umschlag* address

beschuldigen *vt* accuse of; ↑ *belasten* incriminate; ◇ **jd-n** -, **etw getan zu haben** to accuse somebody of having done s.th.; **Beschuldigung** *f* accusation

beschummeln *vt* (*FAM beim Spiel*) cheat, trick

beschützen *vt* protect, shelter (*vor dat* from); **Beschützer(in** *f*) *m* <-s, -> protector

Beschwerde *f* <-, -n> [1] ↑ *Beanstandung, Klage* complaint [2] ◇ **(gesundheitliche) -n** *pl* discomfort; (*stärker*) pain; **beschweren I.** *vt* ↑ *belasten* weight down, burden **II.** *vr* ◇ **sich** - ↑ *beanstanden* complain (*über acc* about, of to); **beschwerlich** *adj* ↑ *anstrengend* tiring, exhausting

beschwichtigen *vt* → *Situation* soothe, pacify; → *Bedenken* allay; ◇ **sie versuchte, ihn zu** - ↑ *beruhigen* she tried to placate him

beschwindeln *vt* [1] ↑ *lügen* tell a fib [2] (*beschummeln*) cheat

beschwipst *adj* tipsy

beschwören *unreg vt* [1] ↑ *beeiden* swear to [2] → *Geister* conjure up [3] ↑ *sehr bitten* implore

beseitigen *vt* [1] ↑ *wegbringen* remove; → *Müll, Abfall* dispose of; → *Spuren* obliterate [2] ↑ *umbringen* eliminate, kill; **Beseitigung** *f* [1] (*von Müll*) removal; (*von Spuren*) obliteration [2] ↑ *Töten* liquidation, elimination

Besen *m* <-s, -> (*Kehr-*) broom; **Besenschrank** *m* broom closet; **Besenstiel** *m* broomstick

besessen *adj* ① (*von Idee*) obsessed ② (REL *von Geistern*) possessed

besetzen *vt* ① → *Land* occupy ② → *WC* occupy; → *Haus* squat in; → *Telefonleitung* use; ◇ **die Leitung ist besetzt** the line is engaged/busy *AM* ③ (*mit Schmuck*) set ④ → *Arbeitsstelle* fill, appoint; THEAT → *Rolle* cast; **Besetzung** *f* ① ↑ *Eroberung* occupation ② (*von WC*) use; (*von Telefon*) use; (*von Haus*) squatting ③ (*mit Schmuck*) setting, appointment ④ (*von Arbeitsstelle*) filling; (THEAT *von Rolle*) casting

besichtigen *vt* ① → *Schloß, Räume* visit, [have a] look at ② → *Waren, Truppen* inspect; **Besichtigung** *f* ① (*von Sehenswürdigkeiten*) sight-seeing tour; ↑ *Besuch* visit ② (*von Waren, Truppen*) inspection

Besiedlung *f* settlement, colonization

besiegen *vt* ① ↑ *schlagen* defeat, beat; → *Volk* conquer ② → *Schlaf, Unlust* overcome; **Besiegte(r)** *fm* ↑ *Verlierer* loser

besingen *vt* → *Landschaft* sing the praises of

besinnen *unreg vr* ◇ **sich** ~ ① ↑ *überlegen* reflect, think; ↑ *konzentrieren* think (*auf akk* about) ② ↑ *erinnern* remember (*auf acc* s.th./s.b.); **besinnlich** *adj* ↑ *nachdenklich* contemplative; **Besinnung** *f* ↑ *Bewußtsein* consciousness; ◇ **wieder zur** ~ **kommen** to regain consciousness; **besinnungslos** *adj* ① ↑ *ohnmächtig* unconscious ② ↑ *unvernünftig* thoughtless, senseless

Besitz *m* <-es> ① (*das Besitzen*) possession, ownership ② ↑ *Eigentum* property; **besitzanzeigend** *adj* SPRACHW possessive; **besitzen** *unreg vt* ① → *Tier, Haus etc.* have, own, hold ② (*als Eigentum*) have, possess ③ → *Fähigkeit, Mut etc.* have, be endowed with; **Besitzer(in** *f*) *m* <-s, -> owner, proprietor

besoffen *adj FAM* drunk, pissed *AM*

besohlen *vt* → *Schuhe* [re]sole

Besoldung *f* (*von Soldaten, Beamten*) salary, pay

besondere(r, s) *adj* ▷*Fähigkeiten, Ausnahme* special; ▷*Art* own; ▷*Reiz* unique; ↑ *eigentümlich* peculiar; ▷*Vorkommnisse, Fälle* particular; ▷*Arbeitsgang, Verfahren* ↑ *zusätzlich* separate; **Besonderheit** *f* ↑ *Eigentümlichkeit* peculiarity; **besonders** *adv* ① ↑ *insbesondere* especially; ◇ **darüber freue ich mich** ~ I am especially delighted about that ② ↑ *außergewöhnlich* extraordinarily, particularly; ◇ **sie ist eine** ~ **hübsche Person** she is a particularly attractive person; ◇ **der Wein war nicht** ~ (*mittelmäßig*) the wine was nothing special

besonnen *adj* ▷*Mensch, Tat* sensible, level-headed; ↑ *umsichtig* prudent; **Besonnenheit** *f* prudence

besorgen *vt* ① → *Arbeit* get, find; → *Ware, Artikel* get ② (*aus der Stadt*) buy, go shopping for ③ (*erledigen*) see to, attend to

Besorgnis *f* ↑ *Sorge, Angst* anxiety, concern; **besorgt** *adj* anxious, worried; ◇ **um jd-n/eine Sache** ~ **sein** to be concerned about s.th.

Besorgung *f* ① ↑ *Einkauf* purchase ② ↑ *Erledigung* execution

bespielen *vt* ① → *[Musik/Video-]Band, Kassette* record ② → *Tennisplatz* play on

bespitzeln *vt* ↑ *heimlich beobachten* spy on

besprechen *unreg* **I.** *vt* ① → *Situation, Thema* talk about, discuss ② → *Buch, Film* review **II.** *vr* ◇ **sich mit jd-m** ~ **über** ↑ *sich beraten* confer with s.b. (*über acc* about); **Besprechung** *f* ① (*das Besprechen*) talk, discussion ② ↑ *Unterredung* meeting, conference ③ ↑ *Beurteilung, Rezension* review, critique

besser <*Komparativ von* **gut**> *adj* better; ◇ **du solltest** ~ **schweigen** you had better keep quiet; **bessergehen** *unreg vi:* ◇ **hoffentlich geht es Ihnen bald** ~ hopefully you will feel better soon

bessern **I.** *vt* ↑ *verbessern* improve, [make] better **II.** *vr* ◇ **sich** ~ ← *Zeugnis* ↑ *besser werden* improve, get better; ← *Mensch* improve [one's position]; ← *Gesellschaft* reform; ← *Krankheit* recover from [illness], get better; ← *Laune, Wetter* look up; **Besserung** *f* improvement; ↑ *Erholung* recovery; ◇ **[wir wünschen Ihnen eine] gute** ~**!** we wish you a good recovery, get well soon

Bestand *m* ① (*an Waren*) stock, resources *pl;* (*an Geld*) balance, funds *pl* ② ↑ *[Fort-]Bestehen* continuance; ◇ **unsere Arbeit wird** ~ **haben** our work will last [*o.* have substance]

beständig *adj* ① ↑ *gleichbleibend* constant, steady; METEOR ▷*Klima* settled ② ▷*Freundschaft* steady; ▷*Material* resistant, durable

Bestandsaufnahme *f* stocktaking; **Bestandteil** *m* ① ↑ *Element, Komponente* component, part, element ② ◇ **-e** ↑ *Zutaten* ingredients *pl*

bestärken *vt* (*durch Zureden*) strengthen, encourage

bestätigen **I.** *vt* ① → *Nachricht etc.* confirm, attest ② → *Briefeingang* acknowledge **II.** *vr* ◇ **sich** ~ → *Verdacht* to prove to be right; **Bestätigung** *f* ① (*von Aussage, Nachricht*) verification, confirmation ② (*von Vermutungen*) justification ③ ↑ *Urkunde* certificate ④ (*im Amt*) acknowledgement

bestatten *vt* bury; **Bestattung** *f* ↑ *Begräbnis*

funeral; **Bestattungsinstitut** *s* undertakers *pl*

bestäuben *vt* [1] BIO → *Pflanze* pollinate [2] (*mit Mehl, Gift*) powder, dust

beste(r, s) <*Superlativ von* **gut**> *adj* best; ◇ **gefällt dir das am -n?** do you like it best?; ◇ **für dich ist es am -n** it would be best/better for you; ◇ **sein B-s tun** to try/do one's best

bestechen *unreg vt* [1] → *Beamten, Zeugen* bribe [2] *FIG* ↑ *beeindrucken* captivate; **bestechend** *adj* ↑ *beeindruckend* captivating, fascinating; **bestechlich** *adj* ↑ *käuflich* corrupt; **Bestechung** *f* (*Beamten-*) bribery, corruption, graft *AM*; (*Zeugen-*) bribery, subornation

Besteck *s* <-[e]s, -e> (*Eß-*) cutlery; (*auch Plastik-*) silverware *AM*

bestehen *unreg* **I.** *vi* be, exist; ◇ **- bleiben** continue to exist, last **II.** *vt* → *Probe, Examen* pass; → *Kampf* survive; ← *Vorschrift* to be in force; ◇ **- auf einer Sache** make a point of s.th., insist on s.th.; ◇ **- aus/in** consist of/in

bestehlen *unreg vt* rob, steal from

besteigen *unreg vt* → *Berg* climb, ascend; → *Pferd* mount; → *Fahrrad* get on; → *Flugzeug, Schiff, Zug* board; **Besteigung** *f* (*eines Berges*) climbing, ascent

bestellen *vt* [1] → *Waren, Essen* order; ↑ *reservieren lassen* reserve, book; → *Taxi* order, book [2] → *Boden* cultivate [3] → *Nachricht, Grüße* pass on [4] (*zu sich -*) ask someone to come; (*zum Gutachter*) appoint; **Bestellung** *f* [1] (*das Bestellen*) ordering, booking [2] COMM ↑ *Auftrag* order; ↑ *Lieferung* delivery [3] (*von Boden*) tillage, cultivation

bestenfalls *adv* at best; ◇ **er taugt - zum Schuhputzer** he will make it as a shoe-shine boy at best; **bestens** *adv* ↑ *vortrefflich* very well, perfectly; ◇ **das ist ja -** that's great

besteuern *vt* tax

Bestie *f* beast; (*FIG grausamer Mensch*) beast, brute

bestimmen *vt* [1] ↑ *entscheiden* determine, decide; → *Treffpunkt* fix; → *Begriff* define [2] ↑ *anordnen* direct [3] ↑ *aussersehen* select, designate [4] (*über eine Sache*) dispose of; **bestimmt I.** *adj* [1] ▷*Dinge* certain; ↑ *eindeutig* definite [2] ▷*Auftreten* firm, resolute **II.** *adv* ↑ *sicher* definitely; ◇ **ganz bestimmt wissen** to know for sure; **Bestimmung** *f* [1] ↑ *das Bestimmen* determining, determination; (*von Preis, Verabredung*) fixing [2] ↑ *Vorschrift* direction; ↑ *Verordnung* regulation; (*Zoll-en*) customs regulations *pl* [3] ↑ *Schicksal, Aufgabe* destiny [4] (*Begriffs-*) definition; **Bestimmungsbahnhof** *m* end station, destination; **Bestimmungshafen** *m* port of destination; **Bestimmungswort** *s* determiner

bestmöglich *adj* optimum, best possible

bestrafen *vt* punish; **Bestrafung** *f* punishment

bestrahlen *vt* [1] (*Turm*) floodlight [2] (MED *mit Röntgenstrahlen*) treat with X-rays; **Bestrahlung** *f* floodlighting; X-ray treatment, radiotherapy

bestrebt *adj*: ◇ **- sein, etw zu tun** to be anxious to do s.th.

bestreichen *unreg vt* (*Holz mit Leim*) coat, cover; (*Brot mit Käse*) spread

bestreiken *vt* (*Unternehmen*) to be on strike against

bestreiten *unreg vt* [1] (*Behauptung, Aussage*) dispute, deny; (*Beweis*) challenge [2] (*Leben[sunterhalt], Studium*) pay for, finance

bestreuen *vt* (*Kuchen*) sprinkle, dust; (*Boden mit Blumen*) strew with

bestücken *vt* (*mit Waffen*) arm, equip; (*Kaufhaus mit Waren*) stock

bestürmen *vt* (*mit Fragen*) bombard

bestürzt *adj*: ◇ **sie machte ein -es Gesicht** she looked dismayed; **Bestürzung** *f* consternation, dismay

Besuch *m* <-[e]s, -e> [1] (*von Stadt, Freunden*) visit; (*kürzerer -*) call; (*längerer -*) stay; (*Theater-*) visit; (*von Lehrveranstaltung*) attendance; ◇ **jd-m einen - abstatten** pay s.b. a visit [2] ↑ *Gast* visitor; **besuchen** *vt* (*Freund, Patienten*) call on, visit; (*Vorlesung*) attend; **Besucher(in** *f*) *m* <-s, -> ↑ *Gast* visitor, guest; (*Teilnehmer*) participant

besudeln *vt* (*mit Schmutz etc.*) dirty

betagt *adj* aged; ◇ **ein etwas -er älterer Herr** an elderly gentleman getting on in years

betasten *vt* (*Waren etc.*) touch; (*befühlen*) feel, finger

betätigen I. *vt* (TECH *Maschine, Notbremse*) operate, work; (*Bremse*) apply **II.** *vr* ◇ **sich -** be active; ◇ **sich als Fremdenführer -** work as tour guide; **Betätigung** *f* [1] (*das Betätigen*) activity; (*das Sichbetätigen*) occupation [2] (*von Hebel, Gerät*) operation, activation

betäuben I. *vt* [1] (*Schmerz*) numb; MED anaesthetize **II.** *vr* ◇ **sich -** (*mit Alkohol, Drogen*) get intoxicated; **Betäubung** *f* (*Benommenheit*) stunned state, dazed state; MED anaesthetization

Bete *f* <-, -n>: ◇ **rote -** beetroot

beteiligen I. *vt* (*teilhaben lassen*) give s.o. a share (*an einer Sache* in s.th.) **II.** *vr:* ◇ **sich [an**

etw *dat*] ~ (*Wettbewerb*) enter s.th.; (*Diskussion*) participate in; (*Kosten, Gewinn*) have/do a share in/of; **Beteiligung** *f* [1] (*das Teilhaben, Mitwirken*) participation [2] (*Kapital~, Anteil*) share, cut, stake

beten *vi* pray

beteuern *vt* (*versichern*) affirm, assure; (*Unschuld*) protest; (*seine Liebe*) declare; **Beteuerung** *f* assertion, assurance; (*Unschulds~*) protest

betiteln *vt* [1] (*Buch, Überschrift*) title [2] (*Person*) address s.b. as

Beton *m* <-s, -s *o.* -e> concrete

betonen *vt* [1] (*Wort, Silbe*) stress [2] (*Aussage bekräftigen*) emphasize

betonieren *vt* concrete

Betonung *f* [1] (*von Silbe, Wort*) stress, emphasis [2] (*von Aussage*) underscoring, emphasis

betören *vt* infatuate

Betracht *m:* ◇ **etw in ~ ziehen** to take into consideration; ◇ **nicht in ~ kommen** be out of the question; **betrachten** *vt* [1] → *Sache, Person* look at, contemplate; → *Problem* assess, consider [2] (*näher ~*) inspect, examine [3] ◇ **jd-n/eine Sache als etwas ~** to regard s.o./s.th. as; **Betrachter(in** *f*) *m* <-s, -> [1] onlooker [2] (*Urteilender, Prüfer*) examiner

beträchtlich *adj* considerable

Betrachtung *f* contemplation; assessment; examination, inspection

Betrag *m* <-[e]s, Beträge> amount, sum; **betragen** *unreg* **I.** *vt* (*Summe*) amount to **II.** *vr* ◇ **sich ~** (*sich benehmen*) behave; **Betragen** *s* <-s> (*Verhalten*) behaviour; (*in Zeugnis*) conduct

Betreff *m* (*~zeile*) reference line; **betreffen** *unreg vt* (*Person, Sache*) affect, concern; (*sich beziehen auf*) refer to; ◇ **was diese Frage betrifft** as far as this question is concerned; **betreffend** *adj* relevant; (*erwähnt*) in question, concerned

betreiben *unreg vt* [1] (*Handel, Handwerk, ausüben*) practise [2] (*Geschäft, führen*) run, operate [3] (*beschäftigen mit*) occupy o.s. with; (*Studien*) pursue [4] (TECH *antreiben*) drive

betreten I. *unreg vt* (*Rasen, Brücke*) go on, set foot on; (*Zimmer, Kirche*) enter; ◇ **B~ der Baustelle verboten** trespassing (on site) prohibited **II.** *adj:* ◇ **nach seinem Unfall sah er sehr ~ aus** after his accident he looked pretty sheepish

betreuen *vt* [1] (*Kinder*) look after [2] (*Kranke*) tend, nurse [3] (*Gemeinde*) serve; **Betreuung** *f* care and control

Betrieb *m* <-[e]s, -e> [1] (*das Betreiben*) operation; ◇ **außer ~ sein** to be out of order [2] (*Firma*) firm, company [3] (*Geschäftigkeit*) bustle, traffic;

Betriebsangehörige(r) *m* employee of a firm; **Betriebsferien** *pl* company holidays *pl;* **Betriebsleitung** *f* (*Geschäftsführung*) management; **Betriebsrat** *m* works committee; **Betriebssicherheit** *f* (*von Maschine*) operational safety; **Betriebsstörung** *f* breakdown; **Betriebssystem** *s* PC [disk] operating system; **Betriebswirtschaft** *f* business management

betrinken *unreg vr* ◇ **sich ~** get drunk

betroffen *adj* [1] (*bestürzt*) taken aback; ◇ **von etw ~ werden/sein** be affected by s.th. [2] (*heimgesucht*) hit; **Betroffenheit** *f* perplexity, bewilderment; **betrübt** *adj* [1] (*traurig*) sad, depressed [2] (*bekümmert*) sorrowful

Betrug *m* <-[e]s> JURA fraud; **betrügen** *unreg* **I.** *vt* [1] (*täuschen*) deceive; (*beschummeln*) cheat; JURA defraud [2] (*Partner*) be unfaithful to **II.** *vr* ◇ **sich ~** deceive o.s.; **Betrüger(in** *f*) *m* <-s, -> (*Falschspieler, Schwindler*) cheat, swindler; JURA deceiver; **betrügerisch** *adj* JURA fraudulent

betrunken *adj* drunk; **Betrunkene(r)** *m* drunk

Bett *s* <-[e]s, -en> bed; (*Einzel~*) single bed; (*Doppel~*) double bed; ◇ **ins/zu ~ gehen** to go to bed; ◇ **ans ~ gefesselt sein** to be bedridden; **Bettdecke** *f* (*Federbett*) duvet; (*Wolldecke*) blanket

bettelarm *adj* destitute; **betteln** *vi* (*um Geld*) beg; (*inständig bitten*) implore

betten *vt* bed; ◇ **jd-n weich ~** make s.b. a soft bed; **bettlägerig** *adj* bedridden; **Bettlaken** *s* sheet

Bettler(in *f*) *m* <-s, -> beggar; **Bettvorleger** *m* bedside rug; **Bettwäsche** *f*, **Bettzeug** *s* bed linen, bedclothes *pl*

betucht *adj* wealthy, rich; **beugen I.** *vt* [1] (*Kopf*) bow, bend; (*Arm, Knie*) bend, flex [2] SPRACHW inflect **II.** *vr* ◇ **sich ~** [1] (*aus dem Fenster*) lean [2] (*jd-m/einer Sache ~, sich unterwerfen*) defer, submit (*dat* to); **Beugung** *f* [1] (*das Beugen*) bow, bending [2] SPRACHW inflection

Beule *f* <-, -n> [1] (*Schwellung*) bump, swelling [2] (*[Auto-]Delle*) dent, bump

beunruhigen I. *vt* disturb, worry; (*stärker*) alarm, distress **II.** *vr* ◇ **sich [über etw] ~** to be worried about s.th.; **Beunruhigung** *f* uneasiness, alarm

beurkunden *vt* attest; JURA place on the record; (*behördlich*) certify

beurlauben *vt* [1] give time off [2] (*vom Dienst*) suspend

beurteilen *vt* judge; (*Fall*) form an opinion on;

(*Situation*) size up; (*Schüler*) assess; **Beurteilung** *f* judgement; review; (*von Schularbeit*) appraisal
Beute *f* captured property; (*Diebes-*) loot, booty; (*Tier-*) prey
Beutel *m* <-s, -> (*Einkaufs-*) bag; (*Geld-*) purse; (*von Känguruh*) pouch; **Beuteltier** *s* (*Känguruh etc.*) marsupial
bevölkern *vt* (*Gebiet*) populate, settle; **bevölkert** peopled, populated; **Bevölkerung** *f* population; **Bevölkerungsdichte** *f* population density
bevollmächtigen *vt* authorize, empower; **Bevollmächtigte(r)** *fm* authorized agent
bevor *cj* before
bevormunden *vt* patronize, treat like a child; **bevorstehen** *unreg vi* be approaching; (*Krise*) be impending; ◇ **jd-m** ~ to be in store for s.o.; **bevorzugen** *vt* [1] (*Farbe, Kleid*) prefer [2] (*Schüler*) favour; **bevorzugt** *adj* preferred; ◇ **eine Angelegenheit ~ behandeln** to give a matter priority; **Bevorzugung** *f* [1] (*von Farbe, Kleid*) preference [2] (*von Patienten*) preferential treatment
bewachen *vt* (*Gefangenen*) guard; (*Auto*) keep a watch on; **Bewachung** *f* (*Bewachen*) guarding, custody; (*Überwachung*) surveillance
bewaffnen *vt* (*Militär*) arm; **Bewaffnung** *f* [1] (*das Bewaffnen*) arming [2] (*Waffenausrüstung*) arms *pl*
bewahren I. *vt*: ◇ **eine Szene im Gedächnis ~** to retain a scene **II.** *vr* ◇ **sich [eine Sache] ~** (*Brauch, Sitte*) retain
bewähren *vr* ◇ **sich ~** [1] (*sich beweisen*) to prove o.s./itself [2] (*als etw*) to prove to be; **bewährt** *adj* (*Mittel*) proven, established; **Bewährung** *f* JUR probation; **Bewährungsprobe** *f* acid test
bewaldet *adj* wooded
bewältigen *vt* overcome; (*Gegner*) overpower; (*Aufgabe, Arbeit*) complete, accomplish; (*Schwierigkeit*) master, surmount, overcome; (*Last*) cope with
bewandert *adj* well-informed, proficient
bewässern *vt* water; (*künstlich*) irrigate
Bewässerung *f* watering; irrigation
bewegen I. *vt* [1] (*Beine*) move; (*Mechanismus*) set in motion; (*Pferd*) exercise [2] (*berühren*) touch, move **II.** *vr* ◇ **sich ~** [1] (*seine Lage*) move; (*Temperatur*) fluctuate [2] (*Verhandlungspartner*) show flexibility
bewegen <bewog, bewogen> *vt* **Beweggrund** *m* motive
beweglich *adj* moveable, flexible; (*flink*) quick; **bewegt** *adj* [1] (*See*) rough, turbulent; (*Leben*) colourful, eventful [2] (*berührt*) touched; **Bewegung** *f* [1] movement, motion; ◇ **du brauchst etwas ~** you need some [physical exercise [2] (*Rührung*) emotion; **bewegungslos** *adj* motionless, immobile
Beweis *m* <-es, -e> proof (*für* of); **beweisbar** *adj* JURA provable; (*MATH*) demonstrable; **beweisen** *unreg vt* prove; (*erkennen lassen*) show; **Beweisführung** *f* reasoning, line of argument; **Beweismaterial** *m* supporting evidence; **Beweismittel** *s* JUR judicial evidence; **Beweisstücke** *pl* JUR exhibits *pl*
bewenden *unreg vi*: ◇ **lassen wir es dabei ~** let's leave it at that
bewerben *unreg vr* ◇ **sich ~** apply (*um* for); **Bewerber(in** *f*) *m* <-s, -> applicant; candidate; **Bewerbung** *f* application; candidature
bewerten *vt* assess; (*Schularbeit*) mark; (*Haus*) value; **Bewertung** *f* assessment; mark, grades (US), valuation
bewilligen *vt* grant, allow; (*zugestehen*) concede to
bewirken *vt* cause, bring about
bewirten *vt* entertain; **bewirtschaften** *vt* [1] (*Hof*) manage, administer [2] (*Land*) till, work; **Bewirtung** *f* hospitality
bewohnen *vt* inhabit, live in; (*Raum auch*) occupy; **Bewohner(in** *f*) *m* <-s, -> (*von Land*) inhabitant; (*von Haus*) resident, occupier
bewölken ◇ **sich ~** cloud over; **bewölkt** *adj* cloudy, overcast; **Bewölkung** *f* clouds *pl;* (*Wolkenbildung*) cloud formation
bewundern *vt* admire; **bewundernswert** *adj* admirable; **Bewunderung** *f* admiration
bewußt *adj* conscious; (*absichtlich*) deliberate; ◇ **sich** *dat* **einer Sache** *gen* **~ sein** be aware of s.th.; **bewußtlos** *adj* unconscious; **Bewußtlosigkeit** *f* unconsciousness; **bewußtmachen** *vt:* ◇ **jd-m/sich etw ~** make s.b./o.s. aware of s.th.; **Bewußtsein** *s* <-s> consciousness; ◇ **bei ~** conscious
bezahlbar *adj* payable; **bezahlen I.** *vt* [1] → *Ware, Miete, Geld* pay; (*für Versicherungsprämie*) cover [2] (*Arbeiter*) pay, remunerate [3] (*Schulden*) discharge **II.** *vi:* ◇ **Herr Ober, bitte ~!** waiter, the bill please; **bezahlt** *adj* paid, payment received; (*Scheck*) honoured; **Bezahlung** *f* [1] (*einer Schuld*) discharging [2] (*Gehalt*) salary; (*für Dienste*) fee, remuneration
bezaubern *vt* (*FIG durch Charme*) enchant, charm, bewitch
bezeichnen *vt* [1] ↑ *markieren* mark out [2] (*näher beschreiben*) depict [3] (*zeigen*) indicate [4]

(*bedeuten*) signify; ◇ **ich habe ihn als Schwein bezeichnet** I called him a pig; **bezeichnend** *adj* characteristic, typical (*für* of); **Bezeichnung** *f* ① (*Markierung*) mark, sign ② (*Beschreibung*) description ③ (*Benennung, Ausdruck*) designation

bezeugen *vt* (*Straftat*) testify to; (*schriftlich*) make a witness statement

bezichtigen *vt*: ◇ **jd-n eines Diebstahls** - to impute a theft to s.o.

beziehen *unreg* **I.** *vt* ① → *Schirm, Sessel* cover; → *Bett* put clean sheets on, change ② → *Wohnung, Zimmer* move into ③ → *Prügel* get (a hiding); → *Waren* obtain; ↑ *regelmäßig erhalten* (*Rente, Gehalt etc.*) receive, draw; → *Zeitung* subscribe to, take ④ (*Position, Standpunkt*) assume an attitude, take a stand **II.** *vr* ◇ **sich [auf eine Sache]** - refer (*auf akk* to); ◇ **wir - uns dabei auf unser Schreiben vom** in this matter we refer to our letter of; **Beziehung** *f* ① relation[s]; (*Freundsschafts-*) relationship; (*Geschäfts-*) connection; ◇ **der Chef hat viele -en** the boss has got plenty of contacts [*o.* friends in the right places] ② (*Hinsicht*) respect; (*Zusammenhang*) connection ③ (*Neigung, Hang*) affinity; **beziehungsweise** *cj* or, or rather; ◇ **ich bezahle, - meine Bank** I or rather my bank will pay; ◇ **X und Y verdienten eintausend, - zweitausend** (*im anderen Fall*) X and Y earned one thousand and two thousand respectively

beziffern I. *vt* (*Betrag*) put a figure to **II.** *vr* ◇ **sich - auf** (*sich belaufen*) amount to

Bezirk *m* <-[e]s, -e> ① (*Verwaltungs-*) district ② (*Stadt-*) borough; (*Wohn-*) (residential) area

Bezug *m* <-[e]s, Bezüge> ① (*Überzug*) cover[ing] ② (*Verhältnis, Zusammenhang*) relationship (*zu* to); ◇ **in - auf eine Sache** (*hinsichtlich*) referring to s.th., regarding; ◇ **wir nehmen - auf ...** we refer to ... ③ (*von Zeitschrift*) subscription; (*von Lohn*) income, earnings; (COMM *von Waren*) ordering; (*Anschaffung*) purchase; **bezüglich I.** *präp gen* (*hinsichtlich*) referring to **II.** *adj*: ◇ **-es Fürwort** relative pronoun; **Bezugnahme** *f* <-, -n> reference; ◇ **unter - auf Ihr Angebot ...** with reference to your offer ...; **bezugsfertig** *adj* (*Haus*) ready to move in; **Bezugspreis** *m* (*einer Zeitung*) retail price

bezwecken *vt* (*Absicht, Ziel*) aim at, have in mind

bezweifeln *vt* (*Behauptung*) doubt, query

BGB *s Abk v.* **Bürgerliches Gesetzbuch** German Civil Code

Bibel *f* <-, -n> Bible

Biber *m* <-s, -> beaver

Bibliothek *f* <-, -en> library; **Bibliothekar(in** *f*) *m* <-s, -e> librarian

biblisch *adj* biblical

Bidet *s* bidet

bieder *adj* ↑ *bürgerlich* upright; (*schlicht*) plain

biegen <bog, gebogen> **I.** *vt* (*Draht, Bein*) bend; (*ablenken*) deflect; (*Kopf nach hinten*) twist **II.** *vi* (*in eine andere Straße*) turn (*in akk* into); ◇ **um die Ecke biegen** to turn (around) the corner; ◇ **auf B- und Brechen** by hook or by crook; **biegsam** *adj* supple, pliable; **Biegung** *f* ① (*Weg*) bend, turning ② (*Krümmung, Bogenlinie*) curvature

Biene *f* <-, -n> bee; **Bienenstock** *m* beehive; **Bienenwabe** *f* honeycomb; **Bienenzucht** *f* beekeeping

Bier *s* <-[e]s, -e> beer; ◇ **das ist nicht mein -** (*Angelegenheit*) it's not my thing; **Bierbrauer(in** *f*) *m* <-s, -> brewer; **Bierdeckel** *m* beer mat; *AM* coaster; **bierernst** *adj* humourless, tedious; **Bierflasche** *f* beer bottle; **Bierkrug** *m* beer mug; **Bierstube** *f* pub

Biest *s* <-[e]s, -er> ① (*Tier*) brute; (*Insekt*) bug ② ◇ **elendes -** *FAM!* son of a bitch; ◇ **kleines -** (*FAM! männlich*) little sod; (*FAM! weiblich*) little bitch

bieten <bot, geboten> **I.** *vt* offer; (*bei Auktion*) bid; (*darbieten*) present **II.** *vr* ◇ **sich -:** ◇ **sich eine Sache - lassen** to put up with s.th.

Bikini *m* <-s, -s> bikini

Bilanz *f* balance; (*FIG eines Tages*) outcome; ◇ **seine persönliche - aus einer Erfahrung ziehen** to learn from an experience; (COMM *Schluß-*) balance (of accounts); ◇ **- ziehen** to balance the books

Bild *s* <-[e]s, -er> ① picture *auch FIG*; (*Künstler-*) painting; (*Foto*) photograph, snapshot; (*Abbildung*) illustration ② (*Vorstellung, Idee*) conception; ◇ **du hast ein falsches - von ihr** you've got the wrong idea about her; **Bildband** *m* art book; **Bildbericht** *m* (*Zeitung*) photographic report; **Bildeinstellung** *f* (*Fotoapparat*) focussing; (*Fernsehen*) picture adjustment

bilden I. *vt* form ① (*Tonfigur*) mould, shape; (*Satz*) construct; (*Laute*) articulate; (*Ausschuß*) form, set up ② (*Lehrling*) educate, train ③ (*Menge sein*) constitute; ◇ **11 Spieler - eine Mannschaft** 11 players constitute a football team **II.** *vr* ◇ **sich -** ① (*Triebe*) be developing; (*Blätter*) be budding ② (*geistig*) broaden one's mind, educate o.s.; **bildend** *adj*: ◇ **-e Künste** fine arts

Bilderbuch *s* picture book; ◇ **ein Wetter wie im -** *FIG* picture-postcard weather; **Bilderrahmen** *m* picture frame; **bilderreich** *adj* full of imagery, figurative; **Bildfläche** *f* ① (*von Gemälde*) canvas; (*von Bildschirm, Leinwand*) screen ② ◇ **plötzlich auf der ~ erscheinen** to burst on the scene; **Bildhauerei** *f* sculpture; **bildhübsch** *adj* lovely; **bildlich** *adj* ① ↑ *plastisch* pictorial, graphic ② ▷*Ausdruck* figurative, metaphorical; **Bildnis** *s* portrait, likeness; **Bildröhre** *f* (cathode ray) tube; **Bildschirm** *m* (*Fernseh~*) television screen; PC visual display unit; ◇ **vor dem ~ arbeiten** work at the computer; **Bildschirmtext** *m* videotext; **Bildschnitt** *m* shot; **bildschön** *adj* beautiful, lovely; **Bildtelefon** *s* video-phone; **Bildung** *f* ① (*das Bilden*) formation ② (*Erziehung*) education, civility; ◇ **~ haben** to be [*o.* cultured] well educated ④ (*von Satz*) construction; **Bildungslücke** *f* gap, cultural lag; **Bildungspolitik** *f* educational policy; **Bildungsurlaub** *m* study leave; **Bildungsweg** *m* educational path; ◇ **der zweite ~** *higher education via access courses;* **Bildverzerrung** *f* picture distortion; **Bildwörterbuch** *s* visual dictionary

Billard *s* <-s, -e> billiards *sg*, pool *AM*; **Billardball** *m* billiard ball

Billiarde *f* a thousand billion, a thousand trillion *AM*

Billardkugel *f s.* **Billardball**; **Billardstock** *m* cue

billig *adj* ① (*preiswert*) cheap, inexpensive; ◇ **etwas spott~ verkaufen** (*FAM für wenig Geld*) to sell s.th. dirt-cheap ② (*von schlechter Qualität*) cheap-looking, trashy ③ (*angemessen*) fair, reasonable; ◇ **es ist recht und ~, wenn ...** it is cheap at the price, if ...

billigen *vt* approve of; (*nachträglich*) sanction; **Billigung** *f* approval

Billion *f* billion, trillion *AM*

bimmeln *vi* (*Glocke*) tinkle

Bimsstein *m* pumice(-stone)

binär *adj* binary; **Binärcodezeichen** *s* PC binary digit, bit

Binde *f* <-, -n> ① (*Verband*) bandage, band; (*Augen~*) blindfold; (*Armschlinge*) sling ② (*Arm~*) armband ③ (*Damen~*) sanitary [*o.* pad] towel ④ ◇ **einen [Schnaps] hinter die ~ gießen** (*FAM trinken*) to wet one's whistle; **Bindegewebe** *s* MED connective tissue; **Bindeglied** *s* connecting link; **Bindehaut** *f* (ANAT *Augenschleimhaut*) conjunctiva; **Bindehautentzündung** *f* conjunctivitis; **binden** <band, gebunden> **I.** *vt* bind, tie; (*Schnüre*) lace, tie (up); (*Buch*) bind; (*Krawatte*) tie a knot in, fix; ◇ **jd-n an ein Versprechen ~** to hold s.b. to their promise, to oblige s.b. **II.** *vr* ◇ **sich ~** commit o.s.; (*sich verloben*) become engaged; **Bindestrich** *m* hyphen; **Bindewort** *s* conjunction; **Bindfaden** *m* string, packthread; **Bindung** *f* ① (*zwischen Menschen*) tie; (*stärkere ~*) bond; (*an Vertrag*) commitment, tie ② (*von Klebstoff*) bonding, adhesion; (*Ski~*) binding

Binnenfischerei *f* freshwater fishing; **Binnenhafen** *m* inland harbour; **Binnenhandel** *m* domestic trade; **Binnenland** *s* inland, interior; **Binnenmarkt** *m* domestic market; **Binnenmeer** *s* inland sea

Binse <-, -n> rush; ◇ **in die ~n gehen** *FIG FAM* to be a wash-out; **Binsenweisheit** *f* platitude, truism

Bio- *in Zusammensetzungen* bio-; **Biochemie** *f* biochemistry; **biodynamisch** *adj* biodynamic; **Biogas** *s* biogas; **Biographie** *f* biography; **Biologe** *m* <-n, -n>, **Biologin** *f* biologist; **Biologie** *f* biology; **biologisch** *adj* biological; **Biomüll** *m* biodegradable refuse; **Biorhythmus** *m* biorhythm; **Biotechnik** *f* biotechnology; **Biotop** *s* <-s, -e> biotope

Birke *f* <-, -n> ① (*Baum*) birch(tree) ② (*~nholz*) birchwood

Birnbaum *m* pear tree; **Birne** *f* <-, -n> ① (*Frucht*) pear ② (ELECTR *Glüh~*) [light] bulb

bis I. *adv, präp akk* ① (*räumlich, ~ zu/an*) (up) to, as far as; ◇ **~ hierher, und nicht weiter** this far and no further; ◇ **die Strümpfe passen ~ zu Schuhgrösse 7** the socks fit up to (and including) shoe size 7 ② ◇ **alle dürfen kommen, ~ auf Jan** (*außer*) everybody can come except Jan ③ (*zeitlich*) till, untill; ◇ **sie haben ~ Montag Zeit** you have until Monday; ◇ **er arbeitete ~ in die Nacht** he worked into the night; ◇ **~ bald** see you soon; ◇ **~ dahin** by then; ◇ **~ auf weiteres** until further notice **II.** *cj* (*zeitlich*) until, till; ◇ **warte, ~ ich komme** wait till I come; ◇ **~ du kommst, ist Oliver längst weg** by the time you come Oliver will be long gone

Bisamratte *f* muskrat

Bischof *m* <-s, Bischöfe> bishop; **bischöflich** *adj* episcopal; **Bischofsmütze** *f* mitre

Bisexualität *f* bisexuality

bisher *adv* till now, hitherto, so far; **bisherig** *adj* prior, former; ◇ **die ~en Ergebnisse sind ...** the results so far are ...

Biskuit *s* <-[e]s, -s *o.* -e> biscuit, cookie *AM*

bislang *adv s.* **bisher**

biß *impf von* **beißen**

Biß *m* <-sses, -sse> ① (*das Beißen*) bite ② (*~wunde*) bite ③ ◇ **~ haben** (*Pfiff haben*) to have get-up-and-go

bißchen I. *adj* bit; ◇ **ein ~ Angst haben** to be a bit frightened **II.** *adv:* ◇ **ein ~ mehr** a [little] bit more **III.** *s:* ◇ **das B~ kannst du wegwerfen** you can throw that scrap away

Bissen *m* <-s, -> (*Happen*) bite, morsel, mouthful; ◇ **ich kann keinen ~ mehr hinunterbringen** (*satt sein*) I can't manage another thing; **bissig** *adj* ① (*Schlange, Hund*) snappy; ◇ **Achtung, ~er Hund!** Beware of the dog! ② (*FIG Bemerkung*) biting, cutting

Bit *s* <-s, -s> (PC *binäres Zeichen*) bit

bitte *intj* please ① ◇ **können Sie mir ~ helfen?** could you help me please? ② ◇ **[wie] ~?** [I beg your] pardon ③ ◇ **~ [schön]!** you're welcome

Bitte *f* <-, -n> request; ◇ **die ~ von jd-m erfüllen** to comply with s.o.'s request; **bitten** <bat, gebeten> *vt* ask (*um* for); ◇ **jd-n um Hilfe ~** to ask s.o. for help; ◇ **jd-n zu sich nach Hause ~** to invite s.o. over to one's house; **bittend** *adj* imploring

bitter *adj* (*geschmacklich*) bitter; (*verbittert*) bitter; ◇ **~ kalt** bitterly cold; **bitterböse** *adj* very angry

Bitumen *m* bitumen

Biwak *s* bivouac

Bizeps *m* biceps

blähen I. *vr* ◇ **sich ~** (*Segel*) swell, blow out; (*Frosch*) puff up **II.** *vi* (*Speisen*) cause flatulence; **Blähungen** *pl* MED flatulence

blamabel *adj* humiliating; (*stärker*) shameful; **Blamage** *f* <-, -n> disgrace; **blamieren I.** *vr* (*durch Verhalten*) disgrace o.s.; ◇ **sich [vor der Öffentlichkeit] ~** make a fool of o.s. [in public] **II.** *vt* (*in Verruf bringen*) let down; (*Schande machen*) disgrace

blank *adj* ① bright, shiny ② (*Stiefel*) polished; (*Bad*) clean ③ (*Hände, unbedeckt*) bare ④ (*FAM ohne Geld*) broke

blanko *adv* blank, not filled in; (*Kredit*) unsecured; **Blankoscheck** *m* blank cheque, blank check *AM*

Bläschen *s* MED small blister

Blase *f* <-, -n> ① (*Luft-, Wasser-*) bubble ② (MED *Brand-, Blut-*) blister ③ (ANAT *Gallen-, Harn-*) bladder; **Blasebalg** *m* (*beim Grillen*) bellows *pl;* **blasen I.** <blies, geblasen> *vi* ← *Wind* blow **II.** *vt* (*Trompete*) blow; ◇ **Trübsal ~** *FIG* ↑ *traurig sein* to have the blues; **Blasinstrument** *s* wind instrument; **Blaskapelle** *f* brass band

blaß *adj* ① (*Gesicht*) pale, wan; ▷*Farbe* pale ② (*FIG Schimmer*) faint; (*Erinnerung*) dim; (*Vorstellung*) vague; **Blässe** *f* <-> paleness, palour

Blatt *s* <-[e]s, Blätter> ① (*von Baum*) leaf; ◇ **kein ~ vor den Mund nehmen** to speak plainly ② (*~ Papier*) sheet; ◇ **vom ~ singen/spielen** sight-read ③ (*Zeitung, Tagblatt*) newspaper ④ (*Säge-*) blade ⑤ (*beim Kartenspiel*) hand; **blättern** *vi:* ◇ **in etw** *dat* **~** leaf through s.th.; **Blätterteig** *m* (*Gebäck*) puff pastry, paste *AM*; **Blattgrün** *s* BIO chlorophyl; **Blattlaus** *f* greenfly

blau *adj* ① (*Farbe*) blue ② (*FAM betrunken*) tight, pissed ③ (*blutunterlaufen, Auge*) black; ◇ **blaue Flecken haben** to be black and blue, to be covered in bruises ④ ◇ **eine Fahrt ins B~e** a trip cross-country; **blauäugig** *adj* ① (*mit blauen Augen*) blue-eyed ② (*FIG gutgläubig*) naive; **Blaulicht** *s* flashing blue light; **blaumachen** *vi* (*FAM von der Arbeit*) skive off work; (*von der Schule*) play truant; **Blausäure** *f* hydrogen cyanide

Blazer *m* blazer

Blech *s* <-[e]s, -e> ① (*Material*) sheet metal; (*Erzeugnis*) metal sheet, steel sheet; (*Well-*) corrugated steel ② (*Back-*) baking tray ③ MUS brass section of the orchestra ④ ◇ **~ reden** (*FAM Unsinn reden*) to talk rubbish; **Blechblasinstrument** *s* brass instrument; **Blechdose** *f* tin, can, tin can; **blechen** *vt* (*FAM Geld zahlen*) pay; **Blechschaden** *m* AUTO damage to the bodywork; (*Beule, Delle*) dent

Blei *s* <-[e]s, -e> lead

Bleibe *f* <-, -n> (*Unterkunft*) lodging, pad; (*FAM Absteige*) doss; **bleiben** <blieb, geblieben> *vi* ① (*sich aufhalten*) stay, remain; ◇ **zu Hause ~** to stay at home; ◇ **und wo bleibe ich?** what about me? ② (*konsequent bleiben*) stick (to); ◇ **bei seiner Meinung ~** to stick to one's opinion ③ (*wegbleiben*) be; ◇ **wo sind die Kinder so lange geblieben?** where have the children been for so long? ④ ◇ **bitte ~ Sie am [Telefon-]Apparat** hold the line, please; **bleibend** *adj* (*Erinnerung*) lasting; **bleibenlassen** *unreg vt* (*Arbeit*) leave alone, discontinue

Bleibenzin *s* leaded petrol, leaded gas *AM*

bleich *adj* faded, pale; **bleichen I.** *vt* (*Wäsche, Haare*) bleach **II.** *vi:* ◇ **das Kleid bleicht in der Sonne aus** the dress fades in the sun

bleiern *adj* leaden; **bleifrei** *adj* (*Benzin*) leadfree, unleaded; **bleihaltig** *adj* (*Benzin*) leaded; **Bleistift** *m* pencil; **Bleistift[an]spitzer** *m* <-s, -> pencil sharpener

Blende *f* <-, -n> ① (*am Fenster*) blind, shade, screen ② (FOT *Objektiv-*) diaphragm; (*als Öffnung*) aperture; **blenden** *vt* ① (*Augen*) blind, dazzle ② (*Augen ausstechen*) blind ③ ◇ **durch seine Fröhlichkeit blendet er alle** (*FIG täuschen*) his jolly front fools everybody; **blendend** *adj* ① (*Licht*) dazzling ② (*FAM ausgezeichnet*) brilliant; ◇ **mir geht es heute ~** I feel great today

Blick *m* <-[e]s, -e> ① (*Augen-*) glance ② (*Betrachten*) look; ◇ **auf den ersten** - at first sight ③ (*Gesichtsausdruck*) expression ④ (*Aussicht*) view; **blicken** *vi* look, glance

blieb *impf von* **bleiben**

blies *impf von* **blasen**

blind *adj* ① blind ② ◇ **-er Alarm** (*grundlos*) false alarm; ◇ **-er Passagier** stowaway; **Blinddarm** *m* ANAT appendix; **Blinddarmentzündung** *f* MED appendicitis; **Blinde(r)** *fm* blind man/woman; **Blindenhund** *m* guide dog; **Blindenschrift** *f* braille; **Blindflug** *m* AVIAT flying blind; **Blindgänger** *m* dud; **Blindheit** *f* blindness; **blindlings** *adv* ① (*ohne zu sehen*) blindly ② ◇ **jd-m - gehorchen** (*FIG kritiklos*) to be blindly obedient; **Blindschleiche** *f* <-, -n> slow worm

blinken I. *vi* ① (*Stern*) twinkle ② (*glänzen*) sparkle ③ (*Licht, Signal*) flash, signal ④ (AUTO *Blinker setzen*) use the indicator, indicate; (*mit Lichthupe*) flash II. *vt* (*Signal, SOS*) flash, signal; **Blinker** *m* <-s, -> (AUTO *Richtungsanzeiger*) blinker, indicator; **Blinklicht** *s* (AUTO *Richtungszeiger*) blinker, indicator

blinzeln *vi* (*mit Augen zwinkern*) blink; (*mit einem Auge*) wink

Blitz *m* <-es, -e> ① (*am Himmel*) [flash of] lightning; ◇ **er ist schnell wie der** - he moves like lightning ② (FOT *-licht*) flashlight; **Blitzableiter** *m* <-s, -> lightning conductor; **blitzen** I. *vi* ① (*Metall, Glas*) glint, flash; ◇ **die Wohnung blitzt vor Sauberkeit** the flat is sparkling clean ② ◇ **es blitzt** METEOR there's a flash of lightning II. *vt* FOT take a flash of; **Blitzkrieg** *m* blitzkrieg; **Blitzlicht** *s* ① (*Licht*) flashlight ② (FOT *Würfel*) flash; **Blitzmeldung** *f* special bulletin; **Blitz[licht]würfel** *m* flash cube

Block *m* <-[e]s, Blöcke> ① (*aus Holz, aus Marmor*) block ② (*Häuser-, Wirtschafts-*) block; (SPORT *Abwehr-*) blocking move ③ (*Notiz-*) pad; **Blockade** *f* blockade; **Blockflöte** *f* recorder; **blockfrei** *adj:* ◇ **-e Staaten** POL non-aligned; **Blockhaus** *s* log cabin; **blockieren** I. *vt* (*Straße, Leitung*) block (off), obstruct; (*Verhandlungen*) block, put a block on II. *vi* (*Bremse*) jam, lock; **Blockschrift** *f* block capitals *pl*

blöd *adj* silly, stupid; (*von Geburt an*) mentally retarded; (*FAM übergeschnappt*) mental; (*dumm*) simple; **blödeln** *vi* (*FAM herum-*) fool around; **Blödheit** *f* stupidity; **Blödsinn** *m* nonsense; **blödsinnig** *adj* idiotic, silly, foolish

blöken *vi* (*Schaf*) bleat, baa; (*Kuh*) low

blond *adj* blond, fair-haired; (*Farbe*) blond, light-coloured; (*Haar*) blond, fair

bloß I. *adj* ① (*nackt*) naked; (*Hände, Füße, Busen*) bare ② (*nichts weiter als*) mere II. *adv* only, just, merely; ◇ **laß das -!** just leave it be!; ◇ **du hast ja - Angst!** you're just frightened; **Blöße** *f* <-, -n> ① (*Unbedecktheit*) bareness; (*Nacktheit*) nakedness ② (*FIG Schwäche*) weakness; ◇ **sich** *dat* **eine - geben** lay o.s. open to criticism; **bloßstellen** I. *vt* denounce, compromise II. *vr* expose o.s.

Blouson *m* blouson

blubbern *vi* (*Wasser*) gurgle

Bluejeans, Blue jeans *f* <-, -> blue jeans

Blues *m* <-, -> MUS the blues [music] *sg*

blühen *vi* ① bloom, be in bloom; ◇ **die Bäume - schon** the trees are already in blossom ② (*FIG Geschäft*) be flourishing, flourish; (*Stadt, Kriminalität*) prosper; **blühend** *adj* ① flourishing, thriving ② (*Mensch*) radiant ③ (*Geschäft*) prosperous

Blume *f* <-, -n> ① flower ② (*von Wein*) bouquet ③ ◇ **jd-m durch die - zu verstehen geben** (*FIG durch Andeutungen*) to have a gentle word in s.b.'s ear; **Blumenbeet** *s* flower bed; **Blumenbrett** *s* window box; **Blumengebinde** *s* wreath, garland; **Blumenkohl** *m* cauliflower; **Blumenkorb** *m* flower basket; **Blumenladen** *m* florist's; **Blumenstock** *m* flowering pot plant; **Blumenstrauß** *m* bunch of flowers, posy; **Blumentopf** *m* flowerpot; **Blumenzwiebel** *f* bulb

Bluse *f* <-, -n> blouse

Blut *s* <-[e]s> blood; ◇ **nur ruhig -!** stay cool!; **blutarm** *adj* anaemic; **Blutarmut** *f* anaemia; **Blutbad** *s* carnage, massacre; **Blutbahn** *f* ANAT bloodstream; **blutbefleckt** *adj* bloodstained; **Blutbild** *s* blood count; **Blutdruck** *m* blood pressure; **blutdürstig** *adj* bloodthirsty

Blüte *f* <-, -n> ① (*Blumen-*) bloom, blossom ② (*von Elite*) cream, flower ③ (*Blütezeit*) height, peak, prime, heyday ④ (*Falschgeld*) phon[e]y

Blutegel *m* <-s, -> leech

Blütenblatt *s* petal; **Blütenstaub** *m* pollen; **blütentragend** *adj* flower bearing; **Blütezeit** *f* ① (*von Pflanzen*) flowering period ② (*FIG historische -*) prime

bluten *vi* ① bleed ② ◇ **er mußte ganz schön -** *FAM* he had to cough up a lot of money

Blütenstaub *m* pollen

Bluter(in *f*) *m* <-s, -> haemophiliac; **Bluterguß** *m* haemorrhage; (*auf Haut*) bruise; **Blutgefäß** *s* blood vessel; **Blutgerinsel** *s* clot; **Blutgruppe** *f* blood group; **blutig** *adj* bloody; (*Schlacht*) gory; **blutjung** *adj* very young; **Blutkörperchen** *s pl* (*rotes, weißes*) red/white corpuscle;

Blutkreislauf *m* blood circulation; **Blutprobe** *f* blood test; **blutrünstig** *adj* blood-thirsty; **blutsaugend** *adj* bloodsucking; **Blutschande** *f* incest; **Blutspender(in** *f*) *m* blood donor; **Blutstropfen** *m* drop/globule of blood; **Blutsverwandtschaft** *f* blood relationship, kinship; **Blutübertragung** *f* blood transfusion; **Blutung** *f* (*einer Wunde*) bleeding, haemorrhage, hemorrhage *AM*; (*Regel*~) menstruation; **blutunterlaufen** *adj* bloodshot; **Blutvergießen**› *s* bloodshed; **Blutvergiftung** *f* blood poisoning; **Blutwurst** *f* black pudding

BLZ *Abk v.* **Bankleitzahl**

Boa *f* (*Schlange*) boa [constrictor]

Bob *m* <-s, -s> bobsleigh, bob; **Bobbahn** *f* bob run

Bö[e] *f* <-, -en> gust, squall

Bock *m* <-[e]s, Böcke> [1] (*von Ziege*) billy-goat; (*von Schaf*) ram; (*von Rehen, von Hasen*) buck [2] *Person, sturer ~, FAM* pigheaded person; *geiler ~, FAM!* lech(er) [3] (*Gestell*) trestle, support; (AUTO *Wagenheber*) jack [4] SPORT leapfrog [5] ◇ **keinen ~ haben, etw zu tun** (*FAM Lust*) not to feel like doing s.th.; **Bockbier** *m o s* (*Starkbier*) bockbeer, dark special brew; **bocken** *vi* [1] (*Reittier*) buck; (*Person, widersprenstig sein*) be stubborn; (*beleidigt sein*) sulk [2] (*Auto*) conk out, misfire; **Bockspringen** *s* leapfrog; **Bockwurst** *f* (*Würstchen*) thick frankfurter

Boden *m* <-s, Böden> [1] (*Erde*) ground, earth, land; (*Acker*) soil; (*Meeres*~) bed, floor [2] (*Fuß*~) floor; (*Dach*~) attic; **Bodenangriff** *m* ground attack; **Bodenbeschaffenheit** *f* (*Wissenschaft*) soil composition; (*Fußball*) ground conditions *pl;* **bodenlos** *adj* [1] (*unergründlich*) bottomless [2] (*FAM unglaublich*) incredible; (*Ignoranz*) abysmal; **Bodenpersonal** *s* ground personnel; **Bodenschätze** *m pl* [1] mineral wealth [2] (*Vorkommen, Vorrat*) resource; **bodenständig** *adj* [1] (*Menschen, Kultur*) firmly rooted, indigenous [2] (*Sprache*) vernacular, native; **Bodenturnen** *s* floor exercises *pl;* **Bodenwelle** *f* bump

Body *m* <-s, -s> (*Kleidung*) bodystocking; **Bodybuilding** *s* bodybuilding

bog *impf von* **biegen**

Bogen *m* <-s, - *o.* Bögen> [1] (*Kurve, Biegung*) curve [2] (*Brücken*~) arch [3] (*Violin*~) bow [4] (*Pfeil und* ~) bow [5] (*Papier*~) sheet [6] MATH arc; **Bogengang** *m* arcade; **Bogenschießen** *s* archery; **Bogenschütze** *m* archer; **Bogenschützin** *f* archer

Bohle *f* <-, -n> (*Planke*) plank

Bohne *f* <-, -n> (*grüne* ~) bean; (*Hülsenfrucht*) pulse; **Bohnenkaffee** *m* coffee

Bohner *m* <-s, -> [floor] polisher; **bohnern** *vt* (*Fußboden*) wax and polish; **Bohnerwachs** *s* (*Fußbodenwachs*) floor polish

bohren I. *vt* bore, drill **II.** *vi:* ◇ **nach Öl ~** to drill for oil; **Bohrer** *m* <-s, -> (*Werkzeug, Hand*~) brace and bit; (*Elektro*~) electric drill; **Bohrgestänge** *s* <-s, -> drill pipe; **Bohrinsel** *f* oil rig; **Bohrloch** *s* borehole, drill hole; **Bohrmaschine** *f* drill; **Bohrturm** *m* (*Öl*~) derrick; **Bohrung** *f* drilling; (*eines Zylinders*) bore

Boiler *m* <-s, -> boiler

Boje *f* <-, -n> buoy

Bolzen *m* <-s, -> (*Befestigungs*~) bolt; (TECH *Stift*) pin

bombardieren *vt* [1] ↑ *beschießen* bombard; (*mit Flugzeug*) bomb [2] (*mit Fragen* ~) bombard;

Bombe *f* <-, -n> [1] bomb [2] (*Überraschung*) bombshell; ◇ **die ~ ist geplatzt** the balloon has gone up; **Bombenangriff** *m* bombing [raid]; **Bombenanschlag** *m* bomb attack; **Bombenattentat** *s* bomb outrage, bombing incident; **Bombenerfolg** *m* (*FAM Riesenerfolg*) huge success; **bombensicher** *adj FIG* a dead cert; **Bomber** *m* <-s, -> bomber; **Bombentrichter** *m* (*Krater*) bomb crater

Bonbon *s* <-s, -s> sweet, candy *AM*

bongen *vt:* ◇ **das ist gebongt** (*FAM okay*) that's okay

Bonus *m* <-ses, Boni> [1] bonus [2] (*Pluspunkt*) bonus points *pl* [3] (*Sondervergütung, Dividende*) special dividend; ◇ **einen ~ ausschütten** to pay bonus dividends [4] (*bei Schadenfreiheit*) no-claims bonus

Bonze *m* <-n, -n> (*Funktionär*) bigshot

Boom *m* <-s> boom

Boot *s* <-[e]s, -e> boat; **Bootsanhänger** *m* boat trailer; **Bootfahren** *s* boating; **Bootshaus** *m* boat-house; **Bootsmann** *m* boatswain, bosun

Bord *m* <-[e]s, -e> AVIAT, NAUT board; ◇ **Mann über ~** man overboard; ◇ **über ~ gehen** to go overboard; ◇ **an/von ~ gehen** to board/to disembark

Bord *s* <-[e]s, -e> (*Bücher*~, *Wand*~) shelf

Bordbuch *s* logbook

Bordell *s* <-s, -e> (*Freudenhaus*) brothel

Bordfunker *m* radio operator; **Bordingenieur** *m* flight engineer; **Bordkarte** *f* boarding card/ pass; **Bordmechaniker** *m* flight mechanic

Bordstein *m* kerbstone; **Bordsteinkante** *f* kerb

borgen I. *vt* borrow; ◇ **können Sie mir etwas Geld ~?** could you lend me some money? **II.** *vr:* ◇ **er hat sich von mir etwas Geld geborgt** he borrowed some money from me

Borke *f* <-, -n> (*Außenrinde*) bark
borniert *adj* (*engstirnig*) narrow-minded
Borretsch *m* <-es> borage
Börse *f* <-, -n> ① (*Aktien-*) stock exchange ② (*Geld-*) purse; **Börsenbeginn** *m* market opening; **Börsenbericht** *m* review of the market; **Börsengeschäft** *s* market transaction; **Börsenkrach** *m* market crash; **Börsenkurs** *m* rate of exchange, quotation on the stock market; **Börsenschluß** *m* market closing
Borste *f* <-, -n> bristle; **borstig** *adj* bristly
Borte *f* <-, -n> (*an Kleid*) edging; (*Band*) trim[ming]; (*Verzierung*) braid
bös *adj* ① (*Mensch, Tat*) bad ② (*unartig*) bad, evil; (*stärker*) evil ③ (*Hexe, Teufel*) malevolent, evil ④ (*zornig*) angry, cross ⑤ (*Geschichte, schlimm*) horrible; ◇ **im -en auseinandergehen** to part on bad terms; **bösartig** *adj* ① (*Bemerkung*) malicious; (*Gerücht*) mischievously ② MED malignant
Böschung *f* (*Abhang*) slope; (*steiler Abhang*) escarpment; (*aufgeschüttete -*) embankment
Böse *s* <-n> evil--; **Bösewicht** *m* <-s, -e> villain; **boshaft** *adj* ① (*heimtückisch*) underhand, malicious ② (*spöttisch*) jeering, scornful ③ (*gehässig*) mean, spiteful; **Bosheit** *f* malice, spite; (*Schlechtigkeit*) wickedness
Boß *m* (*Leiter*) boss
böswillig *adj* malicious, malevolent
bot *impf von* **bieten**
Botanik *f* <-> botany; **botanisch** *adj* botanical
Bote *m* <-n, -n>, **Botin** *f* messenger, courier; ◇ **durch -n abgegeben** delivered by hand; **Botschaft** *f* ① (*Nachricht*) message, news ② (POL *Gebäude*) embassy; **Botschafter(in** *f*) *m* <-s, -> ambassador/ambassadress
Bottich *m* <-[e]s, -e> (*Wasch-*) tub
Bouillon *f* <-, -s> consommé
Boulespiel *s* bowls
Boutique *f* <-, -en> boutique
Bowle *f* <-, -n> punch
Bowlingbahn *f* bowling alley
Box *f* <-, -en> ① (*kleiner Raum*) box ② (*Kiste*) chest; (*Musik-*) cabinet; **boxen 1.** *vt, vi* box; ◇ **jd-n -** to punch s.b.; ◇ **um einen Titel -** to have a title-fight **2.** *vr:* ◇ **sich durch-** *FIG* ↑ *sich behaupten* to fight one's way through; **Boxen** *s* <-s> boxing; **Boxer(in** *f*) *m* <-s, -> ① SPORT boxer ② (*Hund*) boxer; **Boxhandschuh** *m* boxing glove; **Boxkampf** *m* boxing match, fight
boykottieren *vt* boycott
brach *impf von* **brechen**
Brach- *adj* fallow
Brachfeld *s* fallow land; **brachliegend** *adj* lying fallow
brachte *impf von* **bringen**
Branche *f* <-, -n> line [of business]; **Branchen[telefon]buch, Branchenbuch** *s* ↑ *Gelbe Seiten* yellow pages *pl*
Brand *m* <-[e]s, Brände> ① (*Wald-, Flächen-*) fire; (*von Porzellan, Ton*) firing ③ MED gangrene; ◇ **einen - in der Kehle haben** (*FIG Durst*) to have a hangover thirst; **Brandbombe** *f* incendiary bomb
branden *vi* (*Wellen von Meer*) surge, roar, break
brandmarken *vt* (*Pferd*) brand; (*FIG öffentlich ächten*) stigmatize; **Brandsalbe** *f* ointment for burns; **Brandstelle** *f* (*an Stoff, Holz*) scorch; **Brandstifter(in** *f*) *m* arsonist, fire-raiser; **Brandstiftung** *f* arson
Brandung *f* (*Meeres-*) breakers *pl;* (*Gischt*) spume, foam, spindrift
Brandwache *f* fire watch; **Brandwunde** *f* burn; **brannte** *impf von* **brennen**; **Branntwein** *m* brandy
Brasilien *s* Brasil
braten <briet, gebraten> *vt* (*Fleisch in Röhre*) roast; (*Eier etc. in der Pfanne*) fry, bake; ◇ **das Fleisch brät im Ofen** the meat is cooking in the oven; **Braten** *m* <-s, -> roast; (*Fleisch-*) joint; **Bratensoße** *f* gravy; **Brathuhn** *s* fried/roast chicken; **Bratkartoffel[n]** *pl* fried potatoes *pl;* **Bratpfanne** *f* frying pan; **Bratrost** *m* grill, broiler
Bratsche *f* <-, -n> viola; **Bratschist(in** *f*) *m* viola player
Bratspieß *m* spit; **Bratwurst** *f* grilled sausage
Brauch *m* <-[e]s, Bräuche> custom
brauchbar *adj* (*nützlich*) usable, serviceable; (*Mensch, gut*) capable; **brauchen** *vt* ① (*bedürfen*) need, require ② (*verwenden*) use ③ ◇ **wir - am Montag nicht arbeiten** *FAM* we don't have to work on Monday; **Brauchwasser** *s* greywater
brauen *vt* ① (*Bier*) brew ② (*Unheil*) brew, concoct; **Brauer** *m* brewer; **Brauerei** *f* brewery
braun *adj* (*Haare, Schokolade*) brown; (*gebräunt*) tanned; **Braune** *m* <-n, -n> ① (*Haustier*) bay/chestnut horse ② (*in Österreich*) mocha with cream ③ *FAM* DM 50.00 note; **Bräune** *f* <-, -n> (*von Haaren*) brownness; (*Haut-*) tan; **bräunen** *vt* (*Zwiebeln*) brown; ← *Sonne* tan; **braungebrannt** *adj* (*von Sonne*) tanned; **Braunkohle** *f* brown coal, lignite
Brause *f* <-, -n> ① (*Duschbad*) shower bath ② (*Duschkopf*) rose ③ (*Limonade*) lemonade, fizzy

drink; **brausen** *vi* ① *(Meer, Wind)* bluster, roar ② *(laufen, düsen)* zoom; **Brausepulver** *s* lemonade powder

Braut *f* <-, Bräute> ① *(Verlobte)* fiancée ② *(bei Hochzeit)* bride; **Braut-** *in Zusammensetzungen* bridal; **Brautführer** *m* best man; **Bräutigam** *m* <-s, -e> ① *(Verlobter)* fiancé ② *(bei Hochzeit)* [bride]groom; **Brautjungfer** *f* bridesmaid; **Brautpaar** *s* bride and bridegroom, bridal pair

brav *adj* ① *(Kind, artig)* good, well-behaved; *(Kleid, anständig)* prim ② *(Mensch, ehrenhaft)* worthy, honest

BRD *f* <-> *Abk v.* **Bundesrepublik Deutschland** FRG, Federal Republic of Germany

Brecheisen *s* *(Brechstange)* crowbar; *(Stemmeisen)* jemmy, jimmy *AM*

brechen <brach, gebrochen> **I.** *vt* ① break ② (PHYS *Wellen)* refract ③ *(Gegessenes)* vomit up ④ *(Knochen)* fracture ⑤ *(Vertrag, Versprechen)* violate **II.** *vi* break; ↑ *sich übergeben* vomit, be sick **III.** *vr* ◇ **sich** ~ break; (PHYS *Wellen)* be refracted; ◇ **ehe-** commit adultery; **Brecher** *m* ① *(Wellen)* breaker ② *(Steine)* crusher; **Brechreiz** *m* nausea, retching; **Brechung** *f* (PHYS *von Licht)* refraction

Brei *m* <-[e]s, -e> *(weiche Masse)* pulp; *(Essen)* gruel; *(Hafer-)* porridge; *(Kartoffel-)* mashed potato; *(Grieß-)* creamed semolina; **breiig** *adj* mushy

breit *adj* wide, broad; **Breite** *f* <-, -n> ① width; breadth ② *(Ausführlichkeit)* elaboration ③ (GEO *geographische* ~) latitude

breiten *vt* *(über eine Sache)* spread

Breitengrad *m* GEO degree of latitude; **breitmachen** *vr* ◇ **sich** ~ *(Platz einnehmen)* spread o.s. out; *(Ausmaße annehmen)* spread abroad; **breitschult[e]rig** *adj* broad-shouldered; **Breitwandfilm** *m* wide-screen film

Bremsbelag *m* brake lining; **Bremse** *f* <-, -n> ① brake; ◇ **auf die ~ treten** tread on the brakes ② *(Stechfliege)* horsefly; **bremsen I.** *vi* brake, apply the brakes **II.** *vt* ① *(Fahrzeug)* brake ② *(Kosten, Ausgaben)* slow down; **Bremsflüssigkeit** *f* brake fluid; **Bremslicht** *s* brake light; **Bremspedal** *s* brake pedal; **Bremsspur** *f* tyre marks *pl;* **Bremsweg** *m* braking distance

brennbar *adj* inflammable; *(Stoff)* combustible; **Brennelement** *s* TECH fuel cell; **brennen** <brannte, gebrannt> **I.** *vi* ① *(Öl etc.)* burn; *(Vorhang)* be on fire; *(Kerze)* burn ② *(Sonne)* shine ③ *(Wunde, Augen)* burn ④ ◇ **darauf ~, etw zu tun** be dying to do s.th. **II.** *vt* ① → *Branntwein* distill ② *(Porzellan)* fire; **Brennerei** *f* distillery; **Brennessel** *f* <-, -n> nettle; **Brennholz** *s* firewood; **Brennmaterial** *s* fuel; **Brennofen** *m* furnace; **Brennpunkt** *m* PHYS focal point; *(FIG Mittelpunkt)* focus; **Brennspiritus** *m* methylated spirit[s] *sg o pl;* **Brennstab** *m* TECH fuel rod; **Brennstoff** *m* [liquid] fuel; **Brennweite** *f* FOT focal distance; **brenzlig** *adj:* ◇ **es riecht ~** it smells burnt; *(FIG bedrohlich)* dangerous

Brett *s* <-[e]s, -er> ① board, plank; *(Bücher-)* book shelf; ◇ **Schwarzes ~** notice board ② *(Spiel-)* game board; **Bretter** *pl FIG* ↑ *Bühne* boards *pl;* **Bretterbude** *m* stall, shack; **Bretterzaun** *m* wooden fence, hoarding

Brevier *s* breviary

Brezel *f* <-, -n> bretzel, pretzel

Bridge *s* *(Kartenspiel)* bridge

Brief *m* <-[e]s, -e> ① *(Schreiben)* letter ② *(Urkunde, Meister-)* master's certificate; *Fahrzeug-,* AUTO log book; *Kredit-,* COMM letter of credit ③ *(in Bibel)* epistle; **Briefaustausch** *m* exchange of letters; **Briefbeschwerer** *m* <-s, -> paperweight; **Brieffreund(in** *f)* *m* pen pal/friend; **Briefkasten** *m* letterbox, pillar box, mail box *AM*; **Briefkopf** *m* letterhead; **Briefmarke** *f* [postage] stamp; **Briefmarkenautomat** *m* stamp dispenser; **Briefmarkensammler** *m* stamp collector; **Brieföffner** *m* letter opener; **Briefpapier** *s* notepaper; **Briefschluß** *m* complimentary close; **Brieftasche** *f* wallet, billfold *AM*; **Brieftaube** *f* carrier pigeon; **Briefträger(in** *f)* *m* postman/postwoman; **Briefumschlag** *m* envelope; **Briefverkehr** *m s.* **Briefwechsel**; **Briefwaage** *f* letter balance; **Briefwahl** *f* postal vote; ◇ **eine ~ machen** to vote by proxy; **Briefwechsel** *m* correspondence

briet *impf von* **braten**

Brigade *f* <-, -n> brigade

Brikett *s* <-s, -s> briquette

brillant *adj* *(FIG Rede, Musik)* sparkling, brilliant, flamboyant; **Brillant** *m* <-en, -en> *(geschliffener Diamant)* polished diamond; *FAM* sparkler

Brille *f* <-, -n> ① [pair of] spectacles/glasses *pl;* *(Sonnen-)* sunglasses, shades *pl;* *(Lese-)* reading glasses *pl;* *(Schutz-)* goggles *pl;* ◇ **alles durch die rosarote ~ sehen** to see everything through rose-tinted spectacles ② *(von Toilette)* [toilet] seat; **Brillengestell** *s* spectacle frame; **Brillenglas** *s* lens; **Brillenschlange** *f* ZOOL hooded cobra

bringen <brachte, gebracht> *vt* bring; *(mitnehmen, begleiten)* take; *(einbringen: Profit)* bring in; (*veröffentlichen*) publish; THEAT, FILM show; MEDIA broadcast; (*in einen Zustand versetzen*) get; (*FAM tun können*) manage; ◇ **jd-n dazu ~, etw zu tun** make s.b. do s.th.; ◇ **jd-n nach Hause ~** take s.b. home; ◇ **jd-n um etw ~** cost s.b. s.th.; ◇ **jd-n auf eine Idee ~** give s.b. an idea

Brise *f* <-, -n> breeze

Brite *m* <-n, -n>, **Britin** *f* Briton; **britisch** *adj* British; ◇ **die B~en Inseln** *pl* the British Isles *pl*

bröck[e]lig *adj* crumbly; **bröckeln** *vi* (*Kuchen, Putz, Gestein*) crumble; **Brocken** *m* <-s, -> [1] (*Brot~*) piece, bit; (*Fleisch~*) chunk; (*Fels~*) lump; (*Erdklumpen*) clod [2] (*dicker Mensch*) bear of a fellow; *FAM!* brick shithouse

Brokkoli *pl* broccoli

Brom *s* bromine

Brombeere *f* blackberry, bramble

Bronchien *pl* MED bronchia *pl*, bronchial tubes *pl*; **Bronchitis** *f* bronchitis

Bronze *f* <-, -n> bronze; **Bronzezeit** *f* bronze age

Brosche *f* <-, -n> brooch

broschiert *adj* (*Buchausgabe*) paperbacked; (*Packung*) wrappered; **Broschüre** *f* <-, -n> [1] pamphlet [2] (*Werbe~*) brochure; (*Informations~*) folder [2] (*Buch~*) booklet

Brot *s* <-[e]s, -e> bread; (*Weiß~*) white bread; (*Schwarz~*) brown bread, rye bread; (*~laib*) loaf [of bread]; (*~scheibe*) slice of bread; **Brötchen** *s* roll; **Brotkrumen** *pl* breadcrumbs *pl*; **Brotrinde** *f* crust; **Brotzeit** *f* (*Zwischenmahlzeit*) break, tea break *BRIT*

Bruch *m* <-[e]s, Brüche> [1] (*Auseinanderbrechen*) breakage [2] (*von Beziehungen*) break, rupture; (*mit Elternhaus*) breaking away; (POL, *Riß*) rift [4] (*Vertrags~, von Schwur*) violation, breach [5] (MED *Leisten~*) rupture, hernia; ◇ **sich einen ~ heben** to rupture o.s.; (*Knochen~*) fracture [6] MATH fraction; **Bruchbude** *f* (*FAM altes Haus*) ramshackle place, dump; **brüchig** *adj* brittle, fragile; **Bruchlandung** *f* crash landing; **Bruchstrich** *m* MATH fraction bar; **Bruchstück** *s* fragment; **bruchstückhaft** *adj* fragmentary; **Bruchteil** *m* fraction; **Bruchzahl** *f* fractional number

Brücke *f* <-, -n> (*Bauwerk*) bridge; (*Zahn~*) bridge; (*beim Turnen*) crab; (*Teppich*) rug; ◇ **die ~n hinter sich abbrechen** to burn one's boats; ◇ **eine ~ zur Vergangenheit** a link with the past; **Brückendeck** *s* bridge deck; **Brückenwaage** *f* weigh bridge

Bruder *m* <-s, Brüder> [1] (*Geschwister~, Kloster~*) brother [2] (*Mönch*) friar, brother; **brüderlich** *adj* brotherly, fraternal; **Brüderschaft** *f* brotherhood, fraternity; ◇ **mit jd-m ~ trinken** *drink together in order to seal a bond of friendship*

Brühe *f* <-, -n> [1] (*Suppen~*) stock, bouillon; (*Fleischsaft*) gravy [2] (*PEJ Dreck~*) muck

brüllen *vi* (*Löwe*) roar; (*Esel*) bray; (*Feldwebel*) bellow, bawl; (*vor Schmerzen*) scream; (*baby*) bawl, holler

brummen I. *vi* [1] (*Bär, Mensch*) growl; (*Fliege, Radio*) buzz; (*Hummel*) hum; (*Motoren*) drone; (*murren*) grumble [2] ◇ **im Knast ~** (*FAM Strafe absitzen*) to do one's time **II.** *vt:* ◇ **er brummt etw in seinen Bart** he is muttering s.th. into his beard; ◇ **mir brummt der Kopf** my head is buzzing; **brummig** *adj* (*mürrisch*) sulky, grouchy; (*verdrießlich*) peerish

brünett *adj* brunette, dark-haired

Brunft *f* <-, Brünfte> (*von Wild*) rut

Brunnen *m* <-s, -> [1] (*Spring~*) fountain [2] (*Berg~*) spring; (*Zieh~*) water pump; (*Schacht*) well

brüsk *adj* abrupt, brusque

Brust *f* <-, Brüste> breast; (*von Männern*) chest; ◇ **einem Kind die ~ geben** to give a child the breast; **brüsten** *vr* ◇ **sich [mit einer Sache] ~** boast of s.th.; **Brustkasten** *m* rib cage, chest; **Brustschwimmen** *s* breaststroke; **Brustwarze** *f* ANAT nipple; (*von Frau*) teat; **Brustumfang** *m* chest measurement

Brüstung *f* parapet; balustrade

Brut *f* <-, -en> [1] (*Nachkommenschaft*) offspring, brood [2] (*Vorgang*) brooding, sitting on the eggs [3] (*FAM Gesindel*) rabble

brutal *adj* (*gewalttätig*) brutal; (*wild*) savage; **Brutalität** *f* brutality

brüten *vi* [1] ← *Henne* hatch, brood [2] (*FIG scharf nachdenken*) brood; **Brutkasten** *m* incubator

brutto *adv* gross; **Bruttobetrag** *s* gross amount; **Bruttogehalt** *s* gross pay, pay before stoppages; **Bruttogewicht** *f* gross weight; **Bruttoinlandsprodukt** *s* gross domestic product; **Bruttolohn** *s.* **Bruttogehalt**

Brutzeit *f* incubation period

Btx *Abk v.* **Bildschirmtext**

Bub[e] *m* <-n, -n> [1] (*Junge*) lad [2] (*Spielkarte*) jack; **Bubikopf** *m* bob(bed hair)

Buch *s* <-[e]s, Bücher> [1] (*gebundenes ~*) book [2] (*Taschen~*) paperback [3] COMM account book, record; ◇ **die [Geschäfts-]Bücher führen** to keep the books; **Buchbesprechung** *f* book review; **Buchbinder(in** *f*) *m* <-s, -> bookbinder; **Buchbinderei** *f* bindery; **Buchdrucker(in** *f*) *m* printer

Buche *f* <-, -n> ① (*Laubbaum*) beech [tree] ② (*~nholz*) beech [wood]

Bucheinband *m* binding; **buchen** *vt* ① (*Flug, Reise*) book; (*Platz, Karte*) reserve ② (COMM *Einahmen, Ausgaben*) enter; **Bücherbrett** *s* bookshelf; **Bücherei** *f* library; **Bücherfreund** *f* bibliophile; **Büchermagazin** *s* stacks; **Bücherregal** *s* bookshelves *pl;* **Bücherschrank** *m* bookcase; **Bücherstand** *m* bookstall; **Bücherwurm** *m* (*FIG lesefreudiger Mensch*) bookworm

Buchfink *m* chaffinch

Buchführung *f* book-keeping, accountancy; **Buchhalter(in** *f*) *m* <-s, -> book-keeper; **Buchhaltung** *f* ① (*das Verbuchen*) accounting ② (*Abteilung*) accounts department; **Buchhandel** *m* book trade; **Buchhändler(in** *f*) *m* bookseller; **Buchhandlung** *f* bookshop; **Buchmacher** *m* bookie

Buchse *f* (*Stecker~*) socket

Büchse *f* <-, -n> ① (*Blech~*) tin, can ② (*Gewehr*) rifle; **Büchsenfleisch** *s* tinned meat; **Büchsenöffner** *m* tin/can opener

Buchstabe *m* <-ns, -n> letter [of the alphabet]; ◇ **ein Wort mit kleinen/großen ~n schreiben** to spell a word in small/in capitals; TYP lower case/upper case; **buchstabieren** *vt* spell; **buchstäblich** *adj* ① (*Buchstabe für Buchstabe*) literal ② ◇ **mir wurde ~ schlecht** (*regelrecht*) I really felt sick

Bucht *f* <-, -en> bay; (*Meeres~*) bight; (*kleine ~*) inlet

Buchung *f* ① (*von Reise etc.*) booking; (*von Platz etc.*) reservation ② COMM entry

Buckel *m* <-s, -> ① (*Rücken*) hump ② (*Verkrümmung*) twist ③ (*FAM Hügel*) hillock; (*du kannst mir den ~ runterrutschen!*) get lost!; **buckelig** *adj* ① (*Mensch*) hunchbacked ② (*Landschaft*) hilly; **bücken** *vr* ◇ **sich nach unten ~** bend down; **Bucklige(r)** *fm* hunchback; **Bückling** *m* ① (*Verbeugung*) bow ② (*Fisch*) kipper

Buddha *m* Buddha

Bude *f* <-, -en> ① ↑ *Hütte* booth, stall ② (*Verkaufs~*) stall, stand ③ (*FAM Studenten~*) digs *pl* ④ (*PEJ baufälliges Haus*) hovel, dump ⑤ *FAM* ◇ **die ~ dicht machen** (*Lokal*) to close the joint, to shut up shop

Budget *s* <-s, -s> budget

Büfett *s* <-s, -s> ① (*Küchenschrank*) dresser ② (*Ausschank*) counter ③ (*~tisch*) sideboard; ◇ **kaltes ~** cold buffet

Büffel *m* <-s, -> ① ZOOL buffalo ② (*FIG ungehobelte Person*) lout; **büffeln** *vt, vi* (*FAM angestrengt lernen*) swot, mug up on

Bug *m* <-[e]s, -e> (*Schiffs~*) bow, prow; (*Flugzeug~*) nose; *FIG* ◇ **jd-m eins vor den ~ knallen** (*deutliche Warnung aussprechen*) to give s.b. a warning shot

Bügel *m* <-s, -> ① (*Kleider~*) hanger ② (*Brillen~*) arm ③ (*Steig~*) stirrup ④ (*Halte~*) retainer, clamp; **Bügelbrett** *s* ironing board; **Bügeleisen** *s* iron; **Bügelfalte** *f* crease; **bügelfrei** *adj* noniron, drip-dry; **Bügelmaschine** *f* presser; **bügeln** *vt, vi* iron; (*Hosen*) press; **Bügelwäsche** *f* ironing

Bugrad *s* (*Flugzeug~*) nose wheel; **Bugspriet** *s* bowsprit

Bühne *f* <-, -n> ① (*Theater~*) stage; (*Podium*) platform ② (AUTO *Hebe~*) hoist, lifting platform ③ (*CH Dachboden*) loft; ◇ **es ging alles glatt über die ~** everything went off smoothly; **Bühnenarbeiter** *m* stagehand; **Bühnenbild** *s* set, scene[ry]; **Bühnenbildner** *m* designer; **Bühnendekoration** *f* decor, setting; **Bühnenstück** *s* (stage) play

Buhruf *m* boo

Bukett *s* ① (*Blumenstrauß*) bouquet ② (*von Wein*) bouquet, aroma

Bulette *f* ↑ *Frikadelle* meatball

Bullauge *s* porthole

Bulldogge *f* bulldog

Bulldozer *m* <-s, -> bulldozer

Bulle *m* <-n, -n> ① bull ② (*FIG starker Mann*) he-man ③ (*PEJ Polizist*) cop

Bumerang *m* boomerang

Bummel *m* <-s, -> stroll; (*Schaufenster~*) window-shopping; **bummeln** *vi* ① (*schlendern*) wander, stroll ② (*träge arbeiten*) skive, loaf around ③ (*vor sich hin ~*) dawdle; **Bummelstreik** *m* go-slow; **Bummelzug** *m* slow train

bums *intj* bang! thud!; **bumsen I.** *vi* ① (*zwei Autos*) crash ② (*gegen die Tür*) bang ③ *FAM!* fuck, screw **II.** *vt FAM* have sex with; *FAM!* fuck, screw

Bund *m* <-[e]s, Bünde> ① (*Verein*) association; (*Freundschafts~*) bond ② POL (con)federation; (*Bündnis*) alliance ③ (*Kleider~*) waistband ④ (*Schlüssel~*) bunch

Bund *s* <-[e]s, -e> (*Bündel*) bunch; (*Zeitungs~*) bundle

Bündchen *s* neck band; (*am Arm*) cuff

Bündel *s* <-s, -> ① (*Zeitungen*) bundle; (*Banknoten*) wad; (*von Maßnahmen*) package; (*Paket*) parcel ② (PHYS *Strahlen~*) beam; **bündeln** *vt* ① bundle ② (PHYS *Strahlen*) focus

Bundes- *in Zusammensetzungen* Federal; ◇ **die Neuen ~länder** Germany's new States, the former GDR; **Bundesautobahn** *f* motorway; **Bun-**

desbahn *f* (*Bundesbahn und Reichsbahn*) the German Railways *pl;* **Bundesgerichtshof** *m* Federal High Court; **Bundesgewalt** *f* Federal authority; **Bundeskanzler** *m* the German Chancellor; **Bundesland** *s* German Land/ State; **Bundespräsident** *m* Federal President, the German President; **Bundesrat** *m federal council consisting of representatives of the Bundesländer;* **Bundesrepublik** *f* [Federal Republic of] Germany; **Bundesstaat** *m* federal state; **Bundesstraße** *f* Federal Highway; **Bundestag** *m* German parliament; **Bundesverfassungsgericht** *s* Federal Constitutional Court; **Bundeswehr** *f* German Armed Forces *pl*

bündig *adj* (*kurz*) concise

Bundfaltenhose *f* pleated trousers *pl*

Bündnis *s* alliance

Bundweite *f* (*Hosen-*) waist measurement

Bungalow *m* <-s, -s> bungalow

Bunker *m* <-s, -> bunker; (*Luftschutzkeller*) [air-raid] shelter

Bunsenbrenner *m* Bunsen burner

bunt *adj* coloured, gay, colourful; (*gemischt*) mixed; (*kunter-*) motley; ◇ **mir wird es zu -** *FIG FAM* ↑ *das geht mir auf die Nerven* it's getting too much for me; **Buntstift** *m* coloured pencil, crayon

Bürde *f* <-, -en> burden

Burg *f* <-, -en> (*Festung*) castle, fort; (*Sand-*) sandcastle

Bürge *m* <-n, -n> COMM guarantor; **bürgen** *vi* (*einstehen*) vouch; JUR ◇ **für eine Sache -** to be answerable for s.th.

Bürger(in *f*) *m* <-s, -> (*Staats-*) citizen; **Bürgerinitiative** *f* citizens' action group; **Bürgerkrieg** *m* civil war; **bürgerlich** *adj* 1 (*Staats-*) civil; ◇ **B-es Gesetzbuch** [German] Civil Code 2 (*einfach*) middle-class; (*PEJ spießig*) bourgeois; ◇ **gut -e Küche** good home cooking; **Bürgermeister(in** *f*) *m* mayor/mayoress; **Bürgerrechte** *s pl* civil rights *pl;* **Bürgersteig** *m* <-[e]s, -e> pavement, sidewalk *AM*; **Bürgertum** *s* bourgeoisie, middle class; **Bürgerwehr** *f* militia

Bürgin *f* guarantor; **Bürgschaft** *f* security; ◇ **- hinterlegen/leisten** give security

Burgunder *m* Burgundy [wine]

Burgverlies *s* dungeon

Büro *s* <-s, -s> 1 (*Dienststelle*) office, agency *AM*; (*Auskunfts-*) bureau 2 (*Zweigfirma*) branch, sub-office; **Büroangestellte(r)** *fm* office worker; (*von Dienststelle*) clerk; **Büroarbeit** *f* office work, secretarial job; **Bürohengst** *m* penpusher; **Büro[hoch]haus** *s* office block; **Bürokommunikation** *f* office automation; **Büroklammer** *f* paper clip; **Bürokrat(in** *f*) *m* <-en, -en> bureaucrat; **Bürokratie** *f* bureaucracy; **bürokratisch** *adj* bureaucratic; **Bürolampe** *f* desk lamp

Bursch[e] *m* <-en, -en> fellow; (*kleiner Junge*) lad; *FAM* chap, guy *AM*; **Burschenschaft** *f* students' fraternity; **burschikos** *adj* 1 ↑ *jungenhaft* tomboyish 2 (*salopp*) casual

Bürste *f* <-, -n> 1 (*Reinigungs-*) brush 2 (*Haar-*) brush; **bürsten** *vt* brush

Bus *m* <-ses, -se> 1 (*Auto-*) bus 2 (PC *Daten-*) bus

Busch *m* <-[e]s, Büsche> 1 (*Strauch*) bush, shrub; ↑ *Dickicht* thicket, copse 2 (*Feder-*) bunch 3 ↑ *Wildnis* bush, wilderness

Büschel *s* <-s, -> 1 (*Bündel*) bunch; ◇ **die Haare fallen ihm in -n aus** his hair is falling out in wads 2 (*Gras-*) tuft; **buschig** *adj* bushy

Busen *m* <-s, -> 1 (*Frauen-*) bosom 2 (*Meer-*) gulf, bay

Bushaltestelle *f* bus-stop

Business *s* (*FAM Geschäft*) business

Buße *f* <-, -n> atonement, penance; **büßen** *vt* (*für Leichtsinn*) pay for; (*Sünden, Straftat*) atone for; **Bußgeld** *s* fine

Bussard *m* ZOOL buzzard

Büste *f* <-, -n> bust

Büstenhalter *m* bra

Butt *m* (*Fisch*) flounder; (*Heil-*) halibut

Butter *f* <-> butter; ◇ **alles in -** everything's okay; **Butterblume** *f* buttercup; **Butterbrot** *s* [piece of] bread and butter; **Butterbrotpapier** *s* greaseproof paper; **Butterdose** *f* butter dish; **Butterkeks** *m* shortbread; **Buttermilch** *f* buttermilk; **buttern I.** *vi* spread butter **II.** *vt* → *Toast* butter; *FAM* ◇ **Geld in etwas [ein Geschäft] -** (*investieren*) put some money into a deal

Button *m* <-s, -s> badge, button

Byte *s* <-s, -s> PC byte

bzw. *adv Abk v.* **beziehungsweise**

C

C, c *s* C, c

ca. *Abk v.* **circa**

Café *s* <-s, -s> café, coffee bar; **Cafeteria** *f* <-, -s> cafeteria

Calcium *s* <-s> CHEM calcium
Camembert *m* <-s, -s> Camembert
Camp *s* <-s, -s> camp; **campen** *vi* camp; (*in Ferien*) camp out; **Camper(in** *f*) *m* <-s, -> (*Person, Wohnmobil*) camper; **Camping** *s* <-s> camping; **Campingbus** *m* (*Wohnmobil*) camper, dormobile ®, travel home *AM*; **Campingkocher** *m* primus [stove] ®; **Campingplatz** *m* campsite, camping grounds *pl AM*
Cape *s* <-s, -s> (*Regen~*) cape, poncho
Caravan *m* <-s, -s> (*Kombiwagen*) caravan
Cäsium *s* <-s> CHEM caesium, cesium *AM*
Catcher(in *f*) *m* <-s, -> [catch] wrestler
CB-Funk *m* CB radio *Citizens' Band radio*
CD *f* <-, -s> *Abk v.* **Compact Disc** CD
CD-Spieler *m* CD player
Cellist(in *f*) *m* <-en, -en> cellist
Cello *s* <-s, Celli *o.* -s> (*Violon~*) cello
Cellophan ® *s* <-s, -e> cellophane
Celsius *s* <-, -> centigrade; ◇ **es hat 32 Grad ~** the temperature is 32 degrees centigrade
Cembalo *s* <-s, -s> cembalo, harpsichord
Center *s* <-s, -> (*Verkaufs~*) shopping centre *BRIT*, shopping center, mall *AM*
Chamäleon *s* <-s, -s> (*Tier*) chameleon
Champagner *m* <-s, -> champagne
Champignon *m* <-s, -s> [button] mushroom
Chance *f* <-, -n> chance; (*Gewinn~n*) odds *pl;* **Chancengleichheit** *f* equal opportunities *pl*
Chanson *s* <-s, -s> *political or satirical song*
Chaos *s* <-> chaos
Chaot(in *f*) *m* <-en, -en> ① (*verworrene Person*) chaotic person ② POL ▷*politisch, kriminell* anarchist; **chaotisch** *adj* ↑ *verworren, ungeordnet* chaotic; ▷*Ablauf* disorganized
Charakter *m* <-s, -e> ↑ *Wesen, Eigenschaften* character, nature; **charakterfest** *adj* ↑ *seelisch ausgeglichen* of firm character; **charakterisieren** *vt* → *Person, Sache* characterize; **Charakteristik** *f* (*von Person, von Film*) characterization; **charakteristisch** *adj* ▷*Wesenszug* characteristic, typical (*für* of); **charakterlos** *adj* ▷*Mensch* unprincipled, of bad character; **Charakterrolle** *f* character part; **Charakterstärke** *f* strength of character; **Charakterzug** *m* ↑ *Wesenszug* characteristic; (*von Menschen*) trait of character
Charisma *s* <-s, -mata *o.* -men> ↑ *Ausstrahlung* charisma
charmant *adj* ▷*Mensch* charming; **Charme** *m* <-s> charm, grace
Charta *f* <-, -s> charter
Charterflug *m* charter flight; **Chartermaschine** *f* charter plane; **chartern** *vt* → *Flugzeug, Schiff* charter
Charts *pl* MEDIA ↑ *Hitliste* charts *pl*
Chassis *s* <-, -> ① (*von Auto*) chassis ② TECH ↑ *Gehäuse* chassis
Chauffeur(in *f*) *m* chauffeur; **Chauvinismus** *m* ① (*übersteigerte Vaterlandsliebe*) chauvinism ② (*übersteigerter Selbstwert*) male chauvinism; **Chauvinist** *m* ① POL chauvinist ② ↑ *Macho* male chauvinist [pig], MCP; **chauvinistisch** *adj* chauvinist[ic]
checken *vt* ① → *Passagiere* check, inspect ② *FAM* ↑ *kapieren* get ③ SPORT ↑ *einen Bodycheck versetzen* check
Chef(in *f*) *m* <-s, -s> (*von Organisation*) head ② ↑ *Vorgesetzter* superior, boss *FAM*; **Chefarzt** *m*, **Chefärztin** *f* head physician, medical director *AM*; **Chefredakteur** *m* editor-in-chief; **Chefsekretärin** *f* personal secretary
Chemie *f* <-> chemistry; **Chemiefaser** *f* man-made/synthetic fibre; **Chemikalien** *pl* chemicals *pl;* **Chemiker(in** *f*) *m* <-s, -> chemist; **chemisch** *adj* chemical; ◇ **~e Reinigung** (*Laden*) cleaners *pl;* **Chemotherapie** *f* chemotherapy
Chicorée *f o m* <-s> GASTRON chicory
Chiffre *f* <-, -n> ① (*Code*) cipher ② (*~annonce*) box number; **Chiffreanzeige** *f* box number; **chiffrieren** *vt* ↑ *verschlüsseln* code, encipher
China *s* <-s> China; **Chinese** *m* <-n, -n>, **Chinesin** *f* Chinese; **chinesisch** *adj* Chinese
Chinin *s* <-s> MED quinine
Chip *m* <-s, -s> ① (PC *Mikro~*) chip, wafer ② (*Spiel~*) chip
Chips *pl* (*Knabber~*) crisps *pl BRIT*, [potato] chips *pl AM*
Chirurg(in *f*) *m* <-en, -en> surgeon; **Chirurgie** *f* surgery; **chirurgisch** *adj* surgical
Chitin *s* <-s> chitin
Chlor *s* <-s> chlorine; **chlorieren** *vt* → *Wasser* clorinate; **Chloroform** *s* <-s> chloroform; **Chlorophyll** *s* <-s> chlorophyll
Choke *m* <-s, -s> AUTO ↑ *Starterklappe* choke
Cholera *f* <-> cholera
cholerisch *adj* ▷*Mensch* hot-tempered; ↑ *unbeherrscht* choleric
Cholesterin *s* <-s> cholesterol
Chor *m* <-[e], Chöre> ① (*Sänger~*) choir ② (*Gesangsstück,* THEAT *Sprech~*) chorus ③ (*Altarraum*) chancel; ↑ *Chorgestühl* choir stalls; **Choral** *m* <-s, Choräle> chorale
Choreograph(in *f*) *m* <-en, -en> choreographer; **Choreographie** *f* choreography
Chorsänger *m* choirsinger, chorister
Christ(in *f*) *m* <-en, -en> (*Gläubige*) Christian; **Christbaum** *m* Christmas tree; **Christentum** *s* Christianity; **Christenverfolgung** *f* persecu-

tion of Christians; **Christkind** *s* ↑ *Jesus Christus* baby Jesus; **christlich** *adj* Christian, christianlike; **Christus** *m* <-> Christ; ◇ **vor Christi Geburt** before christ, BC; ◇ **nach Christi Geburt** Anno Domini, AD; ◇ **Christi Himmelfahrt** ascension of christ; (*Feiertag*) Ascension day

Chrom *s* <-s> ① CHEM chromium ② (*von Fahrzeug etc.*) chrome

chromatisch *adj* MUS chromatic

Chromosom *s* <-s, -en> BIO chromosome

Chronik *f* chronicle

chronisch *adj* chronic

Chronist *m* <-en, -en> chronicler, historian; **chronologisch** *adj* chronological

Chrysantheme *f* <-, -n> BIO chrysanthemum

CIA *m Abk v. Central Intelligence Agency, US-Geheimdienst*

circa *adv* ↑ *ungefähr* about, approximately

City -, -*s* ↑ *Innenstadt* center of town, downtown *AM*

Clan *m* <-s, -e *o.* -s> clan

clever *adj* ▷*Person* clever, sharp

Clinch *m*: ◇ **im ~ mit jd-m liegen** *FAM* ↑ *streiten* to be in a clinch with s.o.

Clip *m* <-s, -s> ① (*Ohr-*) clip-on-earing ② (*Video-*) clip

Clique *f* <-, -n> ① ↑ *Clan* clan ② ↑ *Freundeskreis* clique

Clou *m* <-s, -s> ↑ *Höhepunkt* climax, clou

Clown *m* <-s, -s> clown

COBOL *s* <-s> *Abk v.* PC *common business oriented language*

Cockpit *s* <-s, -s> AVIAT cockpit

Cocktail *m* <-s, -s> (*Mixgetränk*) cocktail

Cognac *m* <-s, -s> cognac

Coiffeur *m* <-s, -e>, **Coiffeuse** *f* <-, -en> (*CH*) hairdresser; (*Herren-*) barber

Comeback *s* <-s, -s> comeback

Comic *m* <-s, -s> ↑ *Bildgeschichte* comic strip

Compact Disc *f* <-, -s> compact disc

Computer *m* <-s, -> computer; **computergesteuert** *adj* computer-controlled; **computerisieren** *vt* computerize; **Computerspiel** *s* computer game; **Computertomographie** *f* <-, -n> computerized axial tomography, CAT; **Computervirus** *m* (*Zerstörungsprogramm*) computer virus [*o.* bug]

Conférencier *m* <-s, -s> compère, master of ceremonies *AM*

Container *m* <-s, -> container; **Containerdorf** *s* (*mit Flüchtlingen*) refuge shatter, asylum

cool *adj* ↑ *lässig, ruhig, FAM* cool, laid-back

Copyright *s* <-s, -s> copyright

Couch *f* <-, -s *o.* -en> couch, sofa; **Couchtisch** *m* coffeetable

Countdown *m o s* <-[s], -s> countdown

Coupon *m* <-s, -s> coupon

Courage *f* <-> ↑ *Mut* courage

Cousin *m* <-s, -s> cousin; **Cousine** *f* <-, -n> cousin

Cover -*s*, -*s* ↑ *Titelblatt, Plattenhülle* cover

Cowboy *m* <-s, -s> cow boy

Crack *m* <-s, -s> ① (*Mathe-, Sport-*) wiz ② (*Droge*) crack

Cracker *m* <-s, -[s]> ↑ *Kleingebäck* cracker

Crash *m* <-s, -s> ↑ *Unfall* crash

Creme *f* <-, -s> ① (*allg.*) cream ② (*Schuh-*) polish; (*Zahn-*) paste ③ (*Schokoladen-*) mousse ④ (*FIG von Gesellschaft*) cream of the crop; **cremefarben** *adj* cream[-coloured], beige

Croissant *s* <-s, -s> (*Butter-*) croissant

Croupier *m* <-s, -s> croupier

Crux *f* <-> ① ↑ *Last* burden ② ↑ *Schwierigkeit* problem

Curriculum *s* <-s, -cula> ↑ *Lehrplan* curriculum

Curry[pulver] *m o s* <-s, -> curry [powder]

Currywurst *f* GASTRON curried sausage

Cursor *m* <-s, -> COMPUT ↑ *Schreibmarke* cursor

cutten *vt* → *Film, Tonband* cut

D, d *s* D, d

da I. *adv* ① *räumlich* ↑ *dort* there; ◇ **~ ist das Haus** the house is over there; ↑ *hier* here; ◇ **~, wo wir herkommen ...** where we come from ... ② *zeitlich* ↑ *dann* then; ◇ **von ~ an** from then on ③ ↑ *in dieser Hinsicht* then; ◇ **~ kann man nichts machen** there's not much you can do about it **II.** *cj* ↑ *weil* since, because; ◇ **ich konnte nicht kommen, da ich krank war** I couldn't come since/because I was ill; **dabehalten** *unreg vt* keep

dabei *adv* ① (*in der Nähe*) close by; ↑ *inbegriffen* alongside, together; ◇ **ein Garten ist auch ~ (beim Haus)** ↑ *angeschlossen* the house has also got a garden ② ↑ *währenddessen* at the same time ③ ↑ *obwohl, obgleich* although, even though; ◇ **er hat Erfolg, ~ ist er so unfreundlich** in spite of his success, he is quite unfriendly ④ (*bei/hinsichtlich dieser Sache*) ◇ **was ist schon ~, wenn ich ...** what does it matter if I ...; ◇ **sie war**

D

gerade ~ zu spülen, als … she was just doing the dishes, when …; ◇ ~ **bleibt es!** that's that!; **dabeibleiben** *unreg vi* (*bei seiner Meinung*): ◇ **ich bleibe ~** I haven't changed my point of view; (*bei einer Tätigkeit*) stick to; (*bei einer Firma*) remain with; **dabeihaben** *unreg vt* → *Geld, Paß* to have on o.s.; **dabeisein** *unreg vi* [1] ↑ *anwesend sein* to be present [2] ↑ *teilnehmen* participate; ◇ **ich bin dabei!** you can count me in; ◇ **~ ist alles** competing is all that matters [3] ◇ **ich war gerade dabei, loszufahren** ↑ *im Begriff sein* I was just about to drive away; ◇ **ich bin gerade dabei** I'm just doing it

Dach *s* <-[e]s, Dächer> (*Haus~*) roof; (*Auto~*) top; ◇ **etw unter ~ und Fach bringen** to finally have it in the can; **Dachboden** *m* attic, loft; **Dachdecker(in** *f*) *m* <-s, -> roofer; **Dachfenster** *s* dormer window, skylight; **Dachgarten** *m* roof garden; **Dachpappe** *f* roofing felt; **Dachrinne** *f* gutter; **Dachziegel** *m* roof tile

Dachs *m* <-es, -e> badger

Dachstuhl *m* roof timbering

dachte *impf v.* **denken**

Dackel *m* <-s, -> dachshund

dadurch I. *adv* ↑ *infolgedessen* thereby, in that way; ◇ **~ hat er uns sehr unterstützt** in that way he very much supported us; ↑ *deshalb* because of that, for that reason; ◇ **es hat ~ viel Ärger gegeben** that caused a great deal of trouble **II.** *cj:* ◇ **D~, daß er fortgegangen ist, …** Since he went [*o.* Through going] away …

dafür *adv* [1] (*für diese Sache*) for it; ◇ **~ ist er noch zu jung** he is still too young for that; ◇ **wir können nichts ~** we can't help it [2] (*als Gegenleistung*) for; ◇ **können Sie mir sagen, was ich ~ bekomme?** can you tell me what I will get for it? [3] (*infolgedessen*) ◇ **~ muß er büßen** he will have to pay for that [4] ◇ **~, daß er kein Werkzeug hat, ist die Sache in Ordnung** ↑ *wenn man bedenkt* considering he has no tools it's alright [5] ◇ **ein Medikament ~ einnehmen** (*gegen etw*) to take some medicine for it [6] ◇ **er trat ~ ein, daß …** ↑ *befürworten* he was for …

dagegen I. *adv* [1] ◇ **ich habe nichts ~** I don't mind; ◇ **ich bin ~** I am opposed to it; ◇ **~ gibt es keine Medizin** there is no cure for that **II.** *cj* ↑ *hingegen, jedoch* however; ◇ **ich fahre langsam, er ~ schnell** I drive slowly, he, however, drives fast

daheim *adv* at home

daher I. *adv* [1] (*räumlich*) from there; ◇ **von ~ kommen viele Einwanderer** a lot of immigrants come from there [2] (*Ursache*) from that; ◇ **alles kommt nur ~, daß …** it all comes about because … **II.** *cj* ↑ *deswegen, darum* that's why; ◇ **~ sind alle traurig** that's why everybody is sad

dahin *adv* [1] *räumlich* ↑ *an diesen Ort, dorthin* there; ◇ **es ist noch weit bis ~** it is a long way to get there [2] *zeitlich* ↑ *bis zu dem Zeitpunkt* then; ◇ **bis ~ bin ich mit der Arbeit fertig** I'll have finished the work by then [3] ↑ *verloren, gestohlen* gone; ◇ **der Schmuck ist ~** the jewellery's done for [4] ◇ **die Parteien haben sich ~[gehend] geäußert** (*in bestimmter Weise*) the parties have made their pronouncements on it; **dahingehen** *vi* [1] ← *Tage, Wochen etc.* ↑ *verstreichen* pass [2] ◇ **er ist dahingegangen** ↑ *sterben* he has passed over

dahinten *adv* ↑ *an jenem Ort, dort* over there; ◇ **~ kann man das Licht sehen** you can see the light from over there

dahinter *adv* [1] (*räumlich, wo*) ◇ **hier ist die Post und ~ die Apotheke** here's the post office and behind it the chemist; (*wohin*) ◇ **er legte das Buch ~** he put the book behind it [2] ◇ **viel Getue und nichts ~** a lot of front with nothing behind it; **dahinterkommen** *unreg vi* [1] ↑ *herausfinden* find out [2] ↑ *endlich verstehen* finally understand

dalassen *unreg vt* leave here; ◇ **den Schlüssel kannst du ~** you can leave the key there

dalli *adv:* ◇ **los, schnell, ~, ~!** move it, get going!

damalig *adj:* ◇ **das ~e Ereignis** that event back then; ◇ **der ~e Offizier** the erstwhile officer; **damals** *adv* ↑ *zu jener Zeit* at that time, then

Dame *f* <-, -n> [1] (*Frau*) lady [2] (*Brettspiel*) draughts, checkers *AM sg;* (*Spielkarte, Schachfigur*) queen [3] ◇ **Sehr geehrte ~n und Herren** Dear Sirs; **damenhaft** *adj* ladylike; **Damenfahrrad** *s* lady's bicycle; **Damenmannschaft** *f* women's team; **Damenwahl** *f* ladies' turn

damit I. *adv* (*mit etw*) with it; ◇ **man kann den Stuhl ~ reparieren** you can use it to fix the chair; ◇ **ich bin ~ einverstanden** I agree to it; ◇ **laß' mich ~ in Ruhe** don't keep on at me about it; ◇ **was meinen Sie ~?** what do you mean by that?; ◇ **Schluß ~!** pack it in! that's enough of that!; ◇ **und ~ basta!** and that's that! **II.** *cj final* ↑ *zu dem Zweck, daß* in order to; ◇ **wir haben ihn gerufen, ~ er es auch sieht** we called him so that he too could see it

dämlich *adj* ↑ *blöd, dumm* asinine, foolish

Damm *m* <-[e]s, Dämme> [1] (*Stau~*) dam; (*Deich*) dyke, dike; (*Bahn~*) railway embankment; ◇ **auf dem ~ sein** to be okay [2] ANAT perineum

dämmern *vi* [1] ← *Morgen* dawn; ← *Abend* get

dark (dusky) [2] ↑ *im Halbschlaf sein* be half asleep; ◇ **endlich dämmerte es ihm** (*FIG begreifen*) at last he began to see the light; **Dämmerung** *f* (*Morgen-*) dawn; (*Abend-*) dusk, twilight; **dämmrig** *adj* ▷*Licht* dim, faint

Dämon *m* <-s, -en> demon, devil; **dämonisch** *adj* demonic

Dampf *m* <-[e]s, Dämpfe> (*Wasser-*) steam, vapour; (*Dunst*) haze, mist; ◇ **da ist kein - dahinter** (*FIG kein Schwung*) there's no kick to it; **Dampfbügeleisen** *s* steam iron; **dampfen** *vi* [emit] steam

dämpfen *vt* [1] GASTRON steam [2] → *Kleider* iron with a damp cloth [3] → *Lautstärke* deaden, muffle; → *Ehrgeiz* damp, deaden

Dampfer *m* <-s, -> (*Schiff*) steamer

Dämpfer *m* <-s, -> [1] (*Kartoffel-*) steamer [2] (*Schall-*) silencer

Dampfkochtopf *m* pressure cooker; **Dampfmaschine** *f* steam engine; **Dampfwalze** *f* steamroller

danach *adv* [1] *räumlich* ↑ *dahinter* after that; ◇ **vorne gehen die Offiziere, - die einfachen Soldaten** the officers go in front, the regulars up behind [2] (*zeitlich, hinterher, anschließend*) afterwards; ◇ **erst das Hauptgericht und dann - die Nachspeise** first the main course with a dessert to follow [3] (*nach etwas*) ◇ **das Buch fiel zu Boden, und Martha griff -** the book fell down and Martha lunged for it; ◇ **ich sehne mich -** I am longing for it [4] (*[dem]entsprechend*) accordingly; ◇ **es sieht ganz - aus ...** it looks as if ...

Däne <-n, -n> **Dänin** *m* Dane

daneben *adv* [1] (*räumlich*) beside it; ◇ **es steht -** it is next to it; ◇ **wir wohnen gleich -** we live practically next door [2] ↑ *außerdem* ◇ **- besitzt er eine Yacht** apart from that he's got a yacht [3] ↑ *im Vergleich dazu* in comparison; ◇ **- sieht er blöd aus** he looks a fool by comparison; **danebenbenehmen** *unreg vr* ◇ **sich -** misbehave; **danebengehen** *unreg vi* ← *Schuß* go wide, miss; ← *Vorhaben* go awry, go wrong; **danebenhalten** *unreg vt:* ◇ **kannst du das Kleid mal -?** (*zum Vergleich*) can you just hold the dress up to it?

Dänemark *s* Denmark; **dänisch** *adj* Danish

dank *präp gen o dat* thanks to; ◇ **dank der Russen ...** *gen* thanks to the Russians ...; **Dank** *m* <-[e]s> [1] thanks *pl;* ◇ **vielen [herzlichen] -!** [many] thanks!; ◇ **jd-m - sagen** thank sb [2] (*Dankbarkeit*) gratitude; ◇ **jd-m zu - verpflichtet sein** to owe a debt of gratitude to s.b. [3] (*Belohnung, Lohn*) reward; **dankbar** *adj* [1] ↑ *von Dank erfüllt* grateful [2] ▷*Pflanze, Stoff* ↑ *strapazierfähig* hard-wearing [3] ▷*Publikum* ↑ *aufnahmebereit* obliging [4] ▷*Rolle, Aufgabe* ↑ *lohnend* rewarding; **Dankbarkeit** *f* gratitude; **danke** *intj* thank you, thanks, much obliged; **danken** *vi* [1] ◇ **wir - Ihnen sehr/vielmals** we thank you very much, many thanks; ◇ **jd-m -** to thank sb; ◇ **Betrag -d erhalten** received with thanks [2] ◇ **wie soll ich ihm das bloß -?** (*vergelten*) how can I ever repay him?; **dankenswert** *adj* ▷*Aufgabe* worthwhile, rewarding; ▷*Rolle, Leistung* commendable, praiseworthy; **Danksagung** *f* (*in Todesanzeige*) note of thanks

dann *adv* [1] (*zeitlich*) then, at that time; (*danach*) then, thereupon, subsequently; ◇ **nimm erst die Bahn und - den Bus** take the train first and then the bus; (*bis dahin*) by then [2] (*außerdem*) besides, moreover; ◇ **- gibt es da noch Viren** and then of course there are viruses

daran *adv* [1] (*an Gegenstand*) at/on it; ◇ **das Schloß - ist kaputt** the lock on it is broken; ◇ **das Gute - ist, ...** the good thing about it is ... [2] (*kausal, an etw*) ◇ **es liegt -, daß ...** the reason for it is that ... [3] (*danach*) ◇ **im Anschluß - werden wir ...** after that we will ... [4] (*auf größeren Zusammenhang verweisend*) ◇ **sie glaubt -** she believes in it; ◇ **er ist - zugrunde gegangen** he died from [*o.* of] it; ◇ **- kann man nichts ändern** you can't do anything about it [5] ◇ **ich war nahe - aufzugeben** ↑ *unmittelbar davor* I was about to give up; **daranmachen** *vr:* ◇ **sich -, etw zu tun** to get down to doing s.th.; **daransetzen** *vt* stake; ◇ **sie hat alles darangesetzt, um ihn loszuwerden** she did everything she could to get rid of him

darauf *adv* [1] (*auf etw*) on it; (*in Richtung auf etw*) towards it; ◇ **schnurstracks - zugehen** to make a beeline for it [2] (*zeitlich, im Anschluß an*) afterwards; ◇ **kurz/bald -** shortly/soon afterwards; ◇ **am Morgen -** the next day; ◇ **ein paar Wochen -** a few weeks later/thereafter [3] ◇ **- kannst du Gift nehmen** *FAM* ↑ *dessen kannst du dir sicher sein* you can be dead sure of it; ◇ **trinken wir -, daß ...** let's drink to ...; ◇ **es kommt ganz - an, ob ...** it all depends on whether ...; **drauflegen** *vt* put on [top of]; **darauffolgend** *adj* ▷*Woche* following, subsequent; **daraufhin** *adv* [1] ↑ *in bezug auf* in this respect; ◇ **etw - testen, ob es ...** to test s.th. in order to see if ... [2] ↑ *hierauf, deshalb* as a result; ◇ **- ging er nach Hause** after that he went home

daraus *adv* [1] ▷*entnehmen* from it [2] (*aus Material*) out of it; ◇ **ich mache einen Pullover -** I'm making a pullover out of it [3] (*aus Tatsache*) from it, of it; ◇ **welche Schlüsse ziehen sie -?**

D

what conclusions do you draw from it?; ◇ **- geht hervor, daß ...** this means that ...; ◇ **was ist - geworden?** what became of it?

darbieten *vt* [1] ↑ *anbieten* offer, present [2] ↑ *aufführen* perform; **Darbietung** *f* [1] ↑ *Anbieten* presentation [2] ↑ *Aufführung* performance

darin *adv* (*in bestimmter Sache*) in it, therein

darlegen *vt* ▷*Sachverhalt* explain, put forward; ▷*Gründe* state

Darlehen *s* <-s, -> ↑ *Kredit[summe]* loan; (*Hypotheken-*) mortgage

Darm *m* <-[e]s, Därme> [1] ANAT bowels *pl*, intestine; *FAM* guts *pl* [2] (*Kunst-, Wurst-*) skin

darstellen I. *vt* [1] ▷*bildlich* represent, depict [2] (*auf Bühne*) act, interpret, play [3] → *Sachverhalt* present; ◇ **das Angebot stellt eine große Herausforderung dar** ↑ *bedeuten* the offer constitutes a great challenge **II.** *vr*: ◇ **sich -** ↑ *sich präsentieren* present o.s., appear; ↑ *sich herausstellen* ◇ **sich als schwierig -** appear to be difficult; **Darsteller(in** *f*) *m* <-s, -> actor/actress; **Darstellung** *m* [1] ↑ *Abbildung* portrayal, depiction [2] (*von Sachverhalt*) presentation [3] (*auf Bühne*) performance

darüber *adv* [1] (*örtlich*) ▷*befindlich* (*sein, stellen*) over/above it; ▷*hinweg* over it [2] ▷*nachdenken, sprechen* about it; ◇ **seine Meinung - war klar** his thoughts about it [*o.* on it] were clear [3] (*mehr als*) more; ◇ **zwei Kilo und -** two kilos and over; ◇ **- hinaus** furthermore

darum I. *adv* [1] (*räumlich*) round it; ◇ **- herum** round and about it [2] ◇ **kümmern Sie sich bitte -** (*um diese Sache*) please take care of this matter; ◇ **es geht uns -, daß ...** (*um folgende Sache*) what is important to us is this ... **II.** *cj* ↑ *deswegen* therefore, that's why; ◇ **wir haben Schulden, - müssen wir sparen** we are in debt, that's why we must economize

darunter *adv* [1] *örtlich* ▷*befindlich* under it; ◇ **die Wohnung -** ↑ *unterhalb* the flat below; ◇ **die Münzen lagen oben und die Scheine -** the coins were on top and the banknotes were underneath [2] (*unter einer Menge*) among them [3] (*weniger*) less; ◇ **die Preise liegen bei DM 11 und -** the prices are DM 11 or less [4] (*unter dieser Sache*) by that; ◇ **- stelle ich mir folgendes vor** I take that to mean the following

das I. *Artikel* (*bestimmt*) the **II.** *pron* (*dies[es], jenes*) that; ◇ **- weiß jeder** everybody knows that; ◇ **- ist meine Freundin** that's my girlfriend; ◇ **auch - noch** and that on top of it; ◇ **- heißt** that's called, this/that means; ◇ **- ist** that is; ◇ **ich gebe dir das Geld, - ich geliehen habe** I am giving you the money (that) I borrowed

dasein *unreg vi* [1] (*an einem Ort*) be there; ◇ **war jemand da?** was anybody there?; ◇ **es ist niemand da** there is nobody there [2] ↑ *verfügbar sein* be available; ◇ **es sind keine Löffel mehr da** there aren't any more spoons [3] ◇ **von den Großeltern ist niemand mehr da** *FAM* there are no surviving grandparents [4] ◇ **er ist noch nicht ganz da** *FAM* he is not all there yet; **Dasein** *s* <-s> ↑ *Leben* life, existence; ◇ **ins - treten** to come into being; **Daseinsberechtigung** *f* (*Begründung*) reason for existence

dasjenige *pron s.* **derjenige**

daß *cj* that

dasselbe *pron s.* **derselbe** the same

dastehen *unreg vi* [1] stand there; ◇ **aufrecht -** stand there straight [*o.* to attention] [2] ◇ **ohne Mittel -** ↑ *leben* to be penniless; ◇ **allein -** to stand alone [3] ◇ **wie stehe ich denn da, wenn ich ... nicht ...** so what'll I do if I can't ...

Datei *f* PC file; **Dateiname** *m* PC file name

Daten *pl* (*allgemeine Informationen*) data, information; (*technische -*) specifications *pl;* (*Personalangaben*) particulars, details *pl;* PC data; **Datenaustausch** *m* data exchange; **Datenbank** *f* data bank; **Datenbestand** *m* database; **Dateneingabe** *f* data input; (*am PC*) keyboarding; **Datenerfassung** *f* data collection, acquisition; **Datenfernübertragung** *f* data transmission; **Datenmißbrauch** *m* data abuse; **Datennetz** *s* data network; **Datenschutz** *m* data protection; **Datenschutzbeauftragte(r)** *m+f government-appointed official for data protection;* **Datenträger** *m* data carrier; **Datenverarbeitung** *f* data processing; **Datenzentrum** *s* data centre; **Datenzugriff** *m* data access

datieren I. *vt* [1] → *Brief* date [2] → *Funde, Wandmalerei* be dated **II.** *vi* ↑ *stammen, bestehen* date from

Dativ *m* <-s> GRAM dative

Dattel *f* <-, -n> date; **Dattelpalme** *f* date palm

Datum *s* <-s, Daten> date; ◇ **das heutige -** today's date

Dauer *f* <-> [1] ↑ *Andauern* duration; ◇ **das Vergnügen war von kurzer -** the pleasure did not last very long [2] (*gewisse Zeitspanne*) length; ◇ **für die - eines Monats** for a period of a month; ◇ **auf die - ist das zuviel** in the long term it's too much; **Dauerauftrag** *m* COMM standing order; **dauerhaft** *adj* ↑ *beständig* lasting, durable; **Dauerkarte** *f* season ticket; **Dauergeschwindigkeit** *f* constant speed; **Dauerlauf** *m* jog, run; **dauern** *vi* ← *Gespräch, Verhandlungen* ↑ *andauern* go on, last, continue; ← *Krank-*

heit ↑ *weiterbestehen* last; ◇ **die Behandlung dauert eine Stunde** ↑ *benötigen* the treatment takes one hour; ◇ **tut mir leid, das dauert mir zu lange** sorry, that's [*o.* that takes] too long for me; ◇ **das dauert aber!** *FAM* that's taking forever!; ◇ **wie lange dauert es denn noch?** how much longer is it going to take?; **dauernd** *adj* ① ↑ *ständig* constant ② ◇ **er stört mich** ~ ↑ *immer wieder, häufig* he keeps bothering me; **Dauerregen** *m* continuous rain; **Dauerwelle** *f* perm[anent wave]; **Dauerzustand** *m* permanent state; ◇ **Angst ist bei ihr ein** ~ she is perpetually in a state of fear

Daumen *m* <-s, -> thumb; ◇ **jd-m die ~ drücken/halten** to keep one's fingers crossed for s.b.; ◇ **über den ~ gepeilt, macht es …** (*grob gerechnet*) working it out in the rough, it comes to …; ◇ **Pi mal** ~ (*FAM ungefähr*) roughly; **Daumenindex** *m* (*von Buch*) thumb index; **Daumenlutscher(in** *f*) *m* thumb-sucker; **Daumenregister** *s* (*von Buch*) thumb index; **Däumling** *m* Tom Thumb

Daune *f* <-, -n> down; **Daunenbett** *s*, **Daunendecke** *f* down duvet, feather bed/quilt

davon *adv* ① (*von einer Sache*) of it; ◇ ~ **habe ich genug** I've had enough of this; ◇ **das hängt ~ ab** that all depends on whether …; ◇ **was habe ich ~?** what do I get out of it all?; ◇ **genug ~!** enough of that!; ◇ **das kommt ~!** that's what you get; ◇ ~ **abgesehen** apart from that ② (*räumlich*) ◇ **2 km ~ (entfernt)** 2 km from there ③ ↑ *dadurch* because of it; ◇ **schrei' nicht so , ~ bekomme ich Kopfweh** don't yell like that, it gives me a headache ④ ◇ ~ **sprechen/wissen** ↑ *darüber* talk/know of [*o.* about] it; ◇ **was wissen Sie ~?** what do you know about it?; **davonkommen** *unreg vi* to get away, escape; ◇ **mit einer Geldstrafe ~** to get off with a fine; **davonlaufen** *unreg vi* run away; **davontragen** *unreg vt* → *Möbel* carry off; → *Verletzung* receive; → *Schaden* suffer

davor *adv* ① (*räumlich*) in front of it; ◇ **das Haus steht** ~ the house is in front of it ② (*zeitlich, vor bestimmten Zeitpunkt*) before [that]; ◇ **wir treffen uns 15 Minuten** ~ we'll meet 15 minutes before that ③ ◇ **wir müssen sie ~ warnen** (*vor etw*) we must warn them about it; ◇ **er hat ~ Angst** he's afraid of it

dazu *adv* ① (*daneben, räumlich*) ◇ **er stellte sein Fahrrad** ~ he put his bike with the rest; ◇ **was darf ich ihnen ~ reichen?** (*als Ergänzung*) what can I offer you besides [*o.* with it]?; ◇ **er machte ~ eine böse Bemerkung** he added a nasty remark; ◇ **was gibt es ~?** ↑ *hierzu* what else are we having? ② ↑ *im Hinblick darauf* regarding it; ◇ **seine Äußerungen ~ waren karg** his commentary on it was meagre; ◇ ~ **habe wir keine Lust** we are not in the mood for it; ◇ ~ **fähig sein** be capable of it ③ ↑ *zu diesem Zweck* to this end ④ ↑ *außerdem* besides; ◇ **und noch ~ ein Brot** and (a loaf of) bread as well; **dazubringen** *vt* make, cause, persuade; **dazugehören** *vi* ↑ *inbegriffen sein* belong to it; ← *Person* to be one of the party; ← *Schraube* to be one of the set, to match; **dazukommen** *unreg vi* ① (*zu einer Person/Gruppe*) join ② ← *Gegenstände* be added; ◇ **kommt noch was dazu?** is there anything else you want (to add/to order)? ③ ◇ **es kommt noch dazu, daß …** things will add up in such a way that …, we will get to the point that …

dazwischen *adv* in between; (*räumlich auch*) between [them]; (*zusammen mit*) among them; ◇ **der Unterschied** ~ the difference between them; **dazwischenkommen** *unreg vi* ↑ *hineingeraten* get caught in; ◇ **es ist etwas dazwischengekommen** something cropped up; **dazwischenliegend** *adj* intermediate; **dazwischenreden** *vi* ↑ *unterbrechen* interrupt; ↑ *sich einmischen* interfere

DDR *f* <-> *Abk v.* **Deutsche Demokratische Republik** GDR, East Germany; ◇ **die ehemalige** ~ what was formerly the GDR

Deal *m* <-s, -s> *FAM* ↑ *Geschäft* deal; **dealen** *vi FAM* ↑ *mit Drogen handeln* push drugs; **Dealer(in** *f*) *m* <-s, -> ↑ *Drogenhändler* drug pusher/dealer; (*im großen Stil*) trafficker

Debatte *f* (*Parlaments-*) debate; **debattieren** *vt* debate; (*ohne Entscheidungszwang*) discuss

Debüt *s* ↑ *Einstand* debut

Deck *s* <-[e]s, -s *o.* -e> ① (*von Schiff*) deck; ◇ **an ~ gehen** go on deck ② (*Park-*) car deck

Decke *f* <-, -n> ① (*Zimmer-*) ceiling ② (*Bett-, allgemein*) cover; (*Woll-*) woollen blanket; (*Stepp-*) eiderdown; (*Tages-*) counterpane; (*Tisch-*) tablecloth; ◇ **mit jd-m unter einer ~ stecken** (*FIG gemeinsame Sache machen*) be in cahoots with s.b. ③ (*Wolken-*) pall; (*Straßen-*) road surface, blacktop *AM*; (*Schnee-*) blanket

Deckel *m* <-s, -> ① (*von Gefäß*) cover, lid, cap, top; (*Klavier-*) top, lid; (*Koffer-*) lid; (*Abort-*) cover; (*Buch-*) cover; ◇ **eins auf den ~ kriegen** (*FAM FIG ausgeschimpft werden*) to get a good talking-to ② (*Bier-*) mat; (*Papp-*) [card]board

decken I. *vt* ① → *Tisch* lay, set; → *Dach* cover ② → *Verbrechen, Komplizen* ↑ *schützen* cover for ③ SPORT → *Gegenspieler* mark ④ → *Stute* mate, put out to stud ⑤ → *Scheck, Schulden* cover; → *Bedarf* supply, meet; → *Schaden* make good; → *Kosten* meet, defray **II.** *vr* ◇ **sich** ~ ① ←

Dreiecke coincide (2) ← *Boxer* guard **III.** *vi* ← *Farbe* cover well
Deckenleuchte *f* ceiling light
Deckmantel *m*: ◇ **unter dem ~ der/von** (*FIG vorgegeben*) under the cloak of; **Deckname** *m* (*von Spion*) assumed name
Deckung *f* (1) (*Schutz*) cover, shelter (2) (*Schutzmauer*) screen wall; ◇ **in ~ gehen** to take cover (3) SPORT defence; (*beim Boxen*) guard (4) ↑ *Übereinstimmung* (*von Aussagen*) agreement; coincidence (5) ◇ **für diesen Scheck ist eine ~ vorhanden** COMM this cheque is covered; **deckungsgleich** *adj* MATH congruent
Decoder *m* <-s, -> TECH, TELECOM decoder; **decodieren** *vt* ↑ *umwandeln* decode
defekt *adj* ▷*Gerät* defective, faulty; **Defekt** *m* <-[e]s, -e> fault, defect
defensiv *adj* defensive; ◇ **sich ~ verhalten** to be on the defensive
definieren *vt* define; **Definition** *f* definition
definitiv *adj* (1) ▷*Angebot* final, definitive (2) ▷*Zusage* positive, definite
Defizit *s* <-s, -e> ▷*finaziell* deficit; (*an Schlaf*) deficiency
deftig *adj* (1) → *Essen* ↑ *kalorienreich* solid, substantial (2) → *Witz* ↑ *derb* coarse (3) → *Geruch, Duft* ↑ *heftig* pungent
Degen *m* <-s, -> sword; SPORT épée
dehnbar *adj* ▷*Material* elastic, stretchable; ◇ **Freiheit ist ein ~er Begriff** freedom is a concept open to loose interpretation; **dehnen** *vt* → *Gummi* stretch; → *Vokal, Wort* lengthen; → *Note* sustain; → *Muskeln, Glieder* stretch, extend; **Dehnung** *f* extension, elongation; (*des Brustkorbes*) expansion
Deich *m* <-[e]s, -e> dyke, dike; *s.* **Damm**
Deichsel *f* <-, -n> (*von Anhänger*) shaft, pole; **deichseln** *vt* → *Sache* engineer, wangle; ◇ **ich werde das ~** (*FAM bewerkstelligen*) I'll pull it off alright
dein *pron* (*adjektivisch*) *in Briefen::* ◇ **D~** Yours, [*o.* Love,]
deine(r, s) *pron* (*substantivisch*) yours; **deiner** *pron gen von* **du** of you; **deinerseits** *adv* as far as you are concerned; **deinesgleichen** *pron PEJ* people like you; (*gleichrangig*) your equals; **deinetwegen** *adv* (*wegen dir*) because of you; (*dir zuliebe*) for your sake; (*um dich*) about you; (*für dich*) on your behalf; (*von dir aus*) as far as you are concerned
Dekan *m* <-s, -e> dean
Deklination *f* (1) SPRACHW declension (2) ASTROL declination; **Deklinationsendung** *f* declension ending; **deklinierbar** *adj* declinable; **deklinieren** *vt* decline
dekodieren *vt* → *Nachricht* decode
Dekolleté *s* <-s, -s> low neckline
Dekorateur(in *f*) *m* decorator; (*Schaufenster-*) window dresser; (*Theater-*) scene painter; **Dekoration** *f* ↑ *[festliche] Gestaltung* decoration; ↑ *Auslage* window dressing; **dekorieren** *vt* ↑ *schmücken* decorate; ↑ *Schaufenster* dress
Delegation *f* delegation
delegieren *vt* (1) → *Vertreter* ↑ *in Kommission schicken* delegate (2) → *Arbeit* ↑ *übertragen* delegate
Delegierte *m+f* ↑ *Vertreter* delegate, representative
delikat *adj* (1) ▷*Essen, Wein etc.* delicious, exquisite (2) ↑ *heikel,* delicate, sensitive; ◇ **die Angelegenheit ist äußerst ~** it's an extremely delicate matter; **Delikatesse** *f* <-, -n> ↑ *Leckerbissen* delicacy; **Delikatessengeschäft** *s* delicatessen [shop]; *FAM* deli
Delikt *s* <-[e]s, -e> JURA ↑ *Vergehen* punishable act, criminal offence
Delle *f* <-, -en> *FAM* ↑ *Beule* dent
Delphin *m* <-s, -e> dolphin; **Delphinschwimmen** *s* butterfly
Delta *s* <-s, -s> (*Flußmündung*) delta
dem *dat von* **der**
Demagoge *m* <-n, -n> **Demagogin** *f* ↑ *Volksverführer* demagogue, demagog *AM*
dementieren *vt* → *Nachricht* deny, disclaim
dementsprechend demgemäß I. *adv* consequently, accordingly **II.** *adj* as expected, corresponding; **demgegenüber** *adv* in contrast, as opposed to this
demnach *adv* consequently
demnächst *adv* ↑ *in nächster Zeit* shortly, before long
Demo *f* <-, -s> *FAM* ↑ *Demonstration* demo
Demokrat(in *f*) *m* <-en, -en> democrat; **Demokratie** *f* democracy; **demokratisch** *adj* democratic; **demokratisieren** *vt* democratize; **Demokratisierung** *f* democratization
demolieren *vt* (*mutwillig zerstören*) demolish, wreck
Demonstrant(in *f*) *m* demonstrator; **Demonstration** *f* (1) ↑ *Vorführung* demonstration, presentation (2) ↑ *[Massen-]Kundgebung* demonstration; **Demonstrationszug** *m* protest march; **demonstrativ** *adj* ↑ *anschaulich* demonstrative; ▷*Rücktritt* pointed; **demonstrieren I.** *vt* → *seine Vorstellungen* demonstrate, present **II.** *vi* POL demonstrate, hold a demonstration
Demoskopie *f* ↑ *Meinungsforschung* public opinion research

Demut *f* <-> ↑ *Hingebung* humility; **demütig** *adj* ① (*voller Hingabe*) supplicating, humble ② (*unterwürfig*) submissive; **demütigen** *vt* ↑ *erniedrigen* humiliate, humble; ▷*stärker* mortify

demzufolge *adv s.* **demnach**

den *akk von* **der**

denen *dat von* **diese**

denkbar *adj* ① ↑ *möglich* conceivable, thinkable; ◇ **es ist ~, daß er morgen geht** it is quite possible that he will go tomorrow ② ↑ *äußerst* very; ◇ **heute ist es ~ ungünstig** today it's extremely unsuitable; **denken I.** <dachte, gedacht> *vt, vi* think, suppose; ↑ *überlegen* consider, bear in mind; ◇ **ich denke, ich werde ihn verklagen** ↑ *beabsichtigen* I think I'm going to sue him; ◇ **ohne dabei etwas zu ~** without realizing the implications **II.** *s* <-s> ① ↑ *das Denken* act of thinking ② ↑ *Denkweise* way of thinking; ◇ **logisches D~** logical way of reasoning; **Denker(in** *f*) *m* <-s, -> thinker; **denkfaul** *adj* lazy; **Denkfehler** *m* logical error; **Denkmal** *s* <-s, Denkmäler> monument; **Denkmal[s]schutz** *m* architectural preservation; ◇ **unter ~** to be under a preservation order *BRIT*; **Denkmünze** *f* commemorative coin; **Denkweise** *f* ① (*Denkart*) way of thinking ② ↑ *Mentalität* mental attitude; **denkwürdig** *adj* memorable; **Denkzettel** *m* warning; ◇ **jd-m einen ~ verpassen** (*FIG deutlich warnen*) to give s.b. s.th. to think about

denn I. *cj* (*leitet Begründung ein*) because, for; ◇ **wir gingen, ~ es kam niemand** we left because nobody came; ◇ **es sei ~, daß jemand kommt** (*außer, wenn …*) unless s.b. comes **II.** *adv:* ◇ **was soll das ~?** what's all this then?; ◇ **was ist ~ los?** what's the matter with you?; ◇ **kannst du ~ nicht aufpassen?** why you can't pay attention?; ◇ **wo ~ sonst?** where on earth else?; ◇ **mehr ~ je** more than ever

dennoch *cj* nevertheless

denunzieren *vt* ① ↑ *verleumden, zutragen* to inform on s.b. ② ↑ *brandmarken* brand; **Denunziant(in** *f*) *m* informer

Deo *s* <-s, -s> deodorant; **Deodorant** *s* <-s, -s> deodorant; **Deoroller** *m* roll-on deodorant; **Deospray** *s* deodorant spray

deponieren *vt* → *Schmuck, Aktien* deposit; **Depot** *s* <-s, -s> ① (*Lager*) warehouse ② (COMM *Wertpaier~*) strongroom ③ (*Straßenbahn~, Bus~*) depot

Depression *f* ① MED depression; ◇ **an/unter ~en leiden** to suffer from depression ② COMM depression, slump; **deprimieren** *vt* depress

Deputierte(r) *m+f* ↑ *Abgeordnete(r)* delegate, representative

der I. *Artikel* the **II.** *pron* ① (*demonstrativ, derjenige, dieser*) this one; ◇ **das ist ~, von dem …** that's the one of whom … ② (*relativ*) which, that; (*jemand*) who

derart *adv* so, such; ◇ **ich bin ~ naß, daß …** I am so wet …; ◇ **eine ~ hübsche Frau** such a pretty woman; **derartig** *adj* such, this sort of; ◇ **~e Frechheiten** this sort of cheek

derb *adj* ▷*Mann* ↑ *urwüchsig* coarse; → *Witz* ↑ *deftig* coarse

dergestalt *adv:* ◇ **~, daß …** ↑ *so* in such a way that …; **dergleichen** *adj:* ◇ **~ gibt es nicht** (*ähnliches*) there is no such thing

Derivat *s* <-[e]s, e> CHEM, SPRACHW derivative

derjenige *pron* ① (*demonstrativ, verstärkend*) he; she; it ② (*relativ, welche(r,s)*) the one [who]; that [which]; **dermaßen** *adv* to such an extent, so; ◇ **er war ~ eingeengt, daß …** he was so restricted that …; **derselbe** *pron* (*dieser und kein anderer*) the same; **derzeit** *adv* at the moment, at present; **derzeitig** *adj* present

des *gen von* **der, das**

Desaster *s* <-s, -> disaster

desertieren *vi* desert

deshalb *adv* (*deswegen*) therefore, that's why

Design *s* <-s, -s> [fashion] design

Desinfektion *f* disinfection; **Desinfektionsmittel** *s* disinfectant; **desinfizieren** *vt* disinfect

Desinteresse *s* apathy, indifference

Despot *m* <-en, -en> despot

dessen *gen von* **der, das dessenungeachtet** *adv* nevertheless

Dessert *s* <-s, -s> dessert

Destillat *s* CHEM distillate; **Destillation** *f* CHEM distillation; **destillieren** *vt* distil

desto *adv* ↑ *um so* all the, so much the; ◇ **~ besser** all the better; ◇ **je größer, ~ besser** the bigger the better; ◇ **~ mehr du erwartest, ~ weniger kommen** the more you expext the fewer will come

destruktiv *adj* destructive

deswegen *cj* (*deshalb*) therefore, hence

Detail *s* <-s, -s> detail; **detailliert** *adj* detailed, particularized

Detektiv(in *f*) *m* detective; **Detektivroman** *m* detective novel

Detektor *m* TECHNOL detector

Determinante *f* <-en, -en> determinant

deuten I. *vt* → *Begriff, Traum* interpret; ↑ *erklären* explain **II.** *vi* ↑ *zeigen* point (*auf akk* to o at); ◇ **alles deutet darauf hin, daß …** everything leads/points to the conclusion that …; **deutlich** *adj* ① ↑ *klar* clear ② ↑ *verständlich* transparent, understandable; ◇ **jd-m etwas ~ machen** to make s.th. crystal clear to s.b. [3] ▷*Hinweis, Wink* explicit; ▷*Unterschied* unambiguous; **Deutlichkeit** *f* clarity, distinctness

deutsch *adj* German; ◇ **- reden/sprechen** speak German; ◇ **-er Schäferhund** Alsatian *BRIT*, German shepherd *AM*; ◇ **zu -** to express it in German; ◇ **in D- etwas abfassen** to write s.th. in German; ◇ **D-e Mark** German mark, deutschmark; **Deutsch** *s* [1] (*die deutsche Sprache*) German; ◇ **- lernen** learn German; ◇ **ins -e übersetzen** to translate into German; ◇ **sie spricht gebrochen -** she speaks broken German [2] ◇ **- unterrichten** (*Unterichtsfach*) to teach German; **Deutsche(r)** *m+f* German; ◇ **die -n** *pl* the Germans *pl;* **deutschfeindlich** *adj* anti-German, Germanophobic; **deutschfreundlich** *adj* Germanophile, pro-German; **Deutschland** *s* Germany; **Deutschlehrer** *m* German teacher; **deutschsprachig** *adj* ▷*Buch* German language; ▷*Bevölkerung* German; ◇ **die -e Schweiz** the German-speaking part of Switzerland; **Deutschsprachige(r)** *m+f* speaker of German, German speaker

Deutung *f* (*von Träumen*) interpretation; ↑ *Erklärung* explanation

Devise *f* <-, -n> [1] (*Wahlspruch, Motto*) motto, device [2] ◇ **-n** *pl* FIN foreign currency/exchange; **Devisengeschäft** *s* currency dealing

devot *adj* servile, fawning

Dezember *m* <-[s], -> December

dezent *adj* discreet; → *Kleid* ↑ *unauffällig* unobtrusive; → *Musik* ↑ *leise* soft

Dezentralisierung *f* POL decentralization, devolution

dezimal *adj* decimal; **Dezimalstelle** *f* decimal point; **Dezimalsystem** *s* decimal system; **Dezimalwaage** *f* decimal balance; **Dezimeter** *s* decimetre

Dia *s* <-s, -s> FOTO ↑ *Diapositiv, Diabild* slide

Diabetes *m o f* <-, -> MED diabetes; **Diabetiker** *m* diabetic

Diafilm *m* film for slides

Diagnose *f* <-, -n> diagnosis

diagonal *adj* diagonal; **Diagonale** *f* <-, -n> diagonal

Diagramm *s* <-s, -e> diagram, chart

Diakonisse *f* deaconess

Dialekt *m* <-[e]s, -e> dialect, vernacular

Dialog *m* <-[e]s, -e> dialogue, dialog *AM*

Dialyse *f* <-, -n> MED dialysis

Diamant *m* diamond

Diaprojektor *m* slide projector

Diät *f* <-, -en> diet; ◇ **eine - machen** to be on a diet; ◇ **- leben** to live on a diet

Diäten *pl* POL ↑ *Abgeordnetengehalt* allowance

diatonisch *adj* diatonic

dich *pron akk von* **du** you; ◇ **ich sehe - morgen** (*Personalpronomen*) I'll see you tomorrow; ◇ **beeil' -!** (*Reflexivpronomen*) get a move on!

dicht I. *adj* [1] ↑ *dicht[stehend]* (*Bäume*) dense; (*Pflanzen*) close-set; (*Tiere*) crowded, massed; ▷*Nebel* thick [2] ▷*Stiefel* ↑ *undurchlässig* [water-]tight, waterproof [3] *FAM* ↑ *vollkommen betrunken* pissed as a newt **II.** *adv:* ◇ **- an/bei** close to; **dichtbesiedelt** *adj* ▷*Gebiet* congested; **dichtbevölkert** *adj* densely [*o.* heavily] populated; **Dichte** *f* <-, -n> [1] (*der Vegetation*) density, closeness; (*des Nebels*) thickness; (*des Verkehrs*) density, heaviness [2] (PHYS *Maßeinheit*) specific gravity

dichten I. *vt* → *Verse* compose, write **II.** *vi:* ◇ **das Material dichtet hervorragend** ↑ *abdichten* the material makes a perfect seal; **Dichter(in** *f*) *m* <-s, -> ↑ *Schriftsteller* writer; (*von Lyrik*) poet; **dichterisch** *adj* poetic(al)

dichthalten *unreg vi* (*FAM nicht weitererzählen*) keep o.'s mouth shut

Dichtkunst *f* art of poetry

Dichtung [1] *f* literature; (*Werke einer Epoche*) literature; (*lyrische, epische -*) literary (poetic) genre; ↑ *Dichtkunst* art of poetry

Dichtung [2] *f* (TECH *Gummi-*) washer; (*Zylinderkopf-*) gasket

dick *adj* [1] (*Ggs. zu dünn*) thick; ▷*Mensch* fat; ▷*Bauch* paunchy; ▷*Buch* voluminous [2] (*Konsistenz von Salbe, Farbe*) semi-liquid [3] ◇ **man muß die Farbe - auftragen** the paint must be applied generously; ◇ **- auftragen** *FAM* ↑ *übertreiben* to lay it on thick; ◇ **etw - haben** *FIG* ↑ *satt, genug* to have had enough of something; ◇ **durch - und dünn** through thick and thin [4] (*eng*) ◇ **-e Freunde** bosom buddies; **dickleibig** *adj* fleshy, corpulent; **Dicke** *f* <-, -n> (*bei Abmessungen*) thickness; (*eines Menschens*) fatness; **dickflüssig** *adj* viscous

Dickicht *s* <-s, -e> [1] (*Unterholz, Gestrüpp*) undergrowth, thicket [2] (*Paragraphen-, FIG verwirrende Vielzahl*) tangle, labyrinth

Dickkopf *m* obstiate numbskull

Didaktik *f* (*Lehre vom Unterrichten*) didactics

die I. *Artikel* (*bestimmt*) the **II.** *pron* [1] (*demonstrativ*) ↑ *diejenige, diese* this one; ◇ **das ist -, von der …** that's the one of whom …; ◇ **-, die kenne ich ja alle** oh them, I know them all [2] (*relativ, bei Sachen*) that, which; ◇ **dies war - erste Sache, die ich …** this was the first thing which I …; (*relativ, bei Personen*) who; ◇ **sie war - Person, - …** she was the person who …

Dieb(in *f*) *m* <-[e]s, -e> thief; **Diebesbande** *f* gang of thieves; **Diebstahl** *m* <-[e]s, Diebstähle> theft

diejenige *pron s.* **derjenige**

Diele *f* <-, -n> [1] (*Eingang*) hall, lobby; (*Eis-*) ice-cream parlour [2] (*Maurer-*) ↑ *dickes Brett* board

dienen *vi* serve (*jd-m* s.b.); ◇ **der Lappen dient ihm als ...** he uses the cloth to ...; ◇ **womit kann ich -?** what can I do for you?; **Diener(in** *f*) *m* <-s, -> [1] servant [2] ◇ **einen - machen vor jd-m** *FIG* ↑ *sich verbeugen* to bow to s.b.; **Dienerschaft** *f* servants *pl*

Dienst *m* <-[e]s, -e> [1] (*das Dienen*) service; ◇ **der - am Kunden** (*Hilfeleistung*) the service provided to the client [2] ◇ **- haben** to be on duty; ◇ **der öffentliche -** the civil service; ◇ **außer -** ↑ *pensioniert* retired [3] ↑ *Gefälligkeit* good turn; ◇ **jd-m einen - tun/erweisen** to do s.o. a favour [4] ◇ **ein Schiff in - stellen** to commission a ship

Dienstag *m* Tuesday; **dienstags** *adv* on Tuesdays, on a Tuesday

dienstbereit *adj* ▷*Apotheke, Arzt* on duty; **Dienstbote** *m* domestic, servant; **Dienstgeheimnis** *s* professional secret; **Dienstgespräch** *s* business call; **Dienstgrad** *m* rank; **diensthabend** *adj* ▷*Arzt* on duty; **Dienstjahr** *s* year spent in public service; **Dienstleistung** *f* service [rendered]; **Dienstleistungsbereich** *m* services sector; **dienstlich** *adj* official; **Dienstmädchen** *s* domestic servant; **Dienstreise** *f* business trip; **Dienststelle** *f* ↑ *Amtsstelle* office; **Dienststunden** *pl* ↑ *Öffnungszeiten* office hours; **Dienstweg** *m* official channels *pl;* **Dienstzeit** *f* [1] ↑ *Geschäftszeit* office hours *pl* [2] (MIL *Wehr-*) period of service

dies *pron* (*kurz für dieser, diese, dieses*) *s.* **dieser; diesbezüglich** *adj* (*hierauf Bezug nehmend*) on this matter

diese(r, s) *pron* this; ◇ **nehmen Sie einfach -n** just take this one; ◇ **diese** *pl* these

Diesel I. *s* <-s> (*-kraftstoff*) diesel [oil] **II.** *m* <-s, -> (*-fahrzeug*) diesel

dieselbe *pron s.* **derselbe** the same

Dieselmotor *m* diesel engine; **Dieselöl** *s* diesel oil

diesig *adj* ▷*Wetter* hazy, misty

diesjährig *adj* this year's

diesmal *adv* this time; ◇ **- werden wir nicht fahren** this time we will not be driving

diesseits *präp gen* on this side; ◇ **- des Armelkanals** on this side of the channel; **Diesseits** *s* <->: ◇ **im -** (*solange man lebt*) in the time that one has got

Dietrich *m* picklock

Differential *s* [1] MATH differential [2] AUTO differential [gear]; **Differentialrechnung** *f* MATH differential calculus

Differenz *f* [1] (*Zahlen-*) difference [2] ◇ **-en** *pl* ↑ *Meinungsverschiedenheiten* differences/divergencies of opinion; **differenzieren** *vt* [1] ↑ *unterscheiden* make a distinction, differentiate; ◇ **die Meinungen sind sehr differenziert** the contrast between the opinions is well defined [2] MATH differentiate

digital *adj* (TECHNOL *-e Aufnahme*) digital

Digitalanzeige *f* TECHNOL digital display; **Digitaluhr** *f* TECHNOL digital clock; (*am Arm*) digital watch

Diktat *s* [1] (*im Büro, in Schule*) dictation [2] ↑ *Vorgabe* dictate; ◇ **sich dem - der Mode beugen** to be a slave to the dictates of fashion

Diktator(in *f*) *m* dictator; **diktatorisch** *adj* dictatorial; **Diktatur** *f* dictatorship

diktieren *vt* [1] → *Brief, Diktat* dictate [2] ↑ *aufzwingen* dictate to, force; **Diktiergerät** *s* dictaphone

Dilemma *s* <-s, -s *o.* -ta> dilemma

dilettantisch *adj* ↑ *amateurhaft* amateurish

Dill *m* dill

Dimension *f* dimension, proportion

Diminutiv *s* diminutive

Ding *s* <-[e]s, -e> thing, object; ◇ **das ist ein - der Unmöglichkeit** (*undurchführbar*) that is an utterly mythical proposition; ◇ **vor allen -** the most important thing is; ◇ **guter -e sein** to be in a good mood; ◇ **hier geht es nicht mit rechten -en zu** there's something (strange) going here; **Dingsbums, Dingsda** *s* <-> *FAM* thingummyjig

Dinner *s* dinner

Diode *f* <-, -n> ELECTR diode

Dioxin *s* <-s, -e> CHEM dioxin

Diözese *f* <-, -n> diocese

Diphtherie *f* MED diphtheria

Diphtong *m* diphtong

Diplom *s* <-[e]s, -e> (*-zeugnis*) diploma, certificate; (*akademischer Grad*) *basic university or college degree;* ◇ **--Biologe** Bachelor of Science, B.Sc.; (*Sprach-*) Bachelor of Art in Literature and Linguistics

Diplomat(in *f*) *m* <-en, -en> POL diplomat; **Diplomatengepäck** *s* diplomatic bags *pl;* **Diplomatenpaß** *m* diplomatic passport; **Diplomatie** *f* diplomacy; **diplomatisch** *adj* [1] (*die Diplomatie betreffend*) diplomatic [2] ↑ *geschickt behutsam* unobtrusively attentive

Diplomingenieur(in *f*) *m engineer having a college or university degree*

dir *pron dat von* **du** [to] you; ◇ **wie geht es ~?** how are you?; (*reflexiv*) ◇ **was denkst du ~ an Weihnachten?** what do you think about at Christmas?

direkt *adj* direct, immediate; ▷*Übertragung* live; ◇ **~ sein** to be straightfoward

Direktion *s* board members, directorate, management; **Direktor(in** *f*) *m* director; (*von Schule*) headmaster/-mistress, principal *AM*; **Direktorium** *s* board members [governors], executive directors

Direktübertragung *f* live broadcast; **Direktzugriffsspeicher** *m* (PC *abgekürzt RAM*) random access memory, RAM

Dirigent(in *f*) *m* ↑ *Kapellmeister* conductor; **dirigieren** *vt* ① (MUS *Konzert, Chor*) conduct ② → *Unternehmen, Verkehr* ↑ *leiten* direct

Dirndl[**kleid**] *s* dirndl *regalia for women and girls in Bavaria and Austria*

Dirne *f* <-, -n> prostitute

Discount *m* <-s> **Discountladen** *m* discount store

disharmonisch *adj* dissonant, discordant

Disjunktion *f* MATH disjunction

Diskette *f* <-, -en> PC disk, diskette; **Diskettenformat** *s* format; **Diskettenlaufwerk** *s* disk drive

Diskjockey *m* disc jockey

Disko *f* <-, -s> disco

Diskont *m* <-s, -e> COMM discount; **Diskontsatz** *m* bank rate

Diskothek *f* <-, -en> disco[theque]

Diskrepanz *f* (*von Meinungen*) disparity; (*von Zeugenaussagen*) discrepancy

diskret *adj* discreet; **Diskretion** *f* discretion

Diskriminierung *f* discrimination

Diskus *m* <-, Disken> discus; **Diskuswerfer** *m* discus thrower

Diskussion *f* (*Gespräch*) discussion; (*heftige ~*) debate; ◇ **das Thema steht nicht zur ~** the subject is not under discussion; ◇ **sich in eine ~ einlassen** to get involved in a discussion; **Diskussionsbeitrag** *m* contribution to a discussion; **diskutabel** *adj* debatable; **diskutieren** *vt, vi* discuss; (*heftig erörtern*) argue, wrangle; ◇ **ein Thema** [*o.* **über ein Thema**] **~** to discuss a subject

Display *s* <-s, -s> ① PC visual display unit ② (*Dekorationsmaterial*) window dressing ③ TECH ↑ *Leuchtanzeige* indicator

disponieren *vi* ① (*verfügen*) dispose (*über akk* over) ② ↑ *einteilen, planen* plan ahead, make preliminary arrangements

disqualifizieren *vt* SPORT disqualify

Dissertation *f* ↑ *Doktorarbeit* dissertation, doctoral thesis

Dissonanz *f* dissonance

Distanz *f* distance; **distanzieren** *vr* ◇ **sich** [**von einer Sache/jdm**] **~** distance o.s. [from a matter/s.b.]

Distel *f* <-, -n> thistle

Disziplin *f* <-, -en> ① (*Einhalten von Verhaltensregeln*) discipline ② (*Fach~*) branch of learning, academic subject ③ SPORT ↑ *Teilbereich* discipline; ◇ **olympische ~** olympic sport

divers *adj* various

Dividende *f* <-, -n> dividend

dividieren *vt* divide (*durch* by); ◇ **12 dividiert durch 4 [er]gibt 3** 12 divided by 4 is 3; **Division** *f* ① MATH division ② MIL division; **Divisionszeichen** *s* (*im Rechnen*) division sign

Diwan *m* <-s, -s> (*ÖST Sofa*) sofa, couch, davenport *AM*

DM *Abk v.* **Deutsche Mark** deutschmark

DNS *Abk v.* **Desoxyribonukleinsäure** DNA

doch I. *adv:* ◇ **nicht ~!** oh no!; ◇ **er kam ~ noch** he came after all **II.** *cj* ↑ *aber* but; ↑ *trotzdem* all the same

Docht *m* <-[e]s, -e> wick

Dock *s* <-s, -s *o.* -e> dock

Dogge *f* <-, -n> mastiff; ◇ **Dänische ~** Great Dane; **Doggenzüchter** *m* mastiff breeder

Dogma *s* <-s, -men> dogma; **dogmatisch** *adj* dogmatic

Dohle *f* ZOOL jackdaw

Doktor(in *f*) *m* <-s, Doktores> ① (*akademischer Grad*) doctor; ◇ **den ~ machen** to work for one's doctor's degree ② *FAM* ↑ *Arzt* ◇ **geh doch mal zum ~!** go and see your doctor!; **Doktorand(in** *f*) *m* <-en, -en> candidate for a doctorate; **Doktorarbeit** *f* [doctoral] thesis; **Doktortitel** *m* doctorate; **Doktorvater** *m* doctorial supervisor; **Doktorwürde** *f* doctorate

Dokument *s* document; **Dokumentarbericht**, **Dokumentarfilm** *m* documentary [film]; **dokumentarisch** *adj* documentary; **dokumentieren** *vt* document

Dolch *m* <-[e]s, -e> dagger

Dollar *m* <-s, -s> dollar; ◇ **wie steht gegenwärtig der ~?** what is the current rate of exchange to the dollar?

dolmetschen *vt, vi* interpret; **Dolmetscher(in** *f*) *m* <-s, -> interpreter; (*Simultan-*) simultaneous interpreter; **Dolmetscherinstitut** *s* (*privat*) school of interpreting; (*an Universität*) interpreting and translating department

Dolomiten *pl* Dolomites *pl*

Dom *m* <-[e]s, -e> cathedral; ◇ **der Kölner ~** Köln cathedral; **Domherr** *m* canon

Dominante *f* (MUS *fünfte Stufe des Grundakkords*) dominant

dominieren I. *vt* ▷*Spiel, Gruppe* dominate **II.** *vi* ↑ *überwiegen* prevail (*über akk* over); ◇ **offene Hemde und Jeans dominierten** open shirts and jeans predominated

Domino[spiel] *s* dominoes

Dompfaff *m* <-s *o.* -en, -en> ↑ *Gimpel* bullfinch

Dompteur *m* **Dompteuse** *f* (*Raubtier-*) [animal] trainer

Donau *f* Danube

Donner *m* <-s, -> thunder; **donnern** *vi* ① thunder; ◇ **es donnert** it is thundering ② ◇ **der Vater donnerte an die Tür** ↑ *heftig schlagen* the father hammered at the door; ◇ **der Hammer donnerte auf den Boden** ↑ *aufschlagen* the hammer slammed on the floor; **Donnerschlag** *m* thunderclap

Donnerstag *m* Thursday; ◇ [**am**] ~ on Thursday; **donnerstags** *adv* on Thursdays, on a Thursday

Donnerwetter *s* ① ↑ *Gewitter* thunderstorm ② (*FIG heftiges Schimpfen*) big trouble ③ ◇ **Donnerwetter!** wow!; ◇ **zum ~, laß das!** damn it all now leave it be!

doof *adj* ① *FAM* daft, stupid ② *FAM* (*nichtssagend, langweilig*) ▷*Film* dopey; ◇ **diese ~e Maschine!** *FAM* this stupid Machine

dopen *vt* → *Sportler* dope; **Doping** *s* <-s, -s> (*Aufputschmittel etc. verwenden*) doping; ◇ **jd-n des ~s überführen** to catch s.b. using stimulants

Doppel *s* <-s, -> ① (*von Urkunde*) duplicate ② SPORT doubles *sg;* ◇ **gemischtes ~** mixed doubles; **Doppelbelichtung** *f* double exposure; **Doppelbett** *s* double bed; **Doppeldecker** *m* biplane; **Doppelehe** *f* bigamy; **Doppelfenster** *s* double glazing; **Doppelflinte** *f* double barrelled gun; **Doppelgänger(in** *f*) *m* <-s, -> double; (*bes. in Literatur*) Doppelgänger; **doppelgleisig** *adj* ① ▷*Schienenweg* double-tracked, two-track ② ◇ **~ verfahren** *FIG* using two lines of approach; **Doppelhaus** *s* semi-detached house; **Doppelkonsonant** *m* SPRACHW double consonant; **Doppelkreuz** (MUS *Erhöhungszeichen*) double dagger; **Doppelpunkt** *m* colon; **Doppelsalto** *m* double somersault; **Doppel[spiel]** *s* doubles; **Doppelstecker** *m* two-way adaptor; **doppelt** *adj* ① (*zweimal, Länge, Fenster etc.*) double; ◇ **diese CD habe ich ~** (*zwei identische*) I have two of these CDs; ◇ **in ~er Ausfertigung/Ausführung** in duplicate; ◇ **~ so groß wie** twice as big as, double the size of; ◇ **alles ~ sehen** to see double ② (*noch mehr*) ◇ **sich ~ anstrengen** to try extra hard; **Doppelverdiener** *pl* double-income family; **Doppelzentner** *m* 100 kilograms *pl;* **Doppelzimmer** *s* double room

Dorf *s* <-[e]s, Dörfer> village; ◇ **lassen Sie die Kirche im ~** don't get carried away, don't exaggerate; **Dorfbewohner(in** *f*) *m* villager

Dorn I. *m* <-[e]s, -en> (*Rosen-*) thorn; ◇ **das ist mir ein ~ im Auge** that's a thorn in my side **II.** *m* <-[e]s, -e> ↑ *Metallstift* pin; **dornig** *adj* thorny; **Dornenstrauch** *m* thorn bush

dorren *vi* (*in der Hitze*) dry up, shrivel up

dörren I. *vt* → *Fleisch, Früchte* dry **II.** *vi* ↑ *dorren* dry; **Dörrfleisch** *s* smoked meat; **Dörrobst** *s* dried fruit

Dorsch *m* <-[e]s, -e> cod, haddock

dort *adv* there; ◇ **~ drüben/oben/unten** over there; **dorther** *adv* from there; **dorthin** *adv* [to] there; ◇ **sie gingen alle ~** they are all went there; ◇ **wie ist die Verkehrsverbindung ~?** is it easy to get there?; **dorthinauf** *adv* up there; **dorthinunter** *adv* down there; **dortig** *adj* of that place; in that town; ◇ **die ~en Verhältnisse sind schlimm** the conditions there are bad

Dose *f* <-, -n> ① (*Blech-*) can, tin can; (*Spray-*) spray can ② ◇ **Steck~** socket; **Dosenbier** *s* beer in a can; **Dosenfleisch** *s* tinned/canned meat; **Dosenmilch** *f* tinned/canned milk, evaporated milk; **Dosenöffner** *m* tin/can opener

dösen *vi FAM* doze

Dosis *f* <-, Dosen> dose

Dotter *m o s* <-s, -> egg yolk

Double *s* CINE stuntman

Dozent(in *f*) *m* university lecturer

Drache *m* <-n, -n> ↑ *Ungeheuer* dragon

Drachen *m* <-s, -> (*Spielzeug-*) kite; ◇ **einen ~ steigen lassen** to fly a kite; (SPORT *Fluggleiter*) hang-glider; **Drachenfliegen** *s* <-s> hang-gliding; **Drachenflieger(in** *f*) *m* hang-glider

Dragée *s* <-s, -s> coated pill

Draht *m* <-[e]s, Drähte> (*Metall-*) wire; ◇ **auf ~ sein** to be on the ball; ◇ **einen heißen ~ haben** to have good connections; **drahtig** *adj* ▷*Körperbau* limber; **drahtlos** *adj* cordless; ◇ **~es Telefon** cordless telephone; **Drahtseil** *s* cable; **Drahtseilbahn** *f* cable railway, funicular; **Drahtzieher** *m* (*FIG Intrigant*) plotter

drall *adj* ▷*Frau* voluptuous

Drall (PHYS *Spin, Drehimpuls*) spin, twist

Drama *s* <-s, Dramen> drama, play; **Dramatiker(in** *f*) *m* <-s, -> dramatist; **dramatisch** *adj* ① (*das Drama betreffend*) dramatic ② *FIG* ↑ *spannend, aufregend* dramatic, exciting; **dramatisieren** *vt FIG* exaggerate, dramatize

dran = **daran**

drang *impf v.* **dringen**

Drang *m* <-[e]s, Dränge> (*zwanghafter Wunsch*) urge, craving (*nach* for)

drängeln *vt, vi* (*sich vor~*) push, jostle

drängen I. *vt* [1] ↑ *drücken* push, press [2] ◇ **jd-n [zu etw]** ~ ↑ *nachdrücklich bitten* urge s.o. to do s.th. **II.** *vi* [1] ← *Fragen, Probleme* call for immediate action, be urgent; ◇ **die Zeit drängt** time is pressing [2] ◇ **die Zuschauer drängten [sich] nach draußen** the spectators poured out of the building; ◇ **bitte nicht drängen!** no pushing, please! [3] ◇ **er drängte auf die Entscheidung** *akk* he insisted on a decision

drastisch *adj* drastic

drauf = *FAM* **darauf;** ◇ ~ **und dran sein, etw zu tun** to be prepared to do s.th.

Draufgänger(in *f*) *m* <-s, -> daredevil

draufgehen *vi* [1] *FAM* ↑ *umkommen* bite the dust [2] *FAM* ← *Geld, Vorräte* be used up

draußen *adv* [1] (*im Freien*) outside, out-of-doors [2] ◇ ~ **auf dem Meer** far out at sea

Drechsler *m* wood turner

Dreck *m* <-[e]s> [1] ↑ *Schmutz* dirt, filth [2] ↑ *Kot* droppings *pl* [3] *FIG* ↑ *Minderwertiges* rubbish; **dreckig** *adj* dirty, filthy; **Dreckskerl** *m FAM!* louse, dirty swine

Dreh *m* <-s>: ◇ **den** ~ **heraus haben** to get the knack/hang of doing s.th.; **Dreharbeiten** *pl* CINE shooting (of a film); **Drehbank** *f* lathe; **drehbar** *adj* revolving; **Drehbuch** *s* CINE script; **Drehbühne** *f* THEAT revolving stage; **drehen I.** *vt, vi* (*um Achse*) turn, rotate; → *Zigaretten* roll; → *Film* shoot **II.** *vr* ◇ **sich** ~ turn; (*handeln von*) be (*um* about); **Dreher** *m* lathe operator; **Drehkran** *m* rotary crane; **Drehkreuz** *s* turnstile; **Drehmoment** *s* PHYS torque; **Drehorgel** *f* barrel organ; **Drehscheibe** [1] RAIL ↑ *Drehgestell* [rail] turntable [2] (*FIG Verkehrsknotenpunkt*) traffic centre; **Drehspieß** *m* [rotating] spit; **Drehstrom** *m* ↑ *Dreiphasenstrom* three-phase current; **Drehstuhl** *m* swivel-chair; **Drehtür** *f* revolving door; **Drehung** *f* [1] ↑ *das Drehen* turn [2] (*um Achse*) rotation; **Drehwurm** *m:* ◇ **den** ~ **haben/bekommen** *FAM* to be/become dizzy; **Drehzahl** *f* AUTO number of revolutions/revs; **Drehzahlmesser** *m* <-s, -> AUTO rev[olution] counter

drei *nr* three; ◇ **eine** ~ **im Zeugnis haben** to have a "c" on a report card; **Dreieck** *s* triangle; **dreieckig** *adj* triangular; **Dreiecksfläche** *f* surface area of a triangle; **Dreieckstuch** *s* MED triangular bandage; **Dreieinigkeit** *f*, **Dreifaltigkeit** *f* REL Trinity; **dreifach I.** *adj* threefold; ◇ **-e Olympiasieger** a three-time winner of the olympics **II.** *adv* three times; ◇ **er gewann die Meisterschaften** ~ he won the championships three times; **Dreiklang** *m* triad; **Dreikönigsfest**, **Dreikönigstag** *s* Epiphany; **dreimal** *adv* three times, thrice; **Dreimaster** *m* NAUT three-master

dreinreden *vi:* ◇ **jd-m** ~ ↑ *sich einmischen* interfere with sb

dreiphasig *adj* three-phase; **Dreirad** *s* tricycle

dreißig *nr* thirty; **Dreißiger** *m* s.o. in his/her thirties

Dreisatzrechnung *f* calculation using the rule of three; **dreisprachig** *adj* trilingual; **Dreisprung** *m* triple jump

dreist *adj* bold, audacious; **Dreistigkeit** *f* boldness, audacity

dreiviertel *nr* three-quarters; **dreiviertellang** *adj* three-quarters long; **Dreiviertelstunde** *f* three-quarters of an hour; **Dreivierteltakt** *m* in three-four time

dreizehn *nr* thirteen

dreschen <drosch, gedroschen> *vt* [1] → *Getreide* thresh [2] → *Jungen* flail, beat; **Drescher**, **Dreschmaschine** *m* AGRON threshing machine

dressieren *vt* train; **Dressur** *f* training; (*Pferdesport*) dressage; **Dressurreiten** *s* dressage

dribbeln *vi* SPORT dribble

Drill *m* MIL drill, practise

Drillbohrer *m* [light] drill

Drilling *m* [1] triplet [2] (*Jagdwaffe*) triple-barrelled shotgun

drin = *FAM* **darin**

dringen <drang, gedrungen> *vi* [1] (*Wasser, Kälte*) penetrate (*durch* through *akk* into) [2] ◇ **auf** etw *akk* ~ insist on sth

dringend *adj* urgent; **Dringlichkeit** *f* urgency

drinnen *adv* inside, indoors

dritt *nr:* ◇ **wir waren zu** ~ there were three of us; **dritte(r, s)** *adj* third; ◇ **die D~ Welt** the Third World; **Dritte(r)** *m+f* ↑ *Unbeteiligte(r)*, JURA third party; **Drittel** *s* <-s, -> (*der dritte Teil*) one third; (*im Eishockey*) period; **drittens** *adv* thirdly; **Dritte-Welt-Laden** *m* ≈OXFAM shop, Third-World stores

Droge *f* <-, -n> (*Rauschmittel*) drug; (*medizinischer Wirkstoff*) drug, medicine; **drogenabhängig** *adj* addicted to drugs

Drogerie *f shop selling cosmetics and health products;* **Drogist(in** *f*) *m* chemist

Drohbrief *m* threatening letter; **drohen** *vi* [1] → *einer Person* threaten (*jd-m* sb) [2] ← *Gefahr* threaten; ◇ **die Brücke droht einzustürzen** the bridge is threatening to collapse

Drohne *f* ZOOL male bee

dröhnen *vi* ← *Motor* roar; ← *Stimme, Musik* ring, resound; ◇ **mir dröhnt der Kopf** my head is ringing

Drohung *f* threat

drollig *adj* funny, droll

Dromedar *s* ZOOL dromedary

Drops *m sg* <-, -> ↑ *Bonbon* fruit drop

drosch *impf v.* **dreschen**

Droschke *f* <-, -n> cab

Drossel [1] *f* <-, -n> ZOOL thrush

Drossel [2] *f* <-, -n> TECHNOL ↑ *-klappe* throttle (valve)

drosseln *vt* ↑ *vermindern* → *Motor* throttle; → *Heizung, Zufuhr* turn down; → *Produktion* cut down

drüben *adv* over there, on the other side

drüber = *FAM* **darüber**

Druck [1] *m* <-[e]s, -e> [1] PHYS *FIG* pressure [2] (*FIG Zeit-*) ↑ *Belastung* burden, weight

Druck [2] *m* <-[e]s, -e> [1] TYP ↑ *-vorgang* printing [2] ↑ *-erzeugnis* print; **Druckbuchstabe** *m* block letter; **drucken** *vt* print

drücken I. *vt, vi* [1] → *Knopf, Hand* press; (*zu eng sein*) pinch [2] *FIG* → *Preise* keep down; *FIG* ↑ *belasten* oppress, weigh down on **II.** *vr:* ◇ **sich vor etw** *dat* ~ get out of [doing] sth; ◇ **jd-m etw in die Hand** ~ press s.th. into sb's hand; **drückend** *adj* ▷ *Hitze* oppressive

Drucker *m* <-s, -> [1] PC printer [2] (*Beruf*) printer

Drücker *m* <-s, -> [1] ↑ *Druckknopf* button; (*Tür-*) handle; ↑ *Abzug* trigger [2] (*FAM Zeitungs-*) door-to-door magazine salesperson [3] *FAM* ↑ *Fixer* junkie

Druckerei *f* ↑ *-betrieb* printer's, printing works *pl;* **Druckerschwärze** *f* printer's ink; **Druckfehler** *m* misprint; **Druckknopf** *m* press stud, snap fastener; **Druckmittel** *s* (*FIG politisch*) form of pressure; **Druckpresse** *f* TECHOL printing press; **Drucksache** *f* printed matter; **Druckschrift** *f* block [*o.* printed] letters; **Drucktaste** *f* button; **Druckwelle** *f* (*von Geschoß*) shock wave

drunter *adv FAM s.* **darunter**

drunten *adv FAM s.* **unten**

Drüse *f* <-, -n> MED gland

Dschungel *m* <-s, -> jungle

du Du *pron* you

Dübel *m* (*Wand-, Falt-*) plug; (*Holz-*) dowel

ducken *vt, vr* ◇ **sich** ~ duck

Dudelsack *m* bagpipes *pl*

Duell *s* <-s, -e> ↑ *Zweikampf* duel

Duett *s* <-[e]s, -e> duet

Duft *m* <-[e]s, Düfte> (*angenehmer Geruch*) scent, odour; **duften** *vi* ← *Blume, Parfum* smell, be fragrant; **duftig** *adj* ↑ *leicht, beschwingt* delicate, diaphanous

dulden *vt, vi* [1] → *Schmerzen* ↑ *ertragen* suffer [2] ↑ *billigen* tolerate; **duldsam** *adj* ↑ *tolerant* tolerant; **Duldsamkeit** *f* tolerance

dumm *adj* [1] ↑ *Ggs von klug* stupid, foolish; ↑ *unüberlegt, naiv* ◇ **sei nicht ~ und bleibe** don't be foolish, stay here [2] ↑ *lästig* ◇ **allmählich wird mir das zu** ~ this is getting ridiculous [3] ◇ **ein -es Gefühl haben** ↑ *merkwürdiges* to feel uneasy/odd [4] ◇ **er wurde in eine -e Geschichte verwickelt** (*unangenehm*) he got involved in some rather unpleasant business; **dummerweise** *adv* stupidly; **Dummheit** *f* [1] (*geringe Intelligenz*) stupidity [2] (*unkluge Tat*) stupid mistake; **Dummkopf** *m* fool, blockhead

dumpf *adj* [1] ▷ *Geräusch* muffled, dull [2] ▷ *Luft* musty, stale [3] ↑ *Ahnung* ◇ **ich hab' das -e Gefühl, er will uns betrügen** I have a strange feeling he wants to deceive us

Düne *f* <-, -n> dune

Dung *m* <-[e]s> dung, manure; **düngen** *vt* → *Acker, Pflanze* fertilize; (*mit Mist*) spread manure; **Dünger** *m* <-s, -> (*Natur-*) dung, manure; (*Kunst-*) fertilizer; **Düngung** *f* fertilizing

dunkel *adj* [1] ▷ *Wald, Zimmer etc.* dark; ◇ **im D-n tappen** (*FIG den Täter nicht ermitteln können*) to grope in the dark [2] ▷ *Haare, Augen* dark [3] ▷ *Ton* deep [4] ▷ *Vorstellung* vague; ↑ *rätselhaft* obscure, puzzling [5] (*zweifelhaft*) dubious, shady; ◇ **-e Geschäfte machen** be involved in shady business; **dunkelgrün** *adj* dark green; **Dunkelheit** *f* darkness; **Dunkelkammer** *f* FOTO dark room; **Dunkelziffer** *f estimated number of unreported cases*

dünn *adj* [1] ▷ *Arme, Beine* thin, skinny; ↑ *schlank* slim [2] ▷ *Brett, Brotscheibe* thin [3] ↑ *dünnflüssig* runny, thin [4] ◇ **Butter ~ auf das Brot schmieren** to spread just a little butter on bread [5] (*fein*) ▷ *Stoff* delicate [6] ↑ *schütter* ▷ *Haar* sparse, thin [7] ▷ *Suppe* watery [8] *FIG* ↑ *nichtssagend* ▷ *Diskussion, Handlung eines Films* of little significance; **dünnflüssig** *adj* watery, thin; **dünngesät** *adj* sparse; **dünnmachen** *vr* ◇ **sich** ~ *FAM* disappear

Dunst *m* <-es, Dünste> [1] (*Nebel*) haze; ↑ *Smog* smog [2] ↑ *Ausdünstung* vapour; ◇ **blauer** ~ *FAM* cigarette smoke [3] ◇ **ich habe keinen blaßen** ~ (*FAM keine Ahnung*) I haven't got the slightest [*o.* foggiest] idea; **Dunstabzugshaube** *f* vent

dünsten *vt* steam

dunstig *adj* ↑ *diesig* hazy, misty; ↑ *feucht* vaporous

Dünung *f* NAUT swell

Duo *s* ① (*Gesangsstück*) duo, duet ② (*zwei Musiker*) duet

Duplikat *s* duplicate

Dur *s* <-, -> MUS major

durch *präp akk* ① (*hin-*) through; ◇ - **und** - completely, thoroughly ② (*Mittel*) by, through; (*Ursache*) by ③ (*Zeit*) during; ◇ **den Sommer** - during the summer; ◇ **es ist 8 Uhr** - it's after/past 8 o'clock

durcharbeiten I. *vt* → *Stapel Akten* ↑ *bearbeiten* work through, work on **II.** *vi* (*ohne Pause*) work straight through without any breaks **II.** *vr* ◇ **sich - durch etw** work one's way through s.th.

durchaus *adv* ① ↑ *auf jeden Fall* definitely, most certainly; ◇ **er möchte -, daß Sie mitkommen** he most definitely wants you to come along ② ◇ **du hast - richtig gerechnet** ↑ *völlig, ganz* you have figured it out perfectly; ◇ **du hast - recht** you are quite right

durchbeißen *unreg* **I.** *vt* → *Faden* bite through **II.** *vr* ◇ **sich - [durch etw]** (*FIG sich durchkämpfen*) to fight one's way through s.th.

durchblättern *vt* leaf through, thumb through

Durchblick *m* ① view through s.th. ② *FIG* ↑ *gutes Auffassungsvermögen* grasp, understanding; **durchblicken** *vi* ① ↑ *hindurchschauen* look through ② *FAM* ↑ *begreifen* understand (*bei etw* sth); ◇ **ich blicke nicht ganz durch** I don't quite get it; ◇ **er ließ -, daß er gehen würde** ↑ *andeuten* he hinted that he was going to leave

durchbluten [1] *vt* (*durch Verband*) bleed through

durchbluten [2] *vt* → *Gewebe* supply with blood

durchbohren [1] *vt* (*mit Bohrmaschine*) bore/drill through

durchbohren [2] *vt* ① ← *Geschoß* → *Wand* ↑ *durchdringen* pierce ② (*FIG mit Blicken*) to give s.o. a piercing look

durchboxen *vt, vr* (*FIG sich behaupten*) to fight one's way through

durchbrechen [1] *unreg vt* → *Schranken, Mauer* break through; → *Gewohnheit* break free from

durchbrechen [2] *unreg vi* ① → *Schokolade* break (apart) ② ← *Magengeschwür* burst ③ ← *Vieh* break through (the fence) ④ *FIG* ← *Sonne* break through

durchbrennen *unreg vi* ① → *Glühbirne* burn out; → *Sicherung* blow; → *Kabel* burn through ② (*FAM heimlich weggehen*) run away with, elope

durchbringen *unreg* **I.** *vt* ① (*durch Öffnung*) get through; → *Antrag* get through ② → *Patienten* pull through; → *Kinder* raise ③ → *Geld* squander **II.** *vr* ◇ **sich** - (*im Leben*) make a living; (*durch schwierige Situation*) get by

Durchbruch *m* ① (*Mauer-*) opening, hole ② (*von Emotionen*) eruption ③ (MIL *durch Feindstellung*) breakthrough ④ (*FIG in Verhandlungen*) breakthrough

durchdacht *adv* well\thought-out; **durchdenken** *unreg vt* ① (→ *Argument, ganz*) consider, think over ② → *Plan* ↑ *überdenken* reconsider

durchdrehen I. *vt* (*mit Fleischwolf*) mince **II.** *vi* ← *Räder* skid; *FAM* ← *verrückt werden* crack up

durchdringen *unreg* **I.** *vi* ① ↑ *sich durchsetzen* ◇ **er konnte mit seinem Plan nicht** - he couldn't get his plan accepted ② (*mit Stimme*) be heard/audible **II.** *vt* ← *Sonnenstrahlen* → *Wolken* break through; ← *Gefühl* → *Zuhörer* break through in; ← *Regen* → *Kleider* go through, soak through

durcheinander *adv* ① (*ungeordnet*) in a mess, in confusion; ◇ **er trank alles** - he had lots of different drinks ② *FAM* ↑ *verstört* confused, mixed up, messed up; **Durcheinander** *s* <-s> ① ↑ *Unordnung* mess ② ↑ *Unordnung* mess, muddle; ◇ **an der Unfallstelle herrschte ein solches** - ↑ *Hektik* there was so much confusion at the site of the accident; **durcheinanderbringen** *unreg vt* ① → *Blätter, Bücher* mix up; → *Wörter, Begriffe* confuse, mix up ② ← *Meldung* ↑ *verstören* confuse, mix up; **durcheinanderlaufen** *unreg vi* ← *Menschen* run about, run in all directions; **durcheinanderreden I.** *vt, vi* ↑ *wirr reden* to speak [*o.* confusedly] in confusion **II.** *vi* (*gleichzeitig*) talk at the same time; **durcheinanderwerfen** *unreg vt* → *Blätter, Bücher* mix up

durchfahren I. *unreg vi* (*ohne Halt*) drive through; *FIG* ↑ *durchzucken* ← *Gedankenblitz, Schrecken* flash through **II.** *unreg vt* → *Amerika, England* cross, travel through; **Durchfahrt** *f* ① ↑ *Durchfahren* ◇ **auf der - nach Italien** on the way to Italy ② (*Tor-*) ◇ **- bitte freihalten** do not block [the entrance]

Durchfall *m* diarrh[o]ea

durchfallen *unreg vi* ① (*durch Öffnung*) fall through ② (*beim Examen, am Schuljahresende*) fail, not pass; ← *Aufführung* be a failure/flop

durchfließen I. *vi:* ◇ **der Tee ist durchgeflossen** the tea has drained through **II.** *vt* → *Stadt, Wiese*: ◇ **die Themse durchfließt London** the Thames flows through London

durchfragen *vr* ◇ **sich** - to ask one's way

durchfrieren *unreg vi* ① ← *See* freeze through ② ← *Mensch* ◇ **völlig durchgefroren sein** to be frozen through

durchführbar *adj* ↑ *machbar* feasible, practicable; **durchführen** *vt* [1] → *Messung, Untersuchung* carry out [2] → *Plan, Vorhaben* to put into effect [3] → *Tagung, Wahl* organize, arrange, hold; **Durchführung** *f* (*einer Messung, Untersuchung*) carrying out

Durchgang *m* [1] ↑ *Passage* passage[way], hallway [2] ↑ *das Durchgehen* ◇ **- verboten** no entry, no trespassing [3] ↑ *Durchlauf, Phase* (*Produktions-*) run; (POL *Wahl-*) ballot; SPORT ↑ *Durchlauf* go, round; **Durchgangsbahnhof** *m* through station; **Durchgangslager** *s* transit camp; **Durchgangsstraße** *f* through road; **Durchgangsverkehr** *m* through traffic

durchgeben *unreg vt* (*über Lautsprecher*) announce; (*per Telefon*) ◇ **können Sie mir bitte die Nummer -?** can you give me the number please?

durchgehen *unreg* **I.** *vt* ↑ *behandeln* → *Thema* go over, treat **II.** *vi* ← *Pferd* bolt; (← *Jugendlicher, von zu Hause*) run away, break loose; ◇ **mein Temperament ging mit mir durch** my temper got the better of me; ◇ **jd-m etw - lassen** to let sb get away with sth; **durchgehend** *adj* ▷*Zug* through; ◇ **- geöffnet** open 24 hours

durchgreifen *unreg vi* [1] (*durch Öffnung*) reach through [2] (*energisch -*) take vigorous action

durchhalten *unreg* **I.** *vi* ↑ *ausharren* last out, not give up **II.** *vt* → *Strapazen* stand, hold out; → *Streik* keep up; → *Tempo* keep up

durchhängen *unreg vi* [1] ← *Latte, Seil* sag [2] (*FIG erschöpft und antriebslos*) to be dragging

durchkommen *unreg vi* [1] (*durch Öffnung, Absperrung*) get through [2] (*am Telefon*) get through [3] (*durch Akten*) make it through; (*mit Gesten, Sprache*) get through, manage; (*mit Geld*) ↑ *auskommen, zurechtkommen* get along [4] (*Prüfung bestehen*) pass, to make it through [5] ◇ **damit kommst du bei ihm nicht durch** (*nicht durchgehen lassen*) he won't let you get away with that [6] ← *Patient* recover [7] ← *Zug* pass through; ← *Wasser* leak through; ← *Sonne* shine/break through [8] ← *Meldung* be received

durchkreuzen *vt* [1] → *Buchstabe, Zahl* cross out [2] → *Plan, Vorhaben* thwart, foil [3] → *Land, Gebiet* cross, travel across

durchlassen *unreg vt* [1] → *Regen, Luft* let in [2] ↑ *vorbeilassen* (*an Grenze*) let through

durchlaufen **I.** *vt* [1] → *Strecke, Weg* cross through [2] → *Karriere* go through [3] → *Lehrgang* go through [4] → *Sohle* wear out/through **II.** *vi* ← *Wasser* go through; (*ohne Halt*) pass through; → *Straße, Schiene* go through; **Durchlauferhitzer** *m* <-s, -> continuous-flow water heater

durchlesen *unreg vt* → *Buch* read through

durchleuchten *vt* [1] (*durch Öffnung*) shine through [2] (MED *mit Röntgenstrahlen*) screen [3] *FIG* → *Vorgang* ↑ *näher untersuchen* scrutinize, examine carefully

durchlöchern *vt* → *Papier* punch holes into; (*mit Schußwaffe*) bore, riddle

durchmachen *vt* [1] → *Krise* go through [2] → *Ausbildung* go through [3] ◇ **die Nacht -** ↑ *durchfeiern* to party all night long

Durchmarsch *m* (*von Soldaten*) marching through

Durchmesser *m* <-s, -> (*Kreis-*) diameter

durchnehmen *unreg vt* → *Stoff* go over, handle/cover

durchnumerieren *vt* number; (*Buch*) paginate

durchpausen *vt* ↑ *durchschreiben* trace

durchqueren *vt* → *Raum, See* cross

durchregnen *vi* leak, rain in

Durchreise *f* transit; ◇ **wir befinden uns auf der -** we are passing through; **durchreisen** *vt* travel across, journey-through

durchreißen *unreg vt, vi* tear/rip apart

durchringen *unreg vr* ◇ **sich [zu etw] -** to finally make up one's mind

durchrosten *vi* rust through

durchs = **durch das**

Durchsage *f* <-, -n> (*Radio-, Lautsprecher-*) announcement

durchschauen **I.** *vi* look [*o.* see] through **II.** *vt* → *Person, Gedanken* see through

durchscheinen **I.** *unreg vt* (*mit Licht ausfüllen*) shine through **II.** *unreg vi* (*durchschimmern*) shine through

Durchschlag *m* (*mit Kohlepapier*) carbon copy; **durchschlagen** *unreg* **I.** *vt* [1] ↑ *entzweischlagen* split [in two] [2] ↑ *sieben* → *Mehl* sieve **II.** *vi* ↑ *zum Vorschein kommen* come out, appear **III.** *vr* ◇ **sich -** get by; **durchschlagend** *adj* ▷*Erfolg* enormous; **Durchschlagpapier** *s* ↑ *Kohlepapier* carbon paper

durchschleusen *unreg vt* [1] → *Schiffe* screen [2] → *Autos* slide through [3] (→ *verbotene Waren, durch Zoll*) smuggle through; → *Personen* get through

durchschneiden *unreg vt* cut through

Durchschnitt *m* ↑ *Mittelwert* average; ◇ **über/unter dem -** above/below average; ◇ **im -** on average; **durchschnittlich** **I.** *adj* average **II.** *adv* on average; **Durchschnittsbürger** *m* common/average citizen; **Durchschnittsgeschwindigkeit** *f* average speed; **Durchschnittswert** *m* average

Durchschrift *f* copy

durchsehen **I.** *unreg vt* → *Buch, Heft* look through, check **II.** *unreg vi* (*durch Öffnung, Fernglas*) look through

durchsetzen **I.** *vt* [1] → *Plan, Vorhaben* enforce, push through; ◇ **seinen Kopf** ~ to get one's own way [2] ◇ **seine Romane sind mit Schimpfwörtern durchsetzt** ↑ *vermischen* his novels are interspersed with swearwords **II.** *vr:* ◇ **sich** ~ (*Verbreitung finden*) catch on; ◇ **sich** ~ **gegen** (*sich behaupten*) to assert o.s. against s.o.

Durchsicht *f* (*von Akten, Heft*) examination, checking; **durchsichtig** *adj* [1] ▷*Kleid* transparent, see-through [2] *FIG* ▷*Gedanken* obvious

durchsickern *vi* [1] ← *Wasser* seep through [2] *FIG* ← *Information* leak out

durchsieben *vt* → *Mehl* sift

durchsprechen *unreg vt* talk over, discuss

durchstarten *vt* ← *Flugzeug* to pull up

durchstehen *unreg vt* → *schwierige Situation* get through

durchstöbern *vt* → *Dachboden, Tasche* ransack, search through

durchstoßen [1] *vt* → *Eisdecke* break through, penetrate

durchstoßen [1] *unreg vt* (*zu einem Ziel*) break through

durchstreichen *unreg vt* → *Geschriebenes* cross out

durchstreifen *vt* → *Wälder* wander/roam through

durchsuchen *vt* → *Tasche, Schrank* search, go through; (→ *Wohnung, nach Beweisstücken*) search; **Durchsuchung** *f* (*polizeiliche ~*) police search

durchtrieben *adj* (*schlitzohrig, schlau*) cunning, sly; (*hinterhältig*) cunning, sneaky

durchwachsen *adj* ▷*Speck* streaky

durchwählen *vt* (*ohne Vermittlung*) call direct, place a direct call

durchwandern *vt* hike through

durchweg *adv* ↑ *ohne Ausnahme* without exception, all; ◇ **er bekam** ~ **gute Noten** he only got good grades

durchziehen [1] *unreg* **I.** *vt* [1] (›9‹*Schnur, durch Öffnung*) pull through [2] → *Ruder* pull through all the way [3] (→ *Vorhaben, entschlossen zu Ende führen*) complete, get s.th. through **II.** *vi* ← *Karawane* pass through; ← *Truppen* go through; ◇ **bitte lassen Sie etwas frische Luft** ~ please let some fresh air in

durchziehen [2] *unreg vt* go through, pass through; ◇ **Kanäle und Flüsse** ~ **die Landschaft** canals and rivers run through the country side

Durchzug *m* [1] (*von Vögeln*) passage; (*von Wolken*) passing [2] ↑ *Luftzug* draught; *BRIT* draft;

durchzwängen *vr* ◇ **sich** ~ force/squeeze o.s. through

dürfen <durfte, gedurft> *vi* be allowed; ◇ **darf ich?** may I?; ◇ **es darf geraucht werden** smoking is allowed; ◇ **was darf es sein?** what can I do for you?; ◇ **das darf nicht geschehen** that must not happen; ◇ **das** ~ **Sie mir glauben** you can believe me; ◇ **es dürfte Ihnen bekannt sein, daß …** as you may know …

dürftig *adj* [1] ▷*Kleidung, Behausung* poor, wretched, miserable [2] ▷*Leistung* ↑ *schwach* poor, unsatisfactory; **Dürftigkeit** *f* (*von Leistung*) poorness

dürr *adj* [1] ↑ *vertrocknet* dried-up; ▷*Land* arid, barren [2] ↑ *mager* skinny, gaunt; **Dürre** *f* <-, -n> (*Trockenheit*) drought; ◇ **-katastrophe** disastrous drought

Durst *m* <-[e]s> thirst; ◇ **ich habe** ~ I am thirsty; **dursten** *vi* (*nach Wasser*) be thirsty; *FIG* ◇ **nach Wissen** ~ (*begierig sein nach*) to thirst for knowledge; **durstig** *adj* thirsty

Durtonart *f* major key

Dusche *f* <-, -n> (*Vorrichtung, Vorgang*) shower; **duschen** *vt, vi, vr* ◇ **sich** ~ have a shower, take a shower; **Duschkabine** *f* shower cubicle

Düse *f* <-, -n> TECHNOL nozzle; (*Kraftstoff~*) gas nozzle; (*von Flugzeug*) jet

Dusel *m* <-s> *FAM* ↑ *Glück* luck; ◇ ~ **haben** to be lucky

düsen *vi* (*FAM vorbei~*) ↑ *vorbeihuschen* dashy, fly by, whizz by; **Düsenantrieb** *m* jet propulsion; **Düsenflugzeug** *s* jet [plane]; **Düsenjäger** *m* jet fighter; **Düsentriebwerk** *s* jet engine

Dussel *m* <-s, -> *FAM* ↑ *Dummkopf* twit, dope

düster *adj* [1] ▷*Farben, Zimmer* dark [2] ▷*Gedanken* dismal, gloomy [3] ↑ *bedrohlich* ▷*Gestalten* threating, sinister; ↑ *trostlos* dreary

Duty-free-Shop *m* <-s, -s> duty free shop

Dutzend *s* <-s, -e> dozen; ◇ **ein halbes** ~ half a dozen; ◇ **zwei** ~ two dozen; **dutzend[e]mal** *adv:* ◇ **ich habe sie schon** ~ **darauf hingewiesen** I must have mentioned it to you a dozen times already; **dutzendweise** *adv* by the dozen

duzen *vt, vr:* ◇ **jd-n/sich** ~ to address s.o./one another with the familiar "du"

DV *f* <-> *Abk v.* **Datenverarbeitung** DP *data processing*

Dynamik *f* [1] (PHYS *Kraft*) dynamics *sg;* (*Aero~*) aerodynamics *sg* [2] (*FIG einer Sache*) momentum; (*einer Person*) dynamism; **dynamisch** *adj* (*FIG schwungvoll und anpassungsfähig*) dynamic

Dynamit *s* <-s> dynamite

Dynamo *m* <-s, -s> dynamo
D-Zug *m* through train, express train *AM*

E

E, e *s* [1] E, e [2] MUS E; ◇ **in E-Dur** in E major
Ebbe *f* <-, -n> [1] *(fallendes Wasser)* ebb [2] *(Niedrigwasser)* low tide; ◇ **es ist ~** the tide is out [3] *(FIG kein Geld)* ◇ **bei mir herrscht ~** I'm at a low ebb, I'm out of pocket
eben I. *adj* [1] ↑ *flach* ▷*Land* flat [2] ↑ *glatt* ▷*Fläche* even **II.** *adv* [1] at this very moment; ◇ **er kommt ~** he is just coming [2] just now; ◇ **sie ist ~ abgefahren** she has just driven off [3] ↑ *genau* exactly; ◇ **~ das meine ich** that's exactly what I mean; ◇ **das ist es ja ~** that's just it!; ◇ **~!** precisely! [4] ◇ **er ist nicht ~ kräftig** he's not exactly superman [5] ↑ *nun einmal, einfach* simply; ◇ **ich kann das ~ nicht!** I simply can't do it!
Ebenbild *s* likeness, image
ebenbürtig *adj* ↑ *gleichwertig* equal; ◇ **jd-m ~ sein** to be on a par with s.o.
Ebene *f* <-, -n> [1] *(Hoch-, Tief-)* plain [2] ↑ *Niveau* level [3] *FIG* plane; ◇ **auf höchster ~** at the highest level [4] MATH ↑ *Fläche* plane; **ebenerdig** *adj* ground level
ebenfalls *adv* likewise
Ebenheit *f* evenness, flatness
Ebenholz *s* ebony
Ebenmaß *s* <-es> ↑ *Gleichmäßigkeit (von Form)* regularity
ebenso *adv* just as; ◇ **sie ist ~ alt wie er** she's just as old as he is; **ebensogut** *adv* just as well; **ebensooft** *adv* just as often; **ebensoviel** *adv* just as much; **ebensoweit** *adv* just as far; **ebensowenig** *adv* just as little
Eber *m* <-s, -> boar
ebnen *vt* [1] *(Boden)* level [2] *FIG* ◇ **jd-m den Weg ~** to smooth the way for s.o.
Echo *s* <-s, -s> [1] echo [2] *FIG* ↑ *Anklang, Reaktion* response; ◇ **lautes ~ finden** to get a very good response; **Echolot** *s* echo sounder
echt I. *adj* [1] ▷*Schmuck* real [2] ▷*Gemälde, Kunstwerk* genuine; ◇ **ein ~er Miró** a genuine Miró [3] ↑ *wahr, aufrichtig* ▷*Liebe, Treue* sincere [4] ↑ *typisch* real, typical **II.** *adv FAM* ↑ *wirklich, tatsächlich* truly, really; ◇ **ich bin ~ glücklich** I am really happy; **Echtheit** *f* [1] *(von Schmuck, Kunstwerk etc.)* genuineness [2] ↑ *Unverfälschtheit, Aufrichtigkeit (von Gefühl)* sincerity; **Echtzeit** *f* PC real time
Eckball *m* SPORT *(bei Fußball)* corner (kick); **Ecke** *f* <-, -n> [1] ↑ *Winkel (Zimmer-)* corner [2] ↑ *spitz zulaufend* angle; **Eckhaus** *s* corner house; **eckig** *adj* [1] angular [2] *FIG* ↑ *ungeschickt, linkisch* ▷*Bewegung* awkward; **Eckzahn** *m* ANAT canine tooth
edel *adj* [1] ▷*Abstammung* noble, aristocratic [2] ▷*Wein, Material* high-quality [3] ▷*Gesinnung* high-minded; **Edelmetall** *s* precious metal; **Edelstein** *m* precious stone; ▷*geschliffen* jewel
Edelweiß *s* edelweiss
editieren *vt* [1] → *Buch, Zeitschrift* edit [2] PC edit; **Editor** *m* <-s, -s> [1] *(von Buch etc.)* editor [2] PC editor
EDV *f* <-> *Abk v.* **elektronische Datenverarbeitung** EDP, electronic data processing
EDV-Anlage *f* EDP system
Efeu *m* <-s> ivy
Effekt *m* <-s, -e> ▷*erzielen* effect
Effekten *pl* [1] FIN securities *pl* [2] *(Ggs zu Immobilien)* effects *pl;* **Effektenbörse** *f* FIN stock exchange
Effekthascherei *f FAM* sensationalism
effektiv *adj* [1] ▷*Leistung, Wert* actual [2] ▷*Maßnahmen* effective
Effizienz *f* FIN cost effectiveness
EG *f* <-> *Abk v.* **Europäische Gemeinschaft** EC, European Community
egal *adj* [1] all the same, alike; ◇ **das ist mir völlig ~** I don't mind either way; *FAM* I couldn't care less [2] *(gleichförmig, gleichmäßig)* regular
Egoismus *m* egoism; **Egoist(in** *f)* *m* egoist; **egoistisch** *adj* egotistic; **Egotrip** *m FAM* ↑ *egozentrische Einstellung* ego-trip; ◇ **auf dem ~ sein** to be on an ego-trip; **egozentrisch** *adj* egocentric
ehe *cj* before
Ehe *f* <-, -n> marriage; ◇ **eine ~ schließen** to get married; **Eheberatung** *f* marriage guidance; **Ehebett** *s* matrimonial bed; **Ehebrecher(in** *f)* *m* <-s, -> adulterer; **Ehebruch** *m* adultery; **Ehefrau** *f* wife; **Eheleute** *pl* married couple, spouses *pl;* **ehelich** *adj* ▷*Pflichten* conjugal; ▷*Kind* legitimate
ehemalig *adj* onetime, former; **ehemals** *adv* formerly
Ehemann *m* <pl -männer> husband; **Ehepaar** *s* married couple
eher *adv* [1] ↑ *früher* earlier; ◇ **~ kommen** to come sooner [2] ↑ *lieber* rather; ◇ **das paßt mir schon ~** that suits me better [3] ↑ *wahrscheinlich* more likely [4] ↑ *vielmehr* rather; ◇ **ich würde ~ sagen ...** I'd rather put it like this ...

E

Ehering *m* wedding ring; **Ehescheidung** *f* divorce; **Eheschließung** *f* (act of) marriage, wedding ceremony

eheste(r, s) *adj* [1] ↑ *früheste* earliest [2] ↑ *liebsten* ◇ **am -n** best of all [3] ↑ *wahrscheinlichsten* most likely

ehrbar *adj* ▷*Mensch* honourable; **Ehre** *f* <-, -n> [1] ↑ *Anerkennung, Ansehen* esteem [2] (*Würde*) honour [3] ◇ **jdm die letzte - erweisen** to pay o.'s last respects; **ehren** *vt* [1] (*achten, respektieren*) → *Eltern* respect [2] (*jds Verdienste würdigen, durch Festschrift, Rede*) honour; **ehrenamtlich** *adj* ▷*Tätigkeit* honorary; **Ehrengast** *m* guest of honour; **ehrenhaft** *adj* honest; **Ehrenmann** *m* <-männer> man of honour; **Ehrenmitglied** *s* honorary member; **Ehrenplatz** *m* place of honour; **Ehrenrechte** *pl* JURA ↑ *Bürgerrechte* civil rights *pl;* **ehrenrührig** *adj* ▷*Verhalten* defamatory; **Ehrenrunde** *f* SPORT lap of honour; **Ehrensache** *f* [1] point of honour [2] *FAM* ◇ **das ist doch -!** of course!; **ehrenvoll** *adj* ▷*Friede, Tätigkeit* honourable; **Ehrenwort** *s* word of honour; ◇ **jd-m sein - geben** to give s.o. o.'s word; **Ehrfurcht** *f* reverence; **Ehrgefühl** *s* sense of honour; ◇ **kein - besitzen** to have no sense of honour; **Ehrgeiz** *m* ambition, drive (*nach* for); **ehrgeizig** *adj* ambitious; **ehrlich** *adj* [1] ↑ *aufrichtig* ▷*Mensch* upright [2] ↑ *anständig* ▷*Finder* honest; **Ehrlichkeit** *f* honesty, uprightness; **ehrlos** *adj* disreputable; **Ehrung** *f* distinction, tribute; **ehrwürdig** *adj* ▷*Greis* venerable

ei *intj:* ◇ **-, was!** nonsense!

Ei *s* <-[e]s, -er> [1] (*Hühner-, Schlangen-*) egg [2] ↑ *Keimzelle* germinating cell [3] *FAM!* ◇ **-er** *pl* balls *pl*

Eichamt *s* standards office; *BRIT* Office of Weight and Measures

Eiche *f* <-, -n> oak (tree); **Eichel** *f* <-, -n> [1] BIO acorn [2] (*Spielkarte*) clubs *pl* [3] (ANAT *von Penis*) glans

eichen *vt* [1] (*Meßgerät*) calibrate, gauge [2] *FAM* ◇ **auf etw geeicht sein** to be tuned into s.th.

Eichhörnchen *s* squirrel

Eichmaß *s* gauge; **Eichung** *f* (*von Maßgerät*) gauging

Eid *m* <-[e]s, -e> oath

Eidechse *f* <-, -n> lizard

eidesstattlich *adj* affirmed; ◇ **-e Erklärung** affirmed statement, affidavit; **Eidgenosse** *m*, **Eidgenossin** *f* ↑ *Schweizer* Swiss; **Eidgenossenschaft** *f* ▷*schweizerisch* [Swiss] confederation; **eidlich** *adj* ▷*Versicherung* sworn

Eidotter *s* yolk; **Eierbecher** *m* egg-cup; **Eierkuchen** *m* pancake; **Eierlikör** *m* egg liqueur, eggnog; **Eierschale** *f* eggshell; **Eierstock** *m* ANAT ovary

Eifer *m* <-s> [1] ↑ *Streben, Bemühen* ▷*unablässig* zeal, eagerness [2] ↑ *Tatendrang, Begeisterung* fervour; ◇ **etw mit - tun** to do s.th. with enthusiasm

Eifersucht *f* jealousy; **eifersüchtig** *adj* jealous (*auf akk* of)

eifrig *adj* keen

Eigelb *s* <-[e]s, -> (egg) yolk, yellow of the egg

eigen *adj* [1] ↑ *jd-m gehörend* ▷*Haus, Kinder* own; ◇ **etw sein - nennen** to call s.th. o.'s own [2] peculiar, typical; ◇ **jd-m - sein** peculiar to s.o.; ◇ **sich** *dat* **etw zu - machen** to make s.th. a habit [3] ↑ *selbständig* ▷*Meinung* private; **Eigenart** *f* [1] ↑ *Charakteristikum* characteristic [2] ↑ *Eigenheit* peculiarity; **eigenartig** *adj* peculiar, strange; **Eigenbedarf** *m* (*von Wohnung*) personal needs *pl;* ◇ **wegen -s kündigen** to terminate due to personal needs; **Eigenbrötler(in** *f*) *m* crank; **Eigengewicht** *s* net weight; **eigenhändig** *adj* ▷*Unterschrift* personal; **Eigenheim** *s* home of o.'s own; **Eigenheit** *f* peculiarity; **Eigenkapital** *s* own capital funds *pl;* **Eigenlob** *s* self-praise; ◇ **- stinkt!** don't blow your own trumpet!; **eigenmächtig** *adj* ▷*Vorgehen* unauthorized; **Eigenname** *m* proper name; **Eigennutz** *m* <-> self-interest; ◇ **etw aus - tun** to do s.th. out of self-interest; **eigennützig** *adj* ▷*handeln* selfish

eigens *adv* especially; ◇ **etw - herstellen** to customize s.th.

Eigenschaft *f* [1] ↑ *Merkmal, Besonderheit* attribute [2] ↑ *Funktion* function; ◇ **in meiner - als Vorsitzende** in my capacity as chairwoman; **Eigenschaftswort** *s* LING adjective; **Eigensinn** *m* obstinacy; **eigensinnig** *adj* wilful, obstinate

eigentlich I. *adj* [1] ↑ *wahr, tatsächlich* actual; ◇ **der -e Grund** the real reason [2] ↑ *ursprünglich* ▷*Bedeutung* exact, original **II.** *adv* [1] basically; ◇ **- hat sie recht** she's right actually [2] ↑ *denn* ◇ **was wollen Sie -?** what are you after anyway?

Eigentor *s* [1] SPORT ▷*schießen* own goal [2] (*FIG sich selbst schaden*) ◇ **ein - schießen** to shoot o.s. in the foot; **Eigentum** *s* ▷*privat, persönlich, staatlich* property; **Eigentümer(in** *f*) *m* <-s, -> owner; **eigentümlich** *adj* [1] ↑ *kennzeichnend* characteristic; ◇ **die ihr -e Großzügigkeit** the generosity characteristic of her [2] ↑ *seltsam* ▷*Person* strange; **Eigentümlichkeit** *f* [1] ↑ *Charakteristikum* characteristic [2] ↑ *Eigenart* peculiarity; **Eigentumswohnung** *f* owner-occupied flat; **eigenverantwortlich** *adv* ▷*handeln* bearing o.'s own responsibility; **eigenwillig** *adj* idiosyncratic

eignen *vr* ◇ **sich** ~ ▷*Person, Sache* be suitable (*für, zu* for); **Eignung** *f* suitability

Eilbote *m* special messenger; ◇ **per** ~**n** by express delivery; **Eilbrief** *m* express letter; **Eile** *f* <-> haste; ◇ **in** ~ **sein** to be in a hurry; **eilen** *vi* [1] ← *Mensch* hurry [2] ↑ *dringend sein* ← *Arbeit* be urgent; ◇ **es eilt** it is urgent; **eilends** *adv* speedily; **Eilgut** *s* express goods *pl;* **eilig** *adj* [1] ↑ *schnell* quick; ◇ **es** ~ **haben** to be in a rush [2] ↑ *dringend* ▷*Angelegenheit* urgent, pressing; **Eilzug** *m* RAIL express train

Eimer *m* <-s, -> [1] (*Wasser-, Putz-*) bucket [2] (*FAM mißlungen, zerstört*) ◇ **alles ist im** ~ everything's down the pan

ein(**e**) **I.** *nr* one; ◇ **es ist** ~ **Uhr** it's one o'clock; ◇ ~ **Viertel** a quarter; ◇ ~**er Meinung sein** to be of one mind **II.** *Artikel* (*unbestimmt*) a, an; ◇ ~**e Familie** a family; *FAM* ◇ ~**en heben** to have a drink; ◇ ~ **jeder** each one, everyone **III.** *adv:* ◇ **nicht** ~ **noch aus wissen** not to know which way to turn; ◇ **bei jd-m** ~ **u. aus gehen** to be a frequent visitor; **eine**(**r, s**) *pron* one or the other, anyone; ◇ ~**r von vielen** one of many; ◇ **der/die/das** ~ the one; **Einakter** *m* one-act play

einander *pron* each one, one another; ◇ ~ **helfen** to help one another/each other

einarbeiten I. *vt* ↑ *instruieren, anleiten* → *jd-n* familiarize (*in akk* with), induct (*in akk* into) **II.** *vr* ◇ **sich** ~ get acquainted (*in akk* with)

einarmig *adj* one-armed

einäschern *vt* → *Leichen* cremate

einatmen *vti* → *Luft* inhale

einäugig *adj* one-eyed

Einbahnstraße *f* one-way street

Einband *m, pl* <-bände> (*von Buch*) binding; **einbändig** *adj* ▷*Buchausgabe* one-volume(d)

einbauen *vt* [1] ↑ *installieren, montieren* → *technische Geräte* install; → *Möbel* build in; → *Motor* fit [2] *FIG* ↑ *einfügen* → *Zitat* insert; **Einbaumöbel** *pl* built-in furniture

einberufen *unreg vt zusammenrufen* → *Sitzung* convene; MIL → *Rekruten* call up, conscript; **Einberufung** *f* (*von Versammlung*) call, convocation; (MIL *von Rekruten*) conscription

einbetten *vt* → *Blumen* bed (*in akk* in); TECH insert, imbed; **Einbettzimmer** *s* (*in Hotel*) single room

einbeziehen *unreg vt* include

einbiegen *unreg vi* bend (in)

einbilden *vt* imagine; ◇ **sich** *dat* **etw** ~ to imagine s.th.; ◇ **sich** *dat* **etw auf sich** ~ to be conceited; **Einbildung** *f* [1] ↑ *Vorstellung* imagination, fancy [2] ↑ *Phantasie, irrige Vorstellung* illusion, fantasy [3] ↑ *Dünkel* conceit; **Einbildungskraft** *f* imagination, fantasy

einbinden *unreg vt* [1] → *Buch* bind [2] ↑ *einbeziehen* include (*in akk* in) [3] MED bandage; **Einbindung** *f FIG* inclusion (*in akk* of)

einblenden *vt* MEDIA → *Bericht* fade in

Einblick *m* [1] (*in Raum*) view [2] *FIG* ↑ *Einsicht, Kenntnisnahme* insight (*in akk* into), knowledge (*in akk* of) [3] ↑ *Überblick* ▷*vermitteln* insight

einbrechen *unreg vi* [1] *unbefugt hineingehen, FAM* burgle; (*in Land*) invade (*in akk* s.th.); ◇ **in ein Haus** ~ to break into a house [2] *beginnen* ← *Nacht* fall; ← *Winter* set in [3] ↑ *durchbrechen* ← *Eis* break through; **Einbrecher(in** *f*) *m* <-s, -> burglar

einbringen *unreg* **I.** *vt* [1] (*bringen*) ◇ **Ernte** ~ to gather in the harvest; ◇ **Zinsen** ~ to yield interest; *FIG* ◇ **Vorteil** ~ to afford an advantage; ◇ **das bringt nichts ein** there's no point to it [2] JURA ◇ **Klage** ~ file an action [3] ◇ **verlorene Zeit** ~ to make up for lost time **II.** *vr* ◇ **sich** ~ commit o.s.

einbrocken *vt FIG*: ◇ **jd-m/sich etw** ~ to get s.o./o.s. into trouble

Einbruch *m* [1] (*Eindringen, in Geschäft etc.*) burglary, housebreaking; (MIL *in Land*) invasion [2] ↑ *Beginn* onset; ◇ **bei** ~ **der Nacht** at nightfall, at dusk; **einbruchssicher** *adj* burglar-proof

Einbuchtung *f* GEO bay

einbürgern I. *vt* → *jd-n* naturalize **II.** *vr* ◇ **sich** ~ ← *Tradition, Gewohnheit* become established; ◇ **das hat sich so eingebürgert** it has become customary

Einbuße *f* loss; **einbüßen** *vt verlieren* → *Einfluß* lose; → *viel Geld* forfeit, drop

einchecken *vt* AVIAT → *Gepäck* check in

eindämmen *vt* dam up

eindecken *vtr* ◇ **sich** ~ (*mit Vorräten, Arbeit*) stock up (*mit* on)

eindeutig *adj* → *Antwort* unequivocal

eindringen *unreg vi* [1] (*sich Zutritt verschaffen, in Haus*) force o.'s way (*in akk* in); (MIL *in Land*) invade [2] (*Wasser*) come in; (*Gas*) penetrate [3] ◇ **mit Fragen auf jd-n** ~ to persist in questioning s.o. [4] ◇ **in die Geheimnisse der Natur** ~ to delve into nature's secrets; **eindringlich** *adj* pressing; ◇ ~ **auf etw hinweisen** to urgently point out s.th.; **Eindringling** *m* intruder

Eindruck *m, pl* <-drücke> [1] ▷*positiv, bleibend* impression; ◇ **einen guten** ~ **machen** to make a good impression [2] ↑ *Spur* print; **eindrucksvoll** *adj* impressive

eineiig *adj* ▷*Zwillinge* monovular

E

eineinhalb *nr* one and a half
einengen *vt* (*einschränken, in Bewegungsfreiheit*) restrict, limit
einerlei *adj inv* [1] ↑ *egal, gleichgültig* all one; ◇ **es ist mir** ~ it makes no difference to me [2] ↑ *gleichartig* ▷*Essen* dull; **Einerlei** *s* <-s> uniformity, monotony; ◇ **immer dasselbe** ~ always the same old thing
einerseits *adv FIG* on the one hand
einfach I. *adj* [1] ↑ *schlicht* ▷*Lebensweise* simple; ▷*Kleidung* plain [2] ↑ *nicht kompliziert* ▷*Mensch* ordinary; ▷*Aufgabe* easy [3] (*nicht mehrfach*) ▷*Fahrkarte* one-way **II.** *adv* simply **III.** ◇ ~ **toll!** just great!; **Einfachheit** *f* [1] ↑ *Schlichtheit* simplicity [2] ↑ *Leichtigkeit* ease
einfädeln *vt* [1] (→ *Faden, in Nadel*) thread [2] *FIG* ◇ **etw schlau** ~ to cleverly contrive s.th.
einfahren *unreg* **I.** *vt* [1] → *Ernte* gather in [2] → *Auto* run in [3] ↑ *hineinfahren, beschädigen* → *Barriere* drive into s.th. **II.** *vi* [1] ← *Schiff* enter port [2] MIN descend into a mine **III.** *vr* ◇ **sich** ~ ↑ *sich einspielen*: ◇ **es hat sich so eingefahren, daß ...** it has been become customary that ...; **Einfahrt** *f* [1] (*Garagen-, Grundstücks-*) drive [2] (*in Bahnhof, von Zug*) pulling-into
Einfall *m* [1] ↑ *Idee* idea, brainwave [2] (PHYS *von Licht*) incidence [3] MIL ↑ *Invasion* incursion, invasion; **einfallen** *unreg vi* [1] ↑ *einstürzen* ← *Haus* collapse [2] MIL ↑ *einmarschieren* (*in Land*) raid [3] MUS ◇ **hier fällt die Trompete ein** this is where the trumpet comes in [4] *FIG* ◇ **es fällt mir gerade ein, daß...** it has just occured to me that...; ◇ **das fällt mir gar nicht ein** I don't feel like doing that; ◇ **laß dir was** ~ *dat* think of s.th.
einfältig *adj* simple-minded
Einfamilienhaus *s* one-family house, detached house
einfangen *unreg vt* [1] → *Tier* catch [2] *FIG* → *Stimmung* capture
einfarbig *adj* single-colour; ▷*Stoff* plain
einfassen *vt* ↑ *einsäumen* → *Stoff* edge; → *Grundstück* close in; **Einfassung** *f* border; (*von Diamanten*) setting
einfetten *vt* grease
einfinden *unreg vr* ◇ **sich** ~ ▷*zahlreich, pünktlich* turn up
einfliegen *unreg vt* (*in Katastrophengebiet*) fly (s.th.) in (*in akk* to)
einfließen *unreg vi* [1] (*fließen*) flow in [2] *FIG* ◇ **etw** ~ **lassen** to slip s.th. in; **einflößen** *vt:* ◇ **jd-m etw** ~ to feed s.o. with s.th.; *FIG* ◇ **jd-m Angst** ~ to frighten s.o.
Einfluß *m* ▷*ausüben* influence (*auf akk* on); **einflußreich** *adj* ▷*Persönlichkeit* influential
einförmig *adj* uniform; **Einförmigkeit** *f* uniformity
einfrieren *unreg* **I.** *vt* → *Lebensmittel* freeze **II.** *vi* [1] ← *Wasserleitung* freeze up [2] *FIG* ↑ *sperren* ← *Gelder* freeze
einfügen I. *vt* [1] ↑ *einschieben, dazwischensetzen* → *Bemerkung* insert [2] ↑ *hinzufügen* add [3] PC insert **II.** *vr* ◇ **sich** ~ (*in Gesellschaft*) fit in (*in akk* to)
Einfühlung *f* empathy, intuition
Einfuhr *f* <-> importation; **Einfuhrartikel** *m* import; **Einfuhrbeschränkungen** *pl* import restrictions *pl;* **einführen** *vt* [1] → *Ware* import [2] ↑ *vorstellen, präsentieren* → *Mensch* introduce [3] → *Neuerung* initiate [4] ↑ *einarbeiten* induct [5] ↑ *hineintun* (*in Öffnung*) lead in (*in akk* to); **Einführung** *f* [1] (*Einarbeitung*) grounding (*in akk* in) [2] installation (*in akk* in) [3] (*von Mensch*) introduction; (*von Neuerung*) innovation; **Einführungspreis** *m* introductory price
Eingabe *f* [1] (*von Antrag*) submission [2] ↑ *Gesuch, Bitte* petition [3] (PC *von Daten*) input; **Eingabetaste** *f* PC return (or enter) key
Eingang *m* [1] (*Ggs zu Ausgang*) entrance; (*Orts-*) entrance, gateway [2] (COMM *Waren-*) entry, goods *pl* received; **eingangs** *adv, präp gen* at the beginning of; ◇ **wie** ~ **erwähnt** as above, as mentioned at the beginning; **Eingangsbestätigung** *f* COMM acknowledgement of receipt; **Eingangshalle** *f* foyer
eingeben *unreg vt* [1] → *Medizin* administer [2] PC → *Daten* enter [3] ↑ *suggerieren* → *Ideen* submit
eingebildet *adj* [1] imaginary; ◇ **der ~e Kranke** the imaginary invalid [2] ↑ *arrogant* arrogant, conceited
Eingeborene(r) *m+f* native
Eingebung *f* inspiration
eingefallen *adj* ▷*Wangen* sunken
eingefleischt *adj* die-hard; ◇ **~er Junggeselle** confirmed bachelor
eingehen *unreg* **I.** *vi* [1] *ankommen, übermittelt werden* ← *Post, Ware* be received; ← *Sendung, Geld* be paid [2] ◇ **auf Einzelheiten** ~ to go into details; ◇ **auf jd-n** ~ to respond to s.o. [3] ↑ *einleuchten* sink in; ◇ **das geht mir ein** I understand [4] *aufhören zu existieren* ← *Tier, Pflanze* die; ← *Firma* go under [5] ↑ *schrumpfen* ← *Stoff* shrink **II.** *vt* go in for; ◇ **eine Wette** ~ bet; ◇ **ein Risiko** ~ take a chance; **eingehend** *adj* ▷*Untersuchung* detailed, thorough
eingelegt *adj* [1] (*Möbelstück*) inlaid [2] (*Hering*) pickled
Eingemachte(s) *s* preserved food; ↑ *Marmela-*

de preserve; *FIG* ◇ **ans ~ gehen** to use o.'s reserves

eingemeinden *vt* incorporate

eingenommen *adj:* ◇ **für/gegen jd-n/etw ~ sein** to be prejudiced for/against s.o./s.th.; ◇ **von sich ~ sein** to be full of o.s.

eingeschrieben *adj* [1] (*in school*) enrolled [2] (*Brief*) registered

eingespielt *adj:* ◇ **aufeinander ~ sein** to work together well

Eingeständnis *s* (*Schuld~*) admission, confession; **eingestehen** *unreg vt* admit, acknowledge; ◇ **jd-m etw ~** to admit s.th. to s.o.

eingetragen *adj* COMM ▷*Warenzeichen* registered

Eingeweide *pl* intestines *pl*, guts *pl*

Eingeweihte(r) *m+f* initiate, insider

eingewöhnen *vr* ◇ **sich ~** become familiarized

eingießen *unreg vt* pour

eingleisig *adj* [1] RAIL ↑ *einspurig* single-track [2] *FIG* ↑ *einseitig* ▷*Denken* one-sided

eingliedern *vt* ↑ *einpassen* (*in Gemeinschaft*) integrate (*in akk* into)

eingraben *unreg* **I.** *vt* ↑ *vergraben* (*in Erde*) bury **II.** *vr* ◇ **sich ~** [1] dig o.s. in [2] *FIG* ↑ *sich festsetzen* (*ins Gedächtnis*) engrave itself (*in akk* upon)

eingreifen *unreg vi* [1] TECH ← *Zahnrad* engage [2] *FIG* ↑ *sich einmischen* (*in Streit etc.*) interfere (*in akk* in); **Eingriff** *m* [1] interference; ▷*militärisch* intervention [2] MED ↑ *Operation* operation

einhaken **I.** *vt* fasten with a hook, hook (*in akk* to) **II.** *vr FAM:* ◇ **sich bei jd-m ~** to link arms with s.o. **III.** *vi* ↑ *eingreifen* (*bei Gespräch*) cut in

Einhalt *m* stop, check; ◇ **einer Sache ~ gebieten** to put a stop to s.th.; **einhalten** *unreg* **I.** *vt* [1] ↑ *befolgen* → *Regel, Gesetz* observe [2] ↑ *erfüllen* → *Frist, Abmachung, Termin* keep to **II.** *vi* (*zögern, aufhören*) cease

einhändig *adj* one-handed

einhängen *vt* [1] (*Tür*) hang; (*Anhänger*) hitch on [2] → *Telefon* hang up [3] ◇ **sich bei jd-m ~** to take s.o.'s arms

einheimisch *adj* [1] ↑ *ansässig* ▷*Person* native [2] ↑ *inländisch* ▷*Produkt* domestic

Einheit *f* [1] (*Ungeteiltheit*) unity; ◇ **die deutsche ~** German unification [2] (*Telefon~, Währungs~*) unit [3] MIL outfit [4] (*von Muster*) uniformity; **einheitlich** *adj* [1] ◇ **~e Kleidung tragen** to be dressed alike [2] ▷*Struktur* homogeneous, integrated [3] (*Muster*) uniform; **Einheitspartei** *f* unity party; **Einheitspreis** *m* uniform price

einhellig *adj, adv* unanimous

einholen **I.** *vt* [1] ↑ *Vorsprung aufholen* → *jd-n* catch s.o. up [2] ↑ *aufholen* → *Verspätung* make up for sth [3] ↑ *heranziehen* → *Tau* haul s.th. in [4] ↑ *herunterholen* → *Fahne, Segel* lower [5] ↑ *erfragen* → *Rat, Erlaubnis* seek **II.** *vi* shop; ◇ **~ gehen** to go shopping

Einhorn *s* unicorn

einhundert *nr* one hundred

einig *adj* [1] ↑ *vereint* united [2] ↑ *gleichgesinnt* of one mind; ◇ **sich** *dat* **~ sein** to agree (*über akk* on), to be at one (*über akk* about) [3] ◇ **sich ~ werden** to reach an agreement

einige *pron* [1] (*etwas, ziemlich viel*) some, a few, quite a lot; ◇ **~e Erfahrung** quite a bit of experience [2] (*pl*) ↑ *manche, mehrere* several; ◇ **~ Male** several times; **einigemal** *adv* several times

einigen **I.** *vt* (*einig machen*) unite **II.** *vr* ◇ **sich ~** agree (*auf akk* on)

einigermaßen *adv* [1] rather [2] ↑ *erträglich* tolerably; ◇ **es geht mir ~** I'm just about okay

einiges *pron* something [1] ↑ *manches* some stuff [2] ↑ *ziemlich viel* quite a bit

Einigkeit *f* [1] unity [2] ↑ *Übereinstimmung* accord; **Einigung** *f* [1] agreement; JURA settlement [2] (*von Volk*) unification

einjährig *adj* [1] ↑ *1 Jahr alt* ▷*Kind* one-year-old [2] ↑ *1 Jahr dauernd* ▷*Aufenthalt* one year's [3] BIO ▷*Pflanze* annual

einkalkulieren *vt* → *Verluste* take (s.th.) into account

einkassieren *vt* cash; *FAM* take

Einkauf *m* [1] (*Einkaufen*) shopping [2] (*das Gekaufte, Kauf*) to purchase, buy; **einkaufen** **I.** *vt kaufen* → *Waren* buy **II.** *vi* go shopping; **Einkaufsbummel** *m* ▷*machen* go on a shopping spree; **Einkaufspreis** *m* purchase price; **Einkaufstasche** *f* shopping bag; **Einkaufswagen** *m* supermarket trolley; **Einkaufszentrum** *s* shopping centre

einkehren *vi* (*in Wirtschaft*) stop off (at a pub)

einkellern *vt* lay in, put (s.th.) in the cellar

einkesseln *vt* encircle

einklammern *vt* → *Wort* put (s.th.) in brackets

Einklang *m* accord, harmony; ◇ **in ~ bringen** to reconcile

einkleiden *vt* clothe, fit (s.o.) out

einklemmen *vt* jam; ◇ **sich** *dat* **die Finger ~** to catch o.'s fingers

einknicken **I.** *vt* → *Papier* fold down **II.** *vi* [1] (*Draht*) nick [2] (*Knie*) give way, buckle

einkochen *vt* → *Obst, Marmelade* preserve

Einkommen *s* <-s, -> earnings *pl;* ◇ **festes ~** fixed income; **Einkommensteuer** *f* income-tax

einkreisen *vt* [1] (*Wort*) encircle [2] *FIG* → *Problem* attack systematically
Einkünfte *pl* earnings *pl*
einladen *unreg vt* [1] (→ *Möbel, Waren, in Wagen*) load [2] → *jd-n* invite; ◇ **zu sich nach Hause** ~ to invite s.o. home [3] ↑ *spendieren* treat; ◇ **jd-n ins Theater** ~ to invite s.o. to the theatre; **Einladung** *f* ▷*mündlich, schriftlich* ▷*annehmen, ausschlagen* invitation (*zu* to)
Einlage *f* [1] (GASTRON *Suppen~*) entrée; (*Programm~*) enclosure; (*Schuh~*) instep raiser; (*Zahn~*) filling [2] (*Spar~*) deposit; (*Kapital~*) stake, original investment [3] ▷*musikalisch, komisch* interlude
einlagern *vt* [1] → *Möbel* store [2] MIL quarter
Einlaß *m* <-> (*Zutritt*) admission; ◇ ~ **begehren** to ask to be let in; **einlassen** *unreg* **I.** *vt* [1] → *jd-n* admit, let (s.o.) in [2] ↑ *einlaufen lassen* → *Wasser in Wanne* run [3] (*einfügen*) insert **II.** *vr* [1] ◇ **sich mit jd-m** ~ *dat* to get involved with s.o. [2] ◇ **sich auf etw** *akk* ~ to get mixed up in s.th.
Einlauf *m* [1] (*von Briefen*) arrival [2] SPORT (*von Pferden*) finish [3] (MED *Darm~*) enema; **einlaufen** *unreg* **I.** *vi* [1] (*ankommen*) arrive; (*in Hafen*) put in; SPORT finish, come in [2] ↑ *hineinlaufen* ← *Wasser* flow in [3] ↑ *eingehen* (*Stoff*) shrink **II.** *vt* → *Schuhe* wear in **III.** *vr* ◇ **sich** ~ *sich warmlaufen,* SPORT warm up; → *Motor, Maschine* run in
einleben *vr* ◇ **sich** ~ get used to a new environment, acclimatize o.s.
Einlegearbeit *f* marquetry; **einlegen** *vt* [1] ↑ *hineintun* → *Blatt Papier* enclose; → *Film, Kassette* load [2] GASTRON (→ *Gurken, Fleisch, in Essig*) pickle [3] (↑ *einarbeiten* → *Intarsien, in Holz*) inlay [4] ◇ **eine Pause** ~ to have a break [5] ◇ **Protest** ~ to protest; ◇ **Veto** ~ to veto; ◇ **Beschwerde** ~ to complain, to lodge a complaint; ◇ **ein gutes Wort bei jd-m** ~ to put in a good word for s.o.
einleiten *vt* [1] → *Buch* introduce; → *Feier* open [2] ↑ *initiieren* → *Neuerungen* initiate [3] MED → *Geburt* induce [4] ↑ *einfließen lassen* → *Wasser* let in; **Einleitung** *f* [1] ↑ *Beginn* (*von Buch, Rede etc.*) introduction; (*von Veranstaltung etc.*) opening; MUS prelude [2] (*von Geburt*) induction [3] (*von Wasser etc.*) letting-in
einleuchten *vi FIG* be evident; ◇ **das leuchtet mir ein** that is clear to me; **einleuchtend** *adj* ▷*Argument* clear, convincing
einliefern *vt* [1] ↑ *abgeben, liefern* → *Paket* deliver [2] ↑ *bringen* → *jd-n* bring; ◇ **jd-n ins Krankenhaus** ~ to take s.o. to hospital
einlösen *vt* [1] ↑ *sich auszahlen lassen* → *Scheck* cash; → *Pfand* redeem [2] *FIG* ↑ *erfüllen* → *Versprechen* make good
einmachen *vt* → *Obst, Gemüse* lay down, preserve
einmal *adv* [1] once; ◇ **das gibt's nur** ~ that's a one-off; ◇ **etw noch** ~ **tun** to do s.th. again [2] ↑ *früher* once; ◇ **es war** ~ once upon a time [3] ↑ *eines Tages, in Zukunft* one day; ◇ **irgendwann** ~ one day [4] ◇ **auf** ~ out of the blue; suddenly; at the same time [5] ◇ **erst** ~ first; ◇ **nehmen wir** ~ **an** let's take it as given [6] ◇ **nicht** ~ **das** not even that; **Einmaleins** *s* <nopl> ▷*groß, klein* multiplication tables *pl;* **einmalig** *adj* [1] ↑ *einmal geschehend* ▷*Gelegenheit* unique [2] ↑ *toll, außergewöhnlich* ▷*Leistung* extraordinary; ◇ **das ist ja ~!** that's fantastic!
Einmannbetrieb *m* (*Geschäft, das nur von einer Person geleitet wird*) one-man business; *FAM* one-man show
Einmarsch *m* marching in; (MIL *in Land*) invasion; **einmarschieren** *vi* march in
einmischen *vr* ◇ **sich** ~ ↑ *eingreifen* interfere (*in akk* in)
einmummen *vt* → *Kind* wrap (s.o.) up
einmünden *vi* ← *Fluß* discharge, empty (*in akk* into); ← *Staße* lead, join (*in akk* onto)
einmütig *adj* unanimous
Einnahme *f* <-, -n> [1] ↑ *Einkünfte* (*von Geld*) earnings *pl;* ◇ **-n u. Ausgaben** income and expenditure [2] ↑ *das Einnehmen* (*von Medizin*) taking [3] MIL ↑ *Eroberung* capture; **Einnahmequelle** *f* source of income; **einnehmen** *unreg vt* [1] ↑ *verdienen* → *Geld* make [2] ↑ *zu sich nehmen* → *Medizin* take; → *Mahlzeit* have [3] ↑ *wegnehmen, besetzen* → *Platz, Raum* take up; MIL → *Stadt, Stellung* capture [4] ↑ *innehaben* → *Amt, Posten, Haltung* occupy [5] *FIG* ◇ **jd-n für sich** ~ to charm s.o.; *FAM* to get s.o. on o.'s side; **einnehmend** *adj* ▷*Wesen* prepossessing
einnisten *vr* ◇ **sich** ~ [1] ← *Vogel* nest [2] *FIG* ↑ *sich breitmachen, einquartieren* park o.s. (*bei* on)
Einöde *f* wilderness
einordnen **I.** *vt* → *Buch, Karteikarte* arrange (s.th.) in order; (*klassifizieren*) classify **II.** *vr* ◇ **sich** ~ [1] ↑ *sich anpassen, einfügen* integrate o.s. [2] AUTO ↑ *einscheren* get in the correct lane; ◇ **sich links** ~ get in the left lane
einpacken **I.** *vt* [1] ↑ *packen* (*für Reise*) pack [2] ↑ *einwickeln* (*in Geschenkpapier*) wrap (s.th.) up (*in akk* in) **II.** *vi* (*FAM aufgeben*) pack s.th. up; ◇ **damit kann er** ~ he might as well give it up
einparken *vt* AUTO park
einpendeln *vr* ◇ **sich** ~ (*Kurse*) even out
einpferchen *vt* [1] (*Vieh*) pen in [2] *FIG* ↑ *zusammendrängen* (*in engem Raum*) cram together

einpflanzen *vt* [1] → *Pflanze* plant [2] MED → *Organ* transplant
einplanen *vt* → *Kosten* plan for
einprägen *vt* [1] → *Muster* stamp [2] ◇ **jd-m etw ~** to impress s.th. on s.o. [3] ◇ **sich** *dat* **etw ~** to fix s.th. in o.'s mind; **einprägsam** *adj* ▷*Melodie, Gedicht* easy to remember
einquartieren I. *vt* [1] MIL billet [2] → *friend* put up **II.** *vr* ◇ **sich ~** (*unerwünscht*) squat (*bei* at)
einrahmen *vt* [1] → *Bild* frame [2] *FIG* ↑ *umrahmen* → *Gesicht* frame
einrasten *vi* [1] ← *Verschluß, Halterung* snap into position [2] *FAM* be uptight
einräumen *vt* [1] → *Möbel* install [2] → *Wohnung* fit [3] *FIG* ↑ *gewähren, zugestehen* → *Recht* grant
einrechnen *vt* [1] allow for [2] ↑ *berücksichtigen* take into account
einreden I. *vt* [1] ◇ **jd-m etw ~** to talk s.o. into believing s.th. [2] ↑ *sich etw vormachen* ◇ **sich** *dat* **etw ~** to kid o.s. about s.th. **II.** *vi:* ◇ **auf jd-n ~** to buttonhole s.o.
einreiben *unreg vt* (*mit Creme*) rub (s.th.) in
einreichen *vt* [1] ↑ *abgeben* → *Antrag, Gesuch* hand (s.th.) in [2] ↑ *formell bitten um* → *Entlassung, Rente* submit
Einreise *f* (*in Staat*) entry; **Einreisebestimmungen** *pl* conditions *pl* of entry; **einreisen** *vi* enter; ◇ **in die Schweiz ~** to enter Switzerland; **Einreisevisum** *s* entry visa
einreißen *unreg* **I.** *vt* [1] ↑ *zerreißen* → *Papier, Stoff* make a tear in s.th., tear [2] ↑ *niederreißen* → *Gebäude* demolish **II.** *vi FAM* ↑ *sich einbürgern* become a habit; ◇ **das wollen wir nicht ~ lassen** we don't want that to become a habit
einrichten I. *vt* [1] → *Wohnung* furnish, decorate [2] → *Filiale* establish [3] ↑ *ermöglichen, arrangieren* manage; ◇ **kannst du es ~, daß ...** can you arrange things so that ... [4] MED ↑ *geraderichten* → *Knochen* set **II.** *vr* ◇ **sich ~** [1] (*in Wohnung*) arrange a comfortable environment for o.s.; ◇ **sich häuslich ~** to make o.s. at home [2] ↑ *sich anpassen* (*auf Situation*) adapt (*auf akk* to) [3] ↑ *sich vorbereiten* make arrangements (*auf akk* for); **Einrichtung** *f* [1] ↑ *Mobiliar* (*Wohnungs-*) appointments *pl* [2] ↑ *Institution* social institution [*o.* service]; ◇ **Kinderhorte sind eine wichtige ~** day nurseries constitute a vital social service [3] (*Transportmittel, Müllabfuhr etc.*) public utilities *pl* [4] ↑ *Gründung, Eröffnung* (*von Konto*) opening
einrosten *vi* get rusty
einrücken I. *vi* [1] MIL ← *Soldat* join the ranks [2] MIL ↑ *einmarschieren* (*in Land*) march in **II.** *vt* [1] TYP → *Zeile* indent [2] ↑ *aufgeben* → *Anzeige* insert
eins I. *nr* [1] one [2] SCH ↑ *sehr gut* grade A **II.** *adv* [1] ↑ *einig, einer Meinung* at one; ◇ **wir sind uns ~** we are at one [2] ↑ *egal, gleichgültig* all one; ◇ **das ist doch alles ~** it's all of a piece [3] ◇ **~ sein** to constitute an entirety [4] ↑ *etwas* one thing; ◇ **~ muß noch gesagt werden** one thing remains to be said; ◇ **jd-m ~ auswischen** to play a dirty trick on s.o.
einsalzen *vt* salt; → *Fleisch* cure
einsam *adj* [1] ↑ *allein* ▷*Mensch* lonely; ◇ **sich ~ fühlen** to feel lonely [2] ↑ *abgelegen* ▷*Haus, Gegend* remote [3] *FAM* ◇ **~e Klasse!** great!; **Einsamkeit** *f* loneliness, solitude
einsammeln *vt* collect
Einsatz *m* [1] (*Koffer-*) tray; (*Kragen-*) insert [2] (*Spiel-, Wett-*) stake [3] MUS entry [4] ↑ *Verwendung* use; ↑ *Einsetzen* application; MIL deployment, operations *pl;* **einsatzbereit** *adj* ready for action
einschalten I. *vt* [1] ELEC ↑ *anstellen* → *Radio, Licht* switch on [2] ↑ *hinzuziehen* engage; → *Anwalt, Polizei* involve [3] ↑ *einfügen* insert; → *Pause* take [4] AUTO → *Gang* shift **II.** *vr* ◇ **sich ~** ↑ *sich einmischen* intervene (*in akk* in)
einschärfen *vt:* ◇ **jd-m etw ~** to impress s.th. on s.o.
einschätzen I. *vt* [1] ↑ *schätzen* → *Vermögen* assess, estimate [2] → *Lage, Fähigkeiten* ▷*falsch, richtig* appraise; *FAM* size up **II.** *vr* ◇ **sich ~** rate o.s.
einschenken *vt* pour
einscheren *vi* AUTO filter in
einschicken *vt* send s.th. in
einschieben *unreg vt* [1] (*in Ofen*) shove s.th. in [2] ↑ *einfügen* → *Bemerkung* interpose
einschiffen I. *vt* ship **II.** *vr* ◇ **sich ~** embark
einschlafen *unreg vi* go to sleep; **einschläfernd** *adj* [1] ↑ *eintönig* soporific, monotonous [2] MED sleep-inducing
Einschlag *m* [1] (*von Geschoß*) impact [2] (*Blitz-*) strike [3] (AUTO *von Lenkrad*) lock [4] (*von Bäumen*) felling [5] (*Saum*) turnup [6] *FIG* ↑ *Beimischung, Merkmal* element, characteristics *pl;* ◇ **asiatischer ~** an asiatic element; **einschlagen** *unreg* **I.** *vt* [1] *kaputtschlagen* → *Fenster* smash; → *Zähne, Schädel* bash s.th. in [2] ↑ *einklopfen* → *Nagel* drive s.th. in [3] → *Steuer* ▷*nach links, rechts* turn; → *Weg, Richtung* take [4] ↑ *umnähen* → *Saum* turn up [5] ↑ *einpacken, einwickeln* → *Ware* wrap up **II.** *vi* [1] ← *Blitz* strike (*in etw akk;* (*Kugel*) hit (*in etw akk* [2] ↑ *schlagen* beat (*auf* s.o./sth) [3] ↑ *sich einigen* agree [4] be a success; ◇

E

wie der Blitz ~ to be a smash hit; **einschlägig** *adj* ▷*Literatur* relevant

einschleichen *unreg vr* ◇ **sich** ~ [1] (*in Haus*) sneak in [2] ← *Fehler* creep in [3] ◇ **sich in jd-s Vertrauen** ~ to insinuate o.s. into s.o.'s confidence

einschließen *unreg vt* [1] → *Schmuck* lock away; → *Häftling* lock up [2] → *Bergleute* cut off [3] → *Garten* enclose; MIL → *Stadt* surround [4] *FIG* ↑ *umfassen* include; ◇ **im Preis** ~ to include in the price; **einschließlich I.** *adv* including; ◇ **bis 31. Juli** ~ to 31 July inclusive, up to and including 31 July **II.** *präp gen* including, inclusive of; ◇ ~ **Trinkgeld** including tips; ◇ ~ **Porto** postage included

einschmeicheln *vr* ◇ **sich** ~ ingratiate o.s. (*bei* with)

einschmuggeln *vt* smuggle s.th. in

einschnappen *vi* [1] ← *Schloß* snap to [2] *FIG* ↑ *beleidigt sein* be offended

einschneidend *adj* ▷*Maßnahme* drastic; **Einschnitt** *m* [1] (*in Papier, Stoff*) cut; MED incision [2] *FIG* ↑ *Veränderung* ▷*tiefgreifend* transformation

einschränken I. *vt* [1] ↑ *beeinträchtigen* → *Freiheit* restrict [2] ↑ *verringern* → *Kosten* reduce [3] → *Behauptung* qualify **II.** *vr* ◇ **sich** ~ ↑ *sparen* economize, tighten o.'s belt; **Einschränkung** *f* [1] (*von Freiheit*) restriction [2] (*von Kosten*) reduction [3] ↑ *Vorbehalt* (*von Behauptung*) qualification

Einschreib[e]brief *m* registered letter; **einschreiben** *unreg* **I.** *vt* [1] (*in Liste*) enter, register [2] ◇ **e-n Brief** ~ **lassen** to have a letter registered, to have a letter sent by registered mail **II.** *vr* ◇ **sich** ~ register; SCH enrol; **Einschreiben** *s* registered letter, recorded delivery letter; **Einschreib[e]sendung** *f* registered parcel

einschreiten *unreg vi* intervene; ◇ **gegen etw/jd-n** ~ to take action against s.th./s.o.

Einschub *m* <-s, Einschübe> (*in text*) parenthesis, insertion

einschüchtern *vt* intimidate, browbeat

Einschuß *m* [1] (*Wunde*) bullet-hole [2] FIN capital invested, stake

einsehen *unreg vt* [1] ◇ **etwas** ~ to realize s.th., to understand s.th. [2] → *Schriftstück* examine; ◇ **Akten** ~ to have access to files [3] → *Fehler* recognise [4] ◇ **das sehe ich nicht ein** I don't see why; **Einsehen** *s* <-s>: ◇ **ein** ~ **haben** to show consideration

einseifen *vt* (*Körper*) soap

einseitig *adj* [1] ▷*Lähmung* one-sided [2] ▷*Abrüstung* unilateral [3] ↑ *subjektiv* biased; ◇ **etw** ~ **betrachten** to consider s.th. partially [4] (*Gesinnung*) single-track; ◇ ~ **begabt** able in a one-sided way; **Einseitigkeit** *f* one-sidedness

einsenden *unreg vt* send (s.th.) in; **Einsender(in** *f*) *m* sender, contributor; **Einsendung** *f* submission, remittance

einsetzen I. *vt* [1] ↑ *installieren, einbauen* → *Fensterscheibe* put in [2] ↑ *ernennen, einstellen* appoint [3] ↑ *riskieren* → *Geld* stake, bet [4] ↑ *anwenden* → *Mittel* employ, apply; MIL → *Truppen* deploy **II.** *vi* ↑ *beginnen* ← *Winter* set in; MUS enter, come in **III.** *vr* ◇ **sich** ~ to do o.'s utmost; ◇ **sich für jd-n/etw** ~ to stand up for s.o./s.th.

Einsicht *f* [1] (*in Akten*) inspection; ◇ ~ **nehmen** to inspect, to consult [2] ↑ *Verständnis, Verstehen* insight, understanding; ◇ **zu der** ~ **gelangen, daß ...** to come to the realization that ...; **einsichtig** *adj* [1] ↑ *verständnisvoll* ▷*Mensch* understanding [2] ↑ *einleuchtend* ▷*Grund* understandable

Einsiedler(in *f*) *m* hermit; **Einsiedlerkrebs** *m* hermit crab

einsilbig *adj* [1] ▷*Wort* mono-syllabic [2] *FIG* ↑ *wortkarg* ▷*Mensch* taciturn; **Einsilbigkeit** *f* [1] (*von Wort*) monosyllabism [2] *FIG* taciturnity

einsinken *unreg vi* [1] (← *Mensch, in Schnee, Schlamm*) sink in [2] ← *Boden* subside

einspannen *vt* [1] → *Blatt Papier* stretch (s.th.) in a frame [2] → *Pferde* harness [3] *FAM* ↑ *in Anspruch nehmen* → *jd-n* rope s.o. into doing s.th.; ◇ **sehr eingespannt sein** to be very busy

einspeisen *vt* [1] → *Strom* supply, feed [2] PC ↑ *eingeben* → *Daten* store, enter

einsperren *vt* [1] lock so. in/up [2] (*ins Gefängnis*) imprison

einspielen I. *vr* ◇ **sich** ~ SPORT ↑ *sich warmspielen* warm up [2] ← *Regelung, Ordnung* work, function; ◇ **aufeinander eingespielt sein** to function well together

einspringen *unreg vi* help out; ◇ **für jd-n** ~ to step in for s.o.

einspritzen *vt* AUTO inject

Einspruch *m* [1] veto; (*bei Patentrecht*) opposition [2] ◇ ~ **erheben** to file an objection; (*bei Berufung*) to appeal

einspurig *adj* (*Straße*) single lane; RAIL single track

einst *adv* [1] once, formerly; ◇ **es lebte** ~ **eine Königin** once upon a time there lived a queen [2] ↑ *künftig* one day; ◇ **alles wird** ~ **anders werden** one [*o.* some] day things will be different

Einstand *m* [1] SPORT deuce [2] ↑ *Dienstantritt* ▷*feiern* start in a new job

einstecken *vt* [1] (*in Tasche etc.*) put s.th. in s.th.;

ELEC → *Stecker* plug in [2] ↑ *einwerfen* → *Brief* post [3] ↑ *mitnehmen* put (s.th.) in o.'s pocket [4] *FAM* ↑ *einnehmen* → *Profit* take [5] *FIG* ↑ *hinnehmen, ertragen* → *Beleidigung* tolerate, stomach

einstehen *unreg vi* [1] ↑ *eintreten, bürgen* be surety (*für jd-n/etw* for s.o./s.th.) [2] ↑ *geradestehen* (*für Schaden etc.*) assume financial responsibility (*für* for)

einsteigen *unreg vi* [1] (*hineinsteigen, in Fahrzeug*) get in; (*in Schiff, Flugzeug*) enter, board [2] (*sich beteiligen, in Geschäft*) become a partner, embark on a business enterprise

einstellen I. *vti* [1] ↑ *unterstellen* → *Auto, Möbel etc.* put away, store; → *Bücher* shelve [2] → *Mitarbeiter* employ, take on [3] ↑ *regulieren* → *Kamera* focus; → *Sender, Radio* adjust, tune [4] ↑ *beenden* → *Klage* dismiss; → *Verfahren* postpone [5] → *Produktion* shut down; ◇ **bitte das Rauchen** ~ please stop smoking II. *vr* ◇ **sich** ~ [1] ↑ *sich vorbereiten* get o.s. all set (*auf akk* on) [2] ↑ *sich richten nach* adapt; ◇ **sich auf Bedürfnisse** ~ to adapt to current needs [3] ↑ *kommen* ← *Regen, Sommer etc.* set in; ← *Besucher* arrive; **Einstellung** *f* [1] (*von Möbel*) storage; (*von Auto*) garaging [2] (*von Arbeiter*) employment [3] (↑ *Beendigung*, JURA *von Verfahren*) suspension; (*von Zahlungen*) cessation; (*von Produktion*) shutdown [4] (*von Radio, Kamera etc.*) adjustment [5] *FIG* ↑ *Haltung* attitude; ◇ **positive Lebens**~ positive attitude to life

Einstieg *f* <-[e]s, -e> [1] (*von Bus, Zug etc.*) entrance, door [2] *FIG* (*in Geschäft*) familiarization

einstimmen I. *vi* [1] (*in Lied, Gelächter*) join in [2] *FIG* ↑ *zustimmen* agree II. *vt* MUS → *Instrumente* tune III. *vr* ◇ **sich** ~ put o.s. in the right frame of mind (*auf akk* for)

einstimmig *adj* [1] ↑ *einmütig* unanimous [2] MUS for one voice; **Einstimmigkeit** *f* unanimity

einstmals *adv* formerly

einstöckig *adj* ▷*Haus* one-storey

einstudieren *vt* → *Lied, Gedicht, Rolle* rehearse

einstündig *adj* one-hour

einstürmen *vi:* ◇ **auf jd-n** ~ (*mit Fragen*) to assail s.o.; ← *Eindrücke, Erinnerungen* overwhelm s.o.

Einsturz *m* (*von Haus, Mauer*) collapse; **einstürzen** *vi* ← *Brücke* collapse; **Einsturzgefahr** *f* danger of collapse

einstweilen *adv* [1] ↑ *inzwischen* meanwhile [2] ↑ *zunächst einmal* temporarily; **einstweilig** *adj* for the time being; JURA ◇ **-e Verfügung** interim injunction

eintägig *adj* one-day

eintauchen I. *vt* dip; (*Kuchen in Kaffee*) dunk II. *vi* dive

eintauschen *vt* exchange (*gegen* for), swap (*gegen* for)

eintausend *nr* one thousand

einteilen *vt* [1] → *Zeit, Arbeit* plan, organize [2] → *Geld* budget, manage [3] ◇ **in Gruppen** ~ to divide into groups; **einteilig** *adj* ▷*Badeanzug* one-piece; **Einteilung** *f* (*Anordnung*) arrangement; (*Klassifizierung*) classification

eintönig *adj* monotonous; **Eintönigkeit** *f* monotony

Eintopf[gericht] *m* GASTRON hotpot

Eintracht *f* <-> harmony, concord; ◇ **in** ~ **leben** to live in perfect harmony; **einträchtig** *adj* harmonious, united

Eintrag *m* <-[e]s, Einträge> (COMM *in Rechnungsbuch*) entry, item; ◇ **amtlicher** ~ registration; **eintragen** *unreg* I. *vt* [1] (*in Liste*) list [2] ↑ *abwerfen* → *Profit* yield; → *Anerkennung* bring II. *vr* ◇ **sich** ~ put o.'s name down (*in akk* in), register

einträglich *adj* profitable

eintreffen *unreg vi* [1] ↑ *ankommen* ← *Zug, Bus* arrive [2] ↑ *wahr werden* ← *Voraussage* happen, be realized

eintreten *unreg* I. *vi* [1] ↑ *hineingehen, betreten* enter (*in etw akk* s.th.); ◇ **treten Sie doch ein!** do come in! [2] ↑ *beitreten* join; (*in Verein, Partei*) become a member [3] ↑ *sich ereignen* ← *Tod* occur; ← *Ereignis* happen [4] ↑ *dazukommen* (*in Krieg, in neue Phase*) enter [5] ↑ *sich einsetzen* ◇ **für jd-n/etw** ~ to stand up for s.th./so II. *vt* → *Tür* kick in

Eintritt *m* [1] ↑ *Betreten* entry, entrance [2] ↑ *Beitritt* taking part, entry, joining [3] ↑ *Geschehen* (*von Tod*) occurrence [4] ↑ *Beginn* (*von Dunkelheit, von Krieg*) onset [5] ↑ *Eintrittsgeld* ▷*bezahlen* admission; **Eintrittspreis** *m* admission (price); **Eintrittskarte** *f* (admission) ticket

eintrocknen *vi* dry up

einüben *vt* practise

einverleiben *vt* incorporate [1] → *Gebiet* annex [2] ◇ **sich** *dat* **etw** ~ to ingest s.th.; *FAM* to polish s.th. off; *FIG* ▷*geistig* to internalize s.th.

Einvernehmen *s* <-s, -> understanding, agreement

einverstanden I. *intj* agreed!, all right! II. *adj:* ◇ ~ **sein** to agree, to consent; **Einverständnis** *s* ↑ *Einwilligung* consent; ↑ *Übereinstimmung* agreement

Einwand *m* <-[e]s, Einwände> ▷*begründet* objection; ◇ **Einwände erheben** to raise objections

E

Einwanderer(Einwand[r]erin *f*) *m* immigrant; **einwandern** *vi* immigrate; **Einwanderung** *f* immigration
einwandfrei *adj* [1] ▷*Ware* faultless; ▷*Benehmen* irreproachable [2] (*unbestreitbar*) incontestable; ◇ **es steht ~ fest, daß …** it is beyond question that …
einwärts *adv* ▷*gerichtet, gebogen* inward(s)
Einwegflasche *f* non-returnable bottle
einweichen *vt* → *Wäsche* soak
einweihen *vt* [1] → *Museum, Theater* open formally [2] *FAM* → *Kleidung* wear s.th. for the first time [3] ◇ **jd-n in ein Geheimnis ~** to let s.o. in on a secret; **Einweihung** *f* [1] formal opening [2] (*in Geheimnis*) initiation
einweisen *unreg vt* [1] (*in Amt*) install [2] (*in Aufgabe*) instruct; MIL brief [3] (*in Anstalt*) commit [4] AUTO → *in Parklücke* guide, direct; **Einweisung** *f* [1] (*amtlich*) installation [2] MIL briefing
einwenden *unreg vt* object (*gegen* to)
einwerfen *unreg vt* [1] → *Münze* insert; → *Brief* post; SPORT → *Ball* throw in [2] ↑ *zertrümmern* → *Fenster* smash [3] *FIG* ↑ *bemerken, sagen* ▷*nebenbei* interpose
einwertig *adj* CHEM univalent
einwickeln *vt* [1] ↑ *einpacken* (*in Papier, Stoff etc.*) wrap (s.th.) up [2] *FAM* outsmart; ◇ **sich leicht ~ lassen** to let o.s. be easily taken in
einwilligen *vi* consent (*in akk* to), agree (*in akk* to); **Einwilligung** *f* consent; ◇ **seine ~ geben** to give o.'s consent
einwirken *vi* ▷*günstig, nachteilig* influence; ◇ **auf jd-n/etw ~** to have an effect on s.o./s.th.
Einwohner(in *f*) *m* <-s, -> inhabitant, resident; **Einwohnermeldeamt** *s* registration office; **Einwohnerschaft** *f* inhabitants *pl*
Einwurf *m* [1] (*Einwerfen*) insertion [2] ↑ *Öffnung* (*~schlitz*) slot [3] *FIG* ↑ *Zwischenbemerkung* interjection [4] (SPORT *Ball~*) throw-in
Einzahl *f* LING singular
einzahlen *vt* (→ *Geld, auf Konto*) pay in; **Einzahlung** *f* paying in
einzäunen *vt* fence (s.th.) in, enclose
einzeichnen *vt* sketch (s.th.) in
Einzel *s* <-s, -> (SPORT *bei Tennis, Tischtennis etc.*) singles *pl;* **Einzelbett** *s* single bed; **Einzelfall** *m* special case; **Einzelgänger(in** *f*) *m* loner; *FAM* lone wolf; **Einzelhandel** *m* retail trade; **Einzelhändler(in** *f*) *m* retailer; **Einzelheit** *f* detail; ◇ **etw in allen ~en schildern** to describe s.th. down to the last detail; **einzeln I.** *adj* [1] single, individual; ◇ **ein ~er Baum** one solitary tree [2] ↑ *isoliert, für sich* separate; ◇ **der ~e Mensch** the only person **II.** *adv* separately; ◇ **jede(r) ~e** each one separately; ◇ **bis ins ~e gehen** to go into details; ◇ **etw im ~en besprechen** to discuss s.th. in detail; **Einzelteil** *s* single component; **Einzelzimmer** *s* single room
einziehen *unreg* **I.** *vt* [1] (*nach innen ziehen*) draw (s.th.) in; → *Kopf* duck; → *Bauch* pull in; → *Fühler, Fahrgestell* retract; ◇ **der Hund zieht den Schwanz ein** the dog puts its tail between its legs [2] → *Steuern* collect; → *Pfandbriefe* redeem [3] (JURA *Vermögen*) confiscate; (*Führerschein*) withdraw [4] MIL draft, call up [5] TECH → *Balken, Decke* put in; → *Schraube* tighten **II.** *vi* [1] (*in Wohnung*) move in [2] ↑ *einmarschieren* ← *Truppen* march in [3] (*Friede, Ruhe*) come [4] (← *Creme, Salbe, in Haut*) penetrate
einzig *adj* [1] ▷*Kind, Stuhl, Freude* only, single; ◇ **ein ~es Mal** only the once; ◇ **der/die ~e** the only one; ◇ **kein ~es Wort** not a single word [2] ↑ *beispiellos* unique, singular; ◇ **das war eine ~e Katasprophe** that was an utter disaster; **einzigartig** *adj* unique
Einzug *m* [1] (*in Wohnung*) moving in [2] ▷*halten* entry [3] (*von Geldern*) collection [4] TYP indent
Eis *n* <-es, -> [1] (*von Wasser*) ice [2] (*Speise~*) ice-cream; **Eisbahn** *f* skating rink; **Eisbär** *m* polar bear; **Eisberg** *m* iceberg; **Eisbrecher** *m* ice-breaker; **Eisdecke** *f* layer of ice; **Eisdiele** *f* ice-cream parlour
Eisen *s* <-s, -> [1] (*Metall*) iron [2] (*Bügel~*) (flat-)iron; (*Huf~*) horseshoe; (*Brech~*) crowbar [3] *FIG* ◇ **ein heißes ~** risky business, a hot potato
Eisenbahn *f* railway; *US* railroad; (*Zug*) train; *FAM* ◇ **es ist höchste ~** it's high time; **Eisenbahnnetz** *s* railway network; **Eisenbahnschaffner(in** *f*) *m* railway conductor; **Eisenbahnübergang** *m* level crossing; **Eisenbahnwagen** *m* railway-carriage
Eisenerz *s* iron ore
eisern *adj* [1] iron [2] *FIG* ↑ *stark, zäh* ▷*Gesundheit* cast-iron; ▷*Energie* relentless; ▷*Disziplin* iron
eisfrei *adj* ▷*Straße* ice-free, clear of ice; **Eishockey** *s* ice hockey; **eisig** *adj* [1] ▷*Kälte* freezing cold [2] *FIG* ▷*Blick, Atmosphäre* icy, glacial; **eiskalt** *adj* ice-cold; **Eiskunstlauf** *m* figure skating; **Eisläufer(in** *f*) *m* ice-skater; **Eispickel** *m* ice pick; **Eisschießen** *s* curling; **Eisscholle** *f* ice floe; **Eisschrank** *m* refrigerator; **Eistüte** *f* ice-cream cone; **Eiszapfen** *m* icicle; **Eiszeit** *f* ice age
eitel *adj* ▷*Person* vain; **Eitelkeit** *f* vanity
Eiter *m* <-s> pus; **eit[e]rig** *adj* ▷*Entzündung*

purulent, festering; **eitern** *vi* ← *Wunde* suppurate

Eiweiß *s* <-es, -e> [1] (*von Ei*) egg white [2] CHEM protein

Eizelle *f* BIO egg cell, ovum

Ekel [1] *m* <-s> aversion (*vor dat* to)

Ekel [2] *s* <-s, -> *FAM* loathsome person, horror

ekelerregend *adj* → *Gestank* nauseating; **ekelhaft** *adj* → *Geruch* disgusting, offensive; **ek[e]lig** *adj* ↑ *widerlich, abstoßend* repulsive; **ekeln** I. *vt* disgust; ◇ **ich ekle mich vor dem Schwein** the pig nauseates/disgusts me II. *vr* ◇ **sich** ~ be disgusted (*vor dat* by), have aversion (*vor dat* to)

Ekstase *f* <-, -n> ecstasy; ◇ **in** ~ **geraten** to get ecstatic (*über akk* over)

Ekzem *s* <-s, -e> MED eczema

Elan *m* <-s> energy

elastisch *adj* ▷*Material* elastic; **Elastizität** *f* elasticity

Elch *m* <-[e]s, -e> moose

Elefant *m* [1] elephant [2] *FAM* a bit of an elephant

elegant *adj* [1] (*Aussehen*) elegant, smart [2] ↑ *gewandt* ▷*Ausdrucksweise* elegant, polished [3] ↑ *geschickt* ▷*Lösung* elegant, clever; **Eleganz** *f* [1] elegance [2] ↑ *Gewandtheit* fluency, gracefulness

Elektriker(in *f*) *m* <-s, -> electrician; **elektrisch** *adj* ▷*Eisenbahn, Maschine* electric(al); **elektrisieren** *vt* [1] electrify [2] *FIG* ↑ *begeistern* → *jd-n* thrill; **Elektrizität** *f* electricity; **Elektrode** *f* <-, -n> electrode; **Elektroherd** *m* electric oven

Elektrolyse *f* <-, -n> electrolysis

Elektron *s* <-s, -en> electron; **Elektronenmikroskop** *s* electron microscope; **elektronisch** *adj* electronic; ◇ **-e Datenverarbeitung** electronic data processing; **Elektrorasierer** *m* <-s, -> electric razor

Element *s* <-s, -e> [1] (*Bestandteil*) factor, constituent [2] (*Erde, Feuer*) element [3] CHEM ▷*chemisch* element [4] ↑ *Bauteil* component [5] ◇ **sie ist in ihrem** ~ she is in her element

elementar *adj* [1] ↑ *grundlegend* ▷*Wissen* elementary [2] ↑ *naturgewaltig* elemental

elend *adj* [1] (*krank*) ill, sick, miserable; ◇ **sich** ~ **fühlen** to feel terrible [2] ↑ *armselig* ▷*Behausung* wretched [3] ↑ *niederträchtig* ▷*Person* mean, vile; **Elend** *s* <-[e]s> (*Not*) distress, wretchedness; **Elendsviertel** *s* slum

elf *nr* eleven; **Elf** *f* <-, -en> SPORT eleven

Elfe *f* <-, -n> elf

Elfenbein *s* ivory

Elfmeter *m* SPORT penalty

eliminieren *vt* eliminate

Elite *f* <-, -n> elite

Elixier *s* <-s, -e> elixir

Ellbogen *m* [1] ANAT ▷*aufstützen* elbow [2] *FIG* ◇ **seine** ~ **gebrauchen** to elbow o.'s way through; **Ellbogengesellschaft** *f* me-first society

Elle *f* <-, -n> [1] ANAT ulna [2] (*Maß*) ≈yard

Ellipse *f* <-, -n> [1] LING ellipsis [2] MATH ellipse

Elster *f* <-, -n> magpie

elterlich *adj* ▷*Liebe, Rechte* parental; **Eltern** *pl* parents *pl;* **Elternabend** *m* parents' evening; **Elternhaus** *s* parental home, family; **elternlos** *adj* without parents, orphaned

Email *s* <-s, -s> enamel; **emaillieren** *vt* enamel

Emanze *f* <-, -n> *often PEJ FAM* women's libber; **Emanzipation** *f* (*der Frau*) emancipation; **emanzipieren** *vtr* ◇ **sich** ~ emancipate

Embargo *s* <-s, -s> (*Waffen~*) embargo

Embryo *m* <-s, -s *o.* -nen> embryo

Emigrant(in *f*) *m* emigrant; **Emigration** *f* emigration; **emigrieren** *vi* emigrate

empfahl *impf v.* **empfehlen**

empfand *impf v.* **empfinden**

Empfang *m* <-[e]s, Empfänge> [1] ↑ *Annahme, Erhalten* (*von Ware, Post etc.*) receipt; ◇ **etw in** ~ **nehmen** to take delivery of s.th. [2] ↑ *Begrüßung* ▷*herzlich* welcome [3] ↑ *Audienz* (*Neujahrs~*) reception [4] (*von Radio, Fernsehen*) ▷*gut, gestört* reception; **empfangen** <empfing, empfangen> I. *vt* ↑ *entgegennehmen* accept II. *vti* [1] (*Gäste*) welcome, receive [2] → *Kind* conceive; (*Frau*) conceive, become pregnant; **Empfänger(in** *f*) *m* <-s, -> [1] (*von Brief*) addressee, recipient [2] (COMM *von Ware*) consignee, recipient [3] ↑ *Rundfunkgerät* receiving-set; **empfänglich** *adj* receptive (*für* to)

Empfängnis *f* conception; **Empfängnisverhütung** *f* contraception

Empfangsbestätigung *f* acknowledgement; **Empfangsbüro** *s* reception office; **Empfangsdame** *f* receptionist

empfehlen <empfahl, empfohlen> I. *vt* → *Hotel, Buch, Film* recommend; ◇ **das ist sehr zu** ~ that is highly recommended II. *vr* ◇ **sich** ~ take o.'s leave; ◇ **es empfiehlt sich, …** it is advisable to …; **empfehlenswert** *adj* ▷*Buch, Produkt* recommendable; **Empfehlung** *f* [1] ↑ *Rat* recommendation [2] ↑ *Referenz* reference; ◇ **auf** ~ **von jdm** on recommedation of s.o; **Empfehlungsschreiben** *s* letter of recommendation

empfinden <empfand, empfunden> *vt* [1] → *Käl-*

te, Wärme feel, have a sensation of [2] → *Mitleid, Reue* have, feel; **empfindlich** *adj* [1] ▷*Meßgerät* sensitive [2] ▷*Haut* tender; ◇ **gegen Schmerz** ~ susceptible to pain; ◇ **gegen Kälte ~ sein** to feel the cold [3] ▷*Stoff* delicate [4] ▷*Person* ↑ *reizbar* irritable; ↑ *leicht gekränkt* thin-skinned [5] ↑ *schwer* ▷*Strafe, Verlust* heavy, severe; **Empfindlichkeit** *f* sensitivity; **empfindsam** *adj* sensitive; **Empfindung** *f* [1] (*Kälte-, Schmerz-*) sensation [2] ↑ *Gefühl* feeling, sentiment

empfing *impf v.* **empfangen**

empfohlen *pp von* **empfehlen**

empfunden *pp von* **empfinden**

empirisch *adj* empiric(al)

empor *adv* up, upward(s)

empören *vti* ◇ **sich** ~ to be angry (*über akk* at); **empörend** *adj* ▷*Benehmen* infuriating

emporkommen *unreg vi* [1] ↑ *sich hinaufarbeiten* work o.e's way up [2] ↑ *hochkommen, auftauchen* ← *Modeerscheinung* emerge; **Emporkömmling** *m* upstart

Empörung *f* indignation (*über akk* at)

emsig *adj* ▷*Person* hard-working

End- *in Zusammensetzungen* (*endgültig*) final; **Endauswertung** *f* final analysis; **Endbahnhof** *m* RAIL terminus

Ende *s* <-s, -n> [1] ↑ *Schluß* (*von Buch, Film*) end; ◇ **am** ~ at the end; ◇ **zu ~ sein** to be finished [2] ↑ *Abschluß* (*von Jahr, Tag*) close; ◇ ~ **Juli** toward the end of July [3] ↑ *Tod* death [4] ↑ *letztes Stück* (*von Straße etc.*) end [5] (*FIG völlig erschöpft*) ◇ **am ~ sein** to be at the end of o.'s tether; **enden** *vi* come to an end

Endgerät *s* PC terminal

endgültig *adj* ▷*Entscheidung* final

Endivie *f* endive

Endlagerung *f* (*von radioaktiven Abfällen*) permanent storage

endlich I. *adv* finally; ◇ **na ~!** at last! **II.** *adj* final, ultimate; (MATH *Ggs zu unendlich, ewig*) finite

endlos *adj* [1] (*unendlich*) infinite; ▷*Reise* endless [2] ▷*Gerede* incessant; **Endlospapier** *s* PC continuous stationery, endless paper

Endpunkt *m* (*Fahrtziel*) destination

Endreim *m* end rhymne

Endrunde *f* SPORT (*bei Weltmeisterschaft*) final (round)

Endspiel *s* SPORT final

Endspurt *m* SPORT final sprint, finish

Endstation *f* (*von Bus, Bahn*) terminus, terminal

Endung *f* LING ending

Endverbraucher(in *f*) *m* COMM end user

Energie *f* [1] (*Sonnen-, Atom-*) energy; PHYS ◇ **potentielle** ~ potential energy [2] *FIG* ↑ *Vitalität, Tatkraft* drive, vitality; ◇ **voller** ~ full of energy; **Energiebedarf** *m* energy requirements *pl;* **Energiekrise** *f* energy crisis; **energielos** *adj* ▷*Person* listless, lifeless; **Energiequelle** *f* source of energy; **Energieversorgung** *f* power supply; **Energiewirtschaft** *f* power industry

energisch *adj* [1] energetic; ▷*Person* vigorous [2] (*entschlossen*) resolute; ▷*Auftreten* forceful

eng *adj* [1] ▷*Straße* narrow; ▷*Zimmer* cramped; ▷*Raum* confined; ▷*Hose* tight [2] ↑ *dicht* close; ◇ **~ aneinander stehen** to stand close together [3] *FIG* ↑ *eingeschränkt* restricted; ▷*Horizont* narrow; ▷*Bedeutung* limited; *FAM* ◇ **etw ~ sehen** to look at s.th. from a narrow point of view [4] *FIG* intimate; ▷*Beziehung* close; ◇ ~ **befreundet sein** to be on very close terms; *FAM* to be great pals

Engagement *s* <-[s]> [1] (*für Ökologie etc.*) commitment (*für* to) [2] ↑ *Anstellung* (*von Künstler*) engagement; **engagieren I.** *vt* → *Künstler* engage **II.** *vr* ◇ **sich** ~ put o.s. out (*für* for)

Enge *f* <-, -n> [1] (*von Raum, Straße*) narrowness, confined nature [2] (GEO *Meer-*) straits *pl;* (*Land-*) isthmus [3] *FIG* (*von Horizont*) narrowness [4] *FIG* ↑ *Bedrängnis* tight corner; ▷*finanziell* squeeze; ◇ **jd-n in die ~ treiben** to drive s.o. into a corner

Engel *m* <-s, -> [1] *REL* (*Schutz-*) angel [2] *FAM* angel, darling [3] ◇ **rettender** ~ guardian angel

Engerling *m* white grub

engherzig *adj* ▷*Person* mean and petty

England *s* England; **Engländer**[1] **(in** *f*) *m* <-s, -> English person, Englishman

Engländer[2] *m* <-s, -> TECH monkey wrench

englisch *adj* English; **Englisch** *s* LING English; ◇ **~ lernen** to learn English

Engpaß *m* [1] ↑ *Schlucht* ▷*passieren* defile [2] *FIG* ↑ *Mangel* bottleneck

en gros *adv* wholesale

engstirnig *adj* [1] ▷*Person* narrow-minded [2] ▷*Entscheidung* short-sighted

Enkel(in *f*) *m* <-s, -> grandchild

en masse *adv* en masse

enorm I. *adj* → *Kosten* enormous; *FAM* ◇ **das ist ja ~!** that's terrific! **II.** *adv:* ◇ ~ **wichtig** enormously important, of paramount importance

Ensemble *s* <-s, -s> [1] THEAT, MUS ensemble, company [2] *MODE* ensemble

entbehren I. *vi* be without, lack; ◇ **der Vorwurf entbehrt jeder Grundlage** *gen* the reproach is totally without foundation **II.** *vt* do without, for(e)go; ◇ **viel ~ müssen** to have to for[e]go a lot;

◇ **ich kann sie nicht** ~ I can't live without her; **entbehrlich** *adj* dispensable; **Entbehrung** *f* ↑ *Not, Mangel* privation; ◇ **-en auf sich nehmen** to wear a hair shirt

entbinden *unreg* **I.** *vt* [1] ↑ *freisprechen* (*von Verpflichtung*) release (*von* from) [2] MED deliver **II.** *vi* MED → *Kind* give birth; **Entbindung** *f* [1] (*von Pflicht, Bedingung*) release (*von* from) [2] MED delivery, confinement; **Entbindungsheim** *s* maternity home

entblößen *vt* → *Körper* undress

entdecken *vt* [1] → *Kontinent* → *Heilmittel* discover [2] ↑ *ausfindig machen* → *Fehler* find out, detect; **Entdecker**, **in** *m* <-s, -> (*eines Sterns*) discoverer; **Entdeckung** *f* [1] (*eines Sterns*) discovery [2] (*eines Fehlers*) discovery, detection; **Entdeckungsreise** *f* expedition, voyage of discovery; *FAM* ◇ **auf** ~ **gehen** to go exploring

Ente *f* <-, -n> ZOOL [1] duck [2] *FIG* hoax; (*Zeitungs*~) false story in the press

entehren *vt* → *Familie* dishonour

enteignen *vt* → *Güter* expropriate

enteisen *vt* → *Kühlschrank* defrost

enterben *vt* disinherit; **Enterbung** *f* disinheritance

entfallen *unreg vi* [1] ↑ *sich erübrigen* be redundant; ↑ *wegfallen* slip from s.o.'s hands; ◇ **-entfällt-** (*auf Formular*) not applicable [2] ↑ *vergessen werden* be forgotten; ◇ **der Name ist mir** ~ the name escapes me [3] ↑ *zukommen* → *Anteil* be alotted to s.o.; ◇ **auf ihn entfällt ein Drittel** he gets a third

entfalten I. *vt* [1] ↑ *auseinanderfalten* → *Zeitung* unfold [2] → *Plan* exhibit [3] *FIG* ↑ *entwickeln* → *Begabung* evolve, develop [4] → *Blüte* burst open [5] → *Tätigkeit* display **II.** *vr* ◇ **sich** ~ [1] ← *Knospe* open [2] ↑ *sich entwickeln* ⊳*beruflich* develop; **Entfaltung** *f* [1] (*das Entfalten*) unfolding [2] *FIG* ↑ *Entwicklung* development; (*von Begabung*) evolution; (*von Person*) personal growth; ◇ **zur** ~ **kommen** to achieve potential [3] ↑ *Darlegung* (*von Plan*) presentation

entfernen I. *vt* [1] ↑ *wegschaffen, abmontieren* → *Schild, Plakat* remove (*von* from) [2] ↑ *jd-m kündigen* (*aus Amt*) dismiss **II.** *vr* ◇ **sich** ~ [1] ↑ *weggehen* withdraw [2] *FIG* ↑ *abweichen* deviate; ◇ **sich vom Thema** ~ to come off the subject; **entfernt** *adj* [1] ⊳*Ort* distant, far-away [2] *FIG* ◇ **eine -e Verwandte** a distant relation; **Entfernung** *f* [1] *auch FIG* distance [2] ↑ *Beseitigung* removal [3] (*aus Amt*) dismissal; **Entfernungsmesser** *m* <-s, -> FOT rangefinder

entflammen *vt* [1] → *Feuer* kindle [2] *FIG* → *Liebe, Haß* rouse

entfremden I. *vt* alienate (*dat* from) **II.** *vr:* ◇ **sich [jd-m/einer Sache]** ~ to become estranged (*von* from)

entfrosten *vt* defrost; **Entfroster** *m* <-s, -> AUTO defroster

entführen *vt* → *Kind, Politiker* kidnap, abduct; **Entführer(in** *f*) *m* kidnapper; **Entführung** *f* kidnapping; (*Flugzeug*~) hijack

entgegen I. *präp dat* ↑ *im Gegensatz zu* contrary to; ◇ ~ **seinem Versprechen** contrary to his promise **II.** *adv* (*Richtung*) toward(s); ◇ **der Sonne** ~ toward(s) the sun; **entgegenbringen** *unreg vt* [1] ◇ **jd-m etw** ~ to carry s.th. toward s.o. [2] *FIG* ◇ **jd-m Vertrauen** ~ to show trust in s.o.; **entgegengehen** *unreg vi* [1] (*auf jd-n zugehen*) go toward; ◇ **jd-m ein Stück** ~ to go to meet s.o. halfway [2] ↑ *nähern* approach; ◇ **dem Untergang** ~ to head for destruction; **entgegengesetzt** *adj* [1] ↑ *umgekehrt* ⊳*Richtung* opposite [2] ↑ *gegenteilig, widersprechend* ⊳*Meinung* opposed; **entgegenhalten** *unreg vt* hold s.th. out to s.o.; *FIG* ↑ *entgegnen, einwenden* object; ◇ **jd-m etw** ~ to confront s.o. with s.th.; **entgegenkommen** *unreg vi* [1] (*von Auto*) approach s.o. (*jd-m* s.o.) [2] *FIG* make concessions (*jd-m* to s.o.) [3] ◇ **er kam mir entgegen** he came to meet me; **Entgegenkommen** *s* <-s> [1] ↑ *Zugeständnis* concession; ◇ ~ **zeigen** to be accommodating [2] ↑ *Aufmerksamkeit* courtesy; **entgegenkommend** *adj* [1] ↑ *liebenswürdig, nett* ⊳*Person* friendly [2] ↑ *aufmerksam, hilfsbereit* ⊳*Verhalten* obliging; **entgegennehmen** *unreg vt* [1] *annehmen, in Empfang nehmen* → *Glückwünsche, Geschenk* accept; → *Telefonanruf* take [2] ↑ *notieren, aufnehmen* → *Bestellung, Auftrag* receive; **entgegensehen** *unreg vi* ⊳*gelassen, erwartungsvoll* await, look forward to; ◇ **dem Tod** ~ to face death; **entgegensetzen** *vt* counter; ◇ **dem Vorwurf habe ich nichts entgegenzusetzen** I have no answer to that reproach; **entgegenstellen I.** *vt* set against; (*vergleichen*) contrast (*dat* with) **II.** *vr:* ◇ **sich einer Sache/jd-m** ~ to oppose s.th./s.o.; **entgegenwirken** *vi* (*einem Einfluß*) counteract s.th.

entgegnen *vi* answer; ◇ **jd-m aufmerksam** ~ to give a helpful answer; **Entgegnung** *f* answer; (*scharf*) retort

entgehen *unreg vi* [1] ↑ *entkommen* ◇ **einer Gefahr** ~ to avoid a danger [2] ↑ *nicht wahrnehmen, nicht bemerken* ◇ **der Fehler ist mir entgangen** the mistake escaped my notice [3] ◇ **sich** *dat* **etw** ~ **lassen** to miss out on s.th.

entgeistert *adj* astonished; ◇ **jd-n** ~ **anblicken** to look at s.o. in astonishment

Entgelt *s* <-[e]s, -e> ① ↑ *Lohn, Bezahlung* payment ② ↑ *Entschädigung* (*für Mühen*) compensation

entgleisen *vi* ① RAIL be derailed ② *FIG* ▷*Mensch* go off the rails; (*Plan*) go wrong

entgräten *vt* → *Fisch* fillet

enthaaren *vt* depilate

enthalten *unreg* **I.** *vt* contain; ◇ **- sein** to be contained **II.** *vr:* ◇ **sich einer Sache -** to refrain from s.th.; ◇ **sich der Stimme** *gen* **-** to abstain; **enthaltsam** *adj* ① (*Mensch*) abstinent, abstemious ② ↑ *maßvoll* moderate; **Enthaltsamkeit** *f* abstinence, moderation

enthaupten *vt* decapitate

enthemmen *vt* → *jd-n* free s.o. of his/her inhibitions

enthüllen *vt* ① → *Denkmal* unveil ② *FIG* → *Geheimnis* reveal; **Enthüllung** *f* (*von Skandal etc.*) revelation

Enthusiasmus *m* <-> enthusiasm

entkernen *vt* → *Kirschen* stone

entkleiden *vt* undress

entkommen *unreg vi* escape (*dat* from)

entkorken *vt* uncork

entkräften *vt* ① → *jd-n* weaken ② ↑ *widerlegen* → *Behauptung* invalidate

entladen *unreg* **I.** *vt* ① → *Schiff* discharge; → *Lkw* unload ② → *Waffe* unload ③ ELEC → *Batterie* discharge **II.** *vr* ◇ **sich -** ① ELEC ← *Spannung* discharge; ← *Gewitter* break ② *FIG* ← *Wut* vent

entlang *adv, präp akk o dat* along; ◇ **an der Straße -** along the road, along; ◇ **- dem Bach, den Bach -** along the brook; **entlanggehen** *unreg vti* walk along; ◇ **am Bach** [*o.* **den Bach**] **-** to walk along the brook

entlarven *vt FIG* → *böse Absicht* unmask, expose; ◇ **jd-n als Betrüger** *akk* **-** to expose s.o. as a crook

entlassen *unreg vt* ① (*aus der Haft*) release ② → *Arbeiter* dismiss; **Entlassung** *f* ① (*aus Krankenhaus*) discharge; (JURA *aus Haft*) release ② (*von Arbeiter*) dismissal

entlasten *vt* ① (*Arbeitskraft*) relieve; (*Gewissen*) ease ② (FIN *Grundstück*) disencumber; (*Konto*) credit ③ → *Balken* stress-relieve; → *Verkehrsnetz* relieve ④ JURA → *Angeklagten* exonerate, clear; **Entlastung** *f* ① (*von Person*) relief; (*des Gewissens*) easing ② (*auf Konto*) credit; (*Entschuldung*) disencumbrance, discharge; ◇ **steuerliche -** tax relief ③ (*von Balken*) stress relief, unloading; (*von Verkehr*) easing ④ (JURA *Freispruch*) acquittal; **Entlastungszeuge** *m* witness for the defence

entledigen *vr:* ◇ **sich einer Sache -** to free o.s. of s.th.

entlegen *adj* ▷*Gegend* remote

entlehnen *vt* → *Wörter* → *Idee* borrow, adopt (*aus o. von* from)

entlocken *vt:* ◇ **jd-m ein Geheimnis -** to worm a secret out of s.o.

Entlohnung Entlöhnung *f* payment, remuneration

entmachten *vt* POL deprive (s.o.) of political power

entmilitarisiert *adj* ▷*Zone* demilitarized

entmündigen *vt* put (s.o.) under guardianship; ◇ **jd-n - lassen** to have s.o. declared unfit to manage their own affairs

entmutigen *vt* → *jd-n* discourage, dishearten

Entnazifizierung *f* denazification

entnehmen *unreg vt* ① (*herausnehmen*) take (*aus dat* from/out of); ◇ **der Tasche ein Schriftstück -** to take a document out of o.'s pocket; ◇ **einen Absatz aus einem anderen Text -** to take/lift a paragraph from a different text ② ↑ *folgern, schließen* infer, conclude (*dat* from); ◇ **[aus] seinen Worten entnehme ich, daß ...** from what he says I take it that ...

entnerven *vt* → *jd-n* unnerve; **entnervt** *adj* enervated

entpuppen *vr* ◇ **sich -** (*FIG sich zeigen*) reveal o.s.; ◇ **er hat sich als Versager entpuppt** he turned out to be a failure

entrahmen *vt* ▷*Milch* skim, separate

enträtseln *vt* ① ↑ *aufdecken, lösen* → *Geheimnis* unravel ② → *alte Schrift* decode

entrichten *vt* → *Betrag* pay (off)

entrosten *vt* free s.th. from rust

entrüsten **I.** *vt* outrage **II.** *vr* ◇ **sich -** get indignant (*über akk* at, about); **entrüstet** *adj* ▷*Mensch* angry; **Entrüstung** *f* indignation

Entsafter *m* juice extractor

entsagen *vi* (*dem Alkohol*) stop; *FAM* lay off, quit; (*dem Glauben*) renounce s.th.

entschädigen *vt* ① (*für Verluste*) compensate (*für* for) ② (*für Dienste*) recompense (*für* for) ③ (*Schadensersatz leisten*) pay damages (*für* for); **Entschädigung** *f* compensation

entschärfen *vt* ① → *Bombe* defuse ② → *Problem* mitigate, ameliorate

entscheiden *unreg* **I.** *vti* ① ↑ *bestimmen* decide (*über akk* on) ② JURA → *Fall* decide, judge; ◇ **durch Schiedsspruch -** to arbitrate ③ → *Kampf* give a (final) decision **II.** *vr* ◇ **sich -** make up o.'s mind; ◇ **sich für jd-n/etw -** to decide on s.o./s.th.; **entscheidend** *adj* ① (*ausschlaggebend*) decisive; ◇ **die -e Stimme** the casting vote ②

(*Augenblick*) crucial, critical; **Entscheidung** *f* ① ◇ **über eine Sache eine ~ treffen** to come to a decision about s.th. ② (*Ende*) conclusion; (*Entschließung*) resolution ③ JURA ↑ *Urteil* judgement; **entschieden I.** *adj* ① (*Angelegenheit*) decided; ▷*Ansicht* firm ② ↑ *eindeutig* definite **II.** *adv* ▷*befürworten* definitely; **Entschiedenheit** *f* ① (*Entschlossenheit*) decisiveness ② ◇ **mit ~ behaupten** to state categorically

entschlacken *vt* MED → *Körper* purify

entschließen *unreg vr* ◇ **sich ~** decide (*zu etwas* on to); **entschlossen** *adj* ① (*Mensch*) determined, resolute ② ◇ **zu allem ~ sein** to be equal to anything; **Entschlossenheit** *f* determination; **Entschluß** *m* decision; ◇ **e-n ~ fassen** to make up o.'s mind

entschlüsseln *vt* → *Kode, Text* decode

entschlußfreudig *adj* enterprising; **Entschlußkraft** *f* initiative

entschuldigen I. *vt* ① → *Verhalten* excuse, pardon; ◇ **~ Sie!** excuse me!, I beg your pardon!, sorry! ② → *Person* excuse **II.** *vr* ◇ **sich ~** ① apologize (*für* for) ② excuse o.s.; **Entschuldigung** *f* ① (*Verzeihung*) apology; ◇ **jd-n um ~ bitten** to apologize; ◇ **~!** (I'm) sorry! ② (*Vorwand*) excuse (*für* for) ③ SCH (*schriftliche ~*) note of excuse

Entschwefelung *f* desulfurization

entsetzen I. *vt* → *jd-n* horrify **II.** *vr* ◇ **sich ~** be dismayed; (*stärker*) be shocked; **Entsetzen** *s* <-s> dismay; (*stärker*) horror; **entsetzlich** *adj* ▷*Unglück* frightful

entsichern *vt* → *Pistole* release the safety catch (of s.th.)

entsorgen *vt* safely dispose of s.th.; ◇ **eine Stadt ~** to dispose of a town's waste; **Entsorgung** *f* (*Wegschaffen von Giftmüll*) waste management; (*von Kernkraftwerk*) disposal of (nuclear) waste

entspannen I. *vt* ① → *Muskeln* relax ② → *Krise* defuse **II.** *vr* ◇ **sich ~** ① (*Person*) ↑ *sich ausruhen* relax ② ← *Situation* ease off; **Entspannung** *f* ① (*von Muskeln*) relaxation ② (*von Situation*) alleviation of tension; **Entspannungspolitik** *f* policy of detente

entsprechen *unreg vi* ① correspond (*dat* to o with); ◇ **der Lohn entspricht der geleisteten Arbeit** the pay accords with the work done ② ◇ **einem Wunsch ~** to meet a wish; **entsprechend I.** *adj* ① ▷*Entschädigung* adequate; ▷*Benehmen* appropriate ② ↑ *betreffend, kompetent* ▷*Mitarbeiter, Amt* respective **II.** *adv* (*reagieren*) correspondingly **III.** *präp dat* in accordance with; ◇ **~ meinem Vorschlag** in keeping with my suggestion

entspringen *unreg vi* ① ← *Bach* rise ② ↑ *ausbrechen* ← *Tier, Häftling* escape ③ *FIG* ↑ *hervorgehen, stammen* ← *Haltung* spring (*dat* from)

entstehen *unreg vi* (*erwachsen*) develop; ← *Konflikte* arise; ← *Eindruck* be given; ← *Kosten* be incurred; ← *Leben* originate, come into being; **Entstehung** *f* origin

entstellen *vt* ① → *Gesicht* contort ② → *Ereignis* falsify; → *Wahrheit* misrepresent

entstören *vt* TELEC *Leitung*, ELEC clear; (*Gerät*) suppress, relieve s.th. of interference

enttäuschen *vt* ① → *Hoffnung* disappoint; ◇ **enttäuscht sein über** *akk*/**von** to be disappointed at/by ② → *Freund* disillusion; **Enttäuschung** *f* disappointment, disillusionment

entwachsen *unreg vi* outgrow (*dat* s.th.); ◇ **den Kinderschuhen ~** to put o.'s childhood behind one

Entwaffnung *f* disarmament

Entwarnung *f* all-clear

entwässern *vt Wasser entziehen* → *Sumpf* drain; → *Körper* dehydrate

entweder *cj*: ◇ **~ … oder** either … or

entwenden *vt* steal; ◇ **jd-m etw ~** to steal s.th. from s.o.

entwerfen *unreg vt* ① ↑ *gestalten* → *Zeichnung* sketch; → *Muster* design ② ↑ *entwickeln, ausarbeiten* → *Gesetz* frame; → *Plan* devise; → *Rede, Text* draft

entwerten *vt* ① → *Fahrkarte* invalidate; *FAM* stamp ② → *Aussage* diminish the value of s.th.; → *Geld* inflate, devalue; **Entwerter** *m* <-s, -> (*für Fahrkarten*) ticket-stamping machine; **Entwertung** *f* ↑ *Abwertung* devaluation; (*durch allgemeine Preiserhöhung*) inflation

entwickeln I. *vt* ① → *Modell, Produkt* develop ② → *Plan, Gedanke* elaborate ③ → *Geschmack* acquire; → *Stil* cultivate ④ → *Fähigkeit* develop ⑤ FOT → *Film* develop **II.** *vr* ◇ **sich ~** ① (*körperlich*) grow, mature (*zu* into); ← *Gedanke* evolve ② ← *Stadt* develop (*zu* into); ← *Handel* expand ③ ← *Rauch, Dampf* be generated; **Entwickler** *m* <-s, -> FOT developer; **Entwicklung** *f* ① (*von Produkt*) development ② (*von Embryo*) development, growth ③ (*von Plan*) elaboration ④ (*von Eigenschaften*) development, cultivation ⑤ ↑ *Tendenz* (*von Meinungen*) trend; **Entwicklungshelfer(in** *f*) *m* aid worker; **Entwicklungshilfe** *f* developmental aid; **Entwicklungsland** *s* developing country

entwöhnen *vt* ① → *Süchtige* cure; ◇ **jd-n einer Angewohnheit ~** to break s.o. of a habit ② → *Säugling* wean; **Entwöhnung** *f* (*von Abhängigen*) withdrawal; (*von Säugling*) ablactation

entwürdigend *adj* ↑ *demütigend* ▷*Zustände* demeaning

Entwurf *m* ① ↑ *Plan, Skizze* (*von Muster, Modell etc.*) design, sketch; (ARCHIT *von Haus etc.*) blueprint ② ↑ *Konzept* (*Vertrags-, Text-*) draft, outline

entziehen *unreg* **I.** *vt* ① ◇ **jd-m etwas** ~ to take s.th. away from s.o.; → *Unterstützung, Vertrauen* withdraw o.'s support of s.o.; (*Alkohol*) deprive s.o. of alcohol; → *Führerschein* revoke s.o.'s driving licence, ban s.o. from driving; → *Sorgerecht* withdraw [*o.* cancel] s.o.'s custody (of a child) ② → *Flüssigkeit* extract (*dat* from) **II.** *vr* ◇ **sich** ~ ① evade s.o., dodge s.th.; ◇ **sich einer Pflicht** *dat* ~ to back out of an obligation ② ◇ **sich jd-m** ~ to free o.s. of s.o., to escape s.o.; ◇ **das entzieht sich meiner Kenntnis** I don't know; **Entziehung** *f* ① (*von Vertrauen*) withdrawal ② (*von Besitz*) dispossession ③ (*von Rechten*) deprivation; (*von Führerschein*) forfeiture ④ (*von Flüssigkeit*) extraction; **Entziehungskur** *f* treatment for addicts, dry-out

entziffern *vt* → *Text, Schrift* decipher

entzücken *vt* delight; (*stärker*) enchant; **Entzücken** *s* <-s> delight (*über akk* at); **entzückend** *adj* ▷*Kind, Foto, Kleid* charming

Entzug *m* ① (*Wegnahme, Entziehen, von Bürgerrechten*) deprivation; (*von Wahlrecht*) dis(en)franchisement ② MED (*von Alkokhol*) withdrawal; ◇ **auf** ~ **sein** to be drying out; **Entzugsanstalt** *f* drug dependency clinic

entzünden **I.** *vt* ① → *Feuer, Streichholz* light ② *FIG* ↑ *hervorrufen, verursachen* → *Leidenschaft* trigger, arouse **II.** *vr* ◇ **sich** ~ ① ← *Holz* ignite ② ↑ *entstehen, entbrennen* ← *Leidenschaft, Haß* smolder, be aroused ③ MED ← *Wunde, Haut* become inflamed; **Entzündung** *f* (MED *von Wunde*) inflammation

entzwei *adv* in pieces; *FAM* ↑ *zerschlagen* ◇ ~ **sein** to be knackered/broken; **entzweibrechen** *unreg* **I.** *vt* → *Brot, Stab* break s.th. in two **II.** *vi* ← *Gefäß* split; **entzweien** **I.** *vt* → *Familie* divide; → *Freunde* divide people against each other **II.** *vr* ◇ **sich** ~ ↑ *auseinandergehen* fall out (*mit* with); **entzweigehen** *unreg vi* ← *Mantel* fall to pieces

Enzian *m* <-s, -e> gentian

Enzyklopädie *f* encyclop(a)edia

Enzym *s* <-s, -e> enzyme

Epidemie *f* epidemic; **Epidemiologie** *f* epidemiology

Epilepsie *f* epilepsy; **Epileptiker(in** *f*) *m* epileptic

Epilog *m* <-s, -e> epilogue

episch *adj* epic

Episode *f* <-, -n> ① THEAT subplot ② (*Ereignis*) episode, incident

Epoche *f* <-, -n> *Zeitabschnitt* ▷*historisch* epoch, era; **epochemachend** *adj* ▷*Erfindung* epochmaking

Epos *s* <-, Epen> epic poem

er *pron* he, it; ◇ **wenn ich er wäre** if I were him

erachten *vt* ↑ *halten für* consider, deem; ◇ **etw für/als nötig** ~ to regard s.th. as necessary; **Erachten** *s* opinion; ◇ **meines ~s** in my opinion

erarbeiten *vr* → *Vermögen* → *Kenntnisse* acquire s.th.; ◇ **sich** *dat* **ein Haus** ~ to work to pay for o.'s house

erbarmen *vr* ◇ **sich** ~ take pity (*gen* on *akk* on); **Erbarmen** *s* <-s> compassion (*mit* for); **erbärmlich** *adj* ① ↑ *armselig* ▷*Behausung* pitiful ② ↑ *schlecht* ▷*Leistung, Arbeit* pathetic ③ ↑ *gemein* ▷*Verhalten* wretched, base

erbauen *vt* ① ↑ *errichten* → *Gebäude* construct ② *FIG* ↑ *aufrichten, stärken* → *jd-n* give s.o. a lift; *FAM* ◇ **von etw nicht erbaut sein** to be left cold by s.th.; **Erbauer(in** *f*) *m* <-s, -> builder, architect; **erbaulich** *adj* uplifting; **Erbauung** *f* ① (*von Stadt, Gebäude*) construction ② *FIG* edification

Erbe *s* <-s> ① ▷*antreten* inheritance ② *FIG* ↑ *Hinterlassenschaft* ▷*kulturell* heritage; ▷*schweres* legacy; **Erbe** *m* <-n, -n> (*Erbender*) heir; **erben** *vti* inherit; → *Vermögen* come into s.th., be left s.th.; → *Begabung* inherit; *FAM* get

erbeuten *vt* take

Erbfaktor *m* BIO hereditary factor; **Erbfehler** *m* BIO hereditary defect; **Erbgut** *s* ① (*Besitz*) inheritance ② BIO genotype, genetic make-up; **Erbin** *f* heiress

erbitten *unreg vt* request

erbittern *vt* ↑ *erzürnen* embitter; **erbittert** *adj* vehement; ◇ ~ **um etw kämpfen** to fight for s.th. fiercely

Erbkrankheit *f* hereditary illness

erblassen *vi* turn pale; ◇ **vor Wut** ~ to go white with fury

erblich *adj* ▷*Krankheit* inheritable

erblicken *vt* ① catch sight of s.o./s.th. ② *FIG* ◇ **in jd-m einen Freund** ~ to see [*o.* regard] s.o. as a friend

erblinden *vi* go blind

Erbmasse *f* ① JURA estate ② BIO genotype

erbosen **I.** *vt* anger; *FAM* cross **II.** *vr* ◇ **sich** ~ get angry (*über akk* about)

erbrechen *unreg* **I.** *vt* ① → *Tür* break down ② → *Essen* throw up **II.** *vr* ◇ **sich** ~ be sick

Erbrecht *s* JURA inheritance law, probate

erbringen *unreg vt* → *Beweis* adduce

Erbschaft *f* inheritance; ◇ **eine ~ machen** to inherit a legacy; **Erbschaftssteuer** *f* estate/death duty

Erbse *f* <-, -n> pea; ◇ **grüne ~** green beans; *FAM* ◇ **etw an der ~ haben** to have a screw loose

Erdachse *f* earth's axis; **Erdanschluß** *m* ELEC earth, ground; **Erdanziehung** *f* gravity, earth's gravitational pull; **Erdarbeiten** *pl* ARCHIT groundwork; **Erdarbeiter** *m* groundworker; **Erdatmosphäre** *f* (earth's) atmosphere; **Erdball** *m* terrestrial globe, (the) earth; **Erdbeben** *s* earthquake

Erdbeere *f* strawberry

Erdboden *m* ground; ◇ **e-e Stadt dem ~ gleich machen** to level a town to the ground

Erde *f* <-, -n> [1] (the) earth, world; ◇ **auf ~n** on earth [2] ↑ *Boden* ground; (*FIG realistisch sein*) ◇ **mit beiden Beinen auf der ~ stehen** to have o.'s feet on the ground [3] ↑ *Humus* (*Blumen-*) soil, earth; **erden** *vt* ELEC → *Antenne* earth

erdenklich *adj* imaginable, possible; ◇ **jd-m alles ~ Gute wünschen** to wish s.o. all the very best

Erdgas *s* natural gas; **Erdgasvorkommen** *s* natural gas field

Erdgeschoß *s* ground floor; *AM* first floor

erdichten *vt* invent

Erdkabel *s* underground cable; **Erdkarte** *f* map of the world; **Erdkruste** *f* earth's crust; **Erdkugel** *f* [terrestrial] globe, (the) earth; **Erdkunde** *f* SCH geography

Erdnuß *f* peanut; **Erdnußbutter** *f* peanut butter; **Erdnußöl** *s* peanut oil

Erdoberfläche *f* earth's surface; **Erdöl** *s* crude oil, mineral oil; **Erdölgesellschaft** *f* oil company; **Erdölgewinnung** *f* oil production; **Erdölleitung** *f* pipe-line; **Erdölraffinerie** *f* oil refinery; **Erdölverarbeitung** *f* oil refining; **Erdreich** *s* ↑ *Boden* soil, earth, ground

erdrosseln *vt* stangle, throttle

erdrücken *vt* [1] (*totdrücken*) crush to death [2] *FIG* ↑ *überbelasten* ← *Sorgen* weigh down, oppress

Erdrutsch *m* landslide; **Erdrutschsieg** *m* POL landslide victory; **Erdteil** *m* continent

erdulden *vt* endure; → *Not* suffer

ereifern *vr* ◇ **sich ~** get excited [*o.* worked up] (*über akk* about)

ereignen *vr* ◇ **sich ~** occur, happen, take place; **Ereignis** *s* event; (*Vorfall*) occurrence; **ereignisreich** *adj* eventful

erfahren *unreg vt* **I.** [1] → *Neuigkeit* hear, learn [2] ↑ *erleben* experience **II.** *adj* ▷*Lehrer, Arzt* experienced; **Erfahrung** *f* [1] ▷*schlecht, gut* experience; ◇ **~en machen** to gain experience [2] ↑ *Wissen* ▷*umfangreich* experience, know-how [3] ◇ **etw in ~ bringen** to learn s.th.; **erfahrungsgemäß** *adv* from previous experience

erfassen *vt* [1] → *Daten, Personalien* register, record [2] ◇ **von einem Auto erfaßt werden** to get knocked down by a car [3] *FIG* ↑ *begreifen, verstehen* → *Problem* grasp, comprehend [4] *FIG* ↑ *befallen* ← *Furcht, Zweifel* overcome; **Erfassung** *f* (*Beschlagnahme*) requisition

erfinden *unreg vt* [1] (*Erfindung machen*) invent [2] ↑ *ersinnen, erdichten* → *Ausrede* dream up; **Erfinder(in** *f*) *m* inventor; **erfinderisch** *adj* [1] ▷*Mensch* inventive; ◇ **Not macht ~** necessity is the mother of invention [2] ↑ *schöpferisch* creative; **Erfindung** *f* invention [1] ↑ *Entdeckung* discovery [2] ↑ *Lüge* fabrication, invention; **Erfindungsgabe** *f* ingenuity, imagination

Erfolg *m* <-[e]s, -e> [1] (*Teil-*) success; ◇ **ein voller ~** a complete success; ◇ **~ haben** to meet with success; *FAM* to score; ▷*beruflich* to be successful [2] ↑ *Wirkung* outcome, effect; ◇ **etwas ohne ~ tun** *FAM* to draw a blank

erfolgen *vi* [1] ↑ *geschehen, stattfinden* happen, take place, occur; ← *Zahlung* be made, be effected; ← *Antwort* be given [2] ◇ **aus dieser Behauptung erfolgt, daß ...** it follows from this statement that...; **erfolglos** *adj* [1] ▷*Person* ▷*Unternehmen* unsuccessful [2] ▷*Versuch* fruitless, ineffectual; **Erfolglosigkeit** *f* failure, ineffectiveness; **erfolgreich** *adj* successful; **Erfolgsdenken** *s* positive thinking; **Erfolgserlebnis** *s* positive experience; **erfolgversprechend** *adj* ▷*Maßnahme* promising

erforderlich *adj* required, necessary; **erfordern** *vt* require

erforschen *vt* [1] *wissenschaftlich untersuchen* → *Gebiet* explore; → *Verhalten* study, research [2] get to the the bottom of s.th.; → *Meinung* inquire into s.th. [3] → *Gewissen* examine, search; **Erforschung** *f* [1] (*wissenschaftliche Untersuchung*) exploration, study [2] (*von Meinung, Gedanken*) examination [3] (*von Gewissen*) search

erfreuen I. *vt* → *jd-n* please **II.** *vr:* ◇ **sich an etw ~** *dat* to take delight in s.th.; ◇ **er erfreut sich bester Gesundheit** *gen* he's in the best of health; **erfreulich** *adj* [1] ▷*Ereignis* pleasant, agreeable [2] ↑ *gut* ▷*Ergebnis, Leistung* satisfactory, encouraging [3] ↑ *angenehm* ▷*Anblick* delightful, pleasing; **erfreulicherweise** *adv* happily; ◇ **~ geht es uns gut** fortunately we are in good health

erfrieren *unreg vi* ← *Mensch* freeze to death; ←

Zehen, Finger be frostbitten; ← *Pflanzen* be killed by frost

erfrischen I. *vr* ◇ **sich** ~ freshen up; (*mit Getränk*) refresh o.s. II. *vt* refresh, revive; **erfrischend** *adj* refreshing; **Erfrischung** *f* refreshment; **Erfrischungsraum** *m* buffet, refreshments *pl*

erfüllen I. *vt* [1] ← *Lärm* fill; ← *Duft* pervade [2] *FIG* satisfy; ◇ **meine Arbeit erfüllt mich ganz** I find my work completely satisfying [3] ↑ *zufriedenstellen* → *Bitte* satisfy; → *Versprechen* keep, stick to; → *Zweck* fulfil, serve II. *vr* ◇ **sich** ~ ← *Vorhersage* come true; ← *Wunsch* be realized

ergänzen I. *vt* [1] (*Text*) add, supplement [2] ↑ *vervollständigen* → *Liste* complete; LING → *Satzobjekt* complete II. *vr* ◇ **sich** ~ complement one another; **Ergänzung** *f* [1] (*Zusätzliches*) supplement; (*Korrektur*) amendment [2] (*Vervollständigung*) completion

ergeben *unreg* I. *vt* yield, result in; → *Betrag* total, work out at; ◇ **was hat die Untersuchung ~?** what was the result of the investigation? II. *vr* ◇ **sich** ~ [1] ↑ *aufgeben, kapitulieren* capitulate; (*dem Feind*) hold up o.'s hands [2] ↑ *zustandekommen* result, ensue; ◇ **dadurch ~ sich neue Probleme** and so new problems arise [3] turn out; ◇ **es hat sich ergeben** it turned out that III. *adj* [1] humble; ▷*Gesichtsausdruck* submissive; ◇ **jd-m treu ~ sein** to be utterly devoted to s.o. [2] addicted; ◇ **dem Spiel ~ sein** to be a compulsive player; **Ergebenheit** *f* (*Unterwürfigkeit*) submissiveness

Ergebnis *s* [1] (*Gesamt-*) (net) result, outcome [2] MATH ↑ *Lösung* solution, result [3] ↑ *Effekt, Wirkung* effect, consequence; **ergebnislos** *adj* without result

ergehen *unreg* I. *vi* → *amtlicher Bescheid* be issued; JUR ◇ **es ergeht folgendes Urteil** the judgement is as follows; ◇ **etw über sich** *akk* **~ lassen** to suffer [*o.* put up with] s.th. II. *vi impers:* ◇ **es ergeht ihr gut/schlecht** she is doing well/ badly III. *vr:* ◇ **sich in etw** *dat* ~ to indulge in s.th.

ergiebig *adj* [1] ↑ *lohnend* profitable; ▷*Geschäft* lucrative [2] ▷*Boden* rich, fertile [3] ↑ *sparsam* ▷*Wolle* economical

ergießen *vr* ◇ **sich ergießen** flow

Ergonomie *f* ergonomics *sg;* **ergonomisch** *adj* ergonomic

ergötzen I. *vt* amuse II. *vr* ◇ **sich** ~ be amused (*an dat* by)

ergreifen *unreg vt* [1] → *Arm* grasp; → *jd-n* hold [2] ↑ *festnehmen* → *Verbrecher* capture, seize [3] ↑ *erschüttern, bewegen* affect, stir [4] ↑ *wählen* → *Beruf* take up, choose; → *Maßnahmen* take; ◇ **die Flucht** ~ to take to o.'s heels, to flee; **ergreifend** *adj* ▷*Roman, Film* gripping; **ergriffen** *adj* moved, touched; **Ergriffenheit** *f* deep emotion

ergründen *vt* → *Geheimnis* fathom

Erguß *m* [1] (*Blut-*) haematoma, profuse bleeding; (*Samen-*) ejaculation [2] *FIG* ↑ *Redeschwall* torrent of words; *FAM* verbal diarrhoea

erhaben *adj* [1] (*erhöht*) raised [2] *FIG* ↑ *feierlich* elevated, lofty [3] *FIG* ◇ **über etw** *akk* **~ sein** to be above s.th.

erhalten *unreg* I. *vt* [1] ↑ *bekommen* → *Brief* receive; → *Auszeichnung* be awarded [2] ↑ *schützen, bewahren* → *Bauwerk* maintain, take care of; → *Tierart* save, preserve II. *adj* preserved; ◇ **gut** ~ in good condition; **erhältlich** *adj* available; **Erhaltung** *f* [1] (*von Gebäude*) maintenance, upkeep [2] (*von Tierart*) preservation

erhängen *vtr* ◇ **sich** ~ hang o.s.

erhärten I. *vt* [1] → *Ton* harden [2] *FIG* → *Aussage* corroborate II. *vr* ◇ **sich** ~ harden; → *Beton* set

erheben *unreg* I. *vt* [1] ↑ *emporheben* → *Glas, Hand* raise [2] ↑ *befördern* (*in Rangordung*) promote (*zu* to) [3] JURA ↑ *geltend machen, fordern* → *Anspruch* lodge; → *Klage* bring; → *Widerspruch* make; → *Steuern etc.* levy [4] ↑ *erfassen, registrieren* → *Daten* record [5] ◇ **für jd-n die Stimme** ~ to speak up for s.o. II. *vr* ◇ **sich** ~ [1] (*von Stuhl*) get up [2] ↑ *revoltieren* ← *Volk* rise up, revolt [3] ↑ *emporsteigen* soar [4] ← *Berg* rise; *FIG* ◇ **sich über jd-n** ~ to look down on s.o. [5] ← *Frage* arise; ← *Wind* blow up; **erheblich** *adj* [1] ↑ *deutlich, merklich* ▷*Unterschied* considerable [2] ↑ *wichtig, bedeutsam* ▷*Teil* important; **Erhebung** *f* [1] ↑ *Hügel* rise, hill [2] ↑ *Aufstand* (*Volks-*) uprising [3] ↑ *Beförderung* promotion [4] (*von Steuern, Gebühren*) collection; (JURA *von Klage etc.*) filing [5] ↑ *Ermittlung* (*von Daten*) survey

erheitern *vt* amuse; **Erheiterung** *f* entertainment; ◇ **zur allgemeinen** ~ to everyone's amusement

erhitzen *vtr* ◇ **sich** ~ [1] get hot [2] *FIG* → *Gemüt* get hot under the collar

erhöhen *vt* [1] → *Mauer* raise [2] *anheben, steigern* → *Gehalt* increase; → *Tempo* accelerate; → *Ansehen* enhance; → *Preise* raise

erholen *vr* ◇ **sich** ~ [1] (*sich ausruhen*) convalesce, recuperate [2] relax, rest [3] (*von Schock*) come round, recover; **erholsam** *adj* ▷*Schlaf* refreshing; **Erholung** *f* [1] (*Ruhe*) rest; ↑ *Zerstreuung* recreation [2] ↑ *Gesundwerden* recovery, convalescence ③ (*-surlaub, Kur*) vacation, rest cure; ◇ **sie ist zur** ~ she is on holiday; **erholungsbedürftig** *adj* in need of a rest, run down; **Erholungsheim** *s* convalescent home; **Erholungsort** *m* health resort

erhören *vt* REL hear; ◇ **Gott hat mich erhört** God heard my prayer

erinnern I. *vt* ① (*eine Verabredung*) remind (*jd-n an etw akk* to remind s.o. of s.th.) ② ◇ **sie erinnert mich an meine Schwester** she reminds me of my sister **II.** *vr* ◇ **sich** ~ to remember (*an akk* s.th./s.o.); **Erinnerung** *f* ① (*das Erinnern*) memory, recollection (*an akk* of) ② ↑ *Andenken* remembrance; ◇ **zur** ~ **an meine Schwester** in memory of my sister

erkalten *vi* ① (*von Lava*) cool down ② *FIG* ▹*Liebe* die

erkälten *vr* ◇ **sich** ~ be getting a cold, catch a chill; ◇ **erkältet sein** to have a cold; **Erkältung** *f* ▹*schwer, leicht* cold

erkämpfen *vt* → *Rechte* struggle for s.th.

erkennbar *adj* ▹*Merkmal* recognizable; **erkennen** *unreg* **I.** *vt* ① ↑ *wahrnehmen, sehen* perceive; → *Stimme, Farbe, jd-n* recognize; → *Unterschied* distinguish ② ↑ *wieder-* → *jd-n, etw* know (*an dat* by) ③ ↑ *einsehen* realize, see; → *Fehler* recognize ④ ◇ **jd-m etw zu** ~ **geben** to indicate s.th. to s.o.; ◇ **sich zu** ~ **geben** to reveal o.'s identity **II.** *vi* JURA: ◇ **auf eine Geldstrafe** ~ to impose a fine; **erkenntlich** *adj:* ◇ **sich** ~ **zeigen** to show o.'s gratitude (*für* for); **Erkenntlichkeit** *f* ① ↑ *Gegenleistung* appreciation ② ↑ *Dankbarkeit* gratitude; **Erkenntnis** *f* ① ↑ *Wissen, Vernunft* ▹*menschlich* understanding ② (*Selbst-*) knowledge ③ ↑ *Einsicht* insight, realization; ◇ **zur** ~ **gelangen** to realize; **Erkennung** *f* perception; **Erkennungsmarke** *f* MIL identity disc, tag

Erker *m* <-s, -> oriel; **Erkerzimmer** *s* room with an oriel

erklären *vt* ① ↑ *darlegen* explain, state; ◇ **jdm etw** ~ to explain s.th.; ◇ **sich** *dat* **etw** ~ **lassen** to have s.th. explained to one ② ↑ *zu deuten suchen* interpret, explain; → *Vorgang, Verhalten* analyze, expound; ◇ **sich** *dat* **etw** ~ to try to account for s.th. ③ ↑ *mitteilen* ▹*offiziell* announce; → *Krieg* declare; ◇ **eine Firma bankrott** ~ to declare a firm bankrupt; **erklärlich** *adj* ▹*Reaktion* understandable; **Erklärung** *f* ① (*Erläuterung*) explanation ② ↑ *Deutung* interpretation ③ ↑ *Definition* exposition ④ ↑ *Veranschaulichung* illustration ⑤ ↑ *Aussage* deposition ⑥ (*Liebes-*) declaration

erklettern *vt* clamber up

erkranken *vi* get sick, be taken ill (*an dat* with); **Erkrankung** *f* illness; (*leichte* ~) indisposition; (*schwere* ~) serious illness

erkunden *vt* ① → *Land, Gegend* explore ② ↑ *erfragen, zu erfahren suchen* → *Pläne* try to find s.th. out; **erkundigen** *vr* ◇ **sich** ~ inquire (*nach* after); ◇ **ich habe mich nach seiner Frau erkundigt** I inquired after his wife; ◇ **sie haben sich nach seinen Fall erkundigt** they inquired/ asked about his case; **Erkundigung** *f* inquiry; ◇ **über jd-n/etwas -en einholen** to make inquiries about s.o./s.th.; **Erkundung** *f* exploration, investigation

erlahmen *vi schwächer werden, nachlassen* ← *Person* tire; ← *Kraft, Eifer* diminish, abate

Erlaß *m* <-sses, -sse> ① ▹*amtlich* ordinance, writ ② ↑ *Aufhebung, das Erlassen* cancellation, release; (JURA *von Strafe*) remission; **erlassen** *unreg vt* ① ↑ *verordnen* issue s.th., order ② → *Schulden* waive; ◇ **jd-m etw** ~ to make an allowance for s.o., to exempt s.o.

erlauben I. *vt* ① allow, permit; ◇ **jd-m** ~**, etw zu tun** to allow s.o. to do s.th. ② (*ermöglichen*) enable; ◇ **meine Gesundheit erlaubt es mir nicht ...** my health makes it impossible for me to ... **II.** *vr* ◇ **sich etw** ~ ① (*sich leisten*) to be able to afford s.th.; ↑ *sich gönnen* to indulge in s.th. ② ↑ *sich anmaßen* presume; ◇ **was** ~ **Sie sich?** what do you think you are doing?; **Erlaubnis** *f* ① ↑ *Zustimmen* permission; ◇ **um** ~ **fragen** to ask for permission ② ↑ *Genehmigung* (*Fahr-*) permit; **Erlaubnisschein** *m* permit; **erlaubt** *adj* ▹*Fischfang, Jagd* permitted, lawful

erläutern *vt* explain; → *Text* comment on s.th.; (*mit Notizen*) annotate; **Erläuterung** *f* explanation, elucidation; (*Kommentar*) commentary

Erle *f* <-, -n> alder tree

erleben *vt* ① ↑ *erfahren, kennenlernen* experience; → *Enttäuschung* suffer; ◇ **etw am eigenen Leibe** ~ to experience s.th. in person ② (*als Zeuge*) witness ③ (*Geburtstag*) have; **Erlebnis** *s* ▹*aufregend, schön* experience

erledigen *vt* ① execute; → *Sache, Akte* deal with s.th.; → *Arbeit* finish; ◇ **die Einkäufe** ~ to do the shopping ② *FAM* ↑ *ermüden* → *jd-n* exhaust; ◇ **total erledigt sein** to be totally finished ③ (*FAM vernichten*) destroy; ▹*geschäftlich* ruin; ▹*körperlich* ↑ *umbringen* terminate, kill

erlegen *vt* → *Wild* kill

erleichtern *vt* ① → *Bürde* lighten; → *Arbeit* facilitate ② *FIG* → *Sorgen* allay; → *Gewissen* ease ③ → *Schmerzen* alleviate, relieve; **erleichtert** *adj* relieved; ◇ ~ **aufatmen** to give a sigh of relief; **Erleichterung** *f* ① (*von Last*) lightening ② (*von Schmerz*) easing; ◇ **jd-m ~ verschaffen** to give s.o. relief [3] (*von Angst, Sorge etc.*) alleviation [4] (*von Strafe*) relaxation

erleiden *unreg vt* [1] → *Ungerechtigkeit* endure [2] ↑ *zugefügt bekommen* → *Niederlage, Verlust* suffer

erlernbar *adj* ▷*schwer, leicht* learnable; **erlernen** *vt* → *Fertigkeit* acquire; → *Sprache* learn

erlesen *adj* ▷*Essen, Wein* choice; ↑ *elitär* ▷*Publikum* select

erleuchten *vt* [1] → *Zimmer* illuminate [2] *FIG* → *Geist* enlighten; **Erleuchtung** *f* [1] (*von Zimmer*) illumination [2] *FIG* ↑ *Erkenntnis* ◇ **plötzliche ~** sudden insight, flash of inspiration

erliegen *unreg vi* (*dem Feind*) be overpowered (*dat* by); (*einer Versuchung*) succumb (*dat* to); ◇ **einer Krankheit ~** to die of an illness

Erlös *m* <-es, -e> profit; (*aus Tombola etc.*) proceeds *pl* (*aus* from)

erloschen *adj* (*Vulkan*) extinct; ◇ **völlig ~** stone dead; **erlöschen** *vi* ← *Feuer, Licht* go out; **Erlöschen** *s* (*eines Vertrages*) lapse

erlösen *vt* (*retten, befreien*) liberate; (*von Schmerzen*) deliver; (*aus Misere*) rescue; (REL *von Schuld*) redeem; **Erlöser** *m* REL Redeemer, Saviour; **Erlösung** *f* [1] (*aus Gefangenschaft*) release [2] REL redemption

ermächtigen *vt* authorize, empower; **Ermächtigung** *f* [1] ↑ *Erlaubnis* authorization [2] ↑ *Vollmacht* authority

ermahnen *vt* exhort; **Ermahnung** *f* [1] (*dringende Aufforderung*) exhortation [2] (*Tadel*) reprimand, rebuke

ermäßigen *vt* → *Strafe* reduce; → *Preise* mark down; ◇ **ermäßigter Eintritt** reduced admission; **Ermäßigung** *f* reduction; (*Steuer~*) relief

ermessen *unreg vt* [1] → *Lage* judge; → *Kosten* calculate [2] → *Bedeutung* take, understand; **Ermessen** *s* <-s> judgement; ◇ **in jd-s ~ *dat* liegen** to be within s.o.'s discretion

ermitteln I. *vt* (*feststellen, herausfinden*) determine; → *Namen, Personalien* establish; → *Verbrecher* trace **II.** *vi:* ◇ **gegen jd-n ~** to make inquiries about s.o.; **Ermittlung** *f* [1] ↑ *Feststellung* determination [2] JURA (*Polizei~*) inquiries *pl* (*gegen, über jd-n* into), investigation (*gegen, über jd-n* of)

ermöglichen *vt* enable; ◇ **jd-m etw ~** to make s.th. possible for s.o.

ermorden *vt* → *jd-n* murder; **Ermordung** *f* murder

ermüden I. *vt* tire, exhaust **II.** *vi* ▷*schnell* tire, get exhausted; TECH fatigue; **ermüdend** *adj* [1] ▷*Reise* exhausting, tiring [2] ▷*Rede* tedious; **Ermüdung** *f* ↑ *Müdigkeit* tiredness, fatigue

ermuntern *vt* [1] ↑ *aufheitern* cheer up [2] ↑ *auffordern* encourage [3] ↑ *anregen* stimulate

ermutigen *vt* encourage

ernähren I. *vt* [1] (*Nahrung geben*) feed, nourish [2] (*FIG für Unterhalt sorgen*) → *Familie* support, provide for **II.** *vr* ◇ **sich ~** live (*von* on); **Ernährer(in** *f*) *m* <-s, -> provider; **Ernährung** *f* [1] ▷*gesund, vollwertig* food, nourishment, nutrition [2] ↑ *Unterhalt* (*von Familie*) maintenance

ernennen *unreg vt:* ◇ **jd-n zum Geschäftsleiter ~** to appoint s.o. managing director; **Ernennung** *f* appointment

erneuern *vt* [1] ↑ *instandsetzen* → *Haus, Dach* renovate, restore; (*Gerät*) overhaul [2] → *Firma* reform, restructure [3] ↑ *wiederholen* → *Antrag* repeat [4] ↑ *neu beleben* → *Freundschaft* resume; → *Vertrag* renew; **Erneuerung** *f* [1] (*von Gebäude etc.*) renovation; (*von Gerät*) overhaul; (*von Verschleißteil*) replacement [2] (*von Firma*) reorganization [4] (*von Freundschaft*) revival [5] (*von Vertrag*) renewal; **erneut I.** *adj* renewed; ▷*Versuch* fresh **II.** *adv* ↑ *wieder* anew; ◇ **~ etw tun** to try (once) again

erniedrigen I. *vt* → *jd-n* humiliate **II.** *vr* ◇ **sich ~** ↑ *demütigen, degradieren* to humble o.s.

ernst I. *adj* [1] ▷*Absicht* serious [2] ▷*Lage* grave, critical [3] → *Miene* earnest [4] ↑ *aufrichtig* genuine, sincere **II.** *adv:* ◇ **jd-n/etw ~ nehmen** to take s.o./s.th. seriously; **Ernst** *m* <-es> [1] (*von Person*) seriousness; → *Strenge* sternness [2] ◇ **das ist mein ~** I am quite serious, I am in earnest; ◇ **ich mache mit meinen Plänen ~** I'm putting my plans into effect [3] (*von Lage*) gravity, critical nature [4] ↑ *Bedeutsamkeit* (*von Ereignis*) solemnity; **Ernstfall** *m:* ◇ **im ~** in case of emergency; **ernstgemeint** *adj* ↑ *aufrichtig* ▷*Angebot* genuine; **ernsthaft** *adj* [1] *seriös, ernstzunehmend* ▷*Person* serious; ▷*Angebot* genuine [2] *schwerwiegend* ▷*Probleme* real; ▷*Verletzung, Krankheit* serious, bad; **Ernsthaftigkeit** *f* seriousness; **ernstlich** *adv* (*erkrankt*) seriously, gravely; (*verletzt*) badly

Ernte *f* <-, -n> [1] (*das Ernten, Obst~*) harvest [2] (*Ertrag*) crop; **Erntearbeiter(in** *f*) *m* harvest worker, seasonal worker; **Ernte[dank]fest** *s* harvest festival; **ernten** *vt* [1] (→ *Getreide, harvest*) reap; → *Obst* harvest, pick [2] *FIG* → *Beifall* earn

ernüchtern *vt* [1] (*nüchtern machen*) sober s.o. up [2] *FIG* disillusion, bring s.o. down to earth; **Ernüchterung** *f FIG* ↑ *Desillusionierung* disillusionment, disenchantment

erobern *vt* [1] MIL → *Stadt, Land* capture [2] *FIG*

→ *Herz* win; → *Publikum* take by storm; **Eroberung** *f* ① (MIL *von Land*) conquest ② (*FIG von Mensch*) conquest

eröffnen I. *vt* ① → *Laden* open ② (*einweihen*) inaugurate ③ → *Sitzung, Kongreß* open ④ (*Betrieb*) commence, set up ⑤ *FIG* ◇ **jd-m etwas** - to disclose s.th. to s.o. **II.** *vr* ◇ **sich** - ← *Möglichkeit* present itself; **Eröffnung** *f* ① (*von Geschäft, Firma etc.*) opening; ↑ *Gründung* establishment ② (*von Sitzung*) opening ③ ↑ *Mitteilung* disclosure; (*förmlich*) notification; **Eröffnungsrede** *f* opening speech; (*förmlich*) inaugural address

erogen *adj* ▷*Zonen* erogenous

erörtern *vt* → *Thema, Vorschlag* debate; *FAM* thrash out

Erosion *f* erosion

Erotik *f* eroticism; ↑ *Sinnlichkeit* sensuality; **erotisch** *adj* erotic, sensual

erpicht *adj:* ◇ **auf** *akk* **etwas - sein** to have o.'s heart set on s.th.

erpressen *vt* ① → *Lösegeld, Geständnis* extort ② ↑ *nötigen* → *jd-n* blackmail; **Erpresser(in** *f*) *m* <-s, -> blackmailer; **Erpressung** *f* blackmail, extortion

erproben *vt:* ◇ **jd-n/etwas** - to put s.o./s.th. to the test; ◇ **eine neue Methode** - to try out a new method

erraten *unreg vt* → *Lösung, Geheimnis* guess

erregen I. *vt* ① excite; ↑ *ärgern* irritate; → *erzürnen* infuriate ② ↑ *anregen, reizen* ▷*sexuell* stimulate, arouse ③ ↑ *hervorrufen* → *Neugier, Aufsehen* attract; → *Zweifel* raise **II.** *vr* ◇ **sich** - get excited (*über akk* about); **Erreger** *m* <-s, -> (*von Krankheiten*) cause; **Erregtheit** *f* ① (*Ärger*) agitation, excitement ② ▷*sexuell* arousal, heat; **Erregung** *f* ① ↑ *Verursachen* provocation; JUR ◇ **- öffentlichen Ärgernisses** disorderly conduct ② ↑ *Erregtheit* excitement, agitation

erreichbar *adj* ① ↑ *nicht weit weg* ▷*Ort* within reach ② (*telefonisch*) ▷*Mensch* available; ◇ **schwer - sein** to be difficult to get hold of; **erreichen** *vt* ① → *Ziel* reach; → *Alter* attain ② → *Zug* catch; → *Anschluß* make ③ (*jd-n*) get hold of s.o. ④ → *Zweck* accomplish; ◇ **was willst du damit -?** what's the point (of that)?, what do you have in mind?

errichten *vt* ① ↑ *aufstellen* → *Gebäude* build, put up; → *Denkmal* erect ② ↑ *gründen* → *Filiale* establish

erringen *unreg vt* achieve; → *Sieg* win

erröten *vi* (← *Person, vor Scham*) blush (*vor dat* with *akk* at)

Errungenschaft *f* ① ↑ *Neuerung* achievement ② *FAM* ↑ *Anschaffung* acquistion

Ersatz *m* <-es> ① (*Person, Sache*) replacement ② (*Kaffee-Ersatz*) substitute; (*Schadens-*) compensation, damages *pl* ③ ↑ *Reserve* backup; (SPORT *-spieler*) reserve; **Ersatzbefriedigung** *f* vicarious satisfaction; **Ersatzdienst** *m* MIL alternative service; **Ersatzreifen** *m* AUTO spare tyre; **Ersatzspieler(in** *f*) *m* substitute, reserve; **Ersatzteil** *s* spare part

erschaffen *unreg vt* create, make; **Erschaffung** *f* REL creation

erscheinen *unreg vi* ① ▷*pünktlich* come; (*bei Arbeit, Party*) attend, turn up; (*als Zeuge*) appear ② (*Buch, Zeitung*) be published; ◇ **monatlich -** to come out every month ③ ↑ *sich darstellen* appear, figure; ◇ **das erscheint mir bemerkenswert** that strikes me as remarkable; **Erscheinung** *f* ① ↑ *Aufmachung, Auftreten* appearance; ◇ **eine imposante -** an impressive occurrence; ◇ **äußere -** external appearance ② (*Natur-, Alters-*) phenomenon; (*Vorkommnis*) occurence ③ ↑ *Vision* spectre ④ ◇ **in - treten** to enter the picture; **Erscheinungsjahr** *s* year of publication

erschießen *unreg vt* shoot (s.o.) dead

erschlagen *unreg vt* strike (s.o.) dead, kill; (*FIG erschöpft*) ◇ **sich wie - fühlen** to feel dead-beat

erschließen *vt* ① → *Siedlung* develop ② → *Bergwerk* exploit; → *Hilfsquellen* tap

erschöpfen *vt* ① ▷*jd-n* exhaust; → *Geduld* exhaust ② → *Reserven* drain; → *Kasse* deplete ③ ↑ *ausführlich behandeln* → *Thema* go into s.th. in depth, exhaust; **erschöpfend** *adj* ① ▷*Marsch* exhausting ② *FIG* ▷*Antwort* exhaustive; **erschöpft** *adj* ① ▷*Mensch* exhausted, worn-out ② ↑ *verbraucht* ▷*Vorräte* spent, run-down; **Erschöpfung** *f* exhaustion

erschrecken I. <erschrak, erschrocken> *vt* frighten **II.** *vi* be frightened; **erschreckend** *adj* alarming, frightening

erschüttern *vt* ① → *Erdbeben* shake ② (*emotionell, jd-n*) upset; **Erschütterung** *f* ① (*Beben*) tremor ② (*FIG des Gemüts*) shock, emotional upset

erschweren *vt* impede, obstruct

erschwinglich *adj* affordable; → *Preise* reasonable

ersehen *unreg vt:* ◇ **aus etw -, daß ...** to learn from s.th. that ...

ersetzbar *adj* replaceable; **ersetzen** *vt* ① ↑ *auswechseln* exchange; → *Ersatzteil* replace; → *Person, Spieler* substitute ② ↑ *vertreten* represent; ◇ **jd-m den Vater -** to fulfil a father's function for him ③ → *Unkosten* pay; → *Verlust, Schaden* make good; ◇ **jd-m den Schaden -** to compensate s.o. for the damage

ersichtlich *adj* ▷*Grund* clear, obvious
ersinnen *vt* devise; *AM* think up
ersparen *vt* ① → *Geld* save (up) ② ◇ **sich Arbeit** ~ to save [*o.* spare] o.s. work; **Ersparnis** *f* ① ↑ *Einsparung* (*Kosten~*) savings *pl* (*an dat* on) ② ◇ ~se *pl* savings *pl*
erst *adv* ① ↑ *zunächst* (at) first; ◇ ~ **einmal** first of all; ◇ ~ **die Arbeit, dann das Vergnügen** business before pleasure ② ↑ *nicht eher als* not before; ◇ **sie kommt ~ morgen** she's not coming till tomorrow ③ ↑ *nicht mehr als* not more than; ◇ **sie ist ~ 18 Jahre alt** she's only 18 ④ ◇ **u. ich ~!** me too!
erstarren *vi* ① (*Körper*) stiffen; (*vor Kälte*) go numb ② (*Zement*) set; (*Lava*) solidify
erstatten *vt* ① → *Unkosten* reimburse ② ◇ **Bericht** ~ to report; ◇ **gegen jd-n Anzeige** ~ to report s.o. to the police
Erstaufführung *f* (THEAT *von Film auch*) première; **Erstauflage** *f* first edition
erstaunen *vt* surprise, astonish; **Erstaunen** *s* <-s> astonishment (*über akk* at); **erstaunlich** *adj* ① astonishing; ▷*Begebenheit* surprising ② ↑ *bewundernswert* remarkable; ▷*Leistung* amazing, brilliant; **erstaunt** *adj* surprised; (*stärker*) astonished
erstbeste(r, s) *adj PEJ* first, any; ◇ **den E~n heiraten** to marry the first man who comes along
erste(r, s) *adj* ① first; ◇ **als E~ am Ziel ankommen** to be first over the line ② ↑ *Ur-* → *Sünde* original ③ ◇ **bei ~ Gelegenheit** at your earliest convenience
erstechen *unreg vt* stab s.o. to death
erstehen *unreg* **I.** *vt* ↑ *kaufen* buy **II.** *vi* ← *Stadt* spring up, arise
erstens *adv* in the first place
erstere(r, s) *pron* the former
ersticken I. *vt* ① *Sauerstoff entziehen* → *jd-n* choke; → *Feuer* smother ② *FIG* → *Gefahr* neutralize; → *Revolte* stifle; → *Gefühl* suppress **II.** *vi* ① ← *Mensch* suffocate ② *FAM* ◇ **in Arbeit** ~ to be drowning in work; **erstickt** *adj* (*Stimme*) choked; **Erstickung** *f* suffocation
erstklassig *adj* ① (*Schütze, Anwalt*) crack ② (*Hotel*) first-class; (*Wein*) excellent ③ (*Wertpapiere*) gilt-edged; *AM* blue chip; **Erstkommunion** *f* first Communion; **erstmalig** *adj* ▷*Begegnung* unprecedented; **erstmals** *adv* for the first time, first
erstrebenswert *adj* ▷*Ziel* desirable
erstrecken *vr* ◇ **sich** ~ ① ▷*räumlich* extend, stretch; ◇ **das Grundstück erstreckt sich bis zu den Bäumen** the property extends as far as the trees; ◇ **sich kilometerweit** ~ to stretch for miles ② ▷*zeitlich* spread, cover; ◇ **sich über e-n Zeitraum von 7 Jahren** ~ (*Wirtschaftsplan*) to cover a timespan of 7 years; ◇ **sich über mehrere Wochen** ~ (*Gespräche*) to spread over several weeks ③ *FIG* ↑ *umfassen* ← *Planung* include
Erstschlag *m* MIL first strike
erstürmen *vt* take s.th. by storm
Erstwohnsitz *m* principal residence
ersuchen *vt* request (*um* for)
ertappen *vt:* ◇ **jd-n bei einer Lüge** ~ to catch s.o. lying; ◇ **jd-n auf frischer Tat** ~ to catch s.o. red-handed
erteilen *vt* → *Auskunft* → *Unterricht* give; → *Auftrag* place; → *Vollmacht* grant, give
Ertrag *m* <-[e]s, Erträge> ① (*Gewinn*) profit, proceeds *pl* ② (*Ernte~*) harvest, yield
ertragen *unreg vt* endure, bear; ◇ **das ist ja nicht zu** ~ that's intolerable; **erträglich** *adj* ① ▷*Schmerzen* bearable; ▷*Leben* tolerable ② ▷*Leistung* average, passable
ertränken I. *vt* drown; ◇ **seine Probleme in Alkohol** ~ to drown o.'s sorrows **II.** *vr* ◇ **sich ertränken** drown o.s.
erträumen *vr:* ◇ **sich** *dat* **etw** ~ to phantasize about s.th.
ertrinken *unreg vi* drown
erübrigen I. *vt* ① → *Geld* put aside, save ② → *Zeit* spare **II.** *vr* ◇ **sich** ~ be unnecessary, be redundant; ◇ **es erübrigt sich, darauf zu antworten** an answer is superfluous
erwachen *vi* ① (*wach werden*) awake ② *FIG* ← *Liebe* be awakened; **Erwachen** *s* awakening
erwachsen *adj* adult, grown-up; **Erwachsene(r)** *m+f* adult; (*von Standpunkt des Kindes*) grownup; **Erwachsenenbildung** *f* adult education
erwägen <erwog, erwogen> *vt* → *Möglichkeiten* weigh up; ↑ *prüfen* → *Plan* consider, assess; ↑ *überlegen* contemplate; ◇ **ich erwäge, morgen abzureisen** I'm thinking of leaving tomorrow; **Erwägung** *f* ① consideration, deliberation; ◇ **in ~ ziehen** to consider ② ↑ *Prüfung* examination
erwählen *vt* elect
erwähnen *vt* → *jd-n* mention; → *ein Ereignis* ~ refer to s.th.; ◇ **er hat mit keinem Wort erwähnt, daß ...** he didn't say a thing about ...; **Erwähnung** *f* mention
erwarten *vt* ① ↑ *warten auf* → *jd-n, Brief etc.* await; → *Kind* expect; ◇ **etw kaum ~ können** to be hardly able to wait ② ↑ *hoffen auf, rechnen mit* expect; ◇ **das war zu** ~ that was to be expected; **Erwartung** *f* ① (*Zustand*) expectancy ② (*Vorausgesehene*) prospect; ◇ **~en erfüllen** to come up to expectations

erwecken *vt* [1] arouse; (*aus Lethargie*) enliven; ◇ **jd-m zum Leben** ~ to revive s.o. [2] *FIG* → *Freude* bring; → *Hoffnung, Zweifel* give rise to, inspire; ◇ **den Eindruck** ~ to give the impression

erweisen *unreg* **I.** *vt* → *Gunst* do (s.o. a favour), grant (s.o. a favour); → *Dienst* render (s.o. a service); ◇ **jd-m einen schlechten Dienst** ~ to do s.o. a bad turn **II.** *vr* ◇ **sich** ~: ◇ **sich als ein Idiot** ~ to prove to be an idiot, to turn out to be an idiot

Erwerb *m* <-[e]s, -e> [1] (*bezahlte Tätigkeit*) living, livelihood [2] ↑ *Lohn* earnings *pl* [3] ↑ *Kauf, Anschaffung* purchase, acquisition; **erwerben** *unreg vt* [1] ↑ *kaufen* → *Grundstück* buy [2] ↑ *sich aneignen* → *Fähigkeit* acquire; **erwerbslos** *adj* unemployed; **erwerbstätig** *adj* gainfully employed

erwidern *vt* [1] (*auf Frage*) reply, respond (*auf akk* to); ◇ **nichts** ~ to make no reply [2] → *Gefälligkeit* return; (*Liebe*) reciprocate; → *Grüße* acknowledge

erwiesen *adj* proved

erwischen *vt* [1] → *Verbrecher* catch, collar [2] → *Bus* catch, make [3] *FAM* ◇ **mich hat's erwischt** (*Grippe*) I've caught it

erwünscht *adj* ▷*Kind* desired; ▷*Besuch* welcome

erwürgen *vt* strangle

Erz *s* <-es, -e> (*Eisen-*) ore

erzählen *vt* [1] → *Erlebnis* recount; → *Geschichte* tell; ◇ **jd-m etwas** ~ to tell s.o. s.th. [2] *FAM* ◇ **wem erzählst du das!** you're telling me!; **Erzählung** *f* [1] (*von Begebenheit*) account [2] (*Geschichte*) story, tale

Erzbischof *m* archbishop; **Erzengel** *m* archangel

erzeugen *vt* [1] ↑ *produzieren, herstellen* → *Waren* produce, manufacture [2] → *Energie* generate [3] ↑ *hervorrufen* → *Angst* create [4] (BIO *Nachkommen*) reproduce; **Erzeuger** *m* manufacturer; TECH generator; **Erzeugnis** *s* [1] ↑ *Ware* ▷*ausländisch* product [2] ↑ *Produkt* ▷*künstlerisch* creation; **Erzeugung** *f* production

Erzherzog *m* archduke

erziehen *unreg vt* educate; → *Kind* bring up; ◇ **jd-n** ~ **zu etw** to train s.o. as s.th.; **Erzieher(in** *f*) *m* tutor, educator; (*Gouvernante*) governess; **Erziehung** *f* [1] ▷*gut* upbringing [2] ↑ *Bildung* education, training; **Erziehungsberechtigte(r)** *m+f* parent, legal guardian

erzielen *vt* [1] → *Ergebnis* achieve [2] → *Tor* score

erzürnen *vt* infuriate

es *pron 3. Person sing, sächlich* (*nom + akk*) [1] he, she; ◇ ~ **ist schon 8 Jahre alt** he/she is already eight years old [2] it; ◇ **sie hat** ~ **neu gekauft** she bought it new [3] it; ◇ **niemand will** ~ **gesagt haben** nobody claims to have said it; ◇ ~ **hat nicht weh getan** it didn't hurt [4] ◇ ~ **ist mein Mann, der kocht** it's my husband who does the cooking; ◇ ~ **hat keinen Sinn** there's no point, it's pointless; ◇ ~ **ist 2 Uhr** it's 2 o'clock [5] ◇ **ich bin** ~ **müde ...** I'm tired of ...; ◇ **er hält** ~ **für nötig ...** he regards it as imperative ... [6] ◇ ~ **schneit** it's snowing; ◇ ~ **schläft sich gut hier** one sleeps well here; *FAM* it's comfy

Esche *f* <-, -n> ash

Esel *m* <-s, -> [1] donkey, jack-ass [2] *FAM* ◇ **du** ~! you ass!; **Eselin** *f* she-ass

Eskalation *f* (*von Gewalt*) escalation

eßbar *adj* ▷*Beere, Früchte* edible; **essen** <aß, gegessen> *vti* eat; *FAM* ◇ **gut** ~ to have a good feed, to eat well; **Essen** *s* <-s, -> [1] (*Nahrung*) food [2] ↑ *Mahlzeit* (*Abend-*) meal; (*festlich*) dinner

essentiell *adj* essential

Essig *m* <-s, -e> [1] ◇ ~ **u. Öl** vinegar [2] *FIG* ◇ **damit ist es** ~ so call the whole thing off; **Essiggurke** *f* gherkin

Eßkastanie *f* sweet chestnut; **Eßtisch** *m* dining table; **Eßwaren** *pl* food; (*Vorräte*) provisions *pl;* **Eßzimmer** *s* dining room

Estragon *m* <-> tarragon

etablieren *vr* ◇ **sich** ~ [1] ▷*geschäftlich* set up a business [2] (*in Gesellschaft*) become established

Etage *f* <-, -n> floor, storey; **Etagenwohnung** *f* flat

Etappe *f* <-, -n> [1] ▷*erste* ~ stage [2] ↑ *Zeitabschnitt* (*des Lebens*) period

Etat *m* <-s, -s> budget

etepetete *adj FAM* fussy

Ethik *f* ethics *sg;* **ethisch** *adj* ethical

Etikett *s* <-[e]s, -e> label

Etikette *f* <-> good manners, politeness

etliche *pron pl* several; ◇ ~ **Leute** quite a few people; **etliches** *pron* plenty

Etui *s* <-s, -s> (*Brillen-*) case

etwa *adv* [1] ↑ *ungefähr* about, approximately [2] (*vielleicht*) perhaps; ◇ **bist du** ~ **verrückt?** are you completely barmy?; ◇ **soll das** ~ **heißen ...** do you mean to tell me...

etwas I. *pron* anything, something; ◇ **hast du** ~ **gehört?** did you hear anything?; ◇ **haben wir** ~ **vergessen?** have we forgotten anything?; ◇ **ich möchte noch** ~ **sagen** I would like to add something; ◇ **er hat** ~ **Unsympathisches an sich** there is something disagreeable about him **II.** *adv* ↑ *ein* bißchen: ◇ ~ **besser** a bit better **III.** *adj* some; ◇ **laß dir ~ Zeit** give y.s. time to spare, leave y.s. some time

Etymologie *f* etymology

euch I. *pron akk, dat von* **ihr** (*vertraulich*) you, (to) you **II.** *pron* (*reflexiv*) yourselves; ◇ **bedient ~!** help yourselves!

euer *pron* (*possessiv*) your

Eule *f* <-, -n> owl

eure(r, s) *pron* (*substantivisch*): ◇ **wessen Auto ist das? - es ist ~s** whose car is that? - it is yours; **eurerseits** *adv* as far as you are concerned; ◇ **ist alles in Ordnung ~** is everything okay your end?; **euresgleichen** *pron* of your sort; ◇ **sie ist nicht ~** she is not in your type; **euretwegen** *adv* [1] ↑ *euch zuliebe* for your sakes [2] (*um euch, wegen euch*) because of you; ◇ **~ sind wir so weit gefahren** we have driven so far because of you

Eurokrat *m* <-en, -en> Eurocrat; **Europa** *s* <-s> Europe; **Europäer(in** *f*) *m* <-s, -> European; **europäisch** *adj* European; ◇ **E~e [Wirtschafts]Gemeinschaft** European (Economic) Community; **Euroscheck** *m* Eurocheque

Euter *s* <-s, -> (*Kuh~*) udder

Euthanasie *f* MED euthanasia

evakuieren *vt* → *Gebiet* → *Bevölkerung* evacuate

evangelisch *adj* ▷*Kirche* Protestant; **Evangelium** *s* Gospel

eventuell I. *adj* (*Ergebnis*) possible **II.** *adv* ↑ *möglicherweise* possibly; ◇ **~ komme ich morgen** perhaps I'll come tomorrow

EWG *f* <-> *Abk v.* **Europäische Wirtschaftsgemeinschaft** EEC

ewig *adj* [1] ↑ *immer* eternal, sempiternal; ◇ **das ~e Leben** eternal life [2] ↑ *alles überdauernd* ▷*Treue* everlasting [3] *FAM* ↑ *unaufhörlich* incessant; ◇ **das ~e Gerede habe ich satt** I've heard enough endless talk; **Ewigkeit** *f* eternity; *FAM* ◇ **das dauert ja eine ~!** it is taking forever!

exakt *adj* ▷*Angaben* precise, exact; ▷*Arbeit* accurate, scrupulous

Examen *s* <-s, - *o.* Examina> (*Staats~*) examination; *FAM* exam

Exekutive *f* POL executive (power)

Exemplar *s* <-s, -e> sample, specimen; (*Buch~*) copy; **exemplarisch** *adj* ▷*Lebenslauf* exemplary

exerzieren *vt* MIL drill, exercise; **Exerzierplatz** *m* parade ground

Exil *s* <-s, -e> exile; ◇ **im ~ leben** to live in exile

Existenz *f* [1] (*von Dingen*) existence; ▷*menschlich* existence [2] livelihood; ◇ **sich eine ~ aufbauen** to make a living for o.s; **Existenzminimum** *s* living wage; **existieren** *vi* [1] ↑ *leben* live (*von* on), exist (*von* on) [2] ↑ *vorhanden sein* exist

exklusiv *adj* ↑ *ausgewählt* select; ▷*Klub* exclusive

exklusive I. *präp* [1] (*gen*) not including, except (for); ◇ **das Haus kostet eine Million ~ des Grundstücks** the house costs a million, not including the plot [2] (*dat*) exclusive of; ◇ **das Haus kostet eine Million ~ Grundstück** the house costs a million, not including the plot **II.** *adv* (*ausschließlich*) exclusively

Exkremente *pl* faeces *pl*

Exkurs *m* <-, -e> digression

exotisch *adj* ▷*Früchte* exotic

Expansion *f* (POL *von Land*) expansion; (*von Macht*) extension

Expedition *f* [1] (*Reise*) expedition [2] COMM ↑ *Abfertigung, Versand* dispatch, forwarding

Experiment *s* [1] (*wissenschaftlicher Versuch*) experiment, test [2] *FIG* ↑ *Versuch, Risiko* experiment; **experimentieren** *vi* experiment (*mit etwas* with s.th. *dat* on s.th./s.o.)

Experte *m* <-n, -n>, **Expertin** *f* expert

explodieren *vi* [1] ← *Bombe* explode, detonate [2] (*FIG vor Wut, Mensch*) explode; **Explosion** *f* explosion; **explosiv** *adj* explosive

Exponent *m* MATH exponent

Export *m* <-[e]s, -e> export (trade); **Exportartikel** *m* COMM export article; **Exporthandel** *m* COMM export trade; **Exporthändler(in** *f*) *m* exporter; **exportieren** *vt* export

Expreßgut *s* fast freight

extra I. *adj FAM* ↑ *besondere, spezielle* special; ◇ **das ist eine ~ Belohnung** that is a special reward **II.** *adv* [1] ↑ *gesondert* extra; ◇ **~ bezahlen** to pay separately [2] ↑ *speziell* specially; ◇ **~ angefertigt** custom-built [3] ↑ *absichtlich* intentionally; ◇ **das hat sie ~ so eingerichtet** she arranged it like that on purpose [4] (~ *stark*, ~ *schnell*) particularly; **Extra** *s* <-s, -s> [1] ↑ *Zubehör* extra [2] extra; ◇ **ein Haus mit vielen ~s** a house with many extras; **Extrabett** *s* extra bed; **Extrablatt** *s* special edition

Extrakt *m* <-[e]s, -e> (*Pflanzen~*) extract

extrem *adj* ▷*Einstellung* extreme, radical; ▷*Kälte* extreme; **extremistisch** *adj* POL extremist

Extremitäten *pl* ANAT ▷*Gliedmaße* extremities *pl*

exzentrisch *adj* [1] ▷*Kreis* eccentric [2] (*FIG*) ▷*Person* eccentric

Exzeß *m* <-sses, -sse> excess; ◇ **bis zum ~** to (the point of) excess, excessively

Eyeliner *m* <-s, -> ↑ *Kajal*

F

F, f *s* F, f

Fabel *f* <-, -n> fable; **fabelhaft** *adj* ↑ *fantastisch* fabulous, great

Fabrik *f* (*Papier~*) factory; **Fabrikant(in** *f*) *m* [1] (*Hersteller*) manufacturer [2] (*Besitzer*) industrialist; **Fabrikarbeiter(in** *f*) *m* factory worker; **Fabrikat** *s* (*Marken~*) make, brand; **Fabrikation** *f* (*Produktion*) production, manufacture; **fabrizieren** *vt* → *Auto* produce

Fach *s* <-[e]s, Fächer> [1] (*Schub~*) compartment, drawer [2] (*Wissensgebiet*) subject, field; ◇ **ein Mann vom ~** expert [3] (*Schul~, Studien~*) subject; **Facharbeiter(in** *f*) *m* (*am Bau*) skilled worker; **Facharzt** *m* ↑ *Spezialist* specialist; **Fachausdruck** *m, pl* <-ausdrücke> technical term

Fächer *m* <-s, -> fan

Fachidiot *m* <-en, -en> *PEJ s.o. who is only interested in one subject;* **fachlich** *adj* [1] ▷*Technik* technical [2] ▷*Ausbildung* specialist [3] ▷*Beruf* professional; **Fachschule** *f* (*Berufs~*) technical college; **fachsimpeln** *vi* (*über PCs*) talk shop; **Fachwerk** *s* (*~haus*) half-timbered house

fad[e] *adj* [1] ▷*Geschmack* tasteless [2] ↑ *langweilig* dull, boring

Faden *m* <-s, Fäden> [1] (*Näh~*) thread [2] *FIG* ◇ **den ~ verlieren** to lose track of what is being said [3] (*FIG Leitmotiv*) ◇ **roter ~** main theme; **fadenscheinig** *adj FIG* ▷*Entschuldigung* flimsy, lame

fähig *adj* [1] ↑ *in der Lage* capable, able [2] (*tüchtig, fleißig*) competent, able; **Fähigkeit** *f* ↑ *Können* ability

fahnden *vi* ↑ *suchen*: ◇ **~ nach etw** to search for s.th.; **Fahndung** *f* search

Fahne *f* <-, -n> [1] ▷*hissen* flag; ◇ **eine ~ haben** *FAM* to smell of alcohol

Fahrausweis *m* ↑ *Ticket* ticket; **Fahrbahn** *f* ▷*rechte, linke* lane

Fähre *f* <-, -n> (*Auto~*) ferry

fahren <fuhr, gefahren> **I.** *vt* [1] ▷*Auto* drive , go by car; ▷*Motorrad* ride, drive [2] (*transportieren*) transport, carry [3] ▷*Rennen* run [4] *FIG* ▷*Schicht* ◇ **nächste Woche müssen wir eine zusätzliche Schicht ~** next week we have to work an extra shift **II.** *vi* [1] (*mit Schiff*) sail [2] (*abfahren*) ← *Zug* leave [3] (*streichen, über die Haare*) caress *akk;* **Fahrer(in** *f*) *m* <-s, -> driver; ◇ **Geister~** *s.b. who drives in the wrong direction;* **Fahrerflucht** *f* ▷*begehen hit-and-run;* **Fahrgast** *m* passenger; **Fahrgemeinschaft** *f* car pool; **Fahrkarte** *f* ↑ *Ticket* ticket; **Fahrkartenschalter** *m* ticket counter

fahrlässig *adj* (*unachtsam*) ▷*handeln* negligent

Fahrlehrer(in *f*) *m* driving instructor; **Fahrplan** *m* timetable; **fahrplanmäßig** *adj* ▷*Abfahrt* scheduled, planned; **Fahrpreis** *m* fare, price of ticket; **Fahrpreisermäßigung** *f* fare reduction; **Fahrprüfung** *f* (*Führerschein~*) driving test; **Fahrrad** *s* bicycle; **Fahrscheinautomat** *m* ticket machine; **Fahrschule** *f* driving school; **Fahrschüler(in** *f*) *m* [1] (*Führerschein*) learner driver [2] (*Schüler von auswärts*) *pupil who has to travel from far to go to school;* **Fahrstuhl** *m* ↑ *Aufzug* lift, elevator; **Fahrt** *f* <-, -en> [1] (*Fahren*) drive [2] (*Reise*) journey, trip [3] (*volle ~*) full speed [4] *FAM* ◇ **in ~ sein** to be in a good mood

Fährte *f* <-, -n> ↑ *Spur* trace; *FIG* ◇ **auf der richtigen ~ sein** to be on the right track

Fahrtkosten *pl* travelling expenses *pl;* **Fahrzeug** *s* vehicle

Faktor *m* [1] (*Kriterium*) factor [2] MATH factor

Fakultät *f* UNIV faculty

Falke *m* <-n, -n> ZOOL falcon

Fall *m* <-[e]s, Fälle> [1] ↑ *Sturz* fall, crash [2] JURA case [3] SPRACHW case [4] ◇ **auf keinen ~** definitely/certainly not; ◇ **auf jeden ~** at any rate

Falle *f* <-, -n> [1] ▷*stellen* trap [2] *FAM* ↑ *Bett* bed; **fallen** <fiel, gefallen> *vi* [1] ↑ *stürzen* fall, crash [2] ← *Preise, Kurse* drop [3] ↑ *sterben* (*im Krieg*) be killed in the war [4] *FIG* ◇ **in Ohnmacht ~** to faint; ◇ **aus der Rolle ~** to misbehave

fällen *vt* [1] → *Baum* fell [2] → *Urteil* pass

fallenlassen *unreg vt* [1] → *Schüssel* drop [2] (*FIG* → *Plan, aufgeben*) give up on, abandon [3] *FIG* → *Bemerkung* remark

fällig *adj* ▷*Rechnung* due; **Fälligkeit** *f* (COMM *e-r Rechnung*) settlement date

Fallout *m* <-s, -s> ▷*radioaktiver* fallout

falls *adv* ↑ *wenn* in case, if

Fallschirm *m* parachute

falsch *adj* [1] ▷*Nummer* wrong, incorrect [2] ↑ *unwahr* ▷*Aussage* untrue [3] ▷*Schmuck* fake [4] ↑ *unaufrichtig* fake, superficial; **fälschen** *vt* [1] → *Geld* counterfeit [2] → *Kunstwerk* forge, fake; **Falschheit** *f* [1] (*Gemälde*) fake [2] (*Aussage*) falsity [3] (*Person*) ◇ **was mich an ihm stört, ist seine ~** what really bothers me about him, is that he is so two-faced; **fälschlicherweise** *adv* (*~ beschuldigen*) by mistake, wrongly; **Fälschung** *f* ↑ *Imitation* imitation, fake; **fälschungssicher** *adj* ▷*Ausweis* unforgeable

Falte *f* <-, -n> [1] (*Haut~*) wrinkle [2] (*Bügel~*) fold; **falten** *vt* [1] ▷*Papier* fold [2] ▷*Hände* fold

familiär *adj* [1] (▷*Angelegenheiten, Familien-*) family-related [2] (▷*Umgangston, freundschaftlich*) familiar; **Familie** *f* [1] (*Groß-*) family [2] (*Gattung*) family; **Familienname** *m* ↑ *Nachname* surname; **Familienstand** *m* marital status

Fanatiker(in *f*) *m* <-s, -> fanatic; **fanatisch** *adj* ▷*Kämpfer* fanatical

fand *impf v.* **finden**

Fang *m* <-[e]s, Fänge> [1] ↑ *Beute* catch [2] (*Kralle*) claw; **fangen** <fing, gefangen> **I.** *vt* [1] → *Tier, Verbrecher* capture [2] → *Ball* catch [3] ◇ **F-spielen** to play tag **II.** *vr* ◇ **sich -** *FIG* to get to grips with o.s.

Farbabzug *m* (*Foto*) colour print; **Farbaufnahme** *f* ↑ *Foto* colour photo; **Farbband** *m, pl* <-bänder> (*Schreibmaschine*) typewriter ribbon; **Farbe** *f* <-, -n> [1] ▷*rote, blaue* colour [2] (*Öl-, Wand-*) paint [3] (*zum Malen, Stoffarbe*) paint; **färben I.** *vt* → *Haar* dye **II.** *vi* (*ab-*) dye, colour; **farbenblind** *adj* colour-blind; **farbenfroh** *adj* (*sehr bunt*) colourful; **Farbfernsehen** *s* colour television; **Farbfilm** *m* MEDIA colour film; **farbig** ↑ *bunt* coloured person; **Farbige(r)** *m+f* ↑ *Schwarzer* coloured; **farblos** *adj* [1] ▷*Lack* colourless, clear [2] (*langweilig*) dull, boring; **Farbphotographie** *f* colour photography; **Farbstift** *m* coloured pencil; **Farbstoff** *m* (*von Textil*) dye; (*von Nahrungsmittel*) artificial colour; **Farbton** *m* ▷*grell, dezent* shade; **Färbung** *f* [1] (*Farbgebung*) colouring [2] (*Richtung, von Partei*) bias, favouring

Fasching *m* <-s, -e *o.* -s> ↑ *Karneval* carneval

Faschismus *m* fascism; **Faschist(in** *f*) *m* fascist

faseln *vi FAM* ↑ *Unsinn reden* talk rubbish

Faser *f* <-, -n> [1] (*Stoff-*) fibre [2] *FIG* ◇ **mit jeder -** with every fibre of o.'s being; **fasern** *vi* (*Fasern verlieren*) fray

Faß *s* <-sses, Fässer> (*Wein-*) barrel; ◇ **Bier vom -** draught beer

faßbar *adj* ↑ *begreiflich* understandable

fassen I. *vt* [1] ↑ *greifen* grab, seize [2] *FIG* ↑ *verstehen, begreifen* understand; ◇ **Nicht zu -!** Unbelievable! [*o.* That can't be true!] [3] (*Raum bieten*) hold [4] → *Entschluß* make, take [5] ◇ **in Worte -** to put into words, to express in words **II.** *vr* ◇ **sich -** [1] regain control [2] *FAM* ◇ **sich auf etw gefaßt machen** to be ready for s.th.

Fassung *f* [1] (*von Ring*) setting [2] (*von Lampe*) socket [3] *FIG* ↑ *Selbstbeherrschung* control, composure; ◇ **jd-n aus der - bringen** to surprise s.o, to put s.o off [4] (*von Film, Buch*) version

fassungslos *adj* (*entsetzt*) speechless, shocked; **Fassungsvermögen** *s* (*Rauminhalt*) capacity

fast *adv* ↑ *beinahe* almost, nearly

fasten *vi* ↑ *nichts essen* fast

fatal *adj* [1] ↑ *folgenschwer* ▷*Fehler* fatal [2] ↑ *peinlich* embarrassing

faul *adj* [1] ▷*Lebensmittel* rotten, bad [2] ▷*Mensch* lazy [3] ▷*Ausreden* lazy, weak [4] *FAM* ◇ **Das ist doch ober-!** There is s.th. fishy going on here!; **faulen** *vi* ▷*Obst* rot, decay, go off

faulenzen *vi* laze about; **Faulenzer(in** *f*) *m* <-s, -> loafer; **Faulheit** *f* ↑ *Trägheit* laziness

Faust *f* <-, Fäuste> ▷*ballen* fist; ◇ **mit der - auf den Tisch hauen** to slam o.'s fist on the table; **faustdick** *adj* [1] ▷*Lüge* disgraceful lie, whopper [2] ◇ **es - hinter den Ohren haben** to be crafty, to be sly; **Fausthandschuh** *m* mitten

Favorit(in *f*) *m* <-en, -en> [1] (SPORT *Champion*) favourite [2] *FIG* ↑ *Liebling* favourite

faxen *vti* fax, send a fax

Februar *m* <-[s], -e> February

fechten <focht, gefochten> *vi* SPORT fence

Feder *f* <-, -n> [1] (*Vogel-*) feather [2] (*Schreib-*) quill [3] TECHNOL spring

Federball *m* (*-spiel*) badminton; **Federhalter** *m* (*Tintenschreiber*) fountain pen; **federleicht** *adj* ↑ *sehr leicht* as light as a feather; **federn** *vi* [1] ▷*Stoßdämpfer* be springy [2] (*-der Gang*) walk with a spring; **Federung** *f* (*Auto*) car suspension

Fee *f* <-, -n> fairy

fegen *vt* → *Straße* sweep

fehl *adj* (*nur adverbial verwendet, falsch*): ◇ **- am Platz** in the wrong place, out of place

fehlen *vi* [1] (*abwesend sein*) be absent [2] (*jd-m abgehen*) be missed [3] (*FIG krank sein*) ◇ **Was fehlt Ihnen?** What's the matter?

Fehler *m* <-s, -> [1] (*Schreib-*) mistake [2] (*Charakter*) weakness, fault [3] (*Druck-*) fault, defect; **fehlerfrei** *adj* without mistakes, correct; **fehlerhaft** *adj* incorrect, faulty; **Fehlgeburt** *f* MED miscarriage; **Fehlgriff** *m* (*falsche Handlung*) mistake; **Fehlkonstruktion** *f* bad design; **Fehlschlag** *m* ↑ *Mißerfolg* failure; **fehlschlagen** *unreg vi* fail; **Fehlstart** *m* SPORT false start; **Fehltritt** *m FIG* ▷*moralisch* bad move; **Fehlzündung** *f* AUTO backfire

Feier *f* <-, -n> (*Geburtstags-*) party, celebration; **Feierabend** *m* (*- machen*) end of working day; (*Schluß*) ◇ **Jetzt ist -!** That's it!; **feierlich** *adj* ▷*Stimmung* solemn, serious; **Feierlichkeit** *f* [1] (*festliche Stimmung*) celebration [2] ◇ **-en** *pl* festivities *pl*; **feiern I.** *vt* → *Hochzeit* celebrate **II.** *vi* [1] ↑ *Fest begehen* have a party, celebrate [2] *FAM*

◇ **krank** ~ to skip work; **Feiertag** *m* public holiday

feig[e] *adj* coward; **Feigheit** *f* cowardice; **Feigling** *m* ↑ *feiger Mensch* coward; *FAM* chicken

Feile *f* <-, -n> [1] (*Nagel-*) file [2] (*Werkzeug*) file; **feilen I.** *vt* (*Fingernagel*) file **II.** *vi* (*FIG an Artikel, verbessern*) make improvements

feilschen *vi* ↑ *handeln* haggle

fein *adj* [1] ▷*Gewebe* fine; ▷*Sand* fine [2] ↑ *-geformt* ▷*Profil* delicate; ▷*Gehör* keen [3] ▷*Benehmen* refined [4] ◇ **F-!** Oh great!

Feind(in *f*) *m* <-[e]s, -e> enemy; **feindlich** *adj* ↑ *gegnerisch* hostile; **Feindschaft** *f* enmity; **feindselig** *adj* ▷*Stimmung* hostile

feinfühlig *adj* sensitive; **Feingefühl** *s* [1] ↑ *Fingerspitzengefühl* sensitivity; ◇ **ein ~ für etw haben** to be sensitive to s.th. [2] ↑ *Takt* tactfulness; **Feinheit** *f* fineness, delicacy

Feld *s* <-[e]s, -er> [1] (*Acker, Wiese*) field [2] (SPORT *Läufer-*) track [3] (*FIG Forschungsgebiet*) field [4] ▷*elektrisches* field

Feldwebel *m* <-s, -> MIL sergeant

Feldweg *m* path, track

Feldzug *m FIG* ↑ *Kampagne* campaign

Felge *f* <-, -n> (*von Rad*) rim of wheel

Fell *s* <-[e]s, -e> [1] (*Schaf-*) fleece; (*Tier*) fur [2] *FIG* ◇ **jd-m das ~ über die Ohren ziehen** to pull the wool over s.o's eyes

Fels *m* <-en, -en> (*Gestein*) rock

Felsen *m* <-s, -> ↑ *Klippe* cliff; **felsenfest** *adj* firm, completely; ◇ **~ überzeugt von** to be firmly convinced of s.th.; **felsig** *adj* ▷*Landschaft* rocky; **Felsspalte** *f* crevice

feminin *adj* [1] ▷*Kleidung* feminine [2] SPRACHW feminine (form); **Feminismus** *m* feminism; **Feminist(in** *f*) *m* (*Anhänger*) feminist; **feministisch** *adj* ▷*Gesinnung* feminist

Fenchel *m* <-s, -> fennel

Fenster *s* <-s, -> [1] (*Zimmer-*) window [2] (*Schau-*) shop window [3] PC window; **Fensterbrett** *s* window sill; **Fensterladen** *m* shutter; **Fensterputzer(in** *f*) *m* <-s, -> window cleaner; **Fensterscheibe** *f* window pane; **Fenstertechnik** *f* PC window technology

Ferien *pl* (*Schul-*) holidays *pl;* **Ferienkurs** *m* ▷*belegen* holiday course

Ferkel *s* <-s, -> [1] ZOOL piglet [2] *FAM* ◇ **Du ~!** Little swine!

fern I. *adj* [1] ▷*Land* faraway [2] ▷*Zukunft* distant **II.** *adv* [1] ◇ **~ von hier** far from here [2] *FIG* ◇ **das liegt mir ~** nothing could be further from my mind; **Fernbedienung** *f* remote control; **Ferne** *f* <-, -n> [1] ↑ *Weite* distance [2] ↑ *Zukunft* ◇ **in weiter ~** in distant future

ferner I. <*Komparativ von* **fern**> further **II.** *adv* ↑ *weiterhin* furthermore

Ferngespräch *s* (*Telefon*) long distance call, trunk call; **Fernglas** *s* binoculars *pl;* **fernhalten** *unreg* **I.** *vt:* ◇ **etw von jd-m ~** keep s.th. away from s.o. **II.** *vr* ◇ **sich ~** ↑ *wegbleiben* keep away (*von* from); **Fernkopie** *f* ↑ *Telefax* fax; **fernkopieren** *vt* fax; **Fernkopierer** *m* ↑ *Faxgerät* facsimile machine; **Fernlenkung** *f* (*Flugzeug*) remote control; **Fernschreiber** *m* (*Telex*) telex machine; **fernschriftlich** *adj* (*per Telex*) by telex; **fernsehen** *unreg vi* watch television; **Fernsehen** *s* <-s> [1] (*Gerät*) television [2] (*TV schauen*) viewing of television; **Fernseher** *m* (*Apparat*) television, tv; *BRIT* telly; **Fernsehsatellit** *m* (*über ~*) TV satellite

Ferse *f* <-, -n> heel

fertig *adj* [1] ↑ *beendet* finished [2] ↑ *bereit* ready [3] *FIG* ↑ *müde, geschafft* tired, exhausted; **Fertigbau** *m, pl* <-bauten> (*Haus*) prefabricated house, prefab; **fertigbringen** *unreg vt* [1] ↑ *zu Ende bringen* finish [2] ↑ *imstande sein* manage, cope

Fertigkeit *f* ↑ *Geschick* skill, ability

fertigmachen I. *vt* [1] ↑ *zu Ende führen* finish, complete [2] *FIG* ◇ **jd-n ~** exhaust s.o.; (*entmutigen*) bring s.o. down **II.** *vr* ◇ **sich ~** [1] ↑ *sich bereitmachen* get ready [2] (*FAM sich übermäßig sorgen*) depress; **fertigstellen** *vt* → *Arbeit* complete; **Fertigware** *f* ↑ *Fertigprodukt* finished product, end product; **fertigwerden** *unreg vi* [1] ◇ **rechtzeitig ~** to be ready on time [2] *FIG* cope, deal (*mit jd-m/etw* with s.o./s.th.)

Fessel [1] *f* <-, -n> (*Hand-*) handcuffs; ◇ **jd-n in ~n legen** to put s.b. in chains

Fessel [2] *f* <-, -n> ANAT ankle

fesseln *vt* [1] ↑ *festbinden* bind, tie [up] [2] (*FIG Buch, Film, interessieren*) fascinate

fest I. *adj* [1] ▷*Einkommen* fixed, regular [2] ▷*Kleidung* sturdy [3] ▷*Nahrung* solid **II.** *adv* [1] ↑ *kräftig* firm [2] (*tief*) deep, sound

Fest *s* <-[e]s, -e> [1] ↑ *Feier* party [2] (*Oster-*) celebration, holiday

festangestellt *adj* employed on a regular basis; **festbinden** *unreg vt* (*mit Seil*) tie up, fasten; **festfahren** *unreg vr* ◇ **sich ~** (*in e-r Diskussion, mit Auto*) get stuck, get bogged down; **festhalten** *unreg* **I.** *vt* [1] (*mit Hand*) hold on [2] ▷*schriftlich* record **II.** *vr* ◇ **sich ~** ↑ *anklammern* hold on (*an dat* to), cling (*an dat* s.th.); **Festigkeit** *f* [1] (*Material*) toughness, strength [2] (*Charakter*) strength; **Festland** *s* (*Europäisches ~*) mainland; **festlegen I.** *vt* → *Termin* fix, arrange **II.** *vr* ◇ **sich ~** [1] (*entscheiden*) decide [2] (*mit Sicherheit sagen*) commit o.s

festlich *adj* ▷*Kleidung* festive
Festnahme *f* <-, -n> ↑ *Verhaftung* arrest; **festnehmen** *unreg vt* arrest
Festplatte *f* PC hard disk
Festrede *f* ▷*halten* speech
festschnallen I. *vt* ▷*Gepäck* tie to, fasten on **II.** *vr* ◇ **sich** ~ (*im Auto*) put one's seatbelt on; **festsetzen I.** *vt* [1] → *Preis* determine [2] → *Grenze* detain **II.** *vr* ◇ **sich** ~ ← *Rost, Schmutz* collect, settle
Festspiel *s* (*Theater, Film*) festival
feststehen *unreg vi* [1] ▷*Datum* set, fix [2] (*sicher sein*) ◇ **soviel steht fest** that much is for sure; **feststellen** *vt* [1] ↑ *herausfinden* establish, ascertain [2] ↑ *sagen* remark, stress [3] (*wahrnehmen*) detect, discover; **Festung** *f* ↑ *Burg* fortress
fett *adj* [1] ▷*Essen* greasy [2] ▷*Mensch* fat [3] (*~gedruckt*) bold-type; **Fett** *s* <-[e]s, -e> [1] (*Speise-*) fat [2] ↑ *Schmiere* grease; **fettarm** *adj* ▷*Diät* low-fat; **fettig** *adj* ▷*Finger* greasy, oily; **Fettnäpfchen** *s:* ◇ **ins ~ treten** to put o.'s foot in it
Fetzen *m* <-s, -> [1] (*Papier, Stoff*) scrap, piece [2] (*FIG Wort-*) snatches [of conversation] *pl;* **fetzig** *adj FAM* ▷*Musik, Kleidung* in, racy
feucht *adj* ▷*Wohnung* damp; **Feuchtigkeit** *f* dampness
Feuer *s* <-s, -> [1] (*Herd-*) fire [2] (*Feuerzeug*) lighter [3] (*FIG Temperament*) fiery; **Feueralarm** *m* fire alarm; **feuerfest** *adj* ▷*Glas* fireproof; **Feuergefahr** *f* ↑ *Brandgefahr* fire hazard; **Feuerlöscher** *m* <-s, -> fire extinguisher; **Feuermelder** *m* <-s, -> fire alarm; **feuern I.** *vt* [1] *FIG* ↑ *jd-m kündigen* fire [2] *FAM* ↑ *Ohrfeige geben* ◇ **jd-m eine** ~ to slap s.o. in the face **II.** *vi* [1] (*heizen*) heat [2] (*schießen*) shoot, fire; **Feuerwehr** *f* <-, -en> fire brigade; **Feuerwerk** *s* fireworks; **Feuerzeug** *s* lighter
Fichte *f* <-, -n> spruce
Fieber *s* <-s, -> [1] ↑ *Temperatur* fever [2] (*Lampen-*) stage fright; **fieberhaft** *adj* ▷*Suche* feverish; **Fieberthermometer** *s* thermometer
fiel *impf v.* **fallen**
fies *adj FAM* ↑ *gemein* mean, nasty
Figur *f* <-, -en> [1] (*gute ~*) figure [2] (*Holz-*) figure, design [3] (*Spiel-*) figure, piece [4] (*Roman-*) character
Filiale *f* <-, -n> COMM ▷*eröffnen* branch
Film *m* <-[e]s, -e> [1] (*Kino-*) film, movie [2] (*Farb-*) film [3] ◇ **~geschäft** film business; **Filmkamera** *f* cine-camera
Filter *m* <-s, -> [1] (*Kaffee-, Öl-, Luft-*) filter [2] (*Zigarette*) filter; **filtern** *vt* filter [out]; **Filterzigarette** *f* filter-tipped cigarette
Filz *m* <-es, -e> [1] (*Wolle*) felt [2] (*FIG Korruption*) corruption; **filzen I.** *vi* ▷*Wolle* become felty **II.** *vt FAM* ↑ *durchsuchen* search
Finale *s* <-s, -[s]> SPORT ↑ *Endspiel* finale
Finanzamt *s* ↑ *Steuerbehörde* tax office; **Finanzen** *pl* (*Vermögen*) finances *pl;* **finanziell** *adj* finacial; **finanzieren** *vt* ▷*Kredit* finance; **Finanzminister(in** *f*) *m* POL Minister of Finance *BRIT*, Chancellor of the Exchequer *AM*, Secretary of treasure
finden <fand, gefunden> **I.** *vt* [1] ↑ *entdecken* find, discover [2] *FIG* ↑ *meinen* believe, be of the opinion that ... [3] ▷*Schlaf* find **II.** *vr* ◇ **sich** ~ [1] ↑ *wiederauftauchen* reappear, turn up [2] (*zu sich selbst ~*) to sort o.s. out, to reflect about o.s. [3] *FIG* ◇ **es wird sich** ~ it will sort itself out; **Finder(in** *f*) *m* <-s, -> ▷*ehrlicher* finder
fing *impf v.* **fangen**
Finger *m* <-s, -> (*Ring-*) finger; **Fingerhandschuh** *m* (*Ggs Fausthandschuh*) glove; **Fingerzeig** *m* <-[e]s, -e> ↑ *Tip, Hinweis* tip, hint; **fingieren** *vt* ↑ *fälschen* falsify, make up
Finne *m* <-n, -n> Finn; **Finnin** *f* Finn; **finnisch** *adj* Finnish; **Finnland** *s* Finland
finster *adj* [1] ▷*Nacht* dark [2] ▷*Blick* Blick [3] ◇ **ein ~er Geselle** a gloomy slot of person
Finsternis *f* darkness
Firma *f* <-, -men> company
Fisch *m* <-[e]s, -e> [1] fish [2] ASTRON Pisces; **fischen I.** *vt* go fishing **II.** *vi* fish; (*FIG nicht klar sehen*) ◇ **im Trüben** ~ to not be able to see clearly; **Fischer(in** *f*) *m* <-s, -> fisherman; **Fischerei** *f* (*Hochsee-*) fishing; **Fischgeschäft** *s* fishmonger's shop
fit *adj* [1] ▷*körperlich* fit, in shape; ◇ **sich ~ halten** to keep fit [2] ▷*geistig* healthy [3] *FAM* ↑ *kompetent* competent; **Fitneß** *f* <-> fitness
fix *adj* [1] ▷*Mensch* bright, smart [2] ▷*Gehalt* fixed [3] (*FIG erschöpft*) ◇ **~ und fertig** exhausted
fixen *vi FAM* ↑ *Heroin spritzen* fix, shoot
fixieren *vt* [1] ▷*Farbe* fix [2] ↑ *festschreiben* record [3] (*mit Augen*) stare [4] ◇ **auf etw fixiert sein** to have a fixation about s.th.
flach *adj* [1] ▷*Landschaft* flat [2] (*FIG oberflächlich*) shallow
Fläche *f* <-, -n> [1] (*Wasser-*) surface [2] (*Ausmaß*) area; **flächendeckend** *adj* ▷*Kampagne* thorough, complete; **Flächeninhalt** *m* surface area
Flachland *s* lowlands *pl*
flackern *vi* ← *Kerze* flicker
Flagge *f* <-, -n> ▷*hissen* flag
Flamme *f* <-, -n> [1] (*Kerze*) flame [2] (*FAM Geliebte*) flame [3] (*FIG begeistert*) ◇ **Feuer und ~ sein** to be really keen

Flanell *m* <-s, -e> (*-hemd*) flannel

Flanke *f* <-, -n> [1] (*von Pferd*) flank [2] (SPORT *-angriff*) centre pass

Flasche *f* <-, -n> [1] (*Bier-*) bottle [2] *FAM* ↑ *Versager* loser; **Flaschenöffner** *m* bottle opener

flattern *vi* ← *Fahne, Wäsche* flutter

flau *adj* [1] ▷*Wind* slight [2] ▷*Geschäft* slow, slack [3] ↑ *übel, schlecht* ◇ **mir ist - im Magen** I feel sick

Flaum *m* <-[e]s> [1] (*Vogel*) down feather [2] (*Bart*) fuzz

flauschig *adj* ▷*Stoff, Wolle* fluffy, soft

Flaute *f* <-, -n> [1] (*Wind*) calm [2] (COMM *Geschäfts-*) slack period, recession

flechten <flocht, geflochten> *vt* [1] → *Haare* plait, braid [2] → *Kranz* weave

Fleck *m* <-[e]s, -e> [1] (*Fett-*) stain, mark [2] (*Stelle*) spot; ◇ **nicht vom - kommen** to not budge [3] (*Stoff-*) patch [4] (*Landschaft*) patch; **fleckenlos** *adj* spotless; **Fleckenwasser** *s* (*Reinigung*) stain removal; **fleckig** *adj* ↑ *schmutzig* stained

flegelhaft *adj* ▷*Benehmen* loutish, bad mannered

flehen *vi* ↑ *bitten* beg, plead (*um akk* for)

Fleisch *s* <-[e]s> [1] meat; ◇ **Schweine-** pork; ◇ **Rind-** beef [2] (*Frucht-*) flesh [3] *FIG* ◇ **das eigene - und Blut** o.'s own flesh and blood; **Fleischer(in** *f*) *m* <-s, -> ↑ *Metzger* butcher; **Fleischerei** *f* ↑ *Metzgerei* butchery; **Fleischwunde** *f* (*Verletzung*) flesh wound

Fleiß *m* <-es> [1] ↑ *Eifer* hard work, effort [2] ↑ *Absicht* intention; ◇ **etw mit - tun** to do s.th. intentionally [*o.* to do s.th. on purpose]; **fleißig** *adj* hard-working, dilligent

fletschen *vt* ▷*Zähne* bare o.'s teeth

flexibel *adj* flexible

flicken *vt* ↑ *ausbessern* mend; **Flicken** *m* <-s, -> (*Stofflicken*) patch

Flieder *m* <-s, -> lilac

Fliege *f* <-, -n> [1] (*Mücke*) fly [2] (*Kleidung*) bow-tie

fliegen <flog, geflogen> **I.** *vt* [1] → *Flugzeug* fly, travel by plane [2] → *Route* fly **II.** *vi* [1] ← *Vogel* fly [2] *FAM* ◇ **auf jd-n/etw -** to be mad about s.b./s.th. [3] *FAM* ◇ **durch e-e Prüfung -** to fail an exam; **Flieger(in** *f*) *m* <-s, -> [1] (*Person*) airman [2] (*Flugzeug*) airplane

fliehen <floh, geflohen> *vi* ↑ *weglaufen* escape

Fließband *s, pl* <-bänder> (*-arbeit*) conveyor belt; **fließen** <floß, geflossen> *vi* [1] ← *Wasser* flow; ELECTR flow [2] *FIG* ← *Gelder* flow, be made availible; **fließend** *adj* [1] ▷*Gewässer* flowing [2] ◇ **sie spricht englisch** she speaks English fluently [3] ▷*Grenzen* fluid

flimmern *vi* ← *Fernsehbild* shimmer, glimmer

flink *adj* ↑ *schnell* nimble, quick

Flinte *f* <-, -n> ↑ *Gewehr* shotgun

flippig *adj* (*FAM quirlig*) wild, unusual

flirten *vi* flirt

Flitterwochen *pl* honeymoon

flocht *impf v.* **flechten**

Flocke *f* <-, -n> (*Schnee*) flake

flog *impf v.* **fliegen**

floh *impf v.* **fliehen**

Floh *m* <-[e]s, Flöhe> (*Hunde-*) flea; **Flohmarkt** *m* flea market

Flop *m* <-s, -s> *FAM* ↑ *Reinfall* flop

florieren *vi FIG* ▷*Geschäft* boom

Floskel *f* <-, -n> (*Höflichkeits-*) cliché

floß *impf v.* **fließen**

Floß *s* <-es, Flöße> (*Holz-*) raft

Flosse *f* <-, -n> [1] (*Haifisch-*) fin [2] *FAM* ↑ *Hand* hand [3] (*Schwimm-*) flipper

Flöte *f* <-, -n> MUS flute

flott *adj* [1] ↑ *schick* smart [2] (*Maschine -machen*) functioning [3] (*schnell*) ◇ **Aber -!** And fast!

Flotte *f* <-, -n> (*Handels-*) fleet

Fluch *m* <-[e]s, Flüche> [1] ▷*ausstoßen* curse, oath [2] (*böser -*) evil curse; **fluchen** *vi* swear, curse

Flucht *f* <-, -en> [1] ▷*ergreifen* escape [2] (*Reihe*) row; **fluchtartig** *adj* hurried, hasty, rushed; **flüchten** **I.** *vi* ↑ *weglaufen* run away, escape (*vor dat* **II.** *vr* ◇ **sich -** (*unter Dach*) take refuge; **flüchtig** *adj* [1] → *Verbrecher* fugitive [2] ▷*Bekanntschaft* fleeting, vague [3] ▷*Augenblick* brief [4] CHEM ↑ *schnell verdunstend* volatile; **Flüchtigkeitsfehler** *m* careless mistake; **Flüchtling** *m* refugee

Flug *m* <-[e]s, Flüge> [1] (*Vogel-*) flight [2] (*Reise*) flight; ◇ **guten -!** Have a good flight! [3] (*schnell*) ◇ **wie im -** in a flash; **Flugbegleiter(in** *f*) *m* ↑ *Steward* steward (m), air hostess(f), flight attendant; **Flugblatt** *s* ▷*verteilen* leaflet

Flügel *m* <-s, -> [1] (*von Vogel*) wing [2] (MUS *Konzert-*) grand piano [3] (ARCHIT *Seiten-*) wing

Fluggast *m* air passenger; **Fluggeschwindigkeit** *f* flying speed; **Fluggesellschaft** *f* airline; **Flughafen** *m* airport; **Flughöhe** *f* altitude; **Fluglotse** *m* air-traffic controller; **Flugnummer** *f* flight number; **Flugplatz** *m* airfield; **Flugstrecke** *f* ↑ *Route* air route; **Flugzeug** *s* aeroplane, airplane; **Flugzeugentführung** *f* hijacking

flunkern *vi FAM* ↑ *lügen* lie, make up stories

Fluor *s* <-s> (*-zahnpasta*) fluoride

Flur [1] *m* <-[e]s, -e> (*Haus-, Korridor*) hall, passage

Flur [2] *f* <-[e]s, -e> open countryside; ◇ **in Wald und ~** in the fields and forests

Fluß *m* <-sses, Flüsse> [1] (*Gewässer*) river [2] (*FIG Rede-, Verkehrs-*) flow [3] *FIG* ↑ *Bewegung* ◇ **in ~ bringen** to get moving

flüssig *adj* [1] ▷*Material* fluid, runny [2] *FIG* ▷*sprechen, schreiben* fluently [3] *FIG* ◇ **~ sein** availible, liquid; **flüssigmachen** *vt FIG* ▷*Geld* make (funds) availible; **Flüssigkeit** *f* [1] (*Wasser, Öl*) liquid, fluid [2] (*FIG Gewandtheit*) fluency

flüstern I. *vi* ↑ *leise sprechen* whisper **II.** *vt FAM* ↑ *Meinung sagen*: ◇ **jd-m etw ~** give s.o. a piece of o.'s mind

Flut *f* <-, -en> [1] (*Ebbe und ~*) tide [2] (*Überschwemmung*) flood [3] (*FIG von Briefen*) flood; **Flutlicht** *s* (*-anlage*) floodlight, spotlight

fl. W. *Abk v.* **fließendes Wasser** running water

focht *impf v.* **fechten**

Fohlen *s* <-s, -> (*Pferd*) foal

Föhn *m* <-[e]s, -e> (*Wind*) foehn, wind

Folge *f* <-, -n> [1] ↑ *Serie* sequence, succession [2] (*Fernseh-*) episode [3] ↑ *Konsequenz* consequence; ◇ **das wird ~n haben** that will have serious consequences [4] ↑ *befolgen* ◇ **einer Anordnung ~ leisten dat** to obey an order; **folgen** *vi* [1] ↑ *nachgehen, verfolgen* follow (*jd-m/etw dat* s.b./ s.th.) [2] (*FIG verstehen*) ◇ **Können Sie mir ~?** Do you understand me? [3] ↑ *gehorchen* obey (*jd-m dat* [4] (*sich ergeben*) ◇ **daraus folgt…** it follows that…; **folgend** *adj* ↑ *nachkommend* following; **folgendermaßen** *adv* ↑ *wie folgt* as follows; **folgenschwer** *adj* ▷*Unfall* grave; ▷*Entscheidung* of serious consequence; **folgerichtig** *adj* ↑ *logisch* logical; **folgern** *vt* ↑ *Schluß ziehen* draw a conclusion, come to the conclusion (*aus;* **Folgerung** *f* ▷*logische* conclusion; **folglich** *adv* ↑ *also* consequently, as a result

Folie *f* ▷*Plastik, Alu* foil, film

Folter *f* <-, -n> [1] (*Quälen*) torture [2] (*FIG Qual*) hell, torture; ◇ **es war die reinste ~** it was hell; **foltern** *vt* torture

Fön *m* <-[e]s, -e> ↑ *Haartrockner* hair-dryer; **fönen** *vt* → *Haare* blow-dry

foppen *vt* ↑ *necken, aufziehen* fool

Förderband *s, pl* <-bänder> conveyor band

förderlich *adj* ↑ *zuträglich* beneficial, helpful

fordern *vt* [1] → *Geld* demand [2] (*FIG anstrengen*) demand, make demands on; ◇ **die Aufgabe fordert ihn** he finds the task demanding

fördern *vt* [1] → *Künstler* support, promote [2] → *Kohle* mine, extract

Forderung *f* ↑ *Anspruch* demand, claim

Förderung *f* [1] (*Begabten-*) support, promotion [2] (*Kohle*) mining, extraction

Forelle *f* trout

Form *f* <-, -en> [1] ↑ *Gestalt* shape [2] ◇ **Back-** baking tin [3] ↑ *Kondition* shape; ◇ **in ~ sein** to be in shape [4] (GRAMM *Verb-*) form

Formalität *f* (*Formsache*) formality

Format *s* [1] (*Papier-*) format [2] *FIG* ↑ *Charakter* stature; **formatieren** *vt* → *Diskette* format

Formation *f* [1] MIL ↑ *Aufstellung* formation [2] (*Erd-*) formation

formbar *adj* [1] ▷*Material* malleable [2] ▷*Charakter* malleable

Formel *f* <-, -n> [1] ▷*chemische* formula [2] (*Sprach-*) formula, wording

formell *adj* ▷*Anlaß, Bestätigung* formal

formen *vt* ↑ *gestalten* shape

Formfehler *m* JURA irregularity

förmlich *adj* [1] ↑ *formell* formal [2] (*FAM geradezu*) for real; **Förmlichkeit** *f* formality; **formlos** *adj* (*zwanglos*) casual

Formular *s* <-s, -e> ▷*ausfüllen* form; **formulieren** *vt* → *Satz* word, phrase

forschen I. *vt* ↑ *suchen* look for, search (*nach* **II.** *vi* ▷*wissenschaftlich* research; **forschend** *adj* ▷*Blick* searching, inquiring; **Forscher(in** *f*) *m* <-s, -> (*Höhlen-*) researcher, explorer; **Forschung** *f* ▷*betreiben* research, exploration

Forst *m* <-[e]s, -e> ↑ *Wald* forest; **Förster(in** *f*) *m* <-s, -> forest warden

fort *adv* [1] ↑ *weg* away; ◇ **Mutter ist ~** Mother has gone [2] (*weiter*) ◇ **und so ~** and so on, and so forth; (*ständig*) ◇ **in einem ~** continually, constantly; **fortbestehen** *unreg vi* ↑ *weiterexistieren* survive; **fortbewegen I.** *vt* (*entfernen*) leave, move away **II.** *vr* ◇ **sich ~** move; **fortbilden** *vr* ◇ **sich ~** (*in Kursen*) further o.'s education; **fortbleiben** *unreg vi* stay away; **fortbringen** *unreg vt* take away; **Fortdauer** *f* (*Bestand*) continuation; **fortfahren** *unreg vi* [1] ↑ *wegfahren* go away [2] *FIG* ↑ *fortsetzen* continue; **fortführen** *vt* → *Gespräch, Arbeit* continue, go on, resume; **fortgehen** *unreg vi* go away, leave; **fortgeschritten** *adj* advanced; ◇ **F~enkurs** advanced course; **fortkommen** *unreg vi* leave, get away; **fortkönnen** *unreg vi* be able to get away; **fortmüssen** *unreg vi* (*fortgehenmüssen*) have to leave; **fortpflanzen** *vr* ◇ **sich ~** ↑ *vermehren* reproduce; **Fortschritt** *m* [1] ▷*technischer* progress [2] ◇ **~e machen** to make progress; **fortschrittlich** *adj* ▷*Gesinnung* progressive, forward; **fortsetzen** *vt* ↑ *weitermachen* continue; **Fortsetzung** *f* ↑ *Weiterführung* continuation; ◇ **- folgt** to be continued; **fortwährend** *adj* ↑ *ununterbrochen* continual; **fortziehen** *unreg* **I.** *vt* (*am Arm*) pull away, drag away **II.** *vi* ↑ *umziehen* move out

fossil *adj* fossil

Foto I. *s* <-s, -s> ▷*machen* photograph **II.** *m* <-s, -s> (*-apparat*) camera; **Fotograf(in** *f*) *m* <-en, -en> photographer; **Fotografie** *f* (*Bild*) photography; **fotografieren** *vti* photograph; **Fotokopierer** *m* photocopier

Foul *s* <-s, -s> (SPORT *Verstoß*) foul

Fracht *f* <-, -en> ↑ *Ladung* cargo, freight; **Frachter** *m* <-s, -> ↑ *Transportschiff* freighter, cargo ship

Frack *m* <-[e]s, Fräcke> (*Herrenjacke*) tails *pl*

Frage *f* <-, -n> [1] ▷*stellen* question [2] (*Problem*) question; ◇ **etw in - stellen** to doubt s.th. [3] ◇ **das kommt nicht in -** that is out of the question; **Fragebogen** *m* ▷*ausfüllen* questionnaire; **fragen I.** *vt* [1] (*Frage stellen*) ask; ◇ **nach der Uhrzeit -** to ask what time it is [2] (*bitten*) ◇ **um Rat -** to ask for advice **II.** *vr* ◇ **sich -** (*sich überlegen*) wonder; **Fragezeichen** *s* (*Interpunktion*) question mark; **fraglich** *adj* [1] (*unsicher*) doubtful, uncertain [2] ▷*Person* doubtful, questionable; **fraglos** *adv* ↑ *ohne Zweifel* without a doubt, unquestionably

Fragment *s* ↑ *Bruchstück* fragment

fragwürdig *adj* [1] ↑ *zweifelhaft* doubtful, questionable [2] ↑ *bedenklich* questionable

Fraktion *f* (*Bundestag*) parliamentary party

frankieren *vt* → *Brief* stamp

Frankreich *s* France

Franse *f* <-, -n> (*Teppich-*) fringe

Franzose *m* <-n, -n> Frenchman; **Französin** *f* Frenchwoman; **französisch** *adj* ▷*Sprache* French

fraß *impf v.* **fressen**

Fratze *f* <-, -n> ↑ *Grimasse* grimace

Frau *f* <-, -en> [1] (*Erwachsene*) woman [2] (*Anrede*) Mrs.; ◇ **- Müller** Mrs. Müller [3] (*Ehe-*) wife; **Frauenarzt** *m*, **-ärztin** *f* ↑ *Gynäkologe* gynaecologist; **Frauenbeauftragte(r)** *fm* (*Minister(in)*) representative for women's affairs; **Frauenbewegung** *f* (*Emanzipation*) women's lib; **Frauenhaus** *s* hostel for battered women or women in need; **Fräulein** *s* [1] (*Bedienung*) waitress [2] (*veraltet*) Miss; **fraulich** *adj* ▷*Kleidung* womanly

Freak *m* <-s, -s> (*FAM Computer-*) freak, specialist; (*Hippie*) freak

frech *adj* [1] ▷*Bemerkung* cheeky [2] ▷*Kleidung* cheeky, wild; **Frechheit** *f* cheek, audacity

Fregatte *f* ↑ *Schiff* frigate

frei *adj* [1] ↑ *ungebunden* ▷*Mensch* free [2] ↑ *freiberuflich* freelance, independent [3] ▷*Platz, Stelle* free, vacant [4] ▷*Zeit* free, spare; ◇ **sich - nehmen** to take time off [5] (*draußen*) ◇ **im F-en** outside [6] ▷*Eintritt* free (of charge); **Freibad** *s* (*Ggs Hallenbad*) open-air swimming pool; **freibekommen** *unreg vt* [1] (*Urlaub*) get time off [2] (*aus Gefängnis*) be released, be let out; **freigiebig** *adj* ▷*Spender* generous; **Freigiebigkeit** *f* generosity; **freihalten** *unreg vt* (*einladen*) keep free; **freihändig** *adv* ▷*fahren* with no hands; **Freiheit** *f* [1] (*Ungebundenheit*) freedom [2] (*pl*) ◇ **sich -en herausnehmen** to take liberties; **freiheitlich** *adj* ▷*Gesinnung* liberal; **Freiheitsstrafe** *f* (*Haft*) prison sentence; **Freikarte** *f* (*gratis*) free ticket; **freilassen** *unreg vt* release, set free; **freilegen** *vt* ▷*Ausgrabungen* uncover

freilich *adv* ↑ *natürlich* [but] of course

Freilichtbühne *f* open-air theater; **freimachen I.** *vt* [1] ← *Platz* save [2] ← *Brief* put a stamp on, frank **II.** *vr* ◇ **sich -** [1] (*entkleiden*) undress [2] (*Urlaub nehmen*) take time off; **freisprechen** *unreg vt* (*Gericht*) acquit (*von* of); **Freispruch** *m* acquittal; **freistellen** *vt* [1] ◇ **jd-m etw -** (*zur Wahl stellen*) leave a decision up to s.o [2] (*befreien*) release, exempt s.o (*von*

Freistoß *m* (SPORT *Fußball*) free kick

Freitag *m* Friday; **freitags** *adv* on fridays

freiwillig *adj* ▷*Helfer* voluntary

Freizeit *f* ▷*gestalten* spare time, time off

freizügig *adj* [1] ↑ *hemmungslos* open-minded, permissive [2] ↑ *spendabel* generous

fremd *adj* [1] ▷*Sprache, Land* foreign [2] ↑ *seltsam* strange [3] (*-e Angelegenheiten*) of other people; **fremdartig** *adj* (*ungewohnt*) strange, exotic; **Fremde(r)** *fm* [1] ↑ *Unbekannter* stranger [2] ↑ *Ausländer* foreigner; **Fremdenführer(in** *f*) *m* [1] (*Person*) tourist guide [2] (*Buch*) tourist guide (book); **Fremdenverkehr** *m* ↑ *Tourismus* tourism; **Fremdenzimmer** *s* (*in Pension*) guest room; **Fremdkörper** *m* foreign body; **fremdländisch** *adj* foreign; **Fremdsprache** *f* foreign language; **fremdsprachig** *adj* ▷*Unterricht* in a foreign language; **Fremdwort** *s* (*Fremdwörterlexikon*) borrowed word, foreign word

Frequenz *f* PHYS frequency

fressen <fraß, gefressen> *vti* [1] ← *Tier* eat; *FAM* ↑ *essen* eat [2] ← *Säure* eat away [3] (*FAM jd-n gefressen haben*) not be able to stand s.o.

Freude *f* <-, -n> ▷*empfinden* joy, pleasure; ◇ **- an etw** *dat* **haben** to take pleasure in s.th.; **freudig** *adj* ▷*Ereignis* happy, joyful; **freudlos** *adj* ↑ *trist* joyless, cheerless; **freuen I.** *vt impers:* ◇

freut mich, Sie kennenzulernen pleased to meet you **II.** *vr* ◇ **sich ~** [1] ◇ **sich auf etw** *akk* **~** (*Vorfreude*) look forward [2] ◇ **sich über etw** *akk* **~** (*Geschenk*) to be pleased about s.th.

Freund *m* <-[e]s, -e> [1] (*guter ~*) friend [2] (*Geliebter*) boyfriend [3] *FIG* ↑ *Liebhaber* lover; **Freundin** *f* [1] ▷*gute* friend [2] ↑ *Geliebte* girlfriend; **freundlich** *adj* [1] ↑ *liebenswürdig* friendly [2] ▷*Wetter* good, pleasant; **Freundlichkeit** *f* friendliness; **Freundschaft** *f* friendship; **freundschaftlich** *adj* ▷*Verhältnis* friendly

Frevel *m* <-s, -> (*Verstoß*) sin, crime; **frevelhaft** *adj* (*Verhalten*) mean, wicked

Frieden *m* <-s, -> [1] peace; ◇ **~ schließen** to make peace [2] (*FIG Harmonie*) peace, tranquillity; ◇ **in ~ leben** to live in peace; **Friedensbewegung** *f* peace movement; **Friedensverhandlungen** *pl* ▷*führen* peace talks *pl;* **Friedensvertrag** *m* ▷*abschließen* peace treaty

Friedhof *m* cemetery

friedlich *adj* [1] ▷*Lösung* peaceful [2] ↑ *still, harmonisch* peaceful, tranquil

frieren <fror, gefroren> **I.** *vi* freeze **II.** *vti* [1] (*gefrieren*) ◇ **es friert** it is freezing [2] ◇ **es friert mich** I'm cold, I'm freezing

frigid[e] *adj* (*sexuell*) frigid

Frikadelle *f* (*Boulette*) meatball

Frisbeescheibe® *f* (*Spiel*) frisbee

frisch *adj* [1] ▷*Lebensmittel* fresh [2] (*kühl*) chilly, cool [3] ▷*Kleidung* fresh [4] (*neu*) new, fresh; ◇ **~ gestrichen** newly painted [5] (*lebhaft*) cheerful, lively; **Frische** *f* <-> freshness; **Frischhaltefolie** *f* (*Zellophan*) cling film

Friseur *m* hairdresser; **Friseuse** *f* hairdresser; **frisieren I.** *vt* [1] → *Haare* do up o.'s hair [2] (*FAM Motor*) tinker with [3] (*FIG fälschen*) falsify **II.** *vr* ◇ **sich ~** → *Haare* do o.'s hair; **Frisiersalon** *m* hairdresser's, hairdressing salon

Frist *f* <-, -en> [1] (*Zeitraum*) period [2] (*Zeitpunkt*) deadline; **fristen** *vt* → *Leben* eke out; **fristlos** *adj* ▷*kündigen* without notice

Frisur *f* (*Haar-*) hairstyle

fritieren *vt* (*in Öl*) deep-fry

frivol *adj* [1] (*zweideutig*) suggestive [2] ▷*Person* frivolous

Frl. *Abk v.* **Fräulein**

froh *adj* [1] (*voll Freude*) glad, happy [2] (*erleichtert*) relieved [3] ▷*Nachricht* good; **fröhlich** *adj* ↑ *ausgelassen* joyful, cheery, merry; **Fröhlichkeit** *f* merriness, gaiety; **frohlocken** *vi PEJ* ↑ *schadenfroh sein* gloat (*über akk,* over

fromm *adj* [1] ↑ *gläubig* religious, devout [2] ▷*Wunsch* idle; **Frömmigkeit** *f* (*Frommsein*) religiousness, devoutness

frönen *vi* ↑ *sich hingeben* (*e-r Leidenschaft*) indulge (*in s.th.* dat)

Fronleichnam *m* <-[e]s> RELIG Corpus Christi

Front *f* <-, -en> [1] ↑ *Vorderseite* front [2] (METEOR *Kalt-, Warm-*) front [3] (*FIG kämpfen*) ◇ **~ machen gegen** to make a stand [4] (*Kriegs-*) front, frontline; **frontal** *adj* (*F-zusammenstoß*) frontal, head-on

fror *impf v.* **frieren**

Frosch *m* <-[e]s, Frösche> [1] ZOOL frog [2] (*Knall-*) fire cracker; **Froschmann** *m* <-[e]s, -männer> ↑ *Taucher* frogman

Frost *m* <-[e]s, Fröste> [1] (*Nacht-*) frost [2] (*Schüttel-*) the shivers *pl;* **frösteln** *vi* ↑ *frieren* shiver; (*vor Angst*) tremble; **frostig** *adj* [1] ↑ *kalt* frosty [2] *FIG* ▷*Verhalten* frosty, cool; **Frostschutzmittel** *s* (*Auto*) anti-freeze

Frottee *s o m* <-[s], -s> ▷*Handtuch* terry towel; **frottieren** *vt* (*abtrocknen*) rub down

Frucht *f* <-, Früchte> [1] (*Feld-, Baum-*) fruit [2] *FIG* ↑ *Erfolg* success, fruits *pl;* **Fruchtbarkeit** *f* [1] (*von Boden*) fertility [2] (*von Mann und Frau*) fertility; **fruchten** *vi* ↑ *nützen* be of use; **fruchtlos** *adj* (*vergeblich*) unsuccessful; **Fruchtsaft** *m* fruit juice

früh I. *adj* [1] (*~er Morgen*) early [2] ◇ **ein ~er Rembrandt** an early Rembrandt **II.** *adv* [1] ↑ *zeitig* early; ◇ **~ aufstehen** to get up early [2] (*gestern ~*) yesterday morning [3] (*vorzeitig*) premature; **Frühaufsteher(in** *f*) *m* <-s, -> early riser; **Frühe** *f* <->: ◇ **in aller ~** at the crack of dawn

früher I. *adj* [1] ↑ *damalig* ▷*Zeit* earlier, back then [2] ↑ *ehemalig* ▷*Freundin* former, previous **II.** *adv* [1] ◇ **~ oder später** sooner or later [2] ◇ **~ war alles anders** things were different back then

frühestens *adv* (*nicht früher*) at the earliest

Frühgeburt *f* premature birth; (*Kind*) premature baby

Frühling *s* spring

frühreif *adj* ▷*Kind* precocious

Frühstück *s* breakfast; **frühstücken** *vi* [have] breakfast

frühzeitig *adj* ↑ *rechtzeitig* early, premature

Frust *m* <-s> *FAM* frustration; **frustrieren** *vt* ↑ *enttäuschen* be frustrated

Fuchs *m* <-es, Füchse> fox; **fuchsen** *vt FAM* ↑ *ärgern* annoy; ◇ **das fuchst mich** that makes me cross; **fuchsteufelswild** *adj FAM* livid, absolutely wild

fuchteln *vi* ↑ *gestikulieren* (*mit Armen*) wave [s.th.] wildly

Fuge *f* <-, -n> [1] ↑ *Spalt* crack, split [2] MUS fugue; **fügen I.** *vt* (*aneinander-*) place, set **II.** *vr*

◇ **sich** ~ ① (*sich anpassen*) fit into (*in akk* ② ↑ *klein beigeben* obey **III.** *vr impers* (*gut werden*): ◇ **es wird sich** ~ it will turn out alright

fühlbar *adj* ▷*Unterschied* noticeable, apparent; **fühlen I.** *vt* ① ↑ *spüren* feel ② → *Schmerz* feel, experience **II.** *vi* ① ↑ *tasten* touch, feel (*nach akk* s.th.) ② ↑ *empfinden* feel, experience **III.** *vr* ◇ **sich** ~ ① ▷*wohl, schlecht* feel ② (*Verantwortung tragen*) ◇ **sich verantwortlich für etw** ~ to feel responsible for s.th.; **Fühler** *m* <-s, -> ① (*Schmetterlings-*) antenna, feeler ② (*FIG zu erfahren suchen*) ◇ **seine** ~ **ausstrecken** to put out o.'s feelers

fuhr *impf v.* **fahren**

führen I. *vt* ① ↑ *leiten* lead ② ▷*Namen* have, bear ③ ▷*Ware* carry, supply ④ ◇ **jd-n an der Hand** ~ to lead s.o. by the hand **II.** *vi* ① ▷*Rennen* lead, be in the lead ② ▷*Weg* lead to, go to ③ ◇ **wir** ~ **eine Akte über/von ihm** we have a file on him **III.** *vr* ◇ **sich** ~ ↑ *benehmen* behave; **Führer(in** *f*) *m* <-s, -> ① (*Geschäfts-*) manager ② (*An-*) leader ③ (*Fremden-*) tourist guide; **Führerschein** *m* driving licence; **Führung** *f* ① (*Geschäfts-*) management ② *a.* SPORT lead; ◇ **in** ~ **gehen** to be in the lead ③ (MIL *Heer-*) command ④ (*Benehmen*) ◇ **wegen guter** ~ due to good conduct ⑤ (*Museums-*) guided tour; **Führungszeugnis** *s* ▷*polizeiliches police document revealing s.o.'s possible criminal record*

Fuhrwerk *s* (*Pferde-*) cart, waggon

Fülle *f* <-> ① (*große Menge*) abundance, wealth; ◇ **in Hülle und** ~ in abundance ② (*Umfang*) fullness; **füllen I.** *vt* ▷*Glas* fill [up] **II.** *vr* ◇ **sich** ~ (← *Saal, voll werden*) fill

Füllen *s* <-s, -> (*Fohlen*) foal

Füller, **Füllfederhalter** *m* <-s, -> fountain pen; **Füllung** *f* ① (*von Zahn, Pralinen*) filling ② (*von Fleisch*) stuffing ③ (*Tür-*) panel

fummeln *vi FAM* ① (*nervös berühren*) fumble, fiddle ② (*sexuell*) grope

Fund *m* <-[e]s, -e> (*-sache*) find; (*Schatz*) discovery

Fundament *s* ① ARCHIT ↑ *Grundmauer* foundation ② *FIG* ↑ *Grundlage, Basis* foundations *pl;* **fundamental** *adj* ↑ *grundlegend* fundamental, basic; **Fundamentalist(in** *f*) *m* POL fundamentalist

Fundbüro *s* lost and found, lost property office; **Fundgrube** *f FIG*: ◇ **Eine wahre** ~**!** A real treasure-trone!

fundieren *vt* ↑ *begründen* support, back up, substantiate; **fundiert** *adj* ▷*Wissen* sound

fünf *nr* ① (*Zahl*) five ② (*Note*) fail, E; **fünffach I.** *adj* ↑ *fünfmal soviel* five times , fivefold **II.** *adv* five times; **fünfhundert** *nr* five hundred; **fünfjährig** *adj* ① (*Alter*) five-year-old ② (*5 Jahre lang*) for five years; **fünfmal** *adv* five times; **fünfte(r, s)** *adj* ① (*an ~r Stelle*) fifth ② (*Datum*) fifth; ◇ **der** ~ **April** the fifth of April; (*Brief*) ◇ **München, den** ~**n April** Munich, April 5th; **Fünfte(r)** *fm:* ◇ **als** ~ **durch's Ziel kommen** to come fifth [*o.* to be in fifth place]; **Fünftel** *s* <-s, -> (*Bruchteil*) fifth; **fünftens** *adv* fifthly, in the fifth place or position; **fünfzehn** *nr* fifteen; **fünfzig** *nr* fifty

fungieren *vi* ↑ *tätig sein* function as, act as (*als*

Funk *m* <-s> ① (*~ und Fernsehen*) radio ② ◇ **über** ~ by radio

Funke[n] *m* <-ns, -n> ① (*von Feuer*) spark ② (*FIG Hoffnungs-*) ray, glimmer; **funkeln** *vi* ← *Sterne* twinkle; ← *Augen* sparkle; ← *Edelstein* glitter

funken *vt* ① → *Nachricht* broadcast, radio ② (*FAM sich verlieben*) ◇ **es hat gefunkt** it clicked; **Funkhaus** *s* (*Sendestation*) broadcasting centre; **Funkspruch** *m* radio signal/message; **Funkstation** *f* radio station; **Funktaxi** *s* ▷*rufen* radio taxi

Funktion *f* ① ↑ *Amt* office ② ↑ *Zweck* function ③ ◇ **außer** ~ out of order ④ MATH function; **funktionieren** *vi* ↑ *richtig arbeiten* work, function; **Funktionstaste** *f* PC function key

für I. *präp akk* ① (*Ggs gegen*) for; ◇ **F~ und Wider** the pros and cons, advantages and disadvantages ② (*anstelle*) for, instead of; ◇ ~ **jd-n etw tun** to do s.th. for s.b. ③ for; ◇ ~ **jd-n einkaufen** to shop for s.b. ④ for, in order to; ◇ ~ **eine Prüfung lernen** to study for an examintion ⑤ (*Preis*) for; ◇ **ich habe es** ~ **15 Mark bekommen** I got it for 15 Marks **II.** *pron* ① ◇ **Was** ~ **ein Buch?** What kind of book? ② ◇ **was** ~ **ein Mann!** What a man!

Fürbitte *f* ▷*leisten* intercession

Furche *f* <-, -n> furrow

Furcht *f* <-> ↑ *Angst* fear; **furchtbar** *adj* dreadful, terrible; **fürchten I.** *vt* ↑ *Angst haben vor jd-m/etw* fear, be afraid of **II.** *vi* ① ↑ *befürchten* fear ② ◇ ~ **um etw** to fear for **III.** *vr* ◇ **sich** ~ be afraid of (*vor dat;* **fürchterlich** *adj* ↑ *schlimm* dreadful, awful; **furchtlos** *adj* fearless; **furchtsam** *adj* ↑ *ängstlich* timid

füreinander *adv* ↑ *einer für den anderen* for each other, for one another

Furnier *s* <-s, -e> (*Holz-*) veneer

fürs = **für das**

Fürsorge *f* ① (*Pflege*) care ② (*Sozialhilfe*) welfare; **Fürsprache** *f* (*Empfehlung*) recommendation; **Fürsprecher(in** *f*) *m* advocate

Fürst(in *f*) *m* <-en, -en> prince; *FIG* ◇ **leben wie ein ~** to live like a king; **fürstlich** *adj* [1] (*reichlich*) princely [2] ▷*Residenz* lavish
Furt *f* <-, -en> (*Fluß*) ford
Fürwort *s* GRAM pronoun
Fuß *m* <-es, Füße> [1] ANAT foot; ◇ **zu ~** on foot [2] (*von Tisch*) leg [3] (*von Berg*) foot, base [4] *FIG* ◇ **kalte Füße bekommen** to get cold feet; **Fußball** *m* SPORT football; **Fußboden** *m* floor; **Fußbremse** *f* (*von Motorrad*) footbrake; **fußen** *vi* ↑ *basieren* be based on (*auf dat;* **Fußende** *s* (*von Bett*) foot; **Fußgänger(in** *f*) *m* <-s, -> pedestrian; **Fußnote** *f:* ◇ **siehe ~** see footnote; **Fußtritt** *m* kick; ◇ **jd-m einen ~ versetzen** to kick s.b., to give s.b. a kick; **Fußweg** *m* footpath
Futter *s* <-s, -> [1] (*Katzen-*) food; (*Pferde-*) fodder [2] (*Mantel-*) lining; **füttern** *vt* [1] → *Tier* feed [2] (*mit Stoff*) tone
Futur *s* <-s, -e> GRAM ↑ *Zukunft f*

G

G, g *s* [1] G, g
Gabe *f* <-, -n> [1] ↑ *Präsent* gift, present [2] ↑ *Begabung* talent, gift
Gabel *f* <-, -n> [1] (*Fleisch-*) fork [2] (*Telefon-*) rest [3] (*Mist-*) pitchfork [4] ↑ *Geweih* two pointed antler; **gabeln** *vr* ◇ **sich ~** ▷*Weg* fork; **Gabelung** *f* (*Weg-*) fork; **Gabelstapler** *m* <-s, -> fork-lift truck
gackern *vi* [1] ← *Hühner* cackle [2] *FAM* ← *Mädchen* cackle
gaffen *vi* ↑ *glotzen* gape, stare; **Gaffer(in** *f*) *m* <-s, -> (*FAM bei Unfall*) gaper
Gag *m* <-s, -s> gag; (*Werbe-, Film-*) gimmick
Gage *f* <-, -n> ▷*einmalig* fee; ▷*regelmäßig* salary
gähnen *vi* (*vor Müdigkeit*) yawn
galant *adj* courteous
Galerie *f* [1] (*Bilder-, Kunst-*) gallery [2] (*in Schloß etc.*) gallery [3] THEAT gallery; *AM* grandstand
Galgen *m* <-s, -> [1] gallows *pl* [2] TECH crossbeam; **Galgenhumor** *m* gallow humour
Galle *f* <-, -n> [1] (*Organ*) gallbladder [2] (*Gallenflüssigkeit*) bile [3] *FIG* ◇ **ihm läuft die ~ über** his blood begins to boil; **Gallenstein** *m* gall-stone
Galopp *m* <-s, -s *o.* -e> (*von Pferd*) galopp; ◇ **im ~** at a galopp; **galoppieren** *vi* ← *Pferd* galopp

gammeln *vi FAM* loaf around; **Gammler(in** *f*) *m* <-s, -> dropout
gang *adj:* ◇ **~ u. gäbe** to be the usual thing; **Gang** *m* <-[e]s, Gänge> [1] (*Spazier-*) walk; ◇ **einen Spazier~ machen** to go for a walk [2] ↑ *-art* way of walking [3] ↑ *Besorgung* ▷*erledigen* errand [4] ↑ *Verlauf* course; ◇ **das ist der ~ der Dinge** that is the course of things; ◇ **in vollem ~ sein** to be in full swing [5] ↑ *Etappe* (*Arbeits-*) operation; (*Essens-*) course [6] (AUTO *erster, zweiter, Rückwärts-*) gear [7] (*Lauben-*) passage; ↑ *Flur, Korridor* corridor [8] MIN vein [9] *FIG* ◇ **etw in ~ bringen** to get s.th. going; *FIG* ◇ **in ~ kommen** ← *Gespräch* to get going; **gängig** *adj* [1] ▷*Redewendung* common [2] ▷*Ware* popular; **Gangschaltung** *f* (*an Fahrrad*) gears *pl*
Gangster *m* <-s, -> gangster
Gangway *f* <-, -s> (*von Schiff*) gangway; (*von Flugzeug*) steps *pl*
Ganove *m* <-n, -n> *FAM* crook
Gans *f* <-, Gänse> goose
Gänseblümchen *s* daisy; **Gänsehaut** *f:* ◇ **eine ~ haben/bekommen** *FIG* to have/get goosebumps; **Gänsemarsch** *m:* ◇ **sie kamen im ~ herein** they came in single file; **Gänserich** *m* gander
ganz I. *adj* [1] ↑ *ungeteilt, komplett* whole, entire; ◇ **das ~e Jahr** the entire year; ◇ **ihr ~es Geld ist weg** all of their money is gone; ◇ **das G~e...** the entire...; ◇ **~ Europa** all of Europe [2] ↑ *intakt, unversehrt* whole, complete; ◇ **das Glas ist noch ~** the glass is still good [3] *FAM* ↑ *nur* ◇ **sie hat ~e fünf Minuten gebraucht** she just needed five mintues [4] ◇ **eine ~e Menge** quite a few **II.** *adv* [1] ↑ *ziemlich, relativ* ◇ **~ schön gemein** really mean; ◇ **es geht mir ~ gut** I'm doing quite well [2] ↑ *völlig* quite, competely; ◇ **das habe ich ~ vergessen** I totally forgot about that; ◇ **~ allein** all alone; ◇ **~ und gar** completely, utterly; ◇ **~ und gar nicht** not at all, not in the least; **ganzheitlich** *adj* integral; ◇ **e-e Sache ~ betrachten** to view a problem in it's entirety; ◇ **~es Denken** comprehensive/holistic thinking; **gänzlich** *adv* completely, absolutely; ◇ **etw ~ mißverstehen** to misunderstand s.th. entirely
gar I. *adj* ▷*Fleisch, Gemüse* well (done) **II.** *adv* [1] ↑ *etwa* really, even; ◇ **hast du ~ schon Kinder?** do you even have children already? [2] even [3] ◇ **~ nicht** not at all; ◇ **~ nichts/keiner** nothing/no-one at all [4] ↑ *durchaus* ◇ **~ nicht übel** not bad at all
Garage *f* <-, -n> garage
Garantie *f* guarantee; **garantieren I.** *vt* [1] guarantee; ◇ **jd-m etw ~** to guarantee s.o. s.th. [2] *FAM* ↑ *zusichern, versprechen* guarantee **II.** *vi:* ◇ **für etw ~** to guarantee s.th.

Garbe *f* <-, -n> [1] (*Getreide-*) sheaf, bundle [2] (*Schuß-*) burst of fire, sheaf
Garderobe *f* <-, -n> [1] (*Abend-*) wardrobe [2] ↑ *Vorraum mit Kleiderablage* (*Theater-*) cloak-room; *AM* check-room [3] ↑ *Umkleideraum* dressing-room; **Garderobenfrau** *f* cloak-room attendant
Gardine *f* curtain
gären <gor, gegoren> *vi* [1] ← *Saft* ferment [2] *FIG* ◇ **in diesem Land gärt es** trouble is brewing in this country
Garn *s* <-[e]s, -e> (*Näh-, Woll-*) yarn
Garnele *f* <-, -n> shrimp
garnieren *vt* → *Essen* garnish; (*Stoff*) decorate, trim
Garnitur *f* [1] (*Möbel-*) set; (*Wäsche-*) a pair of matching underwear; (*Beschläge*) fittings *pl* [2] ↑ *Verzierung* trimming
garstig *adj* ▷*Mensch, Bemerkung* nasty, vile
Garten *m* <-s, Gärten> (*Gemüse-*) garden; **Gartenarbeit** *f* gardening; **Gärtner(in** *f*) *m* <-s, -> gardener; **Gärtnerei** *f* (*Blumen-, Obst-*) nursery; **gärtnern** *vi* do gardening
Gärung *f* BIO fermentation
Gas *s* <-es, -e> [1] (*Erd-, Heiz-*) gas [2] AUTO accelerator; *AM* gas pedal; ◇ **Voll- geben** to floor it; ◇ **- geben** to accelerate; **Gasherd** *m* gas-stove; **Gaskocher** *m* gas cooker; **Gasleitung** *f* gas pipe; **Gasmaske** *f* gasmask; **Gaspedal** *s* AUTO accelerator; *AM* gas pedal
Gasse *f* <-, -n> [1] lane, street [2] ↑ *Durchgang* alley; **Gassenjunge** *m* urchin, guttersnipe
Gast *m* <-es, Gäste> [1] ↑ *Besucher* guest; (*Hochzeits-*) guest; ◇ **bei jd-m zu - sein** to be a guest at s.o.'s house [2] (*Hotel-, Bade-*) customer, occupant; **Gastarbeiter(in** *f*) *m* foreign worker, immigrant worker; **Gastbett** spare bed; **Gästebuch** *s* guest book, vistor's book; ◇ **sich ins - eintragen** to sign the visitor's book; **gastfreundlich** *adj* hospitable; **Gastfreundschaft** *f* hospitality; **Gastgeber(in** *f*) *m* <-s, -> host, hostess; **Gasthaus** *s* restaurant; (*mit Unterkunft*) inn; **Gasthof** *m* [1] restaurant [2] ↑ *Pension, Hotel* inn, guesthouse; **Gasthörer(in** *f*) *m* guest student
gastieren *vi* ← *Schauspieler, Ensemble* give a guest performance
gastlich *adj* hospitable
Gastritis *f* <-, Gastritiden> MED gastritis
Gastrolle *f* THEAT guest part
Gastronomie *f* [1] gastronomy [2] catering; **gastronomisch** *adj* gastronomical
Gastspiel *s* [1] THEAT guest performance [2] SPORT away match; **Gaststätte** *f* pub; **Gastzimmer** *s* guest room
Gasvergiftung *f* gas-poisoning; **Gaswerk** *s* gasworks *pl*; **Gaszähler** *m* gas-meter
Gatte *m* <-n, -n> [1] husband, spouse [2] ◇ **die -n** *pl* husband and wife, the married couple
Gatter *s* <-s, -> fence; ◇ **-tür** lattice gate
Gattin *f* wife, spouse
Gattung *f* [1] (*bei Tieren, Pflanzen*) species [2] (*Literatur-*) genre, category
Gau *m* <-s, -e> HIST *administrative area in Nazi Germany*
GAU *m* <-s, -s> *Akr v.* TECH **größter anzunehmender Unfall;** *worst possible nuclear disaster*
Gaukler(in *f*) *m* juggler, travelling entertainer
Gaul *m* <-[e]s, Gäule> nag; ◇ **einem geschenkten - sieht man nicht ins Maul** never look a gift horse in the mouth
Gaumen *m* <-s, -> palate
Gauner(in *f*) *m* <-s, -> [1] scoundrel, swindler [2] *FAM* conman, crook; ◇ **so ein -!** what a crook!
Gaze *f* <-> gauze
Gazelle *f* gazelle
geb. *adj Abk v.* **geboren, geborene** born; ◇ **Lisa Müller - Meier** Lisa Müller née Meier
Gebäck *s* <-[e]s, -e> [1] ↑ *Kuchen* cakes and pastries, bakery goods *pl* [2] (*Weihnachts-*) pastries and tarts *pl*
Gebälk *s* <-[e]s> timberwork, framework
Gebärde *f* <-, -n> gesture; **gebärden** *vr* ◇ **sich -** behave; ◇ **sich wie toll -** to make a scene; **Gebaren** *s* <-s> ▷*merkwürdig* behaviour
gebären <gebar, geboren> *vt* bear, give birth; ◇ **wo sind Sie geboren?** where were you born?; **Gebärmutter** *f* ANAT womb, uterus
Gebäude *s* <-s, -> [1] (*Wohn-, Büro-*) building [2] *FIG* (*Gedanken-*) structure, edifice; **Gebäudekomplex** *m* building complex
Gebell *s* <-[e]s> (*Hunde-*) barking
geben <gab, gegeben> **I.** *vt* [1] hand; → *Flasche* give; ◇ **jd-m die Hand -** to shake s.o.'s hand, to put o.'s hand out; TELECOM ◇ **- Sie mir bitte Frau Müller** would you give me Mrs. Müller please [2] ↑ *schenken, zukommen lassen* give; → *Geld, Almosen etc.* give, donate; *FIG* ◇ **Schatten -** to give shade [3] ↑ *gewähren, zubilligen* grant; → *Rabatt, Kredit* give, grant; → *Interview* give [4] ↑ *stattfinden lassen* give; → *Gastspiel, Theaterstück* put on, present; SCH → *Mathematik* give [5] (*ergeben*) produce; ◇ **das - keinen Sinn** it makes no sense; MATH ◇ **fünf u. vier gibt neun** five and four makes/equals nine [6] ↑ *schicken* send; ◇ **aufs Gymnasium/ins Heim -** to send, to place; ◇ **das Auto zur Reparatur -** to put the car in the garage [7] (*Funktionsverb*) give; ◇ **einen Rat -** to give some advice; ◇ **einen Kuß -** to give a kiss; ◇

G

ein Versprechen ~ to make a promise [8] ◇ **etw von sich** ~ express; (*Rede*) hold, deliver; ◇ **unter den gegebenen Umständen** under the present circumstances; ◇ **sie gäbe alles darum** she would sacrifice everything for it **II.** *vi impers* [1] ◇ **es gibt** there is, there are; ◇ **es gibt keine Dinosaurier mehr** there aren't any more dinosaurs, dinosaurs no longer exist; ◇ **es gibt Leute, die ...** there are people who...; ◇ **das gibt's doch nicht!** that can't be true [2] ◇ **es gibt** ↑ *geschehen* there is; ◇ **es gibt Regen** it will rain, we will get some rain soon **III.** *vr* ◇ **sich** ~ [1] ↑ *aufhören, sich bessern* ← *Krankheit* ease off, let up; ◇ **das gibt sich wieder** that will pass [2] ↑ *so tun als ob* pose, pretend; ◇ **er gibt sich tolerant** he pretends to be so tolerant [3] ◇ **sich geschlagen** ~ to give in, to admit defeat

Gebet *s* <-[e]s, -e> prayer; ◇ **sein** ~ **verrichten** to say one's prayers

Gebiet *s* <-[e]s, -e> [1] ↑ *Zone* zone, district, region [2] (*Hoheits-*) territory [3] (*FIG Fach-*) area, field

Gebilde *s* <-s, -> [1] (*Staaten-*) organization, construction [2] (*Wolken-*) shape, form

gebildet *adj* educated

Gebirge *s* <-s, -> mountain range

Gebiß *s* <-sses, -sse> [1] teeth *pl* [2] ▷*künstlich* dentures *pl*

Gebläse *s* <-s, -> AUTO fan, ventilator

geboren *adj* [1] born; ◇ ~ **am 26.2.** born on 2/26 [2] ◇ **Gutmann, -e Haas** Mrs. Gutmann, a Haas by birth, Mrs. Gutmann née Haas [3] ↑ *sehr begabt* ◇ **sie ist die -e Schriftstellerin** she is a born author, she was born to be a writer

geborgen *adj:* ◇ **sich [bei jd-m]** ~ **fühlen** safe, secure; **Geborgenheit** *f* security, safety

Gebot *s* <-[e]s, -e> [1] ↑ *Weisung, Befehl* order, command [2] rule; REL commandment; ◇ **die zehn -e** the ten commandments; (*Gesetz*) law [3] (*Erfordernis*) requirement; **Gebotsschild** *s* mandatory sign, traffic sign

Gebr. *Abk v.* **Gebrüder** Bros.

Gebrauch *m* <-[e]s, Gebräuche> [1] ↑ *Benutzen* usage [2] ↑ *Anwendung* applicaton; ◇ **zum äußeren** ~ for external use only [3] ↑ *Brauch* practice, custom; ◇ **heilige Gebräuche** sacred rites; **gebrauchen** *vt* [1] ↑ *benutzen* → *Werkzeug* use [2] ↑ *anwenden* → *Sprache* apply, use [3] ↑ *brauchen* use, need; ◇ **das kann ich gut** ~ I could use that; ◇ **ich kann es nicht** ~ it is of no use to me; **gebräuchlich** *adj* common, current; **Gebrauchsanweisung** *f* directions/instructions *pl* for use; **gebrauchsfertig** *adj* ready to use; (*Kaffee, Suppe*) instant; **Gebrauchsgegenstand** *m* necessity item, commmodity; (*Werkzeug*) utensil; **gebraucht** *adj* used; ◇ **etw** ~ **kaufen** to buy s.th. used/second hand; **Gebrauchtwagen** *m* used car

Gebrechen *s* <-s, -> [1] weakness [2] affliction, infirmity; **gebrechlich** *adj* feeble, frail; (*altersschwach*) decrepit, infirm

Gebrüder *pl* brothers, Bros.

Gebrüll *s* <-[e]s> roaring, screaming

Gebühr *f* <-, -en> (*Telefon-, Post-*) charge; (*Studien-*) tuition; (*Straßen-*) toll; ◇ **über** ~ over charged

gebühren I. *vi:* ◇ **jd-m** ~ be due to; ◇ **es gebührt ihm** he is entitled to it **II.** *vr* ◇ **sich** ~: ◇ **das gebührt sich nicht** to be fitting; ◇ **wie es sich gebührte** as seen fit; **gebührend** *adj* ▷*Dank* suitable; (*passend*) due, proper, fitting

Gebührenermäßigung *f* reduction of charge; **gebührenfrei** *adj* free of charge, exempt from charge; (*Telefonanruf*) toll-free; **gebührenpflichtig** *adj* subject to charge, chargeable; ◇ **-e Verwarnung** warning involving a summary fine

Geburt *f* <-, -en> [1] (*e-s Kindes*) birth [2] (*Herkunft*) ◇ **von** ~ **Franzose** French by birth; ◇ **von edler** ~ of noble birth [3] (*FIG von Idee*) birth, creation; **Geburtenregelung** *f* birth-control; **Geburtenrückgang** *m* decline in birth-rate; **gebürtig** *adj* born in, a native of; ◇ **Marie ist -e Französin** Marie is a native of France; **Geburtsanzeige** *f* birth announcement; **Geburtsdatum** *s* date of birth; **Geburtshelfer(in** *f*) *m* obstetrician, midwife; **Geburtsjahr** *s* year of birth; **Geburtsort** *m* birthplace; **Geburtstag** *m* birthday, date of birth; ◇ **heute hat er** ~ today is his birthday; ◇ **herzlichen Glückwunsch zum** ~ happy birthday; **Geburtsurkunde** *f* birth certificate

Gebüsch *s* <-[e]s, -e> bushes

Gedächtnis *s* [1] ↑ *Erinnerungsvermögen* ▷*gut, schlecht* memory [2] ↑ *Andenken* ▷*bewahren* remembrance

Gedanke *m* <-ns, -n> [1] thought, idea; ◇ **in -n versunken** to be deep in thought, to be absorbed in thought; ◇ **sich** *dat* **über etw** *akk* **-n machen** to think about s.th., to be worried; ◇ **seine -n beisammen haben** to have one's thoughts together [2] ↑ *Konzept* concept [3] ↑ *Idee* idea, notion; ◇ **ein guter** ~ a good idea; **Gedankengebäude** *s* construct of ideas; **gedankenlos** *adj* [1] (*unüberlegt*) thoughtless [2] ↑ *zerstreut* absent-minded [3] (*rücksichtslos*) inconsiderate, thoughtless; **Gedankenlosigkeit** *f* [1] thoughtlessness, inconsideration [2] absentmindedness; **Gedankenstrich** *m* dash; **Gedankenübertragung** *f* telepathy; **gedankenvoll** *adj* pensive, thoughtful

Gedärme *pl* ANAT intestines *pl*

Gedeck *s* <-[e]s, -e> ① set; ◇ **ein - auflegen** to set a place ② set meal, set menu

gedeihen <gedieh, gediehen> *vi* ① ← *Pflanze* grow, flourish ② *FIG* ↑ *sich gut entwickeln* prosper; ← *Arbeit, Idee* thrive, prosper

gedenken *unreg vi* ① ↑ *beabsichtigen* intend, plan; ◇ **ich gedenke, sie zu besuchen** I'm thinking of visiting her ② ↑ *Andenken ehren* remember; ◇ **jd-s/einer Sache -** to recall/remember s.o./s.th.; **Gedenkminute** *f* a minute's silence; **Gedenkmünze** *f* commemorative coin; **Gedenkstätte** *f* (*Ort zum Andenken an Person/Ereignis*) memorial; **Gedenktag** *m* commemoration day

Gedicht *s* <-[e]s, -e> (*Helden-*) poem

gediegen *adj* ① ⊳*Arbeit* solid, good craftsmanship ② ↑ *zuverlässig* ⊳*Charakter* sound ③ ↑ *unvermischt* ⊳*Metall* pure

Gedränge *s* <-s> ① pushing, jostling ② crowd; ◇ **ein großes -** a huge crowd; **gedrängt** *adj* packed, full

Geduld *f* <-> patience; ◇ **- mit jd-m/etw haben** to be patient with s.o./s.th., to have patience with s.o./s.th.; **gedulden** *vr* ◇ **sich -** to be patient; **geduldig** *adj* (*Person*) patient; **Geduldsprobe** *f* test of one's patience

geeignet *adj* ① (*passend, angemessen*) suitable ② ↑ *fähig, passend* appropriate, proper; ⊳*Mitarbeiter* suitable, qualified (*für* for)

Gefahr *f* <-, -en> ① (*drohendes Unheil, Risiko*) danger; ◇ **sich in - begeben** to expose o.s. to danger ② ↑ *Bedrohung, Gefährdung* threat, menace; ◇ **außer -** out of danger ③ ◇ **auf eigene -** ↑ *auf eigene Verantwortung* at one's own risk; **gefährden** *vt* → *jd-n* endanger, imperil; → *Leben, Plan* jeopardize; **Gefährdung** *f* endangerment; **Gefahrenquelle** *f* source of danger; **Gefahrenzulage** *f* danger pay; *AM* hazard bonus; **gefährlich** *adj* ① ⊳*Abenteuer* risky, hazardous, perilous ② ↑ *kritisch* ⊳*Zustand* dangerous, critical ③ ↑ *bedrohlich* ⊳*Krankheit* serious, bad, dangerous

Gefährte *m* companion; **Gefährtin** *f* (*Weg-*) companion; (*Lebens-*) partner

Gefälle *s* <-s, -> ① (*Neigung*) drop, fall; (*von Straße*) slope ② *FIG* ↑ *Senkung* (*Preis-, Lohn-*) drop, fall ③ ↑ *Unterschied* ⊳*sozial* difference

gefallen *unreg vi* ① please; ◇ **er/sie/es gefällt mir** I like him/her/it ② ◇ **sich** *dat* **etw - lassen** to put up with s.th.; ◇ **das lasse ich mir nicht -!** I won't stand for that!

Gefallen [1] *m* <-s, -> favour; ◇ **jd-m einen - tun** to do s.o. a favour

Gefallen [2] *m* <-s> pleasure; ◇ **an etw/jd-m - finden** to take pleasure in s.o./s.th.

gefällig *adj* ① ↑ *entgegenkommend* ⊳*Person* obliging, complaisant; ◇ **was ist Ihnen -?** how can I oblige you? ② ↑ *ansprechend* ⊳*Äußeres* pleasing, pleasant, nice; **Gefälligkeit** *f* kindness, obligingness; ◇ **etw aus - tun** to do s.th. out of kindness; **gefälligst** *adv* kindly; ◇ **sei - nicht so frech** would you kindly not be so cheeky

Gefangene(r) *fm* prisoner, captive; (*Kriegs-*) prisoner of war; **gefangenhalten** *unreg vt* keep s.o. a prisoner, to hold s.o. captive; **Gefangennahme** *f* <-, -n> arrest, apprehension; MIL capture, seizure; **gefangennehmen** *unreg vt* take s.o. prisoner, arrest s.o.; MIL capture/seize s.o.; **Gefangenschaft** *f* (*e-s Tieres*) captivity; ↑ *Haft* imprisonment; **Gefängnis** *s* ① (*Strafanstalt*) prison, jail ② (*-strafe*) jail sentence, term of imprisonment; ◇ **er bekam zwei Jahre -** he was sentenced to two years in prison, he received a two year prison sentence; **Gefängnisstrafe** *f* prison sentence; **Gefängniswärter(in** *f*) *m* ↑ *Aufseher* prison officer; **Gefängniszelle** *f* prison cell

Gefäß *s* <-es, -e> ① (*Behälter*) vessel; (*Trink-*) receptacle ② (ANAT *Blut-*) vessel

gefaßt *adj* ① (*beherrscht*) composed, calm ② ◇ **auf etw** *akk* **- sein** to be prepared for s.th.; ◇ **auf das Schlimmste - sein** to be prepared for the worst

Gefecht *s* <-s, -e> ① (*militärischer Kampf*) combat, encounter ② *FIG* (*Wort-*) battle with words

Gefieder *s* <-s, -> feathers *pl*

gefleckt *adj* speckled, spotted

Geflügel *s* <-s> poultry; **geflügelt** *adj* ① winged ② *FIG* ◇ **-es Wort** saying

Gefolgschaft *f* ① (*Gesamtheit der Anhänger*) followers, supporters ② ↑ *Treue* allegiance

gefragt *adj* ⊳*Ware* in demand

gefräßig *adj* gluttonous

Gefreite(r) *fm* MIL lance-corporal; *AM* private 1st class; NAUT, AVIAT aircraftman 1st class; *AM* airman 3rd class

gefrieren *unreg vi* freeze; **Gefrierfach** *s* freezer(compartment); **Gefrierfleisch** *s* frozen meat; **gefriergetrocknet** *adj* ⊳*Kaffee* freeze-dried; **Gefrierpunkt** *m* freezing-point; **Gefrierschrank** *m* freezer; **Gefriertruhe** *f* deep-freeze, freezer

Gefüge *s* <-s, -> (*Staats-*) structure; (*Gedanken-*) structure

gefügig *adj* submissive, pliable; ◇ **jd-n - ma-**

chen to make s.o. bend to one's will, to make s.o. obedient

Gefühl *s* <-[e]s, -e> [1] ↑ *Wahrnehmung* (*physisch*) sensation, touch; (*Kälte-*) a cold sensation [2] ↑ *Empfindung* (*seelisch, Glücks-, Angst-, Mit-*) feeling; ◇ **jd-m -e entgegenbringen** to express your feelings to s.o. [3] ↑ *Gespür, Instinkt* (*Sprach-, Fingerspitzen-*) sense, instinct (*für etw* for); ◇ **etw im - haben** to have a feeling for s.th., to sense s.th. [4] ↑ *Vorahnung* feeling; ◇ **den -en nach gehen** to listen to your feelings; **gefühllos** *adj* [1] ▷*Fuß, Hand* numb [2] ↑ *kalt, unbarmherzig* emotionless; ▷*Person* insensitive, insensible; **gefühlsbetont** *adj* emotional; **Gefühlsduselei** *f FAM* sentimentalism; **gefühlsmäßig** *adj* emotional, intuitive, instinctive; **gefühlvoll** *adj* ▷*singen* emotional

gegebenenfalls *adv* should the occasion arise, if necessary

gegen *präp akk* [1] ↑ *wider, contra* against; ◇ **- jd-n sein** to be against s.o. [*o.* opposed to s.o.]; ◇ **- jd-n spielen** to play against s.o.; JUR ◇ **Müller - Axtmann** Müller versus Axtmann [2] compared with; ◇ **- mich ist er eine Null** compared to me, he's a nobody [3] ↑ *jd-m gegenüber* ◇ **- mich ist er freundlich** he's friendly with me [4] ↑ *in Richtung auf, an* opposite, across; ◇ **- etw/jd-n stoßen** to bump against s.th./s.o.; ◇ **- Ende des Films** towards the end of the film [5] ↑ *im Austausch für* for; ◇ **nur - Bargeld** only for cash [6] ↑ *ungefähr* (*zeitlich*) towards; ◇ **- Mitternacht** towards; **Gegenangriff** *m* MIL counter-attack; **Gegenbeweis** *m* counter-evidence

Gegend *f* <-, -en> [1] ↑ *Gebiet* ▷*reizvoll* landscape, scenery; ◇ **durch die - fahren** to drive around [2] ↑ *Stadtviertel* ▷*nobel* district, area [3] *FIG* ↑ *Umgebung* surroundings *pl*

Gegendarstellung *f* (*in Presse*) reply

gegeneinander *adv* ▷*kämpfen* against each other

Gegenfahrbahn *f* AUTO oncoming lane; **Gegenfrage** *f* ▷*stellen* counterquestion; **Gegengewicht** *s* [1] counterweight [2] *FIG* ↑ *Ausgleich* counterweight, counterbalance; **Gegengift** *s* antidote; **gegenläufig** *adj* [1] TECH ▷*Bewegung* contrarotating [2] *FIG* ▷*Tendenz, Entwicklung* contrary, opposite; **Gegenleistung** *f* a service in return for s.th.; **Gegenmaßnahme** *f* countermeasure; **Gegenmittel** *s* MED antidote; **Gegenpartei** *f* JUR the opposition, the opposing party; **Gegensatz** *m* [1] ↑ *Kontrast, Unterschied* contrast; ◇ **im - zu** in contrast to [2] ↑ *Gegenteil* opposite; ◇ **Gegensätze ziehen sich an** opposites attract [3] ↑ *Konflikt* (*von Meinung*) confliction, conflicting views; ◇ **Gegensätze ausgleichen** to equal out the differences; **gegensätzlich** *adj* [1] ↑ *widersprüchlich* ▷*Aussagen* opposing [2] ↑ *unterschiedlich* ▷*Charaktere* different, conflicting [3] ↑ *oppositionell* ▷*Meinungen* different; **Gegenseite** *f* [1] (JUR *Gegenpartei*) opposition [2] ↑ *Rückseite* (*von Papier, Münze*) other side, opposite side; **gegenseitig** *adj* [1] ↑ *einander* mutual, reciprocal; ◇ **sich - loben** to praise each other [2] ↑ *beiderseitig* ▷*Einvernehmen* bilateral; **Gegenspieler(in** *f*) *m* antagonist; SPORT opponent

Gegenstand *m* [1] ↑ *Sache, Ding* object, thing item [2] *FIG* ↑ *Thema* topic, motif, theme; **gegenständlich** *adj* ▷*Denken* objective, concrete; **gegenstandslos** *adj* [1] abstract, without form [2] ↑ *unbegründet* ▷*Beschuldigung* superfluous, invalid

Gegenstimme *f* [1] (*bei Abstimmungen*) opposition, objection [2] MUS counterpart; **Gegenstück** *s* [1] (*Entsprechung*) counterpart, equivalent (*zu* to) [2] ↑ *Gegenteil* contradiction; **Gegenteil** *s* [1] opposite (*von* of) [2] ↑ *Umkehrung* reverse [3] (*entgegengesetzte Ansicht etc.*) contrary; ◇ **das - behaupten** to maintain the contrary; ◇ **im -** on the contrary; **gegenteilig** *adj* ▷*Behauptung* contrary, opposite

gegenüber I. *präp dat* [1] opposite, across; ◇ **- der Haltestelle** opposite the bus stop, across from the bus stop [2] ↑ *im Hinblick auf etw/jd-n* in regard to, considering; ◇ **ihm - habe ich keine Bedenken** I don't have any worries regarding him [3] ↑ *zu jd-m, angesichts* in the view of; ◇ **er hat ihr - nichts gesagt** in the face of her he didn't say anything [4] ↑ *im Vergleich zu* in comparison, up against; ◇ **- früher geht es uns heute besser** in comparison to earlier times, we are doing better **II.** *adv* opposite (*von* from); ◇ **die Nachbarn von -** the neighbours opposite us; **gegenüberliegen** *unreg vr* ◇ **sich -** face each other; **gegenüberstehen** *unreg vr* ◇ **sich -** [1] stand opposite s.o., stand facing s.o. [2] *FIG* be conflicting; ◇ **einer Sache** *dat* **-** to be faced/confronted with s.th.; **gegenüberstellen** *vt* [1] ↑ *konfrontieren* → *Menschen* put opposite to [2] *FIG* ↑ *vergleichen* contrast, compare; **Gegenüberstellung** *f* [1] ↑ *Konfrontation* (*von Personen*) confrontation [2] ↑ *Vergleich* (*von Begriffen*) comparison, contrast

Gegenverkehr *m* AUTO oncoming traffic; **Gegenvorschlag** *m* counterproposal; **Gegenwart** *f* <-> [1] present; ◇ **in der - leben** to live in the present [2] ↑ *Anwesenheit* ◇ **in - von** in presence of [3] LING ↑ *Präsens* present tense; **ge-**

genwärtig I. *adj* ① present ② ↑ *momentan* present, actual, current **II.** *adv* ① (*heutzutage*) nowadays, today ② (*augenblicklich*) at present, at the time being; **Gegenwehr** *f* <-> defence; **Gegenwert** *m* equivalent value; **Gegenwind** *m* headwind; **gegenzeichnen** *vti* → *Dokument* countersign

Gegner(in *f*) *m* <-s, -> ① (*Widersacher, Feind*) opponent, adversary; MIL enemy ② ↑ *Gegenspieler* antagonist; (*von Meinung, Plan etc.*) opposition; SPORT ▷*ebenbürtig* opponent, adversary; **gegnerisch** *adj* ① SPORT, JUR ▷*Mannschaft, Partei* opposing, adverse ② MIL ↑ *feindlich* hostile, enemy; **Gegnerschaft** *f* opponents *pl*, opposition

Gehabe *s* <-s> fuss

Gehackte(s) *s* <-n> minced meat; *AM* hamburger meat

Gehalt [1] *m* <-[e]s, -e> ① (*von Film etc.*) contents *sg* ② ↑ *Anteil* (*Alkohol-*) content

Gehalt [2] *s* <-[e]s, Gehälter> ↑ *Lohn* (*Jahres-*) salary, earnings

Gehaltsempfänger(in *f*) *m* salary earner; **Gehaltserhöhung** *f* salary increase; *AM* a raise; **Gehaltszulage** *f* additional pay, bonus

gehaltvoll *adj* ① ▷*Nahrung* nourishing, substantial ② *FIG* ↑ *anspruchsvoll* ▷*Literatur* substantial, rich in content

gehandikapt *adj FAM* handicapped

gehässig *adj* ▷*Bemerkung* spiteful, malignant; ▷*Person* spiteful; **Gehässigkeit** *f* spitefulness

Gehäuse *s* <-s, -> ① (*Uhr-*) case, box ② (*Kern-, von Apfel etc.*) core

gehbehindert *adj* disabled

geheim *adj* ① secret; ▷*Wahl* secret, confidential; ◇ **im -en** in secret ② ↑ *rätselhaft* ▷*Kräfte* mysterious; **Geheimagent(in** *f*) *m* secret agent; **Geheimdienst** *m* secret service; **Geheimfach** *s* (*von Schreibtisch etc.*) secret compartment; **geheimhalten** *unreg vt* keep secret; **Geheimnis** *s* (*Arzt-, Berufs-*) secret; ◇ **-se vor jd-m haben** to keep secrets from s.o.; **geheimnisvoll** *adj* ① ▷*Umstände* mysterious ② ◇ **- tun** to act suspicious; **Geheimpolizei** *f* secret police, undercover police; **Geheimtip** *m* tip, secret

gehemmt *adj* ▷*Person, Verhalten* inhibited, self-conscious

gehen <ging, gegangen> **I.** *vi* ① ▷*schnell, langsam* walk, go; ◇ **zu Fuß -** to go by foot; ◇ **nach Hause -** to go home; ◇ **schwimmen/Fußball spielen -** to go swimming/to go play football; *FIG* ◇ **das geht zu weit** that's going too far ② ↑ *weg-* leave; ◇ **ich muß jetzt -** I have to go now; ↑ *ausscheiden, kündigen* leave, quit; ↑ *abfahren* depart, leave; ◇ **der Bus geht um 12** the bus leaves at 12 o'clock ③ *FAM* ◇ **mit jd-m -** to go with s.o. ④ ↑ *funktionieren* work, run; ← *Auto, Uhr* work, run, function ⑤ ↑ *auf-* ← *Hefeteig* rise ⑥ ↑ *hinein-, Raum finden* fit, go; ◇ **wieviel Liter - in die Flasche?** how many liters will go/fit into the bottle? ⑦ ↑ *sich erstrecken* ← *Grundstück* go, stretch (*bis to;* (*zeitlich*) go, last; ◇ **das Konzert geht bis 21 Uhr** the concert goes till 9 o'clock P.M. ⑧ ↑ *sich machen lassen* be possible, be allowed; ◇ **das geht nicht** that isn't possible, that won't work; ◇ **geht es bei Ihnen am Montag?** is Monday possible for you? ⑨ ↑ *sich entwickeln* ← *Geschäft* run; ◇ **die Prüfung ging gut** the exam went well; ◇ **das ist noch mal gutgegangen** that turned out well, fortunately; ◇ **das geht ja noch** that's tolerably good **II.** *vt* → *Strecke* walk **III.** *vi impers* ↑ *sich befinden* feel ① ◇ **wie geht es [Ihnen]?** how are you?; ◇ **mir/ihr geht es gut** I'm/she's fine; ◇ **es geht** it's okay ② ↑ *sich handeln* concerns; ◇ **es geht um Computer** it deals with computers, it is about computers; **gehenlassen** *unreg* **I.** *vt FAM* leave s.o./s.th. alone; ◇ **laß' sie gehen** let her go **II.** *vr* ◇ **sich -** let o.s. go; ◇ **laß dich nicht so gehen!** get a hold on yourself!

geheuer *adj:* ◇ **nicht -** uncanny, eerie

Gehilfe *m* <-n, -n> **Gehilfin** *f* ① ↑ *Assistent(in)* (*in Beruf*) assistant ② ↑ *Geselle* (*kaufmännisch*) trainee ③ ↑ *Helfer* (*bei Verbrechen*) accomplice

Gehirn *s* <-[e]s, -e> ① ANAT brain ② *FIG* ↑ *Geist* mind; **Gehirnblutung** *f* brain/cerebral haemorrhage; **Gehirnerschütterung** *f* concussion; **Gehirnhautentzündung** *f* meningitis; **Gehirnwäsche** *f* brainwashing

Gehör *s* <-[e]s> ① sense of hearing ② MUS ◇ **musikalisches -** musical ear ③ *FIG* ↑ *Aufmerksamkeit* ◇ **jd-m - schenken** to lend s.o. your ear

gehorchen *vi* obey (*jd-m* s.o.)

gehören I. *vi* ① (*jd-s Eigentum sein*) belong to (*jd-m* s.o.) ② (*Teil von etw sein*) go (*zu;* ◇ **sie gehört zu den besten Schwimmerinnen** she is one of the best swimmers ③ (*einen Platz haben*) go; ◇ **das Buch gehört ins Regal** the book goes/belongs on the shelf; ◇ **sie gehört nicht hierher** she doesn't belong here ④ (*nötig sein*) be relevant; ◇ **dazu gehört Erfahrung** that takes/needs experience **II.** *vr impers* ◇ **sich -** to be proper; ◇ **das gehört sich nicht** that isn't fitting; ◇ **sie weiß, was sich gehört** she knows how to behave; **gehörig** *adj* ① ↑ *angemessen* fitting, proper, just ② ↑ *energisch, kräftig* duly, properly; ◇ **jd-**

G

m ~ die Meinung sagen to give s.o. a piece of mind [3] ◇ zu etw ~ belonging to s.th.

gehörlos *adj* deaf

gehorsam *adj* obedient; **Gehorsam** *m* <-s> obedience

Gehsteig *m* <-[e]s, -e> (*BRIT*) pavement; *AM* sidewalk; **Gehweg** *m* footpath

Geier *m* <-s, -> [1] vulture [2] *FAM* vulture [3] *FAM* ◇ **weiß der ~** God only knows

Geige *f* <-, -n> violin, fiddle; **Geiger(in** *f*) *m* <-s, -> violinist, fiddler; **Geigerzähler** *m* TECH Geiger counter

geil *adj* [1] *FAM!* horny, randy, hot [2] *FAM* ↑ *toll, Klasse, super* super, great, hot

Geisel *f* <-, -n> hostage; **Geiseldrama** *s* kidnapping, hijacking (terror)

Geist *m* <-[e]s, -er> [1] ghost, spirit [2] ↑ *Bewußtsein, Intellekt* mind, wit [3] (*Wesen, Einstellung*) ◇ **Zeit~** zeitgeist, sign of the times [4] *FIG* ↑ *Witz, Schlagfertigkeit* wit [5] REL ↑ *Seele* spirit [6] ↑ *Alkohol, Schnaps* (*Himbeer~*) spirits *pl;* **Geisterfahrer(in** *f*) *m s.* **Fahrer; geisterhaft** *adj* [1] ▷*Erscheinung* spooky, ghostly [2] ↑ *übersinnlich* supernatural; **geistesabwesend** *adj* absentminded, distracted; **Geistesabwesenheit** *f* absentmindedness; **Geistesblitz** *m* flash of genius; **Geistesgegenwart** *f* presence of mind; **geistesgegenwärtig** *adv* ▷*handeln* quick-witted, alert; **geisteskrank** *adj* insane, mentally ill; **Geisteskranke(r)** *fm* lunatic, a mental case; **Geisteskrankheit** *f* insanity, mental illness; **Geisteswissenschaft** *f* humanities *pl;* **Geisteszustand** *m* mental state; (*du mußt verrückt sein*) ◇ **du solltest dich mal auf deinen ~ untersuchen lassen** you ought to go and see a psychiatrist

geistig *adj* [1] spiritual, immaterial; ▷*Liebe* spiritual [2] ↑ *intellektuell* intellectual; ▷*Arbeit* intellectual work; ◇ **~es Eigentum** intellectual property [3] ↑ *psychisch* mental; ◇ **~ behindert** mentally retarded [4] ↑ *alkoholisch* spirituous; ◇ **~e Getränke** alcoholic beverages

geistlich *adj* ↑ *kirchlich* spiritual, religious; ↑ *religiös* sacred; **Geistliche(r)** *fm* priest, clergyman, minister; **Geistlichkeit** *f* clergy

geistlos *adj* [1] ↑ *dumm* ▷*Bemerkung* stupid [2] ↑ *langweilig* ▷*Film* dull, insipid; **geistreich** *adj* [1] ▷*Person* witty, brilliant, clever [2] ▷*Worte* deep, profound; **geisttötend** *adj* stupefying

Geiz *m* <-es> stinginess; **geizen** *vi* e stingy (*mit* with, about); **Geizhals** *m* miser, skinflint; **geizig** *adj* stingy

Gejammer *s* <-s> bellyaching

geknickt *adj FAM* crestfallen, dejected

gekonnt *adj* accomplished, skillful

gekünstelt *adj* ↑ *unnatürlich* ▷*Lächeln* artificial, fake; ▷*Benehmen* affected

Gel *s* <-s, -s> (*Haar~*) gel

Gelaber *s* <-s> *FAM* ↑ *Gerede* prattling, jabbering

Gelächter *s* <-s, -> laughter

geladen *adj* [1] ELEC ▷*Batterie* loaded, charged [2] *FAM* ↑ *gereizt, wütend* fuming

gelähmt *adj* [1] (*bewegungsunfähig*) paralyzed [2] *FIG* ◇ **wie ~** stunned

Gelände *s* <-s, -> [1] ▷*unwegsam* open country/land [2] (*Bau~*) ground, open area

Geländer *s* <-s, -> railing; (*Treppen~*) railing, banisters *pl;* (*Balkon~ etc.*) railing

gelangen *vi* [1] (*erreichen*) reach, obtain (*zu dat* s.th.) [2] ↑ *ankommen* reach (*an/zu etw,* [3] (*erwerben*) acquire (*zu etw* s.th.); ◇ **zu Reichtum ~** to make a fortune; ◇ **zu einer Ansicht ~** to form an opinion

gelassen *adj* calm, composed; ◇ **etw ~ hinnehmen** to take s.th. calmly; **Gelassenheit** *f* composure

Gelatine *f* (*Speise~*) gelatine

geläufig *adj* ▷*Wort* common, familiar

gelaunt *adj* be in a good/bad mood; ◇ **wie ist sie ~?** what is her mood like?

gelb *adj* yellow; **gelblich** *adj* yellowish; **Gelbsucht** *f* MED jaundice

Geld *s* <-[e]s, -er> (*Papier~, Hart~*) money *sg;* ◇ **~er** *pl* ▷*öffentlich* capital, funds; **Geldanlage** *f* FIN investment; **Geldautomat** *m* money-machine; **Geldbeutel** *m* purse, wallet; **Geldentwertung** *f* currency depreciation; **Geldgeber(in** *f*) *m* <-s, -> sponsor; **geldgierig** *adj* greedy, avaricious; **Geldschein** *m BRIT* banknote; *AM* bill; **Geldstrafe** *f* fine; **Geldstück** *s* coin; **Geldsumme** *f* amount/sum of money; **Geldwechsel** *m* exchange of money; **Geldwert** *m* [1] (*Preis*) cash value [2] (*Kaufkraft der Währung*) currency value

Gelee *s* <-s, -s> (*Apfel~*) jelly

gelegen *adj* [1] ▷*außerhalb, schön* situated, located [2] ↑ *passend* opportune; ◇ **das kommt mir ~** that is convenient for me

Gelegenheit *f* [1] ↑ *Chance* opportunity; COMM bargain; ◇ **eine ~ wahrnehmen** to seize an opportunity; ◇ **bei ~** when convenient [2] ↑ *Anlaß* occasion; ◇ **bei jeder ~** at every occasion [3] (*Schlaf~*) facility; **Gelegenheitsarbeit** *f* occasional job, odd job; **Gelegenheitsarbeiter(in** *f*) *m* casual labourer; **Gelegenheitskauf** *m* chance purchase

gelegentlich I. *adj* ▷*Treffen* occasional **II.** *adv*

[1] ↑ *manchmal, ab u. zu* occasionally; ◇ **- ein Glas trinken** to occasionallly have a drink [2] ◇ **wenn Sie - dort sind** if you happen to be there

gelehrig *adj* ▷*Schüler* docile, clever

gelehrt *adj* [1] ▷*Frau* learned, scholarly [2] ↑ *akademisch* ▷*Ausdrucksweise* scholarly; **Gelehrte(r)** *fm* (*Rechts-, Schrift-*) scholar

Geleit *s* <-[e]s, -e> MIL (*Geleitschutz*) escort, convoy; cortege; ◇ **freies -** safe-conduct; **geleiten** *vt* escort; **Geleitwort** *s* (*von Buch*) preface

Gelenk *s* <-[e]s, -e> [1] ANAT joint [2] (*von Maschine*) hinge; **gelenkig** *adj* flexible, agile

gelernt *adj* ▷*Arbeiter* skilled, trained

Geliebte(r) *fm* [1] (*außerehelich*) lover [2] (*Anrede*) dear, beloved

gelind[e] *adj leicht, mäßig* ▷*Wind, Frost* gentle, mild; ▷*Wut* moderate; ◇ **- gesagt** to put it mildly

gelingen <gelang, gelungen> *vi* [1] ▷*Plan* to succeed; ◇ **es gelang mir nicht** I didn't succeed [2] ▷*Arbeit* turn out well

gellen *vi* ▷*Schrei* shrill

geloben **I.** *vti* → *Treue etc.* promise, vow **II.** *vr:* ◇ **sich etw -** *dat* to vow o.s. s.th.

gelten <galt, gegolten> **I.** *vt* be valid, be worth; ◇ **der Gutschein gilt ein Jahr** the gift certificate is good for one year **II.** *vt impers:* ◇ **es gilt, etw zu tun** it is necessary, to do s.th. **III.** *vi* [1] (*gültig sein*) be valid; ← *Gesetz, Regelung* be valid, be effective; ← *Geld, Gutschein, Ausweis* valid; ◇ **ihr Wort gilt** her word counts, her word carries weight [2] ↑ *erlaubt sein* valid, count; ◇ **das gilt nicht** that doesn't count [3] ↑ *angesehen sein als* to be considered (*als* as); ◇ **er gilt als Frauenheld** he is reputed to be a ladykiller [4] ↑ *zutreffen auf* hold, be applicable (*für* for); ◇ **das gilt für Sie auch** that applies to you too, that goes for you too [5] ◇ **etw - lassen** to accept s.th.; ◇ **etw -d machen** → *Ansprüche* to assert s.th.; **Geltung** *f* [1] ↑ *Gültigkeit, Wert* validity; (*von Geld etc.*) value, worth; ◇ **- haben** to be valuable [2] ↑ *Beachtung, Ansehen* respect, recognition; ◇ **etw zur - bringen** to make recognition of s.th.; ◇ **zur - kommen** to show to advantage [3] ↑ *Einfluß* ◇ **sich** *dat* **- verschaffen** to make o.s. respected; **Geltungsbedürfnis** *s* craving for recognition

Gelübde *s* <-s, -> vow

gelungen *adj* ▷*Abend, Konzert etc.* successful

gemächlich **I.** *adj* [1] ↑ *ruhig, langsam* ▷*Person* leisurely, easy-going; ▷*Tempo* leisurely [2] ↑ *bequem* ▷*Leben* at ease, comfortable **II.** *adv* leisurely

Gemahl(in *f*) *m* <-[e]s, -e> husband, wife, spouse

Gemälde *s* <-s, -> (*Öl-*) portrait, painting

gemäß **I.** *präp dat* according to, in compliance with; ◇ **Ihrem Wunsch -** in accordance with your request **II.** *adj* ↑ *angemessen, würdig* appropriate, suitable; ◇ **jd-m/einer Sache - sein** to be appropriate to s.th.

gemäßigt *adj* ▷*politische Gesinnung* moderate; ▷*Klima* temperate

Gemäuer *s* <-s, -> ruins *pl*

gemein *adj* [1] ↑ *gewöhnlich, einfach* common, general; ◇ **der -e Mann** the common man [2] *FIG verachtenswert, unfair, hinterhältig etc.* ▷*Person, Verhalten* mean, nasty; ▷*Lachen* nasty, mean [3] ▷*Wohl, Nutzen* mutual; ◇ **etw - haben [mit]** to have s.th. in common with

Gemeinde *f* <-, -n> [1] (*Kommune, Gemeinwesen*) municipality, community; (*Land-*) rural commune; (*Pfarr-*) parish [2] ↑ *Gemeinschaft, Gruppe* (*Trauer-, Sing-*) partons *pl;* **Gemeindesteuer** *f* local tax; **Gemeindevertretung** *f* municipal council; **Gemeindeverwaltung** *f* local administration; **Gemeindewahl** *f* municipal election

gemeingefährlich *adj* dangerous to public safety; ◇ **ein -er Verbrecher** dangerous criminal; *AM* public enemy; **Gemeinheit** *f* [1] (*Niederträchtigkeit*) meanness, baseness [2] (*gemeine Handlung, Bemerkung*) mean act, dirty trick; **gemeinnützig** *adj* ▷*Einrichtung* in public interest; **gemeinsam** **I.** *adj* ▷*Haus, Garten etc.* joint; ▷*Interesse, Wunsch* common; ▷*Freund* mutual **II.** *adv* ↑ *miteinander, zusammen* jointly; ◇ **etw - tun** to do s.th. together; ◇ **etw - haben [mit]** → *Eigenschaft* to have s.th. in common; **Gemeinsamkeit** *f* [1] common feature [2] joint possession; **Gemeinschaft** *f* [1] community; (*Ehe-*) companionship; (*Wohn-*) shared housing [2] ↑ *Gruppe* community; ◇ **in - mit** jointly with, together with; **gemeinschaftlich** *adj* shared, joint; **Gemeinschaftsarbeit** *f* teamwork

Gemenge *s* <-s, -> [1] (*Hand-*) scuffle [2] CHEM ↑ *Gemisch* mixture [3] *FIG* ↑ *Durcheinander* jumble

gemessen *adj* ▷*Schritt* measured; (*Haltung*) reserved

Gemetzel *s* <-s, -> slaughter, massacre

Gemisch *s* <-es, -e> mixture; AUTO *BRIT* petrol; *AM* oil-in-gasoline; **gemischt** *adj* [1] ▷*Chor* mixed; ▷*Gesellschaft* mixed [2] ◇ **mit -en Gefühlen** ↑ *unbehaglich* with mixed feelings

Gemse *f* <-, -n> chamois

Gemunkel *s* <-s> gossip

Gemurmel *s* <-s> mumblings

Gemüse *s* <-s, -> [1] vegetable [2] *FAM* ◇ **junges -**

G

small fry, youngsters; **Gemüsegarten** *m* vegetable garden; **Gemüsehändler(in** *f*) *m* vegetable supplier

Gemüt *s* <-[e]s, -er> [1] ▷*ruhig, liebevoll* nature, disposition [2] *FAM* ◇ **sich** *dat* **etw zu -e führen** to indulge in s.th.

gemütlich *adj* [1] ▷*Zimmer* cozy, comfortable [2] ↑ *ausgeglichen, ruhig* good-natured, easy-going [3] ↑ *langsam* ▷*Tempo* comfortable, leisurely; **Gemütlichkeit** *f* [1] (*von Raum*) cosiness, comfortableness [2] (*von Person*) geniality, joviality

Gemütskrankheit *f* mental disorder; **Gemütsmensch** *m* emotional person, sentimentalist; **Gemütsruhe** *f* peace of mind, tranquillity; ◇ **in aller** ~ leisurely, in all calmness; **Gemütsverfassung** *f* state of mind

Gen *s* <-s, -e> gene

genau I. *adj* [1] ↑ *exakt, präzise* exact, accurate [2] ↑ *sorgfältig* ▷*Arbeit* careful, thorough **II.** *adv* [1] exactly; ◇ ~ **richtig** exactly right; ◇ ~! exactly!; ◇ ~ **abmessen** to measure exactly [2] ↑ *gewissenhaft* carefully; ◇ ~ **arbeiten** to work thoroughly; ◇ ~ **genommen** strictly speaking; **Genauigkeit** *f* [1] (*Exaktheit*) exactness, accuracy [2] (*Gewissenhaftigkeit*) carefulness

genehmigen I. *vt* → *Antrag* grant, allow **II.** *vr* *FAM*: ◇ **sich** *dat* **einen** ~ to have a drink; **Genehmigung** *f* permission; (*Bau-*) authorization, licence; *AM* permit

General *m* <-s, -e *o.* Generäle> general; **Generaldirektor(in** *f*) *m* general manager; **Generalprobe** *f* dress rehearsal; **Generalstreik** *m* general strike; **generalüberholen** *vt* overhaul, recondition; **Generalversammlung** *f* general meeting

Generation *f* [1] ▷*jung, alt* generation [2] generation [3] *FIG* (*Computer-*) generation

Generator *m* (*Strom-, Gas-*) generator

generell *adj* general

Genesung *f* recovery

genetisch *adj* genetic

genial *adj* ▷*Person* brilliant, ingenious; (*FAM großartig*) ◇ **das ist absolut** ~! that's absolutely terrific!; **Genialität** *f* ingenuity, brilliancy

Genick *s* <-[e]s, -e> neck, nape

Genie *s* <-s, -s> ↑ *Talent, Begabung* genius

genieren I. *vt* bother; ◇ **geniert es Sie, wenn ...?** does it bother you if...? **II.** *vr* ◇ **sich** ~ feel embarrassed

genießbar *adj* [1] (*eßbar*) edible [2] *FAM* ↑ *umgänglich* ▷*Mensch* enjoyable, agreeable; **genießen** <genoß, genossen> *vt* [1] → *Urlaub, Lektüre etc.* enjoy [2] → *Essen* eat, drink [3] → *Respekt, Ansehen* receive [4] *FAM* ◇ **er ist heute nicht zu** ~ he isn't very enjoyable today; **Genießer(in** *f*) *m* <-s, -> epicure, connoisseur; **genießerisch** *adj* appreciative

Genital *s* <-s, -ien> genital

Genosse *m* <-n, -n> companion, partner; **Genossenschaft** *f* co-operative; (*Berufs-, Handels-*) association

Genre *s* -s, -s; genre

Gentechnik *f* genetic engineering

genug *adv* enough, sufficient; ◇ ~ **zu trinken** enough to drink; ◇ **mehr als** ~ more than enough; ◇ **groß** ~ old enough; ◇ **jetzt ist es aber** ~! that's enough!

Genüge *f*: ◇ **zur** ~ enough, sufficiently; **genügen** *vi* [1] suffice (*jd-m* s.o., for) [2] ↑ *zufriedenstellen* satisfy, fulfil (*einer Sache dat* s.th.); **genügsam** *adj* easily satisfied, modest

Genugtuung *f* satisfaction (*für* for); (*innere* ~) satisfaction, gratification

Genuß *m* <-sses, Genüsse> [1] (*von Speisen etc.*) consumption [2] ↑ *Vergnügen* enjoyment; ◇ **ein seltener** ~ a rare pleasure [3] ↑ *Nutzen* ◇ **in den** ~ **von etw kommen** to benefit from s.th.; **genüßlich** *adv* pleasurable; **Genußmittel** *pl* semi-luxury

Geograph(in *f*) *m* <-en, -en> geographer; **Geographie** *f* (*Erdkunde*) geography; **geographisch** *adj* geographical

Geologe *m* <-n, -n> **Geologin** *f* geologist; **Geologie** *f* geology

Geometrie *f* geometry

Gepäck *s* <-[e]s> luggage, baggage; **Gepäckabfertigung** *f* registering of luggage; *AM* checking of baggage; **Gepäckannahme** *f* luggage/baggage check-in; **Gepäckaufbewahrung** *f* left-luggage office; **Gepäckausgabe** *f* luggage/baggage claim; **Gepäckschein** *m* luggage/baggage ticket; **Gepäckstück** *s* piece of luggage; **Gepäckträger** *m* (*am Fahrrad*) bike rack; **Gepäckwagen** *m* luggage/baggage car

gepflegt *adj* [1] (*nicht vernachlässigt*) well-kept, well cared for; ▷*Garten, Park, Haus* well-kept; ▷*Äußeres, Kleidung* well cared for, well groomed [2] ↑ *kultiviert, mit guten Manieren* civilized; ▷*Mensch* sophisticated, elegant; ▷*Sprache, Gesellschaft* polished, refined

Gequatsche *s FAM* babbling

gerade I. *adj* [1] ▷*Linie, Wand* straight, even [2] ↑ *aufrecht* upright; ▷*Haltung* upright [3] *FIG* ↑ *aufrichtig* ▷*Charakter* upright, honest [4] ↑ *direkt, unmittelbar* ▷*Weg* direct [5] MATH ▷*Zahl* even **II.** *adv* [1] ↑ *soeben, jetzt* just; ◇ **sie ist** ~ **beim Essen** she is eating right now; ◇ **er ist** ~ **gegangen** he just left [2] ↑ *eben, genau* exactly; ◇

~ **das wollte ich verhindern** that is exactly what I wanted to avoid; ◇ ~ **pünktlich** just on time; ◇ ~, **weil** just because; ◇ **das ist nicht ~ angenehm** it isn't exactly nice [3] ↑ *direkt* just, straight; ◇ **sie wohnt ~ um die Ecke** she lives just around the corner [4] ↑ *ausgerechnet* of all things/people; ◇ **das hat mir ~ noch gefehlt** that's all I needed; ◇ ~ **sie hat es nötig, ...** of all people, she thinks she has to ... [5] ↑ *knapp* just; ◇ ~ **genug zum Leben** just enough to live on; **Gerade** *f* <-n, -n> (*gerade Linie, Strecke*) straight; (SPORT *Ziel-*) straight; MATH straight line; **geradeaus** *adv* ▷*gehen* straight ahead; **geradeheraus** *adv* ▷*sagen* frank, plainspoken; **geradestehen** *unreg vi* [1] ↑ *aufrecht stehen* stand up straight [2] *FIG* ↑ *einstehen, Verantwortung übernehmen* be answerable (*für* for); **geradewegs** *adv* ↑ *direkt* straight; ◇ ~ **nach Hause gehen** to go straight home; **geradezu** *adv* almost, virtually; ◇ **das ist ~ unglaublich** it is virtually unbelievable; **geradlinig** *adj* [1] ▷*Reihe* linear, straightlined [2] *FIG* ↑ *aufrichtig, offen* ▷*Mensch* straight

Gerät *s* <-[e]s, -e> [1] (*Gebrauchsgegenstand*) device, equipment; (*Haushalts-*) utensil, tool [2] ↑ *Werkzeug* tool [3] ↑ *Apparat* apparatus; (*Fernseh-*) set [4] (SPORT *Turn-*) set

geraten *unreg vi* [1] ↑ *gelingen* turn out well; ◇ **gut/schlecht** ~ to turn out good/bad [2] ↑ *sich entwickeln* ← *Kind* turn out; ◇ **nach der Mutter** ~ to resemble the mother, to take after the mother [3] ◇ **an jd-n** ~ to happen to meet s.o., to come across s.o.; ◇ **in etw** *akk* ~ to get into s.th.; ◇ **außer sich** ~ to lose o.s.

Geratewohl *s*: ◇ **aufs** ~ at random, haphazard

geräumig *adj* ▷*Wohnung* spacious, roomy

Geräusch *s* <-[e]s, -e> noise; **geräuschlos** *adj* noiseless, quiet

gerben *vt* [1] → *Leder* tan, refine [2] *FAM* ◇ **jd-m das Fell** ~ to give s.o. a hiding

gerecht *adj* [1] ↑ *unparteiisch, objektiv* just, fair [2] ▷*Urteil, Richter* justified, legitimate [3] (*moralisch gut*) just; ◇ **eine ~e Sache** a good/just cause [4] ◇ **jd-m/einer Sache ~ werden** to do justice to s.o/s.th.; **Gerechtigkeit** *f* [1] (*von Entscheidung*) justice, fairness [2] (*von Rechtsspruch*) legitimacy, justification [3] (*moralischer Anspruch*) righteousness

Gerede *s* <-s> [1] babbling [2] ↑ *Klatsch* gossip

gereizt *adj* [1] ↑ *nervös, aggressiv* ▷*Person* irritated, edgy [2] ↑ *gespannt* ▷*Atmosphäre* a strained atmosphere; **Gereiztheit** *f* irritation, touchiness

Gericht *s* <-[e]s, -e> [1] ↑ *Mahlzeit* dish [2] (*Amts-, Verfassungs-*) court [3] court house [4] *FIG* ◇ **mit jd-m ins ~ gehen** to criticize s.o. harshly; **gerichtlich** *adj* ▷*Vorladung, Entscheidung* judicial, legal; **Gerichtsbarkeit** *f* jurisdiction; **Gerichtshof** *m* court of justice; ◇ **Oberster** ~ Supreme Court; **Gerichtskosten** *pl* court costs *pl*; **Gerichtssaal** *m* court room; **Gerichtstermin** *m* date of the trial; **Gerichtsverfahren** *s* court procedure; **Gerichtsverhandlung** *f* court hearing; **Gerichtsvollzieher(in** *f*) *m* <-s, -> bailiff; *AM* marshal, committing officer

gering *adj* [1] *niedrig* ▷*Gehalt* poor, low; ▷*Reserve* little, small [2] ▷*Bedeutung, Unterschied* minor, unimportant, petty; ▷*Sorge, Mühe* little; ◇ **meine ~ste Sorge** the least of my worries; ▷*Talent, Aussichten* poor, limited; ◇ **nicht im ~sten** not in the slightest/least; **geringfügig** *adj* insignificant, slight; ◇ **sich ~ verändern** to change slightly; **geringschätzig** *adj* ▷*Bemerkung* contemptuous, disdainful

gerinnen *unreg vi* clot; ← *Milch* curdle

Gerippe *s* <-s, -> [1] (*Skelett*) skeleton [2] *FAM* a skeleton

gerissen *adj FIG* sly, shrewd

gern[e] <lieber, am liebsten> [1] ↑ *bereitwillig* willingly, readily; ◇ ~! gladly!; ◇ **etw ~ tun** to do s.th. with pleasure [2] ◇ **jd-n ~ haben, jd-n ~ mögen** to be fond of s.o., to like s.o.; ◇ **etw ~ haben/mögen** to enjoy having s.th. [3] ↑ *ohne weiteres* with pleasure, by all means; ◇ **das glaube ich** ~ I would like to believe that [4] *FAM* ◇ **du kannst mich ~ haben** you can go to hell

Geröll *s* <-[e]s, -e> debris, scree *pl*

Gerste *f* <-, -n> barley

Gerte *f* <-, -n> (*Reit-*) crop

Geruch *m* <-[e]s, Gerüche> ↑ *Duft* smell, odour; **geruchlos** *adj* odourless; **Geruchssinn** *m* sense of smell; **geruchtilgend** *adj* deodorant

Gerücht *s* <-[e]s, -e> rumour; ◇ **ein ~ in die Welt setzen** to spread a rumour

geruhsam *adj* ▷*Mensch* quiet, tranquil; ▷*Zeit* peaceful

Gerümpel *s* <-s> junk *sg*

Gerüst *s* <-[e]s, -e> [1] ↑ *Gestell* trestle; (*Bau-*) scaffold [2] *FIG* ↑ *Konzeption* outline

gesamt *adj* ↑ *vollständig* whole, entire, total; ▷*Betrag, Personal* entire, overall, general; **gesamtdeutsch** *adj* HIST all-German; **Gesamteindruck** *m* overall impression; **Gesamtergebnis** *s* overall result; **Gesamtheit** *f* entirety, whole; ◇ **in seiner ~** in its entirety; **Gesamtschule** *f* comprehensive school

Gesandte *f* ambassadress; **Gesandter** *m* envoy, ambassador; **Gesandtschaft** *f* embassy

Gesang *m* <-[e]s, Gesänge> ① singing, song ② SCH singing

Gesäß *s* <-es, -e> buttocks, bottom

geschafft *adj FAM* tired

Geschäft *s* <-[e]s, -e> ① (*-sabschluß*) ▷*gut, schlecht* deal, transaction ② ↑*Laden* shop; *AM* store ③ ↑*Absatz, Verkauf* business; ◇ **das - geht gut** business is booming ④ *FAM* ↑*Firma, Büro* office; ◇ **ins - gehen** to go to work ⑤ ↑*Beschäftigung* dealings ⑥ *Notdurft, FAM* ◇ **seine Notdurft verrichten** to do one's business; **geschäftig** *adj* ▷*Treiben* busy; **geschäftlich I.** *adj* business; ◇ **eine -e Angelegenheit** a business matter **II.** *adv* on business; ◇ **- unterwegs sein** to be away on business; **Geschäftsabschluß** *m* transaction, deal; **Geschäftsbericht** *m* business report; **Geschäftsfrau** *f* businesswoman; **Geschäftsführer(in** *f*) *m* manager, managing director; (*im Klub*) director; **Geschäftsjahr** *s* business year, fiscal year; **Geschäftslage** *f* ① ▷*günstig, zentral* business location ② business situation; **Geschäftsmann** *m, pl* <-leute> businessman; **Geschäftspartner(in** *f*) *m* business partner; **Geschäftsreise** *f* business trip; **geschäftsschädigend** *adj* ▷*Verhalten* bad for business; **Geschäftsschluß** *m* closing-time; **Geschäftsstelle** *f* office; **Geschäftsstraße** *f* shopping street; **geschäftstüchtig** *adj a.* JUR business minded; **Geschäftsverbindung** *f* business connection; **Geschäftswelt** *f* business world-

geschah *impf von* **geschehen**

geschehen <geschah, geschehen> **I.** *vi* ① happen, occur; ◇ **es kann -, daß sie ...** it could happen that... ② (*stattfinden*) take place, occur ③ ◇ **Das geschieht ihm recht!** That serves him right! **II.** *vi impers* (*verloren sein*): ◇ **es ist um ihn -** he is doomed; **Geschehen** *s* <-s, -> (*Tages-*) event

gescheit *adj* clever, brainy

Geschenk *s* <-[e]s, -e> gift, present

Geschichte *f* <-, -n> ① (*Wissenschaft*) history ② (*Bericht, Erzählung, Kurz-*) story ③ (*Vergangenheit*) history, past ④ (*FAM Sache, Angelegenheit*) affair, matter; ◇ **Mach keine -n!** Don't do anything silly!; **geschichtlich** *adj* ↑*historisch* historical; **Geschichtsbild** *s* conception of history; **Geschichtsbuch** *s* SCH history book; **Geschichtsfälschung** *f* falsification of history; **Geschichtsschreiber** historian

Geschick *s* <-[e]s, -e> ① (*Schicksal*) fate ② (*Geschicklichkeit*) skill (*zu*/*für* for); **Geschicklichkeit** *f* skilfulness; **geschickt** *adj* ▷*Finger, Hände* dexterous; ▷*Taktik, Frage* clever

geschieden *adj* divorced

Geschirr *s* <-[e]s, -e> ① (*Teller, Tassen*) crockery ② (*Service*) service; (*Porzellan*) china ③ (*für Pferd*) harness; **Geschirrschrank** china cupboard; **Geschirrspülmaschine** *f* dishwasher; **Geschirrtuch** *s* tea towel

Geschlecht *s* <-[e]s, -er> ① (*männlich, weiblich*) sex; ◇ **das andere -** the opposite sex ② LING gender ③ (*Familie, Adels-*) descent, birth, race; (*Generation*) generation ④ (*Geschlechtsteil*) genitals *pl;* **geschlechtlich** *adj* ▷*Fortpflanzung* sexual; **Geschlechtskrankheit** *f* venereal disease, VD; **Geschlechtsleben** *s* sex life; **geschlechtslos** *adj* neuter, asexual; **Geschlechtsorgan** *s* genitals *pl;* **Geschlechtsteil** *s* genitals *pl;* **Geschlechtsverkehr** *m* sexual intercourse

Geschmack *m* <-[e]s, Geschmäcke> ① (*von Speisen etc.*) taste ② (*Gefallen, Vorliebe*) fancy, liking, preference; ◇ **nach jds -** to o.'s taste; ◇ **- an etw** *dat* **finden** to acquire a liking for s.th. ③ (*ästhetisches Urteil*) ◇ **sie hat keinen -** she has no taste; **geschmacklos** *adj* ▷*Kleidung* tasteless; ↑*taktlos* ▷*Bemerkung* tasteless, tactless; ▷*Benehmen* in bad taste, tactless; **Geschmack[s-]sache** *f* matter of taste; **Geschmack[s]sinn** *m* sense of taste; **geschmackvoll** *adj* tasteful

geschmeidig *adj* supple, smooth; (*formbar*) ▷*Wachs* workable; (*beweglich*) ▷*Körper* flexible, lithe

geschminkt *adj* (*Frau*) made-up

Geschnatter *s* <-s> (*von Gänsen, Enten*) cackle, cackling; (*FAM ständiges Reden*) jabber

Geschöpf *s* <-[e]s, -e> (*Lebewesen*) creature; (*geistiges Erzeugnis*) invention

Geschoß *s* <-sses, -sse> ① MIL missile ② (*Stockwerk*) storey, floor; *US* story

geschraubt *adj* screwed, bolted; *FIG* pretentious, twisted

Geschrei *s* <-s> yelling, screaming; (*FIG Aufhebens, Getue*) fuss

Geschütz *s* <-es, -e> gun; *FIG* ◇ **er hat schwere -e aufgefahren** he brought up his big guns

geschützt *adj* protected

Geschwader squadron

Geschwafel *s* <-s> *FAM* jabber

Geschwätz *s* <-es> talk, babble, prattle; (*Klatsch*) gossip, prattle; **geschwätzig** *adj* ▷*Schüler* talkative; ▷*Frau* gossipy

geschweige *cj* let alone; ◇ **er hat kein Fahrrad, - denn ein Auto** he doesn't have a bicycle, let alone a car

Geschwindigkeit *f* speed; **Geschwindigkeitsbegrenzung** *f* speed limit; **Geschwindigkeitsüberschreitung** *f* speeding

Geschwister *pl* brothers and sisters *pl*

geschwollen *adj* ▷*Füße* swollen; (*FAM prahlerisch*) pompous

Geschworene(r) *mf* (*bei Gericht*) juror

Geschwulst *f* <-, Geschwülste> swelling; (*Tumor*) growth, tumour

Geschwür *s* <-[e]s, -e> ulcer, abscess; (*Furunkel*) boil

Geselle *m* <-n, -> ① (*Bursche*) fellow, chap ② (*Handwerker*) journeyman

gesellen *vr* ◇ **sich** ~ (*sich jdm anschließen*) join (*zu* s.o.); ◇ **zu uns gesellten sich Deutsche** we were joined by Germans

Gesellenprüfung *f* apprentices' examination; **Gesellenstück** *s piece of work done to qualify as a journeyman*

gesellig *adj* ▷*Abend* sociable; ▷*Mensch, Wesen* sociable, out-going; ◇ **ein -es Beisammensein** a social gathering; **Geselligkeit** *f* sociability; **Gesellschaft** *f* ① (*soziale Struktur*) society ② (*Gruppe, Vereinigung, Handels-*) society, association ③ COMM company; (*Reise-*) agency ④ (*Begleitung*) company; ◇ **jdm ~ leisten** to keep s.o. company ⑤ (*Fest*) party, social gathering; ◇ geschlossene ~ private party; **Gesellschafter(in** *f*) *m* ① (*Teilhaber*) partner ② (*Begleitperson*) companion; **gesellschaftlich** *adj* social; **Gesellschaftsordnung** *f* social order; **Gesellschaftsschicht** *f* social stratum; **Gesellschaftsspiel** *s* party game

Gesetz *s* <-es, -e> ① (JUR *Rechtsvorschrift*) law ② (*Richtlinie*) rule, principle; (*Prinzip, Natur-*) law; **Gesetzbuch** *s* statute book, book of law; **Gesetzentwurf** *m* bill; **Gesetzestafeln** *pl* REL tablets *pl;* **Gesetzesvorlage** *f* bill; **gesetzgebend** *adj* ▷*Gewalt* legislative; **Gesetzgeber** *m* <-s, -> legislator; **Gesetzgebung** *f* legislation; **gesetzlich** *adj* ▷*Vormund, Vertreter* legal; **gesetzlos** *adj* lawless; **gesetzmäßig** *adj* ① (*gesetzlich*) legal, lawful ② ▷*Versuchsablauf* based on a law, regular

gesetzt *adj* sedate, sober

gesetzwidrig *adj* illegal

ges. gesch. *Abk v.* gesetzlich geschützt reg'd

Gesicht *s* <-[e]s, -er> ① (*Angesicht*) face; (*Ähnlichkeit haben*) ◇ **jdm wie aus dem ~ geschnitten sein** to be a spitting image of s.o.; (*FIG Unangenehmes wahrnehmen, behandeln müssen*) ◇ **einer Sache ins ~ sehen müssen** to have to face s.th. ② (*-sausdruck, Miene*) countenance, expression; (*unzufrieden, mürrisch sein*) ◇ **ein langes ~ ziehen** to pull a long face ③ (*Aussehen, Gestalt, Form*) appearance, look; face ④ (*FIG Ruf, Ansehen*) ◇ **das ~ verlieren** to lose face ⑤ (*-sfeld, Blick*) visual field; ◇ **jdm zu ~ kommen** to be seen by s.o. [*o.* to be spotted by s.o.]; **Gesichtsausdruck** *m* (facial) expression; **Gesichtscreme** *f* face cream; **Gesichtsfarbe** *f* complexion; **Gesichtskreis** *m FIG* ↑ *Horizont* horizon; **Gesichtsmaske** *f* ↑ *Gesichtspackung* face mask; **Gesichtspunkt** *m* point of view; **Gesichtsverlust** *m* loss of face; **Gesichtswinkel** *m* facial angle; ◇ **unter diesem ~** from this point of view; **Gesichtszug** *m* feature

Gesindel *s* <-s> scum, trash

gesinnt *adj:* ◇ **jdm gut ~ sein** to be well disposed towards s.o.; **Gesinnung** *f* (*geistig, politisch*) attitude, opinion, views *pl;* **Gesinnungswandel** *m* conversion

gesittet *adj* ▷*Benehmen* well-behaved, good-mannered

Gespann *s* <-[e]s, -e> team; *FAM* team

gespannt *adj* ▷*Seil* strethed, tense; ▷*Lage, Beziehung* tense, strained; (*voll Erwartung*) expectant; ◇ **ich bin ~, ob er überhaupt kommt** I wonder if he'll come at all

Gespenst *s* <-[e]s, -er> ghost; **gespenstisch** *adj* eerie, spooky

Gespött *s* <-[e]s> mockery; ◇ **jdn/sich zum ~ machen** to make a laughing stock of s.o./o.s.

Gespräch *s* <-[e]s, -e> conversation; (*Telefon-*) conversation; **gesprächig** *adj* talkative, communicative; **Gesprächigkeit** *f* talkativeness; *FAM* chattiness; **Gesprächseinheit** *f* TELEC unit; **Gesprächspartner(in** *f*) *m* interlocutor; **Gesprächsstoff** *m* topics of conversation *pl;* **Gesprächsthema** *s* subject of a conversation; **gesprächsweise** *adv* in conversation

gesprenkelt *adj* spotted, speckled

Gespür *s* <-s> feeling (*für* for)

Gestalt *f* <-, -en> ① (*Körperbau*) build, figure ② (*Form*) frame, shape; ◇ **in ~ [von]...** in the form of...; ◇ **~ annehmen** to take form/shape ③ (*nicht genau zu erkennen*) shape; (*FAM Mensch*) figure ④ (*Persönlichkeit*) character

gestalten I. *vt* ① ↑ *formen* form, shape ② (*organisieren*) organize; (*einrichten*) arrange; (*Schaufenster, Bühnenbild*) arrange, organize **II.** *vr* ◇ **sich ~** become; (*sich entwickeln*) develop; **Gestaltung** *f* ① (*künstlerisch*) design ② (*Organisation*) organization

Gestammel *s* <-s> stuttering, stammering

Geständnis *s* confession

Gestank *m* <-[e]s> stench, smell

gestärkt *adj* strengthened

gestatten I. *vt* allow, permit (*jdm etw* s.o. to do s.th.); ◇ **G~ Sie?** Do you mind?, May I?; (*einwilligen*) consent to, agree to **II.** *vr:* ◇ **sich** *dat* **~, etw zu tun** to take the liberty of doing s.th.

Geste *f* <-, -n> gesture
Gesteck *s* <-s, -e> (*Blumen-*) flower arrangement
gestehen *irr vt* → *Verbrechen* confess, admit to; → *Liebe* profess
Gestein *s* <-[e]s, -e> rock, stone
Gestell *s* <-[e]s, -e> (*Bett-*) frame; (*Regal*) shelf, rack; (*Fahr-*) chassis
gestern *adv* yesterday; (*FIG altmodisch*) ◇ **von ~** outdated; ◇ **ich bin nicht von ~** I wasn't born yesterday
gestikulieren *vi* gesticulate
Gestirn *s* <-[e]s, -e> star; (*Sternbild*) constellation
Gestöber *s* <-s, -> (*Schnee-*) drift, flurry
gestört *adj* (*Beziehung*) troubled; (*psychisch ~*) disturbed, unbalanced; (*Radioempfang*) poor, with interference
Gestotter *s* <-s> stuttering
gestreift *adj* ▷*Stoff* striped
gestrig *adj* ▷*Zeitung* yesterday's, from yesterday
Gestrüpp *s* <-[e]s, -e> scrub
Gestüt *s* <-[e]s, -e> stud farm
Gesuch *s* <-[e]s, -e> (*bei Behörde*) request, application; **gesucht** *adj* wanted, hunted
gesund *adj* healthy; (*Kind*) sound, healthy; ▷*Ernährung, Lebensweise* healthy; ▷*Menschenverstand* sound, wholesome; ◇ **jdn ~ schreiben** to certify s.o. as fit; **Gesundheit** *f* health; ◇ **G~!** Bless you!; **gesundheitlich** *adj:* ◇ **Wie geht es Ihnen ~?** How are you? [*o.* How do you feel?]; **Gesundheitsamt** *s* public health office; **gesundheitsschädlich** *adj* unhealthly, bad for o.'s health, dangerous; **Gesundheitswesen** *s* health service; **Gesundheitszeugnis** *s* health certificate; **Gesundheitszustand** *m* physical condition; ◇ **jdn auf seinen ~ hin untersuchen** to give s.o. a check-up; **gesundpflegen** *vt* → *Kranken, Angehörigen* nurse s.o. back to health; **gesundschrumpfen** *vr* ◇ **sich ~** (*Firma, Betrieb*) streamline
getigert *adj* ▷*Pullover* striped
getönt *adj* ▷*Haare* toned
Getöse *s* <-s> racket, noise
getragen *adj* [1] ▷*Melodie* solemn [2] (*Kleidung*) second-hand
Getränk *s* <-[e]s, -e> drink, beverage
getrauen *vr* ◇ **sich ~** dare
Getreide *s* <-s, -> grain, cereal
getrennt *adj* separate; ▷*Leute* separated
getreu *adj* (*wahrheits-*) true, faithful
Getriebe *s* <-s, -> (*von Maschinen*) gearing; AUT transmission
getrost *adv* confidently, without hesitation
getupft *adj* dotted, polka-dotted
Getto *s* <-s, -s> ghetto
Getue *s* <-s> fuss, to-do
Getümmel *s* <-s> (*Kampf-*) turmoil; (*Kaufhaus-*) bustle
geübt *adj* practised, skilled
Gewächs *s* <-es, -e> [1] (*Pflanze*) plant, vegetable [2] MED growth
gewachsen *adj* [1] ▷*Verhältnis* evolved [2] ◇ **jdm/einer Sache ~ sein** to be a match for s.o./s.th.
Gewächshaus *s* greenhouse
gewagt *adj* daring; ▷*Kleid, Ausschnitt* daring
gewahr *adj:* ◇ **jds/einer Sache** *gen* **~ werden** to become aware of s.o./s.th.
Gewähr *f* <-> guarantee; ◇ **jdm ~ dafür geben, daß...** to guarantee s.o. that...; ◇ **ohne ~** without guarantee; **gewähren** *vt* → *Wunsch, Kredit* grant; ◇ **jdn ~ lassen** to let s.o. have his way; **gewährleisten** *vt* (*sichern*) guarantee
Gewahrsam *m* <-s> custody, care; ◇ **jdn/etw in ~ nehmen** to take custody of s.o./s.th.
Gewährsmann *m* informant, source
Gewährung *f* granting, allowing; (*Bewilligung*) concession
Gewalt *f* <-, -en> [1] (*körperlich, seelisch*) violence; ◇ **~tätigkeiten** acts of violence [2] (*Zwang*) force; ◇ **mit ~** by force [3] (*Amts-, Befehls-*) power, authority [4] (*Kontrolle*) control; ◇ **jdn/sich in der ~ haben** to have control over s.o./oneself [5] (*Schicksal, Natur-*) power, force; ◇ **höhere ~** act of God [6] (*unbedingt*) ◇ **mit aller ~** at all costs; **Gewaltanwendung** *f* use of violence; **Gewaltenteilung** *f* separation of powers; **Gewaltherrschaft** *f* tyranny; **gewaltig I.** *adj* [1] (*riesig, stark*) immense, huge [2] (*mächtig*) powerful, mighty [3] (*FAM groß*) enormous, huge **II.** *adv* enormously; ◇ **sich ~ täuschen** to be very much mistaken; **gewaltsam** *adj* ▷*Auseinandersetzung* forcible; (*Angriff*) violent; **gewalttätig** *adj* ▷*Mensch* violent; **Gewalttätigkeit** *f* brutality, act of violence
gewandt *adj* ↑ *geschickt, erfahren* skilful; ▷*Auftreten, Redner* smart, elegant; **Gewandtheit** *f* cleverness, ingenuity, skilfulness
Gewäsch *s* <-s> (*FAM Gerede*) twaddle, prattle
Gewässer *s* <-s, -> (*Küsten-*) offshore waters; (*Binnen-*) lakes and rivers
Gewebe *s* <-s, -> [1] (*Stoff, Textilien*) fabric, textile [2] (*Binde-*) tissue; **Gewebsflüssigkeit** *f* MED ↑ *Lymphe* lymph
Gewehr *s* <-[e]s, -e> gun; **Gewehrlauf** *m* shotgun barrel

Geweih *s* <-[e]s, -e> antlers *pl*

Gewerbe *s* <-s, -> trade; (*Bau-, Kunst-*) industry; ◇ **Handel und ~** trade and industry; **Gewerbefreiheit** *f* freedom of trade; **Gewerbegebiet** *s* industrial area; **Gewerbeschein** *m* trade licence; **Gewerbeschule** *f* vocational school; **Gewerbesteuer** *f* trade tax; **gewerbsmäßig** *adj* professional; **Gewerbszweig** *m* branch of trade

Gewerkschaft *f* trade union; **Gewerkschaft[l]er(in** *f*) *m* <-s, -> trade unionist; **Gewerkschaftsbund** *m* Federation of Trade Unions; **gewerkschaftlich** *adj* ▷*Organisation* union

Gewicht *s* <-[e]s, -e> ① (*von jdm, etw*) weight ② (*FIG Bedeutung*) meaning, significance, importance; ◇ **nicht ins ~ fallen** to be of no importance; **Gewichtheben** *s* weight-lifting; **Gewichtsklasse** *f* weight category

gewieft *adj* ▷*Bursche* experienced, smart

gewillt *adj*: ◇ **Petra ist ~, Ihnen zu helfen** Petra is willing to help you

Gewimmel *s* <-s> (*Menschen-*) crowd

Gewimmer *s* <-s> whimpering

Gewinde *s* <-s, -> (*Kranz*) wreath; (*von Schraube*) thread; **Gewindebohrer** *m* screw tap

Gewinn *m* <-[e]s, -e> ① (*Ertrag*) profit; ◇ **etw mit ~ verkaufen** to sell s.th. at a profit ② (*bei Lotterie, Tombola*) prize, winnings; (*FIG innere Bereicherung*) profit, benefit; **Gewinnbeteiligung** *f* profit sharing; **gewinnbringend** *adj* ▷*Geldanlage* profitable; **gewinnen** <gewann, gewonnen> **I.** *vt* ① (*siegen*) win ② (*erreichen, bekommen*) → *Einblick, Freundschaft* gain, reach; ◇ **jdn für etw/sich ~** to win s.o. over ③ → *Kohle, Öl* obtain **II.** *vi* ① (*siegen*) win ② (*an Bedeutung, Klarheit*) benefit (*durch* from); (*profitieren*) gain; **gewinnend** *adj* ▷*Lächeln* winning; **Gewinner(in** *f*) *m* <-s, -> winner; **Gewinnspanne** *f* profit margin; **Gewinnummer** *f* winning number; **Gewinnung** *f* (*Kohle-, Strom-*) winning, gaining; **Gewinnzahl** *f* winning number

Gewirr *s* <-[e]s> (*Straßen-*) maze

gewiß I. *adj* ① (*bestimmt, sicher*) certain, sure, positive ② ◇ **ein gewisser Herr Müller hat angerufen** a certain Mr. Müller called ③ ▷*Ähnlichkeit, Verständnis* certain **II.** *adv* certainly, surely; ◇ **Sarah glaubt ~, daß ich es getan habe** Sarah is sure that I did it

Gewissen *s* <-s, -> conscience; ◇ **jdm ins ~ reden** to appeal to s.o.'s conscience; **gewissenhaft** *adj* ▷*Arbeit, Schüler* conscientious; **Gewissenhaftigkeit** *f* conscientiousness; **gewissenlos** *adj* unscrupulous, without conscience; **Gewissensbisse** *pl* pangs of conscience; ◇ **~ haben** to have a guilty conscience; **Gewissensfreiheit** *f* freedom of conscience; **Gewissenskonflikt** *m* moral conflict

gewissermaßen *adv* to an extent, so to say

Gewißheit *f* certainty; ◇ **sich ~ über etw** *akk* **verschaffen** to find out s.th. for certain

Gewitter *s* <-s, -> thunderstorm; **Gewitterwolke** *f* thundercloud

gewitzt *adj* ▷*Bursche* clever, sly

gewogen *adj*: ◇ **jdm/einer Sache ~ sein** to be well-disposed to s.o./s.th.

gewöhnen I. *vt* accustom; ◇ **jdn an etw** *akk* **~** to familiarize s.o. with s.th.; (*erziehen zu*) train **II.** *vr* ◇ **sich ~** accustom o.s. (*an akk* to s.th.); **Gewohnheit** *f* habit; ◇ **aus ~** out of habit; ◇ **zur ~ werden** to become a habit; **gewohnheitsmäßig** *adj* ▷*Trinker* habitual, routine; **Gewohnheitsmensch** *m* creature of habit; **Gewohnheitsrecht** *s* common law

gewöhnlich *adj* (*alltäglich*) usual, ordinary; (*normal*) common, normal; ◇ **wie ~** as usual, like always; (*PEJ ordinär, vulgär*) common, vulgar

gewohnt, gewöhnt *adj* ▷*Umgebung* customary, familiar; ◇ **etw ~ sein** to be used to s.th.; ◇ **wir sind daran ~, früh aufzustehen** we are used to getting up early; **Gewöhnung** *f* habituation (*an akk* to)

Gewölbe *s* <-s, -> vaults *pl;* **gewölbt** *adj* arched, curved

Gewühl *s* <-[e]s> (*Menschen-, Verkehrs-*) bustle, turmoil

Gewürz *s* <-es, -e> spice; **Gewürzessig** *m* GASTR aromatic vinegar; **Gewürzgurke** *f* pickled gherkin; **Gewürzkräuter** *s pl* GASTR herbs, spices *pl;* **Gewürznelke** *f* clove

Geysir *m* <-s, -e> geyser

gezackt *adj* ▷*Rand* jagged

gezähnt *adj* toothed

Gezappel *s* <-s> wriggling, fidgeting

gezeichnet *adj* ① ▷*Bild, Blatt* drawn ② (*nach Strapaze, Gefahr*) marked (*durch, von* with, by) ③ (*eigenhändig unterschrieben*) signed

Gezeiten *pl* tides *pl;* **Gezeitenkraftwerk** *s* tidal power station

Gezeter *s* <-s> nagging

geziert *adj* ▷*Benehmen* affected

Gezwitscher *s* chirruping, twittering

gezwungenermaßen *adv* of necessity; ◇ **Vater mußte ~ nach Durban fliegen** Father was forced to fly to Durban

Gicht *f* <-> MED gout

Giebel *m* <-s, -> (*Haus-, Tür-*) pediment

Gier *f* <-> greed (*nach* for); **gieren** *vi* lust, crave (*nach* for, after); **gierig** *adj* ▷*Blick* greedy; (*beim Essen*) greedy, gluttonous

gießen <goß, gegossen> **I.** *vt* pour; → *Blumen* water; → *Metall, Wachs* cast; (*ein~*) pour in **II.** *vi impers:* ◇ **es gießt** it's pouring; **Gießkanne** *f* watering can

Gift *s* <-[e]s, -e> poison; (*FIG Bosheit, Schädliches*) malice, spite; ◇ **das ist [wie] ~ für dich** that is very bad for you; **Giftdrüse** *f* venom gland; **giftig** *adj* poisonous; *FIG* ▷*Blick, Antwort* spiteful, furious; **Giftmüll** *m* toxic wastes *pl;* **Giftpilz** *m* poisonous mushroom; **Giftschrank** *m* (*FAM Medikamentenschrank*) medicine cabinet; **Giftstoff** *m* poisonous substance, poison; **Giftzahn** *m* fang

Gigant *m* giant; **gigantisch** *adj* ▷*Welle, Erdbeben* gigantic, colossal

Ginster *m* <-s, -> broom

Gipfel *m* <-s, -> [1] (*Berg~*) peak; (*Baum~*) top [2] (*FIG Höhepunkt*) peak, climax [3] POL summit [4] (*FAM Unverschämtheit*) ◇ **Das ist ja wohl der ~!** Now that's the limit!; **Gipfelkreuz** *s* cross on the moutain peak; **Gipfelstürmer(in** *f*) *m* (*ehrgeiziger Mensch*) go-getter, doer; **Gipfeltreffen** *s* ↑ *Gipfelkonferenz* summit meeting

Gips *m* <-es, -e> plaster; MED plaster of Paris; **Gipsabdruck** *m* plaster cast; **Gipsbein** *s FAM* a leg in plaster; **gipsen** *vt* (*Arm*) put in plaster; **Gipsverband** *m* [plaster] cast

Giraffe *f* <-, -n> ZOOL giraffe

Girlande *f* <-, -n> (*Blumen~, Papier~*) garland

Girokonto *s* current account

girren *vi* ← *Taube* coo

Gischt *f* spray

Gitarre *f* <-, -n> MUS guitar; **Gitarrenspieler(in** *f*) *m* guitar player; **Gitarrist(in** *f*) *m* guitarist

Gitter *s* <-s, -> [1] (*Tür~, Fenster~*) screen [2] (*Zaun*) fence [3] *FAM* ◇ **hinter ~n sitzen** to sit behind bars; **Gitterbett** *s BRIT* cot; *US* crib; **Gitterfenster** *s* screen-, lattice-window; (*mit Eisenstangen*) barred window; **Gitterrost** *m* (*Schachtabdeckung*) grid; **Gittertor** *s* steel door; **Gitterzaun** *m* lattice fence

Glacé *f* <-, -s> (*CH*) ice cream

Gladiator *m* gladiator

Gladiole *f* <-, -n> gladiolus

Glanz *m* <-es> brightness, shine; (*FIG Schönheit, Pracht*) glamour, splendour; **glänzen** *vi* shine, gleam; (*FIG auffallen*) beam, shine (*durch* through); **glänzend** *adj* ▷*Augen, Haar* shiny, lustrous; ▷*Leistung, Zukunft* brilliant, gleaming; **Glanzleistung** *f* masterly achievement; **glanzlos** *adj* dull, matt; **Glanzzeit** *f* golden age, heyday

Glas *s* <-es, Gläser> [1] (*Trink~*) glass [2] (*Brillen~, Fenster~*) glass [3] (*Opern~, Fern~*) binoculars *pl;* **Glasbläser** *m* <-s, -> glass-blower; **Glascontainer** *m* (*für Altglas*) glass container; **Glasdach** *s* glass roof; **Glaser(in** *f*) *m* <-s, -> glazier; **gläsern** *adj* [1] (*aus Glas*) glass [2] (*zerbrechlich*) glass [3] (*FIG durchschaubar*) glass; **Glasfaserkabel** *s* glass fibre cable; **Glashaus** *s* (*Treibhaus, Gewächshaus*) greenhouse

glasieren *vt* → *Kuchen Plätzchen* ice, glaze; → *Tontopf* gloss

glasig *adj* ▷*Blick* glassy; ▷*Kartoffel* waxy; **glasklar** *adj* crystal-clear; **Glaskörper** *m* MED vitreous body; **Glaskugel** *f* glass bulb [*o.* marble]; **Glasmalerei** *f* glass painting

Glasnost *f* <-> POL Glasnost

Glasscheibe *f* sheet of glass; (*Fensterscheibe*) pane; **Glasscherbe** *f* piece of broken glass; **Glasschleifer(in** *f*) *m* glass cutter

Glasur *f* (*Kuchen~*) icing; *US* frosting, icing; (*auf Metall*) enamel, gloss; (*auf Töpferware*) glaze

glatt *adj* [1] ▷*Oberfläche, Haut* smooth [2] (*rutschig, glitschig*) sleek, slippery [3] (*gewandt, vermutlich unaufrichtig*) polished, plain spoken [4] (*mühelos*) ▷*Landung, Prüfung* smooth, easy [5] (*ohne Umschweife*) ▷*Lüge* outright, downright; ◇ **etw ~ vergessen haben** to have completely forgotten s.th.; **Glätte** *f* <-, -n> smoothness; (*Schnee~, Eis~*) slipperiness; **Glatteis** *s* ice; ◇ **G~gefahr!** Icy road!; (*FIG jdn hereinlegen*) ◇ **jdn aufs ~ führen** to take s.o. for a ride; **glätten I.** *vt* smooth out; (*überarbeiten*) → *Aufsatz* polish up **II.** *vr* ◇ **sich ~** → *Wogen, Meer* subside, calm down; (*FIG Zorn, Wogen der Empörung*) calm down; **glattgehen** *irr vi* ← *Prüfung* go smoothly, go well; **glatthobeln** *vt* → *Brett, Holz* plane smooth; **glattstreichen** *irr vt* → *Tischdecke, Kissen* smooth out; **glattweg** *adv* [1] (*ohne zu zögern*) easily, just like that [2] (*rundheraus*) plainly, bluntly; ◇ **~ gelogen** that is a flat-out lie [3] (*ganz*) thoroughly

Glatze *f* <-, -n> bald head; ◇ **eine ~ bekommen** to go bald

Glaube *m* <-ns, -n> (*Konfession*) belief, faith (*an akk* in); ◇ **in gutem ~n handeln** to act in good faith; **glauben I.** *vt* [1] believe; (*für wahr halten*) believe [2] (*vermuten*) think, believe **II.** *vi* believe, trust (*an akk* in); ◇ **jdm ~** to believe s.o.; (*vermuten, annehmen*) ◇ **man glaubte ihn verloren** they thought he was gone; **Glaubensbekenntnis** *s* creed; **Glaubensfrage** *f* question of faith; **Glaubensfreiheit** *f* religious freedom; **glaubhaft** *adj* ▷*Bericht, Schilderung* credible; ◇ **etw ~ machen [können]** to substantiate s.th.; **gläubig** *adj* REL believing, faithful; **Gläubige(r)** *mf* believer; ◇ **die Gläubigen** the faithful

Gläubiger(in *f*) *m* <-s, -> COMM creditor

glaubwürdig *adj* ▷*Aussage, Zeuge* credible; **Glaubwürdigkeit** *f* credibility

Glaukom *s* <-s, -e> MED glaucoma

gleich I. *adj* like, same; (*identisch*) identical; (*unverändert*) same; ◇ **fast** - similar; ◇ **es ist mir** - it is all the same to me **II.** *adv* [1] (*ebenso*) alike, equally; ◇ **wir werden alle - behandelt** we are all treated the same [2] (*sofort, bald*) at once, right away [3] (*in unmittelbarer Nähe*) just, right; ◇ - **hinter dem Haus** just behind the house **III.** *Partikel* [1] (*in Fragesatz*) again; ◇ **Wie war noch - die Nummer** What was the number again? [2] (*Resignation, Unmut*) ◇ **er/es ist mir** - he/it means nothing to me; ◇ **laß es doch - bleiben** don't even bother to start it; **gleichaltrig** *adj* of the same age; **gleichartig** *adj* similar; **gleichbedeutend** *adj* synonymous (*mit* with); **gleichberechtigt** *adj* equal; **Gleichberechtigung** *f* equality; ◇ - **für Frauen** equal rights for women; **gleichbleiben** *irr vr* ◇ **sich** - remain the same; ◇ **Sie sind gleichgeblieben** you haven't changed at all; **gleichbleibend** *adj* ▷*Güte, Qualität* constant, invariable

gleichen <glich, geglichen> **I.** *vi* resemble s.o./s.b.; ◇ **jdm/einer Sache** - to be like s.o./s.th. **II.** *vr* ◇ **sich** - be alike; ◇ **sie - sich wie ein Ei dem anderen** they are alike as two peas in a pod

gleichermaßen *adv* (*ebenso, auch*) equally

gleichfalls *adv* likewise; ◇ **Danke -!** Thankyou and same to you!; **Gleichförmigkeit** *f* uniformity, similarity; **gleichgesinnt** *adj* ▷*Freund, Kumpel* like-minded; **Gleichgewicht** *s* balance, equilibrium; (*auch FIG verwirren*) ◇ **jdn aus dem - bringen** to throw s.o. off balance; **gleichgültig** *adj* (*desinteressiert*) indifferent, unconcerned; (*unbedeutend*) trivial, unimportant; ◇ **Sport ist ihm** - he doesn't care about sport; **Gleichgültigkeit** *f* indifference, apathy; **Gleichheit** *f* [1] (*gleiche Stellung*) equality [2] (*Ähnlichkeit*) likeness, similarity; **gleichkommen** *irr vi* [1] (*Fähigkeit, Leistung*) equal, match; ◇ **jdm - an** *akk* to equal/match s.o. in [2] (*ist gleich*) amount to, equivalent to; **gleichlautend** *adj* ▷*Aussage* identical; (*Wörter*) homonymous; **gleichmachen** *vt* equalize; (*niederreißen, zerstören*) ◇ **etw dem Erdboden** - to level s.th. to the ground; **gleichmäßig** *adj* ▷*Puls, Atem* even, regular; **Gleichmut** *m* composure; **gleichnamig** *adj* [1] ▷*Straße, Oper* having the same name [2] MATH ▷*Bruch* having a common denominator; **gleichsam** *adv* as it were, so to say; ◇ - **als ob** just as if; **gleichschenkelig** *adj* ▷*Dreieck, Segel* isosceles; **gleichsehen** *irr vi* (*Ähnlichkeit haben*) look alike, resemble; (*FIG typisch für*) ◇ **Das sieht ihr gleich!** That's just like her!; **gleichstellen** *vt* equate; ◇ **jdn - mit** to put s.o. on a par with; **Gleichstrom** *m* ELEC direct current; **gleichtun** *irr vt impers:* ◇ **es jdm - wollen** to try to do the same as s.o.

Gleichung *f* MATH equation

gleichwertig *adj* ▷*Partner* of equal value; CHEM equivalent; **gleichwohl** *cj* (*trotzdem, dennoch*) nevertheless, nonetheless; **gleichzeitig** *adj* simultaneous; **gleichziehen** *irr vi:* ◇ **mit jdm** - to catch up with s.o.

Gleis *s* <-es, -e> track, line; (*Bahnsteig*) platform, track

gleiten <glitt, geglitten> *vi* (*sich geräuschlos bewegen*) glide; (*rutschen*) slide, slip; (*schweifen*) ← *Augen* range, travel; **Gleitflug** *m* glide; **Gleitzeit** *f gleitende Arbeitszeit, BRIT* flexitime; *US* glide-time

Gletscher *m* <-s, -> glacier; **Gletscherspalte** *f* crevice

glibberig *adj* (*schmierig, rutschig*) slimy

glich *impf von* **gleichen**

Glied *s* <-[e]s, -er> [1] (*Finger-, Zehen-*) limb; (*Gelenk*) joint; (*Penis*) penis [2] (*Ketten-, Satz-*) link [3] MIL rank; ◇ **in - treten** to fall in

gliedern *vt* → *Aufsatz* order, organize

Gliederschmerz *m* MED rheumatism

Gliederung *f* structure, outline

Gliedmaßen *pl* ↑ *Extremitäten* extremities *pl*

glimmen <glomm, geglommen> *vi* ← *Asche, Zigarette* glow; ← *Hoffnung* flicker

glimmern *vi* (*schwach leuchten*) glimmer

glimpflich *adj* ▷*Strafe* mild, lenient; ◇ - **davonkommen** to get off easy

glitschig *adj* (*rutschig*) ▷*Straße* slippery

glitt *impf von* **gleiten**

glitzern *vi* ← *Edelstein, Stern* glitter, sparkle

global *adj* global

Globetrotter(in *f*) *m* globetrotter

Globulin *s* <-s, -e> MED globulin

Globus *m* <-, Globen> globe

Glocke *f* <-, -n> bell; (*Käse-*) cover; (*FAM anderen Leuten erzählen*) ◇ **etw an die große - hängen** to shout s.th. from the rooftops; **Glockenblume** *f* bellflower, buttercup; **Glockengeläut[e]** *s* ringing; **Glockengießer** *m* bellfounder; **Glockenrock** *m* flared skirt; **Glokkenspiel** *s* chimes *pl;* **Glockenturm** *m* bell tower

glomm *impf von* **glimmen**

G

glorifizieren *vt* (*verherrlichen*) glorify; **glorreich** *adj* ▹*Sieg* glorious

Glossar *s* glossary

Glotze *f* <-, -n> (*FAM Fernseher*) box; **glotzen** *vi FAM* gawp, stare

Glück *s* <-[e]s> [1] luck, fortune; ◇ **zum Geburstag viel** ~ happy birthday; ◇ ~ **gehabt!** That was lucky! [2] (*Freude*) happiness; ◇ **sein Auto ist sein ganzes** ~ his car is his life; ◇ **das Streben nach** ~ the pursuit of happiness

Glucke *f* sitting hen

glücken *vi* succeed

gluckern *vi* ← *Wasser, Abflußrohr* gurgle

glücklich *adj* (*froh*) ▹*Paar* happy; (*erfolgreich*) ▹*Gewinner* successful, prosperous; (*günstig*) ▹*Zufall* fortunate, lucky; **glücklicherweise** *adv* luckily, fortunately; **Glücksbringer** *m* <-s, -> good-luck charm; **glückselig** *adj* happy, blissful

glucksen *vi* (*lachen*) chuckle

Glücksfall *m* lucky chance; **Glückskind** *s* lucky devil; **Glückspilz** *m FIG* luck devil; **Glücksrad** *s* wheel of fortune; **Glückssache** *f*: ◇ **das ist** ~ matter of luck; **Glücksspiel** *s* game of chance; **Glückssträhne** *f* streak of luck; ◇ **eine** ~ **haben** to have a streak of luck; **Glückstag** *m* lucky day; **Glückwunsch** *m* good wishes *pl*, congratulation; ◇ **Herzlichen** ~ **zum Geburtstag!** Happy Birthday! Best returns of the day!

Glühbirne *f* light bulb; **glühen** *vi* glow; *FIG* ← *Gesicht, Wangen* glow; ◇ **vor Freude** ~ to be glowing with happiness; **glühend** *adj* glowing, burning; **Glühwein** *m* mulled wine; **Glühwürmchen** *s* lightening bug, firefly

Glukose *f* <-> ↑ *Traubenzucker* glucose

glupschen *vi* (*norddt gierig schauen*) gawp

Glut *f* <-, -en> heat, glow; (*Feuers-*) flame, blaze; (*Hitze*) heat, glow; (*FIG Leidenschaft*) fervour, ardour; **glutrot** *adj* ▹*Sonne* glowing red, fiery red

Glyzerin *s* <-s> CHEM glycerine-

GmbH *f* <-, -s> *Abk v.* **Gesellschaft mit beschränkter Haftung** Ltd., limited company

Gnade *f* <-, -n> (*Gunst, Wohlwollen*) favour, grace; (*Vergebung, Milde*) mercy, clemency; ◇ ~ **vor Recht ergehen lassen** to show mercy; **Gnadenfrist** *f* reprieve; **Gnadengesuch** *s* plea for mercy; **gnadenlos** *adj* merciless; **Gnadenstoß** *m auch FIG* coup de grace; **gnädig** *adj* merciful; (*Anrede*) ◇ **-e Frau** madam

Gnom *m* <-s, -e> (*Zwerg, Kobold*) gnome; (*FAM Mensch*) gnome

Gold *s* <-[e]s> gold; **Goldbarren** *m* gold ingot; **golden** *adj* ▹*Uhr, Ring* gold(en); **Goldfisch** *m* goldfish; **goldgelb** *adj* golden-yellow; **Goldgräber** *m* <-s> gold-digger; **Goldgrube** *f* (*FIG lukrativ*) goldmine; **Goldhamster** *m* ZOOL golden hamster; **goldig** *adj* (*niedlich, hübsch*) darling, sweet, cute; **Goldregen** *m* BIO laburnum---; **Goldschmied(in** *f*) *m* goldsmith; **Goldwaage** *f* gold-balance; (*FIG übergenau sein*) ◇ **jedes Wort auf die** ~ **legen** to weigh o.'s every word

Golf [1] *m* <-[e]s, -e> GEO gulf---

Golf [2] *s* <-s> SPORT golf

Golfkrieg *m* Gulf War; **Golfplatz** *m* golf course; **Golfschläger** *m* golf club; **Golfspieler(in** *f*) *m* golfer; **Golfstrom** *m* Gulf stream

Gondel *f* <-, -n> gondola; (*bei Seilbahn*) cable-car; **gondeln** *vi* (*FAM reisen*) roam around

Gong *m* <-s, -s> gong

gönnen I. *vt*: ◇ **jdm etw** ~ to allow s.o. to have s.th. **II.** *vr*: ◇ **sich** *dat* **etw** ~ allow/treat o.s.; *FAM* to splurge on oneself; **gönnerhaft** *adj* ▹*Benehmen* patronizing

Gör *s* <-s, -en> (*norddt Kind*) brat

Gorilla *m* <-s, -s> ZOOL gorilla

goß *impf von* **gießen**

Gosse *f* <-, -n> gutter, drain; *FIG* gutter; ◇ **jdn aus der** ~ **ziehen** to help s.o. out of the gutter

Gotik *f* <-> KUNST Gothic; **gotisch** *adj* ▹*Schrift* Gothic

Gott *m* <-es, Götter> [1] (*der Herr*) God; ◇ **Um -es willen!** For Heavens's sake!; ◇ **G~ sei Dank!** Thank God!, Thank Goodness! [2] (*Grüß*) ◇ Grüß ~ hello; **gottbegnadet** *adj* ▹*Künstler* divinely gifted; **Götterspeise** *f* jelly; *AM* jello; **Gottesanbeterin** *f* ZOOL praying mantis; **Gottesdienst** *m* [1] worship [2] service; **Gotteslästerung** *f* blasphemy; **Gottesurteil** *s* HIST ↑ *Gottesgericht* doctrine of divine right; **Göttin** *f* goddess; **göttlich** *adj* heavenly, divine; *FAM* marvellous, heavenly; **gottlos** *adj* ▹*Mensch* godless, ungodly; **gottverlassen** *adj* ▹*Dorf* Godforsaken

Götze *m* <-n, -n> *FIG* idol; **Götzenbild** *s* graven image, idol

Gourmet *m* <-s, -s> gourmet

Grab *s* <-[e]s, Gräber> grave

graben <grub, gegraben> *vt, vi* dig; ◇ **nach Gold** ~ to dig for gold

Graben *m* <-s, Gräben> (*Straßen-*) ditch; (*Wasser-*) trench, drain

Grabinschrift *f* epitaph; **Grabmal** *s* tomb; **Grabplatte** *f* memorial slab; **Grabstein** *m* grave stone

Grabung *f* ARCH excavation

Grad *m* <-[e]s, -e> ① (*bei Temperatur*) degree ② (MATH *Breiten-, Längen-*) degree, extent ③ (*Ausmaß*) degree ④ (*Dienst-, Rang*) rank ⑤ (*Doktor-, Magister-*) degree; **Gradeinteilung** *f* calibration, graduation

graduiert *adj* ▷*Ingenieur* graduate

Graf *m* <-en, -en> count

Graffiti *s pl* graffiti *sg*

Grafikbildschirm *m* PC graphic screen

Gräfin *f* countess; **Grafschaft** *f* shire, county

Gram *m* sorrow, grief; **grämen** *vr* ◇ **sich** - be distressed (*über akk* about)

Gramm *s* <-s, -> gramme; *US* gram

Grammatik *f* grammar; **grammatikalisch**, **grammatisch** *adj* grammatical

Grammophon *s* <-s, -e> gramophone

Granat *m* <-[e]s, -e> MIN garnet

Granatapfel *m* pomegranate

Granate *f* <-, -n> MIL grenade; **Granatsplitter** *m* shell-splinter

grandios *adj* ▷*Vorstellung, Naturereignis* overwhelming, grand

Granit *m* <-s, -e> granite; (*FIG auf unüberwindlichen Widerstand stoßen*) ◇ **[bei jdm] auf - beißen** to bang o.'s head against a brick wall

grantig *adj* (*süddt*) grumpy

Grapefruit *f* <-, -s> grapefruit

Graphik *f* KUNST graphic art; **Graphiker(in** *f*) *m* <-s, -> graphic artist; **graphisch** *adj* graphic

grapschen *vt, vi* (*FAM an sich raffen*) grab s.th.; ◇ **nach jdm/etw** - to grab after s.o./s.th.

Gras *s* <-es, Gräser> grass; (*FAM sterben*) ◇ **ins - beißen** to bite the dust; **grasen** *vi* ← *Esel, Ziege* graze; **Grasfleck** *m* ① (*im Wald*) patch of grass ② (*auf Kleidung*) grass stain; **Grasfrosch** *m* grass frog; **Grashalm** *m* blade of grass; **Grasmücke** *f* warbler

grassieren *vi* ← *Seuche, Krankheit* rage, be rampant

gräßlich *adj* ▷*Unfall* horrible, dreadful; (*FAM sehr, groß*) monstrous, heinous

Grat *m* <-[e]s, -e> (*Berg-*) ridge, edge; (*Kante, Rand*) edge

Gräte *f* <-, -n> (*in Fisch*) bone

Gratifikation *f* (*Weihnachts-*) gratuity, bonus

gratinieren *vt* (*überbacken*) → *Zwiebelsuppe* brown

gratis *adv* ↑ *kostenlos* free; **Gratisprobe** *f* free sample

Grätsche *f* SPORT straddle

Gratulation *f* congratulations *pl;* **gratulieren** *vi* congratulate; ◇ **jdm [zu etw]** - to congratulate s.o. on s.th.; ◇ **[ich] gratuliere!** Congratulations!

grau *adj* (*Farbe*) grey; (*langweilig, trostlos, Alltag*) drab

grauen I. *vi impers* ← *Tag* dawn **II.** *vr* ◇ **sich** - dread, shudder at; ◇ **mir graut vor ihm** I dread him; **Grauen** *s* <-s> (*Furcht, Entsetzen*) horror, dread; **grauenhaft**, **grauenvoll** *adj* dreadful, horrible

grauhaarig *adj* grey-haired; **graumeliert** *adj* (*Haare*) greying

grausam *adj* cruel; (*FAM unerträglich, schrecklich*) awful; **Grausamkeit** *f* cruelty

grausen *vi impers* give s.o. the creeps; ◇ **es graust mir vor dem Mann** I get the creeps when I think of that man

Grauzone *f FIG* grey area

gravieren *vt* → *Glas, Metall* engrave

gravierend *adj* ▷*Fehler* grave, serious

Gravitation *f* ↑ *Erdanziehung* gravity, gravitation

Grazie *f* grace; **grazil** *adj* ▷*Gestalt, Figur* graceful, slender

greifbar *adj* ▷*Nähe* available; *FIG* ▷*Resultat, Beweis* concrete; **greifen** <griff, gegriffen> **I.** *vt* grasp, grip; (*fangen*) catch, hold **II.** *vi* ① (*Hand ausstrecken*) grab (*nach* for *akk* into); (*gebrauchen, konsumieren*) ◇ **zu etw** - to turn to s.th.; (*sich ausbreiten*) ◇ **um sich** - to gain ground ② ← *Reifen* grip; ← *Maßnahme* be effective

Greis(in *f*) *m* <-es, -e> old man; **Greisenalter** *s* old age; **greisenhaft** *adj* senile

grell *adj* ▷*Licht* glaring; ▷*Farbe* loud, flashy; ▷*Stimme, Ton* shrill

Gremium *s* (*Prüfungs-*) committee

Grenzbeamte(r) *m* border official; **Grenzbeamtin** *f* border official; **Grenze** *f* <-, -n> boundary, border; (*Staats-, Zoll-*) limits *pl;* (*FIG Rahmen, Maß, Zurückhaltung*) limit; ◇ **sich in -n halten** to keep within bounds; **grenzen** *vi* border (*an akk* on); **grenzenlos** *adj* boundless, unlimited; *FIG* ▷*Vertrauen* unlimited, infinite; **Grenzfall** *m* borderline case; **Grenzschutz** *m* border protection; **Grenzübergang** *m* check point; **Grenzwert** *m* MATH limiting value

Gretchenfrage *f* (*FIG Gewissensfrage*) crucial question

Greuel *m* <-s, -> (*Kriegs-*) horror; ◇ **es ist mir ein** - I loathe it; **Greuelmärchen** *s* horror story; **Greueltat** *f* atrocity

Grieche *m* <-n, -n> Greek; **Griechenland** *s* Greece; **Griechin** *f* Greek; **griechisch** *adj* Greek

grienen *vi* (*norddt [schadenfroh] grinsen*) smirk

griesgrämig *adj* ▷*Gesicht, Mensch* grouchy, grumpy

G

Grieß *m* <-es> [1] (*Weizen-*) semolina [2] (*Sand*) grit, gravel

griff *impf von* **greifen**

Griff *m* <-[e]s, -e> [1] (*Hand-, Greifen*) handle, grip [2] (*an Tür, Topf etc.*) knob [3] (*Kontrolle*) ◇ **etw im ~ haben** to have s.th. under control; **griffbereit** *adj* ready at hand

Griffel *m* [1] BOT style [2] slate pencil

griffig *adj* (*Sohlen*) good gripping; (*anschaulich, deutlich*) ▷*Beispiel, Erzählung* handy

Grill *m* <-s, -s> grill

Grille *f* <-, -n> [1] ZOOL cricket [2] (*FIG Laune, Einfall*) silly notion, idea

grillen *vt* → *im Backofen* broil; (*über offenem Feuer*) grill; (*am Spieß*) grill

Grimasse *f* <-, -n> grimace; ◇ **-n schneiden** to make a face

grimmig *adj* furious; ▷*Winter, Wind* harsh, fierce

Grind *m* <-[e]s, -e> (*Wundschorf*) scab

grinsen *vi* grin; (*boshaft, höhnisch*) sneer, smirk

Grippe *f* <-, -n> influenza, flu

grob <gröber, am gröbsten> [1] ▷*Sand, Mandeln* coarse [2] (*rauh, plump, derb*) ▷*Stoff* rough, coarse [3] (*ungefähr*) ▷*Umriß, Überblick* rough [4] (*barsch, unfein*) ▷*Mensch* blunt, coarse, rough; (*Benehmen, Antwort*) rude, rough [5] (*schlimm, schwerwiegend*) ▷*Fehler, Unfug* gross, serious; **Grobheit** *f* [1] (*von Material*) coarseness, roughness [2] (*von Mensch*) rudeness

Grog *m* grog

groggy *adj* (*FAM erschöpft*) exhausted

grölen *vi* ← *Halbstarker, Betrunkener* bawl

Groll *m* <-[e]s> grudge, resentment; ◇ **gegen jdn einen ~ hegen** to hold a grudge against s.o.; **grollen** *vi* (*Donner*) rumble, roll; (*zornig sein*) be angry; ◇ **mit jdm ~** to be furious with s.o.

groß I. <größer, am größten> [1] (*Haus*) large, big; (*nach Maßangabe*) large; ◇ **4 Meter ~** 4 metres tall [2] (*Zeitspanne*) long; ◇ **die -en Ferien** the long holidays [3] (*Ausmaß, Intensität*) ▷*Hunger, Angst* great; ◇ **wir haben -en Hunger** we are very hungry [4] (*Wichtigkeit, Bedeutung*) ▷*Dichter, Tag* great [5] (*erwachsen, älter*) ▷*Bruder* big, older; ◇ **die G~** the grown-ups [6] (*glanzvoll*) ▷*Fest, Aufmachung* great, big; (*viel*) a lot; ◇ **das -e Geld machen** to make big bucks/money; (*generell*) ◇ **im -en und ganzen** over all **II.** *adv* (*FAM viel*) very much; ◇ **von etw ~ erzählen** to talk a lot about s.th.; ◇ **~ rauskommen** *FAM* to make it big; ◇ **Was ist schon ~ dabei?** What's the big deal?;

großartig *adj* super, splendid; **Großaufnahme** *f* close-up

Großbritannien *s* <-s> Great Britain

Großbuchstabe *m* capital letter; **Großbürgertum** *s* upper middle-class

Größe *f* <-, -n> [1] (*Höhe, Körper-*) size; (*Kapazität*) capacity, size; (*Kleider-*) size [2] (*Bedeutung*) significance, greatness [3] (*Weisheit*) greatness

Großeinkauf *m* bulk purchase; **Großeltern** *pl* grandparents *pl;* **großenteils** *adv* to a large extent

Größenwahn *m* delusions of grandeur *pl*

Großfamilie *f* extended family; **Großformat** *s* large size; **Großgrundbesitzer(in** *f*) *m* great landowner; **Großhandel** *m* wholesale trade; **Großhändler(in** *f*) *m* wholesale dealer; **großherzig** *adj* ▷*Spende* generous; **Großhirn** *s* cerebrum; **Großkind** *s* (*CH Enkelkind*) grandchild; **Großmacht** *f* great power, super power; **Großmarkt** *m* central market; **Großmaul** *s FAM* big mouth, loud mouth; **großmütig** *adj* generous; **Großmutter** *f* grandmother; **Großraumbüro** *s* open-plan office; **großschreiben** *irr vt* write in capitals, capitalize; **großspurig** *adj FAM* flashy; **Großstadt** *f* big town, city

größtenteils *adv* mainly, for the most part

großtun *irr vi* brag, boast; *FAM* show off; **Großvater** *m* grandfather; **großziehen** *irr vt* → *Kind* raise, bring up; (*Pflanze*) tend; **großzügig** *adj* [1] (*Geschenk*) generous [2] ▷*Stadt, Anlage* spacious; **Großzügigkeit** [1] generosity [2] spaciousness

grotesk *adj* grotesque

Grotte *f* <-, -n> grotto, cave

grub *impf von* **graben**

Grübchen *s* dimple

Grube *f* <-, -n> (*Loch*) pit, hole; MIN mine

grübeln *vi* brood, ponder (*über akk* over)

Grubenarbeiter *m* miner; **Grubenlampe** *f* miner's lamp

Gruft *f* <-, Grüfte> tomb, vault

grummeln I. *vi* (*murren, schmollen*) mumble **II.** *vi impers* (*bei Gewitter*) rumble

grün *adj* [1] (*Farbe*) green [2] (*unreif*) ▷*Obst* green; *FIG* ↑ *unerfahren* green; **Grün** *s* <-s> [1] (*Natur*) green; ◇ **Fahrt ins -e** a drive into the country [2] (*junge Blätter*) green; ◇ **das erste ~** the first green [3] (*bei Ampel*) green; ◇ **auf ~ stehen** the light is green; **Grünanlage** *f* green patch, park

Grund *m* <-[e]s, Gründe> [1] (*Boden*) ground [2] (*von Glas*) bottom; (*von Gewässer*) bed, bottom [3] (*FIG Ursache, Motiv, Anlaß*) reason, cause [4] (*eigentlich*) ◇ **im -e [genommen]** actually, strictly speaking; ◇ **einer Sache** *dat* **auf den ~ gehen** to get to the bottom of s.th.; **Grundausbildung** *f* MIL basic training; **Grundbedingung** *f* basic requirement; **Grundbegriff** *m* fundamental concept; **Grundbesitz** *m* property

gründen I. *vt* → *Geschäft, Familie* set up, establish; → *Partei, Verein* organize, form **II.** *vr:* ◇ **sich ~ auf akk** to be founded/based on s.th.; **Gründer(in** *f*) *m* <-s, -> founder

Grunderwerb[s]steuer *f* property tax

Gründerzeit *f* HIST *establishment of democracy in Germany*

Grundfläche *f* surface area; **Grundform** *f* ① basic form ② LING infinitive; **Grundgebühr** *f* standard charge; **Grundgesetz** *s* ① (*Grundprinzip*) basic law ② (*Verfassung*) constitution; **Grundherrschaft** *f* HIST manorial system

grundieren *vt* apply a basecoat

Grundlage *f* basis; (*Arbeits~*) foundation, base; **Grundkurs** *m* SCH basic course; **Grundlagenforschung** *f* basic research; **grundlegend I.** *adj* ▷*Unterschied* fundamental, main **II.** *adv* (*vollkommen*) basically, fundamentally

gründlich I. *adj* ▷*Kenntnisse* solid, thorough, concrete **II.** *adv* (*sehr*) thoroughly, properly; ◇ **sich ~ täuschen** to be completely mistaken; ◇ **jdm ~ die Meinung sagen** to give s.o. a piece of o.'s mind

Grundlohn *m* basic wage, minimum wage; **grundlos** *adj* ▷*Eifersucht, Mißtrauen* unfounded, without reason; **Grundmauer** *f* foundation wall; **Grundnahrungsmittel** *s* basic food

Gründonnerstag *m* Maundy Thursday

Grundrecht *s* fundamental right; **Grundriß** *m* (*von Gebäude*) ground plan; (*FIG Übersicht*) sketch, outline; **Grundsatz** *m* principle; **Grundsatzentscheidung** *f* basic ruling; **grundsätzlich I.** *adj* ▷*Überlegung, Entscheidung* fundamental, basic **II.** *adv* (*mit Einschränkung*) basically; ◇ **~ nicht, aber...** on principle no, but...; **Grundschule** *f* elementary/primary school; **Grundstein** *m* (*FIG Anfang*) foundation stone; ◇ **einen ~ für etw legen** to lay the foundations for s.th.; **Grundsteuer** *f* property tax; **Grundstock** *m* foundation, basis; **Grundstück** *s* property, piece of land, plot; **Grundstücksmakler(in** *f*) *m* real estate agent; *US* realtor; **Grundstufe** *f* first level; SCH first grade

Gründung *f* founding; (*Unternehmens~*) establishment

grundverkehrt *adj* completely wrong; **grundverschieden** *adj* ▷*Charaktere, Einstellung* entirely different; **Grundwasser** *s* ground water; **Grundwasserspiegel** *m* ground water level; **Grundwortschatz** *m* basic vocabulary

Grüne(r) *mf* POL ecologist; **Grünfläche** *f* lawn, green area; **Grünkohl** *m* kale; **grünlich** *adj* greenish; **Grünschnabel** *m* *FAM* whippersnapper; **Grünspan** *m* verdigris; **Grünspecht** *m* green woodpecker; **Grünstreifen** *m* median, verge

grunzen *vi* grunt; *FAM* ← *Mensch* grunt

Gruppe *f* <-, -n> group; (*Interessengemeinschaft*) group; (*Mannschaft*) team, crew; **gruppenweise** *adv* in groups; **gruppieren I.** *vt* group, arrange **II.** *vr* ◇ **sich ~** line up, form groups

gruseln I. *vi impers:* ◇ **es gruselt mir vor ihm/davor** he/it gives me the creeps **II.** *vr* ◇ **sich ~** to get the creeps

Gruß *m* <-es, Grüße> greeting; ◇ **jdm einen ~ ausrichten/bestellen** to give s.o. o.'s regards; ◇ **Viele Grüße** Greetings; (*Geschenk, Blumen~*) best wishes; **grüßen** *vt, vi* ① greet; ◇ **grüß' deine Mutter von mir** tell your mother I said hello; ◇ **jdn ~ lassen** send o.'s regards ② MIL salute

Grütze *f* <-, -n>: ◇ **rote ~** red fruit pudding

gucken *vi* look; ◇ **nach etw/jdm ~** to look at s.th./s.o.; **Guckloch** *s* peep-hole

Guerillakrieg *m* guerrilla war

Guillotine *f* HIST guillotine

Gulasch *s* <-[e]s, -e> GASTR goulash

Gülle *f* <-> sewage

gültig *adj* ▷*Visa, Paß* valid; ◇ **Ab wann ist dieser Plan gültig?** When does this plan come into effect?; **Gültigkeit** *f* validity

Gummi *s o m* <-s, -s> ① rubber ② (*FAM Kondom*) rubber, condom; **Gummiball** *m* rubber ball; **Gummiband** *s* rubber band; **Gummibaum** *m* gum tree; **Gummihandschuh** *m* rubber glove; **Gummiknüppel** *m* rubber truncheon; **Gummisohle** *f* rubber sole; **Gummistrumpf** *m* elastic stocking

Gunst *f* <-> (*Wohlwollen, Vorteil*) goodwill; ◇ **zu Ihren ~en natürlich** in your favour of course; ◇ **sich jds ~ erfreuen** to be in good favour with s.o.

günstig *adj* ▷*Gelegenheit, Augenblick* convenient, favourable; ◇ **die Wohnung liegt ~** the flat is conveniently located

Günstling *m* favourite

gurgeln *vi* ← *Mensch* gurgle (*mit* with); ← *Wasser* gurgle

Gurke *f* <-, -n> ① BIO cucumber; ◇ **saure ~** gherkin ② (*FAM Nase*) snout

Gurt *m* <-[e]s, -e> belt; ◇ **Sicherheits~** safety belt

Gürtel *m* <-s, -> [1] (*Leder~*) belt [2] GEO zone; **Gürtelreifen** *m* radial tyre; *US* radial tire; **Gürtelrose** *f* MED shingles *pl*

Guru *m* <-s, -s> REL guru

Guß *m* <Gusses, Güsse> [1] (*Torten~*) icing, frosting; (*durchsichtig*) glaze [2] (*Regenschauer*) gush, downpour [3] (*Metallgießen*) casting; **Gußeisen** *s* cast iron

gut I. <besser, am besten> *adj* good; ▷*Mensch, Tat* good; ▷*Reise, Ernte* good; ▷*Stube, Anzug* good, splendid **II.** *adv* well, good; (*fast*) ◇ **so ~ wie** as good as; (*leicht, bedenkenlos*) ◇ **Amanda konnte ~ reden** Amanda was able to speak easily; ◇ **das kann ~ sein** that may well be; (*nicht wichtig*) ◇ **schon ~** alright

Gut *s* <-[e]s, Güter> [1] (*Besitz*) property [2] (*Gedanken~, Ideen~*) good; ◇ **~ und Böse** Good and Evil [3] (*Ware*) item, product, goods *pl* [4] (*Land~, ~shof*) estate

Gutachten *s* <-s, -> certificate, report; (*ärztlich*) medical opinion; **Gutachter(in** *f*) *m* <-s, -> [1] expert [2] (*Schätzer*) valuator

gutartig *adj* good natured; MED harmless, benign

gutbürgerlich *adj* ▷*Küche* homely, traditional

Gutdünken *s* <-s> discretion, judgement; ◇ **nach ~** at o.'s own discretion

Güte *f* <-> [1] goodness, kindness; (*freundlich*) ◇ **in aller ~** amicably, out of kindness [2] (*Qualität*) quality; **Güteklasse** *f* (*bei Waren*) class, grade

Gutenachtkuß *m* good-night kiss

Güterabfertigung *f* RAIL dispatch of goods; **Güterbahnhof** *m* RAIL freight depot; **Gütergemeinschaft** *f* community of goods; **Gütertrennung** *f* separation of property; **Güterwagen** *m* freight car; **Güterzug** *m* freight train

Gütezeichen *s* quality mark

gutgehen *irr vi impers* go well; ◇ **es geht ihm gut** he is fine; ◇ **es wird schon alles ~** everything will turn out fine; **gutgelaunt** *adj* good-humoured, cheerful; ◇ **sie ist immer ~** she is always in a good mood; **gutgemeint** *adj* ▷*Rat* well-meant; **gutgläubig** *adj* (*in gutem Glauben*) trusting, credulous; (*naiv, unkritisch*) naive; **Guthaben** *s* <-s, -> credit; **gutheißen** *irr vt* approve

gütig *adj* kind, generous; ◇ **würden Sie so ~ sein, ...** would you be so kind to...

gutmachen *vt* → *Schaden, Unrecht* make good, make amends for; **gutmütig** *adj* ▷*Mensch* good-hearted, good-natured; **Gutmütigkeit** *f* good nature, good heartedness; **Gutschein** *m* coupon, credit; (*Geschenk*) gift certificate; **gutschreiben** *irr vt* credit; **Gutschrift** *f* credit note; **gutsituiert** *adj* ▷*Familie, Verhältnis* well-off; **guttun** *irr vi* ← *Ruhe, Kur* do good; ◇ **es wird dir bestimmt ~, etw zu essen** it will definitely do you good to eat s.th.; **gutwillig** *adj* ready, willing

Gymnasium *s* secondary school; **Gymnasiast(in** *f*) *m* s.o. attending the secondary school

Gymnastik *f* gymnastic

Gynäkologe *m* <-n, -n> gynaecologist; **Gynäkologie** *f* MED gynaecology; **Gynäkologin** *f* [woman] gynaecologist; **gynäkologisch** *adj* ▷*Untersuchung* gynaecological

H

H, h *s* H, h

Haar *s* <-[e]s, -e> (*Menschen~*) hair; (*Tier~*) fur; ↑ *fast* ◇ **um ein ~** by a hair's breadth; **Haarbürste** *f* hairbrush; **haaren I.** *vi* ← *Tier* shed; ← *Mensch* lose hair **II.** *vr* ◇ **sich ~** ← *Hund* shed; **haargenau** *adv* ↑ *präzise* exactly; **haarig** *adj FIG* ↑ *kompliziert, unangenehm* sticky; **haarscharf** *adj* [1] ◇ **das Motorrad fuhr ~ an uns vorbei** the motorcycle missed us by a hair's breadth [2] ↑ *genau* exact; **Haarschnitt** *m* haircut; **Haarspalterei** *f* (*übertrieben genau*): ◇ **das ist doch ~** that is hairsplitting; **haarsträubend** *adj* ↑ *ungeheuerlich* hair-raising; **Haarteil** *s* ↑ *Perücke* hairpiece; **Haartrockner** *m* <-s, -> ↑ *Fön* hair dryer, blow dryer; **Haarwaschmittel** *s* ↑ *Shampoo* shampoo

Habe *f* <-> ↑ *Besitz* belongings, possessions; **haben** <hatte, gehabt> **I.** *Hilfsverb* have; ◇ **Wo hast du geschlafen?** Where did you sleep? Where have you slept? **II.** *vi* have [1] ↑ *besitzen, verfügen über* have [2] ↑ *leiden an* have; ◇ **Angst ~** to be afraid [3] → *Abneigung* ◇ **etw gegen jd-n ~** to have s.th. against s.o. [4] ◇ **es schwer/leicht/gut ~** to have it hard/easy/good [5] *FAM* ↑ *können* ◇ **etw drauf ~** to have it together [6] ↑ *müssen* ◇ **Sie ~ mir zu gehorchen!** You have to obey me!;

Haben *s* <-s, -> (*Soll und ~*) credit

Habgier *f* ↑ *Geiz* greed

Habicht *m* <-[e]s, -e> (*Raubvogel*) hawk

Habseligkeiten *pl*: ◇ **seine ~ zusammensuchen** to gather o.'s belongings together

Hacke *f* <-, -n> [1] (*Garten~*) hoe [2] ↑ *Ferse* heal; **hacken** *vt* → *Garten* hoe; **Hacker(in** *f*) *m* <-s, -> PC hacker; **Hackfleisch** *s* [1] ↑ *Hack, Ge-*

hacktes minced meat, hamburger meat *AM* 2 *FAM* ◇ ~ **aus jd-m machen** to make hamburger out of s.o.
hadern *vi* (*sich sträuben*): ◇ **mit dem Schicksal** ~ to fight with destiny
Hafen *m* <-s, Häfen> (*Schiffs*~) harbour; **Hafenstadt** *f* port
Hafer *m* <-s, -> oats; **Haferbrei** *m* porridge *BRIT*, oatmeal *AM*
Haft *f* <-> ↑ *Gefängnisstrafe* imprisonment; **haftbar** *adj* ↑ *verantwortlich* liable; **Haftbefehl** *m* warrant of arrest; **haften** *vi* 1 ↑ *kleben* stick (*an dat* to) 2 ↑ *verantwortlich sein* liable (*für akk* for); **Haftpflichtversicherung** *f* liability insurance; **Haftung** *f* JURA liability
Hagel *m* <-s> METEOR hail; **hageln** *vb impers:* ◇ **es hagelt** it is hailing
hager *adj* ↑ *dünn, knochig* thin, skinny
Hahn *m* <-[e]s, Hähne> 1 (*Geflügel*) rooster, cock 2 (*Wasser~, Zapf~*) faucet, spicket, tap 3 *FIG* ◇ **den Geld~ zudrehen** to cut off the funds; **Hähnchen** *s* (GASTRON *vom Grill*) chicken
Hai[fisch] *m* <-[e]s, -e> 1 (*Raubfisch*) shark 2 (*FIG Geld~, Miet~*) [loan] shark
häkeln *vt* crochet
Haken *m* <-s, -> 1 (*an der Wand*) hook 2 *FIG* ↑ *Problem* ◇ **die Sache hat einen** ~ there is a catch to it; **Hakenkreuz** *s* (*-fahne*) swastika
halb *adj:* ◇ **ein ~es Dutzend** a half dozen; (*zwölf Uhr dreißig*) ◇ ~ **eins** twelve thirty, half past twelve; **Halbdunkel** *s* ↑ *Dämmerung* dusk; **halber** *Partikel* (*krankheits~ etc.*) due to, because of; **Halbheit** *f:* ◇ **sich mit ~en zufrieden geben** to settle for half-measures; **halbieren** *vt* → *Zahl, Kuchen* half; **Halbinsel** *f* peninsula; **halbjährlich** *adj* (~ *abbuchen*) semiannual; **Halbkreis** *m* half circle; **Halbkugel** *f* (*Erd~*) hemisphere; **Halbleiter** *m* PHYS semiconductor; **Halblinks** *m* <-, -> (SPORT *beim Fußball*) inside left; **Halbrechts** *m* <-, -> (SPORT *beim Fußball*) inside right; **Halbschuh** *m* half shoe
Halbtagsarbeit *f* part-time job
halbwegs *adv* (*einigermaßen, etwas*) partly; ◇ **wir sind ~ fertig** we are almost finished; ◇ **er hatte ~ genug zum Leben** he had barely enough to live on
Halbwertzeit *f* PHYS half-life
Halbwüchsige(r) *fm* adolescent
Halbzeit *f* SPORT half-time
Halde *f* <-, -n> (*Müll~*) dump; (*von Erzeugnissen*) pile
half *impf v.* **helfen**
Hälfte *f* <-, -n> 1 (*fünfzig Prozent*) half; ◇ **die ~ der Klasse ist durchgefallen** half the class failed; ◇ **er versprach mir die ~ des Gewinns** he promised to give me half the profits 2 (*Mitte*) ◇ **zur Jahres~** halfway through the year; ◇ **auf der ~ des Wegs** halfway
Halfter *f* <-, -n> (*für Pistole*) holster
Halle *f* <-, -n> 1 (*Lager~*) depot, storage hall; (*Sport~*) gym[nasium]; ◇ **Tennis~** inside tennis courts 2 (*Empfangs~*) ◇ **Hotel~** reception hall
hallen *vi* echo, resound
Hallenbad *s* indoor swimming pool
hallo *intj* (*Gruß, am Telefon*) hello
Halluzination *f* hallucination
Halm *m* <-[e]s, -e> (*Gras~*) blade; (*Getreide~*) stalk
Hals *m* <-es, Hälse> 1 ↑ *Nacken* neck; ◇ **sich den ~ verrenken** to crick o.'s neck; ◇ **Alice fiel mir um den ~** Alice flung her arms around my neck 2 ↑ *Rachen* throat; ◇ **~weh haben** to have a sore throat 3 (*Flaschen~*) neck
Hals-Nasen-Ohren-Arzt *m*
Hals-Nasen-Ohren-Ärztin *f* ear, nose and throat doctor/specialist; (*a.:* **HNO**)
halsstarrig *adj* ↑ *stur* stubborn
Halstuch *s* scarf, neckerchief
Halsweh *s* sore throat
halt *intj* stop; MIL halt
Halt *m* <-[e]s, -e> 1 (*fester ~*) hold, grip; ◇ **er konnte auf dem Eis keinen festen ~ bekommen** he was unable to get a firm grip on the ice; *FIG* ▷*seelisch* support; ◇ **er hat seinen inneren ~ verloren** he lost his self-reliance; ◇ **keinen ~ haben** to have no-one to turn to 2 ↑ *Pause* stop, break; ◇ **wir sind durchgefahren ohne ~** we drove through without stopping
haltbar *adj* 1 ▷*Lebensmittel* non-perishable; ◇ **Milch ist nicht lange ~** milk can only be kept for a short period 2 ▷*Waren* durable; ▷*Beziehungen* long-lasting 3 *FIG* ▷*Theorie* tenable; ▷*Stelle, Position* maintainable 4 SPORT ◇ **das Tor war un~** the goal was not stoppable
Haltbarkeit *f* (*von Lebensmittel*): ◇ **~sdatum** expiry date; (*von Gebrauchsgegenständen*) life, durability
halten <hielt, gehalten> **I.** *vt* 1 (*in der Hand*) hold 2 SPORT stop, save; ◇ **der Tormann hielt mehrere Schüsse** the goal-keeper made several saves 3 MIL ◇ **die Truppen ~ die Stadt noch** the troops still control the city 4 ↑ *stützen* hold up, support; ◇ **ihr Haar wurde durch eine Schleife nach hinten ge~** her hair was held back with a ribbon; (*körperlich*) ◇ **sie hält sich aufrecht** sie holds herself upright 5 (*zurück~*) ◇ **du kannst gehen, es hält dich niemand** you can go, no-one is stopping you; ◇ **sie hielt die Tränen**

H

zurück she held back her tears [6] ↑ *bewahren* keep; → *Geschwindigkeit* maintain; (*weiterführen, beibehalten*) keep; ◇ **sie wollen Kontakt miteinander** ~ they want to keep in touch with each other [7] (*erfüllen*) → *Versprechen* keep [8] (*sich orientieren*) ◇ ~ **Sie sich an den Plan** keep to the plan [9] (*Wert auf etw liegen*) ◇ **er hält nicht viel von Pünktlichkeit** punctuality isn't very important to him; ◇ **ich halte nicht viel davon** I don't think too highly of it [10] → *Rede* make, give, deliver **II.** *vi* [1] ↑ *stehenbleiben* stop [2] (*bleiben bei*) ◇ **er hielt sich immer an ihrer Seite** he always kept close by her side [3] (*unterstützen, beistehen*) ◇ **zu jd-m** ~ to stand by s.o. [4] (*unverändert bleiben*) ← *Wetter* last; ← *Lebensmittel* keep; ◇ **Wird das Seil uns ~?** Is that rope going to hold us? **III.** *vr* [1] (*sich durchsetzen*) ◇ **sie hat sich beim Vorstellungsgespräch gut ge~** she held up well at the job interview; (*sich bewähren*) ◇ **sie hat sich gut ge~** she has kept herself up well [2] (*bleiben*) ◇ **sich links/rechts** ~ to keep [to the] left/right

Halteschild *s* stop sign

Haltestelle *f* stop

Halteverbot *s* no parking; ◇ **eingeschränktes** ~ limited parking; ◇ **absolutes** ~ no waiting

haltlos *adj* [1] (*nicht begründet*) ▷*Theorie* unfounded [2] (*labil*) ▷*Mensch* weak character

Haltlosigkeit *f* [1] (*Zügellosigkeit*) uninhibitedness [2] (*von These*) groundlessness

haltmachen *vi* make a stop, take a break

Haltung *f* [1] (*Körper~*) posture [2] (*Geistes~*) attitude [3] (*von Tieren, Sachen*) ownership [4] *FIG* ↑ *Selbstbeherrschung* ◇ ~ **bewahren** to keep o.'s composure

Halunke *m* <-n, -n> ↑ *Gauner* scoundrel

hämisch *adj* ▷*grinsen* malicious, spiteful

Hammel *m* <-s, -> (*Fleisch*) mutton

hämmern I. *vt* [1] (*mit Werkzeug*) hammer; (*mit Faust*) pound [2] *FIG* ◇ **jd-m etw in den Schädel** ~ to beat s.th. into s.o.'s head **II.** *vi* ← *Puls, Herz* pound

Hammer *m* <-s, Hämmer> [1] (*Werkzeug*) hammer; (*aus Holz*) mallet; (*am Klavier*) hammer [2] *FAM* ◇ **Das ist ja ein ~!** That's too much! That's hard to believe!

Hampelmann *m* <pl -männer> [1] (*Spielzeug*) jumping jack [2] *FIG* ↑ *zappeliger Mensch* jumping jack, fidget

hampeln *vi* jump about, fidget

Hamster *m* <-s, -> hamster

hamstern *vt FAM* ↑ *horten* hoard; ↑ *massenhaft einkaufen* forage

Hand *f* <-, Hände> [1] (*Körperteil*) hand; ◇ **jd-m die ~ geben** to shake hands with s.o. [2] KARTEN hand; ◇ **auf der Hand** in o.'s hand [3] (*manuell*) ◇ **mit der** ~ by hand; (*FIG gebraucht*) ◇ **aus zweiter** ~ second hand; ◇ ~ **und Fuß haben** to make sense; ◇ **um jd-s ~ anhalten** to propose to s.o.; ◇ **etw zur Hand haben** to have s.th. ready [*o.* at hand]; ◇ **etw in der ~ haben** to have s.th. in the bag [*o.* wrapped up]; ◇ **jd-m zur Hand gehen** to lend s.o. a hand

Handarbeit *f* [1] ↑ *Stricken, Nähen* handicraft [2] ↑ *manuell gefertigt* handmade article [3] (*physische Arbeit*) manual work

Handbremse *f* AUTO hand brake

Handbuch *s* ↑ *Bedienungsanleitung* manual

Handel *m* <-s> [1] (*Groß~, Klein~*) commerce, trade; (*zwischen Ländern*) commerce [2] (*Abmachung, Geschäft*) deal, transaction [3] ▷*illegal* crooked business

handeln I. *vi* [1] ↑ *Handel treiben* trade; ◇ **er handelt mit Gebrauchtwagen** he deals in used cars [2] (*Geschäfte machen*) bargain; ◇ **er laßt mit sich** ~ he is open for an offer [3] ↑ *aktiv werden* act; ◇ **wir müssen ~, bevor es zu spät ist** we have to do s.th. before it is too late [4] *FIG* ← *Buch, Aufsatz* ◇ **das Buch handelt von …** the book deals with [*o.* is about…] **II.** *vr impers* [1] (*sein*) ◇ **es handelt sich um einen Fehler** it's a mistake; ↑ *betreffen* ◇ **es handelt sich um Ihren Sohn** it concerns your son, it is about your son **III.** *vt* sell (*für* at, for); (*Börse*) quote [2] (*Preis*) ◇ **man konnte den Preis nicht herunter~** it was not possible to bring down the price

Handeln *s* <-s> [1] (*Geschäft machen*) bargaining, dealing [2] (*Handeltreiben*) trading [3] ↑ *Tun* bahavior, action; ◇ **man erkennt den Priester an seinem ~ und Tun** one recognizes a priest by his deeds; ↑ *eingreifen* ◇ **durch sein ~ konnten Menschenleben gerettet werden** lives were saved, thanks to his action

Handelsbilanz *f* balance of trade

handelseinig *adj:* ◇ **mit jd-m ~ werden** to come to terms with s.o., to reach an agreement with s.o.

Handelskammer *f* (*Industrie- und ~*) chamber of commerce

Handelskette *f* chain of retail stores

Handelsmacht *f* trading nation

Handelsschule *f* trade school

Handelsvertrag *m* trade agreement

Handelsvertreter(in *f*) *m* [business] representive; (*a.:* **rep**)

handgearbeitet *adj* handmade

Handgelenk *s* wrist

Handgemenge *s* ↑ *Schlägerei* scrap, scuffle

Handgepäck *s* carry-on luggage/baggage
handgeschrieben *adj* handwritten
handgreiflich *adj* [1] ↑ *unübersehbar* obvious; ▷*Erfolg* tangible; ▷*Fehler, Tatsache* palpable; ▷*Lüge* blatant, flagrant; ◇ **jd-m etw ~ vor Augen führen** to demonstrate s.th. clearly to s.o. [2] ↑ *gewalttätig* ▷*Auseinandersetzung* violent
Handgreiflichkeit *f* [1] violent behaviour, fighting [2] clarity, blatancy, flagrance
Handgriff *m* [1] (*Handbewegung*) operation; TECH pass; ◇ **es kann mit einem ~ gemacht werden** it can be done with just a flick of the wrist; ◇ **zu Hause macht er keinen ~** at home, he doesn't lift a finger [2] (*an Koffer*) handle, grip; (*an Schublade*) knob
handhaben *vt* [1] → *Maschine* operate, work [2] → *Gesetz* implement, administer, apply
Handhabung *f* operation, implementation
Handkoffer *m* suitcase
Händler(in *f*) *m* <-s, -> (*Geschäftsmann*) dealer, salesman
handlich *adj* ▷*Kamera* easy to manage, portable; ▷*Auto* manoeuvrable; ▷*Gepäck* handy
Handlung *f* [1] ↑ *Tun* action [2] (*Geschäft*) shop, store [3] LIT plot, story; ◇ **der Ort der ~ war München** the scene of story was Munich
Handlungsbevollmächtige(r) *fm* authorized agent, proxy
Handlungsweise *f* conduct
Handschelle *f* handcuffs *pl;* ◇ **jd-m ~n anlegen** to put handcuffs on s.o., to handcuff s.o.
Handschrift *f* [1] ▷*schön, unleserlich* handwriting, penmanship; ◇ **ihre ~ ist kaum lesbar** her handwriting/penmanship is scarcely legible [2] (*geschichtlicher Text*) manuscript
Handschuh *m* (*Finger-*) glove; (*Faust-*) mitten
Handschuhfach *s* glove compartment
Handtasche *f* purse; *AM* handbag
Handtuch *s* towel; (*aufgeben*) ◇ **das ~ schmeißen** to throw in the towel
Handwerk *s* [1] (*ausgeübte Tätigkeit*) trade [2] (*Kunst*) craft
Handwerker(in *f*) *m* <-s -> (*Praktiker*) handyman, do-it-yourselfer; (*Schreiner, Maler*) craftsman
Hanf *m* <-[e]s> (*~pflanze*) hemp
Hang *m* <-[e]s, Hänge> [1] (*von Berg*) slope [2] ↑ *Neigung* tendency (*zu* to)
Hängematte *f* hammock
hängen <hing, gehangen> **I.** *vi* [1] ← *Vorhänge, Bild* hang; ◇ **der Anhänger hängt am Auto** the trailer is hooked to the car [2] (*nach unten*) ◇ **seine Haare hingen ihm ins Gesicht** his hair hung in his face [3] (*zur Seite neigen*) ◇ **das Auto hängt nach links** the car is leaning to the left [4] (*in der Luft*) hang [5] (*daran liegen*) depend (*an akk* on) [6] (*dazugehören*) ◇ **daran hängt viel Geld** there is a lot of money involved in it [7] ↑ *festhängen* ← *Blicke, Augen* fix on [8] (*nicht vorwärtskommen*) ◇ **das Verfahren hängt** the case is stuck [9] (*sich aufhalten*) to hang around; ◇ **er hängt den ganzen Tag am Computer** he spends the entire day on a computer [10] (*Vorliebe*) ◇ **an etw/jdm ~** to be attached to s.th./s.o. **II.** *vt* → *Pferdedieb* hang **III.** *vr* [1] (*gefühlsmäßig binden*) ◇ **sich an etw/jd-n ~** to become attached to s.o./s.th. [2] (*verfolgen*) ◇ **die Polizei hing sich an die Verbrecher** the police were in hot pursuit of the criminals; ◇ **sich an jd-s Fersen ~** to hang on s.o.'s heels
hängenbleiben *unreg vi* [1] (*an Nagel*) be caught [2] (*sich lange aufhalten, in Kneipe*) stay, get caught up; (*bei Nebensächlichkeiten*) get bogged down (*bei* with) [3] SPORT ◇ **der Läufer blieb im Halbfinale hängen** the runner got left behind in the semi-final; ◇ **der Aufschlag bleib im Netz hängen** the serve got caught in the net [4] (*FAM begreifen, erfassen*) ◇ **bei mir ist nicht viel vom Vortrag hängengeblieben** I didn't get much of the lecture
hänseln *vt* ↑ *necken* tease
hantieren *vi* [1] (*basteln*) tinker, fiddle (*an dat* with, on) [2] ↑ *umgehen mit* ◇ **mit etw ~** to handle s.th.
hapern *vi impers* [1] ↑ *mangeln, fehlen* lack (*an dat* s th.) [2] (*klappt nicht*) ◇ **es hapert bei ihm an der Mathematik** he is weak in mathematics
Happen *m* <-s, -> mouthful, morsel; ◇ **sie war schon nach ein paar ~ satt** after just a couple of mouthfuls, she was full; ↑ *kleine Mahlzeit* snack; ◇ **ich möchte bloß einen ~** I want just a little something to eat; ◇ **er hat noch keinen ~ gegessen** he hasn't eaten a thing
Happy-End *s* <-s, -s> (*von Film, Geschichte*) happy ending
happig *adj* steep; *FAM* ◇ **der Preis ist ganz schon ~** the price is pretty steep
Hardware *f* <-, -s> PC hardware
Harfe *f* <-, -n> MUS harp
harmlos *adj* [1] ↑ *ungefährlich* harmless; ▷*Verletzung* mild, slight [2] (*arglos*) harmless, innocent
Harmlosigkeit *f* harmlessness, mildness, innocence
Harmonie *f* [1] MUS harmony; ◇ **die Töne stehen in ~ zueinander** the tones are in harmony [2] (*von Farben*) match, harmony [3] ↑ *Frieden, Einklang* harmony; ◇ **sie leben in perfekter ~** they live in perfect harmony

harmonieren *vi* ① MUS ↑ *zusammenklingen* harmonize ② ↑ *zusammenpassen* harmonize, match ③ (*gutes Verhältnis haben*) get along well; ◇ **das Paar harmoniert** the two of them complement one another

Harmonika *f* <-, -s> (*Mund-*) harmonica; (*Zieh-*) accordion

harmonisch *adj* ① MUS harmonious ② ↑ *zusammenpassend* matching ③ ▷*Zusammenleben* harmonious; ◇ **sie führen eine -e Ehe** they have a harmonious marriage

Harn *m* <-[e]s, -e> urine

hart **I.** *adj* ① ▷*Stein, Stahl* hard; ↑ *kalkhaltig* ◇ **-es Wasser** hard water ② ↑ *schwer, mühevoll* hard, tough; ◇ **eine Weinlese ist -e Arbeit** harvesting grapes is hard work; (*FIG wurde sehr gefordert*) ◇ **sie ist durch eine -e Schule gegangen** she has been through it; ◇ **- bleiben** to stay firm ③ ↑ *gefühllos, unempfindlich* stern; ◇ **Leiden macht -** suffering makes you stronger ④ ▷*Worte* harsh; ▷*Bedingungen* severe; ▷*Klima* rough; ▷*Beurteilung, Kritik* harsh, hard; ▷*Drogen* hard **II.** *adv* ↑ *nahe* close; ◇ **das Dorf liegt - am Rande des Waldes** the village is located right on the edge of the woods; ◇ **seine Bemerkung war - an der Grenze des Erlaubten** his remark was bearly tolerable; ◇ **der Surfer mußte - am Wind fahren** the surfer had to ride close to the wind ① (*heftig, aufgebracht*) ◇ **jd-n - anfahren** to be hard on s.o.; ◇ **die Bemerkung traf sie -** the remark hit her hard; ◇ **- diskutieren** to have a serious discussion ② ↑ *mühevoll* hard

Härte *f* <-, -n> ① ↑ *Festigkeit* hardness, firmness ② ↑ *Gefühlskälte* cruelty, harshness; ◇ **er bemerkte die - in ihrer Stimme** he noticed a hard edge to her voice ③ ↑ *Unerbittlichkeit, Strenge* harshness; ◇ **die - der Maßnahmen war übertrieben** the measures were excessively severe ④ *FAM* ◇ **Das ist die -!** That is simply unbelievable!

härten **I.** *vt* ↑ *hart machen* harden **II.** *vi* (*hart werden*) harden **III.** *vr* (*widerstandsfähig machen*) toughen

hartgefroren *adj* frozen solid

hartgekocht *adj* hard-boiled

hartgesotten *adj FIG*: ◇ **ein -er Geschäftsmann** a cold-blooded businessman

hartherzig *adj* ↑ *unerbittlich* hard-hearted

hartnäckig *adj* ↑ *starrköpfig, stur* stubborn

haschen **I.** *vt* catch **II.** *vi FAM* ↑ *Haschisch rauchen* smoke hashish; ◇ **auf der Party wurde gehascht** hashish was being smoked at the party

Haschisch *s* <-> hashish

Hase *m* <-n, -n> ① (*Feld-*) hare; (*Kaninchen*) rabbit; (*Oster-, Plüsch-*) bunny ② (*sich auskennen*) ◇ **wissen, wie der - läuft** to know which way the wind blows; (*das ist der entscheidende Punkt*) ◇ **da liegt der - im Pfeffer** that's precisely it ③ (*Hackbraten*) ◇ **falscher -** meat loaf

Haselnuß *f* hazelnut

Haß *m* <-sses> hatred

hassen *vt* hate, loathe; *FAM* ◇ **etw/jd-n - wie die Pest** to absolutely loathe s.th./s.o.

häßlich *adj* ① ↑ *unansehnlich* ugly; *AM* homely; *FAM* ◇ **pott-** hideous ② *FIG* ↑ *gemein* nasty, mean, ugly ③ ↑ *schlimm* ▷*Ereignis* nasty, ugly

Hast *f* <-> ↑ *Eile* haste; ◇ **voller -** in great haste, in a rush

hastig *adj* hasty, rushed; ◇ **er aß -, dann ging er** he ate in a hurry, then he left

hatte *impf v.* **haben** had

Haube *f* <-, -n> ① ↑ *Kopfbedeckung* bonnet, hood; *FIG* ◇ **unter die - kommen** to marry ② (*Motor-*) hood ③ (*Bedeckung, Dach*) cover; ◇ **Trocken-** hair dryer

Hauch *m* <-[e]s, -e> ① (*Atem*) breath; (*Duft*) whiff; (*Luft-*) breath of air ② (*FIG Andeutung*) hint, touch ③ (*Gefühl*) ◇ **ein - des Friedens** an intimitation of tranquility

hauchen **I.** *vi* breathe **II.** *vt* (*flüstern*) whisper, breathe; ◇ **jd-m etw ins Ohr -** to whisper s.th. in s.o.'s ear

hauen <haute *o.* hieb, gehauen> **I.** *vt* ① *FAM* ↑ *schlagen* hit, knock, clout; ◇ **jd-m auf die Ohren -** to clobber s.o. on the head; (*werfen*) chuck, fling ② ↑ *meißeln, eingravieren* carve **II.** *vi* hit; ◇ **auf jd-n -** to hit out at s.o. **III.** *vr* ↑ *sich prügeln* scrap, fight

häufen **I.** *vt* → *Steine* pile; ◇ **ein gehäufter Löffel** a heaped spoonful **II.** *vr* ◇ **sich -** ↑ *mehr werden, sich ansammeln* accumulate; ◇ **die Schwierigkeiten häuften sich** the diffuclties were occurring more and more frequently

Haufen *m* <-s, -> ① (*Stein-*) pile; (*Heu-*) stack ② (*überfahren*) ◇ **etw über den - fahren** to knock s.th. down ③ *FAM* ↑ *große Menge* (*an Geld, Arbeit*) pile, heap ④ (*verändern*) ◇ **über den - werfen** to upset things ⑤ ↑ *Gruppe* (*von Leuten*) crowd; (*von Bekannten*) load, pile; (*von Vögeln*) flock

haufenweise *adv* ↑ *reichlich* in heaps/piles; ◇ **etw - haben** to have s.th. by the bundle

häufig **I.** *adj* ▷*Fehler* frequent **II.** *adv* ↑ *oft* often

Häufigkeit *f* frequency

Haupt <-[e]s, Häupter> ① ↑ *Kopf* head; ◇ **entblößten -es** bareheaded ② (*Anführer*) head

Haupt- *(in Zusammensetzungen)* ① *(beste(r, s), wichtigste(r, s))* main, chief, principal ② *(grundsätzlich)* main, principal, central
Hauptbahnhof *m* central/main train station
hauptberuflich **I.** *adj* full-time **II.** *adv* full-time; ◇ **er ist als Lehrer ~ tätig** he is employed full-time as a teacher
Hauptbeschäftigung *f* ① ↑ *Hauptberuf* chief occupation ② ↑ *Haupttätigkeit* chief pastime
Hauptbuch *s* COMM ledger
Hauptdarsteller(in *f*) *m* *(Protagonist)* leading actor/actress
Haupteingang *m* main entrance
Hauptfach *s* *(in Schule, Studium)* main subject; *AM* major; ◇ **im ~ studiert er Englisch** his major is English
Hauptgang *m* ① *(Flur)* main corridor ② ↑ *Hauptgericht* main dish, main course
Hauptgeschäft *s* main office, main branch
Hauptgewicht *s* bulk weight; *(FIG wichtigster Punkt)* main emphasis
Hauptmann *m, pl* <-leute> MIL captain
Hauptpostamt *s* main post office
Hauptrolle *f* ① *(im Film, Theater)* leading role ② *FIG* ◇ **seine Mutter spielt die ~ bei ihm** his mother plays an important part in his life
Hauptsache *f* main/principal thing; ↑ *das wichtigste* ◇ **Frauen waren für ihn die ~** women were his first priority; ↑ *Kernpunkt* main point; ↑ *das Wesentliche* the essential, all that matters; ◇ **~, man ist gesund!** being healthy is all that matters
hauptsächlich **I.** *adv* mainly, chiefly, principally **II.** *adj* main, chief, principal
Hauptsaison *f* high season
Hauptsatz *m* ① GRAM principal clause ② *(von Theorie)* central proposition ③ MUS principal movement
Hauptspeicher *m* PC main memory
Hauptstadt *f* ↑ *Regierungssitz* capital
Hauptstraße *f* main street
Haupttreffer *m* *(in Lotterie)* jackpot, top prize
Hauptwerk *s* *(Kunst)* chief work; *(von Firma)* central works
Hauptwort *s* ↑ *Substantiv* noun
Haus *s* <-es, Häuser> ① *(Wohn-)* house; *(Geschäfts-)* building; ◇ **Kauf~** department store; ◇ **Land~** country house; ◇ **~gemachte Marmelade** home-made jelly/jam; ◇ **~tiere** domestic animals; ◇ **zu ~e** at home; ◇ **tun Sie so, als ob Sie zu ~e wären** make yourself at home; ◇ **sie möchte nach ~e** she wants to go home ② *(Theater)* house ③ *(FIG Dynastie)* ◇ **das ~ Hohenzollern** the house of Hohenzollern ④ *(FIG Herkunft)* ◇ **ihr Mann stammt aus gutem ~** her husband comes from a good family; ◇ **aus adligem ~e** of noble birth
Hausarbeit *f* ① *(Spülen, Kochen)* housework ② *(Schulaufgabe)* homework; *(für Hochschule)* research paper
Hausarrest *m* house arrest; ◇ **er hat ~** he is confined to quarters
Hausarzt *m*, **Hausärztin** *f* family doctor
Hausaufgaben *f pl* *(für Schule)* homework *sg*
Hausbesetzer(in *f*) *m* squatter, confiscater
Hausbesitzer(in *f*) *m* *(Vermieter(in))* landlord, landlady; ↑ *Hauseigentümer* house-owner
Hauseigentümer(in *f*) *m* ↑ *Besitzer* house-owner
Hausdame *f* housekeeper
Hausdurchsuchung *f* *(von Polizei)* house search
hausen *vi* ① *PEJ* ↑ *wohnen* hang out ② *(PEJ zerstören)* create havoc; ◇ **der Orkan hat schlimm gehaust** the hurricane has caused terrible havoc
Häusermakler(in *f*) *m* ↑ *Immobilienmakler* real estate agent, realtor
Hausfrau *f* housewife
Hausfreund *m* ① *FAM* ↑ *Geliebter* lover ② *(Freund der Familie)* family friend
Haushalt *m* ① ↑ *Haushaltung, Hausstand* household; ◇ **den ~ führen** to run/keep the household ② ↑ *Familie* ◇ **die meisten ~e haben ein Auto** most households have a car ③ *(Budget)* budget
haushalten *unreg vi* ↑ *sparen* be economical
Haushaltsjahr *s* fiscal year
Haushaltsplan *m* (POL *Etat*) budget
Hausherr(in *f*) *m* ↑ *Hausbesitzer* owner; ↑ *Gastgeber* host, head of the house
haushoch *adj FIG* as high as the sky; ◇ **haushohe Wellen** very high waves; ◇ **~ überlegen sein** to be vastly superior; ◇ **~ gewinnen** to win hands down
Hausierer(in *f*) *m* <-s, -> *(an Haustür)* peddler
häuslich *adj* *(der Familie gehörend)* domestic; ◇ **er hat sich an das ~e Leben gewöhnt** he has become domesticated; ◇ **der ~e Herd** the family home
Hausmann *m* <pl -männer> houseman
Hausmeister(in *f*) *m* ↑ *Hausverwalter* caretaker, janitor
Hausordnung *f* house rules, regulations *pl*
Hausratversicherung *f* house insurance
Haustier *s* *(Vieh)* domestic animal; *(Schoßtier)* pet
Hauswirt(in *f*) *m* house owner, landlord

Hauswirtschaft *f* (*Haushaltführung*) housekeeping; (*-slehre*) home economics *sg*

Haut *f* <-, Häute> (*von Mensch*) skin; (*von Tier*) hide; (*von Obst, Gemüse*) peel, skin; *FIG* ◇ **ich möchte nicht in deiner ~ stecken** I don't want to be in your shoes; ◇ **der Film war zum aus der ~ fahren** the movie was enough to make one jump out of o.'s skin

Hautarzt *m*, **Hautärztin** *f* dermatologist

häuten I. *vt* → *Tier* skin **II.** *vr* ◇ **sich ~** ← *Schlange* shed; ← *Mensch* peel

hauteng *adj* ▷*Jeans* skintight

Hautfarbe *f* (*von Mensch*) skin colour; (*von Gesicht*) complexion

hautfarben *adj* flesh-coloured

Hautpflege *f* skin care

Haxe *f* <-, -n> (*Schweins-*) ham hock

Hbf. *Abk v.* **Hauptbahnhof** central train station

Hebamme *f* <-, -n> ↑ *Geburtshelferin* midwife

Hebel *m* <-s, -> TECH lever, handle; (*FIG eingreifen*) ◇ **hier muß man den ~ ansetzen** this is where we have to tackle the problem; (*sich anstrengen*) ◇ **alle ~ in Bewegung setzen** to move heaven and earth

Hebelarm *m* [lever] arm

Hebelkraft *f* leverage

heben I. <hob, gehoben> *vt* [1] (*hoch-*) lift; (*auf-*) pick up; → *Arm, Stimme* raise [2] (*verbessern*) enhance [3] (*FIG trinken*) ◇ **einen ~** to have a couple of drinks **II.** *vr* [1] (*sich nach oben bewegen*) rise; ◇ **sich einen Bruch ~** to get a hernia [2] (*verbessern*) improve **III.** *vi* [1] SPORT do weight lifting [2] (*haltbar sein*) keep, hold

Hecht *m* <-[e]s, -e> [1] (*Fisch*) pike [2] *FIG* ↑ *Typ* ◇ **er ist ein toller ~** he's some guy; ◇ **er ist der ~ im Karpfenteich** he's the pick of the bunch, he steals the show

Heck *s* <-[e]s, -e> ↑ *hinterer Teil* (*von Schiff*) stern; (*von Flugzeug*) tail, rear; (*von Auto*) rear, back

Hecke *f* <-, -n> (*Dornen-*) briar [patch]; (*Gebüsch*) hedge; (*als Umzäunung*) hedge row

Heckmotor *m* (*von Auto*) rear engine

Heer *s* <-[e]s, -e> ↑ *Armee* army; ◇ **beim ~** in the army

Hefe *f* <-, -n> yeast

Heft *s* <-[e]s, -e> [1] (*Schreib-*) writing pad; (*Schul-*) notebook, workbook [2] (*Zeitschrift*) magazine [3] (*von Messer*) handle

Hefter *m* <-s, -> [loose-leaf] folder

heftig *adj* ↑ *stark* strong; ▷*Schmerz* intense, acute; ▷*Krankheit* severe; ↑ *lebhaft* ardent, burning; ▷*Sturm* violent, severe

Heftpflaster *s* adhesive tape

hegen *vt* [1] ↑ *pflegen* care for, tend to [2] *FIG* → *Verdacht* harbour; → *Wunsch, Hoffnung* cherish

Hehl *m:* ◇ **kein[en] ~ aus etw machen** to make no secret of s.th.

Hehler(in *f*) *m* <-s, -> receiver; *FAM* fence; *FIG* ◇ **der ~ ist schlimmer als der Stehler** it is worse to condone a crime than to commit it

Heide *f* <-, -n> [1] (*Landschaft*) moorland, heathland [2] (*Kraut*) heather

Heide *m* <-n, in> ↑ *Nichtchrist* heathen, pagan

Heidelbeere *f* blueberry

Heidentum *s* heathendom, paganism

heidnisch *adj* ↑ *nicht gläubig* heathen

heikel *adj* [1] ↑ *schwierig* awkward, tricky [2] ↑ *wählerisch* particular, picky

heil *adj* ↑ *unverletzt* unhurt, uninjured; ↑ *ganz, intakt* unbroken; *FIG* ◇ **komm ~ nach Hause** come home all in one piece; ◇ **etw ~ machen** to repair s.th.

Heil I. *s* <-[e]s> ↑ *Glück* well-being; ◇ **sein ~ bei jd-m versuchen** to try o.'s luck with s.o.; ◇ **sein ~ in der Flucht suchen** to flee for one's life **II.** *intj* (*FAM! faschistischer Gruß*) hail!

heilbar *adj* curable

heilen I. *vt* → *Kranke* cure, heal; ◇ **sie ist von ihrem Eßproblem geheilt** she has gotten over her eating disorder **II.** *vi* ← *Wunde* heal; ← *Ausschlag* clear up

heilfroh *adj* ↑ *sehr froh* very relieved, jolly glad

heilig *adj* [1] ▷*Kirche* holy, sacred [2] (*FIG wertvoll*) holy; ◇ **es ist mein ~er Ernst** I am dead serious; *FAM* ◇ **~es Kanonenrohr!** holy smoke!

Heiligabend *m* Christmas Eve

Heiligtum *s* (*sakraler Gegenstand*) relic; *FIG* ↑ *geliebte Sache* favourite thing; ◇ **dieses alte Motorrad ist sein ~** this old motorcycle is sacred to him

Heilkraft *adj* healing/curative power

heillos *adj* ▷*Durcheinander* hopeless

Heilmittel *s* remedy, cure

Heilpraktiker(in *f*) *m* non-medicinal practitioner

Heilung *f* healing

Heilungsprozeß *m* healing [process]

Heilverfahren *s* treatment

heim *adv* home

Heim *s* <-[e], -e> [1] ↑ *Zuhause* home [2] (*Alten-, Erziehungs-*) home

Heimat *f* <-, -en> ↑ *Geburtsland* native country; (*langjähriger Wohnort*) home town

heimatlich *adj* ▷*Bräuche, Tradition* native

heimatlos *adj* homeless

heimbegleiten *vt* ↑ *nach Hause bringen* see s.o. home

Heimcomputer *m* (*C 64*) home computer
heimfahren *unreg vi* drive home
Heimfahrt *f* journey home, way back
heimgehen *unreg vi* 1 ↑ *nach Hause gehen* go home 2 *EUPH* ↑ *sterben* go home, pass away
heimisch *adj* 1 ↑ *gebürtig* native 2 (*behaglich*) ◇ **sich ~ fühlen** to feel at home
heimkehren *vi* return home (*aus* from)
heimlich I. *adj* ↑ *geheim* secret **II.** *adv* ↑ *im Geheimen* secretly
Heimlichkeit *f* secrecy
Heimreise *f* ▷*antreten* journey home
heimsuchen *vt* 1 ↑ *befallen* strike, hit; → *Krankheit* afflict; ◇ **sie wurde von Alpträumen heimgesucht** she was haunted by nightmares 2 (*FAM lästiger Besuch*) descend on s.o.
heimtückisch *adj* ↑ *hinterlistig* insidious, malicious
Heimweh *s* homesickness; ◇ **~ haben** to be homesick
heimzahlen *vt* ↑ *sich rächen*: ◇ **jd-m etw ~** to get revenge on s.o. for s.th.
Heirat *f* <-, -en> (*Ehe*) marriage; ◇ **-stag** wedding day
heiraten *vti* marry; ◇ **sie wollen ~ und Kinder haben** they want to get married and have children
heiser *adj* ▷*Stimme* hoarse
heiß *adj* 1 (*Temperatur*) hot; ◇ **der Herd ist glühend ~** the stove is scorching hot 2 *FIG* ↑ *heftig* ▷*Diskussion* heated 3 (*FIG Begierde*) burning, passionate 4 (*FIG Schmuggelware*) hot 5 *FIG* ↑ *heikel* ▷*Thema* hot 6 *FIG* ↑ *erregend, aufreizend* ▷*Frau, Musik* hot; ◇ **ein -er Ofen** a cool motorcycle
heißen <hieß, geheißen> **I.** *vt* 1 ↑ *nennen* name, call; ◇ **Wer heißt dich einen Feigling?** Who's calling you a coward? 2 (*auffordern*) tell, order; ◇ **Das hat dich niemand geheißen!** You weren't supposed to do that! **II.** *vi* 1 ↑ *benannt sein* be named/called; ◇ **meine Freundin heißt Bibi** my girlfriend is called Bibi, my girlfriend's name is Bibi; ◇ **Wie ~ Sie?** What is your name? 2 ↑ *bedeuten* mean; ◇ **Wie heißt das auf Englisch?** What does that mean in English?, How do you say that in English? 3 ↑ *lauten* go; ◇ **Wie heißt der Spruch?** How does the saying go?; ◇ **Wie heißt deine Anschrift?** What is your address? **III.** *vb impers* 1 ↑ *man sagt* ◇ **es heißt, daß...** it is said [*o.* they say] that... 2 (*es ist nötig*) ◇ **Jetzt heißt es aufpassen!** We have got to be very careful now!
heißersehnt *adj* much longed for
heißlaufen *vi* overheat
heiter *adj* 1 ▷*Wetter* clear 2 ▷*Mensch* cheerful
Heiterkeit *f* (*Lachen, Freude*) cheerfulness, serenity
heizbar *adj* ▷*Haus, Fahrzeug*: ◇ **der Raum ist ~** the room can be heated
heizen I. *vt* → *Raum* heat **II.** *vi* 1 ← *Ofen* heat, warm; ◇ **der Ofen heizt schlecht** the stove doesn't give off much heat
Heizung *f* heating; (*Gerät*) heater
hektisch *adj* hectic
Held *m*, **Heldin** *f* <-en, -in> (*Kriegs-*) hero; (*in Film, Buch*) hero
helfen <half, geholfen> **I.** *vi* 1 ↑ *zur Hand gehen* help (*jd-m bei etw* s.o.); ◇ **Darf ich ihnen ~?** Can I lend you a hand?; (*FAM hoffnungsloser Fall*) ◇ **dem ist nicht zu ~** he is beyond help [*o.* a hopeless case] 2 ↑ *nützen* ◇ **das Buch hilft uns nichts** the book is of no use to us; ◇ **eine Kopfschmerztablette wird dir ~** a headache tablet will help you **II.** *vi impers* (*es gibt keine andere Möglichkeit*): ◇ **da hilft alles nichts ...** there's nothing for it ...
Helfer(in *f*) *m* <-s, -> helper; ▷*freiwillig* volunteer; ↑ *Mitarbeiter* assistant; ↑ *Komplize* accomplice
Helfershelfer(in *f*) *m* accomplice
hell *adj* 1 ▷*Raum* bright; ▷*Tag* bright, sunny 2 ▷*Farbe* light [coloured]; ◇ **sie trug einen -en Mantel** she wore a light coloured coat 3 ▷*Klang, Stimme* faint, soft 4 *FAM* ◇ **das war der -e Wahnsinn** that was pure/total craziness
hellhörig *adj* 1 ▷*Wohnung* not soundproof 2 ↑ *wachsam* observant; ◇ **das Gerede machte ihn ~** the gossip drew his attention; ◇ **~ werden** to become alert
Helligkeit *f* brightness
hellwach *adj* wide-awake
Helm *m* <-[e]s, -e> (*Motorrad-, Schutz-*) helmet
Hemd *s* <-[e]s, -en> (*Ober-*) shirt; (*Unter-*) rest
hemmen *vt* 1 → *Bewegung* stop, check 2 ↑ *einschränken* hamper, hinder; ▷*seelisch* inhibit; ◇ **ihr Freund ist sehr gehemmt** her boyfriend is very shy
Hemmnis *s* ↑ *Hindernis* hindrance; ↑ *Gehemmtheit* inhibition
Hemmschuh *m* 1 AUTO brake shoe 2 *FIG* ↑ *Hindernis* hinderance, impediment
Hemmung *f* 1 ▷*seelisch* inhibition; ◇ **das Mädchen hat -en, ihm die Meinung zu sagen** the girl has scruples about giving him a piece of her mind; ◇ **Sie brauchen keine -en zu haben** you don't need to feel inhibited 2 (*Behinderung*) hindrance

H

hemmungslos *adj* unrestrained, without scruple

Hendl *s* (*südd.: Hähnchen*) chicken

Hengst *m* <-es, -e> stallion

Henkel *m* <-s, -> handle

Henker *m* <-s, -> executioner, hangman; ◇ **Was zum -!** What the devil!; ◇ **Geh' zum -!** Go to hell!

her *adv* [1] (*räumlich*) ◇ **Wo kommst Du -?** Where are you from?, Where do you come from?; ◇ **komm -** come here!; (*Aufforderung*) ◇ **H- mit dem Geld!** Give me that money! [2] (*ausgehend von*) ◇ **vom Wetter - sollten wir hier bleiben** considering the weather, we should stay here [3] (*zeitlich*) ◇ **es ist schon ein Jahr -, daß...** it is now a year ago since...

herab *adv* ↑ *herunter* down, downward

herabhängen *unreg vi* ← *Zweige* hang down

herablassen *unreg* **I.** *vt* → *Seil, Strickleiter* lower **II.** *vr* ◇ **sich -** *FIG*: ◇ **sich zu etw -** to condescend to do s.th.

Herablassung *f* condescension

herabsehen *unreg vi* ↑ *verachten* look down (*auf akk* on)

herabsetzen *vt* [1] → *Preis* lower, reduce; → *Geschwindigkeit* reduce, slacken off; → *Niveau* debase, lower [2] *FIG* ↑ *demütigen* belittle, humiliate

Herabsetzung *f* reduction; debasement, belittling

herabstürzen I. *vi* fall off/down **II.** *vr* jump; ◇ **er stürzte sich vom Felsen herab** he jumped down the cliff

heran *adv* (*auf jd-n zu*): ◇ **das Auto kam ziemlich schnell -** the car approached us at a fairly high speed; ◇ **fahren Sie ganz heran** pull up all the way; ◇ **er ging an sie -** he went right up to her; *FAM* ◇ **'Ran an die Arbeit!** Get on with the work!

heranbringen *unreg vt* [1] ↑ *näher bringen* bring over [2] *FIG* → *Problem* bring up (*an jd-n* to s.o.)

heranfahren *unreg vi* (*an Ampel*) drive up (*an akk* to)

herankommen *unreg vi* [1] ↑ *sich nähern* approach; ◇ **die Dinge an sich - lassen** to wait and see; ◇ **dieses Problem lasse ich erst mal an mich -** I'll cross that bridge when I come to it [2] (*erreichen*) obtain (*an etw/jdn akk;* ◇ **an das große Geld -** to get hold of big bucks [3] ↑ *sich messen können mit* ◇ **an jd-n/etw -** to be up to the standard of s.o./s.th., to be a match for s.o.

heranmachen *vr* (*an Arbeit*): ◇ **sich an etw -** to get down to s.th.; ↑ *flirten* ◇ **sich an jd-n -** to chat s.o. up

herantasten *vr* [1] ◇ **ich tastete mich in der Dunkelheit an die Tür heran** in the darkness, I felt my way to the door [2] (*vorsichtig nachfragen*) circle in on s.th.

heranwachsen *unreg vi* ← *Kinder* grow up

Heranwachsende *pl* adolescents *pl*

heranziehen *unreg vt* [1] (*näher bringen*) draw near [2] (*einsetzen*) bring in; ◇ **jd-n zu einer Stelle -** to place/appoint s.o. to a position [3] ↑ *aufziehen* → *Pflanze* cultivate; → *Kinder* raise, bring up [4] (*zur Erläuterung*) → *Lexikon, Zitat* quote, cite; ◇ **etw zum Vergleich -** to use s.th. by way of comparison [5] ↑ *zu Rate ziehen* → *Experten* consult

herauf *adv* up; ◇ **er ist bis hier - gelaufen** he ran all the way up here

heraufarbeiten *vr* (*vorwärtskommen*): ◇ **er hat sich heraufgearbeitet** he has worked his way up

heraufbeschwören *unreg vt* [1] (*Wachrufen*) recall, evoke [2] ↑ *verursachen* cause, give rise to

heraufziehen *unreg* **I.** *vt* → *Last, Rolladen* pull up **II.** *vi* ← *Unwetter* approach

heraus, 'raus *adv* out; ◇ **zieh' es einfach heraus** simply pull it out; *FAM* ◇ **H- aus dem Bett!** Get out of bed!; ◇ **Raus!** Get out!

herausarbeiten I. *vt* [1] → *Idee* work out [2] → *Kunstwerk* carve **II.** *vr* → *Schlamm, Gestrüpp* work o.'s way out (*aus dat* of)

herausbekommen *unreg vt* [1] ↑ *entfernen* get out [2] *FIG* ↑ *herausfinden* find/figure out [3] → *Wechselgeld* get back

herausbringen *unreg vt* [1] → *Mülleimer* bring out [2] → *Buch* publish [3] → *Lösung* solve, figure out [4] → *Wörter* get out

herausfinden I. *unreg vi* [1] (*aus Labyrinth*) find o.'s way out of s.th. **II.** *vt* [1] ↑ *entdecken* → *Fehler* find out s.th. [2] ↑ *erfahren* discover, find s.th. out

herausfischen *vt* → *Information* fish s.th. out; → *Dinge* fish s.th. out

herausfordern *vt* [1] ↑ *provozieren* provoke, challenge [2] (*auffordern*) challenge

herausfordernd *adj* challenging; provocative, inviting

Herausforderung *f* challenge; provocation

herausgeben *unreg vt* [1] (→ *Geld*) hand over; → *Wechselgeld* give [2] → *Zeitschrift* publish [3] (*nach draußen reichen*) hand/pass out

Herausgeber(in *f*) *m* <-s, -> (*von Zeitschrift, Buch*) publisher

herausgehen *unreg vi* [1] ↑ *nach draußen gehen* go out [2] (*FIG Hemmungen ablegen*) ◇ **aus sich -**

to come out of o.'s shell; ◇ **der Junge geht nicht aus sich heraus** the boy won't open up 3 ↑ *sich lösen* → *Fleck* come out

heraushalten I. *vt* 1 → *Hand* hold out, put out 2 ↑ *fernhalten* keep out **II.** *vr* ↑ *sich nichteinmischen* to stay out

herausholen *vt* 1 ↑ *entnehmen* → *Gegenstand* take out 2 → *Geiseln* get out, free 3 → *Information, Geheimnis* get out; → *Gewinn* win, gain; ◇ **die Firma hat bei diesem Geschäft viel Geld herausgeholt** the company got a lot of money out of this deal; (*alle Kraftreserven eingesetzt*) ◇ **der Läufer hat das Letzte aus sich herausgeholt** the runner gave all he had

herausnehmen *unreg vt* 1 ↑ *entnehmen* take out 2 *FIG* ◇ **sich Freiheiten** ~ to take liberties; ◇ **es sich** *dat* **~, etw zu tun/sagen** to have the nerve to do/say s.th.

herausrücken I. *vt* 1 ↑ *nach außen versetzen* push out 2 ↑ *zurückgeben* hand over **II.** *vi FIG* ↑ *preisgeben*: ◇ **mit der Wahrheit** ~ to come out with the truth

herausrutschen *vi* 1 ← *Geldbeutel* slip out 2 *FIG* ← *Schimpfwort* slip out; ◇ **das ist mir nur so herausgerutscht** it just slipped out somehow

herausschlagen *unreg vt* → *Zahn* knock out; *FIG* → *guten Preis* bargain for

herausspringen *vi* 1 (*aus Fenster, Fahrzeug*) jump/leap out 2 → *Feder* come out; ↑ *entgleisen* ◇ **der Zug ist aus dem Gleis herausgesprungen** the train jumped/came off the track

herausstellen I. *vt* 1 ↑ *nach draußen tun* put out 2 *FIG* ↑ *betonen* emphasize, stress **II.** *vr* ↑ *sich erweisen* prove to be, turn out; ◇ **es stellte sich heraus, daß der Chef doch Recht hatte** it turned out that the boss was right after all; ◇ **das muß sich erst** ~ that remains to be seen

herausziehen I. *vt* pull out; ◇ **sie hat ihren Mann aus der Kneipe herausgezogen** she dragged her husband out of the bar **II.** *vr* pull oneself out

herb *adj* 1 ▷*Geschmack* bitter 2 ▷*Worte* harsh; ▷*Gesicht* stern 3 ▷*Sorgen, Enttäuschung* bitter

Herberge *f* <-, -n> (*Unterkunft*) lodging; ◇ **Jugend~** youth hostel

Herbergsmutter *f*, **Herbergsvater** *m* [youth hostel] warden

Herbst *m* <-[e]s, -e> autumn, fall; (*AM FIG Alter*) ◇ **auch der ~ hat noch schöne Tage** old age has its compensations

Herd *m* <-[e]s, -e> 1 ↑ *Kochstelle* stove 2 (*FIG Zuhause*) ◇ **Haus und ~** hearth and home 3 (MED *Krankheits~*) focus

Herdplatte *f* burner

Herde *f* <-, -n> (*Kuh~*) herd

herein *adv* in, inside; ◇ **H~!** Come in!

hereinbitten *unreg vt* ask s.o. to come in

hereinfallen *unreg vi* 1 (*in Grube, Loch*) fall in 2 (*FIG auf Schwindel*) be taken in by s.th.; ◇ **auf jd-n/etw** *akk* ~ to be taken for a ride by s.o.

hereinkommen *unreg vi* (*in Raum*) come in

hereinlassen *unreg vt*: ◇ **Laß' niemanden herein!** Don't let anyone in!

hereinlegen *vt* ↑ *betrügen*: ◇ **jd-n ~** fool s.o.; ◇ **das Kind hat seine Mutter [he]reingelegt** the child took his mother for a ride

hereinnehmen *vt* 1 → *Wäsche, Pflanzen* bring in 2 ↑ *dazunehmen* include, put in

hereinplatzen *vi* ↑ *hereinstürmen, stören* burst in; ◇ **er kam durch die Tür hereingeplatzt** he came bursting through the door

hereinregnen *vi* rain in; ◇ **es regnet durch das Fenster herein** the rain is coming in through the window

herfahren *vi* drive here; ◇ **der Laster ist immer hinter uns hergefahren** the lorry drove behind us the entire time; ◇ **die Polizei fuhr dem Auto hinterher** the police followed/trailed the car

Herfahrt *f* ↑ *Herreise* trip here; ◇ **auf der ~ hielten wir nicht an** we didn't make any stops on the way here

herfallen *unreg vi* 1 (*über jd-n ~, schlechtmachen, kritisieren*) attack s.o. 2 (*Essen*) pounce (*über akk* at)

Hergang *m* ↑ *Ablauf* course of action; ◇ **die Polizei wollte, daß er den ~ schildert** the police wanted him to tell them exactly what happened

hergeben *unreg* **I.** *vi* → *Gegenstand* give; ↑ *zurückgeben* hand over, give back **II.** *vr FIG*: ◇ **sich zu etw ~** to [reluctantly] take part in s.th.; ◇ **dazu gab er sich nicht her** he didn't want to have anything to do with it

hergehen *unreg vi* 1 ◇ **vor/hinter jd-m ~** to walk along in front/behind s.o. 2 ↑ *zugehen* ◇ **auf der Party ging es hoch her** there was a lot going on at the party; ◇ **du kannst nicht einfach ~ und meine Briefe lesen** you can't just simply go off and read my letters

hergehören *vi* belong here; (*zum Thema*) be relevant

herhalten *unreg vt* 1 → *Lampe, Spiegel* hold out 2 *FAM* ↑ *dienen* ◇ **als Sündenbock ~** to serve as a scapegoat

herhören *vi* ↑ *zuhören* listen to; ◇ **alle mal ~!** everybody listen up!

Hering *m* <-s, -e> 1 (*Fisch*) herring; ◇ **wie die ~e zusammengedrängt** packed like sardines in a can 2 (*Zeltpflock*) stake

H

herkommen *unreg vi* [1] ↑ *sich nähern* come closer, approach [2] ↑ *s-n Ursprung haben* ◇ **ich weiß nicht, wo diese Idee herkommt** I don't know where this idea originates from; ↑ *abstammen* ◇ **wo kommen Sie her?** where are you from?

herkömmlich *adj* ↑ *wie gewohnt* conventional, traditional

Herkunft *f* <-, Herkünfte> ↑ *Ursprung* orgin; ▷*sozial* background; ◇ **er ist seiner ~ nach Deutscher** he is of German descent

Herkunftsland *s* country of origin, native country

herleiten **I.** *vt* ↑ *ableiten* → *Wort, Regel* derive **II.** *vr:* ◇ **sich von etw ~** to be derived from s.th.

hermachen **I.** *vr* [1] (*in Angriff nehmen*) ◇ **er macht sich über die Arbeit her** he is getting down on the work [2] ↑ *angreifen* ◇ **sich über jd-n ~** to attack s.o., to start beating s.o. **II.** *vt* (*beeindrucken*): ◇ **die Geste macht nicht viel her** that gesture is not very impressive

heroisch *adj* heroic

Herpes *m* <-> MED herpes

Herr *m* <-[e]n, -en> [1] ↑ *Mann* gentleman; ↑ *Meister, Gebieter* master [2] (*Anrede*) Mister; ◇ **~ Hagemeyer** Mr. Hagemeyer; (*in Briefen*) ◇ **Sehr geehrte Damen und ~en,** Dear Sirs,; (*vor Publikum*) ◇ **Meine sehr verehrten Damen und ~en!** Ladies and Gentlemen! [3] *FIG* ◇ **sein eigener ~ sein** to be your own boss [4] (*Gott*) God, Lord

Herrendoppel *s* SPORT men's doubles

Herrengesellschaft *f* (*Zusammenkunft*) gentlemen's party

herrenlos *adj* ▷*Familie* abandoned; ▷*Hund* stray

Herrenwitz *m* dirty joke

herrichten **I.** *vt* [1] ↑ *renovieren* → *Wohnung* redecorate; → *Haus* fix up; → *Auto* repair, fix [2] ↑ *zurechtmachen* → *Tisch* set; → *Bett* make **II.** *vr:* ◇ **ich muß mich fürs Theater ~** I have to get ready to go to the theater; ◇ **ich muß mich ~, da Besuch kommt** I have to fix myself up, since I'm expecting guests

Herrin *f* ↑ *Gebieterin* mistress

herrisch *adj* ↑ *dominant, rücksichtslos* overbearing, imperious

herrlich *adj* ↑ *wunderbar* wonderful; ▷*Kleider* gorgeous, beautiful; ▷*Essen* wonderful

Herrschaft *f* [1] ↑ *Macht* power; (*Regierung*) government; (*Staatsgewalt*) rule; ◇ **der Diktator hat die ~ an sich gerissen** the dictator seized the power [2] ↑ *Kontrolle* ◇ **Sam verlor die ~ über das Auto** Sam lost control of the car [3] (*Anrede*) ladies and gentlemen; ◇ **Sehr verehrte ~en!** Ladies and gentlemen!

herrschen **I.** *vi* [1] ↑ *regieren* rule [2] (*vorhanden sein, überwiegen*) → *Meinung* predominate; → *Ruhe* be, prevail; ◇ **überall in der Stadt herrschte Unruhe** there was upheavel and rioting all over town; ◇ **es herrscht Frieden/Krieg** they are at peace/war now

herrschend *adj* ruling; dominating, prevailing

Herrscher(in *f*) *m* <-s, -> ruler, leader (*über* of)

herrufen *vt* call

herrühren *vi* (↑ *Ursache haben in*): ◇ **es rührt von seiner Faulheit her** it is due to his laziness; ◇ **ihre Narben rühren von einem Autounfall her** her scars stem from a car accident

hersein *vi* [1] (*zeitlich*) ago; ◇ **es ist ziemlich lange her, daß...** it is a pretty long time ago that... [2] ↑ *herstammen* come from

herstellen *vt* [1] ↑ *produzieren* produce; (*industriell auch*) manufacture; ◇ **hergestellt in China** made in China [2] (*schaffen*) establish; → *Verbindung* make [3] (*geheilt*) ◇ **er ist wieder ganz hergestellt** he has recovered completely

Herstellung *f* ↑ *Produktion* production, manufacturing

herüber *adv* (*her*) over [here]

herum *adv* [1] (*räumlich*) around; ◇ **um das Haus ~** around the house [2] (*ungefähr, zirka*) ◇ **es war so um drei Uhr ~** it was about three o'clock; ◇ **es kostet so um die zwanzig Mark herum** it costs around twenty marks

herumärgern *vr:* ◇ **sich ständig mit etw ~** to be constantly struggling with s.th.

herumführen **I.** *vt* [1] (*durch Stadt, Museum*) show/tour s.o. around [2] *FIG* ↑ *in die Irre führen* ◇ **an der Nase ~** to take s.o. on a wild goose chase **II.** *vi* ← *Weg* go around s.th.

herumirren *vi* (*ziellos ~*) wander about aimlessly

herumkriechen *vi* ← *Tier* crawl around/about

herumlungern *vi* (*auf Straße*) hang around

herumsprechen *unreg vr* ◇ **sich ~** ← *Neuigkeiten* spread; ◇ **die Nachricht sprach sich schnell herum** the news spread fast

herumtreiben *unreg vr* ◇ **sich ~** (*in Kneipen, auf der Straße*) hang around

herunter *adv* (*von oben nach unten*) downward; ◇ **sie sind ganz ~ gefahren** they drove all the way down

heruntergekommen *adj* ↑ *verwahrlost* neglected; ▷*Stadt* run-down

herunterhängen *unreg vi* (*Zweige vom Baum*) hang down

herunterkommen *unreg vi* (*die Treppe ~*) come down

heruntermachen *vt* [1] ↑ *entfernen* take down,

remove; → *Make-up* take off [2] ↑ *heftig kritisieren* tell off

herunterschrauben *vt* TECH screw s.th. down; *FIG* → *Ansprüche, Erwartungen* ◇ **du solltest deine Ansprüche ~** you had better moderate your demands

herunterspielen *vt* (*e-e Sache* ~) play s.th. down

hervor *adv* (*aus Gebüsch, Ecke*) out of; ◇ **Komm hinter dem Vorhang ~!** Come out from behind that curtain!

hervorbringen *unreg vt* [1] (*erschaffen*) supply, produce; → *Worte* utter; → *Früchte* bear [2] ↑ *verursachen* create

hervorgehen *vi* [1] ↑ *entstammen* come; ◇ **aus der Ehe gingen drei Kinder ~** the marriage produced three children [2] ↑ *sich ergeben* ◇ **aus der Antwort geht ~, daß…** from the answer it follows that… [3] (*etw überstehen*) ◇ **als Gewinner ~** to go forth victorious

hervorheben *unreg vt* [1] ↑ *verstärken, betonen* emphasize, stress [2] ↑ *markieren* → *Text* mark, highlight

hervorragend *adj* ↑ *exzellent* excellent, outstanding

hervorrufen *unreg vt* ↑ *verursachen* → *Krankheit* cause, give rise to s.th.; → *Eindruck, Erinnerung* create

Herz *s* <-ens, -en> [1] (*Organ*) heart [2] (*FIG seelisch*) ◇ **es ging mir zu ~en** it touched me deeply; ◇ **mein ~ gehört ihm** my heart belongs to him [3] (*Mut*) ◇ **sich ein ~ fassen** to take heart [4] ↑ *Zentrum* (*von Land, Stadt*) heart [5] (*Spielkarte*) hearts *pl*

Herzanfall *m* heart attack

Herzfehler *m* heart problem

herzhaft *adj* [1] ▷*Essen* substantial; ◇ **ich möchte ein ~es Essen** I want a hearty meal [2] ↑ *kräftig* hearty, firm; ◇ **~ lachen** to laugh heartily

Herzinfarkt *m* heart attack, cardiac infarction

Herzklopfen *s* heartbeat; *FIG* ◇ **ich habe ~** my heart is pounding

herzlich *adj* [1] ↑ *offen, freundlich* warm, friendly [2] (*von Herzen*) → *Glückwunsch, Empfang* sincere; ◇ **~en Dank** thank you very much; ◇ **mit ~en Grüßen** with best/friendly regards

Herzlichkeit *f* sincerity, warm-heartedness

herzlos *adj* ↑ *brutal, unbarmherzig* heartless

Herzog *m* <-[e]s, Herzöge> duke

Herzogin *f* <-, -nen> duchess

Herzschlag *m* [1] MED heartbeat; (*Puls*) pulse [2] (*Herzinfakt*) heart attack, cardiac infarction

Herzschrittmacher *m* pacemaker

herzzerreißend *adj* heartbreaking

heterogen *adj* (*uneinheitlich*) heterogeneous

Hetze *f* <-, -n> [1] ↑ *große Eile* rush [2] (*Propaganda*) denigration, propaganda

hetzen **I.** *vt* [1] ↑ *antreiben* rush; ◇ **Hör' auf mich zu ~!** Stop rushing me! [2] ↑ *jagen* hunt **II.** *vi* [1] ↑ *hasten* rush; ◇ **ich muß mich zum Bus ~** I have to hurry up and get to the bus [2] (*Haß erwecken*) stir up hate; ◇ **die Skinheads ~ gegen Ausländer** the skinheads stir up hate against foreigners

Heu *s* <-[e]s> hay; ◇ **Geld wie ~** tons/bundles of money

Heuchelei *f* hypocrisy

heucheln **I.** *vt* → *Mitleid, Liebe* simulate **II.** *vi* ↑ *sich verstellen* be a hypocrite

heulen *vi* [1] *FAM* ↑ *weinen* bawl, wail; ◇ **es ist einfach zum H~** it's enough to make you cry [2] ← *Wolf, Wind* howl; ← *Motorrad* roar

Heuschnupfen *m* ↑ *Pollenallergie* hay fever

Heuschrecke *f* <-, -n> grasshopper, locust

heute *adv* [1] (*nicht gestern*) today [2] ↑ *heutzutage, gegenwärtig* nowadays; ◇ **die Frauen von ~** the women of today

heutig *adj* [1] ▷*Zeitung, Datum* today's [2] ↑ *gegenwärtig* modern, contemporary

heutzutage *adv* nowadays

hexen *vi* ↑ *zaubern* practice witchcraft; ◇ **Ich kann doch nicht ~!** I can't work miracles

Hexe *f* witch; *FAM* ↑ *altes Weib* hag

Hexenkunst *f* witchcraft, sorcery

Hickhack *s* <-s> *FAM* ↑ *Streiterei* squabbling

hieb *impf v.* **hauen**

Hieb *m* <-[e]s, -e> [1] (*mit Faust, Peitsche*) blow [2] *FAM* ↑ *Schläge* ◇ **~e bekommen** to get a thrashing/beating/hiding [3] (*FAM der spinnt*) ◇ **der hat ja einen ~** he must be crazy

hielt *impf v.* **halten**

hier *adv* [1] ↑ *da* here; (*als Bestimmungswort*) ◇ **die Straße ~** this street here [2] (*FIG bis zu/von diesem Punkt*) here; ◇ **~ geht die Geschichte weiter** at this point, the story continues; (*mit Geste*) ◇ **das steht mir bis ~** I've had it up to here

hierbehalten *unreg vt* (*nicht gehen lassen*) keep s.o./s.th. here

hierbleiben *unreg vi* ↑ *nicht weggehen* stay here; ◇ **er wird die Nacht über ~** he will stay here over night

hierdurch *adv* (*durch dieses*) due to this, through this; ◇ **~ wurde der Unfall verursacht** this caused the accident to happen

hierher *adv* (*an diesen Ort*) here; ◇ **das Hochwasser kam bis ~** the flood came all the way up to here

hiermit *adv* [1] ↑ *damit* with this [2] ◇ **~ teile ich**

Ihnen mit... I hereby notify you of the fact that...

hiervon *adv* [1] (*von dieser Stelle*) from here [2] ↑ *davon* ◇ **Möchtest du auch - etwas?** Would you also like to have some of this?

hierzu *adv* [1] (*über dieses Thema*) about this; ◇ **- wird nichts mehr gesagt** nothing more is to be said about this [2] ↑ *dafür* for this; ◇ **- brauche ich einen Hammer** I need a hammer for this

hierzulande *adv* in this country

hiesig *adj* ↑ *einheimisch* local; ◇ **er ist kein H-er** he is not a local

hieß *impf v.* **heißen**

Hi-Fi-Anlage *f* hi-fi system

high *adj* (*FAM unter Drogeneinfluß*): ◇ **von Haschisch - sein** to be high on hashish

Highlife *s* <-s> *FAM* high life; (*Bombenstimmung*) ◇ **auf der Fete ist -** they're really living it up on that party

High Tech *s* <-s> *Abk v.* **High Technology** high technology, high tech

Hilfe *f* <-, -n> [1] ↑ *Unterstützung, Beistand* help, aid, assistance; ▷*staatlich* aid, benefit; ◇ **er war mir eine große -** he was of great help to me; ◇ **um - bitten/schreien** to ask/call for help; ◇ **Erste - leisten** to give first aid [2] ◇ **mit - eines Computers** by using a computer, with the aid of a computer

Hilfeleistung *f* assistance, aid

hilflos *adj* ↑ *auf Hilfe angewiesen* helpless

Hilflosigkeit *f* helplessness

hilfreich *adj* ↑ *nützlich* helpful

Hilfsaktion *f* (*für Behinderte*) relief action

Hilfsarbeiter(in *f*) *m* ↑ *ungelernte Arbeitskraft* unskilled worker

hilfsbereit *adj* ▷*Person* ready to help

Hilfsdatei *f* PC help file

Hilfskraft *f* ↑ *Aushilfe* temporary staff; (*an Universität*) assistant

Hilfsverb *s* GRAM auxiliary verb

Himbeere *f* raspberry

Himmel *m* <-s, -> [1] ▷*blauer, bewölkter* sky [2] REL ↑ *Paradies* heaven; *FIG* ↑ *überglücklich* ◇ **im siebten -** on cloud nine [3] (*Baldachin*) canopy

himmelangst *adv*: ◇ **mir war -** I was scared to death

himmelschreiend *adj* outrageous

Himmelsrichtung *f* direction

himmlisch *adj* ▷*Heerscharen, Vergnügen* heavenly

hin *adv* [1] (*örtlich*) ◇ **da will meine Mutter nicht -** my mother doesn't want to go there; ◇ **- und her** to and for, back and forth; ◇ **sie lief planlos - und her** she ran around in confusion [2] (*zeitlich*) ◇ **es ist noch lange -** it is a long time away [3] *FAM* ↑ *kaputt* ◇ **das Auto ist -** the car is wrecked

hinab *adv* ↑ *hinunter* down[ward]

hinabsteigen *unreg vi* (*von Berg*) go down, descend

hinabstürzen **I.** *vi* (*Klippe, Treppe*) fall down (*von* from) **II.** *vt* (*hinunterwerfen*) push down

hinarbeiten *vi* ↑ *anstreben*: ◇ **auf etw -** to work towards s.o.

hinauf *adv* (*hoch*) up

hinaufarbeiten *vr FIG* work o.s. up; ◇ **er hat sich bei der Firma hinaufgearbeitet** he worked his way up with the company

hinaufsteigen *unreg vt* (*auf Stuhl, Berg*) climb up; → *Treppe* go up

hinaus *adv* [1] ↑ *ins Freie* out [2] (*Zeitdauer*) ◇ **auf Jahre -** for years to come [3] (*übersteigen*) ◇ **das geht über meine Erwartungen -** that is more than I had expected

hinausfliegen *unreg vi* [1] (*räumlich*) fly out [2] (*FAM aus Firma*) be kicked out, be sacked

hinausgehen *unreg vi* [1] (*aus Zimmer, Haus*) leave, go out [2] ← *Post* be sent away [3] (*FIG überschreiten*) ◇ **das geht über meine Mittel** *akk* **hinaus** that exceeds my means

hinauslaufen *unreg vi* [1] ↑ *ins Freie laufen* run out [2] (*FIG zur Folge haben*) ◇ **es läuft auf dasselbe** *akk* **hinaus** it boils/comes down to the same thing

hinausschieben *unreg vt* [1] → *Arbeit, Termin* postpone, put off [2] → *Wagen* push out

hinauswerfen *unreg vt* [1] ↑ *jd-m kündigen* throw out, sack [2] (*aus Kneipe*) throw out [3] *FIG* ↑ *verschwenden* ◇ **Geld zum Fenster -** to throw money down the drain

hinauswollen *vi* [1] (*aus Haus, Stadt*) want to get out (*aus* of) [2] (*FIG meinen, beabsichtigen*) ◇ **Worauf wollen Sie hinaus?** What are you getting at?; (*beruflich*) ◇ **er will hoch hinaus** he wants to make a big career for himself

hinausziehen *unreg* **I.** *vt* [1] ↑ *in die Länge ziehen* → *Prozeß, Verhandlungen* drag out [2] (*Drang verspüren*) ◇ **mich zieht es in die Natur hinaus** I have the urge to go outdoors **II.** *vi* (*in die Welt*) go out; (*aufs Land*) move out **III.** *vr* ◇ **sich -** ↑ *verzögern* hesitate

Hinblick *m*: ◇ **im - auf** ↑ *hinsichtlich* regarding, with respect to; ↑ *angesichts* in view of

hinderlich *adj* ↑ *störend, hemmend* restricting

hindern **I.** *vt* impede, hinder; ↑ *abhalten von* ◇ **sie hinderten ihn am Weiterfahren** they prevented him from driving on **II.** *vi* ↑ *stören*: ◇ **das hindert doch nur** that is just a hindrance

Hindernis *s* [1] (*Gegenstand*) obstacle; *FIG* ◇ **ein**

~ aus dem Weg räumen to remove an obstacle [2] SPORT hurdle

hindeuten *vi* [1] ↑ *hinweisen* ◇ **er hat darauf hingedeutet** he mentioned it [*o.* hinted at it] [2] ↑ *anzeigen, beweisen* point (*auf akk* to); ◇ **die Tatsachen deuten auf Mord hin** the facts indicate that it was murder

hindurch *adv* [1] (*räumlich, ~fahren, ~bewegen*) through [2] (*über ... hinweg*) ◇ **viele Jahre ~** for many years; ◇ **die ganze Nacht ~ hat es geregnet** it rained all night long

hindurchgehen *vi* go through

hinein *adv* (*ins Haus ~*) into; ◇ **diese Papiere gehören hier ~** these papers go in here

hineindenken *unreg vr:* ◇ **sich in ein Problem ~** to think o.s. into a problem

hineinfallen *unreg vi* (*in Bach, Loch*) fall in

hineingehen *unreg vi* [1] (*in Gebäude*) go in, enter [2] ↑ *hineinpassen* go/fit in

hineingeraten *unreg vi* (*in schlimme Situation*) get involved (*in akk* in)

hineinpassen *vi* (*in Kleider, Gruppe*) fit in (*in akk* to)

hineinreden *vi:* ◇ **jd-m ~** ↑ *sich einmischen* to interfere in s.o.'s business; ↑ *unaufgefordert sprechen* to interrupt s.o.

hineinsteigern *vr* (*in Angst, Wut*) work o.s. up into a state; ◇ **ich kann mich so tief in Liebeskummer ~** I can get so worked up over love problems

hineinversetzen *vr:* ◇ **sich in jd-n ~** to put o.s. in s.o.'s position

hinfahren *unreg* **I.** *vi* (*zu Feier, Verwandten*) go (*zu* to) **II.** *vt* (*befördern*) drive, take

Hinfahrt *f* ↑ *Hinreise* journey there

hinfallen *unreg vi* (*beim Rennen stürzen*) fall down

hinfällig *adj* [1] ↑ *nicht mehr gültig* ▷*Angebot* invalid [2] ↑ *nicht mehr nötig* ▷*Hilfe* no longer needed

hing *impf v.* **hängen**

Hingabe *f* dedication; ◇ **sie tanzten mit ~** they danced with joyous abandon

hingeben **I.** *vr* ↑ *widmen* → *Liebhaber, Hobby* devote o.s. to s.o./s.th.; ◇ **sie gab sich ihm hin** she gave herself up to him **II.** *vt* give up; → *Zeit, Geld* sacrifice

hingehen *unreg vi* [1] (*besuchen*) ◇ **zu jd-m ~** to go to s.o. [2] ↑ *vergehen* ← *Zeit* go by, pass

hinhalten *unreg vt* [1] → *Gegenstand* hold s.th. out [2] ↑ *vertrösten* put s.o. off, stall [s.o.]

hinken *vi* [1] (*Bein nachziehen*) limp [2] ← *Vergleich* be inappropriate; ◇ **das Beispiel hinkt** that's a poor example

hinkriegen *vt* ↑ *bewältigen* manage; ◇ **das kriegen wir schon irgendwie hin** we will manage it somehow

hinlegen **I.** *vt* (*Buch auf Tisch*) put s.th. down; ◇ **sie hat das Baby zum Schlafen hingelegt** she put the baby to bed **II.** *vr* ◇ **sich ~** ↑ *ausruhen, schlafen* lie down

hinnehmen *unreg vt* take, accept; (*FIG sich gefallen lassen*) ◇ **sie nimmt alles von ihrem Chef hin** she swallows everything that her boss dishes out

Hinreise *f* ↑ *Hinfahrt* journey there

hinreißen *unreg vt* [1] ↑ *verleiten* ◇ **sich zu einer Dummheit ~ lassen** to let o.s. be carried into doing s.th. dumb [2] (*bezaubernd*) ◇ **einfach ~d!** absolutely gorgeous!

hinrichten *vt* [1] → *Mörder* execute [2] ↑ *vorbereiten* prepare

Hinrichtung *f* execution

hinsichtlich *präp gen* ↑ *was das betrifft* with regard to, concerning; ◇ **~ Ihrer Gehaltserhöhung** with regard to your raise

Hinspiel *s* (SPORT *Ggs. Rückspiel*) first leg; (*Football, Basketball*) first quarter

hinstellen **I.** *vt* [1] ↑ *plazieren* put/set down [2] ↑ *darstellen, schildern* → *Tathergang* describe **II.** *vr* ↑ *plazieren, aufstellen*: ◇ **sich vor jd-m ~** to stand in front of s.o.

hintanstellen *vt FIG* ↑ *zurückstellen* put s.th. last; ↑ *später erledigen* do s.th. later

hinten *adv* [1] (*am Ende*) at the back; ◇ **bitte stellen Sie sich ~ an** please go to the back of the line [2] ↑ *auf der Rückseite* at the back; ◇ **die Vertragsbedigungen standen ~ drauf** the conditions of the contract were on the back side [3] *FIG* ◇ **das stimmt ~ und vorne nicht** that is completely wrong, that is full of mistakes; ◇ **ich weiß nicht mehr wo ~ und vorne ist** I don't know if I am coming or going

hintenherum *adv* [1] (*räumlich*) from the back, from behind [2] (*FIG nicht öffentlich*) under the counter; ◇ **ich habe es ~ erfahren** I found out about it in a roundabout way

hinter *präp dat/akk* [1] ◇ **~ dem Haus** behind the house; ◇ **wir werden ~ dieses Problem kommen** we are going to get to the bottom of this problem [2] (*FIG unterstützen, bürgen für*) ◇ **sich ~ jd-n stellen** to back s.o. [3] (*verfolgen*) ◇ **~ jd-m her sein** to pursue s.o. [4] (*erlebt haben*) ◇ **er hat eine schwierige Zeit ~ sich** he has gone through some hard times; ◇ **das Schlimmste hat sie ~ sich** she has got over the worst part

Hinterachse *f* AUTO rear axle

Hinterbein *s* (*von Tier*) hind leg; (*FIG sich sehr*

anstrengen) ◇ **sich auf die -e stellen** to pull o.'s socks up, to make an enormous effort
hintere(r, s) *adj* rear, back; ◇ **der - Wagen ist 1. Klasse** first class is at the rear/back of the train
hintereinander *adv* one after the other; ◇ **ich bin nun dreimal - zu spät gekommen** I have been late now three days in a row
Hintergedanke *m* ↑ *heimliche Absicht* ulterior motive
hintergehen *unreg vt FIG* ↑ *betrügen* deceive
Hintergrund *m* (*von Bild*) background; ▷*sozialer, geistiger* background
Hinterhalt *m* ambush; ◇ **in einen - geraten** to be ambushed; ◇ **jd-n aus dem Hinterhalt überfallen** to ambush s.o.
hinterhältig *adj* ↑ *gemein, tückisch* underhanded
hinterher *adv* [1] (*räumlich*) behind, after [2] (*zeitlich*) afterwards
hinterlassen *unreg vt* [1] ◇ **e-e Nachricht** - to leave a message [2] ↑ *vererben* ◇ **jd-m etw** - to leave s.th. to s.o.
hinterlegen *vt* ↑ *deponieren* deposit
Hinterlist *f* ↑ *Heimtücke* cunning, deceitfulness
hinterlistig *adj* ↑ *heimtückisch* cunning
Hintermänner *pl* (*Drahtzieher*) the men in charge
Hinterrad *s* (*Fahrrad, Auto*) back/rear wheel
Hinterradantrieb *m* AUTO back/rear wheel drive
hinterrücks *adv* (*von hinten*) from behind
Hinterteil *s FAM* ↑ *Hintern, Gesäß* behind
Hintertreffen *s* (*benachteiligt werden*): ◇ **ins - geraten** to fall behind; ◇ **er fand sich im** - he found himself at a disadvantage
hintertreiben *unreg vt* (*verhindern, vereiteln*) thwart, foil
Hintertür *f* ↑ *hinterer Ausgang* backdoor; (*FIG e-n Ausweg*) ◇ **sich eine - offenhalten** to leave oneself a loophole
hinterziehen *unreg vt* → *Steuern* evade; → *Material* appropriate
hinüber *adv* [1] (*auf die andere Seite*) over, across [2] *FAM* ↑ *kaputt* ◇ **der Computer ist** - the computer has had it
hinübergehen *unreg vi* go over; ← *Straße* cross
hinunter *adv* (*Berg, Tal, Treppe*) go down
hinunterfallen *unreg vi* → *Mauer, Treppe* fall down
hinunterschlucken *vt* [1] → *Essen* swallow [2] (*FIG nicht widersprechen*) swallow
hinunterwerfen *unreg vt* → *Blumentopf, Tasse* throw down
hinwegsetzen *vr* (*nicht beachten*): ◇ **er hat sich über ihre Bedenken hinweggesetzt** he disregarded her worries
Hinweis *m* <-es, -e> [1] ↑ *Tip, Mitteilung* piece of advice; ◇ **darf ich mir den - erlauben, daß...** may I point out that... [2] ↑ *Anhaltspunkt* indication; ◇ **die Polizei hatte nicht den geringsten** - the police didn't have the slightest clue [3] (*Verweis*) reference [4] ↑ *Anspielung* hint
hinweisen I. *unreg vt* [1] ↑ *mitteilen, aufmerksam machen* draw s.o.'s attention (*auf akk* to); ◇ **sie hat mich darauf hingewiesen** she pointed it out to me **II.** *vi* (*betonen*) emphasize; ◇ **nachdrücklich auf etw** *akk* - to strongly emphasize s.th.
hinzu *adv* ↑ *zusätzlich* in addition
hinzufügen *vt*: ◇ **lassen Sie mich noch -, daß ...** let me add that ...
Hirn *s* <-[e]s, -e> ANAT brain
Hirngespinst *s* <-[e]s, -e> ↑ *verrückte Idee, Einbildung* fantasy
hirnverbrannt *adj FAM* ↑ *völlig unsinnig* harebrained
Hirsch *m* <-[e]s, -e> deer; (*-fleisch*) venison
Hirte *m* <-en, -en> herdsman; (*Schaf-*) shepherd
hissen *vt* → *Fahne* hoist
Historiker(in *f*) *m* <-s, -> historian
historisch *adj* ↑ *geschichtlich* historical
Hit *m* ↑ *Schlager* hit
Hitze *f* <-> heat; ◇ **dort war so eine -!** it was so hot there!
hitzebeständig *adj* ▷*Glas* heat-resistant
Hitzewelle *f* ↑ *Hitzeperiode* heat wave
hitzig *adj* [1] ▷*Debatte* hot, passionate [2] ▷*Mensch* hot-tempered
Hitzkopf *m* (*Choleriker*) hothead
Hitzschlag *m* heat stroke
HIV-positiv *adj* HIV-positive
H-Milch *f* (*haltbar*) long-life milk
hob *impf v.* **heben**
Hobel *m* <-s, -> (*Schreinerwerkzeug*) plane; (*Küchen-*) slicer
hobeln *vt* → *Brett* plane
hoch I. <höher, am höchsten> [1] (*~ oben*) high; ◇ **die Sonne steht** - the sun is high in the sky [2] (*angesehen, wichtig*) noble; ◇ **wir erwarten hohen Besuch** we are expecting important vistiors [3] ▷*Miete, Ansprüche* high [4] (*quantitativ*) ▷*Preis, Temperatur* high; ◇ **wie - ist sein Fieber?** how high is his fever?; ▷*Gewicht* heavy [5] MUS ▷*Ton, Klang* high **II.** *adv* (*nach oben, aufwärts*) up
Hoch *s* <-s, -s> [1] METEOR high [2] (*Ehrung*) ◇ **ein - der Küche** a toast to the chef

hochachten *vt* respect highly

Hochachtung *f*: ◇ **mit freundlicher ~** with best regards

hochachtungsvoll *adv* (*Grußformel*) yours sincerely

hocharbeiten *vr* ◇ **sich ~** (*beruflich*) to work one's way up

hochbegabt *adj* ↑ *sehr talentiert* highly talented

Hochbetrieb *m* (*Geschäft*) peak period; (*Verkehr*) rush hour; (*Urlaub*) high season

hochbringen *unreg vt* ① ↑ *hochtragen* bring/take up ② → *Kranken* get s.o. back on his feet ③ ↑ *sanieren* → *Firma* get s.th. going

Hochburg *f* (*Zentrum*) stronghold; ◇ **Sizilien ist eine ~ der Mafia** Sicily is a stronghold of the Mafia

Hochdeutsch *s* correct/proper German

hochdotiert *adj* ▷*Wissenschaftler* highly remunerated

Hochdruck *m* ① METEOR high pressure ② MED high blood pressure ③ *FIG* ◇ **wir arbeiten unter ~** we are working under great pressure

hochfliegend *adj* (*FIG unrealistisch*) ambitious

Hochform *f*: ◇ **in ~ sein** to be top fit

Hochgeschwindigkeitszug *m* high speed train

hochgradig *adj* (*extrem*) extreme, highly

hochhalten *unreg vt* ① ↑ *in die Höhe halten* raise, hold [s.th./s.o.] up ② (*FIG jd-n schätzen*) think highly of s.o.

Hochhaus *s* apartment building; ↑ *Wolkenkratzer* sky-scraper

Hochkonjunktur *f* (*Aufschwung, Wohlstand*) boom

hochleben *vi* (*feiern*): ◇ **jd-n ~ lassen** to give three cheers for s.o.

Hochmut *m* ↑ *Überheblichkeit* arrogance

hochmütig *adj* ↑ *eingebildet, überheblich* arrogant

hochprozentig *adj* ▷*Schnaps* high-proof

Hochrechnung *f* (*bei Wahl*) projection; ◇ **e-r ~ nach hat unsere Partei gute Chancen** according to a projection our party has good chances

hochrüsten *vt* (POL *Staaten*) arm

Hochsaison *f* (*Tourismus*) high season

Hochschule *f* ↑ *Universität* university; (*Fach~*) college, technical college

Hochsommer *m* (*Sommermitte*) high summer

Hochspannung *f* ELECTR high voltage

Hochsprung *m* SPORT high jump

höchst *adv* ↑ *äußerst, sehr*: ◇ **~ verdächtig** extremely suspicious

Hochstapler(in *f*) *m* <-s, -> ↑ *Betrüger* con man

höchste(r, s) <*Superlativ von* **hoch**>

höchstens *adv* ① ↑ *nicht mehr als* at the most; ◇ **du mußt ~ fünf Minuten warten** you will have to wait five minutes at the most; ↑ *bestenfalls* at best ② (*außer*) except; ◇ **er ißt kein Fleisch, ~ Hammel** he doesn't eat any meat except mutton

Höchstgeschwindigkeit *f* (*Tempolimit*) speed limit; ↑ *höchstmögliche Geschwindigkeit* maximum speed

höchstpersönlich *adv*: ◇ **er kam ~** he came in person

Höchstpreis *m* highest price

höchstwahrscheinlich *adv* ↑ *sehr wahrscheinlich* highly probable, very likely; ◇ **es wird morgen ~ regnen** it will more than likely rain tommorow

Hochverrat *m* ▷*begehen* high treason

Hochwasser *s* ↑ *Überschwemmung* flood

hochwertig *adj* (*gute Qualität*) [of] high quality

Hochwürden *m* <-s, -> (*Pfarrer*) Reverend [Father]

Hochzahl *f* MATH exponent

Hochzeit *f* <-, -en> ↑ *Trauung* wedding; ◇ **sie haben im Juli ~** they are getting married in July; ◇ **silberne/goldene ~** silver/gold wedding anniversary

Hochzeitsreise *f* honeymoon

Hocker *m* <-s, -> (*Bar~*) stool

Höcker *m* <-s, -> (*von Kamel*) hump

Hoden *m* <-s, -> ANAT testicle

Hof *m* <-[e]s, Höfe> ① (*Bauern~*) farm ② (*Innen~*) courtyard; (*Schul~*) schoolyard ③ (*FIG umwerben*) ◇ **jd-m den ~ machen** to court s.o.

hoffen *vi* ① ↑ *wünschen* hope (*auf akk* for) ② ↑ *erwarten* ◇ **ich hoffe, daß du mitgehen kannst** I hope that you can come along

hoffentlich *adv*: ◇ **~ geht es dir gut** hopefully [*o.* I hope] you are fine

Hoffnung *f*: ◇ **die ~ aufgeben** to give up hope; ◇ **ich will dir keine ~en machen** I don't want to get your hopes up; ◇ **er hat große ~en** he has high hopes

hoffnungslos *adj* hopeless

hoffnungsvoll I. *adj* hopeful; ◇ **ein ~er Anfang** a promising start **II.** *adv* full of hope

höflich *adj* ↑ *zuvorkommend* polite

Höflichkeit *f* politeness

hohe(r, s) *adj s.* **hoch**

Höhe *f* <-, -n> ① (*eines Berges, Baumes*) height; (*über Meeresspiegel*) altitude; ◇ **der Ballon ging in die ~** the ballon floated up into the sky ② (*An~*) hill; (*Gipfel*) top, peak ③ (*von Betrag*) ◇ **ein**

Scheck in ~ von hundert Mark a check for one hundred marks [4] *FIG* ◇ **auf der ~ des Lebens** in the prime of life; *FAM* ↑ *Unverschämtheit* ◇ **Das ist ja die ~!** That is the limit!

Hoheit *f* [1] (POL *Länder~*) sovereignty [2] (*Anrede*) Your Highness

Hoheitsgebiet *s* ↑ *Herrschaftsbereich* [sovereign] territory

Hoheitsgewässer *s* territorial waters

Hoheitszeichen *s* national emblem

Höhenangabe *f* (*Landkarte*) altitude mark

Höhensonne *f* ↑ *künstliche Sonne* sunray lamp

Höhenzug *m* (*Gebirge*) mountain range

Höhepunkt *m* (*des Abends*) climax; ◇ **sie steht am ~ ihrer Karriere** she is at the height of her career; ◇ **der Urlaub war ein ~ in seinem Leben** that holiday was a highlight in his life

höher *adj, adv* <*Komparativ von* **hoch**>

hohl *adj* [1] ▷*Gespräch* shallow, empty [2] ▷*Wangen* hollow, sunken; *FIG* ◇ **eine ~e Hand machen** to cup one's hands [3] ↑ *leer* ▷*Klang, Stimme* hollow

Höhle *f* <-, -n> [1] (*eines Tiers*) cave, den; (*Augen~*) socket [2] *FIG* ↑ *Bude, Zimmer* hole

Hohn *m* <-[e]s> ↑ *Spott* scorn, mockery; ◇ **sie hat mir das zum ~ gesagt** she said that to show her contempt for me; ◇ **er tat das ihr zum ~** he did it to spite her

höhnisch *adj* ↑ *spöttisch* mocking, scornful

holen I. *vt* [1] ↑ *herbringen* fetch, get; ◇ **Hol' die Polizei!** Get the police!; ↑ *kaufen* ◇ **ich werde Brot ~** I will pick up some bread [2] → *Atem* catch **II.** *vr* ↑ *bekommen*: ◇ **sich e-n Schnupfen ~** to catch a cold

Holland *s* Holland, the Netherlands

Holländer(in *f*) *m* <-s, -> Dutchman/Dutchwoman

holländisch *adj* Dutch

Hölle *f* <-, -n> [1] (*Fegfeuer*) hell [2] (*FIG viel Betrieb*) ◇ **es war die ~ los** all hell was broken loose

Höllenangst *f FAM* ↑ *große Angst*: ◇ **e-e ~ haben** to be terribly afraid

höllisch *adj* [1] ↑ *schlimm* hellish, infernal; ◇ **ein ~es Leben führen** to lead a hellish life [2] (*überaus groß*) dreadful, frightful; ◇ **der Film machte ihr ~e Angst** the movie scared her to death

Hologramm *s* <-s, -e> TECH holograph

holperig *adj* [1] ▷*Weg* bumpy [2] ▷*Stil, Rede* jerky

Holunder *m* <-s, -> (*~strauch*) elder; ◇ **~beere** elderberry

Holz *s* <-es, Hölzer> (*Material*) wood; (*zum Bauen*) lumber, timber; ◇ **Brenn~** fire-wood

hölzern *adj* [1] ▷*Tisch, Schrank* wooden [2] *FIG* ↑ *ungeschickt, steif* rusty

Holzfäller(in *f*) *m* <-s, -> (*Waldarbeiter*) woodsman, lumberjack, woodcutter

Holzhammermethode *f* (*FAM im Unterricht*) sledgehammer method

holzig *adj* ▷*Gemüse* woody

Holzkohle *f* charcoal

Holzweg *m FAM*: ◇ **auf dem ~ sein** to be on the wrong track

homosexuell *adj* ↑ *schwul, lesbisch* homosexual

Honig *m* <-s, -e> (*Bienen~*) honey; (*FIG schmeicheln*) ◇ **~ ums Maul schmieren** to butter s.o. up

Honigmelone *f* (*BRIT*) honeymelon, cantaloup[e] *AM*

Honorar *s* <-s, -e> (*~ beziehen*) fee

honorieren *vt* [1] ↑ *bezahlen, vergüten* pay s.o. a fee [2] *FIG* ↑ *anerkennen, würdigen* honour

Hooligan *m* <-, -s> ↑ *Rowdy* hooligan

Hopfen *m* <-s, -> (*für Bier*) hops *pl;* (*FIG jede Mühe vergebens*) ◇ **da ist ~ und Malz verloren** it's a hopeless case, it's damn hopeless

hörbar *adj* ↑ *wahrnehmbar* audible

horchen *vi* ↑ *genau hinhören* listen [carefully]; (*an der Tür*) eavesdrop

Horde *f* <-, -n> (*wilde Menge*) horde

hören I. *vt* [1] → *Ton* hear; ◇ **ich höre die Musik nicht** I can't hear the music [2] (*zu~*) → *Konzert, Vorlesung* listen; ◇ **hörst du mir zu?** are you listening to me? **II.** *vi* [1] ↑ *gehorchen* ← *Hund* obey; ◇ **die Schüler ~ nicht auf den Lehrer** the students aren't paying attention to the teacher [2] ↑ *erfahren* ◇ **Hast du die neueste Nachricht gehört?** Have you heard the latest news?

Hörensagen *s* (*aus Erzählungen*): ◇ **vom ~** from/by hearsay

Hörer(in *f*) *m* <-s, -> [1] (MEDIA *Zu~*) listener; ◇ **liebe ~innen und ~** dear listeners [2] (*Telefon~*) receiver; ◇ **er hob den ~ ab** he lifted the receiver

Horizont *m* <-[e]s, -e> [1] (*Himmel*) horizon [2] (*FIG Verständnis*) ◇ **der Witz geht über meinen ~** that joke is beyond me

horizontal *adj* ↑ *waagerecht* horizontal

Hormon *s* <-s, -e> MED hormone

Horn *s* <-[e]s, Hörner> [1] (*von Stier*) horn; (*von Hirsch*) antler [2] (*Instrument*) horn

Horoskop *s* <-s, -e> horoscope

Hörsaal *m* lecture room/hall, auditorium

Hörspiel *s* MEDIA radio play

Hort *m* <-[e]s, -e> (*Kinder~*) day-care centre, day-nursery

horten *vt* ↑ *ansammeln* → *Geld* hoard
Hose *f* <-, -n> [1] (*Herren~, Damen~*) pants, trousers *pl;* ◇ **Bade~** swimming shorts *pl,* bathing suit; ◇ **Unter~** underpants [2] (*FAM schiefgehen*) ◇ **in die ~ gehen** to be a complete wash-out [3] (*FAM langweilig*) ◇ **tote ~** no action, boring
Hotel *s* <-s, -s> hotel
Hotelier *m* <-s, -s> ↑ *Hotelbesitzer* hotel manager/owner
hüben *adv* (*~ und drüben*) on this side; ◇ **es standen Menschen ~ und drüben** people were standing on both sides
Hubraum *m* AUTO displacement, cubic capacity
hübsch *adj* [1] ↑ *gutaussehend* pretty; ◇ **ein ~er Mann** a handsome man [2] ↑ *nett* (*auch ironisch*) pretty, fine, nice; (*FIG eine schlimme Bescherung*) ◇ **das ist eine ~e Geschichte** that is a fine kettle of fish [3] ↑ *ziemlich groß* ◇ **ein ~es Stück Arbeit** a pretty good bit of work; ◇ **das ist eine ~e Summe** that is a nice amount of money
Hubschrauber *m* <-s, -> ↑ *Helikopter* helicopter
hudeln *vi FAM* work sloppily
Huf *m* <-[e]s, -e> (*Pferde~*) hoof
Hüfte *f* <-, -n> hip; ◇ **ich stand bis an die ~ im Schnee** I stood waist-deep in snow
Hügel *m* <-s, -> ↑ *kleiner Berg* hill
hügelig *adj* ▷*Landschaft* hilly
Huhn *s* <-[e]s, Hühner> ↑ *Henne* chicken, hen; (GASTRON *gebratenes ~*) chicken; (*FIG sehr früh*) ◇ **mit den Hühnern zu Bett gehen** to go to bed early
Hühnerbrühe *f* (*Suppe*) chicken broth
huldigen *vi* (*Erfolg*) render/pay homage (*jd-m/etw* to s.o./s.th.); (*ironisch, einer Schwäche*) indulge; ◇ **er huldigt dem Alkohol** he indulges in alcohol
Hülle *f* <-, -n> [1] ↑ *Umhüllung* cover [2] (*PHYS, Atom~*) shell [3] *FIG* ◇ **in ~ und Fülle** in abundance; ◇ **ich habe Sorgen in ~ und Fülle** I have worries galore
hüllen *vt* [1] ↑ *einpacken* wrap s.th. up (*in akk* in) [2] *FIG* ↑ *nichts sagen* ◇ **sich in Schweigen ~** to remain silent
Hülse *f* <-, -n> [1] ↑ *Schale* husk, hull; (*von Bohnen*) pod [2] (*für Film*) cartridge; (*Patronen~*) capsule
Hülsenfrucht *f* pulse; *FAM* beans and peas *pl*
human *adj* [1] ↑ *menschlich* humane [2] (*den Menschen betreffend*) human
Humanität *f* ↑ *Menschlichkeit* humaneness
Hummel *f* <-, -n> bumble-bee; (*FIG zappelig*) ◇ **sie hat ~n im Hintern** she has ants in her pants
Hummer *m* <-s, -> (*Krustentier*) lobster
Humor *m* <-s> humour; ◇ **Sinn für ~ haben** to have a sense of humour
Humorist(in *f*) *m* (*Kabarettist, Komiker*) comedian
humoristisch *adj* humorous
humorvoll *adj* ↑ *amüsant, lustig* humorous, amusing
humpeln *vi* ↑ *hinken* hobble
Hund *m* <-[e]s, -e> [1] dog; ◇ **Warnung vor dem ~!** Beware of dog! [2] (*FIG Kerl*) ◇ **armer ~** poor thing, poor guy
hundemüde *adj FAM* ↑ *sehr müde* dead tired
hundert *nr* hundred; ◇ **e-r unter ~** one in a hundred
hundertprozentig *adj, adv* (*vollständig*) one/a hundred per cent; ◇ **sich ~ sicher sein** to be one hundred per cent sure
Hündin *f* bitch
Hunger *m* <-s> hunger; ◇ **~ haben** to be hungry
Hungerlohn *m:* ◇ **für e-n ~ arbeiten** to work for peanuts
hungern *vi* (*großen Hunger haben*) be starving; ◇ **sie läßt ihre Kinder ~** she lets her children go hungry; ◇ **sie hungert sich schlank** she is on a starvation diet
Hungerstreik *m:* ◇ **in ~ treten** to go on a hunger strike
hungrig *adj* hungry
Hupe *f* <-, -n> horn
hupen *vi* honk, sound o.'s horn
hüpfen *vi* ↑ *springen* skip; ◇ **sie ist vor Freude gehüpft** she jumped for joy
Hürde *f* <-, -n> [1] SPORT ↑ *Hindernis* hurdle; ◇ **eine ~ nehmen** to clear a hurdle [2] *FIG* ↑ *Hindernis* obstacle
Hürdenlauf *m* SPORT hurdle race
Hure *f* <-, -n> ↑ *Prostituierte* whore
husten *vi* [1] MED cough [2] (*FAM die Meinung sagen*) ◇ **jd-m etw ~** to give s.o. a piece of mind
Husten *m* <-s> cough
Hut I. *m* <-[e]s, Hüte> [1] (*Kopfbedeckung*) hat [2] (*FIG altbekannt*) ◇ **ein alter ~** old hat; ◇ **er mußte seinen ~ nehmen** he had to pack his bags **II.** *f* <-> (*vorsichtig sein*): ◇ **auf der ~ sein** to be on one's guard, to stay on one's toes
hüten I. *vt* → *Schafe, Kinder* look after; ◇ **der Schäfer hütet seine Schafe** the shepherd tends to his sheep; (*paß' auf, was du sagst*) ◇ **hüte deine Zunge** guard your tongue **II.** *vr* ◇ **sich ~** ↑ *sich vorsehen* beware (*vor dat* of); ◇ **ich werde mich ~** I'll do nothing of the kind; ◇ **~ Sie sich vor diesem Mann** beware of that man
Hütte *f* <-, -n> [1] (*Berg~*) cabin, hut; (*Holz~*)

cottage, log cabin; (*Hunde-*) dog-house, kennel [2] (*Eisen-*) iron and steel works; (*Glas-*) glassworks
hydraulisch *adj* ▷*Pumpe* hydraulic
Hygiene *f* <-> (*Sauberkeit*) hygiene
hygienisch *adj* hygienic
Hymne *f* <-, -n> hymn; ◇ **National-** national anthem
hyper- *präf* über-, hoch-; ◇ **-sensibel** over-sensitive
hypnotisieren *vt* hypnotize
Hypothek *f* <-, -en> (*auf Haus*) mortgage
Hypothese *f* ↑ *Annahme, Voraussetzung* hypothesis
hysterisch *adj* hysteric; ◇ **e-n -en Anfall bekommen** to go into hysterics

I

I, i *s* I, i
i.A. *Abk v.* **im Auftrag** pp.
IC *m* <-, -s> *Abk v.* **Intercity** Intercity train
ICE *m* <-, -s> *Abk v.* **Intercity Experimental** Intercity experimental train
ich *pron* I; ◇ **- denke** I think, I believe; ◇ **- Idiot!** What an idiot I am!; **Ich** *s* <-[s], -[s]> (PSYCH *Ego*) ego
IC-Zuschlag *m* (*Aufpreis*) Intercity train supplement
ideal *adj* [1] (▷*Partner, vollkommen*) ideal, perfect [2] (▷*Bedingungen, geeignet*) ideal; **Ideal** *s* <-s, -e> (*Schönheits-*) ▷*anstreben* ideal; **Idealist(in** *f*) *m* idealist; **idealistisch** *adj* ▷*Weltbild* idealistic
Idee *f* <-, -n> [1] ↑ *Einfall* idea [2] ↑ *Vorstellung* idea
ideell *adj* (*geistig*) ideal
identifizieren I. *vt* (*Person*) identify II. *vr* ◇ **sich mit etw -** (*dahinterstehen, eintreten*) identify o.s. with s.th.
identisch *adj* (*dasselbe*) identical; **Identität** *f* (*Personalien*) identity
Ideologe *m* <-n, -n> **Ideologin** *f* ideologist; **Ideologie** *f* ideology; **ideologisch** *adj* ideological
idiomatisch *adj* (*Ausdruck, Redewendung*) idiomatic
Idiot(in *f*) *m* <-en, -en> *FAM* idiot; **idiotisch** *adj* (*verrückt*) idiotic, silly
Idol *s* ↑ *Vorbild* idol
idyllisch *adj* ▷*Landschaft* idyllic
Igel *m* <-s, -> hedgehog
ignorieren *vt* ignore
ihm I. *pron dat von* **er** him, to him II. *pron dat von* **es** it, to it
ihn *pron akk von* **er** him
ihnen *pron dat von pl* **sie** them, to them
Ihnen *pron dat von* **Sie** you, to you
ihr I. *pron* (*2. Person pl*) you II. *pron dat von sg* **sie** her III. *pron possessiv von sg* **sie** (*adjektivisch*) her IV. *pron possessiv von pl* **sie** (*adjektivisch*) their
Ihr *pron possessiv von* **Sie** (*adjektivisch*) your
ihre(r, s) I. *pron possessiv von sg* **sie** (*substantivisch*) hers II. *pron possessiv von pl* **sie** (*substantivisch*) theirs
Ihre(r, s) *pron possessiv von* **Sie** (*substantivisch*) your(s)
ihrer I. *pron gen von sg* **sie** her II. *pron gen von pl* **sie** their
Ihrer *pron gen von* **Sie** your; **ihrerseits** I. *adv* (*von ihr aus*) as far as she is concerned II. *adv pl* **sie** (*von ihnen aus*) as far as they are concerned; **Ihrerseits** *adv* (*von Ihnen aus*) as far as you are concerned; **ihresgleichen** I. *pron bezüglich auf sg* **sie** (*gleichwertig*) people like her II. *pron pl* **sie** (*gleichwertig*) people like them; **Ihresgleichen** *pron* (*so jmd wie Sie*) people like you; **ihretwegen** I. *adv* [1] (*von ihr aus*) as far as she is concerned [2] (*wegen ihr*) because of her [3] (*ihr zuliebe*) for her sake II. *adv* [1] (*von ihnen aus*) as far as they are concerned [2] (*wegen ihnen*) because of them [3] (*ihnen zuliebe*) for their sake; **Ihretwegen** *adv* [1] (*von Ihnen aus*) as far as you are concerned [2] (*wegen Ihnen*) because of you [3] (*Ihnen zuliebe*) for your sake
illegal *adj* ▷*Einreise* illegal
Illusion *f* ↑ *Einbildung* illusion; ◇ **sich** *dat* **-en machen** to delude o.s.; **illusorisch** *adj* (*unrealistisch*) illusory
illustrieren *vt* [1] → *Buch* illustrate [2] (*erklären*) explain, demonstrate; **Illustrierte** *f* <-n, -n> ↑ *Zeitschrift* magazine
im = in dem
imaginär *adj* ↑ *eingebildet* imaginary
Imbiß *m* <-sses, -sse> ▷*einnehmen* snack
imitieren *vt* ↑ *nachmachen* imitate
Imker(in *f*) *m* <-s, -> bee-keeper
Immatrikulation *f* SCH registration; **immatrikulieren** *vt, vr* ◇ **sich -** ↑ *einschreiben* register
immer *adv* [1] ↑ *ständig* always; ◇ **- wieder** time after time [2] (*jedesmal*) ◇ **- wenn** whenever, every time [3] (*üblich*) ◇ **wie -** as usual, as always [4] ◇ **- noch** still [5] (*ewig*) ◇ **für -** forever;

immerhin *adv* (*wenigstens*) at any rate; (*trotzdem*) all the same; (*endlich*) after all; **immerzu** *adv* (*ununterbrochen*) constantly, the whole time

Immobilien *pl* (*~makler*) real estate

immun *adj* ① ↑ *unempfänglich* (*gegen Krankheit*) immune ② *FIG* ↑ *unantastbar* immune; **Immunität** *f* ① (*gegen Krankheit*) immunity ② (*FIG von Abgeordneten*) immunity; **Immunschwäche** *f* (*Anfälligkeit*) immune deficiency; **Immunschwächekrankheit** *f* ↑ *Aids* immune deficiency syndrome; **Immunsystem** *s* (*Körper*) immune system

Imperativ *m* GRAM ↑ *Befehlsform* imperative

Imperfekt *s* <-s, -e> GRAM ↑ *Präteritum* past tense, preterite

imperialistisch *adj* ▷*Politik* imperialistic

impfen *vt* MED vaccinate; **Impfstoff** *m* ↑ *Serum* vaccine; **Impfung** *f* vaccination

implizieren *vt* (*mit einschließen*) imply

imponieren *vi* ↑ *beeindrucken* impress (*jd-m* s.o.)

Import *m* <-[e]s, -e> import; **importieren** *vt* import

imposant *adj* ↑ *beeindruckend* imposing

impotent *adj* impotent

imprägnieren *vt* → *Leder* make waterproof

Improvisation *f* ① (*Behelf*) improvisation ② (*Theater, Stegreif*) extemporization; **improvisieren I.** *vt* → *Rede* improvise **II.** *vi* extemporise

Impuls *m* <-es, -e> ① ↑ *Antrieb, Anstoß* ▷*geben* impulse ② (*FIG spontan*) ◇ **aus einem ~ heraus** on the spur of the moment; **impulsiv** *adj* impulsive, spontaneous

imstande *adj:* ◇ **~ sein** ↑ *fähig, in der Lage* to be able to do s.th.

in I. *präp* ① (*räumlich, wohin?, akk*) in, inside; ◇ **etw ~ den Schrank hängen** to hang s.th. in the wardrobe; ◇ **~ die Garage fahren** to drive into the garage; (*wo?, dat*) ◇ **in dem** [*o.* **im**] **Garten** in the garden ② (*zeitlich, akk/dat*) ◇ **bis ~s hohe Alter** until one is very old; ◇ **~ einer Stunde** in an hour ③ ◇ **~ Schwierigkeiten (sein)** to be in trouble; (*modern*) ◇ **~ sein** to be in, to be with it

Inbegriff *m* example of; (*Verkörperung*) personification, epitome; **inbegriffen** *adv* ↑ *enthalten* included

indem *cj* ① (*dadurch, daß*) by doing s.th. ② (*während*) while, whilst, during

Inder(in *f*) *m* <-s, -> Indian

Indianer(in *f*) *m* <-s, -> (*Ureinwohner Amerikas*) [Red/American] Indian; **indianisch** *adj* Indian

Indien *s* India

Indikativ *m* (GRAM *Wirklichkeitsform*) indicative

indirekt *adj* indirect

indisch *adj* (*aus Indien*) Indian

indiskret *adj* ▷*Bemerkung* indiscreet; **Indiskretion** *f* indiscretion

indiskutabel *adj* out of the question

Individualist(in *f*) *m* individualist; **individuell** *adj* ① (*persönlich*) individual, personal ② (*eigentümlich*) private, personal; **Individuum** *s* <-s, -en> ① ↑ *der Einzelne* individual ② (*PEJ unbeliebte Person*) individual

Indiz *s* <-es, -ien> ① (*Hinweis*) sign (*für* of) ② (JURA *~ienprozeß, Beweis*) clue, evidence

indoktrinieren *vt* (*beeinflussen*) indoctrinate

Indonesien *s* Indonesia

industrialisieren *vt* → *Land* industrialise; **Industrie** *f* (*Stahl~*) industry; **Industrie-** *in Zusammensetzungen* industrial; **Industriegebiet** *s* industrial area; **industriell** *adj* ▷*Fertigung* industrial

ineinander *adv* (*~ verliebt sein*) with each other

Infarkt *m* <-[e]s, -e> (MED *Herz~*) cardiac infarction, heart attack

Infektion *f* MED infection

Infinitiv *m* GRAM ↑ *Verlaufsform* infinitive

infizieren I. *vt* ↑ *anstecken* infect **II.** *vr* ◇ **sich ~** (*sich anstecken*) be infected (*bei* by)

Inflation *f* (*Geld*) inflation

Info *f* <-, -s> ↑ *Information* info, information

infolge *präp gen* ↑ *als Folge, wegen* due to, as a result of; **infolgedessen** *adv* ↑ *also, folglich* as a result of, consequently

Informatik *f* ▷*studieren* information studies; **Informatiker(in** *f*) *m* <-s, -> (*Student*) student of information studies; (*Beruf*) computer scientist

Information *f* ① ↑ *Mitteilung* information ② (*Informieren*) information; **Informationsstand** (*mit Infomaterial*) information stand; **informativ** *adj* ▷*Gespräch* informative; **informieren I.** *vt* ↑ *benachrichtigen* inform, notify **II.** *vr* ◇ **sich ~ über** ↑ *Informationen einholen* find out

Infrastruktur *f* (*Verkehr*) infrastructure

Infusion *f* MED infusion

Ingenieur(in *f*) *m* (*Techniker*) engineer, engineering student

Ingwer *m* <-s> (*Gewürz*) ginger

Inhaber(in *f*) *m* <-s, -> ① ↑ *Besitzer* (*Geschäfts~*) owner ② (*von Führerschein*) holder; (*von Paß*) bearer ③ (SPORT *Titel~*) holder

inhaftieren *vt* (*verhaften*) arrest

inhalieren I. *vt* → *Rauch* ↑ *einatmen* inhale, breathe in **II.** *vi* (*bei Halsweh*) → *Dampf* inhale

Inhalt *m* <-[e]s, -e> [1] (*Flasche, Korb, Füllung*) contents *pl* [2] (*FIG Film, Gespräch*) content, meaning [3] (MATH *Raum-, Flächen-*) area, volume; **inhaltlich** *adj* as regards content; **Inhaltsangabe** *f* ↑ *Zusammenfassung* summary of contents; **inhaltslos** *adj* ▷*Buch, Film* lacking in content, meaningless, pointless; **Inhaltsverzeichnis** *s* table of contents

inhuman *adj* ↑ *herzlos* inhuman; ↑ *grausam* inhumane

Initiative *f* ▷*ergreifen* initiative

Injektion *f* injection

inklusive *präp, adv gen* ↑ *inbegriffen* including, inclusive

inkognito *adv* ↑ *unerkannt, anonym* incognito

inkonsequent *adj* (▷*Verhalten, gegensätzlich*) inconsistent

inkorrekt *adj* ↑ *falsch, nicht korrekt* incorrect

Inkrafttreten *s* <-s> ▷*Gesetz* coming into effect

Inland *s* inland; ◇ **-sverkehr** domestic traffic

inmitten *präp gen* ↑ *mitten in* in the midst of

innehaben *unreg vt* → *Amt* hold, occupy

innen *adv* (*Ggs außen, in Raum*) inside, on the inside of; **Innenaufnahme** *f* (*Foto*) indoor photography, indoor shoot; **Inneneinrichtung** *f* (*Mobiliar*) furnishings *pl;* **Innenminister(in** *f*) *m* POL Minister of the Interior, Home Secretary *BRIT*; **Innenpolitik** *f* (POL *Regierung*) domestic policy or home affairs; **Innenstadt** *f* ↑ *Zentrum* town centre

innere(r, s) *adj* [1] ▷*Organe* internal, inner [2] (*private Angelegenheit*) inside; ▷*Gefühle* inner, from within; **Innere(s)** *s* [1] (*Kern*) inside; (*Haus, Wagen*) interior, inside [2] (*FIG Gefühle, Geist*) inside [3] ◇ **Minister für -s** Minister of the Interior, Home Secretary *BRIT*

innerhalb *adv, präp* [1] ◇ **- einer Stunde** (*zeitlich*) during *gen* [2] ◇ **- des Hauses** (*räumlich*) within, inside

innerlich *adj* (*gefühlvoll*) inner; **innerste(r, s)** *adj* ▷*Wesen* innermost, deepest; **Innerste(s)** *s:* ◇ **sein -s offenbaren** to show o.'s innermost being

innig *adj* ▷*Zuneigung* deep, profound

Innovation *f* ↑ *Erneuerung* innovation; **innovativ** *adj* ▷*Maßnahme* innovative

inoffiziell *adj* unofficial

ins = in das

Insasse *m* <-n, -n> **Insassin** *f* [1] (*Wagen*) passenger [2] (*Anstalt*) inmate

insbesondere *adv* ↑ *besonders* especially

Inschrift *f* inscription

Insekt *s* <-[e]s, -en> insect, bug

Insel *f* <-, -n> island

Inserat *s* advertisement, ad; **Inserent(in** *f*) *m* advertiser; **inserieren I.** *vt* (*anbieten in Zeitung*) advertise **II.** *vi* (*annoncieren*) advertise

insgeheim *adv* ▷*denken* secretly

insgesamt *adv* altogether

Insider(in *f*) *m* <-s, -> (*-witz*) insider

insofern I. *adv:* ◇ **- als** in so far as **II.** *cj* (*wenn, falls*): ◇ **- er dir helfen kann** if he can help you

Installateur(in *f*) *m* (*Wasser-*) plumber; (*Gas*) gas-fitter

Instandhaltung *f* (*Pflege*) maintenance; **Instandsetzung** *f* ↑ *Reparieren* repair, fixing

Instanz *f* (JURA *Urteil*) court, trial; (*Behörde*) authority

Instinkt *m* <-[e]s, -e> [1] (*Tier*) instinct [2] *FIG* ◇ **sich auf seinen - verlassen** to follow o.'s instinct; **instinktiv** *adj* (*unwillkürlich*) instinctive

Institut *s* <-[e]s, -e> [1] ↑ *Anstalt* (*Forschungs-*) institution [2] (*Universität*) institute

Instrument *s* instrument

Insulin *s* <-s> MED insulin

inszenieren *vt* [1] → *Bühnenstück* stage, put on [2] *FIG* ◇ **einen großen Aufstand** - to make a big fuss about s.th.

integrieren *vt* (*in Gesellschaft*) integrate

intellektuell *adj* ▷*arbeiten* intellectual

intelligent *adj* ↑ *gescheit* intelligent; **Intelligenz** *f* [1] (*-quotient*) intelligence [2] (*Gruppierung, Personen*) intelligentsia *pl*

Intendant(in *f*) *m* (*Theater*) director, theatre manager

intensiv *adj* ▷*üben* intensive; **Intensivkurs** *m* intensive course; **Intensivstation** *f* (*Krankenhaus*) intensive care unit

interessant *adj* ▷*Leute, Buch, Beruf* interesting; **Interesse** *s* <-s, -n> interest (*an dat* in); **Interessent(in** *f*) *m* ↑ *interessierte Person* interested person; **interessieren I.** *vr* ◇ **sich - für** ▷*Literatur* be interested in **II.** *vt* (*Interesse erwecken*) interest

Interface *s* <-, -s> PC interface

Internat *s* ↑ *Schulheim* boarding school

international *adj* international

internieren *vt* → *Gefangene* intern

interpretieren *vt* [1] ↑ *verstehen* interpret [2] → *Musikstück* interpret

Interpunktion *f* punctuation

Interrail-Karte *f* (*Bahn*) interrail ticket

Intervall *s* <-s, -e> [1] (*Ton-*) interval, pause [2] (*Pause*) interval

Interview *s* <-s, -s> interview; **interviewen** *vt* interview

intim *adj* [1] (*vertraut*) ▷*Atmosphäre* intimate [2] ▷*Mitteilung* private [3] ◇ ~ **werden** (*sexuell*) to become intimate; **Intimität** *f* (*Vertrautheit*) intimacy

intolerant *adj* intolerant

intransitiv *adj* GRAM intransitive

Intrige *f* <-, -n>: ◇ ~**n schmieden** to intrigue

Invasion *f* invasion

Inventar *s* <-s, -e> [1] (*Mobiliar*) fittings, equipment [2] (*Verzeichnis*) inventory

Inventur *f*: ◇ ~ **machen** to do stock-taking

investieren *vt* (*Geld*) invest

inwiefern *adv* (*wieso*) what extent, in what way

inzwischen *adv* ↑ *unterdessen* in the meantime, meanwhile

Irak *m*: ◇ [der] ~ Iraq

Iran *m*: ◇ [der] ~ Iran

irdisch *adj* (*Ggs himmlisch*) earthly, worldly

Ire *m* <-n, -n> Irishman; ◇ **die** ~**n** *pl* Irish

irgendein(e, s) *adj* ↑ *ein beliebiger* any, anyone, some; **irgendwann** *adv* ↑ *zu beliebigem Zeitpunkt* at any time, at some time; **irgendwie** *adv* somehow; **irgendwo** *adv* somewhere, anywhere

Irin *f* Irishwoman; **irisch** *adj* Irish; **Irland** *s* Ireland

Ironie *f* ▷*beißende* irony; **ironisch** *adj* ▷*Bemerkung* ironical

irre *adj* [1] ↑ *verrückt* crazy [2] (*FAM toll*) ◇ **das ist** ~**!** that's great!; **Irre(r)** *fm* ↑ *Verrückte(r)* mad person, lunatic

irreführen *vt* ↑ *täuschen* mislead

irren **I.** *vi* [1] ◇ **umher**~ (*fehlgehen*) to stray [2] (*fälschlich annehmen*) be mistaken **II.** *vr* ◇ **sich** ~ ↑ *sich vertun* be mistaken, be wrong

Irrenanstalt *f* lunatic asylum

Irrtum *m* <-s, -tümer> mistake; **irrtümlich** *adj* ▷*annehmen* incorrect, by mistake

Isolation *f* [1] (*-shaft*) isolation [2] (ELECTR *Kabel*) insulation; **Isolierband** *s, pl* <-bänder> insulating tape; **isolieren** *vt* [1] → *Kranke* isolate [2] ELECTR → *Kabel* insulate; **Isolierkanne** *f* ↑ *Thermoskanne* thermos flask; **Isolierstation** *f* MED isolation ward; **Isomatte** *f* (*Camping*) thermomat

Israel *s* Israel

Italien *s* Italy; **Italiener(in** *f*) *m* <-s, -> Italian; **italienisch** *adj* Italian

J

J, j *s* J, j

ja *adv* [1] yes [2] (*Erstaunen, wirklich?*) really? [3] (*Telefon*) ◇ **ja bitte?** hello? [4] (*Ausruf*) ◇ **aber das ist ja unglaublich!** why that's incredible!

Jacke *f* <-, -n> jacket

Jackett *s* <-s, -s *o.* -e> ↑ *Anzugjacke* jacket

Jagd *f* <-, -en> [1] (*Hasen~*) hunt [2] (*Verbrecher~*) hunt, stalk; **jagen** **I.** *vi* [1] ↑ *auf die Jagd gehen* hunt [2] ← *Auto* ↑ *rasen* race **II.** *vt* [1] → *Fasanen* hunt [2] → *Verbrecher* stalk, hunt; **Jäger(in** *f*) *m* <-s, -> [1] (*von Tieren*) hunter [2] *FIG* ◇ **Schürzen**~ playboy

jäh *adj* [1] (*steil*) steep [2] (*plötzlich*) sudden, abrupt

Jahr *s* <-[e]s, -e> year; ◇ **ein gesundes neues** ~**!** Happy New Year!; **jahrelang** *adj* ▷*Beziehung* for years; **Jahresabonnement** *s* annual subscription; **Jahresabschluß** *m* [1] (*Jahresende*) end of the year [2] (*Schuljahresende*) end of the school year [3] (COMM *Geschäftsbilanz*) annual statement of account; **Jahresbericht** *m* (*Schule, Firma*) annual report; **Jahreszeit** *f* season; **Jahrgang** *m* [1] (*Wein*) vintage, year [2] (*Schul-*) year [3] (*Alter*) age group; **Jahrhundert** *s* <-s, -e> century; **jährlich** *adj* ▷*Treffen, Beitrag* annually, yearly; **Jahrzehnt** *s* <-s, -e> decade

Jähzorn *m* violent anger, sudden temper; **jähzornig** *adj* hot-tempered

Jalousie *f* ▷*hochziehen, herunterlassen* blinds *pl*

Jammer *m* <-s> [1] ◇ **ein** ~**, daß...** ↑ *schade, daß* it is a shame that... [2] (*Weinen*) wailing; **jämmerlich** *adj* [1] ↑ *armselig* wretched [2] (~ *weinen*) miserable; **jammern** *vi* ↑ *klagen* complain, moan

Januar *m* <-s, -e> January

Japan *s* Japan; **Japaner(in** *f*) *m* <-s, -> Japanese; **japanisch** *adj* Japanese

Jargon *m* <-s, -s> ↑ *Fachsprache* jargon

jäten *vt* (*Unkraut*) weed

Jauche *f* <-, -n> liquid manure

jaulen *vi* ← *Hund* howl

jawohl *adv* of course, certainly

Jawort *s* (*bei Trauung*) consent; *FIG* ◇ **sich das** ~ **geben** to marry

Jazz *m* <-> MUS jazz

je **I.** *adv* [1] ↑ *jemals, überhaupt einmal* ever; ◇ **der beste Film, den ich** ~ **gesehen habe** the best film that I have ever seen [2] (*immer*) always; ◇ **seit eh und** ~ ever since, always **II.** *präp* ↑ *pro*: ◇ **15 DM** ~ **Person** 15 DM each **III.** *cj*: ◇ ~ **eher desto**

besser the earlier the better; ◇ ~ **nachdem** it depends, depending on

Jeans *f* <-, -> jeans *pl*

jede(r, s) *pron* ① ↑ *alle* every, each; ◇ **das kann doch ~ Frau** every woman can do that ② (~*e einzelne*) each, every; ◇ **eine Rose für ~ der Tänzerinnen** a rose for each of the dancers

jedenfalls *adv* ① ↑ *auf alle Fälle* in any case, anyhow; ◇ ~ **hat er davon gewußt** in any case he knew about it ② (*sicherlich*) at any rate, definitely; ◇ **sie würde das ~ nicht tun** she would not do it at any rate; **jederzeit** *adv* at any time; **jedesmal** *adv* ↑ *immer wieder* every time, each time

jedoch *adv* ↑ *aber* however

jeher *adv* (*schon immer*): ◇ **von ~** always

jemals *adv* (*überhaupt einmal*) ever

jemand *pron* someone; ◇ **Ist ~ da?** Is anyone there?

jene(r, s) *pron* that, those; ◇ **dieses u. ~s** this and that

jenseits *präp gen* on the other side; ◇ ~ **der Mauer** on the other side of the wall; **Jenseits** *s* <-> next world; (*ermorden*) ◇ **jd-n ins ~ befördern** to kill s.o.

Jet *m* <-s, -s> ↑ *Flugzeug* jet

jetzig *adj* ↑ *gegenwärtig* current, present; **jetzt** *adv* ① ↑ *in diesem Moment* now ② (*als nächstes*) just/right now; ◇ **Was machen wir ~?** What are we going to do now?

jeweilig *adj* (*entsprechend*) respective, particular; **jeweils** *adv* (*jedesmal*) respectively

Job *m* <-s, -s> ① ↑ *Arbeit, Stelle* job ② PC job; **Job-sharing** *s* <-s> job-sharing

Jod *s* <-(e)s> CHEM iodine

joggen *vi* jog; **Jogging** *s* <-s> jogging

Joghurt *m o s* <-s, -s> yoghurt

Johannisbeere *f* (*rote ~*) currant

Joint *m* <-s, -s> *FAM* ▷*rauchen* joint

jonglieren *vi* (*mit Bällen*) juggle

Jordanien *s* Jordan

Joule *s* <-[s], -> joule

Journalismus *m* journalism; **Journalist(in** *f*) *m* journalist; **journalistisch** *adj* ▷*Tätigkeit* journalistic

Jubel *m* <-s> (*~geschrei*) cheering, rejoicing; **jubeln** *vi* (*sich laut freuen*) cheer, rejoice; **Jubiläum** *s* <-s, Jubiläen> (*Dienst-*) anniversary; (*König*) jubilee

jucken I. *vi* ← *Haut, Fell* itch **II.** *vt* ① *FIG FAM* ◇ **das juckt mich nicht** I really don't care ② (*Mückenstich*) itch; **Juckreiz** *m* itch

Jude *m* <-n, -n> Jew; **Judentum** *s* <-s> Judaism; **Judenverfolgung** *f* (*Holocaust*) persecution of the Jews; **Jüdin** *f* Jew; **jüdisch** *adj* ▷*Glaube* Jewish

Judo *s* <-[s]> judo

Jugend *f* <-> ① ◇ **die heutige ~** youth of today ② (*Lebensalter*) youth; **Jugendherberge** *f* (*Unterkunft*) youth hostel; **Jugendkriminalität** *f* ▷*steigende* juvenile delinquency; **jugendlich** *adj* ▷*Kleidung* young, youthful; **Jugendliche(r)** *fm* ↑ *junger Mensch* youth, young person

Jugoslawe *m* <-n, -n> Yugoslav; **Jugoslawien** *s* Yugoslavia; **Jugoslawin** *f* Yugoslav; **jugoslawisch** *adj* Yugoslavian

Juli *m* <-[s], -s> July

jung <jünger, am jüngsten> ① (*Altersgruppe*) young ② ▷*Projekt, Liebe, Wein* young, new

Junge *m* <-n, -n> boy

Junge(s) *s* (*Hund*) puppy; (*Katze*) kitten; ◇ **die ~n** *pl* young *pl*

jünger <*Komparativ von* **jung**> younger

Jungfrau *f* ① ASTROL Virgo ② (*jd ohne sexuelle Erfahrung*) virgin; **Junggeselle** *m* (*Single*) single; (*Mann*) bachelor, single (man)

jüngste(r, s) <*Superlativ von* **jung**> youngest

jüngste(r,s) *adj* (▷*Ereignisse, neueste*) latest, newest

Juni *m* <-[s], -s> June

Junior(in *f*) *m* <-s, -en> ① ↑ *jüngster Sohn* junior ② (SPORT *~enmeisterschaft*) junior; **Junior-Paß** *m* (*Bahn*) junior rail-pass

Jurist(in *f*) *m* ↑ *Rechtsgelehrter* lawyer; (*Student*) law student; **juristisch** *adj* legal

Justiz *f* <-> ① (*Gerechtigkeit*) justice; (*Lynch-*) justice ② (*Gericht*) courts *pl*

Juwel *s* <-s, -en> ↑ *Edelstein* jewel; **Juwelier(in** *f*) *m* <-s, -e> (*~geschäft*) jeweller's [shop]

Jux *m* <-es, -e> ↑ *Spaß, Scherz* fun, joke; ◇ **sich einen ~ machen** to make a joke of s.th.

K

K, k *s* K, k

Kabarett *s* <-s, -e *o*. -s> cabaret; (*Komödie, Satire*) revue; **Kabarettist(in** *f*) *m* cabaret artist

Kabel *s* <-s, -> ① ELECTR (*Strom-, Telefon-*) cable ② (*FAM ~fernsehen*) cable

Kabeljau *m* <-s, -e *o*. -s> cod(-fish)

Kabine *f* (*Umkleide-*) cabin; (*Friseur*) cubicle; (*Schlaf-*) cabin; (*Telefon-*) booth

Kabinett *s* <-s, -e> ① POL ▷*bilden* cabinet ② (*kleiner Raum*) cabinet, closet ③ (*in Museum*) gallery

Kabriolett *s* <-s, -s> convertible

Kachel *f* <-, -n> tile; **kacheln** *vt* tile; **Kachelofen** *m* tile oven

Kacke *f* <-> *FAM!* crap, shit; **kacken** *vi FAM!* crap, shit

Kadaver *m* <-s, -> (*Tierleiche*) carcass

Käfer *m* <-s, -> [1] ZOOL beetle [2] (*FAM Volkswagen*) beetle [3] (*FAM junges Mädchen*) chick

Kaff *s* <-s, -s *o.* -e> (*PEJ Dorf*) hole, dump

Kaffee *m* <-s, -s> coffee; ◇ **einen ~ trinken** to have a cup of coffee; **Kaffeebohne** *f* coffee bean; **Kaffeekanne** *f* coffepot; **Kaffeeklatsch** *m* gossip over a cup of coffee; **Kaffeekränzchen** *s* coffee party; **Kaffeelöffel** *m* teaspoon; **Kaffeemaschine** *f* coffee machine; **Kaffeemühle** *f* coffee grinder; **Kaffeesatz** *m* coffee grounds

Käfig *m* <-s, -e> (*Vogel-*) cage

kahl *adj* [1] ↑ *glatzköpfig* bald [2] ↑ *ohne Blätter* ▷*Baum* bare [3] ↑ *leer* ▷*Raum, Landschaft* bare, empty; ▷*Wand* bare, empty; **kahlgeschoren** *adj* ▷*Kopf* shaved; **Kahlheit** *f* (*von Mensch*) baldness; (*von Raum etc.*) emptiness, bareness; (*von Baum*) leaflessness; **kahlköpfig** *adj* bald; **Kahlschlag** *m* clearing

Kahn *m* <-[e]s, Kähne> [1] (*Last-*) barge [2] (*Schuhe*) clodhoppers *pl*

Kai *m* <-s, -e *o.* -s> [1] quayside, dock [2] quay

Kaiser(in *f*) *m* <-s, -> emperor/empress; **Kaiserhaus** *s* imperial family; **kaiserlich** *adj* imperial; **Kaiserreich** *s* empire; **Kaiserschnitt** *m* MED caesarean

Kajak *s* <-s, -s> kayak

Kakao *m* <-s, -s> [1] (*-pulver*) cocoa [2] (*Getränk*) chocolate milk; (*heiß*) hot chocolate [3] (*FAM sich lustig machen über*) ◇ **jd-n durch den ~ ziehen** to make fun of s.o.

Kaktee *f* <-, -n> cactus; **Kaktus** *m* <-, -se> cactus

Kalb *s* <-[e]s, Kälber> calf; **Kalbfleisch** *s* veal; **Kalbsleder** *s* calfskin

Kalender *m* <-s, -> calendar; **Kalenderjahr** *s* calendar year

Kaliber *s* <-s, -> [1] (*von Schußwaffe*) calibre, caliber *AM* [2] *FIG* ↑ *Art, Sorte von Mensch* bore; ◇ **eine Frau von diesem ~** a woman of this type

Kalk *m* <-[e]s, -e> [1] (*Muschel-*) lime [2] (*im Körper*) calcium; **Kalkfarbe** *f* whitewash; **Kalkstein** *m* limestone

Kalkulation *f* ↑ *Berechnung* calculation; **kalkulieren** *vt* [1] ↑ *berechnen* → *Kosten* calculate [2] *FIG* ↑ *rechnen mit* reckon

Kalorie *f* calorie; **kalorienarm** *adj* ▷*Nahrung* low-calorie; **kalorienbewußt** *adj* calorie conscious; ◇ **sich ~ ernähren** to watch one eats, to count o.'s calories

kalt <kälter, am kältesten> [1] ▷*Temperatur, Wetter* chilly, cold; ▷*Hände, Füße, Essen* cold; ▷*Getränke* cold, chilled; ◇ **mir ist [es] ~** I'm cold [2] *FIG* ↑ *gefühllos* ▷*Person* cold; ◇ **das läßt mich ~** that doesn't move me; **kaltbleiben** *unreg vi FIG* stay cool; **kaltblütig** *adj* (*skrupellos, gefühllos*) cold-blooded; **Kälte** *f* <-> [1] (*Wetter*) cold; (*von Gliedmaßen*) coldness [2] *FIG* ↑ *Gefühllosigkeit* coolness, coldness; **Kälteeinbruch** *m* cold spell; **Kältegrad** *m*: ◇ **es hat 5 ~e** it's 5 degrees below zero; **Kältewelle** *f* cold spell; **kaltherzig** *adj* cold-hearted, cold-blooded; **kaltmachen** *vt FAM* ↑ *ermorden* → *jd-n* kill; **Kaltmiete** *f* rent exclusive of heating; **kaltschnäuzig** *adj FAM* cool, callous; **kaltstellen** *vt FIG* → *jd-n* demote, neutralize

Kalzium *s* CHEM calcium

Kamel *s* <-[e]s, -e> camel

Kamelle *f* <-, -n> (*FAM längst bekannt*): ◇ **das sind alte ~n** that's an old hat

Kamera *f* <-, -s> camera

Kamerad(in *f*) *m* <-en, -en> (*Spiel-, Schul-*) buddy, companion; (MIL *Kriegs-*) comrade; **Kameradschaft** *f* comradeship, companionship; **kameradschaftlich** *adj* comradely

Kameramann *m* cameraman

Kamille *f* <-, -n> (*echte ~*) camomile

Kamin *m* <-s, -e> [1] (*Schornstein, außen*) chimney; (*innen*) fireplace [2] ↑ *Felsspalt* chimney; **Kaminfeger(in** *f*) *m* <-s, -> chimney sweep; **Kaminkehrer(in** *f*) *m* <-s, -> chimney sweep

Kamm *m* <-[e]s, Kämme> [1] (*Haar-, Zier-*) comb [2] (*Gebirgs-*) crest, ridge [3] (*Hahnen-*) comb [4] (*Schweine-*) spare rib; **kämmen** *vt* → *Haar* comb

Kammer *f* <-, -n> [1] (*Schlaf-, Rumpel-*) chamber [2] JURA (*Straf-*) house [3] (*Ärzte-, Handwerks-*) professional association [4] (ANAT *Herz-*) ventricle; **Kammermusik** *f* chamber music; **Kammerton** *m* MUS concert pitch

Kampagne *f* <-, -n> campaign; (*Wahl-*) campaign; (*Werbe-*) campaign

Kampf *m* <-[e]s, Kämpfe> [1] fight (*für, um* for, about against); MIL ▷*blutig, erbittert* battle, combat [2] (SPORT *Wett-*) contest; (*Box-, Ring-*) match [3] *FIG* ↑ *Ringen* fight (*für, um* for against); (*innerer, Entscheidungs-*) conflict; (*Macht-, Wahl-, Klassen-*) contest; **kämpfen** *vi* [1] ↑ *sich schlagen, ringen* fight, struggle (*um, für* about, for against) [2] *FIG* ↑ *sich einsetzen* fight; ◇ **um die Macht ~** to fight for power [3] *FIG* ↑ *sich wehren* fight back, defend; ◇ **mit Proble-**

men ~ to struggle with problems; ◇ **gegen Tränen ~** to fight back tears; **Kämpfer(in** *f*) *m* (MIL *Front~*) combatant, fighter; (SPORT *Zehn~*) contestant, opponent; (*Freiheits~*) fighter; **kämpferisch** *adj* ▷*Person* aggressive

Kanadier(in *f*) *m* <-s, -> Canadian; **kanadisch** *adj* Canadian

Kanal *m* <-s, Kanäle> [1] (*künstlicher Wasserlauf*) canal [2] ↑ *Abwasser~* drain, sewer [3] MEDIA ↑ *Frequenz* channel [4] (*natürlicher*) channel; **Kanalisation** *f* sewerage system; **kanalisieren** *vt* → *Ort* install sewers

Kanarienvogel *m* canary

Kandidat(in *f*) *m* <-en, -en> [1] (*Bewerber*) candidate, applicant; (*für Amt*) applicant [2] (*Prüfungs~*) applicant; **Kandidatur** *f* candidacy; **kandidieren** *vi* be a candidate, run for election AM (*für* for)

Kandis[zucker] *m* rock sugar

Känguruh *s* <-s, -s> kangaroo

Kaninchen *s* rabbit

Kanister *m* <-s, -> container; (*Benzin~, Wasser~*) can, container

Kanne *f* <-, -n> (*Kaffee~*) pot; (*Milch~*) pitcher; (*Gieß~*) watering can

Kannibale *m* <-n, -n>, **Kannibalin** *f* cannibal

Kanon *m* <-s, -s> [1] ↑ *Regel, Leitfaden* (*Gesetzes~*) canon law [2] MUS ↑ *Rundgesang* canon, round

Kanone *f* <-, -n> [1] ↑ *Geschütz* cannon [2] *FAM* ↑ *Könner* ace

Kantate *f* <-, -n> MUS cantata

Kante *f* <-, -n> [1] ↑ *Ecke* (*Tisch~*) edge [2] (*Rand, Borte*) border; (*Web~*) selvedge; (*Brot~*) crust [3] (*FAM gespart haben*) ◇ **etw auf der hohen ~ haben** to have money in the cookie jar; **kantig** *adj* ▷*Gegenstand* squared, edged; *FIG* ▷*Gesicht* angular

Kantine *f* canteen

Kanton *m* <-s, -e> canton

Kanu *s* <-s, -s> canoe; ◇ **~ fahren** to go canoeing

Kanüle *f* <-, -n> MED cannula

Kanzel *f* <-, -n> [1] (*Rednerplattform, in Kirche*) pulpit; (*Lehr~*) pulpit [2] (*Cockpit*) cockpit

Kanzler *m* <-s, -> POL (*Bundes~*) chancellor; SCH chancellor; **Kanzlerkandidat(in** *f*) *m* candidate for the chancellorship

Kap *s* <-s, -s> (*Nord~, Süd~*) cape

Kapazität *f* [1] (*Fassungsvermögen*) capacity [2] (*Leistungsvermögen*) capacity [3] *FIG* ↑ *Fachmann, Könner* expert, authority

Kapelle *f* [1] (*kleine Kirche*) chapel [2] MUS ↑ *kleines Orchester* band, orchestra

kapieren *vti FAM* ↑ *verstehen* grasp,get; ◇ **ich kapiere es nicht** I don't get it

Kapital *s* <-s, -e *o.* -ien> [1] ▷*anlegen* capital [2] ↑ *Vermögen* (*Betriebs~*) assets, capital; **Kapitalanlage** *f* (*Investition*) investment; **Kapitalismus** *m* capitalism; **Kapitalist(in** *f*) *m* capitalist; **kapitalistisch** *adj* ▷*Gesinnung* capitalistic; **Kapitalverbrechen** *s* capital crime, felony

Kapitän *m* <-s, -e> (*von Schiff*) captain, skipper; (*von Flugzeug*) captain

Kapitel *s* <-s, -> [1] (*e-s Buches*) chapter [2] *FAM* ↑ *Angelegenheit* matter; ◇ **ein ~ für sich** that's a story all to itself

Kapitell *s* <-s, -e> capital

Kapitulation *f* [1] (*Unterwerfung*) capitulation, surrender [2] MIL reenlistment; **kapitulieren** *vi* [1] ↑ *aufgeben, sich unterwerfen* capitulate, surrender [2] *FIG* ↑ *aufgeben* surrender, give up

Kaplan *m* <-s, Kapläne> chaplain

Kappe *f* <-, -n> [1] ↑ *Mütze* cap; (*Bade~*) cap [2] ↑ *Verschluß* cap, lid [3] ↑ *Verstärkung* (*von Schuh*) heelpiece

kappen *vt* [1] ↑ *durchschneiden* → *Tau, Seil* cut [2] → *Baum* trim, cut

Kapsel *f* <-, -n> [1] (*Behälter*) container, capsule [2] ANAT (*Gelenk~*) capsule

kaputt *adj* [1] ↑ *entzwei* ▷*Vase* broken, shattered [2] ↑ *defekt* ▷*Auto* broken down; (*radio*) broken, defect [3] *FAM* ↑ *erschöpft* worn out, done for; **kaputtgehen** *unreg vi* [1] *entzweigehen* ← *Geschirr* crack, break; ← *Kleidung, Schuhe* wear out, fall apart [2] ← *Apparat, Auto* break down, fall apart [3] ↑ *bankrottgehen* ← *Firma* go bankrupt [4] (*Beziehung*) fall apart; **kaputtmachen I.** *vt* [1] *zerstören* → *Gegenstand* break, ruin, destroy; → *Firma* ruin; → *Gesundheit* ruin [2] ↑ *sehr anstrengen* → *jd-n* ruin, kill **II.** *vr* ◇ **sich ~** wear o.s. out

Kapuze *f* <-, -n> hood

Karabiner *m* <-s, -> (*Gewehr*) carbine; **Karabinerhaken** *m* karabiner, snap link

Karaffe *f* <-, -n> carafe; (*geschliffen*) decanter

Karambolage *f* <-, -n> (*Massen~*) collision, crash

Karamel *m* <-s> caramel

Karat *s* carat

Karate *s* <-> karate

Karawane *f* <-, -n> [1] caravan [2] *FIG* ↑ *Zug* (*Auto~*) caravan

Kardinal *m* <-s, Kardinäle> cardinal; **Kardinalfehler** *m* cardinal error; **Kardinalzahl** *f* cardinal number

Karenz *f* <-, -en> (*bei Versicherung*) qualifying period

Karfreitag *m* Good Friday

karg *adj* ▷*Behausung* meagre, sparse; **kärglich** *adj* meagre, sparse

kariert *adj* ▷*Stoff* chequered, checkered *AM*; ▷*Papier* squared

Karies *f* <-> caries

Karikatur *f* caricature; **Karikaturist(in** *f*) *m* cartoonist

kariös *adj* ▷*Zahn* decayed, carious

karitativ *adj* ▷*Zweck* charitable

Karneval *m* <-s, -e *o.* -s> carnival; **Karnevalszug** *m* carnival procession

Karo *s* <-s, -s> [1] (*Viereck, Raute*) square [2] (*Muster*) check [3] (*Spielkartenfarbe*) diamonds *pl*

Karosserie *f* AUTO bodywork

Karotte *f* <-, -n> carrot

Karpfen *m* <-s, -> carp

Karre *f* <-, -n> [1] (*Schub-*) wheelbarrow [2] *FAM* ↑ *altes Auto* jalopy, heap

Karriere *f* <-, -n> ▷*beruflich* career; ◇ **- machen** to make a career for o.s.; **Karrieremacher(in** *f*) *m* <-s, -> careerist, career woman

Karte *f* <-, -n> [1] (*Post-*) card [2] (*Fahr-, Eintritts-*) ticket [3] (*Land-*) map [4] (*Speise-*) menu [5] (*Visiten-, Scheck-*) card [6] (*Spiel-*) card; ◇ **mit offenen -n spielen** to put o.'s cards on the table

Kartei *f* card-index, card-file

Kartell *s* <-s, -e> [1] COMM cartel [2] alliance

Kartenspiel *s* [1] card-playing, lay a game of cards [2] deck of cards; **Kartentelefon** *s* cardphone

Kartoffel *f* <-, -n> potato; **Kartoffelbrei** *m* mashed potatoes *pl;* **Kartoffelchips** *pl* potato crisps, potato chips *AM*; **Kartoffelpuffer** *m* potato fritter, hash brown; **Kartoffelpüree** *s* mashed potatoes *pl;* **Kartoffelsalat** *m* potato salad

Karton *m* <-s, -s> [1] (*Pappe*) cardboard [2] ↑ *Pappschachtel* cardboard box, carton; **kartoniert** *adj* paperback

Karussell *s* <-s, -s> (*Kinder-, Ketten-*) merry-go-round, carousel *BRIT*

Karwoche *f* Holy Week

karzinogen *adj* ↑ *krebserzeugend* carcinogenic; **Karzinom** *s* <-s, -e> ↑ *Krebsgeschwulst* carcinoma

Käse *m* <-s, -> [1] (*Milchprodukt*) cheese [2] *FAM* ↑ *Unsinn* rubbish, baloney *AM*; **Käsekuchen** *m* cheesecake

Kaserne *f* <-, -n> barracks *pl,* army post

käseweiß *adj:* ◇ **- werden** to turn as white as a ghost

Kasino *s* <-s, -s> [1] MIL officer's club [2] (*Spiel-*) casino

Kaskoversicherung *f* (*Voll-, Teil-*) full coverage insurance

Kasse *f* <-, -n> [1] (*Registrier-*) cash register; (*Geld-*) cashbox [2] (*Kino-, Abend-*) box-office, ticket-office; (*Laden-*) counter; (*in Bank*) window, counter [3] ↑ *Spar-, Bank* bank [4] (*Bargeld*) cash; ◇ **schlecht bei - sein** short of cash, hard up;

Kassenarzt *m*, **Kassenärztin** *f* panel doctor *a doctor paritcipating in a health insurance plan;* **Kassenpatient(in** *f*) *m* panel patient; **Kassenschlager** *m* hit, big seller; **Kassensturz** *m:* ◇ **- machen** to check o.'s finances; **Kassenzettel** *m* sales slip

Kassette *f* [1] ↑ *Kasten* (*Schmuck-*) case, casket [2] (*Buch-*) cover [3] ↑ *Tonband* cassette; **Kassettendeck** *s* cassette deck; **Kassettenrecorder** *m* <-s, -> cassette recorder

kassieren I. *vt* [1] ↑ *einnehmen* → *Rechnung, Geld* collect [2] *FAM* ↑ *wegnehmen* → *Spielzeug* take II. *vi:* ◇ **darf ich -?** could you pay please?;

Kassierer(in *f*) *m* <-s, -> (*Bank-*) clerk, teller; (*von Klub*) treasurer; (*von Geschäft*) cashier

Kastanie *f* (*Baum, Frucht*) chestnut

Kasten *m* <-s, Kästen> [1] (*Brief-, Sand-*) box; (*Bier-*) case [2] SPORT box [3] (*FIG sich hervorragend auskennen*) ◇ **viel auf dem - haben** to be on the ball

kastrieren *vt* ↑ *sterilisieren* castrate

Kasus *m* <-, -> GRAM case

Katakombe *f* <-, -n> catacomb

Katalog *m* <-[e]s, -e> (*Ausstellungs-, Waren-*) catalogue; **katalogisieren** *vt* catalogue

Katalysator *m* [1] PHYS catalyst [2] AUTO catalyzer

Katarrh *m* <-s, -e> (*Magen-, Bronchial- etc.*) catarrh; (*FAM Schnupfen*) cold

katastrophal *adj* ▷*Folgen* catastrophic, disastrous; **Katastrophe** *f* <-, -n> (*Umwelt-, Natur-*) catastrophe, disaster; **Katastrophengebiet** *s* disaster area; **Katastrophenschutz** *m* disaster prevention

Kategorie *f* category; ◇ **jd-n/etw in -n einordnen** to categorize s.o./s.th.; **kategorisch** *adj* categorical, absolutely

Kater *m* <-s, -> [1] (*männliche Katze*) tom cat [2] *FAM* ◇ **einen - haben** to have a hangover, to be hungover

Kathedrale *f* <-, -n> cathedral

Kathode *f* <-, -n> ELECTR cathode

Katholik(in *f*) *m* <-en, -en> Catholic; **katholisch** *adj* Catholic; **Katholizismus** *m* Catholicism

Katze *f* <-, -n> [1] (*Haus-, Raub-*) cat [2] (*FIG verfeindet sein*) ◇ **wie Hund u. Katz sein** to fight like cats and dogs; ◇ **wenn die ~ aus dem Haus ist, tanzen die Mäuse** when the cat is away, the mice will play; (*FIG ein Geheimnis lüften*) ◇ **die ~ aus dem Sack lassen** to let the cat out of the bag [3] (*FAM umsonst*) ◇ **alles für die Katz** for the birds; **Katzenauge** *s* (*Rückstrahler an Auto, Fahrrad etc.*) reflector; **Katzenjammer** *m* [1] (*schlechte Stimmung nach Rausch*) hangover [2] ↑ *Gewissensbisse* the dumps, the blues *pl;* **Katzensprung** *m FIG nicht weit, BRIT* a stone's throw; ◇ **es ist nur einen ~ entfernt** it's just a hop/skip/jump away

Kauderwelsch *s* <-[s]> gibberisch, pig-latin

kauen *vti* chew

kauern *vi* ↑ *hocken* crouch, squat; ◇ **auf dem Boden ~** to cower on the ground

Kauf *m* <-[e]s, Käufe> ↑ *Erwerb* purchase, buy; ◇ **etw in ~ nehmen** to accept s.th.; ◇ **zum ~ anbieten** offer for sale; **kaufen** *vt* [1] → *etw* purchase, buy [2] ↑ *bestechen* → *jd-n* bribe, buy [3] (*schimpfen*) sich jd *dat* to give s.o. a piece of o.'s mind; **Käufer(in** *f*) *m* <-s, -> ↑ *Kunde* buyer, customer; **Kaufhaus** *s* department store,; **Kaufkraft** *f* purchasing power; **kaufkräftig** *adj* well-funded; *FAM* loaded; ◇ **~e Kunden** customers with money to spend; **käuflich** *adj* [1] ▷*Ware* purchasable; ◇ **etw ~ erwerben** to purchase s.th. [2] *FIG* ↑ *bestechlich* ▷*Person* venal; ◇ **sie ist ~** she is easily bought; **Kaufmann** *m, pl* <-leute> [1] businessman; (*Verkäufer*) salesman/, -person [2] (*Einzelhändler*) shopkeeper, storekeeper; **kaufmännisch** *adj* commercial; ◇ **~er Angestellter** [office] clerk; **Kaufvertrag** *m* bill of sale

Kaugummi *m o s* chewing gum

Kaulquappe *f* <-, -n> tadpole

kaum *adv* [1] ↑ *schwerlich* hardly; ◇ **er wird das ~ schaffen** he will barely manage; ◇ **wohl ~!** most unlikely! [2] ↑ *fast nicht* hardly, scarcely; ◇ **~ zu glauben** hard to believe; ◇ **sie hat ~ geschlafen** she barely slept [3] ↑ *soeben, gerade* hardly, barely; ◇ **~ war sie zu Hause ...** no sooner was she home...

kausal *adj* ▷*Verbindung, Zusammenhang* causal

Kaution *f* [1] ▷*hinterlegen* security, bond; JURA bail; ◇ **gegen ~ entlassen** to be released on bail [2] (*Miet-*) deposit

Kauz *m* <-es, Käuze> [1] ZOOL owl [2] *FAM* ↑ *seltsamer Mensch* ◇ **komischer ~** strange fellow, oddball

Kavalier *m* <-s, -e> [1] (*höflicher Mensch*) gentleman, gallant [2] (*Begleiter von Frau*) escort; **Kavaliersdelikt** *s* peccadillo

Kaviar *m* <-s> caviar

keck *adj* ↑ *unbefangen, frech* bold, daring, cheeky; ▷*Frisur* pert

Kegel *m* <-s, -> [1] (*Form*) cone [2] (*Licht-*) beam [3] (*Spiel-*) skittle, pin; **Kegelbahn** *f* bowling lane; **kegeln** *vi* bowl

Kehle *f* <-, -n> ↑ *Rachen* throat; **Kehlkopf** *m* ANAT larynx, Adam's apple

Kehre *f* <-, -n> [1] turn, bend; (*von Straße*) turn, curve [2] SPORT ↑ *Wendung* rear vault; **kehren I.** *vt* [1] ↑ *fegen* → *Straße* sweep [2] ↑ *wenden* turn [3] (*FIG nachdenklich*) ◇ **in sich gekehrt** pensive, withdrawn; ◇ **jd-m den Rücken ~** to turn o.'s back on s.o. **II.** *vr FAM*: ◇ **sich nicht an etw ~** *dat* to pay no attention to, to ignore, disregard; **Kehricht** *m* <-s> rubbish, garbage; **Kehrmaschine** *f* (*Straßen-*) road sweeping machine; **Kehrseite** *f* [1] (*Rückseite*) reverse [2] (*FIG unangenehme Seite*) ◇ **die ~ der Medaille** the backside of the medal; **kehrtmachen** *vi* turn around

keifen *vi FAM* bicker, scold (*mit jd-m* s.o.)

Keil *m* <-[e]s, -e> (*Holz-*) wedge; **Keilriemen** *m* AUTO fan-belt

Keim *m* <-[e]s, -e> [1] (*von Pflanze*) sprout, bud [2] MED ↑ *Erreger* (*Krankheits-*) germ [3] ↑ *Embryo* embryo [4] *FIG* ↑ *Anfang, Ausgangspunkt* seed, core; ◇ **etw im ~ ersticken** to nip s.th. in the bud; **keimen** *vi* [1] ← *Pflanze* germinate, sprout [2] *FIG* ← *Gefühl* stir, arouse; *FAM* bud; **keimfrei** *adj* sterilized, sterile; **Keimträger** *m* carrier; **Keimzelle** *f* [1] germ cell, gamete [2] *FIG* (*von Revolution*) basic unit

kein *adv* (*attributiv*) no, any, not; ◇ **sie ist ~e Schwedin** she isn't Swedish; ◇ **auf ~en Fall** under no circumstances

keine(r, s) *pron* [1] (*nicht ein*) not one, none, not any; ◇ **er sagt ~ Wort** he didn't say one word; ◇ **~r war zu Hause** no-one was at home [2] ↑ *nicht* not; ◇ **das ist ~e schlechte Idee** that's not a bad idea

keinerlei *adj inv* no, none whatsoever; ◇ **es macht ~ Mühe** it is no trouble at all; ◇ **das hat ~ Bedeutung** that has no meaning whatsoever; **keinesfalls** *adv* under no circumstances, by no means; **keineswegs** *adv* by no means, not in the least; ◇ **das stimmt ~** that's definitely not correct/right; **keinmal** *adv* not once, never; ◇ **einmal ist ~** once doesn't count; ◇ **sie hat mich ~ gegrüßt** she never once greeted me

Keks *m o s* <-es, -e> [1] cookie, biscuit *BRIT* [2] *FAM* ↑ *stören* ◇ **jd-m auf den ~ gehen** to get on s.o.'s nerves

Kelch *m* <-[e]s, -e> goblet

Kelle *f* <-, -n> [1] (*Suppen-*) ladle [2] (*Maurer-*) trowel [3] (*von Polizist etc.*) disk

Keller *m* <-s, -> [1] basement [2] (*Raum*) cellar; (*Gewölbe-*) cellar

Kellner(in *f*) *m* <-s, -> waiter (waitress)

keltern *vt* → *Weintrauben* press

kennen <kannte, gekannt> **I.** *vt* [1] → *Stadt* know, be aquainted with [2] ↑ *wissen* know [3] ↑ *bekannt sein mit* be aquainted with **II.** *vr* ◇ **sich** ~ to know each other; **kennenlernen I.** *vt* (*bekannt werden mit jd-m/etw*) get to know s.o., meet s.o. **II.** *vr* ◇ **sich** ~ get to know each other; **Kenner(in** *f*) *m* <-s, -> [1] (*Spezialist, Fachmann*) expert; (*Menschen-*) expert [2] (*Wein-*) connoisseur; **kenntlich** *adj:* ◇ **etw** ~ **machen** to make s.th. recognizable; **Kenntnis** *f* [1] knowledge; (*Sach-, Menschen-*) insight, understanding; (*Sprach-se*) knowledge [2] (*beachten*) ◇ **etw zur** ~ **nehmen** to take note of s.th.; ◇ **jd-n von etw in** ~ **setzen** to inform s.o. about s.th.; **Kennwort** *s* [1] (*Losungswort*) password [2] PC password; **Kennzeichen** *s* [1] ↑ *Merkmal* characteristic, feature [2] AUTO registration number, license plate *AM*; **kennzeichnen** *vt* [1] mark, indicate [2] *FIG* characterize; ◇ **sein Wissen kennzeichnete ihn als Fachmann** his knowledge proved him to be an expert; **Kennziffer** *f* reference number; (*von Akte*) index/reference number

kentern *vi* ← *Schiff* capsize

Keramik *f* (*Töpferware, Geschirr*) ceramics *pl*, pottery

Kerbe *f* <-, -n> notch, groove

Kerbel *m* <-s> chervil

Kerbholz *s* (*FIG schuldig sein*): ◇ **etw auf dem** ~ **haben** to be guilty of doing s.th.

Kerker *m* <-s, -> dungeon

Kerl *m* <-s, -e> *PEJ* ↑ *Bursche, Typ* chap, fellow, guy, dude *AM*; ◇ **gemeiner** ~ swine; ◇ **er/sie ist ein netter** ~ a nice chap, a pretty good guy *AM*

Kern *m* <-[e]s, -e> [1] (*von Obst*) seed, pit; (*Nuß-*) kernel [2] (BIO *Zell-*) nucleus [3] (*von Problem*) heart, core [4] ↑ *Zentrum* (*Stadt-*) core, heart, centre [4] *FIG* ↑ *innerstes Wesen* (*von Mensch*) essence; ◇ **sie hat einen guten** ~ basically she is good, she is good at heart; **Kernbrennstoff** *m* nuclear fuel; **Kernenergie** *f* nuclear energy; **Kernforschung** *f* nuclear research; **Kernfrage** *f* central issue; **Kernfusion** *f* nuclear fusion; **kernig** *adj* [1] (*voller Kerne*) → *Obst* full of pips [2] ▷*Person* robust [3] ↑ *urig, originell* ▷*Ausspruch* pithy; **Kernkraft** *f* nuclear power; **Kernkraftgegner(in** *f*) *m* anti-nuke activist; **Kernkraftwerk** *s* nuclear power plant; **kernlos** *adj* seedless, pited; **Kernphysik** *f* nuclear physics; **Kernpunkt** *m* central point; **Kernreaktion** *f* nuclear reaction; **Kernreaktor** *m* nuclear reactor; **Kernseife** *f* washing soap; **Kernspaltung** *f* nuclear fission; **Kernverschmelzung** *f* [1] (*Kernfusion*) nuclear fusion [2] (*von Zellen*) cell union; **Kernwaffen** *pl* nuclear weapons *pl*

Kerze *f* <-, -n> [1] (*Wachs-*) candle [2] (AUTO *Zünd-*) spark, plug [3] (*Kastanienblüte*) candle, thyrus [4] SPORT shoulder stand; **kerzengerade** *adj* straight as a nail

keß *adj* [1] (*Mädchen*) pert, saucy [2] ↑ *chic* (*Kleidung*) jaunty, saucy

Kessel *m* <-s, -> [1] (*Wasser-*) kettle; (*Dampf-*) boiler [2] GEO basin shaped valley [3] MIL encircled area

Ketchup *m o s* <-[s], -s> (*Tomaten-*) ketchup, catsup

Kette *f* <-, -n> [1] (*Schmuck-*) chain, necklace; (*Arm-*) bracelet [2] (*Fahrrad-*) chain; ◇ **in -n legen** to put in chains [3] (GEO *Berg-*) chain [4] (COMM *von Läden etc.*) chain [5] *FIG* ↑ *Reihe, Folge* (*Gedanken-*) chain of thought; (*Menschen-*) chain, link; (*von Handlungen*) chain; **ketten** *vt* [1] ↑ *fesseln* chain (*an* to) [2] *FIG* ↑ *binden* ◇ **jd-n an sich** ~ *akk* to bind s.o. to o.s.; **Kettenraucher(in** *f*) *m* chain-smoker; **Kettenreaktion** *f* PHYS chain reaction; (*FIG von Ereignissen*) chain reaction

keuchen *vi* pant, gasp; **Keuchhusten** *m* whooping cough

Keule *f* <-, -n> [1] (*Schlagstock, Prügel*) club [2] GASTRON (*Hähnchen-*) drumstick, leg

keusch *adj* [1] ▷*leben* chaste, pure [2] ↑ *schüchtern* ▷*Mensch* modest

Kfz *s Abk v.* **Kraftfahrzeug** motor vehicle

kichern *vi* giggle, snicker

kidnappen *vt* ↑ *entführen* kidnap

Kiefer[1] *m* <-s, -> ANAT jaw; (*-knochen*) jaw-bone

Kiefer[2] *f* <-, -n> (*Baum*) pine; (*Holz*) pinewood

Kiel *m* <-[e]s, -e> NAUT keel

Kieme *f* <-, -n> gill

Kies *m* <-es, -e> [1] ↑ *Schotter* gravel [2] *FAM* ↑ *Geld* dough *sg*

kiffen *vi FAM* ↑ *Haschisch rauchen* toke, smoke grass/hash

killen *vt FAM* ↑ *töten* kill, bump off

Kilo *s* <-s, -[s]> kilo; **Kilogramm** *s* <-s, -e> kilogram(me); **Kilojoule** *s* kilojoule; **Kilometer** *m* kilometre; **Kilometerzähler** *m* AUTO odometer; **Kilowatt** *s* kilowatt

Kind *s* <-[e]s, -er> child, kid; ◇ **ein** ~ **bekommen** to have a child, to be expecting a child; **Kinderarzt** *m*, **Kinderärztin** *f* paediatrician; **Kinderei** *f* childishness *sg;* **Kindergarten** *m* nursery school, kindergarten; **Kindergärtner(in** *f*) *m*

K

kindergarten teacher; **Kindergeld** *s* child allowance; **Kinderkrankheit** *f* children's illness; **Kinderlähmung** *f* polio; **kinderleicht** *adj* very easy; ◇ **es ist** ~ it is mere child's play; **kinderlos** *adj* ⊳*Ehepaar* childless; **Kindermädchen** *s* nurse, maid; **Kinderwagen** *m* pram, baby carriage, baby buggy, baby stroller *AM*, pram *BRIT*; **Kinderzimmer** *s* children's room; **Kindheit** *f* ⊳*glücklich, schwer* childhood; **kindisch** *adj* childish, silly; **kindlich** *adj* ① ⊳*Verhalten* childlike ② ↑ *naiv* ⊳*Wesen* innocent, naive

Kinetik *f* kinetics *pl*

Kinn *s* <-[e]s, -e> chin; **Kinnhaken** *m* (*Schlag aufs Kinn*) hook to the chin; (SPORT *beim Boxen*) uppercut

Kino *s* <-s, -s> cinema, the movies *AM*; ◇ **ins ~ gehen** to go to the cinema/the movies; **Kinobesucher(in** *f*) *m* cinemagoer; **Kinoprogramm** *s* film programme

Kiosk *m* <-[e]s, -e> (*Zeitungs-*) kiosk

Kippe *f* <-, -n> ① edge; ◇ **auf der ~ stehen** to be atilt; (*FIG ungewiß*) ◇ **es steht auf der** ~ it's a touch and go situation ② SPORT spring ③ *FAM* (*Zigarette*) fag; **kippen I.** *vt* ① → *Fenster, Fläche* slant, tilt ② ↑ *umstürzen* → *Kiste etc.* turnover ③ (*FIG umstoßen, vereiteln*) → *Plan* fall through **II.** *vi* ← *Leiter* topple, tipover; ← *Becher, Stuhl* tipover; ← *Auto, Schiff* flip, turnover; **Kippfenster** *s* bottom-hung window; **Kippschalter** *m* ELECTR tumbler, trigger switch

Kirche *f* <-, -n> ① church ② ↑ *Gottesdienst* church (service); ◇ **die ~ ist aus** church is over; **Kirchenjahr** *s* ecclesiastical year; **Kirchensteuer** *f* church tax; **Kirchgänger(in** *f*) *m* <-s, -> church-goer; **Kirchhof** *m* church grounds; **kirchlich** *adj* ⊳*Feiertag* religious; ◇ **~e Trauung** church wedding

Kirsche *f* <-, -n> ① (*Kirschbaum*) cherry tree ② (*Frucht*) cherry

Kissen *s* <-s, -> (*Polster*) cushion; (*Kopf-*) pillow; (*Nadel-*) cushion

Kiste *f* <-, -n> ① (*Holz-, Metall-*) box, crate ② *FAM* ↑ *Auto* heep; ◇ **so eine alte** ~ such an old rattletrap ③ *FAM* ↑ *Sache, Angelegenheit* business; ◇ **das ist deine ~!** that's your cup of tea!

Kitsch *m* <-[e]s> ① ↑ *geschmacklose, sentimentale Kunst* kitsch, slush ② ↑ *Trödel* junk; **kitschig** *adj* gaudy, shoddy

Kitt *m* <-[e]s, -e> (*Fenster-, Fugen-*) putty, sealing cement

Kittchen *s FAM* ↑ *Gefängnis* jail

Kittel *m* <-s, -> (*Schürze, Arbeits-*) smock, overall; (*Arzt-*) coat; (*zum Kochen*) apron

kitten *vt* ① ↑ *kleben* → *Krug* glue, stick ② *FIG* ↑ *erneuern* → *Freundschaft* bond, patch up

Kitz *s* <-es, -e> ① (*Ziegenjunges*) kid ② (*Reh-*) fawn

kitzelig *adj* ① ticklish ② *FIG* ↑ *heikel* ⊳*Angelegenheit* sticky; **kitzeln I.** *vt* → *jd-n* tickle; ◇ **an den Fußsohlen** ~ to tickle the bottom of s.o.'s feet **II.** *vi* tickle, itching

Kiwi *f* <-, -s> (*Frucht*) kiwi [fruit]

klaffen *vi* ← *Spalt, Wunde* gape, yawn

kläffen *vi* yelp, yap

Klage *f* <-, -n> ① ↑ *Beschwerde* complaint; ◇ **eine ~ über etw führen** to complain about s.th. ② JURA suit, action; ◇ **~ einreichen** to institute proceedings; ◇ **eine ~ erheben** to file a complaint; **klagen** *vi* ① complain (*über etw akk* about) ② ↑ *weh-, trauern* lament, wail (*um jd-n* s.o.) ③ ↑ *sich beschweren* complain (*über akk* about) ④ JURA ↑ *Anspruch erheben* sue (*auf* for); **Kläger(in** *f*) *m* <-s, -> JURA plaintiff; (*im Strafrecht*) prosecuting party; **kläglich** *adj* ① ⊳*Geschrei* miserable, wretched ② ↑ *dürftig* ⊳*Leistung* deplorable, pathetic

klamm *adj* ① ↑ *starr, steif* ⊳*Finger* numb ② ↑ *feuchtkalt* ⊳*Wetter* clammy

Klammer *f* <-, -n> ① (*Gerät zum Zusammenhalten*) clamp, clip; (*Wäsche-*) clothespin; ◇ **Büro-** paperclip; (MED *Zahn-*) braces *pl* ② PRINT ↑ *Parenthese* ⊳*rund* parenthesis; ⊳*geschweift* brace brackets *pl;* ⊳*eckig* bracket; **klammern I.** *vt* → *Wunde* clamp **II.** *vr* cling; ◇ **sich an jd-n/etw** ~ to cling to s.o./s.th.

Klang *m* <-[e]s, Klänge> ⊳*hell, dumpf* sound, tone

Klappe *f* <-, -n> ① ↑ *Deckel* flap, lid; (*Ofen-*) door ② (ANAT *Herz-*) valve ③ (MUS *von Instrument*) valve ④ *FAM* ↑ *Mund* trap, flap; ◇ **halt die ~!** shut your trap!, shut up!; **klappen I.** *vi* ① ← *Deckel* click ② *FIG* ↑ *gelingen* go smoothly; ◇ **es klappt** it works **II.** *vt* → *Sitz etc.* fold; ◇ **etw nach hinten/nach oben** ~ to fold s.th. back/up

klapperig *adj* ① ⊳*Fahrzeug* rickety, rattly ② ↑ *schwächlich* ⊳*Mensch, Tier* shaky, decrepit; **klappern** *vi* ← *Schreibmaschine* clatter, rattle; **Klapperschlange** *f* rattlesnake

Klapp[fahr]rad *s* folding bicycle; **Klappmesser** *s* jack-knife; **Klappstuhl** *m* folding chair

klar *adj* ① ↑ *ungetrübt* clear; ⊳*Wasser* clear; ⊳*Sicht* clear, vivid; ⊳*Himmel* clear ② ↑ *unmißverständlich, deutlich* plain, evident; ⊳*Satz, Aussage* clear, obvious; ⊳*Ton* clear, distinct; ◇ **das ist mir nicht** ~ it isn't clear to me; ◇ **etw ~ u. deutlich sagen** to say s.th. loud and clear ③ ↑ *scharfsinnig* lucid; ◇ **~ denken können** to be able to think clearly; ◇ **einen -en Kopf behalten** to keep a clear head ④ NAUT, MIL ↑ *einsatzbereit* ▷*Schiff, Geschütz* clear ⑤ (*verstehen*) ◇ **sich** *dat* **über etw** *akk* **im -en sein** to be sure about s.th., to understand; ◇ **-!** of course!; ◇ **-?** okay?

Kläranlage *f* purification plant; **klären I.** *vt* ① ↑ *klar machen* → *Flüssigkeit* purify ② *FIG* → *Frage, Angelegenheit* clear a matter up **II.** *vr* ◇ **sich -** ① become clear ② *FIG* ↑ *sich bereinigen* ← *Sache* settle

klargehen *unreg vi FAM* go okay/well; ◇ **geht klar!** it's alright!; **Klarheit** *f* ① (*von Luft, Wasser, Wetter*) clearness; (*von Himmel*) clearness, brightness ② (*von Verstand*) clarity, lucidity; ◇ **etw in - bringen** to shed some light on s.th.

Klarinette *f* clarinet

klarkommen *unreg vi FAM* ① manage (*mit etw* s.th.) ② ↑ *sich vertragen, auskommen mit* get along (*mit jd-m* with s.o.)

klarmachen *vt* ① → *Schiff, Fahrzeug* clear ② ◇ **jd-m etw -** to explain, to make s.th. clear to s.o.

klarsehen *unreg vi* see s.th. clearly, understand; ◇ **jetzt sehe ich klar** now I understand; **Klarsichtfolie** *f* transparent film

klarstellen *vt* clarify, clear up

Klärung *f* (*Klären*) ① (*von Flüssigkeit*) purification ② (*FIG von Frage, Angelegenheit*) clarification

klasse *adj FAM* great, super; ◇ **das ist -!** that's great

Klasse *f* <-, -n> ① class, group; (*Alters-*) class, group; (SCH *Schul-*) ▷*erste, zweite etc.* class; ◇ **in der zweiten - sein** to be in the second grade ② (*Arbeiter-*) class; (SPORT *Gewichts-*) class; (*Steuer-*) class; ◇ **erster - reisen** to travel first-class; **Klassengesellschaft** *f* class society; **Klassenlehrer(in** *f*) *m* SCH class teacher; **Klassensprecher(in** *f*) *m* SCH class spokesman, class representative; **Klassenzimmer** *s* SCH classroom

klassifizieren *vt* classify

Klassik *f* ① (*Epoche*) classical period ② (*Stil*) classic; **Klassiker(in** *f*) *m* <-s, -> ① (*Autor*) classical writer ② (*Auto, Film*) classic; **klassisch** *adj* ① classical ② ▷*Beispiel* classic; **Klassizismus** *m* classicism

Klatsch *m* <-[e]s, -e> ① *FIG* ↑ *Gerede, Geschwätz* gossip ② (*Geräusch*) splosh, splash; **Klatschbase** *f* gossiper; **klatschen** *vi* ① (*schwatzen*) gossip, chat (*über akk* about) ② (*ins Gesicht*) smack, slap; ◇ **Beifall -** clap

Klatschmohn *m* [corn] poppy

klatschnaß *adj* drenched, soaked

Klaue *f* <-, -n> ① (*Zehe, von Huftier*) hoof; (*von Raubtier*) claw; (*pfote*) paw ② (*FAM unleserliche Handschrift*) scrawl

klauen *vt FAM* ↑ *stehlen* swipe, lift

Klausel *f* <-, -n> (*Vertrags-*) clause, stipulation

Klausur *f* ① ↑ *Abgeschlossenheit* seclusion ② (*Räume*) enclosure; REL ◇ **in - gehen** to go into a cloister ③ SCH ↑ *Klausurarbeit* ▷*schreiben* exam; ◇ **eine - schreiben** to take an exam

Klavier *s* <-s, -e> piano

kleben I. *vt* ① (*mit Kleber befestigen*) stick, glue (*an akk* on, together) ② (*FAM schlagen*) ◇ **jd-m eine -** to slap s.o. **II.** *vi* ① ↑ *haften* stick (*an dat* to, on) ② *FIG* ↑ *festhalten, sich klammern* cling; (*an Gewohnheit, Tradition*) stick; (*an Person*) cling (*an dat* to); **klebrig** *adj* sticky; **Klebstoff** *m* clue, adhesive

Klecks *m* <-es, -e> ↑ *Fleck* blotch, splotch; (*Tinten-*) blot, blotch

Klee *m* <-s> clover; **Kleeblatt** *s* ① clover leaf; ◇ **vierblättriges -** four-leaf(ed) clover ② (*FIG Dreierbeziehung*) trio, threesome

Kleid *s* <-[e]s, -er> ① (*Seiden-, Sommer-*) dress; (*Abend-*) gown ② ◇ **-er** *pl* wardrobe, clothes *pl;* **kleiden I.** *vt* ① (*mit Kleidung versehen*) dress, clothe ② ↑ *gut stehen* suit; ◇ **das kleidet Sie gut** that really suits you **II.** *vr* dress, clothe; ◇ **ich muß mich -** I have to get dressed; **Kleiderbügel** *m* coathanger, clotheshanger; **Kleiderschrank** *m* wardrobe, closet; **Kleidung** *f* clothes, clothing *pl;* **Kleidungsstück** *s* piece of clothing, garment

klein *adj* ① ↑ *nicht groß* little, small; ▷*Mensch* short; ◇ **-er Finger** little finger ② ↑ *gering* little, slight, small; ▷*Gruppe, Anzahl* small, little; ▷*Gehalt, Preis* low; ◇ **ein - wenig** a little bit ③ (*unbedeutend*) insignificant, small; ↑ *geringfügig* little, small; ▷*Irrtum, Fehler* little, minor; ▷*Auseinandersetzung* little, trifle ④ ▷*Verhältnisse* humble, modest; ◇ **der -e Mann** the ordinary man

Kleine(r, s) *f, m, s* ① the little one ② *FAM* sweetie, tootsie; ◇ **na -r?** hey tootsie!; **Kleinfamilie** *f* small family, nuclear family; **Kleinformat** *s* (*von Buch, Bild*) small format; **Kleingeld** *s* [small] change

Kleinigkeit *f* ① (*von geringem Ausmaß, Größe*) trifle, little; ◇ **eine - essen** to eat a little something [*o.* a bite] ② (*von geringem Wert*) ▷*anschaffen* trifling, mere; ◇ **es kostet die - von drei Millionen** it costs the trifling sum of three million ③ (*von geringer Bedeutung*) trivial matter, petty thing

Kleinkind *s* infant; **Kleinkram** *m FAM* trivial matters; **kleinlaut** *adj* subdued, meek; **klein-**

lich *adj* [1] ↑ *beschränkt* ▷*Mensch* petty, picky, narrow-minded [2] ↑ *geizig* mean [3] ↑ *pedantisch* pedantic, fussy; **kleinschneiden** *unreg vt* chop, mince

Kleister *m* <-s, -> (*Tapeten-*) paste

Klemme *f* <-, -n> [1] (*Klammer*) clamp, clip; (*Haar-*) clip; MED clamp; ELECTR terminal [2] *FIG* ↑ *Zwangslage* dilemma, fix, jam; ◇ **in der - stecken** to be in a tight spot; **klemmen I.** *vt* [1] ↑ *fest-, zwängen* clip; ◇ **etw unter den Arm -** to stick s.th. under o.'s arm [2] ↑ *quetschen* → *Finger* catch, pinch [3] *FAM* ↑ *stehlen* snap, snatch **II.** *vi* stick, hang

Klempner(in *f*) *m* <-s, -> plumber

Klerus *m* <-> clergy

Klette *f* <-, -n> [1] BIO burdock [2] (*FAM anhänglicher Mensch*) nuisance, barnacle

Kletterer *m* <-s, -> climber; **klettern** *vi* [1] climb; ◇ **über/auf etw -** *akk* to climb over/on top of/up s.th. [2] *FIG* ↑ *steigen* ← *Preise, Temperatur* climb, rise

Klient(in *f*) *m* <-en, -en> (*von Anwalt*) client

Klima *s* <-s, -s *o.* -ta> [1] climate [2] *FIG* ↑ *Atmosphäre, Stimmung* atmosphere; **Klimaanlage** *f* air conditioner

Klinge *f* <-, -n> (*von Messer, Säbel*) blade

Klingel *f* <-, -n> (*Tür-, Fahrrad-*) bell; **klingeln** *vi* ring; **klingen** <klang, geklungen> *vi* [1] ↑ *tönen* sound; ▷*Instrumente, Stimme, Glocke* jingle, ring, sound [2] *FIG* ↑ *sich anhören* sound; ◇ **das klingt unglaublich** that sounds farfetched

Klinik *f* clinic, hospital

Klippe *f* <-, -n> [1] (*Fels-*) cliff [2] *FIG* ↑ *Schwierigkeit, Hindernis* obstacle, hurdle

klipp u. klar *adv* plainly, in so many words

klirren *vi* clink, jingle; ← *Gläser, Fensterscheibe* clatter

Klischee *s* <-s, -s> cliche'; **Klischeevorstellung** *f* stereotype

Klo *s* <-s, -s> *FAM* loo, john *AM*; ◇ **er ist auf dem -** he is in the john

Kloake *f* <-, -n> sewer, drain

klopfen I. *vi* [1] (*pochen, leicht schlagen*) tap; (*an Tür*) knock; ◇ **es klopft** there was a knock; ← *Herz* beat; ← *Schmerz* throb; ← *Motor* rap **II.** *vt* → *Teppich* beat; → *Steine* knock; → *Nagel in Wand* hammer, knock, drive (*in akk* in); ◇ **auf/an/gegen etw -** *akk* to beat on/against s.th.; **Klopfer** *m* <-s, -> (*Teppich-*) carpet beater; (*Tür-*) knocker

Klosett *s* <-s, -e *o.* -s> lavatory

Kloß *m* <-es, Klöße> [1] ↑ *Klumpen* (*Lehm-*) clod, lump [2] GASTRON (*Semmel-*) dumpling

Kloster *s* <-s, Klöster> (*Nonnen-*) cloister, convent; (*Mönchs-*) monastery

Klotz *m* <-es, Klötze> [1] (*Holz-*) block; (*Spielzeug*) block [2] (*FIG lästige Person*) blockhead; ◇ **e-n - am Bein haben** to drag a ball and chain

Klub *m* <-s, -s> (*Sport-*) club

Kluft [1] *f* <-, Klüfte> [1] ↑ *Spalt, Abgrund* gap, cleft, abyss [2] *FIG* ↑ *Gegensatz* ▷*unüberbrückbar* crevice, rift

Kluft [2] *f, pl* <-en> *FAM* (*Kleidung*) dress

klug <klüger, am klügsten> [1] ↑ *intelligent, begabt* ▷*Mensch* clever, wise; ▷*Augen* clear-sighted; ◇ **ein -er Kopf** a capable person [2] ↑ *vernünftig* ▷*Entscheidung* wise, sensible [3] ↑ *diplomatisch, geschickt* ▷*Antwort* discerning; ▷*Geschäftsfrau* cunning, astute [4] ↑ *weise* ▷*Rat* wise; ◇ **ich kann nicht daraus - werden** I can't make heads or tails of it; **Klugheit** *f* [1] ↑ *Intelligenz* cleverness, intelligence [2] ↑ *Umsicht* (*von Entscheidung etc.*) soundness, cleverness [3] ↑ *Weisheit* wisdom

Klumpen *m* <-s, -> (*Kloß, Brocken, Erd-*) clump, clod; (*Blut-*) clot; (*Gold-*) nugget; (GASTRON *in Soße*) dumpling

knabbern I. *vt* → *Nüsse, Chips etc.* nibble, munch **II.** *vi:* ◇ **an etw -** *dat* to gnaw at s.th.

Knabe *m* <-n, -n> [1] ↑ *Junge* boy, lad [2] *FAM* ◇ **alter -** old chap; **knabenhaft** *adj* boyish

Knäckebrot *s* crispbread

knacken I. *vt* [1] (*aufbrechen*) break, snap; *FAM* → *Tresor, Autos* bust, break into [2] *FIG* ↑ *lösen* → *Rätsel* solve, crack **II.** *vi* ← *Diele, Treppe, Holz* creak, crack; ← *Radio* crack

Knacks *m* <-es, -e> [1] (*Geräusch*) crack, crash [2] ↑ *Riß* crack [3] (*FIG verrückt*) ◇ **er hat einen -** he is cracked

Knall *m* <-[e]s, -e> [1] (*von Schuß*) bang; (*von Aufprall*) bang, thud; (*Peitschen-*) crack [2] *FAM* ↑ *Verrücktheit* ◇ **der hat einen -** he has a loose screw; ◇ **- u. Fall** all of the sudden; **knallen I.** *vi* [1] ← *Tür* bang, slam; (*Peitsche*) crack, pop [2] ↑ *explodieren* ← *Korken* pop, explode; ← *Schuß, Feuerwerk* crack, bang, explode **II.** *vt* [1] → *etw auf den Boden -* slam [2] ↑ *stoßen* bang, slam; ◇ **gegen etw -** to slam against s.th. [3] *FAM* ◇ **jd-m eine -** to clout s.o.; **knallhart** *adj FAM* as hard as nails; (*Film*) brutal; **knallrot** *adj* ▷*Farbe* bright red; ▷*Gesicht* red as a beet

knapp *adj* [1] ↑ *wenig, beschränkt* short, scarce, limited; ◇ **- bei Kasse sein** to be short of money, to be hard up; ◇ **meine Zeit ist -** I'm running out of time [2] ↑ *gerade noch, fast nicht* ▷*Mehrheit* just, barely; ◇ **eine -e Stunde** almost an hour; ◇ **- vier Meter** almost four meters [3] ↑ *kurz, eng* ▷*Kleid* tight [4] ↑ *eng gefaßt* in short; ◇ **in -en Sätzen** in short sentences; **knapphalten** *unreg* *vt* → *jd-n* keep s.th. short; **Knappheit** *f* ① ↑ *Beschränktheit* (*von Geld, Zeit etc.*) shortage ② (*von Sieg, Mehrheit*) closeness, narrowness ③ (*von Kleidungsstück*) tightness ④ (*von Sprache, Stil*) precision, briefness

knarren *vi* (*Diele, Baum*) rattle, creak

Knäuel *m o s* <-s, -> ① (*Woll-*) ball ② *FIG* ↑ *Masse* (*Menschen-*) knot, cluster

knautschen I. *vt FAM* → *Kleid, Kissen* crumple, crease **II.** *vi* ← *Stoff* crease, wrinkle; **Knautschzone** *f* AUTO crumple zone

kneifen <kniff, gekniffen> **I.** *vt* ↑ *zwicken, klemmen* pinch; ◇ **jd-n in den Arm** ~ to pinch s.o. on the arm **II.** *vi* ↑ *zwicken* ← *Hose* pinch

Kneipe *f* <-, -n> *FAM* pub, tavern

kneten *vt* → *Teig* knead; → *Ton, Wachs etc.* work

Knick *m* <-[e]s, -e> ① (*in Papier*) crease; (*in Stoff*) wrinkle, crease ② ↑ *scharfe Kurve* bend; **knicken I.** *vt* ① ↑ *umbiegen* → *Papier* fold, crease ② ↑ *brechen, ab-* → *Streichholz* break, snap **II.** *vi* ① (*Stengel, Ast*) snap, crack ② *FIG* ↑ *traurig* ◇ **geknickt sein** to be sad

Knie *s* <-s, -> ① ANAT knee ② (*in Rohr*) elbow, knee ③ *FIG* ↑ *erzwingen* ◇ **etw übers ~ brechen** to break s.th. over o.'s knee; **Kniebeuge** *f* <-, -n> knee bend; **Kniekehle** *f* back of the knee; **knien I.** *vi* kneel **II.** *vr* ① kneel (down) ② *FIG* ◇ **sich in etw** ~ *akk* (*in Arbeit*) to get serious about s.th.; **Kniestrumpf** *m* knee-high stocking

knipsen ① *vt* (*Fahrkarte*) punch, clip ② FOTO snap

Knirps *m* <-es, -e> ① pipsqueak, whipper-snapper ② (*Schirm*) folding umbrella

knirschen *vi* ← *Kies* grind, crunch; ◇ **mit den Zähnen** ~ to grind o.'s teeth

knistern *vi* ① ← *Feuer* crackle ② ← *Papier* rustle

Knitterfalte *f* crease; **knitterfrei** *adj* ▷*Stoff* crease-resistant; **knittern** *vi* ← *Stoff* wrinkle, crease

Knoblauch *m* garlic; ◇ **-zehe** clove of garlic

Knöchel *m* <-s, -> (ANAT *Finger-*) knuckle; (*Fuß-*) ankle

Knochen *m* <-s, -> (*Bein-*) bone; **Knochenbruch** *m* fracture; **knochig** *adj* ▷*Hände* bony; ▷*Mensch* bony

Knödel *m* <-s, -> GASTRON dumpling

Knopf *m* <-[e]s, Knöpfe> ① (*Blusen-*) button; (*Druck-*) button ② (*Schalt-, Klingel-*) button; (*Dreh-*) knob; **Knopfloch** *s* (*an Kleidung*) buttonhole

Knorpel *m* <-s, -> cartilage

Knospe *f* <-, -n> bud

knoten *vt* make a knot, tie into a knot; **Knoten** *m* <-s, -> ① knot; (*Seemanns-*) knot ② (MED *Verdickung, Geschwulst*) lump ③ NAUT knot; **Knotenpunkt** *m* (*Verkehrs-*) point of intersection

Knüller *m* <-s, -> *FAM* hit; (*Verkaufs-*) big seller

knüpfen *vt* ① (*Faden, Band*) fasten, join; (*Teppich*) knot ② *FIG* ↑ *begründen* ◇ **Freundschaft** ~ to become friends; ◇ **Bedingungen an etw** ~ *akk* to attach conditions to s.th.

Knüppel *m* <-s, -> ① (*Schlagstock*) club; (*Polizei-*) truncheon, stick ② (*Steuer-*) control stick; AERO control stick; **Knüppelschaltung** *f* AUTO stick-shift

knurren *vi* ← *Hund* grunt, growl; ← *Magen* growl

knusperig *adj* crisp

Koalition *f* coalition; (*Regierungs-*) government coalition

Kobalt *s* <-s> CHEM cobalt

Kobold *m* <-[e]s, -e> ghost, spirit

Kobra *f* <-, -s> cobra

Koch *m* <-[e]s, Köche> chef, cook; **Kochbuch** *s* cookbook

kochen I. *vt* ① ↑ *zubereiten* cook; → *Kaffee, Tee* make ② → *Wäsche, Wasser* boil **II.** *vi* ① ← *Nudeln, Reis, Gemüse etc.* cook ② ← *Wasser, Kaffee etc.* boil ③ (*Tätigkeit*) cook; ◇ **sie kocht gern** she likes to cook ④ *FAM* ◇ **sie kocht vor Wut** she is boiling with rage, she is fuming; **Kocher** *m* <-s, -> (*Camping-*) stove; (*elektrischer* -) stove

Köcher *m* <-s, -> ① (*für Pfeile*) quiver ② (*für Golfschläger*) golf bag

Kochgelegenheit *f* cooking facilities *pl*; **Kochgeschirr** *s* cooking utensils *pl*

Köchin *f* ① cook, chef; ◇ **eine gute** ~ a good cook ② (*Beruf*) chef

Kochlöffel *m* cooking spoon; **Kochnische** *f* kitchenette; **Kochplatte** *f* hotplate, burner; **Kochrezept** *s* recipe; **Kochsalz** *s* ① CHEM sodium chloride ② GASTRON cooking salt; **Kochtopf** *m* pot; **Kochzeit** *f* cooking time

Kode *m s.* **Code** code

Köder *m* <-s, -> ① (*für Fische etc.*.) bait ② *FIG* lure, bait; ◇ **an den ~ anbeißen** to take the bait; **ködern** *vt* lure; *FIG* tempt, entice

Koexistenz *f* coexistence

Koffein *s* <-s> caffeine; **koffeinfrei** *adj* ▷*Kaffee* decaffeinated

Koffer *m* <-s, -> (*Reise-*) suitcase; ◇ **Akten~** briefcase; (*Schrank-*) trunk; **Kofferradio** *s* portable radio; **Kofferraum** *m* AUTO boot, trunk *AM*

Kognak *m* <-s, -s> cognac, brandy

K

kohärent *adj* coherent

Kohl *m* <-[e]s, -e> BIO cabbage; (*Blumen-*) cauliflower

Kohle *f* <-, -n> ① (*Braun-, Stein-*) coal ② (*Holz-*) charcoal; (*zum Zeichnen*) charcoal ③ CHEM carbon ④ *FAM* ↑ *Geld* dough; **Kohlehydrat** *s* <-[e]s, -e> carbohydrate; **Kohlenbergwerk** *s* coal mine; **Kohlenbergbau** *m* coal mining industry; **Kohlendioxid** *s* carbon dioxide; **Kohlenmonoxid** *s* carbon monoxide; **Kohlensäure** *f* ① CHEM carbon acid ② (*in Getränken*) fizz; **Kohlenstaub** *m* coaldust; **Kohlenstoff** *m* carbon; **Kohlenwasserstoff** *m* hydrocarbon; **Kohlenofen** *m* coal-burning stove; **Kohlepapier** *s* carbon paper; **Kohlestift** *m* charcoal pencil; **Kohlezeichnung** *f* charcoal drawing/sketch

Kohlrabi *m* <-[s], -s> kohlrabi; **Kohlrübe** *f* turnip

kohlschwarz *adj* jet black

Koitus *m* <-, - *o.* -se> coitus

Koje *f* <-, -n> ① NAUT bunk ② *FAM* ↑ *Bett* bunk, sack; ◇ **Ab in die -!** Hit the sack!

Kokain *s* <-s> cocaine

kokett *adj* ▷*Person* coquettish; **kokettieren** *vi* ① ↑ *flirten* flirt (*mit jd-m* with s.o.) ② (*FIG mit Plan etc.*) play (*mit* with)

Kokon *m* <-s, -s> cocoon

Kokosnuß *f* BIO coconut; **Kokospalme** *f* coconut tree

Koks *m* <-es, -e> ① ↑ *Kohle* coke ② *FAM* ↑ *Kokain* coke

Kolben *m* <-s, -> ① (*Gewehr-*) butt ② BIO spadix; (*Mais-*) cob, ear ③ (TECHNOL *von Motor*) piston ④ CHEM (*Destillier-*) flask ⑤ *FAM* ↑ *Nase* conk

Kolchose *f* <-, -n> collective farm

Kolik *f* MED colic

Kollaps *m* <-es, -e> (*Kreislauf-*) collapse

Kolleg *s* <-s, -s *o.* -ien> SCHULE ① (*Studien-, Tele-*) lecture ② ↑ *Raum* lecture hall

Kollege *m* <-n, -n> colleague; **kollegial** *adj* ▷*Verhältnis* friendly, helpful; **Kollegin** *f* colleague; (*Arbeits-*) fellow-worker; (*Studien-*) fellow-student, colleague; **Kollegium** *s* (*Lehrer-, Ärzte-*) council, board, committee

Kollekte *f* <-, -n> REL collection

kollektiv *adj* ① ↑ *gemeinsam* collective ② ↑ *allgemein* ▷*Wissen* collective, general

kollern *vi* (*im Bauch*) growl, rumble

Kollision *f* ① (*von Autos etc.*) collision ② (*zeitlich*) clash, conflict ③ (*FIG Konflikt*) clash, collision; ◇ **mit jd-m in - geraten** to have a clash with s.o.

Kolloquium *s* colloquium

Kolonie *f* colony

kolonisieren *vt* ▷*Gegend* settle, colonize

Kolonne *f* <-, -n> ① (*Personen-*) crew, gnag; (*Auto-*) convoy; ◇ **in -[n] fahren** to drive in convoy ② PRINT ↑ *Kolumne* column

Koloß *m* <-sses, -sse> colossus, giant

kolossal *adj* ① ↑ *beeindruckend* terrific, tremendous ② ↑ *sehr groß, viel* gigantic, enormous, colossal; ◇ **sich - amüsieren** to have a great time, to really enjoy o.s.

Kolumne *f* <-, -n> ① PRINT column ② (*Zeitungsartikel*) column

Koma *s* <-s, -s> MED coma

Kombination *f* ① ↑ *Verknüpfung, Verbindung* combination; (*Farb-, Zahlen-*) combination ② ↑ *Set* set, combination ③ (*FIG Folgerung*) deduction, speculation ④ SPORT combined event

kombinieren I. *vt* combine; → *Kleider* put/fit together; → *Möbel* put/fit together **II.** *vi* ↑ *folgern* deduce, conclude

Kombiwagen *m* estate car, station wagon *AM*

Kombüse *f* <-, -n> caboose

Komet *m* <-en, -en> comet

Komfort *m* <-s> ① (*Bequemlichkeit*) comfort ② (*von Hotel*) luxury; ◇ **mit allem** - with all the conveniences; **komfortabel** *adj* comfortable

Komik *f* humour, comedy; **Komiker(in** *f*) *m* <-s, -> comedian; **komisch** *adj* ① ↑ *lustig* comic, funny ② ↑ *merkwürdig, sonderbar* odd, queer, strange ③ funny, wierd, strange; ◇ **er ist ein -er Kauz** he's rather strange, he's a weirdo

Komitee *s* <-s, -s> committee

Komma *s* <-s, -s *o.* -ta> ① (*Interpunktion*) comma ② MATH decimal point; ◇ **zwei - fünf, 2,5** two point five, 2.5

Kommandant(in *f*) *m* (*Stadt-*) commandant; (*Schiffs-*) captain; MIL commander, commanding officer

Kommandeur(in *f*) *m* (*Truppen-*) commander

kommandieren I. *vt* ① MIL → *Heer, Truppen* command ② MIL ↑ *abordnen, schicken* order, command; ◇ **jd-n an die Front** - to order s.o. to the front ③ *FAM* ↑ *schikanieren* order/boss around **II.** *vi a.* MIL ↑ *befehlen, anordnen* be in command

Kommanditgesellschaft *f* COMM limited partnership

Kommando *s* <-s, -s> ① ↑ *Befehlsgewalt* command; ◇ **Herman hat das** - Herman is in command ② (*Befehlswort*) command, order; ◇ **auf** - upon command ③ (*Wach-, Sonder-*) command, duty; **Kommandobrücke** *f* bridge

kommen <kam, gekommen> *vi* ① come; ← *Baby*

come, arrive; ↑ *eintreffen, an~* arrive, come; ← *Zug, Flugzeug* arrive; ◇ **nach Hause** ~ to come home [2] ↑ *sich nähern* approach [3] ↑ *gelangen* get; ◇ **Wie komme ich zum Bahnhof?** How do I get to the train station? [4] ↑ *aufsuchen, besuchen* come, visit; ◇ **sie kommt morgen zu uns** she is coming over tommorow; → *Arzt* ◇ **jd-n ~ lassen** to let/have s.o. come over [5] ↑ *mitgehen* come; ◇ **Komm jetzt!** Let's go!, Come on! [6] ↑ *stammen, her~* come, originate (*aus* from); ◇ **ich komme aus Belgien** I'm from Belgium [7] (*Ursache haben*) come (*von* from); ◇ **Das kommt davon!** That's what you get!; ◇ **das kommt nur daher, daß du nicht aufgepaßt hast** that's entirely due to the fact that you were not careful; ◇ **Woher kommt das?** What causes that? [8] ↑ *geraten* get; ◇ **in Schwierigkeiten** ~ to get into trouble; ◇ **unters Auto** ~ to get run over [9] ↑ *folgen, dransein* come; ◇ **ich komme an die Reihe** it's my turn; ◇ **der Film kommt heute abend** the film is coming tonight [10] ↑ *geschickt werden* go; ◇ **in die Schule** ~ to go to school; ◇ **ins Gefängnis** ~ to go to jail [11] (*erscheinen, sich zeigen*) appear, show; ← *Zähne, Blätter, Sonne* show; ◇ **mir ~ die Tränen** I'm starting to cry; ◇ **da kommt mir eine Idee** it just occured to me [12] ↑ *geschehen* happen, come; ◇ **Komme was wolle ...** Come what may ... [13] ↑ *kosten* come, make; ◇ **der Urlaub kommt auf 355 Mark** the vacation/holiday comes to 355 marks [14] (*an bestimmte Stelle gehören*) go; ◇ **die Kleider ~ in den Schrank** the clothes go in the wardrobe [15] (*etw zu fassen kriegen*) ◇ **an etw** *akk* ~ to get hold of s.th.; ↑ *entdecken* ◇ **hinter etw** ~ *akk* to find s.th. out; ◇ **etw ~ lassen** to have s.th. sent; ◇ **auf sie lasse ich nichts** ~ I refuse to hear one word against her; ↑ *Bewußtsein wiedererlangen* ◇ **zu sich** ~ to come round, to regain consciousness [*o.* to come to o.'s senses]; **Kommen** *s* <-s> [1] ↑ *Ankommen* arrival, coming; ◇ **ein einziges ~ und Gehen** a constant coming and going [2] ↑ *Entstehen, Entwicklung* coming, future; ◇ **Miniröcke sind im ~** mini skirts are coming back into fashion; **kommend** *adj* ▷*Monat, Jahr, Dienstag* coming; ▷*Ereignisse* future

Kommentar *m* [1] ↑ *Meinung* commentary, comment (*zu* on, about) [2] (*wissenschaftlich*) comment; (*Fernseh~, Radio~*) commentary [3] *FAM* ↑ *Bemerkung* comment; **Kommentator(in** *f*) *m* MEDIA commentator; **kommentieren** *vt* [1] → *Text* write a commentary on [2] ↑ *Stellung nehmen* comment upon

Kommerz *m* <-es> commerce; **kommerziell** *adj* commercial

Kommissar(in *f*) *m* [1] (*Kriminal~*) commissioner, detective [2] (*Staats~*) commissioner

Kommission *f* [1] (*Sonder~, Ärzte~*) committee [2] COMM commission; ◇ **in ~ verkaufen** to sell on commission

Kommode *f* <-, -n> (*Wäsche~, Wickel~ etc.*) chest of drawers, dresser drawers *AM*

Kommune *f* <-, -n> [1] POL ↑ *Gemeinde* community, municipality [2] ↑ *Wohngemeinschaft* commune

Kommunikation *f* ↑ *Verständigung* communication; **Kommunikationsmittel** *pl* means *pl* of communication

Kommunion *f* REL communion

Kommuniqué *s* <-s, -s> communiqué

Kommunismus *m* communism; **Kommunist(in** *f*) *m* Communist; **kommunistisch** *adj* communist

kommunizieren *vi* [1] ↑ *sich verständigen, miteinander reden* communicate [2] REL receive the Holy Communion

Komödiant(in *f*) *m* <-en, -en> [1] (*Schauspieler, männlich*) actor, comedian; (*weiblich*) actress [2] *FAM* ↑ *Heuchler* hypocrite

Komödie *f* comedy

Kompagnon *m* <-s, -s> COMM partner, associate

kompakt *adj* [1] ▷*Material* compact, solid [2] *FAM* ▷*Buch* compact

Kompanie *f* [1] COMM company [2] MIL company

Komparation *f* GRAM comparison

Kompaß *m* <-sses, -sse> compass

kompatibel *adj* PC compatible

kompetent *adj* [1] ↑ *sachverständig* competent, qualified [2] ↑ *befugt, bevollmächtigt* authoritative [3] ↑ *zuständig* responsible; ◇ **sich ~ fühlen** to feel responsible for; **Kompetenz** *f* [1] ↑ *Sachverstand* competence [2] ↑ *Befugnis* authority [3] ↑ *Zuständigkeit* responsibility

komplett *adj* ↑ *vollständig* complete; *FAM* ↑ *völlig* utter, complete; ◇ **~ verrückt** totally mad

komplex *adj* ▷*Thema* complex

Komplex *m* <-es, -e> [1] (*Themen~, Fragen~*) complex, group [2] ↑ *Einheit* (*Gebäude~*) complex, group [3] PSYCH (*Minderwertigkeits~*) complex

Komplikation *f* complication

Kompliment *s* compliment; ◇ **jd-m ein ~ machen** to pay s.o. a compliment

Komplize *m* <-n, -n> accomplice

komplizieren *vt* complicate; **kompliziert** *adj* [1] ▷*Rechenaufgabe etc.* complicated; MED ▷*Operation, Bruch* complicated, compound [2] ↑ *schwierig* ▷*Person* complicated, difficult

K

Komplizin *f* (*bei Straftat*) accomplice

Komplott *s* <-[e]s, -e> plot, conspiracy

Komponente *f* <-, -n> component

komponieren *vt* [1] ↑ *zusammenstellen* → *Kleidungsstücke, Farben* compose [2] MUS → *Musikstück* compose; **Komponist(in** *f*) *m* MUS composer

Komposition *f* [1] ↑ *Anordnung* composition, construction [2] (MUS *von Musikwerk*) composition

Kompost *m* <-[e]s, -e> compost

Kompott *s* <-[e]s, -e> (*Pflaumen~*) stewed fruit; ◇ Apfel~ applesauce

Kompresse *f* compress

Kompressor *m* compressor

Kompromiß *m* <-sses, -sse> compromise; ◇ **einen ~ schließen** to make a compromise; **kompromißlos** *adj* uncompromising

Kondensation *f* PHYS condensation

Kondensator *m* condenser

kondensieren *vt* condense

Kondensmilch *f* condensed milk; **Kondensstreifen** *m* AERO vapour/condensation trail

Kondition *f* [1] ↑ *Bedingung, Voraussetzung* condition [2] ↑ *Zustand* ▷*körperlich* condition, shape; ◇ **in guter ~ sein** to be in good shape

Konditionalsatz *m* GRAM conditional clause

Konditor(in *f*) *m* pastry-cook, confectioner; **Konditorei** *f* confectionery

Kondom *s* <-s, -e> condom; *FAM* rubber

Kondukteur(in *f*) *m* (*CH*) conductor

Konfekt *s* <-[e]s, -e> confectionery

Konfektion *f* manufactured clothing

Konferenz *f* (*Lehrer~, Abrüstungs~,*) conference; ◇ **eine ~ abhalten** to hold a conference; **Konferenzzimmer** *s* conference room

Konfession *f* confession; **konfessionslos** *adj* non-denominational

Konfetti *s* <-[s]> confetti *sg*

Konfirmand(in *f*) *m* <-en, -en> REL candidate for confirmation

Konfirmation *f* confirmation

konfirmieren *vt* REL confirm

konfiszieren *vt* confiscate, seize

Konfitüre *f* <-, -n> (*Erdbeer~*) jam

Konflikt *m* <-[e]s, -e> [1] (*Rassen~, Ehe~*) conflict [2] (*Gewissens~, Interessen~*) clash, conflict; ◇ **mit jd-m/etw in ~ geraten** to come into conflict with s.o./s.th.

Konföderation *f* (*von Staaten*) confederacy

Konfrontation *f* confrontation (*mit* with); **konfrontieren** *vt* confront (*mit* with)

konfus *adj* [1] ↑ *verwirrt, durcheinander* ▷*Person* confused [2] ↑ *verworren* ▷*Bericht* muddled, confusing

Kongreß *m* <-sses, -sse> [1] ↑ *Tagung* convention [2] POL congress

kongruent *adj* congruent; **Kongruenz** *f* agreement, congruence

König *m* <-[e]s, -e> [1] (*Regent, Spielkarte, Schach*) king [2] *FAM* ↑ *Oberster, Bester* king; **Königin** *f* (*Regentin*) queen; (*Bienen~*) queen bee; **königlich** *adj* [1] (*König betreffend*) royal [2] ↑ *großartig* ▷*Geschenk* handsome; **Königreich** *s* kingdom, realm

Konjugation *f* SPRACHW conjunction; **konjugieren** *vt* → *Verb* conjugate

Konjunktion *f* conjunction

Konjunktiv *m* subjunctive

Konjunktur *f* COMM economic situation; **Konjunkturflaute** *f* COMM stagnating economy

konkav *adj* concave

konkret *adj* [1] ↑ *wirklich* tangible, actual, real [2] ↑ *genau* ▷*Vorstellung, Absicht* concrete, definite

Konkurrent(in *f*) *m* ↑ *Mitbewerber* competition; SPORT competition, rival

Konkurrenz *f* [1] COMM competition; ◇ **sich** *dat* **~ machen** to compete with s.o. [2] SPORT ↑ *Wettkampf* competition; **konkurrenzfähig** *adj* competitive

konkurrieren *vi* compete (*mit* with), be in competition with

Konkurs *m* <-es, -e> COMM bankruptcy; ◇ **~ anmelden** to declare bankruptcy; **Konkursmasse** *f* bankrupt's estate

können <konnte, gekonnt> *vti* [1] ↑ *imstande sein, vermögen* (*mit Infinitiv*) be able to; ◇ **sie kann das nicht lesen** she can't read it; ◇ **ich kann nichts mehr essen** I can't eat anything else [2] (*gelernt haben, beherrschen*) → *Sprache, Autofahren* be able, know; ◇ **Können Sie Russisch?** Do you speak Russian?; ◇ **sie kann ihre Rolle nicht** she doesn't know her part [3] (*möglich sein*) ◇ **das kann [möglich] sein** that may/could be [so]; ◇ **es kann sein, daß Sie Recht haben** you could be right [4] ↑ *dürfen* be allowed; ◇ **Kann ich mal telefonieren?** May I use the telephone? [5] ◇ **sie konnte nichts dafür** she couldn't help it; **Können** *s* <-s> [1] ↑ *Fähigkeit* ability [2] ↑ *Geschicklichkeit* skill

konsekutiv *adj* consecutive

konsequent *adj* [1] ▷*Entscheidung* consistent [2] ↑ *beharrlich, unbeirrt* presistent, firm; ◇ **~ ein Ziel verfolgen** to pursue a goal with persistence; **Konsequenz** *f* [1] ↑ *Folge* consequence; ◇ **die ~en tragen** to take the consequences [2] ↑ *Schlußfolgerung* conclusion; ◇ **seine ~en ziehen** to draw o.'s conclusion [3] ↑ *Unbeirrbarkeit, Beharrlichkeit* consistency, persistence

konservativ *adj* conservative; POL ▷*Partei, Gesinnung* Conservative, Tory *BRIT*

Konserve *f* <-, -n> ① (*Nahrungsmittel*) preserved foods, canned goods *AM* ② (*Blut-*) stored blood; **Konservendose** *f* tin, can *AM*

konservieren *vt* ① GASTRON → *Gemüse, Obst, Wurst etc.* preserve, can *AM* ② ↑ *erhalten* → *Denkmäler* preserve; **Konservierungsmittel** *s* preservative

Konsonant *m* consonant

konspirativ *adj* ▷*Gruppe* conspiratorial

konstant *adj* ① ↑ *gleichbleibend* ▷*Temperatur, Maß* constant ② ▷*Weigerung* persistent, stubborn

Konstellation *f* (*Macht-*) constellation

konstruieren *vt* ① ↑ *errichten* → *Maschine, Brücke* construct; MATH → *Dreieck* construct ② *FIG* ↑ *ausdenken* → *Fall* construct

Konstruktion *f* ① ↑ *Aufbau* construction ② *FIG* ▷*gedanklich* design, construct

konstruktiv *adj* ↑ *nützlich* ▷*Kritik* constructive

Konsul(in *f*) *m* <-s, -n> consul; **Konsulat** *s* consulate

konsultieren *vt* consult; → *Arzt, Rechtsanwalt* consult

Konsum *m* <-s> (*Fleisch-, Bier-*) consumption; **Konsumartikel** *m* consumer item, consumer goods *pl*; **Konsument(in** *f*) *m* consumer; **Konsumgesellschaft** *f* consumer society; **konsumieren** *vt* consume

Kontakt *m* <-[e]s, -e> ① (*Haut-*) contact ② ↑ *Beziehung, Kommunikation* contact; ◇ **sozialer ~** social contact ③ ELECTR contact; **kontaktarm** *adj* unsociable; **kontaktfreudig** *adj* sociable, outgoing; **Kontaktlinsen** *pl* contact lenses *pl*

Kontext *m* ↑ *Zusammenhang* context

Kontinent *m* <-[e]s, -e> continent; **kontinental** *adj* ▷*Klima* continental

kontinuierlich *adj* continuous

Konto *s* <-s, Konten> ① FIN (*Spar-, laufendes ~*) account ② *FIG* ◇ **das geht auf ihr ~** she is to blame; **Kontoauszug** *m* bank statement; **Kontoinhaber(in** *f*) *m* account holder; **Kontonummer** *f* account number; **Kontostand** *m* balance; **Kontoüberziehung** *f* over-drawing of an account

Kontra *s* <-s, -s> ① ↑ *Wider* argument against s.th. ② *FIG* ↑ *Widerspruch* contradiction; ◇ **jd-m ~ geben** to contradict s.o.; (*Kartenspiel*) double

Kontrabaß *m* MUS double-bass

Kontrahent(in *f*) *m* ① ↑ *Gegner(in)* opponent, adversary ② COMM ↑ *Vertragspartner* contracting party

Kontrapunkt *m* MUS counterpoint

Kontrast *m* <-[e]s, -e> ① (*Farb-*) contrast ② FOTO contrast

Kontrolle *f* <-, -n> ① ↑ *Überprüfung* (*von Ausweis, Gepäck*) check, inspection ② ↑ *Überwachung* control ③ ↑ *Herrschaft, Beherrschen* control (*über akk* over); ◇ **die ~ verlieren** to lose control

Kontrolleur(in *f*) *m* (*Fahrkarten-, Waren-*) inspector; **kontrollieren** *vt* ① ↑ *überprüfen* check, inspect ② ↑ *überwachen* → *Arbeiter* supervise ③ ↑ *beherrschen* control; **Kontrollturm** *m* control tower

Kontroverse *f* <-, -n> controversy, dispute (*über akk* about)

Kontur *f* contour, outline

Konvent *m* <-[e]s, -e> convention, meeting

Konvention *f* ① ↑ *Übereinkunft* convention; ◇ **gesellschaftliche ~en** social conventions ② POL ↑ *Vertrag* agreement ③ ↑ *Tradition* convention; **konventionell** *adj* ↑ *herkömmlich* conventional

Konversation *f* conversation; **Konversationslexikon** *s* encyclopaedia

konvex *adj* convex

Konvoi *m* <-s, -s> convoy

Konzentration *f* ↑ *Sammlung, Aufmerksamkeit* concentration (*auf akk* on)

Konzentrationslager *s* concentration camp

konzentrieren **I.** *vt* ① (*zentralisieren*) focus ② ↑ *richten auf* → *Kräfte* concentrate (*auf akk* on) ③ CHEM ↑ *verdichten* concentrate **II.** *vr* ◇ **sich ~** concentrate (*auf akk* on)

Konzept *s* <-[e]s, -e> draft, idea; ◇ **aus dem ~ kommen** to lose the thread

Konzern *m* <-s, -e> (*Öl-, Presse-*) combine, group

Konzert *s* <-[e]s, -e> MUS ① (*Violin- etc.*) concert ② (*Aufführung*) performance

konzertiert *adj* POL ▷*Aktion* concerted

Konzession *f* ① (*für Geschäft, Restaurant etc.*) licence ② ↑ *Zugeständnis* concession; ◇ **-en machen** to make concessions; **konzessiv** *adj* concessive

Konzil *s* <-s, -e *o.* -ien> REL council; SCHULE council

Kooperation *f* cooperation; ◇ **in ~ mit** in cooperation with

koordinieren *vt* coordinate

Kopf *m* <-[e]s, Köpfe> ① (*von Mensch, Tier*) ▷*rund, groß, klein, kahl etc.* head; ◇ **von ~ bis Fuß** from head to foot; *FIG* ◇ **etw auf den ~ stellen** to turn s.th. upside down; (*FIG entmutigt sein*) ◇ **den ~ hängenlassen** to hang o.'s head ② (*von Nagel, Pfeife*) head, point; (*Salat~, Kohl~*) head ③ (*Brief~, Zeitungs~*) head[ing] ④ (*Person*) head; ◇ **ein kluger ~** genius; ◇ **pro ~** pro head ⑤ ↑ *Leiter, Anführer* head ⑥ *FIG* ↑ *Verstand* mind, head; ◇ **sich über jd-n/etw den ~ zerbrechen** to rattle o.'s brain over s.o./s.th.; ◇ **nicht ganz richtig im ~ sein** to be a little crazy ⑦ ↑ *Sinn* sense, understanding, head; ◇ **sich** *dat* **etw durch den ~ gehen lassen** to think about s.th.; ◇ **es geht mir nicht aus dem ~** I can't get it out of my mind/ head; ◇ **sich** *dat* **etw in den ~ setzen** to have o.'s mind set on s.th.; ◇ **aus dem ~** by heart; ◇ **jd-m den ~ verdrehen** to turn o.'s head; **Kopfbedekkung** *f* headgear, headprotection

köpfen *vt* behead, decapitate

Kopfhörer *m* earphone, headphone; **Kopfkissen** *s* pillow; **Kopfkissenbezug** *m* pillowcase; **kopflos** *adj FIG* mindless, panicky; **kopfrechnen** *vi* (*nur Infinitiv*) do mental arithmetic; **Kopfsalat** *m* lettuce; **Kopfschmerzen** *pl* headache; **Kopfsprung** *m* SPORT dive; **Kopfstand** *m* headstand; **kopfstehen** *unreg vi FIG* be confused; **Kopftuch** *s* headscarf; **Kopfzerbrechen** *s* <-s> *FIG* ① ↑ *Grübeln* puzzling, brain-racking ② ↑ *Sorgen* ◇ **jd-m ~ bereiten** to be a worry to s.o.

Kopie *f* ① ↑ *Abschrift* copy ② ↑ *Foto~* print, copy ③ ↑ *Nachbildung, Imitation* (*von Gemälde*) replica, copy; **kopieren** *vt* ① ↑ *abschreiben* copy ② *a.* PC ↑ *foto~* copy ③ ↑ *imitieren, nachahmen* → *jd-n* imitate ④ → *Kunstwerk* imitate, copy; **Kopierer** *m* <-s, ->, **Kopiergerät** *s* photocopying machine, photocopier; **Kopierschutz** *m* PC copyright

Kopilot *m* co-pilot

Koppel *f* <-, -n> (*Pferde~*) paddock; (*von Hund*) leash

koppeln *vt* ① ↑ *zusammenbinden* couple, join; → *Hunde, Pferde* leash, tie ② ↑ *verbinden* join, link; ELECTR couple; → *Raumschiffe, Fahrzeuge* link up; ◇ **etw an etw** *akk* **~** to tie s.th. to s.th.; **Koppelung** *f* ↑ *Verbindung* (*von Fahrzeugen*) link-up; ELECTR coupling

Koralle *f* <-, -n> ① ZOOL coral ② (*Schmuckmaterial*) coral

Koran *m* <-s> Koran

Korb *m* <-[e]s, Körbe> ① (*Einkaufs~, Brot~, Näh~*) basket; (*Bienen~*) hive; *FIG* ◇ **jd-m einen ~ geben** to turn s.o. down ② ↑ *~geflecht* wicker ③ SPORT basket

Kordel *f* <-, -n> cord

Korea *s* <-s> Korea

korinthisch *adj* Corinthian

Kork *m* <-[e]s, -e> ① BIO cork ② ↑ *Korken* cork;

Korken *m* <-s, -> (*Flaschen~, Sekt~*) cork; **Korkenzieher** *m* <-s, -> cork-screw; **Korkschwimmer** *m* bobber

Korn [1] *s* <-[e]s, Körner> ① (*Samen~*) seed, grain; (*Pfeffer~, Senf~*) corn; (*Salz~, Hagel~, Staub~*) grain ② ↑ *Getreide* grain, corn *pl*

Korn [2] *s* <-[e]s> (*von Gewehr*) front sight; *FIG* ◇ **jd-n aufs ~ nehmen** to keep close taps on s.o.

Korn [3] *m* <-[e]s, -> ↑ *Kornschnaps* corn schnapps

Kornblume *f* cornflower

Kornett *s* <-s, -e [-s]> MUS cornet

körnig *adj* grainy

Körper *m* <-s, -> ① ↑ *Leib* body ② (*Schiffs~, Heiz~*) hull ③ MATH ▷ *geometrisch* body; **Körperbau** *m* physique, build; **körperbehindert** *adj* physically handicapped; **Körpergröße** *f* height; **körperlich** *adj* physical; **Körperschaft** *f* corporation; (*gesetzgebende ~*) legislative body; **Körperschaftsteuer** *f* COMM corporation tax; **Körperteil** *m* body part

Korps *s* corps

korpulent *adj* ▷ *Person* corpulent, stout

korrekt *adj* ① ▷ *Aussprache, Antwort* correct, right, proper ② ▷ *Verhalten* correct; **Korrektheit** *f* correctness

Korrektor(in *f*) *m* (*im Verlag*) proof-reader; **Korrektur** *f* ① (*von Fehlern*) correction, proofreading ② PRINT (*Fahnen~*) proof; **Korrekturband** *s, pl* <-bänder> correction tape; **Korrekturbogen** *m* page-proof; **Korrekturtaste** *f* correction key

Korrespondent(in *f*) *m* (*Auslands~*) correspondent; **Korrespondenz** *f* correspondence; (*Geschäfts~*) business correspondence

Korridor *m* <-s, -e> ① ↑ *Flur* corridor, hall[way] *AM* ② GEO passageway

korrigieren *vt* ① → *Fehler* correct ② (*Drucktext*) check, correct ③ ↑ *verbessern* → *Meinung, Urteil* correct, adjust

Korrosion *f* corrosion

Korruption *f* ① ↑ *Bestechung* corruption ② ↑ *Bestechlichkeit* bribery, corruption

Kosename *m* pet name

Kosmetik *f* ① cosmetics *pl* ② (*chirurgische ~*) cosmetic surgery; **Kosmetiker(in** *f*) *m* <-s, -> beautician; **Kosmetiksalon** *m* beauty salon/ parlour; **kosmetisch** *adj* ① ▷ *Schönheitspflege* cosmetic ② ▷ *Chirurgie* cosmetic

kosmisch *adj* cosmic

Kosmonaut(in *f*) *m* <-en, -en> cosmonaut, astronaut

Kosmopolit(in *f*) *m* <-en, -en> cosmopolitan

Kosmos *m* <-> cosmos

Kost *f* <-> ① ↑ *Essen, Nahrung* food, diet; ◇ **leichte ~** light diet ② ↑ *Verpflegung* board; ◇ **~ und Logis** [free] board and lodging ③ *FIG* ◇ **leichte/schwere ~** easy/hard stuff

kostbar *adj* ▷*Schmuck, Teppich etc.* valuable, precious; (*prächtig*) splendid, luxurious; **Kostbarkeit** *f* ① (*hoher Wert*) value ② ↑ *Schatz* treasure, precious object

kosten [1] *vti* ① ↑ *Preis haben* cost; ◇ **das Buch kostet 15 Mark** the book costs 15 marks; ◇ **das hat ihn viel Geld gekostet** that cost him a lot of money ② ↑ *erfordern* require, take; ◇ **das kostet viel Zeit** it takes [up] a lot of time ③ ◇ **das kostet ihn seinen Job** that will cost him his job

kosten [2] *vti* → *Speise* try, taste (*von etw* s.th.)

Kosten *pl* ① ↑ *Ausgaben* costs, expenses *pl;* (JURA *Gerichts-*) court charges *pl* ② *FIG* ◇ **das geht auf ~ deiner Gesundheit** *gen* that's bad for you ③ (*etw voll auskosten*) ◇ **auf seine ~ kommen** to enjoy o.s. immensely; **kostenlos** *adj* free of charge; **Kostenvoranschlag** *m* COMM estimate

köstlich *adj* ① ↑ *ausgezeichnet* ▷*Essen, Wein* delicious, tasty ② *FAM* ↑ *lustig, erheiternd* cute, delightful, charming ③ ↑ *sehr* priceless, immensely; ◇ **sich ~ amüsieren** to have a great time

Kostprobe *f* (*von Können, Speise*) sample; **kostspielig** *adj* costly, expensive

Kostüm *s* <-s, -e> ① ↑ *Tracht* costume ② (*Damen-*) suit ③ (*Faschings-*) costume; (*von Schauspieler*) costume; **Kostümball** *m* costume ball

Kot *m* <-[e]s> excrement, faeces *pl*

Kotelett *s* <-[e]s, -e *o.* -s> (*Schweine-*) cutlet, chop

Koteletten *pl* sideburns *pl*

Köter *m* <-s, -> *PEJ* cur

Kotflügel *m* AUTO mudguard, fender *AM*

kotzen *vi FAM!* vomit, puke, throw up

Krabbe *f* <-, -n> crab

krabbeln I. *vi* ← *Kinder* crawl II. *vt* (*kitzeln*) tickle

Krach *m* <-[e]s, -s *o.* -e> ① ↑ *Lärm* crash, bang; ◇ **~ machen** to make noise ② *FAM* ↑ *Streit* quarrel ③ (*FIG Börsen-*) crash, collapse; **krachen** *vi* ① ← *Schuß* bang; ← *Donner* crash, roar ② *FAM* ↑ *durchbrechen* ← *Stuhl, Brett* crash ③ *FAM* ↑ *stoßen* ◇ **gegen etw ~** to crash against s.th.

krächzen *vi* ← *Rabe* croak; ← *Person* caw

Kraft *f* <-, Kräfte> ① ↑ *Stärke* strength, force; ◇ **Kräfte sammeln** to build up o.'s strength; ◇ **mit vereinten Kräften** with joined forces ② (▷*geistig, Willens-*) will-power ③ (*Arbeits-,*) worker, employee, personnel *sg* ④ ↑ *Wirkung* (*Heil-, Überzeugungs-*) power, effect ⑤ ↑ *Gültigkeit* (*von Beschluß, Gesetz etc.*) force; ◇ **in ~ treten** to come into effect; ← *Gesetz etc.* ◇ **in ~ setzen** to enact, put into force; ◇ **außer ~ setzen** to repeal, annul ⑥ PHYS force; **Kraftbrühe** *f* boullion

Kraftfahrer(in *f*) *m* lorry driver; **Kraftfahrzeug** *s* (*kurz: Kfz*) automobile, motor vehicle; **Kraftfahrzeugbrief** *m* vehicle registration papers *pl;* **Kraftfahrzeugmechaniker(in** *f*) *m* mechanic; **Kraftfahrzeugsteuer** *f* motor vehicle tax, road tax *BRIT*; **Kraftfahrzeugversicherung** *f* automobile insurance

kräftig I. *adj* ① ▷*Person, Wuchs* strong, robust ② ↑ *ausgeprägt* ▷*Stimme* powerful; ▷*Appetit* big, hearty ③ ↑ *reichhaltig* ▷*Mahlzeit* nourishing, substantial II. *adv* ↑ *sehr* strongly, heartily; ◇ **du mußt den Deckel ~ zudrücken** you have to firmly close the lid; **kraftlos** *adj* ↑ *schwach* feeble, weak; **Kraftprobe** *f* test of strength; **Kraftrad** *s* motorcycle, motorbike; **kraftvoll** *adj* powerful, vigorous; **Kraftwagen** *m* motor vehicle, automobile; **Kraftwerk** *s* (*Kohle-, Atom-*) power station/plant

Kragen *m* <-s, -> (*von Jacke, Hemd*) collar; **Kragenweite** *f* collar size

Krähe *f* <-, -n> crow

krähen *vi* ← *Hahn* crow

Kralle *f* <-, -n> ① (*Vogel-*) claw; (*Katzen-, Bären-*) claw ② *FAM* claw; ◇ **jd-m die ~n zeigen** to show o.'s claws ③ (*Park-*) clamps *pl*

Kram *m* <-[e]s> ① *PEJ* ↑ *Gerümpel, Zeug* junk *sg,* stuff *sg* ② *FAM* ↑ *Angelegenheit* business; ◇ **das paßt mir nicht in den ~** that doesn't fit at all into my plans; **kramen** *vi* ① ↑ *herumwühlen* rummage about (*nach* for) ② ↑ *herausholen* pick/fish s.th. out

Krampf *m* <-[e]s, Krämpfe> ① (*Muskel-*) cramp; (*Magen-*) cramp ② *FAM* ↑ *Quatsch, Unsinn* rubbish, stuff; ◇ **So ein ~!** What nonsense!; **Krampfader** *f* MED varicose vein; **krampfhaft** *adj* ① ▷*Zuckungen* convulsive ② *FIG* ↑ *verbissen* frantic, desperate; ◇ **~ an etw** *dat* **festhalten** to cling desperately to s.th.

Kran *m* <-[e]s, Kräne> ① (*Baumaschine*) crane ② *norddt* ↑ *Zapfhahn* tap, faucet *AM*; **Kranführer** *m* crane operator

Kranich *m* <-s, -e> crane

krank <kränker, am kränksten> ① (*Ggs. zu gesund*) sick, ill, not well; (*geistes-*) mentally ill; ◇ **sich ~ melden** to call in sick ② *FIG* ▷*Firma* ailing, suffering; **Kranke(r)** *fm* sick person, patient

kränkeln *vi* ① (*ein bißchen krank sein*) ailing, be sickly ② *FIG* ← *Firma* ailing

kränken *vt* → *jd-n* offend, hurt; ◇ **das kränkt mich** that annoys me

Krankengeld *s* sick-benefit; (*von Arbeitnehmer*) sickpay; **Krankengymnast(in** *f*) *m* physiotherapist; **Krankenhaus** *s* hospital; **Krankenkasse** *f* ▷*gesetzliche, private* medical/health insurance; **Krankenpfleger(in** *f*) *m* (*weiblich*) nurse; (*männlich*) male nurse; **Krankenschein** *m* medical insurance certificate; **Krankenschwester** *f* nurse; **Krankenversicherung** *f* ① (*Versicherung für Krankheitsfall*) medical/health insurance ② (*Unternehmen*) medical/health insurance company; **Krankenwagen** *m* ambulance; **Krankenzimmer** *s* sick-room, hospital room

krankfeiern *vi FAM* play sick; **krankhaft** *adj* ① (*durch Krankheit*) morbid, diseased ② ▷*Sucht, Trieb, Angst* pathological, chronic; **Krankheit** *f* illness, sickness; ◇ **an einer - leiden** to suffer from an illness; **Krankheitserreger** *m* pathogene; **Krankheitszeichen** *s* symptom

kränklich *adj* ↑ *kränkelnd* ▷*Zustand* sickly, ailing; ▷*Aussehen* sickly, poorly

Kränkung *f* insult

Kranz *m* <-es, Kränze> ① (*Blumen-, Lorbeer-*) wreath, garland ② ↑ *Ring* (*Strahlen-*) ring, circle

kraß *adj* ↑ *extrem* crass, blatant; ▷*Gegensatz* glaring

Krater *m* <-s, -> crater

kratzen I. *vt* ① ↑ *ritzen* scratch; ← *Katze* scratch ② (*gegen Jucken*) scratch; ◇ **sich** *akk* **am Kopf -** to scratch o.'s head ③ *FAM* ↑ *stören* bother; ◇ **das kratzt mich nicht** I couldn't care less **II.** *vi* ① ← *Katze* scratch ② ↑ *reizen* ← *Wolle etc.* scratch; (*im Hals*) scratch; **Kratzer** *m* <-s, -> ① ↑ *Kratzspur* (*auf Haut*) scratch; (*auf Lack etc.*) scratch ② (*Eis-*) scraper

kraulen I. *vi* ↑ *schwimmen* do the crawl[stroke] **II.** *vt* ↑ *streicheln* pat, rub

kraus *adj* ① ▷*Haar* frizzy ② ↑ *faltig* ▷*Stoff* gathered, puckered ③ *FIG* ↑ *wirr* tangled; **Krause** *f* <-, -n> ① ↑ *Locken* frizziness ② (*Hals-*) ruff

kräuseln I. *vt* → *Haare* curl, crimp **II.** *vr* ◇ **sich -** ① ← *Haare* frizz; ← *Rauch, Wasser* ripple ② ← *Stoff* wrinkle

Kraut *s* <-[e]s, Kräuter> ① (*Heil-*) herb ② ↑ *Kohl* (*Weiß-, Rot-*) cabbage; (*Sauer-*) sauerkraut ③ (*Kartoffel-*) plant; *FAM* ◇ **wie - und Rüben** in a jumble ④ *FAM* ↑ *Tabak* tobacco

Krawall *m* <-s, -e> ① ↑ *Aufruhr* riot, rumpus ② ↑ *Lärm* racket; ◇ **- machen** to make a racket

Krawatte *f* tie; **Krawattennadel** *f* tie-pin

kreativ *adj* creative; **Kreativität** *f* creativity

Kreatur *f* ① ↑ *Geschöpf* creature ② *PEJ* creature, animal

Krebs *m* <-es, -e> ① (ZOOL *Fluß-*) crayfish, crawfish *AM* ② (MED *Lungen-, Darm- etc.*) cancer ③ ASTROL Cancer; **krebserregend** *adj* cancer-causing

Kredit *m* <-[e]s, -e> credit; ◇ **einen - aufnehmen** to take out a loan; ◇ **auf -** on credit; **Kreditanstalt** *f* credit institute; **Kreditgeschäft** *s* credit business; **Kreditkarte** *f* credit card

Kreide *f* <-, -n> ① (*Tafel-*) ↑ *Kalkstein* chalk ② chalk ③ GEO ↑ *-zeit* the Cretaceous [period]; **kreidebleich** *adj* white as a sheet

Kreis *m* <-es, -e> ① (*Figur*) circle; ◇ **im - gehen** to go in a circle; *FIG* to move in circles ② (*Personen-, Freundes-*) circle, group ③ ↑ *Bezirk* (*district, Land-*) district; ◇ **- Frankfurt** Frankfurt district; **Kreisbahn** *f* orbit; **Kreisbewegung** *f* rotation, circular motion; **Kreisbogen** *m* arc

kreischen *vi* ↑ *laut schreien* ← *Vogel* squawk; ← *Mensch* screech, scream

Kreisel *m* <-s, -> (*Spielzeug*) spinning top

kreisen *vi* ① ← *Adler, Flugzeug* circle ② ← *Becher, Flasche* pass around ③ *FIG* ↑ *sich drehen um* ← *Gespräch, Gedanken* revolve (*um* around)

kreisförmig *adj* circular; **Kreislauf** *m* ① MED ↑ *Blut-* circulation ② *FIG* ↑ *Zyklus* (*des Lebens etc.*) cycle; **Kreisverkehr** *m* roundabout

Kreißsaal *m* labour room

Krematorium *s* crematorium, crematory *AM*

Kreml *m* <-s>: ◇ **der -** Kremlin

Krempe *f* <-, -n> border, edge

krepieren *vi* ① *FAM!* ↑ *sterben* kick the bucket ② ← *Granate* explode

Krepp *m* <-s, -e [-s]> (*Stoff*) crepe

Kresse *f* <-, -n> cress

Kreta *s* <-s> Crete

Kreuz *s* <-es, -e> ① (*Zeichen*) cross; (*Autobahn-*) intersection ② (REL *Symbol*) crucifix, cross; (*Grab-*) cross ③ MUS sharp ④ ANAT small of the back; *FAM* ◇ **jd-n aufs - legen** to con s.o. ⑤ *FIG* ↑ *Leid, Mühe* affliction; ◇ **es ist ein - mit ihm** he is only trouble ⑥ (*Spielkarten*) clubs *pl* ⑦ ASTRON ◇ **- des Südens** the Southern Cross;

kreuzen I. *vt* ① ↑ *übereinanderlegen* cross s.th.; → *Arme, Beine* cross ② → *Straße* cross ③ BIO ↑ *paaren* → *Tiere* cross[breed] **II.** *vi* NAUT cruise; ◇ **gegen den Wind -** to tack **III.** *vr* ◇ **sich -** ① ↑ *überschneiden* cross; ← *Linie, Straße* cross ② ↑ *einander begegnen* cross, meet; ← *Briefe* cross ③ ← *Ansichten, Pläne* clash, interfere, cross; **Kreuzer** *m* <-s, -> NAUT (*Mittelmeer-*) cruiser; **Kreuzfahrt** *f* cruise; **Kreuzgang** *m* cloister

Kreuzigung *f* REL crucifixion

Kreuzotter *f* adder

Kreuzung *f* ① (*Straßen-, Verkehrs-*) crossroads, intersection, junction ② BIO cross-breeding, hybridization ③ (BIO *von Lebewesen*) cross-breed, hybrid

Kreuzverhör *s* JURA cross-examination; **Kreuzworträtsel** *s* crossword [puzzle]; **Kreuzzug** *f* crusade

kriechen <kroch, gekrochen> *vi* ① ← *Schlange, Eidechse* creep, crawl ② *PEJ* ↑ *sich anbiedern* suck up, grovel

Kriecher(in *f*) *m* <-s, -> *PEJ* creep *BRIT*; **Kriechspur** *f* (*auf Autobahn*) slow lane; **Kriechtier** *s* reptile

Krieg *m* <-[e]s, -e> (*Welt-*) war; ◇ **jd-m den ~ erklären** to declare war on s.o.

kriegen *vt FAM* ① ↑ *bekommen* get ② ↑ *erwischen* catch; ◇ **jd-n zu fassen ~** to catch hold of s.o.

kriegerisch *adj* warlike, martial

Kriegsausbruch *m* outbreak of war; **Kriegsentschädigung** *f* war-disablement; **Kriegserklärung** *f* declaration of war; **Kriegsdienstverweigerer** *m* <-s, -> conscientious objector; **Kriegsfuß** *m*: ◇ **mit jd-m/etw auf ~ stehen** to be at loggerheads with s.o./s.th.; **Kriegsgefangene(r)** *fm* prisoner of war, P.O.W.; **Kriegsgefangenschaft** *f* captivity; **Kriegsgericht** *s* Court martial; **Kriegshafen** *m* naval port; **Kriegsschauplatz** *m* theatre of war; **Kriegsschiff** *s* battle ship, warship; **Kriegsschuld** *f* war guilt; **Kriegsverbrechen** *s* war crime; **Kriegsverbrecher(in** *f*) *m* war criminal; **Kriegsversehrte(r)** *fm* disabled soldier, veteran *AM*; **Kriegszustand** *m* state of war; ◇ **sich im ~ befinden** to be at war

Krimi *m* <-s, -s> *FAM* crime thriller

Kriminalbeamte(r) *m* **Kriminalbeamtin** *f* detective, C.I.D. officer *BRIT*

Kriminalität *f* criminality; (*Jugend-*) delinquency

Kriminalpolizei *f* criminal investigation department, C.I.D.; **Kriminalroman** *m* mystery/detective story

kriminell *adj* ① ▷*Tat, Person* criminal ② *FAM* ↑ *unverschämt* ◇ ~ **teuer** horrendously expensive; **Kriminelle(r)** *fm* criminal

Krimskrams *m* <-> *FAM* odds and ends *pl*

Kripo *f* <-> the cops, the C.I.D. *BRIT*

Krippe *f* <-, -n> ① ↑ *Futtertrog* trough ② (*Kinder-*) crib ③ (*Weihnachts-*) manger

Krise *f* <-, -n> ① (*Wirtschafts-*) crisis; ◇ **in einer ~ stecken** to be in a state of crisis ② ↑ *Höhepunkt, Wendepunkt* (*von Krankheit*) climax; **kriseln** *vi impers:* ◇ **es kriselt** symptoms of crisis are noticeable, trouble is brewing; **Krisenherd** *m* trouble spot

Kristall [1] *m* <-s, -e> (*Berg-, Salz-*) crystal; (*Eis-*) crystal

Kristall [2] *s* <-s> crystal

Kriterium *s* ① ▷*ausschlaggebend* criterion ② ↑ *Prüfstein* probe

Kritik *f* ① ↑ *Beanstandung* criticism; ◇ ~ **an jd-m/etw üben** to criticize s.o./s.th. ② ↑ *Beurteilung, Rezension* (*über Buch, Film*) critique; (*Musik-, Kunst- etc.*) critique, review; ◇ **unter aller ~** beneath contempt ③ (*Gesamtheit der Kritiker*) critics *pl;* **Kritiker(in** *f*) *m* <-s, -> critic; **kritiklos** *adj* uncritical; ◇ **etw ~ hinnehmen** to uncritically accept s.th.

kritisch *adj* ① critical; ◇ **jd-n/etw ~ betrachten** to consider s.o. critically ② ↑ *bedrohlich, gefährlich* ▷*Situation, Krankheit* critical ③ ↑ *entscheidend* ▷*Augenblick* critical

kritisieren *vti* criticize

Kroatien *s* <-s> Croatia

Krokodil *s* <-s, -e> crocodile

Krokus *m* <-, - *o.* -se> crocus

Krone *f* <-, -n> ① (*Königs-*) crown ② (*Baum-*) top, crown

krönen *vt* ① → *jd-n* crown; ◇ **zum Kaiser ~** to crown s.o. emperor ② ↑ *beenden* cap, top; ◇ **der ~de Abschluß** the culmination

Kronleuchter *m* chandelier; **Kronprinz** *m* crown prince; **Kronprinzessin** *f* crown princess

Krönung *f* ① (*von König, Kaiser*) coronation ② *FIG* ↑ *Höhepunkt* culmination, climax; *FAM* ◇ **das ist die ~!** That takes the cake!

Kropf *m* <-[e]s, Kröpfe> ① MED goitre ② (*bei Truthahn, Taube etc.*) crop

Kröte *f* <-, -n> ① ZOOL toad ② *FAM* ↑ *Geld* ◇ **~n** pennies, pl ③ *FAM* cheeky

Krücke *f* <-, -n> ① crutch; ◇ **an ~n gehen** to walk on crutches ② *FAM* ↑ *Versager* loser

Krug *m* <-[e]s, Krüge> (*Milch-*) jug, pitcher; (*Bier-, Maß-*) mug

Krume *f* <-, -n> crumb

Krümel *m* <-s, -> crumb

krumm *adj* ① ↑ *gebogen* ▷*Linie* crooked, bent; (*Beine*) crooked, bow ② (*FIG illegal*) crooked; ◇ **~e Geschäfte** shady business

krümmen *vr* ◇ **sich ~** bend, turn, writhe

krummlachen *vr* ◇ **sich ~** *FAM* double over with laughter; **krummnehmen** *unreg vt FAM*: ◇ **jd-m/etw ~** to take offence at s.o./s.th.

Krümmung *f* (*von Linie*) bend, curve; (*von Rükken*) curvature; (*von Straße*) curve
Kruppe *f* <-, -n> ZOOL crupper
Krüppel *m* <-s, -> ▷*körperlich, seelisch* cripple
Kruste *f* <-, -> (*Brot~*) crust; (*Erd~*) crust
Kruzifix *s* <-es, -e> crucifix
Krypta *f* <-> crypt
Kuba *s* <-s> Cuba
Kübel *m* <-s, -> pail, bucket
Kubikmeter *m* cubic metre, cubic meter *AM*
Kubus *m* <-> cube
Küche *f* <-, -n> ① kitchen ② ▷*französische ~* cuisine
Kuchen *m* <-s, -> cake; **Kuchenblech** *s* baking sheet; **Kuchenform** *f* cake tin *BRIT*
Küchengeräte *pl* kitchen/cooking utensils *pl;* **Küchenherd** *m* stove, cooker; **Küchenschrank** *m* kitchen cupboard
Kuckuck *m* <-s, -e> ① ZOOL cuckoo ② *FAM* bailiff's seal
Kufe *f* <-, -n> ① ↑ *Schiene* skid[mark] ② (*von Faß*) tub
Kugel *f* <-, -n> ① (*runder Körper, Glas~*) marble; (*Erd~*) globe, sphere; SPORT ball ② MIL (*Gewehr~, Kanonen~*) bullet, ball ③ *FAM* ◇ **eine ruhige ~ schieben** to lead an easy life; **kugelförmig** *adj* spherical; **Kugelgelenk** *s* TECHNOL, ANAT ball-and-socket joint; **Kugellager** *s* TECHNOL ball bearing; **kugelrund** *adj* ① (*Gegenstand*) as round as a ball ② *FAM* ↑ *dick* tubby, dumpy; **Kugelschreiber** *m* ballpoint [pen], biro; **kugelsicher** *adj* ▷*Glas, Weste* bullet proof; **Kugelstoßen** *s* <-s> SPORT shot-put[ting]
Kuh *f* <-, Kühe> ① (*Milch~*) cow ② *FAM* cow; ◇ **Dumme ~!** Silly cow!; **Kuhfladen** *m* cowpat
kühl *adj* ① ▷*Wetter, Wasser* chilly, cool ② *FIG* ↑ *unpersönlich* ▷*Atmosphäre* cold ③ ↑ *berechnend* ▷*Geschäftsmann* cool; *FIG* ◇ **einen ~en Kopf bewahren** to keep o.'s cool; **Kühlbox** *f* <-, -en> cooler, cool box; **Kühle** *f* <-> ① (*Temperatur*) coolness ② (*FIG Wesen*) coolness; **kühlen** *vt* cool, chill; **Kühler** *m* <-s, -> ① AUTO radiator ② (*Sekt~*) ice bucket; **Kühlerhaube** *f* AUTO hood *AM*, bonnet *BRIT*; **Kühlraum** *m* cold room; **Kühlschrank** *m* refrigerator; *FAM* fridge; **Kühltasche** *f* cooler; **Kühlung** *f* cooling; **Kühlwasser** *s* AUTO cooling water
Kuhstall *f* stall
Küken *s* <-s, -> ① ↑ *junger Vogel* chick ② (*FAM Mädchen*) chick
kulant *adj* obliging
Kuli *m* <-s, -s> ① ↑ *Gepäckwagen* trolley ② *FAM* ↑ *Kugelschreiber* biro
Kulisse *f* <-, -n> ① THEAT ↑ *Bühnenbild* scenery, props *pl* ② *FIG* ↑ *Hintergrund* background
kullern *vi* ← *Kugel, Tränen* roll
Kult *m* <-[e]s, -e> (*Star~*) cult, sect; **Kultfigur** *f* idol
kultivieren *vt* ① → *Land, Pflanzen* cultivate ② ↑ *verfeinern* → *Benehmen* refine, civilize; **kultiviert** *adj* ① ↑ *gepflegt* ▷*Benehmen* refined, cultured ② ↑ *gebildet* ▷*Person* refined, cultured
Kultur *f* ① (*Indianer~ etc.*) culture, civilization ② ↑ *Bildung* culture ③ (*Gemüse~*) plantation ④ (*Zucht, von Bakterien*) culture; (*von Pflanzen*) plantation; **kulturell** *adj* cultural; **Kulturpolitik** *f* cultural and educational policy
Kultusministerium *s* Ministry of Education and Cultural Affairs
Kümmel *m* <-s, -> ① GASTRON caraway seed ② (*Branntwein aus Kümmel*) kümmel
Kummer *m* <-s> ↑ *Leid* sorrow, grief, worry; ◇ **jd-m ~ machen** to cause s.o. distress, to worry s.o.
kümmerlich *adj* miserable, pitiful
kümmern I. *vt* worry; ◇ **Was kümmert's dich das?** What's it got to do with you?, What business is it of yours? **II.** *vr* ↑ *pflegen, versorgen*: ◇ **sich um jd-n/etw ~** to take care of s.o./s.th.
Kumpel *m* <-s, -> ① ↑ *Bergmann* miner ② *FAM* ↑ *Freund* buddy
Kumulus *m* <-> cumulus
kündbar *adj* terminable
Kunde *m* <-n, -n> customer; **Kundendienst** *m* customer service
kundgeben *unreg vt* make known, announce; **Kundgebung** *f* rally, demonstration
kündigen I. *vi* ① ↑ *Arbeitsverhältnis auflösen* ← *Arbeitnehmer* hand in o.'s notice; ◇ **er hat gekündigt** he has resigned/quit; ← *Arbeitgeber* fire, dismiss; ◇ **jd-m die Stelle ~** dismiss/fire s.o. ② ↑ *Mietverhältnis auflösen* ← *Vermieter* give s.o. notice to leave (*jd-m* s.o.); ← *Mieter* give in o.'s notice **II.** *vt* ① → *Arbeit* quit ② (*Wohnung*) leave, give up ③ → *Abonnement* cancel; → *Vertrag* terminate; → *Gelder* terminate ④ *FIG* → *Freundschaft* terminate, end; **Kündigung** *f* (*von Stelle*) notice; (*von Wohnung*) notice; (*von Mitgliedschaft*) notification; **Kündigungsfrist** *f* period of notice
Kundin *f* customer; **Kundschaft** *f* customers, clients *pl*
künftig I. *adj* future; ◇ **mein ~er Mann** my future husband **II.** *adv* as of now, henceforth
Kunst *f* <-, Künste> ① (*Bau~, Dicht~*) art ② ↑ *Geschick, Können* art, skill; ◇ **das ist doch keine ~** that's as easy as pie, it's a piece of cake; **Kunst-**

akademie *f* academy of arts; **Kunstausstellung** *f* art exhibition; **Kunstfaser** *f* artificial, synthetic; **Kunstfliegen** *s* aerobatics *sg;* **Kunstgeschichte** *f* art history; **Kunstgewerbe** *s* arts and crafts *pl;* **Kunstharz** *s* synthetic resin; **Kunstherz** *s* artificial heart; **Kunstlauf** *m* figure skating

Künstler(in *f*) *m* <-s, -> artist; **künstlerisch** *adj* artistic

künstlich *adj* ① ▷*See, Gebiß, Licht* artificial; PC ◇ **-e Intelligenz** artificial intelligence ② (*nicht wirklich*) forced, artificial; ▷*Befruchtung, Ernährung* artificial ③ *FIG* ↑ *unecht, unnatürlich* ▷*Lächeln* fake, false

Kunstliebhaber *m* art lover; **Kunstmaler** *m* painter, artist; **Kunstreiter** *m* trick rider; **Kunstsammler(in** *f*) *m* art collector; **Kunstseide** *f* rayon; **Kunststoff** *m* plastic, synthetic material; **Kunststück** *s* (*Zauber-, Zirkus-*) trick, stunt; ◇ **Das ist kein -!** Anyone can do that; **Kunstturnen** *s* SPORT gymnastics; **kunstvoll** *adj* artistic, ornate; **Kunstwerk** *s* work of art; **Kunstwolle** *f* artificial wool

kunterbunt *adj* ① ↑ *sehr bunt* motley, multicoloured ② *FIG* ↑ *durcheinander, chaotisch* jumble, mixture; ◇ **ein -es Durcheinander** a crazy jumble

Kupfer *s* <-s, -> copper; **Kupferstich** *m* ① (*Technik*) copperplate engraving ② (*Produkt*) copperplate print

Kuppe *f* <-, -n> ① (*Berg-*) peak ② (*Finger-*) tip

Kuppel *f* <-, -n> (*Kirchen-*) dome

kuppeln I. *vi* ① AUTO use the clutch ② ↑ *verkuppeln* match-make

Kupplung *f* AUTO clutch

Kur *f* <-, -en> (*Fasten- etc.*) cure, treatment

Kür *f* <-, -en> SPORT voluntary exercise

Kuranstalt *f* spa, health-resort

Kurbel *f* <-, -n> crank; **Kurbelwelle** *f* crankshaft

Kürbis *m* <-ses, -se> pumpkin

Kurgast *m* visitor [at a spa]; **Kurhaus** *s* health-resort, spa

Kurie *f* Curia, the papal Court

Kurier *m* <-s, -e> courier

kurieren *vt* ① ↑ *heilen* → *jd-n* cure; → *Krankheit* cure, heal; ◇ **jd-n von etw - to** cure s.o. of s.th. ② *FAM* ◇ **davon bin ich kuriert** I've gotten over that

kurios *adj* curious, strange; **Kuriosität** *f* ① (*Ding, Gegenstand*) curiosity ② (*Merkwürdigkeit*) oddness, queerness

Kurort *m* health-resort; **Kurpfuscher(in** *f*) *m* quack

Kurs *m* <-es, -e> ① ↑ *Richtung* course, track; ◇ **- nehmen auf etw** *akk* to head for s.th. ② (*Sprach-*) course ③ FIN exchange rate; **Kursbuch** *s* time-table

kursieren *vi* ← *Geld, Gerücht* circulate, go round

Kursivschrift *f* (*Handschrift*) cursive; PRINT italics *pl*

Kursrückgang *m* decline in prices; **Kurssturz** *m* fall in prices; **Kurssteigerung** *f* price increase; **Kurswagen** *m* BAHN through coach

Kurve *f* <-, -n> ① ▷*scharfe, leichte* curve ② MATH curve; **kurven** *vi* wind; **kurvenreich, kurvig** *adj* ▷*Straße* curvy, winding

kurz <kürzer, am kürzesten> ① (*räumlich*) short ② (*zeitlich*) short; ▷*Moment, Urlaub* short; ▷*Film, Blick* short, brief; ◇ **seit -em** recently ③ (*abweisend sein*) ◇ **- angebunden sein** to be short with s.o.; ◇ **- entschlossen** without a moment's hesitation; ◇ **zu - kommen** to get the worst end of the deal; *FAM* to lose out; **Kurzarbeit** *f* short time work; **kurzärm[e]lig** *adj* ▷*Hemd* short-sleeved

Kürze *f* <-, -n> ① (*von Strecke*) shortness ② (*zeitlich*) briefness, brevity ③ (*von Ausdruck, Antwort etc.*) briefness, brevity

kürzen *vt* ① → *Rock, Hose* shorten; → *Buch, Film* shorten ② ↑ *verringern* → *Gehalt* cut

kurzfristig *adj* short-term, at short notice; **kurzlebig** *adj* short-lived

kürzlich *adv* ↑ *vor kurzem* recently, lately

Kurzparkzone *f* short-term parking zone; **Kurzschluß** *m* ELECTR short-circuit; **Kurzschrift** *f* shorthand; **kurzsichtig** *adj* ① short-sighted ② *FIG* ↑ *nicht weitblickend* ▷*Planung* short-sighted; **Kurzsichtigkeit** *f* short-sightedness; **Kurzstreckenlauf** *m* short distance run; **Kurzwelle** *f* shortwave; **Kurzzeitspeicher** *m* PC register

kuscheln *vr* ◇ **sich -** cuddle up (*an akk* to)

Kusine *f* cousin

Kuß *m* <-sses, Küsse> kiss; **küssen** *vt* kiss

Küste *f* <-, -n> ① (*Meeresufer*) shore ② (*Landesteil am Meer*) coast; ◇ **an die - fahren** to drive to the coast; **Küsten-** *adj* coastal; **Küstenfischerei** *f* inshore fishing; **Küstenland** *s* coastal land; **Küstenstrich** *m* coastal stretch

Küster *m* <-s, -> sexton

Kutsche *f* <-, -n> ① (*Hochzeits-*) coach, carriage ② *PEJ* jalopy

Kutte *f* <-, -n> (*Mönchs-*) cape

Kutter *m* <-s, -> NAUT cutter

Kuvert *s* <-s, -s> (*Brief-*) envelope

KW *Abk v.* **kilowatt**

Kybernetik *f* cybernetics *sg*
KZ *s* <-s, -s> *Abk v.* **Konzentrationslager** concentration camp

L

L, l *s* L, l
Label *s* <-s, -> (*Warenzeichen*) trademark
labern *vi* (*FAM oberflächlich reden*) prattle
labil *adj* ① ↑ *beeinflußbar* ▷*Charakter* weak ② ▷*Gesundheit* poor, delicate
Labor *s* <-s, -e> (*Foto-, Versuchs-*) laboratory; *FAM* lab; **Laborant(in** *f*) *m* laboratory assistant
laborieren *vi* labour; ◇ **an einer Krankheit** ~ to suffer from an illness [*o.* to be plagued by an illness]
Labyrinth *s* <-(e)s, -e> labyrinth
Lache [1] *f* <-, -n> (*Pfütze, Wasser-*) puddle
Lache [2] *f* <-, -n> (*FAM Gelächter*) laugh
lächeln *vi* smile; **Lächeln** *s* <-s> smile
lachen *vi* laugh; ◇ **bei ihm hat man nichts zu** ~ he'll give you a hard time; (*Das ist doch kein Problem!*) ◇ **Das wäre ja gelacht!** No problem!
lächerlich *adj* ① (*sich blamieren*) ◇ **sich** ~ **machen** to make a fool of o.s. ② ↑ *dumm* ▷*Behauptung* ridiculous ③ ↑ *geringfügig, unbedeutend* ▷*Gehalt, Vorkommnis* petty, trivial
Lachgas *s* laughing gas; **lachhaft** *adj PEJ* ↑ *lächerlich* ludicrous, ridiculous
Lachs *m* <-es, -e> salmon
Lack *m* <-(e)s, -e> lacquer, varnish; (*von Auto*) spray; (*Möbel-*) varnish; (*Nagel-*) nail varnish; ◇ **farbloser** ~ varnish; **lackieren** *vt* → *Nägel* paint; → *Holz* varnish; → *Auto* spray; **Lackleder** *s* <-s> patent leather
laden <lud, geladen> *vt* ① → *Fracht, Gepäck* load ② → *Waffe* load ③ → *Batterie* charge ④ (PC *in Speicher*) load ⑤ JURA summon ⑥ (*FAM betrunken sein*) ◇ **schwer ge~ haben** to be drunk
Laden [1] *m* <-s, Läden> (*Geschäft, Metzger-*) shop, store
Laden [2] *m* <-s, Läden> (*Fenster-*) shutter
Ladenbesitzer(in *f*) *m* shop-keeper; **Ladendieb(in** *f*) *m* shoplifter; **Ladendiebstahl** *m* shoplifting; **Ladenhüter** *m* <-s, -> non-selling item; **Ladenpreis** *m* COMM retail price; **Ladenschluß** *m* closing time; **Ladentisch** *m* counter
Laderampe *f* (*Ladebühne*) loading ramp; **Laderaum** *m* NAUT load room, hold
lädieren *vt* (*beschädigen*) damage; **Lädierung** *f* damage
Ladung [1] *f* ① (*Frachtgut, Holz-*) cargo, load, loading ② (*elektrische* ~) charge
Ladung [2] *f* JURA ↑ *Vorladung* summons
lag *impf v.* **liegen**
Lage *f* ① (*räuml. Verhältnisse*) location, situation; (*Art des Liegens*) position; ◇ **Haus in schöner/sonniger** ~ a house in a pretty/sunny spot ② (*von Patient*) situation ③ ↑ *Situation, Zustand* situation; ◇ **Not~** emergency ④ ◇ **in der ~ sein** ↑ *fähig sein, können* to be able to; (*FAM im Lokal eine Runde ausgeben*) ◇ **eine ~ spendieren** to buy a round; **Lagebericht** *m* report
lagenweise *adv* in layers
Lager *s* <-s, -> ① (*Flüchtlings-*) camp ② (*Schlaf-*) bed ③ (*Vorratsraum*) stock room ④ (TECHNOL *Kugel-*) bearing; **Lagerbestand** *m* stocks *pl;* **Lagerfeuer** *s* campfire; **Lagerhaus** *s* warehouse; **lagern I.** *vt* ① → *Ware* store ② → *Menschen* camp ③ MED ◇ **einen Verletzten seitlich** ~ to lay an injured person down in a lateral position **II.** *vi* ① (*sich befinden*) be stored; ◇ **das Möbel lagert in einer Scheune** the furniture is being stored in a barn; **Lagerplatz** *m* storage place; **Lagerstätte** *f* resting place; **Lagerung** *f* storage
Lagune *f* <-, -n> lagoon
lahm *adj* lame ① ↑ *gehbehindert* lame, disabled ② (*FAM langweilig, nicht überzeugend*) ◇ **eine ~e Diskussion** a lame discussion; **lahmen** *vi* be lame
lähmen *vt* paralyse; (*FIG verhindern*) ◇ **der Geldmangel lähmte unsere Aktivitäten** lack of money brought our activities to a standstill
lahmlegen *vt FIG* ↑ *zum Stillstand bringen* paralyse, bring to a standstill
Lähmung *f* paralysis; (MED *Kinder-, halbseitige* -) paralysis
Laib *m* <-s, -e> (*Brot-, Käse-*) loaf
Laich *m* <-[e]s, -e> spawn; **laichen** *vi* spawn
Laie *m* <-n, -n> layman; **laienhaft** *adj* amateurish
Lakai *m* <-en, -en> lackey
Laken *s* <-s, -> sheet
Lakritze *f* <-> liquorice
lallen *vti* slur; ← *Baby* babble
Lama [1] *s* <-s, -s> ZOOL llama
Lama [2] *m* <-s, -s> REL lama
Lamelle *f* ① BIO lamella ② ELECTR commutator bar
lamentieren *vi* (*wehklagen*) moan (*über akk* about)
Lametta *s* <-s> tinsel; (*FIG Orden*) decorations *pl*

Lamm *s* <-(e)s, Lämmer> lamb; ◇ **unschuldig wie ein ~** as innocent as a lamb; **Lammfell** *s* lambskin; **lammfromm** *adj* ↑ *gehorsam, geduldig* as meek as a lamb

Lampe [1] *f* <-, -n> lamp

Lampe [2] *m* <-,> (*Hase in Fabel*): ◇ **Meister ~** *name given to hares in German fables*

Lampenfieber *s* ↑ *Nervosität, Prüfungsangst* stage fright; **Lampenschirm** *m* lamp shade

Lampion *m* <-s, -s> Chinese lantern

lancieren *vt* [1] → *Information* put out [2] *FIG* → *Personen* get s.o. into s.th.

Land *s* <-[e]s, Länder> [1] (*Nation*) country; (*Bundes-*) state [2] (*bestimmtes Gebiet*) land; ◇ **auf dem ~** in the country [3] (*FIG naiv*) bumpkin; ◇ **ein Mädchen vom ~** a country girl; **Landarbeiter(in** *f*) *m* farm worker; **Landbesitz** *m* landowning; **Landbesitzer(in** *f*) *m* landowner

Landebahn *f* AERO runway

landeinwärts *adv* inland

landen *vi, vt* [1] ↑ *mit Flugzeug ankommen* land [2] (*FIG im Straßengraben*) land, end up

Ländereien *pl* estates *pl*

Landesfarben *pl* national colours *pl;* **Landesinnere(s)** *s* interior (of the country); **Landesregierung** *f* government of the country/state; **Landessprache** *f* national language; **Landestracht** *f* national costume; **landesüblich** *adj* customary; **Landesverrat** *m* high treason; **Landeswährung** *f* national currency

Landgut *s* estate; **Landhaus** *s* country estate; **Landkarte** *f* map; **Landkreis** *m* district; **landläufig** *adj* customary

ländlich *adj* rural, country

Landplage *f* pest; **Landregen** *m* (*langanhaltender Regen*) steady rain; **Landschaft** *f* <-, -en> landscape; **landschaftlich** *adj* [1] (*von Landschaft*) regional [2] (*schöne Aussicht*) scenic; **Landsmann** *m* fellow country-man, compatriot; **Landsmännin** *f* fellow country-woman, compatriot; **Landstraße** *f* country road; **Landstreicher(in** *f*) *m* <-s, -> ↑ *Vagabund* tramp; **Landstrich** *m* area; **Landtag** *m* POL regional parliament

Landung *f* (*von Flugzeug*) landing; (*Not-*) landing; (*von Schiff*) docking; **Landungsboot** *s* landing craft; **Landungsbrücke** *f* ↑ *Schiffsanlegeplatz* jetty, landing stage

Landvermessung *f* land surveying; **Landwirt(in** *f*) *m* farmer; **Landwirtschaft** *f* agriculture; **Landzunge** *f* spit

lang *adj* long [1] (*räumlich, Personen*) tall; *FAM* ↑ *hochgewachsen* ◇ **~er Lulatsch** beanpole; (*FIG stehlen*) ◇ **~e Finger machen** to have long fingers; (*FIG enttäuscht sein*) ◇ **ein ~es Gesicht machen** to have a long face [2] (*zeitlich*) ▷*Reise* long; **langatmig** *adj* ▷*Geschichte, Rede* long-winded, in great length; **lange** *adv* [1] ▷*dauern, brauchen* a long time [2] (*FAM sofort handeln*) ◇ **nicht ~ fragen** to not bother asking for permission [3] *FAM* ◇ **noch ~ nicht fertig** far from being finished; **Länge** *f* <-, -n> [1] (*Abmessung*) length [2] (*Dauer*) length [of time]; ◇ **etw** *akk* **in die ~ ziehen** to drag s.th. out [3] (*-ngrad*) longitude [4] (*von Rock*) length

langen *vi* [1] ← *Geld, Geduld* be enough, suffice; (*auch PEJ*) ◇ **jetzt langt es mir** I've had enough now, that's it [2] *norddt* ↑ *fassen* reach (*nach* for) [3] ↑ *geben, zureichen* pass (*zu, rüber* s.th.) [4] (*FAM ohrfeigen*) ◇ **jd-m eine ~** to give s.o. a smack

Längengrad *m* longitude; **Längenmaß** *s* linear measure

Langeweile *f* boredom

Langfinger *m FAM* ↑ *Taschendieb* pick-pocket; **langfristig** *adj* ▷*Verträge, Darlehen* long-term; **langjährig** *adj* ▷*Kunde* long-standing; ▷*Erfahrungen* of many years; **Langlauf** *m* SPORT cross-country skiing; **Langläufer(in** *f*) *m* SPORT cross-country skier; **Langlaufski** *m* SPORT cross-country ski; **langlebig** *adj* long-lasting, durable; **langlegen** *vi* ◇ **sich ~** *FAM* to have a lie-down [*o.* to fall flat on o.'s face]

länglich *adj* long, elongated

Langmut *f* <-s> ↑ *Geduld* patience; **langmütig** *adj* patient

längs I. *präp gen* along **II.** *adv* (*~ gestreifter Stoff*) lengthways, lengthwise

langsam I. *adj* slow **II.** *adv* slowly; ↑ *allmählich* gradually; *FAM* ◇ **etw ~ satt haben** to just about have had enough, to be fed up; **Langsamkeit** *f* slowness

Langschläfer(in *f*) *m* late riser; **Langspielplatte** *f* long-playing record, LP

längst *adv* ↑ *seit langer Zeit* a long time ago; ◇ **ich weiß es schon ~** I've known about it for a while now

langstielig *adj* ▷*Rosen* long-stemmed; **Langstreckenrakete** *f* MIL long-range missile

Languste *f* <-, -n> crayfish

langweilen *vt* ◇ **sich ~** be bored; **langweilig** *adj* boring

Langwelle *f* MEDIA long wave; **langwierig** *adj* ▷*Arbeit* lengthy; ▷*Krankheit* prolonged

Lanze *f* <-, -n> lance

lapidar *adj* concise

Lapislazuli *m* <-, -> MIN lapis lupuli

Lappalie *f* ↑ *Belanglosigkeit* trifle

Lappen *m* <-s, -> cloth, rag

L

lappig <limp> (*PEJ schlaff*) limp

läppisch *adj:* ◇ **das hat mich ~e 5 Mark gekostet** I paid a lousy 5 marks for this

Lapsus *m* <-, -> slip-up, mistake

Lärche *f* <-, -n> BIO larch

Largo *s* <-s, -ghi *o.* -gi> MUS largo

Lärm *m* <-[e]s> noise, racket; **lärmen** *vi* make a noise; **Lärmschutz** *m* noise prevention; **Lärmschutzwand** *f* soundproof barrier

Larve *f* <-, -n> ① mask ② BIO larva

las *impf v.* **lesen**

lasch *adj FAM* ① limp, feeble ② ▷*Geschmack* tasteless ③ ↑ *träge, energielos* feeble, weak

Lasche *f* <-, -n> ① (*Schuh-*) tongue ② BAHN fishplate

Laser *m* <-s, -> laser; **Laserdrucker** *m* PC laser printer

lassen <ließ, gelassen> **I.** *vt* ① ↑ *zulassen* allow ② ↑ *unter-, bleiben* ~ stop, quit ③ ↑ *veranlassen* make; ◇ **etw machen** ~ to have s.th. made/done ④ (*ausführbar sein*) ◇ **das läßt sich machen** that's possible ⑤ (*weggehen*) ◇ **das Leben** ~ to lose o.'s life **II.** *vi:* ◇ **von etw/jd-m nicht ~ können** to not be able to give s.o./s.th. up

lässig *adj* casual; **Lässigkeit** *f* casualness, carelessness

läßlich *adj* pardonable; (*~e Sünde*) pardonable

Lasso *s* <-s, -s> lasso

Last *f* <-, -en> burden, load ① ↑ *Fracht,* AERO cargo; NAUT cargo; ↑ *Gewicht* weight; (*Kosten*) ◇ **zu Ihren ~en** at your expense ② *FIG* ↑ *Aufgabe, Arbeit* burden; ◇ **jd-m zur ~ fallen** to be a burden to s.o.; **lasten** *vi* be a burden, weigh heavily (*auf dat* on)

Laster [1] *s* <-s, -> vice

Laster [2] *m* <-s, -> ↑ *Lastwagen* lorry, truck

lasterhaft *adj* immoral

lästerlich *adj* blasphemous, malicious; **Lästermaul** *s FAM* evil gossip; **lästern** *vti* ① → *Gott* blaspheme ② ↑ *Nachteiliges äußern* mock, gossip; ◇ **über jd-n** [*o.* **etw**] **lästern** to gossip about s.o. [*o.* to talk about s.o.]; **Lästerung** *f* (*Gottes-*) blasphemy

lästig *adj* ↑ *störend, unangenehm* tiresome, annoying

Lastkahn *m* barge; **Lastkraftwagen** *m* lorry, truck; **Lastschrift** *f* debit; **Lasttier** *s* beast of burden; **Lastwagen** *m* lorry, truck

Lasur *f* (*farbloser Lack*) varnish

lasziv *adj* ▷*Benehmen* lascivious

Latein, latein *s* <-s> Latin ① (*FIG Angler-, Jäger-*) exaggerated story, tall story ② (*ratlos sein*) ◇ **mit seinem ~ am Ende sein** to be stumped; **lateinisch** *adj* Latin

latent *adj* latent; ◇ ~ **vorhanden** to be latent

Laterne *f* <-, -n> lantern; (*Straßen-*) streetlamp, streetlight; **Laternenpfahl** *m* lamp post

Latex *m* latex; (*-handschuhe*) latex gloves *pl*

Latsche *f* <-, -n> mountain pine

Latschen *m* <-s, -> (*FAM bequemer Schuh*) slipper; (*Holz-*) clogs *pl;* **latschen** *vi FAM* ↑ *schlurfen* slouch around

Latte *f* <-, -n> slat ① SPORT bar; (*quer*) [cross-]bar ② (*FAM hochgewachsener Mensch*) ◇ **lange** ~ very tall person ③ *FIG* ↑ *Liste, Reihe* ◇ ~ **von Wünschen** a long list of things; **Lattenzaun** *m* lattice fence

Latz *m* <-es, Lätze> bib; (*Hosen-*) fly; **Lätzchen** *s* bib; **Latzhose** *f* dungarees

lau *adj* ▷*Luft* mild, warm; ▷*Wasser* lukewarm

Laub *s* <-[e]s> foliage; **Laubbaum** *m* deciduous tree

Laube *f* <-, -n> ↑ *Gartenhäuschen* arbour

Laubfrosch *m* ZOOL tree frog; **Laubsäge** *f* fretsaw

Lauch *m* <-[e]s, -e> leek

Lauer *f:* ◇ **auf der ~ sein** [*o.* **liegen**] to lie in wait; **lauern** *vi* lie in wait (*auf akk* for); ← *Gefahr* lurk

Lauf [1] *m* <-[e]s, Läufe> run ① (*Wett-*) race ② (*Gewehr-*) barrel

Lauf [2] *m* <-s> ↑ *Entwicklung* course, development; ◇ **einer Sache ihren ~ lassen** to let things take their course

Laufbahn *f* career

laufen <lief, gelaufen> **I.** *vi* ① ↑ *rennen* run ② *FAM* ↑ *gehen* walk ③ ← *Tränen, Schweiß* run ④ ↑ *gelten* ← *Vertrag, Anzeige* run ⑤ *FAM* ↑ *sich entwickeln* go; ◇ **Wie läuft's?** How's it going? **II.** *vt* → *Rekord, Bestzeit* set; *FIG* ◇ **Gefahr ~, etw zu tun** to run the risk of doing s.th.; **laufend** *adj* running ① ↑ *ständig* continuously; ▷*Monat* current; ◇ **am ~en Band** continuously ② (*FAM informiert sein*) ◇ **auf dem L~en sein** to be up to date; **laufenlassen** *unreg vt* ↑ *freilassen* let go, release

Läufer(in *f*) *m* <-s, -> ① (SPORT *Hürden-, Ski-*) runner ② (*Teppich*) rug ③ (*Schachfigur*) bishop

läufig *adj* ▷*Hündin* on heat

Laufkundschaft *f* occasional customers

Latasche *f* (*Strumpf*) ladder, run

Laufpaß *m* (*FIG Abschied*): ◇ **jd-m den ~ geben** to send s.o. away, to give s.o. their marching orders; **Laufstall** *m* playpen; **Laufsteg** *m* catwalk; **Laufvogel** *m* birds who can't fly; **Laufwerk** *s* PC drive; **Laufzeit** *f* (*Geltungsdauer*) period in which s.th. is valid; PC run-time; **Laufzettel** *m* (*an Werkstück*) docket

Lauge *f* <-, -n> soapy water; CHEM alkaline solution

Laune *f* <-, -n> [1] ↑ *Gemütszustand, Stimmung* mood; ◇ **schlechte ~ haben** to be in a bad mood [2] (*FIG Einfall*) whim; **launenhaft** *adj* ↑ *schwankende Stimmung* moody; ↑ *sprunghaft* whimsical, capricious; **launisch** *adj* moody

Laus *f* <-, Läuse> louse; (*FIG Ärger*) ◇ **ihm ist eine ~ über die Leber gelaufen** he's angry about s.th.

Lausbub *m* rascal

lauschen *vi* → *Konzert* listen to; ↑ *horchen* eavesdrop

lauschig *adj* snug, cosy; ◇ **ein ~es Plätzchen** a cosy little spot

lausen *vt* ← *Affe* delouse

lausig *adj FAM* ↑ *schäbig, wenig* lousy, rubbish

laut I. *adj* ▷*Stimme, Musik* loud; (*klein-*) meek, subdued **II.** *adv* loudly, noisily; ▷*lesen* aloud **III.** *präp gen o dat* ↑ *gemäß* ▷*Vertrag* according to; **Laut** *m* <-[e]s, -e> sound; ◇ **seltsame ~e aussto-ßen** to make funny noises

Laute *f* <-, -n> lute

lauten *vi* say; ↑ *heißen* go; ← *Reisepaß* ◇ **auf etw** *akk* **~** to be in the name of

läuten *vti* sound; ← *Hochzeitsglocken* ring; (*FAM bereits informiert sein*) ◇ **etw** *akk* **~ hören** to hear s.th. [about it]

lauter I. *adj* ▷*Wahrheit* honest, true; ▷*Charakter* honest **II.** <inv> *adj* ↑ *nichts als* sheer; ◇ **das sind ~ Ausreden** those are nothing but excuses

läutern *vt* reform

lauthals *adv* at the top of o.'s voice; **lautlos** *adj* ↑ *geräuschlos* silent; **Lautschrift** *f* SPRACHW phonetic, transcription; **Lautsprecher** *m* speaker; **lautstark** *adj* ▷*Lärm* loud; ▷*Protest* vociferous; **Lautstärke** *f* loudness; (*Zimmer-*) volume

lauwarm *adj* ↑ *handwarm* lukewarm

Lava *f* <-, Laven> lava

Lavendel *m* <-s, -> lavender

lavieren *vi* [1] NAUT tack [2] *FIG* ↑ *geschickt handeln* manoevre

Lawine *f* (*Schnee-*) avalanche; **Lawinengefahr** *f* danger of avalanches

lax *adj* ↑ *nachlässig* lax

Layout *n* <-s, -s> (*von Zeitschrift, Buch*) layout

Lazarett *s* <-[e]s, -e> (MIL *Krankenhaus*) military hospital

LCD-Anzeige *f* PC LCD display

leasen *vt* → *Auto, Maschine* lease, rent; **Leasing** *s* <-s> leasing

leben *vi* [1] ↑ *existieren* live; ◇ **Wir ~ im zwanzigsten Jahrhundert** We're living in the twentieth century [2] ↑ *wohnen* live, reside [3] ↑ *sich ernähren von* live off [4] (*von Zinsen, Einkommen*) live from/off; ◇ **über seine Verhältnisse ~** to live beyond o.'s means [5] (*sich einsetzen für, sorgen für*) live for; ◇ **für etw ~** to live for s.th.; **Leben** *s* <-s, -> [1] (*Dasein*) life; ◇ **einem Kind das ~ schenken** to give birth to a child; ◇ **sein ~ riskieren** to risk o.'s life; ◇ **sich das ~ nehmen** to commit suicide [2] (*Gesellschafts-, Wirtschafts-*) life; (*Ehe-, Familien-*) life [3] (*Wirklichkeit*) life; ◇ **wie das ~ so spielt** that's life [4] (*Stimmung, Schwung*) life; ◇ **~ in etwas bringen** to put life into s.th.; **lebend** *adj* living, alive; **lebendig** *adj* [1] ↑ *am Leben* alive, living [2] ↑ *lebhaft* lively; **Lebendigkeit** *f* livliness

Lebensart *f* (*kultivierte Umgangsformen*) way of life; **lebensbejahend** *adj* (*optimistisch*) optimistic, positive; **Lebensbeschreibung** *f* ↑ *Biographie* biography; **Lebenserwartung** *f* life expectancy; **lebensfähig** *adj* able to live; **lebensfroh** *adj* merry, happy; **Lebensgefahr** *f* danger; ◇ **in ~** in danger; **lebensgefährlich** *adj* ▷*Verletzung* critical; **Lebensgefährte**(**Lebensgefährtin** *f*) *m* mate, partner; **Lebensgemeinschaft** *f* long-term relationship, marriage; **Lebenshaltungskosten** *pl* cost of living; **Lebensjahr** *s* year of o.'s life; ◇ **er verstarb im 92. ~** he died when he was 92; **Lebenskünstler** *m* expert in living [well]; **Lebenslage** *f* situation; ◇ **sich in allen ~n zurechtfinden** to be able to cope in all situations; **lebenslänglich** *adj* ▷*Freiheitsstrafe* for life; **Lebenslauf** *m* (*für Bewerbung*) curriculum vitae, résumé *AM*; **lebenslustig** *adj* cheerful, merry; **Lebensmittel** *pl* groceries *pl;* **Lebensmittelgeschäft** *s* grocer's [store]; **Lebensmittelvergiftung** *f* MED food poisoning; **lebensmüde** *adj* weary of life; **Lebensmut** *m* courage to face life; **Lebensraum** *m* biosphere; **Lebensretter**(**in** *f*) *m* lifesaver; **Lebensrettung** *f* saving of life/lives; **Lebensstandard** *m* standard of living; **Lebensstellung** *f* job for life; **Lebensstil** *m* lifestyle; **lebenstüchtig** *adj* (*geschickt, clever*) able to cope with life; **Lebensunterhalt** *m* livelihood; **Lebensversicherung** *f* life insurance; **Lebenswandel** *m* way of life; ◇ **einen lockeren ~ haben** to have an easy way of life; **Lebensweg** *m* journey through life; **Lebensweise** *f* way of life, habit; **Lebenszeichen** *s* [1] (*Klopfsignal von Verschütteten*) sign of life [2] (*FIG Nachricht, Anruf*) ◇ **ein ~ von sich geben** to call to say one is still alive; **Lebenszeit** *f* lifetime; ◇ **Beamter auf ~** permanent civil servant

L

Leber *f* <-, -n> liver; **Leberfleck** *m* (*auf menschlicher Haut*) mole; **Leberkäs** *m* (GASTRON *süddt Fleischgericht*) meat loaf; **Leberknödel** *m* (GASTRON *Kloß aus Leber*) liver dumpling; **Leberpastete** *f* (GASTRON *feine Leberwurst*) liver pate; **Lebertran** *m* cod-liver oil; **Leberwurst** *f* liver sausage; (*FAM gekränkt, eingeschnappt*) ◇ **eine beleidigte ~ sein** to be in a huff; **Leberzirrhose** *f* MED scirosis of the liver

Lebewesen *s* living thing

Lebewohl *s* <-s> (*Abschied*) farewell

lebhaft *adj* lively; ▷*diskussion* animated; ▷*Straße* busy; **Lebhaftigkeit** *f* liveliness

Lebkuchen *m* (*Nürnberger ~*) gingerbread biscuits *pl*

leblos *adj* lifeless

Lebzeiten *pl* in o.'s lifetime, in o.'s day; ◇ **zu ~ meiner Oma** while my granny was alive

lechzen *vi:* ◇ **nach etw** *dat* **~** to long for s.th.

leck *adj* leaky, leaking; **Leck** *s* <-[e]s, -e> leak; **lecken I.** *vti* ↑ *lutschen, schlecken* to lick; (*auch FIG*) ◇ **seine Wunden ~** to lick o.'s wounds **II.** *vi* ↑ *Loch haben* leak

lecker *adj* (*appetitlich*) delicious; **Leckerbissen** *m* delicacy; **Leckermaul** *s* sweet-toothed person; ◇ **ein ~ sein** to have a sweet tooth

led. *adj Abk v.* **ledig**

Leder *s* <-s, -> leather; *FIG* ↑ *Fußball* [foot]ball; **ledern** *adj* leather; **Lederwaren** *pl* leather goods *pl*

ledig *adj* [1] ↑ *alleinstehend* single; ▷*Mutter* unmarried, single [2] (*FIG unbeschwert*) free; ◇ **einer Sache** *gen* **~ sein** to be free of a matter

lediglich *adv* ↑ *nur* only, merely

Lee *f* <-s> NAUT lee

leer *adj* ↑ *ohne Inhalt* empty; (*FIG sinnlos*) senseless, no point; ▷*Verbrechen* empty; **Leere** *f* <-> emptiness; **leeren I.** *vt* → *Flaschen* empty, drain **II.** *vr* ◇ **sich ~** become empty; ← *Saal, Platz* vacate; **Leergewicht** *s* weight when empty; **Leergut** *s* <-s> ↑ *leere Flaschen* empties *pl;* **Leerlauf** *m* AUTO neutral [gear]; **leerstehend** *adj* ▷*Haus, Zimmer* empty, vacant; **Leertaste** *f* (*von Schreibmaschine*) space-bar; **Leerung** *f* (*von Postkasten*) collection; (*Müllabfuhr*) collection

legal *adj* ↑ *gesetzlich* legal; ◇ **auf ~em Weg** the legal way; **legalisieren** *vt* → *Marijuana* legalize; **Legalität** *f* legality

legen I. *vt* [1] put, place; (*horizontal*) lay down [2] → *Ei* lay [3] → *Fliesen, Gasleitung* lay, put down [4] (*auch FIG, Voraussetzungen schaffen*) lay down, determine; ◇ **Grundstein für** [*o.* **zu**] **etw ~** to lay down the foundations for s.th. [5] (*wahrsagen*) ◇ **Karten ~** to fortune tell from cards [6] (*betonen*) stress, emphasise; ◇ **auf etw** *akk* **Wert ~** to value, to appreciate **II.** *vr* ◇ **sich ~** lie down; (*FIG nachlassen*) subside

Legende *f* <-, -n> [1] (*Heiligenerzählung*) legend [2] (*Lüge*) legend, story [3] (*Erläuterung für Stadtplan*) legend

leger *adj* casual

legieren *vt* [1] → *Soße* thicken [2] CHEM alloy; **Legierung** *f* CHEM alloy

Legion *f* (*Fremden-, Ehren-*) legion; **Legionär** *m* (*Soldat*) legionary

Legislative *f* JURA legislature

legitim *adj* [1] ↑ *rechtmäßig* legitimate [2] ▷*Interesse, Forderungen* legitimate, rightful; **Legitimation** *f* legitimation; **legitimieren I.** *vt* legitimate; (*berechtigen*) entitle **II.** *vr* ◇ **sich ~** show proof of o.'s identity; **Legitimität** *f* legitimacy

Lego® *s* <-s> (*Bausteine*) lego n

Leguan *m* <-s> iguana

Lehen *s* <-s, -> (HIST *Nutzungsrecht*) fief, feoff

Lehm *m* <-[e]s, -e> loam, clay; **lehmig** *adj* loam

Lehne *f* <-, -n> arm; (*Rücken-*) back; (*Arm-*) rest

lehnen I. *vti* lean **II.** *vr* ◇ **sich ~** rest on or against

Lehnsmann *m* HIST vassal

Lehnstuhl *m* armchair

Lehramt *s* teaching profession; **Lehrbeauftragte(r)** *fm* lecturer; **Lehrbrief** *m* apprenticeship certificate; **Lehrbuch** *s* textbook

Lehre *f* <-, -n> [1] ↑ *berufliche Ausbildung* apprenticeship; ◇ **in die ~ gehen** to serve an apprenticeship [2] ↑ *Doktrin* teaching, doctrine [3] (*Theorie, Mengen-*) theory [3] (*Erfahrung, Verhaltensregel*) lesson; ◇ **das wird ihm eine ~ sein** let that be a lesson for him [4] TECHNOL gauge

lehren *vt* [1] ↑ *unterrichten* teach [2] (*deutlich machen*) ◇ **die Zukunft wird ~** time will show; **Lehrer(in** *f*) *m* <-s, -> teacher; **Lehrgang** *m* course; **Lehrgeld** *s FIG*: ◇ **~ für etw zahlen müssen** to pay dearly for s.th.; **Lehrjahr** *s* year serving apprenticeship; **Lehrkraft** *f* teacher; **Lehrling** *m* apprentice; **Lehrplan** *m* syllabus; **lehrreich** *adj* instructive, educational; **Lehrsatz** *m* theorem; **Lehrstelle** *f* apprenticeship, trainee post; **Lehrstuhl** *m* SCHULE chair, post; **Lehrzeit** *f* apprenticeship

Leib *m* <-[e]s, -er> [1] body; ◇ **sich jd-n vom ~ halten** to keep o.'s distance [*o.* to keep s.o. at bay] [2] REL ◇ **der ~ des Herrn** the body of Christ [3] (*FIG begeistert*) ◇ **mit ~ und Seele** with heart and soul

Leibesvisitation *f* (*Zoll, Flughafen*) body

search; **Leibgericht** *s* ↑ *Lieblingsessen* favourite meal; **leibhaftig** *adj* in person, incarnate; ▹*Teufel* himself; **leiblich** *adj* physical; ▹*Vater* real; **Leibwache** *f* bodyguard

Leiche *f* <-, -n> corpse; (*FIG skrupellos sein*) ◇ **über -n gehen** to sell o.'s own grandmother [*o.* to stop at nothing]; **Leichenbeschauer(in** *f*) *m* <-s, -> person/doctor performing post-mortem; **leichenblaß** *adj* ▹*Gesicht* deathly pale; **Leichenhalle** *f* mortuary; **Leichenschau** *f* post-mortem; **Leichenwagen** *m* hearse

Leichnam *m* <-[e]s, -e> body

leicht I. *adj* ① (*Gewicht*) light ② ▹*Fehler, Problem* easy, simple; (*FIG nicht ernst nehmen*) ◇ **auf die -e Schulter nehmen** to not take things seriously ③ ▹*Wein, Essen* light ④ ▹*Unterhaltung, Musik* light **II.** *adv* ① (*rasch*) quickly, swiftly ② ↑ *problemlos* easy, simple; **Leichtathletik** *f* SPORT track and field athletics; **leichtfallen** *unreg vi:* ◇ **das wird ihm -** that will be easy for him; **leichtfertig** *adj* ↑ *leichtsinnig* careless, thoughtless; **leichtgläubig** *adj* gullible; **Leichtgläubigkeit** *f* gullibility; **leichthin** *adv* lightly; **Leichtigkeit** *f* lightness; ↑ *Mühelosigkeit* easiness; ◇ **mit -** with ease; **leichtlebig** *adj* easygoing; **leichtmachen** *vt* make it easy for o.s.; **leichtnehmen** *unreg vt* make light of s.th.; **Leichtsinn** *m* carelessness, thoughtlessness; **leichtsinnig** *adj* careless, thoughtless; **Leichtwasserreaktor** *m* light water reactor

leid *adv* (*bedauern*): ◇ **es tut mir/ihm -** I'm/he's sorry; ◇ **er tut mir -** I feel sorry for him; (*überdrüssig sein*) ◇ **etw** *akk* **- haben** to be tired/sick of s.th.

Leid *s* <-[e]s> sorrow

leiden <litt, gelitten> **I.** *vi* ⓥⓘ (*an Krankheit*) suffer; ◇ **an etw** *dat* **-** to suffer from s.th. ② (*beschädigt werden*) damaged; ◇ **unter etw** *dat* **leiden** to suffer from s.th. **II.** *vt* (*mögen*) suffer, bear; ◇ **jd-n/etw nicht - können** to not be able to stand s.o.

Leiden *s* <-s, -> suffering; ↑ *Krankheit* complaint; **leidend** *adj* (*krank*) ailing; ◇ **sie sieht - aus** she looks ill

Leidenschaft *f* passion; ◇ **eine - für etw haben** to be passionate about s.th. [*o.* to be crazy about s.th.]; **leidenschaftlich** *adj* ▹*Tänzer* passionate; **leidenschaftslos** *adj* ↑ *emotionslos* dispassionate

leider *adv* unfortunately

leidig *adj* (*lästig*) tiresome; ◇ **e-e Lösung des -en Problems** a solution to the tiresome problem

leidlich *adj* resonable, tolerable; ◇ **in -em Zustand** in reasonable condition

Leidtragende(r) *fm* (*Trauernde*) bereaved; *FIG* ↑ *Benachteiligter* sufferer; **Leidwesen** *s:* ◇ **zu meinem -** to my dismay

Leier *f* <-, -n> (*Musik*) lyre; *FIG* ◇ **immer noch die alte -** the same old story; **Leierkasten** *m* MUS barrel organ

Leihbibliothek *f* [lending] library

leihen <lieh, geliehen> *vt* lend; ◇ **sich etw** *akk* **-** to borrow s.th.

Leihgebühr *f* lending charge, rental charge; **Leihhaus** *s* pawnshop; ◇ **etw ins - bringen** to pawn s.th.; **Leihmutter** *f* surrogate mother; **Leihschein** *m* (*für Buch*) borrowing slip; **Leihwagen** *m* hired car, rented car; **leihweise** *adv* on loan, borrowed

Leim *m* <-[e]s, -e> glue; (*FAM dick werden*) ◇ **aus dem - gehen** to lose o.'s figure; **leimen** *vt* ① → *Holz* glue ② (*FAM reinlegen*) con s.o.

Leine *f* <-, -n> line, cord; (*Hunde-*) lead, leash

Leinen *s* <-s, -> (*-kleid, -tischtuch*) linen

Leinsamen *m* (*-brot*) linseed

Leintuch *s* (*für Bett*) linen sheet

Leinwand *f* ① KUNST canvas ② FILM screen

leise *adj* ▹*Ton* quiet, gentle; ▹*Verdacht* faint, slight; ▹*Wind* gentle, faint

Leiste *f* <-, -n> ① (*Borte*) edging; (*Zier-*) trim ② ANAT groin

leisten *vt* ① → *Arbeit* do, perform ② ◇ **e-n Eid -** to make/take an oath ③ ◇ **jd-m Gesellschaft -** to keep s.o. company ④ ◇ **Widerstand -** to resist ⑤ (*Ersatz -*) replace ⑥ ◇ **sich etw** *akk* **- können** to be able to afford s.th.

Leisten *m* (*beim Schuster*) last; (*FIG nicht einmischen*) ◇ **Schuster bleib bei deinen -** stick to what you know

Leistenbruch *m* MED hernia

Leistung *f* ① ↑ *Arbeit, Ergebnis* achievement ② ↑ *Verdienst, Fähigkeit* capacity; **Leistungsdruck** *m* pressure to do well; **leistungsfähig** *adj* efficient; **Leistungsfähigkeit** *f* efficiency; **Leistungskurs** *m* SCHULE set; **Leistungsvermögen** *s* (*von Motor*) capabilities; **Leistungszulage** *f* productivity bonus

Leitartikel *m* leader; **Leitbild** *s* model

leiten *vt* ① ↑ *führen* lead; → *Firma* manage, run ② (*in eine Richtung*) direct ③ (*FIG veranlassen*) ◇ **in die Wege -** to get s.th. started ④ ELECTR conduct; **leitend** *adj* ▹*Stellung*: ◇ **-er Angestellter** leading, dominant

Leiter [1] *f* <-, -n> (*Strick-*) ladder

Leiter [2] *m* <-s, -> ELECTR conductor

Leiter [3](**in** *f*) *m* <-s, -> (*Abteilungs-*) manager, head; (*Reise-*) guide, agent; (*Schul-*) head

Leitfaden *m* (*Lehrbuch*) guide; **Leitfähigkeit** *f* (*von Strom, Schall*) conductivity; **Leithammel** *m* bellwether; *FIG* ↑ *Anführer* leader; **Leitmotiv** *s* ↑ *Leitgedanke* leitmotif; (*Musik*) leitmotif; **Leitplanke** *f* <-, -n> crash-barrier

Leitung *f* ① ↑ *Führung* direction ② FILM, THEAT production; ◇ **unter der ~ von** under the direction of ③ (*von Firma*) management ④ (*Telefon-*) line ⑤ (*Wasser-*) pipe ⑥ (*Kabel*) cable, cord; (*FAM schwer begreifen*) ◇ **eine lange ~ haben** to be slow; **Leitungsrohr** *s* pipe; **Leitungswasser** *s* water from the tap

Leitwährung *f* FIN reserve currency; **Leitwerk** *s* (*von Flugzeug*) tail unit

Lektion *f* lesson

Lektor(in *f*) *m* ① SCHULE foreign language assistant ② (*im Verlag*) editor

Lektüre *f* <-, -n> ① ↑ *Lesen* reading ② (*Lesestoff*) literature

Lemming *m* <-s, -e> lemming

Lende *f* <-, -n> (*Schweine-*) loin; **Lendenschurz** *m* loincloth; **Lendenwirbel** *m* ANAT lumbar vertebra

lenkbar *adj* steerable; ▷*Kind* manageable

lenken *vt* ① → *Fahrzeug* steer ② → *Blick* draw, direct; ◇ **ein Gespräch auf etw** *akk* **~** to lead; **Lenker** *m* ① ↑ *Lenkstange* handlebars *pl* ② (*Fahrzeugführer*) driver

Lenkrad *s* steering wheel; **Lenkstange** *f* (*von Fahrrad*) handlebars *pl*

Lenz *m* ↑ *Frühling* spring; (*FAM faul sein*) ◇ **sich einen faulen ~ machen** to laze around

Leopard *m* <-en, -en> ZOOL leopard

Lepra *f* <-> MED leprosy

Lerche *f* <-, -n> ZOOL lark

lernbegierig *adj* ↑ *wissenshungrig* eager to learn, eager to gain more knowledge; **lernbehindert** *adj* ▷*Kind* educationally handicapped; **Lerndiskette** *f* (PC *für Unterricht*) didactic disk; (*Programmerläuterung*) reference disk; **lernen** *vt* ① → *Sprache, Beruf* learn; (*FAM seine Sache beherrschen*) ◇ **gelernt ist gelernt** once you have learned s.th. ② ↑ *üben* study; ◇ **lesen ~** learn how to read; *PEJ* ◇ **mancher lernt's nie!** some people will never learn; **Lernhilfe** *f* (*Gedächtnisstütze*) educational aid; **Lernprozeß** *m* learning process; **Lernschwester** *f* (*im Krankenhaus*) student nurse

lesbar *adj* ↑ *leserlich* legible

Lesbe *f* <-, -n> *FAM* ↑ *Lesbierin* lesbian; **Lesbierin** *f* lesbian; **lesbisch** *adj* lesbian

Lese *f* <-, -n> (*Wein-*) harvest

Lesebrille *f* reading glasses *pl;* **Lesebuch** *s* SCHULE reader; **Lesegerät** *s* (PC *für Mikrofilme*) reading device

lesen <las, gelesen> **I.** *vi, vt* ① → *Bücher, Daten* read ② SCHULE lecture ③ ↑ *ernten* gather, pick ④ ↑ *vortragen* (*aus eigenen Werken ~*) read **II.** *vr* ◇ **sich ~** *FAM* ← *Roman*: ◇ **diese Bücher ~ sich gut** these books are very readable; **lesenswert** *adj* ▷*Bericht* worth reading; **Leser(in** *f*) *m* <-s, -> reader; **Leserbrief** *m* reader's letter; **leserlich** *adj* legible; ◇ **~ schreiben** to write clearly/legibly; **Lesesaal** *m* (*in Bibliothek*) reading room; **Lesespeicher** *m* PC read only memory, ROM; **Lesezeichen** *s* (*Band*) bookmark

Lesung *f* (*Dichter-*) reading; REL lesson

letal *adj* MED ↑ *tödlich* lethal

Lethargie *f* (PSYCH *Schlafsucht*) lethargy; *FIG* ↑ *Teilnahmslosigkeit* lethargy; **lethargisch** *adj* lethargic

Letter *f* <-, -n> PRINT character, letter

letzte(r, s) *adj* last ① (*Testament*) ◇ **~ Wille** last will and testament; ◇ **~ Ehre erweisen** to pay o.'s last respects; ◇ **zum ~n Mal** for the last time ② ▷*Nachrichten, Mode* latest, newest ③ (*von schlechter Qualität*) ▷*Musik, Film* bad ④ ◇ **~ Woche** last week ⑤ ▷*Geld* left-over; **letztendlich** *adv* ↑ *schließlich* at long last, finally; **letztens** *adv* lately; **letztere(r, s)** *adj* latter; **letzthin** *adv* ↑ *vor kurzem* recently; **letztlich** *adv* ↑ *schließlich* in the end

Leuchtanzeige *f* light display; **Leuchtboje** *f* NAUT light-buoy; **Leuchtdiode** *f* ELECTR light-emitting diode

Leuchte *f* <-, -n> ① (*Decken-*) lamp, light ② (*FIG Gelehrter, Fachmann*) genius

leuchten *vi* flash

Leuchter *m* <-s, -> (*Kerzen-*) candlestick

Leuchtfarbe *f* fluorescent colour; **Leuchtfeuer** *s* NAUT beacon; **Leuchtkraft** *f* (*von Stern*) brightness; **Leuchtrakete** *f* flare; **Leuchtreklame** *f* neon sign; **Leuchtröhre** *f* strip light; **Leuchtsignal** *s* light signal, flash; **Leuchtturm** *m* lighthouse; **Leuchtzifferblatt** *s* luminous face

leugnen *vt, vi* deny

Leukämie *f* MED leukemia

Leukom *s* MED leucoma

Leukoplast® *s* <-[e]s, -e> ↑ *Heftplaster* elastoplast

Leumund *m* <-[e]s, -e> ↑ *Ansehen, Ruf* reputation; **Leumundszeugnis** *s* character reference

Leute *pl* people *pl;* (*aus einfachen Verhältnissen, kleine ~*) simple folk; (*ausgehen*) ◇ **unter die ~ kommen** to go out, to socialize; *FAM* → *Neuigkeiten, Ware* ◇ **etw unter die ~ bringen** to introduce s.th.

Leutnant *m* <-s, -s> MIL lieutenant

leutselig *adj* ↑ *gesprächig* sociable, affable; **Leutseligkeit** *f* affability

Leviten *pl* (*FAM die Meinung sagen*): ◇ **jd-m die - lesen** to haul s.o. over the coals

Lex *f* <-, Leges> ↑ *Gesetz* bill, law

Lexikon *s* <-s, Lexika> dictionary

Liaison *f* <-, s> (*kurzes Verhältnis*) affair

Libanon *m* [the] Lebanon

Libelle *f* [1] ZOOL dragonfly [2] TECHNOL spirit level

liberal *adj* liberal; **Liberalismus** *m* liberalism

Libero *m* <-s, -s> (*Fußball*) sweeper

Libido *f* <-> libido

Libretto *s* (*Oper*) libretto

Libyen *s* Libya

Licht *s* <-[e]s, -er> light; ◇ **Tages-** daylight; (*FIG betrügen*) ◇ **jd-n hinter's - führen** to deceive s.o.; *FAM* to take s.o. for a ride

licht *adj* ↑ *hell* light; (*weitstehend*) sparse; ▷*Haare* thin; *FIG* ◇ **ein -er Augenblick** lucid moment; **lichtbeständig** *adj* ▷*Tapeten, Stoff* lightproof; **Lichtbild** *s* [1] ↑ *Foto* photograph [2] (*Dias*) tranparency slide; **Lichtblick** *m FIG* ↑ *Hoffnung* ray [of]; **lichtdurchlässig** *adj* transparent, see-through; **lichtempfindlich** *adj* sensitive to light

lichten I. *vt* clear; → *Baum* clear; → *Anker* weigh **II.** *vr* ◇ **sich -** ← *Haar* thin

lichterloh *adv:* ◇ **- brennen** to be ablaze/on fire

Lichtgeschwindigkeit *f* speed of light; **Lichtgriffel** *m* PC light pen; **Lichthupe** *f* flashing of headlights; **Lichtjahr** *s* light year; **Lichtmaschine** *f* dynamo; **Lichtmeß** *f* <-> REL Candlemas; **Lichtorgel** *f* (*Disco*) coloured spotlights *pl;* **Lichtschalter** *m* light switch; **lichtscheu** *adj* averse to light; *PEJ* ◇ **-es Gesindel** scum; **Lichtschranke** *f* light barrier; **Lichtschutzfaktor** *m* protection factor; **Lichtsignal** *s* light signal; **Lichtspielhaus** *s* ↑ *Kino* cinema

Lichtung *f* (*von Wald*) clearing

Lidschatten *m* eyeshadow; **Lidstrich** *m* eyeliner

lieb *adj* dear; *sich einschmeicheln, FIG* ◇ **sich bei jd-m - Kind machen** to be s.o.'s pet

liebäugeln *vi* (*überlegen*): ◇ **mit jd-m/etw -** to have an eye on s.o./s.th.

Liebe *f* <-, -n> love; ◇ **etw mit Lust und - machen** to do s.th. with great enthusiasm; **liebesbedürftig** *adj:* ◇ **- sein** to need love; **Liebelei** *f* flirtation

lieben *vt* love; ↑ *Geschlechtsverkehr haben* make love; ↑ *gern mögen* like; **liebenswert** *adj* lovable, adorable; **liebenswürdig** *adj* kind; **liebenswürdigerweise** *adv* kindly; **Liebenswürdigkeit** *f* kindness, politeness; ◇ **Hätten Sie die -...** please be so kind as to...

lieber *adv* (*besser*): ◇ **etw - tun** rather, preferably; ◇ **ich gehe - nicht** I'd rather not go

Liebesbrief *m* love letter; **Liebesdienst** *m* favour; ◇ **jd-m einen - erweisen** to do s.o. a favour; **Liebeskummer** *m* lovesickness; **Liebesleben** *s* (*Privatsphäre*) love-life; ◇ **sein - geht keinen etw an** his love-life is nobody's business; **Liebespaar** *s* couple, lovers *pl;* **Liebestöter** *m* <-s, -> *FAM* ↑ *lange Unterhose* passion killer, long johns *pl;* **Liebesverhältnis** *s* relationship, affair

liebevoll *adj* ↑ *zärtlich* loving; (*sorgfältig*) carefully, gently

liebgewinnen *unreg vt* become fond of; **liebhaben** *unreg vt* love, be fond of; **Liebhaber(in** *f*) *m* <-s, -> lover; **Liebhaberei** *f* (*Hobby*) hobby; **liebkosen** *vt* stroke, caress; **lieblich** *adj* ▷*Kind* lovely, delightful; ▷*Wein* sweet; **Liebling** *m* darling; ◇ **- der ganzen Familie** the favourite in the family; **Lieblings-** *in Zusammensetzungen* favourite; ◇ **-kleid** favourite dress; **lieblos** *adj* unloving; **Liebschaft** *f* love affair; **Liebstöckel** *s* (*Gewürz*) lovage

Liechtenstein *s* Liechtenstein

Lied *s* <-[e]s, -er> song; REL hymn; *FAM* ◇ **ich könnte ein - davon singen** I could tell you a thing or two about it; *FAM* ◇ **das alte -** the same old story; **Liederbuch** *s* song book, hymn book; **Liederhandschrift** *f* (HIST *Heidelberger -*) collection of ballads

Liederjan *m* ↑ *Schlamper* slob; **liederlich** *adj* ▷*Lebenswandel* slovenly

Liedermacher(in *f*) *m* <-s, -> song-writer

lief *impf v.* **laufen**

Lieferant(in *f*) *m* supplier

lieferbar *adj* deliverable; (*vorrätig*) available

Lieferfrist *f* delivery period

liefern *vt* → *Güter* deliver; (*versorgen mit*) supply; → *Beweis* produce; (*FIG jd-n verraten*) ◇ **jd-n ans Messer -** to tell on s.o.; (*FAM ruiniert sein*) ◇ **geliefert sein** to be over, it's over

Lieferschein *m* delivery note; **Liefertermin** *m* delivery date

Lieferung *f* delivery

Lieferwagen *m* van

Liege *f* <-, -n> (*Camping-*) bed

liegen <lag, gelegen> *vi* [1] (*Ggs stehen*) lie [2] ↑ *sich befinden* lie, be situated; (*FIG arbeitslos sein*) ◇ **auf der Straße -** to be unemployed [3] →

L

Ursache be due (*an dat* to s.th.), to be because (*an dat* of s.th.); ◇ **es liegt an dem Wetter** it is due to the weather ④ ↑ *mögen, können* ◇ **diese Arbeiten ~ ihm** he likes the work ⑤ (*Wert legen auf*) ◇ **mir liegt an seinem Rat** I appreciate his advice ⑥ (*abhängig von*) ◇ **das liegt [ganz] bei dir** that's totally up to you; **liegenbleiben** *unreg vi* ① (*weiterhin ausruhen*) stay in bed; ← *Verletzte* be lying down, be on the floor ② ← *nicht verkaufte Sachen* not to sell ③ ← *vergessene Sachen* be forgotten, be left behind ④ ← *unerledigte Arbeit* unfinished, incomplete ⑤ ← *Schnee* settle; **liegenlassen** *unreg vt* (*nicht fortnehmen*) → *Arbeit* leave; ↑ *vergessen* forget; (*FIG ignorieren*) ◇ **jd-n links ~** to ignore s.o.; **Liegenschaft** *f* (*Grundbesitz*) real estate

Liegesitz *m* reclining seat; **Liegestuhl** *m* deck chair; **Liegestütz** *m* <-, -en> SPORT press-up, push-up; **Liegewagen** *m* BAHN couchette; **Liegewiese** *f* (*im Schwimmbad*) sunbathing lawn

lieh *impf v.* **leihen**

ließ *impf v.* **lassen**

Lift *m* <-[e]s, -e *o.* -s> lift

Lift-off-Korrekturband *s, pl* <-bänder> correction tape

Liga *f* league; (SPORT *Bundes-*) league

liieren *vt* (*Liaison haben*) get together

Likör *m* <-s, -e> liqueur

lila <inv> *adj* purple, lilac

Lilie *f* lily

Liliputaner *m* midget, dwarf

Limerick *m* <-, -s *o.* -s> (*Gedicht*) limerick

Limes *m* <-> (HIST *Grenzwall*) limes

Limit *s* <-s,-s> ↑ *Grenze* limit; ◇ **ein ~ setzen** to set a limit

Limonade *f* lemonade

Limousine *f* (*Auto*) saloon, limousine

lind *adj* ▷*Wetter* mild, gentle

Linde *f* <-, -n> lime tree

lindern *vt* → *Schmerz, Trauer* soothe; **Linderung** *f* soothing, easing

lindgrün *adj* lime green

Lineal *s* <-s, -e> ruler

Linie *f* line ① ↑ *Strich, Gerade* line; MATH line, outline ② (*Reihe*) line; ◇ **sich in einer ~ aufstellen** to line up ③ (*Verkehrsstrecke, Verkehrsmittel*) route; ◇ **mit der ~ 3 fahren** to travel on the No. 3 bus/tram ④ (*Verwandtschaftsangabe*) line; ◇ **aus der mütterlichen ~** from the mother's side ⑤ (*politisch ~, Partei-*) line ⑥ (*FAM Figur*) ◇ **gut für die schlanke ~** to be good for o.'s figure; **Linienflug** *m* scheduled flight; **Linienrichter(in** *f*) *m* SPORT linesman

linieren, liniieren *vt* rule, draw a line

link *adj FAM*: ◇ **etw auf die ~e Tour machen** to do s.th. in a dishonest way

Linke *f* <-, -n> ① (*Hand*) left hand; (*Seite*) left-hand side ② POL Left; **linke(r, s)** *adj* left; ◇ **~ Masche** purl; (*FIG ärgerlich sein*) ◇ **mit dem ~n Fuß aufstehen** to get out of bed on the wrong side; (*FIG unpraktisch*) ◇ **zwei ~ Hände haben** to have two left hands

linken *vt* (*FAM betrügen*) con

linkisch *adj* ▷*Verhalten* clumsy, awkward

links I. *adv* (*~ gehen*) to the left; (*~ stricken*) purl; *FAM* ◇ **~ liegenlassen** to ignore; (*FAM mit Leichtigkeit*) ◇ **das habe ich mit ~ gemacht** it was very easy to do that **II.** *präp gen* on/to the left; ◇ **~ von mir** on/to my left; **Linksabbieger(-in** *f*) *m* AUTO driver turning left; **Linksaußen** *m* <-, -> SPORT outside left; **Linkshänder(in** *f*) *m* <-s, -> left-handed person; **Linkskurve** *f* left-hand bend; **linksradikal** *adj* POL extreme left-wing; **Linksverkehr** *m* (*in GB*) driving on the left

Linse *f* <-, -n> ① (*optisch*) lens ② (*Gemüse*) lentil

Lipid *s* fat

Lippe *f* <-, -n> lip; *FAM* ◇ **eine dicke ~ riskieren** to have a big mouth; **Lippenbekenntnis** *s PEJ* lip-service; **Lippenstift** *m* lipstick

liquid *adj* ↑ *zahlungsfähig* liquid

liquidieren *vt* → *Geschäft, Gegner* liquidate

Lira *f* <-, Lire> (*ital. Währung*) lira

lispeln *vi* lisp

List *f* <-, -en> cunning trick

Liste *f* <-, -n> (*Einkaufs-*) list; ◇ **eine ~ aufstellen** to make up a list [*o.* to draw up a list]

listig *adj* crafty, cunning

Litanei *f* REL litany; *FAM* ◇ **immer dieselbe ~** the same old story

Liter *m o s* <-s, -> litre

literarisch *adj* literary; **Literatur** *f* literature; **Literaturkritik** *f* literary criticism; **Literaturpapst** *m* ↑ *bedeutender Kritiker* literary pundit; **Literaturpreis** *m* award for literature, literature prize; **Literaturverzeichnis** *s* bibliography; **Literaturwissenschaft** *f* (*Philologie*) literary studies, literature

Litfaßsäule *f* advertising column

Lithographie *f* lithograph

litt *impf v.* **leiden**

Liturgie *f* liturgy; **liturgisch** *adj* liturgical

Litze *f* <-, -n> ① (*an Uniform*) braid ② ELECTR flex

live *adv* live

Livree *f* <-, -n> livery

Lizenz *f* <-, -en> licence

Lkw *m* <-[s], -[s]> *Abk v.* **Lastkraftwagen** truck, lorry

Lob [1] *s* <-[e]s, -e> praise

Lob [2] *m o s* <-s, -s> SPORT ball

Lobby *f* <-, -s *o.* Lobbies> ① ↑ *Interessenvertretung* lobby ② (*in Hotel, Flughafen*) lobby, reception

loben *vt* praise; **lobenswert** *adj* praiseworthy; **löblich** *adj* commendable; **Lobrede** *f* eulogy

Loch *s* <-[e]s, Löcher> ① (*in Wand*) hole ② (*FAM Wohnung*) dump ③ (*Gefängnis*) jail, clink ④ (*FAM am Ende sein*) ◇ **aus dem letzten ~ pfeifen** to be exhausted; (*FAM! unmäßig trinken*) ◇ **saufen wie ein ~** to drink heavily; **lochen** *vt* punch holes, perforate; → *Fahrkarte* punch; **Locher** *m* <-s, -> punch; **löcherig** *adj* holey, full of holes; **Lochkarte** *f* punch card; **Lochstreifen** *m* PC punched paper tape

Locke *f* <-, -n> curl; **locken I.** *vr* ◇ **sich ~** ← *Haar* curl **II.** *vt* ↑ *anlocken* lure; (*FIG reizen*) tempt; **Lockenkopf** *m* curly hairstyle; (*FIG Mensch mit Locken*) s.o. with lots of curls; **Lockenwickler** *m* <-s, -> curler

locker *adj FIG* ▷*Lebenswandel* relaxed, easy; **lockerlassen** *unreg vi* slacken; ◇ **nicht ~** to not give up; **lockern I.** *vt* → *Schraube* loosen; → *Vorschriften* relax, slacken **II.** *vr* ◇ **sich ~** ← *Freundschaft, Sitten* become more relaxed; ← *Spannung* ease

lockig *adj* curly

Lockruf *m* call; **Lockvogel** *m* decoy

Lodenmantel *m* loden coat

lodern *vi* ← *Feuer* blaze

Löffel *m* <-s, -> ① (*Eß-, Koch-*) spoon ② ↑ *Hasenohr* ear ③ (*FAM sterben*) ◇ **den ~ abgeben** to kick the bucket; **löffeln** *vt* spoon [up], dish up; **löffelweise** *adv* by the spoonful

log *impf v.* **lügen**

Logarithmentafel *f* MATH logarithm table, log table

Logarithmus *m* MATH logarithm

Logbuch *s* NAUT log book

Loge *f* <-, -n> ① THEAT box ② (*Freimaurer-*) lodge ③ (*Pförtner-*) lodge

Loggia *f* <-, Loggien> balcony

logieren *vi* lodge

Logik *f* logic, sense; **logisch** *adj* logically; *FAM* ↑ *einleuchtend* ◇ **das ist doch ~** that figures

Logopädie *f* ↑ *Sprachheilkunde* speech therapy

Lohn *m* <-[e]s, Löhne> ① (*Arbeits-, Jahres-*) wage[s], pay ② (*Belohnung*) reward; **Lohnausgleich** *m* wage adjustment; ◇ **bei vollem ~** with full pay; **Lohnempfänger(in** *f*) *m* wage earner

lohnen I. *vt* reward; ◇ **jd-m etw** *akk* **~** to reward s.o. for s.th. **II.** *vr* ◇ **sich ~** be worth; **lohnend** *adj* rewarding

Lohnerhöhung *f* pay rise; **Lohnsteuer** *f* income tax; **Lohnsteuerjahresausgleich** *m* annual adjustment of income tax; **Lohnsteuerkarte** *f* income tax card; **Lohnstreifen** *m* pay slip; **Lohntüte** *f* pay packet

Loipe *f* <-, -n> cross-country ski slope

Lok *f* <-, -s> *Abk v.* **Lokomotive** locomotive, engine *AM*

lokal *adj* local

Lokal *s* <-[e]s, -e> pub, bar; (*Speise-*) restaurant; **Lokalanästhesie** *f* local anaesthesia; **Lokalbericht** *m* local report

lokalisieren *vt* locate; **Lokalisierung** *f* location

Lokaltermin *m* JURA visit to the scene of a crime

Lokführer *m Abk v.* **Lokomotivführer** engine-driver

Lokomotive *f* locomotive; **Lokomotivführer** *m* engine-driver

Lokus *m* <-,-se> *FAM* ↑ *Toilette* loo, toilet

Look *m* <-s, -s> (*Partner-*) look, image

Looping *m o s* <-s, -s> AERO looping the loop

Lorbeer *m* <-s, -en> ① GASTRON bay-leaf ② *auch FIG* laurel; ◇ **sich auf seinen ~en ausruhen** to rest on o.'s laurels; **Lorbeerblatt** *s* bay-leaf

Lore *f* <-, -n> (*offener Güterwagon*) wagon

los *adv* ① (*beginnen*) ◇ **der Film geht ~** the film is starting ② (*FAM wissen*) ◇ **etw ~ haben** to know s.th. ③ (*FAM verlieren, weggeben*) ◇ **jd-n/etw ~ haben** to get rid of s.o./s.th. ④ (*FAM geschehen*) ◇ **Was ist hier ~?** What's going on here? ⑤ (*nicht in Ordnung*) ◇ **Was ist mit dir ~?** What is the matter with you?

Los *s* <-es, -e> ① ↑ *Schicksal* fate ② (*Lotterie-*) draw, lottery ticket

losbinden *unreg vt* untie

lösbar *adj* ▷*Rätsel* able to be solved

Löschblatt *s* blotting paper; **Löschdecke** *f* fire blanket

löschen [1] **I.** *vt* ① → *Licht* put out; → *Feuer* extinguish ② ↑ *streichen, tilgen* cancel; COMM cancel, delete; PC → *Speicher* clear; → *Daten, Eintrag, Tonband* erase, delete; → *Firma* put out of business ③ → *Durst* quench **II.** *vi* ← *Feuerwehr* extinguish; ← *Papier* blot out

löschen [2] *vt* → *Ladung, Fracht* unload, offload

Löschfahrzeug *s* fire engine; **Löschgerät** *s* fire extinguisher; **Löschpapier** *s* blotting paper; **Löschtaste** *f* key to erase information

Löschung *f* ① (*von Feuer*) extinguishing;

(COMM *von Firma*) putting out of business ② (*von Fracht*) unloading, offloading

lose *adj* ① ▷*Schraube* loose ② (*FAM frech*) ◇ **ein -s Mundwerk haben** to be cheeky ③ (*unverpackte Ware*) unpackaged goods

Lösegeld *s* ransom

losen *vi* draw lots

lösen I. *vt* remove ① → *Handbremse* let off; → *Schleife, Knoten* untie, undo ② → *Partnerschaft* break off, sever; → *Vertrag* break ③ → *Problem* solve ④ → *Fahrschein* buy ⑤ CHEM dissolve II. *vr* ◇ **sich** - ① ← *Krampf, Spannung* ease ② ← *Schuß* go off ③ ← *Zucker* dissolve (*in dat* in) ④ ← *Problem, Schwierigkeit* solve

losfahren *unreg vi* set off; **losgehen** *unreg vi* ① ↑ *weggehen* set off ② ↑ *anfangen* start; *FAM* ◇ **jetzt geht's los** here we go ③ ← *Schuß, Bombe* go off ④ ↑ *angreifen* ◇ **auf jd-n** - to attack s.o.; **loskaufen** *vt* → *Gefangene, Geißeln* ransom; **loskommen** *unreg vi:* ◇ **von etw** - to get away from s.th.; **loslassen** *unreg vt* ① → *Hand, Seil* let go of ② (*angreifen lassen*) ◇ **jd-n auf jd-n** - to let s.o. loose on s.o.; **loslegen** *vi FAM* ↑ *eifrig anfangen* get going; ◇ **mit der Arbeit** - to get started with the work

löslich *adj* soluble

losmachen I. *vt* loosen; → *Boot* unmoor II. *vr* ◇ **sich** - get free, free; **losreißen** I. *vt* tear off II. *vr* ◇ **sich** - break free (*von jd-m/etw* from s.o./s.th.); **lossagen** *vr* ◇ **sich** - renounce (*von jd-m/etw* s.th.); **lossprechen** *unreg vt* absolve (*von etw dat* from s.th.)

Losung *f* ① MIL password ② REL motto

Lösung *f* ① (*von Aufgabe*) solution ② (*von Beziehung*) break-up, separation ③ CHEM solution

loswerden *unreg vt* (*sich befreien von*) get rid of

Lot *s* <-[e]s, -e> ① (*Senk~*) plumbline; (*Echo~*) sounding line; *FIG* ◇ **im** - in order; *FIG* ◇ **jd-n aus dem - bringen** to upset s.o. ② MATH perpendicular

loten *vti* plumb

löten *vt* solder

Lotion *f* lotion

Lötkolben *m* soldering iron

Lotosblume *f* BIO lotus

Lotse *m* <-n, -n> pilot; AERO air-traffic controller; NAUT navigator; **lotsen** *vt* ① → *Flugzeug* pilot ② *FAM* lure, tempt

Lotterie *f* lottery; **Lotteriespiel** *s auch FIG* gamble

Lotto *s* <-s, -s> national lottery

Löwe *m* <-n, -n> ① ZOOL lion ② ASTROL Leo; **Löwenanteil** *m* lion's share; **Löwenmaul** *s* BIO snapdragon; **Löwenzahn** *m* (BIO *Pusteblume*) dandelion; **Löwin** *f* lioness

loyal *adj* loyal; **Loyalität** *f* loyalty

LP *f Abk v.* **Langspielplatte** LP

LSD *s* (*Droge*) LSD

lt. *präp Abk v.* **laut**

ltd. *adj Abk v.* **limited**

Luchs *m* <-es, -e> lynx

Lücke *f* <-, -n> space, gap; (*in Text, Wissen*) gap; **Lückenbüßer(in** *f*) *m* <-s, -> stopgap; **lükkenhaft** *adj* full of gaps, sketchy; **lückenlos** *adj* complete

lud *impf v.* **laden**

Luder *s* <-s, -> ① (*PEJ Frau*) slut ② *FAM* ◇ **armes** - silly creature

Lues *f* (MED *Syphilis*) syphilis

Luft *f* <-, Lüfte> air; (*Atem*) breath; ◇ **es liegt etw in der** - there's s.th. in the air; ◇ **jd-n wie - behandeln** to act like s.o. does not exist; (*FAM Ärger, Streit*) ◇ **hier ist dicke** - in here is a tense atmosphere; *FAM* ◇ **die - ist rein** the coast is clear; (*FAM wütend sein*) ◇ **in die - gehen** to explode; (*FAM sprengen*) ◇ **etw in die - jagen** to blow s.th. up; **Luftangriff** *m* MIL air-raid; **Luftballon** *m* balloon; **Luftblase** *f* air bubble; **Luftbrücke** *f* airlift; **luftdicht** *adj* air-tight; **Luftdruck** *m* air-pressure

lüften *vti* ① → *Zimmer* air ② → *Hut* raise ③ → *Geheimnis* disclose, reveal

Luftfahrt *f* aviation; **Luftfeuchtigkeit** *f* humidity; **Luftfilter** *m* (*bei Verbrennungsmotor*) air filter; **Luftfracht** *f* air freight; **luftgekühlt** *adj* air-cooled; **Luftgewehr** *s* airgun; **luftig** *adj* ▷*Ort* breezy; ▷*Raum* airy; ▷*Kleider* light; **Luftkampf** *m* MIL air battle; **Luftkissenfahrzeug** *s* hoverkraft; **Luftkurort** *m* health resort; **luftleer** *adj* (*-er Raum*) vacuum; **Luftlinie** *f* as the crow flies; **Luftloch** *s* AERO air pocket; **Luftmatratze** *f* air mattress; **Luftpirat(in** *f*) *m* hijacker; **Luftpost** *f* airmail; **Luftpumpe** *f* air pump; **Luftreinigung** *f* purifying of air; **Luftrettungsdienst** *m* air rescue service; **Luftröhre** *f* ANAT wind pipe; **Luftschiff** *s* (*Zeppelin*) airship; **Luftschlange** *f* steamer; **Luftschloß** *s* castle in the air; ◇ **Luftschlösser bauen** to build castles in the air; **Luftschutz** *m* MIL anti-aircraft device; **Luftschutzkeller** *m* air-raid shelter; **Luftspiegelung** *f* ↑ *Fata Morgana* mirage; **Luftsprung** *m* *FIG*: ◇ **einen - machen** to jump for joy; **Luftstreitkräfte** *pl* MIL air force; **Luftstützpunkt** *m* MIL air-base

Lüftung *f* airing, ventilation

Luftveränderung *f* change of air; **Luftverkehr** *m* air traffic; **Luftverschmutzung** *f* air pollution; **Luftwaffe** *f* MIL air force; **Luftweg** *m*: ◇ **auf dem ~ befördern** to transport by air; **Luftwiderstand** *m* PHYS air resistance; **Luftzug** *m* draught

Lüge *f* <-, -n> lie; ◇ **jd-n/etw ~n strafen** to put s.o. straight; ◇ **~n haben kurze Beine** the truth always comes out

lugen *vi* (*hervor~*) peep

lügen <log, gelogen> *vi* lie, fib; **Lügenmaul** *s FAM* liar; **Lügner(in** *f*) *m* <-s, -> liar

Luke *f* <-, -n> (*Dach~*) skylight; (*Boden~*) trapdoor

lukrativ *adj* lucrative

Lümmel *m* <-s, -> lout; **lümmeln** *vr* ◇ **sich ~** lounge about/around

Lump *m* <-en, -en> (*charakterlos*) scoundrel, rascal

lumpen *vi FAM*: ◇ **sich nicht ~ lassen** to splash out

Lumpen *m* <-s, -> [1] (*zerrissene Kleidung*) rag [2] (*Scheuerlappen*) rag; **lumpig** *adj* [1] (*Kleidung*) ragged, tatty [2] (*FAM geizig*) measly

Lunch *m* <-s, -s> ↑ *Mittagessen* lunch; **lunchen** *vi* have luch

Lunge *f* <-, -n> ANAT lung; ◇ **sich die ~ aus dem Hals schreien** to scream until s.o. is blue in the face; **Lungenentzündung** *f* pneumonia; **lungenkrank** *adj* sick with lung disease

Lunte *f* <-, -n> ↑ *Zündschnur* match; (*FIG Verdacht schöpfen*) ◇ **~ riechen** to smell a rat

Lupe *f* <-, -n> magnifying glass; *FIG* ◇ **unter die ~ nehmen** to keep an eye on s.th.

Lupine *f* BIO lupin

Lurch *m* <-es, -e> amphibian

Lust *f* <-, Lüste>: ◇ **~ auf etw** *akk* **haben, ~ zu etw haben** to feel like doing s.th.; ◇ **~ haben, etw zu tun** to be keen to do s.th.; ◇ **keine ~ haben** to have no interest in s.th. [*o.* to not be in the mood]

Lüster *m* <-s, -> (*Kronleuchter*) chandelier; **Lüsterklemme** *f* <-, -n> ELECTR connector

lüstern *adj* lustful

lustig *adj* ↑ *komisch* funny; ↑ *fröhlich* fun, enjoyable

Lüstling *m* lecher

lustlos *adj* listless; **Lustmord** *m* sex murder; **Lustschloß** *s* summer residence, summer house; **Lustspiel** *s* comedy; **lustwandeln** *vi* wander, stroll

lutherisch *adj* REL Lutheran

lutschen *vti* suck; ◇ **am Daumen ~** to suck o.'s thumb; **Lutscher** *m* <-s, -> lollipop

Luv *f* <-s> NAUT windward or weather side

Luxation *f* (MED *Hüft~*) dislocation

Luxemburg *s* Luxembourg; **luxemburgisch** *adj* Luxembourgian

luxuriös *adj* luxorious; **Luxus** *m* <-> luxury; **Luxusartikel** *m* luxury goods *pl;* **Luxushotel** *s* luxury hotel; **Luxussteuer** *f* luxury tax

Luzerne *f* <-, -n> BIO lucerne

Luzifer *m* <-s> Lucifer

Lymphe *f* <-, -n> lymph

Lymphknoten *m* lymph node

lynchen *vt* lynch; **Lynchjustiz** *f* lynch-law

Lyrik *f* poetry, verse; **Lyriker(in** *f*) *m* <-s, -> poet; **lyrisch** *adj* lyrical

M

M, m *s* M, m

M.A. Magister artium Master of Arts

Machart *f* make; **machbar** *adj* feasible; **Mache** *f* <-> *FAM* show

machen I. *vt* [1] ↑ *tun* do, make [2] → *Prüfung* sit; → *Ausbildung* complete [3] (*FAM Wie geht es*) ◇ **Was ~ deine Kinder?** How are your children? [4] ↑ *verursachen, erregen* → *Lärm* make, cause [5] MATH ↑ *ergeben* be [6] *FAM* ◇ **in die Hose ~** to wet o.'s pants **II.** *vr* ◇ **sich ~** [1] (*vorankommen, sich gut entwickeln*) come along nicely; (*passen*) ◇ **die Pflanze macht sich gut hier** the plant looks good here [2] (*ernennen*) make (*zu* s.o. s.th.) [3] (*mögen*) like; ◇ **er macht sich nichts aus Süßigkeiten** *dat* he doesn't like sweets [4] ◇ **sich an etw** *akk* **~** to get down to s.th.; *FAM* to get cracking **III.** *vi* [1] ◇ **Susan macht in Antiquitäten** *akk* Susan deals in antiques [2] ◇ **das macht nichts** it doesn't matter; ◇ **mach's gut!** take care!

Macher *m* <-s, -> (*Führungskraft*) man of action, doer

Macho *m* <-s, -s> *FAM* macho

Macht *f* <-s, Mächte> power, strength; **Machthaber(in** *f*) *m* <-s, -> ruler

mächtig *adj* powerful; *FAM* ↑ *sehr* huge, enormous

machtlos *adj* powerless; **Machtprobe** *f* trial of strength; **Machtstellung** *f* position of power; **Machtübernahme** *f* assumption of power, takeover; **Machtwort** *s*: ◇ **ein ~ sprechen** to put o.'s foot down

Machwerk *s* work; (*schlechte Arbeit*) lousy job

Macke *f FAM* ↑ *Fehler* defect, fault; (*FIG verrückt sein*) ◇ **Der Mensch hat doch eine ~!** That guy must have a screw loose!

Macker *m* <-s, -> *FAM* ↑ *Freund* bloke, guy

MAD *m* **Militärischer Abschirmdienst** Military Counter-Intelligence service

Mädchen *s* ① (*Kind, junge Frau*) girl ② (*Hausangestellte*) maid; **mädchenhaft** *adj* girlish; **Mädchenname** *m* girl's name; (*Name vor Eheschließung*) maiden name

Made *f* <-, -n> maggot; (*FIG im Überfluß haben*) ◇ **wie die ~ im Speck leben** to live in clover

madig *adj* full of maggots; ◇ **jd-m etw** *akk* **~ machen** to spoil s.th. for s.o.; *FAM* ◇ **jd-n ~ machen** to run s.o. down

Madonna *f* <-, Madonnen> REL Madonna

Mafia *f* <-> Mafia, the Mob *AM*; **Mafioso** *m* <-s, -> member of the Mafia, wise guy, mobster *AM*

Magazin *s* <-s, -e> ① ↑ *Lager* warehouse; ↑ *Bibliotheksraum* stockroom ② ↑ *Zeitschrift* magazine ③ (*bei Gewehren*) magazine

Magd *f* <-, Mägde> farm girl

Magen *m* <-s, Mägen *o.* -> stomach; *FAM* tummy; (*Hunger haben*) ◇ **mir knurrt der ~** my stomach's rumbling; ◇ **sich den ~ verderben** to have an upset tummy; (*FIG Übelkeit verursachen*) ◇ **solche Filme schlagen mir auf den ~** films like that make me sick [*o.* really get to me]; **Magenbitter** *m* (*Kräuterlikör*) bitters *pl;* **Magengeschwür** *s* MED stomach ulcer; **Magensäure** *f* MED gastric acid; **Magenschleimhaut** *f* MED stomach lining; **Magenschmerzen** *pl* stomachache

mager *adj* ↑ *schlank, dünn* thin, skinny; (*~es Fleisch*) lean; ↑ *gering* low; **Magerkeit** *f* thinness, leanness; **Magermilch** *f* skimmed milk; **Magersucht** *f* anorexia

Magie *f* magic; **Magier(in** *f*) *m* <-s, -> magician; **magisch** *adj* magic, magical

Magister *m* Master's degree

Magma *s* <s, -Magmen> (*von Vulkan*) magma

Magnat *m* <-s *o.* en, en> (*Industrieller*) magnate, tycoon

Magnesium *s* CHEM magnesium

Magnet *m* <-s *o.* -en, en> (*Elektro-*) magnet; **Magnetband** *s* magnetic tape; **magnetisch** *adj* magnetic; **magnetisieren** *vt* magnetize; **Magnetnadel** *f* compass needle; **Magnetpol** *m* magnetic pole; **Magnetstreifen** *m* magnetic strip

Magnolie *f* (*-nbaum*) magnolia

Mahagoni *s* <-s> (*-möbel*) mahogony

mähen[1] *vti* mow

mähen[2] *vi FAM* ← *Schaf* bleat

Mahl *s* <-[e]s, -e> (*Mittags-*) meal

mahlen <mahlte, gemahlen> *vt* → *Kaffee, Getreide* mill, grind

Mahlzeit I. *f* meal II. *intj* enjoy your meal!

Mahnbrief *m* reminder

Mähne *f* <-, -n> mane; *FAM* mane

mahnen *vt* ① (*warnend*) warn, remind ② (*wegen Schulden*) demand payment

Mahnmal *s* (*für Kriegsopfer*) memorial

Mahnung *f* warning, reminder

Mähre *f* <-, -n> [old] nag

Mai *m* <-[e]s, -e> May; ◇ **wie damals im ~** like back then in May; (*Tag der Arbeit*) ◇ **1. ~** May Day; **Maibaum** *m* maypole; ◇ **den ~ aufstellen** to put up the maypole; **Maiglöckchen** *s* lily of the valley; **Maikäfer** *m* cockchafer

Mailbox *f* <-, -en> PC mailbox

Mais *m* <-es> maize, corn *AM*; **Maiskolben** *m* [corn]cob, corn on the cob

Maisonette *f* maisonette

Majestät *f* majesty; **majestätisch** *adj* majestic

Majoran *m* <-s> marjoram

Major *m* <-s, -e> MIL, AERO major

Majorität *f* majority; ◇ **in der ~ sein** to be in the majority

makaber *adj* macabre

Makel *m* <-s, -> defect, fault, flaw; ▷ *moralisch* stain; ◇ **mit einem ~ behaftet sein** to be stigmatized; **makellos** *adj* flawless, immaculate, perfect

mäkeln *vi FAM* find fault

Make-up *s* makeup

Makkaroni *f* macaroni

Makler(in *f*) *m* <-s, -> (*Immobilien-*) estate agent; (*Börsen-*) stockbroker

Makrele *f* <-, -n> mackerel

Makrone *f* <-, -n> macaroon

makroskopisch *adj* macroscopic

mal *adv s.* **einmal** once; (*FAM zur Toilette müssen*) ◇ **~ müssen** to need to go to the toilet

Mal[1] *s* <-[e]s, -e> (*Zeitpunkt*) time; (*plötzlich*) ◇ **mit einem ~** all of a sudden, all at once; ◇ **er forderte von ~ zu ~ mehr** he demanded more and more

Mal[2] *s* <-[e]s, e *o.* Mäler> (*Mutter-, Wund-*) birthmark

Malaria *f* <-> MED malaria

malen *vti* paint; *FIG* ↑ *beschreiben* depict, portray; ◇ **die Zukunft in den rosigsten Farben ~** to paint a rosy picture of the future; **Maler(in** *f*) *m* <-s, -> painter, artist; (*Tapezierer*) painter, decorator; **Malerei** *f* painting; **malerisch** *adj* picturesque

Malheur *s* ↑ *Mißgeschick* mishap, slight accident; ◇ **mir ist ein ~ passiert** I had a slight mishap

maligne *adj* MED ↑ *bösartig* malign
Malkasten *m* paintbox
malnehmen *unreg vti* multiply
malochen *vi FAM* ↑ *schwer arbeiten* slave/slog away
Malta *s* Malta
Malteserorden *m* order of the Knights of Malta
malträtieren *vt* ↑ *mißhandeln* ill-treat, mishandle
Malz *s* <-es> malt; **Malzbonbon** *s* cough drop, barley drop
Malzeichen *s* multiplication sign
Malzkaffee *m* malt coffee
Mama, **Mami** *f* <-, -s> *FAM* mum, mummy
Mammon *m* <-s> (*FIG Geld*) money
Mammut *s* <-s, -e *o.* -s> mammoth
mampfen *vi FAM* munch, chomp
man *pron* one, people *pl*
Management *f* <-s> management; **Manager(in** *f*) *m* <-s, -> manager, executive; **Managerkrankheit** *f* executive stress
manch *adj inv* (*mit pl*) many, a number of; **manche(r, s)** *pron* some; **mancherlei** **I.** *adj inv* various **II.** *pron* a variety of, all sorts of
manchmal *adv* sometimes, occasionally
Mandant(in *f*) *m* JURA client
Mandarine *f* mandarin, tangerine
Mandat *s* mandate
Mandel *f* <-, -n> ① (*Nuß*) almond ② ANAT tonsil; **Mandelentzündung** *f* tonsilitis; **Mandelöl** *s* almond oil
Manege *f* <-, -n> (*Zirkus-*) circus ring
Mangan *s* <-s> CHEM manganese
Mangel [1] *m* <-s, Mängel> ① ↑ *Fehlen, Knappheit* lack, shortage (*an dat* of) ② ↑ *Fehler* defect, fault
Mangel [2] *f* <-, -n> (*Wäsche-*) mangle
Mangelerscheinung *f* deficiency symptom; **mangelhaft** *adj* ▷*Note* poor; ↑ *fehlerhaft* faulty, defective; **mangeln** **I.** *vi:* ◇ **es mangelt ihm an Mut** he lacks courage **II.** *vt* → *Wäsche* mangle; **mangels** *präp gen* for lack of, for want of; **Mangelware** *f* scarce commodity
Mango *f* <-, -s *o.* -nen> (*Südfrucht*) mango
Manie *f* MED mania; *FIG* obsession
Manier *f* <-> (*Art und Weise, Stil*) manner, style
Manieren *pl* ↑ *Benehmen, Umgangsformen* manners *pl;* (*Eß-, Tisch-*) manners *pl;* **manierlich** *adj* well-mannered
Manifest *s* <-es, -e> (*kommunistisches* ~) manifesto; ↑ *Erklärung* manifesto
Maniküre *f* <-, n> manicure; **maniküren** *vt* manicure
Manipulation *f* ① (*an Maschine*) manipulation ② (*Betrug*) manipulation; **manipulieren** *vt* manipulate
manisch *adj* (PSYCH *~depressiv*) manic
Manko *s* <-s, -s> ↑ *Nachteil, Mangel* deficiency
Mann *m* <-[e]s, Männer> man; (*Ehe-*) husband; (*FIG FIG sich bewähren*) ◇ **seinen ~ stehen** to stand o.'s ground; NAUT ◇ **alle ~ an Deck** all men on board
Männchen *s* ① (*Tier*) male ② (*in Märchen*) little man ③ (*Spielstein*) piece, man ④ *FIG* ◇ **~ machen** to sit up and beg
Mannen *pl* HIST ↑ *Gefolgsleute* men, followers *pl*
Mannequin *s* <-s, -s> model
Männerchor *m* all-male choir
Manneskraft *f* (*Zeugungskraft*) potency
mannigfach *adj* various, diverse; **mannigfaltig** *adj* varied, various
männlich *adj* masculine; BIO male; **Männlichkeit** *f* masculinity, manliness
Mannsbild *s auch PEJ* man
Mannschaft *f* ① SPORT team ② (*Lösch-, Polizei-*) team, squad ③ (*FIG Regierungs-*) team ④ NAUT, AERO crew; **Mannschaftskapitän** *m* SPORT captain; **Mannschaftsraum** *m* MIL men's quarters *pl;* SPORT team quarters *pl;* **Mannschaftswagen** *m* (*für Polizisten*) squad car
Mannsleute *pl FAM* menfolk *pl;* **mannstoll** *adj PEJ* nymphomaniac
Mannweib *s PEJ man-like woman*
Manöver *s* <-s, -> (MIL *Herbst-*) manoeuvre; (*Ablenkungs-*) manoeuvre; **manövrieren** *vti* (*geschickt handeln*) manoeuvre
Mansarde *f* <-, -n> attic
Mansch *m* <-[e]s> *auch PEJ* mush, slush
manschen *vi FAM* mash [up]
Manschette *f* ① (*von Hemd*) cuff ② (*Papier-*) paper frill ③ (*FIG Angst haben*) ◇ **vor jd-m/etw ~n haben** to be scared stiff of s.o./s.th. ④ TECHNOL sleeve, collar, collet; **Manschettenknopf** *m* cufflink
Mantel *m* <-s, Mäntel> ① (*Kleider*) coat ② (TECHNOL *von Fahrrad, Geschoß, Stahl*) casing ③ MATH curved surface ④ (*FIG verdrängen, über etw schweigen*) ◇ **der ~ der christlichen Nächstenliebe** the cloak of charity; **Manteltarif** *m collective agreement on working conditions*
Manual *s* <-s, -e> MUS manual keyboard
manuell *adj* manual
Manufaktur *f* ① (*Porzellan-*) manufacture ② ↑ *Fabrik* factory
Manuskript *s* <-[e]s, -e> manuscript

Mappe *f* <-, -n> briefcase; (*Akten-*) folder; (*Noten-, Klemmappe*) portfolio
Maracuja *f* <-, -s> maracuja
Marathon *m* <-s, -s> (SPORT *-lauf*) marathon; (*FIG ~sitzung, ~veranstaltung*) marathon
Märchen *s* fairy tale; **märchenhaft** *adj* fabulous; **Märchenprinz** *m* prince charming
Marder *m* <-s, -> marten
Margarine *f* magarine
Marge *f* <-, -n> COMM margin
Margerite *f* <-, -n> daisy
Marienbild *s* REL Madonna; **Marienkäfer** *m* ladybird; **Marienleben** *s* KUNST life of The Virgin Mary
Marihuana *s* <-s> marihuana; *FAM* pot, grass
Marinade *f* marinade
Marine *f* NAUT: ◇ **Handels~** merchant navy; ◇ Kriegs~ navy; **marineblau** *adj* navy blue
marinieren *vt* GASTRON → *Fleisch* marinate
Marionette *f* (*-ntheater*) marionette, puppet; *auch FIG* puppet
maritim *adj* maritime
Mark [1] *f* <-, -> (*Währung, Münze*) mark
Mark [2] *s* <-[e]s> (1) (*Knochen-*) marrow (2) ◇ **das Heulen der Wölfe geht mir durch ~ und Bein** the wolves' howling scares me to death
markant *adj* striking, distinctive
Marke *f* <-, -n> mark (1) (*Warensorte*) brand (2) ↑ *Fabrikat* make (3) (*Rabatt-, Brief-*) stamp (4) (*Essens-*) ticket (5) (*Hunde-*) breed (6) (*Garderoben-*) ticket
Markenartikel *m* brand-name article; **Markenware** *f* brand-name article; **Markenzeichen** *s* trademark
Marker *m* <-s, -> (*Text-*) marker pen
markerschütternd *adj* ▷*Schrei, Gekreische* bloodcurdling
Marketing *s* <-s> marketing
markieren I. *vt* → *Textstelle* mark; (*spielen*) ◇ **den starken Mann ~** to try to act tough **II.** *vti FAM* ↑ *vortäuschen* pretend; **Markierung** *f* (*Straßen-*) marking
markig *adj FIG* powerful, strong
Markise *f* <-, -n> sun blind
Markknochen *m* marrowbone; **Markstück** *s* one-mark coin
Markt *m* <-[e]s, Märkte> (*Wochen-, Floh-*) market; (*Absatz-*) market; **Marktanteil** *m* share of the market; **Marktbude** *f* market stall; **Marktforschung** *f* market research; **Marktlücke** *f* COMM opening in the market; ◇ **eine ~ schließen** to close/seal off an opening in the market; **Marktplatz** *m* market square; **Marktwirtschaft** *f* market economy

Marmelade *f* ▷*süß* jam; ▷*bitter* marmelade
Marmor *m* <-s, -e> marble; **marmorieren** *vt* marble
marode *adj* ▷*Unternehmen, Firma* ailing
Marokko *s* Morocco
Marone *f* <-, -n *o.* Maroni> chesnut
Marotte *f* <-, -n> ↑ *Spleen* fad
Marquis(-e *f*) *m* marquis, marquess
Mars *m* ASTRON Mars
Marsch [1] *m* <-[e]s, Märsche> (*Gewalt-, Nacht-*) march
Marsch [2] *f* <-, -en> marsh
Marschall *m* <-s, Marschälle> HIST marshall
Marschbefehl *m* marching orders *pl;* **marschbereit** *adj* ready to march; **Marschflugkörper** *m* MIL cruise missile; **marschieren** *vi* march; **Marschverpflegung** *f* marching rations *pl*
Marter *f* <-, -n> torture; **martern** *vt* torture; **Marterpfahl** *m* stake
Martinshorn *s* siren
Märtyrer(in *f*) *m* <-s, -> martyr
Marxismus *m* POL Marxism
März *m* <-[es], -e> March; ◇ **im ~** in March
Marzipan *s* marzipan
Masche *f* <-, -n> (1) mesh; (*beim Stricken*) stich (2) (*FIG Gesetz umgehen*) ◇ **durch die ~n des Gesetzes schlüpfen** to find a loophole in the law (3) (*FAM neuer Trick, Ausrede*) ◇ **die neueste ~** the latest [trick]; *FAM* ◇ **das ist so typisch seine ~** that is rather typical of him; **Maschendraht** *m* wire netting
Maschine *f* machine; (*Motor*) engine; (*Motorrad*) bike; (*Flugzeug*) plane; ◇ **Näh~** sewing machine; ◇ **Schreib~** typewriter; ◇ **Wasch~** washing machine
maschinell *adj* machine, mechanical
Maschinenbauer(in *f*) *m* mechanical engineer; **Maschinenbauingenieur(in** *f*) *m* mechanical engineer; **Maschinengewehr** *s* machine gun; **maschinenlesbar** *adj* machine readable; **Maschinenpistole** *f* submachine gun; **Maschinenraum** *m* engine room; **Maschinenschaden** *m* mechanical breakdown; **Maschinenschlosser(in** *f*) *m* machine fitter; **Maschinenschrift** *f* typescript; **maschine[n-]schreiben** *unreg vi* type
Maschinist(in *f*) *m* machine operator
Masern *pl* MED measles *pl*
Maserung *f* grain
Maske *f* <-, -n> (1) (*Faschings-*) mask; (*Gesichts-*) mask; *FIG* ◇ **in der ~ des Samariters** pretending to be a Samaritan (2) A. PC mask; **Maskenball** *m* fancy-dress ball

Maskerade *f* ↑ *Kostümierung* masquerade; **maskieren** *unreg* **I.** *vt* mask; ↑ *verkleiden* dress up; (*Bankräuber*) disguise **II.** *vr* ◇ **sich** ~ disguise o.s.

Maskottchen *s* ↑ *Glücksbringer* mascot

maskulin *adj* masculine

maß *impf v.* **messen**

Maß I. *s* <-es, -e> (*Flächen-, Längen-*) measure; (*-band, Meter-*) tapemeasure; (*Ausmaß, Grad*) degree; (*FIG übertreiben*) ◇ **weder ~ noch Ziel kennen** to know no bounds; (*FIG ungerecht urteilen*) ◇ **mit zweierlei ~ messen** to apply double standards **II.** *f* <-, -[e]> litre

Massage *f* <-, -n> massage

Massaker *s* <-s, -> massacre, bloodbath

Maßanzug *m* custom-made suit; **Maßarbeit** *f FIG* precision work

Masse *f* <-, -n> [1] (*Knet-, Teig-*) mass [2] (*Konkurs-*) assets *pl* [3] crowd; ◇ **die breite ~** the masses; (*FAM von Angeboten, Glückwünsche*) mass, loads [of]

Maßeinheit *f* unit of measurement

Massenarbeitslosigkeit *f* mass unemployment; **Massenartikel** *m* mass-produced articles; **Massengrab** *s* mass grave; **massenhaft** *adj inv* loads of, vast amounts of; **Massenmedium** *s* mass media; **massenweise** *adv* vast amounts of

Masseur(in *f*) *m* (*Berufsbezeichnung*) masseur

Masseuse *f* (*Prostituierte*) masseuse

Maßgabe *f:* ◇ **nach ~ der/des** *gen* according to; **maßgebend** *adj* important, authoritative; **maßgeblich** *adj* ▷*Faktor* decisive; ◇ **wer sind die ~en Leute?** who is in charge?; **maßhalten** *unreg vi* exercise moderation

massieren [1] *vt* → *Rücken, Nacken* massage

massieren [2] *vt* MIL mass

massig *adj* moderate, modest; *FAM* a massive amount of

mäßig *adj* (*~er Trinker*) moderate; ▷*Schüler, Verpflegung* mediocre, poor; **mäßigen I.** *vt* ↑ *mildern, dämpfen* moderate; → *Zorn, Worte* curb; → *Tempo* slow down **II.** *vr* ◇ **sich ~** control o.s., restrain o.s.; **Mäßigkeit** *f* moderation

massiv *adj* solid; *FIG* heavy, rough; ▷*Kritik* severe

Massiv *s* <-s, -e> massif

Maßkrug *m* tankard; **maßlos** *adj* extreme, excessive; **Maßnahme** *f* <-, -n> measure, step; ◇ **geeignete ~n ergreifen** to take suitable measures; **maßregeln** *unreg vt* (*zurechtweisen*) reprimand, scold; **Maßstab** *m* [1] measure; *FIG* standard; ◇ **sein Handeln ist kein ~ für mich** I don't take his actions as a yardstick [2] GEO scale; **maßvoll** *adj* moderate; ▷*Forderung* reasonable

Mast [1] *m* <-[e]s, -e[n]> [1] (NAUT *Schiffs-*) mast [2] (ELECTR *Strom-*) pylon

Mast [2] *f* <-> (*von Schlachtvieh*) fattening

Mastdarm *m* ANAT rectum

mästen *vt* → *Schweine, Gänse* fatten [up]

Matador *m* <-s, -e> matador, bull-fighter

Match *s* <-[e]s, -s> (*Tennis-*) match, game

Material *s* <-s, -ien> (*Arbeits-, Verpackungs-*) materials *pl;* (*Beweis-, Info-*) material; **Materialfehler** *m* material defect

Materialismus *m* materialism; **Materialist(in** *f*) *m* materialist; **materialistisch** *adj* materialistic

Materie *f* PHYS matter; (*Sachgebiet*) subject matter; ◇ **sich mit der ~ vertraut machen** to become acquainted with the subject matter

materiell *adj* material

Mathematik *f* mathematics; **Mathematiker(in** *f*) *m* <-s, -> mathematician; **mathematisch** *adj* mathematical

Matinee *f* <-, -n> matinee

Matjeshering *m* soused herring

Matratze *f* <-, -n> mattress

Matrixdrucker *m* matrix printer

Matrize *f* <-, -n> matrix; (*zum Abziehen*) stencil

Matrose *m* <-n, -n> sailor; (NAUT *Dienstgrad*) ordinary sailor

Matsch *m* <-[e]s> mush; (*Schnee-*) slush; **matschig** *adj* mushy

matt *adj* [1] ↑ *kraftlos* exhausted [2] ↑ *glanzlos* dull; FOTO matt [3] (*schachspielen*) checkmate; ◇ **jd-n ~ setzen** to checkmate s.o.; *FIG* ▷*Entschuldigung, Lächeln* weak

Matte *f* <-, -n> [1] (*Bade-, Fuß-*) mat [2] (*FAM überraschender Besuch*) ◇ **auf der ~ stehen** to be ready for s.th.

Mattigkeit *f* weakness, dullness

Mattlack *m* matt paint; **Mattscheibe** *f FAM* ↑ *Fernseher* telly; (*FAM begriffsstutzig sein*) ◇ **eine ~ haben** to have a mental block

Matura *f* <-> (*ÖST*) *s.* **Abitur**

mau *adj* (*FAM schlecht*) bad, funny

Mauer *f* <-, -n> [1] wall; (*Berliner Mauer*) wall [2] SPORT wall; **Mauerblümchen** *s FAM* wallflower; **mauern** *vti* build a wall; *FIG* hold back; **Mauersegler** *m* swift; **Mauerwerk** *s* brickwork; (*aus Stein*) masonry

Maul *s* <-[e]s, Mäuler> mouth; (*FAM klatschen*) ◇ **sich das ~ zerreißen** to gossip; (*FAM freche Reden führen*) ◇ **ein loses** [*o.* **ungewaschenes**] **~ haben** to have a wicked tongue; **Maulbeerbaum** *m* mulberry tree; **maulen** *vi FAM* grum-

M

ble (*über* about); **Maulesel** *m* mule; **maulfaul** *adj FAM* ↑ *wortkarg* too lazy to talk; **Maulheld** *m FAM* ↑ *Angeber* show-off, big-mouth; **Maulkorb** *m* muzzle; *FIG* ◇ **jd-m einen ~ umhängen** to put a muzzle on s.o.; **Maulschelle** *f* ↑ *Ohrfeige* a slap in the face; **Maulsperre** *f* lockjaw; (*FAM überrascht sein*) ◇ **die ~ kriegen** to be speechless; **Maultasche** *f* GASTRON *stuffed pasta squares;* **Maultier** *s* mile; **Maulwurf** *m* mole; **Maulwurfshaufen** *m* molehill

maunzen *vi* miaow; (*FAM jammern*) complain,moan

Maurer(in *f*) *m* <-s, -> bricklayer

Maus *f* <-, Mäuse> [1] ZOOL mouse [2] PC mouse [3] (*FAM Geld*) ◇ **keine Mäuse haben** to be broke [4] (*FAM Verkehrspolizist*) ◇ **weiße ~** traffic policeman

mäuschenstill *adj* as quiet as a mouse

Mausefalle *f* mousetrap

mausen *vt* (*FAM stehlen*) pinch, nick

Mauser [1] *f* <-, -> (*Pistole*) gun

Mauser [2] *f* <-> moulting period

mausern *vr* ◇ **sich ~** moult; (*FAM sich entwikkeln*) come along nicely

mausetot *adj FAM* as dead as a doornail

Maut *f* <-> (*ÖST*) toll

maximal *adj* maximum

Maxime *f* <-, -n> maxim

maximieren *unreg vt* → *Gewinn, Nutzen* maximize; **Maximum** *s* <-s, Maxima> maximum

MAZ *f* <-> *Abk v.* **Magnetbandaufzeichnung** MEDIA VTR, video tape recording

Mayonnaise *f* <-, -n> mayonnaise

Mäzen *m* (*Kunst-, Literatur-*) patron

Mechanik *f* [1] PHYS mechanics [2] (*Getriebe*) mechanism; **Mechaniker(in** *f*) *m* <-s, -> mechanic; **mechanisch** *adj* mechanical; **mechanisieren** *vt* mechanize; **Mechanismus** *m* mechanism

meckern *vi* [1] ← *Ziege* bleat [2] *FAM* ↑ *nörgeln* moan, complain

Medaille *f* <-, -n> medal

Medaillon *s* <-s, -s> (*Schmuck*) locket

Medikament *s* medicine, medication

meditieren *vi* meditate

Medium *s* [1] ◇ **die Medien** *pl* the media [2] (*Übertragungsmittel*) medium [3] (*bei Geisterbeschwörung*) medium

Medizin *f* <-, -en> [1] (*Fach*) medicine [2] *FAM* ↑ *Medikament* medication; **Medizinball** *m* SPORT medicine ball; **Mediziner(in** *f*) *m* [1] ↑ *Arzt* doctor [2] (*FAM Medizinstudent*) medicine student; **medizinisch** *adj* medical; **Medizinmann** *m* witchdoctor, medicine man

Meer *s* <-[e]s, -e> sea; (*FIG reichlich*) ◇ **wie Sand am ~** in abundance; **Meerbusen** *m* gulf; **Meerenge** *f* straits *pl;* **Meeresfrucht** *f* seafood; **Meeresgrund** *m* seafloor; **Meeresspiegel** *m* sea level; **Meerjungfrau** *f* mermaid; **Meerkatze** *f* long-tailed monkey; **Meerrettich** *m* horseradish; **Meersalz** *s* sea salt; **Meerschweinchen** *s* ZOOL guinea pig; **Meerungeheuer** *s* sea monster

Meeting *s* <-s, -s> meeting; SPORT meet

Megabyte *s* PC megabyte

Megafon, Megaphon *s* <-s, -e> megaphone

Mehl *s* <-[e]s, -e> (*Weizen-, Roggen-*) flour; (*Säge-*) dust, powder; **mehlig** *adj* mealy; **Mehlspeise** *f* batter pudding

mehr I. *pron, nr komp von* **viel** more; ◇ **nach ~ schmecken** I hope there's more where that came from; ◇ **~ oder weniger** more or less **II.** *adv komp von* **sehr** more (*als* than); **Mehraufwand** *m* additional expenditure; **Mehrbelastung** *f* additional load; FIN additional cost; **Mehrbereichsöl** *s* AUTO multigrade oil; **mehrdeutig** *adj* ambiguous; **mehrere** *pron* several, a number of; **mehreres** *pron* several things; **mehrfach** *adj* (*~ vorbestraft*) repeated; (*~er Ausfertigung*) multiple; ◇ **in ~er Hinsicht** in several respects; **Mehrfamilienhaus** *s* house for several families; **Mehrheit** *f* (*einfache ~, absolute ~*) majority; (*schweigende ~*) majority; **mehrmalig** *adj* repeated; **mehrmals** *adv* several times; **Mehrplatzrechner** *m* PC multistation computer; **mehrplatzfähig** *adj* PC multisation; **mehrspurig** *adj* ▷*Straße* multilane; **mehrstimmig** *adj* for several voices; ◇ **~ singen** to harmonize; **Mehrwegflasche** *f* returnable bottle; **Mehrwertsteuer** *f* VAT, value added tax; **Mehrzahl** *f* [1] ↑ *Mehrheit* majority [2] GRAM plural; **Mehrzweckhalle** *f* multipurpose hall

meiden <mied, gemieden> *vt* (*aus dem Weg gehen*) avoid s.o./s.th.

Meile *f* <-, -n> mile; (*Freß-, Vergnügungs-*) mile; **Meilenstein** *m* milestone; *FIG* ↑ *wichtiges Ereignis* landmark, milestone; ◇ **ein ~ in der Geschichte** a landmark in history; **meilenweit** *adv* for miles

mein *pron* (*adjektivisch*) my

meine(r, s) *pron* (*substantivisch*): ◇ **das ist ~** that's mine

Meineid *m* perjury

meinen *vti* ↑ *annehmen, behaupten* think, believe; ↑ *sagen* say; ↑ *sagen wollen* mean; ◇ **das will ich ~** I should think so; (*etw/jd-n im Sinn haben*) ◇ **wen ~ Sie?** Who do you mean?, Who are you talking about?

meiner *pron gen von* **ich** mine
meinerseits *adv* as far as I'm concerned
meinesgleichen *pron* people like me
meinethalben, **meinetwegen** *adv* ↑ *wegen mir* because of me; ↑ *mir zuliebe* for my sake; (*um mich*) about me; ↑ *für mich* for me, on my behalf; ↑ *von mir aus* I don't mind, as far as I'm concerned; ◇ **na** ~ I don't mind/care
Meinung *f* opinion; ◇ **jd-m die** ~ **sagen** to give s.o. a piece of o.'s mind; **Meinungsaustausch** *m* exchange of views; **Meinungsfreiheit** *f* freedom of speech; **Meinungsumfrage** *f* opinion poll; **Meinungsverschiedenheit** *f* disagreement
Meise *f* <-, -n> [1] ZOOL [tit]mouse [2] (*FAM verrückt sein*) ◇ **du hast eine ~!** you're crazy!
Meißel *m* <-s, -> chisel; **meißeln** *vti* chisel, carve
meist *adv* mostly; **meiste(r, s)** *pron Superl von* **viel** (*adjektivisch*) most of; (*substantivisch*) most of them; ◇ **das** ~ most of it; ◇ **die ~n Leute** most people; ◇ **am ~n** the most; (*adverbial*) most of all
meistens *adv* ↑ *fast immer* mostly, for the most part
Meister(in *f*) *m* <-s, -> master; SPORT champion; (*Künstler*) ◇ **die alten** ~ the old masters; *FIG* ◇ **Übung macht den** ~ practice makes perfect; **meisterhaft** *adj* masterly; **meistern** *vt* → *Situation, Aufgabe* master, control; **Meisterschaft** *f* [1] (*Können*) mastery [2] SPORT championship; **Meisterstück** *s* (*e-s Handwerkers*) masterpiece; (*FIG großartige Leistung*) masterpiece; **Meisterwerk** *s* masterpiece
Mekka *s* (*Einkaufs~*) mecca (*für* for, of)
Melancholie *f* melancholy; **melancholisch** *adj* melancholy
Meldefrist *f* registration deadline
melden **I.** *vt* → *Unfall, Verlust* report; (*FAM nichts zu sagen haben*) ◇ **bei jd-m nichts zu ~ haben** to not have anything to say to s.o. **II.** *vr* ◇ **sich** ~ [1] (*sich vorstellen*) report (*bei* to) [2] SCHULE put o.'s hand up [3] (*freiwillig*) volunteer [4] (*auf Annonce, am Telefon*) answer; ◇ **sich zu Wort** ~ to make a statement; **Meldepflicht** *f* A. MED compulsory registration; **Meldeschluß** *m* closing date; **Meldestelle** *f* registration office; **Meldung** *f* announcement; ↑ *Bericht* report; MIL report; SPORT announcement
meliert *adj* mottled
Melisse *f* <-, -n> balm
melken <molk, gemolken> *vt* milk; (*FAM jd-n finanziell ausnützen*) ◇ **jd-n** ~ to milk s.o.
Melodie *f* melody; **melodisch** *adj* melodic
Melone *f* <-, -n> (*Wasser~, Honig~*) melon; (*Hut*) bowler
Membran[e] *f* <-, -en> [1] TECHNOL diaphragm [2] (BIO, MED *Zell~*) membrane
Memme *f FAM* ↑ *Feigling* coward, chicken
Memoiren *pl* memoirs *pl*
Menge *f* <-, -n> quantity, amount; (*Menschen~*) crowd; ↑ *große Anzahl* a lot of, a large amount of
mengen **I.** *vt* mix **II.** *vr* ◇ **sich ~:** ◇ **sich ~ in** to mingle with
Mengenlehre *f* MATH set theory; **Mengenrabatt** *m* bulk discount
Meningitis *f* <-, Meningitiden> MED meningitis
Meniskus *m* <-, Menisken> MED meniscus
Mensa *f* <-, Mensen> canteen, refectory
Mensch **I.** *m* <-en, -en> human being, person, man; ◇ **kein** ~ nobody; (*FAM unmöglich sein*) ◇ **der letzte ~ sein** to be the pits; **Menschenalter** *s* generation; **Menschenfeind(in** *f*) *m* misanthropist; **menschenfreundlich** *adj* philanthropic; **Menschengestalt** *f* REL: ◇ **in** ~ in human form; **Menschenkenner(in** *f*) *m* <-s, -> good judge of character; **Menschenkette** *f* human chain; ◇ **eine ~ bilden** to form a human chain; **menschenleer** *adj* deserted; **Menschenliebe** *f* philanthropy; **menschenmöglich** *adj* humanly possible; ◇ **alles M~e tun** to do everything humanly possible; **Menschenraub** *m* kidnapping; **Menschenrechte** *pl* human rights *pl;* **menschenscheu** *adj* unsociable, shy; **Menschenschlag** *m* breed of people; ◇ **seltsamer** ~ a strange lot/breed; **menschenunwürdig** *adj* ▷*Zustände, Verhalten* degrading; **menschenverachtend** *adj* inhuman; **Menschenverstand** *m:* ◇ **der gesunde** ~ common sense
Menschheit *f* humanity, mankind
menschlich *adj* [1] (*~es Bedürfnis, ~es Versagen*) human [2] (*human*) humane; **Menschlichkeit** *f* humanity
Menstruation *f* menstruation
Mentalität *f* mentality
Menthol *s* <-s> (*-bonbons, ~zigaretten*) menthol
Mentor *m* (*Berater, Lehrer*) mentor, tutor
Menü *s* <-s, -s> (*in Restaurant, PC*) menu; **Menüanzeige** *f* PC menu display; **menügesteuert** *adj* PC menu-driven
Menuett *s* <-s, -e> MUS minuet
Merchandising *s* <-s> COMM merchandising
Meridian *m* [1] ASTRON meridian [2] GEO meridian
Merkblatt *s* instruction sheet

merken I. *vt* (*spüren, wahrnehmen*) notice **II.** *vr:* ◇ **sich** *dat* **etw** ~ to remember s.th.; *FAM* ◇ **M~ Sie sich das gefälligst!** And don't forget it!; **merklich** *adj* noticeable, distinct

Merkmal *s* <-[e]s, -e> characteristic feature, sign

Merkur *m* <-s> ASTRON Mercury

merkwürdig *adj* odd, strange, unusual; **merkwürdigerweise** *adv* strangely/oddly enough

meßbar *adj* measurable; **Meßbecher** *m* measuring cup; **Meßbuch** *s* missal

Messe [1] *f* <-, -n> (1) (*Buch~, Herbst~*) fair (2) (REL *Früh~, Toten~*) mass (3) MUS mass

Messe [2] *f* <-, -n> (NAUT *Offiziers~*) mess

messen <maß, gemessen> **I.** *vt* → *Blutdruck, Fieber* measure; ◇ **mit Blicken** ~ to scrutnize; (*vergleichen*) compare; ◇ **jd-n** ~ **an** *akk* to measure/judge s.o. by; ◇ **sich mit jd-m** ~ *dat* to be no match for s.o. **II.** *vr* ◇ **sich** ~ compete

Messer *s* <-s, -> knife; (*FIG jd-n verraten*) ◇ **jd-n ans ~ liefern** to squeel on s.o.; *FIG* ◇ **auf des ~s Schneide stehen** to be on the razor's edge; (*FAM operiert werden*) ◇ **unters ~ kommen** to come under the surgeon's knife; **Messerspitze** *f* knife point; (*in Rezept*) pinch of

Messestand *m* exhibition stand

Meßgerät *s* measuring device; **Meßgewand** *s* REL chasuble

Messias *m* <-> [the] Messiah

Messing *s* <-s> (*~schild, ~ring*) brass

Meßinstrument *s* measuring device; **Meßordnung** *f* REL ordinary [of the mass]

Metall *s* <-s, -e> metal; **metallen**, **metallisch** *adj* metal, metalic; *FIG* ▷*Stimme* metallic

Metamorphose *f* <-, -n> (1) BIO metamorphosis (2) (*GEO*) transformation, metamorphosis (3) *FIG* ↑ *Verwandlung* transformation

Metaphysik *f* metaphysics *pl*

Metastase *f* <-, -n> MED metastasis

Meteor *s* <-s, -e> meteor

Meteorologie *f* meteorology

Meter *m o s* <-s, -> metre; **Metermaß** *s* tape measure, measuring rod

Methan *s* <-s> (*~gas*) methane

Methode *f* <-, -n> (*Arbeits~*) method; **methodisch** *adj* methodical; ◇ ~ **vorgehen** to do s.th. methodically/in a straightforward way

Methodist(in *f*) *m* Methodist

Methylalkohol *m* CHEM methyl alcohol

Metier *s* <-s, -s> profession, job; ◇ **das ist wohl nicht mein** ~ that's really not my line

metrisch *adj* metric

Metro *f* metro, underground

Metropole *f* <-, -n> metropolis

Metzger(in *f*) *m* <-s, -> butcher; **Metzgerei** *f* butcher's [shop]

Meuchelmord *m* assassination, murder

Meute *f* <-, -n> pack; *FIG* mob

Meuterei *f* mutiny; **Meuterer** *m* <-s, -> mutineer; **meutern** *vi* mutiny

Mexiko *s* Mexico

MEZ mitteleuropäische Zeit Central European Time

Mezzosopran *m* MUS mezzo-soprano

MG *s* <-, -s> **Maschinengewehr** machine gun

MHz Megahertz megahertz

miauen *vi* miaow

mich *pron akk von* **ich** me

Midlife-crisis *f* midlife crisis

mied *impf v.* **meiden**

Mief *m* <-s> *FAM* stuffy atmosphere

Miene *f* <-, -n> (*Leidens~, Unschulds~*) face, expression

mies *adj* (*FAM schlecht, krank*) lousy; **miesmachen** *unreg vt* → *Person, Vorhaben* run s.th. down

Mietauto *s* hired car, rented car

Miete *f* <-, -n> rent; ◇ **zur ~ wohnen** to live in a rented place; **mieten** *vt* rent; → *Auto* hire; **Mieter(in** *f*) *m* <-s, -> tenant; **Mietshaus** *s* block of flats; **Mietvertrag** *m* lease; **Mietwohnung** *f* rented flat

Migräne *f* <-, -n> MED ↑ *Kopfschmerzen* migraine

Mikado *s* (*Geschicklichkeitsspiel*) mikado

Mikroanalyse *f* microanalysis

Mikrobe *f* <-, -n> BIO microbe

Mikrochip *m* PC microchip; **Mikroelektonik** *f* microelectronics *pl;* **Mikrofiche** *m* <-s, -s> microfiche; **Mikrofilm** *m* microfilm

Mikrofon, **Mikrophon** *s* <-s, -e> microphone

Mikroprozessor *m* PC microprocessor

Mikroskop *s* <-s, -e> microscope; **mikroskopisch** *adj* microscopic

Mikrowelle *f* microwave; **Mikrowellenherd** *m* microwave oven

Milbe *f* <-, -n> mite

Milch *f* <-> (1) milk; (*Reinigungs~*) milk (2) (*Fisch~*) roe; **Milchbart** *m* (1) (*bei Baby*) *milk around the mouth* (2) *bei Jugendlichem, FAM* bum-fluff; **Milchflasche** *f* milk bottle; **Milchgebiß** *s* milk teeth; **Milchglas** *s* frosted glass; **milchig** *adj* milky; **Milchkaffee** *m* café au lait; **Milchpulver** *s* powdered milk; **Milchreis** *m* rice pudding; **Milchstraße** *f* Milky Way; **Milchwirtschaft** *f* dairy farming; **Milchzahn** *m* milk tooth

mild *adj* ▷*Klima* mild; ▷*Richter* lenient; ▷*Lä-*

cheln wan, gentle; ▹*Kaffee* mild; **Milde** *f* <-> mildness, gentleness
mildern *vt* soothe, ease, calm; → *Schmerz* soothe; ◇ **-de Umstände** mitigating circumstances
mildtätig *adj* charitable
Milieu *s* <-s, -s> enviroment; (*Unterwelt*) underworld; **milieugeschädigt** *adj* maladjusted
militant *adj* militant
Militär [1] *s* <-s> armed forces *pl;* ◇ **beim - sein** to be in the army
Militär [2] *m* <-s, -s> soldier; **Militärdienst** *m* national service; ◇ **den - [ab-]leisten** to do o.'s national service; **Militärgefängnis** *s* military prison; **Militärgericht** *s* military court, court martial; **militärisch** *adj* military
Militarismus *m* militarism; **militaristisch** *adj* militaristic
Militärmusik *f* military marches; **Militärputsch** *m* military putsch/coup; **Militärregierung** *f* military government
Miliz *f* <-, -en> militia
Milliardär(in *f*) *m* multimillionaire
Milliarde *f* <-, -n> billions *pl*
Millibar *s* <-s> millibar
Millimeter *m* millimetre; **Millimeterpapier** *s* graph paper
Million *f* million
Millionär(in *f*) *m* millionaire
Milz *f* <-, -en> spleen; **Milzbrand** *m* anthrax
mimen *vt* act; *FAM* ↑ *vortäuschen* act, play; **Mimik** *f* facial expressions *pl*
Mimikry *f* <-> BIO mimicry
Mimose *f* <-, -n> [1] BIO mimosa [2] *FIG* ↑ *empfindsamer Mensch* sensitive creature
Minarett *s* <-[e]s, -e> minaret
minder[e](r, s) **I.** *adj* inferior, lesser **II.** *adv* less; **minderbegabt** *adj* less gifted; **minderbemittelt** *adj* not so well-off, needy; (*FAM beschränkt*) ◇ **geistig -** not very bright; **Minderheit** *f* minority; ◇ **in der - sein** to be a minority; **minderjährig** *adj* underage; **Minderjährigkeit** *f* minority
mindern **I.** *vt* decrease, lessen **II.** *vr* ◇ **sich -** decrease, diminish
minderwertig *adj* ▹*Waren* inferior, low-grade; ▹*Charakter* inferior; **Minderwertigkeitsgefühl** *s* feeling of inferiority; **Minderwertigkeitskomplex** *m* inferiority complex
Mindestabstand *m* minimum distance; **Mindestalter** *s* minimum age; **Mindestbetrag** *m* minimum amount; **mindeste(r, s)** *adj* least; ◇ **Das ist doch das -!** That is the least one can do!, At least!; **mindestens** *adv* at least; **Mindestlohn** *m* minimum wage; **Mindestmaß** *s* minimum; ◇ **ein - an Höflichkeit** a minimum of politeness
Mine [1] *f* <-, -n> (*Bleistift-*) lead; (*Kugelschreiber-*) cartridge; (*Erz-, Gold-*) mine; ◇ **in der - arbeiten** to work in the mines
Mine [2] *f* <-, -n> (MIL *See-, Tret-*) mine; **Minenfeld** *s* MIL minefield
Mineral *s* <-s, -e *o.* -ien> mineral; **mineralisch** *adj* mineral; **Mineralsalz** *s* mineral salts *pl;* **Mineralwasser** *s* mineral water
Minestrone *f* <-, Ministroni> GASTRON minestrone
Miniatur *f* (*Zeichnung, Bild*) miniature; **Miniaturausgabe** *f* miniature edition
Minibar *f* minibar
Minigolf *s* crazy golf
minimal *adj* minimal
Minimum *s* <-s, Minima> minimum (*an* of); ◇ **auf ein - reduzieren** to keep s.th. to a minimum
Minister(in *f*) *m* <-s, -> minister; **ministeriell** *adj* ministerial; **Ministerium** *s* ministry; **Ministerpräsident(in** *f*) *m* prime minister
Minnesang *m* <-s> minnesang
Minorität *f* ↑ *Minderheit* minority
minus *adv* minus, below; *FAM* ◇ **- 12 Grad** minus 12 degrees, 12 degrees below zero; **Minus** *s* <-, -> overdraft; ↑ *Nachteil* disadvantage; **Minuspol** *m* negative pole; **Minuspunkt** *m* SPORT penalty point; **Minuszeichen** *s* minus sign
Minute *f* <-, -n> minute; ◇ **auf die letzte - kommen** to be right on time; **Minutenzeiger** *m* minute hand
mir *pron dat von* **ich** me; (*FIG plötzlich*) ◇ **- nichts, dir nichts** without so much as a by-your-leave, just like that; (*FAM meinetwegen*) ◇ **von - aus** as far as I am concerned
Mirabelle *f* yellow plum
Mirakel *s* <-s, -> miracle
Mischehe *f* mixed marriage; **mischen** **I.** *vt* → *Getränke* mix; → *Farben* blend **II.** *vti vi* → *Spielkarten* mix, shuffle **III.** *vr* ◇ **sich -** mix; ◇ **sich unter die Leute -** to mix/to mingle; ◇ **sich in ein Gespräch -** to interfere; **Mischling** *m* half-caste; BIO hybrid; **Mischpult** *s* MEDIA mixer; **Mischung** *f* (*Tee-, Tabak-*) mixture
miserabel *adj* miserable, lousy, terrible, bad; ◇ **es geht ihm -** he isn't doing very well
mißachten *vt* → *Gesetze, Regeln* ignore; **Mißachtung** *f* disregard
Mißbehagen *s* discomfort, uneasiness
Mißbildung *f* MED deformity
mißbilligen *vt* → *Verhalten, Entschluß* disapprove (of); **Mißbilligung** *f* disapproval

Mißbrauch *m* (*Amts-, Macht-*) abuse; (*falscher Gebrauch*) improper use, misuse; **mißbrauchen** *vt* [1] → *Vertrauen, Macht* abuse (*zu* for) [2] ↑ *vergewaltigen* abuse
mißdeuten *vt* → *Aussage, Absicht* misinterpret
missen *vt* (*entbehren*) do without; ◇ **etw nicht ~ wollen** to not want to do without s.th.
Mißerfolg *m* failure
Mißernte *f* bad harvest
Missetäter(in *f*) *m* criminal; *FAM* scoundrel
mißfallen *unreg vi* displease (*jd-m* s.o.); **Mißfallen** *s* <-s> displeasure
Mißgeburt *f* freak (of nature)
mißgelaunt *adj* in a bad mood, bad-tempered
Mißgeschick *s* bad luck, misfortune, mishap; ◇ **ihr passierte ein ~** she had an accident
mißglücken *vi* ← *Versuch* fail, be unsuccessful
mißgönnen *vt* [be]grudge s.o./s.th.; ◇ **jd-m sein Glück ~** to [be]grudge s.o.'s happiness
Mißgriff *m* mistake, wrong move
Mißgunst *f* envy, jealousy; **mißgünstig** *adj* envious, jealous
mißhandeln *vt* [1] → *Gefangene, Tiere* ill-treat [2] (*FAM falsch gebrauchen*) ◇ **ein Musikinstrument ~** to misuse a musical instrument; **Mißhandlung** *f* ill-treatment
Mission *f* [1] mission; (*Personengruppe*) mission, delegation; ◇ **zur diplomatischen ~ gehören** to belong to the diplomatic delegation [2] (*Heiden-, Äußere ~*) mission; **Missionar(in** *f*) *m* missionary
Mißklang *m* ↑ *Disharmonie* discord; *FIG* ↑ *Streit, Unstimmigkeit* note of discord
Mißkredit *m* disrepute, discredit; ◇ **jd-n in ~ bringen** to bring dishonour to s.o.
mißlang *impf v.* **mißlingen**
mißlich *adj* ↑ *unerfreulich* disagreeable, unfortunate; ◇ **in eine ~e Lage bringen** to set up an awkward situation for s.o
mißlingen <mißlang, mißlungen> *vi* fail
mißlungen *Partizip Perfekt v.* **mißlingen**
Mißmanagement *s* <-s> mismanagement, bad management
Mißmut *m* ↑ *schlechte Laune* bad mood, disgruntlement; **mißmutig** *adj* in a bad mood, bad-tempered
mißraten I. *unreg vi* ← *Arbeit, Vorhaben* fail, be unsuccessful **II.** *adj* ▷*Person* wayward
Mißstand *m* disgrace; (*schlechter Zustand*) deplorable state; ↑ *Ungerechtigkeit* abuse; ↑ *Mangel* defect; ◇ **einen ~ beseitigen** to remedy a bad situation
Mißstimmung *f* bad feeling, feeling of uneasiness
mißtrauen *vi* distrust, mistrust (*jd-m/etw* s.o./s.th.); **Mißtrauen** *s* <-s> distrust, mistrust (*gegenüber* of); ◇ **jd-m ~ entgegenbringen** to be suspicious of s.o.; POL ◇ **einem Politiker das ~ aussprechen** to pass a vote of no confidence against a politician; **Mißtrauensantrag** *m* POL motion of no confidence; **Mißtrauensvotum** *s* <-s, -voten> POL vote of no confidence; **mißtrauisch** *adj* distrustful, suspicious
Mißverhältnis *s* disproportion, discrepancy
Mißverständnis *s* misunderstanding; ◇ **da liegt ein ~ vor** there has to be a misunderstanding; **mißverstehen** *unreg vt* misunderstand
Mist *m* <-[e]s> dung; ↑ *Dünger* manure; (*FAM Unsinn*) rubbish; (*FAM Pech*) ◇ **so ein ~!** damn it!, what a nuisance!
Mistel *f* <-, -n> mistletoe
Misthaufen *m* manure heap
mistig *adj FAM* dirty, mucky
mit I. *präp dat* [1] (*Hilfsmittel oder Material*) with, by [2] (*Gemeinsamkeit, Gleichzeitigkeit, ~ Freunden wegfahren*) with; (*~ der Morgendämmerung*) at [3] (*Zugehörigkeit, Hotel ~ Pool*) with, including [4] (*Art u. Weise, ~ lauter Stimme, ~ Absicht*) with [5] (*Wechselseitigkeit, Unfall ~ Kind, Streit ~ jd-m*) with **II.** *adv* (*auch, unter anderem*) as well, also; ◇ **Wollen Sie ~ uns kommen?** Would you like to come with us?; ◇ **etw ~ berücksichtigen** to take s.th. into consideration as well; ◇ **~ das Beste** one of the best
Mitarbeit *f* cooperation, collaboration; **mitarbeiten** *vi* cooperate, collaborate; **Mitarbeiter(in** *f*) *m* employee; ◇ **die ~** *pl* employees *pl*
mitbekommen *unreg vt* get; (*FIG verstehen*) ◇ **Hast du das ~?** Did you understand that?; *FAM* Did you get that?
mitbenutzen *vt* share
Mitbesitzer(in *f*) *m* joint-owner
Mitbestimmung *f* participation in decision-making; POL co-determination
Mitbewerber(in *f*) *m* competitor
Mitbewohner(in *f*) *m* roommate
mitbringen *unreg vt* → *Geschenk, Gast* bring along; (*FIG Voraussetzung haben für*) ◇ **das nötige Wissen ~** to possess the necessary knowledge; **Mitbringsel** *s* <-s, -> little present; *FAM* pressie
Mitbürger(in *f*) *m* fellow citizen
mitdenken *unreg vi* follow; ◇ **bei dieser Arbeit muß man schon etwas ~** with this kind of work you really have to pay attention
miteinander *adv* with each other, together
miterleben *unreg vt* (*den Krieg ~*) live through, experience, witness

Mitesser *m* <-s, -> blackhead

Mitfahrzentrale *f* car pool agency; **Mitfahrgelegenheit** *f* ride

mitfreuen *vr* ◇ **sich** ~ be pleased for s.o.

mitgeben *unreg vt* → *Essen, Führer* give; → *Ausbildung, Rat* give

Mitgefühl *s* sympathy

mitgehen *unreg vi* ① ↑ *begleiten* go/come along ② *FAM* ↑ *stehlen* ◇ **etw ~ lassen** to walk off with s.th.

mitgenommen *adv* ▷*Person* in a bad way; ▷*Möbel* battered; ◇ ~ **sein** [*o.* ~ **sein**] to look exhausted

Mitgift *f* <-> dowry

Mitglied *s* (*Vereins-, Partei-*) member; **Mitgliedsbeitrag** *m* membership fee; **Mitgliedschaft** *f* membership

mithalten *unreg vi FIG* keep up

Mithilfe *f* help, assistance

mithören *vt* listen in on, listen to; ▷*zufällig* overhear; ▷*heimlich* eavesdrop

mitkommen *unreg vi* ① ↑ *begleiten* come along ② *FIG* ↑ *verstehen* understand, keep up

Mitläufer(in *f*) *m* hanger-on; POL fellow traveller

Mitlaut *m* SPRACHW consonant

Mitleid *s* pity, compassion; **Mitleidenschaft** *f*: ◇ **in ~ ziehen** to spread to, to affect; **mitleidig** *adj* compassionate, sympathetic; **mitleidslos** *adj* unfeeling

mitmachen *vt* ① → *Lehrgang, neueste Mode* join in; ↑ *sich anschließen* take part; ◇ **Darf ich bei dem Spiel ~?** Can I join the game? ② (*FAM Kummer erleiden*) live through; ◇ **er mußte viel ~** he went through a lot

Mitmensch *m* fellow citizen

mitmischen *vi PEJ* be in on

Mitnahmemarkt *m* cash and carry supermarket

mitnehmen *unreg vt* take along/with

Mitra *f* mitre

mitreden *vti* join in [conversation]; ◇ **ein Wörtchen ~ können** to be able to have a say in s.th.

mitreißen *unreg vi* ← *Strömung, Sturm* drag along; ← *Energie, Fröhlichkeit* sweep

mitsamt *präp dat* together with

mitschicken *vt* ↑ *beifügen*: ◇ **die Rechnung wird gleich mitgeschickt** the bill is enclosed

mitschleifen *unreg vt FAM* drag along

mitschneiden *unreg vt* (*auf Tonband*) record

Mitschnitt *m* (*Konzert-*) recording

Mitschuld *f* complicity; **mitschuldig** *adj* also guilty (*an dat* of); **Mitschuldige** *mf* accomplice

Mitschüler(in *f*) *m* schoolmate

mitspielen *vi* join in, play with; **Mitspieler(in** *f*) *m* player; THEAT member of cast

Mitspracherecht *s* say

mittag *adv* (*gestern ~, heute ~*) lunchtime; **Mittag** *m* midday, lunchtime; ◇ **zu ~ essen** to have lunch; ◇ **~ machen** to have lunch; **Mittagessen** *s* lunch, dinner; **mittags** *adv* at lunchtime; **Mittagspause** *f* lunch break; **Mittagsruhe** *f* after-lunch break; **Mittagsschlaf** *m* afternoon nap

Mittäter(in *f*) *m* accomplice, accessory to a crime

Mitte *f* <-, -n> middle; ◇ **aus unserer ~** from our midst, from amidst us

mitteilen *vt* inform; ◇ **jd-m etw ~** to inform s.o. of s.th.; **mitteilsam** *adj* communicative; **Mitteilung** *f* communication; ◇ **jd-m eine ~ machen** to notify s.o. of s.th., to inform s.o. of s.th.

Mittel *s* <-s, -> means; ↑ *Maßnahme, Methode* method; ↑ *Geld* means; MATH average; MED medicine; ◇ **ein ~ zum Zweck** a means to an end; ◇ **ein ~ gegen Flecken** s.th. to remove stains; ◇ **~ u. Wege finden** to find ways and means

Mittelalter *s* Middle Ages *pl*; **mittelalterlich** *adj* medi[a]eval

mittelbar *adj* indirect

Mittelding *s* cross (*zwischen dat* between); **Mittelgebirge** *s* highlands *pl*; **Mittelgewicht** *s* SPORT middleweight; **Mittelklassewagen** *m* middle-market car; **Mittellinie** *f* SPORT centre; **mittellos** *adj* destitute; **mittelmäßig** *adj* ▷*Leistung* average; ▷*Schüler* mediocre; **Mittelmäßigkeit** *f PEJ* mediocrity; ◇ **von erschreckender ~** of shocking mediocrity; **Mittelmeer** *s* Mediterranean; **Mittelohrentzündung** *f* MED inflamation of the middle ear; **Mittelpunkt** *m* centre

mittels *präp gen* with the help of, by means of

Mittelschiff *s* nave; **Mittelschule** *f* secondary modern school; **Mittelsmann** *m* mediator, go-between; **Mittelstand** *m* middle class; **Mittelstreckenrakete** *f* MIL medium-range missile; **Mittelstreifen** *m* central reservation; **Mittelstück** *s* middle [piece]; **Mittelstufe** *f* intermediate stage; **Mittelstürmer(in** *f*) *m* M forward; **Mittelweg** *m* middle course; *FIG* ◇ **den goldenen ~ wählen** to choose a happy medium; **Mittelwelle** *f* MEDIA medium wave; **Mittelwert** *m* MATH average, mean

mitten *adv* in the middle; ◇ **~ auf der Straße/in der Nacht** in the middle of the road/of the night; ◇ **~ hindurch** right through the middle; ◇ **~ unter ihnen** in their [very] midst

Mitternacht *f* midnight
mittlere(r, s) *adj* ↑ *durchschnittlich* average, medium; ◇ **-r Dienst** lower-grade civil service
mittlerweile *adv* meanwhile, in the meantime
Mittwoch *m* <-[e]s, -e> Wednesday; **mittwochs** *adv* on Wednesdays
mitunter *adv* now and then, occasionally; **mitunterschreiben** *vt* → *Vertrag, Brief* co-sign
mitverantwortlich *adj* jointly responsible
mitwirken *vi* contribute (*bei* to); THEAT take part in; **Mitwirkung** *f* participation, assistance; ◇ **unter - von** assisted by
Mitwisser(in *f*) *m* <-s, -> confidant; JURA accessory
Mixed Pickles *pl* mixed pickles *pl*
mixen *vt* mix; **Mixer** *m* <-s, -> blender
Mob *m* <-s> ↑ *Gesindel* mob
Möbel I. *s* <-s, -> [pieces of] furniture; ◇ **Wo sollen wir die Möbel hinstellen?** Where shall we put the furniture? II. (*nopl*) furniture; ◇ **Wo kaufen Sie Ihr Möbel?** Where do you buy your furniture?; **Möbelwagen** *m* removal van
mobil *adj* [1] ↑ *beweglich* mobile [2] MIL mobile
Mobiliar *s* <-s, -e> furniture, furnishings *pl*
Mobilmachung *f* MIL mobilization
möblieren *vt* furnish; ◇ **möbliert wohnen** to live in furnished accommodation
mochte *impf v.* **mögen**
Modder *m* <-s> (*norddt. Schlamm*) mud, clay
Mode *f* <-, -n> fashion; ◇ **mit der - gehen** to keep up with the latest fashion[s]; **Modefarbe** *f* latest colour
Modell [1] *s* <-s, -e> [1] ↑ *verkleinerte Nachbildung* (*Flugzeug-*) model [2] KUNST model; ◇ **- sitzen/stehen** to pose [3] (*italienisches -*) model
Modell [2] *s* <-s, -s> [1] ↑ *Mannequin* model [2] ↑ *Prostituierte* prostitute, call-girl
modellieren *vt* KUNST model
Modem *s* <-s, -s> PC modem
Mode[n]schau *f* fashion show
Moder *m* <-s> (*fauliger Geruch*) mustiness
Moderation *f* MEDIA presentation; **Moderator(in** *f*) *m* MEDIA presenter, host; **moderieren** *vt* moderate, present, anchor *AM*
modern [1] *vi* ↑ *verwesen* moulder, rot
modern [2] *adj* modern
modernisieren *vt* → *Wohnung* modernize; *FAM* do s.th. up
Modeschmuck *m* costume jewellery; **Modewort** *s FAM* in word
modifizieren *vt* → *Vertrag, Arbeitsablauf* modify
modisch *adj* fashionable, stylish; *FAM* in
modrig *adj* ▷*Geruch* musty
Modul *s* <-s, -e> (*elektronisches Bauteil*) module; PC module
Modus *m* <-, Modi> [1] SPRACHW mood [2] *FIG* ↑ *Vorgehensweise, Verfahrensweise* ◇ **M- vivendi** modus vivendi [3] PC mode
Mofa *s* <-s, -s> small moped
mogeln *vi FAM* ↑ *betrügen* cheat, deceive
mögen <mochte, gemocht> *vti* [1] (*jd-n/etw gern haben oder konsumieren*) like; ◇ **er mag nur Wein** he only likes wine [2] ↑ *wünschen, beabsichtigen* ◇ **ich mag tanzen** I would like to dance [3] (*können*) ◇ **das mag wohl sein, aber...** that may well be the case, but...
möglich I. *adj* possible; ◇ **etw - machen** to make s.th. possible II. *intj FAM*: ◇ **Nicht -!** You're kidding!; **möglicherweise** *adv* possibly; **Möglichkeit** *f* possibility; ◇ **nach -** if possible, as far as possible; ◇ **eine andere - besteht** there is another chance/possibility; (*Finanzen*) ◇ **das übersteigt seine -en** that is more than he can afford; **möglichst** *adv.* ◇ **- bald** as soon as possible
Mohn *m* <-[e]s> (BIO *-blume*) poppy; (*-kuchen*) poppy-seed cake
Mohrenkopf *m chocolate covered marshmallows*
Möhre, **Mohrrübe** *f* <-, -n> carrot
Mokassin *m* <-s, -s> moccasin
mokieren *vr* ◇ **sich -** make fun (*über akk* of), tease
Mokka *m* <-s, -s> mocha
Molch *m* <-[e]s, -e> newt
Mole *f* <-, -n> mole, jetty
Molekül *s* <-s, -e> CHEM molecule
Molekularbiologie *f* molecular biology
molk *impf v.* **melken**
Molkerei *f* dairy
Moll *s* <-, -> MUS minor [key]
mollig *adj* ▷*Zimmer, Bett* cosy; ▷*Pullover* cosy, snug; ▷*Person* plump, dumpy
Moment [1] *m* <-[e]s, -e> ↑ *Augenblick* moment; ◇ **einen -, bitte** just a minute, please; ◇ **im entscheidenden -** at the critical moment
Moment [2] *s* <-[e]s, -e> [1] (*Umstand*) fact, factor; (*Merkmal*) motive [2] PHYS momentum, moment
momentan I. *adj* momentary; ◇ **in der -en Lage** in the present situation II. *adv* at the moment, at the present; ◇ **er darf sich - nicht freinehmen** he is not allowed to take time off at the present
Momentaufnahme *f* (*Foto*) snapshot; *FIG* candid shot
Monaco *s* Monaco
Monarch(in *f*) *m* <-en, -en> monarch; **Monarchie** *f* monarchy

Monat *m* <-[e]s, -e> month; (*schwanger*) ◇ **im 7. ~ sein** to be 7 months pregnant; **monatelang** *adv* for months; **monatlich** *adj* monthly; **Monatskarte** *f* monthly season ticket

Mönch *m* <-[e]s, -e> monk

Mond *m* <-[e]s, -e> moon; (*FAM uninformiert sein*) ◇ **hinter dem ~ leben** to be out of touch

Mondamin® *s* ↑ *Stärkemehl* cornstarch, cornflour

mondän *adj* chic, sophisticated

Mondfähre *f* lunar module; **Mondfinsternis** *f* eclipse of the moon; **mondhell** *adj* moonlit; **Mondlandung** *f* landing on the moon; **Mondphase** *f* phase of the moon; **Mondschein** *m* moonlight; **Mondsonde** *f* lunar probe; **mondsüchtig** *adj*: ◇ **er ist ~** he's a sleepwalker

Moneten *pl FAM* ↑ *Geld* dough, bread

mongoloid *adj* MED mongoloid

monieren *vt* ↑ *beanstanden* complain [about]

Monitor *m* monitor; PC monitor

Monogramm *s* ↑ *Initialen* monogram

Monographie *f* (*Einzeldarstellung*) monograph

Monokultur *f* AGR monoculture

Monolith *m* <-en, -en> (*Stein, Kunstwerk*) monolith

Monolog *m* <-s, -e> monologue

Monopol *s* <-s, -e> (*Salz~, Zündholz~*) monopoly

monoton *adj* ▷*Vortrag, Landschaft* monotonous; ↑ *ermüdend* monotonous, dull

Monster *s* <-s, -> monster

Monstrum *s* <-s, Monstren> monster

Monsun *m* <-s, -e> (*~wind, ~zeit*) monsoon

Montag *m* <-[e]s, -e> Monday; **montags** *adv* on Mondays

Montage *f* <-, -n> ① (*Anlagen-, Maschinenbau*) mounting, fitting; ◇ **auf ~ sein** to be on a construction job ② FOTO montage ③ TECHNOL installation, assembly

Montanindustrie *f* COMM iron, coal and steel industry

Monteur(in *f*) *m* (*Heizungs~, Küchen~*) fitter

montieren *vt* → *Gerät, Anlage* mount, fit; → *Film* set up

Monument *s* <-s, -e> ↑ *Denkmal* monument; **monumental** *adj* ▷*Gebäude, Film* monumental

Moonboots *pl* moon boots *pl*

Moor *s* <-[e]s, -e> ① ↑ *Sumpf* moor ② (*~bad*) mud

Moos [1] *s* <-es, -e> BIO moss

Moos [2] *s* <-es> *FAM* ↑ *Geld* dough, cash

Moped *s* <-s, -s> moped

Mops *m* <-es, Möpse> (*Hunderasse*) pug; (*FAM Dicker*) fatso, fatty

mopsen *vt FAM* ↑ *stehlen* nick, pinch

Moral *f* <-> ↑ *Sittenlehre* moral; ◇ **die ~ der Truppe** the morale of the troops; (*Lehre, Nutzen*) ◇ **~ von der Geschichte/Fabel** the moral of the story/fable; **moralisch** *adj* moral; (*FAM deprimiert sein*) ◇ **er hat seinen Moralischen** his conscience is bothering him; **Moralphilosophie** *f* (*Ethik*) moral philosophy, ethics; **Moraltheologie** *f* REL moral theology, ethics

Moräne *f* <-, -n> moraine

Morast *m* <-[e]s, -e> (*Schlamm*) morass, mire; **morastig** *adj* ▷*Boden, Untergrund* boggy

morbid *adj* sickly, deathly; (*dekadent*) decadent

Mord *m* <-[e]s, -e> murder; ◇ **einen ~ begehen** [*o.* **verüben**] to commit murder; (*FIG heftiger Streit*) ◇ **das gibt ~ u. Totschlag** all hell will be let loose; **Mordanschlag** *m* attempted murder; **Mörder(in** *f*) *m* <-s, -> murderer; **mörderisch** *adj* murderous; *FIG* ▷*Hitze, Tempo* break-neck, terrible; **Mordkommission** *f* murder squad; **Mordsdurst** *m FAM*: ◇ **e-n ~ haben** to be dying of thirst; **mordsmäßig** *adj FAM* terrific, enormous, huge; **Mordsschreck** *m FAM* terrible fright; **Mordverdacht** *m* suspicion of murder; **Mordwaffe** *f* murder weapon

morgen *adv* tomorrow; ◇ **~ früh** tomorrow morning; **Morgen** *m* <-s, -> morning; ◇ **Guten ~** Good morning; **Morgengrauen** *s* dawn; **Morgenland** *s* <-[e]s> ↑ *Orient* Orient, East; **Morgenmantel** *m* dressing gown; **Morgenrock** *m* dressing gown; **Morgenrot** *s* dawn, sunrise; **Morgenröte** *f* dawn, sunrise

morgens *adv* in the morning; (*in der Nacht*) ◇ **um 2 Uhr ~** at 2 o'clock in the morning

Morgenstern *m* ① ↑ *Venus* morning star ② (*Schlagwaffe im Mittelalter*) flail

morgig *adj* tomorrow's; ◇ **der ~e Tag** tomorrow

moribund *adj* moribund

Mormone(Mormonin *f*) *m* Mormon

Morphium *s* morphine

morsch *adj* ▷*Holz, Knochen* rotten, rotting

Morsealphabet *s* Morse code; **morsen** *vi* morse

Mörser *m* mortar; MIL mortar

Mörtel *m* <-s, -> mortar

Mosaik *s* <-s, -en *o.* -e> mosaik

Moschee *f* <-, -n> mosque

mosern *vi FAM* grumble, moan

Moskito *m* <-s, -s> (*~netz*) mosquito

Moslem(Moslime *f*) *m* <-s, -s> Moslem, Muslim

Most *m* <-[e]s, -e> ① (*Fruchtsaft*) unfermented fruit juice ② ↑ *Apfelwein* cider

Motel *s* <-s, -s> motel

Motiv *s* <-es, -e> [1] ↑ *Beweggrund* motive [2] MUS motif [3] KUNST motif; **motivieren** *vt* (*begründen*) motivate; ↑ *anspornen, anregen* motivate, be behind

Motor *m* <-s, en> [1] (*Auto~*) engine, motor; (*Elektro~*) (electric) motor [2] *FIG* ↑ *treibende Kraft* driving force; **Motorboot** *s* motorboat; **Motorenöl** *s* motor oil; **Motorrad** *s* motorcycle; **motorisieren** *vt* motorize; **Motorrad** *s* motorcycle; **Motorradfahrer(in** *f*) *m* motorcyclist, biker; **Motorroller** *m* scooter; **Motorsäge** *f* power saw; **Motorschaden** *m* engine trouble/failure; **Motorsegler** *m* AERO glider; **Motorsport** *m* motor sport

Motte *f* <-, -n> moth; **Mottenkugel** *f* mothball; **Mottenpulver** *s* moth powder

Motto *s* <-s, -s> ↑ *Leitspruch* motto; ◇ **unter dem ~** to have as a motto

motzen *vi FAM* ↑ *schimpfen* moan, complain

Möwe *f* <-, -n> seagull

Mucke *f* <-, -n>*FAM* ↑ *Launen* (*meist pl*) moods; (*Funktionsstörungen*) ◇ **dieser Computer hat seine ~n** this computer has a tendency to play up

Mücke *f* <-, -n> [1] (*Insekt*) midge, gnat [2] (*FAM aufbauschen*) ◇ **aus einer ~ einen Elefanten machen** to make a mountain out of a molehill; **Mückenstich** *m* mosquito bite

mucksen *vr* ◇ **sich ~** [1] (*FAM sich trauen aufzubegehren*) budge [2] (*Laut geben*) open o.'s mouth

müde *adj* tired; (*etw satt haben*) ◇ **ich bin es ~, dich ständig zu verbessern** I'm tired of having to correct you all the time; **Müdigkeit** *f* tiredness

Muff *m* <-[e]s, -e> (*Handwärmer*) muff

Muffel *m* <-s, -> (*FAM Morgen~*) killjoy; **muffig** *adj* [1] ⊳*Geruch* musty [2] ⊳*Gesicht, Mensch* grumpy, grouchy

Mühe *f* <-, -n> trouble, pains *pl;* (*gerade noch*) ◇ **mit ~ und Not** with great difficulty; ◇ **sich** *dat* **~ geben** to go to a lot of trouble, to make an effort; **mühelos** *adj* without effort/trouble, easy

muhen *vi* ← *Kuh* moo

mühen *vr* ◇ **sich ~** ↑ *sich plagen* make an effort

mühevoll *adj* arduous

Mühle *f* <-, -n> [1] (*Gebäude*) mill [2] (*Wind~*) mill [3] (*Kaffee~, Getreide~*) grinder [4] (*Brettspiel*) nine men's morris [5] (*FAM altes Fahrzeug*) banger; **Mühlrad** *s* mill wheel

mühsam *adj* ⊳*Arbeit, Weg* difficult, strenuous; **mühselig** *adj* laborious, hard

Mulatte(Mulattin *f*) *m* <-n, -n> mulatto

Mulde *f* <-, -n> (*in Kuchenteig*) hollow

Mull *m* <-[e]s, -e> MED gauze, lint

Müll *m* <-[e]s> rubbish, trash, garbage *AM*

Müllabfuhr *f* [1] rubbish disposal [2] (*Leute*) dustmen *pl;* **Müllabladeplatz** *m* rubbish dump; **Müllbeutel** *m* dustbin liner

Mullbinde *f* gauze bandage

Müllcontainer *m* waste container; **Mülleimer** *m* dust bin, garbage can *AM*

Müller(in *f*) *m* <-s, -> (*Facharbeiter in Mühle*) miller

Müllhaufen *m* rubbish heap; **Müllkippe** *f* rubbish dump; **Müllmann** *m* dust man, garbage collector *AM*; **Müllschlucker** *m* <-s, -> waste disposal unit; **Mülltonne** *f* dustbin, garbage can *AM*; **Müllverbrennungsanlage** *f* incinerating plant; **Müllwagen** *m* dustcart, garbage truck *AM*

mulmig *adj FIG* ↑ *unbehaglich, bedrohlich* uneasy, uncomfortable; ◇ **ihm ist ~** he feels uneasy

Multi *m* <-s, -s> multinational [enterprise]

multifunktional *adj* PC multifunction

Multifunktionstastatur *f* PC multiple-function keyboard

multiplizieren *vt* MATH multiply

Mumie *f* mummy

Mumm *m* <-s> *FAM* ↑ *Mut, Schneid* nerve; *FAM* ◇ **~ in den Knochen haben** to have guts

mümmeln *vi* [1] ← *Hase* nibble [2] ↑ *kauen* chew

Mumps *m* <-> MED mumps

Mund *m* <-[e]s, Münder> [1] ANAT mouth [2] *FIG* ◇ **sich den ~ verbrennen** to put o.'s foot in it; (*FIG schlagfertig sein*) ◇ **nicht auf den ~ gefallen sein** to have the gift of the gab; **Mundart** *f* dialect; **Munddusche** *f* mouth rinse

Mündel *s* <-s, -> JURA ward

münden *vi* flow (*in akk* into)

mundfaul *adj FAM* too lazy to open o.'s mouth; **Mundfäule** *f* <-> MED stomatitis; **Mundgeruch** *m* bad breath; **Mundharmonika** *f* MUS mouth organ

mündig *adj* ↑ *volljährig* of age, mature

mündlich *adj* ⊳*Zusage* verbal; ⊳*Prüfung* oral

Mundraub *m* petty larceny; **Mundschutz** *m* mask; SPORT gumshield; **Mundstück** *s* mouthpiece; (*Zigaretten~*) tip, bit; **mundtot** *adj FIG*: ◇ **jd-n ~ machen** to silence s.o.

Mündung *f* [1] (*von Fluß*) mouth [2] (*von Gewehr*) muzzle

Mundwasser *s* mouthwash; **Mundwerk** *s* <-s> *PEJ*: ◇ **ein großes ~ haben** to have a big mouth; **Mundwinkel** *m* corner of the mouth

Munition *f* ammunition; **Munitionslager** *s* ammunition dump

munkeln *vi* whisper, spread
Münster *s* <-s, -> (*Dom, Stiftskirche*) minster, cathedral
munter *adj* ↑ *wach* awake; ↑ *lebhaft, heiter* lively; **Munterkeit** *f* liveliness
Münze *f* <-, -n> ① (*Geld*) coin ② (*FIG sich rächen*) ◇ **mit gleicher - heimzahlen** to pay s.o. back; **münzen** *vt* ① coin, mint ② *FIG* ◇ **auf jd-n gemünzt sein** to be meant for s.o.; **Münzfernsprecher** *m* pay phone; **Münzsammlung** *f* coin collection
Muräne *f* moray
mürb[**e**] *adj* ▷*Gestein* crumbly; ▷*Holz* rotten; ▷*Gebäck* crisp; (*FIG jd-n nachgiebig machen*) ◇ **jd-n - machen** to wear s.o. down; **Mürb**[**e**]**teig** *m* GASTRON short [crust] pastry
Murmel *f* <-, -n> marble
murmeln [1] *vi* ① ← *Person* murmur, mutter ② *FAM* ◇ **etw in seinen Bart -** to mutter s.th. under o.'s breath
murmeln [2] *vi* (*norddt.*) play marbles
Murmeltier *s* ZOOL marmot; ◇ **schlafen wie ein -** to sleep like a log
murren *vi* grumble (*über* about)
mürrisch *adj* sullen
Mus *s* <-es, -e> (*Pflaumen-, Apfel-*) puree, jam
Muschel *f* <-, -n> ① mussel ② (*Telefon-*) earpiece
Muse *f* <-, -n> muse; ◇ **von der - geküßt sein** to be inspired by the muses
Museum *s* <-s, Museen> museum
Musik *f* ① (*Unterhaltungs-, ernste -*) music ② (*Kapelle*) band
musikalisch *adj* musical
Musikbox *f* juke box
Musiker(**in** *f*) *m* <-s, -> musician
Musikhochschule *f* conservatory; **Musikinstrument** *s* musical instrument; **Musikkassette** *f* music cassette
musisch *adj* ▷*Erziehung, Veranlagung* artistic
musizieren *vi* play music
Muskat *m* <-[e]s, -e> (GASTRON *-nuß*) nutmeg
Muskel *m* <-s, -n> ANAT muscle; **Muskelkater** *m*: ◇ **- haben** to be stiff; **Muskelriß** *m* MED torn muscle; **Muskelzerrung** *f* MED pulled muscle; **Muskulatur** *f* <-> muscular system, muscles *pl;* **muskulös** *adj* muscular
Müsli *s* <-s, -s> muesli
Muslim(**-e** *f*) *m* <-s, -s> Muslim, Moslem
Muß *s* <-> (*Zwang*) a must
Muße *f* <-> (*Ruhe, Freizeit*) leisure, free time
müssen *vi* ① ↑ *verpflichtet sein* must; ◇ **er mußte gehen** he had to go ② (*nicht anders können*) must; ◇ **lachen -** to have to laugh; (*FAM zum WC*) ◇ **mal -** to have to go to the toilet ③ (*nötig haben*) must; ◇ **zur Bank -** to need to go to the bank ④ (*Vermutung, Wunsch*) must; ◇ **die Leute - reich sein** those people have to be rich; ◇ **Zeit müßte man haben** you need time
müßig *adj* ① (*untätig*) idle, futile; (*adverbial*) ◇ **- herumsitzen** to sit around doing nothing ② ▷*Frage* useless, pointless; **Müßiggang** *m* idleness; ◇ **- ist aller Laster Anfang** the devil finds work for idle hands
mußte *impf v.* **müssen**
Muster *s* <-s, -> ① ↑ *Beispiel, Modell* model ② (*Tapeten-, Stoff-*) pattern ③ ↑ *Warenprobe* sample; ◇ **- ohne Wert** free sample ④ ↑ *Vorbild* (*-schüler*) model; **mustergültig** *adj* exemplary; **Musterkoffer** *m* sample case
mustern *vt* ① study, scrutinize; MIL → *Truppen, Wehrpflichtige* inspect ② (*gemusterter Stoff, Gardinen*) patterned
Musterprozeß *m* JURA test case; **Musterschüler**(**in** *f*) *m* model pupil; **Musterung** *f* ① (*von Stoff*) pattern ② MIL inspection
Mut *m* <-[e]s> courage; ◇ **nur -!** cheer up!; ◇ **jd-m - machen** to encourage s.o.; ◇ **mit dem - der Verzweiflung** with the courage born of desperation
mutieren *vi* BIO mutate
mutig *adj* brave, courageous; **mutlos** *adj* discouraged, disheartened; **mutmaßlich** *adj* ▷*Täter* probable, presumed
Mutter [1] *f* <-, Mütter> mother
Mutter [2] *f* <-, -n> (*Schrauben-*) nut
mütterlich *adj* motherly; **mütterlicherseits** *adv* on/from the mother's side; **Mutterliebe** *f* motherly love; **Muttermal** *s* <-[e]s, -e> birthmark, mole; **Muttermilch** *f* mother's milk; **Mutterschaftsurlaub** *m* maternity leave; **Mutterschutz** *m* maternity regulations; **mutterseelenallein** *adj FAM* all alone, all by o.s.; **Muttersprache** *f* native language; **Muttersprachler**(**in** *f*) *m* <-s, -> native speaker; **Muttertag** *m* Mother's Day
mutwillig *adj* willful, deliberate
Mütze *f* <-, -n> cap
MWSt *f Abk v.* **Mehrwertsteuer** VAT
mysteriös *adj* mysterious
Mystik *f* <-> mysticism; **Mystiker**(**in** *f*) *m* <-s, -> mystic
Mythos *m* <-, Mythen> myth

N

N, n *s* N,n
na *intj* well?
Nabe *f* <-, -n> (*Rad-*) hub
Nabel *m* <-s, -> (*Bauch-*) navel; **Nabelschnur** *f* ANAT umbilical cord
nach I. *präp dat* ① (*in Richtung*) to, towards; ◇ **- Hause gehen** to go home ② (*zeitlich*) after; ◇ **- dem Essen** after dinner ③ (*gemäß*) according to; ◇ **- der alten Prüfungsordnung ...** according to the old examination rules ...; ◇ **- dem was gesagt wurde ...** according to what was said ...; ◇ **seinem Namen -** judging by his name **II.** *adv* after; (*folgt ihm*) ◇ **ihm -!** follow him; (*immer noch*) ◇ **- wie vor** still, as always; (*allmählich*) ◇ **- u. -** little by little
nachäffen *vt PEJ* ↑ *nachahmen* ape; (*boshaft*) take off, imitate
nachahmen *vt* imitate; **Nachahmung** *f* imitation
nacharbeiten *vt* ① → *versäumte Lektion* catch up ② → *Werkstück* touch up
Nachbar(in *f*) *m* <-n, -n> neighbour; *PEJ* ◇ **die lieben -n** the neighbours; **Nachbarhaus** *s:* ◇ **im -** next door; **nachbarlich** *adj* neighbourly; **Nachbarschaft** *f* (*Nähe*) vicinity; ◇ **in der - wohnen** to live in the neighbourhood; ↑ *gesamte Nachbarn* neighbours *pl*
Nachbeben *s* aftershock
Nachbehandlung *f* MED follow-up treatment
nachbereiten *vt* → *Unterricht* go over
nachbessern *vt* to add the finishing touches
nachbestellen *vt* reorder; **Nachbestellung** *f* COMM repeat order
nachbeten *vt FIG* parrot
nachbilden *vt* copy, reproduce; **Nachbildung** *f* ↑ *Reproduktion* reproduction; ↑ *Imitation* imitation, copy
nachblicken *vi:* ◇ **jd-m -** to gaze after s.o.
nachbohren I. *vt* → *Loch* drill out **II.** *vi FIG* ↑ *nachforschen* probe
nachbringen <unreg> *vt* bring/deliver afterwards
nachdatieren *vt* postdate
nachdem *cj* (*zeitlich*) after; (*weil*) while, whilst, during; (*abhängig von*) since; ◇ **je - [ob]** whatever
nachdenken <unreg> *vi* think (*über akk* about); **nachdenklich** *adj* pensive, thoughtful
Nachdruck I. *m* <nopl> ↑ *Betonung, Wichtigkeit* stress, emphasis **II.** *m* PRINT reprinting; **nachdrücklich** *adj* emphatic
nacheifern *vi* emulate (*jd-m* s.o.)
nacheilen *vi* hurry after (*jd-m* s.o.)
nacheinander *adv* one after the other, in succession
nachempfinden <unreg> *vt* feel; ◇ **jd-m etw -** to relate to s.o.
Nacherzählung *f* retelling
Nachf. *m Abk v. s.* **Nachfolger**; **Nachfolge** *f* ↑ *Amtsübernahme* succession; ↑ *Erbe* succession; ◇ **jd-s - antreten** to succeed s.o.; **nachfolgen** *vi* follow [on] (*jd-m/einer Sache* s.o./s.th.); **Nachfolger(in** *f*) *m* <-s, -> successor
Nachforderung *f* additional/extra charge
nachforschen *vi* investigate, inquire [into]; **Nachforschung** *f* ↑ *Erkundigung* inquiry, enquiry; ↑ *polizeiliche Ermittlung* investigation; ◇ **Nachforschungen anstellen über jd-n/etw** to make enquiries on/about s.o./s.th.
Nachfrage *f* ① COMM demand [for] ② (*bei Amt*) enquiry; ◇ **danke der -** kind of you to ask; **nachfragen** *vi* ask, inquire [about]
Nachfrist *f* (*für Prüfung*) extension
nachfühlen *vt* understand
nachfüllen *vt* refill, top up
nachgeben <irr> **I.** *vi* ← *Boden, Geländer* give way, collapse **II.** *vt* → *Bitte* give in
Nachgebühr *f* TELEC excess postage
Nachgeburt *f* afterbirth
nachgehen *unreg vi* ① ↑ *folgen* follow (*jd-m* s.o.) ② ↑ *erforschen* pursue (*einer Sache* a matter) ③ (*erledigen*) ◇ **seiner Arbeit -** to see to o.'s work ④ ← *Uhr* to be slow
nachgeraten <irr> *vi* take after (*jd-m* s.o.)
Nachgeschmack *m* (*auch FIG, meist unangenehm*) aftertaste
nachgiebig *adj* ▷*Person* compliant, accomodating; **Nachgiebigkeit** *f* pliability, compliance
nachgießen <irr> *vt* → *Getränke* to pour [out] some more, add
nachhaltig *adj* ▷*Eindruck* lasting; ▷*Widerstand* persistent
nachhelfen *unreg vi* ① (*vorantreiben*) help [out] (*jd-n/e-r Sache* s.o./s.th.) ② (*Schule*) coach
nachher *adv* afterwards; ◇ **bis -!** see you later!
Nachhilfe *f* (*-unterricht*) private lessons
nachholen *vt* ① (*jd-n später -*) fetch s.o. later, come back for s.o. ② → *Versäumtes* catch up [on]
Nachkomme *m* <-n, -n> descendant
nachkommen *unreg vi* ① (*zeitlich*) come/follow later on ② → *Verpflichtung* fulfill, carry out
Nachkommenschaft *f* descendants *pl*
Nachkriegszeit *f* postwar era

Nachlaß *m* <-lasses, -lässe> (1) ↑ *Erbe* estate (2) (*Preis-*) reduction

nachlassen *unreg* **I.** *vt* → *Preis* reduce, give a discount; → *Strafe* reduce; → *Seil* loosen, slacken **II.** *vi* ↑ *geringer werden* decrease, diminish; ← *Sturm, Regen* let up; ← *Sehkraft* worsen, deteriorate; ← *Schmerz* ease; (*gesundheitlich*) ◇ **er hat stark nachgelassen** his condition is much worse

nachlässig *adj* careless, sloppy; **Nachlässigkeit** *f* carelessness, negligence

nachlaufen *unreg vi* run after (*jd-m* s.o.); *FIG* chase after

nachlegen *vt* put/add some more

nachlösen *vt* → *Fahrschein* to buy on the train

nachmachen *vt* (1) → *Prüfung* do/sit later (2) → *Stimme, Verhaltensweise* imitate, mimic; ◇ **er macht mir immer alles nach** he keeps copying me (3) → *Geld* forge

Nachmieter(in *f*) *m* new tenant

Nachmittag *m* afternoon; ◇ **am ~** in the afternoon; **nachmittags** *adv* in the afternoon

Nachnahme *f* <-, -n> TELEC cash on delivery; ◇ **per ~** to be paid for on delivery

Nachname *m* surname, last name

Nachporto *s* TELEC excess postage

nachprüfen *vt* → *Rechnung* check; → *Aussage* check, investigate

nachrechnen *vt* check

Nachrede *f* JURA: ◇ **üble ~** defamation of character

nachreichen *vt* ↑ *später abgeben* to give s.th. in later/at a later date; → *Essen* to serve some more

Nachricht *f* <-, -en> news; ↑ *Mitteilung* message; **Nachrichten** *pl* MEDIA news *pl;* **Nachrichtenagentur** *f* news/press agency; **Nachrichtendienst** *m* MIL intelligence; **Nachrichtensatellit** *m* communications satellite; **Nachrichtensperre** *f* news blackout; **Nachrichtensprecher(in** *f*) *m* news presenter, news caster *AM*; **Nachrichtentechnik** *f* telecommunications *pl*

nachrücken *vi* ↑ *aufsteigen* move up; MIL ↑ *aufschließen* advance

Nachruf *m* obituary

nachrufen *unreg vt* call after

nachrüsten I. *vt* → *Auto* refit **II.** *vi* MIL rearm, stock up on arms; **Nachrüstung** *f* (1) (*von Gerät, Auto*) refitting (2) MIL arms modernization

nachsagen *vt* (1) ↑ *nachsprechen* repeat (2) *FIG, meist PEJ* ◇ **man sagt ihm nach, er sei ungerecht** he's said to be unfair

Nachsaison *f* low season, off-peak

nachschicken *vt* → *Post* forward

nachschlagen *unreg* **I.** *vt* ↑ *nachlesen* look up **II.** *vi* (*sich entwickeln wie*) take after; ◇ **sie schlägt dem Vater nach** she takes after her father; **Nachschlagewerk** *s* reference work

nachschleichen *unreg vi* (*heimlich*) creep after (*jd-m* s.o.)

Nachschlüssel *m* duplicate key

nachschmeißen *unreg vt FAM* ↑ *nachwerfen:* ◇ **jd-m etw ~** throw s.th. at/after s.o.

Nachschub *m* <-s> supplies *pl;* (*für Truppen*) reinforcements *pl*

nachsehen *unreg* **I.** *vt* → *Rechnung, Hausaufgabe* check (*auf* on) **II.** *vti* ↑ *nachschlagen* look up **III.** *vi* ↑ *nachblicken* follow with o.'s eyes; ↑ *kontrollieren* go and check (*ob* if/whether); *FIG* ↑ *verzeihen* forgive; ◇ **jd-m etw ~** to forgive s.o. s.th.; **Nachsehen** *s:* ◇ **das ~ haben** lose out, to go away empty handed

nachsenden *unreg vt* → *Post* forward

Nachsicht *f* <nopl> ↑ *Geduld* patience; ◇ **jd-n mit ~ behandeln** to make allowances for s.o.; **nachsichtig** *adj* indulgent, lenient

Nachsilbe *f* LING suffix

nachsitzen *unreg vi* SCHULE be kept in, have detention

Nachsorge *f* MED aftercare

Nachspeise *f* GASTRON dessert

Nachspiel *s* (1) THEAT epilogue (2) (*gerichtliches ~*) consequences *pl*

nachsprechen *unreg vt* repeat after; ◇ **jd-m etw ~** repeat s.th. after s.o.

nachspüren *vi* → *Geheimnis* investigate, look into

nächst *präp dat* (*räumlich*) next to; (*außer, neben*) apart from; **nächstbeste(r, s)** *adj* (*zweitbester*) second best; (*irgendeine(r)*) the first one that comes along; **nächste(r, s)** *adj* (*räumlich oder zeitlich*) next; ▷*Verwandte* nearest, closest; **Nächste(r)** *fm* (*Bibelzitat*): ◇ **liebe deinen ~n** love thy neighbour

nachstehen *unreg vi:* ◇ **jd-m in nichts ~** to be second to none

nachstellen I. *vt* → *Satz* place after, insert; → *Uhr, Instrument* put back **II.** *vi* ↑ *verfolgen* hunt after (*jd-m* s.o.); (*FIG werben*) chase after s.o.

Nächstenliebe *f* charity

nächstens *adv* soon, just now, before long

nächstliegend *adj* nearest; *FIG* obvious; **nächstmöglich** *adj* next possible

Nacht *f* <-, Nächte> night; (*plötzlich*) ◇ **über ~** overnight; **Nachtarbeit** *f* night work/shift; **nachtblind** *adj* night blind; **Nachtdienst** *m* night shift

Nachteil *m* disadvantage; **nachteilig** *adj* disadvantageous

N

Nachtfalter *m* moth; **Nachtfrost** *m* night [time] frost; **Nachthemd** *s* nightdress; *FAM* nightie
Nachtigall *f* <-, -en> nightingale
Nachtisch *m* GASTRON dessert, sweet
Nachtleben *s* night life
nächtlich *adj* nightly
Nachtlokal *s* night club
Nachtrag *m* <-[e]s, -träge> supplement; **nachtragen** *unreg vt* 1 → *vergessene Dinge* carry after 2 (*Text ergänzen*) add 3 (*FIG nicht verzeihen*) ◇ **jd-m etw ~** to bear a grudge against s.o., to hold s.th. against s.o.; **nachtragend** *adj* resentful; **nachträglich** *adj* ▷*Gratulation* later, belated
nachtrauern *vi* mourn; ◇ **jd-m/einer Sache ~** to be sorry to see s.o./s.th. go
Nachtruhe *f* sleep
nachts *adv* at night, nights, during the night
Nachtschicht *f* night shift
nachtsüber *adv* during/in the night
Nachttarif *m* (*für Strom*) cheap rates, off-peak; **Nachttisch** *m* bedside table; **Nachttopf** *m* chamber pot; *FAM* pottie; **Nachttresor** *m* (*bei Bank*) night safe; **Nachtvorstellung** *f* late show/performance; **Nachtwächter** *m* night watchman; **nachtwandeln** *vi* sleepwalk; **Nachtwanderung** *f* night walk; **Nachtzeug** *s* overnight things *pl*
Nachuntersuchung *f* MED follow-up check
nachvollziehbar *adj* ▷*Verhalten* understandable
nachwachsen *unreg vi* ← *Haare* grow again
Nachwehen *pl* 1 MED afterpains *pl* 2 *FIG* ↑ *Konsequenzen* [painful] consequences *pl*
nachweinen *vi* cry over, mourn
Nachweis *m* <-es, -e> 1 (*einer Straftat*) proof, evidence 2 (*Zimmer-*) accommodation enquiries bureau 3 (*Literatur-*) bibliography; **nachweisbar** *adj* evident, verifiable; **nachweisen** *unreg vt* ↑ *beweisen* prove; ◇ **jd-m einen Fehler ~** to point out a mistake to s.o.; **nachweislich** *adj* demonstrable, evident
Nachwelt *f* <nopl> future generations *pl;* ◇ **etw der ~ erhalten** to preserve s.th. for posterity
nachwerfen *unreg vt* 1 → *Ball* throw s.th. 2 *FAM* → *Ware* flog, to sell s.th. dirt cheap
nachwinken *vi* wave after (*jd-m* s.o.)
nachwirken *vi* have after-effects; **Nachwirkung** *f* after-effects *pl*
Nachwort *s* appendix
Nachwuchs *m* <nopl> (*junge Leute*) new blood; ▷*beruflich* new recruits; *FAM* ↑ *Kinder* offspring

nachzahlen *vti* pay later, pay extra charge
nachzählen *vt* → *Geld* check
Nachzahlung *f* (*bei Gehalt*) additional payment; (*zurückdatiert*) back pay
nachziehen *unreg* **I.** *vt* 1 → *Schrauben* tighten 2 → *Linie* go over 3 → *Bein* drag **II.** *vi* (*bei Brettspiel*) make the next move
Nachzucht *f* BIO breeding
Nachzügler(in *f*) *m* <-s, -> latecomer; (*FAM Kind*) late arrival
Nackedei *m* <m> *FAM* nudie
Nacken *m* <-s, -> nape, back of neck; (*FAM bedrängen, verfolgen*) ◇ **jd-m im ~ sitzen** bug s.o.; ◇ **die Angst im ~ haben** to be constantly scared of s.th.; **Nackenrolle** *f* bolster; **Nakkenschlag** *m* blow, knock; (*FIG Demütigung*) blow; (*Schicksalsschlag*) setback; **Nackenstütze** *f* headrest
nackt *adj* naked; *FIG* ▷*Wahrheit* naked, plain nude; ▷*Erde, Boden* bare; **Nacktheit** *f* nakedness, nudity; **Nacktkultur** *f* nudism
Nadel *f* <-, -n> 1 needle; (*von Nadelbaum*) needle; (*Kompaß-*) needle; (*Krawatten-*) pin; (*an Plattenspieler*) needle 2 (*FAM rauschgiftsüchtig*) ◇ **an der ~ hängen** to be a junkie; (*FIG mühsam*) ◇ **wie die ~ im Heuhaufen** like a needle in a haystack; **Nadelbaum** *m* coniferous tree; **Nadeldrucker** *m* stylus printer; **Nadelkissen** *s* pin-cushion; **nadeln** *vi* ← *Weihnachtsbaum* to lose its needles; **Nadelöhr** *s* eye of the needle; **Nadelwald** *m* coniferous forest
Nagel *m* <-s, Nägel> 1 (*Stahlstift*) nail; (*FIG ordentlich arbeiten*) ◇ **jetzt machen wir Nägel mit Köpfen** this time we're going to do it right; (*FIG aufgeben*) ◇ **etw an den ~ hängen** give s.th. up 2 (*Finger-*) nail; (*FAM aneignen, stehlen*) ◇ **sich** *dat* **etw unter den ~ reißen** pinch s.th., steal s.th.; **Nagelbettentzündung** *f* MED onychitis; **Nagelbürste** *f* pin brush; **Nagelfeile** *f* nail file; **Nagelhaut** *f* cuticle; **Nagellack** *m* nail varnish; **Nagellackentferner** *m* <-s, -> nail varnish remover; **nageln** *vti* 1 nail (*an* onto) 2 (MED *bei Knochenbruch*) nail; **nagelneu** *adj* brand-new; **Nagelschere** *f* nail scissors *pl*
nagen *vti* ← *Hund, Ratte* gnaw; ◇ **an etw** *dat* **nagen** GEO corrode; ← *Hund* gnaw at; *FIG* ← *Zweifel* gnaw at, bother; **Nagetier** *s* rodent
nah[e] **I.** *adj, adv* (*räumlich*) near[by]; ▷*Verwandte* close; (*zeitlich*) near, close; *FIG* ◇ **~ daran sein, etw zu tun** to be on the verge of doing s.th.; (*beleidigen, aufdringlich sein*) ◇ **jd-m zu ~ treten** to tread on s.o.'s toes **II.** *präp dat* near to, close to; **Nahaufnahme** *f* FOTO close-up

Nähe *f* <-> nearness, proximity; (*Umgebung*) vicinity; ◇ **in der ~** nearby; ◇ **etw aus der ~ ansehen** to look at s.th. from close up
nahebringen *unreg vt:* ◇ **jd-m eine Sache ~** to make s.th. accesible to s.o., to help s.o. to understand s.th.; **nahegehen** *unreg vi* to have a deep effect on (*jd-m* s.o.); **nahekommen** *unreg vi FIG* to get to know (*jd-m* s.o.); (*Wahrheit*) learn, find out; **nahelegen** *vt* ↑ *empfehlen* suggest; ◇ **jd-m etw** *akk* **~** to urge s.o. to do s.th.; **naheliegen** *unreg vi* to be obvious, to be quite clear; **naheliegend** *adj* ▷*Verdacht* obvious; ▷*Gedanke* obvious, clear
nahen *vi* ← *Unwetter* approach; ← *Abschied* draw near
nähen *vti* sew
nähere(r, s) *adj* ▷*Erklärung* more detailed, more precise; ◇ **bei ~r Betrachtung** upon closer inspection; **Nähere(s)** *s* further details *pl;* ◇ **~s erfahren Sie auf der Versammlung** further information will be given at the meeting
Näherei *f* sewing, needlework
Naherholungsgebiet *s* local recreation area
Näherin *f* seamstress
näherkommen *unreg* **I.** *vi:* ◇ **einer Sache ~** to get closer to s.th. **II.** *vr* ◇ **sich ~** get closer; **nähern** *vr:* ◇ **sich jd-m/etw ~** approach s.o./ s.th.; **Näherungswert** *m* MATH approximate value
nahestehen *unreg vi* to be close to (*jd-m* s.o.); **nahestehend** *adj* ▷*Person* close; ◇ **e-e den Sozialisten ~e Zeitung** a paper with Socialist leanings
Nähgarn *s* thread
Nahkampf *m* close combat
Nähkasten *m* sewing basket/box; (*FAM erzählen*) ◇ **aus dem Nähkästchen plaudern** tell tales
nahm *impf v.* **nehmen**
Nähmaschine *f* sewing machine; **Nähnadel** *f* sewing needle
nähren I. *vt* feed; *FIG* → *Verdacht* nurture **II.** *vr* ◇ **sich ~** ↑ *leben, sich erhalten* feed (*von* on)
nahrhaft *adj* nutritious, nourishing
Nährgehalt *m* nutritional value; **Nährstoff** *m* nutrient
Nahrung *f* food; (*FIG geistige ~*) food for the mind; **Nahrungsmittel** *s* foodstuffs *pl;* **Nahrungsmittelindustrie** *f* food industry; **Nahrungsmittelvergiftung** *f* MED food poisoning; **Nahrungssuche** *f* search/hunt for food
Nährwert *m* nutritional value
Nähseide *f* sewing silk
Naht *f* <-, Nähte> seam; MED suture; TECHNOL join; *FIG* ◇ **aus allen Nähten platzen** to be bursting at the seams; **nahtlos** *adj* seamless; ◇ **~ ineinander übergehen** to follow without a gap
Nahverkehr *m* local traffic; **Nahverkehrszug** *m* commuter train; **Nahziel** *s* short-term target
Nähzeug *s* sewing kit
naiv *adj* naive; **Naivität** *f* naivety
Name *m* <-ns, -n> name; ◇ **im ~n von** in the name of, on behalf of; **namens** *adv* by the name of, called; **Namenstag** *m* name day; **namentlich I.** *adj* ▷*Abstimmung* by name **II.** *adv* especially, particularily
namhaft *adj* [1] ↑ *berühmt* noted, famous; ◇ **jd-n ~ machen** to identify s.o. [2] ↑ *beträchtlich* considerable, substantial
nämlich *cj* (*denn*) that is to say, namely; ◇ **heute ist ~ Freitag** for you see, it is Friday today
nannte *impf v.* **nennen**
Napf *m* <-[e]s, Näpfe> (*Freß~*) bowl, dish
Nappaleder *s* nappa leather
Narbe *f* <-, -n> [1] (*Haut*) scar [2] (*Gras~*) turf; **narbig** *adj* scarred
Narkose *f* <-, -n> anaesthetic; **narkotisieren** *vt* anaesthetize; *FIG* anaesthetize
Narr *m* <-en, -en> fool; ◇ **jd-n zum ~en halten** to make a fool of s.o.; **Narrenkappe** *f* fool's cap; **narren** *vt* to fool, to make a fool of s.o.; **narrensicher** *adj FAM* foolproof; **Närrin** *f* fool; **närrisch** *adj* (*lustig*) crazy; (*merkwürdig, seltsam*) mad, odd
Narzisse *f* <-, -n> daffodil
naschen *vti* to nibble between meals; **naschhaft** *adj* have a sweet tooth; **Naschkatze** *f FAM* s.o. with a sweet tooth
Nase *f* <-, -n> nose; (*FAM Schnupfen haben*) ◇ **die ~ läuft** to have a runny nose; (*FAM krank sein*) ◇ **auf der ~ liegen** to be sick; **Nasenbein** *s* nose bone; **Nasenbluten** *s* <-s> nosebleed; **Nasenloch** *s* nostril; **Nasenrücken** *m* bridge of nose; **Nasenspray** *m o s* nasal spray; **Nasentropfen** *pl* nosedrops *pl;* **Naseweis** *m* (*vorlautes Kind*) know-it-all
Nashorn *s* rhinoceros
naß *adj* wet; ▷*Wäsche* wet
Nässe *f* <-> wetness, dampness; **nässen** *vi* ← *Wunde* to weep; ◇ **ins Bett ~** to wet the bed
naßkalt *adj* cold and damp; **Naßrasur** *f* wet shave
Nation *f* nation
national *adj* national; **Nationalbewußtsein** *s* feeling of national identity; **Nationalelf** *f* national team; **Nationalfarben** *pl* national colours *pl;* **Nationalfeiertag** *m* national/public

N

holiday; **Nationalheld** *m* national hero; **Nationalhymne** *f* national anthem
nationalisieren *vt* ① ↑ *verstaatlichen* nationalize ② ↑ *einbürgern* naturalize
Nationalismus *m* nationalism; **nationalistisch** *adj* nationalist
Nationalität *f* nationality
Nationalmannschaft *f* SPORT national team; **Nationalpark** *m* national park; **Nationalsozialismus** *m* National Socialism; **Nationalsozialist(in** *f*) *m* National Socialist; **Nationalversammlung** *f* POL National Assembly
Natrium *s* sodium
Natron *s* <-s> soda
Natter *f* <-, -n> adder
Natur *f* ① (*Umwelt*) nature ② ↑ *Wesen, Eigenart* nature, way; ◇ **das liegt in der ~ der Sache** that's in the nature of things ③ (*Mensch, Froh~*) nature, personality; ◇ **zwei völlig verschiedene ~en** two completely different personalities
Naturalien *pl* natural produce; ◇ **in ~** in kind
naturalisieren *vt* (*einbürgern*) naturalize
Naturalismus *m* KUNST naturalism
Naturbeschreibung *f* discription of nature; **Naturbursche** *m* country lad; **Naturdenkmal** *s* natural monument; **Naturerscheinung** *f* natural phenomenon; **naturfarben** *adj* natural coloured; **Naturfaser** *f* natural fibre; **Naturforscher(in** *f*) *m* naturalist; **naturgegeben** *adj* natural; **naturgemäß** *adj* natural; **Naturgesetz** *s* law of nature; **Naturgewalt** *f* element; **Naturheilkunde** *f* naturopathy; **Naturkatastrophe** *f* natural disaster; **Naturkunde** *f* SCHULE nature study
natürlich I. *adj* ① ▷*Haarfarbe* natural, real; ▷*Grenze* natural ② ▷*Charme, Verhalten* natural ③ (JURA *~e Person*) natural ④ MATH natural **II.** *adv* naturally, of course **III.** *intj* naturally, of course; **natürlicherweise** *adv* naturally, of course; **Natürlichkeit** *f* naturalness
Naturpark *m* national park; **Naturprodukt** *s* natural product; **naturrein** *adj* natural, pure; **Naturschutzgebiet** *s* nature reserve; **Naturtalent** *s FIG* natural prodigy; **naturtrüb** *adj* ▷*Apfelsaft* cloudy; **Naturvolk** *s* primitive people; **Naturwissenschaft** *f* natural science; **Naturwissenschaftler(in** *f*) *m* scientist; **Naturzustand** *m* natural state
nautisch *adj* nautical
Navelorange *f* navel orange
Navigation *f* navigation; **Navigationsfehler** *m* navigational error; **Navigationsinstrumente** *pl* navigation instruments *pl;* **navigieren** *vi* navigate

Nazi *m* <-s, -s> *Abk v.* **Nationalsozialist** Nazi
NC *m* <-s> *Abk v. s.* **Numerus clausus** SCHULE selective admission
Nebel *m* <-s, -> fog, mist; **Nebelbank** *f* fog bank; **nebelig** *adj* foggy, misty; **Nebelscheinwerfer** *m* fog lamp; **Nebelschlußleuchte** *f* rear foglight; **Nebelschwaden** *pl* fog patches *pl*
neben *präp akk/dat* ① (*örtlich*) next to, beside ② (*im Vergleich zu*) compared with/to ③ (*außer, zugleich mit*) apart from, besides; **nebenan** *adv* next door; **Nebenanschluß** *m* TELEC extension; **Nebenarm** *m* (*von Fluß, Kanal*) branch; **nebenbei** *adv* ① ▷*arbeiten* on the side; ◇ **Geld ~ verdienen** to earn money on the side ② ↑ *außerdem* as well, besides ③ ↑ *beiläufig* in passing; ◇ **etw ~ erwähnen** to mention s.th. in passing; ◇ **~ bemerkt, ...** by the way ...; **nebenberuflich** *adj* as a sideline, supplementary; **Nebenbeschäftigung** *f* job on the side, sideline; **Nebenbuhler(in** *f*) *m* <-s, -> rival; **nebeneinander** *adv* next to each other, side by side; **nebeneinanderlegen** *vt* to place next to each other/side by side, to lay next to each other/side by side; **nebeneinandersetzen** *vt* to place next to each other/side by side; **nebeneinanderstellen** *vt* to place next to each other/side by side; **Nebeneingang** *m* side entrance; **Nebeneinnahme** *f* extra/additional income; **Nebenerscheinung** *f* side effect; **Nebenfach** *s* SCHULE subsidiary subject; **Nebenfluß** *m* tributary; **Nebengebäude** *s* (*von Haus*) annex[e]; (*Nachbarhaus*) building next door, adjoining building; **Nebengeräusch** *s* MEDIA interference; **nebenher** *adv* (*zusätzlich*) besides; (*gleichzeitig*) at the same time; (*daneben*) on the side; **nebenherfahren** *unreg vi* drive alongside; **Nebenhöhle** *f* (*Nasen~*) sinus; **Nebenklage** *f* JURA incidental action; **Nebenkosten** *pl* (*Miet~*) extra costs *pl;* **Nebenprodukt** *s* by-product; **Nebenraum** *m* side room; **Nebenrolle** *f* THEAT minor part; **Nebensache** *f* trifle, minor consideration; **nebensächlich** *adj* unimportant; **Nebensatz** *m* subordinate clause; **Nebenstelle** *f* ① COMM branch ② TELEC extension; **Nebenstraße** *f* side street; **Nebenstrecke** *f* BAHN branch line; **Nebenwirkung** *f* side effect; **Nebenzimmer** *s* room next door, adjoining room
nebst *präp dat* together with, including
nebulös *adj* ▷*Vorstellungen* nebulous, hazy
Necessaire *s* <-s, -s> ① (*Näh~*) needlework basket ② (*Nagel~*) manicure case
necken *vt* tease, make fun of; **Neckerei** *f* teas-

ing; **neckisch** *adj* coy; ▷*Einfall, Lied* amusing; ▷*Spiel* playful

Neffe *m* <-n, -n> nephew

negativ *adj* negative; **Negativ** *s* FOTO negative

Neger(in *f*) *m* <-s, -> black person; **Negerkuß** *m chocolate covered marshmallow*

negroid *adj* negroid

nehmen <nahm, genommen> **I.** *vt* (1) ↑ *ergreifen, festhalten* take; ↑ *verlangen* → *Stundenlohn* earn; ↑ *stehlen* take, steal; ↑ *verwenden, benutzen* take, use; ◇ **Rezept: man nehme ...** Ingredients: take ...; → *Unterricht, Urlaub* take; ◇ **eine Mahlzeit zu sich** ~ to have a meal (2) (*halten, tragen*) take, carry; *FIG* → *Schuld, Verantwortung* carry, bear; (*auffassen, verstehen*) understand; ◇ **jd-n/etw ernst** ~ to take s.o./s.th. seriously **II.** *vr* ◇ **sich** ~ → *Wohnung, Hotelzimmer* take, rent; → *Anwalt, Putzfrau* take on, hire

Neid *m* <-[e]s> envy; *FAM* ◇ **vor** ~ **platzen** to be eaten up with envy; **Neider(in** *f*) *m* <-s,-> envier; **neidisch** *adj* envious

Neige *f* <-, -n> ↑ *Ende* decline, end; ◇ **zu** ~ **gehen** decline; ◇ **bis zur bitteren** ~ to the bitter end; **neigen I.** *vt* incline, lean; → *Kopf* bow **II.** *vr* ◇ **sich** ~ ↑ *schräg stellen* slant, slope; (*dem Ende zu gehen*) ← *Tag, Sommer* to be drawing to a close **III.** *vi* ↑ *tendieren* tend; ◇ **zu etw** ~ to have a tendency to s.th.

Neigung *f* (1) (*des Geländes*) slope (2) ↑ *Tendenz* tendency (3) ↑ *Vorliebe* preference, liking (4) ↑ *Anlage, Veranlagung* disposition for; **Neigungswinkel** *m* angle of inclination

nein *adv* no; (*bei Überraschung, Erstaunen*) no [way]!; ◇ **N~, so eine Freude!** Oh how nice!; ◇ **N~, wirklich?** Really?

Nektar *m* <-s> nectar

Nektarine *f* nectarine

Nelke *f* <-, -n> (1) BIO carnation (2) (*Gewürz*) clove

nennen <nannte, genannt> **I.** *vt* (*mit Namen*) name; ↑ *bezeichnen* to be called **II.** *vr* ◇ **sich** ~ ↑ *bezeichnen als* call o.s.; **nennenswert** *adj* worth mentioning

Nenner *m* <-s, -> MATH denominator

Nennung *f* naming; SPORT entry

Nennwert *m* nominal value; COMM par

Neon *s* <-s> neon; **Neonlicht** *s* neon light; **Neonröhre** *f* neon tube

Nepp *m* <-[e]s> (*FAM Übervorteilung*) daylight robbery

Nerv *m* <-s, -en> nerve; (*FAM jd-s Geduld strapazieren*) ◇ **jd-m auf die ~en gehen** to get on s.o.'s nerves; **nerven** *vt FAM* irritate; **nervenaufreibend** *adj* nerve-racking; **Nervenbündel** *s FAM* ↑ *übernervöser Mensch* bundle of nerves; **Nervenheilanstalt** *f* mental home; **Nervenkitzel** *m* <-s> *FAM* cheap thrill; **nervenkrank** *adj* mentally ill; **Nervenschwäche** *f* neurasthenia; **Nervensystem** *s* nervous system; **Nervenzusammenbruch** *m* nervous breakdown; **nervlich** *adj* nervous; **nervös** *adj* nervous; **Nervosität** *f* nervousness, tenseness; **nervtötend** *adj* nerve-racking; ▷*Arbeit* soul-destroying

Nerz *m* <-es, -e> (*-mantel*) mink

Nescafé® *m* <-s> Nescafe

Nessel [1] *f* <-, -n> (*Bren~, -sucht*) nettle; (*FAM Unannehmlichkeiten auf sich ziehen*) ◇ **sich in die ~n setzen** to put o.'s foot in it

Nessel [2] *m* <-s> (*Stoffart*) [untreated] cotton

Nest *s* <-[e]s, -er> (1) (*Vogel~*) nest (2) *FAM* ↑ *Ort* dump, dive (3) *FAM* ↑ *Bett* bed

nesteln *vt* ▷*an Reißverschluß* fumble around (*an dat* with)

Nesthäkchen *s* <-s, -> *FAM* family pet; **Nestwärme** *f FIG* ↑ *Geborgenheit* warmth and security of home

nett *adj* nice; ↑ *freundlich* nice, friendly; ↑ *hübsch, gepflegt* nice, pretty; **netterweise** *adv* very kindly

netto *adv* net; **Nettoeinkommen** *s* net income

Netz *s* <-es, -e> (1) (*Fisch~*) net; (*Haar~*) hair net; (*Einkaufs~*) string bag; (*Spinnen~*) web; (SPORT *Tennis~*) net; *FIG* ◇ **jd-m ins ~ gehen** to walk into s.o.'s trap (2) (AUTO *Straßen~*) network (3) (ELECTR *Telefon~*) mains *pl*; PC network; ◇ **ans ~ gehen** to go into service; **Netzanschluß** *m* mains connection; **Netzball** *m* SPORT netball; **Netzgerät** *s* mains appliance; **Netzhaut** *f* ↑ *Retina* retina; (*~entzündung*) retinitis; **Netzkarte** *f* runaround ticket

neu *adj* new; ▷*Chef, Mitglied* new; ▷*Nachrichten, Verfahren* latest, new; (*fabrik~*) brand new; ▷*Sprache, Musik* modern; ◇ **seit ~estem** of late, recently; (*wieder, noch einmal*) again; ◇ **e-n Text ~ schreiben** to rewrite a text; **Neuanschaffung** *f* new purchase; **neuartig** *adj* a new type of; **Neuauflage**, **Neuausgabe** *f* (*von Buch*) new edition; **Neubau** *m* <-s, -bauten> new building; **Neubearbeitung** *f* revised edition; THEAT adaptation; **neuerdings** *adv* (*kürzlich*) recently; ↑ *seit kurzem* of late; **Neuerung** *f* innovation; **neugeboren** *adj* new-born; *FIG* ◇ **sich fühlen wie ~** to feel as good as new

Neugier *f* curiosity; **neugierig** *adj* curious

Neuheit *f* novelty

N

Neuigkeit *f* news
Neujahr *s* New Year
Neuland *s meist FIG* virgin soil
neulich *adv* the other day, not so long ago
Neuling *m* beginner, novice
neumodisch *adj meist PEJ* fashionable
Neumond *m* new moon
neun *nr* nine; **neunfach** I. *adj* ninefold II. *adv* nine times; **neunhundert** *nr* nine hundred; **neunjährig** *adj* (*9 Jahre alt*) nine-year-old; (*9 Jahre dauernd*) for nine years, nine-year; **neunmal** *adv* nine times; **neunte(r, s)** *adj* ninth; **Neunte(r)** *fm* ninth person/place; **Neuntel** *s* <-s, -> ninth; **neuntens** *adv* in ninth place
neunzehn *nr* nineteen
neunzig *nr* ninety
Neuphilologie *f* SCHULE modern languages *pl*
Neuralgie *f* neuralgia; **neuralgisch** *adj* MED neuralgic; *FIG* ▷*Punkt* sore, touchy
neureich *adj PEJ* nouveau riche
Neurologie *f* neurology
Neurose *f* neurosis; **Neurotiker(in** *f*) *m* <-s, -> neurotic; **neurotisch** *adj* neurotic
Neuseeland *s* New Zealand; **Neuseeländer(in** *f*) *m* <-s, -> New Zealander; **neuseeländisch** *adj* New Zealand
neutral *adj* neutral; **Neutralität** *f* neutrality; **neutralisieren** *vt* neutralize; CHEM neutralize
Neutron *s* <-s, -en> neutron; **Neutronenbombe** *f* neutron bomb
Neutrum *s* <-s, Neutra *o.* Neutren> GRAM neuter
Neuwahl *f* new election; **Neuwert** *m* purchase price; **Neuzeit** *f* modern age/era; **neuzeitlich** *adj* modern; **Neuzugang** *m* (*von Schüler*) new admission
nicht *adv* [1] (*Verneinung*) not; ◇ ~ **nur, sondern auch** not only, but also; (*Gebot, Verbot*) ◇ **N~ berühren!** Do not touch!; ◇ **Bitte ~ füttern!** Please don't feed! [2] (*zur Bekräftigung, Bestätigung*) ◇ **Es ist heiß, ~ wahr?** It's hot, isn't it?; ◇ **Findest du ~ auch ?** Don't you think so, too? [3] (*ganz gut*) ◇ **~ schlecht** [*o.* **übel**] not bad; **Nichtachtung** *f* ↑ *Mangel an Respekt* lack of respect; **Nichtangriffspakt** *m* MIL nonaggression pact
Nichte *f* <-, -n> niece
nichtig *adj* [1] ↑ *unbedeutend* trivial, unimportant; ↑ *wertlos* worthless [2] ↑ *ungültig* ▷*Vertrag, Urteil* invalid; ◇ **null u. ~** null and void; **Nichtigkeit** *f* triviality; (*Sinnlosigkeit*) nullity
Nichtraucher(in *f*) *m* non-smoker; **nichtrostend** *adj* ▷*Metall* rustproof; ▷*Messer* stainless
nichts *pron* nothing; ◇ **für ~ u. wieder ~** all for nothing; ◇ **~ als Ärger** nothing but trouble; **Nichts** *s* <-> PHIL nothingness; ↑ *Leere* void; ◇ **vor dem ~ stehen** to be left with nothing; **nichtsdestoweniger** *adv* nevertheless, nonetheless; **Nichtsnutz** *m* <-es, -e> *FAM* good-for-nothing; **nichtsnutzig** *adj* useless; (*unartig*) naughty; **nichtssagend** *adj* meaningless; **Nichtstun** *s* <-s> ↑ *Müßiggang* idleness
Nichtzutreffende(s) *s* <->: ◇ **~ bitte streichen** delete where inapplicable
Nickel *s* <-s> nickel
nicken *vi* [1] (*bejahen*) nod; (*grüßen*) nod [2] *FAM* ↑ *schlummern* doze
Nickerchen *s FAM* nap; ◇ **ein ~ machen** to have/take a nap
nie *adv* never; ◇ **~ wieder** [*o.* **mehr**] never again; ◇ **~ u. nimmer** never in a lifetime
nieder I. *adj* ▷*Adel* low; ▷*Arbeiten* inferior II. *adv* down; ◇ **auf u. ~** up and down; **niederbrennen** *unreg* I. *vt* burn down II. *vi* ← *Kerze, Gebäude* burn down; **niederdrücken** *vt* [1] press down [2] *FIG* depress; **Niedergang** *m* (*von Kultur*) fall, decline; **niedergehen** *unreg vi* descend; AERO come down; ← *Regen* fall; ← *Boxer* go down, fall; **niedergeschlagen** *adj* *FIG* depressed; **Niedergeschlagenheit** *f* depression; **niederknien** *vi* kneel down; **Niederlage** *f* ↑ *Mißerfolg* defeat
Niederlande *pl* Netherlands *pl*
niederlassen *VERB* I. *vt* → *Vorhang, Jalousie* let down II. *vr* ◇ **sich ~** (*sich setzen, knien*) sit down; (*an Ort*) settle down; ← *Arzt, Rechtsanwalt* set o.s. up; **Niederlassung** *f* settlement; COMM branch; **niederlegen** I. *vt* → *Kranz* lay down, put down; → *Arbeit* give up, stop; → *Amt* resign [from] II. *vr* ◇ **sich ~** lie down, go to bed; **niederreißen** *unreg vt* → *Haus, Festung* to pull down; *FIG* → *Schranken* tear down; **niederschießen** *unreg* I. *vt* → *Menschen, Tiere* shoot down II. *vi* ← *Raubvogel* shoot down; **Niederschlag** *m* [1] CHEM precipitate, deposit [2] METEO precipitation [3] (SPORT *Boxen*) knock-down [4] *FIG* expression; **niederschlagen** *unreg* I. *vt* → *Gegner* knock down; → *Augen* lower, cast down; → *Aufstand, Streik* crush; JURA → *Prozeß* dismiss II. *vr* ◇ **sich ~** [1] *1* have as a visible effect [2] CHEM precipitate, deposit; **niederschlagsarm** *adj* ▷*Gebiet* lowprecipitation area; **niedertourig** *adj* TECHNOL running at low revs
niederträchtig *adj* mean

niedertreten *unreg vt* → *Blumen* tread on, trample
Niederung *f* GEO depression, flats *pl*
niederwerfen *unreg* **I.** *vt* [1] → *Gegenstand* throw down [2] → *Aufstand* suppress **II.** *vi FIG* ← *Krankheit* get to s.o., bother
niedlich *adj* ▷*Kind* cute, sweet
Niednagel *m* hangnail
niedrig *adj* ▷*Raum, Stirn* low; ▷*Temperatur, Einkommen* low; (*gemein*) ▷*Gesinnung, Charakter* low, mean
niemals *adv* never
niemand *pron* nobody; **Niemandsland** *s* noman's land
Niere *f* <-, -n> kidney; (*FAM jd-n empfindlich treffen*) ◇ **sein plötzlicher Tod geht mir an die ~** his sudden death gets me down
nieseln *vi impers* drizzle
niesen *vi* sneeze
Niete [1] *f* <-, -n> TECHNOL rivet; (*Kleidung*) stud
Niete [2] *f* <-, -n> [1] (*Los*) blank [2] (*Reinfall*) flop, failure [3] *FAM* ↑ *unfähiger Mensch* failure, loser
nieten *vt* rivet
Nihilismus *m* nihilism; **Nihilist(in** *f*) *m* nihilist; **nihilistisch** *adj* nihilistic
Nikolaus *m* <-, Nikoläuse> Santa Claus; (*-tag*) Saint Nicholas' Day *6th of December*
Nikotin *s* <-s> nicotine; **nikotinarm** *adj* low in nicotine
Nilpferd *s* hippopotamus
Nimmersatt *m* <-[e]s, -e> *FAM* glutton
nippen *vti* sip
Nippes, **Nippsachen** *pl* knick-knacks *pl*
nirgends, **nirgendwo** *adv* nowhere
Nische *f* <-, -n> (*Wand-*) niche
Nisse *f* <-, -n> nit
nisten *vi* build a nest
Nistkasten *m* nesting box
Nitrat *s* nitrate
Niveau *s* <-s, -s> level; **niveaulos** *adj* ▷*Person* uncultured
nivellieren *vt* level out
Nixe *f* <-, -n> water nymph
nobel, **noble(r, s)** *adj* noble
Nobelpreis *m* Nobel Prize
noch **I.** *adv* still; ◇ **~ heute** today; ◇ **~ vor einer Woche** just a week ago; (*weiterhin*) ◇ **es regnet immer ~** it is still raining; (*außerdem, zusätzlich*) ◇ **willst du ~ etwas?** do you want anything else?; (*Vermutung, Befürchtung*) ◇ **du holst dir ~ eine Erkältung** you're bound to catch a cold **II.** *cj:* ◇ **weder … ~** neither… nor; **nochmal[s]** *adv* again; **nochmalig** *adj* repeated

Nockenwelle *f* camshaft
Nomade *m* <-n, -n> nomad
Nominativ *m* nominative
nominell *adj* nominal
nominieren *vt* nominate
Nonne *f* <-, -n> nun; **Nonnenkloster** *s* convent
Nordamerika *s* North America; **norddeutsch** *adj* North German; **Norddeutschland** *s* North[ern] Germany
Norden *m* <-s> north
Nordirland *s* Northern Ireland
nordisch *adj* nordic; (*Skisport*) ◇ **~e Kombination** nordic combination
nördlich **I.** *adj* northern; ▷*Kurs, Richtung* northerly **II.** *adv:* ◇ **~ von** north of
Nordosten *m* north east; **Nordpol** *m* North Pole; **Nordsee** *f* North Sea; **Nordstaaten** *pl* (*von Amerika*) Northern States *pl;* **Nordwesten** *m* north west; (*von Land*) North West
Nörgelei *f* moaning, grumbling; **nörgeln** *vi* moan, grumble; **Nörgler(in** *f*) *m* <-s, -> moaner, grumbler
Norm *f* <-, -en> (*DIN-Norm*) norm, standard; ↑ *Vorschrift, Regel* rule
normal *adj* normal; **Normalbenzin** *s* regular [petrol]; **normalerweise** *adv* normally; **normalisieren** **I.** *vt* → *Verhältnis* normalize **II.** *vr* ◇ **sich ~** return to normal; **Normalität** *f* normality; **Normalzustand** *m* normal condition
normen *vt* ↑ *normieren* standardize
Norwegen *s* Norway; **Norweger(in** *f*) *m* <-s, -> Norwegian; **norwegisch** *adj* Norwegian
Nostalgie *f* nostalgia, longing
not *adv:* ◇ **Toleranz tut ~** what is needed is some tolerance; **Not** *f* <-, Nöte> ↑ *Armut, Elend* poverty; ↑ *Gefahr, Bedrängnis* ◇ **in höchster Not** in the nick of time; (*Geld-, Zeit-*) want, need, problems; (*FIG falls nötig*) ◇ **zur ~** if necessary
Notar(in *f*) *m* notary; **notariell** *adj* notarial
Notarztwagen *m* emergency doctor's car; **Notaufnahmelager** *s* refugee transit camp; **Notausgang** *m* emergency exit; **Notbehelf** *m* <-s, -e> stopgap, makeshift; **Notbremse** *f* BAHN emergency brake; **notdürftig** *adj* scanty, bare; ↑ *behelfsmäßig* makeshift; ◇ **~ bekleidet sein** be scantily dressed
Note *f* <-, -n> [1] SCHULE ↑ *Zensur* grade [2] MUS note [3] (*Anmerkung, Fuß-*) note [4] (*Papiergeld*) note [5] ↑ *persönliche Eigenart* personal touch; **Notenbank** *f* central bank; **Notenblatt** *s* sheet of music; **Notenschlüssel** *m* [1] MUS clef [2] SCHULE grading system; **Notenständer** *m* music stand

N

Notfall *m* emergency; **notfalls** *adv* if necessary; **notgedrungen** *adj* involuntary; ◇ **etw ~ machen** to be forced to do s.th.; **Notgroschen** *m* nest egg; **Nothelfer** *m* helper in time of need

notieren *vt* ① note, make a note of ② FIN → *Kurswert* quote; **Notierung** *f* FIN quotation

nötig *adj* necessary; ◇ **etw ~ haben** need s.th.; **nötigen** *vt* ↑ *zwingen* force; (*dringend bitten*) urge; ◇ **sich nicht ~ lassen** to not submit to force; **nötigenfalls** *adv* if necessary

Notiz *f* <-, -en> note; (*Zeitungs-*) item; ◇ **~ nehmen von** to take notice of; **Notizbuch** *s* notebook; **Notizzettel** *m* note

Notlage *f* emergency, crisis; **notlanden** *vi* AERO to make a forced landing; **notleidend** *adj* needy; **Notlösung** *f* temporary solution; **Notlüge** *f* white lie; ◇ **zu einer ~ greifen** to have to tell a white lie

notorisch *adj* ▷*Lügner* notorious

Notruf *m* emergency call; **Notrufsäule** *f* emergency telephone; **Notrutsche** *f* AERO emergency chute; **notschlachten** *vt* → *Tier* destroy, kill; **Notstand** *m* state of emergency; ◇ **~sgebiet** disaster area, economically depressed area; **Notunterkunft** *f* emergency shelter; **Notverband** *m* emergency dressing; **Notwehr** *f* <-> self-defence; ◇ **aus** [*o.* **in**] **~ handeln** to act in self-defence; **notwendig** *adj* necessary, essential; **Notwendigkeit** *f* necessity; **Notzucht** *f* rape

Nougat *s* <-s> nougat

Novelle *f* ① novella ② (JURA *Gesetzes-*) amendment

November *m* <-s, -> November

Nu *m:* ◇ **im ~** in a flash

Nuance *f* <-, -n> nuance, shade

nüchtern *adj* sober; ▷*Magen* empty; ▷*Urteil, Bericht* sober, cold; **Nüchternheit** *f* sobriety, emptiness

Nuckel *m* <-s, -> ↑ *Schnuller* teat *BRIT*, nipple *AM*

Nudel *f* <-, -n> noodle, pasta; (*FAM Ulk-*) funny guy

Nuklearmedizin *f* nuclear medicine

null *nr* zero; ▷*Fehler, Ahnung* no; TELEC zero, O; SPORT nil; ◇ **~ Uhr** midnight; ◇ **~ u. nichtig** null and void; **Null** *f* <-, -en> zero; (*PEJ Mensch*) nothing; **Nullösung** *f* POL zero option; **Nullpunkt** *m* zero; (*auch FIG*) ◇ **auf dem ~ sein** to reach rockbottom; **Nulltarif** *m* (*Eintritt*) free admission; ◇ **zum ~** free of charge

numerieren *vt* number; **numerisch** *adj* numerical

Numerus clausus *m* <-> SCHULE selective admission

Nummer *f* <-, -n> ↑ *Zahl* number; (*Größe*) size; (*Start-*) number; **Nummernschild** *s* number plate *BRIT*, license plate *AM*

nun I. *adv* now; ◇ **was hat er denn ~?** so what's the matter with him? **II.** *intj:* ◇ **~ denn** [*o.* **also**] well; (*als Stilmittel*) ◇ **hier kann man ~ zwei Fehler erkennen** here, two errors can be seen

nur I. *adv* ↑ *bloß* only, just; ◇ **sie ist nicht ~ schön, sondern auch intelligent** she is not only beautiful, but also intelligent **II.** *cj* (*allerdings, jedoch*) however, but; ◇ **die Sache ist ~ ...** it's just that ...

nuscheln *vi FAM* mimle

Nuß *f* <-, Nüsse> nut; (*FAM schwierige Aufgabe*) ◇ **eine harte ~** a tough one/job; **Nußbaum** *m* walnut tree; **Nußknacker** *m* <-s, -> nutcracker

Nüster *f* <-, -n> nostril

Nutte *f* <-, -n> prostitute

nutz, nütze *adj* ◇ **zu nichts ~ sein** to be totally useless; **nutzbar** *adj* useful, usable; ◇ **~ machen** utilize; **Nutzbarmachung** *f* utilization; **nutzbringend** *adj* profitable; **nutzen, nützen I.** *vt* use **II.** *vi* be of use; ◇ **was kann das ~?** what is the point of that?

Nutzen *m* ① (*allgemein*) use; ◇ **von ~ sein** be useful ② ↑ *Gewinn* profit

nützlich *adj* useful; ◇ **sich ~ machen** to make o.s. useful; **Nützlichkeit** *f* usefulness

nutzlos *adj* useless; **Nutzlosigkeit** *f* uselessness; **Nutznießer(in** *f*) *m* <-s, -> beneficiary; **Nutzung** *f* use, utilization

Nymphe *f* <-,-n> nymph

Nymphomanin *f* nymphomaniac

O, o *s* O, o

o *intj:* ◇ **o weh** oh dear; ◇ **o doch** oh yes

Oase *f* <-, -n> oasis; *FIG* ◇ **~ der Ruhe** haven of peace

ob *cj* whether; ◇ **~ das wohl wahr ist?** can that be true?; ◇ **~ Regen, ~ Sonne** come rain, come shine; ◇ **und ~!** and how!; ◇ **als ~** as if

Obacht *f* <->: ◇ **~ geben!** take care!

Obdach *s* shelter; **obdachlos** *adj* ▷*Landstreicher* homeless; **Obdachlose(r)** *fm* homeless person

Obduktion *f* autopsy, post-mortem; **obduzieren** *vt:* ◇ **eine Leiche ~** to conduct a post-mortem

O-Beine *pl* bow legs *pl*

Obelisk *m* <-en, -en> obelisk

oben *adv* up; (*in Haus*) upstairs; (*an Berg, Baum*) at the top; ◇ **nach** ~ upward(s); ◇ **von** ~ from above; ◇ ~ **ohne** topless; ◇ **jd-n von** ~ **bis unten mustern** to look s.o. up and down; ◇ **jd-n von** ~ **herab behandeln** to treat s.o. patronizingly; (*FAM Vorgesetzter*) ◇ **Befehl von** ~ order from above; **obenan** *adv* at the top; *FIG* ◇ **etw** ~ **stellen** to put s.th. at the top of the list; **obenauf** *adv* ① (*räumlich*) on top, uppermost ② *FIG* ↑ *fröhlich* ↑ *gesund* on top of the world; **obendrein** *adv* ↑ *außerdem* in addition, besides; **obenerwähnt**, **obengenannt** *adj* above-mentioned; **obenhin** *adv* superficially, casually; ◇ **etw nur** ~ **ansehen** to glance at s.th. in a cursory manner

Ober *m* <-s, -> (*in Restaurant*) waiter

Oberarm *m* upper arm; **Oberarzt** *m*, **Oberärztin** *f* senior physician; **Oberaufsicht** *f* ① (*bei Prüfung*) adjudication ② (*auf Baustelle, Person*) clerk of works; **Oberbefehl** *m* supreme command; **Oberbefehlshaber** *m* commander-in-chief; **Oberbegriff** *m* heading, generic term; **Oberbekleidung** *f* overclothes *pl;* **Oberbürgermeister(in** *f*) *m* Lord Mayor; **Oberdeck** *s* upper deck, main deck; **obere(r, s)** *adj* top; (*Etage*) upper; ◇ **die -en Zehntausend** the upper classes; **Oberfeldwebel** *m* sergeant; **Oberfläche** *f* surface; **oberflächlich** *adj* ① ▷*Wunde* skin-deep, superficial ② *FIG* ▷*Mensch* superficial; ▷*Arbeit* slapdash; **Obergeschoß** *s* upper floor, upper storey; **oberhalb** *präp gen* above; **Oberhand** *f FIG*: ◇ **die** ~ **gewinnen** to win [*o.* gain] the upper hand; **Oberhaupt** *s* (*der Kirche*) head; **Oberhaus** *s* POL upper chamber, House of Lords *BRIT*; **Oberhemd** *s* shirt; **Oberherrschaft** *f* sovereignty, supremacy

Oberin *f* MED matron; REL mother superior

Oberinspektor(in *f*) *m* (*bei Polizei*) chief inspector; **oberirdisch** *adj* ▷*Stromleitung* overground; **Oberkellner(in** *f*) *m* headwaiter/-waitress; **Oberkiefer** *m* upper jaw; ANAT maxilla; **Oberkommando** *s* high command; **Oberkörper** *m* upper part of the body, trunk; **Oberlandesgericht** *s* JURA Higher Regional Court; **Oberlauf** *m* (*von Fluß*) upper reaches *pl;* **Oberleitung** *f* overhead line; **Oberlicht** *s* lighting from above, skylight; **Oberliga** *f* SPORT top league; **Oberlippe** *f* upper lip; **Oberschenkel** *m* thigh; **Oberschicht** *f* top layer; (*Gesellschaftsklasse*) upper class; **Oberschule** *f* ‹UG› grammar school *BRIT*, high school *AM*; **Oberschwester** *f* MED head nurse, sister

Oberst *m* <-en *o.* -s, -en> colonel

oberste(r, s) *adj* ▷*Fach, Ablage* topmost; ▷*Knopf* top

Oberstufe *f* SCHULE *senior high school/grammar school;* **Oberteil** *s* upper part; (*von Kleidung*) top; **Oberwasser** *s* (*FIG überlegen sein*): ◇ ~ **haben/bekommen** to have the whip-hand; **Oberweite** *f* (*Maß*) bust size

obgleich *cj* although

Obhut *f* <-> care; ◇ **in jd-s** ~ **sein** to be in s.o.'s charge

obige(r, s) *adj* above-mentioned

Objekt *s* <-[e]s, -e> ① ↑ *Grundstück, Haus* property; (*Kunst-*) objet d'art; (*Sammel-*) collector's item ② (*Vertrags-*) subject of contract; (*Forschungs-*) subject of research ③ GRAM object

objektiv *adj* objective; **Objektiv** *s* FOTO lens; **Objektivität** *f* objectivity

Oblate *f* <-, -n> GASTRON wafer; REL host

Obligation *f* obligation, bond

obligatorisch *adj* ▷*Teilnahme* obligatory; ▷*Vorlesung* compulsory

Obmann(-männin *f*) *m* (*Partei-*) chairman

Oboe *f* <-, -n> oboe

Obolus *m* contribution; ◇ **seinen** ~ **entrichten** to make o.'s contribution

Obrigkeit *f* (*Behörden*) authorities *pl;* (*Regierung*) government

obschon *cj* although

Observatorium *s* observatory

obsessiv *adj* PSYCH obsessive

obskur *adj* obscure; ↑ *verdächtig* suspicious

Obst *s* <-[e]s> fruit; **Obstbau** *m* fruit growing; **Obstbaum** *m* fruit tree; **Obstgarten** *m* orchard; **Obsthändler(in** *f*) *m* fruiterer; **Obstkuchen** *m* fruit cake; **Obstmesser** *s* fruit knife; **Obstsalat** *m* fruit salad

obszön *adj* ▷*Geste* indecent; ▷*Anruf* obscene; **Obszönität** *f* obscenity

obwohl, **obzwar** *cj* although

Ochse *m* <-n, -n> ox, bullock; **Ochsenschwanzsuppe** *f* oxtail soup; **Ochsenzunge** *f* oxtongue

OCR-Schrift *f* OCR print

öd[e] *adj* ① ▷*Gegend* desolate; ◇ ~ **und leer** deserted and bare ② ▷*Buch, Film* dull

Ode *f* ode

Öde *f* <-> (*Gegend*) wilderness

Ödem *s* <-s, e> MED oedema

oder *cj* or

Odyssee *f* odyssey

Odysseus *m* Ulysses, Odysseus

Ofen *m* <-s, Öfen> ① (*Back-*) oven ② (*Herd*) stove ③ (*Kohle-*) furnace ④ *FAM* ◇ **das ist ein**

heißer ~ that's quite a motorbike!; **Ofenrohr** *s* stovepipe; **Ofensetzer(in** *f*) *m* stove fitter
offen *adj* [1] ▷*Tür, Fenster* open [2] ▷*Stelle* vacant [3] ▷*Blick, Gesicht* open, frank; ◇ ~ **gesagt** frankly speaking [4] ▷*Geheimnis* open [5] ▷*Flamme* naked [6] MED ▷*Wunde* open, raw
offenbar *adv* obviously, apparently
offenbaren *vt* reveal, disclose; ◇ **jd-m ein Geheimnis** ~ to divulge a secret to s.o.; **Offenbarung** *f* REL revelation
offenbleiben *unreg vi* ← *Tür* remain open; *FIG* ← *Frage, Entscheidung* be left open
offenhalten *unreg vt* hold s.th. open; *FIG* → *Möglichkeit* leave s.th. open
Offenheit *f* openness, frankness
offenherzig *adj* [1] ▷*Antwort* frank [2] (*Dekolleté*) low-necked
offenkundig *adj* obvious; (*klar*) apparent
offenlassen *unreg vt* (*auch FIG*) leave s.th. open
offenlegen *vt* → *Plan* reveal
offensichtlich *adj* obvious
offensiv *adj* offensive; **Offensive** *f* offensive
offenstehen *unreg vi* [1] ← *Tor* be open [2] ← *Rechnung* be outstanding [3] *FIG* ◇ **es steht Ihnen offen, dies zu tun** you are free to do so
öffentlich *adj* public; ◇ **-e Hand** public sector; ◇ **-er Dienst** civil service; **Öffentlichkeit** *f* public; ◇ **in aller** ~ in public; ◇ **an die** ~ **gelangen** to become known
Offerte *f* <-, -n> offer; COMM bid, tender
offiziell *adj* official
Offizier *m* <-s, -e> officer; **Offizierskasino** *s* officers' mess
Offline-Betrieb *m* PC off-line mode
öffnen I. *vt* open; *FIG* ◇ **jd-m die Augen** ~ to open s.o.'s eyes **II.** *vr* ◇ **sich** ~ (*FIG sich jd-m anvertrauen*) to open up (*dat* to); **Öffner** *m* <-s, -> (*Büchsen-, Flaschen-*) opener; **Öffnung** *f* opening; (*Loch*) hole; (*Lücke*) gap; **Öffnungszeit** *f* (*von Bank, Geschäft*) business hours *pl*
Offsetmaschine *f* offset printing machine
oft *adv* often; **öfter** *adv* more often; **öfters** *adv FAM* repeatedly
oh *intj* oh; ◇ ~, **Verzeihung!** oh, I'm sorry!
oha *intj* aha! *BRIT*, gee, wow *AM*
Ohm *s* <-s> PHYS ohm
ohne I. *präp akk* without; ◇ ~ **weiteres** without further ado; ◇ **das ist nicht** ~ it's not without its fascination, that's not bad **II.** *cj* (*mit Infinitiv oder daß*) without; ◇ ~ **etw zu sagen** [*o.* ~ **daß er etw sagte**] without him saying a word; **ohnedies** *adv* ↑ *sowieso* anyhow, in any case; **ohnegleichen** *adj* (*außergewöhnlich*) unparalled, unique; ◇ **ein Komiker** ~ a unique comedian; **ohnehin** *adv* anyhow, in any case
Ohnmacht *f* <-, machten> [1] ↑ *Bewußtlosigkeit* faint, unconsciousness; ◇ **in** ~ **fallen** to faint, to pass out [2] *FIG* ↑ *Machtlosigkeit* powerlessness; **ohnmächtig** *adj* [1] unconscious [2] *FIG* powerless
Ohr *s* <-[e]s, -en> [1] ANAT ear; (*Gehör*) ear; *FAM* ◇ **die Ohren aufsperren** [*o.* **aufmachen**] to listen closely, to prick up o.'s ears [2] *FAM* ◇ **jd-n übers** ~ **hauen** to cheat s.o.
Öhr *s* <-[e]s, -e> (*Nadel-*) eye
Ohrenarzt *m*, **Ohrenärztin** *f* ear specialist; **ohrenbetäubend** *adj* ▷*Lärm* earsplitting, deafening; **Ohrensausen** *s* <-s> buzzing in the ears; **Ohrenschmalz** *s* ear-wax; MED cerumen; **Ohrenschmerzen** *pl* earache; **Ohrenschützer** *m* <-s, -> ear-muffs *pl*; **Ohrenstuhl** *m* high-backed chair; **Ohrenzeuge** *m*, **Ohrenzeugin** *f* auricular witness; **Ohrfeige** *f* clip round the ear; **ohrfeigen** *vt*: ◇ **jd-n** ~ to clip s.o. round the ear; **Ohrklipp** *m* <-s, -s> clip-on earring; **Ohrläppchen** *s* ear-lobe; **Ohrmuschel** *f* ANAT auricle, concha; **Ohrring** *m* earring; **Ohrwurm** *m* [1] BIO earwig [2] MUS haunting melody, jingle
okkult *adj* occult; **Okkultismus** *m* occultism
okkupieren *vt* → *Land, Gebiet* occupy
Ökoladen *m* health shop
Ökologie *f* ecology; **ökologisch** *adj* ▷*Gleichgewicht* ecological; ▷*Bauweise* environmentally friendly
ökonomisch *adj* [1] ↑ *wirtschaftlich* economic [2] ↑ *sparsam* economic[al]
Ökopartei *f* ecological party; **Ökosystem** *s* ecological system
Oktanzahl *f* (*von Benzin*) octane number
Oktant *m* (*zum Navigieren*) octant
Oktave *f* <-, -n> octave
Oktober *m* <-[s], -> October
ökumenisch *adj* ▷*Gottesdienst* ecumenical
Öl *s* <-[e]s, -e> oil; (*Motoren-*) engine oil; (*Speise-*) cooking oil; **Ölbaum** *m* olive [tree]; **Ölbild** *s* oil painting
Oldie *m* <-s, -s> [1] (*altes Auto*) veteran [2] ↑ *alter Schlager* oldie [3] ↑ *Person* middle-aged groover; (*älter*) old-timer
Oleander *m* <-s, -> oleander
ölen *vt* oil; TECHNOL lubricate; **Ölfarbe** *f* oil paint; **Ölfeld** *s* oil field; **Ölfilm** *m* oil film; **Ölfilter** *m* AUTO oil filter; **Ölgemälde** *s* oil painting; **Ölhaut** *f* NAUT oilskin; **Ölheizung** *f* oil heating; **ölig** *adj* oily; *FIG* ▷*Stimme* unctuous

oliv *adj inv* olive; **Olive** *f* <-, -n> olive
Olm *m* <-[e]s, -e> newt
Ölmeßstab *m* dipstick; **Ölofen** *m* oil stove, oil heater; **Ölpapier** *s* oiled paper; **Ölpest** *f* oil pollution; **Ölpumpe** *f* oil pump; **Ölsardine** *f* sardine; **Ölscheich** *m* oil sheik[h]; **Ölstandsanzeiger** *m* AUTO oil level gauge; **Ölung** *f* (1) REL anointment; ◇ **die Letzte** ~ the last sacrament (2) TECHNOL lubrication; **Ölwanne** *f* oil sump; **Ölwechsel** *m* oil change
Olympiade *f* Olympic Games *pl*, Olympics *pl;* **Olympiasieger(in** *f*) *m* Olympic champion; **Olympiateilnehmer(in** *f*) *m* Olympic competitor; **olympisch** *adj* Olympian; SPORT Olympic
Ölzeug *s* oilskins *pl*
Oma *f* <-, -s> *FAM* granny, grandma
Omelett[e] *s* <-[e]s, -s> omelet[te]
Omen *s* <-s, - *o.* Omina> omen
ominös *adj* suspicious, shady
Omnibus *m* bus
omnipotent *adj* omnipotent
onanieren *vi* masturbate
Onkel *m* <-s, -> uncle
Online-Betrieb *m* PC on-line mode
OP *f Abk v.* **Operation** operation
Opa *m* <-s, -s> *FAM* grandpa, grandad
Opal *m* <-s, -e> opal
Oper *f* <-, -n> (1) MUS opera; ◇ **komische** ~ comic opera (2) (*Gebäude*) opera [house]
Operation *f* operation; **Operationssaal** *m* operating theatre; **operativ** *adj* operative; ◇ **etw** ~ **behandeln** treat s.th. surgically
Operator(in *f*) *m* operator, data officer
Operette *f* operetta
operieren I. *vt* operate; ◇ **jd-n am Herzen** ~ to perform open-heart surgery on s.o. **II.** *vi* operate; MIL operate, be operatal
Opernball *m* opera ball; **Opernglas** *s* opera glasses *pl;* **Opernhaus** *s* opera [house]; **Opernsänger(in** *f*) *m* opera singer
Opfer *s* <-s, -> (1) (*-gabe*) sacrifice (2) (*Unfall-, Mord-*) victim; ◇ **dem Feuer zum** ~ **fallen** to be destroyed by fire; **opfern I.** *vt* sacrifice **II.** *vi* sacrifice; ◇ **jd-m** ~ to sacrifice s.o.; **Opferstock** *m* offertory
Opium *s* <-s> opium
opponieren *vi* oppose (*gegen jd-n/etw* s.o./s.th.)
opportun *adj* (*zweckmäßig*) opportune; ◇ **etw für** ~ **halten** to consider s.th. convenient; **Opportunismus** *m* opportunism; **Opportunist(in** *f*) *m* opportunist
Opposition *f* opposition, resistance; POL opposition; **oppositionell** *adj* oppositional; ↑ *widersprüchlich* contradictory
Optik *f* (1) (*Fach*) optics *sg* (2) (*System*) optics *pl;* **Optiker(in** *f*) *m* <-s, -> optician
optimal *adj* optimum, optimal
Optimismus *m* optimism; **Optimist(in** *f*) *m* optimist; **optimistisch** *adj* optimistic
Optimum *s* <-s, Optima> optimum, best
optisch *adj* optic[al]
Opus *s* <-, Opera> KUNST work; MUS opus
Orakel *s* <-s, -> oracle
oral *adj* oral, by mouth
orange *adj inv* orange; **Orange** *f* <-, -n> orange; **Orangeade** *f* orangeade; **Orangeat** *s* candied orange peel; **Orangenmarmelade** *f* [orange] marmalade; **Orangenschale** *f* orange peel
Orang-Utan *m* orang-[o]utan
Oratorium *s* (1) MUS oratorium (2) (REL *Raum*) oratory
Orbitalstation *f* orbital station
Orchester *s* <-s, -> orchestra; **Orchestergraben** *m* orchestra pit
Orchidee *f* <-, -n> orchid
Orden *m* <-s, -> (1) REL order (2) (*Verdienst-*) order, medal; **Ordensregel** *f* REL rule of an order; **Ordensschwester** *f* nun, sister
ordentlich I. *adj* (1) ↑ *anständig* respectable; ▷*Mitglied* regular (2) ↑ *geordnet* tidy (3) (*FAM annehmbar*) good (4) (*FAM gründlich*) thorough **II.** *adv FAM* ↑ *sehr* really; ◇ **jd-m** ~ **die Meinung sagen** to give s.o. a piece of o.'s mind; **Ordentlichkeit** *f* tidiness, orderliness
ordern *vti* ← *Ware* order
Ordinalzahl *f* ordinal [number]
Ordinate *f* ordinate
ordinär *adj* common, vulgar
Ordinarius *m* SCHULE full professor
ordnen *vt* put in order, arrange, classify
Ordner *m* <-s, -> (1) (SCHULE *Umschlag*) folder; COMM file (2) (SCHULE *Person*) monitor; (*bei Fest*) steward
Ordnung *f* order; (*Ordnen*) organizing; ↑ *Geordnetsein* tidiness; (*Sitz-*) arrangement; (*Rang-*) hierarchy; ◇ **alles in** ~? is everything okay?; **Ordnungsdienst** *m* security service; **ordnungsgemäß** *adj* proper, right; **ordnungshalber** *adv* for the sake of order; **Ordnungshüter** *m FAM* guardian of the peace; **Ordnungskräfte** *pl* forces *pl* of law and order; **Ordnungsliebe** *f* sense of order, orderliness; **Ordnungsstrafe** *f* fine; **ordnungswidrig** *adj* against the rules, disorderly; **Ordnungszahl** *f* ordinal [number]
Organ *s* <-s, -e> (1) organ; *FAM* ↑ *Stimme* voice (2) (*Behörde*) organ; ◇ **ausführendes** ~ executive agency
Organisation *f* organization; **Organisations-**

talent *s* organizational talent; **Organisator(in** *f*) *m* organizer
organisch *adj* CHEM organic
organisieren I. *vt* organize; (*FAM beschaffen*) lay s.th. on **II.** *vr* ◇ **sich** ~ (*sich verbünden*) become affiliated
Organismus *m* BIO organism; *FIG* structure, system
Organist(in *f*) *m* organist
Organverpflanzung *f* transplantation of organs
Orgasmus *m* orgasm
Orgel *f* <-, -n> organ; **Orgelpfeife** *f* organ pipe; (*FAM der Größe nach*) ◇ **wie die -n** in line according to size
Orgie *f* orgy
Orient *m* <-s> Orient; **Orientale** *m*, **Orientalin** *f* <-n, -n> Oriental; **orientalisch** *adj* oriental, eastern
orientieren I. *vr* ◇ **sich** ~ orient o.s.; ◇ **sich über etw** *akk* ~ to get acquainted with s.th. **II.** *vt* (*örtlich*) locate, inform; ◇ **über etw** *akk* **orientiert sein** to be informed about s.th.; **Orientierung** *f* orientation; *FIG* information; ◇ **zu Ihrer** ~ for your information; **Orientierungssinn** *m* bearings *pl*, sense of direction
Origano *s* <-s> oregano
original *adj* original; **Original** *s* <-s, -e> original; (*FIG Mensch*) one-off; **Originalfassung** *f* (*von Film etc.*) original version; **Originalität** *f* originality; ↑ *Besonderheit* singularity; **Originalton** *m* original tone
originell *adj* original, unusual
Orkan *m* <-[e]s, -e> hurricane
Ornament *s* ornament; **ornamental** *adj* ornamental, decorative
Ornat *s* <-[e]s, -e> gown, robes
Ort *m* <-[e]s, -e> ① ↑ *Stelle* place, spot; ◇ **an ~ und** Stelle on the spot ② ↑ *Ortschaft* locality; **orten** *vt* → *Schiff, Flugzeug* locate
orthodox *adj* ▷*Kirche* orthodox
Orthographie *f* orthography, spelling; **orthographisch** *adj* orthographical
Orthopäde *m* <-n, -n>, **Orthopädin** *f* MED orthopedist; **Orthopädie** *f* orthopedics *sg;* **orthopädisch** *adj* orthopedic
örtlich *adj* local, regional; **Örtlichkeit** *f* locality
Ortsangabe *f* address, indication of place; **ortsansässig** *adj* local, resident; **Ortschaft** *f* locality, village; **ortsfremd** *adj* nonresident, nonlocal; **Ortsgespräch** *s* ① TELEC local call ② (*Dorfklatsch*) local gossip; **Ortsgruppe** *f* local branch; **Ortsname** *m* place name; **Ortsnetz** *s* TELEC local exchange network; **ortsüblich** *adj* customary in a certain place; **Ortszeit** *f* local time, zone time; **Ortszulage** *f* local weighting;
Ortung *f* location, position finding
Öse *f* <-, -n> eye[let]
Ostblock *m* POL Eastern Bloc
Osten *m* <-s> east, East; ◇ **der Nahe** ~ Near East; ◇ **der Mittlere** ~ Middle East; ◇ **der Ferne** ~ Far East
ostentativ *adj* ostentatious
Osterei *s* Easter egg; **Osterfest** *s* REL Easter; **Osterglocke** *f* narcissus; **Osterhase** *m* Easter bunny; **Ostermarsch** *m* POL Easter walk/ demonstration; **Ostermontag** *m* REL Easter Monday; **Ostern** *s* <-, -> Easter
Österreich *s* Austria; **Österreicher(in** *f*) *m* <-s, -> Austrian; **österreichisch** *adj* Austrian
Ostersonntag *m* REL Easter Sunday
Osteuropa *s* Eastern Europe
östlich *adj* east[ern]; ▷*Kurs, Richtung* eastwards, easterly
Ostsee *f* Baltic
Otter [1] *m* <-s, -> ZOOL otter
Otter [2] *f* <-, -n> (*Kreuz-*) adder, viper
out *adj FAM*: ◇ ~ **sein** to be out
Ouvertüre *f* <-, -n> MUS overture
oval *adj* oval
Ovation *f* ovation
Overall *m* <-s, -s> overalls *pl*
Oxid *s* <-[e]s, -e> oxyde, oxide; **Oxidationsmittel** <-s> oxidizing agent, oxidant; **oxidieren** *vi* oxidize
Ozean *m* <-s, -e> ocean; **Ozeandampfer** *m* steamer; **ozeanisch** *adj* oceanic
Ozon *s* <-s> ozone; **Ozonloch** *s* hole in the ozone layer; **Ozonschicht** *f* ozone layer

P

P, p *s* P, p
paar *adj inv:* ◇ **ein** ~ a few
Paar *s* <-[e]s, -e> ① ↑ *zwei Stück* ◇ **ein ~ Schuhe** a pair of shoes ② (*Liebes-*) couple; (*Ehe-*) married couple; **paaren I.** *vt FIG* ↑ *vereinigen* combine **II.** *vr* ◇ **sich** ~ ← *Tiere* mate
paarmal *adv:* ◇ **ein** ~ several times
Paarung *f* (*von Tieren*) mating
paarweise *adv* ↑ *zu zweit* in pairs
Pacht *f* <-, -en> (*Grundstücks-*) rental; **pachten** *vt* ↑ *mieten* rent; **Pächter(in** *f*) *m* <-s, -> (*Grundstücks-*) tenant

Pack I. *m* <-[e]s, -e> ↑ *großes Packet* bundle, pack II. *s* <-[e]s> *PEJ* (*Lumpen-*) rabble

Päckchen *s* [1] ↑ *Paket* parcel [2] ↑ *Schachtel* (*-Zigaretten*) packet, pack *AM*

packen *vt* [1] → *Koffer* pack [2] ↑ *festhalten* seize, grasp [3] *FIG* ↑ *fesseln* ← *Buch* thrill, grip [4] *FAM* ↑ *bewältigen* ◇ **er packt das nicht** he can't handle it

Packen *m* <-s, -> *s.* **Pack**

Packpapier *s* parcel [*o.* brown] paper

Packung *f* [1] (*- Kekse etc.*) packet [2] MED ↑ *Kompresse* compress

Pädagoge *m* <-n, -n> teacher; **Pädagogik** *f* pedagogy; **Pädagogin** *f* teacher; **pädagogisch** *adj* ▷*Beruf* educational

Paddelboot *s* paddle boat, canoe; **paddeln** *vi* ↑ *rudern* paddle

paffen *vti* ↑ *rauchen* puff

Pagenkopf *m* (*Frisur*) bobbed hair

Paket *s* <-[e]s, -e> [1] (*Post-*) parcel [2] ↑ *Bündel* bundle [3] PC package, software add-on; **Paketkarte** *f* parcel form; **Paketschalter** *m* (*in Postamt*) parcel counter

Pakistan *s* Pakistan

Pakt *m* <-[e]s, -e> ↑ *Bündnis* pact

Palast *m* <-es, Paläste> [1] (*Königs-*) palace [2] (*Tanz-*) hall

Palästinenser(**in** *f*) *m* <-s, -> Palastinian

Palette *f* [1] (*Farb-*) palette [2] (*Lade-*) pallet [3] *FIG* ↑ *Vielfalt* range

Palme *f* <-, -n> palm-tree

Pampelmuse *f* <-, -n> grapefruit

pampig *adj FAM* ↑ *frech* cheeky

panieren *vt* GASTRON → *Schnitzel* cover with egg and breadcrumbs

Panik *f* ↑ *Angst* panic; ◇ **in - geraten** to panic; **panisch** *adj:* ◇ **-e Angst** terror

Panne *f* <-, -n> [1] (*Reifen-*) flat [2] *FAM* ↑ *Mißgeschick* mishap

panschen I. *vi* (*im Wasser*) splash about II. *vt* → *Wein* adulterate

Panther *m* <-s, -> panther

Pantoffel *m* <-s, -n> [1] ↑ *Hausschuh* slipper [2] *FAM* ◇ **unterm - stehen** to be hen-pecked

Pantomime *f* <-, -n> [1] (*Schauspieler*) mime artist [2] (*Bühnenstück*) pantomime, dumb show

Panzer *m* <-s, -> [1] ↑ *Rüstung* armour [2] ↑ *Kettenfahrzeug* tank [3] (*Schildkröten-*) shell; **Panzerglas** *s* bullet-proof glass; **Panzerschrank** *m* safe

Papa *m* <-s, -s> *FAM* dad

Papagei *m* <-s, -en> parrot

Papier *s* <-s, -e> [1] (*Material*) paper [2] (FIN *Wert-*) shares *pl* [3] ↑ *Dokument* document [4] ↑ *Ausweis* ◇ **-e** *pl* identity papers *pl;* **Papiergeld** *s* paper money; **Papierkorb** *m* waste-paper basket; **Papierkrieg** *m* red tape, paperwork

Pappbecher *m* paper cup; **Pappdeckel** *m* pasteboard; **Pappe** *f* <-, -n> (*Material*) cardboard; *FIG* ◇ **das ist nicht von -** that's not to be sneezed at

Pappel *f* <-, -n> poplar

Pappenstiel *m FIG*: ◇ **das ist kein -** that's no trifling matter

pappig *adj* ↑ *klebrig* sticky

Pappmaché *s* <-s, -s> papier mâché; **Pappteller** *m* paper plate

Paprika *m* <-s, -s> [1] (*Pflanze*) pepper [2] (*Gewürz*) paprika

Papst *m* <-[e]s, Päpste> pope; **päpstlich** *adj* papal

Parabel *f* <-, -n> [1] ↑ *Gleichnis* parable [2] MATH parabola

Parade *f* [1] MIL review [2] (SPORT *beim Fechten*) parry; (*bei Ballspielen*) counter-move [3] (*von Schlagern*) charts *pl*

Paradies *s* <-es, -e> [1] REL paradise [2] *FIG* idyllic place, paradise; **paradiesisch** *adj* heavenly

paradox *adj* paradoxical; **Paradox** *s* <-es, -e> paradox

Paragraph *m* <-en, -en> [1] (JURA *Gesetzes-*) section [2] ↑ *Textabschnitt* paragraph

parallel *adj* parallel; **Parallele** *f* <-, -n> [1] MATH parallel (line) [2] *FIG* ↑ *Ähnlichkeit* analogy

paramilitärisch *adj* paramilitary

Parasit *m* <-en, -en> [1] ↑ *Schädling* parasite [2] *FIG* ↑ *Schmarotzer* sponger

parat *adj* ↑ *zur Hand*: ◇ **etw - haben** to have s.th. on hand

Parfüm *s* <-s, -s *o.* -e> perfume; **Parfümerie** *f* perfumery

parieren I. *vt* [1] ↑ *abwehren* ward off [2] *FIG* ↑ *schlagfertig sein* answer back, retort II. *vi FAM* ↑ *gehorchen* toe the line

Pariser [1](**in** *f*) *m* (*Person*) Parisian

Pariser [2] *m FAM* ↑ *Kondom* condom

Parität *f* [1] ↑ *Gleichwertigkeit* parity [2] PC parity

Park *m* <-s, -s> (*Stadt-*) park; **Parkanlage** *f* ↑ *Grünanlage* [public] gardens *pl*

parken I. *vt* → *Auto* park II. *vi* ↑ *halten* park; ◇ **P- verboten** no parking

Parkett *s* <-[e]s, -e> [1] THEAT stalls *pl* [2] (*Fußboden*) parquet floor

Parkhaus *s* multi-storey car-park; **Parkplatz** *m* [1] ↑ *Parklücke* parking space, gap [2] ↑ *großer*

Platz car-park; **Parkscheibe** *f* parking sticker; **Parkuhr** *f* parking meter; **Parkverbot** *s* no parking; ◇ **eingeschränktes** ~ restricted parking
Parlament *s* parliament; **Parlamentarier(in** *f) m* <-s, -> parliamentarian; **parlamentarisch** *adj* parliamentary
Parodie *f* parody; **parodieren** *vt* ↑ *imitieren* parody
Parole *f* <-, -n> ↑ *Stichwort* password
Parsing *s* <-s> PC parsing
Partei *f* [1] ▷*politisch* party [2] (*Miet-*) tenant [3] (JUR *gegnerische* ~) party [4] ◇ **für jd-n ~ ergreifen** to stand up for s.o.; **Parteigenosse** *m*, **Parteigenossin** *f* ↑ *Mitglied* party member; **parteiisch** *adj* ↑ *befangen* partial; **parteilos** *adj* independent; **Parteinahme** *f* <-, -n> support; **Parteitag** *m* party conference
Parterre *s* <-s, -s> [1] ↑ *Erdgeschoß* ground floor *BRIT*, first floor *AM* [2] THEAT stalls *pl*
Partie *f* [1] ▷*Schach* round, game [2] ↑ *Heirat* ◇ **eine gute** ~ a good match [3] ↑ *Teil* (*Mund-*) part [4] COMM lot, shipment
Partikel *f* <-, -n> ↑ *Teilchen* particle
Partisan(in *f) m* <-s *o.* -en, -en> partisan
Partitur *f* MUS score
Partizip *s* <-s, -ien> participle
Partner(in *f) m* <-s, -> [1] (*Geschäfts-*) partner [2] (*Spiel-*) opponent [3] ↑ *Lebensgefährte* partner; **partnerschaftlich** *adj* ↑ *gleichberechtigt* as partners
Party *f* <-, -s *o.* Parties> party, celebration
Paß *m* <-sses, Pässe> [1] (*Reise-*) passport [2] (*Berg-*) pass
passabel *adj* ↑ *annehmbar* tolerable
Passage *f* <-, -n> [1] ↑ *Reise* passage [2] (*Einkaufs-*) arcade, passageway [3] (*Text-*) extract
Passagier *m* <-s, -e> passenger; **Passagierflugzeug** *s* (*Ggs Transportflugzeug*) airliner
Passant(in *f) m* ↑ *Fußgänger* passer-by
Paßamt *s* passport office; **Paßbild** *s* passport photo
passen *vi* [1] ← *Kleidung* fit [2] ↑ *harmonieren* ← *Farben* go together, match; ← *Personen* to be well matched (*zu* to) [3] ◇ **ich passe** I pass [4] ◇ **das paßt mir nicht** that doesn't suit me; **passend** *adj* [1] ▷*Termin* suitable, convenient [2] ▷*Antwort* appropriate, justified
passierbar *adj* ↑ *befahrbar* passable
passieren I. *vi* ↑ *geschehen* happen **II.** *vt* [1] → *Brücke* cross [2] (*durch Sieb*) sieve
Passion *f* [1] ↑ *Leidenschaft* passion [2] ◇ **~sspiele** the Passion; **passioniert** *adj* ↑ *leidenschaftlich* passionate; (*-er Spieler*) ardent, enthusiastic
passiv *adj* (*Ggs aktiv*) passive; **Passiv** *s* GRAM passive; **Passiva** *pl* COMM liabilities *pl;* **Passivität** *f* passivity; **Passivrauchen** *s* (*Ggs Aktivrauchen*) passive smoking
Paßkontrolle *f* passport control; **Paßstraße** *f* pass; **Paßwort** *s* [1] ↑ *Kennwort* password [2] PC code word, access code
Paste *f* <-, -n> paste
Pastell *s* <-[e]s, -e> pastel
pasteurisieren *vt* pasteurize
Pastor(in *f) m* vicar, minister
Pate *m* <-n, -n> (*Tauf-*) godfather; **Patenkind** *s* godchild
patent *adj* ↑ *tüchtig* fine; ◇ **ein -er Kerl** a regular guy
Patent *s* <-[e]s, -e> ↑ *Erfindung* patent; **Patentamt** *s* patent office; **patentieren** *vt* patent; **Patentschutz** *m* protection of patents
Pater *m* <-s, - *o.* Patres> REL father
pathetisch *adj* ↑ *hochtrabend* elevated, pompous
pathologisch *adj* pathological
Patient(in *f) m* patient
Patin *f* godmother
Patriarch *m* <-en, -en> ↑ *Herrscher* patriarch; **patriarchalisch** *adj* patriarchal
Patriot(in *f) m* <-en, -en> patriot; **patriotisch** *adj* patriotic; **Patriotismus** *m* patriotism
Patron *m* <-s, -e> patron, protector
Patrone *f* <-, -n> [1] (*Gewehr-*) cartridge [2] (*Tinten-*) cartridge
Patrouille *f* <-, -n> patrol
Patsche *f* <-, -n> [1] *FAM* ↑ *Klemme, Bedrängnis* ◇ **jd-m aus der ~ helfen** to help s.o. out of a hole/a fix [2] (*Fliegen-*) swat
patschnaß *adj* ↑ *völlig naß* soaking wet
patzig *adj FAM* ↑ *frech* saucy
Pauke *f* <-, -n> [1] (*Instrument*) kettledrum [2] *FAM* ◇ **auf die ~ hauen** to kick over the traces
pauken *vti* SCHULE swat up, cram; **Pauker(in** *f) m* <-s, -> *FAM* ↑ *Lehrer* coach, tutor
pausbäckig *adj* chubby-faced
pauschal *adj* [1] ↑ *verallgemeinernd* wholesale [2] ▷*Abrechnung* all-in; **Pauschale** *f* <-, -n> (*Heizkosten-*) flat-rate billing; **Pauschalreise** *f* package tour
Pause *f* <-, -n> [1] (*Mittags-*) [lunch] break [2] ↑ *Unterbrechung* pause [3] ↑ *Durchschlag* blueprint
pausen *vt* ↑ *kopieren* trace
pausenlos *adj* without interruption; **Pausenzeichen** *s* [1] MUS interval notation [2] MEDIA call sign
Pauspapier *s* tracing paper
Pavian *m* <-s, -e> baboon

Pazifik *m* <-s> Pacific
Pazifist(in *f*) *m* pacifist; **pazifistisch** *adj* pacifist
PC *m* <-s, -s> *Abk v. s.* **Personal Computer** pc
Pech *s* <-s, -e> ① (*Flüssigkeit*) pitch; *FIG* ◇ **wie ~ u. Schwefel zusammenhalten** to be as thick as thieves ② *FIG* ↑ *Unglück* misfortune; ◇ **~ haben** to have bad luck; **pechschwarz** *adj* pitch black; **Pechsträhne** *m FAM* run of bad luck; **Pechvogel** *m FAM* jinks
Pedal *s* <-s, -e> (*Gas-*) pedal
Pedant(in *f*) *m* pedant; **pedantisch** *adj* pedantic
Pegel *m* <-s, -> ① (*Wasser-*) level ② (*Geräusch-*) volume level
peilen *vt* ① ↑ *ausloten* sound ② *FIG* → *Lage* sound out
Pein *f* <-> agony
peinigen *vt* torment
peinlich *adj* ① ▷*Situation, Frage* embarrassing ② ↑ *gewissenhaft* ◇ **~ genau** meticulous
Peitsche *f* <-, -n> whip; **peitschen** *vt* ① ↑ *schlagen* whip ② ← *Regen* beat
Pelle *f* <-, -n> (*Wurst-*) skin; (*von Kartoffel*) peel; **pellen** *vt* → *Kartoffeln* peel
Pelz *m* <-es, -e> ① ↑ *Fell* skin, hide ② (*-mantel*) fur ③ *FAM* ↑ *Haut* ◇ **sich** *dat* **die Sonne auf den ~ brennen lassen** to toast o.s.
Pendel *s* <-s, -> pendulum; **Pendelverkehr** *m* commuter traffic; **Pendler(in** *f*) *m* <-s, -> commuter
penetrant *adj* ① ↑ *aufdringlich* irritatingly insistent ② ▷*Geruch* penetrating
Penis *m* <-, -se> penis
Pension *f* ① ↑ *Gästehaus* guest house, private hotel ② ◇ **Halb/Voll-** half/full board ③ ↑ *Ruhestand* retirement; ◇ **in ~ gehen** to retire ④ ↑ *Ruhegeld* retirement pension; **Pensionär(in** *f*) *m* pensioner; **pensioniert** *adj* ↑ *im Ruhestand* in retirement; **Pensionsgast** *m* hotel guest
Pensum *s* <-s, Pensen> task
per *präp akk* ① ↑ *durch, mittels* per, via; ◇ **~ Bahn** by rail; ◇ **~ Anhalter fahren** to hitchhike ② COMM ◇ **~ 15. Juni fällig** payable on 15th June
perfekt *adj* ① ↑ *vollkommen* accomplished ② ↑ *gültig* settled; ◇ **e-n Handel ~ machen** to clinch a deal
Perfekt *s* <-[e]s, -e> perfect [tense]
Pergament *s* parchment
Periode *f* <-, -n> ① ↑ *Zeitabschnitt* period ② ↑ *Menstruation* [menstrual] period; **periodisch** *adj* periodic
Peripherie *f* outskirts *pl;* **Peripheriegerät** *s* PC peripheral component
Perle *f* <-, -n> ① (*Muschel-*) pearl ② (*Wasser-*) bead, drop ③ *FIG* treasure; **perlen** *vi* ← *Sekt* effervesce; *FAM* fizz up
perplex *adj* bewildered; ◇ **~ sein** to be flabbergasted
Perron *m* <-s, -s> *CH* ↑ *Plattform* [landing] platform
Person *f* <-, -en> ① person ② (*Film-*) character
Personal *s* <-s> ① (*Angestellte*) personnel, staff ② (*Dienst-*) domestic staff; **Personalabteilung** *f* personnel department; **Personalausweis** *m* identity card
Personal Computer *m* personal computer
Personalien *pl* particulars *pl,* personal data
Personalpronomen *s* personal pronoun
Personenkraftwagen *m* private car; **Personenkreis** *m* group of people; **Personenschaden** *m* (*Ggs Sachschaden*) personal injury
personifizieren *vt* embody
persönlich I. *adj* ▷*Gespräch, Angelegenheit* personal **II.** *adv* ↑ *selbst* personally; ◇ **etw ~ erledigen** to deal with s.th. o.s. [*o.* in person]; **Persönlichkeit** *f* personality
Perspektive *f* ① (*Bild-*) perspective ② *FIG* ↑ *Zukunft* prospect
Perücke *f* <-, -n> wig
pervers *adj* perverse
Pessimismus *m* pessimism; **Pessimist(in** *f*) *m* pessimist; **pessimistisch** *adj* pessimistic
Petersilie *f* parsley
Petroleum *s* <-s> petroleum, kerosene *AM*
petzen *vi FAM* ↑ *verraten* split
Pfad *m* <-[e]s, -e> ① ↑ *Weg* path, track ② PC path
Pfahl *m* <-[e]s, Pfähle> post
Pfand *s* <-[e]s, Pfänder> ① (*Flaschen-*) deposit ② (*Leihgabe, Pfänderspiel*) forfeit ③ *FIG* ↑ *Sicherheit* security, pledge; **Pfandbrief** *m* bond
pfänden *vt* seize
Pfandhaus *s* pawnshop; **Pfandschein** *m* pawn ticket
Pfändung *f* JURA seizure
Pfanne *f* <-, -n> (*Brat-*) pan; *FAM* ◇ **jd-n in die ~ hauen** to make mincemeat of s.o.
Pfannkuchen *m* pancake
Pfarrer(in *f*) *m* <-s, -> vicar
Pfau *m* <-[e]s, -en> peacock
Pfeffer *m* <-s, -> (*Gewürz*) pepper; **Pfefferkuchen** *m* gingerbread; **Pfefferminz** *s* <-es, -e> peppermint
pfeffern *vt* ① ↑ *würzen* pepper ② *FAM* ↑ *schmeißen* sling; ◇ **in die Ecke ~** to fling into the corner ③ *FAM* ◇ **gepfefferte Preise** high prices

Pfeife *f* <-, -n> [1] (*Triller-*) whistle [2] (*Tabaks-*) pipe [3] *FAM* ↑ *Versager* ◇ **so eine -!** what a loser!; **pfeifen** <pfiff, gepfiffen> **I.** *vt* → *Lied* whistle **II.** *vi* [1] ◇ **vor sich hin** - whistle [2] *FAM* ◇ **auf etw** *akk* - not to give a damn

Pfeil *m* <-[e]s, -e> [1] (*Geschoß*) arrow, dart [2] (*Zeichen*) arrow, pointer

Pfeiler *m* <-s, -> ↑ *Pfosten* (*Stütz-*) pillar; (*Brükken-*) pier

Pfennig *m* <-[e]s, -e> penny

Pferd *s* <-[e]s, -e> [1] (*Tier*) horse [2] (*Turngerät*) box horse

pfiff *impf v.* **pfeifen**

Pfiff *m* <-[e]s, -e> [1] (*Ton*) whistle [2] (*FIG Reiz*) style, appeal; ◇ **eine Frau mit** - a smart woman

Pfifferling *m* [1] (*Pilz*) chanterelle [2] *FAM* ◇ **keinen - wert** not worth a dime *AM*

pfiffig *adj* smart

Pfingsten *s* <-, -> Whitsun; **Pfingstrose** *f* peony

Pfirsich *m* <-s, -e> peach

Pflanze *f* <-, -n> plant; **pflanzen** *vt* plant; **Pflanzenfett** *s* vegetable fat

Pflaster *s* <-s, -> [1] (*Heft-*) sticking plaster [2] (*FAM finanzielles* -) salve [3] (*Kopfstein-*) paved surface; **pflastern** *vt* pave

Pflaume *f* <-, -n> plum

Pflege *f* <-, -n> [1] ↑ *Betreuung* care, nursing [2] ↑ *Instandhaltung* maintenance, upkeep; **pflegebedürftig** *adj* in need of care and attention; **Pflegeeltern** *pl* foster parents; **Pflegekind** *s* foster child; **pflegeleicht** *adj* [1] ▷*Wäsche* drip-dry [2] *FAM* ↑ *unproblematisch* unproblematical; **pflegen I.** *vt* [1] ↑ *versorgen* → *Kranke* nurse [2] ↑ *instandhalten* → *Rasen* tend; → *Denkmal* conserve [3] → *Beziehungen* cultivate **II.** *vi:* ◇ **etwas zu tun** - to be in the habit of doing s.th.; **Pfleger(in** *f*) *m* <-s, -> (*Kranken-*) nurse

Pflicht *f* <-, -en> [1] duty; ◇ **Rechte u. -en** rights and obligations [2] (SPORT *Ggs Kür*) compulsory event; **pflichtbewußt** *adj* mindful of o.'s duty; **Pflichtfach** *s* SCHULE compulsory subject; **Pflichtgefühl** *s* sense of duty (*gegenüber jd-m* toward s.o.); **pflichtgemäß** *adj* dutiful; **pflichtvergessen** *adj* remiss, irresponsible; **Pflichtversicherung** *f* compulsory insurance

pflücken *vt* pick

Pflug *m* <-[e]s, Pflüge> plough

Pforte *f* <-, -n> (*Garten-*) gate

Pförtner(in *f*) *m* <-s, -> (*von Fabrik*) gatekeeper, porter; (*von Gericht*) usher

Pfosten *m* <-s, -> (*Garten-*) post; (*Stütz-*) supporting mast

Pfote *f* <-, -n> [1] (*von Hund*) paw [2] (*FAM von Mensch*) paw; ◇ **sich die -n verbrannt haben** to have burnt o.'s fingers

Pfropfen *m* <-s, -> [1] ↑ *Korken* cork [2] (*Blut-*) clot

pfropfen *vt* [1] ↑ *zustöpseln* stopper [2] ↑ *veredeln* graft

pfui *intj* (*Ausruf*) ugh!; *FAM* ◇ **- Teufel!** Yuk!

Pfund *s* <-[e]s, -e> [1] (*Gewicht*) pound [2] (*Währung*) pound

pfuschen *vi FAM* botch; ◇ **jd-m ins Handwerk** - to meddle in s.o.'s affairs; **Pfuscher(in** *f*) *m* <-s, -> *FAM* ↑ *Stümper* bungler

Pfütze *f* <-, -n> (*Wasser-*) puddle

Phänomen *s* <-s, -e> [1] ↑ *Erscheinung* phenomenon [2] ↑ *Genie* prodigy; **phänomenal** *adj* phenomenal

Phantasie *f* imagination; **phantasielos** *adj* unimaginative; **phantasieren I.** *vi* [1] ↑ *träumen* fantasize [2] (*im Fieber*) rave, be delirious, have delusions **II.** *vt* ↑ *sich ausdenken* dream up; **phantasievoll** *adj* imaginative

phantastisch *adj* [1] ↑ *toll* terrific [2] ↑ *unrealistisch* eccentric

Pharmaindustrie *f* pharmaceutical industry; **Pharmazeut(in** *f*) *m* <-en, -en> ↑ *Apotheker* pharmacist, chemist, druggist *AM*

Phase *f* <-, -n> phase

Philanthrop *m* <-en, -en> ↑ *Menschenfreund* philanthropist

Philippinen *pl* Philippines *pl*

Philologe *m* <-n, -n>, **Philologin** *f* philologist; **Philologie** *f* philology

Philosoph(in *f*) *m* <-en, -en> philosopher; **Philosophie** *f* philosophy; **philosophisch** *adj* philosophic

phlegmatisch *adj* stolid

Phonetik *f* phonetics *sg;* **phonetisch** *adj* phonetic

Phosphat *s* phosphate; **phosphatfrei** *adj* phosphate-free

Phosphor *m* <-s> phosphorus

Photo *s* <-s, -s> photo

Phrase *f* <-, -n> ↑ *Redewendung* set phrase; *FAM* ◇ **-n dreschen** to talk in platitudes

pH-Wert *m* (*von Shampoo, Seife*) pH value

Physik *f* physics *sg;* **physikalisch** *adj* physical; **Physiker(in** *f*) *m* <-s, -> physicist

Physiologie *f* physiology

physisch *adj* physical

Pianist(in *f*) *m* pianist

Pickel *m* <-s, -> [1] ↑ *Hacke* pick [2] (*Haut-*) spot, pimple; **pickelig** *adj* pimply

picken *vi* peck (*nach* for)

Picknick *s* <-s, -e *o.* -s> picnic; ◇ **ein ~ machen** to have a picnic

piepen *vi* ① ← *Vogel* tweet ② *FAM* ◇ **das ist ja zum P-!** that's an absolute scream!

piepsen *vi* ← *Maus* squeak; ← *Vogel* cheep

piesacken *vt FAM* ↑ *ärgern* badger

pietätlos *adj* impious, irreverent

Pigment *s* pigment

Pik *s* <-s, -s> spades *pl*

pikant *adj* ① ▷*Essen* spicey ② *FIG* ▷*Angelegenheit* delicate

Pilger(in *f*) *m* <-s, -> pilgrim

Pille *f* <-, -n> ① ↑ *Tablette* tablet, pill ② (*Verhütungsmittel*) the pill

Pilot(in *f*) *m* <-en, -en> pilot; **Pilotprojekt** *s* (*Experiment*) pilot scheme

Pils *s* Pils lager

Pilz *m* <-es, -e> ① (*Pflanze*) mushroom, fungus ② (MED *Haut-*) fungal infection ③ (*Atom-*) mushroom cloud

pingelig *adj FAM* ↑ *genau, ordentlich* pernickety, fussy

Pinie *f* pine

pinkeln *vi FAM* ↑ *urinieren* spend a penny, weewee

Pinsel *m* <-s, -> ① (*Mal-*) brush ② (*FAM Person*) ◇ **eingebildeter ~** fathead

Pinzette *f* tweezers *pl*

Pionier(in *f*) *m* <-s, -e> ① ↑ *Vorkämpfer* trailblazer ② MIL ↑ *Soldat* engineer

Pipeline *f* pipeline

Piratensender *m* pirate radio station

Piste *f* <-, -n> ① (*Ski-*) course, piste ② ↑ *Rollbahn* runway ③ ↑ *Rennbahn* track

Pistole *f* <-, -n> pistol

Pizza *f* <-, -s> pizza; **Pizzeria** *f* <-, -s *o.* Pizzerien> pizzeria

Pkw *m* <-[s], -[s]> *Abk v.* **Personenkraftwagen** private car

Plackerei *f FAM* ↑ *Schufterei* drudgery

plädieren *vi* JURA plead, argue; ◇ **auf Freispruch ~** to plead for acquittal; ◇ **für Strafmilderung ~** to plead in mitigation

Plädoyer *s* <-s, -s> JURA submission, counsel's speech *BRIT*

Plage *f* <-, -n> ① (*Heuschrecken-*) plague ② *FIG* ↑ *Mühe* pest; **plagen** I. *vt* torment II. *vr* ◇ **sich ~** ↑ *abmühen* take pains

Plakat *s* (*Werbe-*) poster

Plakette *f* (*TÜV-Plakette*) plaque, badge

Plan *m* <-[e]s, Pläne> ① (*Stadt-*) map ② ↑ *Vorhaben* plan

Plane *f* <-, -n> tarpaulin, tarp *AM*

planen *vt* plan

Planet *m* <-en -en> planet

planieren *vt* plane, level; **Planierraupe** *f* bulldozer

Planke *f* <-, -n> plank

Plankton *s* <-s> plankton

planlos *adj* ① ↑ *unorganisiert* unsystematic ② ↑ *ziellos* aimless; **planmäßig** I. *adj* ↑ *pünktlich* punctual; ▷*Abfahrt* [as] scheduled II. *adv* ↑ *wie geplant* according to plan

planschen *vi* splash about

Planstelle *f* (*für Lehrer*) permanent appointment

Plantage *f* <-, -n> plantation

Planung *f* (*von Vorhaben*) planning; (*von Haushalt*) budgeting; ◇ **noch in ~ sein** to still be at the planning stage

Planwirtschaft *f* command economy

plappern *vi FAM* ↑ *reden* blabber

plärren *vi* ① *FAM* ↑ *schreien* ← *Baby* bawl ② ← *Radio* blare

Plasma *s* <-s, Plasmen> plasma

Plastik [1] *f* ↑ *Skulptur* sculpture

Plastik [2] *s* <-s> ↑ *Kunststoff* plastic

Plastikfolie *f* plastic sheet; **Plastiktüte** *f* plastic bag

Plastilin® *s* <-s> plasticine

plastisch *adj* ① (*dreidimensional*) three-dimensional ② (*FIG anschaulich*) graphic

Platane *f* <-, -n> plane [tree], sycamore *AM*

Platin *s* <-s> platinum

Platitüde *f* <-, -n> platitude

platonisch *adj FIG* platonic

platschen *vi* splash

plätschern *vi* bubble

platt *adj* ① ↑ *eben, flach* flat ② (*FAM sprachlos*) dumbfounded ③ (*FIG geistlos*) vapid; **plattdeutsch** *adj* (*Dialekt*) Low German

Platte *f* <-, -n> ① (*Tisch-*) top; (*Stein-*) slab ② (*kalte ~*) dish ③ (*Schall-*) record ④ (*Foto*) plate ⑤ PC hard disk ⑥ *FAM* ↑ *Glatze* bald head; **Plattenspieler** *m* record player

Plattfuß *m* ① (*Fuß*) flatfoot ② (*FAM Reifen*) flat

Platz *m* <-es, Plätze> ① ↑ *Raum* space, room ② (*Sitz-*) seat ③ (*Markt-*) square ④ (*Park-*) space ⑤ (*Plazierung*) position; **Platzangst** *f* ① MED agoraphobia ② *FAM* claustrophobia

Plätzchen *s* biscuit, cookie *AM*

platzen *vi* ← *Luftballon* burst; *FAM* ◇ **vor Neugier ~** to die of curiosity

Platzmangel *m* space shortage; **Platzpatrone** *f* blank; **Platzregen** *m* downpour; **Platzwunde** *f* laceration

Plauderei *f* chat; **plaudern** *vi* chat

plausibel *adj* plausible
plazieren I. *vt* place, position II. *vr* ◇ **sich** ~ SPORT be placed
pleite *adj FAM* broke; **Pleite** *f* <-, -n> ① ↑ *Bankrott* bankruptcy ② (*FIG Reinfall*) fiasco
Plenum *s* <-s, Plena> full assembly, plenum
Plombe *f* <-, -n> ① (*Siegel*) seal ② (*Zahn-*) filling; **plombieren** *vt* → *Zahn* fill
plötzlich I. *adj* ↑ *jäh* abrupt; ↑ *unerwartet* unexpected II. *adv* ↑ *auf einmal* suddenly
plump *adj* ① ↑ *schwerfällig* ungainly ② (*unförmig*) plump ③ *FIG* ▷*Bemerkung* tactless
Plunder *m* <-s> junk
plündern *vti* ① ↑ *stehlen* ransack ② *FIG* → *Geschäft* clear; **Plünderung** *f* pillage
Plural *m* <-s, -e> plural; **pluralistisch** *adj* pluralistic
plus *adv* plus; ◇ **4 Grad** ~ 4 degrees above zero; **Plus** *s* <-, -> ① (*Vorteil*) advantage, asset ② (*Überschuß*) surplus
Plüsch *m* <-[e]s, -e> plush
Pluspol *m* ELECTR positive pole, anode; **Pluspunkt** *m FIG* credit
Plusquamperfekt *s* pluperfect, past perfect
Plutonium *s* plutonium
PLZ *Abk v. s.* **Postleitzahl** post code
Po *m* <-s, -s> *FAM* ↑ *Hintern* bottom
Pöbel *m* <-s> *PEJ* ↑ *Volk* riffraff
pochen *vi* ① → *Puls* throb ② ◇ **an Tür** rap ③ *FIG* ↑ *bestehen, dringen* ◇ **auf etw** *akk* ~ to insist on s.th.
Pocken *pl* smallpox
Podium *s* podium, panel; **Podiumsdiskussion** *f* panel discussion
Poesie *f* poetry; **Poet(in** *f*) *m* <-en, -en> poet; **poetisch** *adj* poetic
Pointe *f* <-, -n> punch line
Pokal *m* <-s, -e> SPORT cup
pökeln *vt* pickle
Pol *m* <-s, -e> ① (*Nord-*) pole ② ▷*elektrisch* pole; **polar** *adj* polar; **Polarkreis** *m* ▷*südlicher* Antarctic Circle; ▷*nördlicher* Arctic Circle
Pole *m* <-n, -n> Pole
Polemik *f* polemic; **polemisch** *adj* polemic[al]
Polen *s* Poland
Police *f* <-, -n> (*Versicherungs-*) policy
Polier *m* <-s, -e> foreman
polieren *vt* polish
Poliklinik *f* outpatient department
Polin *f* Pole
Politik *f* ① (*Regierungs-*) politics *pl o sg* ② (*Strategie*) policy; **Politiker(in** *f*) *m* <-s, -> politician; **politisch** *adj* political; **politisieren** I. *vi* talk politics II. *vt* → *jd-n* politicize
Politur *f* polish
Polizei *f* police; **polizeilich** *adv* ① by the police ② ◇ **sich ~ anmelden** to register with the police; **Polizeistaat** *m* police state; **Polizeistunde** *f* closing time; **polizeiwidrig** *adj* illegal
Polizist(in *f*) *m* policeman, policewoman
Pollen *m* <-s, -> pollen
polnisch *adj* Polish
Polster *s* <-s, -> ① (*für Sessel*) cushion ② (*Schulter-*) pad ③ (*Fett-*) layer ④ *FIG* ▷*finanziell* ◇ **ein ~ von tausend DM als Reserve haben** to have one thousand DM to fall back on; **polstern** *vt* upholster; **Polsterung** *f* upholstery
poltern *vi* ① ↑ *Krach machen* make a racket ② *FAM* ↑ *schimpfen* bluster
Polygamie *f* polygamy
Polyp *m* <-en -en> ① *FAM* ↑ *Polizist* cop ② ◇ **-en** *pl* (*Nasen-*) adenoids *pl* ③ (*Meerestier*) octopus
Pomade *f* pomade
Pommes frites *pl* french fries *pl*
Pomp *m* <-[e]s> pomp; **pompös** *adj* pompous
Pony I. *m* <-s, -s> (*Haar-*) fringe, bangs *pl AM* II. *s* <-s, -s> ↑ *Pferd* pony
Popmusik *f* pop [music]
Popo *m* <-s, -s> *FAM* ↑ *Hintern* bum
populär *adj* ① ↑ *bekannt* well-known ② ↑ *beliebt* popular; **Popularität** *f* popularity
Pore *f* <-, -n> pore
Pornographie *f* pornography
porös *adj* porous
Porree *m* <-s, -s> leek
Portal *s* <-s, -e> portal
Portemonnaie *s* <-s, -s> purse
Portier *m* <-s, -s> porter
Portion *f* ① (*Essen*) portion ② (*FAM kleine Person*) ◇ **halbe** ~ squirt
Porto *s* <-s, -s> postal rate; **portofrei** *adj* postpaid, post-free
Porträt *s* <-s, -s> portrait, likeness; **porträtieren** *vt* portray; ↑ *malen* ◇ **jd-n** ~ to paint s.o.'s portrait
Portugal *s* Portugal; **Portugiese** *m* <-n, -n>, **Portugiesin** *f* Portuguese; ◇ **die -n** *pl* the Portuguese *pl;* **portugiesisch** *adj* Portuguese
Porzellan *s* <-s, -e> ① (*Material*) porcelain, china [clay] ② (*Geschirr*) porcelain, china[ware]
Posaune *f* <-, -n> trombone
Pose *f* <-, -n> ↑ *Haltung* pose, attitude; ◇ **eine ~ einnehmen** to strike a pose; **posieren** *vi* (*für Kamera*) pose
Position *f* ① ↑ *Lage* position ② (*Beruf*) position, job ③ (*Ruf*) standing; **positionieren** *vt* PC position
positiv I. *adj* ① ▷*Antwort* affirmative ② ▷*Ent-*

wicklung favourable [3] ▷*Kritik* constructive **II.** *adv* ▷*denken* positively; **Positiv** *s* positive

Positur *f* ↑ *Haltung*: ◇ **sich in ~ begeben** to square o.'s shoulders

Posse *f* foolish action; THEAT farce, burlesque; ◇ **-n** fun and games

Possessivpronomen *s* possessive pronoun

Post *f* <-> [1] (*-amt*) post office [2] ↑ *Briefe* post; **Postanweisung** *f* (*Geldsendung per Post*) [postal] money order; **Postbote** *m*, **Postbotin** *f* postman, postwoman, mailman *AM*

Posten *m* <-s, -> [1] ↑ *Amt, Stellung* post [2] (COMM *Waren-*) lot; (*bei der Buchung*) item [3] MIL post [4] (*Streik-*) picket

Poster *s* <-s, -> poster

Postfach *s* post-office box, P.O. Box; **Postkarte** *f* postcard; **Postkasten** *m* letter-box, mailbox *AM*; **postlagernd** *adj* poste restante, general delivery *AM*; **Postleitzahl** *f* post code; **postmodern** *adj* postmodern; **Postsparkasse** *f* (*Bank*) post-office savings bank; **Poststempel** *m* postmark; **postwendend** *adv* *FIG* ↑ *sofort* at once

potent *adj* [1] (*fruchtbar*) fertile [2] (*mächtig*) powerful

Potential *s* <-s, -e> potential

potentiell *adj* potential

Potenz *f* [1] sexual potency [2] MATH power

Pracht *f* <-> splendour; **prächtig** *adj* [1] ↑ *prunkvoll* pompous [2] ▷*Mensch* splendid; **Prachtstück** *s* excellent example

Prädikat *s* [1] GRAM predicate [2] (*Bewertung*) rating

prägen *vt* [1] → *Metall* stamp [2] (*formulieren*) → *Satz* mould [3] ↑ *beeinflussen* be a decisive influence on

pragmatisch *adj* pragmatic

prägnant *adj* incisive; **Prägnanz** *f* precision

Prägung *f* [1] (*Muster*) impress [2] (*Eigenart*) character

prahlen *vi* boast, talk big; **Prahlerei** *f* showing-off

Praktik *f* practice, procedure; **praktikabel** *adj* feasible

Praktikant(in *f*) *m* trainee; **Praktikum** *s* <-s, Praktika> practical training

praktisch I. *adj* [1] ↑ *zweckmäßig* practical [2] ↑ *geschickt* ◇ **~ veranlagt** dexterous [3] ◇ **-er Arzt** general practitioner **II.** *adv* ↑ *so gut wie*: ◇ **er verdient ~ nichts** he earns virtually nothing

praktizieren I. *vt* ↑ *anwenden* employ **II.** *vi* ← *Arzt* practise

Praline *f* chocolate

prall *adj* [1] ↑ *gefüllt* packed [2] ▷*Sonne* blazing

Prämie *f* [1] (*Anreiz*) bonus [2] (*Versicherungs-*) premium; **prämieren** *vt* reward with a prize

Pranger *m* <-s, -> (*FIG öffentlich anklagen*): ◇ **jd-n an den ~ stellen** to put s.o. in the dock

Präparat *s* preparation; **präparieren** *vt* prepare

Präposition *f* preposition

Prärie *f* prairie

Präsens *s* <-> present tense

präsent *adj* [1] ↑ *anwesend* present [2] ↑ *im Gedächtnis* ◇ **etw ~ haben** to have s.th. fresh in mind

präsentieren *vt* present

Präservativ *s* ↑ *Kondom* condom, sheath

Präsident(in *f*) *m* [1] ↑ *Vorsitzender* chairman [2] POL ↑ *Staatsoberhaupt* president

Präsidium *s* [1] (*Polizei-*) headquarters [2] ↑ *Vorstand* board, executive committee

prasseln *vi* [1] ← *Regen* patter [2] ← *Feuer* crackle

Präteritum *s* <-s, Präterita> ↑ *Vergangenheit* preterite tense

Pratze *f* <-, -n> *FAM* ↑ *große Hand* paw

Präventiv- *präf* (*Vorbeuge-*) preventative

Praxis *f* <-, Praxen> [1] practice, action [2] (*Arzt-*) practice, consulting rooms

Präzedenzfall *m* ↑ *Musterfall* precedent

präzis[e] *adj* ↑ *genau* precise; **Präzision** *f* ↑ *Exaktheit* precision

predigen I. *vi* ← *Pfarrer* preach, sermonize **II.** *vt* → *Liebe* preach; **Predigt** *f* <-, -en> sermon

Preis *m* <-es, -e> [1] ▷*hoch, niedrig* price; (*FIG auf keinen Fall*) ◇ **um keinen ~** no way, not for all the tea in China [2] (*Ehrenpreis*) prize; **Preisausschreiben** *s* competition

Preiselbeere *f* cranberry

preisen <pries, gepriesen> *vt* ↑ *loben* praise, extol

preisgeben *unreg vt* [1] → *Person* abandon [2] → *Geheimnis* expose [3] → *Gewohnheit* give up

preisgekrönt *adj* prizewinning; **Preisgericht** *s* jury; **preislich** *adv*: ◇ **~ verschieden sein** to vary in price; ◇ **~ richtig liegen** to be priced right; **Preissturz** *m* price collapse; **Preisträger(in** *f*) *m* prize winner; **preiswert** *adj* ↑ *billig* cheap, value-for-money

prekär *adj* ▷*Situation* precarious

prellen *vt* [1] → *Zeche* dodge [2] *FIG* ↑ *betrügen* fleece; **Prellung** *f* (*Verletzung*) bruise

Premiere *f* <-, -n> ↑ *Erstaufführung* première

Premierminister(in *f*) *m* prime minister

Presse *f* <-, -n> [1] (*Saft-*) squeezer [2] ↑ *Zeitungswesen* press, journalism; **Pressefreiheit** *f* freedom of the press; **Pressekonferenz** *f* press conference; **Pressemeldung** *f* press report

pressen *vt* ① ↑ *drücken* press ② (*zwingen*) force

pressieren *vi* ↑ *eilen*: ◇ es pressiert to be urgent

Preßluft *f* compressed air

Prestige *s* <-s> ↑ *Ansehen* prestige

prickeln *vi* ← *Sekt* prickle

pries *impf v. preisen*

Priester(in *f*) *m* <-s, -> (*Geistlicher*) priest

prima *adj inv* ↑ *toll* wonderful

primär *adj* ① ↑ *ursprünglich* prime, original ② ↑ *vorrangig* primary, principal

primitiv *adj* ① ▷*Volk* ↑ *einfach* primitive, savage ② ↑ *dürftig, armselig* pathetic, rough ③ ↑ *geistlos* simple, coarse

Prinz *m* <-en, -en>, **Prinzessin** *f* prince/princess

Prinzip *s* <-s, -ien> ① (*Grundsatz*) principle; ◇ **-ien haben** to have principles ② ↑ *eigentlich* ◇ **im ~** in principle, fundamentally; **prinzipienlos** *adj* unscrupulous

Priorität *f* ↑ *Vorrang* priority; ◇ **-en setzen** to set priorities, to establish an order of priority

Prise *f* <-, -n> ▷*Salz* pinch

Prisma *s* <-s, Prismen> PHYS prism; ◇ **Licht durch ein ~ zerlegen** to disperse light by a prism

privat *adj* ① ▷*Besitz* private; ▷*Patient* private ② ▷*Gespräch* confidential ③ ▷*Angelegenheit* personal

Privat- *in Zusammensetzungen* private

pro I. *präp akk* per; ◇ **~ Woche** per week, weekly **II.** *s* <->: ◇ **das P~ u. Kontra** the pros and cons

Probe *f* <-, -n> ① ↑ *Test* trial, tryout *AM*; ◇ **jd-n auf die ~ stellen** to put s.o. to the test ② (THEAT *General-*) rehearsal ③ (*Wein-*) sampling; **Probeexemplar** *s* specimen copy; **Probefahrt** *f* test drive; **Probemenge** *f* sample, specimen; **proben** *vti* ▷*Auftritt* rehearse; **probeweise** *adv* by way of trial; **Probezeit** *f* (*Einarbeitung*) trial period

probieren *vt* → *Wein* sample, taste; → *Arbeitsweise* try [out]

Problem *s* <-s, -e> ① ↑ *Ärgernis, Sorge* ◇ **-e haben** to have problems ② (*Aufgabe, Frage*) problem; **Problematik** *f* (*schwierige Beschaffenheit*) problematic nature; (*Schwierigkeiten*) difficulties *pl;* **problematisch** *adj* problematical; **problemlos** *adj* problem-free

Produkt *s* <-[e]s, -e> ① ↑ *Erzeugnis* product; AGR produce ② (*Ergebnis*) result, outcome; **Produktion** *f* production

produktiv *adj* ↑ *leistungsstark* productive

Produzent(in *f*) *m* ① (*von Ware*) manufacturer ② (*von Film*) producer; **produzieren I.** *vt* ↑ *herstellen* produce **II.** *vr* ◇ **sich ~** perform, show off

professionell *adj* professional

Professor(in *f*) *m* professor; **Professur** *f* professorship

Profi *m* pro[fessional]

Profil *s* <-s, -e> ① (*von Reifen*) tread ② (*von Gesicht*) profile ③ (*FIG Ausstrahlung*) personality

profilieren *vr* ◇ **sich ~** to make a name for o.s.

Profit *m* <-[e]s, -e> ↑ *Gewinn* profit

profitieren *vi* ↑ *Nutzen ziehen aus* profit (*von* from)

Prognose *f* <-, -n> ↑ *Vorhersage* prognosis

Programm *s* <-s, -e> ① (*Partei-*) program[me], platform *AM* ② ↑ *Fernsehkanal* channel ③ (*Kino-*) program[me], billing ④ PC program

programmieren *vt* ① (*Ablauf festlegen*) program[me], plan ② PC program; **Programmierer(in** *f*) *m* <-s, -> programmer; **Programmiersprache** *f* PC programming language

Progammkino *s* art cinema

progressiv *adj* ↑ *fortschrittlich* progressive

Projekt *s* <-[e]s, -e> (*Plan*) project

Projektor *m* (*Dia-*) projector

projizieren *vt* ① → *Dia* project ② *FIG* → *Vorstellung* project

proklamieren *vt* ↑ *verkünden* proclaim

Prolet(in *f*) *m* <-en, -en> (*PEJ Proletarier*) pleb, lifer

Proletariat *s* ↑ *Arbeiterklasse* proletariat; **Proletarier(in** *f*) *m* <-s, -> ↑ *Arbeiter* proletarian

Prolog *m* <-[e]s, -e> ① ↑ *Vorrede* preamble ② ↑ *Einleitung* introduction, prologue

Promenade *f* promenade

Promillegehalt *m* <-[s], -> (*von Alkohol*) pro mille content

prominent *adj* ↑ *berühmt, bekannt* prominent; **Prominenz** *f* prominent persons *pl*

Promiskuität *f* (*häufiger Partnerwechsel*) promiscuity

Promotion *f* ① COMM ↑ *Werbung* promotion ② (*Doktortitel*) conferment of doctorate; **promovieren** *vi* to attain o.'s doctorate

prompt *adj* ↑ *unmittelbar, rasch* prompt

Pronomen *s* <-s, -> (*Personal-*) pronoun

Propaganda *f* <-> ↑ *Werbung* propaganda; **propagieren** *vt* → *Überzeugung* promote, plug

Propeller *m* <-s, -> propeller

Prophet(in *f*) *m* <-en, -en> ↑ *Seher* prophet; **prophezeien** *vt* ↑ *vorhersagen* prophesy, predict; **Prophezeiung** *f* ↑ *Vorhersage* prediction

Proportion *f* proportion; **proportional** *adj* proportional

Prosa *f* <-> poetry; **prosaisch** *adj* (*FIG langweilig*) pedestrian

Prospekt *m* <-[e]s, -e> brochure, catalogue

Prost! *intj* cheers!

prostituieren *vr* ◇ **sich** ~ *FIG* prostitute o.s.; **Prostituierte(r)** *fm* ↑ *Strichmädchen/junge* prostitute

Protest *m* <-[e]s, -e> ↑ *Widerspruch* protest

Protestant(in *f*) *m* REL Protestant; **protestantisch** *adj* Protestant

protestieren *vi* ↑ *widersprechen* protest

Protestkundgebung *f* ↑ *Demo* protest rally

Prothese *f* <-, -n> ① (*Bein-*) artificial limb ② (*Zahn-*) denture

Protokoll *s* <-s, -e> ① (*von Sitzung*) minutes *l* ② ↑ *Bericht* report; **protokollieren** *vt* take down the minutes of, record

Proton *s* <-s, -en> ↑ *atomares Teilchen* proton

Prototyp *m* ↑ *Musterexemplar* prototype

Protz *m* <-en, -e[n]> *FAM* ↑ *Angeber* swank, show-off; **protzen** *vi* ↑ *angeben* show off (*mit* with); **protzig** *adj* ▷*Haus, Auto* ostentatious; *FAM* flashy

Proviant *m* <-s, -e> provisions *pl*

Provinz *f* <-, -en> ① ↑ *Landesteil* province ② *FIG* ↑ *rückständige Gegend* backwoods *pl*, the sticks *pl AM*; **provinziell** *adj* ↑ *rückständig* provincial

Provision *f* commission

provisorisch *adj* ↑ *behelfsmäßig* provisional

Provokation *f* ↑ *Herausforderung* provocation; **provozieren** *vt* ↑ *reizen, herausfordern* provoke

Prozedur *f PEJ* ▷*langwierig* ordeal, arduous procedure

Prozent *s* <-[e]s, -e> percent, per cent; **Prozentsatz** *m* percentage; **prozentual** *adj* (*im Verhältnis*) proportional

Prozeß *m* <-sses, -sse> ① JURA trial ② ↑ *Vorgang* process; *FIG* ◇ **mit etw/jd-m kurzen ~ machen** to take care of s.th./s.o. quickly; **prozessieren** *vi* ↑ *Prozeß führen* litigate (*gegen* against)

Prozession *f* procession

Prozessor *m* PC processor

prüfen *vi* ① ↑ *testen* test ② ↑ *kontrollieren* check, inspect ③ ↑ *Prüfung abnehmen* examine; **Prüfer(in** *f*) *m* <-s, -> examiner; **Prüfling** *m* examinee, candidate; **Prüfung** *f* ① (*von Motor*) test, check-up ② ▷*bestehen* examination ③ (COMM *Buch-*) audit; **Prüfungskommission** *f* commission of inquiry

Prügel *m* <-s, -> ① (*Holz-*) club, shillelagh *IRELAND* ② ↑ *Schläge* ◇ ~ **bekommen** to get a beating; **Prügelei** *f* ↑ *Schlägerei* brawl; *FAM* punch-up; **Prügelknabe** *m* ↑ *Sündenbock* scapegoat, whipping boy; **prügeln I.** *vt* ↑ *schlagen* thrash **II.** *vr* ◇ **sich** ~ ↑ *verhauen* to have a fight

prunkvoll *adj* ① ▷*Fest* sumptuous ② ▷*Schloß* magnificent

Psychiater(in *f*) *m* <-s, -> psychiatrist

psychisch *adj* ↑ *seelisch* psychic, mental

Psychoanalyse *f* psycho-analysis

Psychologe *m* <-n, -n>, **Psychologin** *f* psychologist; **Psychologie** *f* psychology; **psychologisch** *adj* psychological

Psychopharmaka *pl* MED psycho-active drugs *pl*

psychosomatisch *adj* ▷*Krankheit* psychosomatic

Psychotherapeut(in *f*) *m* psycho-therapist

Pubertät *f* puberty

Publikum *s* <-s> ① ↑ *Öffentlichkeit* public ② MEDIA audience

publizieren *vt* ▷*Zeitschrift* publish

Pudding *m* <-s, -e *o.* -s> pudding

Pudel *m* <-s, -> poodle

Puder *m o s* <-s, -> powder; **pudern** *vt* → *Gesicht* powder; **Puderzucker** *m* icing sugar, powdered sugar

Puff *m* <-s, -s> *FAM* ↑ *Bordell* brothel

Puffer *m* <-s, -> ① (*-zone*) buffer ② PC buffer

Pulli *m* <-s, -s> **Pullover** *m* <-s, -> pullover, jumper

Puls *m* <-es, -e> pulse

pulsieren *vi* ① ← *Blut* beat, throb ② *FIG* ← *Leben* pulsate

Pult *s* <-[e]s, -e> (*Schreib-*) desk; (*Noten-*) stand

Pulver *s* <-s, -> ① (*Pudding-*) powder ② (*Schieß-*) [gun] powder; **pulverisieren** *vt* ↑ *zu Pulver machen* pulverize; **Pulverschnee** *m* powder snow

pummelig *adj* ↑ *dick* chubby

Pumpe *f* <-, -n> TECHNOL pump; *FAM* ↑ *Herz* ticker; **pumpen** *vt* ① TECHNOL pump ② (*FAM Geld verleihen*) front; ◇ **Kannst du mir fünfig Mark pumpen?** Can you lend me fifty marks? ③ *FAM* ↑ *sich ausleihen* borrow; ◇ **von jd-m etwas ~** to touch s.o. for s.th.

Punk *m* <-s, -s> ① (*Musik*) punk ② (*Jugendliche(r)*) punk

Punkt *m* <-[e]s, -e> ① (*i-Punkt*) dot ② (*Interpunktion*) full stop, period *AM* ③ (*von Bericht*) point, item ④ ◇ ~ **12** 12 o'clock sharp

punktieren *vt* ① (*Akupunktur*) needle ② → *Linie* dot

pünktlich *adj* punctual; *FAM* on the dot

Punktzahl *f* score

Pupille *f* <-, -n> pupil
Puppe *f* <-, -n> [1] (*Stoff-*) doll [2] (*Schmetterlings-*) pupa, cocoon
pur *adj* ↑ *rein* pure; ◇ **-er Unsinn** complete nonsense
Püree *s* <-s, -s> ↑ *Brei* purée
Purzelbaum *m* somersault; **purzeln** *vi FAM* ↑ *fallen* tumble down; ◇ **über etwas** *akk* ~ to trip over s.th.
Puste *f* <-> *FAM* ↑ *Atem* puff, wind
Pustel *f* <-, -n> ↑ *Pickel* pustule
pusten *vi* ↑ *blasen* blow
Pute *f* <-, -n>, **Puter** *m* <-s, -> turkey
Putsch *m* <-[e]s, -e> (*Militär-*) coup d'état; **putschen** *vi* organize a putsch/coup d'etat
Putz *m* <-es> ARCHIT plaster; (*Rauputz*) rough cast
putzen I. *vt* [1] → *Haus* clean [2] → *Nase* blow **II.** *vr* ◇ **sich** ~ ← *Katze* to preen o.s.; **Putzfrau** *f* char, cleaning lady
putzig *adj* ↑ *niedlich* cute
Putzlappen *m* cleaning cloth
Puzzle *s* <-s, -s> puzzle
Pyjama *m* <-s, -s> ↑ *Schlafanzug* pyjamas *pl*
Pyramide *f* <-, -n> pyramid

Q

Q, q *s* Q, q
quabb[e]lig *adj FAM* ▷*Frosch* slimy; ▷*Gelatine* wobbly
Quacksalber(in *f*) *m* <-s, -> *FAM* quack
Quaddel *f* <-, -n> *norddt.* ↑ *Bläschen* heat spot, rash
Quader *m* <-s, -> (*-stein*) square stone block; MATH cuboid
Quadrat *s* square; MATH square; ◇ **zwei ins ~ erheben** two square; **quadratisch** *adj* ▷*Fläche* square; MATH ▷*Gleichung* quadratic; **Quadratmeter** *m* square metre; **Quadratlatschen** *pl* (*FAM große Füße, Schuhe*) clod-hoppers *pl;* **Quadratwurzel** *f* square root
quaken *vi* ← *Frosch* croak; ← *Ente* quack; (*FAM dumm reden*) squawk
quäken *vi FAM* ← *Kleinkind* whine
Quäker *m* <-s, -> Quaker
Qual *f* <-, -en> torture, agony; ▷*seelisch* anguish; **quälen I.** *vt* torture, agonize; (*mit Bitten*) pester, plague **II.** *vr* ◇ **sich** ~ torture o.s., struggle (*mit* with); **Quälerei** *f* torment, torture; *FIG* agony; **Quälgeist** *m FAM* pest
Qualifikation *f* qualification; ◇ **die notwendige ~ haben** to have the necessary qualifications *pl;*
qualifizieren *vr* ◇ **sich** ~ qualify (*für* for)
Qualität *f* quality; **Qualitätsware** *f* quality products *pl*
Qualle *f* <-, -n> jelly-fish
Qualm *m* <-[e]s> smoke, smog; (*Zigarren-*) smoke; **qualmen** *vt, vi* ← *Schornstein* smoke; ← *Person* smoke; *FAM* puff
qualvoll *adj* ▷*Tod, Ende* painful, agonizing
Quantentheorie *f* quantum theory
Quantität *f* quantity; **quantitativ** *adj* ▷*Analyse* quantitative
Quantum *s* <-s, Quanten> quantum, quantity
Quarantäne *f* <-, -n> MED quarantine; ◇ **in ~ liegen** to be in quarantine
Quark *m* <-s> (*Speise*) curd cheese; *FAM* ↑ *Unsinn* rubbish; **Quarkkuchen** *m* cheese cake
Quarte *f* MUS fourth
Quartal *s* <-s, -e> quarter of a year; ◇ **-zahlung** quarterly payment
Quartett *s* <-s, -e> [1] MUS quartette [2] (*Kartenspiel*) set of fours
Quartier *s* <-s, -e> [1] (*Urlaubs-*) accomodation; MIL quarters *pl* [2] ↑ *Stadtviertel* quarters *pl*
Quarz *m* <-es, -e> GEO quartz
quasi *adv* ↑ *nahezu* ↑ *fast* virtually
quasseln *vi* (*FAM ständig reden*) chatter, gabble; **Quasselstrippe** *f* chatterbox
Quaste *f* <-, -n> (*Puder-*) puff
Quatsch *m* <-es> *FAM* nonsense, baloney, rubbish; **quatschen** *vi* (*FAM reden*) talk nonsense
Quecksilber *s* CHEM quicksilver; (*-thermometer*) quicksilver, mercury
Quelle *f* <-, -n> [1] (*Erdöl-, Mineral-*) well, spring [2] (*FIG Informations-*) source; **quellen** <quoll, gequollen> *vi* [1] ↑ *hervor-* ← *Blut* pour, gush [2] ↑ *schwellen* ← *Holz, Hülsenfrüchte* swell, soak
quengeln *vi FAM* ↑ *jammern* whine, nag
quer *adv* [1] (*der Breite nach*) across; (*rechtwinklig*) at a right angle [2] (*diagonal, schräg*) diagonally, crossways; ◇ ~ **durch den Wald** straight through the woods; ◇ ~ **über den Platz** right straight the place; **Querbalken** *m* cross-beam;
Quere *f* <-, -n> (*FAM behindern*): ◇ **jd-m in die ~ kommen** to cross s.o.'s path; **querfeldein** *adv* across country; **Querflöte** *f* flute; **Querruder** *s* aileron; **Querschiff** *s* (*von Kirche*) transept; **Querschnitt** *m* cross-section; **querschnittsgelähmt** *adj* paraplegic, paralyzed from the waist down; **Querstraße** *f* a parallel street
Querulant(in *f*) *m* grouch, grumbler
quetschen *vt* squeeze; (*verletzen*) pinch; **Quetschung** *f* MED contusion
Queue *s* <-s, -s> (*Billard-*) cue

quieken *vi* ← *Schwein* squeal; ← *Mensch* squeak, squeal
quietschen *vi* ← *Tür* squeak; ← *Mensch* squeal; *FAM* ◇ **vor Vergnügen** ~ to squeal with joy
Quinte *f* <-, -n> MUS fifth; **Quintett** *s* <-s, -e> quintette
Quirl *m* <-[e]s, -e> whisk, beater
quitt *adj:* ◇ ~ **sein mit jd-m** to be even with s.o.
Quitte *f* <-, -n> quince
quittieren *vt* [1] ↑ *schriftlich bestätigen* → *[Geld-]Empfang* to give a receipt [2] ↑ *kündigen* → *Dienst* quit; **Quittung** *f* receipt
Quiz *s* <-, -> quiz; **Quizmaster** *m* <-s, -> show master; **Quizsendung** *f* game show
quoll *impf von* **quellen**
Quote *f* <-, -n> (*Fehler~, Gewinn~*) rate
Quotient *m* quotient

R

R, r *s* R, r
Rabatt *m* <-[e]s, -e> discount
Rabatz *m* <-> *FAM* row, rumpus
Rabe *m* <-n, -n> crow
Rabenmutter *f* cruel mother; **Rabenvater** *m* cruel father
rabiat *adj* ▷*Person* raving mad; ▷*Umgangston* coarse; ▷*Methoden* rough
Rache *f* <-> revenge
Rachen *m* <-s, -> [1] ANAT throat [2] (*Raubtier~*) jaws
rächen I. *vt* → *jd-n/etw* revenge **II.** *vr* ◇ **sich** ~ ↑ *Rache nehmen* take revenge (*an dat* on)
Rachitis *f* <-> MED rickets *pl*
rachsüchtig *adj* vindictive
Rad *s* <-[e]s, Räder> [1] ↑ *Reifen* (*Vorder~*) wheel [2] (AUTO *Lenk~*) steering wheel [3] (*Fahr~*) bicycle [4] (SPORT *Turnübung*) cartwheel
Radar *s o m* <-s> radar; **Radarfalle** *f* speed trap; ◇ **in eine ~ geraten** to get caught speeding; **Radarkontrolle** *f* police radar control
Radau *m* <-s> *FAM* ↑ *Krawall* racket
radeln *vi* cycle
radfahren *unreg vi* [1] ↑ *mit Fahrrad fahren* go by bicycle [2] *PEJ FAM* ↑ *kriechen* bootlick; **Radfahrer(in** *f*) *m* [1] (*auf Rad*) cyclist [2] *PEJ FAM* ↑ *Kriecher* (*in Firma*) bootlicker
radieren *vt* [1] (*entfernen*) erase, rub out [2] KUNST ▷*Zeichnung* etch; **Radiergummi** *m* rubber, eraser; **Radierung** *f* KUNST etching
Radieschen *s* raddish
radikal *adj* [1] ↑ *rigoros* ▷*Änderung* drastic, radical [2] ↑ *extremistisch* (*links~*) radical, extreme; **Radikale(r)** *fm* (*Links~, Rechts~*) extremist
Radio *s* <-s, -s> [1] (*Apparat*) radio [2] ↑ *Rundfunk* broadcasting service, radio
radioaktiv *adj* radioactive; *FAM* hot; **Radioaktivität** *f* radioactivity
Radiorecorder *m* <-s, -> radio cassette recorder; **Radiowecker** *m* radio alarm clock
Radium *s* CHEM radium
Radius *m* <-, Radien> ↑ *Halbmesser* (*von Kreis*) radius
Radkappe *f* AUTO hub cap
Radler(in *f*) *m* <-s, -> [1] ↑ *Radfahrer* cyclist [2] (*Getränk*) shandy *Bier mit Zitronenlimonade*
Radrennbahn *f* cycling track; **Radrennen** *s* cycle racing; **Radsport** *m* cycling; **Radweg** *m* cycle path
RAF *f Abk v.* **Rote Armee Fraktion** RAF, Red Army Fraction
raffen *vt* [1] ↑ *schnell ergreifen* (*bei Diebstahl, Flucht*) snatch; ◇ **etw an sich** ~ to grab s.th. for o.s. [2] → *Stoff, Vorhang* gather [3] ↑ *anhäufen* → *Geld* amass [4] *FAM* ↑ *kapieren* grasp; ◇ **hat er's endlich gerafft?** has he finally got it?
Raffinade *f* refined [*o.* white] sugar
Raffinesse *f* [1] ↑ *Gerissenheit* shrewdness [2] ↑ *technische Besonderheit* technical feature; ◇ **ein Auto mit vielen ~n** a car with all the extras; **raffiniert** *adj* [1] ↑ *schlau* ▷*Person* shrewd, slick *AM* [2] ↑ *ausgeklügelt* ▷*Plan* sophisticated, ingenious [3] ▷*Zucker, Öl* refined
ragen *vi* rear
Rahm *m* <-s> ▷*sauer, süß* cream
rahmen *vt* → *Bild* frame; **Rahmen** *m* <-s, -> [1] (*Bilder~*) frame [2] ↑ *Chassis* (*von Auto, Motorrad etc.*) chassis [3] ↑ *Atmosphäre* (*festlicher ~*) environment [4] (*FIG ~handlung*) outline [5] *FIG* ↑ *Bereich* scope; ◇ **im ~ des Möglichen** within the realms of possiblity
rahmig *adj* creamy
Rakete *f* <-, -n> [1] (MIL *Abwehr~*) rocket [2] (*Leucht~*) flare
Rallye *f* <-, -s> (*Auto~*) rally
rammen *vt* [1] ↑ *anfahren* ram [2] ↑ *stoßen* → *Pfahl* drive in (*in akk* into)
Rampe *f* <-, -n> [1] ↑ *Auffahrt* (*Lade~*) ramp [2] THEAT apron [3] (MIL *Abschuß~*) launch pad; **Rampenlicht** *s* [1] THEAT footlights *pl* [2] *FIG* ↑ *Mittelpunkt* ◇ **im ~ stehen** to stand in the limelight
ramponieren *vt FAM* ↑ *kaputtmachen* damage
Ramsch *m* <-[e]s, -e> *FAM* rubbish
ran = *FAM* **heran**

Rand *m* <-[e]s, Ränder> ① (*von Teller, Brille*) rim; (*von Abgrund*) precipice, brink; (*von Papier*) margin, edge ② *FIG* ◇ **am -e der Verzweiflung** on the verge of despair ③ *FAM* ↑ *Mund* ◇ **den - halten** to shut up ④ (*FIG nebenbei*) ◇ **am -e bemerken** to comment in passing

Randale *f* <-, -n> *FAM* ↑ *Zerstörung* racket; ◇ **- machen** to kick up a fuss; **randalieren** *vi FAM* raise the roof; (*stärker*) riot

Randbemerkung *f* aside; **Randerscheinung** *f* side issue

rang *impf v.* **ringen**

Rang *m* <-[e]s, Ränge> ① ↑ *Stellung* position, rank ② ↑ *Qualität* quality; ◇ **ein Künstler ersten -es** an artist of the first order, a first-class artist ③ (THEAT *Sitzreihe*) row ④ ↑ *hoher Stellenwert* status, standing; ◇ **eine Person von -** a person of quality ⑤ SPORT ↑ *Platz* place

rangieren I. *vt* → *Eisenbahn* shunt **II.** *vi FIG:* ◇ **an erster Stelle -** to rank first

Rangordnung *f* ① ↑ *Hierarchie* order of preference, hierachy ② MIL rank

Ranke *f* <-, -n> BIO creeper

rann *impf v.* **rinnen**

rannte *impf v.* **rennen**

Ranzen *m* <-s, -> ① ↑ *Tasche* (*Schul-*) satchel ② *FAM* ↑ *Bauch* belly

ranzig *adj* rancid

Rappe *m* <-n, -n> black horse

Rappel *m* <-s, -> *FAM* ① ↑ *Wutanfall* tantrum; ◇ **einen - kriegen** to blow one's top ② (*spinnen*) ◇ **er hat ja einen -** he's nuts

Raps *m* <-es, -e> rape-seed

rar *adj* ↑ *selten* rare; ◇ **sich - machen** to make o.s. scarce; **Rarität** *f* ↑ *Seltenheit* rarity; ◇ **-en sammeln** to collect curios

rasant *adj* ▷*Tempo* breakneck

rasch *adv* quickly

rascheln *vi* ← *Papier, Laub* rustle

rasen *vi* ① ↑ *schnell fahren* race ② ↑ *wüten, toben* rage

Rasen *m* <-s, -> lawn

rasend I. *adv* ↑ *sehr* extremely; ◇ **er ist -** he is burning with jealousy **II.** *adj* ① ↑ *wütend* furious ② ↑ *stark* ◇ **-e Schmerzen** splitting pains

Rasenmäher *m* <-s, -> lawn mower

Raserei *f* ① ↑ *schnelles Fahren* reckless driving ② ↑ *Wüten* raving fury, towering rage

Rasierapparat *m* safety razor; **Rasiercreme** *f* shaving cream; **rasieren** *vt/vr* ◇ **sich -** → *Bart* shave; **Rasierklinge** *f* razor blade; **Rasierwasser** *s* shaving lotion, after-shave

Rasse *f* <-, -n> ↑ *Art* (*Tier-*) breed; (*Menschen-*) race; ◇ **ein -pferd** a thouroughbred horse

Rassel *f* <-, -n> rattle; **rasseln** *vi* ① ↑ *klirren* rattle, clatter ② *FAM* ◇ **durch eine Prüfung -** to flunk an exam

Rassenhaß *m* racial hatred; **Rassentrennung** *f* ↑ *Apartheid* racial segregation

Rast *f* <-, -en> ↑ *Pause* break; **rasten** *vi* have a break, rest

Raster *s* MEDIA, FOTO screen; (*bei Siebdruck*) silk screen; **Rasterfahndung** *f* PC scan, retrieval

Rasthaus *s* (*an Autobahn*) service station; **rastlos** *adj* ↑ *unermüdlich* indefatigable, tireless; **Rastplatz** *m* (*an Autobahn*) lay-by

Rasur *f* (*Naß-, Trocken-*) shave

Rat [1] *m* <-[e]s> ① ▷*geben* advice, counsel; ◇ **um - fragen** to seek advice; ◇ **einen - befolgen** to follow advice ② ↑ *Vorschlag* suggestion

Rat [2] *m* <-[e]s, Räte> ① ↑ *Gremium* (*Gemeinde-*) council ② (*Amts-*) councillor

Rate *f* <-, -n> (*Monats-*) instalment; ◇ **auf -n kaufen** to buy by instalments; *FAM* to buy on the never-never

raten <riet, geraten> *vti* ① ↑ *Rat geben* advise, recommend; ◇ **jd-m etw -** to recommend s.th. to s.o., to advise s.o. to do s.th. ② ↑ *zu lösen versuchen* → *Rätsel* guess; ◇ **rate mal!** have a guess!

ratenweise *adv* by instalment; **Ratenzahlung** *f* hire purchase

Ratgeber(in *f*) *m* <-s, -> adviser; **Rathaus** *s* town hall

ratifizieren *vt* → *Vertrag* ratify; **Ratifizierung** *f* (*von Vertrag, Gesetz*) ratification

Ration *f* (*Essens-*) ration

rational *adj* ↑ *vernünftig* rational

rationalisieren *vt* → *Personal* rationalize

rationell *adj* ↑ *ökonomisch* efficient; ↑ *zweckmäßig* streamlined

rationieren *vt* → *Essen* ration

ratlos *adj* ↑ *hilflos* at a loss, perplexed; **Ratlosigkeit** *f* perplexity, helplessness; **ratsam** *adj* ↑ *empfehlenswert* advisable; **Ratschlag** *m* suggestion, recommendation

Rätsel *s* <-s, -> ① *FIG* ↑ *unerklärliche Angelegenheit* mystery, riddle; ◇ **jd-m ein - aufgeben** to set s.o. a puzzle, to be enigmatic toward s.o. ② (*Bilder-*) [picture] puzzle; **rätselhaft** *adj* ↑ *unverständlich* baffling

Ratskeller *m* town hall restaurant

Ratte *f* <-, -n> ① ZOOL rat ② *FAM* ↑ *mieser Typ* fink

rattern *vi* clatter

Raub *m* <-[e]s> ① ↑ *Diebstahl* (*-überfall*) robbery ② ↑ *das Geraubte* haul, booty; **Raubbau** *m* exploitation, abuse (*an dat* of); **Raubdruck** *m*

(*von Buch*) bootleg [copy]; **rauben** *vt* ① ↑ *stehlen* → *Geld, Schmuck* rob ② *FIG* ↑ *wegnehmen* ◇ **jd-m die Hoffnung** ~ to take s.o.'s last hope
Räuber(in *f*) *m* <-s, -> (*Bank-*) robber; **räuberisch** *adj* JURA: ◇ **~er Überfall** armed robbery
Raubmord *m* murder and robbery; **Raubtier** *s* carnivore, predatory animal; **Raubvogel** *m* bird of prey
Rauch *m* <-[e]s> (*Tabak-*) smoke; **rauchen** *vti* smoke; **Raucher(in** *f*) *m* <-s, -> smoker; **Raucherabteil** *s* (*in Zug, Flugzeug*) smoking section
räuchern *vt* → *Schinken* smoke, cure; **Räucherstäbchen** *s* joss stick
Rauchfleisch *s* smoked meat; **rauchig** *adj* smoky; **Rauchvergiftung** *f* MED poisoning by smoke inhalation
räudig *adj* ▷*Hund* mangy
rauf = *FAM* **herauf**
Raufbold *m* <-[e]s, -e> (*FAM Person*) rowdy; **raufen** *vti* ① (*von Kindern*) tussle ② ◇ **sich** *dat* **die Haare vor Wut** ~ to tear one's hair with rage; **Rauferei** *f* scrap, brawl
rauh *adj* ① ↑ *nicht glatt* ▷*Oberfläche* rough, uneven ② ↑ *kalt, windig* ▷*Wetter* rough, inclement ③ *ungeschliffen* ▷*Mensch* uncouth; ▷*Umgangston* gruff; **Rauhreif** *m* hoarfrost
Raum *m* <-[e]s, Räume> ① (*Wohn-*) room ② ↑ *Platz* space ③ ↑ *Umgebung* surrounding area; ◇ ~ **Frankfurt** in the Frankfurt area ④ (*FIG Spiel-*) flexibility; ◇ **einer Idee ~ geben** to give free rein to an idea
räumen *vt* ① ↑ *ausziehen* → *Wohnung* vacate ② → *Saal* ▷*gerichtlich, polizeilich* clear ③ ↑ *aufräumen, hinstellen* (*in Regal etc.*) remove
Raumfähre *f* space shuttle; **Raumfahrt** *f* space travel; **Rauminhalt** *m* ↑ *Fassungsvermögen* volume; **Raumlabor** *s* skylab
räumlich I. *adj* spatial **II.** *adv* spatially; ◇ **sie wohnen ~ beengt** they are cramped for space; **Räumlichkeiten** *pl* ↑ *Zimmer* premises *pl*
Raummangel *m* space shortage; **Raummeter** *m* cubic meter; **Raumpfleger(in** *f*) *m* cleaner; **Raumschiff** *s* space ship; **Raumsonde** *f* space probe
Räumung *f* (*Wohnungs-*) removal, clearance; **Räumungsverkauf** *m* COMM clearance sale
Raupe *f* <-, -n> ↑ *Larve* caterpillar; **Raupenfahrzeug** *s* tracked vehicle
raus = *FAM* **heraus, hinaus**
Rausch *m* <-[e]s, Räusche> ① (*Wein-*) intoxication ② ↑ *Euphorie* (*Glücks-*) exhilaration
rauschen *vi* ① ← *Wasser* murmur; (*stärker*) rush ② ← *Blätter* rustle ③ ← *Beifall* thunder ④ *FAM* ↑ *gehen* ◇ **aus dem Zimmer** ~ sweep out of the room
rauschend *adj* ① ↑ *groß, üppig* ▷*Fest* sumptuous ② ↑ *laut* ▷*Beifall* thunderous
Rauschgift *s* narcotics *pl;* **Rauschgiftsüchtige(r)** *fm* drug addict
räuspern *vr* ◇ **sich** ~ clear one's throat
Raute *f* <-, -n> MATH rhombus, diamond
Razzia *f* <-, Razzien> (*Polizei-*) raid
Reagenzglas *s* (*in Labor*) test tube
reagieren *vi* ① CHEM react ② *FIG* ▷*böse, prompt* react, respond (*auf akk* to)
Reaktion *f* ① CHEM reaction ② *FIG* reaction
reaktionär *adj* reactionary
Reaktionsgeschwindigkeit *f* ① CHEM rate of reaction ② PSYCH speed of reaction
Reaktor *m* (*von Atomkraftwerk*) reactor; **Reaktorkern** *m* core of a reactor
real *adj* ↑ *wirklich* actual, real
realisieren *vt* ① ↑ *verwirklichen* → *Idee* put into effect, realize ② → *zu Geld* convert [into cash], realize
Realismus *m* realism; **Realist(in** *f*) *m* realist; **realistisch** *adj* realistic; **Realität** *f* reality
Realpolitik *f* realpolitik; **Realschule** *f* ≈junior high school
Rebe *f* <-, -n> ↑ *Weinstock* vine
Rebell(in *f*) *m* <-en, -en> rebel; **Rebellion** *f* insurrection, rebellion; **rebellisch** *adj* rebellious
Rebhuhn *s* partridge
Rebstock *m* vine
Rechen *m* <-s, -> (*Gartengerät*) rake
Rechenaufgabe *f* MATH sum; **Rechenschaft** *f*: ◇ ~ **ablegen** to account for o.s.; ◇ **jd-n zur ~ ziehen** to call s.o. to account; **Rechenzentrum** *s* computer centre
recherchieren *vti* ↑ *ermitteln* research
rechnen I. *vt* ① MATH → *Aufgabe* work out ② ↑ *zählen zu* ◇ **ich rechne ihn zu meinen Freunden** I count him as one of my friends ③ (*schätzen*) reckon; ◇ **für die Fahrt ~ wir 8 Stunden** we reckon the journey will take 8 hours **II.** *vi* ① MATH calculate; ▷*elektronisch* compute ② ↑ *sparsam sein* economize; ◇ **mit jedem Pfennig ~** to watch every penny ③ *FIG* ◇ **mit dem Schlimmsten** ~ to expect the worst ④ ↑ *sich verlassen* ◇ **auf etw/jd-n** ~ to rely on s.th./s.o.; **Rechner** *m* <-s, -> computer; **Rechnung** *f* ① MATH ↑ *Rechenaufgabe* calculation, computation ② (COMM *Kosten-*) bill, account; ◇ ~ **bezahlen** to settle a bill ③ *FIG* ◇ **einer Sache ~ tragen** to take s.th. into account; **Rechnungsprüfer(in** *f*) *m* auditor; **Rechnungsprüfung** *f* audit

recht I. *adj* [1] ↑ *passend* ▷*Zeitpunkt* right, suitable, due [2] ↑ *richtig* ▷*Entscheidung* right, correct II. *adv* [1] ↑ *ziemlich* ◇ ~ **teuer** quite, rather [2] ◇ ~ **haben** to be right; ◇ ~ **bekommen** to be [*o.* justified] vindicated [3] ↑ *angenehm, passend* ◇ **das ist mir** ~ that suits me

Recht *s* <-[e]s, -e> [1] ↑ *Anspruch* right (*auf akk* to); ◇ **mit** ~ justifiably [2] JURA ↑ *Gesetz* law; ◇ **von ~s wegen** de jure, by right

Rechte *f* <-n, -n> [1] ↑ *rechte Seite* right-hand side, right [2] ▷*politisch* right[-wing]

rechte(**r, s**) *adj* right; **Rechte**(**r**) *fm* ▷*politisch* right-winger; **Rechte**(**s**) *s* ↑ *Richtiges* right thing; ◇ **das ist nichts** ~s that is not right and proper; **Rechteck** *s* <-s, -e> (*geometrische Figur*) rectangle; **rechteckig** *adj* rectangular

rechtfertigen I. *vt* ↑ *verteidigen* → *Ansicht, Tat* justify, vindicate II. *vr* ◇ **sich** ~ ↑ *verteidigen* justify o.s.; **Rechtfertigung** *f* justification

rechthaberisch *adj* disputatious, dogmatic; **rechtlich** *adj* legal; **rechtmäßig** *adj* rightful, legitimate

rechts *adv* right; **Rechtsanwalt** *m*, **Rechtsanwältin** *f* [1] ▷*beratende(r)* lawyer, solicitor [2] ▷*plädierende(r)* barrister, counsel, attorney *AM*; **Rechtsaußen** *m* <-, -> (SPORT *Fußball*) outside right; **Rechtsbeistand** *m* JURA counsel

rechtschaffen *adj* ↑ *ehrlich* honest, straight

Rechtschreibung *f* ↑ *Orthographie* spelling

Rechtsfall *m* JURA case; **Rechtshänder(in** *f*) *m* <-s, -> right-hander; **rechtskräftig** *adj* ▷*Urteil* valid, legally binding; **Rechtskurve** *f* right-hand bend; **rechtsradikal** *adj* POL extreme right-wing; **Rechtsschutzversicherung** *f* insurance covering legal fees; **rechtswidrig** *adj* illegal

rechtwinklig *adj* ↑ *neunzig Grad* right-angled; **rechtzeitig** I. *adj* ▷*Hilfe* timely II. *adv* [1] ↑ *pünktlich* ▷*kommen* punctually, on time [2] ↑ *früh genug* in good time

Reck *s* <-[e]s, -e> SPORT horizontal bar

recken I. *vt* ↑ *strecken* → *Hals* stretch II. *vr* ◇ **sich** ~ ↑ *dehnen, strecken* stretch o.s., have a good stretch

Recycling *s* <-s> recycling; **Recyclingpapier** *s* recycled paper

Redakteur(in *f*) *m* editor; **Redaktion** *f* [1] ↑ *Redigieren* editing [2] (*~sabteilung*) editorial office [3] (*Personal*) editorial staff

Rede *f* <-, -n> [1] ↑ *Reden* speech, talk; ◇ **davon war nie die** ~ that was never suggested, that wasn't the point; ◇ ~ **u. Gegenrede** arguments for and against [2] ◇ **jd-n zur** ~ **stellen** to call s.o. to account [3] ↑ *Ansprache* speech, address; ◇ **eine** ~ **halten** to make a speech [4] SPRACHW ▷*direkt, indirekt* speech; **Redefreiheit** *f* freedom of speech; **redegewandt** *adj* eloquent; **reden** I. *vi* [1] ↑ *sprechen* talk, speak (*über akk* about *dat* to) [2] ↑ *sich unterhalten* converse (*über akk* about *dat* with) [3] ↑ *Rede halten* ▷*öffentlich* address II. *vt* ↑ *sagen* say; ◇ **dummes Zeug** ~ to say stupid things, to talk rubbish; **Redensart** *f* expression; **Redewendung** *f* figure of speech, phrase

redlich *adj* decent

Redner(in *f*) *m* <-s, -> ▷*gewandt* speaker

redselig *adj* chatty

reduzieren *vt* → *Gewicht* reduce; → *Personal* cut; → *Aufwand* reduce, limit

Reede *f* <-, -n> (*Schiffs~*) roadstead; ◇ **auf der** ~ **liegen** to ride at anchor; **Reeder(in** *f*) *m* <-s, -> shipowner

reell *adj* [1] ↑ *ehrlich* ▷*Geschäft* solid [2] ↑ *konkret* ▷*Chance* real

Referat *s* [1] ↑ *Vortrag* ▷*halten* lecture (*über akk* on) [2] ↑ *Abteilung* (*Presse~*) section

Referendar(in *f*) *m* (*Studien~*) probationary teacher

Referent(in *f*) *m* [1] ↑ *Vortragende(r)* reporter, speaker [2] ↑ *Sachbearbeiter* expert; ◇ **Presse~** press officer

Referenz *f* recommendation, reference

referieren *vi* [1] ↑ *vortragen* lecture (*über akk* on) [2] ↑ *mitteilen* report (*über akk* on)

reflektieren I. *vt* ↑ *spiegeln* → *Licht* reflect II. *vi* [1] ↑ *nachdenken* reflect (*über akk* on) [2] ↑ *sich interessieren für* → *Anstellung* be interested (*auf akk* in)

Reflex *m* <-es, -e> [1] ↑ *Widerschein* reflection [2] BIO ↑ *Reaktion* (*bedingter* ~) reflex

Reflexion *f* [1] (*von Strahlen*) reflection [2] ↑ *Nachdenken* reflection

reflexiv *adj* GRAM reflexive

Reform *f* <-, -en> reform

Reformation *f* [1] ↑ *Erneuerung* renewal [2] (HIST *von Kirche*) reformation; **reformatorisch** *adj* reformative

Reformhaus *s* health food shop

reformieren *vt* reform

Refrain *m* <-s, -s> (*von Lied*) refrain, chorus

Regal *s* <-s, -e> [1] (*Bücher~*) shelf unit [2] (*Bücherbrett*) shelf

rege *adj* [1] ↑ *lebhaft* ▷*Verkehr, Geschäft* busy, lively [2] ↑ *aktiv* (*geistig* ~) active, alert

Regel *f* <-, -n> [1] ↑ *Vorschrift* (*Spiel~*) rule; ◇ **sich an die ~n halten** to keep to the rules [2] ↑ *Norm* norm; ◇ **das ist bei uns die** ~ in our case that is normal [*o.* standard] [procedure]; (*normalerweise*) ◇ **in der** ~ normally, as a rule ③ MED menstruation; **regelmäßig** *adj* ① ↑ *gleichmäßig* ▷*Puls* regular, steady ② ▷*Gesichtszüge* regular, even ③ ▷*Mahlzeiten, Zusammenkunft* regular; **Regelmäßigkeit** *f* regularity; **regeln I.** *vt* ① → *Verkehr* regulate ② → *Angelegenheit* deal with, settle ③ → *Rechtschreibung* determine **II.** *vr:* ◇ **das wird sich von selbst** ~ that will sort itself out; **regelrecht I.** *adv* ① ↑ *korrekt* properly ② ↑ *sozusagen* more or less **II.** *adj:* ◇ **eine ~e Lüge** a downright lie; **Regelung** *f* ① ↑ *Erledigung* (*von Problem*) settlement, regularization ② ↑ *Abmachung* arrangement, agreement ③ ↑ *Regulierung* (*Sprach-*) determination; **regelwidrig** *adj* irregular

regen I. *vr* ◇ **sich** ~ ↑ *bewegen* stir; ◇ **sich nicht** ~ to give no sign of life **II.** *vt* ↑ *bewegen* → *Finger* move

Regen *m* <-s, -> ① (*Niesel-*) rain ② (*Blumen-*) shower; **Regenbogen** *m* rainbow; **Regenbogenpresse** *f* weekly colour magazines [containing trivia]

Regeneration *f* regeneration

Regenmantel *m* raincoat; **Regenschauer** *m* shower, downpour; **Regenschirm** *m* umbrella

Regent(in *f*) *m* sovereign, regent; **Regentschaft** *f* regency

Regenwald *m* GEO rain forest

Regie *f* ① (*bei Film etc.*) direction ② ↑ *Leitung* management, administration

regieren *vti* ↑ *herrschen* govern; **Regierung** *f* ① ↑ *Regieren* government ② ↑ *Regierung* government, administration *AM*; **Regierungswechsel** *m* change of government

Regiment *s* <-s, -er> ① ↑ *Herrschaft* rule ② (MIL *Einheit*) regiment

Region *f* region; **Regionalprogramm** *s* MEDIA regional program[me]

Regisseur(in *f*) *m* director

Register *s* <-s, -> ① ↑ *Inhaltsverzeichnis* [table of] contents ② ↑ *Verzeichnis* listing, register; ▷*alphabetisches (in Büchern)* index ③ (MUS *von Orgel*) stop ④ *FIG* ◇ **alle ~ ziehen** to pull out all the stops

registrieren *vti* ① ↑ *in Register eintragen* record, [enter in the] register ② ↑ *wahrnehmen* register, take in

Regler *m* <-s, -> ↑ *Regulator* regulator

regnen *vb impers:* ◇ **es regnet** it is raining; **regnerisch** *adj* rainy

regulär *adj* regular

regulieren *vt* ① *einstellen* → *Lautstärke* set ② → *Preise* control ③ COMM → *Forderung* settle

Regung *f* ① ↑ *Gefühl* emotion ② ↑ *Bewegung* motion, movement; **regungslos** *adj* motionless

Reh *s* <-[e]s, -e> deer

rehabilitieren *vt* ① (▷*sozial, nach Haft*) rehabilitate; (▷*gesundheitlich, nach Krankheit*) rehabilitate ② ↑ *wiedereinsetzen* reinstate; **Rehabilitationszentrum** *s* MED rehabilitation centre

Reibe *f* <-, -n> ① (*von Koch*) grater ② (*von Maurer*) float; **reiben** <rieb, gerieben> *vt* ① ↑ *zerreiben* → *Käse* grate ② (→ *Augen, vor Müdigkeit*) rub ③ ↑ *aufschürfen* (*wund-*) rub raw, chafe; **Reiberei** *f* ↑ *Diskrepanz* friction; **Reibung** *f* ① ↑ *Reiben* friction ② *FIG* ↑ *Unstimmigkeit* constant niggling, friction; **reibungslos** *adj* smooth

reich *adj* ① ↑ *wohlhabend* rich, affluent ② ↑ *üppig* ▷*Ernte* bountiful, plentiful ③ ◇ **an Erfahrung** *dat* **ist er** ~ experience he has in plenty

Reich *s* <-[e]s, -e> ① (*König-*) kingdom; (*Kaisertum*) empire ② *FIG* ↑ *Bereich* (*der Tiere*) domain; ◇ **das ~ der Fabel** in the realm of fable

reichen I. *vi* ① ↑ *genügen* suffice; ◇ **es reicht** that will do; ◇ **mir reicht's** I've had enough ② ↑ *sich erstrecken* stretch (*zu* to); ◇ **das Grundstück reicht bis zur Strasse** the plot extends as far as the street **II.** *vt* ↑ *geben* → *Hand* give; ◇ **jd-m etw** ~ pass s.o. s.th.

reichhaltig *adj* ▷*Auswahl* wide; ▷*Sammlung* extensive; **reichlich I.** *adj:* ◇ ~ **Zeit haben** to have plenty of time **II.** *adv* ↑ *ziemlich:* ◇ ~ **dumm** pretty stupid

Reichtum *m* <-s, -tümer> wealth

Reichweite *f* (*von Geschoß*) range

reif *adj* ① ▷*Obst* ripe ② ↑ *erwachsen* ▷*Mensch* mature ③ ↑ *gut* ▷*Leistung* well-rounded ④ *FAM* ↑ *fällig* ready

Reif [1] *m* <-[e]s> (*Rauh-*) hoarfrost, rime

Reif [2] *m* <-[e]s, -e> (*Ring*) ring, circlet

Reife *f* <-> ① (*von Getreide, Obst*) ripeness ② (*von Mensch*) maturity ③ (SCH *mittlere* ~) ≈high school certificate; **reifen** *vi* ① ← *Obst* ripen ② ← *Mensch* mature

Reifen *m* <-s, -> ▷*wechseln* tyre, tire *AM*

Reifeprüfung *f* SCH final school exam

reiflich *adj* ↑ *sorgfältig:* ◇ **nach ~er Überlegung** on careful consideration

Reihe *f* <-, -n> ① ↑ *Serie* series ② ↑ *Folge* succession; ◇ **der ~ nach** in turn; ◇ **an der ~ sein** to be one's turn ③ (*Sitz-*) row; **reihen I.** *vt* → *leere Flaschen* put in a row; → *Soldaten* line up; (*Perlen auf-*) string **II.** *vr* ◇ **sich** ~ ↑ *aufeinanderfolgen* succeed; ◇ **ein Glücksfall reiht sich an den anderen** to have a run of good luck; **Reihenfol-**

ge *f:* ◇ **numerische** ~ sequence; **Reihenhaus** *s* terraced house

Reiher *m* <-s, -> heron

Reim *m* <-[e]s, -e> 1 ↑ *Gedicht* rhyme, rime 2 (*FIG verstehen*) ◇ **sich einen ~ auf etw** *akk* **machen** to know what to make of s.th.; *FAM* to cop on [to s.th.]; **reimen** *vt* rhyme, rime (*auf akk* for, to with)

rein = *FAM* **herein, hinein**

rein I. *adj* 1 ↑ *sauber* clean 2 ↑ *pur* ▷*Alkohol* pure **II.** *adv* 1 ↑ *völlig* ◇ ~ **zufällig** entirely 2 ↑ *ausschließlich* ▷*privat* strictly

Rein[e]machefrau *f* cleaner, char

Reinfall *m FAM* ↑ *Mißerfolg* washout

Reinheit *f* 1 ↑ *Sauberkeit* cleanliness 2 *FIG* ↑ *Unverfälschtheit* purity

reinigen *vt* 1 ↑ *saubermachen* clean 2 → *Textilien* ▷*chemisch* dry clean; **Reinigung** *f* 1 ↑ *Säuberung* cleaning 2 (*Textil-*) dry cleaning

reinlegen *vt FAM* ↑ *täuschen* fool

reinlich *adj* spotless; **Reinlichkeit** *f* immaculateness; **reinrassig** *adj* purebred; **reinwaschen** *unreg vr* ◇ **sich** ~ *FIG* (*von Schuld*) clear o.s. (*von* of)

Reis [1] *m* <-es, -e> rice

Reis [2] *s* <-es, -er> (*Holz-*) shoot, sprig

Reise *f* <-, -n> (*Urlaubs-*) trip, journey; (*See-*) voyage; (*Rund-*) tour; **Reiseandenken** *s* travel souvenir; **Reisebüro** *s* travel agency; **reisefertig** *adj* ready to depart; **Reiseführer(in** *f*) *m* 1 (*Person*) tour guide 2 (*Handbuch*) guide book; **Reisegesellschaft** *f* 1 ↑ *Reisebüro* tour operators *pl* 2 ↑ *Reisegruppe* party; **Reisekosten** *pl* travel expenses *pl;* **Reiseleiter(in** *f*) *m* tour manager, courier *BRIT*; **reisen** *vi* (*mit Zug, Schiff etc.*) travel (*nach* to); **Reisende(r)** *fm* traveller; **Reisepaß** *m* passport; **Reisescheck** *m* traveller's cheque; **Reiseverkehr** *m* holiday traffic; **Reisewetter** *s* weather for travelling; **Reiseziel** *s* travel destination

Reisig *s* <-s> brushwood

Reißaus *m:* ◇ ~ **nehmen** to take to one's heels; *FAM* to beat it

Reißbrett *s* drawing board

reißen <riß, gerissen> **I.** *vt* 1 ↑ *zerreißen, zerren* (*an den Haaren*) tear 2 *FAM* → *Witz* crack 3 ↑ *töten* ← *Raubtier* attack s.th. and kill it 4 ↑ *sich gewaltsam aneignen* snatch; ◇ **jd-m etw aus der Hand** ~ to rip s.th. from s.o.'s hand; ◇ **etw an sich** ~ to grab s.th. for o.s. 5 ◇ **jd-n aus dem Schlaf** ~ to rouse s.o. from their sleep 6 *FIG* ◇ **sich um etw** ~ to strive for s.th. **II.** *vi* 1 ↑ *entzweigehen* ← *Faden* snap 2 *FIG* ◇ **mir reißt die Geduld** I am losing my patience

reißend *adj* 1 ▷*Strom* torrential 2 COMM ▷*Absatz* rapid

reißerisch *adj* ▷*Schlagzeile* sensational

Reißleine *f* (*von Fallschirm*) rip cord; **Reißnagel** *m* drawing pin; **Reißverschluß** *m* zip; **Reißzwecke** *f* drawing pin; ◇ **mit -n befestigen** to tack

reiten <ritt, geritten> *vti* 1 → *Pferd* ride 2 *FAM* ◇ **auf etw** *dat* **herum-** to keep returning to one's hobby-horse; **Reiter(in** *f*) *m* <-s, -> 1 (*guter* ~) rider 2 MIL cavalier; **Reithose** *f* riding breeches *pl;* **Reitknecht** *m* groom; **Reitstiefel** *m* riding boot

Reiz *m* <-es, -e> 1 ↑ *Anreiz* incentive 2 ↑ *Anziehung* appeal; ◇ **der ~ des Neuen** the charm of the new 3 ↑ *Kitzel* tickle 4 ↑ *Verlockung* allure; **reizbar** *adj* ↑ *nervös* irritable; **Reizbarkeit** *f* irritability; **reizen** *vt* 1 ↑ *brennen* → *Augen, Haut* irritate 2 ↑ *provozieren* provoke; *FAM* needle; ◇ **jd-n bis aufs Blut** ~ to make s.o.'s blood boil; **reizend** *adj* 1 ↑ *nett* ▷*Person* charming 2 ↑ *brennend* ▷*Säure* irritant; **Reizgas** *s* irritant gas; **reizlos** *adj* unattractive; **Reizthema** *s* ↑ *Streitpunkt* bone of contention; **Reizung** *f* 1 MED ↑ *Irritation* (*Haut-*) irritation 2 ↑ *Provokation* provocation; **reizvoll** *adj* ↑ *interessant* fascinating; **Reizwäsche** *f* French lingerie; *FAM* frilly knickers *pl*

rekeln *vr* ◇ **sich** ~ ↑ *strecken, dehnen* sprawl

Reklamation *f* ↑ *Beanstandung* complaint; ↑ *Forderung* reclamation

Reklame *f* <-, -n> advertisement

reklamieren I. *vti* 1 ↑ *beanstanden* → *Ware* complain about 2 ↑ *Suchauftrag geben* → *verlorenes Päckchen* reclaim

rekonstruieren *vt* reconstruct

Rekonvaleszenz *f* convalescence

Rekord *m* <-[e]s, -e> record

Rekrut(in *f*) *m* <-en, -en> recruit; **rekrutieren I.** *vt* → *Soldaten* recruit **II.** *vr* ◇ **sich** ~ ← *Gruppe* be composed (*aus dat* of), be recruited (*aus dat* from)

Rektor(in *f*) *m* (*von Schule, Hochschule*) headmaster; **Rektorat** *s* headmastership

Relais *s* <-, -> ELECTR relay

Relation *f* relationship

relational *adj* PC relational

relativ I. *adj* ▷*Mehrheit* relative **II.** *adv* ↑ *verhältnismäßig* relatively; **relativieren** *vt* 1 ↑ *in Beziehung setzen* relate 2 ↑ *einschränken* → *Aussage* moderate; **Relativität** *f* PHYS relativity

relaxen *vi FAM* ↑ *sich entspannen* relax

relevant *adj* relevant

Relief *s* <-s, -s> relief

Religion *f* religion; **religiös** *adj* ↑ *fromm* ▷*Person* pious, religious; ▷*Frage* religious
Relikt *s* <-[e]s, -e> relic
Reling *f* <-, -s> NAUT railing
Reliquie *f* holy relic
Rem *s* <-, -> *Akr v.* **roentgen equivalent man** rem
rempeln *vti FAM* ↑ *schubsen, stoßen* jostle
Ren *s* <-s, -s *o.* -e> reindeer
Renaissance *f* <-> HIST renaissance
Rendezvous *s* <-, -> rendezvous, date
renitent *adj* unruly
Rennbahn *f* racecourse
rennen <rannte, gerannt> *vi* ① ↑ *schnell laufen* run ② *FAM* ↑ *gehen* ◇ **ständig zum Arzt ~** to always be running off to the doctor ③ (*stoßen*) ◇ **gegen etw/jd-n ~** to bump into s.th./s.o.; **Rennen** *s* <-s, -> ① (*Wett-*) race ② (*FIG Bewerbung*) ◇ **im ~ sein** to be in the running; **Rennfahrer(in** *f*) *m* racing driver
renommiert *adj* ↑ *angesehen* renowned
renovieren *vt* → *Haus* renovate, refurbish; **Renovierung** *f* (*von Haus, Wohnung*) renovation
rentabel *adj* ▷*Geschäft* profitable, lucrative; **Rentabilität** *f* (*von Geschäft, Firma*) profitability, earning power
Rente *f* <-, -n> ① (*Alters-*) old-age pension ② ↑ *Sozialversicherung* [social security] benefit ③ (*Kapitalertrag*) yield, income
rentieren *vr* ◇ **sich ~** be worthwhile
Rentner(in *f*) *m* <-s, -> pensioner
reparabel *adj* repairable
Reparatur *f* (*Auto-*) repairs *pl;* **reparaturbedürftig** *adj* out of repair, in need of repair; **Reparaturwerkstatt** *f* repair shop; **reparieren** *vt* repair, fix
Repertoire *s* <-s, -s> (*Lieder-*) repertoire
Report *m* report
Reportage *f* <-, -n> (*Fernseh-*) commentary, coverage
Reporter(in *f*) *m* <-s, -> (*Zeitungs-*) reporter, correspondent
repräsentabel *adj* ▷*Haus, Person* imposing
Repräsentant(in *f*) *m* representative; **repräsentativ** *adj* ① ↑ *stellvertretend, typisch* representative ② ↑ *wirkungsvoll* effective; **repräsentieren I.** *vt* ① ↑ *vertreten* → *Personen, Firma* represent ② ↑ *stehen für* → *Meinung* stand for ③ ↑ *darstellen* → *Wert* denote **II.** *vi* ↑ *wirkungsvoll auftreten* be representative
Repressalien *pl* coercive measures *pl*
Reproduktion *f* ① PRINT ↑ *Kopie* (*von Bild*) reproduction ② *FIG* ↑ *Wiedergabe* (*von Gedanken*) repetition, reiteration; **reproduzieren** *vt* ① PRINT ↑ *kopieren* copy ② ↑ *wiedergeben* reproduce
Reptil *s* <-s, -ien> reptile
Republik *f* POL republic; **Republikaner(in** *f*) *m* <-s, -> ① POL ↑ *Republikanhänger* republican ② POL member of German Republican Party; **republikanisch** *adj* ① ▷*Gesinnung* republican ② ▷*Partei* of the German Republican Party, extreme right-wing
Reservat *s* (*Natur-*) reserve
Reserve *f* <-, -n> ① ↑ *Rücklage* reserves *pl* ② (*Ersatz*) spare; (MIL *-armee*) reserve; **Reserverad** *s* AUTO spare wheel; **Reservespieler(in** *f*) *m* SPORT reserve; **Reservetank** *m* AUTO reserve tank
reservieren *vt* ① ↑ *freihalten* → *Platz* keep, reserve ② ↑ *aufbewahren* → *Karten* book, reserve
reserviert *adj FIG* ↑ *abweisend* distant; ◇ **sich ~ verhalten** to be reserved
Reservist(in *f*) *m* MIL reservist
Reservoir *s* <-s, -e> (*Wasser-*) reservoir
Residenz *f* ① ↑ *Wohnung* (*Fürsten-*) residence ② ↑ *Hauptstadt* (*-stadt*) capital; **residieren** *vi* reside
Resignation *f* acquiescence; **resignieren** *vi* ↑ *aufgeben, sich abfinden* give up
resistent *adj* MED ↑ *unempfänglich* resistant (*gegen* to)
resolut *adj* ↑ *energisch* vigorous
Resolution *f* ↑ *Beschluß* resolve
Resonanz *f* ① ↑ *Widerhall* resonance ② *FIG* ↑ *Anklang* response
Resozialisierung *f* rehabilitation
Respekt *m* <-[e]s> ↑ *Anerkennung* respect, regard; ◇ **jd-m ~ zollen** to pay tribute to s.o.; ◇ **~!** Good for you!, Hats off!; **respektabel** *adj* ① ↑ *anerkennenswert* ▷*Leistung* respectable ② ↑ *angesehen* ▷*Person* respected; **respektieren** *vt* respect; **respektlos** *adj* disrespectful; **respektvoll** *adj* respectful
Ressort *s* <-s, -s> ↑ *Geschäftsbereich* (*Ausländer-*) portfolio
Rest *m* <-[e]s, -e> ① (*Übrigbleibsel, von Gebäude*) remains *pl;* (*von Stoff*) remnant; (*von Essen*) rest ② MATH remainder ③ *FAM* ◇ **jd-m den ~ geben** to finish s.o. off
Restaurant *s* <-s, -s> restaurant
restaurieren *vt* → *Kunstwerk* restore
restlich *adj* remaining; **restlos I.** *adj* ↑ *völlig* complete **II.** *adv:* ◇ **~ erschöpft sein** to be utterly exhausted; **Restrisiko** *s* minimal risk
Resultat *s* result
Retorte *f* <-, -n> CHEM retort; **Retortenbaby** *s* test-tube baby

retten *vt* [1] ↑ *in Sicherheit bringen* (*aus Gefahr*) rescue (*aus/vor dat* from) [2] ↑ *erhalten* → *Kunstwerk* conserve [3] *FAM* ◇ **er ist nicht mehr zu** ~ he's a hopeless case; **Rettung** *f* [1] (*von Personen*) rescue [2] (*von Gütern*) salvage [3] *FIG* ◇ letzte ~ last chance; **Rettungsboot** *s* lifeboat; **Rettungsring** *m* life buoy, safety ring; **rettungslos** *adj* hopeless

retuschieren *vt* FOTO retouch

Reue *f* <-> ↑ *Bedauern* regret; ↑ *Betrübnis* sorrow; **reuen** *vt* ↑ *leidtun* be sorry about; ◇ **es reut mich, daß ...** I regret that ...

Revanche *f* <-, -n> [1] ↑ *Vergeltung, Rache* revenge [2] SPORT ↑ *Rückspiel* return match; **revanchieren** *vr* ◇ **sich** ~ [1] ↑ *zurückzahlen* avenge o.s. (*für* for) [2] ↑ *sich erkenntlich zeigen* (*für Gefallen*) repay, reciprocate (*für* for)

Revers *m o s* <-, -> [1] (*von Jacke*) lapel [2] (*von Münze*) reverse

revidieren *vt* [1] *a.* JURA ↑ *ändern* → *Urteil* review [2] ↑ *kontrollieren, prüfen* → *Kassenbestand* check

Revier *s* <-s, -e> [1] ↑ *Gebiet* (*Jagd~*) shooting [*o.* hunting] ground [2] ↑ *Dienststelle* (*Polizei~*) police station, precinct house *AM* [3] *FIG* ↑ *Zuständigkeitsbereich* area of responsibility

Revision *f* [1] COMM ↑ *Überprüfung* (*von Geschäftsbüchern*) audit [2] JURA ↑ *Widerspruch* ▷*einlegen* objection

Revolte *f* <-, -n> revolt

Revolution *f* revolution; **Revolutionär(in** *f*) *m* revolutionary; **revolutionieren** *vt* ↑ *neugestalten* revolutionize

Revolver *m* <-s, -> revolver

rezensieren *vt* → *Buch* review; **Rezension** *f* review, critique

Rezept *s* <-[e]s, -e> [1] (*Koch~*) recipe [2] MED ↑ *Verschreibung* (*für Medikament*) prescription; **rezeptpflichtig** *adj* MED sold only on prescription

rezitieren *vt* recite

Rhabarber *m* <-s> rhubarb

Rhesusfaktor *m* rhesus factor

Rhetorik *f* rhetoric; **rhetorisch** *adj* rhetorical

Rheuma *s* <-s> rheumatism

rhythmisch *adj mit Rhythmus* ▷*Musik* rhythmic[al]; ▷*Gymnastik* rhythmic; **Rhythmus** *m* [1] (*von Musik*) rhythm [2] ↑ *Gleichmaß* (*Tages~*) tempo

richten I. *vt* [1] ↑ *ordnen* arrange [2] ↑ *in Ordnung bringen* rectify, fix [3] ↑ *zielen* direct (*auf akk* at, to) [4] ↑ *vorbereiten* prepare, get ready [5] ↑ *verurteilen* → *jd-n* sentence **II.** *vr* (*einstellen auf*): ◇ **sich ~ nach** to act in accordance with s.th./according to s.th.

Richter(in *f*) *m* <-s, -> (JURA *Straf~*) judge; **richterlich** *adj* judicial

richtig I. *adj* [1] ↑ *korrekt* ▷*Lösung* right, correct [2] ↑ *passend* ▷*Partner* right, appropriate [3] *FAM* ↑ *echt* ▷*Schmuck* real **II.** *adv* [1] ◇ ~ **heiß** really hot [2] ◇ **ja ~, ...** quite right, ... [3] ◇ **etwas ~ machen** to do s.th. correctly/properly; **Richtigkeit** *f* (*Korrektheit*) correctness; (*von Entscheidung*) appropriateness

Richtlinie *f* (*allgemeine ~*) guideline; (*Norm*) standard

Richtigstellung *f* ↑ *Berichtigung* (*von Aussage*) correction

Richtpreis *m* COMM recommended price

Richtung *f* [1] ▷*nördlich, südlich* direction; ◇ **eine andere ~ einschlagen** to change one's tack [2] (*FIG Tendenz, Denk~*) tendency; ▷*politisch* line; ▷*künstlerisch* trend

rieb *impf v.* **reiben**

riechen <roch, gerochen> **I.** *vt* [1] ↑ *wahrnehmen* → *Duft* smell [2] *FAM FIG* ↑ *ahnen* sense; ◇ **Das kann ich doch nicht ~!** How am I to know! [3] *FAM* ◇ **jd-n nicht ~ können** to be unable to stand s.o. **II.** *vi* ← *Blume* ▷*gut, stark* smell (*nach* like, of)

rief *impf v.* **rufen**

Riege *f* <-, -n> SPORT (*Turn~*) gym team

Riegel *m* <-s, -> [1] (*Tür~, Fenster~*) lock, bolt [2] *FIG* ◇ **einer Sache einen ~ vorschieben** to put a block on a matter [3] (*Schoko~*) bar

Riemen *m* <-s, -> [1] ↑ *Streifen* (*Leder~*) strap, belt [2] SPORT ↑ *Ruder* oar [3] *FIG* ◇ **sich am ~ reißen** to pull o.s. together

Riese *m* <-n, -n> [1] ↑ *großer Mann* giant of a man [2] (*Märchenfigur*) giant

rieseln *vi* [1] ↑ *langsam fließen* ← *Wasser* trickle [2] ↑ *fallen* ← *Schnee* fall lightly; ← *Sand* run

Riesenerfolg *m* tremendous success; **riesengroß** *adj* gigantic

riesig *adj* [1] ↑ *sehr groß* immense [2] *FAM* ↑ *toll* super

riet *impf v.* **raten**

Riff *s* <-[e]s, -e> reef

Rille *f* <-, -n> (*Schallplatten~*) groove

Rind *s* <-[e]s, -er> [1] (*Vieh*) cattle [2] (GASTRON *vom ~*) beef

Rinde *f* <-, -n> (*Baum~*) bark; (*Käse~*) rind

Rindfleisch *s* beef; **Rindvieh** *s FAM* ↑ *Dummkopf* ass

Ring *m* <-[e]s, -e> [1] (*Diamant~*) ring [2] (*Box~*) ring; ◇ **in den ~ steigen** to enter the ring [3] (*~straße*) ring; (*um eine Stadt*) ring road [4] ↑ *Personengruppe* (*Dealer~*) syndicate; **Ringbuch** *s* ring binder

Ringelnatter *f* grass snake
ringen <rang, gerungen> **I.** *vi* ① ↑ *kämpfen* wrestle ② *FIG* ↑ *hin u. her überlegen* grapple with; ◇ **mit sich** ~ to struggle with o.s. ③ ◇ **nach Luft** ~ to gasp for breath **II.** *vt* (*vor Verzweiflung*): ◇ **die Hände** ~ to wring one's hands
Ringfinger *m* ring finger; **ringförmig** *adj* circular; **Ringkampf** *m* SPORT wrestling match; **Ringrichter(in** *f*) *m* SPORT referee
ringsum *adv* (*um … herum*) all the way round
Rinne *f* <-, -n> ① ↑ *Furche* (*Abfluß~*) gutter, gully ② (*Dach~*) gutter
rinnen <rann, geronnen> *vi* ← *Wasser* flow, run
Rippchen *s* GASTRON chop
Rippe *f* <-, -n> rib
Risiko *s* <-s, -s *o.* Risiken> ↑ *Wagnis* risk; **Risikogruppe** *f* group at risk, [high] risk group
riskant *adj* risky
riskieren *vt* ① ↑ *wagen* → *Blick* hazard ② ↑ *aufs Spiel setzen* → *Leben* risk
riß *impf v.* **reißen**
Riß *m* <-sses, -sse> ① ↑ *Spalt* (*in Wand*) crack, gap; (*in Haut*) laceration; (*in Stoff*) tear ② (MED *Bänder~*) torn ligament; **rissig** *adj* ▷*Verputz* cracked; (*Stoff*) threadbare; ▷*Lippen* chapped
ritt *impf v.* **reiten**
Ritt *m* <-[e]s, -e> (*Pferde~*) ride; **rittlings** *adv* astride
Ritus *m* <-, Riten> rite
Ritze *f* <-, -n> crack
ritzen *vt* ↑ *kratzen* scratch
Rivale *m* **Rivalin** *f* <-n, -n> rival; **rivalisieren** *vi* compete (*mit* with); **Rivalität** *f* rivalry
Robbe *f* <-, -n> seal
Robe *f* <-, -n> (*Richter~*) robe
Roboter *m* <-s, -> robot
robust *adj* ① ↑ *kräftig* ▷*Person* strong, robust ② ↑ *strapazierfähig* ▷*Gerät* sturdy, robust
roch *impf v.* **riechen**
röcheln *vi* wheeze
Rock *m* <-[e]s, Röcke> ① (*Damen~*) skirt ② ↑ *Jacke* frock coat; **Rockband** *f, pl* <-bands> rock band
Rocker(in *f*) *m PEJ* rocker
Rodelbahn *f* toboggan run; **rodeln** *vi* go tobogganing
roden *vt* → *Wald, Land* cultivate
Roggen *m* <-s, -> rye
roh *adj* ① ↑ *nicht gekocht* ▷*Fleisch, Gemüse* raw ② ↑ *brutal* ▷*Sitten* gross, brutal; **Rohbau** *m, pl* <-bauten> (*von Haus*) shell construction; **Rohling** *m* ① ↑ *unbearbeiteter Edelstein* uncut gem ② ↑ *roher Mensch* thug; **Rohmaterial** *s* raw material; **Rohöl** *s* crude oil
Rohr *s* <-[e]s, -e> ① (*zylindrischer Körper, Ofen~*) flue; (*Kanonen~*) barrel; (*Wasser~*) pipe ② BIO ↑ *Bambus, Schilf* cane; **Rohrbruch** *m* pipe burst
Röhre *f* <-, -n> ① (*enges Rohr*) tube ② (*Back~*) oven ③ (*Neonleuchte*) flourescent tube ④ (*FAM Fernsehen*) box
röhren *vi* ← *Hirsch* bellow
Rohrmöbel *s* cane furniture
Rohseide *f* raw silk; **Rohstoff** *m* raw material
Rokoko *s* <-s> rococo
Rolladen *m* roller shutters *pl*
Rollbrett *s* skateboard
Rolle *f* <-, -n> ① (*Papier~*) roll ② (*Zwirn~*) spool, reel ③ ↑ *Walze* roller, roll ④ THEAT ▷*spielen* role, part ⑤ *FIG* ↑ *Funktion* role, function; ◇ **bei etwas** *dat* **eine ~ spielen** to figure in s.th. ⑥ SPORT ▷*vorwärts, rückwärts* roll; **rollen I.** *vi* ① ← *Kugel* roll ② ← *Wagen* roll ③ ← *Flugzeug auf Startbahn* taxi ④ ← *Wellen* roll **II.** *vt* ① ↑ *schieben* roll along ② ↑ *zusammen~* → *Teppich* roll up **III.** *vr* ◇ **sich ~** ① ← *Schlange* coil up ② ↑ *bewegen* ◇ **sich zur Seite ~** to roll to one side ③ *FIG* ◇ **etw ins R~ bringen** to start the ball rolling; **Rollenverteilung** *f* ① (*in Theater, Film*) casting ② (*in Ehe etc.*) role distribution
Roller *m* <-s, -> ① (*Motor~*) motor scooter ② (*Kinder~*) scooter ③ NAUT ↑ *Welle* roller
Rollfeld *s* taxiway; **Rollmops** *m* rollmops; **Rollschuh** *m* roller-skate; **Rollstuhl** *m* wheelchair; **Rolltreppe** *f* escalator
Roman *m* <-s, -e> novel
Romantik *f* ① HIST romanticism, romantic movement ② *FIG* ◇ **Sinn für ~** romance, romantic feeling; **Romantiker(in** *f*) *m* <-s, -> ① ▷*literarisch, kunsthistorisch* romantic ② *FIG* ↑ *Träumer* romanticist; **romantisch** *adj* ① HIST romantic ② ↑ *versponnen* romantic, unrealistic
Romanze *f* <-, -n> ↑ *Liebesabenteuer* romance, love affair
Römer(in *f*) *m* <-s, -> ① ↑ *Bewohner Roms* Roman ② ↑ *Weinglas* rummer
röntgen *vt* → *Lunge, Knochen* X-ray; **Röntgenaufnahme** *f* X-ray; **Röntgenstrahlen** *pl* X-ray radiation
rosa *adj inv* pink
Rose *f* <-, -n> rose; **Rosenkohl** *m* brussels sprouts *pl;* **Rosenkranz** *m* rosary; **Rosenmontag** *m* Shrove Monday
Rosette *f* rosette
rosig *adj* ① ↑ *gesund* ▷*Gesichtsfarbe* rosey ② *FIG* ▷*Aussichten, Zeiten* rosey, favourable
Rosine *f* raisin
Roß *s* <-sses, -sse *o.* Rösser> ① ↑ *Pferd* horse ② *FIG* ◇ **auf dem hohen ~ sitzen** to be on a high horse

R

Rost *m* <-[e]s, -e> (1) ↑ *Brat-* grill; (*Feuer-*) grate; (*Latten-*) frame (2) ↑ *Oxidation* rust (3) *FIG* ◇ - ansetzen to get rusty; **rosten** *vi* ← *Blech* rust

rösten *vt* → *Fleisch* ↑ *grillen* grill; ↑ *braten* roast; → *Kaffee* roast

rostfrei *adj* ▷*Stahl* stainless; **rostig** *adj* ▷*Auto* rusty; **Rostschutz** *m* (*-mittel*) rust protection

rot *adj* (1) (*Farbe*) red (2) ↑ *kommunistisch, sozialistisch* red (3) (*erröten*) ◇ - **werden** to blush

Rotation *f* (1) PHYS ↑ *Umdrehung* rotation (2) ↑ *regelmäßiger Wechsel* (*Ämter-*) rotation

rotblond *adj* sandy

Röte *f* <-> (*rote Färbung*) redness; (*Morgen-*) first blush of day; (*Zornes-*) flush [of anger]

Röteln *pl* measles

röten I. *vt* ↑ *rot färben* redden **II.** *vr* ◇ **sich** - ↑ *rot werden* turn red

rothaarig *adj* red-haired

rotieren *vi* (1) ↑ *sich drehen* rotate, revolve (2) ↑ *nachrücken* (*im Amt*) rotate (3) (*FAM vor Arbeit*) spin

Rotkehlchen *s* robin red-breast; **Rotstift** *m*: ◇ - **ansetzen** to edit, to get to work with a red pencil; **Rotwein** *m* red wine

Rotz *m* <-es, -e> *FAM* snot

Roulade *f* (GASTRON *Fleisch-, Kohl-*) roulade

Route *f* <-, -n> ↑ *Strecke* route

Routine *f* (1) ↑ *Übung, Erfahrung* ◇ - **haben** to have experience (2) ↑ *Gewohnheit* (*tägliche* -) routine

Rowdy *m* hooligan

Rübe *f* <-, -n> (1) (*gelbe* -) carrot; (*weisse* -) turnip; (*rote* -) beetroot; (*Zucker-*) [sugar-] beet (2) *FAM* ↑ *Kopf* nut

Rubin *m* <-s, -e> ruby

Rubrik *f* (1) (*Überschrift*) heading (2) ↑ *Kategorie* category; ◇ **etw in eine - einordnen** to categorize s.th. under a general rubric (3) (*Klatsch-*) [gossip] column

Ruck *m* <-[e]s, -e> (1) ↑ *Stoß* jolt (2) ↑ *Tendenz* ◇ Rechts- swing to the right (3) *FIG* ◇ **sich einen - geben** to force o.s., to get o.s. together

rückbezüglich *adj* GRAM reflexive; **rückblenden** *vi* ↑ *zurückschauen* (*in Vergangenheit*) flash back (*in akk* to); **rückblickend** *adj* ▷*zeitlich* review, retrospective

rücken I. *vt* → *Möbel* shift **II.** *vi* ↑ *Platz machen* move along; ◇ **Rück mal ein Stück!** Move up a bit!

Rücken *m* <-s, -> (1) (*Körperteil*) back; *FIG* ◇ **jd-m in den - fallen** to stab s.o. in the back (2) (*Nasen-*) bridge (3) (*Berg-*) ridge (4) (*Buch-*) spine; **Rückendeckung** *f auch FIG* ↑ *Schutz* support, cover; **Rückenlehne** *f* (*von Stuhl*) backrest; **Rückenschwimmen** *s* backstroke; **Rückenwind** *m* tail wind

Rückerstattung *f* repayment, refund; **Rückfahrt** *f* return journey; **Rückfall** *m* (1) MED ↑ *Verschlechterung* relapse, recurrence (2) JURA relapse (*in* into); (*wiederholt*) recidivism (3) *FIG* ↑ *Zurückfallen* backslide (*in* into), relapse (*in* into); **rückfällig** *adj* (1) MED *auch FIG* relapsing (2) JURA ▷*Straftäter* recidivous; ◇ - **werden** to relapse; **Rückfrage** *f* ↑ *Anfrage* inquiry, enquiry; **Rückgabe** *f* ↑ *Zurückgeben* return; **Rückgang** *m* (1) ↑ *Nachlassen* (*Temperatur-*) drop (2) ↑ *Verminderung* (*Bevölkerungs-*) fall; **rückgängig** *adj* (1) (*rückläufig*) retrograde (2) (*widerrufen*) → *Vertrag* ◇ **etw - machen** to cancel s.th.; **Rückgrat** *s* <-[e]s, -e> (1) ↑ *Wirbelsäule* backbone, spinal column (2) *FIG* ↑ *Stütze* (*von Firma*) backbone, mainstay (3) (*FIG Wille*) ◇ **jd-m das - brechen** to break s.o.'s spirit; **Rückgriff** *m* (1) JURA ↑ *Regreß* ◇ - **gegenüber Dritten** recourse against third parties (2) ↑ *Zurückgreifen* ◇ - **auf die Reserven** drawing on reserves; **Rückhalt** *m* (1) ↑ *Reserve* ▷*finanziell* backing (2) ↑ *Stütze* back-up; **rückhaltlos** *adj* ↑ *vorbehaltlos* unreserved; ↑ *freimütig* down-the-line, straight; **Rückkehr** *f* <-, -en> return; **Rücklage** *f* ↑ *Reserve* reserves *pl;* **rückläufig** *adj* ▷*Bewegung* retrograde, backward; ▷*Konjunktur* recessional; ◇ - **sein** to be on the decrease; **Rücklicht** *s* AUTO tail-light, rear-light; **rücklings** *adv* backward[s]; **Rücknahme** *f* <-, -n> (*Zurücknehmen, von Waren*) taking back; **Rückreise** *f* return journey; **Rückruf** *m* TELEC return call

Rucksack *m* rucksack; **Rucksacktourist(in** *f*) *m* backpacker

Rückschlag *m* (1) MED ↑ *Rückfall* relapse (2) *FIG* ↑ *Enttäuschung* setback; **Rückschluß** *m* conclusion; ◇ **einen - ziehen** to draw a conclusion; **Rückschritt** *m* retrograde step; **rückschrittlich** *adj* POL reactionary; **Rückseite** *f* (*hinterer Teil, von Buch*) back; (*von Haus*) rear; (*von Münze*) reverse side; **Rücksicht** *f* ↑ *Achtsamkeit* care, regard; ◇ - **nehmen auf jd-n/etw** to pay attention to s.o./s.th.; ◇ **mit - auf etwas/jd-n ...** taking s.th./s.o. into consideration ...; ◇ **ohne - auf etwas/jd-n ...** regardless of s.th./s.o. ...; **rücksichtslos** *adj* (1) ↑ *skrupellos* ▷*Person* ruthless (*gegen* toward) (2) ↑ *unbekümmert* ▷*Verhalten* reckless; **rücksichtsvoll** *adj* considerate (*gegenüber, gegen* of); **Rücksitz** *m* AUTO rear seat, back seat; **Rückspiegel** *m* rear-view mirror; **Rückspiel** *s* SPORT ↑ *Revanche* return match; **Rücksprache** *f* consultation; **Rück-**

stand *m* ① ↑ *Bodensatz* residue; ↑ *Abfall* refuse ② ↑ *Verzug* backlog; ◇ **im ~ sein** (*mit Rechnung*) to be in arrears; (*mit Arbeit*) to have a backlog of work; **rückständig** *adj* ① ↑ *altmodisch* antiquated ② ↑ *überfällig* ▷*Zahlungen* outstanding; **Rückstrahler** *m* <-s, -> [rear] reflector; **Rücktaste** *f* backspace key; **Rücktritt** *m* ① (*von Minister etc.*) resignation ② ↑ *Bremse* (*bei Fahrrad*) backpedal brake; **Rückvergütung** *f* ① ↑ *Rückzahlung* repayment ② COMM refund; **rückwärtig** *adj* ↑ *hintere(r, s)* at the back; **rückwärts** *adv nach hinten* ▷*schauen* back; ▷*fahren* backward[s]; **Rückwärtsgang** *m* AUTO reverse gear; **rückwirkend** *adj* retroactive; **Rückzahlung** *f* (*von Auslagen*) reimbursement; (*von Schulden*) repayment; **Rückzug** *m* MIL retreat; (*FIG aus Öffentlichkeit*) withdrawal

rüde *adj* ↑ *ungeschliffen* coarse

Rüde *m* <-n, -n> male dog

Rudel *s* <-s, -> (*von Wölfen*) pack; (*von Rehen*) herd

Ruder *s* <-s, -> ① (*Riemen*) oar ② (*Steuer-*) helm, rudder ③ (*FIG Staats-*) seat of power; (*regieren*) ◇ **am ~ sein** to be at the helm, to be in power; **Ruderboot** *s* rowing boat, rowboat; **Ruderer** *m* <-s, -> oarsman; **Ruderin** *f* oarswoman; **rudern** *vti* ① → *Boot* row ② ◇ **mit den Armen ~** to wave one's arms about

Ruf *m* <-[e]s, -e> ① ↑ *Rufen* (*Hilfe-*) call, cry ② ↑ *Berufung* calling ③ ↑ *Ernennung* appointment ④ ↑ *Ansehen* reputation; **rufen** <rief, gerufen> *vti* ① ↑ *schreien* yell, shout ② call (*nach jd-m* for s.o.) ③ ↑ *ausrufen* exclaim ④ → *Arzt* call [for]; ← *Glocken* summon; **Rufname** *m* first name, Christian name; **Rufnummer** *f* TELEC phone number; **Rufzeichen** *s* ① TELEC ringing tone ② (*bei Funk*) call sign

Rüge *f* <-, -n> rebuke (*wegen* for); **rügen** *vt* rebuke; (*milder*) reproach (*wegen* for)

Ruhe *f* <-> ① ↑ *Stille* (*Friedhofs-*) peace, tranquility; (*nicht belästigen*) ◇ **jd-n in ~ lassen** to leave s.o. alone/in peace ② ↑ *Entspannung* rest, repose; ↑ *Schlaf* sleep, repose; ◇ **sich zur ~ begeben** to go to bed, to retire ③ ↑ *Stillstand* (*bei Maschine*) standstill, idleness; (*bei Vulkan*) quiescence, inactivity; (*Ruhestand*) ◇ **sich zur ~ setzen** to retire ④ ↑ *Ausgeglichenheit* composure, calm; ◇ **keine ~ finden** to find no peace of mind ⑤ ◇ **~!** silence!; **ruhelos** *adj* ↑ *unruhig* restless; **ruhen** *vi* ① ↑ *liegen* [have a] rest ② ◇ **sein Kopf ruhte an ihrer Schulter** his head rested on her shoulder ③ ↑ *basieren* be based (*auf dat* on) ④ ◇ **hier ruht ...** here lies ... ⑤ ← *Arbeit* be stopped ⑥ ← *Verfahren* stay, be interrupted ⑦ JURA lapse; **Ruhepause** *f* break; **Ruhestand** *m* ↑ *Rente, Pension* retirement; **Ruhestätte** *f* ↑ *Grab*: ◇ **letzte ~** the grave; **Ruhestörung** *f* disturbance; JURA breac of the peace *BRIT*; **Ruhetag** *m* day off

ruhig **I.** *adj* ① ↑ *schweigsam* silent; ▷*Haus* quiet; ◇ **in einer ~en Umgebung arbeiten** to work in peaceful surroundings ② ↑ *unbeweglich* flat; ▷*Wasser* still; ▷*Börse* dull ③ ↑ *ausgeglichen* cool, even; ▷*Motor* smooth; ▷*Hand* steady; ◇ **immer ~ bleiben!** be cool! **II.** *adv:* ◇ **Sie können ~ mitmachen!** you are welcome to take part!

Ruhm *m* <-[e]s> fame

rühmen **I.** *vt* ↑ *loben* praise **II.** *vr* ◇ **sich ~** ↑ *prahlen* boast (*gen* about, of); **rühmlich** *adj* ↑ *lobenswert* commendable

ruhmlos *adj* inglorious

Ruhr *f* <-> MED dysentry

Rührei *s* scrambled eggs *pl*

rühren **I.** *vti* ① *um-* → *Teig* stir; → *Eier* beat ② ↑ *bewegen* → *Bein* shake; *FIG* ◇ **keinen Finger ~** to not lift a finger ③ (*emotional*) ◇ **jd-n zu Tränen ~** to move s.o. to tears ④ ◇ **rühre meine Arbeit nicht an** don't fiddle with my work; ◇ **nicht daran ~** let sleeping dogs lie **II.** *vr* ◇ **sich ~** ① ↑ *sich bewegen* stir o.s. ② *FAM* ↑ *sich melden* keep in touch; **rührend** *adj* ↑ *gefühlvoll* touching; (*stärker*) heart-rending

rührig *adj* busy, bustling

rührselig *adj* ① ↑ *sentimental* ▷*Drama* sentimental ② ↑ *weinerlich* ▷*Person* over-emotional, wet

Rührung *f* ↑ *Ergriffenheit* emotion

Ruin *m* <-s> ↑ *Bankrott* ruin; ◇ **jd-n in den ~ treiben** to ruin s.o.

Ruine *f* <-, -n> (*Burg-*) ruin

ruinieren *vt* ↑ *zugrunde richten* ruin

rülpsen *vi* belch

Rum *m* <-s, -s> rum

Rumäne *m* <-n, -n> **Rumänin** *f* Rumanian; **Rumänien** *s* Rumania; **rumänisch** *adj* Rumanian, Romanian; ◇ **~ sprechen** to speak Rumanian

rumhängen *unreg vi FAM* ↑ *gammeln, untätig sein* hang around

Rummel *m* <-s> ① ↑ *Jahrmarkt* fair ② *FAM* ↑ *Betrieb* (*Weihnachts-*) hustle and bustle

rumoren *vi* ← *Magen* rumble

Rumpelkammer *f* ↑ *Abstellraum* boxroom

rumpeln *vi* ① ↑ *poltern* make a racket, rumble ② ↑ *holpern* ← *Holzwagen* jolt

Rumpf *m* <-[e]s, Rümpfe> ① (*von Körper*) trunk; (*von Statue*) torso ② (*von Flugzeug*) fuselage; (*von Schiff*) hull

R

rümpfen *vt:* ◇ **die Nase über etwas/jd-n ~** to turn up one's nose at s.th./s.o.
Run *m* <-s, -s> ↑ *Ansturm* run (*auf akk* on)
rund I. *adj* [1] ↑ *kreisförmig* ▷*Ball, Kreis* round [2] ↑ *dick* ▷*Backen* chubby [3] *FIG* ↑ *perfekt* (*Leistung*) well-rounded, perfect [4] ◇ **jetzt geht's ~** it's buzzing [*o.* running at full tilt] now **II.** *adv* [1] ↑ *ungefähr* ◇ **~ 125 Mark** about 125 marks [2] ◇ **~ um die Uhr** [a]round the clock, 24 hours a day; **Rundbrief** *m* circular; **Runde** *f* <-, -n> [1] ↑ *Rundgang* ▷*laufen* round; (*beim Rennsport*) lap [2] (*Verhandlungs-*) round [of talks]; (*beim Boxen*) round [3] ↑ *Gruppe* (*fröhliche ~*) charming bunch [of friends]; (*in der Kneipe*) regulars *pl* [4] *FAM* ◇ **eine ~ schmeißen** to pay for a round [of drinks] [4] *FIG* ◇ **über die ~n bringen** to bring to a successful conclusion; **runden** *vt* → *Lippen* round; **runderneuert** *adj* ▷*Reifen* remoulded; **Rundfahrt** *f* (*Stadt-*) sight-seeing tour
Rundfunk *m* [1] ↑ *Radio* radio [2] ↑ *Sendeanstalt* broadcasting company; ◇ **beim ~ arbeiten** to work in broadcasting; **Rundfunkgebühr** *f* radio licence
rundlich *adj* ▷*Gesicht, Person* plump; **Rundreise** *f* round trip; **Rundschau** *m* MEDIA [news] review; **Rundung** *f* (*eines Gewölbes*) curvature
runter = *FAM* **herunter, hinunter**
runzelig *adj* ▷*Gesicht, Apfel* wrinkled, squashed; **runzeln** *vt:* ◇ **die Stirn ~** to frown
Rüpel *m* <-s, -> lout; **rüpelhaft** *adj* loutish
rupfen *vt* ↑ *herausziehen* pluck
ruppig *adj* ↑ *unhöflich* gruff
Rüsche *f* <-, -n> ruffle
Ruß *m* <-es> soot
Russe *m* <-n, -n> **Russin** *f* Russian
Rüssel *m* <-s, -> [1] (*von Elefant*) trunk; (*von Schwein*) snout [2] *FAM* ↑ *Nase* conk
russisch *adj* Russian; **Russisch** *s* Russian; **Rußland** *s* Russia
rüsten I. *vti* [1] (MIL *mit Waffen*) arm; ◇ **für den Kampf ~** to get armed for battle [2] ↑ *vorbereiten* (*für Reise*) get ready (*zu, für* for); ◇ **gut gerüstet sein** to be well equipped **II.** *vr* ◇ **sich ~** [1] ↑ *vorbereiten* get ready, prepare [2] ↑ *sich wappnen* arm o.s.
rüstig *adj* ↑ *kräftig, frisch* sprightly
Rüstung *f* [1] MIL ↑ *Bewaffnen* (*Auf-*) armament [2] ↑ *Bekleidung* (*Ritter-*) armour; **Rüstungskontrolle** *f* arms control
Rüstzeug *s* [1] ↑ *Werkzeug* equipment, tools *pl* [2] *FIG* ▷*geistig* capacity, knowledge
Rute *f* <-, -n> ↑ *Stecken* cane
Rutsch *m* <-[e]s, -e> [1] (*Berg-, Erd-*) landslide [2] ↑ *kurze Reise, Trip* short trip [3] ◇ **guten ~!** Happy New Year!
Rutsche *f* [1] (*auf Bau*) shoot, chute [2] (*auf Spielplatz*) slide; **rutschen** *vi* [1] ↑ *gleiten* (*auf Eis*) slide, glide [2] (*aus-*) slip; (*Wagen*) skid [3] *FAM* ↑ *rücken* (*zur Seite*) move, slip along [4] ↑ *kriechen* (*auf den Knien*) crawl; **rutschig** *adj* slippery
rütteln *vti* [1] → *Baum* shake [2] (*an Tür*) rattle (*an dat* at) [3] ← *Fahrzeug* jounce, joggle

S

S, s *s* S, s
Saal *m* <-[e]s, Säle> (*Tanz-*) hall; (*Sitzungs-*) room
Sabotage *f* <-, -n> sabotage; **sabotieren** *vt* sabotage
Sachbearbeiter(in *f*) *m* specialist/official in charge; **sachdienlich** *adj* ↑ *nützlich* useful, relevant, helpful; ◇ **~e Hinweise** useful information
Sache *f* <-, -n> [1] ↑ *Gegenstand* thing [2] JURA ↑ *Besitztum* property, belongings *pl* [3] ↑ *Angelegenheit* matter, affair; ◇ **~ der Polizei** a police matter [4] ↑ *Thema* matter, subject; ◇ **bei der ~ sein** to be alert; **Sachgebiet** *s* subject, field; **Sachlage** *f* state of affairs, present situation; **sachlich** *adj* [1] ↑ *objektiv* objective [2] ▷*Frage* factual
Sachschaden *m* material damage
Sack *m* <-[e]s, Säcke> (*Kartoffel-*) sack; (*Plastik-*) bag
Sackgasse *f* [1] (*Straße ohne Ausweg*) cul-de-sac, dead-end street [2] *FIG* ↑ *Ausweglosigkeit* dead end
Safe *m o s* <-s, -s> ↑ *Tresor* safe
Saft *m* <-[e]s, Säfte> [1] (*Obst-, Gemüse-*) juice; (*Braten-*) gravy, sauce; ◇ **Husten~** cough mixture [2] (BIO *von Pflanzen*) sap; **saftig** *adj* [1] ▷*Obst* juicy; ▷*Fleisch* succulent [2] *FIG* ↑ *stark, derb* ▷*Rechnung, Brief* juicy
Säge *f* <-, -n> saw
sagen *vti* [1] ↑ *äußern* say, tell [2] ↑ *befehlen* order [3] ↑ *sprechen* speak; ◇ **Danke ~** to say thankyou [4] ↑ *bedeuten* tell, mean, signify
sägen *vti* → *Holz* saw
sagenhaft *adj* *FAM* ↑ *großartig* great, fantastic, terrific
sah *impf v.* **sehen**

Sahne *f* <-> cream

Saison *f* <-, -s> season

Saite *f* <-, -n> MUS string

Sakko *m o s* <-s, -s> jacket

Salami *f* <-, -s> salami

Salat *m* <-[e]s, -e> ① (BIO *Kopfsalat*) lettuce ② GASTRON salad; **Salatgurke** *f* cucumber; **Salatsoße** *f* ↑ *Dressing* salad dressing

Salbe *f* <-, -n> ointment, salve

Salmonellen *pl* salmonellae *pl*

Salon *m* <-s, -s> ① ↑ *Empfangszimmer* drawing room ② (*Friseur-*) salon

salopp *adj* ↑ *locker, lässig* ▷*Redeweise* casual, easygoing; ▷*Kleidung* casual

Salut *m* <-[e]s, -e> salute

Salve *f* <-, -n> ① (*Gewehr-*) salvo ② (*FIG Lach-*) peals *pl*

Salz *s* <-es, -e> salt; **salzen** <salzte, gesalzen> *vt* salt, add salt to; **salzig** *adj* salty; **Salzkartoffeln** *pl* boiled potatoes *pl*

Samen *m* <-s, -> ① (*Blumen-*) seed ② ANAT ↑ *Sperma* sperm

Sammelband *m, pl* <-bände> anthology; **Sammelbestellung** *f* collective order

sammeln I. *vt* → *Antiquitäten* collect; → *Geld, Altpapier* collect **II.** *vr* ◇ **sich -** ↑ *sich konzentrieren* focus, concentrate

Sammlung *f* ① ↑ *das Sammeln* collecting ② ↑ *Anhäufung* (*Gemälde-*) collection ③ *FIG* ↑ *Konzentration* composure

Samstag *m* Saturday; ◇ **[am] -** on Saturday; **samstags** *adv* every/each Saturday

samt *präp dat* ↑ *mit, inklusive* with, along with, together

sämtliche *adj* ↑ *alle* all

Sand *m* <-[e]s, -e> (*Dünen-*) sand; *FIG* ◇ **im -e verlaufen** to come to nothing, to get nowhere

Sandbank *f, pl* <-bänke> sandbank; **sandig** *adj* sandy; **Sandkasten** *m* sandpit; **Sandkuchen** *m* Madeira cake

sandte *impf v.* **senden**

Sanduhr *f* hourglass

sanft *adj* ① ↑ *behutsam* soft, gentle ② ↑ *gutmütig* soft, gentle ③ ↑ *kaum spürbar* ▷*Wind* light, gentle

sang *impf v.* **singen**

Sänger(in *f*) *m* <-s, -> singer

sanieren I. *vt* → *Betrieb, Haus* renovate, refurbish **II.** *vr* ◇ **sich -** ← *Unternehmen* become financially sound; **Sanierung** *f* (*von Haus*) renovation, refurbishment; (*von Unternehmen*) recovery, rehabilitation

sanitär *adj* sanitary; ◇ **-e Anlagen** *pl* sanitary facilities, sanitation

Sanitäter(in *f*) *m* <-s, -> first-aid person, medic *AM*

sank *impf v.* **sinken**

Sanktion *f* ↑ *Zwangsmaßnahme* sanction; **sanktionieren** *vt* ↑ *gutheißen* sanction, approve

sann *impf v.* **sinnen**

Sardine *f* sardine

Sarg *m* <-[e]s, Särge> coffin

saß *impf v.* **sitzen**

Satan *m* <-s, -e> ① ↑ *Teufel* satan, the devil ② *FAM* ↑ *böser Mensch* devil

Satellit *m* <-en, -en> satellite

Satire *f* <-, -n> satire

satt *adj* ① full; ◇ **sich - essen** to eat o.'s fill ② ↑ *überdrüssig* enough, fed up; ◇ **jd-n/etw - sein** [*o.* **haben**] to have enough of s.o./s.th. ③ *FIG* ↑ *selbstzufrieden* satisfied, smug ④ ▷*Farbe, Klang* deep, rich

Sattel *m* <-s, Sättel> ① (*Reit-*) saddle; (*Fahrrad-*) seat ② (*Berg-*) ridge; **sattelfest** *adj FIG*: ◇ **- sein** ① ↑ *sich gut auskennen* know o.'s stuff, be proficient ② ↑ *moralisch gefestigt* have a strong character; **satteln** *vt* → *Pferd* saddle

sättigen *vti* ① ↑ *sattmachen* fill, feed ② *FIG* ↑ *befriedigen* satisfy

Satz *m* <-es, Sätze> ① (GRAM *Haupt-*) sentence ② (*Lehr-*) theorem ③ SPORT set ④ (*Boden-*) sediment ⑤ COMM (*Zins-*) rate ⑥ (*- Schrauben, Bastel-*) set ⑦ ↑ *Sprung* leap

Satzung *f* statute, rule

Satzzeichen *s* punctuation mark

Sau *f* <-, Säue> ① ZOOL sow ② (*FAM! schmutziger Mensch*) pig; ◇ **jd-n zur - machen** to bawl s.o. out

sauber *adj* ① ↑ *rein, geputzt* clean ② ↑ *ordentlich* ▷*Arbeit* careful, good ③ ↑ *anständig* fine, proper; **Sauberkeit** *f* (*von Haus etc.*) cleanliness, neatness; (*von Person*) cleanliness; **säuberlich** *adv* ↑ *sorgfältig* neat, clean, decent; **saubermachen** *vti* clean [up]; **säubern** *vt* ① ↑ *putzen* clean ② *FIG* ↑ *entfernen, liquidieren* clean, purge

Saudi-Arabien *s* Saudi Arabia

sauer *adj* ① ▷*Zitrone* sour; ▷*Wein* sour ② *FAM* ↑ *beleidigt* angry, annoyed, mad

Sauerei *f FAM* ① ↑ *Schmutz, Unordnung* mess ② ↑ *Schweinerei* ◇ **Das ist eine -!** That is really mean!

säuerlich *adj* ▷*Geschmack* slightly sour

Sauermilch *f* sour milk; **Sauerstoff** *m* oxygen; **Sauerteig** *m* sour dough, leaven

saufen <soff, gesoffen> *vti FAM* drink, booze; **Säufer(in** *f*) *m* <-s, -> *FAM* boozer

saugen <sog *o.* saugte, gesogen *o.* gesaugt> *vti* ①

→ *Milch* suck (*an dat* on) ② ↑ *staubsaugen* vacuum; **Sauger** *m* <-s, -> ① (*auf Flasche*) dummy ② (*FAM Staub~*) hoover, vacuum cleaner
Säugling *m* baby
Säule *f* <-, -n> ① ARCHIT ↑ *Pfosten, Stütze* pillar, column ② (*Rauch~*) pillar ③ *FIG* ↑ *Hilfe* pillar
Saum *m* <-[e]s, Säume> (*Rock~*) hem, seam; **säumen** *vt* ① → *Rock* hem, seam ② → *Straße* line
Sauna *f* <-, -s> sauna; **saunieren** *vi* ↑ *in die Sauna gehen* to go to the sauna
Säure *f* <-, -n> ① CHEM acid ② (*von Wein, Essig*) sourness
säuseln *vti* ← *Wind* murmur; ← *Blätter* rustle
sausen *vi* ↑ *rennen* run, rush; ◇ **um die Ecke** ~ to rush round the corner; *FAM* ◇ **etw ~ lassen** to give s.th. a miss; *FAM* ◇ **durch eine Prüfung** ~ to fail an exam
Saustall *m FAM* sty
S-Bahn *f* suburban train
Schabernack *m* <-[e]s, -e> trick
schäbig *adj* ① ↑ *armselig* ▷*Behausung* shabby ② ↑ *abgetragen* shabby, tatty
Schablone *f* <-, -n> ① (*Zeichen~*) pattern, stencil ② *FIG* ↑ *Klischee* cliche; ◇ **in -en denken** to think in a stereotyped way
Schach *s* <-s, -s> ① (*Spiel*) chess ② (*im ~*) ◇ **S~!** Check!; **Schachfigur** *f* pawn, chessman; **schachmatt** *adj* ① ↑ *mattgesetzt* checkmate ② *FIG* ↑ *erschöpft* exhausted
Schacht *m* <-[e]s, Schächte> shaft
Schachtel *f* <-, -n> ↑ *Karton, Verpackung* box
Schachzug *m* ① (*beim Spiel*) move ② *FIG* ↑ *Vorgehensweise* move
schade <inv> **I.** *adj* ↑ *bedauerlich* (*nur prädikativ*) a shame, a pity; ◇ **es ist ~ um ihn** it's a pity for him **II.** *intj:* ◇ **schade!** what a pity/shame!
Schädel *m* <-s, -> ① ANAT skull ② *FAM* ↑ *Kopf* nut
schaden *vi* ① ↑ *Schaden zufügen* damage, hurt; ◇ **einer Sache** ~ to damage s.th.; ◇ **jd-m** ~ to hurt s.o. ② (*nachteilig sein*) harm, be bad for; ◇ **das schadet der Gesundheit** it's bad for o.'s health; **Schaden** *m* <-s, Schäden> ① ↑ *Verletzung* injury ② ↑ *Nachteil* disadvantage ③ ↑ *Verlust, Beschädigung* loss, damage; ◇ **durch ~ wird man klug** once bitten twice shy; **Schadenersatz** *m* compensation; ◇ **jd-m ~ leisten** to pay s.o. damages; **Schadenfreude** *f* ↑ *hämische, boshafte Freude* malicious delight; **schadenfroh** *adj* gloating
schadhaft *adj* ↑ *beschädigt* defective, damaged, faulty
schädigen *vt* → *jd-n* damage, harm
schädlich *adj* be bad/damaging (*für* for)
Schädling *m* pest; **Schädlingsbekämpfungsmittel** *s* pesticide
Schadstoff *m* harmful substance; **schadstoffarm** *adj* ▷*Auto* low-pollution
Schaf *s* <-[e]s, -e> ① ZOOL sheep ② *FAM* twit, nut; **Schäfer(Schäferin** *f*) *m* <-s, -e> shepherd/sheperdess; **Schäferhund** *m* Alsation; ◇ **deutscher** ~ German Shepherd
schaffen [1] <schuf, geschaffen> *vt* ① → *Bedingungen* create; ◇ **Platz** ~ to make room ② ↑ *kreieren* → *Kunstwerk* create; → *Einrichtung* make, build
schaffen [2] **I.** *vt* ① ↑ *wegbringen* take, bring ② *bewältigen* → *Prüfung* pass; → *Aufgabe* do, manage; ◇ **sie hat's geschafft** she managed it ③ *FAM* ◇ **ich habe den Zug gerade noch geschafft** I caught the train in the last moment **II.** *vi* ① *FAM* ↑ *arbeiten* work ② ◇ **sich an etw** *dat* **zu ~ machen** to busy o.s. with s.th.
Schaffen *s* <-s> (*von Künstler*) creative work; **Schaffensperiode** *f* artistic period
Schaffner(in *f*) *m* <-s, -> BAHN conductor
Schaft *m* <-[e]s, Schäfte> ① (*von Gewehr*) stock ② (*von Stiefel*) leg ③ (*von Schlüssel*) shank
Schakal *m* <-s, -e> jackal
schäkern *vi* ↑ *scherzen* joke around; ↑ *flirten* flirt
schal *adj* ① ▷*Bier* flat ② *FIG* ↑ *witzlos, leer* boring, dull
Schal *m* <-s, -e *o.* -s> scarf
Schale *f* <-, -n> ① (*Obst~*) bowl, dish; (*Trinkbecher*) cup ② ↑ *Hülle, Rinde* (*Apfel~*) skin, peel; (*Nuß~*) shell; **schälen I.** *vt* → *Früchte* peel; → *Nüsse* shell; → *Baum* bark **II.** *vr* ◇ **sich** ~ ← *Haut* peel, exfoliate
Schall *m* <-[e]s, -e> sound; **schalldicht** *adj* soundproof; **Schallmauer** *f* sound barrier; AERO ◇ **die ~ durchbrechen** to cross the sound barrier; **Schallplatte** *f* record; **Schallwelle** *f* sound wave
schalt *impf v.* **schelten**
schalten I. *vt* switch, turn **II.** *vi* ① AUTO ↑ *Gang wechseln* change gears ② MEDIA switch/turn on ③ *FAM* ↑ *reagieren* act, react
Schalter *m* <-s, -> ① (*Licht~*) switch; (*an Gerät*) switch ② (*Geld~, Post~*) counter; **Schalterbeamte(r)** *m*, **Schalterbeamtin** *f* counter clerk; **Schalterhalle** *f* main hall
Schaltung *f* ① ↑ *das Schalten* changing of gears ② ELECTR circuit ③ (AUTO *Gang~*) gear[shift]
Scham *f* <-> ① (*~gefühl*) shame ② ANAT genitals *pl*; **schämen** *vr* ◇ **sich** ~ be ashamed (*wegen*

of); **schamhaft** *adj* [1] ↑ *schüchtern* modest, bashful [2] ↑ *verschämt* bashful, coy; ◇ - **lächeln** to smile coyly; **schamlos** *adj* [1] ↑ *ohne Scham* shameless [2] ↑ *gemein, bösartig* shameless, nasty

Schande *f* <-> disgrace; **schändlich** *adj* [1] ▷*Tat* shameful, disgraceful [2] ▷*Verhalten* disgraceful; **Schandtat** *f* [1] ↑ *verabscheuungswürdige Tat* escapade [2] *FAM* ↑ *Unfug* evil deed

Schanze *f* <-, -n> [1] MIL ↑ *Erdwall* entrenchment [2] (*Sprung-*) ski jump

Schar *f* <-, -en> [1] (AGR *Pflug-*) plough[share] [2] (*Menschen-*) crowd; **scharen** *vr* ◇ **sich** - ↑ *sich versammeln* rally (*um* around)

scharf *adj* [1] ▷*Essen* hot, spicy; ◇ - **gewürzt** spicy [2] ▷*Messer* sharp [3] ▷*Revolver* live [4] ▷*Kurve* sharp [5] ▷*Verstand, Auge* sharp, keen [6] ↑ *gut erkennbar* ▷*Konturen* sharp, clear

Schärfe *f* <-, -n> [1] (*von Essen*) spiciness; (*von Messer*) sharpness; (*von Foto*) sharpness, clarity [2] (*von Gesetz*) strictness; **schärfen** *vt* [1] ▷*Messer* sharpen [2] ▷*Sinne* sharpen

Scharfschütze *m* marksman; **scharfsinnig** *adj* ▷*Bemerkung* shrewd, astute

Scharnier *s* <-s, -e> hinge

scharren *vti* ← *Hühner* scratch; ← *Hund* paw

Scharte *f* <-, -n> [1] ↑ *Kerbe* notch [2] (*Schieß-*) embrasure

Schaschlik *m o s* <-s, -s> [shish] kebab

Schatten *m* <-s, -> [1] (*Sonnen-*) shade; (*von Person, Sache*) shadow [2] *FIG* ◇ **seine - vorauswerfen** to cast a shadow [3] (*unter Augen, auf Lunge*) shadow; **Schattenbild** *s* silhouette; **Schattenseite** *f FIG* dark side

schattieren *vt* ↑ *im Ton abstufen* shade; **Schattierung** *f* [1] (*von Bild*) shading [2] *FIG* ↑ *politische Richtung* (*von Zeitungen*) shade

schattig *adj* shady

Schatulle *f* <-, -n> (*Schmuck-*) casket

Schatz *m* <-es, Schätze> [1] (*Gold-*) treasure [2] *FAM* (*Kosename*) darling

schätzen *vt* [1] → *Wert* value [2] ↑ *vermuten* guess, estimate [3] ↑ *verehren* → *jd-n* hold s.o. in high regard; **Schätzung** *f* [1] (*ungefähre Berechnung*) estimate, guess [2] ↑ *Vermutung* estimation; ◇ **nach meiner - ...** I reckon that [3] ↑ *Verehrung* esteem; **schätzungsweise** *adv* ↑ *ungefähr* roughly

Schau *f* <-> [1] (*Moden-*) show [2] ↑ *Ausstellung* (*von Waren*) exhibition; *FIG* ◇ **etw zur - stellen** to exhibit, to display; **Schaubild** *s* diagramm

Schauder *m* <-s, -s> [1] ↑ *vor Angst* shudder; ◇ **jd-m einen - über den Rücken jagen** to make s.o. shudder [2] (*Kälte-*) shiver; **schauderhaft** *adj* [1] ↑ *schrecklich* dreadful [2] *FAM* ↑ *sehr schlecht* dreadful, horrible, terrible; **schaudern** *vi* [1] ↑ *Abscheu, Grauen empfinden* shudder; ◇ **mich schaudert bei dem Gedanken** I shudder at the thought [2] (*vor Kälte*) shiver

schauen *vi* look, have a look

Schauer *m* <-s, -> [1] (*Schnee-*) shower [2] ↑ *Gruseln* shudder [3] ↑ *Zittern* shiver; **schauerlich** *adj* horrible, dreadful, terrible

Schaufel *f* <-, -n> [1] (*Kohlen-*) shovel [2] (TECH *von Turbine*) scoop [3] (NAUT *von Wasserrad*) paddle; **schaufeln** *vt* shovel, scoop

Schaufenster *s* shop window; **Schaufensterbummel** *m:* ◇ **einen - machen** to go window shopping; **Schaukasten** *m* showcase

Schaukel *f* <-, -n> swing; **schaukeln I.** *vi* swing **II.** *vt* ↑ *wiegen* rock; **Schaukelpferd** *s* rocking horse; **Schaukelstuhl** *m* rocking chair

Schaulustige(r) *fm* onlooker

Schaum *m* <-[e]s, Schäume> [1] (*Seifen-*) lather; (*Bier-*) foam [2] *FIG* ◇ **Träume sind Schäume** dreams are for fools; **schäumen** *vi* [1] ← *Sekt* foam, bubble; ← *Meer* foam [2] *FIG* (*vor Wut*) froth; **schaumig** *adj* foamy, frothy; ▷*Eier* ◇ **etw - schlagen** to beat s.th. until frothy; **Schaumwein** *m* ↑ *Sekt* sparkling wine

Schauplatz *m* scene, venue

Schauspiel *s* [1] THEAT play [2] *FIG* ↑ *Geschehen* sight, spectacle; **Schauspieler(in** *f*) *m* actor, actress

Scheck *m* <-s, -s> (*Euro-, Reise-*) cheque; ◇ **einen - einlösen** to cash a cheque; **Scheckbuch** *s* cheque book; **Scheckbetrug** *m* cheque fraud; **Scheckkarte** *f* cheque card

scheffeln *vt* ↑ *horten, zusammenraffen, FAM* rake in

Scheibe *f* <-, -n> [1] (*Holz-*) plate; (*Töpfer-*) wheel; (*Brems-*) disc [2] (*Fenster-*) pane [3] (*von Brot, Wurst*) slice; **Scheibenwischer** *m* windscreen wiper

Scheich *m* <-s, -e *o.* -s> (*Öl-*) sheik[h]

Scheide *f* <-, -n> [1] (*Wasser-*) boundary [2] ANAT vagina [3] (*Schwert-*) sheath

scheiden <schied, geschieden> **I.** *vt* → *Ehe* separate, divorce **II.** *vi* [1] ↑ *weggehen* retire; ◇ **aus dem Amt -** to retire from service [2] ↑ *auseinandergehen* part; ← *Ehepaar* ◇ **sich - lassen** to divorce; **Scheidung** *f* (*Ehe-*) divorce; **Scheidungsgrund** *m* grounds for divorce *pl*

Schein [1] *m* <-[e]s, -e> [1] (*Geld-*) note [2] (*Gut-, Quittungs-*) slip, certificate; (*Fahr-*) licence

Schein [2] *m* <-[e]s> [1] (*Licht-*) light [2] (*An-*)

appearance; ◇ **zum** ~ in pretence; **scheinbar** *adj* ① ↑ *nicht wirklich* seeming, apparent ② ↑ *vorgetäuscht* seeming, feigned; **scheinen** <schien, geschienen> *vi* ① seem, appear ② ↑ *leuchten* shine

scheinheilig *adj* ↑ *heuchlerisch* hypocritical

Scheinwerfer *m* <-s, -> ① (*auf Bühne*) spotlight ② AUTO headlamp

Scheiße *f* <-> ① *FAM* ↑ *Kot* shit ② *FAM!* ↑ *Unsinn* crap; ↑ *Ärger* crap; ◇ **S-!** Shit!; **Scheißwetter** *s FAM* terrible weather

Scheitel *m* <-s, -> ① (*Spitze, höchster Punkt*) top ② (*von Kopf*) skull ③ (*Haar-*) parting; **scheiteln** *vt* → *Haar* make a parting

scheitern *vi* ① ← *Person, Unternehmen* fail (*an dat* at) ② ← *Vorhaben* come to nothing

Schelm *m* <-[e]s, -e> rogue

Schelte *f* <-, -n> scolding, telling-off; **schelten** <schalt, gescholten> *vt* ↑ *schimpfen* scold, tell off

Schema *s* <-s, -s *o.* -ta> ① ↑ *Übersicht* schema, diagram ② ↑ *Plan, Muster* pattern ③ *FIG* ↑ *Verhaltensmuster* behaviour pattern

Schenkel *m* <-s, -> ① ANAT (*Ober-, Unter-*) thigh ② (MATH *von Dreieck*) side

schenken *vt* ① → *Blumen etc.* give s.th. as a present ② ◇ **jd-m Gehör** ~ to pay attention ③ ↑ *erlassen* let off; **Schenkung** *f* JURA donation

Scherbe *f* <-, -n> ① (*Glas-*) piece ② ▷*archäologisch* potsherd

Schere *f* <-, -n> ① (*Nagel-*) scissors *pl*; ◇ **eine** ~ a pair of scissors ② (*von Krebs, Hummer*) claw, pincer

scheren[1] <schor, geschoren> *vt* ① *schneiden* → *Hecke* clip, trim ② → *Schaf* shear

scheren[2] **I.** *vt* ↑ *kümmern* worry; ◇ **es schert ihn nicht im geringsten** he's not in the least bit worried **II.** *vr* ◇ **sich** ~ ① (*kümmern*) worry; ◇ **sich um jd-n/etw** ~ to worry about s.o./s.th. ② *FAM* ◇ **Scher dich weg!** Get lost!, Buzz off!

Schererei *f FAM* ↑ *Ärger, Probleme* bother, trouble, problems

Scherz *m* <-es, -e> ↑ *Witz* joke; ◇ **etw im** ~ **sagen** to say s.th. jokingly; **scherzen** *vi* ① ↑ *einen Scherz machen* joke ② (*nicht im Ernst sagen*) joke; **scherzhaft** *adj* joking, funny

scheu *adj* ① ↑ *schüchtern* shy ② ↑ *schreckhaft* timid; **Scheu** *f* <-> ① ↑ *Schüchternheit* fear, shyness ② ↑ *Respekt* awe (*vor* of)

scheuchen *vt* scare [off], chase away

scheuen I. *vr* ↑ *Bedenken haben* be afraid of **II.** *vt* ↑ *Angst haben vor* be afraid, be scared **III.** *vi* ← *Pferd* shy

Scheuerlappen *m* floor cloth; **scheuern** *vti* ① → *Boden* scrub, scour ② → *Riemen* ← *Haut* chafe ③ *FAM* ◇ **jd-m eine** ~ to box s.o.'s ears

Scheuklappe *f* ① blinker ② *FIG* ◇ **mit -n herumlaufen** to walk around with blinkers on

Scheune *f* <-, -n> barn

Scheusal *s* <-s, -e> ① ↑ *Monster* monster ② *FAM* beast, pain; **scheußlich** *adj* ① ↑ *gräßlich* horrible, scary ② ↑ *gemein* horrible, dreadful, hideous ③ ↑ *sehr unangenehm* ▷*Situation* horrible, dreadful, unpleasant

Schicht *f* <-, -en> ① (*Farb-*) layer, coating ② ↑ *Lage* (*Erd-*) layer ③ (*Bevölkerungs-*) class ④ (*Nacht-, Spät-*) shift; **schichten** *vt* stack

schick *adj* ① ↑ *elegant, modisch* smart, chic ② *FAM* ↑ *toll, großartig* great

schicken I. *vt* ① → *Packet* send, post ② send; ◇ **jd-n nach Hause** ~ to send s.o. home ③ ↑ *holen, kommen lassen* ◇ **nach jd-m** ~ to send for s.o. **II.** *vr* ◇ **sich** ~ *FAM* ↑ *sich beeilen* hurry

Schicksal *s* <-s, -e> fate; ◇ **jd-n seinem** ~ **überlassen** to leave s.o. to their fate; **Schicksalsschlag** *m* blow

schieben <schob, geschoben> **I.** *vt* ① → *Fahrrad, Auto* push ② *FIG* ◇ **die Verantwortung auf jd-n** ~ to put the responsibility at s.o.'s door ③ *FAM* → *Waren* smuggle, deal **II.** *vi* push

Schiebung *f* ① (*im Amt*) pulling of strings; SPORT fix ② (*Schiebergeschäfte*) shady business

schied *impf v.* **scheiden**

Schiedsgericht *s* court of arbitration; **Schiedsrichter(in** *f*) *m* ① SPORT referee; (*Tennis*) umpire ② ↑ *Vermittler* arbitrator

schief *adj* ① ▷*Ebene* sloping; ▷*Haus* lop-sided; ◇ ~ **hängen** to hang crookedly ② ↑ *zweideutig* ▷*Lächeln* wry ③ ▷*Vergleich* distorted

Schiefer *m* <-s, -> slate; **Schiefertafel** *f* SCHULE slate

schiefgehen *unreg vi FAM* go wrong; **schieflachen** *vr* ◇ **sich** ~ *FAM* crease up; **schiefliegen** *unreg vi FAM* be wrong

schielen *vi* ① squint, have a squint ② *FIG* ◇ **nach etw** ~ to sneak a look at s.th.

schien *impf v.* **scheinen**

Schienbein *s* shinbone

Schiene *f* <-, -n> ① ↑ *Gleis* (*Eisenbahn-*) track rails *pl* ② (MED *Bein-*) splint

Schießbude *f* shooting gallery; **schießen** <schoß, geschossen> **I.** *vi* ① (*mit Pistole etc.*) shoot (*auf akk* at); (*mit Ball*) kick ② ↑ *schnell wachsen* shoot up **II.** *vt* ① → *Ball* throw ② → *Wild* shoot; **Schießerei** *f* shooting, shoot-out, gunfire; **Schießpulver** *s* gunpowder

Schiff *s* <-[e]s, -e> ① ship ② (ARCHIT *Kirchen-*)

nave; **Schiffahrt** *f* shipping, navigation; **Schiffahrtslinie** *f* shipping line; **Schiffbruch** *m* (*Schiffsunglück*) shipwreck; **Schiffchen** *s* ① (*kleines Schiff*) small boat ② (*zum Weben*) shuttle ③ (*Mütze*) forage cap; **Schiffsfahrt** *f* cruise, journey; **Schiffsladung** *f* cargo

Schikane *f* <-, -n> ① harassment, dirty trick ② *FAM* ◇ **mit allen -n** with all the trimmings; **schikanieren** *vt* harass

Schild [1] *m* <-[e]s, -e> ① (*Holz-*) shield ② (*von Schildkröte etc.*) shell ③ (*Schutz-*) shield

Schild [2] *s* <-[e]s, -er> ① (*Preis-*) tag; (*Verkehrs-*) sign ② (*an Mütze*) visor

schildern *vt* describe, sketch; **Schilderung** *f* description, account

Schildkröte *f* (*Wasser-*) tortoise; (*Land-*) turtle

Schilf *s* <-[e]s, -e> reed

schillern *vi* shimmer; **schillernd** *adj* ① iridescent ② *FIG* ▷*Persönlichkeit* elusive

Schimmel [1] *m* <-s, -> (*Brot-*) mould

Schimmel [2] *m* <-s, -> (*Pferd*) white horse

schimmelig *adj* mouldy, mildewy; **schimmeln** *vi* go mouldy

Schimmer *m* <-s> ① ↑ *Glanz* glimmer, gleam ② *FAM* ↑ *Ahnung* ◇ **keinen - haben** to have no clue

Schimpanse *m* <-n, -n> chimpanzee

schimpfen I. *vt* ① ↑ *tadeln* scold ② ↑ *bezeichnen, nennen* ◇ **jd-n etw** - to call s.o. s.th. **II.** *vi* ① ↑ *fluchen* swear ② ↑ *sich beklagen* complain

schinden <schindete, geschunden> **I.** *vt* ↑ *grausam quälen* abuse, maltreat **II.** *vr* ◇ **sich** - ① ↑ *sich abmühen* slave (*mit* at) ② *FAM* ◇ **Eindruck** - to try to impress; **Schinderei** *f* slavery, exploitation

Schindluder *s*: ◇ **mit jd-m - treiben** to make s.o. suffer

Schinken *m* <-s, -> ① ▷*roh, gekocht* ham ② *FAM* ↑ *dickes Buch* fat tome

Schippe *f* <-, -n> shovel, spade; *FAM* ◇ **jd-n auf die - nehmen** to pull s.o.'s leg; **schippen** *vt* ↑ *schaufeln* shovel

Schirm *m* <-[e]s, -e> ① (*Regen-*) umbrella; (*Sonnen-*) parasol ② (*Lampen-*) shade; (*Fall-*) parachute ③ (*Mützen-*) peak ④ (*Bild-*) screen; **Schirmständer** *m* umbrella stand

Schiß *m* <-sses> *FAM* ↑ *Angst*: ◇ **- haben vor etw/jd-m** to be scared of s.th./s.o.

Schlacht *f* <-, -en> ① battle ② *FIG* ↑ *Auseinandersetzung* argument

schlachten *vt* kill; → *Vieh* slaughter

Schlachtenbummler(in *f*) *m* SPORT fan

Schlachtfeld *s* battlefield; **Schlachthaus** *s*, **Schlachthof** *m* slaughter house, abbatoir; **Schlachtplan** *m* ① MIL battle plan ② *FIG* plan of action; **Schlachtschiff** *s* battle ship

Schlacke *f* <-, -n> ① (*Asche*) cinders *pl* ② (*Verbrennungsrückstände*) slag ③ (*Lava*) lava

schlackern *vi FAM* ↑ *schlottern* wobble

Schlaf *m* <-[e]s> (*Tief-*) sleep; (*Mittags-*) nap; **Schlafanzug** *m* pyjamas *pl*

Schläfchen *s* nap; *FAM* snooze

schlafen <schlief, geschlafen> *vi* ① sleep, be asleep ② ↑ *übernachten* spend the night, stay overnight ③ *FAM* ↑ *unaufmerksam sein* be asleep, doze; ◇ **mit offenen Augen** - to be dog-tired ④ ◇ **mit jd-m** - to sleep with s.o., to have sex with s.o.

schlaff *adj* ① ▷*Seil* slack ② ▷*Muskel* flabby ③ ▷*Haut* flabby ④ (*träge*) listless, sluggish; ◇ **sich - fühlen** to feel sluggish

Schlafgelegenheit *f* place to sleep, place to stay the night; **schlaflos** *adj* sleepless, restless; **Schlaflosigkeit** *f* sleeplessness, insomnia; ◇ **an - leiden** to suffer from insomnia; **Schlafmittel** *s* sleeping pill; **Schlafmütze** *f FAM* ① ↑ *Langschläfer s.o. who sleeps a lot* ② ↑ *träger Mensch* dope; **Schlafsack** *m* sleeping bag; **Schlafwagen** *m* BAHN sleeper, couchette; **schlafwandeln** *vi* sleepwalk; **Schlafzimmer** *s* bedroom

Schlag *m* <-[e]s, Schläge> ① (*Faust-*) blow, hit, punch; ◇ **Schläge** *pl* beating ② (*Glocken-*) chime, lash ③ *Peitschen-, Puls-, Herz-, auch FIG* beat ④ (ELECTR *Strom-*) shock; (*Blitz-*) clap ⑤ *FAM* ↑ *Art, Sorte* sort, kind, type; ◇ **Leute von ihrem** - people like them, those kind of people ⑥ *FAM* ↑ *Portion* helping, portion ⑦ ↑ *Enttäuschung* blow; ◇ **ein schwerer** - a hard blow/knock; **Schlagabtausch** *m* ① (*beim Boxen*) exchange of blows ② ▷*nuklear* conflict ③ *FIG* ▷*verbal* exchange; **Schlaganfall** *m* stroke; **schlagartig** *adj* sudden; **Schlagbaum** *m* barrier; **Schlagbohrmaschine** *f* hammer drill, percussion drill

schlagen <schlug, geschlagen> **I.** *vti* ① ↑ *prügeln* → *jd-n* hit, beat up; ◇ **jd-m etw aus der Hand** - to knock s.th. out of s.o.'s hand ② ← *Glocke, Uhr* chime; → *Trommel* beat ③ ← *Herz* beat ④ ↑ *besiegen* beat ⑤ *auch FIG* → *Schlacht* fight **II.** *vr* ◇ **sich** - ① ↑ *sich prügeln* fight, have a fight ② *FIG* ◇ **sich tapfer** - to fight, to overcome;

schlagend *adj* ↑ *überzeugend* ▷*Argument* sound, convincing

Schlager *m* <-s, -> ① pop song ② COMM sales hit

Schläger [1] *m* <-s, -> (SPORT *Golf-*) club; (*Tennis-*) racket; (*Hockey-*) stick

Schläger [2] *m* <-s, -> thug, brawler; **Schlägerei** *f* fight, brawl

schlagfertig *adj* ① ▷*Person* quick-witted ② ◇ **eine -e Antwort** a good retort/repartee; **Schlaginstrument** *s* MUS percussion instrument; **Schlagloch** *s* pothole; **Schlagrahm** *m*, **Schlagsahne** *f* whipped cream; **Schlagwort** *s* ① ↑ *Parole* slogan ② ↑ *Stichwort* catch word; **Schlagzeile** *f* (*in Zeitungen*) headline; *FIG* ◇ **-n machen** to make the headlines; **Schlagzeug** *s* drums *pl*

schlaksig *adj* lanky

Schlamassel *m o s* <-s, -> *FAM* mess

Schlamm *m* <-[e]s, -e> ① (*aufgeweichte Erde*) mud ② ↑ *Schlick* sludge; **schlammig** *adj* muddy

Schlampe *f* <-, -n> *FAM* slut, tart

schlampen *vi FAM* ① ↑ *unordentlich sein* be slovenly ② ↑ *nachlässig arbeiten* be a slovenly worker, do a sloppy job; **Schlamperei** *f FAM* slovenliness, carelessness

schlang *impf v.* **schlingen**

Schlange *f* <-, -n> ① ZOOL snake ② (*Menschen-*) queue *BRIT*, line *AM*; ◇ **- stehen** to queue up, to stand in line, to line up

schlängeln *vr* ◇ **sich -** ① worm/snake o.'s way ② ↑ *sich winden* → *Fluß* meander, wind

Schlangenbiß *m* snakebite; **Schlangenlinie** *f* wavy line; ◇ **-n fahren** to zigzag along the road

schlank *adj* slim; *FIG* ◇ **auf die -e Linie achten** to watch o.'s figure; **Schlankheitskur** *f* slimming diet

schlapp *adj* ① ↑ *erschöpft* tired, worn out; *FAM* burned out ② ↑ *träge* sluggish

Schlappe *f* <-, -n> *FAM* ↑ *Mißerfolg* setback

Schlappheit *f* ① ↑ *Erschöpfung* limpness, exhaustion ② ↑ *Trägheit* slackness; **Schlapphut** *m* slouch hat; **schlappmachen** *vi FAM* ↑ *zusammenbrechen, aufgeben* give up

schlau *adj* ① ↑ *clever* clever ② ↑ *klug, geschickt* crafty, cunning

Schlauch *m* <-[e]s, Schläuche> ① (*Gummi-*) tube; (*Garten-*) hose ② (*Fahrrad-*) inner tube; **Schlauchboot** *s* rubber dinghy

Schläue *f* <-> cleverness, shrewdness

Schlaufe *f* <-, -n> loop

Schlaukopf *m FAM* smarty pants

schlecht *adj* ① ↑ *nicht gut* bad; ◇ **etw - machen** to do s.th. badly ② ↑ *unfähig, unqualifiziert* bad, incapable ③ ↑ *verdorben* ▷*Lebensmittel* bad, rotten, off ④ ↑ *böse* ▷*Mensch* bad, evil; ▷*Gedanke, Tat* evil, bad ⑤ ↑ *ungesund* unwell, ill, sick; ◇ **- aussehen** to look bad, to look sick; ◇ **es geht ihr -** she's not well ⑥ ↑ *unangenehm* ▷*Nachricht* bad; ▷*Wetter* bad; **schlechtgehen** *unreg vi impers:* ◇ **jd-m geht es schlecht** s.o. has a hard time, s.o. is in a bad way; **schlechthin** *adv* ① ↑ *an sich, überhaupt* as such; ◇ **der Dramatiker -** THE dramatist ② ↑ *ganz u. gar, völlig* absolutely; **Schlechtigkeit** *f* ↑ *Bosheit* wickedness; **schlechtmachen** *vt* → *jd-n* run s.o. down

schlecken *vti* ① ↑ *lecken* → *Eis* lick ② ↑ *naschen* have a sweet tooth

Schlegel *m* <-s, -> ① MUS drumstick ② (GASTRON *Hähnchen-*) leg

schleichen <schlich, geschlichen> *vi* ① ↑ *leise, unbemerkt gehen* ← *Katze* creep, sneak ② ↑ *sich schleppen* crawl; **schleichend** *adj* ▷*Krankheit, Gift* lingering, insiduous

Schleichwerbung *f* plugging

Schleier *m* <-s, -> ① (*Braut-*) veil ② *FIG* (*Nebel-*) fog; **schleierhaft** *adj FAM* ↑ *rätselhaft:* ◇ **das ist mir -** it's a mystery to me

Schleife *f* <-, -n> ① (*Haar-*) ribbon, bow ② (*Fluß-*) curve, loop

schleifen [1] **I.** *vt* ① ↑ *ziehen* drag, lug ② *FAM* ↑ *schleppen* drag; ◇ **jd-n zum Friseur -** to drag s.o. to the hairdresser's **II.** *vi* ↑ *reiben* rub; ◇ **am Boden -** to trail along the ground

schleifen [2] <schliff, geschliffen> *vt* ① → *Diamanten* cut ② ↑ *schärfen* → *Messer* sharpen

Schleim *m* <-[e]s, -e> ① MED (*Nasen-*) mucus ② GASTRON (*Hafer-*) gruel; **schleimen** *vi* ① ↑ *Schleim absondern* produce mucus ② *FAM* ↑ *kriechen* (*vor Vorgesetzten*) creep, suck up

schlemmen *vi* have a feast; **Schlemmer(in** *f*) *m* <-s, -> gourmet

schlendern *vi* ↑ *bummeln* stroll

schlenkern *vti* → *Arme* swing

Schleppe *f* <-, -n> train

schleppen *vt* ① ↑ *ab-* → *Auto, Schiff* tow ② → *Koffer* lug, drag; **schleppend** *adj* ↑ *langsam, träge* ▷*Entwicklung* slow; ▷*Gang* slow, sluggish; **Schlepplift** *m* ski tow

Schleuder *f* <-, -n> ① (*Vogel-*) catapult ② (*Wäsche-*) spin-drier; **Schleudergefahr** *f* AUTO slippery roads; **schleudern I.** *vt* ① ↑ *werfen* hurl ② → *Wäsche* spin-dry **II.** *vi* (*auf nasser Fahrbahn*) skid, slip

schleunigst *adv* at once, without further ado

Schleuse *f* <-, -n> (*für Schiffe*) lock; (*-ntor*) sluice

schlich *impf v.* **schleichen**

Schliche *mpl:* ◇ **jd-m auf die - kommen** to find s.th. out

schlicht *adj einfach* ▷*Person* plain, simple, modest; ▷*Kleidung* plain

schlichten *vt* → *Streit* settle
Schlichtheit *f* ↑ *Einfachheit* plainness, simplicity
Schlichtung *f* (*von Streit*) settlement
schlichtweg *adv FAM* ↑ *ganz einfach* quite simply
schlief *impf v.* **schlafen**
schließen <schloß, geschlossen> **I.** *vt* [1] *zumachen* → *Geschäft, Tür, Augen* close [2] ↑ *beenden* → *Sitzung, Brief* close, end [3] ↑ *ausfüllen* → *Loch, Spalte* fill [4] → *Freundschaft, Bündnis, Ehe, Vertrag* enter into [5] ↑ *folgern* take, infer (*aus* from) **II.** *vi* [1] ↑ *zumachen* close [2] ↑ *enden* ← *Buch* end, finish [3] ↑ *zusein* ← *Tür, Fenster* be closed; ◇ **schlecht** ~ to not close properly **III.** *vr* ◇ **sich** ~ ← *Tür* close, shut; **Schließfach** *s* (*in Bahnhof*) locker; (*in Bank*) safe
schließlich *adv* ↑ *endlich, am Ende* finally
schliff *impf v.* **schleifen**
schlimm *adj* [1] ↑ *böse* bad; ◇ **ein -es Ende nehmen** to come to a bad end [2] ↑ *unangenehm* ▷*Folgen, Nachricht* bad [3] ↑ *bedrohlich, ernst* ▷*Krankheit* serious; **schlimmstenfalls** *adv* if the worst comes to the worst
Schlinge *f* <-, -n> (*Schleife, Draht-*) loop; *FIG* ◇ **den Kopf aus der ~ ziehen** to get out of a difficult situation
Schlingel *m* <-s, -> *FAM* ↑ *frecher kleiner Kerl* rascal
schlingen [1] <schlang, geschlungen> **I.** *vt* wind; ◇ **die Arme um jd-n** ~ to fling o.'s arms around s.o. **II.** *vr* ← *Efeu*: ◇ **sich um etw** *akk* ~ to wind around, to twine around
schlingen [2] <schlang, geschlungen> *vti* gobble, scoff
schlingern *vi* ← *Schiff* roll
Schlips *m* <-es, -e> tie
Schlitten *m* <-s, -> [1] (*Kufenfahrzeug*) sledge, sleigh [2] *FAM* ↑ *großes Auto* flashy car
Schlittschuh *m* skate
Schlitz *m* <-es, -e> (*Spalt, Briefkasten-*) slot; (*Hosen-*) fly; **Schlitzohr** *s FAM* ↑ *raffinierte Person* sly dog
schloß *impf v.* **schließen**
Schloß *s* <-sses, Schlösser> [1] (*Königs-*) castle [2] (*Tür-, Zahlen-*) lock; (*an Schmuck etc.*) clasp
Schlot *m* <-[e]s, -e> (*von Haus*) chimney; (*von Schiff*) funnel
schlottern *vi* [1] ↑ *zittern* (*vor Kälte, Angst*) shake, tremble [2] ↑ *locker sitzen* ← *Kleidung* hang loosely
Schlucht *f* <-, -en> (*Gebirgs-*) ravine, gorge
schluchzen *vi* sob
Schluck *m* <-[e]s, -e> gulp, swallow; **Schluckauf** *m* <-s> hiccups *pl;* **schlucken I.** *vt* [1] → *Tablette* swallow [2] *FIG* ↑ *in sich aufnehmen* → *kleinen Betrieb* swallow up [3] *FIG* ↑ *hinnehmen* → *Beleidigung* accept **II.** *vi* swallow
schludern *vi* ↑ *nachlässig arbeiten* work carelessly
schlug *impf v.* **schlagen**
Schlummer *m* <-s> sleep, slumber; **schlummern** *vi* [1] ↑ *leicht schlafen* sleep, slumber [2] *FIG* ↑ *ungeweckt vorhanden sein* ← *Talent* lie dormant
Schlund *m* <-[e]s, Schlünde> [1] ANAT pharynx [2] *FIG* ↑ *Abgrund* maw
schlüpfen *vi* [1] ← *Vogel etc.* hatch [2] ↑ *anziehen* slip on
Schlupfloch *s* [1] (*Loch*) gap [2] *FIG* ↑ *Schlupfwinkel, Versteck* hideout, den
schlüpfrig *adj* [1] ↑ *glatt* ▷*Boden* slippery [2] *FIG* ↑ *zweideutig* ▷*Witz* risqué
schlurfen *vi* shuffle, drag o.'s feet
schlürfen *vti* → *Suppe, Kaffee* slurp
Schluß *m* <-sses, Schlüsse> [1] ↑ *Ende* end, ending [2] ↑ *hinterer Teil* (*von Reihe*) end, back [3] ↑ *Schließen, Zumachen* (*von Laden, Betrieb*) closing; (*Dienst-*) closing time
Schlüssel *m* <-s, -> [1] (*von Tür etc.*) key [2] (*Schrauben-*) screwdriver [3] MUS (*Baß-*) clef; **Schlüsselbund** *m* bunch of keys; **Schlüsselloch** *s* keyhole
schlüssig *adj* [1] ↑ *folgerichtig* conclusive, sound [2] ↑ *entschlossen* decided; ◇ **sich** *dat* **noch nicht ~ sein** to not yet have decided
Schlußverkauf *m* (*Winter-, Sommer-*) clearance sale; **Schlußwort** *s* [1] (*abschließende Worte*) closing words *pl* [2] ↑ *Nachwort* (*von Buch*) epilogue
schmachten *vi* [1] ↑ *leiden, hungern, dürsten* languish [2] ↑ *sich sehnen* yearn (*nach* for)
schmächtig *adj* ▷*Körperbau* slight; ▷*Person* delicate, frail
schmackhaft *adj* tasty
schmal *adj* [1] ↑ *eng* narrow [2] ▷*Mensch, Gesicht* slender, slim, slight [3] ↑ *knapp* ▷*Gehalt* meagre, poor
schmälern *vt* [1] ↑ *verringern* reduce, diminish [2] *FIG* ↑ *herabsetzen* → *Bedeutung, Leistung* belittle, diminish
schmalzig *adj* [1] fatty, greasy [2] *FAM* ↑ *sentimental* sloppy, sentimental
schmarotzen *vi* [1] *auf Kosten anderer leben, FAM* be a parasite, live off others [2] BIO ← *Parasit* be a parasite; **Schmarotzer(in** *f*) *m* <-s, -> [1] ↑ *Parasit* parasite [2] (*FAM Mensch*) parasite, sponge, scrounger

S

schmatzen *vi* eat noisily

schmecken I. *vt* [1] ↑ *Geschmack wahrnehmen* taste [2] ↑ *kosten, abschmecken* taste, try **II.** *vi* [1] ← *Essen* ▷*gut, süß, bitter* taste; ◇ **es schmeckt mir** I like it [2] *FIG* ↑ *gefallen* ◇ **das schmeckt mir nicht** I do not like it

schmeichelhaft *adj* flattering; **schmeicheln** *vi* [1] (*jd-m etw Angenehmes sagen*) flatter (*jd-m* s.o.) [2] ← *Bild* flatter

schmeißen <schmiß, geschmissen> *vt* [1] ↑ *werfen* throw, hurl [2] *FIG* ◇ **einen Laden** ~ to run the show

schmelzen <schmolz, geschmolzen> **I.** *vi* [1] *flüssig werden* ← *Eis* melt; ← *Erz* smelt [2] *FIG* ↑ *weich werden* ← *Herz* melt **II.** *vt* ↑ *flüssig machen* liquefy

Schmerz *m* <-es, -en> [1] ▷*körperlich* pain [2] *FIG* ↑ *Leid* sorrow; **schmerzempfindlich** *adj* sensitive to pain; **schmerzen** *vti* [1] ↑ *wehtun* hurt [2] *FIG* hurt, upset; **Schmerzensgeld** *s* compensation; **schmerzhaft**, **schmerzlich** *adj* painful; **schmerzlos** *adj* (*ohne Schmerzen*) painless; *FIG* ◇ **kurz u.** ~ short and sweet; **schmerzstillend** *adj* ▷*Medikament* painkilling, analgesic, soothing

Schmetterling *m* butterfly

schmettern I. *vt* [1] → *Trompete* blare [2] → *Lied* ring, bellow [3] → *Glas* smash **II.** *vi* ↑ *mit Wucht schlagen* smash

Schmied(in *f*) *m* <-[e]s, -e> (*Pferde~, Waffen~*) blacksmith; **schmieden** *vt* [1] (*mit Hammer formen*) forge [2] ↑ *sich ausdenken* → *Pläne* concoct, devise

schmiegen I. *vt* ↑ *sanft drücken* press **II.** *vr* ↑ *sich kuscheln*; ◇ **sich an etw** *akk* ~ to cuddle up to s.th.; **schmiegsam** *adj* ▷*Stoff* pliable, flexible; *FIG* ↑ *flexibel* flexible

Schmiere *f* <-, -n> [1] ↑ *Fett* grease [2] ↑ *Dreck* dirt, muck [3] *FAM* ◇ ~ **stehen** to keep a lookout; **schmieren I.** *vt* [1] ↑ *streichen* → *Brote* smear, butter [2] ↑ *einreiben* (*mit Creme etc.*) rub in [3] → *Achse* grease [4] *FIG* ↑ *bestechen* bribe **II.** *vi* ↑ *unsauber schreiben* scrawl; **Schmierfink** *m* *FAM* scruffy person; **Schmiergeld** *s* ↑ *Bestechungsgeld* bribe money, payoff; **schmierig** *adj* [1] ↑ *ölig* greasy, oily [2] ↑ *feucht-schmutzig* grubby [3] *FAM* ↑ *kriecherisch* ▷*Person* slimy, creepy

Schminke *f* <-, -n> ↑ *Make-up* make-up; **schminken** *vtr* ◇ **sich** ~ → *Augen, Mund* make o.s. up

schmiß *impf v.* **schmeißen**

Schmöker *m* <-s, -> *FAM* ↑ *Buch* tome; **schmökern** *vi FAM* ↑ *lesen* browse

schmollen *vi* ↑ *beleidigt sein* sulk

schmolz *impf v.* **schmelzen**

Schmorbraten *m* (*Kalbs~*) pot roast; **schmoren I.** *vt* [1] ↑ *braten* → *Fleisch* braise, stew [2] *FIG* ◇ **jd-n** ~ **lassen** to let s.o. sweat it out **II.** *vi* ELECTR ← *Kabel* melt

Schmuck *m* <-[e]s, -e> [1] (*Gold~*) jewellery [2] ↑ *Dekoration* decoration

schmücken *vt* → *Christbaum, Tafel* decorate

schmuddelig *adj FAM* ↑ *unsauber, unordentlich* grubby, messy

Schmuggel *m* <-s> smuggling; **schmuggeln** *vti* → *Drogen* smuggle

schmunzeln *vi* ↑ *belustigt sein* smirk (*über akk* about)

Schmutz *m* <-es> [1] ↑ *Dreck* dirt, mess, filth [2] *FIG* ↑ *Verwerfliches* filth; **Schmutzfink** *m* *FAM* filthy creature, pig; **schmutzig** *adj* [1] ↑ *dreckig* dirty, filthy [2] *FIG* ↑ *unredlich* dirty; ◇ **~e Geschäfte** dirty business [3] *FAM* ↑ *unanständig* ▷*Witz* dirty

Schnabel *m* <-s, Schnäbel> [1] (*von Vogel*) beak, bill [2] *FAM* ↑ *Mund* mouth

Schnake *f* <-, -n> ↑ *Stechmücke* gnat

Schnalle *f* <-, -n> [1] (*Gürtel~*) buckle, clasp [2] (*FAM verkommenes Mädchen*) tart

schnallen *vt* [1] ↑ *festbinden* buckle [2] *FAM* ↑ *begreifen* get, understand; ◇ **Hat er's endlich geschnallt?** Has he got it yet?

schnappen I. *vt* [1] ↑ *fangen, erwischen* → *Verbrecher* catch [2] ↑ *greifen* grab; ◇ **sich etw** ~ to grab s.th. **II.** *vi* [1] (*ins Schloß*) ← *Tür* click [2] ← *Hund* snap (*nach* at) [3] ◇ **nach Luft** ~ to gasp for breath

Schnäppchen *s* (*FAM vorteilhafter Kauf*) bargain

Schnappschuß *m* FOTO snapshot

schnarchen *vi* snore

schnattern *vi* [1] ← *Enten* chatter [2] ↑ *heftig zittern* (*vor Kälte*) shiver

schnauben I. *vi* ← *Pferd* snort **II.** *vr* ◇ **sich** ~ blow o.'s nose

schnaufen *vi* pant

Schnauzbart *m* ↑ *Schnurrbart* moustache

Schnauze *f* <-, -n> [1] (*Hunde~*) snout [2] *FAM* ↑ *Mund* trap, gob

Schnecke *f* <-, -n> ZOOL snail; **Schneckenhaus** *s* snail's shell

Schnee *m* <-s> [1] snow [2] (*Ei~*) eggwhite; **Schneeball** *m* snow ball; **Schneekette** *f* snow chains *pl;* **Schneesturm** *m* snowstorm; **Schneewittchen** *s* Snow White

Schneid *m* <-[e]s> *FAM* ↑ *Mut* courage, gumption

schneiden <schnitt, geschnitten> **I.** *vt* [1] → *Papier, Brot* cut; → *Film* edit; → *Haare, Hecke* cut [2] ◇ **sich** *akk* - to cut o.s.; *FIG* ↑ *meiden* → *jd-n* avoid s.o. **II.** *vi* ← *Messer* cut through **III.** *vr* ◇ **sich** - ↑ *sich kreuzen* ← *Linien* intersect

schneidend *adj* [1] ↑ *eiskalt* ▷*Wind, Kälte* biting, piercing [2] *FIG* ↑ *bissig* ▷*Bemerkung* cutting

Schneider(in *f*) *f* <-s, -> tailor, dressmaker

schneidig *adj FIG* dynamic, sporting

schneien *vi* snow

Schneise *f* <-, -n> open area

schnell I. *adj* [1] ▷*Auto, Bewegung* fast [2] ▷*Entschluß* quick **II.** *adv* [1] ▷*fahren, arbeiten* quickly [2] (*leicht*) quickly, easily; **schnellebig** *adj* ▷*Zeit* short-lived, fast-moving

schnellen *vi* ↑ *federnd springen* shoot, fly; ← *Gummiband* shoot; ◇ **in die Höhe** - to skyrocket

Schnelligkeit *f* quickness, fastness; **Schnellimbiß** *m* snack bar; **schnellstens** *adv* as quickly as possible; **Schnellstraße** *f* dual carriageway; **Schnellzug** *m* fast train, express train

schneuzen *vr* ◇ **sich** - blow o.'s nose

schnippisch *adj* ▷*Antwort* saucy, cheeky

schnitt *impf v.* **schneiden**

Schnitt *m* <-[e]s, -e> [1] (*Schneiden, von Papier etc.*) cutting; (*von Baum*) cutting; (*an Buch*) edge [2] ↑ *Ergebnis von Schneiden* (*Haar-*) cut; (*-muster*) pattern; (*-wunde*) cut [3] (*-punkt*) point of intersection [4] (*Quer-*) cross section; (*Durch-*) average [5] *FAM* ↑ *Gewinn* profit; ◇ **einen guten - machen** to make a good profit

Schnitte *f* <-, -n> ▷*belegt* sandwich

Schnittfläche *f* section; **Schnittpunkt** *m* point of intersection; **Schnittwunde** *f* cut, gash

Schnitzel *s* <-s, -> [1] (GASTRON *Schweine-, Kalbs-*) pork/veal cutlet [2] ↑ *Fetzen* (*Papier-*) scrap, piece

schnitzen *vti* → *Figuren* carve

Schnitzer(in *f*) *m* <-s, -> [1] carver [2] *FAM* ↑ *Fehler* blunder, mistake

Schnorchel *m* <-s, -> snorkel

Schnörkel *m* <-s, -> (ARCHIT *an Gebäuden*) scroll; (*an Unterschrift*) squiggle

schnorren *vti FAM* → *Zigaretten* scrounge

schnüffeln *vti* [1] ↑ *schnuppern* ← *Hund* sniff [2] *FAM* → *Rauschstoffe* sniff [3] *FAM* ↑ *durchsuchen* snoop around

Schnuller *m* <-s, -> dummy *BRIT*, pacifier *AM*

Schnupfen *m* <-s, -> cold; (*Heu-*) hay fever

schnuppern *vi* sniff

Schnur *f* <-, Schnüre> [1] ↑ *Seil, Faden* cord [2] (ELECTR *Verlängerungs-*) lead, flex; **schnurgerade** *adj* dead straight; **schnüren** *vt* [1] ↑ *festbinden* → *Paket* tie [up] [2] ↑ *zumachen* → *Schuhe* tie, lace [up]

Schnurrbart *m* moustache

schnurren *vi* [1] ← *Katze* purr [2] ↑ *brummen* whir, hum

schob *impf v.* **schieben**

Schock *m* <-[e]s, -e> [1] (*Schrecken*) shock [2] (*Elektro-*) electroshock treatment; **schocken** *vt FAM* ↑ *erschrecken* → *jd-n* shock; **schockieren** *vt* shock

Schokolade *f* [1] (*Vollmilch-*) chocolate [2] (*Getränk*) [hot] chocolate

Scholle *f* <-, -n> [1] (*Erd-*) clod [2] (*Eis-*) floe [3] ZOOL plaice

schon *adv* [1] ↑ *bereits* already; ◇ - **morgen** tomorrow [2] ↑ *unmittelbar danach* ◇ **kaum war sie weg, - fing es an zu regnen** she had hardly left when it began to rain [3] ↑ *allein, nur* just, alone; ◇ - **die Vorstellung** just the thought of it [4] ↑ *zwar* ◇ **ich weiß -, aber ...** I know that [of course], but ... [5] ↑ *bestimmt* definitely, for sure; ◇ **das wird - gut** that will definitely be good [6] ◇ **das ist - immer so** that has always been like that

schön *adj* [1] ↑ *erfreulich, angenehm* nice, pleasant; ◇ **ein -er Abend** a nice evening [2] ▷*Frau, Stadt* beautiful, lovely [3] ↑ *nett* nice; ◇ **-e Grüße** best wishes [4] ↑ *groß* big, great; ◇ **Ein -es Durcheinander!** What a mess! [5] *FAM* ↑ *ziemlich, sehr* very, quite; ◇ **er hat sich - blamiert** he really made a fool of himself [6] ↑ *gut* ◇ **Schlaf -!** Sleep well!

schonen I. *vt* ↑ *behutsam behandeln* → *Kleidung, Nerven* look after, take care of **II.** *vr* ◇ **sich** - take it easy; **schonend** *adj* careful, gentle, considerate

Schönheit *f* [1] (*von Person*) beauty [2] (*schöne Beschaffenheit*) beauty [3] *FAM* ↑ *schöne Frau* beauty; ◇ **sie ist eine** - she is a beauty; **Schönheitsfehler** *m* (*von Person*) blemish, flaw; (*von Sache*) flaw; **schönmachen** *vr* ◇ **sich** - make o.s. up/presentable

Schonung I. *f* <-> [1] ↑ *pflegliches Behandeln* (*von Gesundheit etc.*) good care [2] ↑ *Nachsicht* consideration **II.** *f* ↑ *Waldbestand* young tree preservation; **schonungslos** *adj* inconsiderate, harsh; ◇ **-e Offenheit** bluntness

schöpfen *vt* [1] (*mit Gefäß, Hand etc.*) scoop up [2] ↑ *wiedergewinnen* → *Mut* summon up [3] → *Atem* draw, take [4] ↑ *kreieren, schaffen* → *Kunstwerk* create; **Schöpfung** *f* [1] ↑ *das Schaffen*

creating [2] ↑ *Kreation* creation [3] (*Erschaffung der Welt*) the Creation
schor *impf v.* **scheren**
Schornstein *m* [1] (*von Haus*) chimney [2] (NAUT *von Schiff*) funnel
schoß *impf v.* **schießen**
Schoß *m* <-es, Schöße> [1] lap [2] ANAT ↑ *Mutterleib* womb
Schotte *m* <-n, -n> Scot, Scotsman
Schotter *m* <-s> (*von Straße, Eisenbahn*) gravel
Schottin *f* Scot, Scotswoman; **Schottland** *s* Scotland
schräg *adj* [1] ↑ *nicht gerade* ▷*Wände* slanting, crooked; ◇ - **gegenüber** diagonally opposite [2] *FAM* ↑ *merkwürdig* ◇ **ein -er Vogel** a strange fellow; **Schräge** *f* <-, -n> slant
Schramme *f* <-, -n> scratch; **schrammen** *vt* scratch, scrape
Schrank *m* <-[e]s, Schränke> [1] (*Küchen-*) cupboard; (*Kleider-*) wardrobe [2] (*FAM Person*) great hulk, giant
Schranke *f* <-, -n> [1] ↑ *Barriere* (*Bahn-*) barrier [2] *FIG* ↑ *Grenze, Hemmung* barrier, limit; **schrankenlos** *adj* [1] (*ohne Schranke*) unrestrained [2] *FIG* ↑ *zügellos* boundless, unlimited
Schraube *f* <-, -n> [1] (*Holz-, Flügel-*) screw, bolt [2] ↑ *Propeller* propeller [3] SPORT twist; **schrauben** *vt* [1] ▷*fest* screw [2] (*mit Schrauben befestigen*) screw on [3] *FIG* ◇ **Ansprüche höher/niedriger** - to wind up/down; **Schraubenzieher** *m* <-s, -> screwdriver
Schreck *m* <-[e]s, -e> fright, shock; **Schrekken** *m* <-s, -> [1] (*plötzliches Angstgefühl*) fright; ◇ **jd-m einen - einjagen** to give s.o. a fright [2] ↑ *Grauen* (*von Katastrophe, Krieg*) horrors *pl;* **schrecken** *vt* frighten, scare; **schreckhaft** *adj* nervous, jumpy; **schrecklich** *adj* [1] ↑ *entsetzlich* ▷*Erfahrung* awful, terrible, dreadful [2] *FAM* ↑ *sehr* really, very, terribly; ◇ - **müde** terribly tired
Schrei *m* <-[e]s, -e> [1] ↑ *Ruf* (*Freuden-*) shout; ▷*gellend* scream; ▷*brüllend* shout, roar, yell [2] *FIG* ↑ *starkes Verlangen* call
Schreibblock *m* writing pad; **schreiben** <schrieb, geschrieben> **I.** *vt* [1] → *Namen, Wort* write; → *Brief* write; ◇ **sich** *dat* - to write to each other, to correspond [2] ↑ *buchstabieren* spell; ◇ **wie schreibt man ...?** how do you spell ...? [3] ↑ *ausstellen* → *Rechnung* write up/out [4] ↑ *attestieren* confirm **II.** *vi* [1] ▷*schnell* write; (*mit Maschine*) type; ◇ **lesen u.** - reading and writing [2] ↑ *berichten* (*in Brief*) write; **Schreiben** *s* <-s, -> letter; **schreibfaul** *adj* not a good letter writer; **Schreibfehler** *m* spelling mistake; **Schreibkraft** *f* (*Sekretär/in*) [shorthand] typist, clerical staff; **Schreibmaschine** *f* typewriter; **Schreibtisch** *m* desk; **Schreibung** *f* spelling; **Schreibwaren** *pl* stationery; **Schreibweise** *f* ↑ *Orthographie* spelling; ↑ *Stil* style
schreien <schrie, geschrien> **I.** *vi* [1] ↑ *laut rufen* shout (*nach* for); ◇ **vor Schmerzen** - to scream with pain [2] ↑ *kreischen* ← *Tiere, Kinder* shriek [3] ↑ *weinen* ← *Baby* howl [4] *FIG* ↑ *verlangen* ◇ **es schreit zum Himmel** it's a scandal **II.** *vt* shout; ◇ **Hilfe** - to cry out for help; **schreiend** *adj* [1] ↑ *brüllend, kreischend* screaming, shrieking [2] *FIG* ↑ *unerhört, empörend* unheard of, disgraceful [3] ↑ *grell* ▷*Farbe* glaring
Schreiner(in *f*) *m* <-s, -> [1] ↑ *Tischler* (*Möbel-*) cabinet maker [2] ↑ *Zimmermann* carpenter, joiner; **Schreinerei** *f* joiner's workshop
schrie *impf v.* **schreien**
schrieb *impf v.* **schreiben**
Schrift *f* <-, -en> [1] ▷*lateinisch, arabisch* letters [2] ↑ *Hand-* handwriting [3] ↑ *Text* text; ◇ **eine alte** - an old text [4] PRINT (*Kursiv-, Druck-*) typeface; **schriftlich I.** *adj* written **II.** *adv auch FIG*: ◇ **jd-m etw - geben** to give s.o. s.th. in writing; **Schriftsprache** *f* written language; **Schriftsteller(in** *f*) *m* <-s, -> (*Roman-*) author, writer; **Schriftstück** *s* document
schrill *adj* ▷*Stimme* shrill; ↑ *grell* ▷*Farbe* shrill, glaring
Schritt *m* <-[e]s, -e> [1] (▷*kurz, lang, Eil-, Wander-, Wechsel-*) pace, tempo; ◇ **ein paar -e von hier** not far from here [2] ▷*schleppend, beschwingt* walk [3] *FIG* ↑ *Vorgehen, Maßnahme, Aktion* (*Fort-*) measures *pl;* **Schrittempo** *s:* ◇ **im** - at a walking pace
schroff *adj* [1] ▷*Felsen* jagged, steep [2] ↑ *abrupt* ▷*Wechsel* sudden, abrupt [3] *FIG* ↑ *barsch, unfreundlich* brusque, gruff, short
schröpfen *vt FAM* ↑ *ausnehmen* milk
Schrot *m o s* <-[e]s, -e> [1] (*Roggen-*) wholemeal [2] (*Blei-*) pellets; **Schrotflinte** *f* shotgun
Schrott *m* <-[e]s, -e> [1] ↑ *Altmetall* scrap metal [2] *FAM* ↑ *wertloses Zeug* rubbish; **Schrotthaufen** *m FAM* ↑ *altes Auto* scrap heap
schrubben *vt* → *Boden* scrub
Schrulle *f* <-, -n> [1] ↑ *wunderliche Laune* quirk [2] *alte Frau, PEJ* old bag
schrumpfen *vi* (*kleiner werden, eingehen*); ← *Stoff* shrink; ← *Obst* shrivel; ← *Kapital* dwindle
Schubkarren *m* whellbarrow; **Schublade** *f* (*von Tisch, Schrank*) drawer
schüchtern *adj* [1] ▷*Junge* shy [2] ↑ *vorsichtig* ▷*Versuch* hesitant, careful
schuf *impf v.* **schaffen**

Schuft *m* <-[e]s, -e> scoundrel; *FAM* creep
schuften *vi FAM* slave
Schuh *m* <-[e]s, -e> shoe; **Schuhcreme** *f* shoe creme, shoe polish
Schulaufgaben *f pl* homework; **Schulbesuch** *m* school attendance
schuld *adj:* ◇ ~ **sein** be to blame; ◇ **er ist** [*o.* **hat**] ~ he is guilty; **Schuld** *f* <-, -en> [1] ↑ *Verantwortlichsein* blame (*für, an dat* for); ◇ **jd-m die** ~ **geben** to blame s.o. [2] ↑ *Verfehlung* wrongdoing; ◇ **sich** *dat* **keiner** ~ **bewußt sein** to not be aware of any wrongdoing; **schulden** *vt* → *Geld, Leben* owe; **Schulden** *pl* FIN debt; **Schuldgefühl** *s* sense of guilt, guilty feeling; **schuldig** *adj* [1] ↑ *verantwortlich* guilty (*an dat* of); JURA ◇ **sich** ~ **bekennen** to plead guilty [2] ↑ *verpflichtet* obligated; **schuldlos** *adj* innocent; **Schuldner(in** *f*) *m* <-s, -> debtor
Schule *f* <-, -n> (*Grund~, Real~, Ober~*) school; (*Ingenieur~, Musik~*) academy, college; (*Abend~, Volkshoch~*) school, college
Schüler(in *f*) *m* <-s, -> (*Haupt~, Berufs~*) pupil, schoolboy/girl
Schulferien *pl* school holidays *pl;* **schulfrei** *adj:* ◇ **~er Tag** day off; **Schulhof** *m* schoolyard, playground; **Schuljahr** *s* school year; **schulpflichtig** *adj* of school age; **Schulstunde** *f* lesson, period, class
Schulter *f* <-, -n> ANAT shoulder
Schulung *f* schooling, education
Schulwesen *s* educational system; **Schulzeugnis** *s* school report
Schund *m* <-[e]s> rubbish, waste; **Schundliteratur** *f* trashy novels *pl*
Schuppe *f* <-, -n> [1] (*von Fisch, Reptilien*) scale [2] ◇ **~n** dandruff; **schuppen I.** *vt* → *Fisch* scale **II.** *vr* ◇ **sich** ~ peel
Schuppen *m* <-s, -> [1] ↑ *Abstellraum* (*Geräte~*) shed [2] (*Beat~*) joint, hang-out
schüren *vt* [1] ↑ *heizen* → *Ofen* poke [2] *FIG* ↑ *aufhetzen* → *Konflikt* stir, look for trouble
schürfen I. *vi* MIN dig for, prospect **II.** *vt* → *Haut* scrape, graze; **Schürfung** *f* [1] (MIN *von Erzen*) prospecting [2] (*Haut~*) graze, cut, abrasion
Schurke *m*
Schurkin *f* rogue
Schürze *f* <-, -n> apron
Schuß *m* <-sses, Schüsse> [1] (*Gewehr~*) shot [2] ↑ *Geschoß* bullet [3] (*Tor~, von Ball*) shot, strike [4] (*FAM wachsen*) ◇ **einen** ~ **tun** to shoot up
Schüssel *f* <-, -n> (*Salat~*) bowl, dish
Schußverletzung *f* bullet wound; **Schußwaffe** *f* firearm, gun
Schuster(in *f*) *m* <-s, -> ↑ *Schuhmacher* shoemaker
Schutt *m* <-[e]s> [1] ↑ *Gesteinstrümmer* (*Bau~*) rubble [2] ↑ *Müll* rubbish, waste, garbage, trash *AM*
Schüttelfrost *m* the shivers *pl;* **schütteln I.** *vt* → *Baum* shake; → *Hand* shake hands; → *Kopf* shake **II.** *vr* ◇ **sich** ~ (*vor Lachen*) shake; (*vor Kälte*) shiver; (*vor Angst*) shiver, shudder
schütten I. *vt* → *Zucker, Kies, Wasser* pour **II.** *vi impers* pour down; ◇ **es schüttet** it's pouring, it's bucketing down
Schutz *m* <-es> [1] ↑ *Unterstützung, Hilfe* protection, support; ◇ **jd-n in** ~ **nehmen** to protect s.o. [2] ↑ *Unterschlupf* shelter, refuge; ◇ **jd-m** ~ **bieten** to offer s.o. shelter [3] ↑ *Verteidigung* (*Geleit~*) protection; **Schutzblech** *s* (*von Fahrrad*) mudguard; **Schutzbrief** *m* AUTO motor insurance
Schütze *m* <-n, -n> [1] (*Revolver~*) rifleman, marksman; (*Bogen~*) archer [2] (SPORT *Tor~*) scorer [3] ASTROL Sagittarius
schützen *vt verteidigen* → *jd-n* protect; → *Natur* conserve; → *Patent* patent
Schutzengel *m* guardian angel; **Schutzgebiet** *s* (*Natur~*) reserve; **schutzlos** *adj* defenceless; **Schutzmaßnahme** *f* protective measure
schwach *adj* [1] ↑ *kraftlos* ▷*körperlich* weak [2] ↑ *nicht gehaltvoll* ▷*Kaffee, Tee* weak, watery [3] ↑ *nicht zahlreich* poor; ◇ ~ **besuchte Ausstellung** poorly attended exhibition [4] ▷*Leistung* poor; ▷*Film, Vorstellung* poor, bad [5] ↑ *nachgiebig, weich* soft; ◇ ~ **werden** to get soft, to give in;
Schwäche *f* <-, -n> [1] ▷*körperlich* weakness [2] (*Charakter~*) weakness, weak point, failing [3] (*von Leistung*) failing; **schwächen** *vt* [1] ↑ *ermüden* weaken [2] ↑ *vermindern* → *Einfluß* reduce, diminish
Schwächling *m* weakling
Schwachsinn *m* [1] (*Mangel an Intelligenz*) imbecility [2] *FIG* ↑ *Unsinn* nonsense; **schwachsinnig** *adj* [1] ↑ *geistig behindert* mentally deficent [2] ↑ *unsinnig* ▷*Idee* crazy, ridiculous, silly;
Schwachstelle *f* weak spot
Schwächung *f* [1] (*Entkräftung, von Körper*) weakening [2] (*FIG von Argument*) weakening
schwafeln *vti FAM* waffle
Schwager *m* <-s, Schwäger> brother-in-law
Schwägerin *f* sister-in-law
Schwalbe *f* <-, -n> swallow
Schwall *m* <-[e]s, -e> [1] (*Wasser~*) splash [2] (*FIG von Worten*) surge, torrent
schwamm *impf v.* **schwimmen**
Schwamm *m* <-[e]s, Schwämme> [1] ZOOL sponge [2] (BIO *Pilz*) fungus [3] (*Bade~*) sponge

S

schwand *impf v.* **schwinden**
schwang *impf v.* **schwingen**
schwanger *adj* pregnant; **schwängern** *vt* make s.o. pregnant; **Schwangerschaft** *f* pregnancy; **Schwangerschaftsabbruch** *m* abortion
schwanken *vi* [1] → *Baum* sway [2] ↑ *taumeln, schaukeln* stagger [3] → *Preise, Gewicht* fluctuate [4] ↑ *zögern* hesitate; **Schwankung** *f* (*von Preisen, Gewicht, Temperatur*) fluctuation
Schwanz *m* <-es, Schwänze> [1] (*von Tier*) tail [2] ↑ *Anhang, Schlußteil* tail [3] (*FAM niemand*) ◇ **kein** ~ nobody, not a soul
schwänzen I. *vt FAM* → *Schule, Vorlesung* skip; *FAM* skive **II.** *vi* play truant
Schwarm *m* <-[e]s, Schwärme> [1] (*Gruppe, Bienen-*) swarm; (*von Menschen*) swarm, crowd [2] *FAM* heartthrob; ◇ **ihr neuester** ~ her latest heartthrob; **schwärmen** *vi:* ◇ ~ **für** to be mad about
schwarz *adj* [1] ▷*Haar, Stoff* black; ◇ **etw** ~ **auf weiß haben** to have s.th. in black and white [2] (*Person*) black; ◇ **S~e(r)** *fm* black person [3] ↑ *illegal* illegal; ◇ **S~er Markt** black market [4] *FIG* ↑ *bissig, pessimistisch* black, gloomy; **Schwarzarbeit** *f* illegal work
schwarzfahren *unreg vi* [1] (*in Bus, Zug etc.*) travel without paying [2] (*ohne Führerschein fahren*) drive without a licence; **Schwarzmarkt** *m* black market; **schwarzsehen** *unreg vi FAM* ↑ *pessimistisch sein* see only the gloomy side of things, to take a dim view
schwatzen schwätzen I. *vi* (*in Schule*) chatter **II.** *vt* ↑ *daherreden:* ◇ **dummes Zeug** ~ chatter; *FAM* natter
Schwebe *f FIG:* ◇ **in der** ~ **sein** to be undecided; **schweben** *vi* [1] ↑ *fliegen* fly, soar [2] ↑ *hoch hängen* be suspended; ◇ **in Gefahr** ~ to be in danger [3] *FIG* ↑ *unentschieden sein* ← *Prozeß* be undecided
Schwede *m* <-n, -n> Swede; **Schweden** *s* Sweden; **Schwedin** *f* Swede
Schweif *m* <-[e]s, -e> [1] ↑ *Schwanz* (*von Hund*) tail [2] (*von Komet*) train
Schweigegeld *s* hush money; **schweigen** <schwieg, geschwiegen> *vi* [1] ← *Person* stop talking [2] ↑ *still sein* be silent; **Schweigen** *s* <-s> silence; **schweigsam** *adj* silent
Schwein *s* <-[e]s, -e> [1] (ZOOL *Haus-, Wild-*) pig [2] *FAM* filthy pig, swine; **Schweinefleisch** *s* pork; **Schweinerei** *f* [1] *FAM* ↑ *Durcheinander, Schmutz* mess [2] ↑ *Gemeinheit* dirty joke, obscenity
Schweiß *m* <-es> sweat
schweißen *vti* → *Metall* weld
Schweiz *f* Switzerland; **Schweizer(in** *f*) *m* <-s, -> Swiss; ◇ **die** ~ *pl* the Swiss
schwelen *vi* smoulder
schwelgen *vi* [1] (*in Luxus leben*) revel in, indulge [2] *FIG* ◇ **in Erinnerungen** ~ to wallow in memories
Schwelle *f* <-, -n> [1] (*Tür-*) threshold, doorstep [2] *FIG* ↑ *Übergang* step [3] BAHN sleeper
Schwellung *f* MED swelling
schwenken I. *vt* [1] (*hin u. her schwingen*) swing; → *Fahne* wave [2] ↑ *ausspülen* (*mit Wasser*) rinse **II.** *vi* ↑ *abbiegen* switch, turn; ◇ **nach links** ~ to turn left
schwer I. *adj* [1] ▷*Koffer, Person* heavy; ◇ **65 Kilo** ~ **sein** to weigh 65 kilos [2] ↑ *schwierig* ▷*Aufgabe* difficult; ▷*Lektüre* difficult [3] ↑ *schlimm* ▷*Katastrophe* serious [4] *FIG* ◇ **~en Herzens** heavy heart **II.** *adv* ↑ *sehr:* ◇ **schwer verletzt** dangerously wounded; **Schwere** *f* <-, -n> [1] PHYS ↑ *Schwerkraft* gravity [2] ↑ *Schwersein* heaviness, weight [3] ↑ *Wichtigkeit* (*von Entscheidung*) importance; **schwerelos** *adj* weightless; **schwerfallen** *unreg vi* ← *Arbeit, Entscheidung* be difficult; **schwerfällig** *adj* awkward, clumsy; **schwerhörig** *adj* hard of hearing; **Schwerkranke(r)** *fm* seriously ill person; **schwermachen** *vt:* ◇ **jd-m/sich das Leben** ~ to make s.o.'s life hard, to give s.o. a hard time; **schwernehmen** *unreg vt* take s.th. hard; **Schwerpunkt** *m FIG* (*von Problem*) main emphasis
Schwert *s* <-[e]s, -er> sword
schwertun *unreg vi:* ◇ **sich** *dat o akk* ~ to make heavy weather of s.th.; **Schwerverbrecher(in** *f*) *m* felon, serious offender; **schwerverletzt** *adj* seriously injured; **schwerwiegend** *adj* ▷*Fehler, Frage* serious, grave
Schwester *f* <-, -n> [1] sister [2] MED nurse, sister [3] (*Ordens-*) sister, nun
schwieg *impf v.* **schweigen**
Schwiegereltern *pl* parents-in-law *pl;* **Schwiegermutter** *f* mother-in-law
schwierig *adj* [1] ↑ *anspruchsvoll, mühevoll* ▷*Aufgabe, Arbeit* hard, difficult [2] ▷*Mensch* difficult, hard to handle; **Schwierigkeit** *f* [1] (*von Arbeit*) difficulty [2] ↑ *Hindernis* difficulty; ◇ **~en überwinden** to overcome difficulties
Schwimmbad *s* swimming pool, swimming baths *pl;* **schwimmen** <schwamm, geschwommen> *vi* [1] (*im Wasser*) to swim [2] *a.* SPORT ▷*regelmäßig* to swim [3] ← *Wohnung* to swim, to be flooded; **Schwimmweste** *f* life jacket, life vest

Schwindel *m* <-s> ① (*-gefühl*) dizziness ② ↑ *Betrug* swindle, lie; ◇ **das ist doch alles** - that's just a pack of lies; **schwindelfrei** *adj* free of giddiness, to have a head for heights; **schwindeln** *vi* ① *FAM* ↑ *lügen* to fib ② (*schwindlig werden*) to feel dizzy; ◇ **mir schwindelt** I feel dizzy

schwinden <schwand, geschwunden> *vi* ① ← *Geld, Reserve* to dwindle, to decrease; ← *Kraft, Mut, Hoffnung* to dwindle, to die ② ↑ *verblassen* ← *Farbe* to fade; ↑ *leiser werden* ← *Ton* to fade

schwindlig *adj* dizzy, giddy; ◇ **mir ist** - I feel dizzy

schwingen <schwang, geschwungen> **I.** *vt* ① → *Fahne etc.* to wave ② ↑ *ausholen* → *Lasso* to swing **II.** *vi* ① ↑ *schaukeln* ← *Pendel* to swing ② ↑ *vibrieren* ← *Klang* to vibrate **III.** *vr* ◇ **sich** -: ◇ **sich über etw** - to swing o.s. over s.th.; **Schwingung** *f* PHYS (*von Ton, Saite*) vibration

Schwips *m* <-es, -e>: ◇ **einen** - **haben** to be a bit tipsy

schwirren *vi* ① ← *Mücke* to whirr, to buzz ② *FAM* ▷*hektisch* to whizz about

schwitzen *vi* (*bei Anstrengung*) to sweat, perspire; (*vor Angst*) to sweat

schwören <schwor, geschworen> *vti* ① (*beeiden*) to swear to, to take an oath ② → *Treue* to swear, to vow

schwul *adj FAM* homosexual; *FAM* gay

schwül *adj* ▷*Klima* humid, muggy

Schwund *m* <-[e]s> ① (*von Reserve, Vorrat*) dwindling ② (MED *Knochen-, Muskel-*) shrinking

Schwung *m* <-[e]s, Schwünge> ① (*Ski-*) jump, leap ② (*von Augenbrauen*) curve ③ *FIG* ↑ *Triebkraft, Elan* drive ④ *FAM* ↑ *Menge* batch; ◇ **ein** - **Arbeit** a load of work; **schwunghaft** *adj FIG* ▷*Geschäft* flourishing; **schwungvoll** *adj* ▷*Worte, Melodie* lively, full of life, melodic

Schwur *m* <-[e]s, Schwüre> ① JURA ↑ *Eid* oath ② ↑ *Gelöbnis* (*Liebes-*) vow, declaration

sechs *nr* ① six ② SCHULE ↑ *ungenügend* F; **sechshundert** *nr* six hundred; **sechsjährig** *adj* ① (*6 Jahre alt*) six-year-old; ◇ **ein -er Junge** a six-year-old-boy ② (*6 Jahre dauernd*) for six years; ◇ **ein -er Aufenthalt** a six-year stay; **sechste(r, s)** *adj* sixth; (*gesprochen*) ◇ **der** - **Mai** the sixth of May; (*geschrieben*) ◇ **Bonn, den 6. Mai** Bonn, 6th May; **Sechste(r)** *fm* sixth

sechzehn *nr* sixteen

sechzig *nr* sixty

See [1] *f* <-, -n> sea

See [2] *m* <-s, -n> ① (*Boden-*) lake ② (*Stau-*) dam; **Seebad** *s* seaside resort, holiday resort; **seekrank** *adj* seasick

Seele *f* <-, -n> soul, spirit; **Seelenruhe** *f* ↑ *Gemütsruhe* calmness; ◇ **in aller** - with absolute calmness

seelisch *adj* ▷*Gleichgewicht, Not* mental, spiritual

Seelöwe *m* sea lion

Seelsorge *f* spiritual welfare

Seeluft *f* ocean air, sea air; **Seemacht** *f* naval/maritime power; **Seemann** *m* <-s, Seeleute> sailor; **Seemannsgarn** *s* <-s> *FIG*: ◇ - **spinnen** to tell a tall tale; **Seemeile** *f* nautical mile; **Seenot** *f* <-> distress at sea; **Seerose** *f* water lily; **Seeschiffahrt** *f* maritime shipping; **Seestern** *m* starfish; **seetüchtig** *adj* seaworthy; **Seeweg** *m* sea route; ◇ **auf dem** - by ship; **Seewind** *m* sea breeze; **Seezunge** *f* sole

Segel *s* <-s, -> sail; **Segelboot** *s* sailboat; **Segelflug** *m* gliding; **Segelflugzeug** *s* glider; **Segeljacht** *f* sailing yacht; **segeln** *vti* sail; *FAM* ↑ *nicht bestehen* ◇ **durch ein Examen** - to flunk an exam; **Segelschiff** *s* sailing ship

Segen *m* <-s, -> blessing; *FAM* ↑ *Einverständnis* ◇ **jd-s** - **haben** to have s.o.'s blessings

Segment *s* <-s, -e> ↑ *Teilstück* segment, section

segnen *vt* ← *Pfarrer* bless

sehen <sah, gesehen> **I.** *vti* ① see; (*in bestimmte Richtung*) look; (*FIG jd-n/etw nicht mehr leiden können*) ◇ **ich kann ihn nicht mehr** - I can't stand him any more ② ↑ *bemerken, erkennen* recognize, see ③ ↑ *überlegen, prüfen* see; ↑ *[ab-]warten* ◇ **ich muß erst -, ob sie überhaupt kommt** I first have to see if she even comes ④ ↑ *sich kümmern um* ◇ **nach jd-m/etw** - to see about s.o./s.th. **II.** *vr* ◇ **sich** - ① ↑ *sich treffen* see one another ② (*bestimmte Vorstellung haben*) ◇ **sich** - **als** to see o.s. as ③ (*jd-n besuchen*) ◇ **sich bei jd-m** - **lassen** to drop by at s.o.'s house ④ (*FIG positive Beurteilung*) ◇ **das kann sich** - **lassen** that's presentable ⑤ ↑ *erkennen, daß* ◇ **sich gezwungen/veranlaßt -, etw zu tun** to be forced to do s.th.; **Sehenswürdigkeit** *f* attraction, sight; **Sehkraft** *f* ↑ *Sehvermögen* eyesight

Sehne *f* <-, -n> MED sinew, tendon

sehnen *vr* ◇ **sich** - long, yearn (*nach* for)

sehnig *adj* ▷*Gestalt* skinny, slanky

Sehnsucht *f* longing, yearning

sehr *adv* very; ◇ **zu** - too much

seicht *adj* ▷*Wasser* shallow

Seide *f* <-, -n> silk; **seidig** *adj* ▷*Glanz, Fell* silky, silken

Seife *f* <-, -n> soap; **Seifenblase** *f* soap-bubble; **Seifenoper** *f* MEDIA soap opera

Seil *s* <-(e)s, -e> rope; **Seilbahn** *f* cable lift; **Seilspringen** *s* jump-roping; **Seilzug** *m* bowden cable/wire

sein <war, gewesen> *vi* [1] (*als Hilfsverb*) be [2] (*Zustand, Eigenschaft, Gefühl*) be; ◇ **mir ist schlecht** I feel sick; ◇ **sie ist sehr talentiert** she is very talented [3] ↑ *existieren* be, exist [4] ↑ *sich befinden* be; ◇ **das Buch ist im Regal** the book is in the shelf [5] ↑ *geschehen, stattfinden* be, take place, happen; ◇ **Was ist los?** What's the matter? [6] ↑ *bestehen aus* be made (*aus dat* of/from); ◇ **das ist aus Gold** that is made of gold [7] (~ + *zu* + *inf*) ◇ **das ist noch zu erledigen** that is still to be done

sein *pron poss v.* **er, es** (*von Mann*) his; (*von Mädchen*) her; (*von Sache*) its; (*von Städten, Schiffen*) its, her

Sein *s* <-s> (*Dasein, Existenz*) existence, being

seiner *pron gen v.* **er, es:** ◇ **wir haben ~ gedacht** we thought of him

seinerseits *adv* on his part/behalf

seinerzeit *adv* then, at that time, in those days

seinesgleichen *pron* his kind, his equals *pl; PEJ* ◇ **was kann man schon von ~ erwarten?** what can one expect from this type of person?

seinethalben, **seinetwegen** *adv* ↑ *wegen ihm* due to him, because of him; ↑ *ihm zuliebe* for his sake

seinlassen *irr vt:* ◇ **laß es sein** leave it

seit I. *präp dat* for, since; ◇ **~ langem** for a long a time; ◇ **er ist ~ e-r Woche hier** he has been here for a week now II. *cj* ↑ *seitdem* since; **seitdem** I. *adv* ↑ *seither* since then, since that time II. *cj* [ever] since

Seite *f* <-, -n> [1] (*Außen~, Vorder~*) side; *FIG* ↑ *helfen* ◇ **jd-m zur ~ stehen** to stand by s.o.'s side [2] (*Buch~, Zeitungs~*) page; (*von Papier, Stoff*) sheet [3] *FIG* ↑ *Verhaltensweise, Eigenschaft* side; ◇ **sich von der besten ~ zeigen** to show o.'s best side [4] ↑ *Richtung* side, direction; ◇ **von allen ~n herbeiströmen** to pour in from all sides; ◇ **rasch zur ~ springen** to quickly jump aside [5] ↑ *Gesichtspunkt* point of view, aspect; ◇ **von juristischer ~** from a legal point of view [6] ↑ *Partei, Gruppe, Gegner* side; **Seitenausgang** *m* side door; **seitens** *präp gen* on behalf of; **Seitensprung** *m FIG* ↑ *Ehebruch* fling; **Seitenstreifen** *m* verge; (*von Autobahn*) shoulder *AM*

seither *adv* since then

seitlich I. *adj* lateral, side II. *präp gen* at the side of

Sekretär(in *f*) *m* (*Büroangestellte(r)*) secretary

Sekt *m* <-(e)s, -e> champagne

Sekte *f* <-, -n> ▹*religiös* sect, cult

sekundär *adj* ▹*Bedeutung* secondary

Sekunde *f* <-, -n> second

selber *pron s.* **selbst** -self; ◇ **das glaubst du doch ~ nicht!** you don't believe that yourself, do you?

selbst I. *pron:* ◇ **er/sie ~** he himself/she herself; ◇ **das geht wie von ~** it works almost automatically II. *adv* ↑ *sogar* even; ◇ **S~ er kann das!** Even he can do it!; **Selbstachtung** *f* self-respect; **selbständig** *adj* [1] ▹*Mensch* independent [2] ▹*Arbeit* self-employed; ◇ **sich ~ machen** to become self-employed, to set up o.'s own business; **Selbstbedienung** *f* self-service; **Selbstbeherrschung** *f* self-control; **Selbstbestimmung** *f* self-determination, autonomy; **selbstbewußt** *adj* ▹*Auftreten, Benehmen* self-assured, self-confident; **selbstgefällig** *adj* ↑ *eitel* ▹*Mensch* vain; ▹*Miene* complacent; **selbstgemacht** *adj* ↑ *handgefertigt* home-made, hand-made; **selbstklebend** *adj* ▹*Folie* self-adhesive; **selbstkritisch** *adj* self-critical; **selbstlos** *adj* ▹*Mensch* unselfish; ▹*Hilfe, Verzicht* selfless; **Selbstmord** *m* ↑ *Suizid* suicide; **selbstmörderisch** *adj* suicidal; **selbstsicher** *adj* ▹*Mensch, Haltung* self-confident; **selbsttätig** *adj* ↑ *automatisch* automatic, self-acting; **Selbsttäuschung** *f* self-deception; **selbstverständlich** *adv* naturally, of course; ◇ **S~!** By all means!; **Selbstverteidigung** *f* self-defence; **Selbstvertrauen** *s* self-confidence; **Selbstverwaltung** *f* autonomy, self-administration

selektiv *adj* selective

selig *adj* blessed; (*FAM glücklich*) ◇ **~ sein** to be blissful

selten I. *adj* ▹*Tier* rare, seldom; ▹*Begabung* rare, exceptional II. *adv* rarely, seldom

Selterswasser *s* mineral/soda water

seltsam *adj* ↑ *befremdlich, merkwürdig* strange, odd

Semester *s* <-s, -> semester, term

Seminar *s* <-s, -e> seminar, lecture

sen. *Abk v.* **Senior** senior, sen.

Senat *m* <-(e)s, -e> senate; **Senator(in** *f*) *m* senator; **Sendefolge** *f* sequence of broadcasting; (*von Serie*) episode

senden [1] <sandte, gesandt> *vt* → *Brief, Glückwünsche* send

senden [2] <sendete, gesendet> *vti* MEDIA broadcast, transmit; **Sender** *m* <-s, -> MEDIA ↑ *Fernseh~* station, channel; ↑ *Radio~* station; **Sendeschluß** *m* end of broadcast; ◇ **um Mitternacht ist ~** this channel goes off the air at 12:00 p.m.; **Sendung** *f* [1] ↑ *Post~* mail; ↑ *Paket~* parcel, package; ↑ *Brief* letter [2] MEDIA broadcasting, transmitting; ↑ *Programm* programme, show

Senf *m* <-(e)s, -e> ↑ *Mostrich* mustard; (*FAM etw kommentieren*) ◇ **seinen ~ dazugeben** to put o.'s two cents in
senil *adj* senile
Senior *m* <-s, -en> senior; **Seniorchef(in** *f*) *m* head boss
Senkblei *s* ↑ *Senklot* plumbline
Senke *f* <-, -n> ↑ *Mulde* dip
senken I. *vt* lower; → *Kopf* hang, lower; → *Preise, Steuern* lower **II.** *vr* ◇ **sich ~** ← *Boden, Grund* sink in
senkrecht *adj* vertical
Sensation *f* sensation; **sensationell** *adj* ▷*Erfolg, Angebot* sensational
sensibel *adj* ▷*Haut, Kind* sensitive; *FIG* ↑ *heikel* ▷*Thema* sensitive, touchy
sentimental *adj* ↑ *gefühlvoll, rührselig* emotional, sentimental; **Sentimentalität** *f* sentimentality
separat *adj* ▷*Eingang, Wohnung* separate
September *m* <-(s), -> September
Serbe *m* <-n, -n> Serbian; **Serbien** *s* Serbia; **Serbin** *f* Serbian
Serie *f* ↑ *Reihe, Folge* (*Film~, Buch~*) series *sg;* (*von Ereignissen*) order, sequence; (*von Geschirr, Möbeln*) series *sg;* COMM ◇ **in ~ gehen** [*o.* **herstellen**] to go into production; **Serienherstellung** *f* mass production
seriös *adj* ▷*Angebot* serious, respectable
Serpentine *f* winding/zigzagging road
Service [1] *s* <-(s), -> (*Eß~, Speise~*) set
Service [2] *m* <-, -s> ↑ *Dienstleistung* service
servieren I. *vt* ▷*Essen, Getränke* serve **II.** *vi* serve
Serviette *f* napkin
servus *intj FAM* ① (*Gruß*) ↑ *hallo* hi, hello ② ↑ *tschüß* so long, bye-bye
Sessel *m* <-s, -> armchair, easy chair; **Sessellift** *m* chairlift
seßhaft *adj* ↑ *ansässig* resident
setzen I. *vt* ① → *Kind, Gast* sit, place ② ↑ *wetten* ◇ **auf jd-n/etw ~** to place a bet on s.o./s.th. ③ ↑ *schreiben* → *Komma, Klammer* put; PRINT set ④ NAUT → *Segel* set ⑤ ↑ *errichten, aufbauen* → *Denkmal, Ofen* put up **II.** *vr* ◇ **sich ~** ← *Mensch* sit down; ← *Staub, Geruch* settle **III.** *vi:* ◇ **über etw** *akk* **~** to jump over s.th.; **Setzerei** *f* printing company
Seuche *f* <-, -n> epidemic; **Seuchengebiet** *s* epidemic area
seufzen *vi* sigh; **Seufzer** *m* <-s, -> sigh
Sex *m* <-(es)> sex; ◇ **ein ~film** a porno [movie]; **Sexismus** *m* sexism; **Sexualität** *f* sexuality; **sexuell** *adj* sexual

sezieren *vt* → *Leiche* do an autopsy; → *Frosch* dissect
Shampoo[n] *s* <-s, -s> shampoo
Sherry *m* <-s, -s> sherry
Shorts *f* <-, -> shorts, a pair of shorts
Show *f* <-, -s> show; **Showmaster** *m* host of a show
Siamkatze *f* Siamese cat
Sibirien *s* <-s> Siberia; **sibirisch** *adj* Siberian
sich *pron* ① (*reflexiv, akk*) oneself; (*3. Person sg*) himself, herself, itself; (*von "Sie"*) yourself; (*3. Person pl*) themselves ② (*dat*) oneself; (*3. Person sg*) himself, herself, itself; (*von "Sie"*) yourself; (*3. Person pl*) themselves; ◇ **er hat ~ etw gegönnt** he treated himself to s.th.
Sichel *f* <-, -n> sickle
sicher I. *adj* ① ↑ *geschützt, gefahrlos* ▷*Umgebung* safe (*vor dat* from) ② ▷*Einkommen* secure ③ ↑ *selbst~, geübt* ▷*Fahrer* safe, reliable; ▷*Auftreten* secure ④ ↑ *gewiß* ◇ **sich** *dat* **e-r Sache ~ sein** to be certain of s.th. **II.** *adv* ① ↑ *höchstwahrscheinlich* most certainly, most probably ② ↑ *zwar* ◇ **du hast ~ recht, aber …** you are certainly right but …; **sichergehen** *irr vi* (*meist. inf*) play it safe, be/make sure; **Sicherheit** *f* ① (*im Verkehr*) safety ② FIN ↑ *Bürgschaft, Pfand* security; ↑ *Garantie* guarantee ③ ↑ *Zuverlässigkeit* (*von Auto*) reliability ④ ↑ *Selbst~* self-confidence; **Sicherheitsabstand** *m* safety distance; **Sicherheitsgurt** *m* safety belt, seat belt; **sicherheitshalber** *adv* to play it safe, to make sure; **Sicherheitskette** *f* safety chain; **Sicherheitsnadel** *f* safety pin; **Sicherheitsschloß** *s* safety lock; **Sicherheitsvorkehrung** *f* safety precaution
sichern *vt* ① → *Fahrrad* lock up, secure; → *Grenze* protect (*gegen* against *dat* against) ② → *Waffe* put the safety-catch on ③ PC ↑ *speichern* save, store ④ ↑ *reservieren* ◇ **~ Sie sich Ihre Karte im Vorverkauf** make sure to purchase your ticket in advance
Sicherung *f* ① (*das Sichern*) securing ② (*Vorrichtung*) safety device; (*an Waffen*) safety catch ③ ELECTR fuse
Sicht *f* <-> ① (*durch Windschutzscheibe*) visibility; ↑ *Aus~, Fern~* view; ◇ **Land in ~** land ahoy ② ↑ *Sehweise* ◇ **aus meiner ~** from my point of view, the way I see it ③ (*FIG Zeitraum*) ◇ **auf lange ~ wird es keine Änderung geben** there will be no change in the near future; **sichtbar** *adj* ▷*Erfolg, Fortschritte* obvious, apparent; **sichtlich** *adj* ▷*Unterschied* apparent, obvious; ▷*Freude* vivid; **Sichtverhältnisse** *s pl* visibility *sg;* **Sichtvermerk** *m* endorsement

sickern *vi* ← *Flüssigkeit* seep
sie *pron* 1 *3. Person feminin, sg;* (*in bezug auf Menschen*) she; (*nom*) she; (*betont*) her; (*akk*) her; (*in bezug auf Dinge*) it; (*nom*) it; (*betont*) it; (*akk*) it 2 *3. Person pl;* (*nom*) they; (*betont*) them; (*akk*) them
Sie *pron* 1 (*sg: Höflichkeitsform, nom*) you; (*akk*) you 2 (*pl: Höflichkeitsform, nom*) you; (*akk*) you; ◇ **jd-n mit - anreden** to use the formal address
Sieb *s* <-(e)s, -e> (*Mehl-*) sieve; (*Getreide-*) screen; (*Tee-*) strainer; (*Gemüse-, Nudel-*) colander; **sieben** [1] *vt* → *Mehl* sieve, sift; *FAM* ↑ *auswählen* (*bei Prüfung*) weed out
sieben [2] *nr* seven; **siebenfach** *adj* seven-fold; **siebenhundert** *nr* seven hundred; **siebenjährig** *adj* (*7 Jahre alt*) seven-year-old; (*7 Jahre dauernd*) seven year; **siebenmal** *adv* seven times; **Siebensachen** *f pl FAM* belongings *pl;* ◇ **seine - packen** to pack o.'s things; **siebte(r, s)** *adj* seventh; **Siebtel** *s* <-s, -> seventh; **siebtens** *adv* seventhly, seventh of all; **siebzehn** *nr* seventeen; **siebzig** *nr* seventy
sieden *vti* ← *Wasser, Öl* boil, simmer; **Siedepunkt** *m* boiling point
Siedler(in *f*) *m* <-s, -> ↑ *Kolonist* settler; **Siedlung** *f* settlement; ◇ **Häuser-** housing settlement
Sieg *m* <-(e)s, -e> victory
Siegel *s* <-s, -> seal; (*Woll-, Güte-*) seal
siegen *vi* win (*über akk* against); **Sieger(in** *f*) *m* <-s, -> winner, champion; **siegesbewußt, siegessicher** *adj* confident of victory
siehe *Imperativ* cf.
siezen *vt* to use the formal address
Signal *s* <-s, -e> signal; **signalisieren** *vt* signal
Signatur *f* 1 ↑ *Unterschrift* signature 2 (*an Bibliotheksbuch*) shelf mark
signieren *vt* 1 ← *Künstler* sign 2 → *Buch* mark
Silbe *f* <-, -n> (*Vor-, Nach-*) syllable
Silber *s* <-s> CHEM silver; ↑ *-besteck* silverware; **silbern** *adj* (*Farbe, Klang*) silver; **Silberstreifen** *m* (*FIG Anlaß zur Hoffnung*): ◇ **ein - am Horizont** the light at the end of the tunnel
Silo *s o m* <-s, -s> silo, bin, elevator
Silvester *s* <-s> New Year's Eve
Simbabwe *s* <-s> Zimbabwe
simpel *adj* ▷*Frage, Aufgabe* simple, easy
Sims *s o m* <-es, -e> ↑ *Kamin-* mantlepiece; ↑ *Fenster-* ledge, sill
simulieren *vti* ↑ *vortäuschen* pretend, fake
simultan *adj* ↑ *gleichzeitig* simultaneous
Sinfonie *f* symphony
singen <sang, gesungen> *vti* sing
Single [1] *m* <-s, -s> (*Mensch*) single
Single [2] *f* <-, -s> (*Schallplatte*) single
Singular *m* singular
sinken <sank, gesunken> *vi* sink; ← *Schiff, Temperatur* sink; ← *Sonne* set; *FIG* ← *Hoffnung* drop, fall; ← *Ansehen* fall
Sinn *m* <-(e)s, -e> 1 (*Wahrnehmungs-*) sense; *FAM* ↑ *Gespür* ◇ **e-n sechsten - für etw haben** to have a sixth sense for s.th. 2 ↑ *Bewußtsein* mind, consciousness; *FIG* ◇ **wie von -en** out of o.'s mind/senses 3 (*Gedanke, Überlegung*) ◇ **es ist mir in den - gekommen** it just came to my mind; ◇ **etw im -e haben** to have s.th. in mind 4 ↑ *Einstellung, Absicht* desire, wish; ◇ **im -e des Gesetzes** according to the law; ◇ **im - des Verstorbenen** in the name of the deceased 5 ↑ *Gefühl, Verständnis* (*Familien-, Orts-*) feeling (*für* for) 6 ↑ *Bedeutung, Zweck, Wert* use, sense; ◇ **im wahrsten -e des Wortes** in the word's deepest meaning; ◇ **der - des Lebens** the meaning of life; **sinnen** <sann, gesonnen> *vi* 1 ↑ *nachdenken* think, ponder 2 ◇ **auf etw** *akk* **-** to plot s.th., to be fixed on s.th.; **sinnentstellend** *adj* ▷*Kürzung* distorting the meaning; **Sinnesorgan** *s* sense organ; **Sinnestäuschung** *f* misconception; **sinngemäß** *adj* ▷*Wiedergabe* paraphrasing; **sinnig** *adj* ↑ *zweckmäßig* useful, practical
sinnlich *adj* ▷*Mund* sensual, sensuous
sinnlos *adj* ▷*Versuch* pointless; ▷*Plan* useless; ▷*Maßnahme* senseless, pointless; **sinnvoll** *adj* ↑ *vernünftig* sensible
Sinologie *f* sinology
Siphon *m* <-s, -s> (*am Waschbecken*) neckpipe
Sippe *f* <-, -n> extended family, siplings *pl*
Sirene *f* <-, -n> siren
Sirup *m* <-s, -e> syrup
Sitte *f* <-, -n> 1 ↑ *Tradition* custom 2 ↑ *Benehmen, Manieren* ◇ **gute -n** good manners; **Sittenlehre** *f* ethics *sg;* **Sittenpolizei** *f* vice squad
sittlich *adj* moral; **Sittlichkeitsverbrechen** *s* sex crime
Situation *f* situation
Sitz *m* <-es, -e> 1 ↑ *Platz* (*Rück-*) seat; ↑ *-fläche* seat 2 ↑ *Ort* (*Regierungs-, Wohn-*) seat 3 (*von Kleidung*) fit; ◇ **der Anzug hat e-n guten -** the suit fits well
sitzen <saß, gesessen> *vi* 1 (*auf Stuhl*) sit; ◇ **- bleiben** to remain/stay seated 2 ← *Bemerkung* hit 3 ↑ *Mitglied sein* (*im Vorstand, im Landtag*) have a seat (*in dat* in) 4 ↑ *bei Tätigkeit sein* ◇ **an e-m Bericht -** to be busy working on a report; ◇

über seinen Büchern ~ to sit over o.'s books [5] ← *Kleidung* fit [6] (*FAM im Gefängnis*) do time; **sitzenbleiben** *irr vi* [1] SCHULE repeat a year [2] ↑ *nicht verkaufen können* ◇ **auf etw** *dat* ~ to have s.th. left over; **sitzenlassen** *irr vt* [1] → *Wartenden* leave/keep s.o. waiting [2] (*FIG sich wehren*) ◇ **das lasse ich nicht auf mir sitzen** I won't stand for [*o.* take] that; **Sitzkissen** *s* cushion; **Sitzplatz** *m* seat; **Sitzstreik** *m* sit-in

Sitzung *f* [1] ↑ *Zusammenkunft* meeting, session [2] (*bei Künstler*) sitting; **Sitzungsperiode** *f* session

Sizilien *s* <-s> Sicily

Skala *f* <-, Skalen> scale

Skalpell *s* <-s, -e> scalpel

Skandal *m* <-s, -e> scandal, outrage

Skandinavien *s* <-s> Scandinavia; **Skandinavier**(**in** *f*) *m* <-s, -> Scandinavian; **skandinavisch** *adj* Scandinavian

Skat *m* <-, -s> (*Kartenspiel*) skat

Skateboard *s* <-s, -s> skateboard

Skelett *s* <-(e)s, -e> skeleton

Skepsis *f* <-> ↑ *Zweifel* scepticism; **skeptisch** *adj* sceptical

Ski *m* <-s, -er> ski; ◇ ~ **laufen/fahren** to ski, to go skiing; **Skibrille** *f* ski glasses *pl;* **Skifahrer**(**in** *f*) *m* skier; **Skilehrer**(**in** *f*) *m* ski instructor; **Skilift** *m* ski-lift

Skinhead *m* <-s, -s> skinhead; **Skispringen** *s* ski-jumping; **Skistiefel** *m* ski boot

Skizze *f* <-, -n> sketch; **skizzieren** *vt* [1] ↑ *zeichnen* sketch [2] → *Bericht* sketch, give a short account

Sklave *m* <-n, -n> **Sklavin** *f* slave

Skonto *m o s* <-s, -s> COMM cash discount

Skorpion *m* <-s, -e> [1] ZOOL scorpion [2] ASTROL Scorpio

Skript[**um**] *s* <-s, Skripten> SCHULE lecture notes

Skrupel *m pl* ↑ *Bedenken* scruples *pl*

Skulptur *f* (*Holz~, Bronze~*) sculpture

skurril *adj* ↑ *merkwürdig, leicht verrückt* strange, weird

Slang *m* <-s, -s> ↑ *Umgangssprache* slang

Slawe *m* <-n, -n> **Slawin** *f* Slav

Slip *m* <-s, -s> panties *pl*

Slowake *m* <-n, -n> **Slowakin** *f* Slovak

smart *adj* ▷*Junge, Bursche* clever, smart

Smogalarm *m* smog alert

Smoking *m* <-s, -s> dinner jacket, tuxedo *AM*

so I. *adv* [1] (*Maß, Grad*) so, this, that; ◇ **er ist so groß wie du** he is as big as you; ◇ **Woher hast du so viel Geld?** How did you get that much money?; ◇ **Schrei nicht ~!** Don't shout like that! [2] (*Art u. Weise*) like, as; ◇ **etw so tun wie die anderen** to do it like the others [do it]; ◇ **so habe ich es nicht gemeint** I didn't mean it like that [3] ↑ *ohnehin, sowieso* ◇ **sie hat schon ~ viel Arbeit** she has a lot of work already; (*FAM ohne besonderen Grund*) ◇ **nur ~, halt ~** just like that, for no special reason [4] (*als Füllwort*) ↑ *jetzt verstehe ich* ◇ **ach ~** I see; ◇ **~, das ist fertig** there, that's finished **II.** *cj* [1] ↑ *deshalb, folglich* so [2] (*nachdrücklich*) ◇ **S~ komm doch endlich!** Come here now, will you? [3] ◇ **es regnete, ~ daß wir zu Hause blieben** it rained, so we stayed at home; ◇ **um~ besser** all the better

sobald *cj* as soon as, when

Socke *f* <-, -n> sock

Sockel *m* <-s, -> (*von Schrank, Denkmal*) base, pedestal; *FAM* ◇ **das haut mich vom ~** that blows my mind

Sodawasser *s* carbonated/soda water

soeben *adv* just

Sofa *s* <-s, -s> settee, sofa *AM*

sofern *cj* provided [that]

soff *impf v.* **saufen**

sofort *adv* immediately, right away; **sofortig** *adj* immediate; ◇ **mit ~er Wirkung** as of now

Softie *m* <-s, -s> *FAM* weakling, whimp

Software *f* <-, -s> PC software

sog *impf v.* **saugen**

sogar *adv* even

sogenannt *adj* so-called

sogleich *adv* at once

Sohle *f* <-, -n> (*Schuh~*) sole

Sohn *m* <-(e)s, Söhne> son

solang[**e**] *cj* as long as; ↑ *während* while

Solartechnik *f* solar technology; **Solarzelle** *f* solar cell

solch(**e, er, es**) *pron* such; ◇ **ein ~er, eine ~e, ein ~es** such a; (*vor Adjektiv*) ◇ **er ist ~ ein dummer Mensch** he is such a stupid person; (*für sich betrachtet*) ◇ **das Auto als ~es ist ganz gut** the car itself is pretty good

Soldat *m* <-en, -en> soldier, serviceman *AM*

solidarisch *adj:* ◇ ~ **handeln** to act in solidarity; **Solidarität** *f* solidarity

solide *adj* ▷*Bauweise* solid, sturdy; ▷*Mensch* respectable; ▷*Wissen* sound

Solist(**in** *f*) *m* soloist

Soll *s* <-(s), -(s)> FIN debit; ◇ ~ **und Haben** debit and credit

sollen *vi* [1] ↑ *bedeuten* ◇ **Was soll das?** What's that good for?, What good is that?; (*es ist egal*) ◇ **Was soll's!** Who cares! [2] (*falls*) should; ◇ **ruf' mich an, sollte es nicht gelingen** call me, should it not work [3] (*Vermutung, Gerücht*) supposed to; ◇ **sie ~ sehr reich sein** they are said [*o.* supposed] to be very rich [4] (*Erwartung, Wunsch*) ought to; ◇ **wir sollten uns treffen** we ought to get together

somit *cj* therefore, consequently

Sommer *m* <-s, -> summer; ◇ **im ~** in summer; **sommerlich** *adj* ▷*Temperatur* summery; **Sommerschlußverkauf** *m* summer sale; **Sommersprosse** *f* freckle

Sonate *f* <-, -n> sonata

Sonderangebot *s* special offer, sale

sonderbar *adj* peculiar, strange; **Sondergenehmigung** *f* special permission; **sondergleichen** *adj inv* beyond limits; ◇ **e-e Gemeinheit ~** an unparalleled nastiness; **sonderlich** *adj* [1] ▷*Mensch* special, particular [2] (*meist. verneinend*) ↑ *besonders* particular, different; ◇ **keine ~e Lust haben** to have no particular desire; **Sonderling** *m* eccentric; **Sondermüll** *m* problem waste

sondern *cj* ↑ *vielmehr, statt dessen* but, instead; ◇ **nicht nur …, ~ auch …** not only …, but also …; **Sonderschule** *f* special school

sondieren *vt FIG* ↑ *erkunden* → *Lage, Gegend* check out, explore

Sonnabend *m* Saturday; **sonnabends** *adv* Saturdays

Sonne *f* <-, -n> sun; **sonnen** *vr* ◇ **sich ~** sun o.s., sunbath; **Sonnenaufgang** *m* sunrise; **Sonnenblume** *f* sunflower; **Sonnenbrand** *m* sunburn; **Sonnenbrille** *f* sunglasses *pl;* **Sonnenenergie** *f* ↑ *Solarenergie* solar energy; **Sonnenfinsternis** *f* solar eclipse; **Sonnenschirm** *m* sunshade, umbrella; **Sonnenstich** *m* heatstroke, sunstroke; **Sonnensystem** *s* solar system; **Sonnenuntergang** *m* sunset; **sonnig** *adj* ▷*Tag* sunny; *FIG* ▷*Gemüt* cheerful, bright

Sonntag *m* Sunday; **sonntags** *adv* Sundays; **Sonntagsfahrer(in** *f*) *m PEJ* Sunday driver

sonst *adv* [1] ↑ *außerdem* besides, else; ◇ **~ noch etwas?** anything else?; (*andere Person/Sache*) ◇ **wer/was denn ~?** who/what else then?; *FAM* ◇ **und ~?** what else have you been up to? [2] (*zu anderer Zeit*) ◇ **~ war das anders** it used to be different [3] ↑ *andernfalls* otherwise [4] ↑ *für gewöhnlich* usually; ◇ **er tut das ~ nicht** he doesn't usually do that; **sonstjemand, sonstwer** *pron* someone else; *FAM* ◇ **das kannst du sonstwem erzählen** you can tell that to any old Tom, Dick or Harry; **sonstwo** *pron FAM* somewhere else

sooft *cj* whenever

Sopran *m* <-s, -e> soprano

Sorge *f* <-, -n> [1] ↑ *Kummer* worry; ◇ **in ~ sein um jd-n/etw** to worry about s.o./s.th. [2] ↑ *Fürsorge, Pflege* care (*für* for); **sorgen I.** *vi* ↑ *sich kümmern um* care; ◇ **für jd-n/etw ~** to take care of s.o./s.th., to look after s.o./s.th. **II.** *vr* ◇ **sich ~** worry (*um* about); **Sorgerecht** *s* custody; **sorgfältig** *adj* careful; **sorglos** *adj* ▷*Leben* carefree

Sorte *f* <-, -n> kind, sort; **Sorten** *f pl* FIN: ◇ **~kurs** foreign currency

sortieren *vt* separate, sort

Sortiment *s* assortment, range

sosehr *cj* as much as, however much

Soße *f* <-, -n> (*Braten~*) gravy; (*Salat~*) dressing; (*Vanille~*) sauce

Souffleur *m* **Souffleuse** *f* prompter

souverän *adj* ▷*Auftreten, Haltung* sovereign, superior

soviel I. *cj:* ◇ **~ ich weiß** as far as I know **II.** *adv* (*in gleicher Menge, Umfang*) so much; (*gleichbedeutend*) as much as, same as; ◇ **das bedeutet ~ wie** that means the same as

soweit I. *cj* so far as; ◇ **~ wie möglich** as far as possible **II.** *adv* [1] (*im Großen u. Ganzen*) on the whole, by and large; ◇ **sie ist ~ ganz zufrieden** she is satisfied so far [2] (*bereit, fertig*) ◇ **jd/etw ist ~** s.o./s.th. is ready

sowenig *adv* no more; ◇ **~ wie möglich** no more than possible

sowie *cj* [1] ↑ *sobald* as soon as [2] ↑ *ebenso, und* as well as; **sowieso** *adv* ↑ *ohnehin, in jedem Falle* anyhow, nevertheless; ◇ **etw ~ tun müssen** to have to do s.th. anyhow

Sowjetbürger(in *f*) *m* Soviet citizen; **sowjetisch** *adj* Soviet; **Sowjetunion** *f* <->: ◇ **die ~** the Soviet Union

sowohl *cj* as well as; ◇ **~ jetzt als auch später** not only now but also later

sozial *adj* ▷*Beruf* social; **Sozialdemokrat(in** *f*) *m* POL social democrat; **Sozialhilfe** *f* <-> welfare

Sozialismus *m* socialism; **sozialistisch** *adj* socialist

Sozialkunde *f* SCHULE Social Studies *sg;* **Sozialstaat** *m* welfare state; **Sozialversicherung** *f* social security *AM*, national insurance *BRIT*

Soziologie *f* sociology

sozusagen *adv* ↑ *gewissermaßen* so to say, so to speak

Spaghetti *pl* spaghetti *sg*

spähen *vi* spy, peer; ◇ **nach jd-m/etw ~** to look out for s.o./s.th.

Spalt *m* <-(e)s, -e> crevice, crack, gap

Spalte *f* <-, -n> ① (*Fels-*) cleft; (*Gletscher-*) crevasse ② PRINT column

spalten I. *vt* split; → *Gruppe, Land* divide II. *vr* ◇ **sich** - split, divide (*in akk* in)

Spange *f* <-, -n> (*Haar-*) barrette; (*Zahn-*) retainer

Spanien *s* <-s> Spain; **Spanier(in** *f*) *m* <-s, -> Spaniard; **spanisch** *adj* Spanish; *FAM* ↑ *merkwürdig, verdächtig* ◇ **das kommt mir - vor** that's strange to me

Spanne *f* <-, -n> (*Zeit-, Verdienst-*) span

spannen I. *vt* ① ↑ *straffen* tighten, tauten ② ↑ *einlegen* → *Werkstück* clamp (*in akk* in); → *Briefbogen* insert ③ (*FAM jd-n neugierig machen*) ◇ **jd-n auf die Folter spannen** to keep s.o. on tenterhooks II. *vi* ← *Hemd, Bluse* pull, be tight III. *vr* ◇ **sich** - ← *Brücke, Himmel* stretch; ← *Haut* become taut; ← *Muskeln* tense up, tighten; **spannend** *adj* ▷*Buch etc.* exciting, full of suspense; **Spannung** *f* ① (*von Seil*) tension ② ELECTR voltage ③ *FIG* ↑ *Feindseligkeit* tension ④ ↑ *Aufregung* excitement, suspense

Sparbuch *s* savings book; **Sparbüchse** *f* money box, piggy bank; **sparen** I. *vti* ① → *Geld* save; ◇ **auf/für etw** *akk* - to save for s.th. ② → *Kräfte, Strom* save, economize (*an dat* on); ◇ **nicht mit etw** - to be wasteful of s.th. II. *vr* ◇ **sich** - ① ↑ *unterlassen* → *Bemerkung* save ② ↑ *vermeiden* save; ◇ **Sie hätten sich** *dat* **die Mühe - können** you could have saved yourself the trouble

Sparkasse *f* savings bank; **Sparkonto** *s* savings account

spärlich *adj* sparse, skimpy, meagre; **sparsam** *adj* ▷*Mensch* thrifty, economical; ▷*Gerät, Auto* economical

Sparte *f* <-, -n> ① ↑ *Abteilung* branch, line of business; ↑ *Gebiet, Fach* field ② MEDIA column, section

Spaß *m* <-es, Späße> fun, entertainment; ↑ *Freude* pleasure; ◇ **das macht mir** - that is fun, I find that entertaining; ◇ **jd-m den - verderben** to ruin s.o.'s fun; **spaßen** *vi* joke, kid, fool around; ◇ **mit ihm ist nicht zu** - you can't joke with him; **spaßig** *adj* (*Sache*) funny; ◇ **er ist ein -er Mensch** he is fun to be around

spät I. *adj* ▷*Stunde, Gast, Entwicklung* late II. *adv* late

Spaten *m* <-s, -> spade

später I. *adj* ↑ *künftige, kommende* later II. *adv komp v.* **spät** later, in the future; **spätestens** *adv* at the latest; **Spätschicht** *f* late shift

Spatz *m* <-en, -en> sparrow

spazieren *vi* take a walk, go for a walk; **spazierenfahren** *irr vi* go for a scenic drive, drive around; **spazierengehen** *irr vi* go walking, take a walk; **Spaziergang** *m* walk, stroll

Specht *m* <-(e)s, -e> woodpecker

Speck *m* <-(e)s, -e> (*Schweinefleisch*) bacon; ◇ - ansetzen to put on weight, to get fat

Spedition *f* ① (*von Waren*) transport, shipping ② ↑ *-sfirma* shipping agency, forwarding agency

Speer *m* <-(e)s, -e> spear; SPORT javelin

Speiche *f* <-, -n> spoke

Speichel *m* <-s> saliva, spit

Speicher *m* <-s, -> (*Dach-*) attic, storage room; (*Korn-*) grain bin; (*Wasser-*) tank; PC memory; **speichern** *vt* → *Korn, Wasser* store; → *Wärme* save; PC → *File* save

speien <spie, gespie(e)n> *vti FAM* ↑ *sich erbrechen* vomit, throw up; ← *Vulkan* erupt

Speise *f* <-, -n> ① (*allgemein*) food, meals ② ↑ *Gericht* dish; ◇ **Vor-** appetizer; ◇ **Nach-** dessert; **Speisekammer** *f* pantry; **Speisekarte** *f* menu; **speisen** *vti* ① ↑ *essen* dine ② ↑ *versorgen* provide (*mit* with); **Speiseröhre** *f* ANAT gullet; **Speisewagen** *m* dining car

spektakulär *adj* ▷*Ereignis* spectacular

Spektrum *s* <-s, Spektren *o.* Spektra> spectrum, range; ◇ - **der Wissenschaft** the spectrum of Science

Spekulant(in *f*) *m* speculator; **Spekulation** *f* ① FIN speculation ② ↑ *Vermutung* ◇ **reine -!** it's just a speculation; **spekulieren** *vi* ① FIN speculate ② ↑ *hoffen* ◇ **auf etw** *akk* - to set o.'s hopes on s.th.

Spende *f* <-, -n> donation; **spenden** *vt* → *Geld* donate, give a donation; → *Blut* donate, give; → *Schatten* offer, afford

spendieren *vt FAM*: ◇ **Spendierst du mir mein Essen?** Could you pay for my meal?

Sperling *m* ↑ *Spatz* sparrow

Sperma *s* <-s, Spermen> sperm

Sperre *f* <-, -n> ① ↑ *Hindernis* barrier, obstacle; (*Straßen-*) road block ② ↑ *Verbot* ban, blockade; (*Handels-*) embargo; (*Nachrichten-*) ban; **sperren** I. *vt* ① → *Grenze, Straße* block, close off; → *Strom, Telefon* cut off; → *Kredit* cut off, freeze ② SPORT → *Spieler, Mannschaft* block ③ ↑ *einschließen* lock up (*in akk* in) II. *vi* ← *Tür* stick III. *vr* ◇ **sich** - ↑ *sich widersetzen* be opposed (*gegen* to); **Sperrgebiet** *s* prohibited area; **Sperrgut** *s* freight, bulk

sperrig *adj* bulky; ▷*Möbel* bulky

Sperrmüll *m* salvage, junk; **Sperrsitz** *m* THEAT balcony seats

Spesen *pl* expenses *pl*
spezialisieren *vr* ◇ **sich** ~ specialize (*auf akk* in)
Spezialist(in *f*) *m* specialist (*für* in)
Spezialität *f* speciality; ◇ **eine ~ des Hauses** a speciality of the house
speziell *adj* special
Spezies *f* <-, -> ↑ *Art, Gattung* species
spezifisch *adj* ▷*Gewicht* specific, particular; ▷*Entwicklung, Daten* specific
Sphäre *f* <-, -n> sphere
spicken I. *vt* → *Braten, Hasen* fill with strips of bacon **II.** *vi* SCHULE ↑ *abschreiben, abschauen* cheat
Spiegel *m* <-s, -> [1] (*Gegenstand*) mirror [2] (*Meeres~, Wasser~*) level; **spiegelbildlich** *adj* mirror image; **Spiegelei** *s* fried egg, an egg sunny-side-up; **spiegeln I.** *vi* ← *Fußboden, Glas* shine, reflect **II.** *vt* ↑ *zeigen, wiedergeben* reflect **II.** *vr* ◇ **sich** ~ reflect; **Spiegelung** *f* reflection; (*Luft~*) mirage
Spiel *s* <-(e)s, -e> [1] playing; (*Karten~, Brett~*) game [2] SPORT game, competition, match [3] (*Darstellung, Vorführung*) ↑ *Schau~* act, performance [4] ↑ *Handeln, Vorgehensweise* ◇ **ein gefährliches/falsches ~ spielen** to play a dangerous/dishonest game; (*etw riskieren*) ◇ **etw aufs ~ setzen** to put s.th. on the line [5] ↑ *Bewegungsfreiheit* (*von Lenkrad, Schraube*) mobility; **Spielautomat** *m* game machine; **Spielbank** *f* ↑ *Spielkasino* casino; **spielen** *vti* [1] play; ▷*nervös, unbewußt* fidget, play (*an, mit dat* with) [2] MUS, THEAT ↑ *darbieten, aufführen* act, perform, play; ↑ *sich ereignen* ◇ **der Roman spielt während des Krieges** the novel is set during the war [3] ↑ *sich leicht bewegen* ← *Wind, Wellen* play [4] ↑ *vorgeben, etw/jd zu sein* pretend, play; ◇ **den Beleidigten** ~ to play the offended one; **Spieler(in** *f*) *m* <-s, -> player; MUS musician; **Spielerei** *f* playing around, fooling around; (*Gerät*) gadget; **Spielfeld** *s* field, game field; **Spielfilm** *m* feature movie; **Spielhölle** *f* gambling den; **Spielleiter(in** *f*) *m* producer, director; **Spielplan** *m* THEAT programme; **Spielplatz** *m* play ground; **Spielraum** *m FIG* scope; **Spielregel** *f* game rule; **Spielsachen** *f pl* play things *pl;* **Spielverderber(in** *f*) *m* <-s, -> party pooper, spoilsport; ◇ **Sei kein ~!** Don't be a spoilsport; **Spielwaren** *pl* toys *pl;* **Spielzeit** *f* season; **Spielzeug** *s* toy
Spieß *m* <-es, -e> spear; (*FIG Vorwurf zurückgeben*) ◇ **den ~ umdrehen** to turn the tables
spießen *vt* → *Fleisch* spear, jab
Spießer(in *f*) *m* <-s, -> *PEJ* straight person, square; **spießig** *adj FAM* ↑ *spießbürgerlich* file
Spikes *pl* spikes *pl;* AUTO studs *pl*
Spinat *m* <-(e)s, -e> spinach
Spinne *f* <-, -n> spider
spinnen <spann, gesponnen> **I.** *vt* → *Wolle* spin **II.** *vi* spin; *FAM* ↑ *verrückt sein* be crazy, be insane
Spinner(in *f*) *m* [1] ZOOL silkworm [2] *FAM* ↑ *Verrückte(r)* nut, screwball
Spinnerei *f* [1] (*Fabrik*) spinning mill [2] *FAM* ↑ *dummes Zeug* rubbish, hogwash; **Spinnrad** *s* spinning wheel
Spinnwebe *f* <-, -n> spider's web
Spion(in *f*) *m* <-s, -e> [1] ↑ *Agent* spy [2] (*in Tür*) peep hole; **Spionage** *f* <-, -n> espionage, spying
Spirale *f* <-, -n> [1] (*Figur*) spiral [2] (*Pessar*) coil
spiritistisch *adj* ▷*Sitzung* spiritualist
Spirituosen *pl* spirits *pl*
Spiritus *m* <-, -se> spirit
Spital *s* <-s, Spitäler> hospital
spitz *adj* [1] ▷*Messer, Bleistift* pointed, sharp; ▷*Winkel* acute; ▷*Gesicht, Kinn* pointed [2] ▷*Schrei* schrill [3] *FIG* ↑ *leicht boshaft* ▷*Zunge, Bemerkung* barbed; **Spitzbogen** *m* pointed arch; **Spitzbube** *m FAM* ↑ *Gauner, Dieb* scoundrel, sly fox; ↑ *Schlingel* scamp; **Spitze** *f* <-, -n> [1] (*von Bleistift*) point; (*Finger~, Schuh~*) tip; (*Berg~, Kirchturm~*) peak, top [2] (*bei Demo, beim Sport*) head, top; (*Firmen~, Partei~*) top [3] *FIG* ↑ *boshafte, anzügliche Bemerkung* dig, cut; ◇ **~n verteilen** to throw cuts at one another
Spitzel *m* <-s, -> informer, spy
spitzen I. *vt* [1] → *Bleistift* sharpen [2] (*aufpassen*) ◇ **die Ohren** ~ to prick up o.'s ears **II.** *vi FAM* ↑ *vorsichtig schauen, aufpassen* peek
Spitzenlohn *m* high salary, top salary; **Spitzensportler(in** *f*) *m* top athlete
Spitzer *m* <-s, -> pencil sharpener
spitzfindig *adj* hairsplitting, nit-picking
spitzkriegen *vt FAM* ↑ *erfahren, herausbekommen* find out, hear through the grapevine
Spitzname *m* nickname
Spleen *m* <-s, -e> quirk, hang-up, notion
Splitt *m* <-s, -e> gravel, grit
Splitter *m* <-s, -> splinter; **Splitterpartei** *f* splinter party
sponsern *vt* → *Sportler, Veranstaltung* sponser, put on; **Sponsor(in** *f*) *m* <-s, -en> sponsor, supporter, funder
spontan *adj* spontaneous
sporadisch *adj* ↑ *gelegentlich, ab und zu* sporadic
Sporen *f pl* spurs

Sport *m* <-(e)s> [1] exercise, sport; ◇ **Treibst du -?** Do you excercise?, Do you do sports? [2] *FIG* ↑ *Spaß, Hobby* ◇ **er macht sich** *dat* **einen - daraus, mich zu nerven** he gets a kick out of annoying me; **Sportler(in** *f*) *m* <-s, -> athlete; **sportlich** *adj* athletic; **Sportplatz** *m* sports field; **Sportredakteur(in** *f*) *m* sports editor; **Sportverein** *m* sports club; **Sportwagen** *m* AUTO sports car; (*Kinderwagen*) stroller, baby buggy, baby carriage

Spot *m* <-s, -s> [1] MEDIA ↑ *Werbe-* commercial [2] (*Scheinwerfer*) spotlight

Spott *m* <-(e)s> mockery; ◇ **- mit jd-m treiben** to make fun of s.o.; **spottbillig** *adj* dirt-cheap; **spotten** *vi* mock, poke fun, laugh (*über akk* at); **spöttisch** *adj* ▷*Bemerkung* mocking; ▷*Lachen* joking, kidding

sprach *impf v.* **sprechen**

sprachbegabt *adj* linguistically talented; **Sprache** *f* <-, -n> [1] (*Fremd-, Mutter-*) language; (*Zeichen- etc.*) language; (*einer bestimmten Gruppe*) language, jargon; (*FIG überrascht sein*) ◇ **es verschlug mir die -** it left me speechless; (*ein Thema ansprechen*) ◇ **die - auf etw** *akk* **bringen** [*o.* **etw zur - bringen**] to talk about s.th. [2] (*Ausdrucksweise*) speech, way of speaking; **Sprachführer** *m* book of phrases; **Sprachgefühl** *s* feeling for language; **sprachgewandt** *adj* ▷*Redner* fluent, articulate; **Sprachlabor** *s* speech lab; **sprachlich** *adj* linguistic; **sprachlos** *adj* ▷*Mensch* speechless; ◇ **völlig - sein** to be totally speechless; **Sprachwissenschaft** *f* linguistics *sg;* **Sprachwissenschaftler(in** *f*) *m* linguist

sprang *impf v.* **springen**

Spray *m o s* <-s, -s> (*Haar-, Raum-*) spray

Sprechanlage *f* intercom; **sprechen** <sprach, gesprochen> **I.** *vi* [1] ↑ *sich artikulieren* speak; ↑ *sich äußern* speak, say; ◇ **er hat nicht darüber gesprochen** he didn't say a word about it [2] ↑ *sich unterhalten* talk, speak (*mit* with, to) [3] ↑ *Rede halten* orate, give a speech **II.** *vt* say, speak [1] ↑ *Sprache beherrschen* speak, articulate; ◇ **sie spricht drei Sprachen** she speaks three languages [2] *FIG* ◇ **das spricht für ihn** that says it for him; (*über jd-n verärgert sein*) ◇ **ich bin auf ihn schlecht zu -** I want to have nothing else to do with him; **Sprecher(in** *f*) *m* <-s, -> speaker, spokesman, orator; (*für Gruppe*) spokesman; MEDIA reporter, spokesman, announcer; **Sprechstunde** *f* office hours, consulting hours *pl;* **Sprechstundenhilfe** *f* receptionist

spreizen *vt* ↑ *ausbreiten* → *Finger, Flügel* spread; **sprengen** *vt* [1] (*mit Sprengstoff*) dynamite, blast; → *Türschloß* blast; *FIG* → *Versammlung* break up; ◇ **die Bank -** to break the bank [2] → *Rasen, Wäsche* water, sprinkle; **Sprengstoff** *m* dynamite, explosive; *FIG* ↑ *umstrittenes Thema* explosive; **Sprengung** *f* explosion

Spreu *f* <-> *FIG*: ◇ **die - vom Weizen trennen** to separate the wheat from the chaff

Sprichwort *s* proverb, saying; **sprichwörtlich** *adj* proverbial

sprießen *vi* ← *Blumen, Knospen* shoot out, sprout out

Springbrunnen *m* fountain

springen <sprang, gesprungen> *vi* [1] ↑ *auf-* spring, jump; ← *Ball* bounce; ← *Funke, Quelle* spurt, spring; ↑ *plötzlich wechseln* leap, spring (*auf akk* akk) [2] (*FIG jd-n für sich arbeiten lassen*) ◇ **jd-n - lassen** to make s.o. jump [3] (*FIG großzügig sein*) ◇ **etw - lassen** to treat, invite [4] ↑ *splittern, zerbrechen* ← *Glas, Metall* spring [5] ↑ *Text weglassen* skip [6] (*auffallen*) ◇ **in die Augen -** to jump into sight; **Springer** *m* <-s, -> [1] (*Schachfigur*) knight [2] ↑ *Ersatz* substitute; **springlebendig** *adj* lively, enthusiastic

sprinten *vi* sprint

Sprit *m* <-s> *FAM* ↑ *Treibstoff, Benzin* gas

Spritze *f* <-, -n> MED syringe; ↑ *Injektion* injection, shot; **spritzen I.** *vt* [1] → *Pflanzen, Obst* spray [2] (*lackieren*) spray paint [3] MED inject, give a shot **II.** *vi* [1] ← *Wasser* spray, splash [2] *FAM* ↑ *laufen, rennen* dash, zip; **Spritzer** *m* <-s, -> (*Farb-, Wasser-*) splash; **Spritzpistole** *f* spray gun; **Spritztour** *f FAM*: ◇ **eine - machen** to go for a spin

spröde *adj* ▷*Material* rough; ▷*Haut* rough; ▷*Stimme* hoarse; *FIG* ▷*Mensch* obdurate

sproß *impf v.* **sprießen**

Sproß *m* <Sprosses, Sprosse> *FAM* ↑ *Nachkomme* scion; ↑ *Trieb* shoot

Spruch *m* <-(e)s, Sprüche> [1] (*Wahl-*) motto, saying; ↑ *Formel* (*Zauber-*) spell; (*FAM nur pl*) ↑ *leere Versprechungen* ◇ **Sprüche machen/klopfen** to talk fancy, to talk big [2] JURA ↑ *Urteils-* judgement, verdict

Sprudel *m* <-s, -> fizzy drink

sprudeln *vi* ← *Wasser* bubble, fizz; ← *Worte* pour out

Sprühdose *f* spray can; **sprühen I.** *vt* spray **II.** *vi* ← *Funken, Gischt* spray; (*FIG lebhaft, ausgelassen sein*) ◇ **- vor Begeisterung** [*o.* **Freude**] to be bubbled over with enthusiasm

Sprung *m* <-(e)s, Sprünge> [1] (*Luft-, Freuden-*) jump, leap; (*FIG jd-n fördern*) ◇ **jd-m auf die Sprünge helfen** to lend s.o. a helping hand; (*FIG*

S

beim Fortgehen) ◇ **auf dem ~ sein** to be about to go; (*FIG für kurze Zeit*) ◇ **auf einen ~ vorbeikommen** to pop in, to drop in/by [2] ↑ *Riß* crack; **Sprungbrett** *s* SPORT diving board; (*FIG günstiger Ausgangspunkt*) diving board; **Sprungschanze** *f* SPORT ski-jump
Spucke *f* <-> spit, spittle; **spucken** *vti* spit; (*FAM angeben*) ◇ **große Töne ~** to boast, to talk big
Spuk *m* <-(e)s, -e> ghost; **spuken** *vi* ← *Geist* haunt; ◇ **es spukt im Schloß** the castle is haunted
Spülbecken *s* sink
Spule *f* <-, -n> spool; ELECTR coil
spülen I. *vi* rinse; ← *abwaschen* wash; (*in Toilette*) flush **II.** *vt* rinse; → *Geschirr, Wäsche, Haare* wash; **Spülmaschine** *f* dishwasher; **Spülung** *f* flushing; MED irrigation
Spur *f* <-, -en> [1] ↑ *Abdruck* track, print; (*von Rad, Tonband*) track; ↑ *Brems~* skidmark [2] ↑ *Fahr~* lane; (*von Zug*) track [3] (*FIG jd-n verfolgen, jagen*) ◇ **jd-m auf der ~ sein** to be on s.o.'s tracks [4] ↑ *Überrest, Anzeichen* remains, trace
spürbar *adj* ▷*Änderung* noticeable; **spüren** *vt* ↑ *empfinden, merken, spüren* notice, feel; → *Kälte* feel; → *Schmerz* feel, notice; **Spurensicherung** *f* securing of evidence
spurlos *adv* without trace
Spurt *m* <-(e)s, -s *o.* -e> (*End~, Zwischen~*) spurt
sputen *vr* ◇ **sich ~** ↑ *sich beeilen* rush, hurry
Staat *m* <-(e)s, -en> [1] (*Land*) state; *FAM* ◇ **die ~en** the States [2] ↑ *Regierung* state; ◇ **Vater ~** father country [3] (*FAM prahlen, angeben*) ◇ **damit ist kein ~ zu machen** that's nothing to brag about, that's nothing to write home about [4] (*Ameisen~, Bienen~*) colony; **Staatenbund** *m* confederation; **Staatsangehörigkeit** *f* nationality; **Staatsanwalt** *m*, **Staatsanwältin** *f* state attorney; **Staatsbegräbnis** *s* state funeral; **Staatsbürger(in** *f*) *m* citizen; **Staatsdienst** *m* civil service; ◇ **in den ~ eintreten** to become a civil servant; **Staatsexamen** *s* state examination; **Staatsgebiet** *s* state territory; **Staatsgeheimnis** *s* state secret; *FIG* ◇ **aus einer Sache ein ~ machen** to make a state secret out of s.th.; **Staatsmann** *m* statesman; **Staatsoberhaupt** *s* head of the state; **Staatssekretär(in** *f*) *m* secretary of state; **Staatsstreich** *m* coup
Stab *m* <-(e)s, Stäbe> [1] rod; (*Gitter~*) bar; (*FIG jd-n verurteilen*) ◇ **den ~ über jd-n brechen** to break the rod over o.'s back; (*Bischofs~*) staff [2] (*General~, Mitarbeiter~*) staff *sg*
stabil *adj* ▷*Währung[skurs]* stable; ▷*Möbel* sturdy; **Stabilität** *f* stability; sturdiness
Stachel *m* <-s, -n> (*von Pflanze*) thorn; (*von Tier*) barb, claw; *FIG* ↑ *Schmerz, Groll* thorn; ◇ **einer Sache den ~ nehmen** to take the bite out of s.th.; **Stacheldraht** *m* barbed-wire fence; **stachelig** *adj* ▷*Tier* prickly; ▷*Blume* thorny
Stadion *s* <-s, Stadien> stadium
Stadium *s* <-s, Stadien> ↑ *Phase* (*Krankheits~, Entwicklungs~*) stage
Stadt *f* <-, Städte> town; (*Groß~*) city; **Stadtbücherei** *f* public/municipal library; **Stadtbummel** *m* stroll through town; **Städter(in** *f*) *m* <-s, -> town-dweller; **Stadtführer(in** *f*) *m* guide; **städtisch** *adj* ▷*Leben* urban, city; ▷*Anlagen* municipal; **Stadtkern** *m* downtown, the heart of the city, city centre; **Stadtplan** *m* city map; **Stadtrand** *m* outskirts *pl*; **Stadtrat** *m*, **Stadträtin** *f* town council; **Stadtteil** *m* ↑ *Stadtviertel* district; **Stadtverwaltung** *f* town administration; **Stadtviertel** *s* district
Staffel *f* <-, -n> SPORT relay team; AERO squadron
Staffelei *f* easel
staffeln *vt* → *Miete, Löhne* set, grade
stagnieren *vi* ← *Wirtschaft* stagnate
stahl *impf v.* **stehlen**
Stahl *m* <-(e)s, Stähle> steel; *FIG* ◇ **Nerven wie ~** nerves of steel
Stall *m* <-(e)s, Ställe> stable, barn
Stamm *m* <-(e)s, Stämme> [1] (*Baum~*) trunk [2] ↑ *Familie, Sippe* roots, lineage [3] (*Kunden~*) regular customers, regulars *pl* [4] GRAM stem; **Stammbaum** *m* family tree
stammeln *vti* stutter
stammen *vi*: ◇ **~ von/aus** *dat* stem from, come from; **Stammgast** *m* regular; **Stammkapital** *s* (*in GmbH, KG, AG*) common stock; **Stammtisch** *m* drinking company
stampfen I. *vi* (*mit Fuß*) stomp, stamp; ← *Maschine* pound; ← *Schiff* pitch **II.** *vt* ↑ *zerdrücken* → *Kartoffeln* mash; → *Erde, Schnee* press, pack
stand *impf v.* **stehen**
Stand *m* <-(e)s, Stände> [1] (*das Stehen, Halt*) stand, standing position [2] ↑ *Zustand, Lage* state; (*Kassen~*) balance; (*Spiel~*) score [3] ↑ *Raum, Ort* (*Obst~, Taxi~*) stand [4] ↑ *soziale Stellung* (*Familien~, Adels~*) status, class
Standard *m* <-s, -s> standard; ◇ **Lebens~** standard of living
Ständer *m* <-s, -> rack, stand
Standesamt *s* registry office; **Standesbeamte(r)** *fm*, **Standesbeamtin** *f* registrar
standhaft *adj* steadfast, strong; **standhalten** *irr vi* → *Blick, Angriff* withstand (*jd-m/einer Sache* s.o./s.th.)

ständig *adj* ① ▷*Wohnsitz* permanent ② ▷*Einkommen* regular ③ ▷*Bedrohung* constant, continual

Standlicht *s* parking lights *pl;* **Standort** *m* location; **Standpunkt** *m* ↑ *Ort* standing point; *FIG* ↑ *Ansicht, Meinung* point of view; **Standspur** *f* AUTO emergency lane

Stange *f* <-, -n> ① ↑ *Stab* pole, bar ② (*Zigaretten-*) carton; (*FAM viel Geld*) ◇ **das kostet eine ~ Geld** that costs a fortune ③ (*FIG jd-n unterstützen*) ◇ **jd-m die ~ halten** to stand for s.o.

stank *impf v.* **stinken**

stänkern *vi FAM* ↑ *streiten* stir things up

Stapel *m* <-s, -> ① (*Holz-, Wäsche-*) pile ② NAUT stocks *pl* ③ *FAM* ◇ **etw vom ~ lassen** to get s.th. off o.'s chest; **stapeln I.** *vt* stack, pile **II.** *vr* ◇ **sich ~** pile up

Star *m* <-s, -s> (*Film-, Opern-*) star

starb *impf v.* **sterben**

stark <stärker, am stärksten> ① ↑ *robust, belastbar* ▷*Nerven, Herz* strong, good ② ▷*Umfang, Figur* well-built ③ ↑ *kräftig, intensiv, deutlich* ▷*Kaffee* strong; ▷*Schmerzen* deep, intensive; ▷*Worte* strong ④ ↑ *einflußreich, mächtig* ▷*Partei, Team* powerful ⑤ ◇ **sich für etw ~ machen** to stand up for s.th. ⑥ ↑ *viel, sehr, heftig* ▷*Trinker, Raucher* heavy; *FAM* great, super; ◇ **Echt ~!** Really great!; **Stärke** *f* <-, -n> ① ↑ *Kraft* strength ② ↑ *Fähigkeit, Begabung* capability; ↑ *Macht* power ③ ↑ *Durchmesser, Umfang* thickness; ↑ *Ausmaß* (*Brillen-, Klassen-*) strength ④ (*Reis-, -mehl*) starch; **stärken I.** *vt* ① → *jd-n* strengthen; → *Mannschaft* strengthen ② → *Wäsche* starch **II.** *vr* ◇ **sich ~** ↑ *essen, trinken* fortify, nourish

starr *adj* ① ▷*Material* stiff ② ▷*Haltung* stiff; ▷*Blick* frozen, fixed

starren *vi* ① ↑ *blicken* stare; ◇ **jd-m ins Gesicht ~** to stare s.o. in the face ② ← *Kleider* ◇ **vor Schmutz ~** to be covered with dirt; **starrköpfig** *adj* ↑ *eigensinnig* stubborn

Start *m* <-(e)s, -s> ① ↑ *Anfang* start, beginning ② AERO take-off ③ (*Stelle*) starting point; SPORT ◇ **an den ~ gehen** to go to the starting line; **starten I.** *vt* start, begin **II.** *vi* ↑ *aufbrechen* start, begin; ◇ **neu ~** start over; **Starthilfe** *f* ① (*bei Auto*) jump-start, push-start ② *FIG* ↑ *Geld für Existenzgründer* money up front

Statik *f* <-> statics *sg*

Station *f* ① ↑ *Abteilung* (*in Krankenhaus*) ward ② ↑ *Haltestelle* stop

Statist(in *f*) *m* THEAT extra

Statistik *f* statistics *sg;* **statistisch** *adj* statistical

Stativ *s* tripod

statt I. *präp gen* insted of **II.** *cj* ↑ *anstatt* instead of

stattfinden *irr vi* take place, occur

stattlich *adj* ▷*Figur* magnificent; ▷*Gebäude* magnificent

Statue *f* <-, -n> statue

Status *m* <-, -> ↑ *Zustand, Lage* status

Stau *m* <-(e)s, -e *o.* -s> blockage, build up; (*Verkehrs-*) traffic jam, traffic queue

Staub *m* <-(e)s> dust; (*FAM entfliehen, fortschleichen*) ◇ **sich aus dem ~ machen** to pass off; **staubig** *adj* ▷*Straße* dusty; **Staubsauger** *m* vacuum cleaner

Staudamm *m* dam

Staude *f* <-, -n> shrub

stauen I. *vt* → *Wasser* dam; → *Blut* clog up **II.** *vr* ◇ **sich ~** ↑ *nicht weiterfließen* ← *Wasser* back up; ← *Verkehr* back up, jam up; ← *Menschen* back up, crowd up; *FIG* ← *Gefühle* build up

staunen *vi* be amazed, be astonished (*über akk* at); **Staunen** *s* <-s> astonishment, amazement; ◇ **jd-n in ~ versetzen** to amaze/astonish s.o., to fill s.o. with astonishment

stechen <stach, gestochen> **I.** *vt* ① (*verletzen*) stick, prick; ◇ **sich/jd-n mit etw ~** to stick o.s/s.o with s.th.; (*an Stechuhr*) punch ② (*beim Kartenspiel*) take **II.** *vi* ① ← *Mücke, Biene* sting; ← *Rose, Kaktus* stick, prick; ← *Sonne* beat down ② (*FIG auffallen*) ◇ **jd-m in die Augen ~** to catch s.o.'s eye ③ ← *Schiff* ◇ **in See ~** to set sail **III.** *vr:* ◇ **sich [mit etw] ~** prick o.s., stick o.s.

Steckdose *f* socket

stecken I. *vt* ① ↑ *hineindrücken, stopfen* stick ② → *Nadel, Saum* pin ③ (*FAM investieren*) ◇ **Geld in eine Firma ~** to put money into a company ④ (*gegen den Willen der betroffenen Person*) ◇ **jd-n ins Gefängnis** to stick s.o. in jail; ◇ **jd-n in eine Uniform ~** to put s.o. in uniform ⑤ (*FAM jd-n informieren, jd-m die Meinung sagen*) ◇ **jd-m etw ~** to tell s.o. s.th. **II.** *vi* ① be [hiding]; (*FAM sein, sich aufhalten*) ◇ **Wo ~ die Kinder?** Where are the children? [*o.* Where have the children got to?] ② ← *Ring, Schlüssel* be in the lock ③ (*Probleme haben*) ◇ **in Schwierigkeiten ~** to be in trouble ④ ◇ **mitten in der Arbeit ~** to be caught up in work; **steckenbleiben** *unreg vi* (*beim Reden*) falter; (*im Verkehr*) be stuck; **Steckenpferd** *s FIG* hobby-horse; **Stecker** *m* <-s, -> (*von Elektrogerät*) plug; **Stecknadel** *f* pin

stehen <stand, gestanden> **I.** *vi* ① (*nicht liegen*) stand ② (*sich befinden*) be ③ (*schriftlich*) be [written] ④ (*still-*) ← *Uhr* stop; (*Verkehr*) come to a standstill ⑤ (*FAM fertigbearbeitet*) be complete ⑥ (*unterstützen, sich bekennen zu*) ◇ **zu jd-m/etw** ~ to stand by s.o./s.th. ⑦ (*bestimmte (verwandtschaftliche) Beziehung*) be related (*zu* to) **II.** *vi impers:* ◇ **es steht schlecht um ihn** he is in critical condition; ↑ *wie entscheidest du dich?* ◇ **Wie steht's mit dir?** What about you?; **stehenbleiben** *unreg vi* ↑ *anhalten* stop; → *Gespräch* come to a standstill; **stehenlassen** *unreg vt* leave; → *Essen* leave untouched; (*unhöflich*) ◇ **jd-n einfach** ~ to leave s.o. standing [there]

stehlen <stahl, gestohlen> *vt* steal; *FAM* ◇ **Stehl mir nicht die Zeit** Don't waste my time

Stehplatz *m:* ◇ **wir bekamen Stehplätze** we had to stand

steif *adj* ① ▷*Bein, Hals* stiff ② *FIG* ▷*Gesellschaft* stiff, stuck-up

steigen <stieg, gestiegen> *vi* ① ← *Fieber* rise; ← *Preis* increase ② (*klettern*) climb; ◇ **in/auf etw** *akk* ~ to climb into/onto s.th.

steigern I. *vt* ① → *Preise* raise; → *Lohn* increase ② GRAM compare **II.** *vr* ◇ **sich** ~ rise, increase (*zu* to) **III.** *vi* (*bei Auktion*) bid; **Steigerung** *f* ① (*von Bevölkerung*) increase ② (*von Gefühl*) heightening, intensification ③ GRAM ↑ *Komparation* comparative

Steigung *f* (*Hang*) slope; MATH gradient

steil *adj* ▷*Abhang* steep; **Steilwand** *f* steep face

Stein *m* <-[e]s, -e> (*Kiesel-*) stone; (*Edel-*) jewel; (MED *Gallen-*) stone; (*Spiel-*) piece; (*FIG jd-n behindern*) ◇ **jd-m ~e in den Weg werfen** to hinder s.o.; ◇ **Mir fällt ein ~ vom Herzen!** That's a load off my mind!; **Steinbock** *m* ① ZOOL ibex ② ASTROL Capricorn; **Steinbruch** *m* quarry; **Steingarten** *m* rock garden; **steinhart** *adj* rock hard; **steinig** *adj* ▷*Weg, Gelände* stony; **Steinkohle** *f* hard coal; **Steinmetz** *m* <-es, -e> stonemason; **Steinpilz** *m* boletus edulis; **steinreich** *adj FAM* [extremely] wealthy; **Steinwurf** *m* stone's throw; ◇ **nur einen ~ entfernt** just a stone's throw away

Stelle *f* <-, -n> ① spot, place; ◇ **auf der** ~ on the spot ② (*Halte-*) stop ③ (*in Rede, Buch*) place ④ (*Arbeits-, Lehr-*) job, position ⑤ (*Amt, Behörde*) office

stellen I. *vt* ① (*nicht legen*) stand, put ② (*anordnen*) → *Möbel* arrange ③ → *Wecker* set ④ → *Frage* ask, put ⑤ → *Falle* set, lay ⑥ → *Dieb* catch ⑦ ◇ **jd-m etw zur Verfügung** ~ to put s.th. at s.o.'s disposal **II.** *vr* ◇ **sich** ~ ① (*bei Polizei*) give o.s. up, turn o.s. in ② ◇ **sich einer Herausforderung** ~ to take up a challenge ③ (*vortäuschen*) ◇ **sich krank** ~ to pretend to be sick ④ ← *Frage, Problem* rise ⑤ ◇ **sich zur Verfügung** ~ to make o.s. available; **Stellenangebot** *s* (*Arbeitsmöglichkeit*) vacancy; **Stellenvermittlung** *f* employment agency; **Stellenwert** *m* ① *FIG* ↑ *Rang, Bedeutung* status; ◇ **einen hohen ~ haben** to play an important/significant role ② PC place value

Stellung *f* ① ↑ *Haltung, Lage, Position* position ② (*gesellschaftlicher, sozialer Rang*) position ③ (*Job, An-*) job, post ④ (*FIG Meinung äußern*) ◇ ~ **nehmen zu** to comment on

stellvertretend *adj* ▷*Leiter* acting, deputy; **Stellvertreter(in** *f*) *m* representative, deputy

stemmen I. *vt* lift **II.** *vr:* ◇ **sich ~ gegen** press o.s. against; *FIG* ↑ *sich widersetzen* ◇ **sich gegen etw** ~ to resist s.th.

Stempel *m* <-s, -> ① (*Datums-*) stamp ② (*Post-*) postmark ③ (*Prägung, Kennzeichen*) hallmark ④ BIO pistil; **stempeln** *vt* ① → *Datum* stamp ② → *Briefmarke* postmark ③ (*FAM arbeitslos sein*) ◇ ~ **gehen** to be on the dole

Steno[graphie] *f* <-s> short hand; **stenografieren** *vt* take down in shorthand

Steppe *f* <-, -n> steppe

steppen I. *vt* (*mit Nähmaschine*) stitch **II.** *vi* (*tanzen*) tap-dance

Steppjacke *f* quilted jacket

Sterbehilfe *f* euthanasia; **sterben** <starb, gestorben> *vi* die; *FAM* ◇ **diese Frau ist für mich gestorben** that woman may as well be dead as far as I am concerned; **Sterbeziffer** *f* mortality rate; **sterblich** *adj* ▷*Überreste* mortal

Stereoanlage *f* stereo system

stereotyp *adj* stereotyped; ▷*Lächeln* stiff

steril *adj* ▷*Verband* sterile; **Sterilisation** *f* sterilization

Stern *m* <-[e]s, -e> ① star; (*FIG Unmögliches anstreben*) ◇ **nach den ~en greifen** to reach for the stars ② (*als Gütezeichen bei Hotel*) star; ◇ **ein Hotel mit 2 ~en** a 2-star hotel; **Sternbild** *s* constellation; **Sterndeutung** *f* astrology; **Sternenbanner** *s* (*Nationalflagge der USA*) Star-Spangled Banner, Stars and Stripes; **sternklar** *adj* ▷*Nacht* starry; **Sternstunde** *f FIG* wonderful moment; **Sternwarte** *f* observatory

stet[ig] *adj* ▷*Entwicklung* constant, steady; **stets** *adv* always

Steuer [1] *s* <-s, -> ① NAUT helm ② AUTO steering[-wheel] ③ (*FIG Leitung, Führung*) ◇ **das ~ übernehmen** to take over the helm

Steuer [2] *f* <-, -n> (*Lohn-, Umsatz-*) tax; **Steuerberater(in** *f*) *m* tax consultant; **Steuererklärung** *f* tax return/declaration; **Steuerklasse** *f*

(*auf Lohnsteuerkarte*) tax bracket; **steuern** *vti* [1] ↑ *lenken* → *Auto* steer; → *Flugzeug* pilot [2] ↑ *beeinflußen, lenken, FIG* → *Entwicklung* control; PC control; **Steuerung** *f* [1] (*Bedienen des Steuers*) steering; (*von Schiff*) navigation [2] (*Vorrichtung*) controls *pl;* PC controls *pl*

Steuerwesen *s* taxes *pl;* **Steuerzahler(in** *f*) *m* taxpayer

Steuerzeichen *s* PC control character

Steward *m* <-s, -s> AERO, NAUT steward; **Stewardeß** *f* <-, Stewardessen> stewardess, hostess

Stich *m* <-[e]s, -e> [1] (*Mücken-*) sting [2] (*Messer-*) stab; (*Nadel-*) prick [3] (*beim Nähen*) stitch [4] (*beim Kartenspiel*) trick [5] (KUNST *Kupfer-*) engraving [6] (*verlassen, nicht helfen*) ◇ **etw/jd-n im ~ lassen** to abandon s.th./s.o. [7] (*FAM verrückt sein*) ◇ **er hat einen ~** he's mad

sticheln *vi FAM* make nasty remarks

stichhaltig *adj* ▷*Argument* sound; **Stichprobe** *f* spot-check; **Stichwort** *s* [1] (*in Wörterbuch*) headword [2] (*Notizen*) ◇ **~e** notes

sticken *vti* embroider

stickig *adj* ▷*Luft* stuffy

Stiefbruder *m* stepbrother

Stiefel *m* <-s, -> boot

Stiefeltern *pl* step-parents *pl;* **Stiefkind** *s* stepchild; *FIG* poor cousin; **Stiefmutter** *f* stepmother; **Stiefmütterchen** *s* BIO pansy; **Stiefvater** *m* stepfather

Stiel *m* <-[e]s, -e> (*von Glas*) stem; (*von Messer*) haft; (*Besen-*) broomstick; (*von Pflanze*) stem

Stier *m* <-[e]s, -e> [1] ZOOL bull [2] ASTROL Taurus; **Stierkämpfer** *m* bull-fighter

stieß *impf v.* **stoßen**

Stift [1] *m* <-[e]s, -e> [1] pen; (*Blei-*) pencil; (*Farb-*) felt-tip [2] (*Nagel*) tack [3] (*FAM Lehrling*) apprentice

Stift [2] *s* <-[e]s, -e> [1] (*Kloster*) convent [2] ↑ *Diözese* diocese

stiften *vt* [1] ↑ *gründen* establish, found [2] → *Unruhe* cause, stir up [3] ↑ *spenden* donate; **Stiftung** *f* [1] (*Organisation*) foundation [2] ↑ *Schenkung* donation, contribution

Stil *m* <-[e]s, -e> (*Schreib-, Lauf-*) style; (*Art*) way, manner; **stilistisch** *adj* stylistic

still *adj* [1] ▷*Ort, Gegend* quiet, peaceful; ▷*Mensch* quiet; ▷*Hoffnung* silent; (*FAM Toilette*) ◇ **das ~e Örtchen** the toilet [2] ▷*Wasser* ↑ *unbewegt* still; **Stille** *f* <-> [1] ↑ *Ruhe* peacefulness, tranquillity; ◇ **in aller ~** secretly [*o.* in secret] [2] (*Unbewegtheit*) stillness; **stillegen** *unreg vi* → *Betrieb* close down

stillen *vt* [1] → *Säugling* nurse, breast-feed [2] → *Blutung* stop [3] → *Schmerz, Unruhe* ease, relieve [4] → *Hunger* satisfy; → *Durst* quench

stillhalten *unreg vi* keep still; (*sich nicht wehren*) be quiet, not say anything

stillos *adj FIG* ▷*Bemerkung* tasteless

stillschweigend *adj* silent, tacit; **stillstehen** *unreg vi* come to a standstill; ← *Maschine* stop

Stimmbänder *pl* vocal cords *pl;* **stimmberechtigt** *adj* entitled to vote; **Stimmbruch** *m:* ◇ **er ist im ~** his voice is breaking

Stimme *f* <-, -n> [1] voice; (*FIG Meinung*) opinion; ◇ **die ~ des Volkes** public opinion [2] (*Wahl-*) vote [3] MUS part

stimmen I. *vt* [1] MUS tune [2] (*jd-n in eine Stimmung versetzen*) make; ◇ **das stimmte ihn heiter** that made him happy **II.** *vi* [1] (*wahr, richtig sein*) be true/right [2] (*zusammenpassen*) → *Farbe* match [3] (*Meinung äußern*) ◇ **für/gegen etw ~** to vote for/against s.th.; **Stimmenthaltung** *f* abstention; **stimmhaft** *adj* (*Vokal*) voiced; **Stimmrecht** *s* right to vote

Stimmung *f* [1] ↑ *Gemütsverfassung* mood; ◇ **in ~ sein für etw** to be in the mood for s.th. [2] (*Atmosphäre*) atmosphere; **stimmungsvoll** *adj* ▷*Musik* rollicking; ▷*Abend* fun, swinging

Stimmzettel *m* ballot

stinken <stank, gestunken> *vi* stink (*nach* of)

Stipendiat(in *f*) *m* person receiving scholarship; **Stipendium** *s* scholarship

Stirn *f* <-, -en> [1] ANAT forehead, brow [2] (*FIG Widerstand*) ◇ **jd-m die ~ bieten** to stand up to s.o. [3] (*Frechheit*) cheek, audacity; ◇ **die ~ haben, etw zu tun** to have the audacity to do s.th. [4] (*-seite*) end wall; **Stirnhöhle** *f* sinuses *pl*

stöbern *vi* ↑ *wühlen* ↑ *nach etw suchen* rummage through

stochern *vi* poke; (*im Essen*) pick at o.'s food; (*in der Glut*) poke

Stock *m* <-[e]s, Stöcke> [1] ↑ *Stab, Stecken* stick, cane [2] (*Reb-*) vine; (*Blumen-*) pot-plant [3] ↑ *-werk* ↑ *Etage* floor, storey

stocken *vi* [1] (*im Gespräch*) falter, flag [2] ← *Verkehr* be stuck, be held up [3] ← *Wäsche* go mouldy

Stockung *f* [1] (*von Verkehr*) hold-up [2] (*von Blut*) thickening

Stoff *m* <-[e]s, -e> [1] (*Kleider-, Möbel-*) material, fabric, cloth [2] (*Materie*) substance, matter; (*Roh-*) raw material [3] (*Gesprächs-*) subject; (*Lese-*) reading matter; **Stoffwechsel** *m* ↑ *Metabolismus* metabolism

stöhnen *vi* moan (*über akk* about); ◇ **er stöhnt vor Schmerzen** he groans with pain

Stollen *m* <-s, -> MIN tunnel

stolpern *vi* stumble, trip (*über akk* over)

stolz *adj* [1] ▷*Mensch* proud; ◇ **auf jd-n/etw ~ sein** to be proud of s.o./s.th. [2] *FAM* ▷*Preis* high; **Stolz** *m* <-es> (*Eigenschaft*) pride

stopfen I. *vt* [1] (*hinein-, voll-*) stuff; → *Geflügel, Pfeife* fill [2] ↑ *ausbessern* → *Strumpf, Loch* darn, mend [3] ↑ *schlingen, gierig essen* scoff [4] (*FIG jd-n zum Schweigen bringen*) ◇ **jd-m den Mund ~** to silence s.o. **II.** *vi* ← *Kakao, Schokolade* constipate

Stoppel *f* <-, -n> (*Bart-, Getreide-*) stubble

stoppen I. *vt* → *Verkehr* stop; (*mit Uhr*) stop **II.** *vi* stop; **Stoppuhr** *f* stop-watch

Stöpsel *m* <-s, -> (*für Flaschen*) cork; (*für Waschbecken*) plug

Storch *m* <-[e]s, Störche> stork

stören *vt* → *Unterricht, Ruhe* disturb; ◇ **sich an etw** *dat* **~** to be bothered about s.th.; **Störfall** *m* disruptive incident

stornieren *vt* → *Reise, Buchung* cancel

Störsender *m* jammer

Störung *f* disturbance; **störungsfrei** *adj* ▷*Empfang* free from interference

Stoß *m* <-es, Stöße> [1] ↑ *Hieb, Schlag* hit [2] (*Erd-*) tremor [3] (*Stapel, Wäsche-*) pile [4] (*FIG sich zu etw überwinden*) ◇ **sich** *dat* **einen ~ geben** to pluck up the courage; **Stoßdämpfer** *m* AUTO shock absorber; **stoßen** <stieß, gestoßen> **I.** *vt* [1] ↑ *schubsen* push, shove [2] → *Messer, Dolch* thrust [3] (*zerkleinern*) → *Pfeffer, Körner, Gewürz* pound [4] SPORT → *Kugel* put **II.** *vi* [1] (*unbeabsichtigt*) bump [into]; ◇ **an jd-n/etw ~** to bump into/against s.o./s.th.; ◇ **gegen etw ~** to run into s.th. [2] (*finden*) ◇ **auf etw** *akk* **~** to come across s.th. **III.** *vr* ◇ **sich ~** knock o.s.; ◇ **sich ~ an** *dat* to bump o.s. on s.th.; (*auch FIG als störend empfinden*) take exception to s.th.; **Stoßstange** *f* AUTO shock absorber; **Stoßzeit** *f* rush hour

stottern *vi* stutter; ← *Motor* splutter

Strafanstalt *f* prison; **Strafarbeit** *f* SCHULE lines *pl;* **strafbar** *adj* ▷*Handlung* punishable, penal; **Strafe** *f* <-, -n> punishment; (*Geld-*) fine; JURA sentence; **strafen** *vt* punish

straff *adj* (*streng*) strict; ▷*Seil* tight; ▷*Haut* firm; **straffen** *vt* tighten; → *Darstellung* tighten

Strafgefangene(r) *fm* prisoner; **Strafgericht** *s* criminal court; **Strafgesetzbuch** *s* Criminal Code

sträflich *adj* [1] ↑ *strafbar* criminal [2] ↑ *unentschuldbar* unpardonable

Strafmaß *s* sentence; **Strafporto** *s FAM* excess postage; **Strafpredigt** *f* reprimand, scolding

Strafprozeß *m* criminal proceedings *pl;* **Strafpunkt** *m* SPORT penalty point; **Strafraum** *m* SPORT penalty area; **Strafrecht** *s* criminal law; **Straftat** *f* criminal act; **Strafverteidiger(in** *f*) *m* defence lawyer; **Strafzettel** *m* ticket

Strahl *m* <-[e]s, -en> (*Licht-, Sonnen-*) ray; (*Röntgen-en*) x-ray; (*Wasser-*) jet; **strahlen** *vi* ← *Sonne* shine; ← *Wärme* radiate; *FIG* ← *Mensch* radiate, beam; ◇ **vor Freude/Begeisterung ~** to beam with joy/enthusiasm; **Strahlenbelastung** *f* [exposure to] radiation; **Strahlendosis** *f* dose of radiation; **Strahlentherapie** *f* radiotherapy; **Strahlung** *f* PHYS radiation

Strähne *f* <-, -n> (*Haar-*) strand

stramm *adj* [1] ↑ *eng* tight [2] ▷*Haltung* erect [3] ▷*Marsch, Dienst* tough, hard; **strammziehen** *unreg vt* → *Seil* tighten; (*FAM körperlich strafen*) ◇ **jd-m die Hosen ~** to give s.o. a hiding

strampeln *vi* ← *Baby* wave [around]

Strand *m* <-[e]s, Strände> beach; **Strandbad** *s* (*an See, Meer*) bathing resort

stranden *vi* ← *Schiff* be stranded; *FIG* ← *Mensch* go astray

Strang *m* <-[e]s, Stränge> (*Seil, Strick*) rope; (*Bündel, Büschel, Schienen-*) track; (*Nerven-*) cord; (*FIG übermütig sein*) ◇ **über die Stränge schlagen** to get carried away

strangulieren *vt* (*erhängen, erwürgen*) strangle

Strapaze *f* <-, -n> strain; **strapazieren** *vt* → *Mensch* strain, put under pressure; **strapazierfähig** *adj* strong, tough; **strapaziös** *adj* tiring, exhausting

Straße *f* <-, -n> [1] road, street; (*öffentlich demonstrieren*) ◇ **auf die ~ gehen** to take to the streets [2] (*Meerenge, ~ von Gibraltar*) straits *pl;* **Straßenbahn** *f* tram *BRIT*, streetcar *AM*; **Straßengraben** *m* ditch; **Straßenkarte** *f* road map; **Straßenkehrer** *m* <-s, -> road sweeper; **Straßenmusikant(in** *f*) *m* street musician; **Straßenschild** *s* road/street sign; **Straßenschlacht** *f* (*bei Demo*) riot; **Straßensperre** *f* road block; **Straßenverkehrsordnung** *f* highway code; **Strategie** *f* strategy; **strategisch** *adj* strategic

sträuben I. *vt* ruffle **II.** *vr* ◇ **sich ~** [1] ↑ *sich aufrichten* ← *Haar, Fell, Federn* stand on end [2] ↑ *sich weigern, widersetzen* struggle (*gegen etw* against s.th.)

Strauch *m* <-[e]s, Sträucher> shrub

straucheln *vi* ↑ *fehltreten, stolpern* stumble

Strauß[1] *m* <-es, Sträuße> (*Blumen-*) bunch of flowers

Strauß[2] *m* <-es, -e> *Vogel*, ZOOL ostrich

streben *vi* (*sich bemühen*) strive (*nach* for); **Streber(in** *f*) *m FAM* swot; **strebsam** *adj* ▷*Schüler* hard-working

Strecke *f* <-, -n> [1] ↑ *Distanz* distance [2] BAHN

track [3] MATH line [4] ↑ *Teilstück, Abschnitt* section [5] (*FIG scheitern*) ◇ **auf der ~ bleiben** to drop out

strecken I. *vt* [1] → *Glieder* stretch [2] ↑ *verdünnen* → *Suppe, Soße* thin [out] **II.** *vr* ◇ **sich ~** ↑ *sich dehnen* stretch [out]

Streckennetz *s* BAHN rail network; **streckenweise** *adv* in certain parts/sections

Streich *m* <-[e]s, -e> [1] ↑ *Hieb* stroke [2] ↑ *Schabernack* stroke, trick; ◇ **jd-m einen ~ spielen** to play s.o. a trick

streicheln *vt* stroke, caress

streichen <strich, gestrichen> **I.** *vt* [1] (*berühren*) stroke [2] ↑ *auftragen* → *Brot* spread [3] ↑ *anmalen* → *Tür* paint; (*durch~, passieren*) strain [4] ↑ *tilgen, wegnehmen* → *Absatz, Programm, Ausflug* delete, cancel **II.** *vi* [1] (*berühren*) stroke (*über akk* s.th.) [2] (*ziellos laufen*) roam; **Streichholz** *s* match; **Streichinstrument** *s* string[ed] instrument; **Streichorchester** *s* string orchestra

Streife *f* <-, -n> patrol; ◇ **auf ~ gehen** to be on patrol

streifen I. *vt* ↑ *leicht berühren* brush against, stroke; *FIG* ↑ *erwähnen* → *Thema* touch upon **II.** *vi* [1] (*ziellos laufen*) roam [2] ↑ *angrenzen* border (*an akk* on)

Streifen *m* <-s, -> [1] ↑ *Linie* line [2] (*Stück*) strip [3] ↑ *Film* [strip of] film; **Streifenwagen** *m* patrol car; **Streifzug** *m* [1] (*durch Kneipen*) pub crawl [2] (*FIG Überblick*) brief survey

Streik *m* <-[e]s, -s> strike; **Streikbrecher(in** *f*) *m* <-s, -> strike-breaker; **streiken** *vi* [1] strike, be on strike [2] ↑ *versagen, aussetzen* ← *Maschine, Motor* be broken; **Streikrecht** *s* right to strike

Streit *m* <-[e]s, -e> argument, quarrel; (*Rechts~*) dispute; **streiten** <stritt, gestritten> **I.** *vi* [1] ↑ *zanken* argue, quarrel (*über, um* about) [2] ↑ *kämpfen* fight (*für* for) **II.** *vr* ◇ **sich ~** argue, quarrel; **Streitfall** *m* dispute; **Streitfrage** *f* dispute; **Streitkräfte** *pl* MIL armed forces *pl;* **streitsüchtig** *adj* quarrelsome, belligerent

streng *adj* [1] ▷*Lehrer, Sitten* strict [2] ▷*Kritik* harsh [3] ▷*Frisur, Gesichtszüge* severe [4] ▷*Geruch, Geschmack* pungent [5] ▷*Winter, Frost* severe; **Strenge** *f* <-> strictness, severity, harshness; **strenggenommen** *adv* actually

Streß *m* <-sses, -sse> stress; **stressen** *vt* put under stress/pressure; **stressig** *adj* stressful

streuen *vt* → *Blumen, Salz* strew, spread; → *Sand, Sroh* spread; **Streuer** *m* <-s, -> (*Salz~*) cellar; (*Pfeffer~*) pot; (*Zucker~*) caster

streunen *vi FAM* ↑ *sich herumtreiben* wander around

strich *impf v.* **streichen**

Strich *m* <-[e]s, -e> [1] ↑ *Linie* line [2] (*Feder~, Pinsel~*) stroke [3] (*FIG Vorhaben vereiteln*) ◇ **jd-m einen ~ durch die Rechnung machen** to spoil s.o.'s plans [4] ◇ **unter dem ~** all in all [5] (*mißfallen*) ◇ **jd-m gegen den ~ gehen** to rub s.o. the wrong way [6] *FAM!* ◇ **auf den ~ gehen** to be a prostitute; **Strichmännchen** *s* stick man; **strichweise** *adv* here and there

Strick *m* <-[e]s, -e> ↑ *Seil* rope

stricken *vti* knit

Strickleiter *f* rope ladder

Strickwaren *pl* knitwear

Striemen *m* <-s, -> (*Streifen auf Haut*) weal

strikt *adj* ▷*Befehl* strict

stritt *impf v.* **streiten**

strittig *adj* ↑ *umstritten* controversial

Stroh *s* <-[e]s> straw; **Strohblume** *f* strawflower; **Strohhalm** *m* straw; (↑ *Trinkhalm, FIG letzte Hoffnung*) ◇ **sich an einen ~ klammern** to clutch at a straw; **Strohwitwe** *f FAM* grass widow

strolchen *vi* ↑ *umherstreifen* roam about

Strom *m* <-[e]s, Ströme> [1] (*großer Fluß*) river [2] (*Flüssigkeitsmenge*) ◇ **der Sekt floß in Strömen** the champagne was flowing; ◇ **es regnet in Strömen** it's pouring [3] (*Strömung, ~ der Zeit*) flow of time [4] *FIG* ◇ **gegen den ~ schwimmen** to swim against the current [5] (*Besucher~*) stream [6] ELECTR electricity; **stromabwärts** *adv* downstream; **stromaufwärts** *adv* upstream

strömen *vi* ← *Wasser* stream, flow; ← *Luft, Menschen* pour out

Stromrechnung *f* electricity bill; **Stromsperre** *f* power cut; **Stromstärke** *f* ELECTR strength of current

Strömung *f* [1] (*von Fluß*) current [2] (*FIG geistige Bewegung*) trend

Stromzähler *m* electricity meter

Strophe *f* <-, -n> verse

Strudel *m* <-s, -> [1] ↑ *Wirbel* whirl [2] (*Apfel~, Obst~*) strudel

Struktur *f* structure; **Strukturierung** *f* PC structuring; **strukturschwach** *adj* ▷*Region* structurally weak

Strumpf *m* <-[e]s, Strümpfe> stocking; **Strumpfhose** *f* tights *pl*

struppig *adj* ▷*Haar* messy, unkempt

Stube *f* <-, -n> room; **Stubenhocker(in** *f*) *m* <-s, -> *FAM* stay-at-home

Stuck *m* <-[e]s> (*~decke*) stucco

Stück *s* <-[e]s, -e> [1] ↑ *Teil* piece, part; ◇ **pro ~** each [2] (*Mengenangabe*) bit, part [3] (*Exemplar*) item [4] THEAT play [5] (*Wegstrecke*) part [of the

S

way] 6 (*FAM Frechheit, Gemeinheit*) ◇ **das ist ein starkes** ~ that's a bit much; (*FAM Mensch*) ◇ **ein faules** ~ a lazy thing; **Stückgut** *s* BAHN parcel service; ◇ **Ware als ~ versenden** to send s.th. as a parcel; **Stücklohn** *m* piece rate; **stückweise** *adv* bit by bit; COMM ◇ ~ **verkaufen** to sell individually

Student(in *f*) *m* student; **Studentenausweis** *s* student I.D; **Studentenheim** *s* student hostel; **Studentenwerk** *s* student administration; **studentisch** *adj* student

Studie *f* (*Untersuchung*) study; (*Skizze*) sketch

Studienbeihilfe *f* loan; **Studienbuch** *s* course attendance book; **Studienfach** *s* subject; **Studiengebühren** *pl* fees; **Studienrat** *m* secondary school teacher

studieren *vti* study

Studio *s* <-s, -s> (*Film-, Aufnahme-*) studio; (*Wohnung*) studio

Studium *s* study; (*an Universität*) studies *pl*

Stufe *f* <-, -n> step; (*Entwicklungs-*) level; **stufenweise** *adv* gradually

Stuhl *m* <-[e]s, Stühle> chair; **Stuhlgang** *m* bowel movement

stumm *adj* 1 silent 2 MED dumb

Stummel *m* <-s, -> (*von Bleistift*) stump; (*von Zigarette*) stub, butt; (*von Kerze*) stub

Stummfilm *m* silent film

Stümper(in *f*) *m* <-s, -> incompetent person; **stümperhaft** *adj* ▷*Arbeit* incompetent

stumpf *adj* ▷*Messer* blunt; ▷*Haar* dull; ▷*Winkel* obtuse

Stumpf *m* <-[e]s, Stümpfe> (*Baum-*) stump; (*Bein-*) stump; **stumpfsinnig** *adj* ▷*Arbeit* tedious; ▷*Mensch* dull, boring

Stunde *f* <-, -n> hour; SCHULE class, lesson; (*Zeitpunkt*) time; ◇ **Das ist die ~ der Wahrheit!** This is the moment of truth!; **stunden** *vt* FIN give s.o. time to pay; ◇ **jd-m die Miete** ~ to give s.o. time to pay the rent; **Stundenkilometer** *pl* kilometres per hour *pl;* **Stundenlohn** *m* hourly wage; **Stundenplan** *m* SCHULE time-table; **Stundenzeiger** *m* hour hand

stündlich *adj* hourly

Stunk *m* <-[e]s> *FAM* ↑ *Ärger, Streit* trouble, row

Stups *m* <-es, -e> *FAM* push, shove

stur *adj* ▷*Mensch* stubborn, obstinate; ◇ **sie ging ~ ihres Weges** she carried on regardless

Sturm *m* <-[e]s, Stürme> 1 storm; (*Wind*) gale 2 SPORT forward line

stürmen I. *vi* 1 SPORT attack 2 ← *Wind* blow 3 ↑ *rennen* storm **II.** *vt FIG* → *Haus, Bank* raid **III.** *vi impers:* ◇ **es stürmt** it's stormy

stürmisch *adj* 1 ▷*Meer* stormy, rough 2 *FIG* ▷*Empfang* enthusiastic, frenzied; ▷*Liebhaber* passionate; **Sturmwarnung** *f* gale warning

Sturz *m* <-es, Stürz> 1 ↑ *Fall* fall 2 (*Entlassung, Um-*) fall, overthrow

stürzen I. *vt* 1 (*zum Rücktritt zwingen*) → *Regierung, Kanzler* overthrow 2 ↑ *umdrehen* → *Kuchen, Pudding* turn out **II.** *vi* 1 ↑ *fallen* fall; ↑ *rasch sinken* ← *Aktienkurs, Thermometer* drop 2 (*rennen*) run, rush **III.** *vr* ◇ **sich ~ auf** 1 ↑ *angreifen* attack 2 (*beginnen*) ◇ **sich in/auf die Arbeit** ~ to throw o.s. into o.'s work; **Sturzhelm** *m* crash helmet

Stute *f* <-, -n> mare

Stützbalken *m* brace

Stütze *f* <-, -n> 1 support 2 (*FAM Arbeitslosenunterstützung*) dole 3 *FIG* help

stutzen I. *vt* → *Bart* trim; → *Sträucher* trim, prune **II.** *vi* become suspicious

stützen I. *vt* → *Baum, Mauer* shore up; → *Ellbogen* prop up **II.** *vr* ◇ **sich** ~ lean (*auf akk* on)

stutzig *adj:* ◇ ~ **werden** to grow suspicious

Subjekt *s* <-[e]s, -e> 1 (*Wesen*) subject 2 (*PEJ Mensch*) character 3 GRAM subject

subjektiv *adj* ▷*Urteil, Bericht* subjective

Substantiv *s* noun

Substanz *f* substance

subtil *adj* ▷*Frage, Angelegenheit* subtle

Subtraktion *f* subtraction

subventionieren *vt* subsidize

subversiv *adj* ▷*Elemente* subversive

Suche *f* <-, -n> *a.* PC search (*nach* for); **suchen I.** *vt* 1 look/search (*nach* for) 2 (*ver-*) try; ◇ **jd-m zu helfen** ~ to try to help s.o. **II.** *vi* look/search (*nach* for); **Sucher** *m* <-s, -> searcher; FOTO viewfinder

Sucht *f* <-, Süchte> addiction; **süchtig** *adj* addicted

Südafrika *s* South Africa; **Südamerika** *s* South America

Süden *m* <-s> south; ◇ **im ~ von** in the south of; **Südfrankreich** *s* South of France; **Süditalien** *s* Southern Italy; **südlich I.** *adj* southern **II.** *adv* [to the] south (*gen*, of); **Südosten** *m* south east; **Südpol** *m* South Pole; **Südwesten** *m* south west

süffisant *adj* ▷*Lächeln* smug

suggerieren *vt:* ◇ **jd-m etw** *akk* ~ to suggest s.th. to s.o.

sühnen *vt* expiate

Sulfat *s* sulfate

Sultanine *f* sultana

Summe *f* <-, -n> sum, total

summen I. *vi* ← *Biene, Fliege* buzz; ← *Klimaanlage* hum **II.** *vt* → *Lied, Melodie* hum

summieren I. *vt* add up II. *vr* ◇ **sich** ~ ↑ *sich häufen, anwachsen* add/mount up
Sumpf *m* <-[e]s, Sümpfe> marsh, swamp; **sumpfig** *adj* marshy, swampy
Sünde *f* <-, -n> sin; **Sündenbock** *m FAM* scapegoat; **Sünder(in** *f*) *m* <-s, -> sinner; **sündhaft** *adj* (*FAM sehr*): ◇ ~ **teuer** wickedly expensive; **sündigen** *vt* sin
Super *s* <-s> (*Benzin*) four-star petrol
Superlativ *m* superlative
Supermarkt *m* supermarket
Suppe *f* <-, -n> soup; *FIG* ◇ **jd-m die** ~ **versalzen** to put a spoke in s.o.'s wheel; **Suppenteller** *m* soup bowl
Surfbrett *s* surf board; **surfen** *vi* surf
suspekt *adj* ▷*Person* suspect
suspendieren *vt* (*jd-n des Amtes entheben*) suspend
süß *adj* [1] ▷*Geschmack* sweet; ◇ **süß-sauer** sweet-and-sour [2] ↑ *lieblich* sweet, cute; **Süßigkeiten** *f pl* (*Bonbons, Schokolade*) sweets *pl*, candy *AM*; **Süßstoff** *m* sweetener; **Süßwasser** *s* fresh water
Swatch≈ *f* <-, -[e]s> swatch watch
Symbol *s* <-s, -e> symbol; **symbolisch** *adj* ▷*Tat* symbolic
Symmetrie *f* ↑ *Spiegelgleichheit* symmmetry; **symmetrisch** *adj* ▷*Bildaufbau* symmetrical
Sympathie *f* liking; **sympathisch** *adj* likeable; ◇ **Bernd ist mir sehr** ~ I really like Bernd
Symposium *s* symposium
Symptom *s* <-s, -e> (*Krankheits-*) symptom
Synagoge *f* <-, -n> synagogue; **synchronisieren** *vt* synchronize; → *Film* dub
Synonym *s* <-s, -a>
Synthese *f* <-, -n> synthesis
synthetisch *adj* synthetic
Syrer(in *f*) *m* <-s, -> Syrian; **Syrien** *s* <-s> Syria; **syrisch** *adj* Syrian
System *s* <-s, -e> [1] (*a.* PC) system [2] ↑ *Methode* system, method
systematisch *adj* ▷*Darstellung, Ordnung* systematic
Szene *f* <-, -n> [1] *a.* THEAT scene [2] (*FIG Zank, Vorwürfe*) scene; ◇ **jd-m eine** ~ **machen** to make a scene in front of [3] (*FAM Drogen-, Alternativ-*) scene

T

T, t *s* T, t
Tabak *m* <-s> [1] (*Pfeifen-*) tobacco [2] (*Schnupf-*) snuff; **Tabakladen** *m* tobacco shop
Tabelle *f* (*Preis-*) list; (*Gewichts-*) table
Tablett *s* <-(e)s, -s> tray
Tablette *f* tablet
tabu *adj* taboo; ◇ **dieses Thema ist** ~ this subject is taboo
Tacho *m* <-s, -s> *Abk v.* **Tachometer** *s* <-s, -> speedo
tadellos *adj* ▷*Benehmen* irreproachable; ▷*Arbeit* flawless; **tadeln** *vt* scold
Tafel *f* <-, -n> [1] (*Platte*) board; (*Schul-*) blackboard [2] (*Tabelle*) list [3] (*Schalt-*) panel [4] (*-Schokolade*) bar
Tag *m* <-(e)s, -e> [1] day; ◇ **bei** ~ during the day, in the daytime; ◇ **es wird** ~ it's getting light; ◇ **guten** ~! how do you do? [2] MIN ◇ **unter** ~ **arbeiten** to work underground; **tagaus** *adv*: ◇ ~, **tagein** [*o.* **tagein,** ~] day in, day out; **Tagdienst** *m* day shift; **Tagebuch** *s* diary, journal; **tagelang** *adv* for day [on end]
tagen *vi* ← *Kollegium, Parlament* hold a meeting, confer
Tagesanbruch *m* daybreak, dawn; **Tagesgespräch** *s* topic of the day; **Tageskurs** *m* current rate of exchange; **Tageslicht** *s* daylight; **Tagesmutter** *f* child minder; **Tagesordnung** *f* agenda, programme; **Tagesschau** *f* MEDIA news, current affairs; **Tageszeitung** *f* daily paper
tageweise *adv* on a day basis
täglich I. *adj* daily II. *adv* daily, everyday
tagsüber *adv* during the day
tagtäglich *adj* everyday, usual
Tagung *f* conference
Taifun *m* <-s, -e> typhoon
Taille *f* <-, -n> waist; ◇ **auf** ~ **gearbeitet** waisted
Takt *m* <-(e)s, -e> [1] ↑ *Höflichkeit* tact, discretion [2] MUS beat, time [3] (*FIG jd-n verwirren*) ◇ **jd-n aus dem** ~ **bringen** to put s.o. off their stroke; **Taktgefühl** *s* ↑ *Takt* tact, tactfulness
Taktik *f* tactic *pl*; **taktisch** *adj* tactical
taktlos *adj* tactless; **taktvoll** *adj* tactful
Tal *s* <-(e)s, Täler> valley
Talent *s* <-(e)s, -e> talent; (*Mensch*) talented person; ◇ **junge** ~**e fördern** to promote young talent; **talentiert** *adj* talented
Talfahrt *f* descent
Talisman *m* <-s, -e> charm, talisman
Talsohle *f* bottom of a valley; **Talsperre** *f* dam

T

Tampon *m* <-s, -s> tampon
Tandem *s* <-s, -s> (*Fahrrad*) tandem
Tangente *f* <-, -n> [1] MATH tangent [2] (*Straße*) by-pass
tangieren *vt* be tangent to; *FIG* ↑ *beeindrucken* affect; ↑ *betreffen* impinge (*jd-n* on s.o.)
Tank *m* <-s, -s> (*Behälter*) tank; **tanken** *vti* [1] AUTO fill up [2] (*FAM betrunken sein*) ◇ **getankt haben** to be tanked up; **Tanker** *m* <-s, -> tanker; **Tankstelle** *f* petrol station; **Tankwart** *m* <-s, -e> petrol attendant
Tanne *f* <-, -n> fir
Tante *f* <-, -n> aunt; *FAM* ↑ *komische Frau* bat
Tanz *m* <-es, Tänze> dance; **tanzen** *vti* dance; **Tanzfläche** *f* dancefloor; **Tanzmusik** *f* dance music; **Tanzstunde** *f* ↑ *Tanzunterricht* dancing lesson
Tapete *f* <-, -n> wallpaper; **tapezieren** *vt* wallpaper; **Tapezierer(in** *f*) *m* <-s, -> wallhanger, decorator; *FAM* sticker
tapfer *adj* brave; ↑ *mutig* courageous
tappen *vi FIG*: ◇ **im Dunkeln** ~ to grope in the dark
Tarantel *f* <-, -n> ZOOL tarantula; (*FAM heftig, plötzlich*) ◇ **wie von der ~ gestochen** like mad
Tarif *m* <-s, -e> tariff; (*von Lohn*) wage scale; (*bei Post*) postal rates *pl;* **Tarifvertrag** *m* wage agreement
tarnen *vt* camouflage, disguise; **Tarnung** *f* camouflage
Tasche *f* <-, -n> [1] (*an Kleidung*) pocket [2] (*Hand-, Einkaufs-*) bag [3] (*FAM von jd-m ausgehalten werden*) ◇ **jd-m auf der ~ liegen** to live off s.o.; **Taschenbuch** *s* paperback; **Taschengeld** *s* pocket-money; **Taschenlampe** *f* torch, flashlight; **Taschenrechner** *m* pocket calculator; **Taschentuch** *s* handkerchief
Tasse *f* <-, -n> cup; (*FAM verrückt sein*) ◇ **nicht alle ~n im Schrank haben** to not be all there, to have a screw loose
Tastatur *f* keyboard
Taste *f* <-, -n> key
tasten I. *vi* grope (*nach* for) II. *vt* feel, touch III. *vr* ◇ **sich** ~ to feel o.'s way; **Tastentelefon** *s* push-button telephone; **Tastsinn** *m* sense of touch
tat *impf v.* **tun**
Tat *f* <-, -en> [1] ↑ *Handlung, Tun* action, act, deed, fact [2] ↑ *Verbrechen* crime; ◇ **jd-n auf frischer ~ ertappen** to catch s.o. in the act [3] *FIG* ◇ **in der** ~ indeed; **Tatbestand** *m* state of affairs; JURA evidence, facts of the case; **Tatendrang** *m* spirit of enterprise; **tatenlos** *adj* inactive, idle; ◇ ~ **zusehen** to watch passively

Täter(in *f*) *m* <-s, -> perpetrator; JURA offender
tätig *adj:* ◇ **in einer Firma ~ sein** to work for a company; **Tätigkeit** *f* [1] ↑ *Beruf* occupation, job; ◇ **einer geregelten ~ nachgehen** to have a steady job [2] (*von Maschine*) operation, function
tatkräftig *adj* ▷*Hilfe, Unterstützung* active
tätlich *adj* ▷*Auseinandersetzung* violent; ◇ ~ **werden** to come to blows
Tatort *m* scene of the crime
tätowieren *vt* tatoo
Tatsache *f* ↑ *Faktum* fact; ↑ *Realität* facts *pl;* ◇ **jd-n vor vollendete ~n stellen** to present s.o. with a fait accompli; ◇ **den ~n entsprechend** according to the facts; **tatsächlich** I. *adj* actual II. *adv* ↑ *in Wirklichkeit* really
Tatze *f* <-, -n> claw
Tau [1] *m* <-(e)s> (*Feuchtigkeit*) dew
Tau [2] *s* <-(e)s, -e> ↑ *dickes Seil* rope, hawser
taub *adj* [1] ↑ *gehörlos* deaf [2] ▷*Körperglied* numb
Taube *f* <-, -n> pigeon; (*Brief-*) carrier pigeon
Taubheit *f* MED deafness; **taubstumm** *adj* deaf-and-dumb
tauchen I. *vi* plunge, dive; NAUT submerge II. *vt* immerse, dip; **Taucher(in** *f*) *m* <-s, -> diver; **Tauch[er]maske** *f* diving mask
tauen I. *vi* ▷*Schnee* thaw II. *vi impers:* ◇ **es taut** it's thawing
Taufe *f* <-, -n> baptism; **taufen** *vt* baptise; **Taufpate** *m* godfather; **Taufpatin** *f* godmother
taugen *vi:* ◇ ~ **für** [*o.* **zu**] to be good for; ◇ **nichts** ~ to be useless; **Taugenichts** *m* <-, -e> *FAM* bum; **tauglich** *adj* suitable; MIL fit
taumeln *vi* ↑ *schwanken* ← *Schiff* wobble; ← *Betrunkener* stagger
Tausch *m* <-(e)s, -e> exchange, swap; **tauschen** *vti* exchange, swap; (*einander bedeutungsvoll ansehen*) ◇ **mit jd-m Blicke** ~ to exchange looks
täuschen I. *vti* cheat II. *vr* ◇ **sich** ~ be mistaken; **Täuschung** *f* deception; ▷*optisch* illusion
tausend *nr* thousand
Tauwetter *s* thaw
Tauziehen *s* <-s> (*Spiel*) tug-of-war; (*FIG zähes Ringen*) tussle
Taxe *f* <-, -n> (*Gebühr*) fee; (*Zoll*) duty
Taxi *s* <-(s), -(s)> taxi, cab
taxieren *vt* [1] ↑ *mustern* → *Mensch* assess, gauge [2] ↑ *Wert einschätzen* → *Gegenstand* appraise, value
Taxistand *m* taxi rank, cabstand *AM*
Technik *f* [1] ↑ *Technologie* [engineering] technology [2] ↑ *Methode, Verfahren* technique, tech-

nical procedure; **Techniker(in** *f*) *m* <-s, -> [technical] engineer; **technisch** *adj* technical
Technologie *f* technology; **technologisch** *adj* technological
Teddy Teddybär *m* teddy, teddy bear
TEE *m* <-s, -s> *s.* **Trans-Europa-Express** trans-european express
Tee *m* <-s, -s> tea; **Teekanne** *f* teapot
Teenager *m* <-s, -> teenager
Teer *m* <-(e)s, -e> tar; **teeren** *vt* → *Straße, Weg* tar
Teeservice *s* tea-servive; **Teesieb** *s* tea-strainer; **Teetasse** *f* teacup
Teflon® *s* <-s> Teflon, non-stick
Teich *m* <-(e)s, -e> pond, pool
Teig *m* <-(e)s, -e> (*Brot-, Kuchen-*) dough; (*Blätter-*) pastry; **Teigwaren** *pl* pasta *sg*
Teil [1] *m* <-(e)s, -e> ① (*Bruch-*) part; (*An-*) share; (*von Haus*) section; (*Stadt-*) district, area; ◇ **zum** - in part ② (*auch s, Körper-*) part ③ (JURA *Partei*) party
Teil [2] *s* <-(e)s, -e> ① (*Bestand-*) component; (*Ersatz-*) spare part ② (*FAM großer Gegenstand*) thing
teilbar *adj* divisible; **Teilbetrag** *m* ↑ *Rate* instalment
Teilchen *s* ↑ *kleines Teil* bit; PHYS particle
teilen I. *vti* ① ↑ *trennen* divide ② ↑ *zerlegen* dismantle; ↑ *zerschneiden* cut up ③ ↑ *abgeben* distribute ④ (*gemeinsam bewohnen*) share; ◇ **jd-s Meinung** - to be of the same opinion ⑤ MATH divide (*durch* by) **II.** *vr* ◇ **sich** - ① ← *Personen* divide up; ◇ **sich** *dat* **die Arbeit** - to share in the work ② ← *Weg* fork, branch off; **Teiler** *m* divider; MATH divisor; **Teilhaber(in** *f*) *m* <-s, -> participant; COMM partner, associate; **Teilmenge** *f* proportion; **Teilnahme** *f* <-> ① (*an Seminar*) participation (*an dat* in) ② ↑ *Interesse* interest ③ ↑ *Mitgefühl* sympathy; **teilnahmslos** *adj* ↑ *gleichgültig* indifferent; **teilnehmen** *unreg vi* take part (*an dat* in), participate (*an dat* in)
teils *adv* partly, in part; ◇ **größten-** for the most part
Teilung *f* ① ↑ *Aufteilung* division ② ↑ *Trennung* separation ③ BIO segmentation
teilweise *adv* partly, to some extent; **teilzeitbeschäftigt** *adj* part-time
Telefax *s* <-es, -e> fax
Telefon *s* <-s, -e> telephone, phone; **Telefonat** *s* ↑ *Telefongespräch* conversation [on the phone]; **Telefonbuch** *s* phone book, telephone directory; **telefonieren** *vi* telephone; (*sprechen*) talk on the phone (*mit* to); **telefonisch** *adj* on the phone; **Telefonkarte** *f* phone card; **Telefonnummer** *f* phone number; **Telefonverbindung** *f* [telephone] connection; **Telefonzelle** *f* phone box
telegrafieren *vti* telegraph; **telegrafisch** *adj* telegraphic
Telegramm *s* <-s, -e> telegram; **Telegrammbote** *m* messenger; **Telekolleg** *s* university of the air, ≈Open University; **Teleobjektiv** *s* FOTO telephoto lens; **telepathisch** *adj* ▷*Kräfte* telepathic; **Teleskop** *s* <-s, -e> telescope
Telex *s* <-es, -e> telex
Teller *m* <-s, -> plate
Tempel *m* <-s, -> temple
Temperament *s* ① (*individuelle Eigenschaft*) temperament ② ↑ *Lebhaftigkeit* vivacity; **temperamentlos** *adj* spiritless; **temperamentvoll** *adj* high-spirited, lively
Temperatur *f* temperature; ◇ **jd-s** - **messen** to take s.o.'s temperature
Tempo [1] *s* <-s, -s> (*Lauf-, Schnecken-*) pace, rate; ◇ -, -! hurry up!
Tempo® [2] *s s.* **Tempotaschentuch** tissue
Tempolimit *s* <-s, -s> speed limit
temporär *adj* temporary
Tendenz *f* ↑ *Neigung* tendency, trend; **tendieren** *vi* tend (*zu* to)
Tennis *s* <-> tennis; **Tennisplatz** *m* tennis court; **Tennisspieler(in** *f*) *m* tennis player
Tenor *m* <-s, Tenöre> tenor
Teppich *m* <-s, -e> carpet
Termin *m* <-s, -e> ① ↑ *Zeitpunkt* fixed time, target date; ◇ **äußerster** - deadline ② (*Arzt-*) appointment ③ JURA hearing; **Terminkalender** *m* appointment diary
Terminologie *f* terminology
Terpentin *s* <-s, -e> (*-öl*) turpentine
Terrasse *f* <-, -n> terrace; (*Dach-*) roof garden
Territorium *s* territory
Terror *m* <-s> terror; **terrorisieren** *vt* terrorize; **Terrorismus** *m* terrorism; **Terrorist(in** *f*) *m* terrorist
Tesafilm® *m* <-s> Sellotape
Test *m* <-s, -s> test
Testament *s* ① JURA will, testament ② REL ◇ **Altes** [*o.* **Neues**] - Old [*o.* New] Testament
Testbild *s* MEDIA test card; **testen** *vt* test
Tetanus *m* <-> MED tetanus
teuer *adj* ① ↑ *kostspielig* costly, expensive ② ↑ *wertvoll* valuable ③ ↑ *geschätzt* precious ④ ◇ **für etw** - **bezahlen** to pay for s.th. dearly; **Teuerung** *f* (*-srate*) increasing cost of living
Teufel *m* <-s, -> devil; *FAM* ◇ **pfui** -! how disgusting!; *FAM* ◇ **geh zum** -! go to hell!; *FAM* ◇

der ~ ist los all hell's been let loose; *FAM* ◇ **den ~ an die Wand malen** to talk of the devil
Text *m* <-(e)s, -e> (*Bibel-*) text; (*Vertrags-*) wording; (*Opern-*) libretto; (*Lied-*) words *pl; FIG* ◇ **jd-n aus dem ~ bringen** to distract s.o.
textil *adj* textile; **Textilien** *pl* textiles *pl;* **Textilindustrie** *f* textile industry
Textsystem *s* PC text system; **Textverarbeitung** *f* word processing
Thailand *s* Thailand
Theater *s* <-s, -> [1] (*Gebäude*) theatre [2] (*Vorstellung*) show, presentation [3] (*Publikum*) audience [4] *FAM* song and dance, fuss; ◇ **~ spielen** to play around, to put it on; **Theaterkasse** *f* box-office; **theatralisch** *adj* theatrical
Theke *f* <-, -n> (*Laden-*) counter; (*in Bierlokal*) bar
Thema *s* <-s, Themen> theme, topic; ◇ **kein ~ sein** to be nothing to worry about
Theologie *f* theology; **theologisch** *adj* theological
Theoretiker(in *f*) *m* <-s, -> theorist; **theoretisch** *adj* ▷*Unterricht* theoretical; **Theorie** *f* theory
Therapeut(in *f*) *m* <-en, -en> (*Psycho-*) therapist; **Therapie** *f* therapy
Thermalbad *s* thermal bath; (*Badeort*) thermal spa
Thermodrucker *m* thermal printer
Thermometer *s* <-s, -> thermometer
Thermosflasche® *f* Thermos [flask]
Thermostat *m* <-(e)s *o.* -en, -en> ↑ *Wärmeregler* thermostat
These *f* <-, -n> thesis
Thron *m* <-(e)s, -e> throne; **Thronfolge** *f* succession [to the throne]
Thunfisch *m* tuna, tunny
Thymian *m* <-s, -e> thyme
Tick *m* <-(e)s, -s> [1] ↑ *Schrulle* tic [2] ↑ *Spleen* fad
ticken *vi* ← *Uhr* tick; ← *Fernschreiber* click; *FAM* ◇ **bei dir tickt's nicht richtig!** you're not right in the head!
tief *adj* [1] *auch FIG* deep; ▷*Farbe* dark [2] ▷*Wissen* ▷*Freude* profound [3] (*Not*) extreme, desperate [4] ▷*Temperaturen* low [5] ▷*Stille* ▷*Schweigen* dead [6] ◇ **aus ~stem Herzen** from the bottom of my heart; ◇ **das läßt ~ blicken** that's very significant; **Tief** *s* <-s, -s> METEO depression; **Tiefe** *f* <-, -n> depth; *FIG* profoundness; **Tiefebene** *f* low-lying area, lowland; **Tiefenschärfe** *f* FOTO depth of focus; **Tiefgang** *m* <-s> draught; **Tiefgarage** *f* underground carpark; **tiefgefroren**, **tiefgekühlt** *adj* deep-frozen; **tiefgreifend** *adj* ▷*Änderungen* thorough-going, radical; **Tiefkühltruhe** *f* freezer; **Tiefpunkt** *m* low point; *FIG* low ebb; **Tiefschlag** *m* (*auch FIG bei Boxen*) punch below the belt; **Tiefsee** *f* deep sea; **Tiefstand** *m* low; (*einer Karriere*) nadir; **tiefstapeln** *vi FAM* ↑ *untertreiben* be overmodest, understate
Tier *s* <-(e)s, -e> animal; **Tierarzt** *m*, **Tierärztin** *f* veterinary surgeon, vet; **Tiergarten** *m* zoo; **Tierkreis** *m* ASTROL zodiac; **Tierkreiszeichen** *s* signs of the zodiac; **tierliebend** *adj* animal-loving; **Tierpark** *m* zoo; **Tierquälerei** *f* cruelty to animals; **Tierschutzverein** *m* Society for the Prevention of Cruelty to Animals; **Tierversuch** *m* animal experiment
Tiger(in *f*) *m* <-s, -> tiger
tilgen *vt* [1] → *Schuld* pay off, discharge [2] → *Spur* erase, obliterate; **Tilgung** *f* [1] (*von Schulden*) repayment, discharge [2] (*im Handelsregister*) striking-out, cancellation
Tinktur *f* tincture
Tinte *f* <-, -n> ink; (*FAM in Schwierigkeiten sein*) ◇ **in der ~ sitzen** to be in a tight spot; **Tintenfisch** *m* octopus; **Tintenpatrone** *f* ink cartridge
Tip *m* <-s, -s> tip
tippen *vti* [1] → *Text* type [2] ↑ *berühren* touch lightly, tap; ◇ **sich an den Hut ~** to tip o.s hat [in greeting] [3] ↑ *wetten* ◇ **auf etw ~** *akk* bet [on] s.th.; **Tippfehler** *m* typing error; **Tippzettel** *m* (*bei Fußballtoto*) football [*o.* pools] coupon; ↑ *Wettschein* betting slip
Tiroler(in *f*) *m* <-s, -> Tyrolese, Tyrolean
Tisch *m* <-(e)s, -e> [1] (*Eß-*) [dining] table [2] (*Mahlzeit*) supper, dinner; ◇ **bei** [*o.* **zu**] ~ to be at table, to be having a meal; ◇ **nach ~** after eating [3] (*Schreib-*) [writing] table, desk [4] *FIG* ◇ **reinen ~ machen** to clear the decks; *FIG* ◇ **jd-n über den ~ ziehen** to con s.o.; *FIG* ◇ **etw unter den ~ fallen lassen** to [purposely] not mention s.th.; *FAM* ◇ **vom ~ sein** to be over and done with; **Tischfußball** *m* table football
Tischler(in *f*) *m* <-s, -> joiner; **Tischlerei** *f* joinery
Tischnachbar(in *f*) *m* neighbour at table; **Tischrede** *f* after-dinner speech; **Tischtennis** *s* table tennis; **Tischtuch** *s* tablecloth
Titan *m* <-s, -en> [1] (*Mythologie*) Titan [2] (*FIG mächtiger Mensch*) titan
Titel *m* <-s, -> [1] (*Buch-, Film-*) title [2] (*Adels-, Doktor-*) title; **Titelanwärter(in** *f*) *m* SPORT challenger, aspirant to the title; **Titelbild** *s* title-page; **Titelrolle** *f* title role
Toast *m* <-(e)s, -s *o.* -e> [1] (*Brot*) toast [2] (*Trinkspruch*) toast; **Toaster** *m* <-s, -> toaster

toben *vi* ① ← *Kinder* romp ② ← *Sturm, Meer* rage ③ ◇ **vor Wut** ~ to be fuming with rage; **tobsüchtig** *adj* raving mad; **Tobsuchtsanfall** *m* frenzied fit

Tochter *f* <-, Töchter> daughter

Tod *m* <-(e)s, -e> death; ◇ **eines gewaltsamen ~es sterben** to die a violent death; ◇ **jd-n zum ~e verurteilen** to sentence s.o. to death; *FAM* ◇ **jd-n/etw auf den ~ nicht leiden können** to hate s.o./s.th. like poison; **todernst** *adj* ▷*Miene* very serious; **Todesangst** *f* fear of death; *FIG* mortal terror; **Todesanzeige** *f* announcement of death, orbituary notice; **Todeskampf** *m* death throes *pl;* **Todesstrafe** *f* capital punishment; **Todesursache** *f* cause of death; **Todesverachtung** *f* contempt of death; *FAM* ◇ **etw mit ~ tun** to do s.th. disgustedly; **todkrank** *adj* dangerously ill

tödlich *adj* deadly, lethal; *FIG* ◇ **mit ~er Sicherheit** with dead certainty

todmüde *adj FAM* dead tired; **todschick** *adj FAM* ▷*Kleid, Mantel* super-smart; **todsicher** *adj FAM* dead certain

Toilette *f* ↑ *WC* toilet, lavatory, W.C., bathroom, restroom *AM*; **Toilettenpapier** *s* toilet paper

toi, toi, toi *intj* good luck

tolerant *adj* ▷*Frau, Ehepaar* tolerant (*gegenüber* of, with, toward[s]); **Toleranz** *f* <-> tolerance

toll *adj* ① *FAM* ↑ *wunderbar* fantastic, terrific ② *FAM* ↑ *schlimm* heavy; ◇ **es kommt noch ~er** the worst is yet to come; *FAM* it's going to get a lot heavier ③ ↑ *wahnsinnig, wild* mad, crazy; **tollkühn** *adj* foolhardy; **Tollwut** *f* rabies *sg*

Tolpatsch *m* <-(e)s, -e> ↑ *ungeschickter Mensch* oaf

Tomate *f* <-, -n> tomato; **Tomatenmark** *s* tomato purée

Ton [1] *m* <-s, -e> (*Erde*) clay; (*~waren*) earthenware

Ton [2] *m* <-(e)s, Töne> ① ↑ *Laut* sound; (*Melodie*) tune; (*Zeitsignal*) pip ② (*Umgangs~*) address, style; ◇ **sich im ~ vergreifen** to pitch s.th. wrongly ③ (*Betonung, Akzent*) emphasis, stress ④ (MUS *Halb~, Viertel~*) tone; ◇ **den ~ angeben** to give the key-note; *FIG* to set the tone ⑤ (*Klangfarbe*) timbre ⑥ (*Farb~*) shade; **tonangebend** *adj* leading; **Tonart** *f* MUS key; **Tonband** *s* tape

tönen **I.** *vi* ① sound; ← *Glocke* ring; ← *Stimme* resound ② *FAM* ↑ *prahlen* boast, sound off **II.** *vt* → *Haare* tint, tone

Tonfall *m* <-> intonation

Tonic *n* <-s, -s> tonic water

Toningenieur(in *f*) *m* sound engineer; **Tonleiter** *f* MUS scale

Tonne *f* <-, -n> ① ↑ *Faß* barrel; (*offen*) tub ② (*Gewichtseinheit*) ton

Tonschnitt *m* sound editing; **Tonspur** *f* sound track; **Tonstärke** *f* volume

Tontaube *f* SPORT clay pigeon; **Tonwaren** *pl* pottery, earthenware

Tönung *f* (*Farb~*) shade, tint

Topangebot *s* <-s, -s> best offer

Topf *m* <-(e)s, Töpfe> (*Koch~*) pot, saucepan; (*Blumen~*) vase; (*Nacht~*) chamber pot; *FAM* potty; *FIG* ◇ **alle[s] in einen ~ werfen** to lump everything together

Töpfer(in *f*) *m* <-s, -> potter; **töpfern** **I.** *adj* → *Gefäß, Vase* earthen, made of clay **II.** *vi* make pottery

topfit *adj* very fit

Topographie *f* topography; **topographisch** *adj* topographic

topp *intj* it's a deal!, agreed!

Tor [1] *s* <-(e)s, -e> ① (*Eingang*) entrance, door; (*Garten~*) gate ② (SPORT *beim Slalom*) gate; (*Fußball~*) goal

Tor [2] *m* ↑ *Narr* simpleton

Torbogen *m* archway, arch

Torero *m* <-s, -s> torero

Torheit *f* folly

torkeln *vi* ← *Betrunkener* stagger, sway

Tormann *m* <-s, Tormänner> SPORT ↑ *Torhüter* goalkeeper, goalie

Torpedo *m* <-s, -s> torpedo

Torschlußpanik *f FIG* last-minute panic

Torschütze *m* scorer

Torte *f* <-, -n> ① cake; (*Obst~*) flan ② (*Sahne~*) gateau; **Tortenboden** *m* pastry base

Tortur *f* ① ↑ *Folter* torture ② *FIG* ↑ *Qual* torture, ordeal

Torwart *m* <-s, -e> SPORT goalkeeper; *FAM* goalie

tot *adj auch FIG* dead; ▷*Gleis* disused; ▷*Kapital, Punkt* lowest; ◇ **das Tote Meer** the Dead Sea

total **I.** *adj* ▷*Niederlage* utter, total **II.** *adv FAM* ↑ *völlig* totally, utterly

totalitär *adj* totalitarian

Totalschaden *m* AUTO write-off

Tote(r) *fm* dead person

töten *vti* kill; **totenblaß** *adj* white as a sheet; **Totengräber** *m* gravedigger; **Totenkopf** *m* death's head; (*als Warnzeichen*) skull and crossbones *sg;* **Totenschein** *m* death certificate; **Totenstarre** *f* ↑ *Leichenstarre* rigor mortis; **Totenstille** *f* silence of the grave, total quiet; **totlachen** *vr* ◇ **sich ~** *FAM* die laughing

Toto *m o s* <-s, -s> pools, sweepstake
totsagen *vt* declare s.o. dead; **Totschlag** *m* JURA manslaughter, homicide; **totschlagen** *unreg vt* kill, slay; *FIG* ◇ **die Zeit** ~ to kill time; **totschweigen** *unreg vt FIG* pass over in silence, hush up; **totstellen** *vr* ◇ **sich** ~ pretend to be dead; *FAM* play possum
Toupet *s* <-s, -s> toupee
Tour *f* <-, -en> [1] ↑ *Ausflug, Reise* trip, excursion [2] (*Umdrehung, Schwung*) revolution; *FIG* ◇ **auf -en kommen** to get going; *FAM* ◇ **in einer** ~ in a stretch [3] (*Verhaltensart, Trick*) trick, dodge; ◇ **diese ~ kenne ich schon** I know that routine; *FAM* ◇ **etw auf die krumme ~ versuchen** to try some funny business, to go about s.th. in a bent way; **Tourenzähler** *m* <-s, -> tachometer, rev counter
Tourismus *m* tourism; **Tourist(in** *f*) *m* tourist; **Touristenklasse** *f* tourist class
Tournee *f* <-, -n> THEAT tour; ◇ **auf ~ gehen** to go on tour
toxisch *adj* ▷*Substanz* toxic
Trab *m* <-(e)s> [1] (*von Pferd*) trot [2] *FAM* ◇ **ständig auf ~ sein** to be always on the go; *FAM* ◇ **jd-n auf ~ bringen** to give s.o. a prod
traben *vi* trot
Tracht *f* <-, -en> [1] (*Schwestern-*) uniform; (*Volks-*) traditional costume [2] *FAM* ◇ **eine ~ Prügel** a sound thrashing
trachten *vi* ↑ *begehren, erstreben* aspire (*nach dat* to); ◇ **danach ~ etw zu tun** to endeavour to do s.th.; ◇ **jd-m nach dem Leben** ~ to make an attempt on s.o.'s life
Tradition *f* tradition; **traditionell** *adj* traditional
traf *impf v.* **treffen**
tragbar *adj* [1] ▷*Gerät* portable [2] *FIG* ▷*Zustand* bearable
träge *adj* [1] ▷*Mensch* lazy [2] ▷*Bewegung* sluggish [3] PHYS inert
tragen <trug, getragen> **I.** *vt* [1] ↑ *transportieren* carry, convey; ↑ *halten* hold; ↑ *stützen* support [2] → *Brille, Kleider* wear; *FIG* → *Schicksal* suffer; *FIG* → *Folgen, Verantwortung* bear **II.** *vi* [1] ← *Eis* hold; ← *Meereswasser* be buoyant [2] ← *Baum, Strauch* bear **III.** *vr* ◇ **sich tragen** [1] ← *Theater, Unternehmen* be self-supporting [2] ▷*angenehm, leicht* be [pleasant] to wear [3] *FIG* ◇ **sich mit der Absicht ~, etw zu tun** to contemplate doing s.th.
Träger *m* <-s, -> [1] (*Gepäck-*) porter; (*für Expedition*) carrier [2] (*Ordens-*) holder, bearer [3] (*Hosen-*) braces *pl;* (*von BH*) shoulder-strap [4] TECH support; (*Balken*) beam; (*Pfeiler*) pile; (*Eisen-*) girder [5] (*von Fürsorge*) responsible institution, carrier
tragfähig *adj* [1] ▷*Brücke* load-bearing [2] *FIG* ▷*Lösung* sound
Tragfläche *f* AERO wing
Trägheit *f* [1] (*von Mensch*) torpor, laziness [2] (*von Bewegung*) slowness, sluggishness [3] ▷*geistig* phlegm [4] PHYS inertia
Tragik *f* tragedy; **tragisch I.** *adj* ▷*Unfall* tragic **II.** *adv FAM*: ◇ **etw nicht so ~ nehmen** to not take s.th. so badly
Tragödie *f* tragedy
Tragweite *f* [1] (*von Gewehr, Stimme*) range [2] *FIG* (*von Aussage*) implications *pl*, consequences *pl*
Trainer(in *f*) *m* <-s, -> trainer, coach; **trainieren** *vti* train
Trakt *m* <-(e)s, -e> (*Gebäude-*) wing
Traktor *m* tractor
trampen *vi* hitch-hike
Trampolin *s* <-s, -s> trampoline
Tran *m* <-(e)s, -e> ↑ *Fischöl* train oil; *FAM* ◇ **im ~ sein** to be out of it
Trance *f* <-, -n> trance
Tranchiermesser *s* carving knife
Träne *f* <-, -n> tear; **tränen** *vi* ← *Auge* water; **Tränendrüse** *f* tear duct; (*FIG sentimental sein*) ◇ **auf die ~ drücken** to turn on the taps
trank *impf v.* **trinken**
Transaktion *f* COMM transaction
Transformator *m* transformer
transformieren *vt* transform
Transfusion *f* (*Blut-*) transfusion
transitiv *adj* transitive
Transparent *s* <-(e)s, -e> (*auf Demo*) banner
transpirieren *vi* perspire
Transplantation *f* (*Herz-*) transplant; (*Haut-*) graft
Transport *m* <-(e)s, -e> transport; **Transportflugzeug** *s* cargo plane; **transportieren** *vt* transport, ship; **Transportkosten** *pl* transport costs *pl*, carriage; **Transportmittel** *s* means *pl* of transport; **Transportunternehmen** *s* transport company
Trapez *s* <-es, -e> [1] SPORT trapeze [2] MATH trapezium
tratschen *vi FAM* ↑ *klatschen* gossip
Traube *f* <-, -n> [1] (*die einzelne*) grape [2] (*Büschel*) bunch [3] (*von Menschen*) cluster; **Traubenzucker** *m* glucose
trauen I. *vt* ↑ *vertrauen* have confidence (*dat* in); ◇ **jd-m/einer Sache ~** to trust [in] s.o./s.th. **II.** *vi* ← *Pfarrer, Standesbeamte* marry **III.** *vr* ◇ **sich ~** [1] ↑ *sich wagen* dare, venture [2] (*heiraten*) ◇ **sich ~ lassen** to get married

Trauer *f* <-> sorrow, grief; (*um Verstorbenen*) mourning; **trauern** *vi* mourn (*um* for); **Trauerspiel** *s* tragedy

traulich *adj* ▷*Beisammensein* cosy; ▷*Atmosphäre* intimate

Traum *m* <-(e)s, Träume> dream; ◇ **das fällt mir nicht im ~ ein** I wouldn't dream of it

Trauma *s* <-s, Traumen *o.* -ta> PSYCH trauma

träumen *vti* dream; ◇ **von jd-m/etw ~** to dream of s.th./s.o.; **Träumerei** *f* dreaming; *FIG* daydream; **träumerisch** *adj* ▷*Blick* wistful; ▷*Mensch* dreamy

traumhaft *adj* dreamlike; *FIG* wonderful

traurig *adj* sad

Trauring *m* wedding ring; **Trauschein** *m* marriage certificate; **Trauung** *f* wedding ceremony

Travellerscheck *m* ↑ *Reisescheck* traveller's cheque

Treff *m* ① (*bei Kartenspiel*) clubs *sg/pl* ② *FAM* meeting place; **treffen** <traf, getroffen> **I.** *vi* hit; (*bei Wettkampf*) land a punch, score **II.** *vt* ① ↑ *begegnen* meet ② ↑ *verletzen* hurt; ◇ **jd-n schwer ~** to be a hard blow to s.o. ③ (*FIG erfassen*) capture, express; ◇ **den richtigen Ton ~** to adopt the right tone ④ → *Abkommen* come to; → *Entscheidung* make; → *Verabredung* make, fix **III.** *vr* ◇ **sich ~** ① ← *Menschen* meet, assemble (*mit jd-m* s.o.) ② (*sich ereignen*) happen; ◇ **das trifft sich gut** that's lucky; **Treffen** *s* <-s, -> meeting; **treffend** *adj* ▷*Bemerkung* appropriate; ▷*Bild* well-captured; **Treffer** *m* <-s, -> ① *auch FIG* hit; SPORT goal ② (*Los*) winning number, prize ③ *FAM* ◇ **einen großen ~ erzielen** [*o.* **landen**] to hit the big-time; **Treffpunkt** *m* rendezvous, meeting place; **treffsicher** *adj* accurate; *FIG* ▷*Ausdrucksweise* precise

treiben <trieb, getrieben> **I.** *vt* ① ↑ *bewegen* drive ② (*FIG drängen*) hurry, press; ◇ **jd-n zum Selbstmord ~** to drive s.o. to suicide ③ → *Studien* pursue; → *Sport* play, do; → *Handel* conduct; ◇ **Spott mit jd-m ~** to make fun of s.o. **II.** *vi* ① ← *Pflanzen* sprout, shoot ② ← *Schiff* drift ③ ← *Hefe, Backpulver* rise, ferment ④ MED be diuretic ⑤ ◇ **es wild** [*o.* **bunt**] **~** to carry on like crazy ⑥ *FAM!* have sex; ◇ **es mit jd-m ~** to be sleeping with s.o.; **Treibgas** *s* propellant gas; **Treibhaus** *s* hothouse; **Treibhauseffekt** *m* greenhouse effect; **Treibjagd** *f* ① (*bei Jägern*) battue, drive ② (*bei Polizei*) round-up; **Treibstoff** *m* fuel

Trend *m* trend, tendency; ◇ **im ~ der Zeit** following the sign of the times

trennbar *adj* separable; **trennen I.** *vt* ① → *Wort* divide ② → *Streitende* separate ③ → *Verbindung* disconnect, break; TELEC interrupt ④ (*abgrenzen*) divide off (*von* from) **II.** *vr* ◇ **sich ~** ① ↑ *auseinandergehen* part; ← *Ehepaar* become divorced; ◇ **sich von jd-m/etw ~** to part with [*o.* from] s.o./s.th. ② ← *Wege, Ideen* diverge; **Trennung** *f* separation; (*Absonderung*) isolation

Treppe *f* <-, -n> stairs *pl*, staircase; (*draußen*) steps *pl;* ◇ **eine ~ höher** one flight up; **Treppengeländer** *s* banister; **Treppenhaus** *s* staircase [well]

Tresor *m* <-s, -e> safe

Tretauto *s* pedal car

treten <trat, getreten> **I.** *vt* ① (*mit Fuß*) kick ② ◇ **jd-m auf den Fuß ~** to tread on s.o.'s foot ③ (*nieder-*) trample **II.** *vi* ① (*mit Fußtritt*) kick ② (*sich bewegen*) step, move; ◇ **nicht auf den Rasen ~** keep off the grass; ◇ **jd-m in den Weg ~** to get in s.o.'s way ③ (*betreten*) enter, step in[to] (*in akk* to); ◇ **~ Sie näher!** come closer! ④ ◇ **in Erscheinung ~** to appear ⑤ ◇ **mit jd-m in Verbindung ~** to get in touch with s.o., to commence relations with s.o.

treu *adj* ① ▷*Freund* loyal, constant; ↑ *ergeben* devoted; ▷*Hund* faithful ② ◇ **jd-m/etw ~ sein** *dat* to be true to s.th. ③ ◇ **zu ~en Händen** in trust; **Treue** *f* <-> loyalty, faithfulness; ◇ **jd-m die ~ halten** [*o.* **brechen**] to keep [*o.* break] faith; **treuherzig** *adj* ▷*Blick* trusting, candid; **treulos** *adj* faithless

Tribüne *f* <-, -n> (*Redner-*) platform, podium

Trichter *m* <-s, -> ① (*Einfüll-*) funnel ② (*Bomben-*) crater

Trick *m* <-s, -s> trick, dodge; **Trickfilm** *m* (*Zeichen-*) cartoon

trieb *impf v.* **treiben**

Trieb *m* <-(e)s, -e> ① (*Kraft*) force, drive ② (*Neigung*) compulsion, urge ③ (*an Baum*) shoot; **Triebkraft** *f FIG* motivation, drive; **Triebhaftigkeit** *f* impulsiveness; **Triebtäter** *m* sex offender

triefen *vi* drip (*von, vor* with); ← *Auge* run; ◇ **vor Nässe ~** to be dripping wet

triftig *adj* ▷*Grund* convincing, sound

Trikot *s* <-s, -s> ① (*bei Fußball*) shirt ② (*Stoffart*) tricot

trillern *vti* trill; ← *Vögel* warble, twitter

Trimm-dich-Pfad *m* keep-fit circuit, fitness trail

trimmen I. *vt* (*FIG erziehen, abrichten*) → *Schüler, Hund* train **II.** *vr* ◇ **sich ~** (*durch Sport*) get fit

trinkbar *adj* drinkable, potable; **trinken** <trank, getrunken> **I.** *vti* drink **II.** *vi* (*gewohnheitsmäßig*) be a drinker; **Trinker(in** *f*) *m* <-s, -> drinker;

FAM boozer; **Trinkgeld** *s* tip; **Trinkspruch** *m* toast; ◇ **einen ~ auf jd-n ausbringen** to toast s.o.; **Trinkwasser** *s* drinking water
Trio *s* <-s, -s> trio
Trip *m* <-s, -s> *FAM* trip
trist *adj* ▷*Gegend, Wetter* dreary, depressing
Tritt *m* <-(e)s, -e> [1] (*Schritt*) step; (*bei Stapfen*) tread [2] (*Fuß-*) kick [3] ↑ *Stufe* step; **Trittbrett** *s* BAHN step; AUTO running-board
Triumph *m* <-(e)s, -e> triumph; **triumphal** *adj* ▷*Erfolg* triumphant; **triumphieren** *vi* triumph (*über akk* over)
trivial *adj* ▷*Geschichte* trivial, trite
trocken *adj* [1] *auch FIG* dry; ▷*Husten* hacking [2] (*dürr*) arid [3] ↑ *langweilig* dull; **Trockeneis** *s* dry ice; **Trockenfrucht** *f* dried fruit; **Trokkengemüse** *s* dried vegetables *pl;* **Trockenheit** *f* dryness; (*von Wüste*) aridity; **trockenlegen** *vt* [1] → *Sumpf* drain [2] → *Kind* change nappies
trocknen I. *vt* → *Tabak* dry **II.** *vi* ← *Haare* dry
Trödel *m* <-s> second-hand goods *pl; FAM* junk
trödeln *vi FAM* dawdle
Trödler(in *f*) *m* [1] (*an Markt*) second-hand dealer [2] *FAM* dawdler
troff *impf v.* **triefen**
trog *impf v.* **trügen**
Trog *m* <-(e)s, Tröge> (*Futter-*) trough
Trommel *f* <-, -n> drum; **Trommelfell** *s* ANAT eardrum; **trommeln** *vti* drum
Trompete *f* <-, -n> trumpet; **trompeten** *vi* [1] MUS play [*o.* blow] the trumpet [2] ← *Elefant* trumpet; **Trompeter(in** *f*) *m* <-s, -> trumpeter
Tropen *pl* tropics *pl;* **Tropenklima** *s* tropical climate
Tropf *m* <-(e)s, Tröpfe> [1] MED drip [2] *FAM* ◇ **armer ~** poor wretch
tröpfeln *vi* [1] ↑ *Wasserhahn* drip [2] ↑ *Flüssigkeit* trickle, drip
tropfen *vi* ← *Wasserhahn* drip; **Tropfen** *m* <-s, -> [1] (*Regen-*) drop; (*Schweiß-*) bead [2] (*Husten-, Magen-*) drops *pl* [3] (*FIG wirkungslos*) ◇ **ein ~ auf den heißen Stein** a drop in the ocean
tropfnaß *adj* ▷*Kleidung, Haar* dripping [*o.* sopping] wet
Trophäe *f* <-, -n> (*Jagd-*) trophy
tropisch *adj* ▷*Klima* tropical
Trost *m* <-es> consolation, comfort
trösten *vt* comfort, console; **tröstlich** *adj* comforting
trostlos *adj* ▷*Wetter, Umgebung* bleak; ▷*Verhältnisse* wretched
Trott *m* <-(e)s, -e> [1] (*Gangart bei Pferd*) trot [2] *FAM* routine, daily grind
Trottel *m* <-s, -> *FAM* dope
trotten *vi* (*zu Fuß*) trudge
trotz *präp gen o dat* inspite of, notwithstanding, despite; ◇ **~ allem** inspite of everything
Trotz *m* <-es> obstinacy, stubbornness; ◇ **jd-m zum ~** to spite s.o.
trotzdem I. *adv* nevertheless, still **II.** *cj* although, though
trotzig *adj* ▷*Kind* sulky
Trotzkopf *m* sulky child; **Trotzreaktion** *f* act of defiance
trüb *adj* [1] ▷*Licht* dim [2] ▷*Flüssigkeit* cloudy, turbid [3] ▷*Wetter* murky, dreary [4] *FIG* ▷*Zukunft* gloomy
Trubel *m* <-s> fuss; *FAM* rumpus
trüben I. *vt* [1] → *Wasser* cloud; → *Glas* dim [2] *FIG* ↑ *dämpfen* → *Stimmung, Freude* spoil, mar **II.** *vr* ◇ **sich ~** [1] ← *Wasser* become cloudy [2] ← *Himmel* become overcast [3] *FIG* ← *Beziehungen* become strained; **Trübsal** *f* <-> *FAM:* ◇ **~ blasen** to have the blues, to be depressed; **trübsinnig** *adj* gloomy, depressed
trügen <trog, getrogen> *vi* be deceptive; **trügerisch** *adj* ▷*Hoffnung* illusory
Trugschluß *m* fallacy, false conclusion
Truhe *f* <-, -n> (*Wäsche-*) chest
Trümmer *pl* debris, ruins *pl*
Trumpf *m* <-(e)s, Trümpfe> trump[-card]; *FIG* ◇ **seinen ~ ausspielen** to play o.'s trump-card
Trunkenheit *f* drunkenness, intoxication; ◇ **~ am Steuer** drunken driving
Truppe *f* <-, -n> [1] (MIL *Einheit*) squad, detachment *pl,* troops *pl* [2] THEAT company, troupe
Truthahn *m* turkey; **Truthenne** *f* turkey[-hen]
Tscheche *m* <-n, -n> Czech; **Tschechin** *f* Czech; **tschechisch** *adj* Czech; **Tschechoslowakei** *f* <->: ◇ **die ~** Czechoslovakia
Tube *f* <-, -n> (*Zahnpasta-*) tube
Tuberkulose *f* <-, -n> tuberculosis
Tuch *s* <-(e)s, Tücher> [1] (*Stoff*) cloth; (*Gewebe*) fabric [2] (*Bettuch, Lein-*) sheet; (*Kopf-*) scarf; (*Hand-*) towel
tüchtig *adj* [1] (*fähig*) capable [2] ↑ *fleißig* industrious
Tücke *f* <-, -n> [1] ↑ *Arglist* malice, spite [2] (*Schwierigkeit*) difficulty, problem; ◇ **die ~ des Objekts** the recalcitrance of the inanimate, the trickiness of the object
tückisch *adj* [1] ▷*Gerät* tricky [2] ▷*Person* treacherous
tüfteln *vi* puzzle (*an dat* over)
tugendhaft *adj* virtuous
Tulpe *f* <-, -n> tulip
Tumor *m* tumor

Tumult *m* <-(e)s, -e> tumult, uproar
tun <tat, getan> **I.** *vt* ① ↑ *handeln, helfen* do; ◇ **jd-m einen Gefallen** ~ to do s.o. a favour; ◇ **mit jd-m/etw** [*o.* **nichts**] **zu** ~ **haben** to have something [*o.* nothing] to do with s.o./s.th. ② ↑ *erledigen, verrichten* perform, execute, do; ↑ *arbeiten* work; ◇ **noch zu** ~ **haben** to be busy; *FAM* ◇ **das Auto tut es wieder** the car is okay again; ◇ **nichts** ~ to lay about ③ (*FAM stellen, setzen, legen*) put; (*bringen*) bring, take; ◇ **jd-n ins Heim** ~ to commit s.o. to a[n institutional] home ④ ◇ **es mit jd-m zu** ~ **bekommen** to get into trouble with s.o., to have to deal with s.o. **II.** *vi* act; ◇ **so ~, als ob …** to behave [*o.* make] as if… **III.** *vr* ◇ **sich** ~ ① (*sich ereignen*) happen; ◇ **es tut sich etw** something's happening ② ◇ **er hat sich weh getan** he's hurt himself ③ ◇ **sich mit etw schwer/leicht** ~ to have a hard/easy time doing s.th.
Tunesien *s* <-s> Tunisia; **Tunesier(in** *f*) *m* <-s, -> Tunisian; **tunesisch** *adj* tunisian
Tunke *f* sauce
tunlichst *adv* if at all possible; ◇ ~ **bald** as soon as possible
Tunnel *m* <-s, - *o.* -s> tunnel
Tupfen *m* <-s, -> dot, spot
Tür *f* <-, -en> door; (*FIG ohne Einleitung anfangen*) ◇ **mit der** ~ **ins Haus fallen** to blurt out
Turban *m* <-s, -e> turban
Turbine *f* turbine
Turbomotor *m* turbo engine
turbulent *adj* turbulent
Türgriff *m* door-handle
Türke *m* <-n, -n> Turk; **Türkei** *f* <->: ◇ **die** ~ Turkey; **Türkin** *f* Turk
türkis <inv> *adj* turquoise; **Türkis** *m* <-es, -e> turquoise
türkisch *adj* Turkish
Turm *m* <-(e)s, Türme> ① tower; (*Kirch-*) steeple ② (*Sprung-*) diving-platform ③ (*Schachfigur*) rook, castle
türmen I. *vr* ◇ **sich** ~ ① ← *Wellen* rise up ② ← *Bücher* pile up **II.** *vi FAM* ↑ *weglaufen* run off
Turmuhr *f* church clock
turnen *vi* do gymnastics; **Turnen** *s* <-s> gymnastics *sg;* SCH physical education, gym; **Turnhalle** *f* gym[nasium]
Turnier *s* <-s, -e> tournament; **Turnschuh** *m* gym shoe, plimsoll
Türöffner *m* ELECTR buzzer; **Türschloß** *s* door lock
Tusche *f* <-, -n> ① (*Tinte*) Indian ink ② (*Wimpern-*) mascara
tuscheln *vti* whisper
Tüte *f* <-, -n> ① (*Papier-, Trag-*) bag ② (*Eiswaffel*) cone
TÜV *m* <-> *Akr v.* TECH **Technischer Überwachungsverein;** *German technical standards' inspectorate [test]*, MOT *BRIT*; **TÜV-Plakette** *f* German MOT badge
Typ *m* <-s, -en> ① ↑ *Gattung, Art* type, sort; ↑ *Modell, Muster* (*Auto-*) model ② *FAM* ↑ *Kerl* guy
Type *f* <-, -n> PRINT type [for printing], printing-letter
Typhus *m* <-> typhoid
typisch *adj:* ◇ ~ **für jd-n** typical of s.o.
Tyrann(in *f*) *m* <-en, -en> tyrant; **tyrannisieren** *vt* tyrannize [over]

U

U, u *s* U, u
u.a. *Abk v.* ① **unter anderem,** among other things ② **und andere(s),** and others
U-Bahn *f* underground, tube *BRIT*, subway *AM*; **U-Bahnstation** *f* underground station
übel *adj* ① ↑ *schlecht* ▷*Zustand* bad ② ↑ *unwohl* bad, sick ③ ↑ *ekelhaft* ▷*Geruch* unpleasant, foul; **übelgelaunt** *adj* bad-tempered; **Übelkeit** *f* sick feeling, nausea
üben I. *vt* ① → *Geige, Turnen, Rechnen* practise ② ↑ *trainieren* → *Gedächtnis* exercise, train, practise **II.** *vi* practise **III.** *vr:* ◇ **sich in Geduld** ~ to excercise patience
über I. *präp dat/akk* ① (*mit dat, räumlich*) over, above ② (*mit akk, räumlich*) over; ◇ **eine Brücke** ~ **den Fluß bauen** to build a bridge over/across the river ③ (*mit akk*) ↑ *länger, größer, mehr als* over; ◇ ~ **2 m groß** over 2 m large ④ (*mit dat*) ↑ *bei, während* during; ◇ ~ **der Arbeit einschlafen** to sleep during working hours ⑤ (*mit akk*) ↑ *länger als* over; ◇ ~ **2 Wochen** over 2 weeks ⑥ (*mit akk*) ↑ *betreffend* about; ◇ ~ **etw/jd-n reden** to talk about s.th./s.o. ⑦ (*mit akk*) ↑ *mittels, via* via; ◇ ~ **München fahren** to drive via Munich **II.** *adv* ① ↑ *überlegen* above ② *FAM* ↑ *übrig* ◇ **1 Mark** ~ **haben** to have one Mark left
überall *adv* ① ↑ *an jedem Ort* everywhere ② ↑ *auf jedem Gebiet* everywhere, all over
überanstrengen *vr* ◇ **sich** ~ overexert/strain o.s.
überarbeiten I. *vt* ↑ *noch einmal bearbeiten* → *Aufsatz* go over; ◇ **überarbeitete Fassung** revi-

sion **II.** *vr* ◇ **sich** ~ overwork; *FAM* overdo things

überaus *adv* ↑ *äußerst* exceedingly

Überbevölkerung *f* overpopulation

überbewerten *vt* → *Leistung* overrate

überbieten *unreg vt* ① ↑ *mehr bieten* (*bei Auktion*) outbid ② ↑ *besser sein* → *Rekord* beat

Überbleibsel *s* ① ↑ *Essensrest* leftovers *pl* ② ↑ *veralteter Brauch* remnant

Überblick *m* ① view (*über akk* of); ↑ *freie Sicht* overview ② *FIG* ↑ *Zusammenfassung, Übersicht* summary ③ ↑ *Kompetenz, Einblick* overall view

überbringen *unreg vt* → *Botschaft* deliver

überbrücken *vt* ① ↑ *überstehen* → *Krisenzeit* bridge ② *FIG* → *Kluft* bridge

überdenken *unreg vt* ↑ *nochmal bedenken* think s.th. over

überdies *adv* ↑ *außerdem* besides, moreover

überdrüssig *adj*; ◇ **einer Sache/Person** *gen* ~ sein to be tired/sick of s.o./s.th.

übereilen *vt* ↑ *überstürzen* rush, hurry

übereinander *adv* ① ↑ *eins auf dem anderen* ▷*liegen* one on top of the other ② ↑ *einer über den anderen* ▷*sprechen* about each other

Übereinkunft *f* <-, -künfte> ↑ *Vereinbarung* agreement; **übereinstimmen** *vi* ① ↑ *einer Meinung sein* agree ② ↑ *stimmen* ← *Rechnungen* correspond ③ ↑ *zusammenpassen* ← *Aussagen, Farben* correspond, match

überempfindlich *adj* hypersensitive, oversensitive

überfahren [1] <überfuhr, hat überfahren> *vt* ① ↑ *überrollen* → *jd-n* run over, knock down ② ↑ *ignorieren* → *rote Ampel* run, drive through

überfahren [2] <fuhr über, ist übergefahren> *vi* (*mit Schiff*) cross over

Überfall *m* (*Raub-*) raid, assault (*auf akk* on); **überfallen** *unreg vt* ① → *Bank* raid, rob; ← *Person* attack, assault ② *FAM* ↑ *unangemeldet besuchen* → *jd-n* descend on

überfliegen *unreg vt* ① → *Meer* fly over ② ↑ *flüchtig lesen* → *Text* skim through

Überfluß *m* ① ↑ *Überangebot* abundance (*an dat* of) ② ↑ *Luxus* excess

überflüssig *adj* ① ↑ *unnötig, entbehrlich* unnecessary ② ↑ *zwecklos* superfluous

überfordern *vt* ▷*körperlich, geistig* → *jd-n* expect too much of s.o.

überführen *vt* ① → *Auto, Leichnam* transport, take ② ↑ *Schuld beweisen* find guilty ③ → *Straße* build an overpass

überfüllt *adj* ▷*Saal* overcrowded, packed; ▷*Kurs* oversubscribed; ▷*Straße* congested

Übergabe *f* ① ↑ *Aushändigen* (*von Brief etc.*) handing over ② ↑ *Abgeben* (*Geschäfts-*) handing over; (*Wohnungs-*) handing over

Übergang *m* ① (*Bahn-, Grenz-*) crossing ② ↑ *Abstufung* (*von Ton, Farbe*) shade, tone ③ *FIG* ↑ *Wandel* transition

übergeben *unreg* **I.** *vt* ① ↑ *aushändigen* → *Brief* hand over ② → *Geschäft, Amt* hand over **II.** *vr* ◇ **sich** ~ ↑ *erbrechen* vomit

übergehen [1] <ging über, ist übergegangen> *vi* ① ← *Tradition, Besitz* pass over (*auf akk* to) ② ↑ *überlaufen* (*zum Feind*) defect (*zu* to) ③ ↑ *überleiten* (*zu anderem Thema*) proceed, go on (*zu* to) ④ ↑ *sich wandeln* turn (*in akk* into)

übergehen [2] <überging, hat übergangen> *vt* ① ↑ *auslassen* leave out ② ↑ *nicht berücksichtigen* disregard, ignore

übergeschnappt *adj FAM* crazy, mad

Übergewicht *s* ① overweight ② *FIG* ◇ **das ~ bekommen** to get the upper hand

überglücklich *adj* overjoyed

überhäufen *vt* (*mit Geschenken*) shower, swamp

überhaupt I. *adv* ① ↑ *im allgemeinen* generally ② ↑ *ganz u. gar* ◇ ~ **nicht** not at all ③ ↑ *sowieso* ◇ **er ist ~ ein komischer Kerl** he ist a strange guy anyway **II.** *adv* ↑ *denn, eigentlich*: ◇ **Was kostet das ~?** Anyway, how much is it?

überheblich *adj* arrogant

überholen *vt* ① ↑ *schneller, besser sein* (*mit Auto*) pass, overtake ② TECH ↑ *reparieren* overhaul

überhören *vt* ① ↑ *nicht hören* not hear, miss ② ↑ *ignorieren* ignore

überlassen *unreg* **I.** *vt* ① ↑ *geben, leihen* ◇ **jd-m etw** ~ let s.o. have s.th. ② ↑ *anvertrauen* → *Kind* leave [with] ③ ↑ *freistellen* → *Wahl* leave **II.** *vr* ↑ *hingeben*: ◇ **sich einer Sache** *dat* ~ give o.s. over s.th., abandon o.s. to s.th.

überlasten *vt* ↑ *überfordern* → *Person* strain; → *Maschine* overload

überlaufen I. *unreg vi* ① ← *Wasser* flow over ② ↑ *desertieren* (*zum Feind*) defect (*zu* to), go over (*zu* to), desert **II.** *adj* ↑ *überfüllt* overcrowded; ◇ ~ **sein** to be inundated

überleben *vt* ① → *Unfall, Operation* survive ② ↑ *länger leben* → *jd-n* survive; **Überlebende(r)** *fm* survivor

überlegen I. *vi* ↑ *nachdenken* consider, think over **II.** *vt* ① ↑ *bedenken* → *Entscheidung* think over, consider ② ↑ *ausdenken* ◇ **sich** *dat* **etw** ~ to think about s.th., to consider s.th. **III.** *adj* ↑ *besser*: ◇ **jd-m ~ sein** be superior to s.o.; **Überlegenheit** *f* superiority

Überlegung *f* ↑ *Nachdenken* consideration, reflection

überliefern *vt* → *Tradition* hand down

Übermacht *f* [1] MIL superior power [2] ↑ *Mehrheit* predominance; **übermächtig** *adj* ↑ *sehr stark* ▷*Gefühl* overpowering; ▷*Heer* superior

Übermaß *s* excess (*an dat* of); **übermäßig I.** *adj* ↑ *exzessiv* excessive **II.** *adv* ↑ *exzessiv*: ◇ **~ rauchen** to smoke excessivley

übermitteln *vt* → *Nachricht* transmit

übermorgen *adv* the day after tomorrow

Übermüdung *f* overtiredness

übermütig *adj* ↑ *ausgelassen* high-spirited

übernachten *vi* ↑ *schlafen* spend the night

übernächtigt *adj* tired from lack of sleep

Übernachtung *f* overnight stay; ◇ **~ u. Frühstück** bed and breakfast

Übernahme *f* <-, -n> [1] ↑ *das Übernehmen* (*von Geschäft*) takeover [2] (*von Text*) borrowing [3] (*von Arbeit, Amt*) assumption [4] (*von Verantwortung*) assumption, taking over

überordnen *vt* ↑ *wichtiger bewerten*: ◇ **etw einer Sache** *dat* **~** to give s.th. priority to s.th., set s.th. above s.th.

überprüfen *vt* ↑ *nachprüfen, kontrollieren* [1] → *Gepäck* check, examine [2] → *Motor* check [3] → *Entscheidung* review, examine

überraschen *vt* [1] ↑ *unerwartet besuchen etc.* surprise [2] ↑ *erstaunen* take by surprise [3] ↑ *ertappen* catch; **Überraschung** *f* [1] (*Geburtstags~*) surprise [2] ↑ *Erstaunen* surprise

überreden *vt* → *jd-n* persuade (*zu* to)

überreichen *vt* hand over, present

Überreste *pl* (*sterbliche ~*) remains *pl;* ↑ *Trümmer* remains *pl*

überrumpeln *vt FAM* (*mit Frage*) take by surprise

übersättigen *vt* [1] *FIG* (*jd-n*) satiate [2] → *Markt* glut, oversaturate

Überschallflugzeug *s* supersonic airplane

überschatten *vt* [1] ↑ *Schatten spenden* overshadow [2] *FIG* ↑ *trüben* cloud over; ◇ **der Tod des Vaters überschattete die Feier** the party was clouded by the death of the father

überschätzen I. *vt* ↑ *überbewerten* overestimate **II.** *vr* ◇ **sich ~** ↑ *zuviel zumuten* have a too high opinion of o.s.

Überschlag *m* [1] ↑ *ungefährer Betrag* estimate [2] SPORT somersault

überschlagen [1] <überschlug, hat überschlagen> **I.** *vt* [1] ↑ *ungefähr berechnen* estimate [2] ↑ *auslassen* → *Buchseite* omit **II.** *vr* ◇ **sich ~** [1] (← *Auto, bei Unfall*) overturn [2] ↑ *umkippen* ← *Stimme* crack [3] *FAM* ◇ **sich vor Freundlichkeit ~** to fall over o.s. to be friendly

überschlagen [2] <schlug über, hat übergeschlagen> *vt* ↑ *überkreuzen* → *Beine* cross

überschlagen [3] *adj* ↑ *lauwarm* lukewarm, tepid; ◇ **die Temperatur ist ~** the temperature is lukewarm

überschnappen *vi* [1] ↑ *sich überschlagen* ← *Stimme* crack [2] *FAM* ↑ *verrückt werden* go nuts

überschneiden *unreg vr* ◇ **sich ~** [1] ↑ *sich kreuzen* ← *Linien* intersect [2] ← *Termine* overlap, coincide [3] *FIG* ↑ *sich überlappen* overlap

überschreiben *unreg vt* [1] ↑ *mit Überschrift versehen* → *Artikel, Diskette* head, overwrite [2] ↑ *abtreten, übereignen* → *Eigentum* sign over, transfer

Überschrift *f* title, heading

Überschuß *m* surplus (*an dat* of)

Überschwemmung *f* flood

überschwenglich *adj* ↑ *übertrieben* gushing, effusive; ◇ **sich ~ bedanken** to thank s.o. effusively

Übersee *f* overseas; ◇ **nach ~ auswandern** emigrate overseas

übersehbar *adj* [1] ↑ *überblickbar* ▷*Gelände* open [2] *FIG* ↑ *absehbar, erkennbar* ▷*Folgen, Kosten* calculable [3] ▷*Fehler* inconspicuous

übersenden *unreg vt* send

übersetzen [1] <übersetzte, hat übersetzt> *vt* [1] ↑ *übertragen* translate [2] (*FAM verständlich ausdrücken*) explain [in other words] [3] TECH ↑ *übertragen* transmit

übersetzen [2] <setzte über, hat übergesetzt> *vi* ferry across

Übersicht *f* [1] ↑ *Überblick* overall view [2] ↑ *Tabelle* table, chart [3] ↑ *Resümee* survey; **übersichtlich** *adj* [1] ▷*Gelände* open [2] ↑ *klar geordnet* clear

überspielen *vt* [1] ↑ *auf Tonband kopieren* → *Platte* record onto [2] ↑ *verbergen* → *Gefühle* cover up [3] SPORT ↑ *ausspielen* outplay

überspringen [1] <übersprang, hat übersprungen> *vt* [1] → *Hürde* jump over [2] *FIG* ↑ *auslassen* → *Thema* skip; → *Schulklasse* skip

überspringen [2] <sprang über, ist übergesprungen> *vi auch FIG* ← *Funke* jump clear, leap over

überstehen [1] <überstand, hat überstanden> *vt* ↑ *bewältigen, überleben* → *Krise, Krankheit* recover from, get over

überstehen [2] <stand über, hat/ist übergestanden> *vi* ↑ *hervorstehen* ← *Dach* jut out

übersteigen *unreg vt* [1] ↑ *klettern über* → *Mauer* climb over [2] *FIG* ↑ *überfordern* → *Fähigkeiten* go beyond; → *Möglichkeiten* exceed

überstimmen *vt* → *Antrag* outvote, override **Überstunden** *pl* overtime
überstürzen I. *vt* ↑ *voreilig handeln* rush II. *vr* ◇ **sich** ~ ← *Ereignisse* happen very fast
übertragen *unreg* I. *vt* [1] JURA → *Rechte* transfer (*auf akk* to) [2] TECH → *Kraft* transmit [3] MED → *Krankheit* infect, transmit [4] MEDIA broadcast II. *vr* ◇ **sich** ~ [1] MED ← *Krankheit* be transmitted (*auf akk* to) [2] TECH ← *Kraft* be transmitted (*auf akk* to) III. *adj:* ◇ **in ~er Bedeutung** in a figurative sense
übertreffen *unreg* I. *vt* → *jd-n* excel II. *vr:* ◇ **sich selbst** ~ to surpass o.s.
übertreiben *unreg vt* [1] → *Erzählung* exaggerate [2] ↑ *übereifrig tun* overdo
übertreten [1] <übertrat, hat übertreten> *vt* [1] → *Grenze* overstep, cross [2] *FIG* ↑ *verstoßen gegen* → *Gesetz* violate, infringe
übertreten [2] <trat über, ist übergetreten> *vi* [1] (*zum Buddhismus*) convert; (*Partei*) go over [2] ← *Fluß* overflow [3] SPORT overstep
überwachen *vt* [1] ↑ *kontrollieren* → *Produktion* supervise [2] ↑ *beaufsichtigen* → *Häftling* keep under surveillance [3] ↑ *beobachten* → *Patient* keep under surveillance
überwältigen *vt* [1] ↑ *besiegen* → *Person* overpower [2] *FIG* ↑ *befallen* ← *Gefühl, Schlaf* overcome; **überwältigend** *adj* overwhelming, breathtaking
überwechseln *vi* [1] (*zu Glauben*) change (*zu* to) [2] ↑ *übergehen in* change (*in akk* to)
überweisen *unreg vt* [1] FIN → *Geld* transfer (*an akk* to, onto) [2] → *Patienten* refer (*an akk* to)
überwiegen *unreg vi* predominate; **überwiegend** *adj* predominant
überwinden *unreg* I. *vt* [1] ↑ *bewältigen* → *Angst, Problem* overcome, get over [2] ↑ *fallenlassen* → *Ansichten* get past, outgrow II. *vr* ◇ **sich** ~ ↑ *sich einen Ruck geben* force o.s., overcome o.'s fears
überzeugen I. *vt* [1] (*durch Argumente*) convince, persuade (*von* of) [2] ↑ *für etw einnehmen* ◇ **jd-n von der Richtigkeit einer Sache** ~ to reason with s.o. about s.th. II. *vr* ◇ **sich** ~ ↑ *vergewissern* convince o.s. (*von dat* of)
überziehen [1] <zog über, hat übergezogen> *vt* cover [1] ↑ *anziehen* → *Pullover* put on [2] *FAM* ◇ **jd-m eins** ~ to knock s.o. out
überziehen [2] <überzog, hat überzogen> I. *vt* [1] ↑ *bedecken* cover [2] ↑ *beziehen* → *Sofa* re-cover [3] FIN → *Konto* overdraw [4] MEDIA → *Sendezeit* overrun II. <überzog sich, hat sich überzogen> *vr* ◇ **sich** ~ [1] ↑ *bedecken* (*mit Schicht*) cover [2] (← *Himmel, mit Wolken*) become overcast/cloudy

üblich *adj* [1] ↑ *herkömmlich* ▷*Brauch* usual, conventional [2] ↑ *normal, gebräuchlich* (*landes-*) usual, customary
U-Boot *s* submarine
übrig *adj* [1] ↑ *restlich* remaining [2] ◇ **etw** ~ **haben** have s.th. left [3] *FAM* ◇ **für jd-n etw/nichts** ~ **haben** to not care much for s.o./s.th.; **übrigbleiben** *unreg vi* (*als Rest*) be left over
übrigens *adv* by the way
Übung *f* [1] ↑ *das Üben, Training* practice, excercise [2] ↑ *Praxis, Anwendung* practice, application [3] (*Notfall-*) excercise [4] ↑ *Seminar, Kurs* (*wissenschaftliche ~*) excercise
UdSSR *f Abk v.* **Union der Sozialistischen Sowjetrepubliken** USSR; ◇ **die** ~ the Soviet Union
Ufer *s* <-s, -> [1] (*Fluß-*) bank [2] (*See-*) shore
Uhr *f* <-, -en> [1] (*Wand-*) clock; (*Armband-*) watch [2] ↑ *Zähler* (*Gas-*) meter [3] ◇ **Wieviel ~ ist es?** What time is it?; ◇ **es ist zwei ~ fünfzehn** it's two fifteen; ◇ **um 5** ~ at 5 o'clock; **Uhrzeit** *f* time [of day]; ◇ **nach der ~ fragen** to ask the time
Ultimatum *s* <-s, Ultimaten> ↑ *Frist* ultimatum; ◇ **jd-m ein ~ stellen** to give s.o. an ultimatum
Ultraschall *m* ultrasound
um I. *präp akk* [1] (*zeitlich*) ◇ ~ **12 Uhr** at 12 o'clock [2] (*räumlich*) ◇ **um ... herum** ↑ *in der Gegend von* around, about [3] ↑ *in der Nähe* around, about; ◇ **Menschen ~ sich haben** to have people around [4] ↑ *betreffend, wegen* about; ◇ **es handelt sich ~ Ihre Arbeit** it's about your work; ◇ **Angst ~ jd-n haben** to be scared of s.o. [5] ↑ *nach, aufeinanderfolgend* after; ◇ **Jahr ~ Jahr** year after year [6] ◇ **er hat mich ~ diese Stelle gebracht** he prevented me from getting this job [7] ◇ ~ **3 m verlängern** to extend by 3 m II. *präp gen* ↑ *wegen* for; ◇ ~ **ihrer Kinder willen** for the sake of her children III. *cj* [1] (*damit*) ◇ ~ **... zu** in order to; ◇ **sie braucht eine Brille, ~ lesen zu können** she needs glasses in order to read [2] ↑ *desto* ◇ **je mehr ~ so besser** the more the better [3] ◇ **U~ so besser!** So much the better! IV. *adv* ↑ *ungefähr:* ◇ **es kostet ~ die 25 Mark** it costs about 25 Marks
umändern *vt* → *Kleider* alter; → *Gesetz* alter, change
umarmen *vt* embrace, hug
Umbau *m* <-[e]s, -e *o.* -ten> [1] (*von Haus*) reconstruction, renovation; ◇ **wegen ~ geschlossen** closed for renovation [2] (*von Maschine*) conversion, reconstruction [3] (*von Organisation*) reconstruction; **umbauen** *vt* [1] ↑ *renovieren, verändern* → *Haus* reconstruct, renovate [2] ↑ *umändern* → *Motor* convert [3] *FIG* ↑ *reorganisieren* reconstruct

umbilden *vt* ① *FIG* ↑ *neu/anders besetzen* reshape, reorganize ② POL → *Regierung* reshuffle
umbinden *unreg vt* → *Schal, Schürze* put on, tie on; ◇ **sich** *dat* **etw** ~ to put s.th. on
umblättern *vt* turn over
umblicken *vr* ◇ **sich** ~ look around (*nach* at)
umbringen *unreg* **I.** *vt* ↑ *töten* → *jd-n* kill **II.** *vr* ◇ **sich** ~ ↑ *Selbstmord begehen* commit suicide
Umbruch *m* ↑ *radikaler Wechsel* radical change, upheaval
umbuchen *vti* ① ↑ *verschieben* → *Reise* change a booking (*auf akk* to) ② FIN → *Geldbetrag* transfer (*auf akk* onto)
umdenken *unreg vi* change o.'s opinions
umdisponieren *vi* change o.'s plans
umdrehen **I.** *vt* ① → *Schlüssel* turn ② → *Blatt Papier* turn over ③ ↑ *verrenken* → *Arm* twist ④ *FIG* ◇ **das Wort im Mund** ~ to twist words **II.** *vi* ↑ *umkehren* turn around **III.** *vr* ◇ **sich** ~ ① ↑ *umwenden* turn round (*nach* to) ② *FAM* ◇ **der Magen dreht sich mir um** I feel sick, my stomach is turning
umeinander *adv* ① ◇ ~ **herumgehen** round one another ② ◇ ~ **besorgt sein** for one another
umfahren [1] <fuhr um, hat umgefahren> *vt* ① → *Baum, Pfahl* run over ② *FAM* ↑ *Umweg machen* bypass
umfahren [2] <umfuhr, hat umfahren> *vt* ↑ *herumfahren um* → *Stadt/Person* drive around
umfallen *unreg vi* ① ↑ *zu Boden fallen* ← *Baum* fall down/over ② *FAM* ↑ *ohnmächtig werden* ← *Person* fall over, faint ③ *FAM* ↑ *nachgeben* give in
Umfang *m* ① (*Kreis-*) circumference; (*Bauch-*) girth ② ↑ *Fläche, Größe* range; (*Buch-*) size ③ *FIG* ↑ *Ausmaß* (*von Arbeit*) size, extent; (*von Bedeutung*) range; **umfangreich** *adj* ① ↑ *groß, weiträumig* spacious ② *FIG* ↑ *weitreichend* ▷*Wissen* extensive
umfassen *vt* ① ↑ *fassen* → *jd-n* grip ② ↑ *eingrenzen* → *Gebiet* enclose ③ ◇ **das Buch umfaßt 275 Seiten** the book is 275 pages ④ *FIG* ↑ *beinhalten* → *Wissensbereich* contain, cover
Umfeld *s* (*soziales* ~) enviroment, associated area
Umfrage *f* (*Meinungs-*) survey, opinion poll, inquiry, survey
umfunktionieren *vt* ↑ *Funktion ändern* convert (*in akk* into)
Umgang *m* ↑ *Kontakt, Freundschaft* company, friends *pl;* **Umgangsformen** *pl:* ◇ **gepflegte** ~ good manners; **Umgangssprache** *f* colloquial language; *FAM* slang
umgeben *unreg* **I.** *vt* ↑ *eingrenzen* (*mit Mauer*) surround **II.** *vr:* ◇ **sich mit Künstlern** ~ to surround o.s. with artists; **Umgebung** *f* ① (*ländliche* ~) surroundings *pl*, enviroment ② ↑ *Milieu* (*soziale* ~) enviroment, neighbourhood ③ ↑ *Begleitung, Gesellschaft* entourage
umgehen [1] <ging um, ist umgegangen> *vi* ① ↑ *behandeln* → *Person* treat, handle (*mit* with); ◇ **mit jd-m grob** ~ to treat s.o. roughly ② ↑ *handhaben* → *Sache* handle (*mit* with) ③ ↑ *herumgehen* ← *Gespenst* haunt; ← *Gerede* circulate; ← *Krankheit* spread, go around
umgehen [2] <umging, hat umgangen> *vt* ① ↑ *nicht betreten* → *Gebiet etc.* go around, bypass ② *FIG* ↑ *vermeiden* → *Gesetz* evade ③ *FIG* ↑ *ausweichen* → *Frage* avoid
umgehend *adj* immediately
umgekehrt **I.** *adj* ① ↑ *entgegengesetzt* ▷*Reihenfolge* reverse ② ↑ *konträr, gegenteilig* contrary, opposite ③ ↑ *andersherum* the other way round **II.** *adv* ↑ *andersherum* the other way round
umgraben *unreg vt* → *Garten* dig up
Umhang *m* ① ↑ *Mantel* coat, cape ② ↑ *Tuch, Schal* wrap, scarf
umhauen *unreg vt* ① ↑ *fällen* → *Baum* fell ② *FAM* ↑ *zu Boden werfen* → *jd-n* knock s.o. out ③ *FAM* ↑ *erstaunen* ◇ **das haut mich um** that bowls me over
umher *adv* ↑ *herum* around, about
umherfahren *unreg* **I.** *vt* ↑ *herumfahren* drive around/about **II.** *vi* drive around/about
umhergehen *unreg vi* walk around/about
umherreisen *vi* travel around/about
umhinkönnen *unreg vi* ↑ *einem Zwang folgen:* ◇ **sie kann nicht umhin, das zu tun** she can't help it, she can't help doing it
umhören *vr* ◇ **sich** ~ ↑ *fragen* ask around (*nach* about)
Umkehr *f* <-> ① ↑ *Wendung zurück* turning back, return ② *FIG* ↑ *Änderung* (*in Überzeugung*) about-turn, total change; **umkehren** **I.** *vi* ① ↑ *umdrehen* turn back ② ↑ *sich ändern* change **II.** *vt* ① → *Tasche etc.* turn inside out ② → *Gefäß etc.* turn upside down ③ *FIG* ↑ *auf den Kopf stellen* turn on its head ④ → *Reihenfolge* reverse
umkippen **I.** *vt* ↑ *umstoßen* → *Glas* tip over, knock over; → *Boot* tip over **II.** *vi* ① ← *Gefäß, Boot* overturn ② *FAM* ↑ *ohnmächtig werden* pass out, faint ③ *FAM* (*als Zeuge*) change o.'s mind, decide otherwise
Umkleideraum *m* (*in Turnhalle, Schwimmbad*) changing room; (*in Bekleidungsgeschäft*) dressing room

umkommen *unreg vi* [1] ↑ *sterben* (*bei Unfall*) die, pass away [2] ↑ *verderben* ← *Lebensmittel* go bad, go off [3] *FAM* not stand/bear

Umkreis *m* ↑ *Umgebung* neighbourhood, vicinity, area; circle

umkrempeln *vt* [1] ↑ *hochschlagen* → *Ärmel* roll up [2] *FAM* ↑ *durchsuchen* → *Wohnung* turn upside down [3] *FIG* ↑ *grundlegend ändern* totally/completely change

Umlauf *m* [1] ASTRON ↑ *Umkreisung* revolution [2] ↑ *Rundschreiben* circular [3] (*von Geld*) circulation; **Umlaufbahn** *f* ASTRON orbit

umlegen *vt* [1] ↑ *aufteilen* → *Kosten* divide [2] ↑ *verlegen* → *Termin* shift [3] ↑ *bewegen* → *Hebel* move,to throw [4] *FAM* ↑ *fällen* → *Baum* fell [5] *FAM* ↑ *töten* bump off

umleiten *vt* → *Verkehr* divert; **Umleitung** *f* diversion

umlernen *vi* relearn, retrain

umliegend *adj* ↑ *in der Gegend* ▷*Gemeinden* surrounding, neighbouring

ummelden *vtr* ◇ **sich** ~ (*bei Einwohnermeldeamt*) register place of residence with the authorities

umorganisieren *vt* → *Betrieb* reorganize

umrechnen *vt* FIN convert (*in akk* into); **Umrechnung** *f* conversion; **Umrechnungskurs** *m* exchange rate

umreißen *unreg vt FIG* ↑ *grob definieren* → *Thema* [give an] outline

umringen *vt* surround

Umriß *m* [1] ↑ *Skizze* outline [2] *FIG* ↑ *grober Inhalt* (*von Roman*) [rough] outline

umrühren *vti* → *Soße* stir

umrüsten *vt* adapt; (*auf Katalysator*) convert (*auf akk* to)

Umsatz *m* COMM (*Jahres-*) turnover; ◇ **den ~ steigern** to increase sales; **Umsatzsteuer** *f* turnover tax

umschalten **I.** *vt* → *Hebel, Schalter* switch; MEDIA → *Programm* switch over (*auf akk* to) **II.** *vi FIG* ↑ *umdenken* switch

Umschau *f FIG* ↑ *Rundschau, Überblick* review, look; **umschauen** *vr* ◇ **sich ~** [1] ↑ *nach hinten schauen* look back [2] ↑ *herumschauen* look around [3] *FAM* ↑ *sich wundern* ◇ **du wirst dich noch ~** you're in for a surprise

Umschlag *m* [1] (*Brief-*) envelope; (*Buch-*) jacket, cover [2] (*Wetter-*) change; (*politisch*) change

umschreiben [1] <schrieb um, hat umgeschrieben> *vt* [1] ↑ *anders schreiben* → *Text* rewrite; (*für Film, Theater*) [re]write [2] ↑ *überschreiben* → *Eigentum* transfer (*auf akk* to)

umschreiben [2] <umschrieb, hat umschrieben> *vt* [1] ↑ *anders formulieren* → *Satz* paraphrase [2] ↑ *erklären* → *Aufgaben* define [3] ↑ *abgrenzen* circumscribe [4] ↑ *verhüllend darstellen* disguise, paraphrase

umschulen **I.** *vt* → *Kind* send to another school **II.** *vi* ↑ *anderen Beruf erlernen* retrain

umschwärmen *vt* [1] ← *Mücken* → *Licht* swarm around [2] *FIG* → *jd-n* idolize s.o., be crazy about s.o.

Umschwung *m* [1] SPORT swing [2] ▷*wirtschaftlich, politisch* upheaval [3] (*Wetter-*) change; (*Stimmungs-*) change

umsehen *unreg vr* ◇ **sich ~** [1] ↑ *nach hinten schauen* look back [2] *FIG* ↑ *suchen, umschauen* look around; ◇ **sich nach Arbeit ~** to be on the lookout for work

umseitig *adv* overleaf

umsetzen *vt* [1] ↑ *verpflanzen* → *Baum* transplant [2] → *Schüler* move [3] ↑ *umwandeln* convert [4] COMM ↑ *verkaufen* → *Waren* sell [5] *FIG* ↑ *verwirklichen* ◇ **etw in die Tat ~** to put into action

umsichtig *adj* cautious; ◇ **~ vorgehen** to go about with caution

umsiedeln *vti* resettle

umsonst *adv* [1] ↑ *gratis* for nothing, free [2] ↑ *vergeblich, ohne Erfolg* unsuccessful, waste of time

umspringen *unreg vi* [1] ← *Ampel* change [2] *FAM* ↑ *umgehen, behandeln* ◇ **mit jd-m ~** to treat s.o. badly

Umstand *m* ↑ *Sachverhalt, Tatsache* fact; ◇ **unter Umständen** perhaps, possibly; ◇ **unter diesen Umständen** under the circumstances; JURA ◇ **mildernde Umstände** mitigating circumstances

Umstände *pl* [1] *FIG* ↑ *Mühen* trouble; ◇ **~ machen** to make a fuss [2] (*FAM schwanger sein*) ◇ **in anderen ~n sein** to be pregnant

umständlich *adj* [1] ↑ *ungeschickt* cumbersome, difficult [2] ▷*Formulierung* long-winded [3] ↑ *extrem förmlich* ▷*Mensch* awkward

umsteigen *unreg vi* [1] BAHN change [2] *FAM* ↑ *Beruf wechseln* change, switch

umstellen [1] **I.** <stellte um, hat umgestellt> *vti* [1] → *Möbel* move, rearrange; → *Wörter* reorder, rearrange [2] TECH → *Hebel* convert; → *Fernseher, Radio* adjust **II.** *vr* ◇ **sich ~** ↑ *anpassen* ↑ *umgewöhnen* adapt, adjust (*auf akk* to)

umstellen [2] <umstellte, hat umstellt> *vt* ↑ *einkreisen* → *Gebäude* surround

Umstellung *f* [1] ↑ *Umgewöhnung* rearrangement [2] TECH conversion [3] (*Änderung, von Heizung*) conversion; (*von Produktion*) changeover, switch

umstoßen *unreg vt* [1] ↑ *umschmeißen* → *Gefäß* knock over [2] *FIG* ↑ *rückgängig machen* → *Plan* overrule
umstritten *adj* [1] ↑ *fraglich* controversial [2] ▷*Projekt* disputed
Umsturz *m* coup
Umtausch *m* [1] (*von Waren*) exchange [2] ↑ *Tausch* (*von Währung*) exchange; **umtauschen** *vt* [1] → *Ware* take back the shop [2] → *Geld* exchange (*in akk* for)
umwälzen *vt* [1] TECH → *Luft* circulate [2] *FIG* ↑ *revolutionieren* change, revolutionize
umwandeln *vt* [1] ↑ *ändern* change, transform (*in akk* into); ◇ **wie umgewandelt sein** to be a new person [2] ELECTR ↑ *transformieren* transform, convert [3] JURA → *Haftstrafe* commute (*in akk* into)
umwechseln *vt* → *Geld* change (*in akk* into)
Umweg *m* [1] ◇ **einen ~ machen** make a detour [2] *FIG* ◇ **auf ~en** indirectly, in a roundabout manner
Umwelt *f* environment; **Umweltbelastung** *f* environmental pollution; **Umweltkatastrophe** *f* environmental disaster; **Umweltschäden** *pl* damage to the environment; **Umweltschutz** *m* conservation, environmental protection; **Umweltschützer(in** *f*) *m* <-s, -> conservationist; **Umweltschutzpapier** *s* recycling paper; **Umweltverschmutzung** *f* environmental pollution
umwenden *unreg* **I.** *vt* ↑ *umdrehen* turn [over] **II.** *vr* ◇ **sich ~** turn round
umwerfen *unreg vt* [1] ↑ *umstoßen* → *Tasse* knock over, upset [2] ↑ *sich umlegen* → *Schal, Mantel* throw on [3] *FIG* ↑ *ändern* → *Plan* upset, disrupt [4] *FAM* ↑ *total erstaunen* ← *Neuigkeit* ◇ **Das wirft mich aber um!** That bowls me over!
umziehen *unreg* **I.** *vtr* ◇ **sich ~** ↑ *Kleidung wechseln* change clothes **II.** *vi* ↑ *Wohnort wechseln* move
Umzug *m* [1] (*Wohnungs-*) move [2] ↑ *Parade, Festzug* parade
UN *pl* **United Nations** United Nations
unabänderlich *adj* ↑ *unwiderruflich* unalterable; ▷*Entschluß* irrevocable
unabhängig *adj* independent (*von* of); **Unabhängigkeit** *f* independence
unabkömmlich *adj* ↑ *beschäftigt* indispensible; *FAM* be tied up
unablässig *adj* ▷*Gerede* constant, incessant
unabsehbar *adj* ▷*Kosten* incalculable; ▷*Konsequenzen* unforseeable
unabsichtlich *adj* ↑ *ohne Absicht* unintentionally
unangebracht *adj unpassend* ▷*Bemerkung* out of turn; ▷*Verhalten* inappropriate
unangemessen *adj* [1] ↑ *zu hoch* ▷*Bezahlung* unreasonable, out of proportion [2] ↑ *zu niedrig* inadequate
unangenehm *adj* [1] ▷*Aufgabe* unpleasant; ▷*Überraschung* unpleasant; ▷*Geruch* unpleasant, nasty [2] ↑ *unsympathisch* ▷*Person* unpleasant, awful [3] ↑ *peinlich* ▷*Situation* awkward
unappetitlich *adj auch FIG* ▷*Anblick* unappetizing
unauffällig *adj* [1] ▷*Person* unobtrusive [2] ▷*Kleidung* inconspicuous
unauffindbar *adj* not to be found
unaufgefordert **I.** *adj* ↑ *freiwillig* unasked **II.** *adv* ↑ *freiwillig* of o.'s own accord, spontaneous; ◇ **jd-m ~ helfen** to help s.o. without being asked
unaufhaltsam *adj* unstoppable
unaufmerksam *adj* inattentive
unaufrichtig *adj* insincere
unausgeglichen *adj* [1] ▷*Mensch* volatile, unbalanced [2] ▷*Verhältnis* unstable
unausstehlich *adj* [1] ↑ *sehr unsympathisch* unbearable, detestable [2] ↑ *schlecht gelaunt* grumpy, gloomy, insufferable
unausweichlich *adj* inevitable, unavoidable
unbeachtet *adj* unnoticed; ◇ **eine Warnung ~ lassen** to ignore a warning
unbedenklich **I.** *adj* [1] ↑ *ungefährlich* safe; ▷*Plan* safe [2] ↑ *bedenkenlos* thoughtless **II.** *adv* [1] ↑ *ungefährlich* safe, harmless [2] ↑ *ohne zu überlegen* without hesitation
unbedeutend *adj* ▷*Fehler* insignificant, not important
unbedingt **I.** *adj* [1] ↑ *uneingeschränkt* unconditional [2] ▷*Verschwiegenheit* absolute **II.** *adv* ↑ *auf jeden Fall, ganz bestimmt* absolutely, at all costs
unbefahrbar *adj* ▷*Straße* impassable; ▷*Gewässer* unnavigable
unbefangen *adj* [1] ↑ *natürlich* uninhibited [2] ↑ *unparteiisch* impartial, unbiased
unbefriedigend *adj* unsatisfactory
unbefugt *adj* unauthorised; ◇ **U-en ist der Eintritt verboten** no unauthorised entry
unbegabt *adj* untalented
unbegreiflich *adj* [1] ↑ *unverständlich* incomprehensible [2] ↑ *unfaßbar* inconceivable
unbegrenzt *adj* [1] (*ohne Limit*) unlimited; ◇ **~ Zeit haben** to have unlimited time [2] ▷*Meer* boundless [3] ↑ *unerschöpflich* ▷*Vertrauen* boundless
unbegründet *adj* ↑ *grundlos* unfounded
unbehaglich *adj* [1] ↑ *unbequem* uncomfortable

2 ↑ *unangenehm, peinlich* ▷*Situation, Gefühl* uneasy, ill at ease
unbeholfen *adj* clumsy, awkward
unbekannt *adj* unknown
unbekümmert *adj* unconcerned
unbelastet *adj* 1 ↑ *nicht belastet* unweighted 2 ↑ *sorgenfrei* free from worries
unbeliebt *adj* unpopular
unbequem *adj* ↑ *ungemütlich* uncomfortable
unberechenbar *adj* 1 ↑ *unvorhersehbar* incalculable 2 ↑ *jähzornig* ▷*Mensch* unpredictable
unberechtigt *adj* 1 ↑ *nicht erlaubt* ◇ **~ handeln** act without authorization 2 ↑ *unangebracht* ▷*Kritik* unjustified
unbeschädigt *adj* intact, undamaged
unbeschränkt *adj grenzenlos* ▷*Zeit, Geld* unrestricted; ▷*Vertrauen, Geduld* absolute; ▷*Macht* full, absolute
unbeschreiblich *adj* indescribable
unbesiegbar *adj* invincible
unbeständig *adj* 1 ↑ *wechselhaft* ▷*Wetter* unsettled 2 ↑ *launisch, wankelmütig* ▷*Mensch* inconstant, unstable
unbestechlich *adj* incorruptible
unbestimmt *adj* 1 ↑ *nicht festgesetzt* ▷*Zeitpunkt* indefinite 2 ↑ *unklar* ▷*Gefühl* uncertain, vague 3 ↑ *nicht sicher* ▷*Zukunft* uncertain
unbeteiligt *adj* 1 ↑ *uninteressiert, teilnahmslos* indifferent, unconcerned 2 ↑ *nicht teilnehmend* not involved; ◇ **~e Zuschauer** innocent bystander
unbeugsam *adj* 1 ↑ *starrköpfig* ▷*Mensch* inflexible, stubborn 2 ↑ *stark* ▷*Wille* unbending, uncompromising
unbeweglich *adj* 1 ↑ *starr* immovable 2 ▷*Miene* motionless 3 ↑ *nicht mobil, ortsgebunden* immobile
unbewußt *adj* ↑ *nicht bewußt* ▷*Handlung* unconscious; ▷*Reflex* unconscious, instinctive; ◇ **das U~e** the unconscious
unbrauchbar *adj unnütz* ▷*Werkzeug* unusable; ▷*Arbeit* useless
und *cj* 1 (*bei Aufzählung*) and; ◇ **sie ~ er** her and him 2 MATH ↑ *plus* and, plus; ◇ **eins ~ zwei ist drei** one plus/and two is three 3 ◇ **~ so weiter** (*usw*) and so on; ◇ **~ andere** (*u.a.*) amongst others; ◇ **~ dergleichen** (*u.dgl.*) and the like, things like that 4 (*selbst wenn …*) ◇ **~ wenn es mir noch so schlecht ginge** and no matter how bad I felt…
undankbar *adj* ungrateful
undenkbar *adj* unthinkable
undeutlich *adj* ↑ *nicht eindeutig* ▷*wahrnehmen* indistinct; ◇ **sich ~ ausdrücken** to be vague, to not express o.s. clearly
undicht *adj* leaky
Unding *s* absurdity
undurchdringlich *adj* impenetrable
undurchführbar *adj* ↑ *nicht realisierbar* impracticable
undurchlässig *adj* (*wasser-, licht-*) impervious [to]
undurchsichtig *adj FIG* ↑ *undurchschaubar, verdächtig* ▷*Praktiken* obscure; ▷*Person* impenetrable
uneben *adj* uneven
unecht *adj* not genuine, fake
unehelich *adj* ↑ *nicht ehelich* illegitimate
unehrlich *adj* dishonest
uneigennützig *adj* unselfish
uneingeschränkt *adj* 1 *absolut* ▷*Freiheit* unlimited; ▷*Herrscher* unrestricted 2 AUTO ▷*Halteverbot* unqualified
Uneinigkeit *f* ↑ *Meinungsverschiedenheit* disagreement
unempfindlich *adj* 1 ↑ *nicht empfindlich* ▷*Person* insensitive (*gegen* to) 2 ↑ *resistent* ▷*Material* inured (*gegen* to)
unendlich I. *adj* 1 (*räumlich*) ↑ *grenzenlos* infinite 2 (*zeitlich*) ↑ *ewig* ◇ **~ lange** endless **II.** *adv* ↑ *sehr*: ◇ **jd-n ~ lieben** really love s.o.
unentbehrlich *adj* indispensible
unentgeltlich *adj* free of charge, no charge
unentschieden *adj* 1 SPORT ◇ **~ ausgehen** be a tie 2 ↑ *unschlüssig* ◇ **~ sein** be undecided;
Unentschieden *s* tie, draw
unentschlossen *adj* 1 ▷*Person* undecided 2 ↑ *unentschieden* undecided, hesitant
unentwegt *adj* 1 ↑ *ausdauernd, kontinuierlich* ◇ **~ arbeiten** untiring 2 ↑ *unaufhörlich, pausenlos* ◇ **~ reden** incessant, unswerving
unerfahren *adj* inexperienced
unerfreulich *adj* unpleasant, depressing
unerhört *adj* 1 ↑ *unerwidert* ▷*Liebe* unrequited; ↑ *abgewiesen* ▷*Liebhaber* rejected 2 ↑ *unverschämt* ▷*Forderung* outrageous; ◇ **U~!** What a cheek!
unerlaubt *adj* unauthorized; ↑ *illegal* illegal
Unerschrockenheit *f* intrepidity
unerschütterlich *adj* 1 ▷*Person* unflappable 2 ▷*Glaube* unshakeable
unerschwinglich *adj zu teuer* ▷*Preis* prohibitive; ▷*Ware* much too expensive
unerträglich *adj* unbearable, intolerable
unerwartet *adj* ▷*Besuch* unexpected
unerwünscht *adj* ▷*Gast* unwelcome; ▷*Kind* unwanted
unfähig *adj* 1 ↑ *nicht in der Lage* unable 2 ↑ *inkompetent* ▷*Arbeiter* incompetent

Unfall *m* accident; **Unfallflucht** *f* hit-and-run; **Unfallstelle** *f* scene of the accident; **Unfallversicherung** *f* accident insurance

unfaßbar *adj* ↑ *nicht zu fassen* unfathomable, incomprehensible

unfehlbar I. *adj* [1] ▷*Person* infallible [2] ▷*Instinkt* unerring II. *adv* ↑ *gewiß, absolut sicher* for certain, inevitably

unfolgsam *adj* disobedient

unfreiwillig *adj* [1] ↑ *gezwungen* involuntary, against o.'s will [2] ↑ *unabsichtlich* unintentional

unfreundlich *adj* [1] unfriendly (*zu* to) [2] ↑ *nicht angenehm* ▷*Wetter* cheerless

unfruchtbar *adj* [1] ▷*Lebewesen* infertile [2] ▷*Boden* infertile, barren [3] *FIG* ↑ *zwecklos* ▷*Bemühungen* fruitless, unproductive, pointless

Unfug *m* <-s> [1] ↑ *Unsinn* nonsense, mischief [2] JURA ◇ **grober** ~ gross misconduct

Ungar(in *f*) *m* <-n, -n> Hungarian; **Ungarn** *s* Hungary

ungeachtet *präp:* ◇ ~ **der Tatsache, daß** *gen* regardless of the fact that

ungeahnt *adj* ▷*Schwierigkeiten* unexpected, unheard-of

ungebeten *adj* ▷*Gast* uninvited

ungebräuchlich *adj* ▷*Wort* unusual, uncommon

Ungeduld *f* impatience; **ungeduldig** *adj* impatient

ungeeignet *adj* (*unpassend*) unsuitable, unsuited; (*für Aufgabe*) unqualified (*für* for)

ungefähr I. *adj* ↑ *geschätzt* approximate, rough II. *adv* ↑ *etwa, annähernd:* ◇ **sie ist ~ 25 Jahre alt** she is about 25 years old

ungefährlich *adj* [1] ▷*Straße* not dangerous [2] ↑ *harmlos* harmless

ungeheuer I. *adj* [1] ↑ *ungeheuerlich* enormous, huge [2] ↑ *enorm, sehr groß* ▷*Wagnis* enormous, huge [3] ↑ *unverschämt* ▷*Beleidigung* dreadful II. *adv* [1] ↑ *sehr* ◇ ~ **wichtig** of the utmost importance [2] *FIG* ◇ ~ **viel Arbeit** a tremendous amount of work; **ungeheuerlich** *adj* ↑ *monströs* monstrous

Ungehorsam *m* disobedience; ◇ **ziviler** ~ civil disobedience

ungeklärt *adj* [1] ▷*Rätsel* unsolved [2] ▷*Frage* unsolved, open [3] ▷*Abwasser* raw sewage

ungeladen *adj* [1] ELECTR ▷*Batterie* not loaded [2] ▷*Gast* uninvited [3] ▷*Pistole* unloaded

ungelegen *adj* ↑ *unpassend* inconvenient

ungelernt *adj* ▷*Arbeiter* unskilled

ungelogen *adv:* ◇ ~! really! honestly!

ungemütlich *adj* [1] ↑ *unbequem* ▷*Sessel* uncomfortable [2] *FIG unfreundlich* ▷*Mensch* unfriendly, disagreeable; ◇ **er wird schnell** ~ he can get nasty in a flash [3] ▷*Wetter* cheerless

ungenau *adj* [1] ↑ *fehlerhaft* inexact, inaccurate [2] ↑ *ungefähr* ▷*abmessen* imprecise [3] ↑ *vage* ◇ **sich ~ ausdrücken** to be vague, to express o.s. unclearly

ungeniert I. *adj* [1] ↑ *ungehemmt* ▷*Benehmen* uninhibited [2] (*bedenkenlos*) freely II. *adv* ↑ *ohne Hemmungen:* ◇ **etw ~ sagen** to say s.th. freely

ungenießbar *adj* [1] ▷*Essen* inedible; ▷*Getränk* undrinkable [2] *FAM* ▷*Mensch* impossible, unbearable

ungenügend *adj* [1] ↑ *nicht ausreichend* not enough, insufficient [2] SCH unsatisfactory

ungepflegt *adj* [1] ▷*Mensch* scruffy, untidy [2] ↑ *vernachlässigt* ▷*Rasen, Haus, Auto* neglected, messy, untidy

ungerecht *adj* ↑ *unfair* unjust

ungerechtfertigt *adj* ↑ *unberechtigt* unjustified

ungern *adv* ↑ *widerstrebend* reluctantly; ◇ **etw ~ tun** to do s.th. unwillingly

ungeschickt *adj* [1] ↑ *tolpatschig, schwerfällig* clumsy, awkward; ◇ **handwerklich** ~ unsuitable for technical work [2] *FIG* ▷*Bemerkung* tactless

ungeschminkt *adj* [1] ▷*Gesicht* without make-up [2] *FIG* ↑ *rein, offen* plain, bare, unvarnished; ◇ **die ~ Wahrheit** the plain truth

ungesetzlich *adj* illegal, illicit

ungestört *adj* undisturbed; ◇ ~ **arbeiten** work without being disturbed

ungestraft *adv* unpunished

ungesund *adj* [1] ↑ *nicht gesund* unhealthy [2] ↑ *schädlich* unhealthy, damaging, bad

ungetrübt *adj* [1] ↑ *klar* ▷*Wasser* unclouded, clear [2] *FIG* ▷*Freude* perfect, unalloyed

ungewiß *adj* ↑ *nicht sicher* uncertain

ungewöhnlich I. *adj* [1] ↑ *nicht üblich* ▷*Brauch* unusual [2] ↑ *außergewöhnlich* ▷*Person* unusual, remarkable, exceptional II. *adv* ↑ *außergewöhnlich, besonders:* ◇ **er ist ~ groß für sein Alter** he is exceptionally big for his age

ungewohnt *adj* [1] ▷*Umgebung* strange, odd [2] ↑ *nicht üblich* ▷*Redeweise* unusual

ungezogen *adj* rude, impertinent, impolite

ungezwungen *adj* natural, casual

ungläubig *adj* [1] ↑ *nicht religiös* unbelieving [2] *FIG* ↑ *zweifelnd* incredible; ◇ ~ **schauen** look in disbelief

unglaublich *adj* ▷*Geschichte* incredible, unbelievable

unglaubwürdig *adj* [1] ↑ *nicht vertrauenswürdig* ▹*Person, Regierung* unreliable, untrustworthy, not to be trusted [2] ↑ *zweifelhaft* ▹*Geschichte* implausible, improbable, unlikely

ungleich I. *adj* [1] ↑ *unterschiedlich* ▹*Partner* different, dissimilar [2] ▹*Voraussetzungen* unequal II. *adv* (*um vieles*): ◇ ~ **besser** much better

Unglück *s* <-[e]s, -e> [1] ↑ *Mißgeschick, Pech* mishap, bad luck, misfortune [2] (*-sfall*) accident [3] ↑ *Tragödie* disaster; **unglücklich** *adj* [1] ↑ *traurig* unhappy, sad; ◇ **jd-n** ~ **machen** to make s.o. unhappy/miserable [2] ↑ *erfolglos* ▹*Versuch* unlucky [3] ↑ *bedauerlich* ▹*Umstand* unfortunate

ungültig *adj* [1] *nicht gültig,* SPORT ▹*Spiel, Tor* disallowed, not allowed; POL ▹*Stimme* spoilt [2] ▹*Paß, Ticket* invalid

ungünstig *adj* [1] ↑ *unpassend* ▹*Augenblick* inopportune, inconvenient; ▹*Zustände* unfavourable [2] ▹*Wetter* bad

ungut *adj* [1] ▹*Gefühl* bad [2] ◇ **nichts für** ~ no offense meant, no hard feelings

unhaltbar *adj* ▹*Zustand* intolerable

Unheil *s* misfortune, harm; ◇ ~ **abwenden** to ward off evil

unheimlich I. *adj* ↑ *nicht geheuer* weird, strange, uncanny; ◇ **das ist mir** ~ that is weird II. *adv FAM* ↑ *sehr, außerordentlich*: ◇ **der Film ist** ~ **gut** the film is terrific

unhöflich *adj* impolite, rude

Uni *f* <-, -s> *FAM* ↑ *Universität* university

Uniform *f* <-, -en> uniform; ◇ **in** ~ in uniform

Union *f* [1] ↑ *Bündnis* union [2] (POL *CDU, CSU*) *the German political parties CDU and CSU*

Universität *f* university; **Universitätsbibliothek** *f* university library

unkenntlich *adj* unrecognizable

Unkenntnis *f* ignorance; ◇ **in** ~ **lassen** to keep s.o. in the dark (*über akk* about)

unklar *adj* [1] ▹*Äußerung* unclear [2] ↑ *unverständlich* ▹*Sachverhalt* unclear, uncertain, vague [3] ▹*Problem* obscure, unclear

unklug *adj* ↑ *dumm* unwise, foolish

unkonventionell *adj* unconventional

Unkosten *pl* expenses *pl;* (*sich finanziell übernehmen*) ◇ **sich in** ~ **stürzen** to go to great expense

Unkraut *s* weeds *pl*

unkündbar *adj* ▹*Stellung* permanent; ▹*Entscheidung* irrevocable

unlängst *adv* ↑ *vor kurzem* recently, not so long ago

unleserlich *adj* ▹*Schrift* illegible

unlogisch *adj* illogical

unlösbar *adj* [1] MATH ▹*Aufgabe* insoluble [2] *FIG* ▹*Problem* insoluble

unmäßig *adj* immoderate, excessive; ◇ ~ **trinken** drink excessively/intemperately

Unmenge *f* vast ammount, huge number (*von* of)

unmenschlich *adj* [1] ↑ *gemein, brutal* brutal, inhuman [2] ↑ *äußerst* ◇ ~ **Anstrengung** tremendous/huge effort

unmerklich *adj* imperceptible

unmißverständlich *adj* unmistakable, plain; ◇ **jd-m etw** ~ **klarmachen** to make s.th. clear to s.o.

unmittelbar I. *adj* ↑ *direkt* ▹*Nähe* immediate, direct II. *adv* [1] ↑ *direkt* directly, right [2] ↑ *sofort* ◇ ~ **darauf** immediately, straight afterwards

unmöglich *adj* [1] ↑ *unmachbar, undenkbar* impossible [2] *FAM* ▹*Kleidung* dreadful, awful, ridiculous; **Unmöglichkeit** *f* impossibility

unmoralisch *adj* ▹*Benehmen, Person* immoral

unnachgiebig *adj* [1] ▹*Material* unyielding [2] ▹*Person* unyielding, inflexible, uncompromising

unnötig *adj* unnecessary

unnütz *adj* [1] useless, pointless [2] ▹*Person* useless

UNO *f* <->: ◇ **die** ~ ↑ *UN* UN

Unordnung *f* mess, disorder

unparteiisch *adj* ▹*Meinung* impartial, unbiased; ▹*Person* impartial, unbiased, disinterested

unpassend *adj* [1] ▹*Bemerkung* inappropriate, improper [2] ▹*Termin* unsuitable

unpersönlich *adj* [1] ▹*Brief* impersonal [2] GRAM impersonal [3] ▹*Mensch* impersonal, cool, distant

unpolitisch *adj* apolitical

unpopulär *adj* ▹*Maßnahme, Person* unpopular

unpraktisch *adj* ▹*Werkzeug* impractical; ▹*Mensch* impractical

unqualifiziert *adj* [1] (*für Arbeit*) unqualified [2] ▹*Bemerkung* unqualified, unjustified

Unrecht *s* ↑ *Ungerechtigkeit* wrong; ◇ **das** ~ **bekämpfen** to fight a wrong [*o.* an injustice]; ◇ **zu** ~ wrongly; ◇ ~ **begehen** to do s.th. wrong

unregelmäßig *adj* [1] (*nicht regelmäßig*) irregular [2] ▹*Gesichtszüge* irregular, uneven [3] GRAM ▹*Verb* irregular

unreif *adj* [1] ▹*Obst* unripe, raw [2] *FIG* ▹*Mensch, Plan* mature

unrichtig *adj falsch* ▹*Behauptung, Lösung* incorrect, wrong; ▹*Information, Angabe* false, incorrect, wrong

Unruhe *f* <-, -n> [1] ↑ *Ruhelosigkeit, Nervosität* unrest, restlessness [2] ↑ *Besorgnis* anxiety; ◇ **in** ~

sein to be anxious [3] ▷*politisch* unrest [4] ↑ *Lärm* noise, commotion; **unruhig** *adj* [1] ↑ *nervös, rastlos* ▷*Mensch* restless [2] ↑ *besorgt* anxious [3] ↑ *bewegt* ▷*Meer* choppy, rough [4] ↑ *laut, hellhörig* ▷*Wohnung* noisy

uns I. *pron akk von* **wir** us **II.** *pron dat von* **wir** us

unsachlich *adj* [1] ↑ *nicht objektiv* ▷*Diskussion* irrelevant, subjective [2] ↑ *persönlich* ◇ ~ **werden** to become personal

unsagbar, unsäglich *adj* ▷*Schmerzen* indescribable

unsauber *adj* [1] ↑ *schmutzig* dirty, filthy [2] *FIG* ▷*Machenschaften* underhand, crooked

unschädlich *adj* [1] ▷*Medikament* harmless [2] *FAM* ◇ **jd-n/etw ~ machen** to take care of s.o./s.th.

unscharf *adj* [1] ▷*Foto etc.* blurred, indistinct, out of focus; ▷*Vorstellung* vague [2] ▷*Munition* blanks

unscheinbar *adj unauffällig* ▷*Mensch* insignificant, nondescript; ▷*Sache* insignificant

unschlüssig *adj* [1] ↑ *zögernd* hesitant [2] ↑ *unentschlossen* undecided

unschuldig *adj* [1] ↑ *nicht schuldig* innocent (*an dat* of) [2] ↑ *unbedarft, naiv* innocent, not responsible

unselbständig *adj* ▷*Mensch* dependent

unser I. *pron* (*adjektivisch*) our; ◇ **~e Kinder** our children **II.** *pron gen von* **wir** of us; **unsere(r, s)** *pron* (*substantivisch*) ours; ◇ **der/die/das ~** our

unsicher *adj* [1] ↑ *ungewiß* uncertain [2] ↑ *nicht selbstbewußt* ▷*Mensch* insecure [3] ▷*Gegend* unsafe, dangerous; **Unsicherheit** *f* [1] ↑ *Ungewißheit* uncertainty [2] (*unsicheres Wesen*) insecurity [3] (*Gefahr*) danger

unsichtbar *adj* invisible

Unsinn *m* (*Blödsinn*) nonsense; ◇ **~ machen** to fool around; *FAM* to muck about

unsportlich *adj* [1] ↑ *ungelenkig, nicht sportlich* ▷*Mensch* unathletic, unfit [2] ↑ *unfair* ▷*Verhalten* unsporting

unsre = unsere

unsterblich I. *adj* [1] ↑ *nicht sterblich* immortal [2] ↑ *unvergeßlich* ▷*Schauspieler* immortal [3] ▷*Liebe* undying **II.** *adv FAM*: ◇ **~ verliebt sein** to be hopelessly in love with s.o.

Unstimmigkeit *f* [1] ↑ *Ungenauigkeit* inconsistency [2] ↑ *Streit* disagreement

Unsumme *f* enormous sum/amount

unsympathisch *adj* ▷*Person* unappealing, unpleasant; ▷*Stimme* unpleasant; ◇ **sie ist mir ~** I don't like her

untätig *adj* ↑ *müßig, passiv* idle, lazy, inactive

untauglich *adj* [1] ↑ *nicht geeignet* unsuitable (*für, zu* for); ↑ *unfähig* incompetent [2] MIL unfit for military service

unteilbar *adj* (*nicht teilbar*) indivisible

unten *adv* [1] (*im unteren Teil, an unterer Seite*) ◇ **~ wohnen** live downstairs; ◇ **nach ~ gehen** to go down; ◇ **~ am Berg** at the bottom of the mountain [2] (*tiefer gelegen*) ◇ **von oben nach ~** up and down; ◇ **tief ~ im See** deep at the bottom of the lake [3] *FAM* ◇ **er ist bei mir ~ durch** I'm through with him, I've had it with him

unter *präp, adv akk/dat* [1] ↑ *drunter, unterhalb* under, below; ◇ **~ der Brücke** under the bridge [2] ↑ *inmitten, zwischen* among[st]; ◇ **~ Leuten** amongst people; ◇ **hier sind wir ~ uns** *dat* we are undisturbed here [3] ↑ *während* during; ◇ **~ der Woche** during the week [4] ↑ *weniger als* under, less than; ◇ **~ 5 Mark** less than 5 Marks [5] ◇ **etw ~ den Tisch legen** to put s.th. under the table; ◇ **~ Menschen gehen** to mix, to socialise

Unterabteilung *f* subdivision

Unterbewußtsein *s* subconscious

unterbieten *unreg vt* [1] COMM → *Preis* undercut [2] SPORT → *Rekordzeit* beat, break, lower

unterbrechen *unreg vt* [1] ↑ *stören* → *Gespräch* interrupt [2] ↑ *nicht weiterführen* → *Reise, Arbeit* interrupt, cut short [3] ▷*Leitung* cut

unterbringen *unreg vt* [1] (*in Kiste*) stow, pack [2] ↑ *einquartieren* → *jd-n* accommodate [3] ↑ *Platz finden für* → *Arbeitslose* fix up; → *Anzeige* place; **Unterbringung** *f* accommodation

unterdessen *adv* ↑ *inzwischen* meanwhile, in the meantime

unterdrücken *vt* [1] ↑ *gewaltsam beherrschen* → *Leute* suppress, oppress [2] → *Tränen* suppress, stifle

untere(r, s) *adj* lower

unterernährt *adj* undernourished, malnourished

Unterführung *f* subway; (*Auto~*) underpass, tunnel

Untergang *m* [1] (*Sonnen~*) set [2] (NAUT *von Schiff*) sinking [3] (*Zugrundegehen, Ruin, von Staat*) decline, fall; (*Welt~*) end; (*von Mensch*) end, fall, decline

Untergebene(r) *fm* subordinate

untergehen *unreg vi* [1] ← *Sonne, Mond* set [2] ← *Schiff* sink [3] ↑ *zugrundegehen* ← *Staat* decline, fall; ← *Welt* end [4] *FIG* ↑ *unhörbar werden* (*im Lärm*) be drowned [by the noise]

Untergeschoß *s* basement

Untergrund *m* [1] (*Erdboden*) ground [2] (*von Gebäude*) foundation [3] POL underground; ◇ **im ~ leben** to live underground; **Untergrundbahn** *f* underground, the tube *BRIT*, subway *AM*

unterhalb I. *präp gen* below; ◇ ~ **des Berges** under the mountain II. *adv* underneath

Unterhalt *m* (*Lebens~*) maintenance, support

unterhalten *unreg* I. *vt* ① ↑ *ernähren* → *Familie* support ② ↑ *amüsieren* → *Publikum* entertain ③ ↑ *halten, besitzen* → *Laden* keep up; → *Auto* keep up ④ ↑ *pflegen* → *Beziehungen* maintain II. *vr* ◇ **sich** ~ ① ↑ *Gespräch führen* talk ② ↑ *sich amüsieren* enjoy o.s.

Unterhemd *s* vest

Unterhose *f* (*Mann*) underpants; (*Frau*) pants

Unterkunft *f* <-, -künfte> accommodation, lodging

Unterlage *f* ① (*Grundlage*) padding; (*zum Schreiben*) desk pad ② (*Belege, Dokumente*) ◇ **die ~n** *pl* documents *pl*

unterlassen *unreg vt* ① ↑ *nicht tun, versäumen* → *Hilfe* fail to do ② ↑ *sich enthalten* → *Bemerkung* refrain from

unterlaufen *unreg vi* ↑ *passieren* happen, occur

unterlaufen *adj* ⊳*Augen*: ◇ **mit Blut** ~ bloodshot

unterlegen I. *vt* → *Decke* lay/put under

unterlegen *adj* ↑ *besiegt, nicht gewachsen* defeated; ◇ **jd-m ~ sein** to be inferior to s.o.

Unterleib *m* abdomen

Untermiete *f*: ◇ **zur ~ wohnen** to be a subtenant; **Untermieter**(**in** *f*) *m* subtenant

unternehmen *unreg vt* undertake, do

Unternehmen *s* <-s, -> ① ↑ *Aktion* undertaking, enterprise ② COMM ↑ *Firma* firm, business

unternehmungslustig *adj* enterprising

Unteroffizier *m* non-comissioned officer, sergeant

Unterordnung *f* suborder

Unterredung *f* ↑ *Gespräch* talk

Unterricht *m* <-[e]s, -e> instruction, teaching, lessons *pl;* **unterrichten** I. *vt* ① ↑ *Unterricht halten* teach, instruct ② ↑ *informieren* inform (*von, über akk* of) II. *vr* ◇ **sich** ~ ↑ *sich informieren* inform oneself (*über akk* about)

untersagen *vt* ↑ *verbieten* forbid; ◇ **jd-m etw** ~ to forbid s.o. to do s.th.

unterschätzen *vt* → *Person* underestimate

unterscheiden *unreg* I. *vt* ① ↑ *differenzieren* distinguish (*von* between) ② ↑ *auseinanderhalten* → *Zwillinge* make out, distinguish II. *vr* ◇ **sich** ~ differ (*von* from); **Unterscheidung** *f* ① differentiation ② ↑ *Unterschied* difference (*zwischen dat* between)

Unterschied *m* <-[e]s, -e> ① ↑ *Anderssein* difference (*zwischen dat* between) ② ↑ *Trennung, Unterscheidung* distinction; ◇ **einen ~ machen** to make a distinction; **unterschiedlich** *adj* ① ↑ *verschieden* ⊳*Interessen* different, differing ② ↑ *gemischt* varying, varied

unterschlagen *unreg vt* ① ↑ *beiseiteschaffen* → *Geld* embezzle ② ↑ *verheimlichen* → *Information* suppress, conceal

unterschreiben *unreg vt* ① → *Vertrag* sign ② *FIG* ↑ *unterstützen* subscribe to; **Unterschrift** *f* signature

untersetzt *adj* stocky

unterste(**r, s**) *adj* ① ↑ *tiefste(r, s)* bottom, lowest ② ↑ *letzte(r, s)* lowest

unterstehen *unreg* I. *vi* ↑ *untergeordnet sein* be under (*jd-m* s.o.) II. *vr* ◇ **sich** ~ *FAM* ↑ *sich trauen* dare [to]; ◇ **Untersteh dich!** Don't you dare!

unterstellen[1] <unterstellte, hat unterstellt> *vt* ① ↑ *unterordnen* subordinate; ◇ **diese Truppen sind ihm unterstellt** these troops are under him ② *PEJ* ↑ *unterschieben, verdächtigen* imply, insinuate ③ *FIG* ↑ *annehmen* suppose, assume

unterstellen[2] I. <stellte unter, hat untergestellt> *vt* (*unter Baum*) put/place under II. *vr* ◇ **sich** ~ (*zum Schutz*) take shelter

unterstreichen *unreg vt* ① ↑ *markieren* → *Zeile* underline ② *FIG* ↑ *betonen* ⊳*Bedeutung* stress, emphasize

unterstützen *vt* ↑ *tragen* ← *Mauer* support; ⊳*finanziell* support; (*aus Staatsmitteln*) assist; (*bei Streit*) support, back [s.o.] up; **Unterstützung** *f* support, help; ⊳*finanziell* support; ⊳*staatlich* assistance; ⊳*verbal, moralisch* support, backing

untersuchen *vt* ① ⊳*technisch, wissenschaftlich* examine, inspect ② → *Fall* investigate ③ MED → *Patienten* examine; **Untersuchung** *f* ① examination, inspection; ⊳*wissenschaftlich* examination, survey; ⊳*technisch* inspection ② ⊳*polizeilich* investigation ③ ⊳*ärztlich* examination, check-up

untertauchen *vi* ① (*in Wasser*) dive ② *FIG* ↑ *verschwinden* vanish, disappear

Unterteil *s o m* lower part, bottom

unterteilen *vt* divide (*in akk* into)

Unterwäsche *f* underwear

unterwegs *adv*: ◇ ~ **sein** on the way (*nach* to); ⊳*Kind* on the way

Unterwelt *f* underworld

unterwerfen *unreg vtr* ◇ **sich** ~ ① → *Land* subject ② ↑ *unterziehen* → *jd-n* subject, subjugate

unterzeichnen *vt* sign

unterziehen *unreg vtr* ◇ **sich** ~ ↑ *über sich ergehen lassen* undergo; ◇ **sich einer Prüfung** *dat* ~ to take an examination, to sit an examination

untreu *adj* unfaithful, disloyal

untrennbar *adj* inseparable

unüberlegt I. *adj voreilig* ▹*Person* rash, hasty; ▹*Entscheidung* rash, ill-considered, hasty II. *adv* ↑ *voreilig, unbedacht*: ◇ ~ **handeln** to act without thinking

unübersehbar *adj* ① ↑ *offensichtlich* ▹*Hindernis* immense ② ↑ *unüberblickbar* ▹*Menge* immense, vast ③ ↑ *nicht schätzbar* ▹*Schaden* incalculable

unüblich *adj* unusual

unumgänglich *adj* ① ↑ *unentbehrlich* ▹*Maßnahme* absolutely necessary ② ↑ *unvermeidlich* unavoidable

unumwunden *adv* ↑ *offen, ehrlich* open; ◇ **etw ~ sagen** to be frank

ununterbrochen *adj* uninterrupted

unverantwortlich *adj* irresponsible

unverbesserlich *adj* (*nicht zu bessern*) incorrigible; ◇ **ein ~er Lügner** a hopeless liar

unverbindlich I. *adj* ① ▹*Gespräch* not binding ② ▹*Zusage* non-committal II. *adv* COMM without obligation

unverbleit *adj* ▹*Benzin* unleaded, lead-free

unvereinbar *adj* ▹*Gegensätze* incompatible

unvergänglich *adj* immortal; ▹*Erinnerung* everlasting

unverkäuflich *adj* not for sale

unverletzt *adj* uninjured

unvermeidlich *adj* inevitable, unavoidable

unvermittelt *adj*: ◇ ~ **aufstehen** suddenly get up

unvernünftig *adj* foolish, unwise

unverschämt *adj schamlos* ▹*Person* outrageous, impudent, insolent; ▹*Bitte* outrageous

unversöhnlich *adj* ① ↑ *unvereinbar* ▹*Gegensätze* irreconcilable ② ▹*Gegner* irreconcilable

unverständlich *adj* ① ↑ *unbegreiflich* incomprehensible ② ↑ *unhörbar* unintelligible

unverträglich *adj* ① ↑ *gegensätzlich* ▹*Standpunkte* quarrelsome ② MED ▹*Medikament* having adverse effects ③ ▹*Essen* indigestible

unverzeihlich *adj* unforgivable, inexcusable

unvollkommen *adj* ① ↑ *nicht perfekt* imperfect ② ↑ *unvollständig* incomplete

unvollständig *adj* incomplete

unvorhergesehen *adj* ① ↑ *nicht geplant* unforseen, unexpected ① ↑ *unerwartet* unexpected

unvorsichtig *adj* careless

unvorstellbar *adj* unimaginable, unthinkable

unvorteilhaft *adj* disadvantageous; ▹*Frisur* unflattering, unbecoming

unwahr *adj* untrue

unwahrscheinlich I. *adj* ① ↑ *unglaubhaft* ▹*Geschichte* unlikely, improbable ② ↑ *kaum denkbar* unlikely ③ *FAM* ↑ *sehr* ◇ ~ **toll** incredible II. *adv FAM* ↑ *sehr* incredibly; ◇ **sich ~ betrinken** to get incredibly/very drunk

unweigerlich I. *adj* ↑ *unvermeidlich* ▹*Konsequenz* inevitable II. *adv* ① ↑ *unvermeidlich* inevitably ② ↑ *ganz bestimmt, auf jeden Fall* without fail

unwesentlich *adj* ↑ *geringfügig* unimportant, insignificant, inessential; ◇ ~ **billiger** marginally cheaper

Unwetter *s* thunderstorm

unwiderruflich *adj* irrevocable

unwiderstehlich *adj* irresistible

unwirklich *adj* unreal

unwirtschaftlich *adj* uneconomical, inefficient

unwissend *adj* ① ↑ *dumm* ignorant ② ↑ *ahnungslos, naiv* naive

unwohl *adj* ill, unwell

unzählig *adj* countless; ◇ **~e Leute** scores of people

unzeitgemäß *adj* dated, old-fashioned

unzerbrechlich *adj* unbreakable

unzertrennlich *adj* inseparable

unzufrieden *adj* ① ↑ *nicht zufrieden* dissatified (*mit* with) ② ↑ *schlechtgelaunt* discontented

unzulässig *adj* inadmissible

unzutreffend *adj* ① ↑ *nicht zutreffend* inapplicable ② ↑ *unwahr* incorrect

unzuverlässig *adj* ▹*Person* unreliable; ▹*Information* unreliable

üppig *adj* ① ▹*Essen* rich ② ↑ *voll* ▹*Form, Figur* full, voluptuous ③ *überreich* ▹*Vegetation* luxuriant ④ ↑ *hoch* ▹*Gehalt* high

uralt *adj* ancient; **Uraufführung** *f* THEAT, MUS (*von Konzert, Theaterstück*) first performance; (*von Film*) premiere; **Urheberrecht** *s* copyright

Urkunde *f* <-, -n> ↑ *Dokument* document, deed

Urlaub *m* <-[e]s, -e> (*Jahres-*) holiday, vacation *AM*; ◇ ~ **nehmen** go on holiday; MIL leave; **Urlauber(in** *f*) *m* <-s, -> holiday-maker

Ursache *f* cause, reason

Ursprung *m* ① ↑ *Anfang* origin ② ↑ *Quelle* (*von Fluß*) source; **ursprünglich** I. *adj* ① ↑ *zuerst/anfangs vorhanden* ▹*Plan* initial, first, original ② ↑ *einfach, naturbelassen* ▹*Volk* original ③ ↑ *echt, unverbildet* original II. *adv* ↑ *eigentlich, anfangs* originally; ◇ ~ **war es so geplant, daß ...** it was originally planned that ...

Urteil *s* <-s, -e> ① JURA judgement, sentence ② ↑ *Meinung* opinion; ◇ **sich ein ~ bilden** to form an opinion/judgement on

Urwald *m* jungle

USA *pl* USA, United States of America

usw *Abk v.* **und so weiter** and so on
utopisch *adj* ① utopian ② *FAM* ↑ *unrealistisch* ▷*Preis* unrealistic, unbelievable
UV-Strahlen *pl* ultraviolet rays *pl*

V

V, v *s* V, v
Vagabund *m* <-en, -en> vagabond, vagrant, bum, hobo *AM*; **vagabundieren** *vi* tramp about
vage *adj* vague
vakant *adj* vacant
Vampir *m* <-s, -e> vampire
Vanilleeis *s* vanilla ice cream
variabel *adj* variable
Variation *f* variation
Varieté[theater] *s* music-hall, variety theater
Vase *f* <-, -n> vase
Vaseline *f* vaseline
Vater *m* <-s, Väter> ① (*Familien-*) father ② (*pl*) ↑ *Vorfahren* the forefathers; **vaterländisch** *adj* national, patriotic
väterlich *adj* paternal, fatherly
Vatermord *m* patricide; **Vaterschaft** *f* fatherhood, paternity
Vegetarier(in *f*) *m* <-s, -> vegetarian
vegetieren *vi* vegetate
Vehikel *s* <-s, -> vehicle
Veilchen *s* violet
Vene *f* <-, -n> vein; **Venenentzündung** *f* phlebitis
Ventil *s* <-s, -e> valve
verabreden **I.** *vt* arrange, plan (*mit jd-m* with s.o.); (*Zeit, Datum*) fix, set **II.** *vr* ◇ **sich** ~ make an appointment (*mit jd-m* with s.o.)
verabreichen *vt* give, administer
verabscheuen *vt* detest, abhor, loathe
verabschieden **I.** *vt* ① (*aus Amt*) dismiss ② POL ↑ *beschließen* → *Gesetz* adopt, pass **II.** *vr* ◇ **sich** ~ say good-bye, bid farewell (*von jd-m* to s.o.); **Verabschiedung** *f* ① (*von Besuchern*) farewell; (*von General*) dismissal, discharge ② (POL *von Gesetz*) passing, adoption
verachten *vt* ↑ *ablehnen* despise, defy
Verachtung *f* contempt, scorn (*für* for)
verallgemeinern *vt* generalize
veralten *vi* go out of date
Veranda *f* <-, Veranden> veranda, porch; **verändern** **I.** *vt* rearrange, change **II.** *vr* ◇ **sich** ~ change
verängstigt *adj* ▷*Hund* frightened; ▷*person* intimidated, scared
verankern *vt* ① → *Schiff* anchor ② → *Grundrechte* establish
veranlagt *adj:* ◇ ~ **sein für** to have an aptitude for; **Veranlagung** *f* ① disposition, inclination; ↑ *Begabung* gift, aptitude ② FIN assessment
veranlassen *vt* cause, call forth
veranschaulichen *vt* illustrate
veranschlagen *vt* estimate (*auf akk* at)
veranstalten *vt* ① ↑ *durchführen* organize, arrange; → *Wettbewerb* put on, promote ② ↑ *aufführen* stage, organize
verantworten **I.** *vt* accept responsibility for, account for **II.** *vr:* ◇ **sich vor Gericht** ~ **müssen** to have to answer to the court; **verantwortlich** *adj* responsible, liable; **Verantwortung** *f* responsibility; **verantwortungsbewußt** *adj* responsible; **verantwortungslos** *adj* irresponsible
veräppeln *vt FAM* make fun of s.o., tease
verarbeiten *vt* ① ↑ *bearbeiten* work; PC process, go over; ↑ *umwandeln* to convert ② ↑ *verkraften* think over, digest
verärgert *adj* annoyed, irritated
Verarmung *f* impoverishment
verarschen *vt FAM!* kid/joke s.o., take s.o. for a ride
verarzten *vt* treat
verausgaben **I.** *vr* ◇ **sich** ~ ▷*finanziell* overspend; (*körperlich*) push o.s. to the max[imum]
veräußern *vt* sell, dispose of; **Veräußerung** *f* alienation, disposal
Verband [1] *m* <-es, Verbände> MED bandage, dressing
Verband [2] *m* <-es, Verbände> ① MIL unit ② (*Interessen-*) asociation, union
Verband[s]kasten *m* first-aid kit; **Verband[s]mull** *m* surgical gauze
Verbannte(r) *fm* exile, outlaw
verbarrikadieren **I.** *vt* barricade, block **II.** *vr* ◇ **sich** ~ barricade o.s.
verbauen *vt* ① → *Material* obstruct, block ② → *Landschaft* spoil, ruin ③ (*Chancen*) wreck, spoil
verbergen *unreg vt* conceal, hide (*vor dat* from)
verbessern **I.** *vt* improve, correct **II.** *vr* ◇ **sich** ~ improve o.s., correct o.s.
verbeugen *vr* ◇ **sich** ~ bow
verbiegen *unreg* **I.** *vt* bend, twist **II.** *vr* ◇ **sich** ~ twist
verbieten *unreg vt* forbid; **Verbilligung** *f* reduction
verbinden *unreg* **I.** *vt* ① → *Kabel, Faden* tie,

link; → *Straße, Ort* connect, link (*mit etw* to s.th.) [2] MED → *Wunde, Verletzten* dress, bandage [3] → *Augen* blindfold **II.** *vr* ◇ **sich ~** join, unite, associate; CHEM combine (*mit* with)

verbindlich *adj* [1] ↑ *verpflichtend* binding, obligatory [2] ↑ *höflich, freundlich* polite, courteous

Verbindung *f* [1] ↑ *das Zusammenfügen* union, bond [2] ↑ *~slinie* line; *FIG* connection; (*Steck-*) junction [3] (*Freundschafts-*) bond [4] ↑ *Kombination*, CHEM combination [5] (*Studenten-*) society *AM*; (*männlich*) fraternity; (*weiblich*) sorority

verbissen *adj* determined; **Verbitterung** *f* bitterness

verblassen *vi* fade; *FIG* become insignificant; **verbleiben** *unreg vi* [1] ↑ *verharren* remain [2] ↑ *übrigbleiben* left [over] [3] ↑ *übereinkommen* agree

verbleit *adj* ▷*Benzin* leaded

verblöden *vi* turn imbecile

verblüfft *adj* perplexed, dumbfounded

verblühen *vi* fade, wither

verbocken *vt FAM* goof [up]

verborgen [1] *vt* ↑ *verleihen* lend

verborgen [2] *pp von* **verbergen** ↑ *versteckt, geheim* hidden; ↑ *unbemerkt* concealed

Verbot *s* <-[e]s, -e> prohibition, ban; **verboten** *adj* prohibited; **Verbotsschild** *s* prohibition sign

Verbrauch *m* <-[e]s> (*Benzin- etc.*) consumption; (*von Lebensmittel*) consume; **verbrauchen** *vt* → *Energie, Kräfte* use; → *Lebensmittel* consume

verbraucht *adj* ▷*Energie, Kräfte* used; ▷*Lebensmittel* consumed; ▷*Luft* stale; ▷*Frau, Mann* run down, worn out

verbrechen *unreg vt* → *eine Sache* commit; **Verbrechen** *s* <-s, -> crime (*gegen, an* against); **verbrecherisch** *adj* criminal

verbreiten I. *vt* [1] → *Krankheit, Gerücht, Wärme* spread [2] ↑ *ausstrahlen* radiate; *Licht* shed **II.** *vr* ◇ **sich ~** spread

verbreitern *vt* → *Straße* widen

verbrennen *unreg* **I.** *vt* → *Holz, Benzin etc.* burn; → *Gesicht* [sun]burn; → *Tote* cremate **II.** *vi* ← *Haus* burn down **III.** *vr:* ◇ **sich ~** MED to burn o.s.; **Verbrennungsmotor** *m* internal combustion engine

verbringen *unreg vt* spend

verbrüdern *vr* ◇ **sich ~** fraternize

verbrühen I. *vt* → *Gesicht etc.* scald **II.** *vr* ◇ **sich ~** scald o.s.

verbuchen *vt* FIN → *Einnahmen, Ausgaben* register, enter [in book]

verbünden *vr* ◇ **sich ~** to ally o.s.

verbürgen *vr:* ◇ **sich ~ für** to vouch for

verbüßen *vt* → *Strafe* to serve

Verdacht *m* <-[e]s> suspicion; **verdächtig** *adj* suspicious; **Verdächtige(r)** *fm* suspect

verdammen *vt* condemn; (*verfluchen*) damn, curse; **verdammt** *adj* (*fluchend*) damned, blasted, bloody, darned *AM*; ◇ **V~!** Damn!

verdampfen *vti* evaporate, vaporize; **Verdampfung** *s* evaporation

verdanken *vt:* ◇ **jd-m etw ~** to owe s.o. s.th.; ◇ **ich verdanke dir mein Leben** I owe my life to you

verdauen *vt* → *Nahrung* digest; **verdaulich** *adj* ▷*Essen* digestible; **Verdauung** *f* digestion; **Verdauungsbeschwerden** *pl* indigestion *sg;* **Verdauungsstörung** *f* indigestion

Verdeck *s* <-[e]s, -e> [1] NAUT deck [2] AUTO roof, top

verdecken *vt* ↑ *zudecken* cover; ↑ *behindern* → *Sicht* block, hide

verdenken *unreg vt:* ◇ **jd-m etw ~** to blame s.o. for s.th.; ↑ *übelnehmen* ◇ **ich kann es ihm nicht ~, daß …** I can't hold it against him that …

Verderb *m* ruin

verderben <verdarb, verdorben> **I.** *vt* [1] → *Lebensmittel etc.* spoil, waste, ruin [2] ↑ *unbrauchbar machen* → *Film* destroy, wreck [3] → *Jugendliche, Charakter* corrupt, deprave **II.** *vi* ← *Nahrung* spoil, go bad; ← *Person* turn corrupt **III.** *vr* ruin; **Verderben** *s* <-s> ruin, destruction; ◇ **in sein ~ rennen** to rush to o.'s doom; **verderblich** *adj* perishable

verdeutschen *vt FAM* → *Fremdwort, Satz* translate; (*eindeutschen*) germanize

verdeutlichen *vt* make clear/plain

verdichten I. *vt* → *Atmosphäre, Gas* condense; CHEM → *Benzingemisch etc.* compress **II.** *vr* ◇ **sich ~** [1] ← *Nebel* thicken, become denser [2] *FIG* ← *Gerücht* spread faster; **Verdichtung** *f* condensation, compression

Verdickung *f* MED a swollen area

verdienen *vt* [1] → *Geld* earn; → *Lebensunterhalt* finance, pay for [2] → *Anerkennung* deserve, merit

Verdienst [1] *m* <-[e]s> (*von Geld*) earnings *pl,* income

Verdienst [2] *s* <-[e]s, -e> merit; **verdienstvoll** *adj* mertitorious, deserving; **verdient** *adj* deserving

verdolmetschen *vt FAM* interpret, translate

verdoppeln *vt* double

verdorben *adj s.* **verderben** [1] ▷*Lebensmittel* spoiled, spoilt; (*unbrauchbar gemacht*) ruined [2]

▷*Charakter, Kind* corrupt; **Verdorbenheit** *f* corruption, depravity
verdorren *vi* dry up, wither
verdrängen *vt* drive away, dispel; → *Erinnerungen* suppress, dispel; → *Pflanze, Kollegen* oust
verdrehen *vt* ① → *Hebel, Schraube* turn, twist; → *Augen* roll; → *Sender, Antenne* turn/adjust position; → *Arm, Bein* sprain, twist ② → *Worte* distort, twist; *FAM* screw-up
verdreht *adj FAM* crazy, mad
verdreifachen *vt* triple
verdrücken I. *vt* ① ↑ *zerknittern* crumple, wrinkle; → *Brille, Gegenstand etc.* crush, squeeze ② *FAM* ↑ *hinunterschlingen* polish off, gobble **II.** *vr* ◇ **sich** ~ to slip/steal away
Verdrossenheit *f* ↑ *Ärger, Mißmut* moroseness
verduften *vi* ① ← *Blume, Kaffee* lose aroma ② *FAM* ↑ *heimlich verschwinden* beat it
verdummen I. *vt* stultify **II.** *vi* become stultified
verdunkeln I. *vt* → *Raum* darken; *FIG* → *Verbrechen* camouflage, cover up **II.** *vr* ◇ **sich** ~ darken; **Verdunklungsgefahr** *f* JURA danger of suppression of evidence
verdünnen I. *vt* dilute, thin **II.** *vr* ◇ **sich** ~ become diluted
verdunsten *vi* evaporate
verdursten *vi* die of thirst
verdutzt *adj* startled, bewildered, taken aback
veredeln *vt* → *Pflanze* graft; → *Geschmack, Kaffee* improve; → *Boden* enhance, enrich; → *Rohstoff* process, refine
verehren *vt* ① ↑ *bewundern, schätzen* honour, worship; → *Mädchen* admire ② ↑ *schenken* present s.o.; **Verehrer(in** *f*) *m* <-s, -> fan, admirer; REL worshipper
vereid[ig]en *vt* → *Minister, Soldaten* swear in; → *Zeugen, Geschworene* swear (*auf akk* on)
Verein *m* <-[e]s, -e> (*Sport- etc.*) club, society, association; ◇ **eingetragener** ~ registered society
vereinbar *adj* compatible; **vereinbaren** *vt* → *Termin* agree upon; → *Beschluß* arrange
vereinen *vt* → *Institutionen* unite; → *Unterschiedliches* reconcile
vereinfachen *vt* simplify
vereinheitlichen *vt* make uniform, standardize
vereinigen I. *vt* join, unite (*zu etw* together) **II.** *vr* ◇ **sich** ~ unite, join (*mit jd-m* with s.o.); (*Kapital, Kräfte*) pool
vereinsamen *vi* become lonely
vereint *adj s.* **vereinen**
vereinzelt *adj* ↑ *selten* occasional; single, isolated
vereisen I. *vt* MED → *Prellung etc.* freeze **II.** *vi* ← *Straße* freeze
vereiteln *vt* → *Plan* thwart, foil; → *Straftat* prevent
vereitern *vi* fester; **vereitert** *adj* be septic
verenden *vi* ← *Tier* perish, die
verengen I. *vt* narrow **II.** *vr* ◇ **sich** ~ contract
vererben I. *vt* → *Nachlaß* leave, bequeath; BIO pass on; *FAM* ↑ *schenken* give **II.** *vr* ◇ **sich** ~ be passed on/transmitted (*auf jd-n* to); **vererblich** *adj* ▷*Krankheit* hereditary; **Vererbungslehre** *f* genetics *sg*
verewigen *vt* ↑ *eintragen* inscribe; → *Person* immortalize
verfahren [1] *unreg* **I.** *vt* → *Benzin* use up **II.** *vr* ◇ **sich** ~ get lost, take the wrong road **III.** *vi* ↑ *handeln* proceed, act
verfahren [2] *adj* ▷*Verhandlungen* bungled, muddled
Verfahren *s* <-s, -> ① ↑ *das Vorgehen, Methode* procedure, method ② (JURA *Gerichts-*) proceedings *pl*
Verfall *m* <-[e]s> ① (*von Gebäude, Stadt*) destruction, ruin; (*von Reich*) fall; (*von Körper, Geist*) ruin, decline; (FIN *von Kursen*) fall, decline ② ↑ *das Ungültigwerden* (*von Fahrkarte*) expiry; **verfallen** *unreg vi* ① ↑ *baufällig werden* ruin, decay; ↑ *untergehen* fall, collapse; ↑ *kraftlos werden* deteriorate; FIN ← *Kurse* fall ② ← *Ticket* expire ③ ↑ *abhämgig sein* to beome addicted to; **Verfall[s]zeit** *f* due date, expiry date
verfälschen *vt* → *Meinung, Daten* alter, falsify; → *Lebensmittel* adulterate
verfärben *vt* → *Haare, Kleidung* colour, dye
verfassen *vt* write, prepare, compose; **Verfasser(in** *f*) *m* <-s, -> author, writer
Verfassung *f* ① ↑ *von Text* edition ② POL constitution ③ state; **Verfassungsgericht** *s* Constitutional Court; **verfassungsmäßig** *adj* constitutional; **verfassungswidrig** *adj* unconstitutional
verfaulen *vi* decay, rot
verfehlen *vt* ① ↑ *nicht begegnen, nicht erreichen* → *Person* miss ② ↑ *nicht richtig treffen* be in the wrong business, pursue the wrong career; → *Aufsatzthema* be off the subject, misguided; **verfehlt** *adj* ▷*Maßnahme, Entscheidung* inappropriate, misbegotten, wrong
verfeinden *vr* ◇ **sich** ~ make an enemy (*mit jd-m* of s.o.)
verfeinern *vt* improve, refine

verfestigen I. *vr* ◇ sich ~ ← *Meinung* enforce, set; ← *lockere Masse* harden, solidify II. *vt* (*lokkere Masse*) harden, solidify
verfilmen *vt* film
verfilzt *adj* ▷*Wolle* felted; ▷*Haare* matted
verflechten *vt* → *Zweige* intertwine, interweave; *FIG* → *Unternehmen* interlink
verfliegen *unreg* I. *vi* ↑ *sich auflösen* ← *Duft* vanish, subside; ← *Zeit* fly, pass II. *vt* → *Kerosin* use III. *vr* ◇ sich ~ ↑ *falsch fliegen* lose o.'s bearings
verfließen *vi* [1] ← *Zeit* pass, fly [2] ↑ *ineinander übergehen* ← *Farben* run
verflüchtigen *vr* ◇ sich ~ [1] ← *Benzin* evaporate [2] *FIG FAM* ← *Person* vanish
verflüssigen *vt* liquefy
verfolgen *vt* [1] → *Tier, Mensch, Spur* follow [2] ▷*politisch, gerichtlich* persecute [3] → *Ziel, Zweck* pursue, follow; **Verfolgung** *f* [1] → *von Tier, Mensch* hunting, following [2] ▷*politisch, gerichtlich* persecution [3] (*von Spur*) trailing, tracking [4] (*von Ziel*) pursuit [5] → *des Kursverlaufs* watching, following; **Verfolgungsjagd** *f* chase
verfrüht *adj* premature, early
verfügbar *adj* available
verfügen I. *vt* → *Maßnahme* decree II. *vi:* ◇ über etw ~ to be in charge of s.th.; **Verfügung** *f* [1] possession [2] JURA order, instruction
verführen *vt* → *Frau, Mann* seduce, lead on
vergangen *adj* [1] (*vorbei*) past, bygone [2] (*letzte*) last; **Vergangenheit** *f a.* GRAM past
vergänglich *adj* transitory
vergasen *vt* ↑ *in Gas umwandeln* carburet; (*mit Gas töten*) gas; **Vergaser** *m* <-s, -> AUTO carburettor
vergeben *unreg vt* [1] ↑ *verzeihen* forgive [2] ↑ *verleihen* award; → *Arbeit, Studienplatz* assign, allocate; → *Eintrittskarten* distribute [3] ↑ *nicht nutzen* → *Chance, Freistoß* throw away; **vergeblich** *adj* vain
vergegenwärtigen *vr* visualize s.th., recall s.th.
vergehen *unreg* I. *vi* ← *Zeit* pass; ← *Schmerz* pass, subside II. *vr* [1] ↑ *vergreifen, zerstören* to violate [2] ↑ *vergewaltigen* to assault s.o.; **Vergehen** *s* <-s, -> JURA offence, misdemeanour
vergelten *unreg vt* repay; **Vergeltung[sschlag]** *m* MIL act of reprisal
vergessen <vergaß, vergessen> I. *vt* forget II. *vr* ◇ sich ~ forget o.s.; **Vergessenheit** *f* oblivion
vergewaltigen *vt* rape
vergewissern *vr* ◇ sich ~ acertain, make sure
vergießen *unreg vt* ↑ *verschütten* spill; ↑ *verlieren* shed
vergiften I. *vt* poison II. *vr* ◇ sich ~ poison o.s.; **Vergiftung** *f* poisoning
vergipsen *vt* plaster
Vergleich *m* <-[e]s, -e> [1] comparison [2] JURA settlement [3] SPRACHW simile; **vergleichen** *unreg vt* compare (*mit* with, to)
vergnügen *vr* ◇ sich ~ amuse o.s. (*mit etw* with s.th.); **Vergnügen** *s* <-s, -> enjoyment, amusement; **Vergnügungsreise** *f* pleasure-trip
vergolden *vt* → *Schmuck* gold-plate; **Vergoldung** *f* gilding
vergraben *unreg* I. *vt* bury II. *vr* bury o.s.
vergreifen *vr* ◇ sich ~ [1] (*an einer Frau*) assault [2] (*an fremdem Eigentum*) misappropriate, steal
vergrößern I. *vt* → *Raum, Menge, Firma* expand; → *Foto* enlarge II. *vr* ◇ sich ~ increase, expand; **Vergrößerungsapparat** *m* enlarger; **Vergrößerungsglas** *s* magnifying-glass
vergucken *vr FAM* to fall for s.o.
Vergünstigung *f* privilege, benefit; (*Straf-*) reduction
vergüten *vt* refund; ↑ *bezahlen* compensate; ↑ *erstatten* reimburse
verhaften *vt* arrest
verhallen *vi* die away, fade
verhalten *unreg* I. *vr* ◇ sich ~ behave, conduct o.s. II. *adj* ▷*Stimme* muted; ▷*Person* restrained; **Verhalten** *s* <-s> behaviour, conduct
Verhältnis *s* [1] (*Proportion*) ratio, proportion [2] (*Geschäfts-*) relations *pl;* (*Liebes-*) affair [3] ◇ -se *pl* (*Milieu*) conditions *pl;* (*Situation*) conditions *pl;* ◇ **über seine -se leben** to live beyond o.'s means; **Verhältniswahlrecht** *f* system of proportional representation
verhandeln I. *vi* [1] negotiate (*über etw akk* about s.th. *dat* with s.o.) [2] JURA hear a case, hold a trial II. *vt* JURA hear; **Verhandlung** *f* [1] discussion, negotiation [2] (JURA *Gerichts-*) court hearing, trial; **Verhandlungsgegenstand** *m* issue
verhängen *vt* [1] hang [2] *FIG* → *Maßnahme* inflict, impose (*über akk* on); **Verhängnis** *s* doom, fate; **verhängnisvoll** *adj* disastrous
verharmlosen *vt* play down
verhärtet *adj* firm
verhaspeln *vr* ◇ sich ~ muddle up o.'s words
verhaßt *adj* detested, hated
verhauen *vt* beat, thrash
verheerend *adj* ▷*Sturm, Epidemie* disastrous; ▷*Folge* devastating
verheilen *vi* heal
verheimlichen *vt* keep secret, conceal (*jd-m etw* from s.o.)
verheiraten I. *vr* ◇ sich ~ **mit jd-m** marry, get married II. *vt* marry

V

verheißungsvoll *adj* promising
verhelfen *vi* help
verherrlichen *vt* praise, glorify
verhetzen *vt* incite
verhindern *vt* prevent
verhökern *vt* hock, pawn
Verhör *s* <-[e]s, -e> questioning; JURA examination; **verhören** I. *vt* examine, question II. *vr* ◇ sich ~ mishear
verhüllen *vt* cover
verhungern *vi* starve
verhüten *vt* → *Katastrophe, Schwangerschaft* prevent; **Verhütung** *f* prevention; (*Pille, Kondom*) contraception; **Verhütungsmittel** *s* contraceptive
verirren *vr* get lost, lose o.'s way; (*in eine Idee*) go astray
verjagen *vt* chase off
Verjährung *f* limitation
verjubeln *vt FAM* blow
verjüngen I. *vt* → *Aussehen* make one look younger; → *Mannschaft* regenerate II. *vr* ◇ **sich** ~ [1] ← *Aussehen* look younger [2] (*schmaler werden*) taper off at the end
verkabeln *vt* → *Straße, Wohnung* lay wires
verkalken *vi* ↑ *Arterie* harden; ↑ *Rohr* fur up
Verkauf *m* sale; **verkaufen** I. *vt* sell II. *vr* ◇ sich ~ sell o.s. (*an jd-n* to s.o.); **Verkäufer(in** *f*) *m* <-s, -> (*Laden-*) salesperson; ↑ *Außendienstmitarbeiter* vendor, retailer; **Verkaufsabteilung** *f* sales department; **Verkaufsstand** *m* booth, stand, counter
Verkehr *m* <-s, -e> [1] (*Straßen-, Flug- etc.*) traffic [2] ↑ *Umlauf* circulation [3] ↑ *Kontakte, Umgang* contact, company [4] (*Geschlechts-*) intercourse; **verkehren** *vi* [1] ↑ *fahren* run, transport [2] ↑ *einkehren* visit [3] (*Beziehung pflegen*) associate [4] ◇ **mit jd-m sexuell** ~ to have sexual intercourse with s.o. [5] ↑ *umkehren* turn around; **Verkehrsamt** *m* divisional railway office *BRIT*, driver license's office *AM*; **Verkehrsbüro** tourist office/information; **Verkehrsflugzeug** *s* commercial plane; **Verkehrsgefährdung** *f* dangerous driving; **verkehrsgünstig** *adj* conveniently located; **Verkehrsmittel** *s* means of transportation; **verkehrsreich** *adj* busy; **verkehrssicher** *adj* roadworthy; **Verkehrssprache** *f* lingua franca; **Verkehrsstau** *m* traffic jam; **Verkehrssünder(in** *f*) *m* traffic offender; **Verkehrsteilnehmer(in** *f*) *m* road-user; **Verkehrsvorschriften** *f pl* traffic rules *pl*, highway code; **Verkehrswacht** *f* <-> road safety organization; **Verkehrszeichen** *s* road sign
verkehrt *adj* wrong
verkennen *vt* misjudge, underestimate
verklagen *vt* JURA sue
verklappen *vt* leak, spill
verkleben *vt* stick together
verkleiden I. *vt* → *Person* disguise, dress up; → *Wand, Öffnung* cover, line (*mit etw* with s.th.) II. *vr* ◇ **sich ~ [als]** dress o.s. up as
verkleinern *vt* make smaller, reduce
verklemmt *adj* inhibited
verklingen *unreg vi* fade
verknacksen *vt* sprain, twist
verknallen *vr* ◇ **sich** ~ fall in love
Verknappung *f* shortage
verknüpfen *vt* (*Fäden*) tie together; *FIG* ◇ **die Ideen ~ zu ...** to associate the ideas with ...
verkohlen [1] *vt FAM* pull s.o.'s leg
verkohlen [2] *vi* TECHNOL carbonize
verkommen I. *unreg vi* ↑ *verwahrlosen* fall apart, go to the dogs; ← *Ware, Lebensmittel* spoil, go bad II. *adj* ▷*Gebäude* wrecked, ruined; ▷*Ware, Lebensmittel* spoiled, ruined, bad; ▷*Mensch* depraved
verkorksen *vt FAM* → *Prüfung* mess up, screw up
verkörpern *vt* represent
verköstigen *vt* feed
verkraften *vt* bear, stand; manage
verkrampfen I. *vt* cramp II. *vr* ◇ **sich** ~ tense up
verkriechen *unreg vr* ◇ **sich** ~ hide o.s.
Verkrümmung *f* ↑ *Verbiegung* distortion; (ANAT *Rückgrat-*) curvature of the spine
verkümmern *vi* ↑ *eingehen, absterben* die, wilt; ↑ *zurückbilden* atrophy, become stunted; ← *Person* become stunted; ← *Talent* go to waste
verkünden *vt* announce, make known; → *Urteil* pronounce; **Verkündigung** *f* proclamation
verkuppeln *vt* couple
verkürzen *vt* shorten
verladen *unreg vt* load; **Verladung** *f* loading, shipping
Verlag *m* <-[e]s, -e> publishing company/house
verlagern *vt* transfer, shift, move
verlangen I. *vt* [1] → *Geld, Gegenleistung* demand [2] → *Fahrkarten* ask for II. *vi* want; **Verlangen** *s* <-s, -> desire, longing (*nach jd-m/etw* for s.o./s.th.)
verlängern *vt* → *Schnur, Hosen etc.* make longer, lengthen; → *Vertragsdauer, Frist* extend, prolong; **Verlängerung** *f* [1] (*von Vertrag[sdauer]*) extension; (*von Frist*) prolonging; (SPORT *von Spielzeit*) over time [2] (*verlängertes Teilstück*) extension piece; **Verlängerungsschnur** *f* ELECTR extension cord/lead

verlangsamen *vt, vr* ◇ **sich** ~ slow down, slacken

verlassen *unreg* **I.** *vt* → *Haus, Stadt, Personen* leave; → *Bett* get out; → *Schule* quit **II.** *vr* ◇ **sich** ~ rely, depend (*auf akk* on) **III.** *adj* forsaken, deserted

verläßlich *adj* reliable, dependable

Verlauf *m* ↑ *Ablauf* course; (*von Entwicklung*) progress; **verlaufen** *unreg* **I.** *vi* [1] ← *Fest, Fahrt* go; ← *Krankheits[prozeß]* process [2] ← *Farbe* run **II.** *vr* ◇ **sich** ~ get lost, go astray

Verlautbarung *f* announcement, statement; **verlauten** *vi* to give an indication

verleben *vt* → *schöne Zeit* spend

verlegen **I.** *vt* [1] ↑ *verlieren* → *Schlüssel* misplace [2] → *Wohnsitz* move; → *Patienten* transfer; → *Termin* postpone [3] ↑ *einbauen* lay [4] ↑ *veröffentlichen* publish, bring out **II.** *vr:* ◇ **sich auf etw** *akk* ~ to resort to s.th. **III.** *adj* embarrassed; **Verlegenheit** *f* [1] embarrassment [2] ↑ *Lage* predicament

verleiden *vt:* ◇ **jd-m die Freude** ~ to spoil s.o.'s fun

Verleih *m* <-[e]s, -e> hire/rental service; **verleihen** *unreg vt* [1] → *Geld, Buch* lend, rent [2] (*zuerkennen*) award; **Verleihung** *f* ↑ *das Verleihen* lending; (*von Medaille*) bestowal

verleiten *vt:* ◇ **jd-n zu einer Straftat** ~ to encourage s.o. to commit a crime

verlernen *vt* forget

verletzbar *adj* vulnerable; **verletzen** **I.** *vt* [1] → *Körperteil, Person* injure, hurt; → *Verpackung* damage [2] → *Gefühle, jd-n* hurt [3] → *Gesetz, Anstand* break, violate **II.** *vr* ◇ **sich** ~ ← *Person* injure/hurt o.s.; **verletzend** *adj* ▷*Worte* painful, offensive; **Verletzte(r)** *fm* injured person; **Verletzung** *f* [1] ↑ *Wunde* injury, wound [2] (*von Pflichten, Gesetzen*) neglect, offence

verleugnen *vt* → *Person* disown; → *Sache* deny, disclaim

verleumden *vt* slander; *FAM* backstab

verlieben *vr* ◇ **sich** ~ fall in love (*in akk* with); **verliebt** *adj* in love

verlieren <verlor, verloren> **I.** *vt* → *Schlüssel* lose; → *Kind, Mann* lose **II.** *vi:* ◇ **die Papiere** ~ **schon lange an Wert** the bonds have been decreasing in value **II.** *vr* ◇ **sich** ~ ← *Personen* lose each other; ← *Begeisterung, Gefühl* lose

verloben *vr* ◇ **sich** ~ become engaged (*mit* with); **Verlobte(r)** *fm* (*männlich*) fiancé; (*weiblich*) fianceé

verlockend *adj* ▷*Vorschlag* tempting, enticing; ▷*Frau* enticing, seducing; **Verlockung** *f* temptation, enticement

verlogen *adj* ▷*Mensch* lying

verloren *adj* [1] ↑ *verschwunden* lost [2] ↑ *verlassen, einsam* ◇ **die Bäume sahen in der Wüste so** ~ **aus** the trees in the desert loooked so forlorn

Verlosung *f* drawing, raffling

Verlust *m* <-es, -e> [1] ↑ *Verlieren* (*von Geldbeutel*) loss [2] FIN ↑ *Einbuße* loss [3] (*von Gewicht*) loss

Vermächtnis *s* legacy

vermählen *vt* → *Tochter* marry, wed; **Vermählung** *f* wedding

vermarkten *vt* → *Ware, Sänger* commercialized

vermasseln *vt FAM* → *Prüfung etc.* ruin, make a mess of

vermehren **I.** *vt* → *Vermögen* increase; → *Anzahl, Menge* multiply; → *Pflanzen* reproduce **II.** *vr* ◇ **sich** ~ ↑ *mehr werden* increase; ↑ *sich fortpflanzen* reproduce

vermeidbar *adj* avoidable; **vermeiden** *unreg vt* → *Fehler* avoid; ◇ **es läßt sich kaum ~, daß ...** it is unavoidable that …

vermeintlich *adj* putative, supposed

Vermerk *m* <-[e]s, -e> ↑ *Aufzeichnung, Notiz* note; (*Akten~*) entry

vermessen **I.** *unreg vt* → *Land* survey; → *Taille* measure **II.** *adj* ↑ *anmaßend* presumptuous; ↑ *überheblich* bold

vermiesen *vt* → *Laune* spoil

vermieten *vt* → *Gebäude, Räume* rent; → *Auto* hire; ◇ **Zimmer zu** ~ room for rent; **Vermieter(in** *f*) *m* landlord

vermindern **I.** *vt* → *Anzahl* reduce, decrease; → *Gefahr* reduce, lessen **II.** *vr* ◇ **sich** ~ decline, diminish

vermischen **I.** *vt* (*Saft mit Wasser*) mix **II.** *vr* ◇ **sich** ~ ← *Völker* mingle

vermissen *vt* → *Geld, Freund* miss; **Vermißte(r)** *fm* missing person

vermitteln **I.** *vi* (*im Streit*) mediate, intervene **II.** *vt* → *Geschäft* arrange; → *Wissen* impart; ◇ **jd-m eine Stellung** ~ to arrange a job for s.o.; **Vermittlung** *f* [1] (*das Vermitteln*) connection, arrangement [2] (*Schlichten*) mediation [3] (*Vermittlungsstelle*) agency; (*Arbeits~*) employment agency [4] TELEC exchange; ◇ **verbinden Sie mich bitte mit der** ~ please connect me with the operator

Vermögen *s* <-s, -> [1] (*Besitz~*) property [2] ↑ *Können, Fertigkeit* ability [3] ↑ *Geld* fortune; **vermögend** *adj* ↑ *wohlhabend* wealthy, well-off; **Vermögenssteuer** *f* property tax

vermuten *vt* ↑ *annehmen* suppose, assume; **vermutlich** **I.** *adj* suspected **II.** *adv* presumably; **Vermutung** *f* assumption

vernachlässigen *vt* neglect
vernarben *vi* ← *Wunde* heal up
vernaschen *vt* → *Süßigkeit* snack
vernehmbar *adj* ↑ *aufnehmbar* audible, perceptible; **vernehmen** *unreg vt* ① → *Geräusch* hear; → *Nachricht* hear ② JURA → *Täter* question, examine; **vernehmungsfähig** *adj* ▷*Gefangene* fit to be interrogated
verneinen *vt* ① → *Antwort* say no; SPRACHW negate ② ↑ *ablehnen* → *Vorschlag* decline, deny; **Verneinung** *f* negation; denial; negative
vernichten *vt* ① (↑ *zerstören*) destroy; → *Gegner* exterminate, annihilate ② ↑ *ausrotten* → *Lebewesen, Pflanzen* exterminate
Vernissage *f* opening day
Vernunft *f* <-> reason, common sense; **Vernunftehe** *f* marriage of convenience; **vernünftig** *adj* ① ▷*Meinung, Rat* sensible, rational ② ↑ *besonnen* ▷*Mensch* reasonable, rational, sensible ③ *FAM* ↑ *ausreichend* (*Essen, Arbeit etc.*) reasonable
veröffentlichen *vt* make public; → *Buch* publish; **Veröffentlichung** *f* (*von Buch*) publishing, publication
verordnen *vt* ↑ *anordnen* ordain, decree; MED → *Arznei* prescribe; **Verordnung** *f* ↑ *das Anordnen* decree, ordinance; (MED *Arznei-*) prescription
Verpachtung *f* lease
verpacken *vt* pack; **Verpackung** *f* packaging
verpassen *vt* ① ↑ *versäumen* → *Zug* miss ② *zuteilen, FAM* ◇ **jd-m einen Denkzettel** ~ to give s.o. s.th. to think about
verpesten *vt* → *Luft* pollute, contaminate
Verpflanzung *f* MED transplant
verpflegen *vt* feed; **Verpflegung** *f* ① ↑ *das Verpflegen* catering ② (*Nahrung*) food
verpflichten I. *vt* ① ↑ *festlegen* oblige, obligate (*zu etw* to s.th.); ◇ **verpflichtet sein, etw zu tun** to be obliged to do s.th. ② (*vertraglich*) bind ③ ↑ *anstellen* → *Spieler* sign on; MIL enlist **II.** *vr* ◇ **sich** ~ make a commitment; (*zum Militär*) enlist, sign up; **Verpflichtung** *f* ① ↑ *das Verpflichten* obligation; (*Aufgabe*) commitment, duty ② MIL enlistment
verprügeln *vt FAM* beat up
verramschen *vt* → *Bücher* sell at a bargin; *FAM* sell dirt-cheap
Verrat *m* <-[e]s> betrayal; ◇ ~ **an jd-m üben** [*o.* **begehen**] to betray s.o.; **verraten** *unreg* **I.** *vt* ① → *Geheimnis* give away; *FIG* let the cat out ② ↑ *mitteilen* ◇ **Soll ich dir das Neueste ~?** Should I fill you in on the latest? **II.** *vr* ◇ **sich** ~ give o.s. away
verrechnen I. *vt* → *Forderungen* to settle; ◇ **etw mit etw** ~ to balance s.th. with s.th. **II.** *vr* ◇ **sich** ~ miscalculate; *FAM* ↑ *sich irren* be mistaken; **Verrechnungsscheck** *m* non-negotiable cheque *BRIT*, voucher check *AM*
verregnet *adj* rainy, wet
verreisen *vi* go on a trip
verrenken I. *vt* → *Arm etc.* dislocate **II.** *vr:* ◇ **sich** *dat* **[ein Körperteil]** ~ to contort o.s.
verrichten *vt* → *Arbeit* perform, carry out; → *Gebet* say
verriegeln *vt* bar, bolt
verringern I. *vt* → *Abstand etc.* diminish, decrease **II.** *vr* ◇ **sich** ~ ← *Kosten* decrease; **Verringerung** *f* decrease, reduction
verrostet *adj* rusty
verrotten *vi* rot
verrückt *adj* ▷*krankhaft* insane, crazy; ▷*Idee* crazy
Verruf *m:* ◇ **jd-n in ~ bringen** to bring s.o. into disrepute; ◇ **er ist in ~ geraten/gekommen** he fell into disrepute
Vers *m* <-es, -e> (*Gedichts-*) verse
versachlichen *vt* → *Diskussion* objectify
versagen I. *vi* ↑ *scheitern* ← *Schüler* fail; ↑ *nicht mehr arbeiten* ← *Herz, Auto* fail, break down; ◇ **Kinder sind ihnen versagt geblieben** they were denied children **II.** *vt* ↑ *verweigern* refuse, deny; ◇ **jd-m/sich etw** ~ to deny s.o./o.s. s.th.; ◇ **sie versagten ihm die notwendigen Mittel** they refused him the necessary funds; **Versagen** *s* <-s> ① ↑ *Scheitern* (*einer Person*) failure ② ↑ *Nichtfunktionieren* (*von Herz, Motor*) failure, breakdown; **Versager(in** *f*) *m* <-s, -> failure
versalzen *unreg vt* → *Essen* oversalt; *FIG* → *Freude* spoil
versammeln I. *vt* → *Personen* assemble, gather; ◇ **sich um jd-n** ~ to gather around s.o. **II.** *vr* ◇ **sich** ~ gather, meet; **Versammlungsfreiheit** *f* freedom of assembly
Versand *m* <-[e]s> ① (*Aktion*) delivery, distribution ② (*~abteilung*) dispatch ③ (*~handel*) mail-order
versanden *vi* ← *Fluß* silt up
versandfertig *adj* ready for delivery; ◇ **Waren ~ machen** to prepare goods for delivery; **Versandhaus** *s* mail-order house
versauern *vi* ↑ *sauer werden* ← *Milch* go sour
versäumen *vt* ① ↑ *verpassen* → *Zug* miss; → *Termin, Spieleinsatz* miss; ↑ *nicht erscheinen* → *Schule* skip, miss ② ↑ *unterlassen* neglect, fail
verschachtelt *adj* ① ▷*Straßen, Häuser etc.* interlocking ② ▷*Satz* complex
verschaffen *vt, vr:* ◇ **jd-m/sich etw** ~ to provide s.o./o.s. with s.th.

verschämt *adj* bashful
verschandeln *vt* ↑ *verunstalten* ← *Gebäude* ruin
verschärfen I. *vt* → *Strafe* intensify, make more severe; → *Tempo* increase; → *Spannung* intensify, heighten II. *vr* ◇ **sich** ~ increase, intensify
verschätzen *vr* ◇ **sich** ~ make a mistake
verschaukeln *vt FAM* → *Gegner* take s.o. for a ride
verschenken *vt* → *Blumen etc.* give away; SPORT → *Zeit, Titel* give away
verscherzen *vr:* ◇ **sich** *dat* **etw** ~ to spoil s.th. for o.s.
verscheuchen *vt* scare away; → *Bedenken* banish
verschicken *vt* → *Post, Waren* send off
verschieben I. *vt* [1] → *Möbel* move, push [2] → *Urlaub, Termin* postpone, put off [3] *FAM* → *Ware, Devisen* traffic in II. *vr* ◇ **sich** ~ [1] move out of place, shift [2] ← *Krawatte* alter [3] ← *Zeitpunkt* be postponed, put off
verschieden *adj* [1] ↑ *~artig* different, various; ◇ **die Hose ist ~ lang** the pants aren't the same length [2] ↑ *mehrere* ◇ **dafür gibt es ~e Gründe** there are several reasons for that [3] ◇ **~es** ↑ *einiges* several; ◇ **~es ist noch unklar** several things are still unclear
verschiffen *vt* ship
verschimmeln *vi* mould, get mouldy
verschlafen *unreg* I. *vi* oversleep II. *vt* → *Wekker, Termin* sleep through III. *adj* sleepy; *FIG* ▷*Stadt* sleepy
verschlagen I. *vt* [1] ↑ *verprügeln* beat [2] ↑ *falsch spielen* → *Ball* mishit [3] ↑ *verblättern* → *Seite* lose [4] ◇ **es hat sie nach Würzburg** ~ it brought her to Wuerzburg [5] ◇ **das verschlägt mir doch glatt die Sprache** that left me speechless II. *adj* ↑ *heimtückisch* sly
verschlechtern I. *vt* deteriorate, impair II. *vr* ◇ **sich** ~ deteriorate, worsen
verschleiert *adj* ▷*Gesicht, Frau* veiled; ▷*Stimme* husky
Verschleiß *m* <-es, -e> (*Kräfte-*) consumption, drain; (*Material-*) wear and tear; **verschleißen** <verschliß, verschlissen> *vt* → *Kleidung, Sohlen* wear out; → *Kräfte* drain, use up
verschleppen *vt* [1] ↑ *wegbringen* → *Gefangene* carry off [2] ↑ *hinauszögern* → *Prozeß* drag out, delay
verschleudern *vt* ↑ *vergeuden* → *Vermögen* squander, waste; ↑ *billig abgeben* → *Ware* sell dirt-cheap
verschließbar *adj* ▷*Tür, Schublade* lockable; ▷*Dose, Glas* sealable; **verschließen** *unreg* I. *vt* [1] ↑ *abschließen* → *Tür* lock [2] ↑ *abdichten* → *Glas, Flasche* seal [3] ↑ *einschließen* → *Akten* secure, lock up II. *vr:* ◇ **sich einer Meinung** ~ to reject an opinion
verschlingen [1] *unreg vr* ◇ **sich [ineinander]** ~ interwine, interlace
verschlingen [2] *unreg vt* [1] ↑ *hastig aufnehmen* → *Fleisch, Essen* devour; *FAM* gobble; ◇ **jd-n mit seinen Blicken** ~ to devour with o.'s eyes; → *Buch* devour [2] ↑ *kosten* → *Unsummen Geld* devour, swallow
verschlüsseln *vt* → *Text* [en]code
verschmähen *vt* ↑ *ablehnen* disdain, scorn
verschmelzen *unreg* I. *vi* ← *Schatten* melt together; ← *Farben* blend, run, mix II. *vt* → *Metall* melt, fuse
verschmerzen *vt* → *Verlust* get over
verschmieren *vt* [1] → *Salbe, Butter* smear, spread [2] ↑ *verschmutzen* smudge [3] → *Loch, Hohlraum* fill in
verschmitzt *adj* ▷*Gesicht* mischievous
verschmutzen *vti* dirty, soil; → *Umwelt* pollute
verschnaufen *vi* (*kurz ausruhen*) take a breather, have a rest
verschnüren *vt* → *Paket* tie up
verschollen *adj* missing, lost; ◇ **im Kriege** ~ missing in action
verschonen *vt* spare
verschränken *vt* → *Arme, Beine* cross
verschreiben *unreg* I. *vt* [1] → *Papier* use up [2] MED prescribe II. *vr* ◇ **sich** ~ [1] make a slip of the pen, miswrite [2] (*intensiv mit etw beschäftigen*) ◇ **sich einer Sache** *dat* ~ to devote o.s. to s.th.
verschrotten *vt* → *Auto* scrap, junk
verschrumpeln *vi* ← *Obst* shrivel up
verschüchtert *adj* ▷*Kind* intimidated, shy
verschulden *vt* → *Unfall* blame
verschütten *vt* [1] → *Milch, Kaffee* spill [2] → *Graben, Loch* bury
verschweigen *unreg vt* → *Wahrheit* conceal, keep secret
verschwenden *vt* → *Zeit, Kraft* waste, blow; **verschwenderisch** *adj* [1] ▷*Lebenstil* wastful [2] ↑ *großzügig* lavish
verschwiegen *adj* ▷*Mensch* discreet; ▷*Ort* secluded, secret
verschwimmen *unreg vi* ← *Farben, Umriß* blur, become vague
verschwinden *unreg vi* disappear, vanish; *FAM* ↑ *weggehen* get lost; **Verschwinden** *s* <-s> disappearance
verschwommen *adj* ▷*Erinnerung* vague; ▷*Bild* blurred, fuzzy

verschwören *unreg vr* ◇ **sich** ~ conspire, plot (*gegen* against); **Verschwörer(in** *f*) *m* <-s, -> conspirator

Versehen *s* <-s, -> mistake, slip; ◇ **aus** ~ by mistake; **versehentlich** *adv* by mistake, accidentally

versenden *vt* → *Ware* send

versenken I. *vt* → *Schiff* sink **II.** *vr* ◇ **sich** ~ immerse o.s. (*in akk* in)

versessen *adj:* ◇ ~ **auf etw** *akk* **sein** to be mad/crazy about s.th.

versetzen I. *vt* [1] (*an andere Stelle*) move, shift [2] (*dienstlich*) transfer; (*in Schule*) move up [3] (*verpfänden*) pawn [4] (*bestimmten Zustand herbeiführen*) put/place into [5] *FAM* ↑ *Verabredung nicht einhalten* stand s.o. up **II.** *vr* ◇ **sich** ~ move, change places; *FIG* ◇ **sich in jd-n/in jd-s Lage** ~ to put o.s. in s.o.'s position

verseuchen *vt* infect; → *Luft, Wasser* pollute, contaminate

versichern I. *vt* [1] ↑ *beteuern* assure [2] → *Hausrat, Auto* insure (*gegen* against) **II.** *vr* ◇ **sich** ~ [1] (*bei Versicherung*) insure o.s. (*gegen* against); ◇ **sich einer Sache** *gen* ~ to make o.s. sure of s.th. [2] (*sich überzeugen*) reassure o.s.; **Versicherung** *f* [1] (*Auto- etc.*) insurance [2] ↑ *Bestätigung* assurance, affirmation; **versicherungspflichtig** *adj* ▷*Arbeitnehmer* subject to compulsory insurance; **Versicherungsschein** *m* insurance policy; **Versicherungsvertreter** *m* insurance agent

Versiegelung *f* sealing

versiegen *vi* ← *Quelle* dry up; ← *Lebensfreude* taper off, peter out

versinken *unreg vi* (*Schiff*) sink, founder; (*FIG nachdenken, betrachten*) lose o.s.; ◇ **in Gedanken** *akk* **versunken sein** to be immersed in thought

Version *f* (*Fassung*) version

versöhnen I. *vt* reconcile; (*besänftigen*) appease **II.** *vr* ◇ **sich** ~ ↑ *Frieden schließen* make up (*mit* with); **Versöhnung** *f* reconciliation

versonnen *adj* ↑ *nachdenklich* thoughtful, pensive

versorgen I. *vt* [1] ↑ *sich kümmern um* take care of, look after; → *Wunde, Verletzte* take care of, treat [2] ↑ *beliefern* provide, supply [3] ↑ *unterhalten* support, maintain **II.** *vr* ◇ **sich** ~ provide o.s. (*mit* with); **Versorgung** *f* [1] care, providing; (*Strom-, Wasser-*) provision, supply [2] (*Unterhalt*) providing, support [3] (*der Bevölkerung*) supply

Verspannung *f* [1] (*von Seilen, Drähten*) stays, bracing [2] (*Muskel-*) tenseness

verspäten *vr* ◇ **sich** ~ be late; **Verspätung** *f* being late, delay; ◇ **mit zwei Stunden** ~ **ankommen** to arrive two hours late

versperren *vt* [1] → *Weg, Sicht* block, obstruct [2] → *Tür* bar, lock

verspielen *vt* → *Geld, Glück* lose, gamble away

verspotten *vt* mock, make fun of

versprechen *unreg* **I.** *vt* [1] ↑ *Versprechungen machen* promise; ◇ **jd-m etw** ~ to promise s.o. s.th. [2] (*etw vermuten lassen*) promise **II.** *vr* ◇ **sich** ~ [1] (*beim Sprechen*) make a slip of the tongue [2] (*erhoffen*) ◇ **ich verspreche mir davon einen kleinen Gewinn** I expect to make a small profit from it; **Versprechen** *s* <-s, -> promise; ◇ **jd-m ein** ~ **abnehmen** to have s.o. make a promise

Verstand *m* <-[e]s> reason; (*Denkvermögen*) intellect, mind; (*gesunder Menschen-*) common sense

verständigen I. *vt* notify, inform **II.** *vr* ◇ **sich** ~ communicate; ↑ *sich einigen* reach an agreement; **Verständigung** *f* [1] ↑ *Sprechen* communication [2] ↑ *Benachrichtigung* notification, information [3] (*Einigung*) agreement, understanding

verständlich *adj* understandable; ↑ *deutlich hörbar* audible, clear; ↑ *leicht zu begreifen* comprehensible

Verständnis *s* [1] (*Begreifen*) understanding [2] ↑ *Mitgefühl* sympathy, understanding; ◇ **dafür habe ich kein** ~ I have no patience with such things; **verständnislos** *adj* uncomprehensible; ▷*Blick* blank; **verständnisvoll** *adj* understanding, sympathetic

verstärken I. *vt* ↑ *stärker machen* make stronger, reinforce; → *Mauer, Pfeiler* strengthen; → *Zweifel* increase, intensify; (*Druck auf jd-n*) increase **II.** *vr* ◇ **sich** ~ [1] ↑ *stärker werden* grow stronger, strengthen; ← *Opposition* intensify, grow stronger [2] ELECTR ← *Signale* amplify

verstauchen *vr:* ◇ **sich** *dat* **den Fuß** ~ to sprain o.'s ankle; **Verstauchung** *f* sprain

verstauen *vt* → *Gepäck* store, pack

Versteck *s* <-[e]s, -e> hiding-place; (*von Verbrecher*) hideout; ◇ ~ **spielen** to play hide-and-seek; **verstecken I.** *vt* → *Ostereier* hide **II.** *vr* ◇ **sich** ~ hide

verstehen *unreg* **I.** *vt* [1] ↑ *deutlich hören* understand [2] ↑ *Sinn begreifen* comprehend, understand; ◇ ~ **Sie mich nicht falsch** don't misunderstand me [3] ↑ *nachvollziehen* understand, relate to [4] (*können, beherrschen*) → *Handwerk, Metier* understand, know [5] (*jd-m etw andeuten*) ◇ **jd-m etw zu** ~ **geben** to make s.o. believe/understand s.th. **II.** *vr* ◇ **sich** ~ [1] (*gleiche Auffassung, Sympathie*) understand each other; ◇ **sich mit jd-m** ~ to get along with s.o. [2] (*Kenntnisse haben*) know, understand; ◇ **sich auf etw** *akk* ~ to be an expert at s.th.; (*selbstverständlich*) ◇ **das versteht sich [von selbst]** that goes without being said

versteifen I. *vt* (*abstützen, verstärken*) support, strengthen **II.** *vr* ◇ **sich** ~ [1] ← *Glied, Gelenk* stiffen/tense up [2] (*FIG beharren auf*) become set on s.th.

versteigern *vt* → *Bilder, Schmuck* auction [off]; **Versteigerung** *f* auction

versteinert *adj* petrified

verstellbar *adj* ▷*Sitz, Liege* adjustable; **verstellen I.** *vt* [1] ↑ *anders einstellen* adjust, shift; (*umräumen*) → *Möbel* arrange [2] (*an falschen Ort stellen*) → *Uhr, Bücher* misplace [3] → *Weg, Zugang* block [4] → *Stimme* disguise **II.** *vr* ◇ **sich** ~ dissemble, pretend

versteuern *vt* → *Gehalt, Erbschaft* pay tax on

verstimmt *adj* [1] MUS out of tune [2] ↑ *verärgert* irritated, annoyed, upset

verstohlen *adj* ▷*Blick* furtive, stealthy

verstopft *adj* ▷*Straße* congested, jammed; ▷*Rohr* clogged, blocked up; **Verstopfung** *f* blockage; (*von Verkehr*) congestion; MED constipation

verstorben *adj* deceased

verstört *adj* disturbed

Verstoß *m* <-es, Verstöße> violation, offence (*gegen* of, against); **verstoßen** *unreg* **I.** *vt* ↑ *fortjagen* expel **II.** *vi* offend; ◇ **gegen ein Gesetz** ~ to violate/break a law

verstreichen *unreg* **I.** *vt* → *Farbe, Salbe* spread, apply; → *Butter* spread **II.** *vi* ← *Zeit, Frist* elapse, expire

verstricken I. *vt* → *Wolle* use **II.** *vr* ◇ **sich** ~ [1] ↑ *falsch stricken* knit wrong [2] (*FIG hineinziehen*) get mixed-up /involved/caught up in; ◇ **sich in Widersprüche** ~ to get tangled up in contradictions

verstummen *vi* cease to talk, become silent

Versuch *m* <-[e]s, -e> [1] attempt [2] ▷*wissenschaftlich* experiment; **versuchen I.** *vt* [1] (*sich bemühen*) attempt, try [2] ↑ *kosten* ▷*Essen* try, taste [3] ↑ *verführen* ◇ **versucht sein, etw zu tun** to be tempted to do s.th. **II.** *vr* ◇ **sich** ~ try o.'s skill; ◇ **sich an/auf etw** *dat* ~ to try o.'s hand at s.th.; **Versuchskaninchen** *s FAM* guinea-pig

Versuchung *f* temptation; ◇ **in** ~ **geraten** to be led into temptation

versüßen *vt FIG*: ◇ **jd-m etw** ~ to sweeten

vertagen I. *vt* postpone **II.** *vr* ◇ **sich** ~ ← *Gericht* adjourn

vertauschen *vt* mix up

verteidigen *vt* → *Meinung, Recht* defend; → *Angeklagten* appear for; **Verteidiger(in** *f*) *m* <-s, -> defender; **Verteidigung** *f* defence; **Verteidigungsminister** *m* Minister of Defence

verteilen I. *vt* distribute; → *Salbe* spread, distribute **II.** *vr* ◇ **sich** ~ divide, spread [out]

vertiefen I. *vt* deepen; *FIG* → *Kluft, Wissen* heighten, extend **II.** *vr* ◇ **sich** ~ [1] ◇ **sich in etw** *akk* ~ become engrossed, absorbed in s.th. [2] (*in Thema, Problem*) go deeply into; **Vertiefung** *f* [1] (*Mauer~, Boden~*) hollow, dip [2] ▷*geistig* engrossment, absorption (*in akk* in) [3] (*von Kenntnis*) heightening, extension

vertikal *adj* ▷*Linie* vertical

Vertrag *m* <-[e]s, Verträge> contract, agreement; POL treaty

vertragen *unreg* **I.** *vt* → *Sonne* stand; → *Scherz* take, tolerate; → *Alkohol* able to drink large amounts **II.** *vr* ◇ **sich** ~ ← *Farben* match; ← *Sachen* be compatible; ◇ **sich [mit jd-m]** ~ to get along with s.o.

verträglich *adj* [1] (*zusammenpassend*) compatible [2] ▷*Essen* digestible [3] (*gutmütig*) good-natured

Vertragsabschluß *m* conclusion of an agreement; **Vertragsbruch** *m* breaking of a contract

vertrauen *vi* trust (*jd-m* s.o.); **Vertrauen** *s* <-s> trust, confidence; ◇ **jd-n ins** ~ **ziehen** to place o.'s confidence in s.o.; **Vertrauensbruch** *m* betrayal; **Vertrauensfrage** *f* matter/question of trust; POL vote of confidence; **vertrauensvoll** *adj* trusting

vertraulich *adj* confidential

verträumt *adj* ▷*Mensch, Blick* dreamy; ▷*Ort* sleepy

vertraut *adj* ▷*Umgebung* familiar; **Vertrautheit** *f* familiarity, closeness

vertreiben *unreg vt* [1] drive away; (*aus Amt*) expel [2] COMM sell [3] → *Zeit* kill, pass

vertreten *unreg* **I.** *vt* [1] → *Standpunkt, Ansicht* substitute for s.o. [2] (*Stellvertreter sein für*) represent, act on behalf of [3] (*vor Gericht, jd-s Interessen*) represent **II.** *vr* ◇ **sich** ~ [1] → *Fuß, Knöchel* sprain [2] (*kurze Zeit laufen*) ◇ **sich** *dat* **die Beine** ~ to stretch o.'s legs, to go for a little walk **III.** *adj* ↑ *anwesend*: ◇ ~ **sein** to be represented; **Vertreter(in** *f*) *m* <-s, -> (*Beruf*) representative; (*Stell~*) substitute; (*Firmen~*) representative; (*von Amtswegen*) deputy; **Vertretung** *f* [1] (*Handels~*) representation; (*Stell~*) substitution; ◇ **in** ~ **von ...** on behalf of ...

Vertrieb *m* <-[e]s, -e> sale, marketing; **Vertriebsleiter** *m* sales manager
vertrösten *vt:* ◇ **jd-n auf später** ~ to put s.o. off till later
vertun *unreg* **I.** *vt* → *Geld, Zeit* waste **II.** *vr* ◇ **sich** ~ make a mistake
verübeln *vt:* ◇ **jd-m etw** ~ to blame s.o. for s.th.
verüben *vt* → *Verbrechen* commit
verunglücken *vi* have an accident; ◇ **tödlich** ~ to have a fatal accident
verunreinigen *vt* pollute
verunsichern *vt* cause uncertainity
verunstalten *vt* ← *Gesicht* scar; ← *Landschaft* ruin
verursachen *vt* cause, create
verurteilen *vt* ① ↑ *mißbilligen* condemn ② ↑ *Strafe verhängen* sentence (*zu* to); *FIG* ◇ **zum Scheitern verurteilt** doomed to failure; **Verurteilung** *f* conviction, sentence
vervielfältigen *vt* → *Text* duplicate
vervollkommnen I. *vt* → *Wissen, Kenntnisse* perfect, improve **II.** *vr* ◇ **sich** ~ perfect o.s.
verwackeln *vt* FOTO blur
verwählen *vr* ◇ **sich** ~ TELEC dial the wrong number
verwahren I. *vt* ↑ *aufbewahren* guard **II.** *vr* ◇ **sich** ~: ◇ **sich gegen etw** *akk* ~ to protest against s.th.
verwahrlost *adj* ▷*Kind* neglected; ▷*Haus* rundown
Verwahrung *f a.* JURA charge, custody
verwalten *vt* → *Haus, Amt* manage, administer; **Verwalter(in** *f*) *m* <-s, -> manager, administrator; **Verwaltung** *f* management, administration
verwandeln I. *vt* ① ↑ *umgestalten* transform, change ② ↑ *verzaubern* transform, change (*in akk* into) **II.** *vr* ◇ **sich** ~ change; BIO metamorphose; **Verwandlung** *f* transformation, change
verwandt *adj auch FIG* related; ◇ **mit jd-m** ~ **sein** to be related to s.o.; **Verwandte(r)** *fm* relative, relation; **Verwandtschaft** *f* (*Beziehung*) relationship, relatives, relations *pl*
verwarnen *vt* warn, caution; **Verwarnung** *f* warning, caution
verwechseln *vt* confuse (*mit* with); **Verwechslung** *f* confusion, mistake; *FAM* mix-up
verwegen *adj* ▷*Tat* daring, bold
verweigern *vt* → *Aussage, Gehorsam* refuse; ◇ **jd-m etw** ~ to deny s.o. s.th.; **Verweigerung** *f* refusal, denial
Verweis *m* <-es, -e> ① *a.* SCHULE reprimand, rebuke ② ↑ *Hinweis* reference (*auf* to); **verweisen** *unreg* **I.** *vt* banish, expel; ◇ **jd-n des Landes** ~ to exile s.o. from a country **II.** *vi* refer (*auf akk* to); ◇ **jd-n an jd-n** ~ to refer s.o. to s.o.
verwelken *vi* ← *Blumen* wilt; *FIG* ← *Schönheit* fade
verwendbar *adj* usable, suitable; **verwenden** *vt* ① ↑ *gebrauchen* use ② ↑ *anwenden* apply ③ ↑ *sich für jd-n einsetzen* ◇ **sich für jd-n** ~ to intercede on s.o.'s behalf; **Verwendung** *f* ① ↑ *Gebrauch* use ② ↑ *Einsatz* application
verwerfen *unreg vt* ↑ *ablehnen* → *Plan, Methode* reject, condemn; → *Meinung* discard
verwerten *vt* → *Reste, Rohstoffe* make use of, recycle; **Verwertung** *f* utilization, use
verwesen *vi* decay, decompose, rot
verwickeln I. *vt* ① → *Garn, Wolle* tangle up ② (*FIG hineinziehen*) ◇ **jd-n in etw** *akk* ~ to get s.o. involved/mixed-up in s.th. **II.** *vr* ◇ **sich** ~ ① ← *Wolle* tangle up ② *FIG* ◇ **sich** ~ **in** *akk* to become entangled in
verwildern *vi* ← *Garten* become overgrown; ← *Kinder* run wild; **verwildert** *adj* uncultivated, overgrown; *FAM* wild, unruly
verwinden *unreg vt* → *Verlust* get over
verwirklichen I. *vt* realize **II.** *vr* ◇ **sich** ~ ① ← *Wunsch, Traum* become reality, materialize ② (*selbst* ~) find fulfilment
verwirren *vt* ① → *Wolle* tangle, snarl; ↑ *durcheinanderbringen* confuse; **Verwirrung** *f* ↑ *Durcheinander* confusion; ↑ *Unsicherheit* perplexity
verwittern *vi* ← *Gestein, Mauer* weather
verwitwet *adj* widowed
verwöhnen *vt* ↑ *verziehen* spoil; (*mit Geschenken*) pamper
verwundbar *adj* vulnerable; **verwunden** *vt* wound, injure
verwunderlich *adj* astonishing, amazing
Verwundung *f* (*Kriegs-*) wound, injury
verwünschen *vt* curse
verwüsten *vt* devastate; **verwüstet** *adj* ravaged, devastated
verzagen *vi* despair, lose heart
verzählen *vr* ◇ **sich** ~ miscount
verzaubern *vt* cast a spell on s.o.; *FIG* ↑ *beglükken* enchant
verzehren *vti* ① → *Nahrung* consume ② ← *Kummer, Krankheit* languish
verzeichnen *vt* ① (*aufzeichnen*) note; → *Verlust, Erfolg* record; → *Preise, Werke* register ② ↑ *falsch zeichnen* draw incorrectly; **Verzeichnis** *s* register, list; (*Inhalts-*) index
verzeihen <verzieh, verziehen> *vti* forgive, par-

don (*jd-m etw* s.o. for s.th.); **Verzeihung** *f* pardon; ◇ **jd-n um ~ bitten** to beg o.'s pardon [*o.* to apologize]; ◇ **V~!** Excuse me!
verzerren *vt* → *Gesicht* frown, distort; → *Tatsachen* distort
Verzicht *m* <-[e]s, -e> renunciation (*auf akk* of); **verzichten** *vi* renounce, resign (*auf akk* s.th.)
verzinsen I. *vt* pay interest **II.** *vr* ◇ **sich ~** ← *Geldanlage* bear interest
verzögern I. *vt* → *Abreise* delay **II.** *vr* ◇ **sich ~** be delayed
verzollen *vt* pay duty on; ◇ **Haben Sie etw zu ~?** Do you have anything to declare?
verzweifeln *vi* despair; ◇ **an etw** *dat* **~** to despair of s.th.; **verzweifelt** *adj* despairing, desperate
verzwickt *adj FAM* tricky, complicated
Vesper *f* <-, -n> ① (REL *Christ-*) vespers *pl* ② (*kleine Zwischenmahlzeit, ~brot*) break, snack
Veterinär(in *f*) *m* vet[erinarian]
Veto *s* <-s, -s> veto
Vetter *m* <-s, -n> cousin
vibrieren *vi* ① ← *Boden, Glas* vibrate ② ← *Stimme* quiver
Videospiel *s* video game; **Videothek** *f* <-, -en> video rental store
Vieh *s* <-[e]s> cattle, livestock
viel I. <mehr, am meisten> *adj* more, most, a lot, a great deal; (*substantivisch*) ◇ **einer unter ~en** one of many **II.** *adv* (*wesentlich, erheblich*) a lot, much; ◇ **~ besser/größer/schneller** much/a lot better/bigger/faster; ◇ **~ zu laut** much too loud/ noisy; **vieldeutig** *adj* ▷*Begriff* ambiguous; **vielerlei** *adj inv* a great variety of, many kinds; **vielfach I.** *adj* multiple **II.** *adv* ① ↑ *oft* frequently ② ↑ *in vielen Fällen* in many cases, often
Vielfalt *f* <-> variety
vielleicht *adv* ① maybe, perhaps; ◇ **können Sie mir ~ sagen ...** could you possibly tell me ... ② ↑ *tatsächlich, wirklich* ◇ **Du bist ~ dumm!** You are really dumb!
vielmals *adv:* ◇ **danke ~** thank you very much; ◇ **ich bitte ~ um Entschuldigung** I am very sorry; **vielseitig** *adj* ▷*Interessen* varied; ▷*Mensch* versatile; MATH many-sided; **vielversprechend** *adj* ▷*Blick* promising, encouraging; **Vielzahl** *f* <-> (*große Anzahl*) multitude
vier *nr* four; (*vertraulich*) ◇ **unter ~ Augen** confidentially, privately; *kriechen, FAM* ◇ **auf allen ~en** to crawl on all fours; **Viereck** *s* <-[e]s, -e> (*Quadrat*) square; (*Rechteck*) rectangle; MATH Quadrilateral; **vierhundert** *nr* four hundred; **vierjährig** *adj* (*4 Jahre alt*) four-year-old; (*4 Jahre lang*) four-year; **viermal** *adv* four times; **vierte(r, s)** *adj* fourth
Viertel *s* <-s, -> ① (*Stadt-*) district ② (*von Beute, Kuchen*) quarter, fourth ③ (*-pfund*) quarter ④ (*Uhrzeit*) quarter; ◇ **~ vor/nach 11** a quarter to/ past 11; **Vierteljahr** *s* quarter of a year; **vierteljährlich** *adj* quarterly; **Viertelstunde** *f* quarter of an hour
viertens *adv* fourthly, in the fourth place
viertürig *adj* ▷*Auto* four-door
vierzehn *nr* fourteen; **vierzehntägig** *adj* ① (*14 Tage lang*) fourteen-day, two-week ② (*alle 14 Tage*) every fourteen days, every two weeks
vierzig *nr* forty; **Vierzigjährige(r)** *fm* forty-year-old
Vietnam *s* <-s> Vietnam
Villa *f* <-, Villen> villa; **Villenviertel** *s* exclusive residential area
violett *adj* violet, purple
Violine *f* violin; **Violinkonzert** *s* violin concert
Viper *f* <-, -n> viper
Virologie *f* MED virology
Virtuose *m* virtuoso
virulent *adj* virulent
Virus *m o s* <-, Viren> virus
Vision *f* vision
Visite *f* <-, -n> MED house call; **Visitenkarte** *f* card
Visum *s* <-s, Visa *o.* Visen> visa
vital *adj* vital; (*unternehmungslustig*) vigorous
Vitamin *s* <-s, -e> vitamin; **Vitaminmangel** *m* vitamin deficiency
Vitrine *f* glass cabinet, glass case
Vizekanzler(in *f*) *m* vice-chancellor; **Vizepräsident(in** *f*) *m* vice-president
Vogel *m* <-s, Vögel> bird; (*FAM verrückt sein*) ◇ **einen ~ haben** to have a loose screw; *FAM* ◇ **jd-m den ~ zeigen** to shoot s.o. a bird; **Vogelhaus** *s* birdhouse, aviary; **Vogelscheuche** *f* <-, -n> scarecrow
Vokabel *f* <-, -n> word
Vokabular *s* <-s, -e> vocabulary
Vokal *m* <-s, -e> vowel
Volk *s* <-[e]s, Völker> ① people; ◇ **die Völker Europas** the people of Europe ② (*PEJ Leute*) ◇ **Dummes ~!** Stupid people!

Völkerrecht *s* international law; **völkerrechtlich** *adj* under international law
Volksabstimmung *f* plebiscite; **Volksbefragung** *f* public opinion poll; **Volksbegehren** *s* referendum; **Volkshochschule** *f* adult education centre; **Volkslied** *s* folk song; **Volksschule** *f* elementary school; **volkstümlich** *adj* traditional, folkloristic; **Volksvertreter(in** *f*) *m* ↑ *Abgeordneter* representative of the people;

Volkswirt(in *f*) *m* economist; **Volkswirtschaft** *f* economics; **Volkszählung** *f* national census
voll *adj* [1] ▷*Gefäß* full [2] (*FIG durchdrungen, erfüllt von*) ▷*Bewunderung, Liebe* filled [3] (*ohne Einschränkung, ganz*) ▷*Erfolg, Verantwortung* full, entire, complete; ◇ **in -en Zügen genießen** to enjoy s.th. to the max [4] ↑ *dick* ▷*Haar, Wangen* full [5] (*FAM satt, betrunken*) ◇ **- sein** to be full, to be plastered
Vollbart *m* full beard
Vollbeschäftigung *f* full employment
vollbesetzt *adj* (*Kino*) full [house]; (*Bus, Zug*) full, packed
vollbringen *unreg vt* accomplish, achieve
vollenden *vt* complete, finish; **vollendet** *adj* [1] ↑ *beendet* completed [2] ↑ *vollkommen* perfect
vollends *adv* ↑ *völlig* entirely, fully
Vollendung *f* completion
voller *adj inv* ↑ *voll von* full of
Volleyball *m* volleyball
Vollgas *s* full speed; ◇ **mit -** with open throttle/gas; ◇ **- geben** to go at full speed
völlig *adj* ↑ *total* complete
volljährig *adj* of age; ◇ **sie ist nicht -** she is not of age; **Volljährigkeit** *f* full age
Vollkaskoversicherung *f* AUTO full-coverage insurance, fully comprehensive insurance
vollkommen *adj* [1] ↑ *perfekt* perfect; *FAM* ↑ *völlig* ◇ **- sprachlos** utterly speechless; **Vollkommenheit** *f* perfection
Vollkornbrot *s* wholewheat bread; **Vollkornmehl** *s* wholewheat flour
vollmachen *vt* complete, fill up
Vollmacht *f* <-, -en> full power, authority; ◇ **- haben** to have the authority; ◇ **jd-m - geben** to give s.o. the authority
Vollmilch *f* whole milk; **Vollmilchschokolade** *f* whole milk chocolate
Vollmond *m* full moon
Vollpension *f* full accomodation
vollsaugen *vr* ◇ **sich -** ← *Schwamm, Stoff* absorb completely, become soaked with
vollschlank *adj* plump, stout, chubby
vollständig *adj* complete
vollstreckbar *adj* enforceable, executable; **vollstrecken** *vt* → *Urteil* execute, enforce
volltanken *vti* fill up
Volltreffer *m* direct hit; *FIG* bull's eye
Vollversammlung *f* plenary meeting
vollzählig *adj* complete
vollziehen *unreg* **I.** *vt* → *Trauung, Urteil* carry out, execute **II.** *vr* ◇ **sich -** (*geschehen*) take place; **Vollzug** *m* (*Straf-*) execution

Volumen *s* <-s, - *o.* Volumina> volume
vom = **von dem;** ◇ **das kommt - Rauchen** that comes from smoking; ◇ **sie ist - Land** she comes from the country
von *präp dat* from [1] (*räumlich*) from [2] (*zeitlich*) zeitlich; ◇ **- ... bis** from ... till [3] (*Person/Sache als Urheber/Grund*) of, by, from; ◇ **Grüße - mir** greetings from me [4] (*geschaffen/verursacht durch*) by, from; ◇ **ein Bild - Dali** a picture by Dali; ◇ **ein Bild - meinem Hund** a picture of my dog; ◇ **müde - der Arbeit** tired from working [5] (*Eigenschaft, Maß- u. Altersangabe*) of; (*gleichsetzen*) ◇ **ein Traum - einem Mann** this man is a dream [6] (*Teil eines Ganzen, Genetiversatz*) of; ◇ **eine - meinen Tanten** one of my aunts [7] ◇ **- etw sprechen** to talk about s.o. [8] (*Adelstitel, Herkunft*) of [9] (*FAM davon*) from; ◇ **gib mir - dem Kuchen** give me some cake; (*wovon, Gegenteil zutreffend*) ◇ **V- wegen müde!** Talk about being tired!; **voneinander** *adv* of/from each other; **vonstatten** *adv:* ◇ **- gehen** to take place
vor *präp dat/akk* [1] (*räumlich*) in front of, before; ◇ **etw - sich** *dat* **haben** to have s.th. in front of o.s. [2] (*zeitlich*) before; ◇ **fünf - zwölf** five to twelve [3] (*Grund/Ursache*) out of, on account of, because of; ◇ **- Angst zittern** to tremble with fear; ◇ **- Kälte zittern** to shiver from the cold [4] (*in Gegenwart von*) in front of, before; ◇ **- Zeugen** before witnesses; ◇ **- der Klasse** in front of the class [5] (*FAM wovor*) ◇ **V- was hat er Angst?** What's he afraid of?; **vorab** *adv* (*im voraus, zunächst*) in advance, beforehand; **Vorabend** *m* the evening before; (*Vortag*) eve of
voran *adv* before, at the head; **vorangehen** *unreg vi* go ahead/go first; ◇ **einer Sache** *dat* **-** to precede s.th.; **vorankommen** *unreg vi* make progress/headway
Voranschlag *m* (*Kosten-*) estimate
voranstellen *vt* → *Text, Vorwort* place in front
voraus *adv* [1] (*räumlich*) ahead, in front [2] (*zeitlich*) in advance; *FIG* ◇ **jd-m - sein** to be superior to s.o.; ◇ **im -** in advance; **vorausgehen** *unreg vi* go ahead; **voraushaben** *unreg vt:* ◇ **jd-m etw -** to have an advantage over s.o.; **Voraussage** *f* prediction; (*Wetter-*) forecast; **voraussehen** *unreg vt* foresee; **voraussetzen** *vt* (*annehmen*) presume; ↑ *erfordern* require; ◇ **vorausgesetzt, daß ...** provided that ...; ◇ **etw als gegeben -** to take s.th. for granted; **Voraussetzung** *f* [1] ↑ *Bedingung* prerequisite, requirement [2] ↑ *Annahme* assumption; ◇ **unter der -, daß ...** on the condition that ...; **voraussichtlich** *adj* expected, probable
Vorbau *m* porch

Vorbehalt *m* <-[e]s, -e> reservation; ◇ **[nur] unter dem ~, daß ...** with the reservation that ...; **vorbehalten** *unreg vr:* ◇ **sich** *dat* **etw ~** to reserve s.th. for o.s.; ◇ **jd-m etw ~** to leave s.th. up to s.o.; ◇ **Änderung ~** subject to change
vorbehandeln *vt* pre-treat
vorbei *adv* [1] (*räumlich*) along, by, past [2] (*zeitlich*) past, over, gone; (*zu Ende*) over, finished; *FAM* ◇ **es ist 2 Uhr ~** it is past 2 o'clock; **vorbeifahren** *unreg vi* drive by; **vorbeigehen** *unreg vi* [1] ↑ *vergehen* pass; ← *Laune, Gewitter* blow over [2] (*nicht beachten*) overlook, fail to see [3] (*FAM kurz besuchen*) ◇ **bei jd-m ~** to pass/drop by s.o.'s house; **vorbeischießen** *vi* [1] (*verfehlen*) miss the target [2] (*an etw/jd-m*) shoot by
vorbelastet *adj* [1] *FIG* encumbered [2] JURA incriminated
Vorbemerkung *f* preliminary remark
vorbereiten I. *vt* → *Fest, Prüfung* prepare **II.** *vr* ◇ **sich ~** get ready; ◇ **sich auf etw** *akk* **~** to prepare o.s. for s.th.; **Vorbereitung** *f* preparation
vorbestellen *vt* → *Buch* order in advance; → *Kinokarte* reserve
vorbestraft *adj* previously convicted; ◇ **er ist schon ~** he has a criminal record
vorbeugen I. *vi* take precautions (*einer Sache dat* against) **II.** *vr* ◇ **sich ~** bend forward; **Vorbeugung** *f* prevention; MED ◇ **zur ~** as a prophylactic
Vorbild *s* example; ◇ **sich** *dat* **jd-n zum ~ nehmen** to take s.o. as an example
vorbringen *unreg vt* ↑ *äußern* → *Einwand* present, raise; → *Wunsch* express, state; → *Idee* propose, suggest
Vorderachse *f* front axle
vordere(r, s) *adj* front
Vorderfront *f* front [side9; **Vordergrund** *m FIG*: ◇ **im ~ stehen** to be in the foreground; **Vorderrad** *s* front wheel; **Vorderradantrieb** *m* AUTO front wheel drive; **Vorderseite** *f* front [side]
vorderste(r, s) *adj* foremost
vordrängen *vr* ◇ **sich ~** push forward
vordringen *unreg vi* advance; (*unter Gefahr*) venture
Vordruck *m* form
vorehelich *adj* premarital
voreilig *adj* hasty, rash; ◇ **~e Schlüsse ziehen** to jump to conclusions
voreinander *adv* in front of each other; ◇ **keine Geheimnisse ~ haben** to have no secrets from one another
voreingenommen *adj* prejudiced, biased

vorenthalten *unreg vt* withhold; ◇ **jd-m etw ~** to keep s.th. from s.o.
vorerst *adv* (*zunächst*) for the time being, at the moment
Vorfahr *m* <-en, -en> forefather, ancestor
vorfahren *unreg vi* (*im Auto*) drive up; ← *Taxi* drive up to the door/entrance
Vorfahrt *f* right of way; ◇ **~ achten!** Give way! *BRIT*; **Vorfahrtsstraße** *f* main road
Vorfall *m* occurrence, incident
Vorfeld *s* [1] forefield; ◇ **im ~ der Gespräche sein** to be in the preliminary stages of the talks [2] AERO apron
vorfinden *unreg vt* find
Vorfreude *f* anticipation
vorführen *vt* [1] (*zeigen*) show, present [2] (*nach vorn führen*) bring forward, produce; **Vorführung** *f* ↑ *Zeigen* presentation, showing; (*von Geräten*) demonstration; (*auf der Bühne*) performance
Vorgang *m* [1] (*Hergang*) proceedings, course of events [2] (*Akte*) file, previous correspondence [3] BIO process
Vorgänger(in *f*) *m* <-s, -> predecessor
vorgeben *unreg vt* [1] ↑ *vortäuschen* pretend [2] ↑ *nach vorn reichen* pass forward [3] (SPORT *Vorsprung, Vorteil gewähren*) give [a start]
Vorgebirge *s* foot hills *pl*
vorgefaßt *adj* ▷*Meinung* preconceived
Vorgefühl *s* anticipation; ▷*negativ* foreboding
vorgehen *unreg vi* [1] (*zeitlich*) ← *Uhr* be too fast [2] (*handeln*) take action, act [3] (*Vorrang haben*) have priority [4] (*geschehen*) occur, happen; ◇ **Was geht hier vor?** What's going on here?
Vorgeschmack *m* taste
Vorgesetzte(r) *fm* superior
vorgestern *adv* the day before yesterday
vorgreifen *unreg vi* ↑ *vorwegnehmen* anticipate (*jd-m* s.o.)
Vorhaben *s* <-s, -> plan, intention
Vorhalle *f* vestibule, entrance hall
vorhalten I. *unreg vt* [1] ↑ *vorwerfen, beschuldigen* ◇ **jd-m etw ~** to reproach s.o. for s.th. [2] (*vor den Körper*) hold up **II.** *vi* ← *Vorrat* last, hold; **Vorhaltung** *f* ↑ *Vorwurf* reproach; ◇ **jd-m ~en machen** to reproach s.o. for s.th.

vorhanden *adj* (*erhältlich*) available, on hand; ◇ **~ sein** to be available
Vorhang *m* (*an Fenster*) curtain; THEAT curtain; POL ◇ **der Eiserne ~** the Iron Curtain
vorher *adv* beforehand, previously
vorherbestimmen *vt* predetermine; **vorherig** *adj* former, previous, last
Vorherrschaft *f* predominance

Vorhersage *f* (*Wetter-*) forecast
vorhin *adv* (*vor kurzem*) just now, just a while ago
vorig *adj* ▷*Leiter, Direktor* previous, former; ▷*Winter, Woche* previous, last
Vorjahr *s* last year
Vorkehrung *f* precaution, measure; ◇ **-en treffen** to take precautions
Vorkenntnisse *pl* previous knowledge
vorkommen *unreg* **I.** *vi* ① (*vortreten*) come forward ② ↑ *geschehen, passieren* happen, occur ③ ↑ *vorhanden sein* be found, available ④ (*empfinden*) seem; ◇ **jd-m bekannt** ~ to look familiar to s.o. **II.** *vr* ◇ **sich** ~ (*sich fühlen*) feel; ◇ **sich** *dat* **dumm** ~ to feel like a fool
vorladen *vt* JURA summon
Vorlage *f* ① (*zur Begutachtung*) presentation ② (*Muster, Schablone*) pattern ③ draft; (*Gesetzes-*) bill ④ (*im Fußball*) pass, through-ball; (*Ski*) forward position
vorlassen *unreg vt* ① ↑ *vorgehen lassen* let s.o. go ahead ② (*jd-n empfangen*) allow in, admit
vorläufig *adj* temporary, provisional; **vorlegen** *vt* ① (*zur Unterschrift*) present; ↑ *einreichen, präsentieren* → *Plan, Entwurf* present, show ② → *Riegel, Kette* put on ③ → *Fleisch, Gemüse* serve
Vorleistung *f* advance
vorlesen *unreg vt* read a loud; **Vorlesung** *f* SCHULE lecture
vorletzte(r, s) *adj* last but one
Vorliebe *f* preference, liking
vorliegen *unreg vi* ← *Akte, Beschwerde* submit, file; ← *Beweis* be available
vormachen *vt* ↑ *vorführen, zeigen* demonstrate, show; *FIG* ↑ *vortäuschen* fool; ◇ **jd-m etw** ~ to fool s.o. with s.th.
vormals *adv* ↑ *früher* formerly
Vormarsch *m* advance; ◇ **auf dem** ~ **sein** to be gaining ground
vormerken *vt* ↑ *notieren* note, make a note of
Vormittag *m* morning, before noon; ◇ **im Laufe des -s** in the course of the morning; **vormittags** *adv* mornings, every morning
Vormundschaft *f* JURA guardianship; ◇ **unter** ~ **stellen** to be placed under guardianship
vorn[e] *adv* in front, before; ◇ **nach** ~ forward, towards the front; (*von Anfang an*) ◇ **von** ~ from the beginning; (*von neuem*) ◇ **von** ~ **anfangen** to start from scratch
Vorname *m* first name
vornehm *adj* ① ▷*Rang* distinguished, noble; ↑ *von adliger Herkunft* aristocratic ② ↑ *elegant* elegant, fashionable
vornehmen *unreg* **I.** *vr* ① ↑ *beabsichtigen* ◇ **sich etw** ~ to intend/mean to do s.th. ② (*FAM ermahnen, schelten*) ◇ **sich** *dat* **jd-n** ~ to have words with s.o. **II.** *vt* ① (*bevorzugt behandeln*) → *Patienten, Kunden* take before one ② (*in Angriff nehmen*) undertake, tackle, deal with
Vorort *m* suburb; **Vorortzug** *m* suburban train
vorprogrammiert *adj* automatic, preprogrammed
Vorrang *m* priority; ◇ **den** ~ **haben vor** to take precedence of/over; **vorrangig** *adj* of prime importance
Vorrat *m* stock, supply; **vorrätig** *adj* available, in stock; **Vorratsschrank** *m* pantry
Vorrecht *s* ↑ *Privileg* privilege
Vorrede *f* opening speech; (*im Buch*) preface, introduction
Vorrichtung *f* ↑ *Apparat* (*Stütz-, Halte-*) appliance, device; *FAM* gadget
vorrücken **I.** *vi* ← *Nacht, Zeiger* move forward; MIL advance **II.** *vt* move forward
vorsagen *vt* ① → *Gedicht* recite ② *FAM* prompt
Vorsaison *f* early season
Vorsatz *m* ① ↑ *Absicht* resolution, plan, intention; ◇ **einen** ~ **fassen** to make up o.'s mind to do s.th. ② JURA premeditation
Vorschein *m*: ◇ **zum** ~ **kommen/bringen** to come/bring to light
vorschießen *unreg vt* → *Geld* advance
Vorschlag *m* proposal, suggestion; ◇ **Kannst du mir einen** ~ **machen?** Can you give me some advice?; **vorschlagen** *unreg vt* ↑ *empfehlen, raten* suggest, propose
vorschreiben *unreg vt* ① (*als Muster*) write out ② ↑ *verlangen, anordnen* stipulate, prescribe; → *Einzelheiten* specify
Vorschrift *f* ↑ *Anweisung* instruction, direction; ◇ **nach** ~ according to orders; ◇ **jd-m -en machen** to give s.o. orders
Vorschuß *m* (*Lohn-, Taschengeld-*) advance
vorsehen *unreg* **I.** *vt* ↑ *planen, beabsichtigen* plan, intend (*als, für* to, for); → *Gesetz, Statuten* provide for **II.** *vr* ◇ **sich** ~ ↑ *sich in Acht nehmen* be careful, watch out (*vor dat* for)
Vorsicht **I.** *f* caution **II.** *intj* caution, danger; ◇ **V-Glas!** Fragile!; **vorsichtig** *adj* careful, cautious
Vorsitz *m* chairmanship, presidency; ◇ **den** ~ **über etw** *akk* **haben** to preside over s.th.
Vorsorge *f* provision, precaution; (MED *-untersuchung*) check-up; **vorsorglich** *adv* precautionary
Vorspann *m* <-s, -e> FILM MEDIA credits *pl*

Vorspeise *f* GASTRON appetizer
vorspiegeln *vt* ↑ *vortäuschen* delude, deceive (*jd-m* s.o.)
Vorspiel *s* [1] MUS prelude [2] (*sexuell*) foreplay [3] SPORT preliminary
vorsprechen *unreg* **I.** *vt* recite **II.** *vi* call on s.o.; THEAT audition; ◇ **bei jd-m** ~ to have an audition with s.o.
Vorsprung *m* [1] (*Dach~, Fels~*) projection, ledge [2] (*vor Verfolger*) lead; *FIG* advantage
Vorstadt *f* suburb
Vorstand *m* [1] (*von Firma*) board of directors; (*von Verein*) managing committee [2] (*Mensch*) head, director
vorstehen *unreg vi* [1] (*räumlich*) ← *Zähne, Kinn* protrude, be prominent [2] (*FIG Firma, Schule, Verein*) preside, be in charge; ◇ **jd-m/einer Sache** ~ to preside over s.o./s.th.
vorstellen I. *vt* [1] → *Uhr* put forward; → *vorrücken* move forward; (*vor etw*) put in front of [2] (*bekannt machen*) introduce [3] (*darstellen, bedeuten*) represent, signify **II.** *vr* ◇ **sich** ~ [1] ↑ *sich bekannt machen* introduce o.s. [2] ↑ *ausdenken* imagine, visualize; **Vorstellung** *f* [1] ↑ *Gedanke* conception, idea; ↑ *Einbildung* illusion [2] THEAT performance [3] (*das Bekanntmachen*) introduction
Vorstrafe *f* previous conviction
Vortag *m* the day before
vortäuschen *vt* fake, pretend
Vorteil *m* <-s, -e> [1] advantage (*gegenüber* over); (*Gewinn, Nutzen*) profit [2] (*a.* SPORT *günstigere Position*) advantage
Vortrag *m* <-[e]s, -träge> [1] (*Darbietung*) performance [2] (*Vorlesung*) lecture; MEDIA talk, report; **vortragen** *unreg vt* [1] ↑ *nach vorn tragen* carry forward [2] (*ausführlich, förmlich mitteilen*) → *Bitte, Plan, Referat* express, state, submit; → *Rede* deliver
vortreten *unreg vi* [1] ↑ *nach vorn treten* step forward [2] ↑ *hervorstehen* protrude, stick out
Vortritt *m* precedence; ◇ **jd-m den** ~ **lassen** to give precedence to s.o.
vorüber *adv* [1] (*räumlich*) past, by [2] (*zeitlich*) over, past; **vorübergehen** *unreg vi* [1] (*zeitlich*) pass; ← *Zorn, Gewitter* blow over [2] (*räumlich*) pass, go by; ◇ **an etw** *dat* ~ to pass s.th., to ignore s.th.
Vorurteil *s* prejudice
Vorwahl *f* [1] POL preliminary election, primary election *AM* [2] TELEC area number; **vorwählen** *vt* TELEC dial first
Vorwand *m* <-[e]s, -wände> pretext, alibi, excuse; ◇ **unter dem ~, daß …** under the pretext that …
vorwärts *adv* forward; **vorwärtsgehen** *unreg vi* [1] go ahead, progress [2] (*FIG besser werden*) improve; **vorwärtskommen** *unreg vi* [1] make progess [2] (*FIG Erfolg haben*) get ahead, improve
vorweg *adv* beforehand, from the beginning; (*im voraus*) at the front; **vorwegnehmen** *unreg vt* anticipate
vorweisen *unreg vt* ↑ *zeigen* show
vorwerfen *unreg vt* [1] (*zum Fraß*) throw in front of [2] *FIG* ↑ *kritisieren, tadeln* accuse, reproach s.o.
vorwiegend *adj* predominant
Vorwort *s* <-[e]s, -e> ↑ *Einleitung* preface
Vorwurf *m* reproach, accusation; ◇ **jd-m/sich Vorwürfe machen** to reproach s.o./o.s.; **vorwurfsvoll** *adj* ▷*Blick* accusing, reproachful
vorzeigen *vt* → *Paß, Fahrschein* show
vorzeitig *adj* premature, early
vorziehen *unreg vt* [1] pull forward; → *Gardinen* draw [2] ↑ *bevorzugt behandeln* → *Patienten, Schüler* show preference; ↑ *lieber mögen* prefer
Vorzug *m* [1] ↑ *gute Eigenschaft* preference; ↑ *Vorteil* advantage [2] ↑ *Vorrang* priority
Votum *s* <-s, Voten *o.* Vota> vote
Vulkan *m* <-s, -e> volcano

W

W, w *s* W. w
Waage *f* <-, -n> [1] scales *pl*, weighing machine [2] ASTROL Libra
waagerecht *adj* horizontal, level
Wabe *f* <-, -n> honeycomb
wach *adj* awake; (*FIG geistig rege*) on the ball
Wachablösung *f* changing of the guard; **Wachdienst** *m* guard duty
Wache *f* <-, -n> [1] guard, watch; ◇ ~ **halten** [o. stehen], to keep guard [2] ↑ *Polizeirevier* police station
wachhalten *unreg vt* [1] (*jd-n*) keep [s.o.] awake [2] → *Erinnerung* keep alive
Wachhund *m* watchdog
wachrufen *unreg vt FIG* → *Erinnerung* awaken
wachrütteln *vt auch FIG* rouse
Wachs *s* <-es, -e> (*Bienen~, Kerzen~*) wax; (*FIG gefügig werden*) ◇ **weich wie ~ werden** to soften completely
wachsam *adj* watchful, vigilant; **Wachsamkeit** *f* watchfulness, vigilance

wachsen I. <wuchs, gewachsen> *vi* [1] ← *Kind, Pflanze* grow [2] ← *Anforderungen* increase II. *vt* → *Fußboden, Auto* wax

Wachstum *s* <-s> growth; **Wachstumsrate** *f* growth rate

Wachtel *f* ZOOL quail

Wächter(in *f*) *m* <-s, -> guard; (*Parkplatz-*) attendant; (*Museums-*) custodian; (*Nacht-*) watchman

Wachtmeister(in *f*) *m* constable

wackelig *adj* [1] ▷*Stuhl* unsteady, wobbly; ▷*Zahn* loose [2] ▷*Person* doddery [3] ▷*Unternehmen* shaky

Wackelkontakt *m* ELECTR loose connection

wackeln *vi* [1] ← *Stuhl* wobble [2] (*unsicher laufen*) toddle [3] *FIG* ← *Position* be shaky

Wade *f* <-, -n> ANAT calf; **Wadenkrampf** *m* cramp in the calf

Waffe *f* <-, -n> (*Schuß-, Schlag-*) weapon; *FIG* ◇ **jd-n mit den eigenen -n schlagen** to beat s.o. at his own game

Waffel *f* <-, -n> waffle; (*Eis-*) wafer; **Waffeleisen** *s* waffle iron

Waffenhändler *m* arms dealer; **Waffenruhe** *f* MIL ceasefire

wagemutig *adj* daring, bold

wagen *vt* dare, venture; ↑ *riskieren* risk

Wagen *m* <-s, -> [1] AUTO car [2] BAHN carriage; **Wagenheber** *m* <-s, -> jack

Waggon *m* <-s, -s> railway carriage; (*Güter-*) goods van, freight car *AM*

waghalsig *adj* daring

Wagnis *s* venture, risk

Wahl *f* <-, -en> [1] POL election, ballot [2] (*Güteklasse*) ◇ **zweite -** second quality; **Wahlausschuß** *m* election committee

wählbar *adj* eligible

wahlberechtigt *adj* entitled to vote; **Wahlbeteiligung** *f* attendance at the polls; *FAM* turnout

wählen *vti* [1] ↑ *auswählen* select, choose [2] POL elect, vote [3] TELEC dial; **Wähler(in** *f*) *m* <-s, -> POL voter, elector

Wahlfreiheit *f* freedom of choice; **Wahlgang** *m* voting, polling; **Wahlkampf** *m* electoral campaign; **Wahlrecht** *s* right to vote, suffrage

Wählscheibe *f* [selector] dial

Wahlspruch *m* slogan; **Wahlsystem** *s* electoral system

Wahn *m* <-[e]s> delusion, madness

Wahnsinn *m* <-s> [1] (*FAM Geisteskrankheit*) madness [2] (*FAM toll, unglaublich*) ◇ **-!** great!; **wahnsinnig** I. *adj* ▷*Mensch* out of o.'s mind; (*FAM vor Glück, Schmerzen*) delirious II. *adv FAM* awfully, terribly; ◇ **sich - freuen** to be terribly happy

wahr *adj* ▷*Geschichte* true

wahren *vt* → *Interessen* protect; → *Recht* reserve

währen *vi* last

während I. *präp gen* during II. *cj* [1] (*zeitlich, gleichzeitig*) while, whilst [2] (*gegensätzlich*) whereas, while

wahrhaben *unreg vt:* ◇ **etw nicht - wollen** to not want admit s.th.

wahrhaftig I. *adj* ▷*Gott* true II. *adv* truly; ◇ **er glaubt es -** he really believes it

Wahrheit *f* truth; **wahrheitsgemäß** *adj* truthful, true

wahrnehmen *unreg vt* [1] (*mit Sinnen*) perceive [2] → *Gelegenheit* seize [3] → *Interessen* safeguard, protect

Wahrsager(in *f*) *m* <-s, -> fortune-teller, prophet

wahrscheinlich I. *adj* likely, probable II. *adv* probably; **Wahrscheinlichkeit** *f* likelihood; ◇ **aller - nach** in all likelihood

Währung *f* currency

Wahrzeichen *s* (*von Stadt*) landmark

Waise *f* <-, -n> orphan; **Waisenhaus** *s* orphanage; **Waisenkind** *s* orphan

Wal *m* <-[e]s, -e> ZOOL whale

Wald *m* <-[e]s, Wälder> wood; ▷*groß* forest; **Waldbrand** *m* forest fire; **waldig** *adj* wooded; **Waldlauf** *m* SPORT cross-country running; **Waldrand** *m* edge of the forest; **waldreich** *adj* ▷*Gegend* well-wooded; **Waldsterben** *s* deforestation by pollution

Walfang *m* whaling; **Walfisch** *m* whale

Wall *m* <-[e]s, Wälle> ↑ *Bollwerk* rampart

wallfahren *vi* go on a pilgrimage; **Wallfahrer(in** *f*) *m* pilgrim; **Wallfahrt** *f* pilgrimage; **Wallfahrtsort** *m* place of pilgrimage

Walnuß *f* walnut

Walroß *s* walrus

walten *vi* reign (*in dat* over); ◇ **Walten Sie Ihres Amtes!** Do your duty!

Walze *f* <-, -n> roller; **walzen** *vt* → *Straßenbelag* roll

wälzen I. *vt* [1] → *Stein* roll [2] *FAM* → *Bücher* pore over [3] → *Probleme* turn over [4] ◇ **Schuld auf jd-n -** to lay the blame on s.o. II. *vr* ◇ **sich -** wallow; (*vor Schmerzen*) writhe; (*im Bett*) toss and turn

Walzer *m* <-s, -> waltz

wand *impf v.* **winden**

Wand *f* <-, Wände> [1] (*aus Baustein*) wall [2] (*Trenn-*) partition [3] (*Berg-*) face

Wandel *m* <-s> [1] (*Veränderung*) change [2] ◇ **einen schlechten Lebens- führen** to lead a disorderly life; **wandeln I.** *vr* ◇ **sich** ~ change **II.** *vi* (*langsam gehen*) stroll

Wanderer(**Wanderin** *f*) *m* <-s, -> hiker; **wandern** *vi* [1] (*mit Rucksack*) walk, hike [2] ← *Tiere* migrate [3] ← *Blick* roam [4] *FIG* ← *Gedanken* wander; **Wanderung** *f* walk, hike

Wandleuchter *m* wall lamp

Wandlung *f* [1] (*sich wandeln*) transformation [2] (REL *bei Messe*) consecration [3] (REL *von Nichtgläubigern*) conversion

Wandmalerei *f* KUNST mural painting; **Wandschrank** *m* built-in cupboard; **Wandtafel** *f* SCHULE blackboard

wandte *impf v.* **wenden**

Wandteppich *m* tapestry [carpet]

Wange *f* <-, -n> cheek

wankelmütig *adj* fickle

wanken *vi* ↑ *schwanken* sway; ← *Knien* wobble; *FIG* ↑ *unentschlossen sein* falter

wann *adv* when; ◇ **seit** ~ since when, how long

Wanne *f* <-, -n> tub, tray

war *impf v.* **sein**

warb *impf v.* **werben**

Ware *f* <-, -n> article, product; ◇ **die** ~**n** the goods *pl;* **Warenbestand** *m* stock, merchandise on hand; **Warenhaus** *s* department store; **Warenlager** *s* warehouse

warf *impf v.* **werfen**

warm *adj* [1] ▷*Essen* hot, warm [2] ↑ *freundlich* warm, cordial

Wärme *f* <-, -n> warmth; **Wärmegewitter** *s* heat storm; **Wärmekraftwerk** *s* thermal power station; **wärmen I.** *vti* → *Essen* heat [up]; ← *Jacke* warm [up] **II.** *vr* ◇ **sich** ~ warm o.s. [up]; **Wärmflasche** *f* hot-water bottle

Warmfront *f* METEO warm front; **warmhalten** *unreg* **I.** *vt* → *Essen* keep warm **II.** *vr* ◇ **sich** ~ [1] keep o.s. warm [2] (*FAM sich jd-s Gunst erhalten*) ◇ **sich** *dat* **jd-n** ~ to keep in with s.o.; **warmlaufen** *unreg vi* AUTO: ◇ ~ **lassen** to warm up; **Warmluft** *f* warm [hot] air

Warnblinkanlage *f* AUTO hazard lights; **Warndreieck** *s* AUTO warning triangle

warnen *vt* [1] (*bei Gefahr*) warn; ◇ **jd-m vor etw** ~ *dat* to warn s.o. against s.th. [2] (*drohen*) caution, warn; **Warnstreik** *m* warning [*o.* token] strike; **Warnung** *f* warning, caution; **Warnzeichen** *s* warning sign

warten I. *vi* wait (*auf akk* for); ◇ **auf sich** ~ **lassen** to keep people waiting **II.** *vt* TECHNOL maintain

Wärter(in *f*) *m* <-s, -> (*Bahn-*) guard; (*Tier-*) keeper

Wartesaal *m* BAHN waiting room; **Wartezeit** *f* (*an Grenzübergang*) delay, wait; **Wartezimmer** *s* waiting room

Wartung *f* TECHNOL maintenance

warum *adv* why

Warze *f* <-, -n> wart

was *pron* what; (*FAM etwas*) something

Waschanlage *f* (*für Auto*) car wash; **waschbar** *adj* washable; **Waschbär** *m* racoon; **Waschbecken** *s* washbasin

Wäsche *fpl* [1] (*schmutzig, bunt*) laundry, washing [2] (*Bett-*) linen [3] (*Waschtag*) washing day [4] *FAM* (*Katzen-*) a lick and a spit

waschecht *adj* [1] ▷*Hemd* fast [2] (*FIG* ~*er Berliner*) true

Wäscheklammer *f* clothes-peg; **Wäscheleine** *f* clothes line

waschen <wusch, gewaschen> **I.** *vt* [1] (*Wäsche*) wash [2] (*FIG Geld*) launder [3] (*Haare*) ◇ ~ **und legen** to wash and set **II.** *vr* ◇ **sich** ~ wash o.s.; ◇ **sich** *dat* **die Hände** ~ to wash o.'s hands

Wäscherei *f* laundry; **Wäschetrockner** *m* <-s, -> clothes drier

Waschküche *f* [1] (*Raum*) washhouse, laundry room [2] *FAM* ↑ *Nebel* pea-soup fog; **Waschlappen** *m* [1] (*im Badezimmer*) facecloth [2] *FAM* ↑ *Feigling* sissy; **Waschmaschine** *f* washing machine; **Waschmittel** *s* detergent; **Waschsalon** *m* launderette; **Waschzeug** *s* toiletries *pl*

Wasser *s* <-s, -> water; *FIG* ◇ **ins** ~ **gehen** to drown o.s.; ↑ *urinieren* ◇ ~ **lassen** to pass water; **wasserdicht** *adj* (*Goretexjacke*) waterproof; **Wasserfall** *m* waterfall; **Wasserhahn** *m* [water] tap, [water] faucet *AM*

wässerig *adj* watery

Wasserkessel *m* kettle; **Wasserleitung** *f* water pipe; **wasserlöslich** *adj* water-soluble; **Wassermelone** *f* watermelon

wassern *vi* ← *Flugzeug* touch down on water, splash down

wässern *vti* → *Heringe* soak; → *Pflanzen* water

Wasserpflanzen *pl* aquatic plants *pl;* **Wasserschaden** *m* water damage; **Wasserverunreinigung** *f* water pollution; **Wasserwaage** *f* (*Werkzeug*) level

waten *vi* wade

watscheln *vi* ← *Ente* waddle

Watt [1] *s* <-[e]s, -en> (*Wattenmeer*) tideland

Watt [2] *s* <-s, -> ELECTR watt, W

Watte *f* <-, -n> absorbent cotton, cotton-wool *BRIT*

weben <webte *o.* wob, gewebt *o.* gewoben> *vt* weave

Wechsel *m* <-s, -> [1] change; ◇ **Wetter**~ change

in weather ② ↑ *Tausch* exchange ③ COMM bill [of exchange] ④ (*Wild-*) trail; **Wechselgeld** *s* change; **wechselhaft** *adj* ▷*Wetter* changeable; **Wechseljahre** *pl* menopause, **wechseln I.** *vt* ① → *Kleidung* change ② → *Blicke* exchange ③ → *Thema* change, switch **II.** *vi* ↑ *sich verändern* change, vary; ← *Personal* change; ← *Stimmung* switch, vary; ← *Wetter* change

wecken *vt* ↑ *wach machen* waken; *FIG* → *Neugier* arouse

Wecker *m* <-s, -> alarm-clock

weder *cj* neither; ◇ ~ **... noch** neither ... nor

weg *adv* gone, away; ◇ **über etw** *akk* ~ **sein** to have got over s.th.; ◇ **er war schon** ~ he was already gone; ◇ **Finger** ~! Hands off!

Weg *m* <-[e]s, -e> ① ↑ *Pfad* path ② ↑ *Richtung* direction ③ ↑ *Möglichkeit* possibility ④ ◇ **sich auf den** ~ **machen** to take the road, to go on o.'s way ⑤ *FIG* ◇ **jd-m aus dem** ~ **gehen** to avoid s.o. ⑥ (*Erfolg haben*) ◇ **seinen** ~ **machen** to get on in the world, to make a career for o.s.

wegbleiben *unreg vi* stay away; **wegbringen** *unreg vt* take away; → *Fleck* get out, remove; *FAM* get s.th. out

wegen *präp gen o FAM dat* because of, on account of

wegfahren *unreg vi* leave, go away; **wegfallen** *unreg vi* cease to exist; → *Ferien, Bezahlung* be cancelled; **weggehen** *unreg vi* go away, leave; **weglassen** *unreg vt* leave out, omit; **weglaufen** *unreg vi* run away, run off; **weglegen** *vt* ↑ *aufräumen* put away; ↑ *beiseite legen* put aside; **wegnehmen** *unreg vt* take away, remove; **wegräumen** *vt* clear [away]; **wegschaffen** *vt* ① ↑ *loswerden* get rid of ② ↑ *wegräumen* clear away ③ ↑ *wegtragen* carry away ④ *FAM* → *Arbeit* get through; **wegschließen** *unreg vt* → *Wertgegenstände* lock away; **wegschnappen** *vt*: ◇ **jd-m etw** ~ to snatch s.th. away from s.o.; **wegtun** *unreg vt* ① ↑ *aufräumen* put away ② ↑ *wegwerfen* throw away

wegweisend *adj* ▷*Entdeckung* pioneering; **Wegweiser** *m* <-s, -> ① (*Schild*) signpost ② (*Person*) pioneer

wegwerfen *unreg vt* throw away; **Wegwerfgesellschaft** *f* throw-away society; **wegwischen** *vt* wipe off

Wegzehrung *f* ① (*Essen*) food for a journey ② REL the last sacrament

wegziehen *unreg vi* ① → *schweren Gegenstand* pull away ② ↑ *Wohnsitz wechseln* move away

weh *adj* sore; ◇ ~ **tun** to be sore, to ache; ◇ **jd-m/sich** ~ **tun** to hurt s.o./oneself

weh[**e**] *intj*: ◇ ~[e], **wenn du ...** watch out if you ...; ◇ **O** ~! Oh no!, Oh dear!

Wehe [1] *f* <-, -n> MED contractions; ◇ **in den** ~**n liegen** to be in labo[u]r

Wehe [2] *f* <-, -n> (*Schnee-*) drift

wehklagen *vi* lament; **wehleidig** *adj* whining; **wehmütig** *adj* nostalgic

Wehrdienst *m* MIL military service; **Wehrdienstverweigerer** *m* <-s, -> conscientious objector

wehren *vr* ◇ **sich** ~ resist (*gegen jd-n/etw* s.o./s.th.)

wehrlos *adj* defenceless

Weib *s* <-[e]s, -er> *PEJ* woman; **Weibchen** *s* ① ZOOL female ② *PEJ* vixen, madame; **weiblich** *adj* ① ZOOL ▷*Geschlecht* female ② ▷*Damenmode, Art* feminine ③ GRAM feminine

weich *adj* soft; (*FIG nachgeben*) ◇ ~ **werden** to give in, to relent

Weiche *f* <-, -n> BAHN points *pl*

weichen [1] *vt* (*einweichen*) soak

weichen [2] <wich, gewichen> *vi* ① (*weggehen*) ◇ **er wich nicht von ihrer Seite** he did not leave her side ② (*FIG nachlassen*) ← *Schmerz* ease

weichlich *adj* soft, flabby; **Weichspüler** *m* <-s, -> softener

Weide [1] *f* <-, -n> (*Baum*) willow

Weide [2] *f* <-, -n> (*Wiese*) pasture; **weiden I.** *vi* (*Tiere auf Weide*) graze, pasture **II.** *vt* (*auf Weide führen*) put out to graze **III.** *vr*: ◇ **sich an etw** *dat* ~ revel in s.th.

weigern *vr* ◇ **sich** ~ refuse; **Weigerung** *f* refusal

Weihnachten *s* <-, -> Christmas, Xmas; **weihnachtlich** *adj* Christmassy; **Weihnachtsabend** *m* Christmas Eve; **Weihnachtsbaum** *m* Christmas tree; **Weihnachtsfeier** *f* Christmas party; **Weihnachtsferien** *pl* Christmas holidays *pl*; **Weihnachtslied** *s* Christmas carol; **Weihnachtsmann** *m* Father Christmas, Santa [Claus]; **Weihnachtsmarkt** *m* Christmas fair; **Weihnachtszeit** *f* Christmas season

weil *cj* because

Weile *f* <-> while, short time; ◇ **eine kleine** ~ a short while

Wein *m* <-[e]s, -e> wine; **Weinbau** *m* wine-growing; **Weinberg** *m* vineyard

weinen *vti* cry, weep; ◇ **das ist zum W**~ it is a crying shame [*o.* it would make you weep]; **weinerlich** *adj* ▷*Stimme* whining

Weinflasche *f* wine bottle; **Weinkeller** *m* wine cellar, wine vault; **Weinprobe** *f* wine tasting; **Weintraube** *f* grape

weise *adj* wise

Weise *f* <-, -n> [1] ↑ *Art* manner, fashion; ◇ **auf diese ~** in this way [2] ↑ *Lied* tune, melody

weisen <wies, gewiesen> **I.** *vt* ↑ *zeigen, schicken* show; (*Richtungsangaben geben*) direct **II.** *vi* point at/towards; ◇ **auf etw** *akk* ~ to point at s.th.

Weisheit *f* wisdom; **Weisheitszahn** *m* wisdom tooth

weismachen *vt* ↑ *vortäuschen* fool; ◇ **jd-m etw** ~ *akk* to pull s.o.'s leg

weiß *adj* white

Weißbrot *s* white bread; **Weißwein** *m* white wine

Weisung *f* (*Befehl*) instruction, direction; (*An-*) order; **weisungsgemäß** *adj* according to instructions

weit I. *adj* [1] ▷*Öffnung* wide [2] *FIG* ▷*Begriff* broad [3] (*Reise*) long **II.** *adv* far; ◇ **Wie ~ ist es ...?** How far is it ...?; ◇ **das geht zu ~** that is going too far; ◇ **~ und breit** far and wide; **weitab** *adv* far away; **weitaus** *adv* [by] far; ◇ **~ besser** far better; **Weite** *f* <-, -n> [1] (*Kragen-, Spann-*) width [2] (*Raum*) expanse [3] (*von Entfernung*) distance

weiter I. *adj* further; (*zusätzlich*) additional **II.** *adv* further; ◇ **ohne ~es** without hesitation, without further ado; **weiterarbeiten** *vi* keep on working; **weiterbilden** *vr* ◇ **sich ~** continue o.'s education; **weiterbringen** *unreg vt* advance, further; **weiterempfehlen** *unreg vt* recommend; **weiterentwickeln** *vt* further develop s.th.; **Weiterfahrt** *f* continued journey; **weitergeben** *unreg vt* → *Liste* pass on; → *Nachricht* relay; **weitergehen** *unreg vi* go on; **weiterhin** *adv* (*außerdem*) furthermore, moreover; **weitermachen** *vti* carry on (*mit etw* doing s.th.), continue

weitgehend I. *adj* ▷*Vollmacht* extensive **II.** *adv* to a large extent; ↑ *umfassend* comprehensively; **weithin** *adv* far away; **weitläufig** *adj* [1] ▷*Gebäude* spacious [2] ▷*Erklärung* lengthy [3] ▷*Verwandter* distant; **weitreichend** *adj* ▷*Beziehungen* far-reaching; **weitschweifig** *adj* ▷*Roman* verbose, lengthy; **weitsichtig** *adj* [1] long-sighted, far-sighted; MED hyperopic [2] *FIG* far-seeing; **Weitsprung** *m* SPORT long jump

Weizen *m* <-s, -> [1] (AGR *Getreide*) wheat, corn [2] (*-bier*) white [wheat] beer

welch *pron* (*Kurzform von welche(r, s)*): ◇ **W~ ein Anblick!** What a view!; **welche(r, s)** *pron* [1] (*Fragepronomen: sg. u. pl.*) what, which; ◇ **Welche Tante/Tanten liebt er?** Which aunt/aunts does he love? [2] (*in abhängigen Sätzen*) ◇ **man sieht, ~ Mühe er sich gibt** you can see how much effort he is making [3] (*Relativpronomen: sg. u. pl*) ◇ **die Tante(n), ~e heute kommt (kommen) ...** the aunt[s], who is [are] coming today ... [4] (*einige, manche*) ◇ **er kauft auch ~** he is also buying some

welken *vi* ← *Blumen* wither, fade

Welle *f* <-, -n> [1] (*Meeres-*) wave; TECHNOL wave; (*Boden-*) bump [2] (METEO *Hitze-*) wave; **wellen** *vr* ◇ **sich ~** ← *Haar* wave; ← *Papier* go wavy; **Wellenbad** *s* wave pool; **Wellenreiten** *s* surf-riding

Welt *f* <-, -en> [1] GEO world [2] (*FIG Lebensbereich*) world [3] *FIG* ◇ **etw** *akk* **aus der ~ schaffen** to settle a dispute; **Weltall** *s* universe, cosmos; **weltberühmt** *adj* world-famous; **weltbewegend** *adj:* ◇ **das ist nicht ~** that is nothing to write home about; **Weltgeschichte** *f* [1] world history [2] (*FAM viel und weit reisen*) ◇ **in der ~ umherfahren** to travel around a great deal; **Weltkrieg** *m* world war; **weltlich** *adj* worldly, earthly; (*Ggs. kirchlich*) secular; **Weltmacht** *f* world power; **Weltmarkt** *m* COMM world market; **Weltmeisterschaft** *f* SPORT world championship; **Weltraum** *m* [outer] space; **Weltreise** *f* world trip; **Weltrekord** *m* SPORT world record; **Weltwunder** *s* wonder of the world

wem *pron dat von* **wer** who, to whom; ◇ **W~ gehört das Buch?** To whom does this book belong? [*o.* Who does this book belong to?]

wen *pron akk von* **wer** who, whom; ◇ **W~ hat sie angerufen?** Whom did she call?

Wende *f* <-, -n> [1] SPORT turn [2] ↑ *Veränderung* turn of events [3] (*zeitlich*) ◇ **Jahrhundert-** turn of the century

Wendeltreppe *f* spiral staircase

wenden <wendete *o.* wandte, gewendet *o.* gewandt> **I.** *vti* → *Braten* turn; → *Auto* turn **II.** *vr* (*jd-n ansprechen um Hilfe*): ◇ **sich an jd-n ~** to turn to s.o.

Wendepunkt *m* [1] ASTRON solstice [2] (*FIG Zeitpunkt*) turning point

Wendung *f* [1] turn; ◇ **eine ~ zum Besseren** a turn for the better [2] (*Rede-*) phrase, figure of speech

wenig I. *adj* little; ◇ **er hat nur ~ Arbeit im Moment** he has little work at the moment **II.** *adv* little; ◇ **er kann nur ~ essen** he can't eat much; **wenige** *pron pl* the few; **wenigste(r, s)** *adj* least; **wenigstens** *adv* at least

wenn *cj* if; (*zeitlich*) when; (*obwohl*) ◇ **~ auch ...** even though ...; (*Wunsch*) ◇ **~ ich doch ...** if only I ...; **wennschon** *adv FAM*: ◇ **Na ~?** So what?;

◇ **W~, dennschon!** A job worth doing is worth doing well!

wer *pron* who

Werbeagentur *f* advertising agency; **Werbefernsehen** *s* commercial television; **Werbekampagne** *f* advertising campaign, publicity campaign

werben <warb, geworben> **I.** *vt* → *Mitarbeiter* recruit; → *Kunden* solicit; → *Mitglied* enlist **II.** *vi* [1] advertise, publicize; ◇ **für jd-n/etw ~** to canvass for s.o./s.th. [2] ◇ **um jd-n/etw ~** to court s.o./s.th.

Werbespot *m* commercial; **Werbeträger** *m* [advertising] medium

Werbung *f* [1] (*Zeitungs-*) advertising; ◇ **in der ~ sein** to work in advertising; ◇ **für etw ~ machen** to promote s.th. [2] (*von Mitgliedern*) enlistment [3] (*von Kunden*) soliciting [4] (*um Mädchen*) courtship; **Werbungskosten** *pl* professional expenses *pl*, business allowance

Werdegang *m* (*Entwicklung*) history, development; ▷*beruflich* career, curriculum vitae

werden <wurde, geworden> **I.** *vi* ↑ *entstehen, sich entwickeln zu* become, get; ◇ **das muß anders ~** that has to change **II.** *Hilfsverb* [1] (*Passivbildung*) ◇ **die Passagiere ~ gebeten, …** the passengers are requested to … [2] (*Futurbildung*) ◇ **morgen ~ wir verreisen** we're leaving tomorrow [3] (*Konjunktivbildung*) ◇ **er würde helfen, wenn …** he would help if … [4] (*bei Wunsch, Ungewißheit*) ◇ **Sie ~ wohl verstehen, daß …** you will certainly understand that …

werfen <warf, geworfen> *vti* [1] → *Ball* throw [2] (BIO *Junge bekommen*) have young, have babies

Werk *s* <-[e]s, -e> work [1] (*Tätigkeit*) action, deed [2] ↑ *Fabrik* factory, works *pl o sg* [3] (*Mechanismus*) mechanism [4] ◇ **ans ~ gehen** to set to work

Werkbank *f* [work-]bench; **Werkstatt** *f* <-, Werkstätten> workshop; **Werkstudent(in** *f*) *m* working student

Werktag *m* working day, weekday; **werktags** *adv* [on] weekdays

Werkzeug *s* tool

Wermut *m* <-[e]s> [1] BIO wormwood [2] (*Wein*) vermouth; **Wermutstropfen** *m FIG* bitter pill

wert *adj* valuable; (*geschätzt*) esteemed; ◇ **das ist es mir ~** it is worth it to me

Wert *m* <-[e]s, -e> [1] ↑ *Preis* value [2] (*Bedeutung*) importance [3] FIN asset [4] ◇ **~ legen auf** *akk* **etw** to attach importance to s.th. [5] ◇ **es hat doch keinen ~** it's not worth it; **Wertgegenstand** *m* object/item of value; **wertlos** *adj* worthless; **Wertpapier** *s* security, bond

Wesen *s* <-s, -> [1] being; (*Lebe-*) life form, living thing [2] ↑ *Natur, Charakter* nature

wesentlich *adj* essential; ↑ *beträchtlich* considerable

weshalb *adv* why

Wespe *f* <-, -n> wasp; **Wespennest** *s* wasp's nest; (*FIG unangenehmes Thema ansprechen*) ◇ **in ein ~ stechen** to stir up a hornets' nest

wessen *pron gen von* **wer** whose; ◇ **W~ Baby ist es?** Whose baby is it?

Weste *f* <-, -n> [1] ↑ *ärmellose Jacke* vest, waistcoat [2] (*FIG unbescholten sein*) ◇ **eine weiße ~ haben** to keep o.'s nose clean

Westen *m* <-s> [1] (*von Land*) west; ◇ **Wind von ~** west wind [2] POL the West; **westlich I.** *adj* western; ▷*Kurs, Richtung* westerly **II.** *adv* westwards; ◇ **~ von Rom** [to the] west of Rome; **westwärts** *adv* [to the] west, westwards

weswegen *adv* why

Wettbewerb *m* <-s, -e> competition

Wette *f* <-, -n> bet, wager

Wetteifer *m* competition, rivalry

wetten *vti* bet; ◇ **um** [*o.* **auf**] **etw ~** *akk* to bet on s.th.

Wetter *s* <-s, -> weather; **Wetterbericht** *m* weather report/forecast; **wetterfühlig** *adj* ▷*Mensch* to be sensitive to weather changes; **Wetterkarte** *f* weather chart; **Wetterlage** *f* weather situation; **Wettervorhersage** *f* weather forecast

Wettfahrt *f* race; **Wettkampf** *m* competition, contest; **Wettlauf** *m* race; **wettlaufen** *unreg vi* race; **wettmachen** *vt* make up for; **Wettrennen** *s* SPORT race

wetzen I. *vt* → *Messer* sharpen, whet **II.** *vi FAM* ↑ *rennen* dash

WG *f* <-, -s> *Abk v. s.* **Wohngemeinschaft** flat-share, communal flat

wich *impf v.* **weichen**

wichtig *adj* important; **Wichtigkeit** *f* importance

wickeln *vt* [1] → *Seil* wind [2] → *Haare* curl, set on rollers [3] → *Kind* change nappies, change diapers *AM*; **Wickeltisch** *m* nursery table, nappie changing table

Widder *m* <-s, -> [1] ZOOL ram [2] ASTROL Aries *sg*

wider *präp akk* ↑ *gegen* against

widerfahren *unreg vi* happen (*jd-m* to s.o.); **widerlegen** *vt* → *Behauptung* contradict; → *Einwand* refute

widerlich *adj* (*Sinneseindruck*) repulsive; *PEJ* ▷*Mensch* repugnant

Widerruf *m* JURA repeal; **widerrufen** *unreg vt*

[1] → *Aussage* retract [2] → *Anordnung* annul; → *Befehl* cancel; **widersetzen** *vr* ◇ **sich** ~ oppose (*jd-m/etw* s.o./s.th.)
widerspenstig *adj* disobedient, recalcitrant
widerspiegeln *vt* reflect, mirror
widersprechen *unreg vi* contradict (*jd-m* s.o.); **widersprechend** *adj* ▷*Aussage* contradictory; ▷*Anordnung* conflicting; **Widerspruch** *m* objection, discrepancy
Widerstand *m* opposition, resistance; **Widerstandsbewegung** *f* resistance movement; **widerstandsfähig** *adj* resistant
widerstehen *vi* → *Versuchung* resist (*jd-m/etw* s.o./s.th.)
widerwärtig *adj* ▷*Arbeit* disgusting, horrid; ▷*Mensch* disagreeable, nasty
widerwillig *adv* with reluctance
widmen I. *vt* dedicate; ◇ **jd-m/etw seine Zeit** ~ to devote o.'s time to s.o./s.th. **II.** *vr* ◇ **sich** ~ devote o.s.; **Widmung** *f* dedication
widrig *adj* ▷*Umstände* adverse
wie I. *adv* [1] (*direkte u. indirekte Frage*) ◇ **W~ bitte?** I beg your pardon?; (*FAM nicht wahr*) ◇ **Lustig, ~?** Great, huh? [2] (*in welchem Maß, sehr*) ◇ **~ schmerzen ihre Füße …** how her feet hurt …; ◇ **W~ schade!** What a shame! **II.** *cj* [1] (*Vergleich; vor Substantiv*) ◇ **hungrig ~ ein Löwe** as hungry as a wolf; (*vor Pronomen*) ◇ **eine Frau ~ diese** a woman like that; (*bei Verb*) ◇ **~ Peter das gemacht hat, so machen wir es auch** we're doing it just the way Peter has done it; (*vor Adjektiv oder Partikel*) ◇ **das Auto glänzt ~ neu** the car is shining like new; *FAM* ↑ *als ob* ◇ **es it ~ wenn** it's as if [2] *FAM* ↑ *als (nur Präsens)* ◇ **~ wir ins Haus kommen, hören wir diesen Lärm** so we come into the house and hear this racket
wieder *adv* ↑ *nochmals, erneut* again; *FAM* ◇ **~ da sein** to be here again; ◇ **Gehst du schon ~ dorthin?** Are you going there again?
wiederaufarbeiten *vt* → *Kernbrennstoffe* reprocess; **Wiederaufarbeitungsanlage** *f* reprocessing plant
Wiederaufbau *m* reconstruction, recovery
wiederbekommen *unreg vt FAM* get s.th. back, retrieve
Wiederbelebungsversuch *m* (*bei Verunglückten*) attempt at resuscitation
wiederbringen *unreg vt* → *Leihsachen* return
Wiedergabe *f* [1] (*von Musik*) interpretation [2] (*von Zitat*) quotation; **wiedergeben** *unreg vt* [1] ↑ *zurückgeben* return [2] → *Erzählung* recite, render [3] → *Gefühle* describe [4] → *Freiheit* restore
wiedergutmachen *vt* make up for; → *Fehler* put right, rectify; **Wiedergutmachung** *f* POL reparation
wiederherstellen *vt* [1] → *Beziehungen* reestablish [2] → *Möbel, Gebäude* restore
wiederholen [1] <holte wieder, hat wiedergeholt> *vt* ↑ *zurückholen* fetch s.th. back
wiederholen [2] <wiederholte, hat wiederholt> *vt* [1] ↑ *nochmals tun* repeat; ◇ **eine Klasse ~** to repeat a year [at school] [2] → *Vokabeln* revise; **Wiederholung** *f* repeat, repitition
wiederkehren *vi* ← *Festtag* be the anniversary; ← *Ereignis* recur
wiedersehen *unreg vt* see s.o/s.th. again; ◇ **Auf W~!** Good-bye!
wiederum *adv* again; (*andererseits*) on the other hand
wiedervereinigen *vt* reunite, reunify
Wiederwahl *f* re-election
Wiege *f* <-, -n> cradle
wiegen [1] **I.** <wog, gewogen> *vt* (*Gewicht prüfen*) → *Obst, Wurst* weigh **II.** *vi* [1] ← *Baby, Sportler* weigh [2] *FIG* ◇ **dieses Argument wiegt schwer** this argument is very important
wiegen [2] *vt* [1] rock; ↑ *schaukeln* ◇ **Kind in den Schlaf ~** to rock a child to sleep [2] *FIG* ◇ **sich in Sicherheit ~** to feel secure
wies *impf v.* **weisen**
Wiese *f* <-, -n> meadow
wieso *adv* why
wieviel *adv* how much; ◇ **Den ~ten haben wir?** What date is it today?; ◇ **Um ~ Uhr?** At what time?
wievielmal *adv* how often, how many times
wievielt(e) *adv:* ◇ **Das ~e Glas hast du gerade getrunken?** How many glasses have you had?; ◇ **Den W~en haben wir heute?** What's the date today?; ◇ **Zu W~ spielt ihr?** How many of you are playing?
wieweit *adv* to what extent
wild *adj* [1] ▷*Tier* wild, savage; ▷*Pflanze* wild [2] ▷*Landschaft* wild; ▷*Meer* tempestuous
Wild *s* <-[e]s> game
wildern *vi* poach
wildfremd *adj FAM* totally strange
Wildleder *s* suede
Wildnis *f* wilderness
Wildpark *m* game preserve
Wille *m* <-ns, -n> [1] (*Drang*) will [2] (*FIG Testament*) ◇ **der Letzte ~** last will and testament
willen *präp gen:* ◇ **um … ~** for the sake of …
willenlos *adj* lacking in will-power; **Willensfreiheit** *f* freedom of will, free will
willkommen *adj* ▷*Anlaß* welcome; ▷*Gast* welcome; ◇ **jd-n ~ heißen** to extend a welcome to s.o.

willkürlich *adj* ① ▷*Entscheidung* arbitrary ② ▷*Bewegung* voluntary

wimmeln *vi* teem, swarm (*von/vor* with)

wimmern *vi* whimper

Wimper *f* <-, -n> eyelash; **Wimperntusche** *f* mascara

Wind *m* <-[e]s, -e> METEO wind; *FIG* ◇ **jd-m den ~ aus den Segeln nehmen** to take the wind out of s.o.'s sails

Windel *f* <-, -n> nappie, diaper *AM*

winden I. <wand, gewunden> *vt* ① ◇ **etwas um jd-n/etw ~** to wind s.th. around s.o./s.th ② → *Kranz* bind ③ (*mit Winde hochziehen*) hoist s.th. up **II.** *vr* ◇ **sich ~** ① ← *Schlange, Pflanze* wind, entwine; ← *Treppe* wind ② ← *Mensch* writhe

Windhose *f* wind spout, tornado

windig *adj* ① METEO windy ② *FIG* unreliable

Windmühle *f* windmill; **Windpocken** *pl* chicken-pox; MED varicella; **Windschutzscheibe** *f* AUTO windscreen, windshield *AM*; **Windstärke** *f* wind force; **Windsurfen** *s* <-> wind surfing

Windung *f* bend, meander, winding

Wink *m* <-[e]s, -e> ① ↑ *Hinweis, Tip* sign, tip ② (*mit Kopf o Hand*) nod ③ *FIG* ◇ **ein ~ mit dem Zaunpfahl** a broad hint

Winkel *m* <-s, -> ① MATH angle ② (*Halterung, Fassung*) angle [iron] ③ (*in Raum*) corner; *FAM* nook, cranny ④ *FIG* (*malerischer ~*) picturesque spot

winken *vt:* ◇ **jd-n zu sich** *dat* **~** to beckon s.o. over

winseln *vi* ← *Hund* whimper; *auch PEJ* cringe

Winter *m* <-s, -> winter; **winterlich** *adj* wint[e-]ry; **Winterreifen** *m* snow tyre; **Winterschlaf** *m* hibernation; **Wintersemester** *s* winter term; **Wintersport** *m* winter sports

winzig *adj* tiny

Wipfel *m* <-s, -> ↑ *Baumkrone* treetop

wippen *vi* ① ← *Sessel* rock up and down [o. to and fro] ② (*mit Fuß*) jiggle

wir *pron* we; ◇ **~ alle** we all, all of us

Wirbel *m* <-s, -> ① (*Form, Bewegung*) whirl ② *FIG* ↑ *Trubel, Aufsehen* fuss ③ MUS roll ④ (*von Saiteninstrument*) tuning peg ⑤ ANAT vertebra ⑥ (*Haar-*) cowlick

wirbeln *vi* ← *Blätter, Staub* whirl, swirl

Wirbelsäule *f* ANAT spinal column, backbone; **Wirbelsturm** *m* whirlwind, cyclone, tornado

wirken I. *vi* ① ↑ *funktionieren* work ② (*erfolgreich sein*) have an effect ③ (*scheinen*) seem **II.** *vt FIG* → *Wunder* do

wirklich *adj* real, true; **Wirklichkeit** *f* reality

wirksam *adj* effective

Wirkung *f* effect; **wirkungsvoll** *adj* effective

wirr *adj* ① ▷*Aussehen* disheveled ② *FIG* ▷*Blick* confused, bewildered

Wirt(**in** *f*) *m* <-[e]s, -e> ① (*von Wirtschaft*) landlord ② BIO host

Wirtschaft *f* ① ↑ *Gaststätte* restaurant, pub ② (*Haushalt*) housekeeping ③ (*eines Landes*) economy ④ (*FAM Durcheinander*) mess; **wirtschaftlich** *adj* ① ▷*Maschine, Auto etc.*. economical ② POL ▷*Lage* economic; **Wirtschaftsflüchtling** *m* economic refugee; **Wirtschaftswunder** *s* economic miracle

Wirtshaus *s* pub[lic] house

wischen *vt* wipe, brush; **Wischer** *m* <-s, -> AUTO wiper

wispern *vti* whisper

wißbegierig *adj* inquisitive, curious

wissen <wußte, gewußt> *vt* know; **Wissen** *s* <-s> knowledge; ◇ **nach bestem ~** to the best of o.'s knowledge

Wissenschaft *f* science; **wissenschaftlich** *adj* scientific, academic

wissenswert *adj* interesting

wissentlich *adj* ↑ *absichtlich* intentional, conscious

Witterung *f* ① (*Wetter*) weather ② (*Geruch*) scent, wind

Witwe(**r**) *m* <-s, -> widow, widower

Witz *m* <-[e]s, -e> ↑ *Scherz* joke; **witzig** *adj* ▷*Bemerkung* witty; **witzlos** *adj* ① ▷*Bemerkung* not funny ② ▷*Unternehmen* pointless

wo *adv* ① (*räumlich*) where; ◇ **irgend~** somewhere, wherever ② (*zeitlich*) when; *FAM* ◇ **im Moment ~ …** the moment that … ③ ◇ **~ möglich** wherever possible ④ *FAM* ◇ **Ach ~!** Not at all!;

woanders *adv* elsewhere

wob *impf v.* **weben**

wobei *adv* ① (*bei welcher Sache*) ◇ **W~ soll ich ihm helfen?** How can I help him? ② (*jedoch*) ◇ **~ man bedenken muß, daß …** however, you have to keep in mind that …

Woche *f* <-, -n> week; **Wochenende** *s* weekend; **wochentags** *adv* on weekdays

wöchentlich *adj* weekly

Wochenzeitung *f* weekly newspaper

wodurch *adv* ① (*durch welche Sache*) ◇ **W~ wurde er verletzt?** What caused his injury? ② (*Ursache*) ◇ **ich weiß nicht, wodurch das verursacht wird** I don't know what causes this

wofür *adv* ① (*relativ*) for which ② (*interrogativ*) what … for; ◇ **W~ braucht er das?** What does he need it for?

wog *impf v.* **wiegen**

Woge *f* <-, -n> wave, breaker; *FIG* ◇ **~ der Entrüstung** wave of indignation

wogen *vi* surge
wogegen *adv* 1 (*relativ*) which ... against 2 (*interrogativ*) what ... against
woher *adv* from where; (*FAM keinesfalls*) ◇ Ach, -! Of course not!
wohin *adv* where, where ... to
wohingegen *cj* whereas, while
wohl *adv* well; ↑ *behaglich* happy; ↑ *vermutlich* probably; ◇ **er weiß das** - he probably knows that; ◇ - **oder übel** like it or lump it
Wohl *s* <-[e]s> well-being; ◇ **Zum** -! Cheers!
wohlauf *adv* well
Wohlbehagen *s* sense of ease
wohlbehalten *adv* safe and sound
wohlerzogen *adj* ▷*Kind* well-mannered; ▷*Hund* well-trained
wohlhabend *adj* ▷*Leute* well-off
wohlig *adj* pleasant
Wohlstand *m* prosperity, affluence; **Wohlstandsgesellschaft** *f* affluent society
Wohltat *f* charitable deed
wohltuend *adj* ▷*Wirkung* pleasant, soothing
Wohlwollen *s* <-s> goodwill
Wohnblock *m* apartment block, block of flats *BRIT*
wohnen *vi* live, dwell; **Wohngemeinschaft** *f* flat-sharing community; **wohnhaft** *adv* resident; **Wohnlage** *f* residential area; **Wohnmobil** *s* <-s, -e> mobile home; **Wohnort** *m* place of residence, domicile
Wohnung *f* 1 ↑ *Behausung* home, housing 2 (*Etagen-*) apartment, flat *AM*; **Wohnungsnot** *f* housing shortage
Wohnwagen *m* caravan; **Wohnzimmer** *s* living room, sitting room
wölben *vr* ◇ **sich** - 1 ← *Bauch* bulge out 2 ← *Brücke* arch
Wolf *m* <-[e]s, Wölfe> 1 ZOOL wolf 2 (*Reiß-*) shredding machine, shredder; (*Fleisch-*) mincer
Wölfin *f* she-wolf
Wolke *f* <-, -n> cloud; **Wolkenbruch** *m* cloudburst; **Wolkenkratzer** *m* skyscraper
Wolle *f* <-, -n> wool; ◇ **sich in die** - **geraten** ↑ *sich steiten* to quarrel
wollen *vti* 1 (*bei Absicht, bei Wunsch*) want 2 (*bei Behauptung*) ◇ **sie wollen dich gesehen haben** they claim to have seen you
Wolljacke *f* woollen jacket, cardigan
womit *adv* 1 (*relativ*) with which; ◇ **etw,** - **er rechnen muß** s.th. he must consider 2 (*interrogativ*) what ... with; ◇ **W- kann sie schreiben?** What can she write with?
womöglich *adv* if possible, possibly
wonach *adv* 1 (*relativ*) ◇ **etw,** - **er sich richten soll** s.th. he should take as a guideline 2 (*interrogativ*) ◇ **W- sucht er?** What is he looking for?
Wonne *f* <-, -n> bliss
woran *adv* 1 (*relativ*) ◇ **..., woran zu merken ist** ..., whereby one notices 2 (*interrogativ*) ◇ **W- denkst du?** What are you thinking of?
worauf *adv* 1 (*relativ*) ◇ **die Mauer,** - **er stand** the wall on which he stood 2 (*interrogativ*) ◇ **W- wartet er?** What is he waiting for?; **woraufhin** *adj* whereupon
woraus *adv* 1 (*relativ*) ◇ **etw,** - **wir lernen können** s.th. from which we can learn 2 (*interrogativ*) ◇ **W- schließt du das?** What makes you think that?; ◇ **W- besteht das?** What is it made of?
worin *adv* 1 (*relativ*) in which, where 2 (*interrogativ*) where
Wort *s* <-[e]s, Wörter *o.* -e> 1 SPRACHW word 2 (*Ausdruck*) expression, term 3 (*Versprechen*) word; ◇ **jd-n beim** - **nehmen** to take s.o. at his word
Wörterbuch *s* dictionary
wortkarg *adj* taciturn
wörtlich *adj* literal
wortlos *adv* without a word; **wortreich** *adj* rich [in words]; **Wortschatz** *m* vocabulary; **Wortwechsel** *m* argument, dispute
worüber *adv* 1 (*relativ*) about which; ◇ **etw,** - **ich mit ihm sprechen muß** s.th. that I have to speak to him about 2 (*interrogativ*) what ... about; ◇ **W- hat er gesprochen?** What did he talk about?
worum *adv* 1 (*relativ*) which ... about; ◇ **etw,** - **er sich sorgt** s.th. that he is worried about 2 (*interrogativ*) what ... about; ◇ **W- geht es in dem Film?** What is the film about?
worunter *adv* 1 (*relativ*) ◇ **etw,** - **sie litt** s.th. that made her suffer 2 (*interrogativ*) ◇ **W- haben die Kinder es versteckt?** Where have the children hidden it?
wovon *adv* 1 (*relativ*) ◇ **etw,** - **er nichts versteht** s.th. he knows nothing about 2 (*interrogativ*) ◇ **W- lebst du?** What do you live on?
wovor *adv* 1 (*relativ*) ◇ **etw,** - **er Angst hat** s.th. he is afraid of 2 (*interrogativ*) ◇ **W- fürchtet er sich?** What is he afraid of?
wozu *adv* 1 (*relativ*) ◇ **etw,** - **er nichts kann** s.th. he cannot help 2 (*interrogativ*) ◇ **W- das Ganze?** What is the point of it all?
Wrack *s* <-[e]s, -s> (*Schiffs-*) wreck[age]; (*FIG Mensch*) wreck
wringen <wrang, gewrungen> *vt* → *Wäsche* wring
Wucher *m* <-s> extortion; (*Zins-*) usury

wuchern *vi* 1 ← *Pflanzen* run wild 2 (*mit Geld*) practise usury, profiteer
wuchs *impf v.* **wachsen**
Wuchs *m* <-es> growth; (*Statur*) build, stature
wuchtig *adj* ▷*Schrank* weighty; ▷*Gebäude* massive
wühlen *vi* 1 ↑ *graben, aufreißen* burrow, rummage; ← *Maulwurf* burrow; ← *Schwein* root 2 *FIG* ← *Schmerz, Hunger* gnaw 3 *FAM* ↑ *arbeiten* slave
wund *adj* 1 ▷*Haut* sore 2 *FIG* ▷*Punkt* weak; **Wunde** *f* <-, -n> wound
Wunder *s* <-s, -> miracle, wonder; ◇ **Es ist kein ~!** No wonder!; **wunderbar** *adj* wonderful, marvel[l]ous; **wunderlich** *adj* strange, odd
wundern I. *vr* ◇ **sich ~** be surprised (*über akk* at), wonder (*über akk* at) **II.** *vt:* ◇ **es sollte mich ~, wenn …** I wouldn't be surprised if …
wunderschön *adj* lovely, beautiful; **wundervoll** *adj* absolutely wonderful
Wundstarrkrampf *m* lockjaw; MED tetanus
Wunsch *m* <-[e]s, Wünsche> wish
wünschen *vt* wish; ◇ **sich** *dat* **etw ~** to wish for s.th.; **wünschenswert** *adj* desirable
wurde *impf v.* **werden**
Würde *f* <-> 1 (*Menschen-*) dignity 2 rank, position; ◇ **Doktor~** doctorate; **würdevoll** *adj* dignified
würdigen *vt* appreciate
Wurf *m* <-s, Würfe> 1 (*Ball-, Speer-*) throw[ing] 2 (*Tierkinder*) litter
Würfel *m* <-s, -> (*beim Spiel*) die, dice; MATH cube; **würfeln I.** *vi* [play at] dice **II.** *vt* 1 (*eine Sechs*) throw 2 → *Fleisch, Gemüse* cut in cubes
würgen I. *vt* → *jd-n* choke, throttle **II.** *vi* 1 (*beim Essen*) gag, choke 2 *FIG* ◇ **an der Arbeit ~** to sweat over o.'s work
Wurm *m* <-[e]s, Würmer> worm; *FAM* ◇ **da ist der ~ drin** there is s.th. wrong with it
Wurst *f* <-, Würste> 1 (*Mett-*) sausage, cold meats *pl* 2 *FAM* ◇ **das ist mir ~** I don't give a damn
Würstchen *s* <-s, -> 1 (*Wiener-*) sausage; (*heißes ~*) hot dog 2 (*FAM unbedeutender Mensch*) small fry
Würze *f* <-, -n> spice
Wurzel *f* <-, -n> 1 BIO root 2 (*MATH*) root 3 (*FIG Ursache*) root; ◇ **die ~ allen Übels** the root of all the trouble
würzen *vt* → *Speisen* season, spice; *FIG* → *Rede, Ansprache* pepper; **würzig** *adj* spicy
wusch *impf v.* **waschen**
wußte *impf v.* **wissen**
wüst *adj* 1 ↑ *unordentlich* wild 2 (*ausschweifend*) dissolute, wild 3 (*öde*) desolate
Wüste *f* <-, -n> desert
Wut *f* <-> 1 ↑ *Zorn* rage, fury 2 (*Arbeits-, Putz-*) mania
wüten *vi* ← *Mensch* rage; ← *Sturm* rage
wütend *adj* furious, enraged

X

X, x *s* X, x; ◇ **der x-te Versuch** the umpteenth try; ◇ **zum x-ten Mal** for the umpteenth time
x-Achse *f* MATH x-axis
X-Beine *pl* bow/bandy legs
x-beliebig *adj* ↑ *irgendein(e, r)* any [old]
X-Chromosom *s* <-s, -e> BIO x-chromosome
xerokopieren *vt* Xerox
x-mal *adv* umpteen times
Xylophon *s* <-s, -e> MUS xylophone

Y

Y, y *s* (*Buchstabe*) Y, y
y-Achse *f* MATH y-achse
Yacht *f* <-, -en> yacht
Yard *s* <-s, -s> yard
Y-Chromosom *s* <-s, -e> BIO y-chromosome
Yoga *s* <-, -en> yoga
Yoghurt *m o s* <-s, -s> *s.* **Joghurt** yoghurt
Ypsilon *s* <-[s], -s> y
Yuppie *m* <-s, -s> **young urban professional** [people] yuppie

Z

Z, z *s* Z, z
Zacke *f* <-, -n> 1 (*Berg-*) peak 2 (*Gabel-*) prong
zaghaft *adj* shy, timid
zäh *adj* 1 ▷*Leder* tough; ▷*Person* tenacious 2 ▷*Flüssigkeit, Teig* viscous 3 *FIG* ↑ *schleppend* sluggish; **zähfließend** *adj* ▷*Verkehr* slowmoving
Zahl *f* <-, -en> 1 number 2 (*Anzahl*) number, quantity 3 (*Summe*) amount

zahlbar *adj* payable; ↑*fällig* due; **zahlen** *vti* pay; ◇ **Z- bitte!** The bill, please!

zählen I. *vt* ① → *Geld* count ② (*addieren*) count, reckon up **II.** *vi* ① (*bis 20*) count ② (*sich verlassen auf*) ◇ **auf jd-n/etw -** to count on s.o./s.th.

Zähler *m* <-s, -> (TECHNOL *Gas-, Wasser-*) meter; MATH numerator

zahllos *adj* innumerable; **zahlreich** *adj* numerous; **Zahltag** *m* pay-day

Zahlung *f* payment; (*von Schulden*) settlement; ◇ **etw in - nehmen** to accept s.th. in lieu of payment, to accept s.th. instead of cash

Zählung *f* census

Zahlungsanweisung *f* order for payment; **Zahlungsaufforderung** *f* demand for payment; **Zahlungsbedingungen** *pl* conditions of payment; **zahlungsfähig** *adj* ▷*Kunde* able to pay; **Zahlungsmittel** *s* mode of payment

zahm *adj* ▷*Tier* tame; **zähmen** *vt* ① → *Bär* tame ② *FIG* → *Wut* contain

Zahn *m* <-[e]s, Zähne> ① ANAT, TECHNOL tooth ② *FIG* ◇ **sich** *dat* **an etw die Zähne ausbeißen** to find s.th. a hard nut to crack; **Zahnarzt** *m*, **Zahnärztin** *f* dentist; **Zahnbürste** *f* toothbrush; **zahnen** *vi* ← *Baby* teethe, cut o.'s teeth; **Zahnfleisch** *s* ① ANAT gums *pl* ② *FAM* ◇ **auf dem - gehen** to be on o.'s last legs; **Zahnpasta** *f* toothpaste; **Zahnrad** *s* cogwheel; **Zahnschmerzen** *pl* toothache; **Zahnstein** *m* tartar; **Zahnstocher** *m* <-s, -> toothpick

Zange *f* <-, -n> ① (*Werkzeug*) pliers *pl* ② (*Zukker-, Kohlen-*) tongs *pl* ③ (MED *Geburts-*) forceps *pl* ④ (*Kneif-*) pincers *pl* ⑤ *FAM* ◇ **jd-n in die - nehmen** to put the squeeze on s.o.

Zank *m* quarrel; **zanken I.** *vi* ↑ *streiten* quarrel (*mit jd-m* with s.o.) **II.** *vr* ◇ **sich -** squabble; ◇ **sich mit jd-m um etw** *akk* **-** to quarrel with s.o. over s.th.

Zäpfchen *s* ① ANAT uvula ② (*Fieber-, Vaginal-*) suppository

zapfen *vt* → *Bier, Wein* tap

Zapfen *m* <-s, -> ① (*Tannen-*) cone ② (*Stift*) pin, stud ③ (*von Faß*) bung, tap ④ TECHNOL pivot, journal ⑤ (*Eis-*) icicle

Zapfsäule *f* AUTO petrol pump, gas pump *AM*

zappelig *adj* fidgety; ↑ *unruhig* restless; **zappeln** *vi* ① ← *Kind* fidget ② (*FIG im Unklaren lassen*) ◇ **jd-n - lassen** to keep s.o. on tenterhooks

zart *adj* ① ▷*Gesundheit* delicate; ↑ *zerbrechlich* frail ② ▷*Fleisch* tender; ▷*Duft, Berührung* gentle; ▷*Farben* soft, pale ③ *FIG* ▷*Andeutung* subtle; **zartfühlend** *adj* tactful, considerate; **Zartgefühl** *s* tact, consideration; **Zartheit** *f* ① (*von Fleisch*) tenderness ② (*von Gewebe*) delicateness ③ (*von Gemüt*) gentleness

zärtlich *adj* gentle, delicate; **Zärtlichkeit** *f* ① (*Gefühl*) tenderness ② (*Streicheln*) caress

Zauber *m* <-s, -> ① (*von Magier, Hexe*) magic, witchcraft ② (*Bann*) spell ③ ↑ *Ausstrahlung, Reiz* (*von Person*) presence, sparkle; **Zauberei** *f* magic, witchcraft; **Zauberer** *m* <-s, -> ① (*in Zirkus*) magician ② (*Hexenmeister*) wizard; **Zauberin** *f* ① female magician ② (*Hexe*) witch; **zaubern I.** *vi* practise magic **II.** *vt* ↑ *herbei-* conjure up

zaudern *vi* hesitate

Zaum *m* <-[e]s, Zäume> (*-zeug*) harness; (*FIG sich beherrschen*) ◇ **etw/sich im - halten** to contain s.th./o.s., to keep s.th./o.s. in check

Zaun *m* <-[e]s, Zäune> fence; **Zaunkönig** *m* wren; **Zaunpfahl** *m* fence post; ◇ **ein Wink mit dem -** a broad hint

z.B. *Abk v.* **zum Beispiel** e.g., for example

Zebra *s* <-s, -s> zebra; **Zebrastreifen** *m* zebra crossing

Zeche [1] *f* <-, -n> MIN coal mine, colliery

Zeche [2] *f* <-, -n> ↑ *Rechnung* bill; *FAM* damage

Zecke *f* <-, -n> tick

Zehe *f* <-, -n> ① ANAT toe; (*FIG unbeabsichtigt kränken*) ◇ **jd-m auf die -n treten** to tread on s.o.'s toes ② (*Knoblauch-*) clove; **Zehenspitze** *f* tip of the toe; ◇ **auf -n laufen** to walk on tiptoe

zehn *nr* ten; **zehnfach I.** *adj* tenfold **II.** *adv* tenfold, ten times; **zehnjährig** *adj* ① (*10 Jahre alt*) ten-year-old ② (*10 Jahre dauernd*) ten-year; **zehnmal** *adv* ten times

zehnte(r, s) *adj* tenth; **Zehnte(r)** *fm* tenth

Zehntel *s* <-s, -> (*Bruchteil*) tenth

Zeichen *s* <-s, -> ① ↑ *Merkmal* mark ② (*Waren-*) brand, trademark ③ ↑ *Anzeichen* indication, evidence ④ ↑ *Signal* sign, signal ⑤ (*Buchstabe*) character, symbol ⑥ (*Stern-*) sign, symbol; **Zeichentrickfilm** *m* [animated] cartoon film

zeichnen *vti* ① (*auf Papier*) draw; ↑ *entwerfen* design ② ↑ *darstellen* depict; (*schildern*) describe ③ (*unterschreiben*) sign, subscribe; **Zeichnung** *f* ① (*mit Stift*) drawing; (*Muster*) design ② (*Entwurf*) draft, outline ③ (*Illustrierung*) illustration; (*Skizze*) sketch ④ (*Unterschrift*) signature ⑤ COMM subscription

Zeigefinger *m* index finger; **zeigen I.** *vt* ① → *Brief* show ② (*in Ausstellung*) exhibit ③ *FIG* → *Angst* manifest, show; ◇ **viel Verständnis -** to be very understanding ④ ← *Thermometer* indicate **II.** *vi* ↑ *deuten* point; ◇ **mit dem Finger auf jd-n**

~ to point o.'s finger at s.o. **II.** *vr* ◇ **sich ~** ① (*sich sehen lassen*) appear, show o.s. ② (*sich erweisen*) ◇ **es wird sich ~** we'll see; ◇ **es zeigte sich, daß …** it turned out that …

Zeiger *m* <-s, -> (*auf Skala*) indicator; (*Uhr~*) hand

Zeile *f* <-, -n> ① (*Text~*) line; *FIG* ◇ **zwischen den ~n lesen** to read between the lines ② (*Häuser~*) row

zeit *präp gen:* ◇ **~ meines Lebens** all my life

Zeit *f* <-, -en> ① time; ◇ **sich** *dat* **~ lassen** to take o.'s time; ◇ **von ~ zu ~** from time to time ② (*Ära*) age; (*geschichtliche Epoche*) period ③ GRAM tense; **Zeitalter** *s* age, era; **zeitgemäß** *adj* (*modern*) up-to-date; **Zeitgeschichte** *f* contemporary history; **zeitgleich** *adj* synchronous; **zeitig** *adj* early; **zeitlich** *adj* ① (*Reihenfolge*) chronological ② (*irdisch*) temporal; **zeitlos** *adj* timeless; **Zeitlupe** *f* FOTO slow motion; **Zeitpunkt** *m* [point in] time, juncture; **Zeitraffer** *m* <-s, -> timelapse photography; **zeitraubend** *adj* time-consuming; **Zeitraum** *m* period, stretch

Zeitschrift *f* magazine; (*Fach~*) journal

Zeitung *f* newspaper; **Zeitungspapier** *s* ① (*für Druck*) newsprint ② (*zum Einwickeln*) newspaper; **Zeitungsreklame** *f* newspaper advertising

Zeitverschwendung *f* waste of time; **Zeitvertreib** *m* pastime; **zeitweilig** *adj* provisional; **zeitweise** *adv* occasionally; **Zeitzone** *f* time zone; **Zeitzünder** *m* time bomb

zelebrieren *vt* → *Messe, Gottesdienst* celebrate

Zelle *f* <-, -n> ① BIO cell ② TELEC call box, phone booth ③ (*Gefängnis~*) cell; **Zellkern** *m* BIO cell nucleus; **Zellstoff** *m* CHEM cellulose; **Zellteilung** *f* BIO cell division

Zelt *s* <-[e]s, -e> ① (*Camping~*) tent ② (*Zirkus~*) big top ③ (*Himmels~*) canopy of heaven; **zelten** *vi* camp; **Zeltgestänge** *f* tent pole; **Zeltlager** *s* tent camp; **Zeltplatz** *m* camping site

Zement *m* <-[e]s, -e> cement; **zementieren** *vt* ① → *Mauer* cement ② (*FIG endgültig machen*) seal

Zenit *m* <-s, -e> zenith; *FIG* ↑ *Höhepunkt* peak, height

zensieren *vt* ① → *Briefe* censor ② → *Schularbeit* mark; **Zensur** *f* ① (*Presse~*) censorship ② ↑ *Note* mark

Zentimeter *m o s* centimetre, centimeter

Zentner *m* <-s, -> [metric] hundredweight

zentral *adj* ① ▷*Lage* central ② ▷*Entscheidung* crucial; **Zentrale** *f* <-, -n> ① (*von Bank*) head office ② TELEC exchange; **Zentralheizung** *f* central heating; **zentralisieren** *vt* centralize; **Zentralverriegelung** *f* AUTO central locking

zentrieren *vt* PRINT centre

Zentrifugalkraft *f* centrifugal force

Zentrum *s* <-s, Zentren> centre

Zepter *s* <-s, -> sceptre; (*FAM bestimmen, befehlen*) ◇ **das ~ schwingen** to be the boss

zerbeißen *unreg vt* → *Bonbon* crunch; → *Bleistift* bite to pieces

zerbrechen *unreg vti* ① → *Teller* break to pieces, shatter ② → *Ast* break ③ (*FIG angestrengt nachdenken*) ◇ **sich den Kopf ~** to rack o.'s brains; **zerbrechlich** *adj* fragile; ◇ **Z-!** Handle with care!

zerdrücken *vt* ① crush; → *Kartoffeln* mash ② → *Kleidung* crease

Zeremonie *f* ceremony

Zerfall *m* ① (*von Reich*) decline ② (*von Moral*) decay; **zerfallen** *unreg vi* ① ← *Gebäude* decay; ↑ *zusammenfallen* collapse ② ↑ *auflösen* disintegrate; ← *Atom* split

zerfetzen *vt* tear to pieces

zerfließen *unreg vi* ① ← *Eis* melt ② ← *Farbe* run ③ *FIG* ◇ **in Tränen ~** to dissolve into tears

zerfressen *unreg vi* ① ↑ *zernagen* gnaw to pieces ② ← *Rost* corrode ③ ← *Motten* eat holes in

zergehen *unreg vi* ↑ *schmelzen* melt

zerkleinern *vt* → *Gemüse* cut up; → *Steine* break up

zerknittern *vt* → *Kleidung* crumple, crease

zerlegbar *adj* ① MATH divisible ② ▷*Maschine* able to be dismantled ③ (*abtrennbar*) detachable; **zerlegen** *vt* ① → *Fleisch* carve up ② → *Gerät, Maschine* dismantle, disassemble ③ → *Satz* construe

zerlumpt *adj* ragged

zermalmen *vt* crush

zermürben *vt* ① → *Feind* demoralize ② → *Nerven* fray

zerquetschen *vt* crush, squash

zerraufen *vt* → *Haare* ruffle

Zerrbild *s* caricature

zerreden *vt* → *Problem* flog to death

zerreiben *unreg vt* grind, crush; → *Käse* grate

zerreißen *unreg* **I.** *vt* ① → *Papier* tear [up] ② → *Hose* rip ③ *FIG* → *Bindungen* break off, sever ④ ◇ **jd-m das Herz ~** to break [*o.* rend] s.o.'s heart; *FAM* ◇ **sich das Maul ~** to gossip like mad **II.** *vi:* ◇ **der Rock zerriß mir** I tore my skirt

zerren I. *vi* ← *Hund* tug (*an dat* at) **II.** *vt* → *Sack* drag

zerrinnen *unreg vi* ① ← *Eis* melt away ② ← *Geld* dwindle away ③ ← *Zeit* fly

Zerrissenheit *f* ① ragged condition ② POL discord ③ (*innere ~*) inner conflict

Zerrung *f* MED strain

zerrütten *vt* ① → *Ehe* wreck ② → *Währung* dislocate; **zerrüttet** *adj* ① ▷*Nerven* shattered ② ▷*Verstand* deranged

zerschlagen *unreg* **I.** *vt* smash to pieces, beat **II.** *vr* ◇ **sich ~** ← *Plan, Vorhaben, Hoffnung* come to nothing

zerschmettern *vt* → *Bein* shatter; → *Haus, Auto* smash

zerschneiden *unreg vt* cut [up]

zersetzen I. *vt* ① CHEM corrode ② *FIG* → *Moral, Ordnung* poison, undermine **II.** *vr* ◇ **sich ~** decompose; *FIG* dissolve

zersplittern *vi* ① ← *Glas* shatter, splinter ② *FIG* ← *Partei* splinter

zerspringen *vi* ① ← *Ketten* burst; ← *Gitarrensaite* snap ② ← *Spiegel* shatter

Zerstäuber *m* <-s, -> atomizer

zerstechen *unreg vti* ① → *Autoreifen* slash ② ← *Mücken* bite all over the place

zerstören *vt* destroy; **Zerstörung** *f* destruction

zerstoßen *unreg vt* crush with a pestle

zerstreiten *unreg vr* ◇ **sich ~** fall out (*mit* with s.o)

zerstreuen I. *vt* ① → *Samen* scatter ② → *Zweifel* dispel **II.** *vr* ◇ **sich ~** (*unterhalten*) relax; **zerstreut** *adj* ① ▷*Papiere* scattered ② ▷*Mensch* absent-minded

zerstückeln *vt* → *Fleisch, Obst* cut up into pieces

Zertifikat *s* <-[e]s, -e> (*für Schmuck, Teppiche*) authenticating certificate; (*amtliche Bescheinigung*) official documentation [*o.* licence]

zertreten *unreg vt* → *Gras, Laus* crush

zertrümmern *vt* → *Flaschen* smash; → *Gebäude* wreck

zerwühlen *vt* → *Bett, Laken* churn up

Zettel *m* <-s, -> ① slip of paper; (*Notiz~*) note ② (*Adressenanhänger*) label

Zeug *s* <-[e]s, -e> ① (*Kleidung, Sachen*) stuff, things ② (*Tennis~, Computer~*) gear ③ (*Plunder*) trash, junk ④ ◇ **dummes ~** rubbish talk ⑤ (*Fähigkeit haben*) ◇ **das ~ haben für/zu etw** to have the right stuff, to have what it takes

Zeuge *m* <-n, -n> (*vor Gericht*) witness; **zeugen I.** *vi* ① (*für jd-n*) give evidence ② (*Rückschlüsse zulassen*) be evidence of, infer, lead to conclusion; ◇ **dies Verhalten zeugt von ...** this behaviour demonstrates ... **II.** *vt* → *Kind* father; **Zeugenaussage** *f* deposition, witness statement; **Zeugin** *f* [female] witness

Zeugnis *s* ① SCHULE report ② (*Prüfungs~*) certificate, diploma ③ (*Referenz*) reference, testimonial ④ (JURA *von Zeugen*) testimony

Zeugung *f* reproduction; **zeugungsunfähig** *adj* sterile

z.H. *Abk v.* **zu Händen von** attn., for the attention of

Zickzack *m* <-[e]s, -e> (*~kurs, ~linie*) zigzag

Ziege *f* <-, -n> goat

Ziegel *m* <-s, -> ① brick ② (*Dach~*) roofing tile

ziehen <zog, gezogen> **I.** *vt* ① → *Schlitten, Bremse* pull; → *Los, Pistole, Karte* draw ② → *Mauer* build ③ → *Blumen, Früchte* grow, cultivate ④ ◇ **Konsequenzen ~ aus etw** *dat* to take appropriate action; ◇ **etw** *akk* **in Erwägung ~** to consider doing s.th. ⑤ ◇ **Bilanz ~** to take stock **II.** *vi* ① (*Wohnsitz wechseln*) ◇ **in die Stadt ~** to move into town ② ← *Wolken, Rauch* drift ③ ← *Tee* draw ④ (*unpers*) ◇ **es zieht** there's a draught **III.** *vr* ◇ **sich ~** ① ↑ *sich erstrecken* stretch ② (*FIG länger dauern als erwartet*) ← *Verhandlung, Film* drag on

Ziehung *f* (*Los~*) draw

Ziel *s* <-[e]s, -e> ① (*einer Reise*) destination ② (SPORT *bei Rennen*) finish; (*bei Bogenschießen*) target ③ ↑ *Absicht* goal, object ④ (COMM *Zahlungsfrist*) credit; ◇ **mit kurzem ~** on a short-term basis; **zielbewußt** *adj* purposeful; **zielen** *vi* ① (*mit Gewehr*) aim (*auf akk* at) ② ← *Bemerkung* be directed (*auf akk* at); ◇ **Worauf zielte sie?** What was she getting at?; **Ziellinie** *f* SPORT finishing line; **ziellos** *adj* desultory, aimless; **Zielscheibe** *f* MIL target; **zielstrebig** *adj* single-minded

ziemlich I. *adj FAM* considerable; ◇ **eine ~e Frechheit** a helluva cheek **II.** *adv* quite; ◇ **~ früh** pretty early

Zierde *f* <-, -n> decoration; **zieren** *vr* ◇ **sich ~** ↑ *sich sträuben* refuse

zierlich *adj* delicate

Ziffer *f* <-, -n> figure, numeral; (*Schriftzeichen*) cipher; **Zifferblatt** *s* face

zig *adj FAM*: ◇ **~mal** umpteen times

Zigarette *f* cigarette; **Zigarettenautomat** *m* cigarette machine; **Zigarettenstummel** *m* cigarette-end; *FAM* fag end, butt

Zigarre *f* <-, -n> cigar

Zigeuner(in *f*) *m* <-s, -> gipsy; (*FAM unordentlicher Mensch*) bit of a gipsy, drifter

Zimmer *s* <-s, -> room; **Zimmerdecke** *f* ceiling; **Zimmermädchen** *s* chambermaid; **Zimmerpflanze** *f* house plant; **Zimmertemperatur** *f* room temperature

zimperlich *adj* squeamish; ↑ *pingelig* fussy

Zimt *m* <-[e]s, -e> cinnamon

Zink *s* <-[e]s> zinc

zinken *vt* → *Karten* mark

Zinn *s* <-[e]s> (*Metall*) tin

Zinne *f* <-,-n> (*Burg-*) castellation

Zins *m* <-es, -en> interest; **Zinseszins** *m* compound interest; **zinslos** *adj* ▷*Darlehen* interest-free

Zipfel *m* <-s, -> ① (*von Taschentuch*) corner, edge; (*Rock-*) flap, lappet ② (*Ohr-*) lobe; *FAM* ↑ *Penis* willy; **zipfelig** *adj* ▷*Rocksaum* ragged; **Zipfelmütze** *f* night-cap

zirka *adv* approximately

Zirkel *m* <-s, -> ① (*Kreis*) circle ② (*Instrument*) [a pair of] compasses *pl* ③ (*Lese-*) circle

Zirkulation *f* circulation; **zirkulieren** *vi* ← *Grippe* go round; ← *Geld* circulate

Zirkus *m* <-, -se> ① (*Unternehmen*) circus ② (*Zelt*) big top ③ (*Vorstellung*) circus [performance] ④ (*FAM Umstände, Aufhebens*) ◇ **~ machen** to make a circus

zirpen *vi* chirp

zischeln *vi* speak in an undertone

zischen *vi* ① ← *Schlange* hiss ② ← *heißes Fett* sizzle

Zitadelle *f* citadel

Zitat *s* quotation

Zither *f* <-, -n> zither

zitieren *vt* ① → *Text* quote ②

Zitrone *f* <-, -n> lemon; **Zitronenlimonade** *f* lemonade; **Zitronenpresse** *f* lemon-squeezer; **Zitronensaft** *m* lemon juice

Zitrusfrucht *f* citrus fruit

zitterig *adj* ▷*Knie, Hand* trembling; ▷*Schrift* shaky; **zittern** *vi* ← *Blätter, Wände* shake; (*vor Kälte, Schreck*) shiver (*vor dat* with)

zivil *adj* ① ▷*Recht* civil ② *FAM* ▷*Preis* reasonable; **Zivil** *s* <-s> (*-kleidung*) plain clothes *pl;* **Zivilbevölkerung** *f* civilian population; **Zivildienst** *m community work [as an alternative to military service]*

Zivilisation *f* civilisation; **zivilisieren** *vt* civilize; **zivilisiert** *adj* ▷*Benehmen, Auftreten* civilized

Zivilprozeß *m* civil action; **Zivilrecht** *s* civil law

zocken *vi FAM* ↑ *Karten spielen* gamble; **Zokker(in** *f*) *m* <-s, -> *FAM* gambler

Zoff *m* <-s> *FAM* ↑ *Ärger, Streit* trouble

zog *impf v.* **ziehen**

zögerlich *adj* slow; **zögern** *vi* linger; ↑ *schwanken* hesitate

Zölibat *s o m* <-[e]s, nopl> celibacy

Zoll [1] *m* <-[e]s, Zölle> ① (*-amt*) customs *pl* ② (*Steuer*) duty

Zoll [2] *m* <-s, -> (*früheres Längenmaß*) inch

Zollabfertigung *f* customs clearance; **Zollamt** *s* Customs; **Zollbeamte(r)** *fm* customs Officer; **Zollerklärung** *f* customs declaration; **zollfrei** *adj* duty-free; **zollpflichtig** *adj* liable to duty

Zone *f* <-, -n> zone

Zoo *m* <-s, -s> zoo

Zoologie *f* zoology

Zopf *m* <-[e]s, Zöpfe> ① (*Haar-*) plait, pigtail ② (*Hefe-*) twist ③ (*FIG keine Neuigkeit*) ◇ **das ist ein alter ~** that is an old hat

Zorn *m* <-[e]s> anger; ◇ **~ auf jd-n/etw haben** to be angry with s.o./s.th.; **zornig** *adj* angry

zottig *adj* ▷*Fell, Haar* matted

zu I. *präp dat* ① (*bei Orts- u. Zeitangabe*) at; ◇ **~ Omas Zeit** in Granny's time; ◇ **er ist ~ Tisch** he is having lunch; ◇ **von Tag ~ Tag** from day to day ② (*Zweck, Anlaß, Folge*) to; ◇ **~ meiner Freude** to my joy; ◇ **~ seinen Gunsten** to his advantage ③ (*Mittel, Art und Weise*) to, by; ◇ **~ Fuß gehen** to go on foot ④ (*Zahlen- u. Verhältnisangaben*) to; ◇ **fünf ~ drei gewinnen** to win five-three ⑤ (*hinzufügen*) to; ◇ **~ allem anderen** in addition to all that **II.** *cj* ① (*~ u. Vollverb im Infinitiv*) to; ◇ **leicht ~ verstehen** easy to understand; ◇ **ohne ~ antworten, verließ sie den Raum** she left the room without answering ② (*~ + sein*) ◇ **es ist kaum ~ glauben** it's hard to believe; (*~ + haben*) ↑ *müssen* ◇ **er hat ~ arbeiten** he is supposed to work ③ (*um ~*) in order to; ◇ **er kam, um ~ beichten** he came to confess ④ (*~ vor Partizip Präsens*) to; ◇ **die ~ putzenden Schuhe** the shoes to be cleaned **III.** *adv* ① (*Übermaß*) too; ◇ **~ schnell u. ~ teuer** too fast and too expensive ② (*FAM geschlossen*) ◇ **Tür ~!** Shut the door! ③ (*FAM beeil' dich*) ◇ **mach ~!** hurry up! ④ (*manchmal*) ◇ **ab u. ~** now and again/then

zuallererst *adv* first of all

zuallerletzt *adv* last of all

zubauen *vt* ① → *Baulücke* block up ② (*anbauen*) extend

Zubehör *s* <-[e]s> accessories *pl*

zubeißen *unreg vi* ▷*fest, kräftig* bite hard

zubereiten *vt* → *Essen* prepare

zubilligen *vt* permit; (*einräumen*) ◇ **jd-m etw** *akk* **~** to grant s.o. s.th.

zubinden *unreg vt* tie s.th. up

zubleiben *unreg vi FAM* stay shut

zubringen *unreg vt* → *Ferien, Freizeit* spend

Zubringer *m* <-s, -> ① TECHNOL feed, conveyor ② (*Autobahn-*) motorway feeder; **Zubringerstraße** *f* feeder road

Zucchini *pl* courgettes *pl*

Zucht [1] *f* <-, -en> (*von Pflanzen*) cultivation; (*von Tiere*) breeding

Zucht [2] *f* <-> (*Erziehung*) education; (*Disziplin*) discipline
züchten *vt* → *Tiere* breed; (*Pflanzen*) grow
züchtigen *vt* flog
zuckeln *vi FAM* ← *Dampflok* jerk along
zucken I. *vi* (1) ← *Muskel* move convulsively; ← *Hand, Mundwinkel* twitch (2) ← *Blitz* flash (3) ◇ die Achseln ~ to shrug
zücken *vt* → *Schwert* draw; ◇ **den Geldbeutel** ~ to flash o.'s wallet
Zucker *m* <-s, -> (1) sugar (2) MED diabetes *sg;* **Zuckerguß** *m* icing; **zuckerkrank** *adj* diabetic; **Zuckerkrankheit** *f* diabetes; **zuckern** *vt* sugar; **Zuckerrübe** *f* sugar-beet
Zuckung *f* ▷*nervös, krankhaft* twitch
zudecken *vt* cover up
zudem *adv* besides
zudrehen *vt* (1) → *Wasserhahn* turn off (2) ↑ *zuwenden* ◇ **jd-m den Rücken** ~ to turn o.'s back on s.o.
zudringlich *adj* ▷*Mensch* forward, pushy
zudrücken *vt* shut, close; (*FIG gnädig sein*) ◇ ein Auge ~ to turn a blind eye
zueinander *adv* ▷*gehören* together; ◇ **seid nett** ~! be nice to each other!
zuerkennen *unreg vt* (1) ▷*gerichtlich* adjudicate (2) → *Gewinn, Preis* award
zuerst *adv* first; ↑ *zu Anfang* to begin with
Zufahrt *f* (*zur Villa*) drive[way]; **Zufahrtsstraße** *f* (*zur Autobahn*) approach road
Zufall *m* (*reiner* ~) chance, accident; ◇ **durch** ~ by chance
zufallen *unreg vi* ← *Tür, Augen* close
zufällig I. *adj* ↑ *unerwartet* fortuitous **II.** *adv* by chance
zufliegen *unreg vi* (1) ← *Tür* slam (2) ← *Vogel* stray (*jd-m* to s.o.)
Zuflucht *f* (1) (*Rettung, Schutz*) recourse (2) (*Ort*) refuge
Zufluß *m* (1) (*von Asylanten*) influx (2) GEO tributary (3) COMM supply
zuflüstern *vt:* ◇ **jd-m etw** *akk* ~ to whisper s.th. to s.o.
zufolge *präp dat* in consequence of; (*gemäß*) according to
zufrieden *adj* satisfied; **Zufriedenheit** *f* (1) (*mit Leben*) contentment (2) (*mit Arbeit*) satisfaction; **zufriedenstellen** *vt* satisfy
zufrieren *unreg vi* freeze up
zufügen *vt* (1) (*hin-*) add (2) ◇ **jd-m Schaden** ~ to harm s.o.
Zufuhr *f* <-> (1) (*von Lebensmitteln*) supply (2) ELECTR input
Zug *m* <-[e]s, Züge> (1) BAHN train (2) (*an Seil*) pull, tug (3) (*Charakter-*) trait, characteristic (4) (*Gesichts-*) expression (5) (*beim Schachspiel*) move (6) (*an Zigarette*) puff, pull (7) (*Raub-, Prozession*) procession
Zugabe *f* (1) (*bei Kauf*) free gift, something extra (2) (*in Konzert*) encore
Zugang *m* (1) (*Tür*) door (2) (*zum Chef*) access (3) (*FIG zur Musik*) feeling (*zu* for)
zugänglich *adj* (1) ▷*Ort* accesible (2) ▷*Mensch* approachable (3) (*verfügbar*) available
Zugabteil *s* train compartment
zugeben *unreg vt* (1) (*beim Kartenspiel*) follow suit (2) → *Tat* admit (3) (*erlauben*) permit
zugehen *unreg* **I.** *vi* (1) ◇ **auf einander** ~ to approach one another; *FIG* to try to get on together (2) ◇ **auf die 85** ~ to be almost 85; ◇ **dem Ende** ~ to be coming to an end **II.** *vi impers:* ◇ **hier geht es ruhig zu** all's quiet here, things are proceeding quietly
Zugehörigkeit *f* ↑ *Mitgliedschaft* (*zum Verein*) membership (*zu* of); (*Dazugehören*) belonging
Zügel *m* <-s, -> (1) (*von Pferd*) reins *pl* (2) *FIG* reins *pl;* ◇ **die** ~ **anziehen** to keep a tight reign
zugelassen *adj* ▷*KFZ* licensed
zügellos *adj* (1) ▷*Pferd* unbridled (2) *FIG* ▷*Leidenschaft* unrestrained; (*ausschweifend*) licentious; **zügeln** *vt* (1) → *Pferd* bridle (2) *FIG* → *Wut* control, curb
Zugeständnis *s* (*Entgegenkommen*) concession; **zugestehen** *unreg vt* admit; → *Rechte* grant (*jd-m* to s.o.)
Zugewinn *m* gain, profit
zugig *adj* draughty
zügig *adj* [continuously] fast
zugleich *adv* at the same time, simultaneously
Zugluft *f* draught; **Zugnummer** *f* (1) BAHN train number (2) THEAT attraction; **Zugpersonal** *f* <-s> BAHN train staff
zugreifen *unreg vi* (1) (*schnell*) seize, make a grab for (2) (*bei Tisch*) help o.s.; **Zugriff** *m* <-s> (1) (*fest*) grip; *FIG* ◇ **sich dem** ~ **der Behörden entziehen** to get out of reach of the authorities (2) PC access
zugrunde *adv* (1) ◇ ~ **gehen** (*Mensch*) to perish; (*Geschäft*) to go under (2) ◇ **Was legen Sie der Arbeit** ~? What do you base the work on?
zugunsten *präp gen o dat* in favour of
zugute *adv:* ◇ **jd-m etw** ~ **halten** to concede s.th. to s.o.; (*helfen, nützen*) ◇ **jd-m** ~ **kommen** to be of help to s.o.
Zugverbindung *f* train connection
zuhalten *unreg* **I.** *vt* → *Nase, Mund* hold shut; → *Tür* keep shut **II.** *vi:* ◇ **auf jd-n/etw** ~ to make for s.o./s.th.

Zuhälter *m* <-s, -> *FAM* pimp
zuhauen *unreg vi* ↑ *schlagen* hit, thrash
Zuhause *s* <-s, -> home
Zuhilfenahme *f:* ◇ **unter ~ von …** with the help of …
zuhören *vi* listen; ◇ **jd-m/etw ~** to listen to s.o./s.th.; **Zuhörer(in** *f*) *m* listener; ◇ **die ~** the audience
zujubeln *vi* hail, applaud (*jd-m* s.o.)
zuklappen *vti* → *Buch* snap shut; → *Tür* slam
zukleben *vt* ① → *Brief* seal ② → *Plakat* paste up
zuknöpfen *vt* button up
zukommen *unreg vi* ① (*zustehen*) ◇ **das kommt ihm nicht zu** he's got no right to that ② (*herankommen*) ◇ **auf jd-n/etw ~** to come up to s.o./s.th. ③ (*schenken, schicken*) ◇ **jd-m etw ~ lassen** to give s.o. s.th.
Zukunft *f* <-> future; **zukünftig I.** *adj:* ◇ **mein ~er Chef** my future boss **II.** *adv* in future; **Zukunftsaussichten** *pl* prospects *pl;* **Zukunftsroman** *m* utopian novel
Zulage *f* (*Lohn~, Gehalts~*) bonus
zulassen *unreg vt* ① (*hereinlassen*) admit; (*geschehen lassen*) allow, tolerate ② (*erlauben*) permit ③ → *Auto* register; → *Arzt* license ④ *FAM* → *Tür* leave shut; **zulässig** *adj* permissible
zulaufen *unreg vi* ① ◇ **auf jd-n ~** to run toward s.o., to run up to s.o. ② ← *Hund* ◇ **jd-m ~** to crowd s.o.
zulegen *vt* ① (*hinzufügen*) add ② increase; ◇ **sie müssen noch etw ~** you must make a better offer ③ *FAM* ↑ *zunehmen* become fat, put on weight ④ (*FAM kaufen*) ◇ **sich** *dat* **etw ~** to buy s.th.
zuleide *adj:* ◇ **jd-m etw ~ tun** to hurt s.o.
zuletzt *adv* (*endlich*) lastly, finally
zuliebe *adv:* ◇ **jd-m ~** to please s.o., to oblige s.o.
zum *präp* (*vor Maskulinum oder Neutrum*): ◇ **~ dritten Mal** for the third time; ◇ **~ Spaß** for fun
zumachen I. *vt* ① → *Tür* shut ② → *Geschäft, Praxis* shut, close ③ → *Kleid* do up **II.** *vi FAM*: ◇ **Mach zu!** Hurry up!
zumal *cj* (*besonders weil*) especially as
zumindest *adv* at least
zumutbar *adj* reasonable
zumute *adv:* ◇ **mir ist so komisch ~** I feel so weird
zumuten *vt* ① (*aufbürden*) impose (*jd-m* on); ◇ **sie hat sich schon wieder zu viel zugemutet** she has overdone it yet again ② (*verlangen*) expect (*jd-m* of); **Zumutung** *f* (*PEJ Frechheit*) cheek
zunächst *adv* ① ↑ *anfangs* to begin with ② ↑ *im Augenblick* presently, at the moment ③ ↑ *vor allem* above all
zunähen *vt* sew up [*o.* together]
Zunahme *f* <-, -n> increase; (*Gewichts~*) gain
Zuname *m* family name
zündeln *vi* (*südd. mit Feuer spielen*) play with fire
zünden *vi* ① ← *Lunte* catch light, ignite; ← *Motor* fire ② *FIG* ← *Gedanke* inspire ③ (*FAM begreifen*) ◇ **jetzt hat's bei ihm gezündet** he has finally got it; **zündend** *adj* ▷*Rede* stirring; **Zünder** *m* <-s, -> detonator; **Zündholz** *s* match; **Zündkerze** *f* AUTO spark-plug; **Zündschlüssel** *m* ignition key; **Zündung** *f* AUTO ignition
zunehmen *unreg vi* ① ← *Gewicht* put on weight; ← *Wind, Sturm* ↑ *sich verstärken* get stronger; ↑ *sich vermehren* become more numerous; ← *Bevölkerung* increase, grow ② (*von etw mehr erhalten*) ◇ **an Gewicht ~** to put on weight; ◇ **an Weisheit ~** to become wiser; **zunehmend** *adj* ▷*Mond* crescent, waxing
Zuneigung *f* affection (*zu* for)
Zunge *f* <-, -n> ANAT tongue; *FIG* ◇ **eine böse/spitze ~ haben** to have a wicked tongue; ◇ **Hüte deine ~!** Watch your tongue!
züngeln *vi* ① ← *Schlange* hiss ② ← *Flamme* lick
zunichte *adv:* ◇ **etw ~ machen** to ruin; ◇ **~ werden** to come to nothing
zunutze *adv:* ◇ **sich** *dat* **etw ~ machen** to make use of s.th.
zuordnen *vt* ① → *Arbeit* assign, allocate ② ↑ *klassifizieren, bestimmen* ◇ **er wird dem rechten Flügel zugeordnet** he is said to belong to the Right Wing
zupacken *vi FAM* ↑ *kräftig helfen* to put o.'s back into helping
zur *präp* (*vor Femininum*): ◇ **~ Burg** to the castle
zuraten *unreg vi* strongly advise (*jd-m* s.o.)
zurechnungsfähig *adj* accountable
zurechtfinden *unreg vr* ◇ **sich ~** find o.'s way about; **zurechtkommen** *unreg vi:* ◇ **mit etw ~** to manage s.th. all right; ◇ **mit jd-m ~** to get on with s.o.; **zurechtlegen** *vt* ① ↑ *vorbereiten* arrange, prepare ② *FIG* → *Ausrede, Argumente* have lined up; **zurechtmachen I.** *vt* ↑ *vorbereiten* prepare **II.** *vr* ◇ **sich ~** ↑ *anziehen, schminken* get ready; **zurechtweisen** *unreg vt* tell off, rebuke
zureden *vi* urge, persuade
zureiten *unreg vt* break in
zurichten *vt FAM*: ◇ **jd-n schrecklich ~** to badly injure s.o.
zürnen *vi* be angry at; ◇ **wegen jd-m/etw ~** to be angry about s.o./s.th.

zurück *adv* back; (*rückwärts*) backward[s]
zurückbegeben *unreg vr* ◇ **sich** ~ return
zurückbehalten *unreg vt* retain
zurückbekommen *unreg vt* get back
zurückbleiben *unreg vi* [1] ↑ *dableiben* stay behind [2] ↑ *nicht Schritt halten* lag behind [3] (*geistig*) be retarded
zurückbringen *unreg vt* bring back; → *Gestohlenes* restore
zurückdenken *unreg vi* think back (*an* to)
zurückdrängen *vt* [1] → *Gefühle* repress [2] → *Feind* force [*o.* drive] back
zurückdrehen *vt* → *Uhr* turn back
zurückfahren *unreg* **I.** *vi* (*mit dem Zug*) travel back; (*FIG vor Schreck*) jump back **II.** *vt* drive back
zurückfallen *unreg vi* [1] (*erschöpft*) slump [2] (*schlechter werden*) lapse [3] (*in alte Fehler*) relapse
zurückfordern *vt* → *Geld* demand back
zurückführen *vt* [1] ↑ *zurückbringen* lead back [2] *FIG* ◇ **etw auf etw** *akk* ~ to put s.th. down to s.th.
zurückgeben *unreg vt* give back; (*antworten*) retort, answer back
zurückgehen *unreg vi* [1] (*nach Hause*) go back [2] ← *Preise* go down, decline [3] *FIG* ↑ *zurückführen* ◇ ~ **auf etw** *akk* to originate in s.th.
zurückgreifen *unreg vi* [1] (*bei Erzählung*) to refer back (*auf akk* to) [2] (*Vorrat*) fall back (*auf akk* on)
zurückhalten *unreg* **I.** *vt* [1] ↑ *aufhalten* hold back [2] (*einbehalten*) keep back [3] ◇ **jd-n von etw** *dat* ~ to keep s.o. from doing s.th. [4] (*hindern*) stop **II.** *vr* ◇ **sich** ~ ↑ *sich beherrschen* control o.s.; **zurückhaltend** *adj* reserved
zurückkehren *vi* return
zurückkommen *unreg vi* [1] ↑ *zurückkehren* come back [2] *FIG* ↑ *zurückgreifen* ◇ **auf etw** *akk* ~ to come back to s.th., to refer back to s.th.
zurücklassen *unreg vt* [1] → *jd-n/etw* leave [2] (*bei Wettlauf*) ◇ **jd-n hinter sich** *dat* ~ to leave s.o. far behind
zurücklegen *vt* [1] ↑ *sparen* save, put away [2] (*aufschieben*) shelve [3] → *Strecke* cover
zurückmelden *vr* ◇ **sich** ~ (*nach Urlaub*) report back
zurücknehmen *unreg vt* → *defekte Ware* take back; → *Versprechen* retract; JURA → *Klage* withdraw
zurückrufen *unreg vti* [1] (*durch Rufen zurückholen*) call s.o. back [2] ↑ *sich erinnern* ◇ **sich** *dat* **etw ins Gedächtnis** ~ to recall s.th. [3] TELEC ring back, call back
zurückschrecken *vi* recoil, withdraw; ◇ **sie schreckt vor nichts zurück** she stops at nothing
zurücksetzen *vt* [1] (*an alten Platz*) put back [2] *FIG* ◇ **jd-n** ~ to discriminate against s.o.
zurückstellen *vt* [1] → *Thema, Plan* put off, postpone [2] → *Interessen* put last [3] → *Ware* put back [4] → *Uhr* turn back
zurücktreten *unreg vi* [1] step back [2] (*von Amt*) resign [3] (*weniger werden*) diminish; *FIG* ◇ **gegenüber/hinter etw** *dat* ~ to be less important than s.th.
zurückverfolgen *vt* → *Spur* retrace
zurückweichen *unreg vi* [1] (*vor Angst*) shrink back [2] MIL retreat (*vor dat* from) [3] (*vor Problem*) shy
zurückweisen *unreg vt* [1] → *Angebot* refuse [2] → *Vorwürfe* repudiate [3] JURA → *Klage* dismiss
zurückzahlen *vt* [1] → *Schulden* pay back, settle, repay [2] *FIG* ↑ *sich rächen* pay back
zurückziehen *unreg* **I.** *vt* [1] → *Vorhänge* pull back [2] → *Hand* draw back [3] → *Bestellung* cancel **II.** *vr* [1] ◇ **sich zur Beratung** ~ to retire for deliberation [2] ◇ **sich von jd-m/etw** ~ to disassociate o.s. from s.o./s.th.
Zuruf *m* shout
Zusage *f* [1] (*Einwilligung*) assent [2] (*Versprechen*) promise; **zusagen** **I.** *vt* [1] → *Hilfe* promise [2] (*FAM offen reden*) ◇ **jd-m etw auf den Kopf** ~ to tell s.o. straight **II.** *vi* [1] ↑ *Einladung annehmen* accept [2] (*gefallen*) ◇ **das wird ihr** ~ that will appeal to her
zusammen *adv* together
Zusammenarbeit *f* cooperation
zusammenballen **I.** *vt* → *Hand, Schnee* make into a ball **II.** *vr* ◇ **sich** ~ ← *Wolken* gather, mass together
zusammenbeißen *unreg vt* → *Zähne* clench
zusammenbleiben *unreg vi* stay together
zusammenbrechen *unreg vi* [1] → *Gerüst* collapse [2] (*FIG psychisch*) crack up
zusammenbringen *unreg vt* [1] → *Personen* bring together [2] *FAM* → *Sätze* manage to say, put together [3] → *Geld* raise
Zusammenbruch *m* [1] (*von Gebäude*) collapse [2] (*Ruin*) debacle [3] (*von Verhandlungen*) breakdown
zusammenfallen *unreg vi* [1] ↑ *einstürzen* collapse [2] (*zeitlich*) coincide
zusammenfassen *vt* summarize; **Zusammenfassung** *f* summary
Zusammenfluß *m* [1] (*von Geld*) merging [2] (*von Flüssen*) confluence

Z

zusammenfügen *vt* join
zusammenführen *vt* bring together
zusammengehören *vi* belong together
zusammengesetzt *adj* SPRACHW compound; TECHNOL assembled
zusammenhalten *unreg* **I.** *vi* ① (*nach Reparatur*) hold together ② *FIG* stick together **II.** *vt:* ◇ **sein Geld** ~ to watch o.'s wallet, to take care of o.'s money
Zusammenhang *m* context; ◇ **im/aus dem** ~ in/out of context; **zusammenhängen** *unreg vi* be linked up; *FIG* → *Ursache, Grund* be connected (*mit* with/to); **zusammenhang[s]los** *adj* incoherent
zusammenknüllen *vt* → *Papier* crumple
zusammenkommen *unreg vi* ① ↑ *sich treffen* meet ② (*sich gleichzeitig ereignen*) happen at the same time
Zusammenkunft *f* <-, -künfte> meeting
zusammenlegen *vt* ① (*örtlich*) put in one place ② → *Termine, Feste* set ③ → *Wäsche* fold up ④ ◇ **Geld** ~ to pool the money
zusammennehmen *unreg* **I.** *vt* → *Mut, Kraft* summon up; ◇ **alles zusammengenommen** all in all **II.** *vr* ◇ **sich** ~ ↑ *sich beherrschen* control o.s.
zusammenpassen *vi* go together
zusammenrechnen *vt* add up
zusammenschlagen *unreg* **I.** *vt* ① → *Hände* clap; → *Hacken* click ② *FAM* ↑ *verprügeln* beat up; *FAM* ↑ *zertrümmern* wreck **II.** *vi* ← *Welle, Flamme* break
zusammenschließen *unreg vr* ◇ **sich** ~ *FIG* ↑ *vereinigen* unite; **Zusammenschluß** *m* union
zusammenschreiben *unreg vt* ① SPRACHW write in one word ② → *Bericht* write; (*aus Quellen*) compile; *FIG* ▷*flüchtig, schlampig* bang down
Zusammensein *s* <-s> being together, meeting
zusammensetzen I. *vt* fit together **II.** *vr* ◇ **sich** ~ ① sit down together ② ◇ **zusammengetzt sein aus 13 Einheiten** to be composed of [*o.* made up of] 13 units; **Zusammensetzung** *f* composition
Zusammenspiel *s* <-> teamwork
zusammenstecken I. *vt* ① (*mit Nadeln*) pin together ② (*FIG tuscheln*) ◇ **die Köpfe** ~ to whisper to each other **II.** *vi* (*FAM zusammen sein*) be thick as thieves
zusammenstehen *unreg vi* stand together; (*FIG zusammenhalten*) stick together
zusammenstellen *vt* put together; → *Bericht, Programm* compose; **Zusammenstellung** *f* composition; ↑ *Anordnung* arrangement
Zusammenstoß *m* crash; (*FIG Streit*) clash;
zusammenstoßen *unreg vi* crash; *FIG* ↑ *streiten* clash
zusammentreffen *unreg vi* ① ← *Menschen* meet up ② ← *Ereignisse* coincide; **Zusammentreffen** *s* meeting
zusammenzählen *vt* add up
zusammenziehen *unreg* **I.** *vt* ① → *Mund* pinch; → *Lippen* pucker ② SPRACHW contract **II.** *vr* ◇ **sich** ~ ① ← *Magen* contract ② ← *Stoff* shrink
Zusatz *m* ① (*zu Vertrag*) additional clause ② ↑ *Ergänzung* supplement; **zusätzlich** *adj* additional, extra
zuschauen *vi* watch, look on; **Zuschauer(in** *f*) *m* <-s, -> member of the audience
zuschicken *vt* post, send; ◇ **jd-m etw** ~ to send s.o. s.th. [*o.* s.th. to s.o.]
Zuschlag *m* supplementary charge, additional charge
zuschlagen *unreg* **I.** *vt* ① → *Tür* slam ② (*bei Auktion*) award ③ → *Ball* strike, hit [to the other player] **II.** *vi* ① ← *Fenster, Tür* slam ② ◇ **Schlag zu!** Belt him!
zuschließen *unreg vt* lock up
zuschnappen *vi* ① ← *Tür* click shut ② ← *Hund* snap
zuschneiden *unreg vt* cut to size
zuschnüren *vti* ① → *Schuhe* lace up ② *FIG* ← *Angst* choke
zuschreiben *unreg vt* ① → *Konto* credit ② → *Wörter* ascribe ③ ◇ **jd-m etw** ~ to credit s.o. with s.th.; (*im negativen Sinn*) to blame s.o. for s.th.
Zuschrift *f* letter; ◇ **amtliche** ~ official communication
Zuschuß *m* (*Miet-*) allowance, benefit
zuschütten *vt* → *Graben* fill in; (*FAM hin-*) add
zusehen *unreg vi* ① ↑ *beobachten* watch; ◇ **jd-m bei etw** ~ to watch s.o. doing s.th. ② (*FIG sich bemühen, daß*) ◇ ~**, daß ...** to see to it that ...
zusenden *unreg vt* ↑ *zuschicken* send
zusetzen I. *vt* (*FAM beifügen*) add; ◇ **bei einem Geschäft viel Geld** ~ to lose a lot of money on a deal **II.** *vi* (*bedrängen*) badger (*jd-m* s.o.)
zusichern *vt* assure; ◇ **jdm etw** *akk* ~ to assure s.o. of s.th.
zuspitzen I. *vt* sharpen **II.** *vr* ◇ **sich** ~ ← *Lage* come to a head
zusprechen *unreg* **I.** *vt* ① ◇ **jd-m etw** ~ to award s.o. s.th. ② ◇ **jd-m Mut** ~ to encourage s.o. **II.** *vi* ① ◇ **jd-m tröstend** ~ to comfort s.o. ② *FIG* ◇ **dem Essen tüchtig** ~ to heartily tuck into the food; **Zuspruch** *m* <-s> ① ◇ **tröstender** ~ comforting words ② (*Beliebtheit*) approval

Zustand *m* (*geistiger* ~) state; (*wirtschaftlicher* ~) situation, state of affairs
zuständig *adj* responsible; **Zuständigkeit** *f* responsibility
zustehen *unreg vi* have a right to, be entitled to
zustellen *vt* [1] ↑ *verschließen, verdecken* position [2] → *Post* deliver
zusteuern I. *vi:* ◇ **auf jdn/etw** ~ to steer for s.o./s.th. **II.** *vt FAM* contribute
zustimmen *vi* agree (*jdm/etw* with s.o./to s.th.); **Zustimmung** *f* ↑ *Erlaubnis* consent
zustoßen *unreg* **I.** *vi* happen **II.** *vt* → *Tür* push shut
Zustrom *m* <-(e)s> (*von Aussiedlern*) influx; (*von Besuchern*) rush
Zutaten *pl* (*Back-*) ingredients *pl*
zuteilen *vt* [1] → *Lebensmittel* ration [2] ◇ **jd-m eine Arbeit** ~ to assign work to s.o.
zutiefst *adv* deeply
zutragen *unreg* **I.** *vt* [1] ◇ **jd-m die Bücher** ~ to carry the books to s.o. [2] ◇ **Information** ~ to report **II.** *vr* ◇ **sich** ~ happen, transpire; ◇ **so hat es sich zugetragen** that's the way it happened
zuträglich *adj* beneficial
zutrauen *vt:* ◇ **jd-m etw** ~ to believe s.o. capable of doing s.th.; **Zutrauen** *s* <-s> confidence (*zu* in)
zutreffen *unreg vi* apply; ◇ **die Behauptung trifft nicht zu** the assertion is not to the point; **Zutreffendes** *s* <->: ◇ ~ **bitte ankreuzen** mark where applicable
Zutritt *m* admission; ◇ ~ **verboten!** no entry!
zuverlässig *adj* reliable, dependable; **Zuverlässigkeit** *f* reliability
Zuversicht *f* <-> confidence; **zuversichtlich** *adj* confident
zuviel *pron* too much
zuvor *adv* before; ◇ **wie** ~ as before; **zuvorkommen** *unreg vi:* ◇ **einer Gefahr** ~ to anticipate a danger; ◇ **jd-m** ~ *FAM* to beat s.o. to it; **zuvorkommend** *adj* ↑ *höflich, hilfsbereit* obliging
Zuwachs *m* <-es> (FIN *jährlicher* ~) growth; ◇ **etw auf** ~ **kaufen** to buy with expansion in mind
zuwege *adv* [1] ◇ **etw** ~ **bringen** to accomplish s.th.; *FAM* to pull s.th. off [2] ◇ **mit etw** ~ **kommen** to manage s.th.
zuweisen *unreg vt* [1] → *Aufgabe* assign [2] → *Zimmer* allocate (*jd-m* to s.o.)
zuwenden *unreg* **I.** *vt* turn; ◇ **jd-m den Rücken** ~ to turn o.'s back on s.o. [*o.* give] **II.** *vr* ◇ **sich** ~ turn (*jd-m/etw* to s.o./s.th.); ◇ **sich ganz der Arbeit** ~ to devote o.s. to the work; **Zuwendung** *f* [1] (*Geld-*) donation [2] (*von Gefühl*) bestowal
zuwenig I. *pron* too little **II.** *adv* too little
zuwerfen *unreg vt* throw [to]; ◇ **jd-m den Ball** ~ to throw the ball to s.o.
zuwider I. *adv:* ◇ **etw ist jd-m** ~ s.th. is repulsive to s.o., s.o. is disgusted by s.th. **II.** *präp dat* against, contrary to; **zuwiderhandeln** *vi* act contrary (*dat* to); ◇ **einem Gesetz** ~ to contravene a law; **zuwiderlaufen** *unreg vi:* ◇ **einem Plan** ~ to run counter to plan
zuwinken *vi* [1] → *jd-m* wave; ◇ **jd-m zum Abschied** ~ to wave s.o. goodbye [*o.* to wave goodbye to s.o.] [2] (*herbeiwinken*) beckon
zuziehen *unreg* **I.** *vt* [1] → *Schleife* pull tight [2] → *Arzt* call in [3] ↑ *auf sich lenken* → *Haß, Zorn* incur **II.** *vi:* ◇ **wir sind neu zugezogen** we have just moved in
zuzüglich *präp gen* plus; ◇ ~ **Mehrwertsteuer** including VAT
zwang *impf v.* **zwingen**
Zwang *m* <-[e]s, Zwänge> constraint, coercion; ◇ **unter** ~ involuntary, under duress; ◇ **sich keinen** ~ **antun** to suit o.s.
zwängen *vr* ◇ **sich** ~ force, push; ◇ **sich durch die Menge** ~ to squeeze o.'s way through the crowd
zwanglos *adj* casual; ◇ **~es Beisammensein** informal meeting; **zwangsläufig** *adj* unavoidable; **Zwangsmaßnahme** *f* coercive measure; **zwangsweise** *adv* under compulsion
zwanzig *nr* twenty
zwar *cj:* ◇ ~ **…, aber …** it is true …, but…; (*genauer gesagt*) ◇ **und** ~ namely; ◇ **und** ~ **so, daß …** in fact to such a degree that …
Zweck *m* <-[e]s, -e> purpose; **zweckentfremdet** *adj* misappropriated; **Zweckentfremdung** *f* misappropriation; **zweckmäßig** *adj* appropriate, expedient
zwecks *präp gen* for the purpose of
zwei *nr* two; (*FAM beide*) ◇ **wir** ~ the two of us, both of us; *FAM* ◇ **einer von euch ~en** one of you two; **Zweibettzimmer** *s* double bedroom; **zweideutig** *adj* [1] ▷*Bemerkung* ambiguous [2] (*unanständig*) suggestive, risqué; **zweifach** *adj* twofold
Zweifel *m* <-s, -> doubt; **zweifelhaft** *adj* doubtful; *FIG* ◇ **ein ~es Vergnügen** a dubious pleasure; **zweifellos** *adj* doubtless; **zweifeln** *vi* doubt; ◇ **an jdm/etw** *dat* ~ to be sceptical of [o. about] s.th.
Zweig *m* <-[e]s, -e> [1] (BIO *dünner* ~) twig; (*Ast*) branch [2] (*FIG Familien-*) branch
Zweigniederlassung *f* branch; **Zweigstelle** *f* branch office
zweihändig *adj* two-handed; **zweihundert** *nr*

two hundred; **zweijährig** *adj* (*2 Jahre alt*) two years old, two-year-old; (*2 Jahre dauernd*) two-year; **Zweikampf** *m* duel; **zweimal** *adv* twice; **zweireihig** *adj* (*Anzug*) double-breasted; **Zweisitzer** *m* <-s, -> (*Sportwagen*) two-seater; **zweisprachig** *adj* bilingual; **zweispurig** *adj* AUTO two-lane; **zweistündig** *adj* two-hour

zweit *adv*: ◇ **wir sind zu ~** there are two of us

zweite(r, s) *adj* second; **Zweite(r)** *fm* [the] second

zweiteilig *adj* ▷*Kleidung* two-piece

zweitens *adv* secondly

zweitgrößte(r, s) *adj* second biggest; **zweitklassig** *adj PEJ* second-class; **zweitletzte(r, s)** *adj* last but one, second last; **Zweitwagen** *m* second car; **Zweitwohnung** *f* second home

Zwerg(in *f*) *m* <-[e]s, -e> dwarf

Zwetschge *f* <-, -n> plum

Zwickel *m* <-s, -> (*Hosen~*) gusset

zwicken *vt* ↑ *kneifen* nip, pinch

Zwickmühle *f FIG* ↑ *schwierige Situation*: ◇ **sich in einer ~ befinden** to be in a dilemma [*o.* fix]

Zwiebel *f* <-, -n> onion; (*Blumen~*) bulb

zwielichtig *adj FIG* ▷*Person, Gegend* shady, dubious

Zwiespalt *m* conflict

Zwilling *m* <-s, -e> [1] (*~sbruder*) twin [2] ASTROL Gemini *sg* [3] (*Gewehr*) double-barrelled gun

zwingen <zwang, gezwungen> *vt* [1] compel, force [2] (*FAM bewältigen, essen können*) manage; **zwingend** *adj* ▷*Grund* compelling; (*überzeugend*) convincing

zwinkern *vi* [1] (*nervös*) blink [2] (*absichtlich*) wink

Zwirn *m* <-[e]s, -e> yarn

zwischen *präp akk/dat* between; **Zwischenbemerkung** *f* [1] THEAT aside [2] (*Unterbrechung*) interruption; **zwischendurch** *adv* in between [times]; (*räumlich*) through; **Zwischenfall** *m* incident; **Zwischenhandel** *m* middleman's business, intermediate trade; **Zwischenlandung** *f* AERO: ◇ **ohne ~** non-stop; **Zwischenmahlzeit** *f* snack between meals; **zwischenmenschlich** *adj* interpersonal; **Zwischenraum** *m* [1] (*7 m ~*) space [between] [2] (*Lücke*) interstice, gap; **Zwischenstation** *f* stopover; ◇ **wir machten in London ~** we stopped over in London; **Zwischenzeit** *f* interim; ◇ **in der ~** in the interim, meanwhile

Zwist *m* <-es, -e> quarrel

zwitschern I. *vi* ← *Vogel* chirp **II.** *vt* (*FAM Alkohol trinken*): ◇ **einen ~** to have a drink

zwölf *nr* twelve

Zyankali *n* <-s> cyanide

zyklisch *adj* cyclic, cyclical

Zyklus *m* <-, Zyklen> cycle

Zylinder *m* <-s, -> [1] TECHNOL cylinder [2] (*Hut*) top hat; *FAM* topper

zynisch *adj* cynical

Zypern *s* Cyprus

Zypresse *f* BIO cypress

z.Z[t]. *Abk v.* **zur Zeit** at present

Kurzgrammatik

I. NOMINALGRUPPE

1. Der Artikel

1.1 Form:
Im Englischen werden der bestimmte Artikel **the** und der unbestimmte Artikel **a/an** unterschieden. Beide ändern ihre Form weder im Singular noch im Plural.

Bestimmter Artikel		Unbestimmter Artikel	
[ðə] the ball the city the hotel	[ðɪ] the address the hour	[ə] a ball a city a hotel	[æn] an address an hour

1.2 Verwendung:
Der Artikel steht in der Regel vor dem Nomen und seinen Attributen, z.B. *an old man.* Ausnahmen: *what a, such a, half* a. z.B. *it was such a beautiful day*.

2. Das Substantiv

2.1 Genus:
Das grammatische Geschlecht der englischen Substantive richtet sich meist nach dem biologischen. Tiere werden grammatisch wie Sachen behandelt.

the man	he [hiː]
the woman	she [ʃiː]
the car/the cat	it [ɪt]

2.2 Numerus:
Nomen für Materialien, abstrakte Begriffe und Eigenschaften sind im Englischen nicht zählbar.
Die regelmäßigen zählbaren Nomen bilden ihren Plural durch Anhängen von -[e]s. Aussprache:
nach stimmlosem Konsonant: **[s]**, z.B. *shirts, books, cats*
nach stimmhaftem Konsonant und Vokal: **[z]**, z.B. *beds, photos*
nach Zischlaut: [ɪz], z.B. *houses, bridges, wishes*
Ausnahmen:
einige Substantive auf -y: *city - cities*
" Substantive auf -f: *thief - thieves*
" Substantive auf -o: *hero - heroes*
unregelmäßige Pluralbildungen: *child - children, man - men, foot - feet, tooth - teeth*

2.3 Kasus:
Die Deklination der Nomen erfolgt durch Präpositionen

	Singular	Plural
Nom/Akk Genitiv Dativ	the tree of the tree to the tree	the trees of the trees to the trees

Der of-Genitiv steht bei Sachen und bei Mengenangaben; bei Personen wird der Genitiv durch 's gebildet, z.B. *my uncle's dog, my uncles' dogs;* Aussprache wie im Plural.

3. Das Adjektiv

3.1 Form:
Das Adjektiv verändert sich in Genus und Numerus nicht.

Steigerung:
Einsilbige und zweisilbige Adjektive auf **-er,-le,-ow, -y** werden durch **-er** [ə] im Komparativ und **-est** [ɪst] im Superlativ gesteigert, z.B.

green - greener - greenest easy - easier - easiest slow - slower - slowest

Zwei- und mehrsilbige Adjektive bilden den Komparativ mit **more** [mɔː*] und den Superlativ mit **most** [məʊst], z.B.

famous - more famous - most famous sensible - more sensible - most sensible

Unregelmäßige Steigerung siehe Einträge im WB!

3.2 Verwendung:
Das Adjektiv kann attributiv (vor einem Substantiv) und prädikativ (nach einem Verb) gebraucht werden, z.B. *we have a big house* (attributiv) - *the house is big* (prädikativ). ***Next/last*** können vor oder hinter Tagesnamen stehen: *we leave next Sunday/Sunday next.*

4. Das Adverb

4.1 Form:
Man unterscheidet zwischen ursprünglichen Adverbien *(soon, seldom, often, never, now, here)* und Adverbien, die von Adjektiven durch die Endung -ly [lɪ] abgeleitet werden:

quick:	she runs quickly out of the room
easy:	he remembers words easily
simple:	I simply threw it away

Steigerung:
Ursprüngliche Adverbien werden im wesentlichen wie Adjektive gesteigert, z.B. *soon - sooner - soonest.*
Adverbien auf **-ly** werden mit *more und most* gesteigert, z.B. *quickly - more quickly - most quickly.*

4.2 Verwendung:
Als adverbiale Bestimmung kann ein Adverb folgende Positionen einnehmen:
1. am Satzanfang, z.B. *fortunately I earn enough money.*
2. vor dem Vollverb/nach **be, z.B.** *she always eats too much; he is always late.*
3. nach der Verbalgruppe, z.B. *we wanted to leave immediately.*

Als Attribut steht das Adverb vor oder hinter dem Wort, auf das es sich bezieht, z.B. *he seemed physically strong.*

5. Das Pronomen

5.1 Das Personalpronomen

5.1.1 Form:

Subjektsfall		Objektsfall	
Singular	Plural	Singular	Plural
I [ɑɪ] you [jʊː] he [hɪː] she [ʃɪː] it [ɪt]	we [wɪː] you [jʊː] they [ðeɪ]	me [mɪː] you [jʊː] him [hɪm] her [hɜː*] it [ɪt]	us [ʌs] you [jʊː] them [ðem]

Das deutsche **"man"** wird wiedergegeben durch

1. *one, you, they, people: you never know* - man kann nie wissen
2. das Passiv: *she will be told tomorrow* - man wird es ihr morgen sagen

5.1.2 Verwendung:

Das Personalpronomen wird im wesentlichen verwendet wie die entsprechende deutsche Form: die Subjektform steht als Satzsubjekt, die Objektform als Objekt und nach Präpositionen. Nach den Formen von to be verwendet man die man die Objektform, z.B. *it's her* - sie ist es.

5.2 Das Reflexivpronomen

5.2.1 Form:

Singular	Plural
myself [mɑɪ'self] yourself [jʊə*'self] himself [hɪm'self] herself [hɜː*'self] itself [ɪt'self]	ourselves [ɑʊə'selvz] yourselves [jʊə*'selvz] themselves [ðem'selvz]

5.2.2 Verwendung:

das Reflexivpronomen wird verwendet, wenn Subjekt und Objekt dieselbe Person sind, z.B. *she seems to enjoy herself* - sie scheint sich zu amüsieren, oder zur Hervorhebung eines Substantivs oder Pronomens, z.B. *she wrote the book herself* - sie schrieb das Buch selbst

5.3 Das Possessivpronomen

5.3.1 Form:

adjektivisch

Singular	Plural
my [mɑɪ] your [jʊə*] his [hɪz] her [hɜː*] its [ɪt]	our [ɑʊə] your [jʊə*] their [ðɛə*]

substantivisch

mine [maɪn] yours [jʊə*z] his [hɪz] hers [hɜ*z]	ours [aʊəz] yours [jʊə*z] theirs [ðɛə*z]

5.3.2 Verwendung:
Das adjektivische Possessivpronomen wird im wesentlichen wie im Deutschen gebraucht. Man verwendet es aber auch in bezug auf Körperteile, Kleidungsstücke und abstrakte Begriffe wie *life, death, mind,* z.B. *this is your bicycle* - das ist dein Fahrrad.
Das substantivische Possessivpronomen verwendet man häufig anstelle eines Substantivs mit Pronomen z.B. *the bicycle is yours, not mine* - das ist dein Fahrrad, nicht meines.

5.4 Das Demonstrativpronomen

5.4.1 Form:

Singular:	this [ðɪs],	that [ðæt]
Plural:	these [ðɪ:z],	those [ðəʊz]

5.4.2 Verwendung:
this/these beziehen sich auf Personen und Sachen, die sich in unmittelbarer Nähe befinden, sowie auf Zeitangaben der Gegenwart, z.B. *this afternoon we'll go to the zoo* - heute nachmittag gehen wir in den Zoo
that/those beziehen sich auf Personen und Sachen, die weiter entfernt sind, sowie auf Zeitangaben der Vergangenheit, z.B. *did you talk to that woman in the pub?* - hast du mit der Frau in der Bar gesprochen?

5.5 Das Relativpronomen

5.5.1 Form:
Singular und Plural der Relativpronomen haben die gleiche Form.

	Personen	Sachen
Nominativ	who [hʊ:]	which [wɪtʃ]
Genitiv	whose [hʊ:z]	of which
Dativ	to whom	to which
Akkusativ	who[m] [hʊ:m]	which

Sehr häufig wird **that** [ðæt] als Relativpronomen verwendet. Es gilt für Personen und Sachen.

5.5.2 Verwendung:
Im notwendigen Relativsatz kann das Relativpronomen weggelassen werden, wenn es im Akkusativ steht. Es darf nicht weggelassen werden, wenn es Subjekt ist, z.B. *I'll buy the car [that] I saw yesterday* ich werde das Auto, das ich gestern gesehen habe, kaufen.

5.6 Das Interrogativpronomen

5.6.1 Form:

	Personen	Sachen		
Nominativ Genitiv Dativ/Akkusativ	who? whose? who[m]?	wer? wessen? wem?/wen?	what [wɒt]? which [wɪtʃ]?	was? welche(r, s)?
weitere Fragepronomen	when [wen]? where [wɛə*]? why [waɪ]? how [haʊ]?	wann? wo? warum? wie?		

5.6.2 Verwendung:

what vor einem Substantiv heißt "was für?", "was für ein?"; z.B. *what book do you mean?* was für ein Buch meinst du?
which fragt nach Personen und Sachen, z.B. *which dress would you buy?* welches Kleid würdest du kaufen?
Präpositionen werden ans Ende des Fragesatzes gestellt, z.B. *where do you come from?* wo kommen Sie her?

5.7 Indefinitpronomen

5.7.1 Form:

all [ɔːl] many ['menɪ] much [mʌtʃ] little/a little ['lɪtl] few/a few [fjuː]		alle viele viel wenig/ein wenig wenige/ein paar	
no [nəʊ] nobody ['nəʊbʊdɪ] no one ['nəʊwʌn] nothing ['nʌθɪŋ] nowhere ['nəʊwɛə*] none [nʌn]		kein niemand, keine(r, s) niemand, keine(r, s) nichts nirgends, nirgendwohin keine(r, s) (in bezug auf Nomen)	
some [sʌm] somebody someone something somewhere	ein paar, einige jemand jemand etwas irgendwo/wohin	any ['ənɪ] anybody anyone anything anywhere	ein paar, einige jemand jemand etwas irgendwo/wohin

5.7.2 Verwendung von some und any:

some:
in bejahenden Sätzen und Fragen, auf die man eine bejahende Antwort erwartet, z.B. *would you like some more tea?* - möchten Sie noch etwas Tee?

any:
in verneinten Sätzen, Fragen und Bedingungssätzen, z.B. *he doesn't have any money on him* - er hat kein Geld dabei

II. VERBALGRUPPE

1. Das Vollverb

1.1 Konjugation:

Die englischen Verben haben im Präsens nur in der 3. Person Singular eine Endung:

	to ask	to sound	to go	to wish	to carry
I/you/we/they	ask	sound	go	wish	carry
he/she/it	asks	sounds	goes	wishes	carries
	[s]	[z]	[z]	[ɪz]	[ɪz]

	Aktiv Simple		Progressive		
Präsens (present tense)	I/you/we/they he/she/it	ask asks	I he/she/it we/you/they	am is are	asking
Präteritum (past tense)	I/you/we/they he/she/it	asked	I/he/she/it we/you/they	was were	asking
Perfekt (present perfect)	I/you/we/they he/she/it	have has asked	I/you/we/they he/she/it	have has	been asking
Plusquamperfekt (past perfect)	I/you/we/they he/she/it	had asked	I/you/we/they he/she/it	had	been asking
Futur (future)	I/you/we/they he/she/it	will ask	I/you/we/they he/she/it	will	be asking
Conditional	I/you/we/they he/she/it	would ask	I/you/we/they he/she/it	would	be asking
Conditional Perfect	I/you/we/they he/she/it	would have asked	I/you/we/they he/she/it	would	have been asking

	Passiv Simple			Progressive		
Präsens (present tense)	I he/she/it we/you/they	am is are	asked	I he/she/it we/you/they	am is are	being asked
Präteritum (past tense)	I/he/she/it we/you/they	was were	asked	I/he/she/it we/you/they	was were	being asked
Perfekt (present perfect)	I/you/we/they he/she/it	have has	been asked	-		
Plusquamperfekt (past perfect)	I/you/we/they he/she/it	had	been asked	-		
Futur (future)	I/you/we/they he/she/it	will	be asked	-		
Conditional	I/you/we/they he/she/it	would	be asked	-		

1.2 Imperativ:
Der Imperativ hat dieselbe Form wie der Infinitiv. Er ist für Singular und Plural gleich, z.B. *stop the car* - halt' das Auto an!
Der Imperativ wird mit **to do** verneint, z.B. *don't read the letter, please* - lies den Brief bitte nicht!

1.3 Verneinung:
Die Vollverben werden im Präsens mit **do/does,** im Präteritum mit **did** verneint, z.B. *I don't smoke* - ich rauche nicht; *she didn't talk to me* - sie hat nicht mit mir geredet.

1.4 Fragebildung:
Fragen mit Vollverben werden im Präsens mit **do/does,** im Präteritum mit **did** gebildet, z. B. *do you work full-time?* - arbeiten Sie ganztags?; *didn't you see the news yesterday?* - hast du gestern nicht die Nachrichten gesehen?
Fragen, in denen das Fragewort selbst das Subjekt oder Teil des Subjekt ist, werden ohne *to do* gebildet, z.B. *who reads the paper every day?* - wer liest jeden Tag Zeitung?; *whose book is this?* - wessen Buch ist das?

2. Die Hilfsverben

2.1 Vollständige Hilfsverben

2.1.1 Form:

	to be [bɪː]		to do [dʊː]	
Präsens	I he/she/it we/you/they	am [æm] is [ɪz] are [ɑː*]	I/you/we/they he/she/it	do does [dʌz]
Partizip:	being ['bɪɪŋ]		doing ['dʊːɪŋ]	
Präteritum	I/he/she/it we/you/they	was [wɒz] were [wɜ*]	I/he/she/it we/you/they	did [dɪ]
Perfekt	I/you/we/they he/she/it	have has been	I/you/we/they he/she/it	have has done
Partizip:	been [bɪːn]		done [dʌn]	

	to have [hæv]	
Präsens	I/you/we/they he/she/it	have has [hæz]
Partizip:	having ['hævɪŋ]	
Präteritum	I/you/we/they he/she/it	had [hæd]
Perfekt	I/you/we/they he/she/it	have has had
Partizip:	had	

2.1.2 Verwendung:

Die vollständigen Hilfsverben können als Hilfsverben für die Zeitenbildung, Verneinung und/ oder Fragebildung verwendet werden (s. II.1); sie können auch als Vollverben gebraucht werden:

- to be:	sein, sich befinden, gehören
- to do:	tun, machen
- to have:	besitzen, haben

2.2 Unvollständige Hilfsverben

2.2.1 Form:

Unvollständige Hilfsverben haben für alle Personen eine Form. Frage und Verneinung werden ohne *to do* gebildet.

Ersatz:	can [kæn]/could [kʊd] be able to		may [meɪ]/might[maɪt]	
Präsens	I/you/he/she/it we/you/they	can	I/you/he/she/it we/you/they	may
Verneinung:	cannot can't [kɑːnt]		may not	
Präteritum	I/you/he/she/it we/you/they	could	I/you/he/she/it we/you/they	might
Verneinung:	could not couldn't [kʊdnt]		might not	
	shall [ʃæl]/should [ʃʊd]		will [wɪl]/would [wʊd]	
Präsens	I/you/he/she/it we/you/they	shall	I/you/he/she/it we/you/they	will
Verneinung:	shall not shan't [ʃɑːnt]		will not won't [wəʊnt]	
Präteritum	I/you/he/she/it we/you/they	should	I/you/he/she/it we/you/they	would
Verneinung:	shouldn't		wouldn't	
Ersatz	must [mʌst] to have to		need [niːd]	
Präsens	I/you/he/she/it we/you/they	must	I/you/we/they he/she/it	need needs
Verneinung:	must not mustn't [mʌsnt]		need not	
Präteritum	I/you/he/she/it we/you/they	must	I/you/he/she/it we/you/they	needed

⚠ *you mustn't/needn't wait for me* - du brauchst nicht auf mich zu warten.

⚠ *you don't have to walk across the street* - du darfst nicht über die Straße laufen

2.2.2 Verwendung:
Unvollständige Hilfsverben können nur in Verbindung mit dem Infinitiv (ohne to) eines Vollverbs auftreten.

III. Wortstellung

1. Im Aussagesatz

	Subjekt	Prädikat		Objekt	
	She	is	doing	homework	
Today	John		buys	a new car	
Next year	they	will	move		to Munich

Im Aussagesatz gilt in der Regel die Wortstellung **S - P - O.**

2. Im Fragesatz/Inversion

Abweichend von der regelmäßigen Wortstellung, findet in Sätzen, die mit einschränkenden Adverbien beginnen, eine Umstellung statt; ebenso in Fragesätzen.

	Hilfsverb	Subjekt	Vollverb	Objekt
Never	have	we	seen	such a beautiful castle
	Did	you	go	to the movies?
Where	did	she	buy	her new dress?

Unregelmäßige Verben (Stammformen)

Infinitiv	Präteritum	Part. Perf.
arise	arose	arisen
awake	awoke	awoke
be	was	been
bear	bore	borne
bear	bore	born
beat	beat	beat[en]
become	became	become
beget	begot	begotten
begin	began	begun
bend	bent	bent
beseech	besought	besought
bet	bet	bet
bid	bade/bid	bid[den]
bind	bound	bound
bite	bit	bit[ten]
bleed	bled	bled
blow	blew	blown
breed	bred	bred
break	broke	broken
bring	brought	brought
build	built	built
burn	burnt	burnt
burst	burst	burst
buy	bought	bought
cast	cast	cast
catch	caught	caught
choose	chose	chosen
cling	clung	clung
clothe	clad	clad
come	came	come
cost	cost	cost
creep	crept	crept
crow	crew/crowed	crowed
cut	cut	cut
deal	dealt	dealt
dig	dug	dug
do	did	done
draw	drew	drawn
dream	dreamt	dreamt
drink	drank	drunk
drive	drove	driven
dwell	dwelt	dwelt
eat	ate	eaten
fall	fell	fallen

feed	fed	fed
feel	felt	felt
fight	fought	fought
find	found	found
fit	fit	fit
flee	fled	fled
fling	flung	flung
fly	flew	flown
forbid	forbade	forbidden
forget	forgot	forgotten
forgive	forgave	forgiven
forsake	forsook	forsaken
freeze	froze	frozen
get	got	got[ten]
give	gave	given
go	went	gone
grind	ground	ground
grow	grew	grown
hang	hung	hung
have	had	had
hear	heard	heard
heave	hove	hove
hide	hid	hidden
hit	hit	hit
hold	held	held
hurt	hurt	hurt
keep	kept	kept
kneel	knelt	knelt
knit	knit	knit
know	knew	known
lay	laid	laid
lead	led	led
lean	leant	leant
leap	leapt	leapt
learn	learnt	learnt
leave	left	left
lend	lent	lent
let	let	let
lie	lay	lain
light	lit	lit
lose	lost	lost
make	made	made
mean	meant	meant
meet	met	met
mow	mowed	mown/mowed
pay	paid	paid
put	put	put
read	read	read

rid	rid	rid
ride	rode	ridden
ring	rang	rung
rise	rose	risen
run	ran	run
saw	sawed	sawn
say	said	said
see	saw	seen
seek	sought	sought
sell	sold	sold
send	sent	sent
set	set	set
sew	sewed	sewn
shake	shook	shaken
shear	sheare	shorn
shine	shone	shone
shit	shit	shit
shoot	shot	shot
show	showed	shown
shrink	shrank	shrunk
shut	shut	shut
sing	sang	sung
sink	sank	sunk
sit	sat	sat
slay	slew	slain
sleep	slept	slept
slide	slid	slid
smell	smelt	smelt
speak	spoke	spoken
speed	sped	sped
spell	spelt	spelt
spend	spent	spent
spill	spilt	spilt
spin	spun	spun
spit	spat	spat
split	split	split
spoil	spoilt	spoilt
spread	spread	spread
spring	sprang	sprung
stand	stood	stood
steal	stole	stolen
stick	stuck	stuck
sting	stung	stung
stink	stank	stunk
stride	strode	stridden
strike	struck	struck
swear	swore	sworn
sweat	sweat	sweat

sweep	swept	swept
swim	swam	swum
swing	swung	swung
take	took	taken
teach	taught	taught
tear	tore	torn
tell	told	told
think	thought	thought
throw	threw	thrown
thrust	thrust	thrust
understand	understood	understood
wake	woke	woke[n]
wear	wore	worn
weep	wept	wept
win	won	won
wind	wound	wound
wring	wrung	wrung
write	wrote	written

Kurz-Reisewörterbuch

I. Allgemeine Redewendungen - *General Phrases*

- Begrüßung/Fragen zur Persönlichkeit/Abschied - *Greetings/Personal Questions/Farewells*

Hallo! - *Hello!*
Grüß dich! - *Hi!*
Guten Morgen! - *good morning*
Guten Tag! - *good morning/afternoon*
Guten Abend! - *good evening*
Verzeihung! - *Pardon me!*

Entschuldigen Sie, ist hier …? - *Excuse me please, is this …?*
Gestatten Sie? - *May I*?
Es tut mir leid! - *I'm sorry*
Darf ich [Ihnen] vorstellen … - *May I introduce you to …?*
Kann ich Herrn/Frau … sprechen - *Can I speak to Mr/Mrs …*
Das ist Herr/Frau … - *This is Mr/Mrs …*
Mein Name ist … - *My name's …*
Wie geht es Ihnen? - *How are you*?
Danke, es geht! Und Ihnen? - *Fine, thanks. And you*?
Hatten Sie eine[n] angenehme[n] Reise/Flug/Fahrt? - *Did you have a pleasant trip/flight/drive*?
Nehmen Sie doch bitte Platz - *please take a seat*
Ich soll Ihnen Grüße ausrichten von … - *Best wishes/regards from*
Darf ich Ihnen etwas zu trinken anbieten? - *May I offer you something to drink*?
Was sind Sie von Beruf? - *What's your occupation*?
Sind Sie allein? - *Are you alone*?
Haben Sie schon etwas für nächste Woche vor? - *Do you already have plans for next week*?
Darf ich Sie abholen? - *May I pick you up*?
Wollen wir zusammen hinfahren? - *Should we go there together*?
Auf Wiedersehen! - *Goodbye/Bye-bye*; Tschüß! - *Bye/So long*
Bis bald/später/morgen! - *See you soon/later/tomorrow!*
Gute Nacht! - *Good night!*
Alles Gute! - *All the best/Best wishes!*
Grüßen Sie bitte Herrn/Frau … von mir - *Please give Mr./Mrs. … my regards*

Bitte/Danke - *Please/Thank you*
Ja, bitte. - *Yes, please*
Nein, danke. - *No, thank you*
Danke. Vielen Dank für … ! - *Thank you. Thank you very much for …!*
Bitte sehr! Keine Ursache! - *You're welcome.*

II. Auf der Fahrt - *On the road*

1. Private Verkehrsmittel - *Private Transportation*

1.1 Orientierung - *Orientation*

Wie komme ich nach … , bitte?
How do I get to … , please?

zur Autobahn - *to the motorway/highway*; ins Zentrum - *to the city center*; in die … Straße - *to the … street*

Wie weit ist es nach … ? - *How far is it to … ?*

Fahren Sie	die nächste Straße	rechts/links!
Turn right/left	*at the next street*	

an der Ampel - *at the traffic light*; an der Kreuzung - *at the intersection/crossing*; wieder zurück! - *around and drive back*;

Fahren Sie geradeaus! - *Drive straight ahead*
Hier sind Sie richtig/falsch! - *This is the right/wrong way*

1.2 Verkehrshinweise - *Driving instructions*

Achtung - *Careful*
Ampel- *Traffic Lights*
Ausfahrt - *Exit*
Ausfahrt freihalten - *Keep Clear*
Einbahnstraße - *One-Way-Street*
Einfahrt verboten - *No Entry*
Fahrbahn wechseln - *Change Lane*
Fußgänger[zone] - *Pedestrian zone*
Gefahr - *Danger*
Gefährliche Kurve - *Dangerous curve*
Halten verboten - *No Stopping*
Kreisverkehr - *Roundabout*
Kreuzung - *Crossing*
Parken verboten - *No Parking*
Parkhaus - *Garage*
Parkplatz - *Parking Place*
Rutschgefahr - *Slippery Road*
Straßenarbeiten - *Road construction*
Stau - *Traffic Jam*
Überholen verboten - *No Overtaking/Passing*
Umleitung - *Detour*
Vorfahrt achten - *Give Way/Yield*
Zebrastreifen - *Zebra Crossing/Cross walk*

1.3 Tankstelle/Werkstatt - *Gas station/Petrol station/Garage*

Wo ist die nächste Tankstelle/Werkstatt, bitte?
Where is the next service station/garage, please?

Volltanken, bitte! - *Fill it up, please!*

… Liter	Normal	verbleit
… litre[s]/gallon[s]	*regular*	*leaded*
	Super *super* Diesel *diesel*	bleifrei *unleaded*

Bitte kontrollieren Sie den Ölstand/Reifendruck!
Please check the oil/tires!

Die	Kupplung	ist/sind defekt.
The	*clutch*	*isn't/aren't working.*

Zündung - *spark plug*; Bremsen - *brakes*; Scheibenwischer - *windshield wiper*; Scheinwerfer - *headlights/taillights/rear*; der Motor - *the engine*; Auspuff - *exhaust*

Der Wagen/Das Motorrad springt nicht an - *The car/The motorcycle won't start*
Die Batterie ist leer - *The battery is dead*
Haben sie Ersatzteile? - *Do you have spare parts?*

Bis wann können Sie … reparieren? - *When can you have … repaired?*

2. Öffentliche Verkehrsmittel - *Public Transportation*

2.1 Im Reisebüro/Plätze buchen - *At the travel agency/reservations*

Wieviel kostet eine Reise nach ... ? - How much is a trip to ...?

ein Flug - *a flight;* eine Fahrkarte - *a ticket;* eine Überfahrt - *a crossing*

Wieviel kostet eine Hinfahrkarte/Rückfahrkarte nach ...?
How much does a one-way ticket/return ticket to ... cost?
Gibt es eine Ermäßigung für Studenten/Kinder/Senioren ?
Is there a discount for students/children/senior citizens?
Ich möchte diese Reise buchen
I would like to book this trip/vacation

diesen Flug umbuchen - *rebook this flight*; stornieren - *cancel*

Wieviele Plätze sind noch frei? - *How many vacant seats are there?*
Bis wann muß man sich anmelden? - *When is the latest one can make a final booking?*
Bitte reservieren Sie zwei Plätze - *Please, reserve two seats*
Ich möchte eine Reise-/Gepäckversicherung abschließen -
I would like to have travel-/baggage insurance

2.2 Mit der Bahn - *By train*

Eine einfache Fahrkarte/Hin- und Rückfahrkarte nach ..., bitte!
A one-way ticket/round tip ticket to ..., please.
Ich möchte einen Liegewagenplatz reservieren
I would like to reserve a couchette

Schlafwagen - *sleeping car*; Sitz - *seat* Fenster - *window seat*

Wo kann ich mein Gepäck aufgeben? - *Where can I check in my luggage?*
Auf welchem Gleis fährt der Zug nach ... ab?
Which platform does the train to ... leave/depart from?

kommt der Zug aus ... an? *arrive at?*

Wann kommt der Zug aus ...? - *When is the train from ... arriving?*
Wann habe ich Anschluß nach ...? - *When do I have a connection to ...?*

Wo muß ich umsteigen? - *Where do I have to change trains?*
Hat der Zug Verspätung? - *Is the train delayed?*
Ist hier noch frei? - *Is this seat vacant?*

- Wortliste *Vocabulary list*

Bahnhof - *station*
Gleis - *track*
Schalter - *window*
Fahrplan - *timetable/schedule*
Gepäckaufgabe - *baggage check-in*
Schließfach - *locker*
Wartesaal - *waiting room*
Schaffner - *conductor*
Abteil - *compartment*
Raucher- *smoking*
Nichtraucher - *non-smoking*
erste/zweite Klasse - *first/second class*

2.3 Mit dem Schiff - *By boat*

Ich möchte ein Ticket nach … Deckpassage
I would like a ticket to … deck passage

Touristenklasse - *tourist-class*; Einzel-kabine *single cabine*; Zweibett-kabine - *double cabine;* innen/außen - *inside/outside*

Was kostet die Überfahrt für ein Auto und zwei Personen?
How much does it cost for one car and two persons to cross?
Von welchem Kai/wann laufen wir aus?
When and from which quay are we departing?
Ist die See ruhig? - *Is the sea calm?*
Wie lange sind wir auf See? - *How long is the crossing?*
Mir ist schlecht! Haben Sie etwas gegen Seekrankheit?
I feel sick! Do you have anything for seasickness?

- Wortliste - *Vocabulary list*

Hafen - *habour/port*
Kai - *quay*
Fähre - *ferry*
Sonnen-/Fahrzeugdeck - *sun-deck/car deck*
Kabine - *cabin*
Kapitän - *captain*
Speisesaal - *dining room*
Schwimmweste - *swimming vest/life jacket*
Rettungsring/-boot - *life raft/life boat*

2.4 Mit dem Flugzeug - *By plane*

Ich möchte einen Linienflug nach … buchen
I would like to book a sheduled flight to …

Charterflug - *charter flight*; Last-minute-Flug *last-minute*

Mit welcher Fluggesellschaft fliegen wir? - *Which airline are we flying with?*
Wo ist der Schalter der … (Lufthansa)? - *Where is the Lufthansa counter?*
Wieviel Kilo Gepäck sind frei? - *What is the normal baggage weight allowance?*
Was kostet das Kilo Übergewicht? - *How much is excess baggage/luggage?*
Gilt das als Handgepäck? - *Is this considered as a carry-on/carry-on baggage?*
Die Maschine nach … startet um … Uhr - *The plane to … takes off at … o'clock*
hat 30 min. Verspätung - *has a 30 min. delay*

Bitte anschnallen! - *Please, fasten your seatbelts*
Bitte Rauchen einstellen! - *Please, refrain from smoking*

- Wortliste - *Vocabulary list*

Direktflug - *direct flight*
Zwischenstop - *stop-over*
Paßkontrolle - *passport control*
Gepäckkontrolle - *baggage check/control*
Zollfreier Einkauf - *duty free shopping*
Pilot - *pilot*
Steward/Stewardeß - *steward/stewardess*
Sicherheitsgurt - *safety belt*
Notausgang - *emergency exit*

3. Formalitäten an der Grenze - *Formalities at the border*

3.1 Personenkontrolle - *Customs*

Paßkontrolle! Ihre Papiere, bitte! - *Customs! Your passports, please!*

Darf ich Ihren Personalausweis sehen?
May I look at your personal identification, please?

Reisepaß - *passport*; Führerschein - *driver's licence/license* Ihre Fahrzeugpapiere - *vehicle documents*; Ihren Impfpaß - *certificate of vaccination*

Haben Sie eine Einreiseerlaubnis/ein Visum? - *Do you have an entry permit/a visa?*

Wie lange wollen Sie bleiben? - *How long will you be staying?*

Sind Sie geimpft gegen Malaria?
Have you been vaccinated against malaria?

Cholera - *cholera*; Gelbsucht - *jaundice*; Pocken - *small pox*

Ihr Visum/Reisepaß ist ungültig/ist abgelaufen - *Your visa/passport is invalid/has expired*
Sie bekommen Ersatzpapiere - *You will receive temporary documents*

Bitte sagen Sie mir Ihren Vor-/Familiennamen - *Please, tell me your name/surname*

Ihre Heimatadresse - *home address*; Ihre Staatsangehörigkeit - *nationality*

3.2 Warenkontrolle - *Baggage Inspection/Inspection of goods*

Zollkontrolle! Bitte öffnen Sie den Kofferraum
Customs! Please, open your trunk/boot

den Koffer - *suitcase*; die Tasche - *[hand] bag*

Haben Sie etwas zu verzollen? Zigaretten?
Do you have anything to declare? cigarettes (tobacco)?

Alkohol - *alcohol*; Schmuck - *jewellery*; Devisen - *foreign exchange*

Ihr Gepäck muß durchsucht werden! - *We have to search your baggage.*
Wir müssen Sie durchsuchen! - *We have to do a body search.*
Es ist verboten … einzuführen/auszuführen - *It is not permitted to import/export …*

Wieviel Zoll muß ich bezahlen? - *How much customs do I have to pay?*

-Wortliste - *Vocabulary list*

Zollbeamte - *customs officer*
zollfrei - *duty free*
Zollgebühren - *custom charges*
zollpflichtig - *no custom charges*
Ein-/Ausfuhr - *import/export*
Durchsuchung - *inspection*
Schmuggel - *smuggling*
Beschlagnahmung - *confiscation*

III. Urlaubsort - *The holiday resort*

1. Unterkunft

1.1. Unterkunft (im Hotel) - *Accommodations (at a hotel)*

a) Frage nach Hotel - *Hotel enquiries*

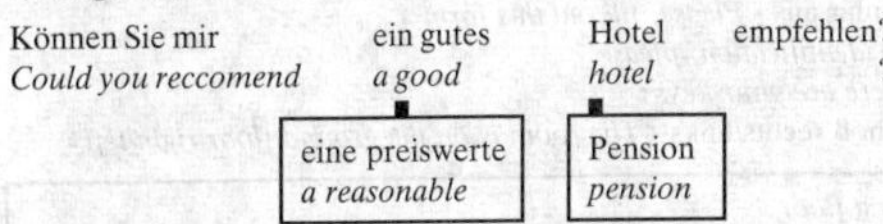

Können Sie mir	ein gutes	Hotel	empfehlen?
Could you reccomend	*a good*	*hotel*	?
	eine preiswerte *a reasonable*	Pension *pension*	

Wie komme ich dort hin? - *How do I get there*?
Ist es ruhig/zentral gelegen? - *Is it centrally located?/Does it have a quiet/central location*?
Haben Sie noch Zimmer frei? - *Do you have any vacancies*?
Was kostet ein Doppel-/Einzelzimmer? - *How much is a double /single room*

b) Frage nach Service/Leistungen - *Inquiry about the service*

- Mahlzeiten - *Mealtimes*

Ich hätte gerne ein Zimmer mit Frühstück/Halbpension/Vollpension
I would like to have room with breakfast/half-board accommodation/full accommodation

Ist das Frühstück inbegriffen? - *Is breakfast included*?

Bitte bringen Sie mir das Frühstück auf's Zimmer - *Please, serve me breakfast in my room.*

Wo ist	der Frühstücksraum ? - der Speisesaal	*Where is*	*breakfast being served*? *the dining room*?

Kann man auch à la carte speisen? - *Can one also dine à la carte*?
Von wann bis wann sind die Mahlzeiten? - *What hours are you serving meals*?

- Ausstattung der Zimmer - *Room Furnishings*

Ich hätte gerne	ein	Einzel-/Doppelzimmer	mit …
I would like	*a*	*single-/double room*	*with a …*

Dusche - *shower*; Bad - *bathroom*; WC - *toilet*; Balkon - *balcony*;
Blick auf's Meer - *an ocean view*; Fernseher - *T.V.*; Telefon - *telephone*;
zwei getrennten Betten - *two seperate beds*; zwei Zimmer mit Verbindungstüre - *seperate rooms with a connecting door*

Es gibt leider nur eine Etagendusche/-toilette -
Unfortunately, there are only hall showers and bathrooms
Kann man ein zusätzliches Bett in's Zimmer stellen? - *Could one put an extra bed in the room*?
Kann ich mir das Zimmer anschauen? - *May I look at the room*?

- Zusätzliche Leistungen - *Extra services*

Gibt es	ein	(beheiztes) Freibad
Is there	*a*	*heated outdoor pool*

ein Hallenbad - *an indoor swimming pool*; einen Fitnessraum - *fitness room*;
eine Liegewiese - *sun bathing area/lounging area*; einen Badestrand - *beach*;
einen Kinderspielplatz - *play ground*; ein Fernsehzimmer - *lounge/sitting room*;
eine Garage - *garage*; einen Aufzug - *lift/elevator*

c) Ankunft/Zimmer reservieren - *arrival/room reservation*

Bitte reservieren Sie ein Einzel-/Doppelzimmer mit Dusche/WC
Please, reserve a single-/double room with shower/bathroom
Wieviel kostet das Zimmer pro Nacht/Woche mit Halb-/Vollpension?
How much is a room per night/week with half-/full-board accommodation?
Gibt es eine Kinderermäßigung? - *Is there a discount/reduction for children?*
Bitte füllen Sie dieses Formular aus - *Please, fill out this form*
Ihren Ausweis, bitte - *Your identification, please*
Hier sind ihre Schlüssel - *Here are your keys*
Das Zimmer ist im Erdgeschoß rechts/links - *The room is on the ground floor right/left*

im ersten Stock - *on the first floor*

Wo kann ich mein Auto parken? - *Where can I park my car?*
Bitte bringen Sie mein Gepäck auf mein Zimmer - *Please, bring my luggage to my room.*

d) Frage nach Extraservice - *Inquiry about extra service*

Bitte bringen Sie mir das Frühstück auf's Zimmer
Please, bring me my breakfast to my room.

noch eine Decke - *another blanket*; ein Kissen - *a pillow*; ein Handtuch - *a towel*; Kleiderbügel - *a clotheshanger*;

Bitte wecken Sie mich morgen früh um 8 Uhr - *I'd like a wake up call at 8:00 a.m., please*
Könnten Sie diese Kleider bitte waschen/bügeln - *Could you wash/iron these clothes for me*

e) Beschwerden - *Complaints*

Die Dusche funktioniert nicht
The shower isn't working

die Spülung - *flusher*; Heizung - *heater;* der Fernseher - *T.V.*; der Aufzug - *lift*; das Licht - *light*; das warme Wasser - *warm water*;

Die Toilette/das Waschbecken ist verstopft - *The toilet/sink is blocked/stopped up*
Das Zimmer ist schmutzig - The *room is dirty*
Die Betten sind nicht gemacht worden - *The beds haven't been made*
Es ist zu laut - *It is too noisy/loud*
Die Rechnung stimmt nicht - *The bill is not correct*

f) Abreise/Zimmer abchecken - *Departure/Checking out of the room*

Wir reisen heute abend/morgen früh ab - *We are departing/leaving this evening/tomorrow morning*
Bis wann muß das Zimmer geräumt werden? - *When do we have to be out of the room?*
Bitte machen Sie die Rechnung fertig - *Could you prepare the bill?*
Ich bezahle mit Schecks. - *I'm paying by cheque/check*
Bitte bringen sie mein Gepäck zum Auto - *Please, bring my luggage to the car*
Bitte rufen Sie mir ein Taxi - *Please, call a taxi for me*
Das Trinkgeld für die Bedienung - *That's the tip for the waitress*

1.2 Unterkunft (Campingplatz) - *Accommodation (camping area/site)*

a) Frage nach Campingplatz - *Inquiry about a camping site*

Gibt es hier einen Campingplatz? - *Is there a camping site here?*
Darf man hier wild zelten? - *Are you allowed to open camp here?*
Haben Sie noch Plätze frei? - *Do you have another vacant spot/area?*
Vermieten Sie Wohnmobile? - *Do you rent mobile homes?*

b) Ausstattung - *Furnishings*

Gibt es hier ein Lebensmittelgeschäft? - *Is there a grocery store here*?

ein Restaurant - *restaurant*; eine Disco - *disco*; einen Stromanschluß - *electrical outlet*; eine Waschmaschine - *washing machine*

Wo sind die Waschräume - *Where are the bathrooms*

die Duschen - *showers*; die Toiletten - *toilets/bathrooms*

c) Platz reservieren - *Reserving an area*

Wieviel kostet ein Zelt pro Nacht?
How much is a tent per night?

ein Auto - *car*; ein Wohnwagen - *camper*

Wir bleiben zwei Tage - *We are staying two days*
Wo kann ich das Zelt aufstellen?
Where can I set up the tent?

den Wohnwagen - *camper?*

Ich hätte gerne einen Platz im Schatten - *I would like to have a spot in the shade*

2. Im Restaurant - *At a restaurant*

2.1 Frage nach Restaurant/Vorbestellung - *Inquiry about a restaurant/advanced ordering*

Wo gibt es hier ein gutes Restaurant? - *Where is there a good restaurant?*

ein preiswertes - *reasonable*; ein Restaurant mit landesüblichen Spezialitäten - *an ethnic restaurant*; eine Pizzeria - *pizzeria*

Ist dieser Tisch noch frei? - *Is this table vacant/available*?
Bitte reservieren Sie einen Tisch für zwei Personen -
Would you please reserve a table for two (persons)

2.2 Bestellung - *Order*

Herr Ober, die Speisekarte bitte! - *Waiter,the menu, please!*
Können Sie uns etwas empfehlen? - *Could you recommend us something*?
Als Vorspeise nehme ich… - *As an appetizer/starter/hors d'oeuvre, I'll take*

Hauptgericht - *main course*; Nachspeise - *For dessert*

Zu Trinken hätte ich gerne ein Glas … - *To drink, I' d like to have a glass of …*

eine Flasche … - *bottle of …*

Ich bin noch hungrig/durstig, bitte bringen Sie mir …
I'm still hungry/thirsty, please bring me (another)

2.3 Speisen und Getränke - *Food and Beverages*

a) Vorspeisen/Suppen - *Appetizers/Soups*

Melone mit Schinken - *melon with ham*
Austern - *oysters*
Pastete - *devilled*
gemischter Salat - *tossed salad*
Gemüsesuppe - *vegetable soup*

Fleischbrühe - *bouillon*
Spargel-Cremesuppe - *asparagus-cream soup*
Champignon - *mushroom*
Tomaten - *tomato*

b) Fleischgerichte - *Meat dishes*

Schweine-fleisch - *pork*
Rinder-fleisch - *beef*
Kalb-fleisch - *veal*
Lamm-fleisch - *lamb*
Hammel-fleisch - *mutton*

Pferde-fleisch - *horse*
Kalb-/Schweine-Schnitzel - *veal/pork cutlet*
Kotelette - *chop, cutlet*
Steak - *steak*

Filet - *fillet, sirloin*
Braten - *pot-roast*

Frikadelle - *seasoned meatball*
Würstchen - *small sausage*

Wild - *wild*
Reh - *deer*
Hirsch - *venison*

Wildschwein - *wild pork*
Hase - *hare/rabbit*
Kaninchen - *rabbit*

Geflügel - *poultry*
Huhn - *chicken*
Ente - *duck*

Gans - *goose*
Truthahn - *turkey*
Fasan - *pheasant*

Fisch - *Fish*
Aal - *eel*
Kabeljau - *cod*
Hering - *herring*
Scholle - *plaice*

Forelle - *trout*
Lachs - *salmon*
Seezunge - *sole*
Thunfisch - *tuna fish*

Eigenschaften - *Methods of preparing the food*

Speisen - *food*

gekocht - *boiled*
gebraten - *fried*
durch - *well done*
medium - *medium*
kurz angebraten - *rare (done)*
am Spieß - *spit-roasted*
in der Pfanne - *in the pan/frying*
geräuchert - *smoked*
gefüllt - *stuffed*
gewürzt - *spiced/seasoned*
eingelegt - *pickeled*
frittiert - *deep-fried*
roh - *raw*
frisch - *fresh*
süß - *sweet*

sauer - *sour*
salzig - *salty*
fett - *greasy*
mager - *lean*
zäh - *tough*
zart - *tender*
saftig - *juicy*
trocken - *dry*
kalt - *cold*
warm - *warm*
pikant - *piquant/spicy*
mild - *mild*
hart - *hard*
weich - *soft*

c) Beilagen - *side orders*

Kartoffeln - potatoes
Kartoffelbrei - *mashed potatoes*
Klöße - *dumpling*
Kroketten - *croquette*

Pommes frites - *french fries*
Reis - *rice*
Nudeln - *noodles*

Bohnen - *beans*
Spargel - *asparagus*
Rotkraut - *red cabbage*
Erbsen - *peas*
Karotten - *carrots*
Spinat - *spinach*

Blumenkohl - *cauliflower*
Zwiebeln - *onions*
Pilze - *mushrooms*
Grüner Salat - *tossed salad (garden salad)*
Tomaten - *tomatoes*
Gurken - *cucumbers*

d) Süß- und Eierspeisen - *sweet dishes and egg dishes*

Spiegelei - *fried egg/sunny-side-up*
Rührei - *scrambbled eggs*
Omelette - *omelette*
gekochtes Ei - *boiled egg*

Pfannkuchen - *pan cakes*
Dampfnudeln - *sweet dumpling*
Kuchen - *cake*
Kompott - *stewed fruit*

e) Desserts - *Desserts*

Eis - Vanille, Erdbeer, Schokolade, Zitrone -
ice cream - vanilla, strawberry, chocolate, lemon
Sahne - *whip cream*
Pudding - *pudding*
Kuchen - *cake*
Gebäck - *pastries (baked goods)*

Rote Grütze - *a type of red fruit jelly*
Obstsalat - *fruit salad*
Käse - *cheese*
Obst - *fruit*

f) Getränke - *Beverages*

Heiße Getränke - *Warm drinks*
Kaffee - *coffee*
Koffeinfreier Kaffee *decaffeinated coffee*
Schwarzer-Tee - *black tea*
Kräuter - *herbal*
Früchte - *fruit*
Heiße Schokolade - *hot chocolate*

Cappucino - *cappucino*
Espresso - *espresso*
mit Milch - *with milk*
Sahne - *cream*
Zitrone - *lemon*
Zucker - *sugar*

alkoholfreie Getränke - *non-alcoholic beverages*
Mineralwasser - *mineral water [non] carbonated*
Limonade - *soft drink*
Coca Cola - *coke*
Orangen - Saft - *orange juice*

Apfel- *apple*
Tomaten - *tomatoe*
Schorle - *spritzer*

alkoholische Getränke - *alkoholic beverages*
Rotwein - *wine red*
weiß - *white*
trocken - *dry*
süß - *sweet*
Apfelwein - *apple wine*
Sekt - *sparkling wine*
Champagner - *champagne*

Bier hell - *beerclear*

dunkel - *black/brown*
vom Faß - *from tap*

Likör - *liquor*
Schnaps - *schnapps*
Whisky - *whiskey*

2.4 Beanstandungen - *Complaints*

das Essen ist zu fett - *this food is too greasy*

versalzen - *too salty*; kalt - *cold*; nicht frisch - *not fresh*; ungenießbar - *not very good*

Hier fehlt ein Besteck - *a set of silverware is missing here*

ein Glas - *a glass*

Das habe ich nicht bestellt - *That's not what I ordered*
Nehmen sie das zurück - *Please, take this away*

2.5 Rechnung - *Bill*

Ich möchte bitte zahlen - *I would like to pay, please.*
Alles zusammen/getrennt bitte - *All together/seperate bills, please.*

Ist die Bedienung inklusive? - *Is the service inclusive?*

das Gedeck - *place setting*; die Mehrwertsteuer - *tax*

Die Rechnung stimmt nicht, ich hatte … - *The bill is not correct, I had …*
Der Rest ist für Sie - *The rest is for you.*
Stimmt so - *Keep the change*

- Wortliste - *Vocabulary list*

das Frühstück - *breakfast*
das Mittagessen - *lunch*
das Abendessen - *supper/dinner*

das Speiselokal - *a place to eat*
die Eisdiele - *ice cream shop/parlour*
die Kneipe/Bar - *pub*

Geschirr und Besteck - *Dishes and silverware*
das Messer - *the knife*
das Fischmesser - fish knife
die Gabel - *fork*
Kuchengabel - *cake/dessert fork*
der Löffel - *spoon*
Teelöffel - *tea spoon*
der Teller - *plate*

Suppenteller - *soup plate*
das Glas - *glass*
die Tasse - *cup*
die Kanne - *pot*
die Schüssel - *bowl*
die Serviette - *napkin*

Gewürze - *Spices*
Zucker - *sugar*
Salz - *salt*
Pfeffer - *pepper*

Knoblauch - *garlic*
Essig - *vinegar*
Öl - *oil*

(Weitere Lebensmittel siehe "Einkauf", Kapitel III.5)
(For additional food items see "shopping", cap. III.5)

3. Sehenswürdigkeiten - *Sights*

3.1 Besichtigungen in der Stadt - *Sights in the city/town*

Kann man das Museum besichtigen? - *Can one tour/go inside the museum?*

die Kirche - *the church*; das Schloß - *the castle*

Wann ist … geöffnet? - *When is … open*?
Gibt es eine (deutschsprachige) Führung? - *Is there a guided tour in German*?

eine Stadtrundfahrt? - *tour around the city*?

Wann beginnt …? - *When does the … begin*?
Von wem wurde es erbaut? - *Who bulit it*?
Wann wurde es erbaut? - *When was it built*?
Darf man fotografieren? - *Is one allowed to take pictures*?

-Wortliste - Vocabulary list

Abtei - *abbey*
Altar - *altar*
Ausstellung - *exhibition/display*
Burg - *castle*
Denkmal - *monument*
Gemälde - *painting*
Kapelle - *chapel*
Palast - *palace*
Theater - *theatre*
Tempel - *tempel*
Turm - *tower*
Mittelalter - *middle ages*
Barock - *baroque*
Gotik - *Gothic*

3.2 Landschaften - *Countryside*

Ich möchte		an die Küste	fahren
I would like	*to go for a trip*	*to the Ocean*	
		ins Gebirge	
	to go on an excursion	*to the mountains*	

Es gibt	Busfahrten	nach …
There are	*bustrips*	*to …*

Rundfahrten - *round trips*; Bootstouren - *boat tours*; Wanderwege - *hiking trails*

- Wortliste - *Vocabulary list*

Meer - *sea*
Küste - *coast*
Strand - *beach*
See - *lake*
Fluß - *river*
Insel - *island*

Gebirge - *mountains*
Schlucht - *gorge*
Grotte - *grotto*
Tropfsteinhöhle - *dripstone cave*
Berg - *mountain*
Seilbahn - *cable railway*

4. Unterhaltung/Kontakte - *Entertainment/Communication*

4.1 Theater/Kino/Konzerte - *Theatre/Cinema/Concerts*

Was wird heute abend	im Theater	gespielt?
What is playing this evening	*at the theatre*?	

im Kino - *at the cinema*?

Können Sie mir ein gutes Theaterstück empfehlen?
Could you suggest a good play to me?

ein gutes Konzert - *a good concert*; einen guten Film - *a good movie*

Wo kann man Karten kaufen?
Where can one get/buy tickets?

vorbestellen - *order in advance*

Wieviel kostet eine Eintrittskarte? - *How much is the admission?*
Bitte reservieren Sie zwei Plätze - *Would you reserve two seats please*
Wie lange dauert die Vorstellung? - *How long does the show last?*

4.2 Sport/Freizeit:

Welche Sportarten kann man hier betreiben? - *What type of exercice can one do here?*
Gibt es hier ein Schwimmbad? - *Is there a swimming pool here?*

ein Hallenbad - *an indoor pool*; ein Freibad - *an outdoor pool*; einen Tennisplatz - *a tennis court*; einen Golfplatz - *a golf course;* einen Reitstall - *a riding-stable*; eine Surfschule - *a surf school*

Kann man hier baden
Can one swim here?

surfen - *surf*; tauchen - scuba dive; angeln - *fish*; wandern/klettern - *hike/mountain climb*; ausreiten - *go horseback riding*; Volleyball spielen - *play volley ball*; Wasserski fahren - *go water skiing*

Wo kann man Fahrräder ausleihen?
Where can you rent bicycles

Ich möchte ein Surfbrett ausleihen
I would like to rent a surfboard

ein Tret-/Ruder-/Motorboot - *a paddle/row/motor boat*; (Wasser-)Skier - *some waterskis*

Ich bin Anfänger/fortgeschritten - *I'm a beginner/I'm experienced*
Ich spiele … - *I play …*
Gibt es hier eine Discothek? - *Is there a disco?*

ein Tanzlokal - *a dancing place*; eine Bar - *a bar*; einen Nightclub - *a nightclub*

4.3 Kontakte knüpfen - *Meeting people*

Ich würde Sie gerne kennenlernen - *I would like to get to know you*
Sie sind mir schon seit längerem aufgefallen - *I have noticed you for quite some time now*
Wie heißen Sie? - *What is your name?*
Woher kommen Sie? - *Where are you from?*
Sind Sie schon lange hier? *Have you been here long?*
Bleiben Sie noch länger hier? *Are you staying for a longer period here?*

Hätten Sie Lust, mit mir ins Kino zu gehen?
Would you like to go to the cinema with me?

ins Theater - *to the theatre*; auf ein Konzert - *to a concert*; tanzen - *dancing*; spazieren - *walking*

Möchten Sie etwas trinken? - *Would you like something to drink?*
Rauchen Sie? Stört es Sie, wenn ich rauche? - *Do you smoke? Do you mind if I smoke?*
Wollen wir (noch einmal) tanzen? - *Shall we dance once again?*
Sie sehen sehr gut aus - *You are very good looking*

Wollen wir noch ein bißchen spazierengehen? - *Shall we go for a little walk*?

bei mir zu Hause noch etwas trinken? - *have another drink at my place*?

Darf ich Sie nach Hause begleiten/fahren? - *May I drive/see you home*
Ich würde Sie gerne wiedersehen - *I would really like to see you again*
Wollen wir uns morgen wieder treffen? - *Would you like to meet again tomorrow*?

5. Einkaufen - *Shopping*

5.1 Fragen, Preise, Handel - *Questions, Prices, Commerce*

Ich suche ein Modegeschäft
I'm looking for a clothing shop/store

ein Schmuckgeschäft - *jewellery shop*; ein Schuhgeschäft - *shoe shop*

Können Sie mir … empfehlen? - *Could you recommend a … to me*?
Haben Sie …? - *Do you have …*?
Zeigen Sie mir bitte … - *Would you show me …*
Ich suche … - *I'm looking for …*
Wieviel kostet es? - *How much does it cost*?
Das ist zu teuer! Können Sie mir einen Rabatt gewähren?
That's too expensive! Could you give me a discount?
Haben Sie noch etwas Anderes/Billigeres? - *Do you have something else/cheaper-less expensive*?
Ich nehme es - *I'll take it*

zwei … - *a few*; ein Pfund … - *a pound …*

Kann ich mit DM bezahlen
Can I pay in D-Marks

Schecks - *with cheque/check*; Kreditkarte - *with credit cards*

5.2 Mode - *Fashion*

5.2.1 Bekleidung - *Clothing*

Ich suche	ein Kleid	in	weiß	aus	Baumwolle
I'm looking for	*a dress*	*in*	*white*	*made of*	*cotton*
	einen Rock		schwarz		Leinen
	skirt		*black*		*linen*
	eine Jeanshose		rot		Wolle
	pair of jeans/pants		*red*		*wool*
	einen Pullover		blau		Seide
	pullover/sweater		*blue*		*satin*
	eine Jacke		grün		Leder
	jacket		*green*		*synthetic*
	einen Mantel		gelb		
	coat		*yellow*		
	eine Bluse		grau		
	blouse/shirt		*grey*		
	einen Badeanzug		beige		
	bathing suit		*beige*		

Welche Konfektionsgröße haben Sie? - *What is your size*?
Welches Muster wünschen Sie? Uni
Which pattern/design would you like? solid

kariert - *plaid*; gestreift - *stiped*; mit Punkten - *polka-dot*; geblümt - *flowered*

Kann ich es anprobieren? - *Can I try it on, please*?

Es ist zu eng - *It is too tight*

weit - *loose/baggy*; groß - *big*; klein - *small*; kurz - *short*; lang - *long*

Haben Sie noch etwas Moderneres ?
Do you have something more fashionable/in style

Eleganteres - *elegant*; Preiswerteres - *reasonable*

Es paßt. Ich nehme es. - *It fits. I'll take it.*

5.2.2 Schuhe - *Shoes*

Ich suche ein Paar bequeme Sandalen
I'm looking for a pair of comfortable sandals

moderne Pumps - *fashionable pumps*; robuste Halbschuhe - *sturdy shoes*; elegante Stiefel - *dress boots*; Turnschuhe - *tennis shoes*; Badeschuhe - *plastic sandals*; Herrenschuhe - *men's shoes*; Damenschuhe - *women's shoes*; Kinderschuhe - *children's shoes*; Gummistiefel - *galoshes*;

Ich habe Schuhgröße … - *I wear/am a size …*

Die Schuhe sind zu eng
The shoes are too small

weit - *wide*; groß - *big*

5.3 Schmuck/Uhren - *Jewellery/Watches*

Ich hätte gerne *I would like*	einen *a*	Ring *ring*	aus *made of*	Gold *gold*
	ein	Armband - *braclet;*		Silber - *silver*;
	eine	Kette - *necklace;*		Holz - *wood*;
	eine	Brosche - *brooch;*		Perlen - *pear*;
		Ohrringe - *some earrings;*		Weißgold- *white gold*
	eine	Armbanduhr - *wristwatch*;		

Meine Uhr geht nicht mehr - *My watch doesn't work any more/is broken.*
Kann man bei ihnen … reparieren lassen? - *Can I get my … repaired here*?

- Wortliste - *Vocabulary list*

Handarbeit - *handcraft/work*
Modeschmuck - *fashion jewellery*
echt/unecht - *genuine/fake*
Edelstein - *precious stone*
Koralle - *coral*
Türkis - *turquoise*
Perlmutt - *mother-of-pearl*
Plastik - *plastic*
handgemacht - *hand-made*

5.4 Fotogeschäft - *Camera shop*

Ich hätte gerne	einen Farbfilm	mit 24 Bildern
I would like some	*colored film*	*with 24 exposures*
	einen Schwarz-weiß-Film -	mit 36 Bildern -
	black and white film;	*with 36 exposures*
	Dia-Film -	
	slide film	

Bitte entwickeln Sie diesen Film - *Would you develop this [roll of] film for me, please*?
Wann sind die Bilder fertig? - *When will the pictures be ready*?
Können Sie ... reparieren? - *Could you repair ... for me, please*?
Ich hätte gerne 2 Abzüge, bitte. - *I would like 2 prints, please.*

- Wortliste - *Vocabulary list*

Negativ - *negative*
Abzug - *print*
Dia - *slide*
Format - *format*
matt/glänzend - *matt/gloss*
Auslöser - *shutter release*
Batterie - *battery*
Blitz - *flash*
Bilder - *exposures*
Lichtempfindlichkeit - *speed*

5.5 Tabakladen - *Tobacco shop*

Ich möchte ein Päckchen Zigaretten - *I would like a pack of cigarettes*

Zigarren - *cigars*; Zigarettenpapier mit Filter - *cigarette papers with filters*;
Tabak - *tobacco*; Streichhölzer - *matches*; ein Feuerzeug - *a lighter*

Haben Sie auch	ausländische Zigaretten?
Do you also have	*foreign/imported cigarettes*?

Ansichtskarten - *postcards*; Briefmarken - *stamps*;
Telefonkarten - *telephone cards*; Stadtpläne - *maps*;

5.6 Lebensmittel - *Groceries*

Gibt es hier	einen	Supermarkt	?
Is there a		*supermarket*	*here/nearby*?

einen Bäcker - *bakery*; einen Metzger - *butchers*; einen Obst-/Gemüseladen - *fruit and vegetable market*; einen Markt - *shop/store*

Bitte geben Sie mir	ein	Pfund ...	von ...
Please give me	*a*	*pound*	*of...*

ein Kilo - *kilo*; ein [halbes] Dutzend - *[half-dozen] dozen*; ein Stück - *piece*;
eine Scheibe - *slice*; ein paar - *few*

- Wortliste: Lebensmittel für Selbstversorger - *Groceries for self-carterers*

Brot - *bread*
Brötchen - *rolls*
Butter - *butter*
Wurst - *lunch meat/cold cuts*
Salami - *salami*
Käse - *cheese*
Schinken - *ham*
Marmelade - *jelly*

Honig - *honey*
Yoghurt - *yogurt*
Kekse - *cookies*
Schokolade - *chocolate*
Kuchen - *cake*
Zucker - *sugar*
Salz - *salt*

Äpfel - *apples*
Orangen - *oranges*
Bananen - *bananas*
Weintrauben - *grapes*
Birnen - *pears*

Pfirsiche - *peaches*
Tomaten - *tomatoes*
Gurken - *cucumbers*
Salat - *lettuce*

Bier - *beer*
Mineralwasser - *mineral water*
Limonade - *soft drink*
Kaffee - *coffee*

Tee - *tea*
Milch - *milk*
Wein - *wine*

Weitere Lebensmittel siehe "Speisen und Getränke" Kap. 3.2.3.!
For additional food items see "shopping", cap.3.2.3.!

6. Beim Friseur - *At the hairdresser's*

Können sie mir einen Herrenfriseur empfehlen?
Could you recommend me a barber

Damen - *hairdresser*

Brauche ich einen Termin? - *Do I need an appointment*?
Wann kann ich zu ihnen kommen? - *When do you have an open appointment*?
Waschen und legen. - *Wash and set.*
Ich möchte mir die Haare tönen lassen
I would like to get/have my hair toned

färben - *colored*; aufhellen - *high lightened*

Ich möchte eine Dauerwelle - *I would like to get a perm/my hair permed*

Schneiden Sie bitte die Haare vorne/hinten/oben/an den Seiten etwas kürzer -
Cut the front/back/top/sides of my hair a little bit shorter,please

Schneiden Sie bitte nur die Spitzen - *I just want a trim/the ends cut*

Nicht zu kurz, bitte - *Not too short, please*
Haareschneiden und Rasieren, bitte - *Haircut and shave, please*
Wieviel macht das? - *How much [will that be]* ?

- Wortliste - *Vocabulary list*

kurz/kürzer - *short/shorter*
lang/länger - *long/longer*
glatt/lockig - *straight/curly*
rechts/links - *right/left*
waschen - *wash*
schneiden - *cut*
fönen - *blow-dry*
toupieren - *tease*
einlegen - *set*
rasieren - *shave*

Frisur - hair style
Bart - beard
Perücke - wig
Scheitel - part
Fön - *blow dryer*

Bürste/Kamm - *brush/comb*
Wickler - *curler*
Festiger - *conditioner*
Schampoo - *schampoo*
Haarspray - *hairspray*
Haargel - *hairgel*
Haarschaum - *styling mousse*
Maniküre - *manicure*
Pettiküre - *petticure*
Make-up - *make-up*

7. POST/TELEFON - *Post office and Telephone*

1. Frage nach dem Weg - *Asking directions*

Wo ist ein Postamt - *Where is a post office*

eine Telefonzelle - *telephone box*; ein Briefkasten - *mailbox*

Wann ist der Schalter geöffnet? - *When is the counter open*?

2. Am Schalter - *At the counter*

Aufträge - *Transactions*

Ich möchte	ein	Telegramm	aufgeben	nach	Deutschland
I'd like to send	*a*	*telegram*		*to*	*Germany*
	einen	(Eil-)Brief			Österreich
	an	*express letter*		*to*	*Austria*
	ein	Fax		in die	Schweiz
	a	*fax*		*to*	*Switzerland*

telefonieren
I would like *to call*
ein Ferngespräch führen - *make a long distance call*

Informationen - *Information*

Wieviel kostet	das	Porto	für	eine	Karte	nach…	
How much does	*the*	*postage*	*on*	*a*	*[post]card*	*to …*	*cost?*
	eine	Briefmarke		einen	Brief	ins Ausland	
	a	*stamp*	*for*	*a*	*letter*		

Wieviel kostet es	ein	Päckchen	abzuschicken?
How much does it cost to send	*a*	*small package*	
	ein	Paket	
	a	*package*	
	eine	Drucksache	
	a	*printed matter*	

Wieviel kostet ein Ferngespräch nach ...?
How much does a long distance phone call to ... cost?
Wie lautet die Telefonnummer von ...
What is the telephone number of ...

die Vorwahl - *the prefix number*; die Adresse - *the address*; die Postleitzahl - *the zip code/post code*

- Wortliste: - *Vocabulary list*

"Mit Luftpost" - *by/with airmail*
"Postlagernd" - *poste restante*
Postsparbuch - *post office saving books*
Postscheck - *giro cheque (BRIT)*
Postüberweisung - *money order*
Postschließfach - *post office box*
Telefonauskunft - *telephone directory/operator*

Ich möchte diesen Brief abschicken - *I would like to send/mail this letter*
Bitte senden sie mir meine Post nach - *Please, forward my mail to me*

8. Bank/Geld - *Bank/Money*

8.1 Frage nach dem Weg: - *How to ask for directions:*

Wo ist eine Bank/eine Wechselstube?
Where is a bank/an exchange office?

8.2 Information/Geld umtauschen - *Information/Money exchange*

Wie steht der Kurs für Deutsche Mark
What is the exchange rate on D-Mark

Österreichische Schillinge - *the Austrian Schilling*; Schweizer Franken - *the Swiss Franc*

Bitte tauschen sie mir ... um - *Please, change/exchange ... to ... for me*

Das ist zu wenig! - *That is not enough.*
Nehmen sie auch Schecks an? - *Do you accept cheques/checks?*
Haben sie eine Kurstabelle? - *Do you have an exchange rate chart?*
Muß ich Gebühren zahlen? - *Do I have to pay service charges?*

8.3 Andere Bankoperationen - *Other bank services*

Ich möchte Geld abheben
I would like to withdraw money

einzahlen - *pay*; umtauschen - *exchange*; überweisen - *transfer*; deponieren - *deposit*

Ich möchte ein Konto eröffnen
I would like to *open an account*

auflösen - *close an account*; sperren - *freeze an account*; einen (Reise-/Euro-)Scheck einlösen - *cash a traveler's /an Eurocheque/check* einen Kredit aufnehmen - *I would like to get credit*; eine Versicherung abschließen - *I would like to take out an insurance policy*

- Wortliste: - *Vocabulary list*

das Bankformular - *bankform*
die Quittung - *receipt*
das Girokonto - *current account*
das Sparbuch - *savings book*
die Zinsen (hoch/niedrig) - *interest (high/low)*
die Prozente - *percentage*
die Banknote - *banknote/bill*
die Münze - *coin*
die Börse - *stocks/stockmarket*
die Börsenkurse - *stocks rate*
die Überweisung - *transfer*
der Wechselkurs - *exchange rate*
die Unterschrift - *signature*
einzahlen - *depostit*
auszahlen/abheben - *withdraw*
umwechseln - *change*
unterschreiben - *sign*

IV. Notfälle (Krankheit, Unfall u. Panne, Diebstahl)

Emergency (Illness, accidents and breakdowns, theft)

1. Notfälle - Wichtigste Redewendungen -

Emergencies - Most important phrases

"Zu Hilfe!" - *Help!*
"Bitte helfen Sie uns!" - *Please, help us!*
Wir brauchen einen Arzt! - *We need a doctor!*
Schnell, ein Krankenwagen! - *Fast, call an ambulance!*
Ich bin verletzt! - *I'm hurt!*
Wo ist das nächste Krankenhaus? - *Where is the next hospital*?
Holen Sie die Polizei! - *Get the police!*
Ich bin bestohlen worden! - *I've been robbed*
Wo kann ich telefonieren? - *Where can I use a phone*?

2. Im Krankenhaus - *At the hospital*

2.1 Nach Arzt/Krankenhaus fragen - *Inquiry about a doctor/hospital*

Wo finde ich einen	...
Where can I find a	...
Bringen sie mich zu einem	Allgemein-Arzt
Take me to a	*general doctor*

Zahnarzt - *dentist;* Kinderarzt - *children's doctor/pediatrician*; Frauenarzt - *gynaecologist*; Notarzt - *doctor on call*; Unfallarzt - *specialist for accident*; Internisten - *specialist for internal injuries*; Psychiater - *psychiatrist*;

Wo finde ich	ein	Krankenhaus
Where can I find	*a*	*hospital*

Eine Erste-Hilfe-Station - *an emergency center/first-aid station*; eine Apotheke - *a pharmacy*;

Wann ist Sprechstunde? - *When are the office hours*?

2.2 Anmeldung - *Sign in/Register*

Haben sie	eine	Krankenversicherung
Do you have	*a*	*health/medical insurance*

einen Krankenschein - *record of medical insurance*; eine Überweisung - *transfer*; einen Termin - *an appointment*

In welcher Krankenkasse sind sie? - *What is the name of your insurance company*?
Sind sie ein Notfall? - *Is it an emergency case*?
Gehen sie bitte ins Wartezimmer/Sprechzimmer - *Please, go to the waiting room/office*

2.3 Beim Arzt - *At the doctor's*

2.3.1 Beschwerden vortragen - *To file complaints*

Ich habe Schmerzen/Ich bin krank - *I have pain/I'm ill*
Ich leide an Durchfall - *I'm suffering from diarrhea*

Verstopfung - *constipation*; Übelkeit - *nausea*; Magenschmerzen - *stomach ache*; Herzschmerzen - *heart pain*; Kopfschmerzen - *head ache*; Menstruationsschmerzen - *menstruation pain/cramps*; Schlaflosigkeit - *insomnia*; Seekrankheit - *sea sickness*; Mattigkeit - *weariness*; Ohnmachtsanfällen - *unconsciousness*;

Ich habe eine Erkältung mit Fieber
I have a cold with a fever

Husten - *cough*; Schnupfen - *runny nose*; Schüttelfrost - *shrivers*; Halsschmerzen - *sore throat*; Kopfschmerzen - *head ache*; Zahnschmerzen - *tooth ache*; Ohrenschmerzen - *ear ache*; Gliederschmerzen - *aching joints*

Ich habe einen Sonnenbrand - *I have a sunburn*
Ich habe einen Sonnenstich - *I'm suffering from a heat stroke/sun stroke*

Ich habe eine Verbrennung
I have a burn

eine Vergiftung - *a poisoning*; eine Entzündung - *an inflammation*; eine Infektion - *an infection*; einen Ausschlag - *a rash*; eine Allergie - *an allergie*; eine Schwellung - *a swelling*; einen Hexenschuß - *a lumbago*

Ich habe mir das Bein gebrochen
I broke my leg

bruised / *sprained* / *twisted*

den Fuß - *my foot*; den Knöchel - *my ankle*; das Gelenk - *my joint*; den Arm - *my arm*

geprellt; verstaucht; verrenkt

Ich bin allergisch gegen ... - *I'm allergic to ...*
Ich bin schwanger - *I am pregnant*
Ich bin gestochen/gebissen worden von ... - *I have been stung/bitten by ...*

Ich brauche eine Arznei gegen Durchfall
I need a medicine for diarrhea

Tabletten - *some pills* - Tropfen - *some drops;* eine Salbe - *an ointment*

Verstopfung - *constipation;* Kopfschmerzen - *a headache;* Sonnenbrand - *(a) sunburn*

Ich brauche eine Verbandwatte
I need some cotton balls

eine Binde - *a bandage*; Heftpflaster - *a plaster*; ein Fieberthermometer - *a thermometer*; Krücken - *crutches*

2.3.2 Untersuchung - *Check-up*

Sie müssen untersucht werden
You need a check-up

verbunden - *to be bandaged*; geröntgt - *to be X-rayed*; geimpft - *to be vaccinated*; operiert - *to be operated on*

Sie bekommen eine Spritze
You will receive an injection

einen Verband - *a bandage*; einen Gips - *a cast*; eine Narkose - *an anaesthesia*; ein Schmerz-/Beruhigungsmittel - *a pain-killer*; eine Arznei - *some medicine*; *a medicament*

Bitte machen sie sich frei! - *Please, undress.*
Tut das weh? - *Does that hurt? Do you feel any pain? Is it painful*?
Seit wann haben sie Schmerzen? - *Since when have you been feeling pain [having pains]*?
Wo haben Sie Schmerzen? - *Where does it hurt?/Where do you feel pain*?

2.3.3 Verordnungen - *Ordinance*

Sie werden ins Krankenhaus überwiesen
You will be transfered to a hospital

in eine Spezialklinik - *to a special clinic*; zu einem Facharzt - *to a specialist*

Sie müssen sich schonen
You must take care of yourself
Sie müssen im Bett bleiben
You have to stay in bed

Diät leben - *stick a diet/stay on a diet*; weniger rauchen/trinken - *start smoking less/drinking less*

Nehmen sie diese Tabletten drei mal täglich
Take these tablets three times a day

Tropfen *drops*	morgens und abends *once in the morning and once at night*

Es ist nichts Ernstes - *It is nothing serious*

3. Bei Unfällen und Pannen - *Accidents and breakdowns*

Ich habe einen Unfall/eine Panne gehabt
I had an accident/a breakdown

Mein Auto ist kaputt
My car is broken down

muß abgeschleppt werden - *must be towed*

Wo ist hier eine Notrufsäule
Where is an emergency center around here?

eine Werkstatt - *a [car] garage*

Holen sie die Polizei
Get the police

den Notarzt - *a doctor*; einen Krankenwagen - *an ambulance*; die Feuerwehr - *the fire departement*;

Gibt es Verletzte? - *Is anybody hurt?*
Achtung, Explosionsgefahr! - *Attention, explosive!*
Ich bin versichert - *I'm insured*
Es war meine/Ihre Schuld - *It was my/your fault*
Können sie mein Zeuge sein? - *Could you be my witness?*

4. Diebstahl - *Theft*

Ich bin bestohlen worden! - *I have been robbed!*

4.1 Frage nach der Polizeistation - *Inquiry about the police station*

Wo ist die Polizeistation
Where is the police station?

ein Polizist - *a policeman*; die deutsche Botschaft - *the German Embassy*; das deutsche Konsulat - *the German consulate*

4.2 Vorfall schildern - *Describing an accident*

Mein(e) Papiere sind/ist gestohlen worden
My documents have/has been stolen

Personalausweis - *identification*; Reisepaß - *visa*; Führerschein - *driver's licence/license*; Reiseschecks - *traveller's cheques/checks*; Tickets - *tickets*; Auto - *car*; Geld - *money*; Schmuck - *jewellery*; Fotoapparat - *camera*; Videokamera - *video-camera*; Kleider - *clothes*; Gepäck - *Luggage*; Brieftasche - *briefcase*; Handtasche - *handbag*; Koffer - *suitcase* ;Rucksack - *backpack*

Ich bin belästigt worden
I have been harassed

bedroht - *threatened*; erpreßt - *forced*; verprügelt - *beaten*

4.3 Anzeige erstatten - *To file a report*

Ich erstatte Anzeige wegen Diebstahls
I am filing a report due to a theft

Raubes - *a robbery*; Körperverletzung - *bodily harm*

Ich brauche einen Anwalt
I need a attorney/lawyer

einen Dolmetscher - *an interpreter*; Ersatzpapiere - *temporary papers/documents*

Ich habe Zeugen
I have a witness

Beweise - *a proof*; einen Verdacht - *a suspicion*

Ich bin versichert/Meine Versicherung zahlt alles!
I'm insured/My insurance will cover everything

V. Zeitangaben/Daten - *Time/Dates*

1. Uhrzeit - *Time*

Wieviel Uhr ist es? - *What time is it?*
Es ist 5 Uhr - It's 5 o'clock

5 Uhr 5 - *5 past 5*; 5 Uhr 15 (viertel nach fünf) - *a quarter past 5*; 5 Uhr 30 (halb sechs) - *five thirty*; 5 Uhr 45 (viertel vor sechs) - *five forty-five (a quarter to/till 6)*; Mittag - *12 o'clock a.m.*; Mitternacht - *12 o'clock p.m.*

2. Allgemeine Zeitangaben - *General time references*

Um 5 Uhr - *at five o'clock*
Seit 5 Uhr - *since five o'clock*
Von 5 bis 6 Uhr - *From 5 to 6 o'clock*
Vor 5 Uhr - *to/till 5 o'clock*
Nach 5 Uhr - *after/past 5 o'clock*

heute - *today*
gestern - *yesterday*
morgen - *tomorrow*
übermorgen - *the day after tomorrow*
am Wochenende - *at the weekend*
morgens - *[early] mornings*
vormittags/ am Vormittag - *mornings*
mittags - *noontime*
nachmittags - *afternoons*
abends - *evenings*
nachts - *nights*
vor 10 Minuten - *10 minutes ago*
vor einer Stunde - *one hour ago*
letzte/nächste Woche - *last/next week*
in einem Monat - *in one month*
in einem Jahr - *in one year*
zu früh/zu spät - *too early/too late*

3. Wochentage - *Weekdays*

Montag/montags - *Monday/Mondays*
Dienstag - *Tuesday*
Mittwoch - *Wednesday*
Donnerstag - *Thursday*
Freitag - *Friday*
Samstag - *Saturday*
Sonntag - *Sunday*

4. Monate - *Months*

Januar - *January*
Februar - *February*
März - *March*
April - *April*
Mai - *May*
Juni - *June*
Juli - *July*
August - *August*
September - *September*
Oktober - *October*
November - *November*
Dezember - *December*

5. Jahreszeiten - *Dates*

Frühling - *spring*
Sommer - *summer*
Herbst - *fall/autumn*
Winter - *winter*

6. Datum - *date*

Den wievielten haben wir heute? - *What is today's date*?
Den 5. März - *March 5;*
Wann hast du Geburtstag? - *When is your birthday*?
Am 5. Februar - *On February 5 / On the 5th of February*

VI. Zahlen - *Numbers*

0
zero
1
one
2
two
3
three
4
four
5
five
6
six
7
seven
8
eight
9
nine
10
ten
11
eleven
12
twelve
13
thirteen
14
fourteen
15
fifteen
16
sixteen
17
seventeen
18
eighteen
19
nineteen
20
twenty
21
twenty-one
22
twenty-two
23
twenty-three
30
thirty
31
thirty-one
40
forty
50
fifty
60
sixty
70
seventy
71
seventy-one
72
seventy-two
80
eighty
81
eighty-one
82
eighty-two
90
ninety
91
ninety-one
92
ninety-two
100
hundred
120
hundred and twenty
189
hundred and eighty-nine
200
two hundred
1000
a/one thousand
10000
ten thousand
1000000
a/one million
1 000 000 000
a/one milliard (BRIT)
a/one billion (AM)
1 000 000 000 000
a/one billion (BRIT)
a/one trillion (AM)

Musterbriefe

ENQUIRY FOR HOUSEHOLD APPLIANCES

Messrs. Peter Snell & Co., 16 Bond Street, London W5L, DL2

Exportgesellschaft Fischer
Semmelstraße 10
2000 Hamburg 1

April 6, 19__

Dear Sirs,

We have seen your advertisment in the latest issue of "Export Journal" in which you offer household appliances such as mixers, blenders, dishwashers, washing machines, electric kettles etc. As we are in the market for such household appliances and are anxious to keep our assortment up-to-date, we would ask you to send us your illustrated catalogue stating all necessary details.

We look forward to your early reply.

Yours faithfully,

Peter Snell

OFFER FOR HOUSEHOLD APPLIANCES

Exportgesellschaft Fischer, Semmelstraße 10, 2000 Hamburg 1

Messrs. Peter Snell & Co.
16 Bond Street,
London W5L, DL2

April 17, 19__

Dear Sirs,

We thank you for your enquiry of April 6 and are pleased to note your interest in our fine line of products. Please find enclosed our catalogue giving you a basic outline of the complete range of our products as well as technical data.

As we are anxious to extend our business activities to the British market, we are prepared to help you by allowing special conditions. The prices quoted in the attached price list are to be understood specifically for London, seaworthy packing included. In order to ease the introduction of our goods into the British market we will grant you track discount of 25% on the list prices. Our terms of payment are documents against payment. Delivery can be effected immediately after receipt of order.

Should you require any further information, please let us know.

Yours faithfully,

Peter Kernzer

LETTER OF **COMPLAINT**

T.W. Parker & Co. Ltd, 10 Shaftesburg Avenue, London SW1, 71P

Messrs. Arnold & Co. April 6, 19__
8 Vauxhall Street
London EC 6, 5AQ

Dear Sirs,

We have received your consignment – our order No. 0014 of June 19__ – and regret to inform you that the goods supplied are far below the standard of the samples that were sent to us in February.

As these goods are unsuited to our needs, we must ask you to take them back and to replace them by those ordered by us. If it appears, however, that the standard of the goods is below the sample on which we ordered, please understand that we have no other choice but to cancel this order.

We look forward to receiving your early reply. One of the goods is returned for your inspection by mail.

Yours faithfully

T.W. Parker

PAYMENT

Fletcher Designs, 2 Bamburg Road, Manchester 7AP, 6QU

Knight Engineering Ltd, March 25, 19__
12 Breutwood Drive,
London 7NQ, 2Q

Dear Sirs,

We are pleased to inform you that the consignment – our order No. 133 – has arrived in good condition. In order to settle your invoice our bankers have been instructed to transfer the amount of invoice to your account at the Commerz-Bank, Dortmund. Please acknowledge receipt.

Yours faithfully,

David Fletcher